PHILIP'S

NAVIGATOR®

France

Contents

Inside front cover: key to road map pages

1 Road maps of France

1 Key to road map pages of France • Key to map symbols

2 Road maps of France at 1:200 000

352 Index

352 Département and administrative map

353 Index of road maps of France

426 Town plans

426 Key to town plan symbols

428	Aix-en-Provence	442	Le Havre	458	Paris suburbs
429	Amiens	443	Lille	462	Paris streets
430	Angers	444	Lyon	464	Pau
431	Avignon	446	Limoges	465	Perpignan
432	Besançon	447	Le Mans	466	Poitiers
433	Bordeaux	448	Marseille	467	Reims
434	Bourges	449	Metz	468	Rennes
435	Caen	450	Montpellier	469	La Rochelle
436	Calais	451	Mulhouse	470	Rouen
437	Cannes	452	Nancy	471	Saint-Étienne
438	Clermont-Ferrand	453	Nantes	472	Strasbourg
439	Colmar	454	Nice	473	Toulon
440	Dijon	456	Nîmes	474	Toulouse
441	Grenoble	457	Orléans	475	Tours

476 Town plans on your smartphone: Ajaccio · Annecy · Arles · Bastia · Bayonne · Biarritz · Blois · Carcassonne · Châlons-en-Champagne · Chalon-sur-Saône · Chambéry · Chartres · Lorient · Monaco · Nevers · Troyes

477 Motorway services

477 Key to motorway services map pages

478 Key to motorway services map symbols

479 Motorway services maps

499 Road maps of Europe

498 Political map of Europe

499 Key to road map pages of Europe

500 Road maps of Europe at 1:3 500 000

Inside back cover: distances and journey times

www.philips-maps.co.uk

Published by Philip's, a division of Octopus Publishing Group Ltd
www.octopusbooks.co.uk
Carmelite House, 50 Victoria Embankment
London EC4Y 0DZ
An Hachette UK Company
www.hachette.co.uk

First edition 2017
First impression 2017

ISBN 978 1 84907 463 6

Cartography by Michelin

Édition 2017 Dressée par Michelin Travel Partner © 2017 Michelin, Propriétaires-éditeurs Société par actions simplifi ée au capital de 11 288 880 EUR
27 Cours de l'Île Seguin - 92100 Boulogne-Billancourt (France)
R.C.S. Nanterre 433 677 721

QR Code est une marque déposée de DENSO WAVE INCORPORATED
*Accès libre hors frais de connexion éventuels par votre fournisseur d'accès (roaming)
Dépot légal Novembre 2016

Printed in China

Key to road map pages of France at 1:200 000

Légende	Key	Zeichenerklärung
Routes	**Roads**	**Straßen**
Autoroute - Station-service - Aire de repos	Motorway - Petrol station - Rest area	Autobahn - Tankstelle - Tankstelle mit Raststätte
Double chaussée de type autoroutier	Dual carriageway with motorway characteristics	Schnellstraße mit getrennten Fahrbahnen
Échangeurs : complet - partiels	Interchanges: complete, limited	Anschlussstellen: Voll - bzw. Teilanschlussstellen
Numéros d'échangeurs	Interchange numbers	Anschlussstellennummern
Route de liaison internationale ou nationale	International and national road network	Internationale bzw.nationale Hauptverkehrsstraße
Route de liaison interrégionale ou de dégagement	Interregional and less congested road	Überregionale Verbindungsstraße oder Umleitungsstrecke
Route revêtue - non revêtue	Road surfaced - unsurfaced	Straße mit Belag - ohne Belag
Chemin d'exploitation - Sentier	Rough track - Footpath	Wirtschaftsweg - Pfad
Autoroute - Route en construction	Motorway - Road under construction	Autobahn - Straße im Bau
(le cas échéant : date de mise en service prévue)	(when available : with scheduled opening date)	(ggf. voraussichtliches Datum der Verkehrsfreigabe)
Largeur des routes	**Road widths**	**Straßenbreiten**
Chaussées séparées	Dual carriageway	Getrennte Fahrbahnen
4 voies	4 lanes	4 Fahrspuren
2 voies larges	2 wide lanes	2 breite Fahrspuren
2 voies	2 lanes	2 Fahrspuren
1 voie	1 lane	1 Fahrspur
Distances (totalisées et partielles)	**Distances (total and intermediate)**	**Entfernungen** (Gesamt- und Teilentfernungen)
Section à péage sur autoroute	Toll roads on motorway	Mautstrecke auf der Autobahn
Section libre sur autoroute	Toll-free section on motorway	Mautfreie Strecke auf der Autobahn
sur route	on road	Auf der Straße
Numérotation - Signalisation	**Numbering - Signs**	**Nummerierung - Wegweisung**
Route européenne - Autoroute	European route - Motorway	Europastraße - Autobahn
Route métropolitaine	Metropolitan road	Straße der Metropolregion
Route nationale - départementale	National road - Departmental road	Nationalstraße - Departementstraße
Alertes Sécurité	**Safety Warnings**	**Sicherheitsalerts.**
Forte déclivité (flèches dans le sens de la montée)	Steep hill (ascent in direction of the arrow)	Starke Steigung (Steigung in Pfeilrichtung)
de 5 à 9%, de 9 à 13%, 13% et plus	5 - 9%, 9 -13%, 13% +	5-9%, 9-13%, 13% und mehr
Col et sa cote d'altitude	Pass and its height above sea level	Pass mit Höhenangabe
Parcours difficile ou dangereux	Difficult or dangerous section of road	Schwierige oder gefährliche Strecke
Passages de la route : à niveau - supérieur - inférieur	Level crossing: railway passing, under road, over road	Bahnübergänge: schienengleich, Unterführung, Überführung
Hauteur limitée (au-dessous de 4,50 m)	Height limit (under 4.50 m)	Beschränkung der Durchfahrtshöhe (angegeben, wenn unter 4,50 m)
Limites de charge : d'un pont, d'une route (au-dessous de 19 t.)	Load limit of a bridge, of a road (under 19 t)	Höchstbelastung einer Straße/Brücke (angegeben, wenn unter 19 t)
Pont mobile - Barrière de péage	Swing bridge - Toll barrier	Bewegliche Brücke - Mautstelle
Route à sens unique	One way road	Einbahnstraße
Route réglementée	Road subject to restrictions	Straße mit Verkehrsbeschränkungen
Route interdite	Prohibited road	Gesperrte Straße
Transports	**Transportation**	**Verkehrsmittel**
Voie ferrée - Gare	Railway - Station	Bahnlinie - Bahnhof
Aéroport - Aérodrome	Airport - Airfield	Flughafen - Flugplatz
Transport des autos :	Transportation of vehicles:	Schiffsverbindungen:
par bateau	by boat	per Schiff
par bac	by ferry	per Fähre
Bac pour piétons et cycles	Ferry (passengers and cycles only)	Fähre für Personen und Fahrräder
Administration	**Administration**	**Verwaltung**
Frontière - Douane	National boundary - Customs post	Staatsgrenze - Zoll
Capitale de division administrative	Administrative district seat	Verwaltungshauptstadt
Sports - Loisirs	**Sport & Recreation Facilities**	**Sport - Freizeit**
Stade - Golf - Hippodrome	Stadium - Golf course - Horse racetrack	Stadion - Golfplatz - Pferderennbahn
Port de plaisance - Baignade - Parc aquatique	Pleasure boat harbour - Bathing place - Water park	Yachthafen - Strandbad - Badepark
Base ou parc de loisirs - Circuit automobile	Country park - Racing circuit	Freizeitanlage - Rennstrecke
Piste cyclable / Voie Verte	Cycle paths and nature trails	Radwege und autofreie Wege
Source : Association Française des Véloroutes et Voies Vertes	Source : Association Française des Véloroutes et Voies Vertes	Source : Association Française des Véloroutes et Voies Vertes
Refuge de montagne - Sentier de grande randonnée	Mountain refuge hut - Long distance footpath	Schutzhütte - Fernwanderweg
Curiosités	**Sights**	**Sehenswürdigkeiten**
Principales curiosités : voir LE GUIDE VERT	Principal sights: see THE GREEN GUIDE	Hauptsehenswürdigkeiten: siehe GRÜNER REISEFÜHRER
Table d'orientation - Panorama - Point de vue	Viewing table - Panoramic view - Viewpoint	Orientierungstafel - Rundblick - Aussichtspunkt
Parcours pittoresque	Scenic route	Landschaftlich schöne Strecke
Édifice religieux - Château - Ruines	Religious building - Historic house, castle - Ruins	Sakral-Bau - Schloss, Burg - Ruine
Monument mégalithique - Phare - Moulin à vent	Prehistoric monument - Lighthouse - Windmill	Vorgeschichtliches Steindenkmal - Leuchtturm - Windmühle
Train touristique - Cimetière militaire	Tourist train - Military cemetery	Museumseisenbahn-Linie - Soldatenfriedhof
Grotte - Autres curiosités	Cave - Other places of interest	Höhle - Sonstige Sehenswürdigkeit
Signes divers	**Other signs**	**Sonstige Zeichen**
Puits de pétrole ou de gaz - Carrière - Éolienne	Oil or gas well - Quarry - Wind turbine	Erdöl-, Erdgasförderstelle - Steinbruch - Windkraftanlage
Transporteur industriel aérien	Industrial cable way	Industrieschwebebahn
Usine - Barrage	Factory - Dam	Fabrik - Staudamm
Tour ou pylône de télécommunications	Telecommunications tower or mast	Funk-, Sendeturm
Raffinerie - Centrale électrique - Centrale nucléaire	Refinery - Power station - Nuclear Power Station	Raffinerie - Kraftwerk - Kernkraftwerk
Phare ou balise - Moulin à vent	Lighthouse or beacon - Windmill	Leuchtturm oder Leuchtfeuer - Windmühle
Château d'eau - Hôpital	Water tower - Hospital	Wasserturm - Krankenhaus
Église ou chapelle - Cimetière - Calvaire	Church or chapel - Cemetery - Wayside cross	Kirche oder Kapelle - Friedhof - Bildstock
Château - Fort - Ruines - Village étape	Castle - Fort - Ruines - Stopover village	Schloss, Burg - Fort, Festung - Ruine - Übernachtungsort
Grotte - Monument - Altiport	Grotte - Monument - Mountain airfield	Höhle - Denkmal - Landeplatz im Gebirge
Forêt ou bois - Forêt domaniale	Forest or wood - State forest	Wald oder Gehölz - Staatsforst

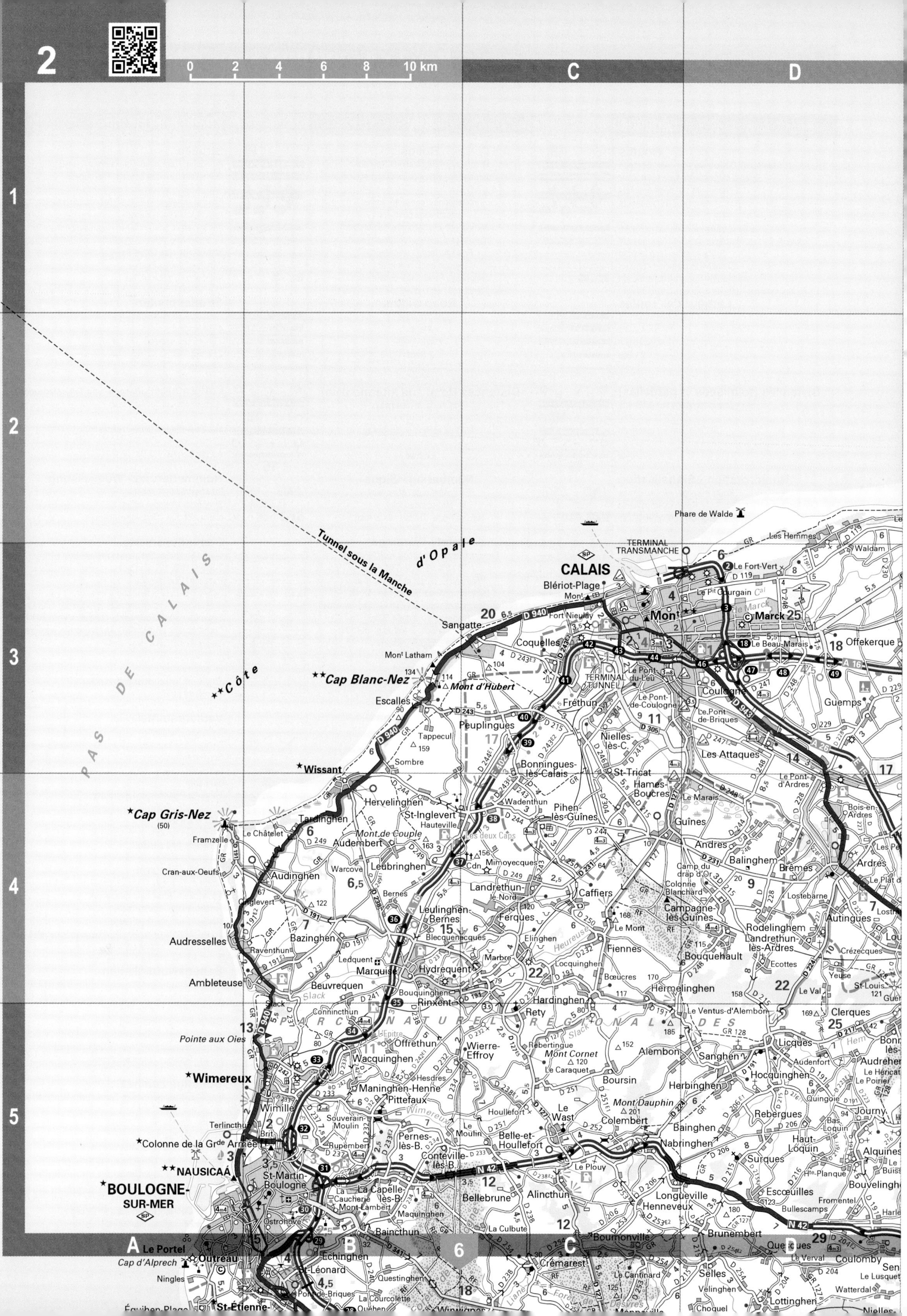
0 2 4 6 8 10 km
C
D
1
2
3
4
5
A
B
C
D
6
PAS DE CALAIS
Côte d'Opale
Tunnel sous la Manche
Phare de Walde
TERMINAL TRANSMANCHE
CALAIS
Blériot-Plage
Sangatte
Fort Nieulay
Coquelles
TERMINAL TUNNEL
Marck
Le Fort-Vert
Le Pt Courgain
Les Hemmes
Waldam
Offekerque
Le Beau-Marais
Coulogne
Le Pont-du-Leu
Le Pont-de-Coulogne
Le Pont-de-Briques
Guemps
Les Attaques
Le Pont-d'Ardres
Bois-en-Ardres
Ardres
Mont Latham
Cap Blanc-Nez
Mont d'Hubert
Escalles
Peuplingues
Fréthun
Nielles-lès-C.
Tappecul
Sombre
Wissant
Bonningues-lès-Calais
St-Tricat
Hames-Boucres
Le Marais
Guînes
Cap Gris-Nez
Le Châtelet
Framzelle
Tardinghen
Hervelinghen
St-Inglevert
Hauteville
Mont de Couple
Audembert
Les deux Caps
Pihen-lès-Guînes
Wadenthun
Andres
Balinghem
Brêmes
Cran-aux-Oeufs
Audinghen
Warcove
Leubringhen
Mimoyecques
Landrethun-le-Nord
Caffiers
Camp du drap d'Or
Colonne Blanchard
Campagne-lès-Guînes
Lostebarne
Autingues
Bernes
Leulinghen-Bernes
Ferques
Le Mont
Rodelinghem
Landrethun-lès-Ardres
Audresselles
Bazinghen
Blecquenecques
Elinghen
Fiennes
Bouquehault
Ecottes
Crézecques
Raventhun
Ledquent
Marquise
Hydrequent
Marbre
Locquinghen
Ambleteuse
Beuvrequen
Bouquinghen
Rinxent
Hardinghen
Bœucres
Hermelinghen
Le Val
St-Louis
Yeuse
Slack
Connincthun
Rety
Le Ventus-d'Alembon
Clerques
Pointe aux Oies
PARC NATUREL RÉGIONAL DES
Offrethun
Wierre-Effroy
Rebertingue
Mont Cornet
Le Caraquet
Alembon
Sanghen
Licques
Audenfort
Hocquinghen
Wimereux
Wacquinghen
Hesdres
Maninghen-Henne
Pittefaux
Boursin
Herbinghen
Wimille
Terlincthun
Souverain-Moulin
Houllefort
Le Wast
Mont Dauphin
Colembert
Bainghen
Rebergues
Haut-Loquin
Colonne de la Grde Armée
Pernes-lès-B.
Rupembert
Le Moulin
Belle-et-Houllefort
Nabringhen
Surques
Alquines
NAUSICAÁ
St-Martin-Boulogne
Conteville-lès-B.
Le Ploy
BOULOGNE-SUR-MER
La Capelle-lès-B.
La Caucherie
Mont-Lambert
Bellebrune
Alincthun
Longueville
Henneveux
Escœuilles
Bouvelinghen
Fromentel
Bullescamps
Ostrohove
Maquinghen
Baincthun
La Culbute
Bournonville
Brunembert
Quesques
Le Portel
Outreau
Cap d'Alprech
Echinghen
St-Léonard
Questinghen
Crémarest
Le Verval
Coulomby
Nesles
Pont-de-Briques
La Courcolette
Selles
Le Cantinard
Velinghen
Lottinghen
Watterdal
Le Lusquet
Équihen-Plage
St-Étienne-
Choquel
Nielles

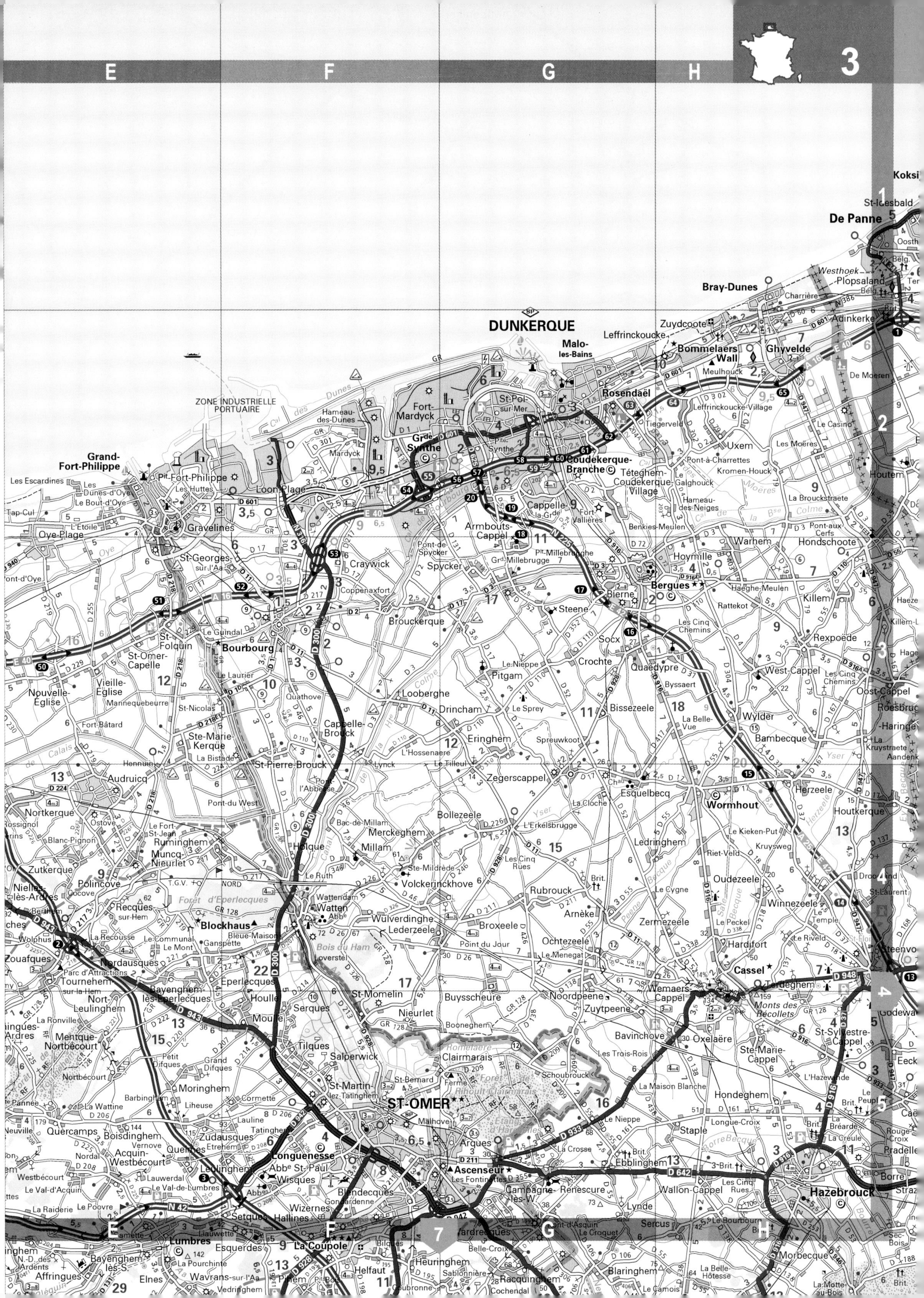

E
F
G
H
3
Koksijde
St-Idesbald
De Panne
Westhoek
Plopsaland
Bray-Dunes
Adinkerke
Zuydcoote
Leffrinckoucke
Bommelaers Wall
Ghyvelde
DUNKERQUE
Malo-les-Bains
ZONE INDUSTRIELLE PORTUAIRE
Hameau-des-Dunes
Fort-Mardyck
St-Pol-sur-Mer
Rosendaël
Grde Synthe
Mardyck
Coudekerque-Branche
Téteghem-Coudekerque-Village
Leffrinckoucke-Village
Tiegerveld
Uxem
Les Moëres
Le Casino
Pont-à-Charrettes
Kromen-Houck
Houtem
Grand-Fort-Philippe
Les Escardines
Loon-Plage
Pit-Fort-Philippe
Les Huttes
Le Bout-d'Oye
Tap-Cul
L'Etoile
Oye-Plage
Gravelines
Cappelle-la-Grde
Armbouts-Cappel
Pont-de-Spycker
Spycker
Craywick
St-Georges-sur-l'Aa
Coppenaxfort
Brouckerque
Bergues
Hoymille
Warhem
Hondschoote
Killem
Bierne
Steene
Socx
Crochte
Quaëdypre
Rexpoëde
West-Cappel
Oost-Cappel
Bourbourg
St-Folquin
St-Omer-Capelle
Vieille-Eglise
Nouvelle-Eglise
Looberghe
Drincham
Pitgam
Bissezeele
Wylder
Bambecque
Eringhem
Cappelle-Brouck
Ste-Marie-Kerque
St-Pierre-Brouck
Audruicq
Zegerscappel
Esquelbecq
Wormhout
Herzeele
Houtkerque
Nortkerque
Bollezeele
Merckeghem
Millam
Holque
Ledringhem
Ruminghem
Muncq-Nieurlet
Zutkerque
Polincove
Recques-sur-Hem
Blockhaus
Watten
Volckerinckhove
Rubrouck
Arnèke
Oudezeele
Winnezeele
Wulverdinghe
Lederzeele
Broxeele
Ochtezeele
Zermezeele
Hardifort
Cassel
Terdeghem
Steenvoorde
Nordausques
Tournehem-sur-la-Hem
Eperlecques
Houlle
Moulle
Serques
St-Momelin
Nieurlet
Buysscheure
Noordpeene
Zuytpeene
Wemaers-Cappel
Bavinchove
Oxelaëre
Ste-Marie-Cappel
St-Sylvestre-Cappel
Nort-Leulinghem
Nortbécourt
Tilques
Salperwick
Clairmarais
Forêt de Rihoult-Clairmarais
Moringhem
St-Martin-lez-Tatinghem
ST-OMER
Hondeghem
Quercamps
Boisdinghem
Zudausques
Longuenesse
Arques
Ebblinghem
Staple
Acquin-Westbécourt
Leulinghem
Wisques
Blendecques
Ascenseur
Campagne-lès-W.
Renescure
Lynde
Wallon-Cappel
Hazebrouck
Wizernes
Hallines
Setques
Lumbres
Esquerdes
La Coupole
Wardrecques
Sercus
Morbecque
Bayenghem-lès-S.
Affringues
Elnes
Wavrans-sur-l'Aa
Helfaut
Heuringhem
Racquinghem
Blaringhem
7

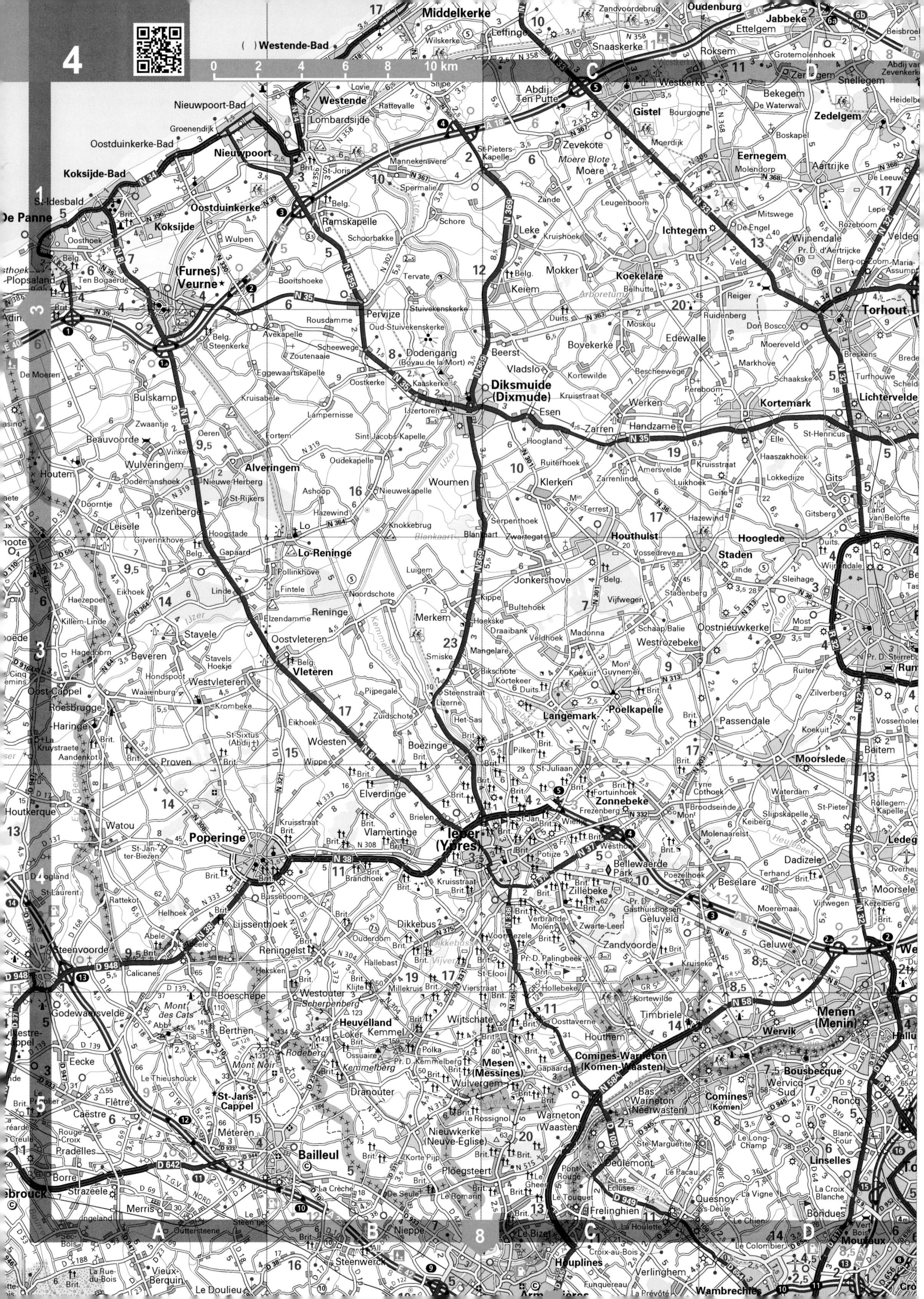

4
Westende-Bad
0 2 4 6 8 10 km
Middelkerke
Leffinge
Zandvoordebrug
Oudenburg
Jabbeke
Ettelgem
Snaaskerke
Roksem
Westkerke
Gistel
Zerkegem
Snellegem
Zedelgem
Westende
Lombardsijde
Nieuwpoort-Bad
Nieuwpoort
Oostduinkerke-Bad
Koksijde-Bad
St-Idesbald
De Panne
Oostduinkerke
Koksijde
Wulpen
Ramskapelle
St-Joris
Mannekensvere
Spermalie
Schore
Abdij Ten Putte
St-Pieters-Kapelle
Zevekote
Moere Blote
Moere
Zande
Leke
Eernegem
Aartrijke
Ichtegem
Koekelare
Keiem
Mokker
(Furnes) Veurne
Plopsaland
Adinkerke
Booitshoeke
Pervijze
Stuivekenskerke
Oud-Stuivekenskerke
Dodengang (Boyau de la Mort)
Beerst
Vladslo
Bovekerke
Edewalle
Torhout
Wijnendale
Lichtervelde
Kortemark
Diksmuide (Dixmude)
Esen
Zarren
Handzame
De Moeren
Bulskamp
Beauvoorde
Houtem
Wulveringem
Alveringem
Oostkerke
Kaaskerke
IJzertoren
Lampernisse
Oudekapelle
Sint-Jacobs-Kapelle
Woumen
Klerken
Houthulst
Hooglede
Staden
Gits
Izenberge
Leisele
Lo
Lo-Reninge
Reninge
Merkem
Jonkershove
Vijfwegen
Stadenberg
Oostnieuwkerke
Westrozebeke
Haezepoel
Stavele
Beveren
Oostvleteren
Vleteren
Westvleteren
Oost-Cappel
Roesbrugge-Haringe
Poelkapelle
Langemark
Passendale
Moorslede
Proven
Woesten
Boezinge
Elverdinge
Watou
Poperinge
Vlamertinge
Ieper (Ypres)
Zonnebeke
Frezenberg
Bellewaerde Park
Zillebeke
Geluveld
Beselare
Dadizele
Ledegem
Moorsele
Houtkerque
Steenvoorde
Abele
Reningelst
Dikkebus
Zandvoorde
Geluwe
Wervik
Menen (Menin)
Boeschepe
Godewaersvelde
Mont des Cats
Berthen
Westouter
Heuvelland
Kemmel
Loker
Wijtschate
Mesen (Messines)
Houthem
Comines-Warneton (Komen-Waasten)
Bousbecque
Wervicq-Sud
Comines (Komen)
Eecke
Flêtre
St-Jans-Cappel
Dranouter
Nieuwkerke (Neuve-Eglise)
Warneton (Waasten)
Caëstre
Méteren
Bailleul
Ploegsteert
Deûlémont
Linselles
Bondues
Pradelles
Borre
Strazeele
Merris
Nieppe
Le Bizet
Frelinghien
Quesnoy-s-Deûle
Steenwerck
Houplines
Verlinghem
Wambrechies
Mouvaux
A
B
C
D

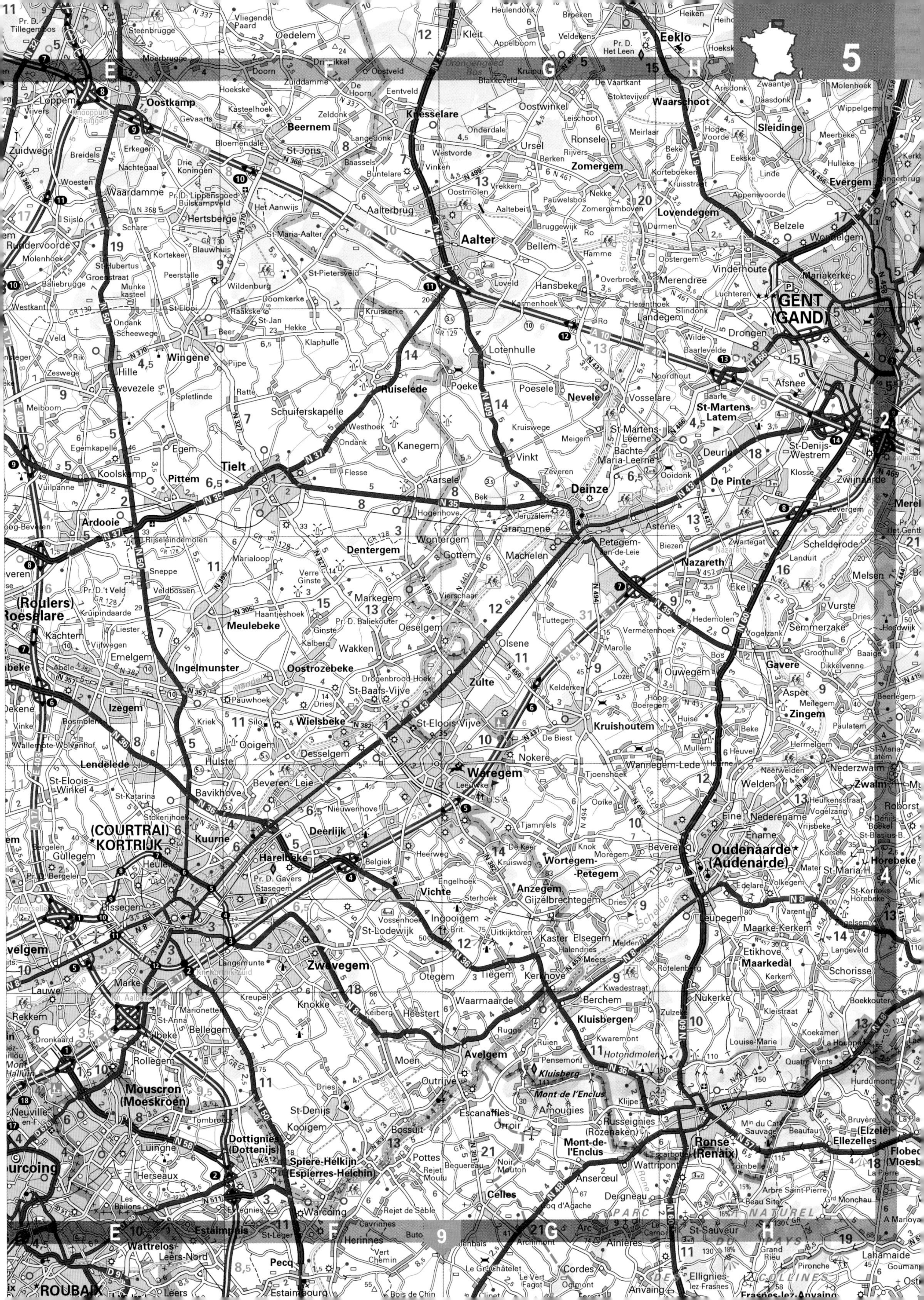
5
Eeklo
Kleit
Oedelem
Oostkamp
Beernem
Knesselare
Oostwinkel
Waarschoot
Sleidinge
Evergem
Zomergem
Ronsele
Ursel
Lovendegem
Zuidwege
Waardamme
Hertsberge
Aalterbrug
Aalter
Bellem
Belzele
Wondelgem
Vinderhoute
Mariakerke
GENT
(GAND)
Merendree
Landegem
Drongen
Hansbeke
Ruddervoorde
Wingene
Ruiselede
Lotenhulle
Poeke
Poesele
Nevele
Vosselare
Afsnee
St-Martens-Latem
Schuiferskapelle
Kanegem
Vinkt
Deurle
St-Denijs-Westrem
Zwijnaarde
Tielt
Pittem
Ardooie
Aarsele
Deinze
De Pinte
Dentergem
Wontergem
Gottem
Machelen
Petegem-aan-de-Leie
Astene
Nazareth
Scheldered
(Roulers)
Roeselare
Meulebeke
Markegem
Oeselgem
Olsene
Eke
Melsen
Semmerzake
Emelgem
Ingelmunster
Oostrozebeke
Wakken
Zulte
Gavere
Izegem
Wielsbeke
St-Baafs-Vijve
St-Eloois-Vijve
Kruishoutem
Zingem
Lendelede
Desselgem
Waregem
Nokere
Wannegem-Lede
Nederzwalm
Zwalm
Beveren-Leie
Deerlijk
Harelbeke
Kuurne
(COURTRAI)
KORTRIJK
Gullegem
Heule
Bissegem
Wevelgem
Vichte
Anzegem
Wortegem-Petegem
Oudenaarde
(Audenarde)
Eine
Ename
Bevere
Ingooigem
Kaster
Elsegem
Leupegem
Maarke-Kerkem
Etikhove
Maarkedal
Schorisse
Zwevegem
Otegem
Tiegem
Kerkhove
Marke
Lauwe
Knokke
Heestert
Waarmaarde
Berchem
Kluisbergen
Nukerke
Rekkem
Bellegem
Aalbeke
Rollegem
Moen
Avelgem
Kluisberg
Mont-de-l'Enclus
Mouscron
(Moeskroen)
Outrijve
Amougies
St-Denijs
Kooigem
Escanaffles
Orroir
Russeignies
(Rozenaken)
Ronse
(Renaix)
Ellezelles
(Elzele)
Flobecq
(Vloesberg)
Tourcoing
Luingne
Dottignies
(Dottenijs)
Spiere-Helkijn
(Espierres-Helchin)
Bossuit
Pottes
Celles
Mont-de-l'Enclus
Wattripont
Herseaux
Estaimpuis
Warcoing
Dergneau
Wattrelos
Leers-Nord
Pecq
ROUBAIX
Estaimbourg
St-Léger
Herinnes
Cavrinnes
Buto
Ainières
St-Sauveur
Cordes
Anvaing
Ellignies-lez-Frasnes
Frasnes-lez-Anvaing
Lahamaide
PARC NATUREL DU PAYS DES COLLINES
E 40
E 17
E 403
A 10
A 14
A 17
N 60
N 36
N 35
N 43
N 50
N 37
N 8
N 48
E
F
G
H

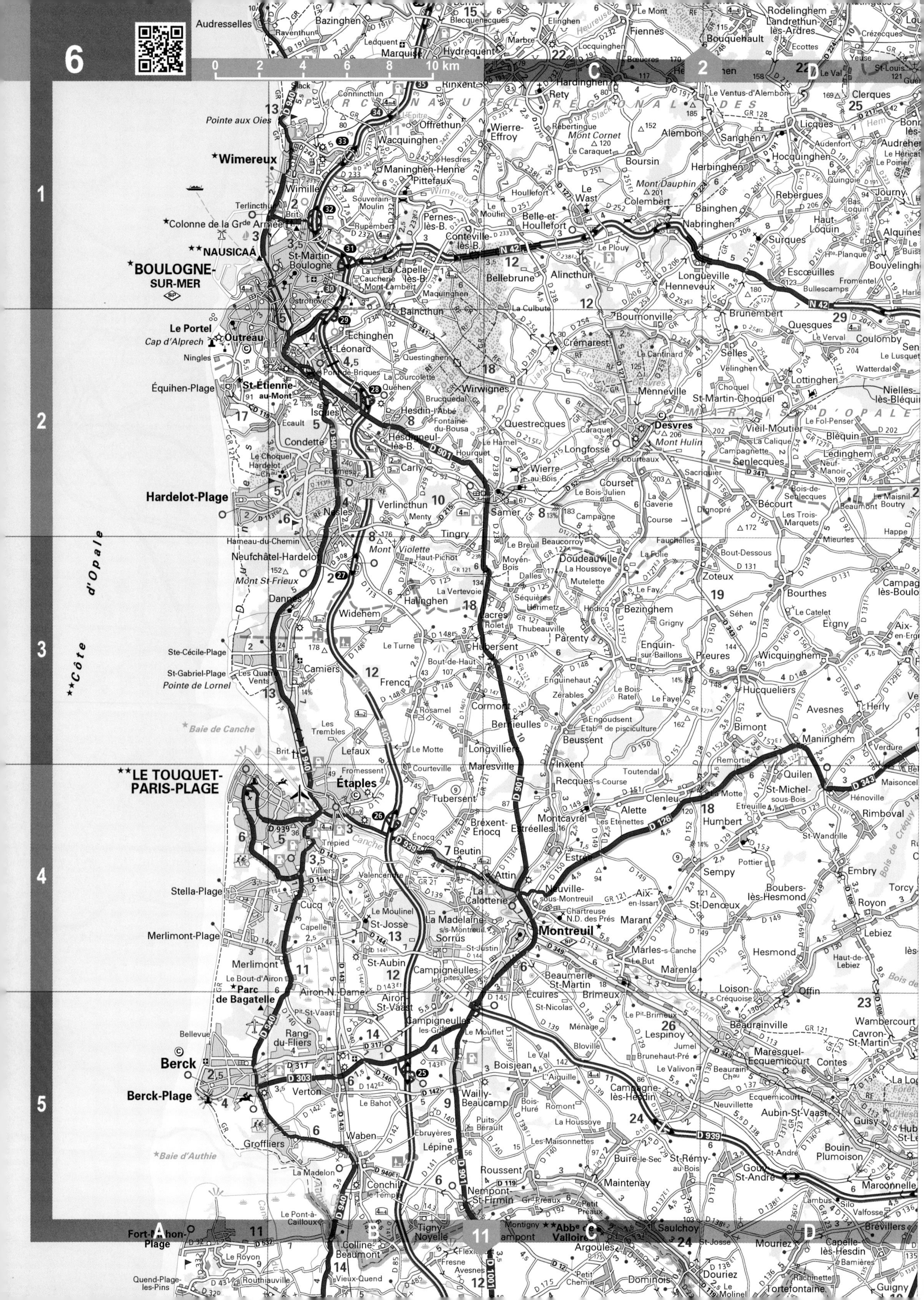

6
0 2 4 6 8 10 km
A
B
C
D
1
2
3
4
5
Audresselles
Bazinghen
Marquise
Hydrequent
Rinxent
Fiennes
Hardinghen
Rety
Licques
Clerques
Bouquehault
Rodelinghem
Landrethun-lès-Ardres
Pointe aux Oies
Wimereux
Wimille
Terlincthun
Colonne de la Grde Armée
NAUSICAÁ
BOULOGNE-SUR-MER
St-Martin-Boulogne
Ostrohove
Wacquinghen
Offrethun
Wierre-Effroy
Maninghen-Henne
Pittefaux
Souverain-Moulin
Pernes-lès-B.
Conteville-lès-B.
La Capelle-lès-B.
Bellebrune
Alincthun
Belle-et-Houllefort
Le Wast
Colembert
Alembon
Sanghen
Hocquinghen
Herbinghen
Mont Dauphin
Bainghen
Nabringhen
Rebergues
Surques
Longueville
Henneveux
Escœuilles
Bouvelinghem
Brunembert
Bournonville
Quesques
Coulomby
Le Portel
Outreau
Cap d'Alprech
Ningles
Équihen-Plage
St-Étienne-au-Mont
Echinghen
St-Léonard
Pont-de-Briques
Baincthun
Crémarest
Questinghen
La Courcolette
Quéhen
Wirwignes
Selles
Menneville
Lottinghen
Nielles-lès-Bléquin
Vieil-Moutier
Bléquin
Lédinghem
St-Martin-Choquel
Isques
Hesdin-l'Abbé
Condette
Hesdigneul-lès-B.
Carly
Questrecques
Longfossé
Desvres
Mont Hulin
Wierre-au-Bois
Courset
Senlecques
Hardelot-Plage
Nesles
Verlincthun
Samer
Tingry
Bécourt
Hameau-du-Chemin
Neufchâtel-Hardelot
Mont St-Frieux
Dannes
Widehem
Halinghen
Mont Violette
Doudeauville
Zoteux
Bourthes
Lacres
Hubersent
Parenty
Bezinghem
Enquin-sur-Baillons
Preures
Wicquinghem
Ergny
Ste-Cécile-Plage
St-Gabriel-Plage
Pointe de Lornel
Camiers
Frencq
Cormont
Hucqueliers
Avesnes
Herly
Baie de Canche
Lefaux
Bernieulles
Beussent
Bimont
Maninghem
LE TOUQUET-PARIS-PLAGE
Étaples
Longvilliers
Maresville
Inxent
Recques-s-Course
Clenleu
Tubersent
Bréxent-Énocq
Estréelles
Montcavrel
Alette
Humbert
Quilen
St-Michel-sous-Bois
Rimboval
Trépied
Villiers
Beutin
Attin
Estrée
Sempy
Embry
Stella-Plage
Cucq
La Calotterie
Neuville-sous-Montreuil
Aix-en-Issart
St-Denœux
Boubers-lès-Hesmond
Royon
Merlimont-Plage
St-Josse
La Madelaine s/s-Montreuil
Sorrus
Montreuil
Marant
Lebiez
Merlimont
St-Aubin
Campigneulles-les-Ptes
Marles-s-Canche
Marenla
Hesmond
Parc de Bagatelle
Airon-N.-Dame
Airon-St-Vaast
Beaumerie-St-Martin
Écuires
Brimeux
Loison-s-Créquoise
Offin
Rang-du-Fliers
Campigneulles-les-Gdes
Lespinoy
Beaurainville
Wambercourt
Berck
Berck-Plage
Verton
Wailly-Beaucamp
Boisjean
Campagne-lès-Hesdin
Maresquel-Ecquemicourt
Contes
Aubin-St-Vaast
Groffliers
Waben
Lépine
Baie d'Authie
La Madelon
Conchil-le-Temple
Roussent
Maintenay
Buire-le-Sec
St-Rémy-au-Bois
Gouy-St-André
Bouin-Plumoison
Marconnelle
Nempont-St-Firmin
Fort-Mahon-Plage
Colline-Beaumont
Tigny-Noyelle
Saulchoy
Argoules
Mouriez
Capelle-lès-Hesdin
Brevillers
Quend-Plage-les-Pins
Douriez
Dominois
Tortefontaine
Guigny
Côte d'Opale

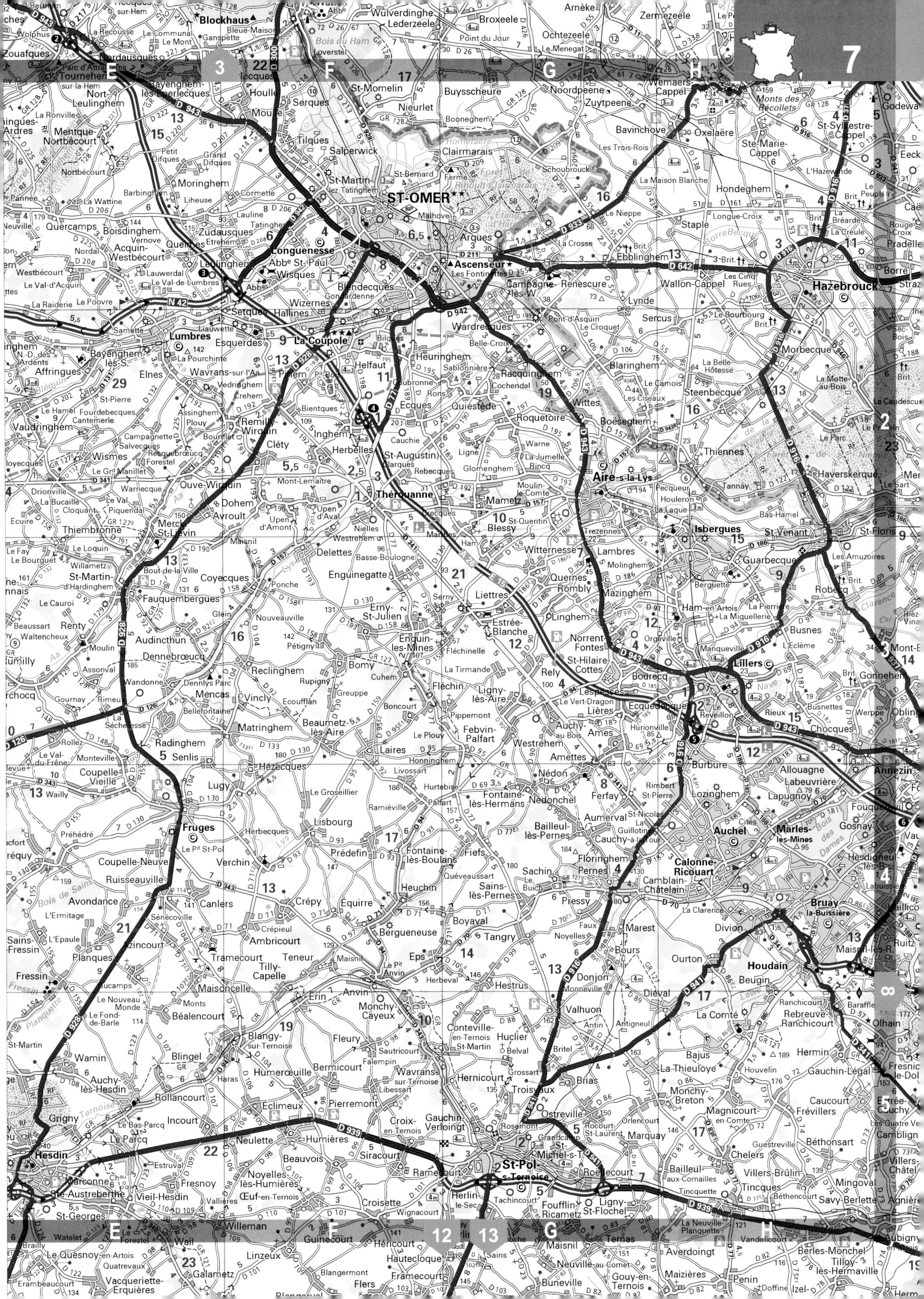
ST-OMER
Blockhaus
Nordausques
Tournehem
Houlle
Serques
Tilques
Salperwick
St-Momelin
Nieurlet
Buysscheure
Clairmarais
Arques
Ascenseur
Longuenesse
Wisques
Blendecques
Wizernes
Hallines
Setques
Lumbres
Esquerdes
La Coupole
Helfaut
Heuringhem
Racquinghem
Wardrecques
Campagne-lès-W.
Renescure
Ebblinghem
Wallon-Cappel
Hazebrouck
Hondeghem
Staple
Bavinchove
Oxelaëre
Ste-Marie-Cappel
St-Sylvestre-Cappel
Morbecque
Steenbecque
Blaringhem
Wittes
Boëseghem
Thiennes
Haverskerque
Aire-s-la-Lys
Isbergues
St-Venant
Guarbecque
Robecq
Lillers
Busnes
Thérouanne
Mametz
Blessy
Witternesse
Quernes
Rombly
Mazinghem
Lambres
Liettres
Estrée-Blanche
Linghem
Norrent-Fontes
St-Hilaire-Cottes
Rely
Lespesses
Lières
Ecquedecques
Burbure
Allouagne
Lapugnoy
Lozinghem
Auchel
Calonne-Ricouart
Marles-les-Mines
Bruay-la-Buissière
Houdain
Divion
Ferfay
Ames
Amettes
Auchy-au-Bois
Westrehem
Febvin-Palfart
Fléchin
Bomy
Enguinegatte
Enquin-les-Mines
Erny-St-Julien
Delettes
Coyecques
Fauquembergues
Audincthun
Reclinghem
Matringhem
Radinghem
Senlis
Lugy
Fruges
Verchin
Lisbourg
Prédefin
Fontaine-lès-Boulans
Heuchin
Équirre
Crépy
Canlers
Ruisseauville
Avondance
Azincourt
Tramecourt
Ambricourt
Bergueneuse
Eps
Tangry
Boyaval
Sains-lès-Pernes
Pernes
Floringhem
Pressy
Valhuon
Diéval
Ourton
La Comté
Brias
Troisvaux
Ostreville
Blangy-sur-Ternoise
Anvin
Erin
Blingel
Wamin
Auchy-lès-Hesdin
Rollancourt
Hesdin
Marconne
Ste-Austreberthe
Grigny
Le Parcq
Incourt
Éclimeux
Pierremont
Humières
Siracourt
Beauvois
Croix-en-Ternois
Gauchin-Verloingt
St-Pol-s-Ternoise
Ramecourt
St-Michel-s-T.
Roëllecourt
Ligny-St-Flochel
Marquay
Béthonsart
Cambligny
Tincques
Savy-Berlette
Aubigny-en-Artois
Wail
Willeman
Guinecourt
Ternas
Averdoingt
Linzeux
Galametz
Framecourt
Flers
Buneville
Gouy-en-Ternois
D 943
D 928
D 942
D 916
D 939
D 341
N 42
D 642
A 26
E 15
12
13
3
7
2
4
8
9
5
E
F
G
H

0 2 4 6 8 10 km
LILLE
(RIJSEL)
Armentières
Bailleul
Béthune
Lens
Liévin
DOUAI
Seclin
Roubaix
Lambersart
Lomme
Haubourdin
Hénin-Beaumont
Carvin
Libercourt
Avion
Méricourt
Bully-les-Mines
Noeux-les-Mines
Auchy-les-Mines
Vermelles
Mazingarbe
Grenay
Harnes
Annœullin
Bauvin
Wambrechies
Marcq-en-B.
Menen (Menin)
Wervik
Comines-Warneton (Komen-Waasten)
Comines (Komen)
Mesen (Messines)
Heuvelland
Estaires
Merville
Nieppe
Steenwerck
Fleurbaix
La Bassée
Wingles
Douvrin
Sallaumines
Billy-Montigny
Noyelles-Godault
Courrières
Oignies
Ostricourt
Auby
Waziers
Sin-le-Noble
Lesquin
Faches-Thumesnil
Mons-en-Barœul
Ronchin
Wattignies
Pérenchies
Houplines
Capinghem
Englos
Hallennes-lez-H.
Santes
Wavrin
Marquillies
Richebourg
Beuvry
Annezin
Fouquières
Verquigneul
Houdain
Hersin-Coupigny
Barlin
Sains-en-G.
Aix-Noulette
Souchez
Vimy
Givenchy-en-Gohelle
Colline de N.-D. de Lorette
Mémorial canadien
Neuville-St-Vaast
Arleux-en-Gohelle
Acheville
Rouvroy
Drocourt
Courcelles-lès-L.
Flers-en-Escrebieux
Dorignies
Brebières
Vitry-en-Artois
Fresnes-lès-Montauban
Roclincourt
Bailleul-Sir-Berthoult
Écurie
Marœuil
Mont-St-Éloi
Camblain-l'Abbé
Ploegsteert
Nieuwkerke (Neuve-Église)
Dranouter
Kemmel
Wijtschate
Zandvoorde
Geluwe
Geluveld
Dikkebus
Reningelst
Boeschepe
Godewaersvelde
Berthen
St-Jans-Cappel
Méteren
Flêtre
Caëstre
Eecke
Pradelles
Borre
Strazeele
Merris
Vieux-Berquin
Neuf-Berquin
Le Doulieu
Lestrem
La Gorgue
Calonne-sur-la-Lys
Laventie
Fromelles
Aubers
Herlies
Illies
Sainghin-en-Weppes
Don
Allennes-les-Marais
Carnin
Provin
Meurchin
Vendin-le-Vieil
Annay
Loison-s/s-Lens
Pont-à-Vendin
Estevelles
Évin-Malmaison
Dourges
Leforest
Raimbeaucourt
Roost-Warendin
Thumeries
Wahagnies
Phalempin
Tourmignies
Attiches
Templemars
Vendeville
LILLE-LESQUIN
Avelin
Ennevelin
Fretin
Camphin-en-Carembault
Gondecourt
Herrin
Chemy
Emmerin
Noyelles-lès-S.
Houplin-Ancoisne
Escobecques
Erquinghem-le-Sec
Beaucamps-Ligny
Radinghem-en-W.
Le Maisnil
Fournes-en-W.
Sequedin
Loos
Quesnoy-s-Deûle
Deûlémont
Warneton (Waasten)
Frelinghien
Verlinghem
Marquette-lez-Lille
St-André-lez-Lille
La Madeleine
Bondues
Linselles
Bousbecque
Wervicq-Sud
Ronca
Mouvaux
Halluin
Lezennes
Hellemmes-Lille
Mérignies
Moncheaux
Pont-à-Marcq
Erquinghem-Lys
Bois-Grenier
Sailly-s-la-Lys
Croix-du-Bac
Neuve-Chapelle
Festubert
Violaines
Cuinchy
Cambrin
Annequin
Sailly-Labourse
Labourse
Noyelles-lès-V.
Vaudricourt
Drouvin-le-Marais
Haillicourt
Ruitz
Maisnil-lès-R.
Bracquencourt
Bouvigny-Boyeffles
Servins
Gouy-Servins
Ablain-St-Nazaire
Carency
Villers-au-Bois
Estrée-Cauchy
Fresnicourt-le-Dolmen
Olhain
Hinges
Oblinghem
Vendin-lès-B.
Gonnehem
Mont-Bernanchon
Lacon
Essars
Gorre
Hulluch
Haisnes
Bénifontaine
Loos-en-Gohelle
Éleu-dit-Leauwette
Angres
Calonne
Farbus
Willerval
Thélus
Fresnoy-en-Gohelle
Izel-lès-Équerchin
Neuvireuil
Quiéry-la-Motte
Esquerchin
Lauwin-Planque
Cuincy
Lambres-lez-Douai
Courchelettes
Corbehem
Férin
Gœulzin
Roucourt
Fléchin
Izel-lès-Équerchin

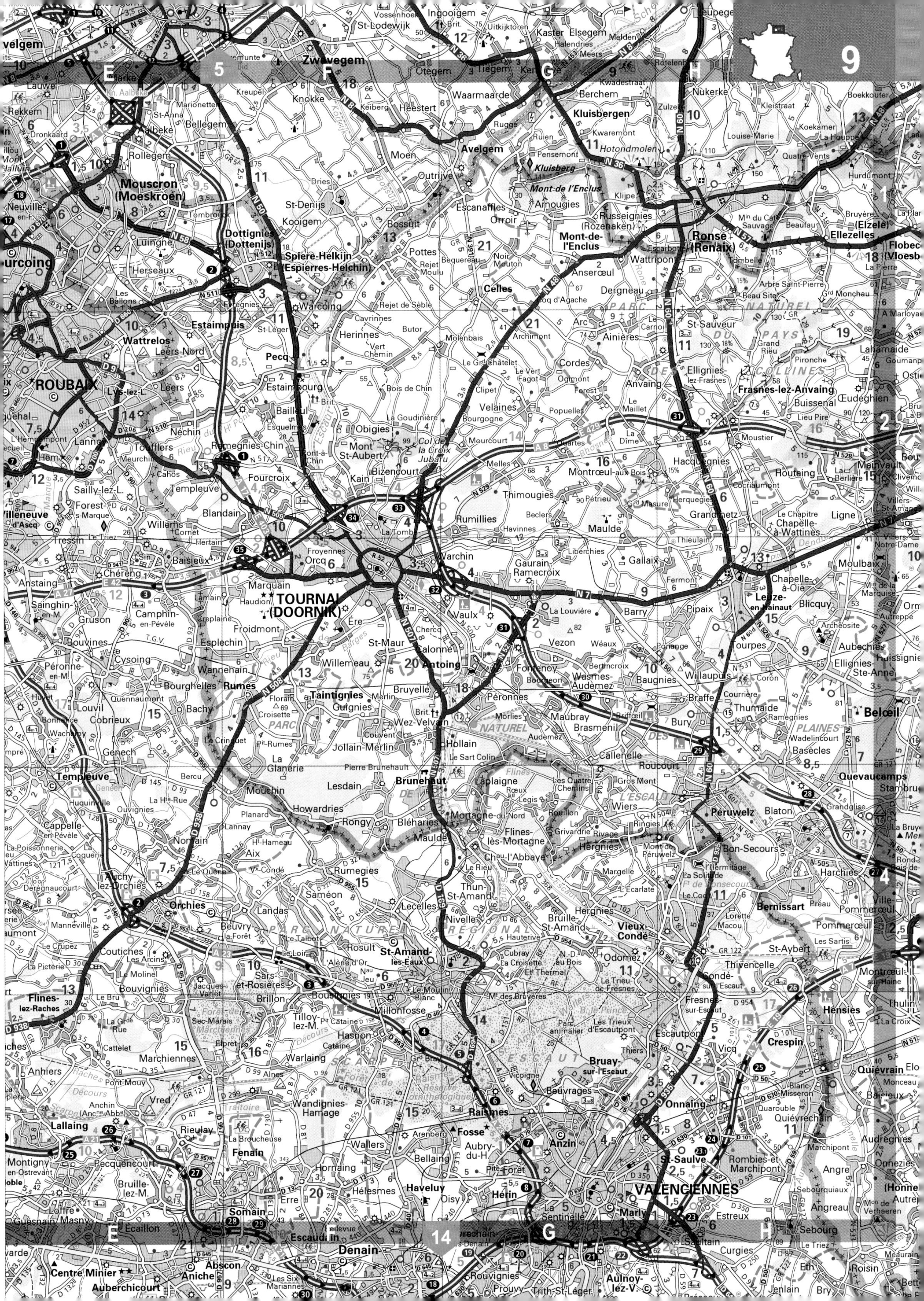

Zwevegem
Kortrijk
Mouscron (Moeskroen)
Dottignies (Dottenijs)
Spiere-Helkijn (Espierres-Helchin)
Avelgem
Kluisbergen
Ronse (Renaix)
Mont-de-l'Enclus
Ellezelles
Celles
Estaimpuis
Wattrelos
ROUBAIX
Pecq
Frasnes-lez-Anvaing
TOURNAI (DOORNIK)
Leuze-en-Hainaut
Antoing
Beloeil
Péruwelz
Quevaucamps
Bernissart
Orchies
St-Amand-les-Eaux
Vieux-Condé
Condé-sur-l'Escaut
Crespin
Quiévrain
Raismes
Anzin
VALENCIENNES
St-Saulve
Marly
Denain
Somain
Fenain
Lallaing
Templeuve
Villeneuve d'Ascq
Rumes
Brunehaut
Mortagne-du-Nord
PARC NATUREL DES PLAINES DE L'ESCAUT
PARC NATUREL RÉGIONAL SCARPE-ESCAUT
PARC NATUREL DU PAYS DES COLLINES
E
F
G
H
5
14

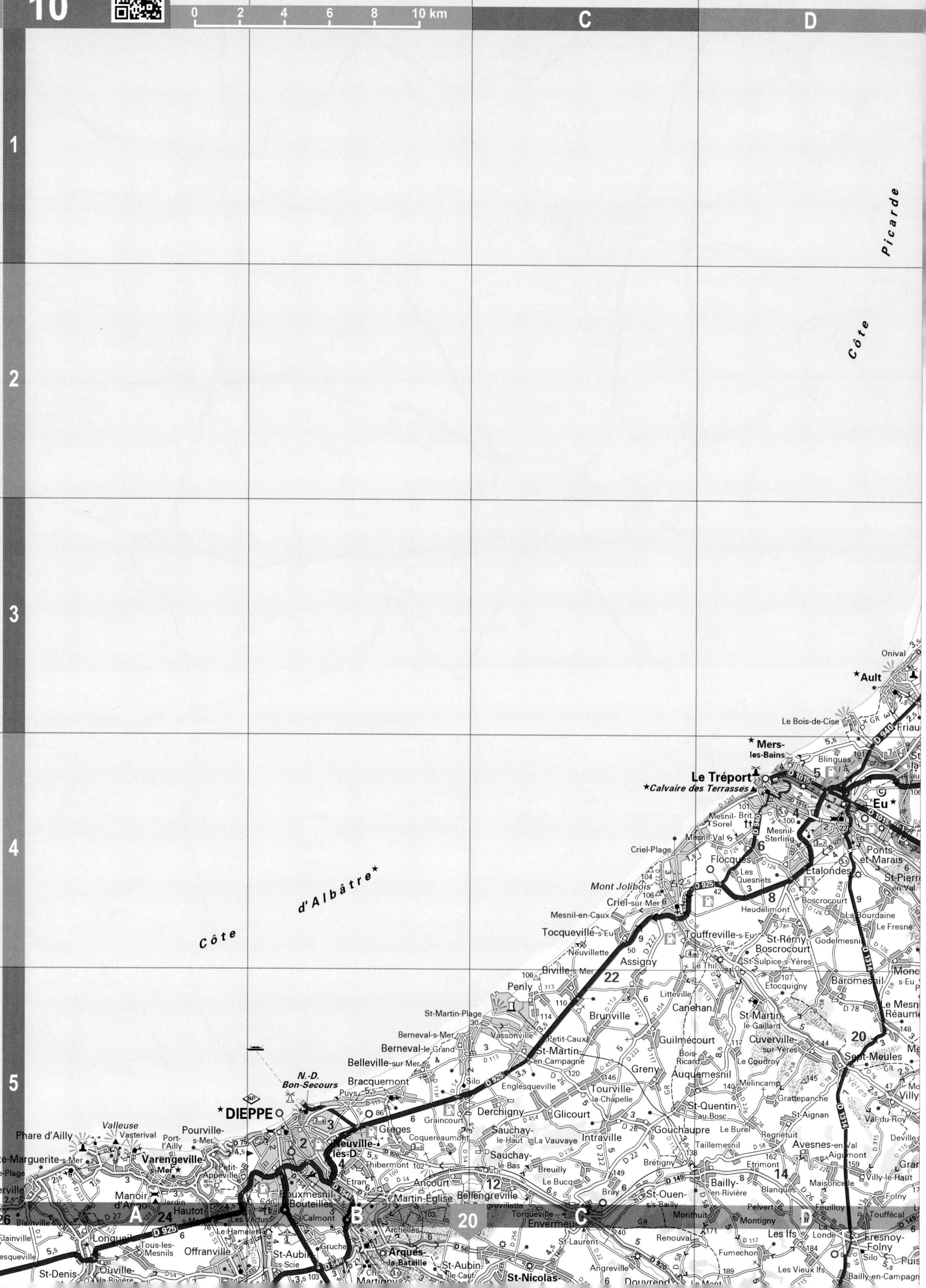
0 2 4 6 8 10 km
C
D
1
2
3
4
5
Côte Picarde
Côte d'Albâtre
Onival
Ault
Le Bois-de-Cise
Friau
Mers-les-Bains
Blingues
Le Tréport
Calvaire des Terrasses
Eu
Mesnil-Sorel
Brit.
Mesnil-Sterling
Mesnil-Val
Criel-Plage
Flocques
Ponts-et-Marais
Etalondes
Les Quesnets
St-Pierre-en-Val
Mont Jolibois
Criel-sur-Mer
Heudelimont
Boscrocourt
Mesnil-en-Caux
La Bourdaine
Le Fresne
Tocqueville-s-Eu
Touffreville-s-Eu
St-Rémy-Boscrocourt
Godelmesnil
Neuvillette
Assigny
St-Sulpice-s-Yères
Le Thil
Biville-s-Mer
Penly
Etocquigny
Baromesnil
Monchy-s-Eu
Litteville
Canehan
St-Martin-Plage
Brunville
St-Martin-le-Gaillard
Le Mesnil-Réaume
Berneval-s-Mer
Berneval-le-Grand
Vassonville
Petit-Caux
St-Martin-en-Campagne
Guilmécourt
Bois-Ricard
Cuverville-sur-Yères
Sept-Meules
Belleville-sur-Mer
Le Coudroy
Englesqueville
Greny
Auquemesnil
N.-D. Bon-Secours
Bracquemont
Puys
Silo
Tourville-la-Chapelle
Melincamp
Grattepanche
Villy
DIEPPE
Graincourt
Derchigny
Glicourt
St-Quentin-au-Bosc
St-Aignan
Val-du-Roy
Valleuse
Pourville-s-Mer
Vasterival
Phare d'Ailly
Port-l'Ailly
Greges
Coquereaumont
Sauchay-le-Haut
La Vauvaye
Intraville
Gouchaupre
Le Burel
Regnetuit
Taillemesnil
Avesnes-en-Val
Aigumont
Deville
Ste-Marguerite-s-Mer
Varengeville-s-Mer
Petit-Appeville
Neuville-lès-D.
Thibermont
Sauchay-le-Bas
Breuilly
Brétigny
Etrimont
Villy-le-Haut
Quiberville
Manoir d'Ango
Jardin
Rouxmesnil-Bouteilles
Etran
Ancourt
Le Bucq
Bray
St-Ouen-s/s-Bailly
Bailly-en-Rivière
Blanques
Maisoncelle
Folny
Martin-Eglise
Bellengreville
Pelvert
Feuilloy
Touffécal
Blainville
Hautot-s-Mer
Les Vertus
Calmont
Torqueville
Envermeu
Monthuit
Montigny
Flainville
Longueil
Le Hamelet
Archelles
Renouval
Les Ifs
Londe
Fresnoy-Folny
Englesqueville
Tous-les-Mesnils
Offranville
St-Aubin-s-Scie
Gruche
Arques-la-Bataille
St-Laurent
Fumechon
Silo
St-Denis
Ouville-la-Rivière
Martigny
St-Aubin-le-Cauf
St-Nicolas-
Angreville
Douvrend
Les Vieux Ifs
Bailly-en-Campagne
D 925
D 940
D 1015
D 1314
D 149
D 920
D 56
20
22
24
26

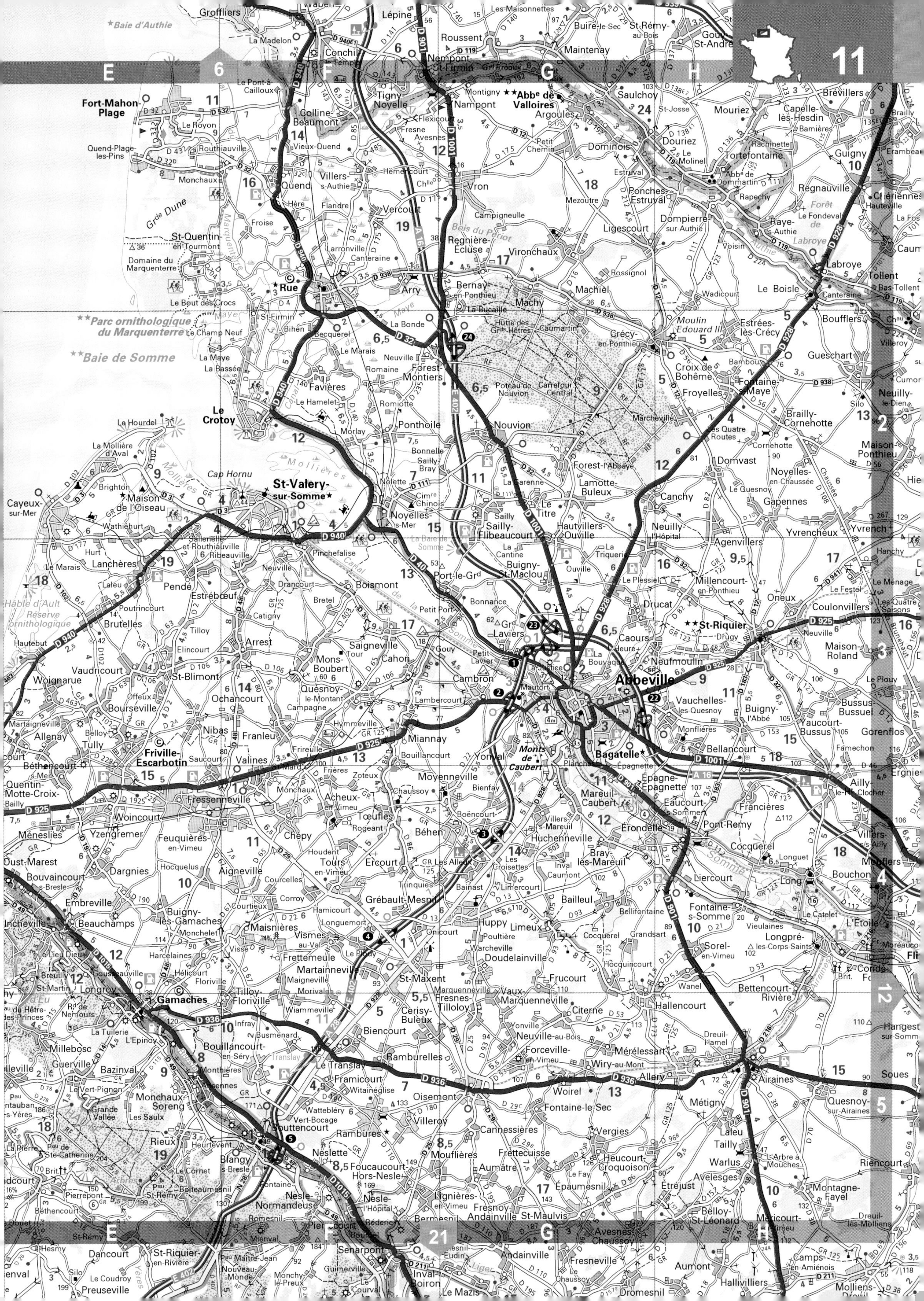
Baie d'Authie
Fort-Mahon-Plage
Quend-Plage-les-Pins
Quend
Rue
Le Crotoy
St-Valery-sur-Somme
Cayeux-sur-Mer
Parc ornithologique du Marquenterre
Baie de Somme
Domaine du Marquenterre
Nampont
Abbe de Valloires
Argoules
Vron
Bernay-en-Ponthieu
Crécy-en-Ponthieu
Forest-Montiers
Nouvion
Noyelles-s-Mer
Abbeville
St-Riquier
Pont-Remy
Long
Longpré-les-Corps-Saints
Airaines
Hallencourt
Gamaches
Friville-Escarbotin
Fressenneville
Feuquières-en-Vimeu
Oisemont
Blangy-s-Bresle
Senarpont
Moyenneville
Huppy
Sailly-Flibeaucourt
Labroye
Dompierre-sur-Authie
Brutelles
Boismont
Bagatelle
Monts de Caubert

0 2 4 6 8 10 km
A
B
C
D
7
8
14
22
11
1
2
3
4
5
Lebiez
Sains-lès-Fressin
L'Ermitage
L'Epaule
Azincourt
Planques
Sénécoville
Tramecourt
Crépieul
Ambricourt
Teneur
Tilly-Capelle
Maisoncelle
Bergueneuse
Boyaval
Tangry
Eps
Anvin
Erin
Monchy-Cayeux
Marest
Bours
Donjon
Valhuon
Conteville-en-Ternois
Huclier
Beaurainville
Wambercourt
Cavron-St-Martin
St-Martin
Maresquel-Ecquemicourt
Contes
Le Nouveau Monde
Le Fond-de-Barle
Monts
Béalencourt
Blangy-sur-Ternoise
Fleury
Sautricourt
Wamin
Blingel
Humerœuille
Bermicourt
Wavrans-sur-Ternoise
Hernicourt
Troisvaux
Brias
La Loge
Forêt d'Hesdin
Auchy-lès-Hesdin
Rollancourt
Éclimeux
Pierremont
Ostreville
Aubin-St-Vaast
Guisy
Huby-St-Leu
Grigny
Le Bas-Parcq
Le Parcq
Incourt
Croix-en-Ternois
Gauchin-Verloingt
Rocourt-St-Laurent
St-Rémy-au-Bois
Bouin-Plumoison
Hesdin
Neulette
Humières
Siracourt
St-Pol-s-Ternoise
St-Michel-s-T.
Roëllecourt
Gouy-St-André
Marconnelle
Marconne
Ste-Austreberthe
Estruval
Fresnoy
Noyelles-lès-Humières
Œuf-en-Ternois
Beauvois
Ramecourt
Croisette
Herlin-le-Sec
Tachincourt
Foufflin-Ricametz
Ligny-St-Flochel
Brévillers
St-Georges
Vieil-Hesdin
Willeman
Guinecourt
Héricourt
Herlincourt
Mouriez
Capelle-lès-Hesdin
Le Quesnoy-en-Artois
Wail
Linzeux
Maisnil
Ternas
Douriez
Tortefontaine
Guigny
Galametz
Flers
Hautecloque
Neuville-au-Cornet
Buneville
Gouy-en-Ternois
Vacqueriette-Erquières
Fillièvres
Blangerval-Blangermont
Framecourt
Écoivres
Regnauville
Chériennes
Fontaine-l'Étalon
Monts-en-Ternois
Magnicourt-s-Canche
Nuncq-Hautecôte
Sibiville
Houvin-Houvigneul
Dompierre-sur-Authie
Raye-s-Authie
Quœux-Haut-Maînil
Aubrometz
Monchel-s-Canche
Conchy-s-Canche
Caumont
Haravesnes
Boubers-s-Canche
Ligny-s-Canche
Sericourt
Berlencourt-le-Cauroy
Labroye
Tollent
Rougefay
Frévent
Canettemont
Le Boisle
Gennes-Ivergny
Vaulx
Vacquerie-le-Boucq
Rebreuve-s-Canche
Moulin Edouard III
Estrées-lès-Crécy
Boufflers
Le Ponchel
Buire-au-Bois
Fortel-en-Artois
Bouret-s-Canche
Estrée-Wamin
Boffles
Rebreuviette
Gueschart
Vitz-sur-Authie
Bonnières
Croix de Bohême
Fontaine-sur-Maye
Willencourt
Nœux-lès-Auxi
Ivergny
Froyelles
Neuilly-le-Dien
Auxi-le-Château
Villers-l'Hôpital
Le Souich
Sus-St-Léger
Brailly-Cornehotte
Beauvoir-Wavans
Canteleux
Brévillers
Les Quatre Routes
Maison-Ponthieu
Neuvillette
Bouquemaison
Domvast
Noyelles-en-Chaussée
Hiermont
Béalcourt
Barly
Lucheux
Canchy
Gapennes
Bernâtre
Maizicourt
Frohen-s-Authie
Remaisnil
Grouches-Luchuel
Montigny-les-Jongleurs
St-Acheul
Mézerolles
Neuilly-l'Hôpital
Yvrencheux
Yvrench
Conteville
Heuzecourt
Outrebois
Occoches
Agenvillers
Agenville
Le Meillard
Hem-Hardinval
Millencourt-en-Ponthieu
Domléger-Longvillers
Boisbergues
Doullens
Halloy
Drucat
Oneux
Cramont
Prouville
Autheux
Gézaincourt
Amplier
St-Riquier
Coulonvillers
Bernaville
Longvillers
Beaumetz
Maison-Roland
Mesnil-Domqueur
Neufmoulin
Domesmont
Fienvillers
Longuevillette
Orville
Abbeville
Vauchelles-les-Quesnoy
Ribeaucourt
Gorges
Beauval
Sarton
Buigny-l'Abbé
Bussus-Bussuel
Domqueur
Épécamps
Candas
Yaucourt-Bussus
Gorenflos
Fransu
Lanches-St-Hilaire
Terramesnil
Marieux
Bellancourt
Franqueville
Fieffes-Montrelet
Berneuil
Beauquesne
Épagne-Épagnette
Ailly-le-Ht-Clocher
Ergnies
Brucamps
Bonneville
Val Vion
Eaucourt-s-Somme
Francières
Domart-en-Ponthieu
Raincheval
Pont-Remy
Surcamps
Érondelle
Villers-s/s-Ailly
Vauchelles-lès-Domart
St-Léger-lès-Domart
Pernois
Canaples
La Vicogne
Cocquerel
Mouflers
Halloy-lès-P.
Cité souterraine de Naours
Puchevillers
Liercourt
Long
Bouchon
Berteaucourt-les-Dames
St-Ouen
Havernas
Wargnies
Naours
Fontaine-s-Somme
L'Étoile
Bettencourt-St-Ouen
Ville-le-Marclet
Hérissart
Longpré-les-Corps-Saints
Sorel-en-Vimeu
Flixecourt
Vignacourt
Talmas
Rubempré
Condé-Folie
Olincourt
Mirvaux
Pierregot
Bettencourt-Rivière
Flesselles
Villers-Bocage
Hallencourt
Bourdon
Montonvillers
Beaucourt-sur-l'Hallue
Hangest-sur-Somme
Yzeux
Crouy-St-Pierre
St-Vaast-en-Chaussée
Bertangles
Molliens-au-Bois
Montigny-s-l'Hallue
Dreuil-Hamel
Mérélessart
Belloy-s-Somme
Coisy
Rainneville
D 928
D 939
D 916
D 941
D 925
D 938
D 1001
N 25
A 16

Divion
la-Buissière
Nœux-les-Mines
Mazingarbe
Loos-en-Gohelle
Vendin-le-Vieil
Annay
Ourton
Houdain
Ruitz
Maisnil-lès-R.
Hersin-Coupigny
Barlin
Grenay
Lens
Harnes
Beugin
Sains-en-G.
Bully-les-Mines
Loison-s/s-Lens
La Comté
Ranchicourt
Rebreuve-Ranchicourt
Baraffles
Olhain
Bracquencourt
Bouvigny-Boyeffles
Liévin
Le Louvre
Noyelles-s/s-Lens
Fouquières-lès-L.
Noyelles-Godault
Bajus
Hermin
Fresnicourt-le-Dolmen
Aix-Noulette
Angres
Éleu-dit-Leauwette
Avion
Sallaumines
Billy-Montigny
Hénin-Beaumont
La-Thieuloye
Houvelin
Gauchin-Légal
Servins
Colline de N.-D. de Lorette
Souchez
Givenchy-en-Gohelle
Méricourt
Rouvroy
Drocourt
Monchy-Breton
Estrée-Cauchy
Gouy-Servins
Ablain-St-Nazaire
Mémorial canadien
Bois-Bernard
Magnicourt-en-Comte
Caucourt
Frévillers
Camblain-l'Abbé
Carency
Acheville
Esquerchin
Chelers
Béthonsart
Villers-Châtel
Villers-au-Bois
Vimy
Arleux-en-Gohelle
Fresnoy-en-Gohelle
Izel-lès-Equerchin
Quiéry-la-Motte
Bailleul-aux-Cornailles
Villers-Brûlin
Tincques
Mingoval
Savy-Berlette
Agnières
Capelle-Fermont
Mont-St-Éloi
Neuville-St-Vaast
Farbus
Willerval
Neuvireuil
La Neuville-Planquette
Vandelicourt
Aubigny-en-Artois
Frévin-Capelle
Acq
Écoivres
Thélus
Bailleul-Sir-Berthoult
Oppy
Averdoingt
Berles-Monchel
Tilloy-lès-Hermaville
Haute-Avesnes
Bray
Écurie
Roclincourt
Fresnes-lès-Montauban
Vitry-en-Artois
Maizières
Penin
Izel-lès-Hameau
Hermaville
Marœuil
Anzin-St-Aubin
Étrun
Gavrelle
Plouvain
Noyelles-s/s-Bellonne
Villers-Sir-Simon
Habarcq
Agnez-lès-Duisans
Ste-Catherine
St-Nicolas
Athies
Fampoux
Biache-St-Vaast
Givenchy-le-Noble
Noyellette
Noyelle-Vion
Duisans
St-Laurent-Blangy
Hamblain-les-Prés
Manin
Gouves
Wagnonlieu
ARRAS
Feuchy
Rœux
Pelves
Lignereuil
Avesnes-le-Comte
Lattre-St-Quentin
Montenescourt
Dainville
Tilloy-lès-Mofflaines
Sailly-en-Ostrevent
Beaufort-Blavincourt
Wanquetin
Warlus
Achicourt
Monchy-le-Preux
Boiry-Notre-Dame
Liencourt
Hauteville
Berneville
Agny
Beaurains
Étaing
Grand-Rullecourt
Fosseux
Simencourt
Beaumetz-lès-Loges
Wailly
Neuville-Vitasse
Guémappe
Rémy
Éterpigny
Barly
Gouy-en-Artois
Monchiet
Wancourt
Haucourt
Dury
Sombrin
Le Fermont
Mercatel
St-Martin-s-Cojeul
Vis-en-Artois
Bavincourt
Grosville
Ficheux
Héninel
Chérisy
Warluzel
Saulty
Rivière
Basseux
Bellacourt
Boisleux-St-Marc
Hénin-s-Cojeul
Fontaine-lès-Croisilles
Villers-lès-Cagnicourt
Couturelle
L'Arbret
Bailleulval
Blairville
Cagnicourt
La Herlière
Bailleulmont
Hendecourt-lès-Ransart
Boiry-Becquerelle
Hendecourt-lès-Cagnicourt
Berles-au-Bois
Ransart
Boiry-Ste-Rictrude
Boiry-St-Martin
Boisleux-au-Mont
Boyelles
Croisilles
Riencourt-lès-Cagnicourt
La Cauchie
La Bellevue
Humbercamps
Pommier
Monchy-au-Bois
Adinfer
Écoust-St-Mein
Bullecourt
Quéant
Warlincourt-lès-Pas
Gaudiempré
Moyenneville
Hamelincourt
St-Léger
Noreuil
Mondicourt
Grincourt-lès-Pas
Hannescamps
Douchy-lès-Ayette
Ayette
Ervillers
Pronville
St-Amand
Bienvillers-au-Bois
Courcelles-le-Comte
Mory
Lagnicourt-Marcel
Hénu
Foncquevillers
Souastre
La Brayelle
Ablainzevelle
Gomiécourt
Béhagnies
Pas-en-Artois
Famechon
Couin
Bayencourt
Gommecourt
Bucquoy
Achiet-le-Grand
Sapignies
Favreuil
Vaulx-Vraucourt
Morchies
St-Léger-lès-Authie
Coigneux
Hébuterne
Bihucourt
Beugnâtre
Beugny
Beaumetz-lès-Cambrai
Authie
Sailly-au-Bois
Puisieux
Achiet-le-Petit
Biefvillers-lès-Bapaume
Avesnes-lès-B.
Lebucquière
Courcelles-au-Bois
Colincamps
Serre
Irles
Grévillers
Frémicourt
Bancourt
Vélu
Bus-lès-Artois
Louvencourt
Miraumont
Bapaume
Riencourt-lès-B.
Bertincourt
Bertrancourt
Mailly-Maillet
Beaumont-Hamel
Beaucourt-s-l'Ancre
Pys
Warlencourt-Eaucourt
Ligny-Thilloy
Haplincourt
Barastre
Acheux-en-Amiénois
Auchonvillers
Mémorial Terre-Neuvien
Grandcourt
Le Sars
Le Barque
Beaulencourt
Villers-au-Flos
Bus
Rocquigny
Arquèves
Léalvillers
Forceville
Hamel
St-Pierre-Divion
Courcelette
Engelbelmer
Thiepval
Gueudecourt
Le Transloy
Léchelle
Varennes
Hédauville
Mesnil-Martinsart
Martinpuich
Flers
Lesbœufs
Harponville
Authuille
Mémorial Brit.
Pozières
Mesnil-en-Arrouaise
Martinsart
Ovillers-la-Boisselle
Bazentin
Longueval
Mémorial sud-africain
Morval
Sailly-Saillisel
Étricourt-Manancourt
Toutencourt
Bouzincourt
Manancourt
Warloy-Baillon
Senlis-le-Sec
Albert
Aveluy
Contalmaison
Bazentin-le-Grand
Ginchy
Le Gouvernement
Contay
Hénencourt
Millencourt
La Boisselle
Bécourt
Montauban-de-Picardie
Guillemont
Combles
Le Priez
Rancourt
Nurlu
Vadencourt
Fricourt
Hardecourt-aux-Bois
Bouchavesnes-Bergen
Bavelincourt
Baizieux
Laviéville
Mametz
Carnoy
Moislains
Bresle
Dernancourt
Bécordel-Bécourt
Maurepas
Bois Marlière
Béhencourt
Franvillers
Buire-s-l'Ancre
Méaulte
Maricourt
Curlu
Aizecourt-le-Haut
Ville-sur-Ancre
Bronfay
Billon
Belvédère
Allaines
Ribemont
Cléry-s-Somme
E
F
G
H
8
23
14
13

0 2 4 6 8 10 km
PARC NATUREL RÉGIONAL
DOUAI
CAMBRAI
Valenciennes
Denain
Somain
Aniche
Abscon
Lallaing
Waziers
Sin-le-Noble
Auby
Flers-en-Escrebieux
Lauwin-Planque
Cuincy
Lambres-lez-Douai
Dechy
Guesnain
Courchelettes
Corbehem
Brebières
Flines-lez-Raches
Roost-Warendin
Râches
Anhiers
Marchiennes
Pecquencourt
Montigny-en-Ostrevant
Fenain
Wallers
Haveluy
Hérin
Raismes
Anzin
Bruay-sur-l'Escaut
Beuvrages
St-Amand-les-Eaux
Escaudain
Lourches
Douchy-les-Mines
Rouvignies
Prouvy
Trith-St-Léger
Aulnoy-lez-V.
Neuville-s-Escaut
Bouchain
Lieu-St-Amand
Hordain
Iwuy
Avesnes-le-Sec
Avesnes-les-Aubert
Saulzoir
Montrécourt
Haussy
St-Python
St-Vaast-en-Cambrésis
Quiévy
Bévillers
Caudry
Beaumont-en-Cambrésis
Inchy
Le Cateau-Cambrésis
Auberchicourt
Centre Minier
Erchin
Villers-au-Tertre
Émerchicourt
Monchecourt
Marquette-en-Ostrevant
Wavrechain-s/s-Faulx
Fressain
Féchain
Marcq-en-Ostrevant
Wasnes-au-Bac
Aubigny-au-Bac
Arleux
Brunémont
Hamel
Palluel
Oisy-le-Verger
Aubencheul-au-Bac
Fressies
Hem-Lenglet
Abancourt
Paillencourt
Bantigny
Cuvillers
Thun-l'Évêque
Thun-St-Martin
Eswars
Ramillies
Blécourt
Sancourt
Épinoy
Sauchy-Cauchy
Sauchy-Lestrée
Ecourt-St-Quentin
Rumaucourt
Récourt
Saudemont
Marquion
Bourlon
Raillencourt-Ste-Olle
Fontaine-N.-D.
Neuville-St-Rémy
Tilloy-lez-C.
Escaudœuvres
Naves
Cauroir
Awoingt
Proville
Anneux
Cantaing-sur-Escaut
Noyelles-sur-Escaut
Niergnies
Rumilly-en-Cambrésis
Flesquières
Marcoing
Havrincourt
Ribécourt-la-Tour
Masnières
Crèvecœur-sur-l'Escaut
Les Rues-des-Vignes
Séranvillers-Forenville
Wambaix
Esnes
Lesdain
Caullery
Ligny-en-Cambrésis
Montigny-en-Cambrésis
Clary
Bertry
Maurois
Honnechy
Busigny
Maretz
Élincourt
Malincourt
Walincourt-Selvigny
Abbe de Vaucelles
Bantouzelle
Banteux
Gonnelieu
Villers-Guislain
Honnecourt-sur-Escaut
Gouzeaucourt
Villers-Plouich
Metz-en-Couture
Trescault
Ruyaulcourt
Neuville-Bourjonval
Ytres
Équancourt
Fins
Sorel
Heudicourt
Épehy
Nurlu
Liéramont
Guyencourt-Saulcourt
Ronssoy
Lempire
Vendhuile
Le Catelet
Gouy
Bony
Bellicourt
Mémorial Américain
Estrées
Villers-Faucon
Aizecourt-le-Bas
Templeux
Longavesnes
Moislains
Aubencheul-aux-Bois
Villers-Outréaux
Serain
Prémont
Beaurevoir
Brancourt-le-Grand
Bohain-en-Vermandois
Fresnoy
Montbrehain
Wiancourt
Becquigny
Regnicourt
Mennevret
Seboncourt
Boursies
Doignies
Graincourt-lès-Havrincourt
Beaumetz-lès-Cambrai
Hermies
Inchy-en-Artois
Mœuvres
Pronville
Buissy
Baralle
Villers-Cagnicourt
Dury
Vitry-en-Artois
Gouy-s/s-Bellonne
Noyelles-s/s-Bellonne
Bellonne
Tortequesne
Sailly-en-Ostrevent
Estrées
Cantin
Gœulzin
Férin
Roucourt
Lewarde
Loffre
Masny
Écaillon
Bruille-lez-M.
Hornaing
Hélesmes
Erre
Wandignies-Hamage
Warlaing
Brillon
Tilloy-lez-M.
Hasnon
Millonfosse
Bousignies
Sars-et-Rosières
Rosult
Beuvry-la-Forêt
Coutiches
Faumont
Vred
Rieulay
Marly
La Sentinelle
Wavrechain-s/s-Denain
Haulchin
Thiant
Maing
Famars
Quérénaing
Monchaux-s-Écaillon
Verchain-Maugré
Sommaing
Haspres
Villers-en-Cauchies
St-Aubert
Romeries
Solesmes
Briastre
Viesly
Neuvilly
Montay
Troisvilles
Reumont
St-Benin
St-Souplet
Vertain
Escarmain
Capelle
Bermerain
Vendegies-s-É.
Caudry
Boussières-en-Cambrésis
St-Hilaire-lez-Cambrai
Rieux-en-Cambrésis
Cagnoncles
Carnières
Estourmel
Cattenières
Beauvois-en-Cambrésis
Fontaine-au-Pire
Haucourt-en-Cambrésis
Vieux-Condé
A 2
A 21
A 23
A 26
D 643
D 939
D 917
D 630
D 644
D 960
E 17
E 19

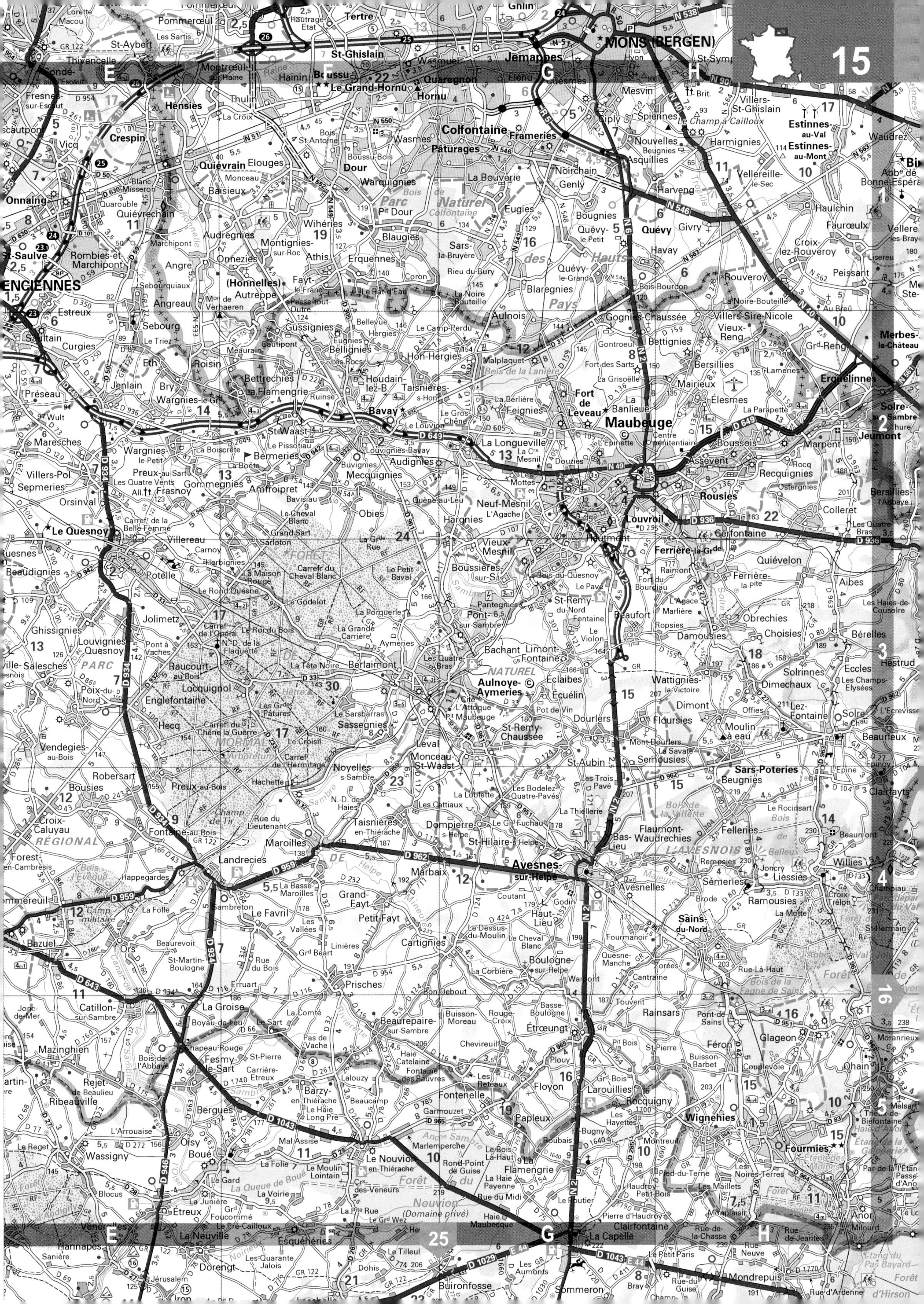
MONS (BERGEN)
Jemappes
St-Ghislain
Boussu
Le Grand-Hornu
Quaregnon
Hornu
Wasmuel
Tertre
Pommerœul
St-Aybert
Thivencelle
Condé-sur-l'Escaut
Montrœul-sur-Haine
Hainin
Thulin
Hensies
Fresnes-sur-Escaut
Crespin
Vicq
Quiévrain
Elouges
Dour
Wasmes
Colfontaine
Frameries
Pâturages
La Bouverie
Flénu
Cuesmes
Mesvin
Ciply
Spiennes
Nouvelles
Asquillies
Noirchain
Genly
Harveng
Bougnies
Quévy-le-Petit
Quévy
Givry
Havay
Villers-St-Ghislain
Harmignies
Estinnes-au-Val
Estinnes-au-Mont
Vellereille-le-Sec
Haulchin
Faurœulx
Croix-lez-Rouveroy
Rouveroy
Peissant
Waudrez
Bonne-Espérance
Onnaing
Quarouble
Quiévrechain
Blanc-Misseron
Rombies-et-Marchipont
Marchipont
St-Saulve
VALENCIENNES
Audregnies
Baisieux
Montignies-sur-Roc
Wihéries
Athis
Onnezies
Erquennes
Blaugies
Sars-la-Bruyère
Eugies
Parc Naturel
Angre
(Honnelles)
Autreppe
Fayt-le-Franc
Sebourquiaux
Angreau
Estreux
Saultain
Curgies
Sebourg
Gussignies
Bellignies
Hon-Hergies
Houdain-lez-B.
Taisnières-s-Hon
Bavay
Malplaquet
Blaregnies
Aulnois
Gognies-Chaussée
Bettignies
Villers-Sire-Nicole
Vieux-Reng
Grd-Reng
Merbes-le-Château
Bersillies
Mairieux
Élesmes
Erquelinnes
Solre-s-Sambre
Jeumont
Marpent
Boussois
Assevent
Recquignies
Rousies
Maubeuge
Fort de Leveau
La Longueville
Feignies
Eth
Roisin
Bettrechies
La Flamengrie
Préseau
Jenlain
Bry
Wargnies-le-Gd
St-Waast
Bermeries
Louvignies-Bavay
Audignies
Mecquignies
Obies
Wargnies-le-Petit
Maresches
Villers-Pol
Sepmeries
Preux-au-Sart
Gommegnies
Amfroipret
Frasnoy
Orsinval
Le Quesnoy
Villereau
Potelle
Beaudignies
Neuf-Mesnil
Hargnies
Vieux-Mesnil
Boussières-sur-S.
Hautmont
Louvroil
Cerfontaine
Ferrière-la-Gde
Ferrière-la-Pite
Quiévelon
Colleret
Aibes
Obrechies
Choisies
Damousies
Bérelles
Eccles
Solrinnes
Dimechaux
Lez-Fontaine
Hestrud
Beaurieux
Forêt de Mormal
Jolimetz
Ghissignies
Louvignies-Quesnoy
Locquignol
Raucourt-au-Bois
Englefontaine
Hecq
Poix-du-Nord
Vendegies-au-Bois
Robersart
Bousies
Preux-au-Bois
Fontaine-au-Bois
Croix-Caluyau
Forest-en-Cambrésis
Landrecies
Berlaimont
Sassegnies
Aulnoye-Aymeries
Bachant
Limont-Fontaine
Eclaibes
Écuélin
Pont-s-Sambre
St-Remy-du-Nord
Beaufort
Leval
Monceau-St-Waast
Noyelles-s-Sambre
St-Remy-Chaussée
Dourlers
St-Aubin
Floursies
Wattignies-la-Victoire
Dimont
Semousies
Sars-Poteries
Beugnies
Felleries
Clairfayts
Willies
Liessies
Taisnières-en-Thiérache
Maroilles
Dompierre-s-Helpe
St-Hilaire-s-Helpe
Avesnes-sur-Helpe
Avesnelles
Flaumont-Waudrechies
Bas-Lieu
Marbaix
Grand-Fayt
Petit-Fayt
Le Favril
Cartignies
Haut-Lieu
Boulogne-sur-Helpe
Sémeries
Ramousies
Sains-du-Nord
Bazuel
Ors
St-Martin-Boulogne
Catillon-sur-Sambre
La Groise
Prisches
Beaurepaire-sur-Sambre
Étrœungt
Rainsars
Glageon
Mazinghien
Rejet-de-Beaulieu
Ribeauville
Fesmy-le-Sart
Barzy-en-Thiérache
Fontenelle
Floyon
Larouillies
Rocquigny
Wignehies
Fourmies
Wassigny
Oisy
Boué
Le Nouvion-en-Thiérache
La Flamengrie
Étreux
Hannapes
La Neuville
Esquéhéries
La Capelle
Buironfosse
Sommeron
Mondrepuis
Anor
Forêt du Nouvion
L'AVESNOIS
PARC RÉGIONAL

16

25

0 2 4 6 8 10 km
Charleroi
Binche
Anderlues
Fontaine-l'Evêque
Montigny-le-Tilleul
Le Bois du Cazier
Châtelet
Châtelineau
Farciennes
Sambreville
Aiseau-Presles
Abbe d'Aulne
Lobbes
Thuin
Merbes-le-Château
Gerpinnes
Nalinnes
Ham-sur-Heure
Jamioulx
Mettet
Solre-sur-Sambre
Jeumont
Beaumont
Walcourt
Florennes
Philippeville
Bge de l'Eau d'Heure
Bge de la Plate Taille
Cerfontaine
Sivry-Rance
Froidchapelle
Rance
Eppe-Sauvage
Mariembourg
Couvin
Viroinval
Grottes de Neptune
Nismes
Chimay
Momignies
Trélon
Macquenoise
Brûly
Revin
Forêt de Signy-le-Petit
Bois de Chimay
Forêt de Nismes
Parc Naturel
Lacs de l'Eau d'Heure
Parc départemental du Val Joly

E
F
G
H
Floreffe
Wépion
Naninne
Dave
Ohey
Gesves
Havelange
Sart-St-Laurent
Fosses-la-Ville
Profondeville
Lustin
Maillen
Assesse
Sart-Bernard
Trì d'Avillon
Domaine d'Annevoie-Rouillon
Annevoie-Rouillon
Godinne
Yvoir
Spontin
Crupet
Durnal
Hamois
Emptinne
Natoye
Braibant
Ciney
St-Gérard
Anhée
Maredsous
Sosoye
Denée
Graux
Purnode
Dorinne
Sovet
Leffe
Bouvignes-s-Meuse
Thynes
Achêne
Leignon
Pessoux
Mohiville
Nettinne
Sinsin
Jeneffe
Porcheresse
Achet
DINANT
La Merveilleuse
Rer Bayard
Anseremme
Foy-N.-D.
Sorinnes
Onhaye
Anthée
Flavion
Falaën
Weillen
Hastière
Freÿr
Dréhance
Furfooz
Celles
Vêves
Chevetogne
Domaine provincial de Chevetogne
Custinne
Houyet
Ciergnon
Rochefort
Jemelle
Grotte de Lorette
Han-s-Lesse
Grotte de Han
Gouffre de Belvaux
Wellin
Beauraing
Givet
Fort de Charlemont
Doische
Agimont
Hierges
Vireux-Wallerand
Vireux-Molhain
Aubrives
Chooz
Montigny-sur-Meuse
Fépin
Haybes
Fumay
Daverdisse
Euro Space
Redu
Transinne
Gedinne
Bièvre
Louette-St-Pierre
Louette-St-Denis
Vencimont
Bourseigne-Neuve
Bourseigne-Vieille
Haut-Fays
Tellin
Maissin
Anloy
Villance
Graide
N 4
N 97
N 40
N 95
N 92
N 96
E 411
D 8051
27

0 2 4 6 8 10 km
A
B
C
D
1
2
3
4
5
Fécamp
Criquebeuf-en-Caux
Grainval
Yport
Vaucottes-s-Mer
Vattetot-s-Mer
Aiguille de Belval
Valleuse du Cure
Falaise d'Amont
Étretat
Falaise d'Aval
La Manneporte
Bénouville
Froberville
Les Aygues
La Hêtrée
Bordeaux-St-Clair
Les Loges
Gerville
Cap d'Antifer
La Place
Le Tilleul
Le Mont-Roti
Fongueusemare
Jumel
La Poterie-Cap-d'Antifer
Ste-Marie-au-Bosc
Pierrefiques
Sausseuzemare-en-Caux
Beaurepaire
Cuverville
Les Groseilliers
Port pétrolier du Havre-Antifer
Bruneval
Villainville
Écrainville
Belvre
Plage de Bruneval
Beaumesnil
Gonneville-la-Mallet
St-Jouin-Bruneval
Criquetot-l'Esneval
Goderville
La Mare-Goubert
Le Grand Hameau
Anglesqueville-l'Esneval
Bornar
Heuqueville
Vergetot
La Forge
Côte d'Albâtre
Buglise
Turretot
Le Coudray
St-Sauveur-d'Émalleville
St-Martin-du-Bec
Le Bec
Ecuquetot
St-Sauveur
Ecosse
Cauville-sur-Mer
Mannevillette
N.-D.-du-Bec
Hermeville
Goustimesnil
Rimbertot
Virville
Rolleville
Angerville-l'Orcher
Ecqueville
Café Blanc
St-Supplix
St-Barthélémy
Graimbouville
Fontenay
Manéglise
Étainhus
La Brière
Filière
Octeville-sur-Mer
Épouville
Sainneville
St-Andrieux
Dondeneville
Montivilliers
La Cour Souveraine
Fontaine-la-Mallet
St-Laurent-de-Brèvedent
Canyon Park
Edreville
Epretot
Le Grand Hameau
La Demi-Lieue
St-Martin-du-Manoir
Le Frescot
Ignauval
Cap de la Hève
Ste-Adresse
Sanvic
Graville
Gournay
St-Aubin-Routot
Harfleur
Gonfreville-l'Orcher
Gainneville
La Queue du Gril
Rogerville
Chau d'Orcher
St-Vincent-Cramesnil
Oudalle
Sandouville
34
D 940
D 925
D 6015
D 6382
D 31
D 139
D 489

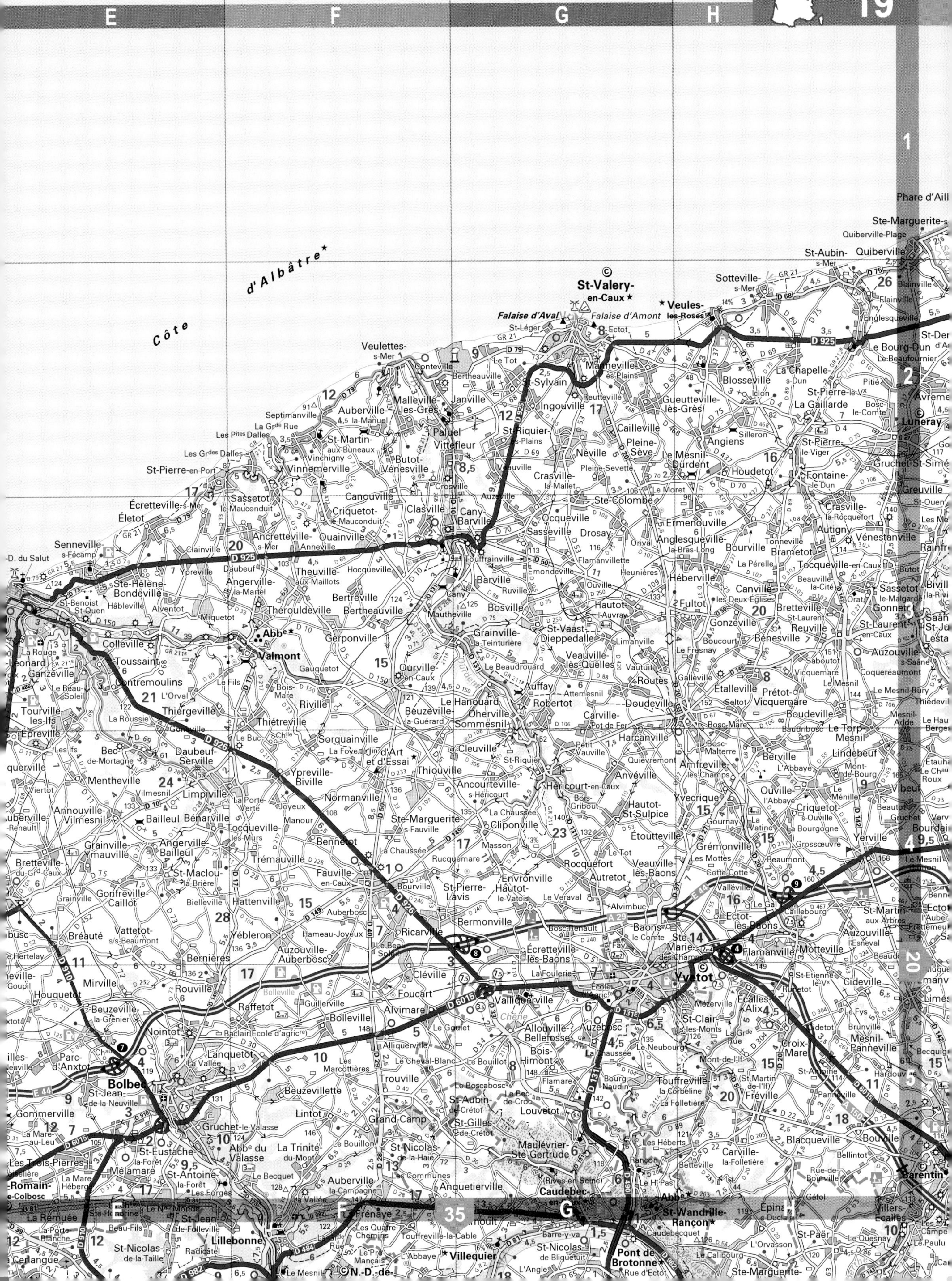
E
F
G
H
Côte d'Albâtre
Phare d'Ailly
Ste-Marguerite-s-Mer
Quiberville-Plage
St-Aubin-s-Mer
Quiberville
Sotteville-s-Mer
St-Valery-en-Caux
Veules-les-Roses
Falaise d'Aval
Falaise d'Amont
St-Léger
Ectot
Blainville
Flainville
Englesqueville
Veulettes-s-Mer
Conteville
Le Tot
Bertheauville
St-Sylvain
Manneville-ès-Plains
Le Bourg-Dun
Le Beaufournier
La Chapelle-s-Dun
Blosseville
Iclon
Pitié
St-Pierre-le-Vx
La Gaillarde
Bosc-le-Comte
Luneray
Avremesnil
Malleville-les-Grès
Janville
Auberville-la-Manuel
Septimanville
La Grde Rue
Les Ptes Dalles
Les Grdes Dalles
St-Martin-aux-Buneaux
Vinchigny
Paluel
Vittefleur
Ingouville
Reutteville
Gueutteville-lès-Grès
Cailleville
Pleine-Sève
Silleron
Angiens
St-Riquier-ès-Plains
St-Pierre-le-Viger
Vinnemerville
Butot-Vénesville
Néville
Le Mesnil-Durdent
Houdetot
Fontaine-le-Dun
Gruchet-St-Siméon
St-Pierre-en-Port
Vauville
Pleine-Sevette
Crasville-la-Mallet
Le Moret
Sassetot-le-Mauconduit
Criquetot-le-Mauconduit
Canouville
Crosville
Auzeville
Ste-Colombe
Greuville
Écretteville-s-Mer
Élétot
Clasville
Cany-Barville
Ocqueville
Ermenouville
Crasville-la-Rocquefort
Autigny
Sasseville
Drosay
Vénestanville
Anglesqueville-la-Bras-Long
Bourville
Tonneville
Brametot
Rainfreville
Senneville-s-Fécamp
Clainville
Ancretteville-s-Mer
Anneville
Ouainville
Orival
D. du Salut
Ypreville
Daubeuf
Theuville-aux-Maillots
Hocqueville
Touffrainville
Flamanvillette
Heunières
La Pérelle
Tocqueville-en-Caux
Ste-Hélène-Bondeville
Angerville-la-Martel
Barville
Ruville
Émondeville
Héberville
Beauville-la-Cité
Sassetot-le-Malgardé
Bivilly
St-Benoist
St-Ouen
Hableville
Alventot
Bertreville
Bertheauville
Cany
Mautheville
Bosville
Ouville
Hautot-l'Auvray
Fultot
Canville-les-Deux-Églises
Bretteville-St-Laurent
Gonnetot
Miquetot
Thérouldeville
Grainville-la-Teinturière
St-Vaast-Dieppedalle
Limanville
Gonzeville
Reuville
St-Laurent-en-Caux
Colleville
Abbe
Valmont
Gerponville
Bénesville
Boucourt
Le Fresnay
Saboutot
Auzouville-s-Saâne
Toussaint
Gauquetot
Le Beaudrouard
Veauville-lès-Quelles
Vautuit
Routes
Galleville
Vicquemare
Coqueréaumont
Ganzeville
Le Beau-Soleil
Contremoulins
Le Fils
Ourville-en-Caux
Auffay
Attemesnil
Étalleville
Prétot-Vicquemare
Le Mesnil
Le Mesnil-Rury
Tourville-les-Ifs
L'Orval
Bois-Mare
Riville
Le Hanouard
Robertot
Doudeville
Seltot
Thiédeville
La Roussie
Thiergeville
Beuzeville-la-Guérard
Oherville
Carville-Pot-de-Fer
Boudeville
Mesnil-Adde
Épreville
Gonzeville
Thiétreville
Sommesnil
Bosc-Mare
Baudribosc
Le Torp-Mesnil
Bec-de-Mortagne
Le Buc
Chlle
Sorquainville
La Foye
d'Art et d'Essai
Cleuville
St-Riquier
Petit-Vauville
Harcanville
Bosc-Malterre
Quievremont
Berville
Lindebeuf
Daubeuf-Serville
Ypreville-Biville
Thiouville
Amfreville-les-Champs
L'Abbaye
Mont-de-Bourg
Étaimpuis
Mentheville
Vilmesnil
Limpiville
La Porte-Verte
Normanville
Ancourteville-s-Héricourt
Héricourt-en-Caux
Anvéville
Bois-Gribout
Hautot-St-Sulpice
Yvecrique
Ouville-l'Abbaye
Criquetot-s-Ouville
La Bourgogne
Le Ménillet
Vibeuf
Viertot
Annouville-Vilmesnil
Joyeux
Manoir
Ste-Marguerite-s-Fauville
La Chaussée
Cliponville
Étoutteville
Gournay
La Vatine
Beautot
Gruchet
Bourdainville
Bailleul
Bénarville
Tocqueville-les-Murs
Bennetot
Masson
Grémonville
Grossœuvre
Yerville
Angerville-Bailleul
Grainville-Ymauville
Tremauville
Rucquemare
Le Tot
Rocquefort
Veauville-lès-Baons
Les Mottes
Beaumont
Le Mesnil
Bretteville-du-Grd-Caux
St-Maclou-la-Brière
Fauville-en-Caux
Bourville
St-Pierre-Lavis
Envronville
Hautot-le-Vatois
Autretot
Cotte-Cotte
Valléville
Gonfreville-Caillot
Grainville
Bielleville
Hattenville
Auberbosc
Le Veraval
Alvimbuc
Ectot-lès-Baons
Le Gal
Cailleboug
St-Martin-aux-Arbres
Bréauté
Vattetot-s/s-Beaumont
Yébleron
Hameau-Joyeux
Ricarville
Bermonville
Bosc-Renault
Baons-le-Comte
Ste-Marie-des-Champs
Flamanville
Motteville
Auzouville-l'Esneval
Le Hertelay
Bernières
Auzouville-Auberbosc
Le Beau Soleil
Écretteville-lès-Baons
Fay
Yvetot
Mirville
Cléville
Foucart
La Foulerie
École d'Agricre
St-Étienne-le-Vx
Cideville
Houquetot
Rouville
Bolleville
Guilleville
Alvimare
Valliquerville
Mézerville
Ecalles-Alix
Beuzeville-la-Grenier
Raffetot
Bolleville
Le Goulet
Chêne
Allouville-Bellefosse
Auzebosc
St-Clair-les-Monts
La Grde Rue
Le Fys
Brunville
Mesnil-Panneville
Nointot
Baclair (École d'agricre)
Alliquerville
Bois-Himont
La Chaussée
Le Neubourg
Mont-de-l'If
Croix-Mare
Parc-d'Anxtot
Lanquetot
La Vallée
Les Marcottières
Le Cheval-Blanc
Le Bouillot
Bourg-Naudin
Touffreville-la-Corbeline
La Folletière
St-Martin-de-l'If
Fréville
St-Antoine
Hardouville
Bolbec
St-Jean-de-la-Neuville
Beuzevillette
Trouville
Le Boscabosc
Le Bec-de-Croc
St-Aubin-de-Crétot
Flamare
Louvetot
Panneville
Gommerville
Lintot
Grand-Camp
St-Gilles-de-Crétot
Gruchet-le-Valasse
Les Héberts
Blacqueville
Bouville
La Mare-au-Leu
St-Eustache-la-Forêt
Abbe du Valasse
La Trinité-du-Mont
Le Bouillon
St-Nicolas-de-la-Haie
Maulévrier-Ste-Gertrude
Rançon
Betteville
Carville-la-Folletière
Bellintot
Les Trois-Pierres
La Mare Héberge
Mélamare
St-Antoine-la-Forêt
Le Becquet
Auberville-la-Campagne
Les Communes
Anquetierville
Rives-en-Seine
Caudebec-en-Caux
Le Ht Pas
Rue-de-Bourville
Barentin
St-Romain-de-Colbosc
Les Forges
La Vallée
Abbe
St-Wandrille-Rançon
Épinay
Gefol
Villers-Écalles
La Remuée
Ste-Honorine
Le Nd Monde
St-Jean-de-Folleville
Frénaye
Touffreville-la-Cable
Barre-y-va
Caudebecquet
St-Paër
Le Quesnay
La Porte-Blanche
Beau-Fils
Lillebonne
Les Quatre-Chemins
St-Nicolas-de-Bliquetuit
Pont de Brotonne
Le Calibourg
L'Orvasson
St-Nicolas-de-la-Taille
Radicatel
Le Pré Mançais
L'Abbaye
Villequier
Rue d'Ectot
Le Paulu
Cerlangue
Le Mesnil
N.-D.-de-
L'Angle
Ste-Marguerite-
A 29
A 150
E 44
D 925
D 926
D 910
D 6015
D 131
D 982
35
20

20
0 2 4 6 8 10 km
DIEPPE
N.-D. Bon-Secours
Phare d'Ailly
Valleuse
Vasterival
Pourville-s-Mer
Ste-Marguerite-s-Mer
Varengeville-s-Mer
Manoir d'Ango
Hautot-s-Mer
Longueil
Offranville
Ouville-la-Rivière
Le Bourg-Dun
Avremesnil
Luneray
Gueures
Ambrumesnil
Sauqueville
Colmesnil-Manneville
Thil-Manneville
Auppegard
Gruchet-St-Siméon
Hermanville
Brachy
Greuville
Bertreville-St-Ouen
Lammerville
Rainfreville
Bacqueville-en-Caux
Belmesnil
Royville
Lamberville
Sassetot
Biville-la-Rivière
Gonnetot
St-Laurent-en-Caux
Saâne-St-Just
Lestanville
Auzouville
St-Ouen-le-Mauger
St-Mards
Beauval-en-Caux
St-Pierre-Bénouville
Dracqueville
Imbleville
Belleville-en-Caux
Biville-la-Baignarde
Calleville-les-Deux-Églises
Val-de-Saâne
Vibeuf
La Fontelaye
St-Vaast-du-Val
Bourdainville
Bertrimont
Ancrétiéville-St-Victor
Gueutteville
Beautot
Saussay
Hugleville-en-Caux
Émanville
Limésy
Butot
Ste-Austreberthe
Sierville
Goupillières
Anceaumeville
Fresquiennes
Pavilly
Barentin
Malaunay
Le Houlme
Houppeville
Montville
Clères
Parc Zoo
Mont-Cauvaire
Bosc-Guérard-St-Adrien
Quincampoix
Fontaine-le-Bourg
St-André-s-Cailly
Cailly
St-Germain-s-Cailly
Claville-Motteville
Yquebeuf
Esteville
Authieux-Ratiéville
Grugny
Frichemesnil
Bosc-le-Hard
La Houssaye-Béranger
Étaimpuis
Grigneuseville
Cottévrard
Bosc-Bérenger
Critot
Rocquemont
Beaumont-le-Hareng
St-Saëns
Bosc-Mesnil
Bradiancourt
Neufbosc
Montérolier
Mathonville
Sommery
Bosc-Bordel
Buchy
Bosc-Roger-s-Buchy
Estouteville-Écalles
Vieux-Manoir
Longuerue
Ste-Croix-s-Buchy
Bois-Héroult
Bosc-Edeline
Héronchelles
Boissay
Morgny-la-Pommeraye
Bierville
St-Georges-s-Fontaine
Tôtes
Vassonville
Auffay
St-Denis-s-Scie
Sévis
La Crique
Bellencombre
Rosay
Ventes-St-Rémy
Maucomble
Cressy
Orival
Ardouval
Les Grandes-Ventes
Mesnil-Follemprise
Pommeréval
Fresles
Bures-en-Bray
Osmoy-St-Valery
Mesnières-en-Bray
Neufchâtel-en-Bray
Quièvrecourt
Bully
Esclavelles
Massy
Baillolet
Bailleul-Neuville
Londinières
Fréauville
Croixdalle
Ste-Agathe-d'Aliermont
St-Vaast-d'Équiqueville
N.-D.-d'Aliermont
Wanchy-Capval
Douvrend
Les Ifs
Bailly-en-Rivière
Envermeu
St-Nicolas-d'Aliermont
Dampierre-St-Nicolas
St-Jacques-d'Aliermont
Meulers
Freulleville
Torcy-le-Grand
Torcy-le-Petit
Dénestanville
Ste-Foy
St-Crespin
St-Honoré
Muchedent
Longueville-s-Scie
Criquetot-s-Longueville
Les Cent-Acres
Le Catelier
Cropus
St-Hellier
Heugleville-s-Scie
Gonneville-s-Scie
Anneville-s-Scie
Manéhouville
Aubermesnil-Beaumais
Le Bois-Robert
La Chapelle-du-Bourgay
Tourville-s-Arques
Martigny
Arques-la-Bataille
St-Aubin-s-Scie
Rouxmesnil-Bouteilles
Martin-Église
Ancourt
Bellengreville
Sauchay
Derchigny
Graincourt
Greges
Neuville-lès-D.
Bracquemont
Belleville-sur-Mer
Berneval-le-Grand
Penly
Biville-s-Mer
Brunville
Greny
Glicourt
Intraville
Tourville-la-Chapelle
Gouchaupre
Auquemesnil
Guilmécourt
Canehan
Assigny
Tocqueville-s-Eu
Criel-sur-Mer
Cuverville-sur-Yères
St-Martin-le-Gaillard
Sept-Meules
Baromesnil
St-Quentin-au-Bosc
Avesnes-en-Val
Bailly-en-Campagne
D 925
D 915
D 929
A 29
A 28
E 44
N 27
A 151
Forêt d'Arques
Forêt d'Eawy
Forêt du Hellet
Manche

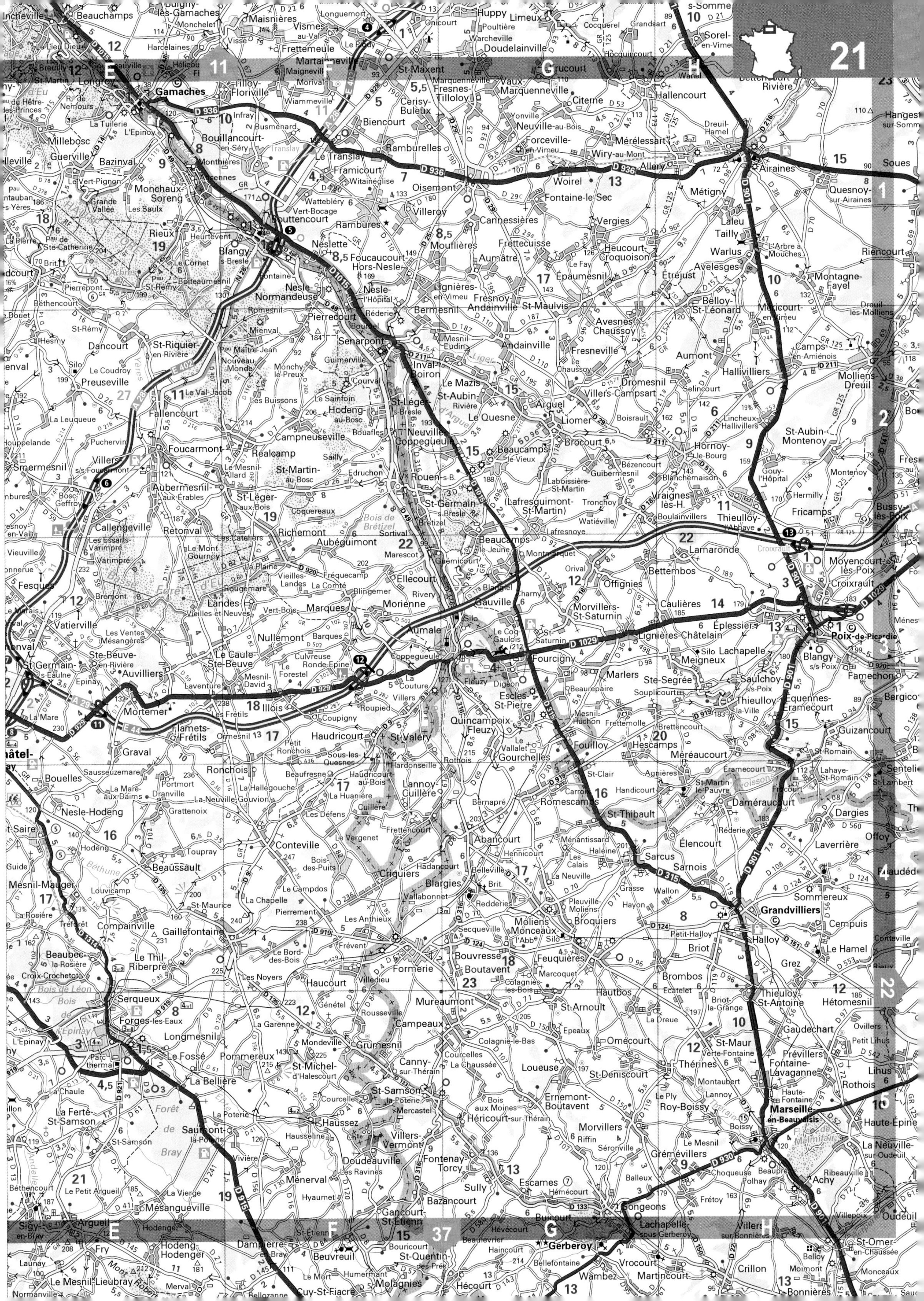

Gamaches
Beauchamps
Bouillancourt-en-Séry
Monchaux-Soreng
Rieux
Blangy-s-Bresle
Nesle-Normandeuse
Senarpont
Foucarmont
Réalcamp
Callengeville
Richemont
Aubéguimont
Aumale
Landes-Vieilles-et-Neuves
Nullemont
Marques
Morienne
Ellecourt
Illois
Mortemer
Haudricourt
Conteville
Gaillefontaine
Serqueux
Forges-les-Eaux
Grumesnil
Formerie
Abancourt
Sarcus
Grandvilliers
Marseille-en-Beauvaisis
Songeons
Gerberoy
Poix-de-Picardie
Airaines
Oisemont
Allery
Hornoy-le-Bourg
Liomer
Arguel
Beaucamps-le-Vieux
Lignières-Châtelain
Croixrault
Thieulloy-l'Abbaye
Moliens
Saumont-la-Poterie
Sully
Hodenger
Dampierre-en-Bray
Beuvreuil
Molagnies
Argueil
Sigy-en-Bray
Fry
Mesnil-Lieubray
Bazancourt
Canny-sur-Thérain
St-Samson-la-Poterie
Haussez
Villers-Vermont
Doudeauville
Ménerval
Gancourt-St-Étienne
St-Quentin-des-Prés
Hécourt
Wambez
Vrocourt
Crillon
Bonnières
Achy
Halloy
Thieuloy-St-Antoine
Hétomesnil
Bois de Brétizel
Forêt d'Eu
Forêt de Bray
A 28
A 29
E 402
E 44
D 1015
D 936
D 1029
D 901
D 929
D 919
D 915
D 316
D 315
D 930
D 211
E
F
G
H
11
22
37

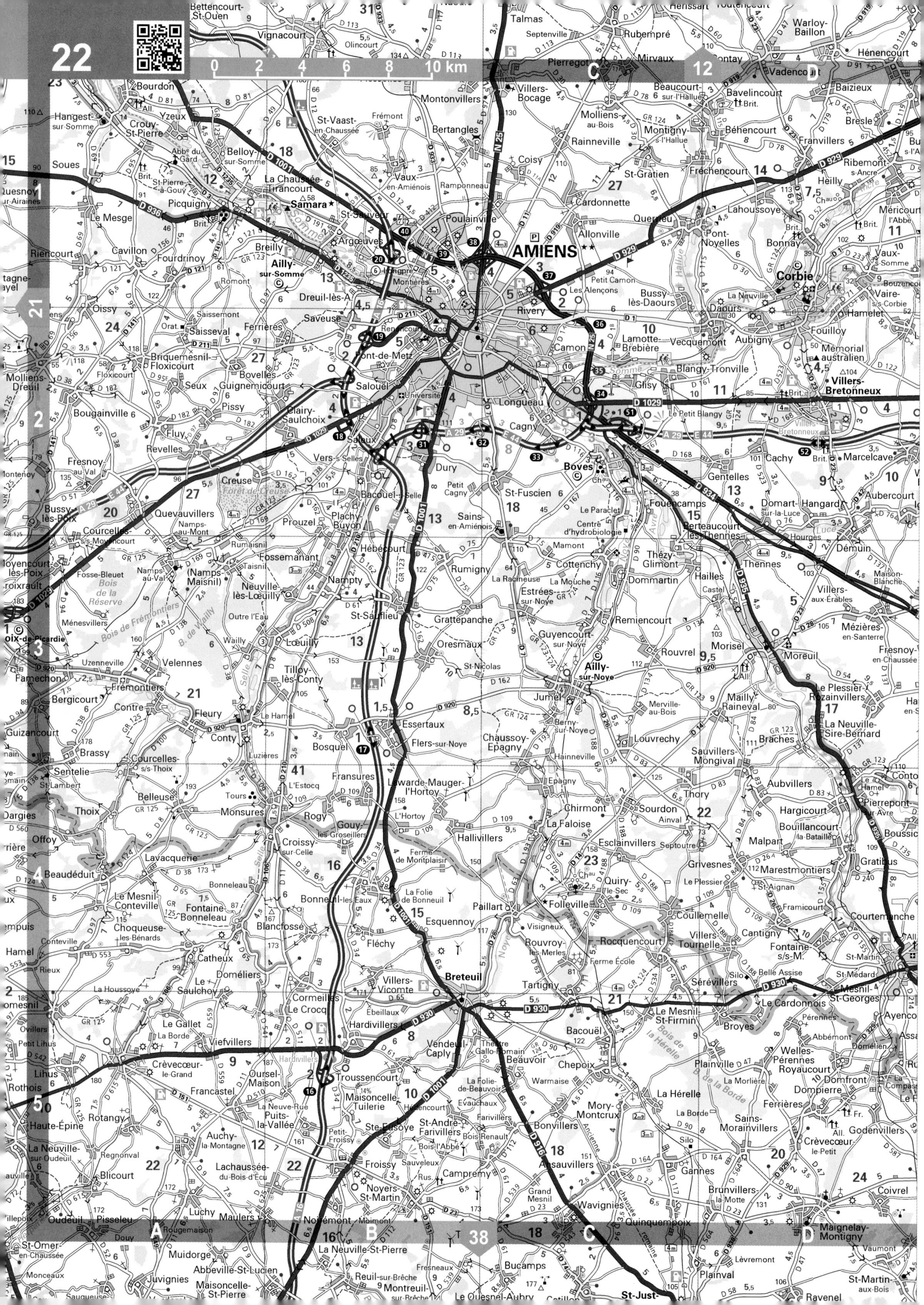
0 2 4 6 8 10 km
AMIENS
Corbie
Boves
Ailly-sur-Noye
Breteuil
Ailly-sur-Somme
Samara
Picquigny
Villers-Bretonneux
Moreuil
Conty
Poix-de-Picardie
Crèvecœur-le-Grand
Maignelay-Montigny
St-Just-
Rubempré
Villers-Bocage
Querrieu
Longueau
Camon
Rivery
Salouël
Saleux
Pont-de-Metz
Dury
Sains-en-Amiénois
St-Fuscien
Hébécourt
Flers-sur-Noye
Essertaux
Folleville
Bonneuil-les-Eaux
Esquennoy
Froissy
Noyers-St-Martin
Maisoncelle-Tuilerie
Troussencourt
Le Mesnil-St-Firmin
Sourdon
Quiry-le-Sec
Rouvrel
Thennes
Démuin
Fouencamps
Molliens-Dreuil
Croixrault
Thoix
Lihus
Marseille-en-Beauvaisis
A 16
A 29
N 25
D 1001
D 1029
D 929
D 930
D 916
12
21
38

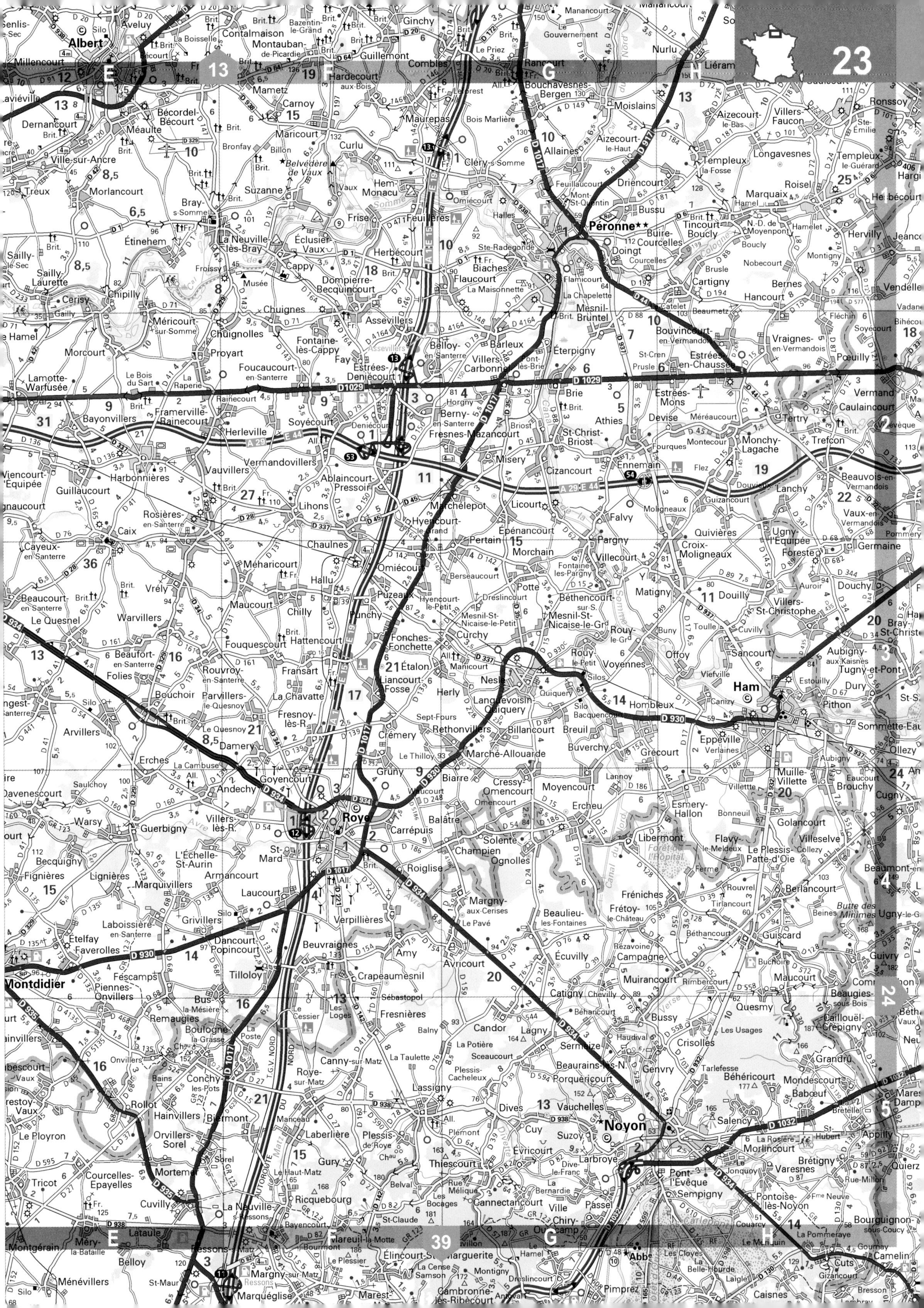
Albert
Aveluy
Contalmaison
Montauban-de-Picardie
Guillemont
Ginchy
Combles
Rancourt
Bouchavesnes-Bergen
Manancourt
Nurlu
Liéramont
Millencourt
Laviéville
Mametz
Carnoy
Maricourt
Maurepas
Hardecourt-aux-Bois
Moislains
Aizecourt-le-Bas
Villers-Faucon
Ronssoy
Dernancourt
Bécordel-Bécourt
Méaulte
Bronfay
Curlu
Cléry-sur-Somme
Allaines
Aizecourt-le-Haut
Templeux-la-Fosse
Longavesnes
Templeux-le-Guérard
Ville-sur-Ancre
Morlancourt
Belvédère de Vaux
Suzanne
Hem-Monacu
Feuillaucourt
Driencourt
Marquaix
Roisel
Hervilly
Treux
Bray-sur-Somme
Frise
Feuillères
Omiécourt
Halles
Mont-St-Quentin
Péronne
Bussu
Tincourt-Boucly
Buire-Courcelles
Doingt
Étinehem
La Neuville-lès-Bray
Éclusier-Vaux
Herbécourt
Biaches
Ste-Radegonde
Flamicourt
Cartigny
Nobecourt
Bernes
Hancourt
Vendelles
Sailly-le-Sec
Sailly-Laurette
Cappy
Dompierre-Becquincourt
Flaucourt
La Maisonnette
La Chapelette
Mesnil-Bruntel
Bouvincourt-en-Vermandois
Vraignes-en-Vermandois
Cerisy
Chipilly
Chuignes
Chuignolles
Méricourt-sur-Somme
Assevillers
Belloy-en-Santerre
Barleux
Éterpigny
Villers-Carbonnel
Estrées-en-Chaussée
Pœuilly
Le Hamel
Morcourt
Proyart
Fontaine-lès-Cappy
Fay
Estrées-Deniécourt
Foucaucourt-en-Santerre
Lamotte-Warfusée
Le Bois du Sart
La Raperie
Brie
Estrées-Mons
Vermand
Caulaincourt
Bayonvillers
Framerville-Rainecourt
Herleville
Soyécourt
Horgny
Berny-en-Santerre
Fresnes-Mazancourt
Briost
St-Christ-Briost
Athies
Devise
Tertry
Monchy-Lagache
Trefcon
Vauvillers
Vermandovillers
Ablaincourt-Pressoir
Misery
Cizancourt
Ennemain
Beauvois-en-Vermandois
Viencourt-l'Équipée
Harbonnières
Guillaucourt
Lihons
Marchélepot
Licourt
Falvy
Lanchy
Rosières-en-Santerre
Caix
Hyencourt-le-Grand
Épénancourt
Pertain
Morchain
Quivières
Ugny-l'Équipée
Germaine
Cayeux-en-Santerre
Chaulnes
Méharicourt
Omiécourt
Pargny
Villecourt
Croix-Moligneaux
Foreste
Hallu
Berseaucourt
Potte
Béthencourt-sur-Somme
Matigny
Douilly
Douchy
Beaucourt-en-Santerre
Le Quesnel
Vrély
Warvillers
Maucourt
Chilly
Puzeaux
Punchy
Hyencourt-le-Petit
Mesnil-St-Nicaise
Villers-St-Christophe
Bray-St-Christophe
Fouquescourt
Hattencourt
Fonches-Fonchette
Curchy
Rouy-le-Grand
Offoy
Sancourt
Aubigny
Tugny-et-Pont
Beaufort-en-Santerre
Folies
Rouvroy-en-Santerre
Fransart
Étalon
Liancourt-Fosse
Manicourt
Nesle
Voyennes
Ham
Dury
Bouchoir
Parvillers-le-Quesnoy
La Chavatte
Herly
Languevoisin-Quiquery
Hombleux
Pithon
Arvillers
Fresnoy-lès-Roye
Sept-Fours
Rethonvillers
Billancourt
Breuil
Eppeville
Verlaines
Sommette-Eaucourt
Ollezy
Le Quesnoy
Damery
Crémery
Marché-Allouarde
Buverchy
Grécourt
Erches
La Cambuse
Le Thilloy
Gruny
Biarre
Cressy-Omencourt
Moyencourt
Muille-Villette
Brouchy
Cugny
Davenescourt
Saulchoy
Andechy
Goyencourt
Ercheu
Esmery-Hallon
Bonneuil
Warsy
Guerbigny
Villers-lès-Roye
Roye
Carrépuis
Balâtre
Solente
Champien
Ognolles
Libermont
Flavy-le-Meldeux
Golancourt
Villeselve
Le Plessis-Patte-d'Oie
Becquigny
L'Échelle-St-Aurin
St-Mard
Roiglise
Fignières
Lignières
Armancourt
Marquivillers
Laucourt
Margny-aux-Cerises
Beaulieu-les-Fontaines
Fréniches
Frétoy-le-Château
Berlancourt
Beaumont-en-Beine
Grivillers
Verpillières
Le Pavé
Écuvilly
Campagne
Guiscard
Ugny-le-Gay
Laboissière-en-Santerre
Etelfay
Faverolles
Dancourt-Popincourt
Beuvraignes
Amy
Avricourt
Rezavoine
Buchoire
Guivry
Montdidier
Fescamps
Piennes-Onvillers
Tilloloy
Crapeaumesnil
Muirancourt
Catigny
Béhancourt
Maucourt
Commenchon
Beaugies-sous-Bois
Bus-la-Mésière
Remaugies
Sébastopol
Fresnières
Quesmy
Caillouël-Crépigny
Boulogne-la-Grasse
Le Cessier
Les Loges
Candor
Lagny
Sermaize
Bussy
Crisolles
Onvillers
Conchy-les-Pots
Canny-sur-Matz
La Potière
La Taulette
Plessis-Cacheleux
Beaurains-lès-Noyon
Porquéricourt
Genvry
Grandrû
Béhéricourt
Mondescourt
Babœuf
Rollot
Hainvillers
Biermont
Roye-sur-Matz
Lassigny
Dives
Vauchelles
Noyon
Salency
Morlincourt
Le Ployron
Orvillers-Sorel
Laberlière
Plessis-de-Roye
Cuy
Suzoy
Évricourt
Larbroye
Appilly
Tricot
Courcelles-Epayelles
Mortemer
Gury
Le Haut-Matz
Thiescourt
Dive-le-Franc
Pont-l'Évêque
Sempigny
Varesnes
Brétigny
Quierzy
Cuvilly
Ricquebourg
Belval
Cannectancourt
La Bernardie
Ville
Passel
Pontoise-lès-Noyon
Bourguignon-sous-Coucy
Méry-la-Bataille
Lataule
La Neuville-sur-Ressons
St-Claude
Chiry-Ourscamp
Montgérain
Ressons-sur-Matz
Mareuil-la-Motte
Élincourt-Ste-Marguerite
Le Hamel
Abbé
Les Cloyes
La Belle-Hourde
Le Mesnil
La Pommeraye
Camelin
Belloy
Margny-sur-Matz
Le Plessier
La Cense Samson
Montigny
Dreslincourt
Ménévillers
St-Maur
Marquéglise
Marest
Cambronne-lès-Ribécourt
Pimprez
Caisnes
Cuts
Bresson
Forêt de l'Hôpital
Butte des Minimes
A 29 E 44
A 1 E 15
D 1029
D 1017
D 930
D 934
D 1032
D 935
D 938
TGV NORD

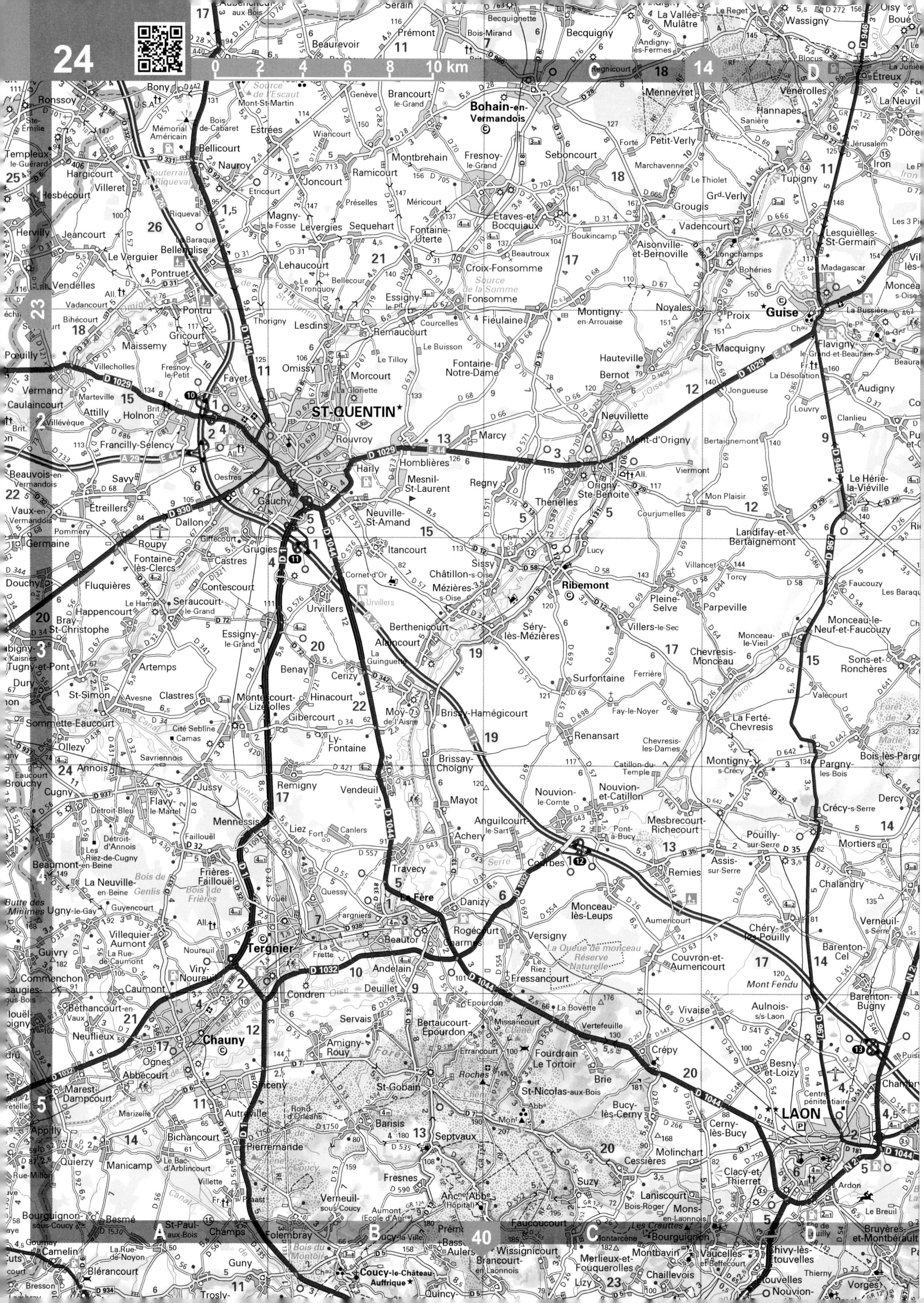
0 2 4 6 8 10 km
ST-QUENTIN
Bohain-en-Vermandois
Guise
Ribemont
Tergnier
Chauny
La Fère
LAON
Coucy-le-Château-Auffrique
Vermand
Holnon
Gauchy
Harly
Rouvroy
Homblières
Mesnil-St-Laurent
Neuville-St-Amand
Itancourt
Urvillers
Essigny-le-Grand
Benay
Cerizy
Hinacourt
Moÿ-de-l'Aisne
Brissy-Hamégicourt
Remigny
Vendeuil
Mayot
Travecy
Danizy
Versigny
Fressancourt
Servais
Deuillet
Andelain
Beautor
Charmes
Rogécourt
Condren
Viry-Noureuil
Flavy-le-Martel
Jussy
Mennessis
Liez
Frières-Faillouël
Villequier-Aumont
Ognes
Abbecourt
Sinceny
Autreville
St-Gobain
Barisis
Septvaux
Fresnes
Amigny-Rouy
Bertaucourt-Epourdon
Fourdrain
Crépy
Bucy-lès-Cerny
Cerny-lès-Bucy
Molinchart
Cessières
Suzy
Laniscourt
Clacy-et-Thierret
Besny-et-Loizy
Aulnois-s/s-Laon
Barenton-Bugny
Barenton-Cel
Chéry-lès-Pouilly
Verneuil-s-Serre
Pouilly-sur-Serre
Assis-sur-Serre
Crécy-s-Serre
Mortiers
Remies
Mesbrecourt-Richecourt
Nouvion-et-Catillon
Nouvion-le-Comte
Anguilcourt-le-Sart
Achery
Couvron-et-Aumencourt
Monceau-lès-Leups
Vivaise
Origny-Ste-Benoite
Thenelles
Mont-d'Origny
Neuvillette
Regny
Marcy
Sissy
Châtillon-s-Oise
Mézières-s-Oise
Séry-lès-Mézières
Surfontaine
Renansart
Villers-le-Sec
Pleine-Selve
Parpeville
Chevresis-Monceau
La Ferté-Chevresis
Montigny-s-Crécy
Pargny-les-Bois
Landifay-et-Bertaignemont
Le Hérie-la-Viéville
Audigny
Macquigny
Flavigny-le-Grand-et-Beaurain
Proix
Noyales
Hauteville
Bernot
Fieulaine
Fontaine-Notre-Dame
Morcourt
Omissy
Lesdins
Remaucourt
Essigny-le-Petit
Fonsomme
Croix-Fonsomme
Étaves-et-Bocquiaux
Fontaine-Uterte
Sequehart
Levergies
Magny-la-Fosse
Joncourt
Lehaucourt
Ramicourt
Montbrehain
Fresnoy-le-Grand
Seboncourt
Brancourt-le-Grand
Prémont
Beaurevoir
Estrées
Bellicourt
Nauroy
Bellenglise
Le Verguier
Pontru
Maissemy
Fayet
Francilly-Selency
Savy
Dallon
Roupy
Grugies
Castres
Contescourt
Seraucourt-le-Grand
Artemps
Clastres
St-Simon
Tugny-et-Pont
Ollezy
Cugny
Annois
Beaumont-en-Beine
Ugny-le-Gay
Guivry
Commenchon
Caumont
Marest-Dampcourt
Appilly
Quierzy
Manicamp
Bichancourt
Pierremande
Folembray
St-Paul-aux-Bois
Champs
Besmé
Bourguignon-sous-Coucy
Camelin
Blérancourt
Guny
Trosly
Verneuil-sous-Coucy
Wissignicourt
Brancourt-en-Laonnois
Merlieux-et-Fouquerolles
Montbavin
Vaucelles-et-Beffecourt
Chivy-lès-Étouvelles
Étouvelles
Bourguignon
Faucoucourt
Mons-en-Laonnois
Bruyères-et-Montbérault
Ardon
Lizy
Chaillevois
Vorges
Nouvion
Wassigny
Étreux
Vénérolles
Hannapes
Tupigny
Grougis
Vadencourt
Lesquielles-St-Germain
Aisonville-et-Bernoville
Montigny-en-Arrouaise
Petit-Verly
Grd-Verly
Becquigny
Bony
Ronssoy
Templeux-le-Guérard
Hargicourt
Villeret
Hesbécourt
Hervilly
Jeancourt
Vendelles
Vadancourt
Bihécourt
Attilly
Caulaincourt
Beauvois-en-Vermandois
Étreillers
Vaux-en-Vermandois
Germaine
Douchy
Fluquières
Happencourt
Bray-St-Christophe
Dury
Sommette-Eaucourt
Brouchy
Détroit-Bleu
Neuflieux
Bethancourt-en-Vaux
Source de l'Escaut
Source de la Somme
Mémorial Américain
Souterrain de Riqueval
Mont Fendu
La Queue de monceau Réserve Naturelle
Butte des Minimes
Bois de Genlis
Basse Forêt
Forêt de St-Gobain
Les Creuttes
A 26
A 29
E 44
E 17
D 1029
D 1044
D 1032
D 930
D 946
D 967
N 2
A
B
C
D
1
2
3
4
5
14
18
23
25
40

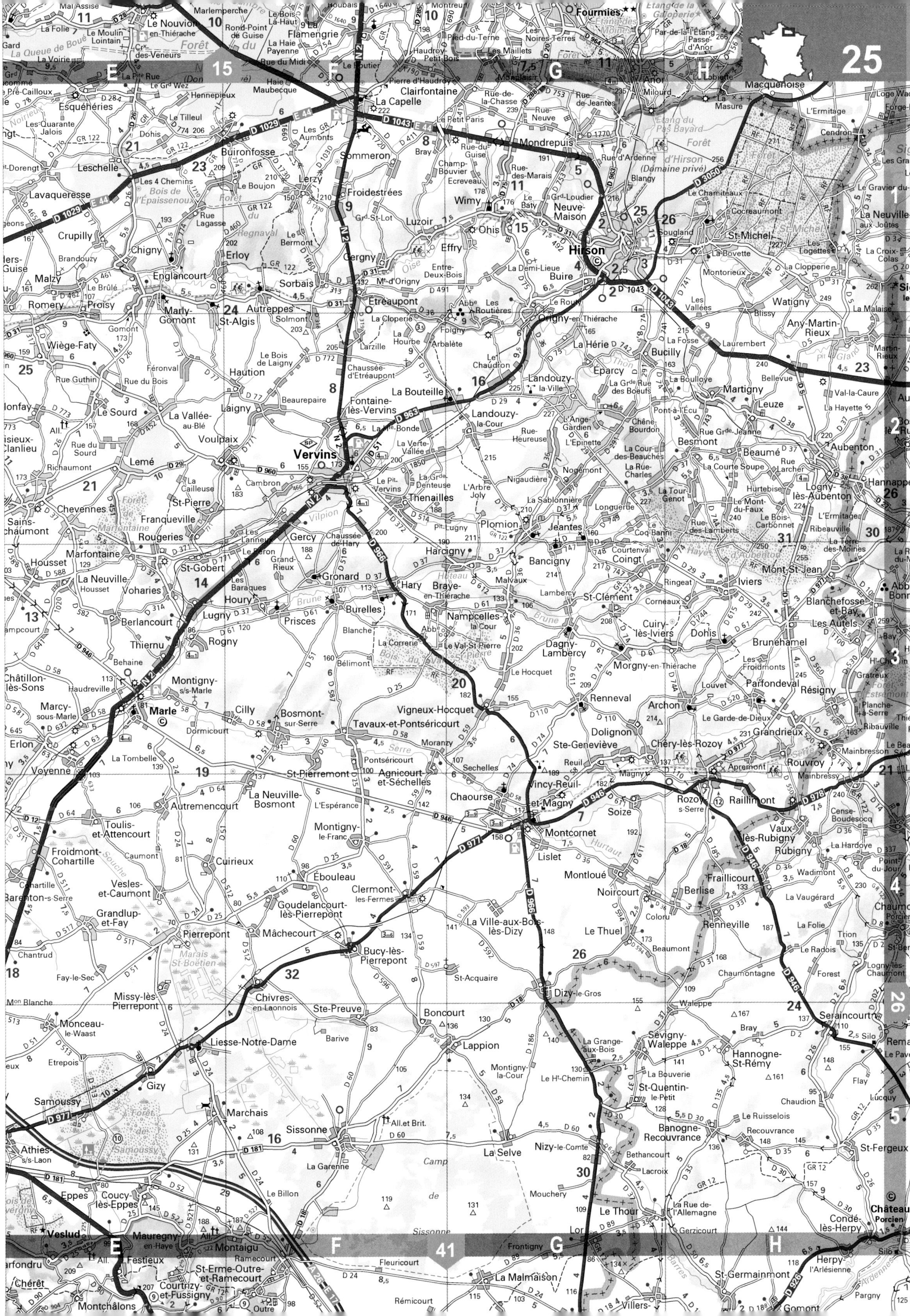

Le Nouvion-en-Thiérache
Fourmies
Anor
La Capelle
Clairfontaine
Buironfosse
Lavaqueresse
Esquéhéries
Leschelle
Sommeron
Lerzy
Froidestrées
Mondrepuis
Wimy
Neuve-Maison
Hirson
St-Michel
Macquenoise
Signy-le-Petit
Étréaupont
Sorbais
Autreppes
St-Algis
Marly-Gomont
Proisy
Romery
Malzy
Englancourt
Erloy
Chigny
Crupilly
Wiège-Faty
Origny-en-Thiérache
La Hérie
Éparcy
Bucilly
Martigny
Leuze
Watigny
Any-Martin-Rieux
Aubenton
Hannappes
Landouzy-la-Ville
Landouzy-la-Cour
La Bouteille
Fontaine-lès-Vervins
Vervins
Haution
Laigny
Voulpaix
La Vallée-au-Blé
Le Sourd
Lemé
Thenailles
Plomion
Jeantes
Bancigny
Harcigny
Gercy
Gronard
Hary
Braye-en-Thiérache
Burelles
Prisces
St-Gobert
Rougeries
Franqueville
St-Pierre
Marfontaine
Housset
La Neuville-Housset
Vohariès
Sains-Richaumont
Chevennes
Lugny
Berlancourt
Thiernu
Rogny
Montigny-s/s-Marle
Marle
Cilly
Bosmont-sur-Serre
Marcy-sous-Marle
Erlon
Voyenne
Nampcelles-la-Cour
Dagny-Lambercy
St-Clément
Coingt
Iviers
Mont-St-Jean
Cuiry-lès-Iviers
Dohis
Morgny-en-Thiérache
Brunehamel
Parfondeval
Résigny
Archon
Renneval
Dolignon
Ste-Geneviève
Chéry-lès-Rozoy
Grandrieux
Rouvroy
Rozoy-s-Serre
Raillimont
Vigneux-Hocquet
Tavaux-et-Pontséricourt
St-Pierremont
Agnicourt-et-Séchelles
Chaourse
Vincy-Reuil-et-Magny
Montcornet
Soize
Lislet
Montloué
Noircourt
Berlise
Fraillicourt
Renneville
Le Thuel
Vaux-lès-Rubigny
Rubigny
Chaumont-Porcien
Autremencourt
La Neuville-Bosmont
Toulis-et-Attencourt
Froidmont-Cohartille
Cuirieux
Vesles-et-Caumont
Montigny-le-Franc
Ébouleau
Clermont-les-Fermes
Goudelancourt-lès-Pierrepont
Grandlup-et-Fay
Pierrepont
Mâchecourt
Bucy-lès-Pierrepont
La Ville-aux-Bois-lès-Dizy
Dizy-le-Gros
Missy-lès-Pierrepont
Chivres-en-Laonnois
Ste-Preuve
Boncourt
Lappion
Monceau-le-Waast
Liesse-Notre-Dame
Gizy
Samoussy
Marchais
Sissonne
La Selve
Nizy-le-Comte
Sévigny-Waleppe
Hannogne-St-Rémy
Seraincourt
St-Quentin-le-Petit
Banogne-Recouvrance
St-Fergeux
Château-Porcien
Condé-lès-Herpy
Athies-s/s-Laon
Eppes
Coucy-lès-Eppes
Veslud
Mauregny-en-Haye
Montaigu
St-Erme-Outre-et-Ramecourt
Courtrizy-et-Fussigny
Montchâlons
La Malmaison
Le Thour
Lor
Herpy-l'Arlésienne
St-Germainmont
Gomont
Camp de Sissonne
E
F
G
H
15
41
26
1
2
3
4
5

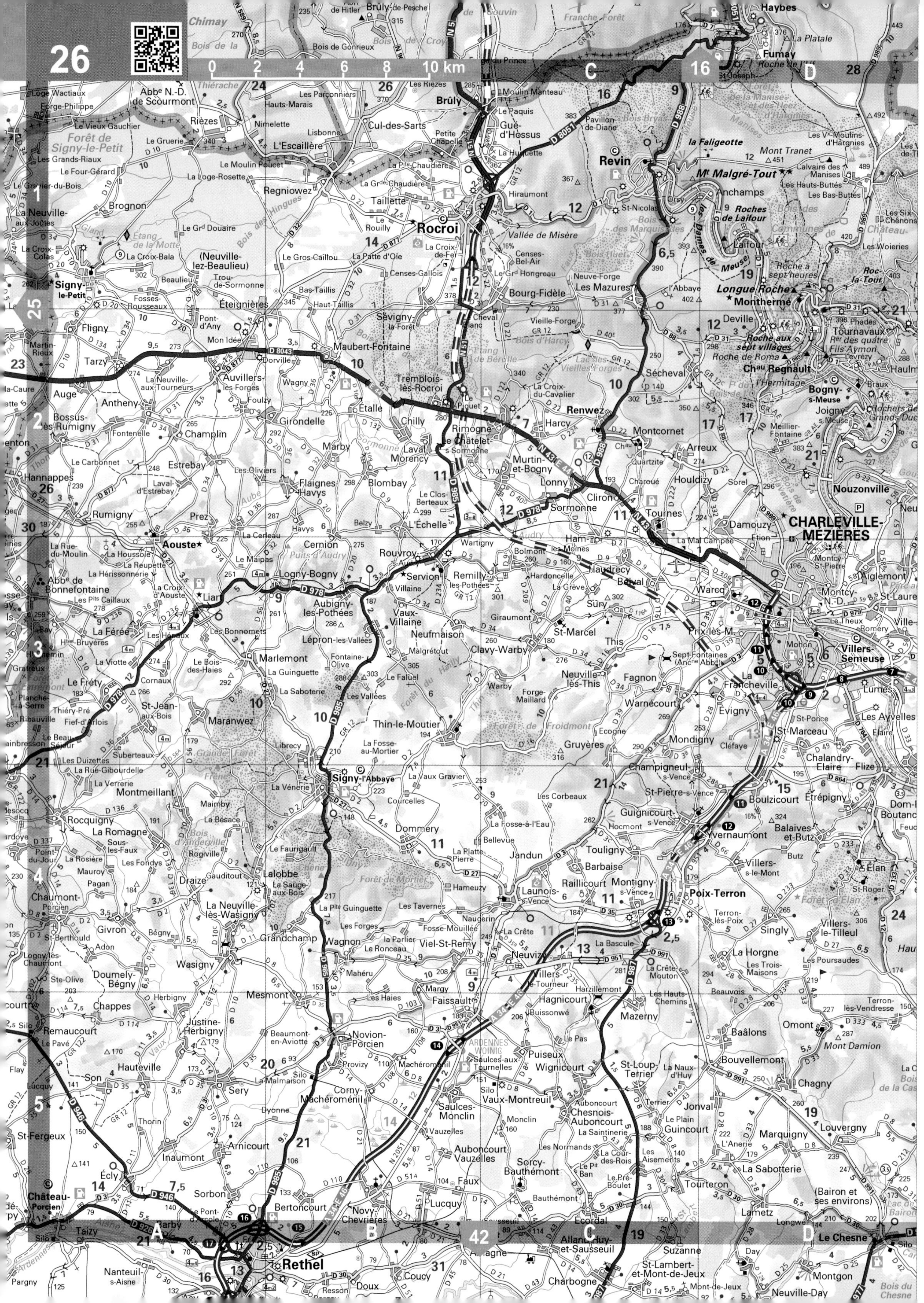
0 2 4 6 8 10 km
Chimay
Haybes
Fumay
Brûly
Gué-d'Hossus
Revin
Rocroi
Mt Malgré-Tout
Anchamps
Laifour
Monthermé
Deville
Tournavaux
Bogny-s-Meuse
Les Mazures
Bourg-Fidèle
Signy-le-Petit
Forêt de Signy-le-Petit
Regniowez
Taillette
Maubert-Fontaine
Tremblois-lès-Rocroi
Étalle
Rimogne
Renwez
Harcy
Sécheval
Montcornet
Murtin-et-Bogny
Lonny
Cliron
Tournes
Auvillers-les-Forges
Girondelle
Champlin
Estrebay
Rumigny
Hannappes
Aouste
Liart
Logny-Bogny
Aubigny-les-Pothées
Servion
Remilly-les-Pothées
Belval
Warcq
CHARLEVILLE-MÉZIÈRES
Nouzonville
Aiglemont
Villers-Semeuse
Prix-lès-M.
Lumes
Les Ayvelles
St-Marceau
Flize
La Francheville
Évigny
Mondigny
Thin-le-Moutier
Signy-l'Abbaye
Maranwez
Montmeillant
Rocquigny
La Romagne
Draize
Lalobbe
Chaumont-Porcien
Wasigny
Grandchamp
Wagnon
Viel-St-Remy
Neuvizy
Poix-Terron
Launois-s-Vence
Jandun
Touligny
Raillicourt
Montigny-s-Vence
Villers-le-Tilleul
Omont
Baâlons
Novion-Porcien
Faissault
Hagnicourt
Mazerny
Puiseux
Wignicourt
St-Loup-Terrier
Jonval
Chagny
Louvergny
Marquigny
Saulces-Monclin
Vaux-Montreuil
Chesnois-Auboncourt
Sorcy-Bauthémont
Faux
Lucquy
Novy-Chevrières
Bertoncourt
Sorbon
Inaumont
Arnicourt
Château-Porcien
Écly
Remaucourt
Hauteville
Sery
Taizy
Barby
Rethel
Ambly-Fleury
Allan-dhuy-et-Sausseuil
Suzanne
Charbogne
Le Chesne
Tourteron
Lametz
Coucy
Doux
Nanteuil-s-Aisne
A B C D
16 42 28 24 25 23

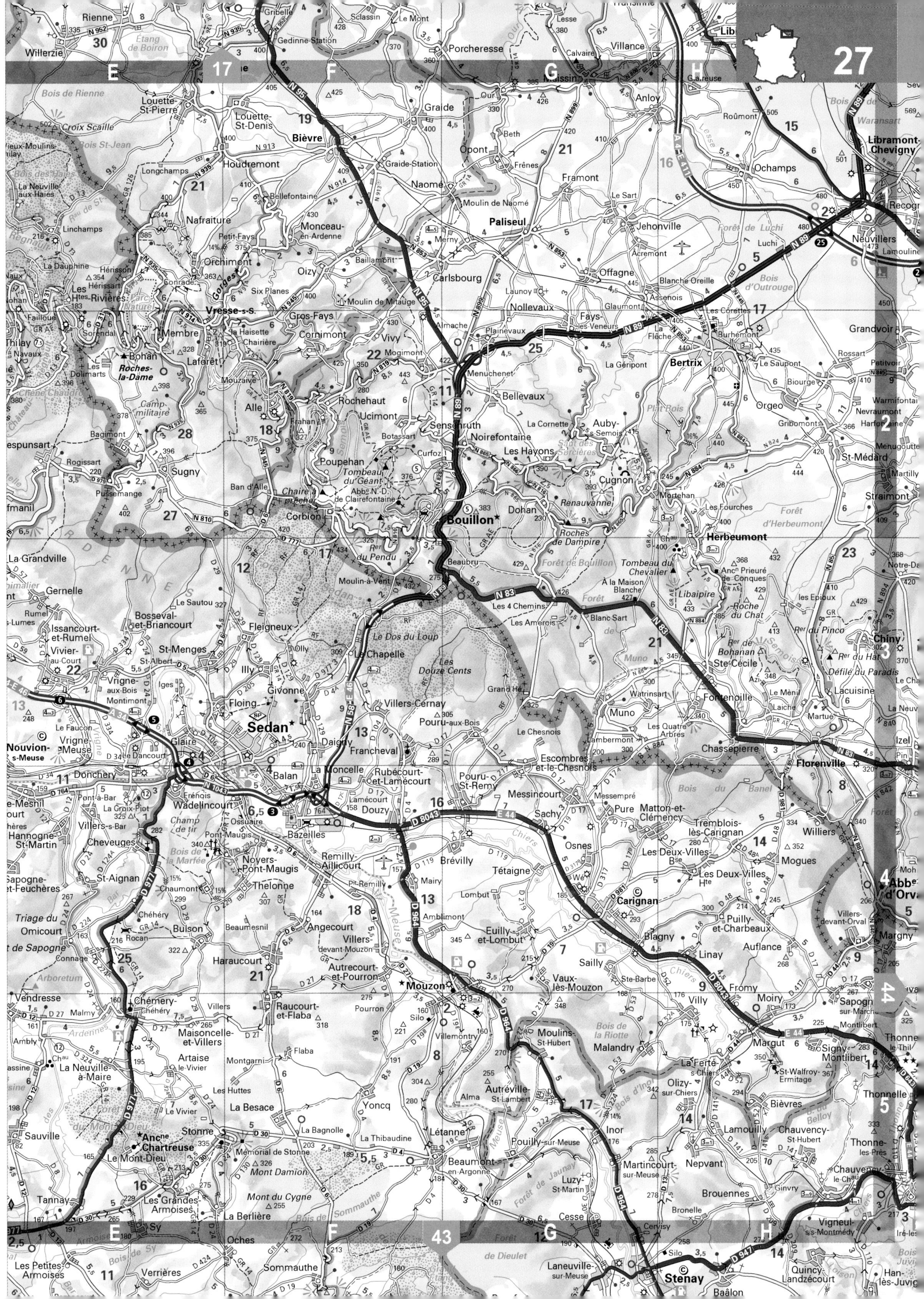

17
E
F
G
H
Rienne
Willerzie
Gedinne-Station
Porcheresse
Villance
Maissin
Anloy
Louette-St-Pierre
Louette-St-Denis
Bièvre
Graide
Opont
Houdremont
Graide-Station
Naomé
Framont
Ochamps
Libramont-Chevigny
Croix Scaille
Bois de Rienne
Longchamps
Nafraiture
Bellefontaine
Monceau-en-Ardenne
Moulin de Naomé
Paliseul
Jehonville
Le Sart
Neuvillers
Linchamps
Orchimont
Oizy
Carlsbourg
Offagne
Acremont
Bois d'Outrouge
Les Hautes-Rivières
Vresse-s-S.
Gros-Fays
Nollevaux
Fays-les-Veneurs
Bertrix
Grandvoir
Membre
Cornimont
Vivy
Plainevaux
Burhémont
Bohan
Roches-la-Dame
Laforêt
Mogimont
Menuchenet
La Géripont
Le Saupont
Orgeo
Alle
Rochehaut
Bellevaux
Auby-s-Semois
Ucimont
Sensenruth
Noirefontaine
Les Hayons
St-Médard
Poupehan
Tombeau du Géant
Cugnon
Sugny
Corbion
Bouillon
Dohan
Renauvanne
Mortehan
Straimont
Roches de Dampire
Herbeumont
La Grandville
Moulin-à-Vent
Beaubru
Forêt de Bouillon
Tombeau du Chevalier
Gernelle
Les 4 Chemins
Blanc Sart
Bosseval-et-Briancourt
Fleigneux
Le Dos du Loup
La Chapelle
Les Douze Cents
Chiny
Issancourt-et-Rumel
Vivier-au-Court
St-Menges
Illy
Ste-Cécile
Vrigne-aux-Bois
Givonne
Fontenoille
Lacuisine
Floing
Villers-Cernay
Muno
Sedan
Pourru-aux-Bois
Nouvion-s-Meuse
Vrigne-Meuse
Glaire
Daigny
Francheval
Escombres-et-le-Chesnois
Chassepierre
Florenville
Donchery
Balan
La Moncelle
Rubécourt-et-Lamécourt
Pourru-St-Remy
Messincourt
Wadelincourt
Douzy
Sachy
Pure
Matton-et-Clémency
Tremblois-lès-Carignan
Villers-s-Bar
Bazeilles
Osnes
Williers
Hannogne-St-Martin
Cheveuges
Noyers-Pont-Maugis
Remilly-Aillicourt
Brévilly
Tétaigne
Les Deux-Villes
Mogues
St-Aignan
Thelonne
Carignan
Abbe d'Orval
Triage du Omicourt
Bulson
Angecourt
Villers-devant-Mouzon
Amblimont
Eully-et-Lombut
Blagny
Pulliy-et-Charbeaux
Margny
Haraucourt
Autrecourt-et-Pourron
Sailly
Linay
Auflance
Vendresse
Chémery-Chéhéry
Raucourt-et-Flaba
Mouzon
Vaux-lès-Mouzon
Villy
Fromy
Moiry
Maisoncelle-et-Villers
Moulins-St-Hubert
Malandry
Margut
Signy-Montlibert
La Neuville-à-Maire
Artaise-le-Vivier
Villemontry
La Ferté-s-Chiers
Olizy-sur-Chiers
Thonnelle
Les Huttes
La Besace
Yoncq
Autréville-St-Lambert
Inor
Bièvres
Sauville
Stonne
Ancne Chartreuse
Létanne
Pouilly-sur-Meuse
Lamouilly
Chauvency-St-Hubert
Le Mont-Dieu
Mémorial de Stonne
Mont Damion
Beaumont-en-Argonne
Martincourt-sur-Meuse
Nepvant
Thonne-les-Prés
Mont du Cygne
Luzy-St-Martin
Brouennes
Tannay
Les Grandes-Armoises
La Berlière
Forêt de Jaunay
Vigneul-s/s-Montmédy
Sy
Oches
Cesse
43
Les Petites-Armoises
Verrières
Sommauthe
Laneuville-sur-Meuse
Stenay
Quincy-Landzécourt
Baâlon

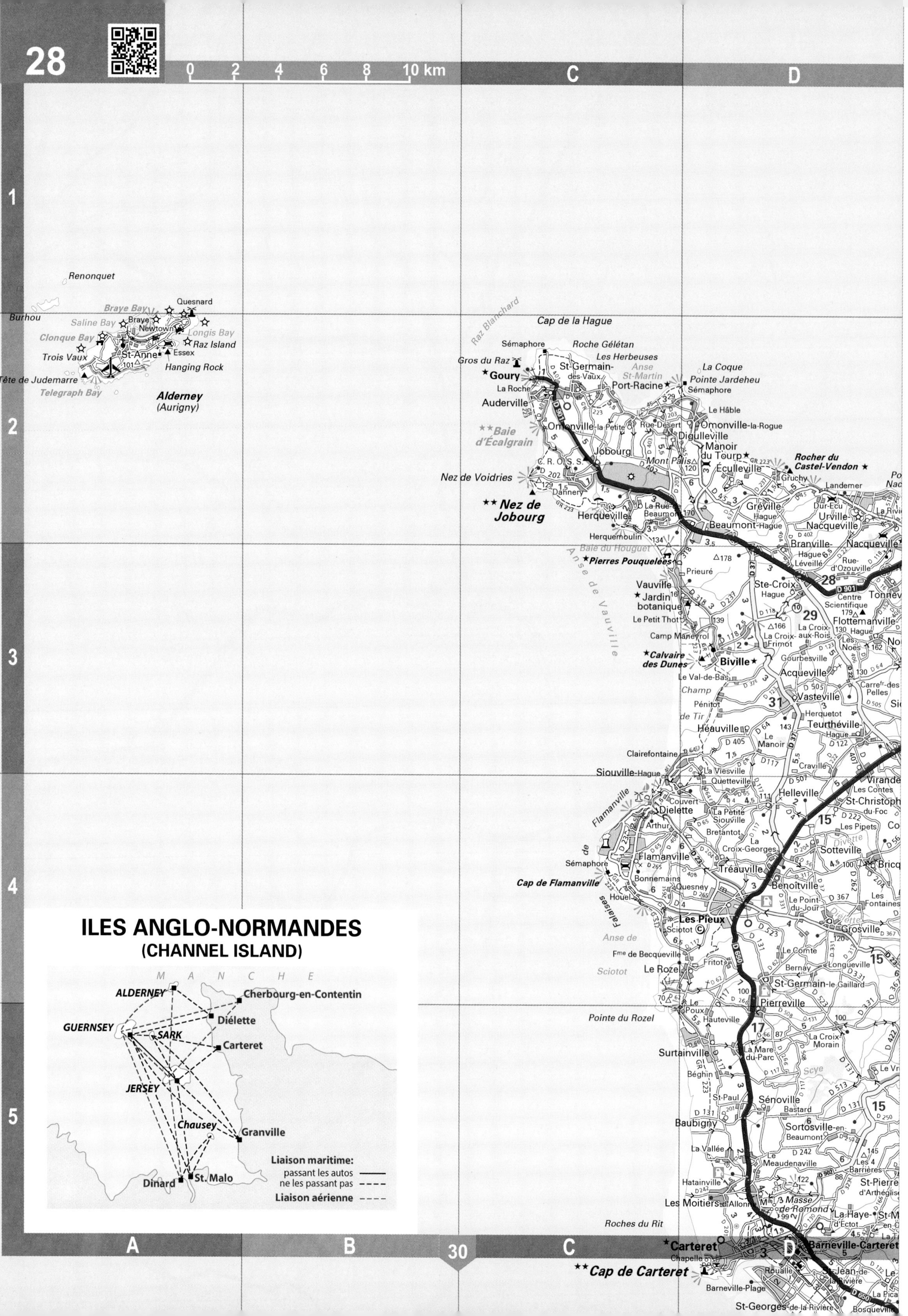
0 2 4 6 8 10 km
C
D
1
2
3
4
5
A
B
C
D
30
Renonquet
Burhou
Braye Bay
Quesnard
Saline Bay
Braye
Newtown
Longis Bay
Clonque Bay
Raz Island
Trois Vaux
St-Anne
Essex
Hanging Rock
Tête de Judemarre
Telegraph Bay
Alderney
(Aurigny)
Raz Blanchard
Cap de la Hague
Sémaphore
Roche Gélétan
Les Herbeuses
Gros du Raz
St-Germain-des-Vaux
Anse St-Martin
La Coque
Pointe Jardeheu
Goury
Port-Racine
Sémaphore
La Roche
Auderville
Le Hâble
Baie d'Écalgrain
Omonville-la-Petite
Rue-Désert
Omonville-la-Rogue
Digulleville
Manoir du Tourp
Jobourg
Mont Pali
Rocher du Castel-Vendon
Éculleville
Gruchy
Nez de Voidries
C. R. O. S. S.
Dannery
Landemer
Nez de Jobourg
La Rue-de-Beaumont
Gréville-Hague
Dur-Écu
Urville-Nacqueville
Herqueville
Beaumont-Hague
Herquemoulin
Baie du Houguet
Branville-Hague
Nacqueville
Pierres Pouquelées
Léveillé
Rue-d'Ozouville
Anse de Vauville
Prieuré
Vauville
Ste-Croix-Hague
Jardin botanique
Tonnev
Centre Scientifique
Le Petit Thot
Flottemanville-Hague
Camp Maneyrol
La Croix-Frimot
La Croix-aux-Rois
Les Noës
Calvaire des Dunes
Biville
Gourbesville
Acqueville
Le Val-de-Bas
Champ
Pénitot
de Tir
Vasteville
Carref. des Pelles
Herquetot
Teurthéville-Hague
Héauville
Le Manoir
Clairefontaine
Craville
Siouville-Hague
La Viesville
Quetteville
Virande
Helleville
Les Contes
St-Christoph
Flamanville
Couvert
Dielette
du-Foc
La Petite Siouville
Arthur
Bretantot
Les Pipets
La Croix-Georges
Sotteville
Flamanville
Sémaphore
Tréauville
Cap de Flamanville
Bonnemains
Quesney
Benoîtville
Le Point-du-Jour
Les Fontaines
Falaises
Houel
Les Pieux
Sciotot
Anse de Sciotot
Grosville
Fme de Becqueville
Fritot
Le Comte
Le Rozel
Bernay
Longueville
St-Germain-le-Gaillard
Pointe du Rozel
Le Poux
Hauteville
Pierreville
La Croix-Morain
Surtainville
La Mare-du-Parc
Scye
Béghin
St-Paul
Sénoville
Baubigny
Bastard
Sortosville-en-Beaumont
La Vallée
Le Meaudenaville
Les 4 Barrières
St-Pierre-d'Arthéglise
Hatainville
Les Moitiers-d'Allonne
Masse de Rémond
La Haye-d'Ectot
Roches du Rit
Carteret
Chapelle
Barneville-Carteret
Cap de Carteret
Rouâlle
St-Jean-de-la-Rivière
Barneville-Plage
St-Georges-de-la-Rivière
Bosqueville
La Pica
ILES ANGLO-NORMANDES
(CHANNEL ISLAND)
M A N C H E
ALDERNEY
Cherbourg-en-Contentin
Diélette
GUERNSEY
SARK
Carteret
JERSEY
Chausey
Granville
Dinard
St. Malo
Liaison maritime:
passant les autos
ne les passant pas
Liaison aérienne

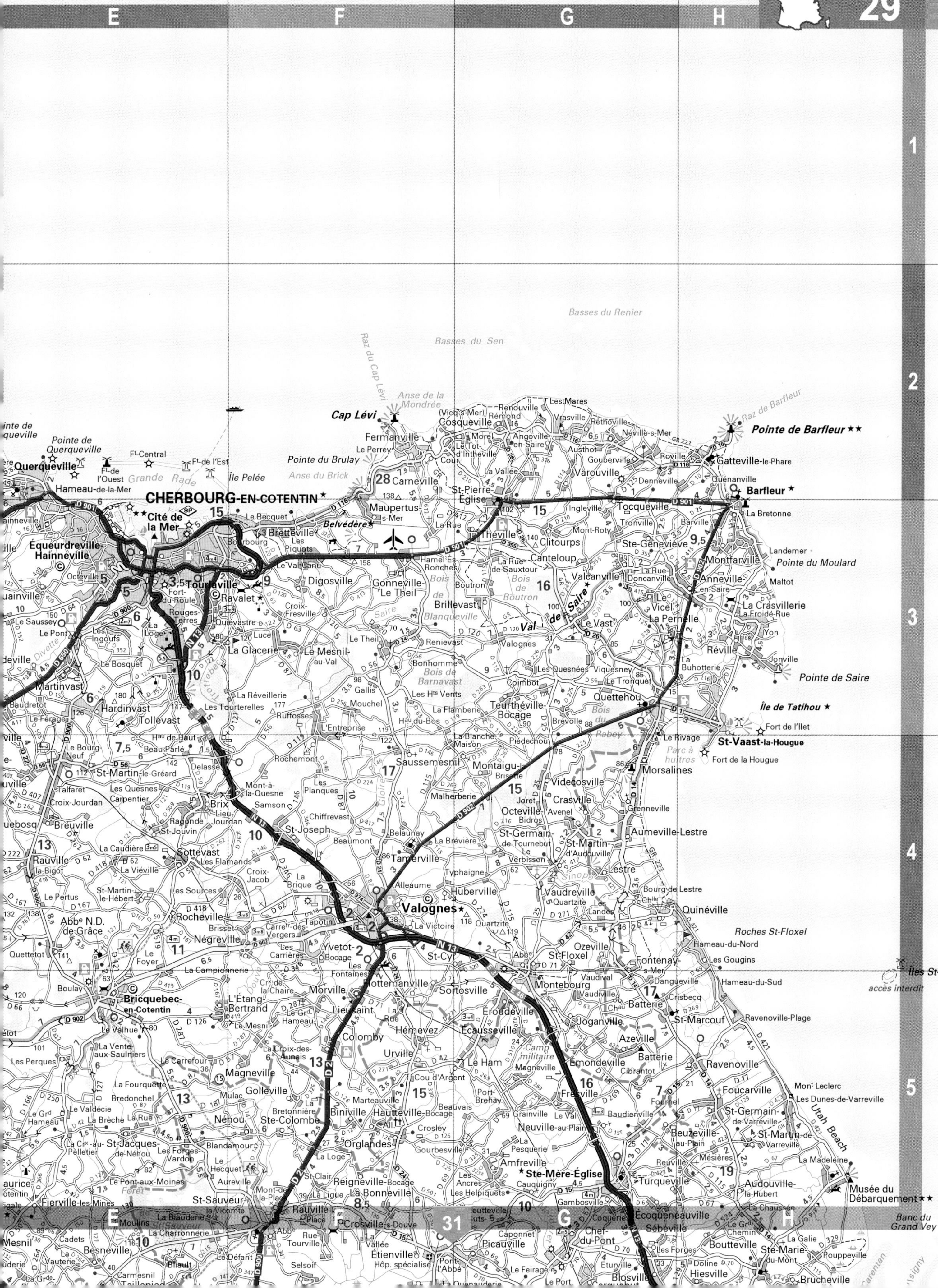
E
F
G
H
1
2
3
4
5
Basses du Renier
Basses du Sen
Raz du Cap Lévi
Anse de la Mondrée
Cap Lévi
Raz de Barfleur
Pointe de Barfleur ★★
Pointe de Querqueville
Querqueville
Ft de l'Ouest
Ft Central
Ft de l'Est
Grande Rade
Île Pelée
Pointe du Brulay
Anse du Brick
Hameau-de-la-Mer
CHERBOURG-EN-COTENTIN ★
Cité de la Mer
Équeurdreville-Hainneville
Tourlaville
Ravalet
Bretteville
Maupertus-s-Mer
Carneville
Fermanville
Cosqueville
Gatteville-le-Phare
Barfleur ★
La Bretonne
Tocqueville
St-Pierre-Église
Théville
Clitourps
Canteloup
Valcanville
Val de Saire ★
Montfarville
Anneville-en-Saire
La Crasvillerie
Réville
Pointe du Moulard
Pointe de Saire
Île de Tatihou ★
Fort de l'Ilet
St-Vaast-la-Hougue
Fort de la Hougue
Parc à huîtres
Quettehou
Morsalines
Le Vast
La Pernelle
Digosville
Gonneville-Le Theil
Bois de Brillevast
Bois de Boutron
Bois de Barnavast
La Glacerie
Le Mesnil-au-Val
Martinvast
Hardinvast
Tollevast
St-Martin-le-Gréard
Brix
Sottevast
Rauville-la-Bigot
Négreville
Bricquebec-en-Cotentin
Valognes ★
Yvetot-Bocage
Tamerville
Saussemesnil
Montaigu-la-Brisette
Teurthéville-Bocage
Videcosville
Crasville
Octeville-l'Avenel
Aumeville-Lestre
St-Martin-d'Audouville
Quinéville
Roches St-Floxel
Hameau-du-Nord
Les Gougins
Hameau-du-Sud
Îles St-M
accès interdit
St-Floxel
Ozeville
Fontenay-s-Mer
Montebourg
Sortosville
Éroudeville
Écausseville
Joganville
Azeville
St-Marcouf
Ravenoville-Plage
Ravenoville
Camp militaire
Émondeville
Hémevez
Urville
Colomby
Lieusaint
Morville
L'Étang-Bertrand
Magneville
Golleville
Néhou
Ste-Colombe
Orglandes
Hautteville-Bocage
Biniville
Fresville
Neuville-au-Plain
Foucarville
Mont Leclerc
Les Dunes-de-Varreville
St-Germain-de-Varreville
St-Martin-de-Varreville
Utah Beach
La Madeleine
Musée du Débarquement ★★
Banc du Grand Vey
Ste-Mère-Église
Amfreville
Turqueville
Audouville-la-Hubert
Écoquenéauville
Sébeville
Chef-du-Pont
Picauville
Étienville
Crosville-s-Douve
Rauville-la-Place
St-Sauveur-le-Vicomte
Reigneville-Bocage
La Bonneville
Besneville
Fierville-les-Mines
St-Jacques-de-Néhou
Boutteville
Ste-Marie-du-Mont
Hiesville
Blosville
Brucheville
31

ILES ANGLO-NORMANDES
(CHANNEL ISLAND)

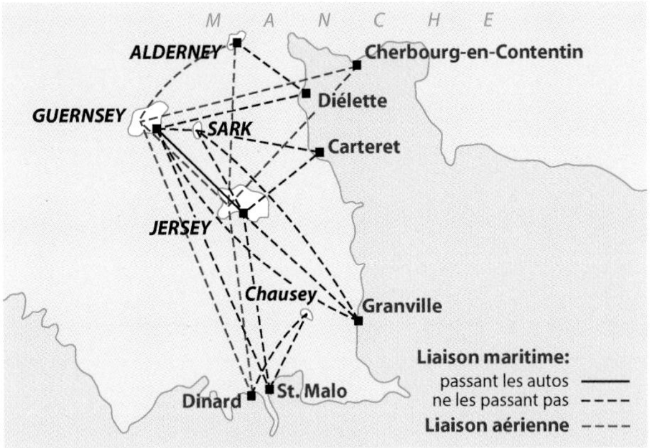

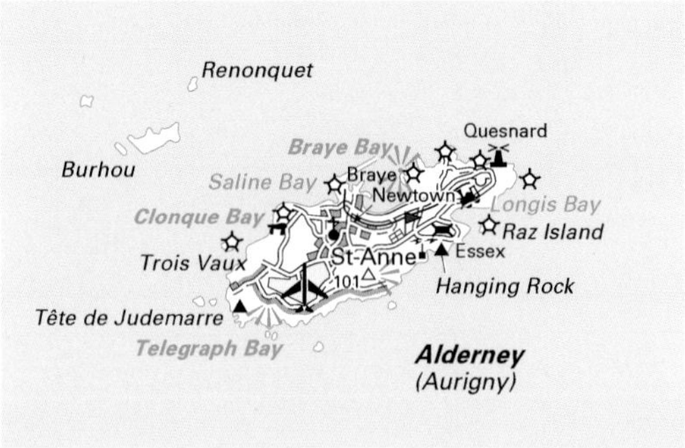

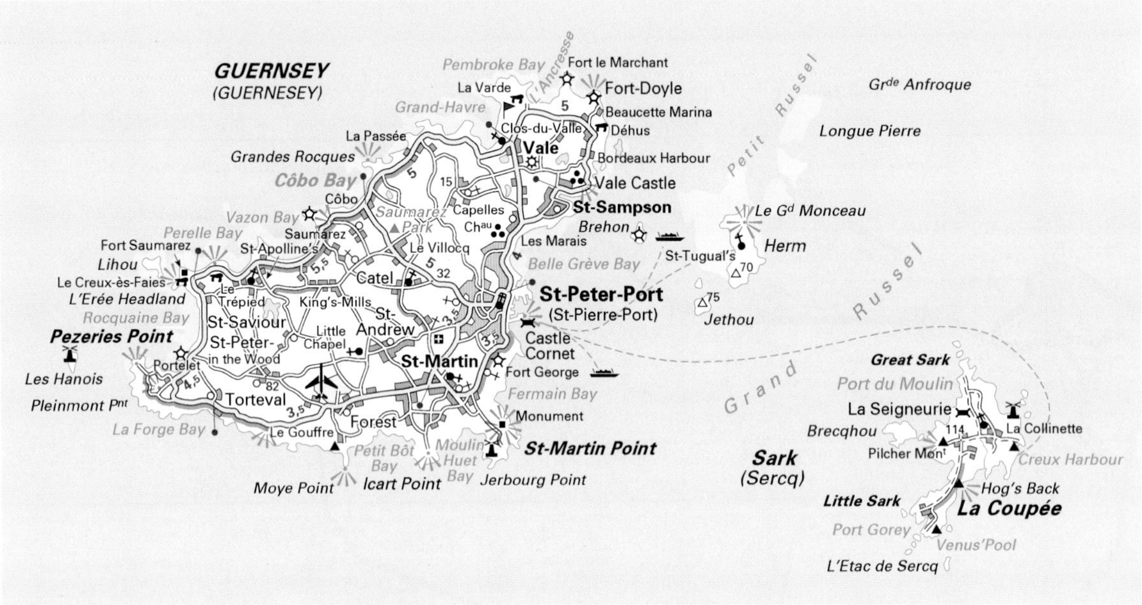

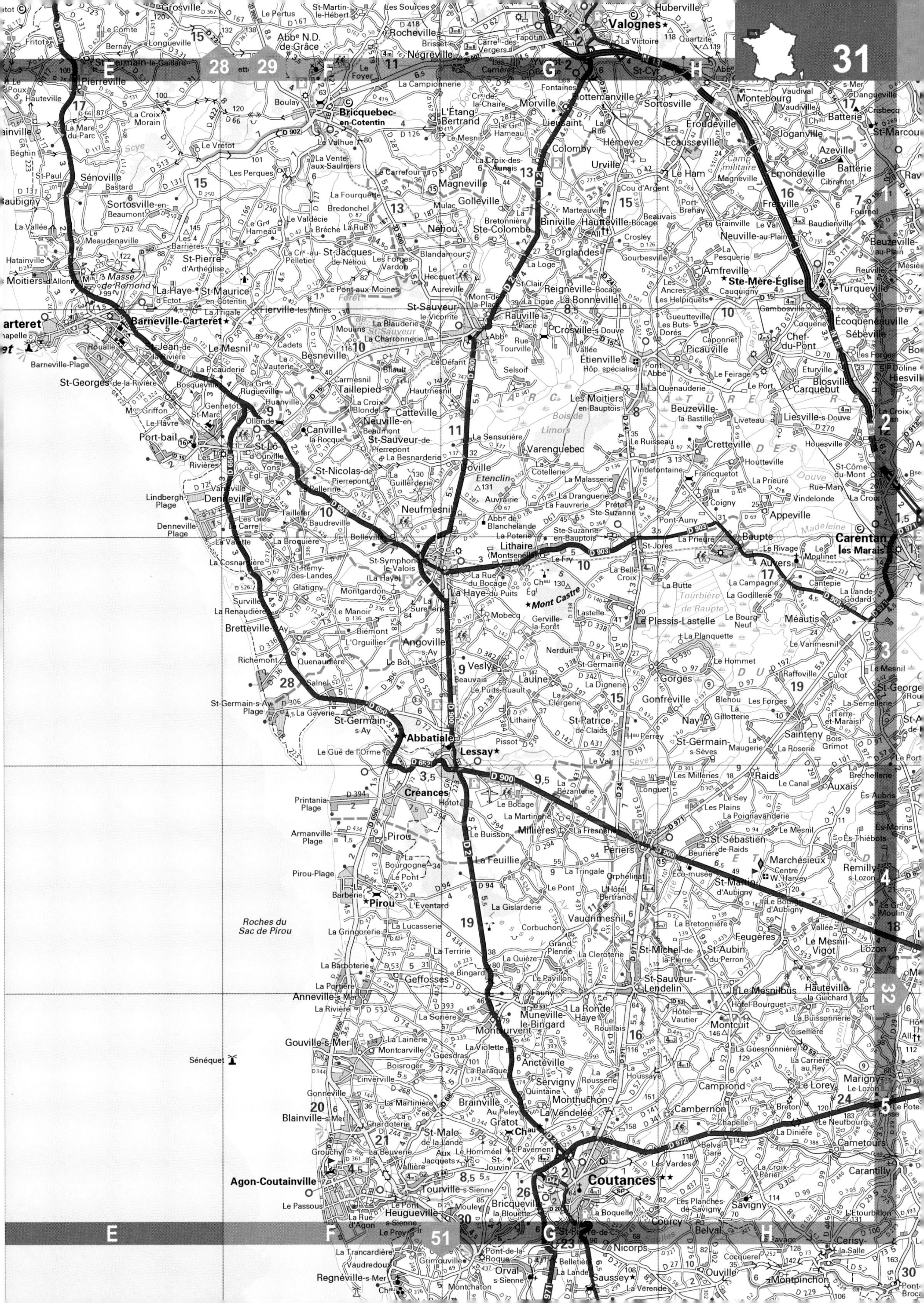
28
29
31
32
51
E
F
G
H
Valognes
Bricquebec-en-Cotentin
St-Germain-le-Gaillard
Pierreville
Les Pieux
Négreville
Yvetot-Bocage
St-Cyr
Montebourg
Sortosville
Hémevez
Urville
Colomby
L'Étang-Bertrand
Magneville
Golleville
Néhou
Ste-Colombe
Orglandes
Biniville
Hautteville-Bocage
Neuville-au-Plain
Amfreville
Ste-Mère-Église
Turqueville
Sortosville-en-Beaumont
Sénoville
Les Moitiers-d'Allonne
La Haye-d'Ectot
St-Pierre-d'Arthéglise
St-Maurice-en-Cotentin
Barneville-Carteret
St-Jean-de-la-Rivière
Le Mesnil
Fierville-les-Mines
St-Sauveur-le-Vicomte
Rauville-la-Place
Crosville-s-Douve
Reigneville-Bocage
La Bonneville
Picauville
Chef-du-Pont
Carquebut
Liesville-s-Douve
Blosville
Beuzeville-la-Bastille
Étienville
Les Moitiers-en-Bauptois
Parc Naturel Régional des Marais du Cotentin et du Bessin
Barneville-Plage
St-Georges-de-la-Rivière
Port-bail
Denneville
Lindbergh-Plage
Denneville-Plage
Canville-la-Rocque
Neuville-en-Beaumont
St-Sauveur-de-Pierrepont
St-Nicolas-de-Pierrepont
Taillepied
Catteville
Besneville
Doville
Varenguebec
Cretteville
Appeville
Baupte
Carentan les Marais
Auvers
Méautis
Neufmesnil
St-Symphorien-le-Valois
La Haye-du-Puits
Lithaire
Mont Castre
Le Plessis-Lastelle
Bretteville-s-Ay
Angoville-s-Ay
Vesly
Laulne
Gorges
Gonfreville
Nay
Raffoville
Sainteny
St-Germain-s-Ay
St-Germain-s-Ay Plage
Abbatiale
Lessay
Créances
Pirou
Pirou-Plage
Armanville-Plage
Printania-Plage
Millières
Périers
St-Martin-d'Aubigny
Marchésieux
Remilly-s-Lozon
Feugères
St-Sébastien-de-Raids
Raids
Auxais
Vaudrimesnil
St-Michel-de-la-Pierre
St-Aubin-du-Perron
St-Sauveur-Lendelin
Le Mesnilbus
Hauteville-la-Guichard
Lozon
Geffosses
Anneville-s-Mer
Muneville-le-Bingard
La Ronde-Haye
Montcuit
Gouville-s-Mer
Ancteville
Servigny
Monthuchon
Camprond
Marigny-Le-Lozon
Cambernon
Blainville-s-Mer
Brainville
Gratot
St-Malo-de-la-Lande
Agon-Coutainville
Tourville-s-Sienne
Heugueville-s-Sienne
Bricqueville-la-Blouette
Coutances
Courcy
Savigny
Cametours
Carantilly
St-Pierre-de-C.
Nicorps
Belval
Cerisy-la-Salle
Montpinchon
Orval-s-Sienne
Regnéville-s-Mer
Saussey
Roches du Sac de Pirou
Sénéquet
Forêt de St-Sauveur
Bois de Limors
Tourbière de Baupte
Camp militaire
D 900
D 903
D 650
D 2
D 24
D 971
D 972
N 13
E 3

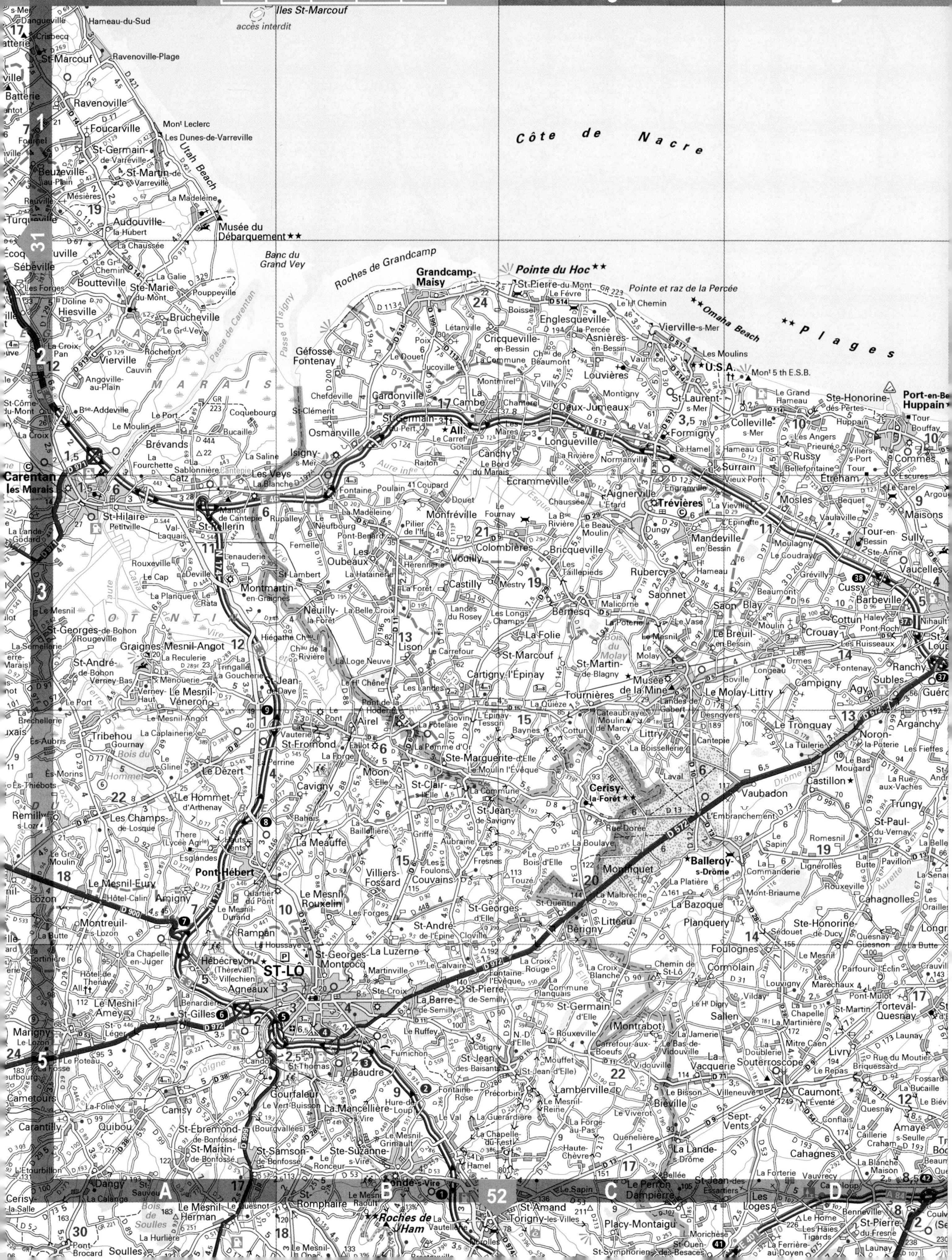
0 2 4 6 8 10 km
C
D
Iles St-Marcouf
accès interdit
Côte de Nacre
Hameau-du-Sud
St-Marcouf
Ravenoville-Plage
Ravenoville
Foucarville
Mont Leclerc
Les Dunes-de-Varreville
St-Germain-de-Varreville
St-Martin-de-Varreville
Utah Beach
Beuzeville-au-Plain
Mésières
La Madeleine
Audouville-la-Hubert
Musée du Débarquement ★★
Turqueville
La Chaussée
Banc du Grand Vey
Roches de Grandcamp
Sébeville
Boutteville
Ste-Marie-du-Mont
La Galie
Pouppeville
Hiesville
Brucheville
Passe de Carentan
Passe d'Isigny
Vierville
Rochefort
Angoville-au-Plain
Grandcamp-Maisy
Pointe du Hoc ★★
St-Pierre-du-Mont
Le Fèvre
Pointe et raz de la Percée
Le Ht Chemin
★★ Omaha Beach
★★ Plages
Englesqueville-la-Percée
Vierville-s-Mer
Asnières-en-Bessin
Les Moulins
Cricqueville-en-Bessin
Létanville
Géfosse-Fontenay
Le Douet
Jucoville
La Commune
Chau de Beaumont
Vaumicel
U.S.A.
Mont 5 th E.S.B.
Louvières
Montmirel
Villy
Montigny
Le Grand Hameau
Ste-Honorine-des-Pertes
Port-en-Bessin-Huppain ★
Chefdeville
Gardonville
La Cambe
Deux-Jumeaux
St-Laurent-s-Mer
Colleville-s-Mer
St-Clément
Coquebourg
Bucaille
Osmanville
St-Germain-du-Pert
All.
Le Carrefour Got
Les Mares
Longueville
Le Val
Formigny
Les Angers
Prieuré
Commes
Brévands
La Saline
Isigny-s-Mer
Canchy
Le Bord du Marais
Raiton
Normanville
Le Hamel
Hameau Gros
Russy
Viliers-s-Port
Carentan les Marais
La Fourchette
Catz
Les Veys
La Blanche
Aure inf.re
Écrammeville
Aignerville
Surrain
Étréham
St-Hilaire-Petitville
Manoir de Cantepie
St-Pellerin
Rupalley
Fontaine
Poulain
Coupard
La Madeleine
Le Neufbourg
Douet
Monfréville
Le Fournay
Trévières
Mosles
Maisons
Vaulaville
Sully
Tour-en-Bessin
Ste-Anne
Vaucelles
Lenauderie
Pont-Benard
Pilier de l'If
Colombières
Bricqueville
Le Beau Moulin
Dungy
Mandeville-en-Bessin
Rouxeville
Le Cap
Deville
Montmartin-en-Graignes
St-Lambert
Oubeaux
La Herennerie
La Hataineière
Vouilly
Les Taillepieds
Rubercy
Ht Hameau
Grévilly
Cussy
Barbeville
Taute
Le Mesnil
La Planque
La Rata
Neuilly-la-Forêt
La Forêt
Castilly
Mestry
Saonnet
Blay
Saon
Les Longs Champs
Landes du Rosey
Bernesq
La Malicorne
Cottun
Crouay
St-Georges-de-Bohon
Rougeville
Graignes-Mesnil-Angot
La Reculerie
La Belle Croix
Hiégathe
Lison
La Folie
Bois du Molay
Le Breuil-en-Bessin
Les Ruisseaux
St-André-de-Bohon
Verney-Bas
La Tringalle
La Goucherie
St-Jean-de-Daye
La Loge Neuve
Le Carrefour
St-Marcouf
St-Martin-de-Blagny
Le Molay
Longeau
Les Ormes
Fontenay
Ranchy
Le Mesnil-Véneron
Ménouerie
Cartigny-l'Épinay
Musée de la Mine
Le Molay-Littry
Campigny
Agy
Subles
Tournières
La Quièze
Landes de Gabert
Desnoyers
Le Port
Le Mesnil-Angot
Pont-de-la-Hoderie
Airel
Le Pont
Govin
L'Épinay-Tesson
Baynes
Cateaubraye
Moulin de Marcy
Littry
Le Tronquay
Noron-la-Poterie
Argancy
Tribehou
La Caplainerie
Gournay
Bois du Hommet
St-Fromond
Vauterie
La Forge
Fallot
La Pomme d'Or
Ste-Marguerite-d'Elle
Le Moulin l'Évêque
La Boissellerie
Cantepie
La Tuilerie
Les Fieffes
Le Dézert
La Perrine
Moon-sur-Elle
St-Clair-sur-l'Elle
La Commune
Bois l'Abbé
Cerisy-la-Forêt ★★
Laval
Vaubadon
Le Bas Mougard
Castillon ★
La Rue-aux-Vaches
Es-Thiébots
Le Hommet-d'Arthenay
Cavigny
Bahais
Baillolière
St-Jean-de-Savigny
Rue Dorée
L'Embranchement
Trungy
St-Paul-du-Vernay
Remilly-s-Lozon
Les Champs-de-Losque
La Meauffe
Griffé
Aubraine
Les Fresnes
Le Bois-d'Elle
La Boulaye
Balleroy-s-Drôme
Le Sapin
Romesnil
La Commanderie
Lignerolles
La Butte
Pavillon
There (Lycée Agr.)
Esglandes
Les Foulons
Couvains
Villiers-Fossard
Touzé
Montfiquet
La Platière
Rouxeville
Le Gd Moulin
Le Mesnil-Eury
Hôtel-Calin
Amigny
Pont-Hébert
Quartier du Pont
Le Mesnil-Rouxelin
La Malbrèche
St-Quentin
La Bazoque
Mont-Briaume
Cahagnolles
Lozon
Montreuil-s-Lozon
Le Mesnil-Durand
Rampan
Les Forges
St-André-de-l'Épine
Cloville
St-Georges-d'Elle
Bérigny
Litteau
Planquery
Sédouet
Ste-Honorine-de-Ducy
Quesnay-Guesnon
La Butte
La Chapelle-en-Juger
Hôtel de Thenay
Hébécrevon (Thèreval)
Villechien
La Houssaye
St-Georges-Montcocq
La Luzerne
Le Calvaire
Martinville
La Croix Rouge
Fontaine-l'Évêque
Chemin de St-Lô
La Croix Blanche
Foulognes
Cormolain
Le Mesnil
Parfouru-l'Éclin
ST-LÔ
Agneaux
Benardière
Ste-Croix
La Barre-de-Semilly
St-Pierre-de-Semilly
La Commune Planquais
St-Germain-d'Elle
Louvigny
Vilday
Les Maréchaux
Le Pont-Mulot
Torteval-Quesnay
Le Mesnil-Amey
St-Gilles
St-Léger
Marigny-Le-Lozon
Le Poteau
La Fosse
Le Ruffey
N.-D.-d'Elle
Rouxeville
(Montrabot)
Le Ht Digry
Sallen
La Chapelle
St-Martin
La Martinière
Cametours
Candol
St-Thomas
Baudre
Fumichon
St-Jean-des-Baisants
Cotigny
Mouffet
Carrefour-aux-Bœufs
La Jamerie
Le Bas-de-Vidouville
Vidouville
La Vacquerie
Souterroscope
Mitre Caen
Livry
La Doublerie
Rue du Moutier
Briquessard
Le Repas
Canisy
Gourfaleur
Le Vert-Buisson
Hure-de-Loup
La Mancellière-s-Vire
Fontaine-Rose
Précorbin
(St-Jean-d'Elle)
Lamberville
Le Bisson
Biéville
Villeneuve
Caumont-l'Éventé
La Bucaille
Le Quesnay
Carantilly
Quibou
La Folie
St-Ébremond-de-Bonfossé
St-Martin-de-Bonfossé
(Bourgvallées)
Le Mesnil-Grimault
Le Val
La Guérardière
La Chapelle-du-Fest
Le Mesnil-Reine
La Forge-au-Pas
Le Viverot
Quenelière
Sept-Vents
Conflais
La Caillerie
Craham
Amayé-s-Seulles
St-Samson-de-Bonfossé
Ste-Suzanne-s-Vire
Le Ronceur
Le Hamel
Haute-Chèvre
La Lande-s-Drôme
Cahagnes
La Blanche Maison
Vauvrecy
La Forterie
Bellée
L'Étourbillon
Dangy
La Calange
Sauvel
Le Mesnil-Herman
Le Quesnot
St-Romphaire
Condé-s-Vire
Le Mesnil-Raoult
Roches de Ham ★★
La Vautelle
St-Amand
Torigny-les-Villes
Le Sapin
Le Perron
Dampierre
St-Jean-des-Essartiers
Les Loges
Placy-Montaigu
Morichèse
St-Ouen
St-Symphorien-des-Besaces
Benneville
St-Pierre-du-Fresne
Le Home
Les Haies Tigards
La Ferrière-au-Doyen
Launay
Cerisy-la-Salle
Bois de Soulles
La Hurlière
Pont-Brocard
Soulles
Le Mesnil-Opac
Nolles
A
B
52
C
D

E
F
G
H
1
2
3
4
5
du
Débarquement
Gold Beach
Juno Beach
Sword Beach
Centre Juno Beach
Rade de Caen
Batterie
Cap Manvieux
Arromanches-les-Bains
St-Côme-de-Fresné
Manvieux
Longues-s-Mer
Asnelles
Mont Fleury
Courseulles-s-Mer
La Rivière
Ver-s-Mer
Graye-s-Mer
St-Aubin-s-Mer
Langrune-s-Mer
Luc-s-Mer
Petit-Enfer
Lion-s-Mer
La Brèche-d'Hermanville
Colleville-Montgomery-Plage
Riva-Bella
Ouistreham
Merville-Franceville-Plage
Bernières-s-Mer
Tracy-s-Mer
Meuvaines
Crépon
Ste-Croix-s-Mer
Banville
Ryes
Magny-en-Bessin
BAYEUX
Sommervieu
Bazenville
Tierceville
Colombiers-s-Seulles
Reviers
Bény-s-Mer
Tailleville
La Délivrande
Douvres-la-Délivrande
Cresserons
Hermanville-s-Mer
Colleville-Montgomery
Creully
Fontaine-Henry
Basly
Colomby-Anguerny
Plumetot
Périers-s-le-Dan
Thaon
St-Aubin-d'Arquenay
Sallenelles
Amfreville
Pegasus Bridge
Bénouville
Biéville-Beuville
Ranville
Hérouville-St-Clair
Épron
Cambes-en-Plaine
St-Contest
Rots
Authie
Abbaye d'Ardenne
Carpiquet
St-Germain-la-Bl.-Herbe
Bretteville-s-Odon
CAEN
Mondeville
Colombelles
Giberville
Cormelles-le-Royal
Louvigny
Fleury-s-Orne
Ifs
Hubert-Folie
Verson
Éterville
Mouen
Cheux
Tourville-s-Odon
Fontaine-Étoupefour
Baron-s-Odon
Maltot
Évrecy
May-s-O.
Rocquancourt
Bourguébus
Soliers
Grentheville
Cagny
Démouville
Sannerville
Troarn
Banneville-la-C.
Vimont
Argences
Moult
Bellengreville
Chicheboville
Garcelles-Sequeville
Tilly-la-Campagne
Conteville
St-Aignan-de-Cramesnil
Poussy-la-Campagne
Cintheaux
Bretteville-s-Laize
Laize-la-Ville
Fontenay-le-Marmion
Clinchamps-s-Orne
Maizet
Amayé-s-Orne
Vacognes-Neuilly
Landes-s-Ajon
Villers-Bocage
Tilly-s-Seulles
Fontenay-le-Pesnel
Juvigny-s-Seulles
Lingèvres
Bucéels
Audrieu
Brouay
Putot-en-Bessin
Norrey-en-Bessin
Le Mesnil-Patry
St-Manvieu-Norrey
Loucelles
Ducy-Ste-Marguerite
Carcagny
Vaux-s-S.
Martragny
Coulombs
Secqueville-en-Bessin
Lasson
Cairon
Rosel
Bretteville-l'Orgueilleuse
Ste-Croix-Grd-Tonne
Le Manoir
Vienne-en-Bessin
St-Gabriel-Brécy
Esquay-s-S.
St-Vigor-le-Gd
St-Martin-des-Entrées
Nonant
Ellon
Juaye-Mondaye
Noyers-Missy
Monts-en-Bessin
Gavrus
Bougy
Esquay-N.-D.
Feuguerolles-Bully
St-André-s-Orne
St-Martin-de-Fontenay
Thury-Harcourt
Épinay-s-Odon
Maisoncelles-Pelvey
Longvillers
Trois-Monts
Grimbosq
Goupillières
Boulon
Gouvix
Cauvicourt
St-Sylvain
Fierville-Bray
Troarn
Bavent
Escoville
Hérouvillette
Touffréville
Gonneville-en-Auge
Petiville
Varaville
A 84
A 813
N 13
D 613
E 46
53
34

0 2 4 6 8 10 km
18
33
54
A
B
C
D
1
2
3
4
5
LE HAVRE
PORT 2000
Octeville-sur-Mer
St-Andrieux
Dondeneville
Fontaine-la-Mallet
Montivilliers
Épouville
Sainneville
St-Laurent-de-Brévedent
Épretot
La Cour Souveraine
Canyon Park
St-Aubin-Routot
Ignauval
Cap de la Hève
Ste-Adresse
Bléville
Sanvic
Graville
Rouelles
Harfleur
Gonfreville-l'Orcher
Gainneville
Rogerville
Oudalle
St-Vincent-Cramesnil
Sandouville
St-Vigor-d'Ymonville
Le Hode
Grand Canal du Havre
Réserve de l'Estuaire
Honfleur
Pont de Normandie
Mont Courel
Vasouy
Fiquefleur-Équainville
Grestain
Jobles
La Pommeraye
Côte de Grâce
Cricquebœuf
Pennedepie
Villerville
Hennequeville
Trouville-s-Mer
DEAUVILLE
Côte Fleurie
Les Aubets
Barneville-la-Bertran
Équemauville
Gonneville-s-Honfleur
Le Quebec
La Rivière-St-Sauveur
Fatouville-Grestain
St-Pierre-du-Val
Ablon
La Croix-Sonnet
Mont St-Jean
Carref David
Genneville
Manneville-la-Raoult
Le Haut Bois
Forêt
Touques
Fourneville
Le Theil-en-Auge
Beuzeville
Boulleville
La Hannetot
La Roche
Bénerville-s-Mer
Blonville-s-Mer
Mt Canisy
Bonneville-s-Touques
St-Gatien-des-Bois
Porte-Rouge
Friche-Moisy
Le Mesnil
Quetteville
St-Arnoult
Villers-s-Mer
Falaise des Vaches Noires
Houlgate
Cabourg
Englesqueville-en-Auge
St-Martin-aux-Chartrains
Tourville-en-Auge
St-Benoît-d'Hébertot
Les Gohaigne
St-André-d'Hébertot
Les Jonquets
Les Faulques
La Lande-St-Léger
Pré-le-Houx
Champs-Rabats
Tourgéville
Vauville
Blonville
Forges-de-Blonville
Canapville
Roncheville
Mont St-Léger
Le Vieux-Bourg
Surville
Auberville
Le Faudis
Glatigny
St-Cloud
St-Pierre-Azif
St-Étienne-la-Thillaye
Coudray-Rabut
Pont-l'Évêque
Launay
Les Authieux-s-Calonne
St-Léger-s-Bonneville
Maillot
le Home
Merville-Franceville-Plage
La Forge
Gonneville-s-Mer
Dives-s-Mer
St-Vaast-en-Auge
Hte Rue
Glanville
La Croix-d'Heuland
La Mare-aux-Poids
Branville
Beaumont-en-Auge
Reux
St-Julien-s-Calonne
Bonneville-la-Louvet
Bas-Cabourg
Descanneville
Gonneville-en-Auge
Périers-en-Auge
Grangues
La Maison Blanche
Heuland
Bourgeauville
Betteville
Pierrefitte-en-Auge
Perrey
Carref Rouge
Manneville-la-Pipard
La Grenterie
Le Bo
Varaville
Brucourt
La Bruyère
Douville-en-Auge
Danestal
Le Bourg
Annebault
La Haie-Tondue
Le Mesnil-s-Blangy
Petiville
Cricqueville-en-Auge
Pont-Frémy
Cresseveuille
Drubec
Clarbec
St-Hymer
Blangy-le-Château
Bavent
Robehomme
St-Clair
La Forge-Moisy
Angerville
Le Bocage
La Chapelle-Hainfray
Valsemé
Gassard
Fierville-les-Parcs
Louteries
Le Brévedent
Bricqueville
Goustranville
Dozulé
St-Léger-Dubosq
Moutier
Le Torquesne
Les Leudets
Le Faulq
Basseneville
Putot-en-Auge
St-Jouin
Beaufour-Druval
Versan
Croix-de-Pierre
Le Breuil-en-Auge
Le Vivier
Monteillerie
St-Philbert-des-Champs
Le Pin
La Chollerie
Clermont-en-Auge
St-Aubin-Lebizay
Bonnebosq
St-Eugène
Les Forges
La Chlle St-Jean
Le Fournet
Bures-s-Dives
St-Richer
Brocottes
Auvillars
Formentin
Norolles
Les Cheminées
Moyaux
St-Samson
Beuvron-en-Auge
Gerrots
Rumesnil
Repentigny
Léaupartie
La Corperie
Coquainvilliers
Fauguernon
La Croix-Maillard
Troarn
St-Pierre-du-Jonquet
Le Ham
Lieu-Robinet
Manerbe
Ouilly-le-Vicomte
Maupas
Parc Zoo Cerza
Le Pouplin
La Rue Haute
Hernetot
Hotot-en-A.
St-Gilles-de-Livet
Montreuil-en-Auge
La Roque-Baignard
Rocques
La Barberie
Ouilly-du-Houley
Fumichon
Janville
Victot-Pontfol
Bouttemont
Englesqueville
Chau et Chlle de Montargis
Grandouet
Le Val Richer
Pommeraye
Bois-de-Rocques
Hermival-les-Vaux
St-Ouen-du-Mesnil-Oger
Cléville
La Rivière
Héritot
La Croix-des-Authieux
Cambremer
Le Cadran
Pays d'Auge
St-Ouen-le-Pin
Le Pré-d'Auge
LISIEUX
Glatigny
St-Léger
St-Hippolyte-de-Canteloup
Firfol
Le Fresne
Le Mesnil
Anneray
Corbon
Carref St-Jean
La Croix-de-Pierre
La Poste
St-Désir
Canteloup
La Houlgate
Méry-Corbon
Biéville-en-Auge
N.-D.-d'Estrées
St-Laurent-du-Mont
La Boissière
Basilique
Carref-du-May
Marolles
Les Pédouzes
Haras
St-Aubin-s-Algot
La Bousquetterie
Malicorne
Grais
Villers
Gouvix
Le Bras-d'Or
Crèvecœur-en-Auge
St-Pair-du-Mont
La Vigne
N.-D.-de-Livaye
La Motte
Beuvillers
Glos
Courtonne-la-Meurdrac
Croissanville
Le Lion d'Or
Quervilie
Monteille
La Houblonnière
Ragoterie
St-Hyppolite
St-Martin-de-la-Lieue
Les Cesnes-Rocray
La Cannerie
Ingouville
Airan
Bissières
Biéville-Quétiéville
St-Loup-de-Fribois
Haras
Les Monceaux
St-Pierre-des-Ifs
Le Mesnil-Guillaume
Cordebugle
Valmeray
Le Ruel
Magny-le-Freule
Mont de la Vigne
Lécaude
La Corne
St-Denis-de-Mailloc
Cesny-aux-Vignes
Le Mesnil-Mauger
Mirbel
Le Mesnil-Simon
Le Mesnil-Eudes
St-Martin-de-M.
St-Julien-de-Mailloc
Mézidon-Canon
Les Quatre Routes
St-Crespin
Caparmesnil
Grandchamp-le-Chau
St-Germain-de-Livet
St-Jean-de-Livet
Carref de Chambrin
Bray-la-Campagne
Ouézy
Quatre-Puits
Lessard-et-le-Chêne
Le Mesnil
La Forge
Danneville
Vieux-Fumé
Cauvigny
Écajeul
St-Maclou
Les Authieux-Papion
Ste-Marie-aux-Anglais
St-Julien
Bois de Noiremare
Caudemone
Prêtreville
La Droulinie
La Chapelle-Yvon
Le Mesnil
Vaux
Percy-en-Auge
Ouville-la-Bien-Tournée
Les Quatre-Routes
Coupesarte
La Chapelle-Noiremare
Auquainville
St-Pierre-de-Mailloc
Glatigny
Magny-la-Campagne
Le Buhot
Le Godet
Le Mesnil-Durand
Le Mesnil-Germain
Le Bocage
St-Cyr-du-Ronceray
Le Chêne
Rosière
Condé-s-Ifs
Bretteville-
(Valorbiquet)
A 13
A 29
A 131
A 132
E 46
D 613
D 579
D 675
D 6015
D 6382
D 27
D 513

Lillebonne
N.-D.-de-Gravenchon
Villequier
Caudebec-en-Caux
St-Wandrille-Rançon
Pont de Brotonne
Tancarville
Pont de Tancarville
Port-Jérôme
Quillebeuf-sur-Seine
St-Aubin-s-Quillebeuf
Pointe de la Roque
Marais-Vernier
Réserve Naturelle des Mannevilles
Vieux-Port
Aizier
Ételan
Norville
Petiville
La Mailleraye-s-Seine
Forêt de Brotonne
Heurteauville
Jumièges
Le Trait
Duclair
Yainville
Le Mesnil-s/s-Jumièges
Yville-s-S.
Mauny
Barneville-s-S.
Bourneville-Ste-Croix
Tocqueville
Trouville-la-Haule
Ste-Opportune-la-Mare
Bouquelon
St-Ouen-des-Champs
Fourmetot
Pont-Audemer
Toutainville
Manneville-s-Risle
Corneville-s-Risle
Étreville
Éturqueraye
Routot
La Haye-Aubrée
Hauville
Rougemontiers
Bouquetot
Bourg-Achard
Bosgouet
Caumont
La Trinité-de-Th.
Brestot
Illeville-s-Montfort
Appeville-Annebault
Montfort-s-Risle
Flancourt-Crescy-en-Roumois
Bosc-Renoult-en-Roumois
Grand Bourgtheroulde
Thuit-Hébert
Chau de Robert-le-Diable
Boissey-le-Châtel
Bosnormand
Thierville
Voiscreville
Bonneville-Aptot
Le Bec-Hellouin
Malleville-s-le-Bec
Pont-Authou
St-Philbert-s-Risle
Glos-s-Risle
Freneuse-s-Risle
St-Georges-du-Vièvre
St-Grégoire-du-Vièvre
Lieurey
Campigny
Selles
Tourville-s-Pont-Audemer
St-Symphorien
Triqueville
Fort-Moville
Les Préaux
Épaignes
Cormeilles
St-Sylvestre-de-Cormeilles
Morainville-Jouveaux
Noards
Brionne
Calleville
Harcourt
Champ de Bataille
Le Neubourg
Ste-Opportune-du-Bosc
Thibouville
Fontaine-la-Soret
Boisney
Carsix
Nassandres
Serquigny
Bernay
Menneval
Plasnes
Duranville
Thiberville
Folleville
Barville
Fontaine-l'Abbé
Beaumont-le-Roger
Beaumontel
Écardenville-la-Campagne
Combon
Ste-Colombe-la-Commanderie
Le Tremblay-Omonville
Épreville-près-le-N.
Rouge-Perriers
Vitot
Crosville-la-Vieille
Amfreville
Tourville-la-Campagne
St-Vincent-du-Boulay
Plainville
Caorches-St-Nicolas
Fresne-Cauverville
Heudreville-en-Lieuvin
Asnières
Bailleul-la-Vallée
Fontaine-la-Louvet
L'Hôtellerie
La Chapelle-Hareng
Drucourt
Bournainville-Faverolles
St-Martin-du-Tilleul
St-Victor-de-Chrétienville
Émanville
Barc
AUTOROUTE DE NORMANDIE
PARC NATUREL RÉGIONAL DES BOUCLES DE LA SEINE NORMANDE
SEINE
E
F
G
H
19
55
36

0 2 4 6 8 10 km
ROUEN
Montville
Malaunay
Le Houlme
Maromme
Mont-St-Aignan
Bois-Guillaume-Bihorel
Darnétal
Canteleu
Le Pt-Quevilly
Le Gd-Quevilly
Petit-Couronne
Sotteville-lès-R.
St-Etienne-du-Rouvray
Grd-Couronne
Bonsecours
Le Mesnil-Esnard
Franqueville-St-Pierre
Martainville-Epreville
Oissel
Romilly-s-Andelle
Pont-St-Pierre
Côte des Deux Amants
Ecluses
Amfreville-s/s-les-Monts
Pont-de-l'Arche
Val-de-Reuil
Elbeuf
Caudebec-lès-E.
Cléon
St-Aubin-lès-E.
Orival
Roches d'Orival
Chau de Robert-le-Diable
Louviers
Incarville
Les Andelys
Chau Gaillard
Gaillon
Vascoeuil
Charleval
Fleury-s-Andelle
Ménesqueville
Ecouis
Forêt des Andelys
Forêt de Roumare
Forêt du Rouvray
Bois du Mesnil-Jourdain
SEINE
Abbe de Fontaine-Guérard
Roches de St-Adrien
St-Martin-de-Boscherville
Le Neubourg
Acquigny
Pinterville
Heudebouville
Vironvay
Tosny
Bouafles
Courcelles-s-Seine
St-Pierre-la-Garenne
Port-Mort
Ste-Colombe-près-Vernon
Chambray
St-Vincent-des-Bois
Normandie
35
56
20
A
B
C
D
1
2
3
4
5

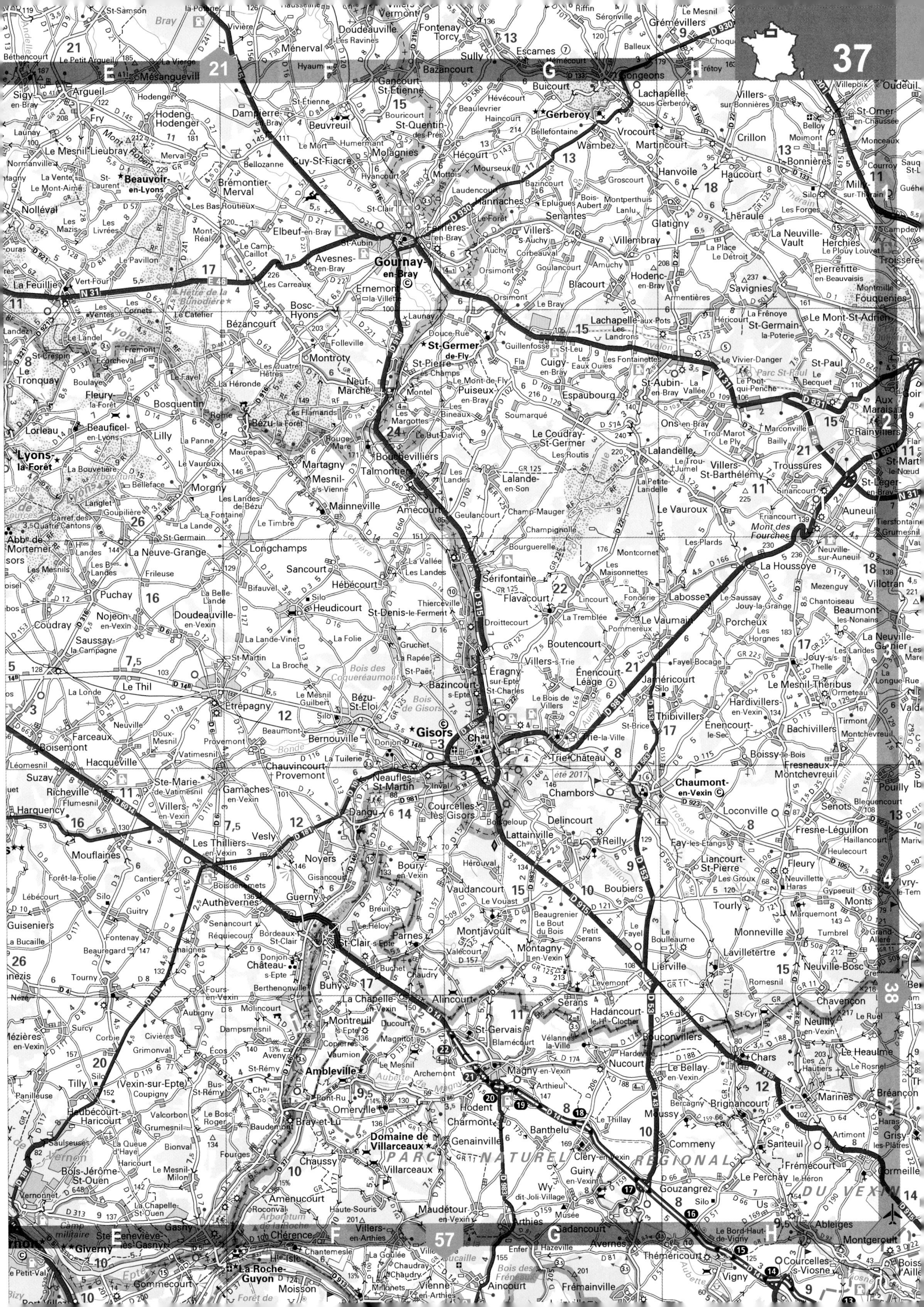
21
E
F
G
H
Gournay-en-Bray
Gisors
Chaumont-en-Vexin
Gerberoy
St-Germer-de-Fly
Beauvoir-en-Lyons
Lyons-la-Forêt
Bézu-la-Forêt
Étrépagny
Magny-en-Vexin
Ambleville
Domaine de Villarceaux
La Roche-Guyon
Giverny
Vernon
Marines
Chars
Trie-Château
Sérifontaine
Talmontiers
Neuf-Marché
Auneuil
Hodenc-en-Bray
Songeons
Formerie
Lachapelle-aux-Pots
Espaubourg
Le Coudray-St-Germer
Le Vaumain
Fleury
Bézu-St-Éloi
Dangu
Courcelles-lès-Gisors
Boury-en-Vexin
St-Clair-s-Epte
Château-s-Epte
Les Thilliers-en-Vexin
Vesly
Gamaches-en-Vexin
Hacqueville
Bernouville
Hébécourt
Heudicourt
Longchamps
Morgny
Puchay
Mainneville
Amécourt
Bouchevilliers
Martagny
Sancourt
Doudeauville-en-Vexin
Le Thil
Farceaux
Boisemont
Richeville
Mouflaines
Guerny
Noyers
Parnes
Montjavoult
Lattainville
Delincourt
Reilly
Boubiers
Lierville
Nucourt
Moussy
Commeny
Brignancourt
Santeuil
Théméricourt
Vigny
Ableiges
Montgeroult
Courcelles-s-Viosne
PARC NATUREL RÉGIONAL DU VEXIN
Forêt de Lyons
Bois de Gisors
Bois des Coquereaumont
Mont des Fourches
N 31
E 46
D 915
D 981
D 14
D 930
57
38
1
2
3
4
5
10
13
14
17
18
21
24

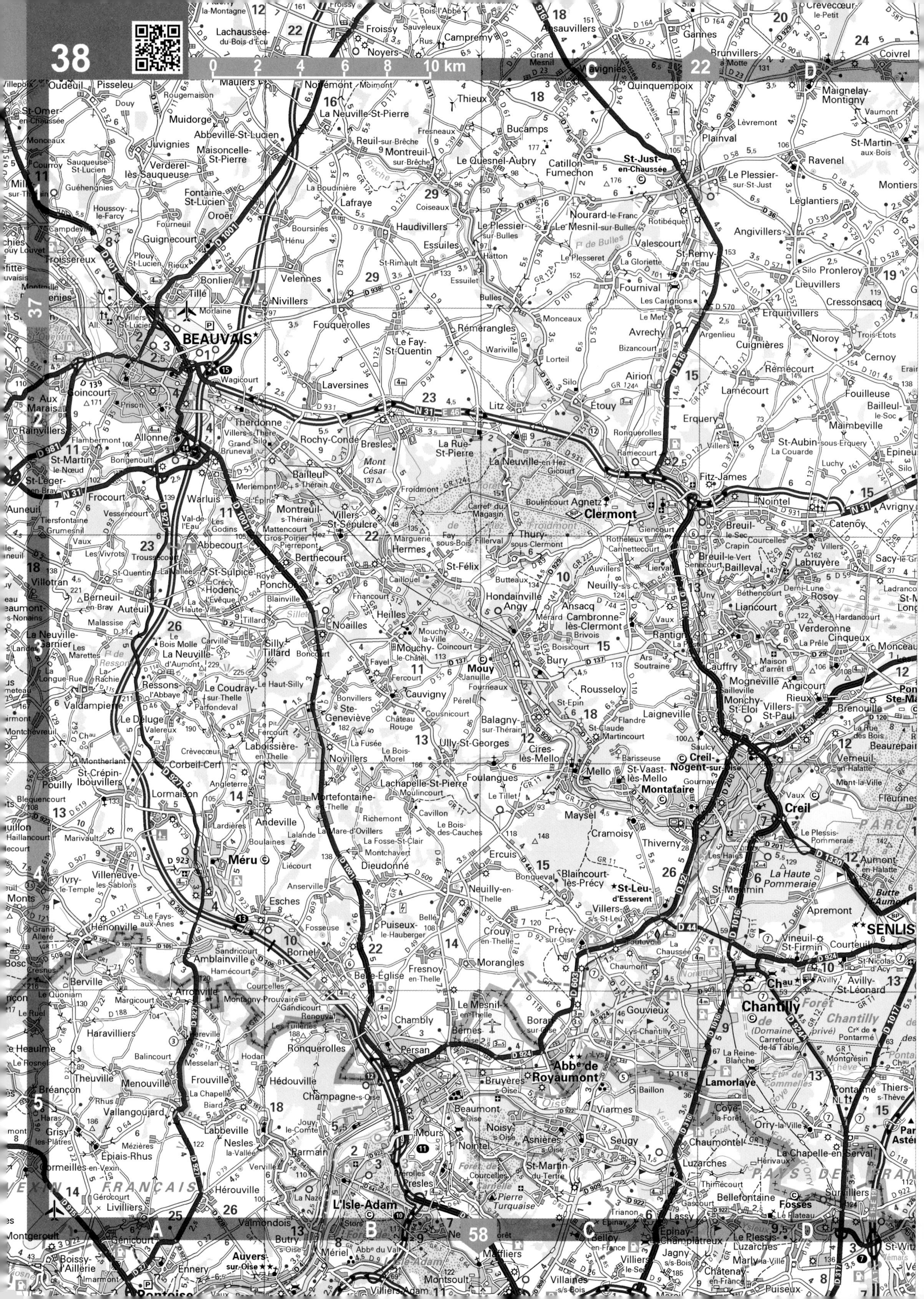
0 2 4 6 8 10 km
BEAUVAIS
Clermont
Creil
Chantilly
SENLIS
Méru
Mouy
Montataire
Creil-Nogent-sur-Oise
St-Just-en-Chaussée
L'Isle-Adam
Auvers-sur-Oise
Abbe de Royaumont
Lamorlaye
St-Leu-d'Esserent
Persan
Beaumont-s-Oise
Chambly
Noailles
Auneuil
Froissy
Crèvecœur-le-Petit
Maignelay-Montigny
Ansauvillers
Wavignies
Breteuil
Pontoise
Fosses
Luzarches
Gouvieux
Liancourt
Laigneville
Précy-sur-Oise
Mello
Cauffry
Mogneville
Bresles
Hermes
Nivillers
Tillé
Allonne
Warluis
Ully-St-Georges
Cires-lès-Mello
Neuilly-en-Thelle
Boran-sur-Oise
Bornel
Amblainville
Andeville
St-Crépin-Ibouvillers
Lormaison
Fitz-James
Breuil-le-Vert
Nointel
Bury
Angy
Étouy
Litz
Airion
Erquery
Cambronne-lès-Clermont
Agnetz
Forêt de Hez
Forêt de Chantilly
Lys-Chantilly
Viarmes
Asnières-s-Oise
Seugy
Presles
Mours
Champagne-s-Oise
Valmondois
Ennery
VEXIN FRANÇAIS
PAYS DE FRANCE
37
22
58
A B C D
1 2 3 4 5

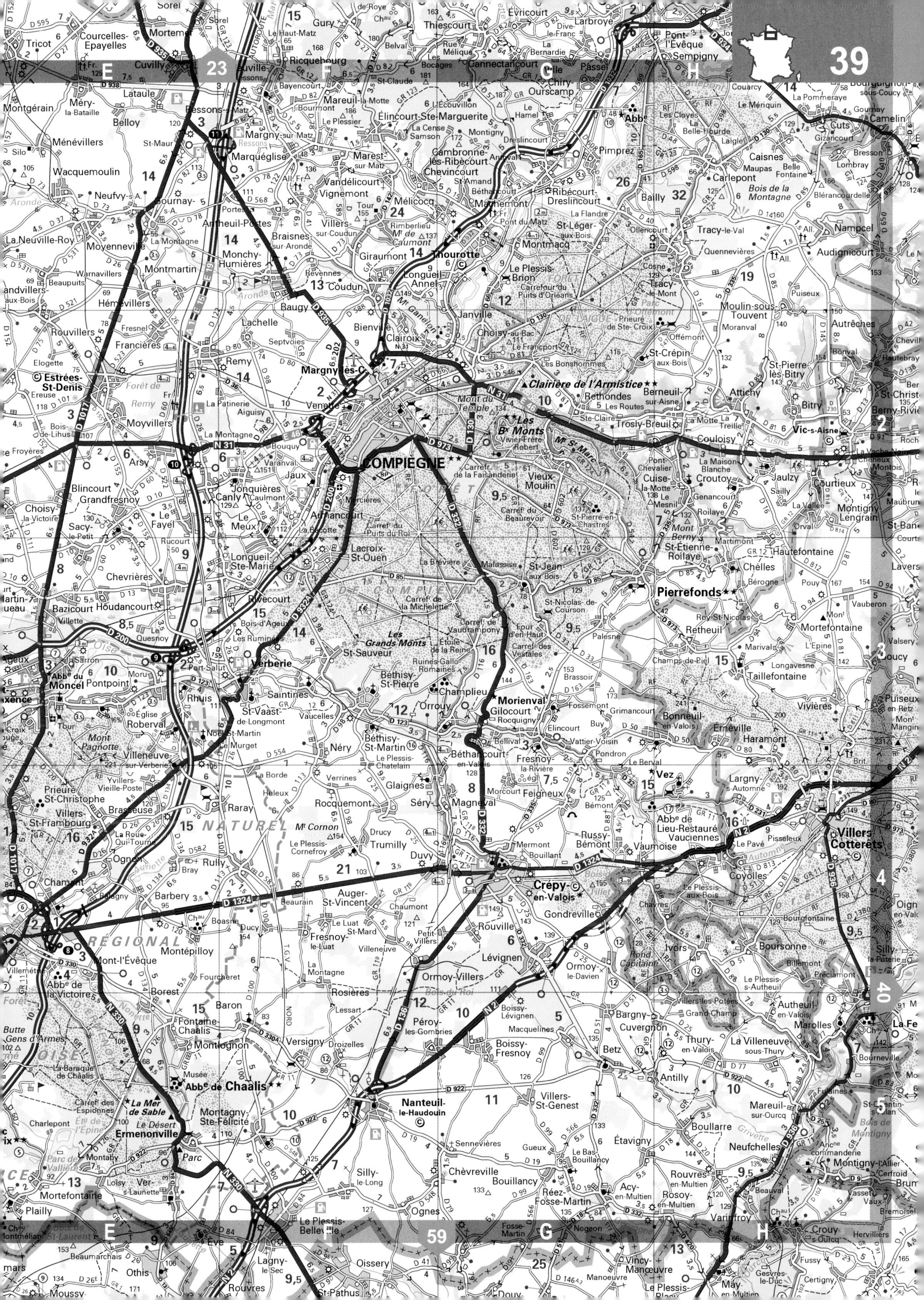
COMPIÈGNE
Forêt de Compiègne
Pierrefonds
Crépy-en-Valois
Villers-Cotterêts
Nanteuil-le-Haudouin
Ermenonville
Abbe de Chaalis
Verberie
Thourotte
Estrées-St-Denis
Margny-lès-C.
Venette
Clairière de l'Armistice
Rethondes
Choisy-au-Bac
Vic-s-Aisne
Attichy
Morienval
Vez
Abbe de Lieu-Restauré
Champlieu
Béthisy-St-Pierre
Béthisy-St-Martin
Saintines
St-Vaast-de-Longmont
Rhuis
Pont-Ste-Maxence
Ribécourt-Dreslincourt
Noyon
Carlepont
Tracy-le-Mont
Longueil-Annel
Ressons-s-Matz
Cuvilly
Moyvillers
Arsy
Jaux
Lacroix-St-Ouen
Le Meux
Rivecourt
Vieux-Moulin
St-Jean-aux-Bois
Retheuil
Taillefontaine
Largny-s-Automne
Levignen
Betz
Ormoy-Villers
Versigny
Montagny-Ste-Félicité
Fontaine-Chaalis
Mont-l'Évêque
Senlis
Plailly
Mortefontaine
Lagny-le-Sec
Oissery
Acy-en-Multien
Marolles
La Ferté-Milon
Crouy-s-Ourcq
Mareuil-sur-Ourcq
Thury-en-Valois
Boursonne
Forêt de Retz
E F G H
23 59 40
1 2 3 4 5

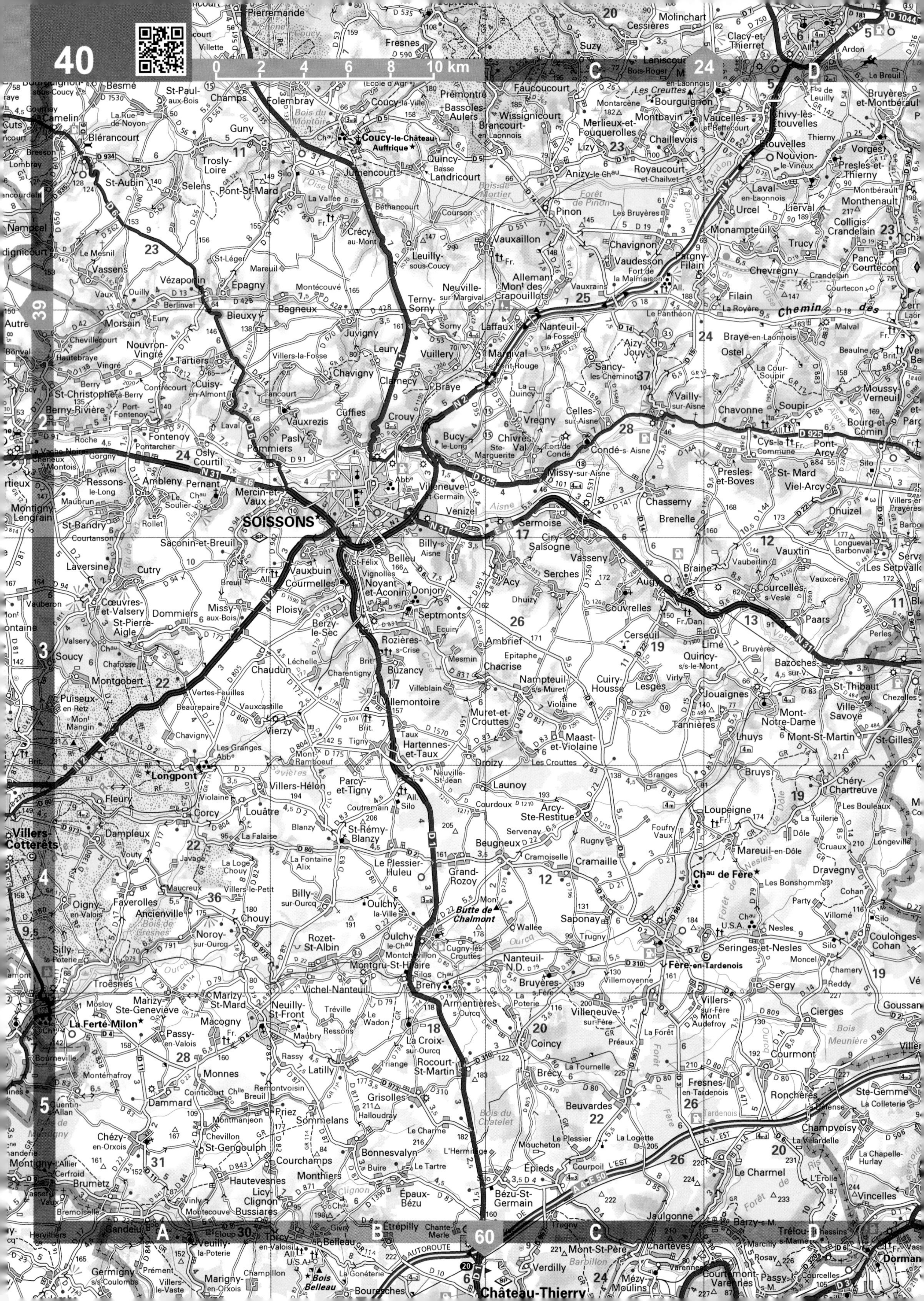
0 2 4 6 8 10 km
24
39
60
A
B
C
D
1
2
3
4
5
Pierremande
Fresnes
Cessières
Molinchart
Clacy-et-Thierret
Suzy
Laniscourt
Ardon
Besmé
St-Paul-aux-Bois
Champs
Folembray
Prémontré
Bassoles-Aulers
Faucoucourt
Bourguignon
Bruyères-et-Montbérault
Camelin
Blérancourt
Coucy-le-Château-Auffrique
Wissignicourt
Brancourt-en-Laonnois
Merlieux-et-Fouquerolles
Chaillevois
Vaucelles-et-Beffecourt
Chivy-lès-Étouvelles
Trosly-Loire
Guny
Quincy-Basse
Landricourt
Lizy
Anizy-le-Château
Royaucourt-et-Chailvet
Étouvelles
Nouvion-le-Vineux
Presles-et-Thierny
Vorges
St-Aubin
Selens
Pont-St-Mard
Juménecourt
Forêt de Pinon
Laval-en-Laonnois
Urcel
Monthenault
Nampcel
Crécy-au-Mont
Pinon
Chavignon
Monampteuil
Colligis-Crandelain
Leuilly-sous-Coucy
Vauxaillon
Vaudesson
Pargny-Filain
Chevregny
Trucy
Pancy-Courtecon
Vassens
Vézaponin
Épagny
Neuville-sur-Margival
Allemant
Mont des Crapouillots
Fort de la Malmaison
Filain
Chemin des Dames
Morsain
Bieuxy
Bagneux
Terny-Sorny
Juvigny
Laffaux
Nanteuil-la-Fosse
Aizy-Jouy
Braye-en-Laonnois
Nouvron-Vingré
Tartiers
Leury
Vuillery
Margival
Ostel
Chavigny
Clamecy
Sancy-les-Cheminots
Vailly-sur-Aisne
Mouss-Verneuil
St-Christophe-à-Berry
Cuisy-en-Almont
Braye
Chavonne
Soupir
Berny-Rivière
Cuffies
Crouy
Vauxrezis
Bucy-le-Long
Vregny
Celles-sur-Aisne
Bourg-et-Comin
Fontenoy
Pasly
Chivres-Val
Condé-sur-Aisne
Cys-la-Commune
Pont-Arcy
Osly-Courtil
Pommiers
Ste-Marguerite
Missy-sur-Aisne
Presles-et-Boves
St-Mard
Viel-Arcy
Ressons-le-Long
Ambleny
Pernant
Mercin-et-Vaux
Villeneuve-St-Germain
Venizel
Chassemy
Brenelle
Dhuizel
SOISSONS
Sermoise
Ciry-Salsogne
Montigny-Lengrain
St-Bandry
Saconin-et-Breuil
Billy-sur-Aisne
Vasseny
Vauxtin
Laversine
Cutry
Vauxbuin
Courmelles
Belleu
Noyant-et-Aconin
Acy
Serches
Braine
Courcelles-sur-Vesle
Cœuvres-et-Valsery
Missy-aux-Bois
Dommiers
Ploisy
Septmonts
Augy
Couvrelles
Paars
St-Pierre-Aigle
Berzy-le-Sec
Rozières-sur-Crise
Ambrief
Cerseuil
Limé
Soucy
Chaudun
Buzancy
Chacrise
Quincy-sous-le-Mont
Bazoches-sur-Vesle
Montgobert
Nampteuil-sous-Muret
Cuiry-Housse
Lesges
Jouaignes
St-Thibaut
Puiseux-en-Retz
Villemontoire
Muret-et-Crouttes
Tannières
Mont-Notre-Dame
Ville-Savoye
Vierzy
Maast-et-Violaine
Mont-St-Martin
St-Gilles
Hartennes-et-Taux
Droizy
Longpont
Parcy-et-Tigny
Launoy
Bruys
Chéry-Chartreuve
Villers-Hélon
Fleury
Arcy-Ste-Restitue
Loupeigne
Corcy
Louâtre
St-Rémy-Blanzy
Villers-Cotterêts
Dampleux
Beugneux
Mareuil-en-Dôle
Le Plessier-Huleu
Grand-Rozoy
Cramaille
Chau de Fère
Dravegny
Billy-sur-Ourcq
Oigny-en-Valois
Faverolles
Ancienville
Chouy
Oulchy-la-Ville
Butte de Chalmont
Saponay
Noroy-sur-Ourcq
Rozet-St-Albin
Oulchy-le-Château
Cugny-lès-Crouttes
Seringes-et-Nesles
Coulonges-Cohan
Silly-la-Poterie
Montgru-St-Hilaire
Nanteuil-N.D.
Fère-en-Tardenois
Troesnes
Vichel-Nanteuil
Breny
Bruyères-sur-Fère
Sergy
Marizy-Ste-Geneviève
Marizy-St-Mard
Neuilly-St-Front
Armentières-sur-Ourcq
Villeneuve-sur-Fère
Villers-sur-Fère
Cierges
La Ferté-Milon
Macogny
Passy-en-Valois
La Croix-sur-Ourcq
Coincy
Courmont
Monnes
Latilly
Rocourt-St-Martin
Brécy
Fresnes-en-Tardenois
Ronchères
Ste-Gemme
Dammard
Priez
Grisolles
Beuvardes
Sommelans
Champvoisy
Chézy-en-Orxois
St-Gengoulph
Courchamps
Bonnesvalyn
Épieds
Le Charmel
Montigny-l'Allier
Brumetz
Hautevesnes
Monthiers
Licy-Clignon
Bussiares
Épaux-Bézu
Bézu-St-Germain
Jaulgonne
Vincelles
Gandelu
Veuilly-la-Poterie
Torcy-en-Valois
Belleau
Étrépilly
Mont-St-Père
Chartèves
Barzy-sur-Marne
Trélou-sur-Marne
Germigny-sous-Coulombs
Marigny-en-Orxois
Bois Belleau
Bouresches
Verdilly
Château-Thierry
Mézy-Moulins
Courtemont-Varennes
Passy-sur-Marne
Dormans

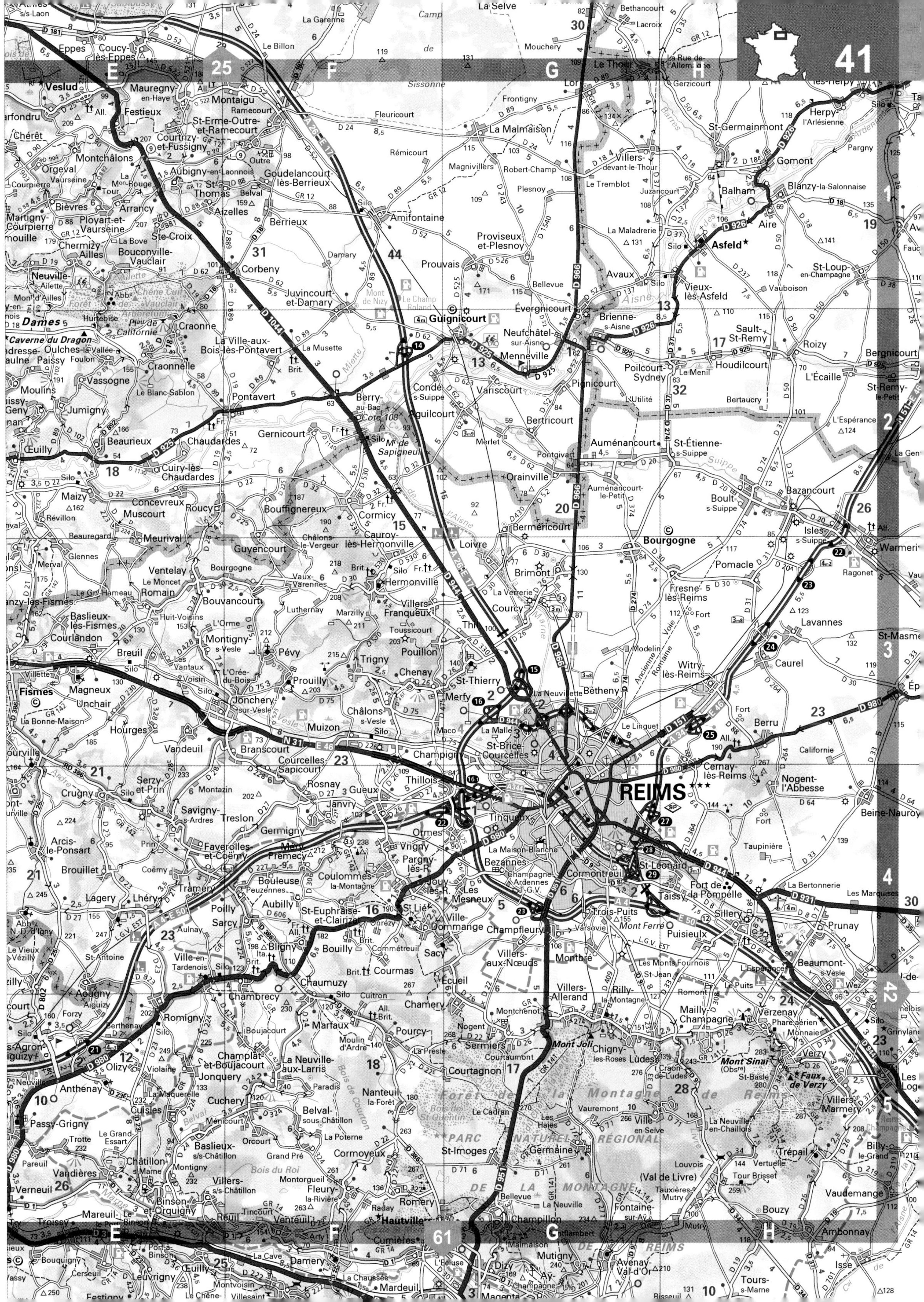
41
REIMS
Guignicourt
Asfeld
Bourgogne
Fismes
Corbeny
Craonne
Neufchâtel-sur-Aisne
Berry-au-Bac
Cormicy
Hermonville
Witry-lès-Reims
Cernay-lès-Reims
Tinqueux
Bezannes
Cormontreuil
St-Léonard
Sillery
Puisieux
Taissy
Champfleury
Villers-Allerand
Rilly-la-Montagne
Chigny-les-Roses
Ludes
Mailly-Champagne
Verzenay
Verzy
Villers-Marmery
Ville-en-Selve
Germaine
Ambonnay
Bouzy
Louvois
Hautvillers
Cumières
Dizy
Ay-Champagne
Mutigny
Avenay-Val-d'Or
Ville-en-Tardenois
Jonchery-sur-Vesle
Muizon
Gueux
Prouilly
Pévy
Trigny
Chenay
St-Thierry
Merfy
Bétheny
Berru
Nogent-l'Abbesse
Beine-Nauroy
Prunay
Beaumont-sur-Vesle
Les Marquises
Fort de la Pompelle
Mont Sinaï
Faux de Verzy
Mont Joli
PARC NATUREL RÉGIONAL DE LA MONTAGNE DE REIMS
Forêt de la Montagne de Reims
Bois de Courton
Bois du Roi
Cuchery
Chambrecy
Romigny
Olizy
Anthenay
Passy-Grigny
Vandières
Verneuil
Châtillon-s-Marne
Binson-et-Orquigny
Reuil
Venteuil
Damery
Fleury-la-Rivière
Romery
Nanteuil-la-Forêt
Belval-sous-Châtillon
Marfaux
Chaumuzy
Bligny
Sarcy
Poilly
Aubilly
Coulommes-la-Montagne
Vrigny
Ormes
Pargny-lès-R.
Jouy-lès-R.
Les Mesneux
Ville-Dommange
Sacy
Écueil
Chamery
Sermiers
Courtagnon
St-Imoges
Villers-aux-Nœuds
Montbré
Trois-Puits
Isles-s-Suippe
Warmeriville
Bazancourt
Pomacle
Lavannes
Caurel
Fresne-lès-Reims
Brimont
Courcy
Loivre
Bermericourt
Orainville
Aumenancourt
Pontgivart
Bertricourt
Pignicourt
Variscourt
Condé-s-Suippe
Menneville
Évergnicourt
Brienne-s-Aisne
Avaux
Vieux-lès-Asfeld
Poilcourt-Sydney
Houdilcourt
Sault-St-Remy
Roizy
Bergnicourt
St-Loup-en-Champagne
Blanzy-la-Salonnaise
Balham
Gomont
Herpy-l'Arlésienne
St-Germainmont
Villers-devant-le-Thour
Le Thour
La Malmaison
Amifontaine
Prouvais
Proviseux-et-Plesnoy
Juvincourt-et-Damary
Berrieux
Pontavert
Beaurieux
Chaudardes
Roucy
Bouffignereux
Guyencourt
Ventelay
Romain
Bouvancourt
Montigny-s-Vesle
Breuil
Magneux
Courlandon
Baslieux-lès-Fismes
Unchair
Hourges
Vandeuil
Branscourt
Courcelles-Sapicourt
Rosnay
Janvry
Germigny
Savigny-s-Ardres
Treslon
Serzy-et-Prin
Crugny
Faverolles-et-Coëmy
Méry-Prémecy
Bouleuse
Tramery
Lagery
Lhéry
Arcis-le-Ponsart
Brouillet
St-Euphraise-et-Clairizet
Bouilly
Courmas
Pourcy
Nogent
Champlat-et-Boujacourt
Jonquery
La Neuville-aux-Larris
Baslieux-s/s-Châtillon
Villers-s/s-Châtillon
Cormoyeux
Champillon
Fontaine-sur-Ay
Tauxières-Mutry
Vaudemange
Trépail
Billy-le-Grand
Isse
Tours-s-Marne
Mareuil
Œuilly
Leuvrigny
Troissy
Montchâlons
Aizelles
Bouconville-Vauclair
Chermizy-Ailles
Neuville-s-Ailette
Veslud
Festieux
Mauregny-en-Haye
Montaigu
St-Erme-Outre-et-Ramecourt
Goudelancourt-lès-Berrieux
Sissonne
Eppes
Coucy-lès-Eppes
La Selve
Mouchery
Lor
Bethancourt
Lacroix

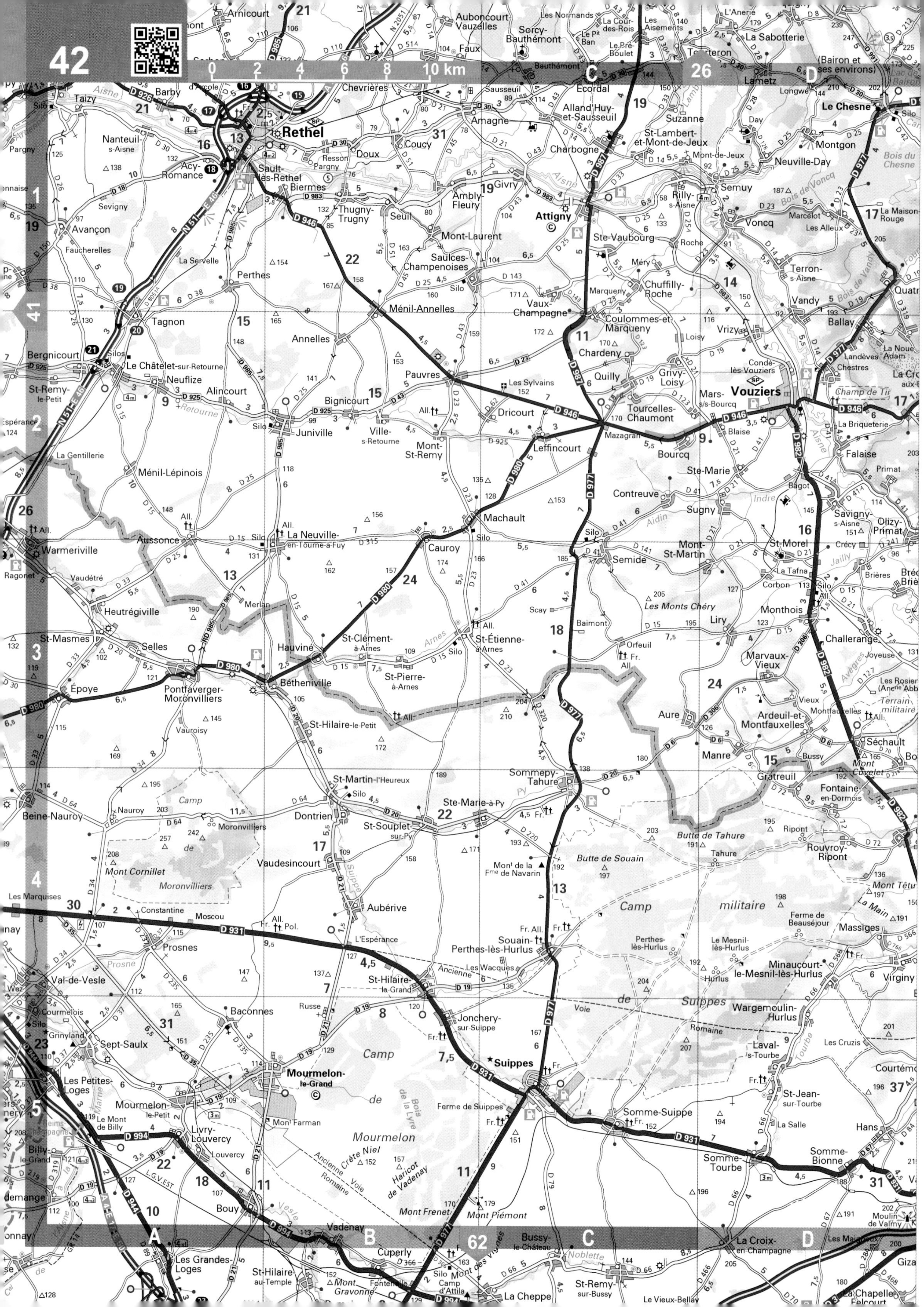
0 2 4 6 8 10 km
Arnicourt
Aubencourt-Vauzelles
Les Normands
Sorcy-Bauthémont
La Cour-des-Rois
Les Aisements
L'Anerie
La Sabotterie
Tourteron
Lametz
(Bairon et ses environs)
Le Chesne
Barby
Taizy
Aisne
Rethel
Chevrières
Sausseuil
Ecordal
Alland'Huy-et-Sausseuil
Suzanne
Nanteuil-s-Aisne
Pargny
Acy-Romance
Sault-lès-Rethel
Biermes
Doux
Coucy
Amagne
Charbogne
St-Lambert-et-Mont-de-Jeux
Mont-de-Jeux
Montgon
Neuville-Day
Givry
Ambly-Fleury
Thugny-Trugny
Seuil
Attigny
Rilly-s-Aisne
Semuy
Voncq
Marcelot
Les Alleux
La Maison Rouge
Sevigny
Avançon
Faucherelles
La Servelle
Perthes
Mont-Laurent
Saulces-Champenoises
Ste-Vaubourg
Roche
Méry
Chuffilly-Roche
Terron-s-Aisne
Vandy
Quatre
Ballay
Tagnon
Vaux-Champagne
Marqueny
Coulommes-et-Marqueny
Ménil-Annelles
Annelles
Chardeny
Vrizy
Loisy
Bergnicourt
Le Châtelet-sur-Retourne
Neuflize
Alincourt
St-Remy-le-Petit
Pauvres
Les Sylvains
Quilly
Grivy-Loisy
Condé-lès-Vouziers
Landèves
Chestres
La Noue-Adam
Bignicourt
Dricourt
Tourcelles-Chaumont
Mars-s/s-Bourcq
Vouziers
Champ de Tir
Retourne
Juniville
Ville-s-Retourne
Mont-St-Remy
Leffincourt
Mazagran
Bourcq
Blaise
La Briqueterie
La Gentillerie
Ménil-Lépinois
Falaise
Ste-Marie
Primat
Contreuve
Bagot
Sugny
Savigny-s-Aisne
Olizy-Primat
Machault
Aidin
Indre
Warmeriville
Aussonce
La Neuville-en-Tourne-à-Fuy
Cauroy
Semide
Mont-St-Martin
St-Morel
Crécy
La Tafna
Corbon
Brières
Ragonet
Vaudétré
Heutrégiville
Merlan
Scay
Les Monts Chéry
Monthois
Liry
Baimont
Orfeuil
St-Masmes
Selles
Hauviné
St-Clément-à-Arnes
Arnes
St-Étienne-à-Arnes
Challerange
Marvaux-Vieux
Joyeuse
Époye
Pontfaverger-Moronvilliers
Bétheniville
St-Pierre-à-Arnes
Vieux
Aure
Ardeuil-et-Montfauxelles
Les Rosiers
Terrain militaire
Vauroisy
St-Hilaire-le-Petit
Séchault
Manre
Bussy
Mont Cuvelet
Gratreuil
Sommepy-Tahure
Fontaine-en-Dormois
Beine-Nauroy
Nauroy
Camp de Moronvilliers
Moronvilliers
St-Martin-l'Heureux
Dontrien
Ste-Marie-à-Py
St-Souplet-sur-Py
Butte de Tahure
Tahure
Ripont
Rouvroy-Ripont
Mont Cornillet
Vaudesincourt
Mont de la Fme de Navarin
Butte de Souain
Suippe
Mont Têtu
La Main
Les Marquises
Constantine
Moscou
Aubérive
Camp militaire
Ferme de Beauséjour
Massiges
Prosnes
L'Espérance
Souain-Perthes-lès-Hurlus
Perthes-lès-Hurlus
Le Mesnil-lès-Hurlus
Hurlus
Minaucourt-le-Mesnil-lès-Hurlus
Virginy
Val-de-Vesle
Les Wacques
St-Hilaire-le-Grand
Camp de Suippes
Wargemoulin-Hurlus
Courmelois
Grinyland
Sept-Saulx
Baconnes
Russe
Jonchery-sur-Suippe
Voie Romaine
Laval-s-Tourbe
Les Cruzis
Les Petites-Loges
Mourmelon-le-Grand
Camp de Mourmelon
Suippes
Courtémont
Mourmelon-le-Petit
Le Mont de Billy
Mont Farman
Bois de la Lyre
Ferme de Suippes
Somme-Suippe
St-Jean-sur-Tourbe
La Salle
Hans
Livry-Louvercy
Louvercy
Billy-le-Grand
Crête Niel
Ancienne Voie Romaine
Haricot de Vadenay
Somme-Tourbe
Somme-Bionne
L.G.V. EST
Bouy
Mont Frenet
Mont Piémont
Moulin de Valmy
Vesle
Vadenay
Bussy-le-Château
La Croix-en-Champagne
Les Maigneux
Noblette
Les Grandes-Loges
Cuperly
St-Hilaire-au-Temple
Mont Gravonne
Camp d'Attila
Mont des Vignes
La Cheppe
St-Remy-sur-Bussy
Le Vieux-Bellay
La Chapelle-Felcourt
A B C D
1 2 3 4 5
26
41
62

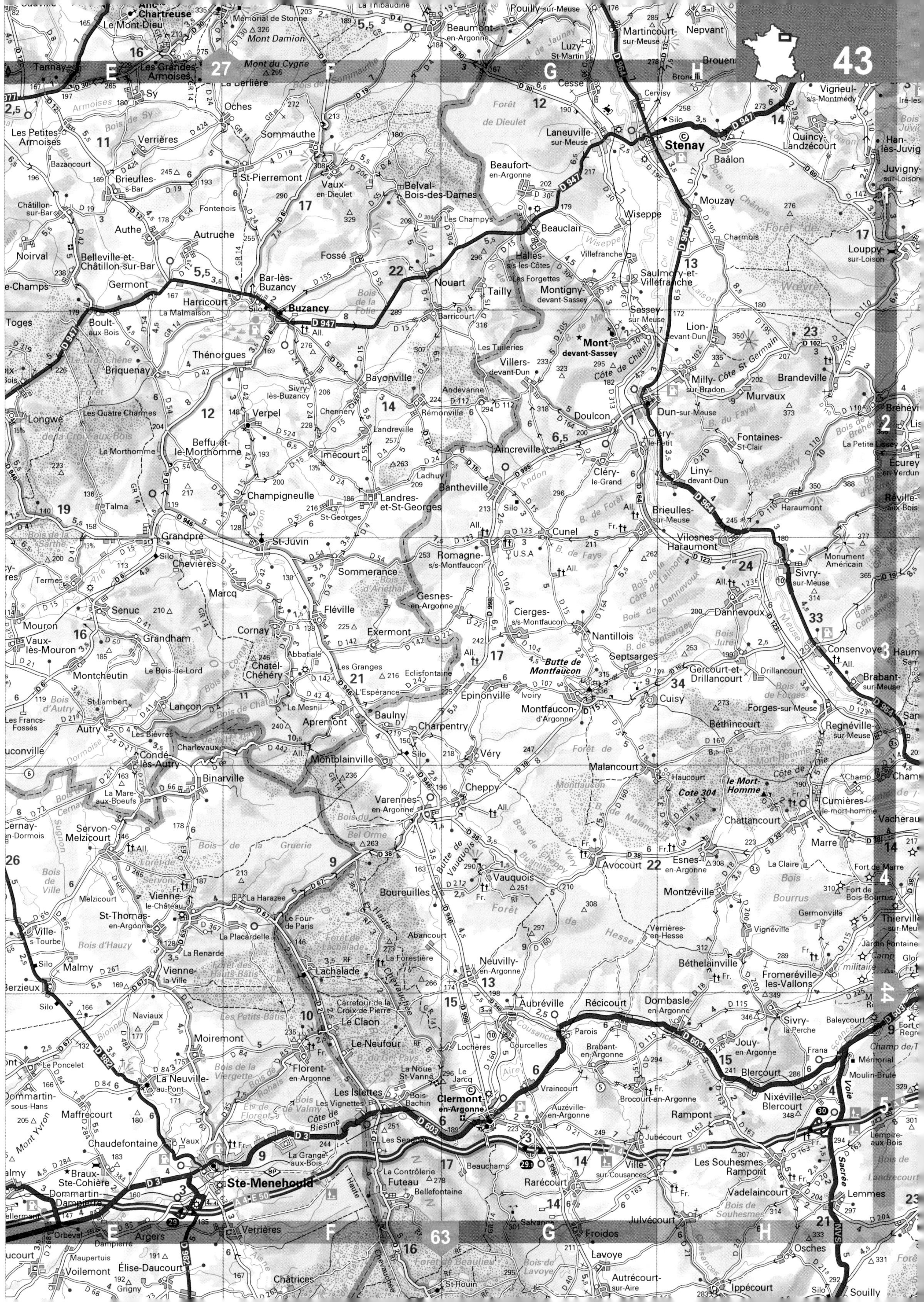

Chartreuse
Le Mont-Dieu
Mémorial de Stonne
Mont Damion
Beaumont-en-Argonne
Pouilly-sur-Meuse
Martincourt-sur-Meuse
Nepvant
Luzy-St-Martin
Tannay
Les Grandes-Armoises
Mont du Cygne
La Berlière
Cesse
Brouennes
Sy
Oches
Forêt de Dieulet
Cervisy
Vigneul-s/s-Montmédy
Les Petites-Armoises
Verrières
Sommauthe
Laneuville-sur-Meuse
Stenay
Quincy-Landzécourt
Bazancourt
Brieulles-s-Bar
St-Pierremont
Beaufort-en-Argonne
Baâlon
Juvigny-sur-Loison
Châtillon-sur-Bar
Vaux-en-Dieulet
Belval-Bois-des-Dames
Mouzay
Authe
Autruche
Les Champys
Beauclair
Wiseppe
Noirval
Belleville-et-Châtillon-sur-Bar
Fossé
Halles-s/s-les-Côtes
Villefranche
Louppy-sur-Loison
Les Forgettes
Saulmory-et-Villefranche
Germont
Bar-lès-Buzancy
Nouart
Tailly
Montigny-devant-Sassey
Harricourt
Buzancy
La Malmaison
Barricourt
Sassey-sur-Meuse
Lion-devant-Dun
Toges
Boult-aux-Bois
Thénorgues
Les Tuileries
Mont-devant-Sassey
Briquenay
Villers-devant-Dun
Milly-sur-Bradon
Brandeville
Sivry-lès-Buzancy
Bayonville
Andevanne
Murvaux
Longwé
Les Quatre Charmes
Verpel
Chennery
Rémonville
Doulcon
Dun-sur-Meuse
Landreville
Cléry-le-Petit
Fontaines-St-Clair
Beffu-et-le-Morthomme
Le Morthomme
Imécourt
Aincreville
Cléry-le-Grand
Liny-devant-Dun
Ladhuy
Bantheville
Champigneulle
Landres-et-St-Georges
Haraumont
Brieulles-sur-Meuse
Talma
St-Georges
Grandpré
St-Juvin
Romagne-s/s-Montfaucon
Cunel
Vilosnes-Haraumont
Monument Américain
Chevières
Sommerance
Sivry-sur-Meuse
Termes
Marcq
Gesnes-en-Argonne
Senuc
Fléville
Cierges-s/s-Montfaucon
Dannevoux
Mouron
Cornay
Exermont
Nantillois
Vaux-lès-Mouron
Grandham
Septsarges
Consenvoye
Montcheutin
Le Bois-de-Lord
Châtel-Chéhéry
Les Granges
Eclisfontaine
Butte de Montfaucon
Gercourt-et-Drillancourt
Drillancourt
Brabant-sur-Meuse
St-Lambert
Lançon
L'Espérance
Épinonville
Ivoiry
Montfaucon-d'Argonne
Cuisy
Forges-sur-Meuse
Les Francs-Fossés
Autry
Apremont
Baulny
Charpentry
Béthincourt
Régnéville-sur-Meuse
Les Bièvres
Charlevaux
Montblainville
Very
Malancourt
Condé-lès-Autry
Binarville
Haucourt
Cote 304
le Mort-Homme
Cumières-le-mort-homme
La Mare-aux-Boeufs
Varennes-en-Argonne
Cheppy
Chattancourt
Cernay-en-Dormois
Servon-Melzicourt
Bel Orme
Marre
Avocourt
Esnes-en-Argonne
Fort de Marre
Vauquois
Montzéville
Fort de Bois Bourrus
Melzicourt
Vienne-le-Château
Boureuilles
Germonville
St-Thomas-en-Argonne
La Harazee
Le Four-de-Paris
Thierville-sur-Meuse
La Placardelle
Abancourt
Verrières-en-Hesse
Ville-s-Tourbe
La Renarde
Vignéville
Malmy
Vienne-la-Ville
Lachalade
La Forestière
Neuvilly-en-Argonne
Béthelainville
Fromeréville-les-Vallons
Berzieux
Carrefour de la Croix de Pierre
Aubréville
Récicourt
Dombasle-en-Argonne
Naviaux
Le Claon
Sivry-la-Perche
Baleycourt
Moiremont
Le Neufour
Lochères
Courcelles
Parois
Brabant-en-Argonne
Jouy-en-Argonne
Le Poncelet
La Neuville-au-Pont
Florent-en-Argonne
La Noue St-Vanne
Le Jarcq
Mémorial
Blercourt
Moulin-Brulé
Dommartin-sous-Hans
Les Islettes
Bois-Bachin
Clermont-en-Argonne
Vraincourt
Brocourt-en-Argonne
Nixéville-Blercourt
Maffrécourt
Les Vignettes
Auzéville-en-Argonne
Rampont
Chaudefontaine
Vaux
Les Senades
Jubécourt
Lempire-aux-Bois
Braux-Ste-Cohière
La Grange-aux-Bois
La Contrôlerie
Beauchamp
Ville-sur-Cousances
Les Souhesmes-Rampont
Dommartin-Dampierre
Ste-Menehould
Futeau
Bellefontaine
Rarécourt
Vadelaincourt
Lemmes
Orbéval
Argers
Verrières
Salvange
Julvécourt
Froidos
Osches
Maupertuis
Voilemont
Élise-Daucourt
Forêt de Beaulieu
Lavoye
Grigny
Châtrices
St-Rouin
Autrécourt-sur-Aire
Ippécourt
Souilly

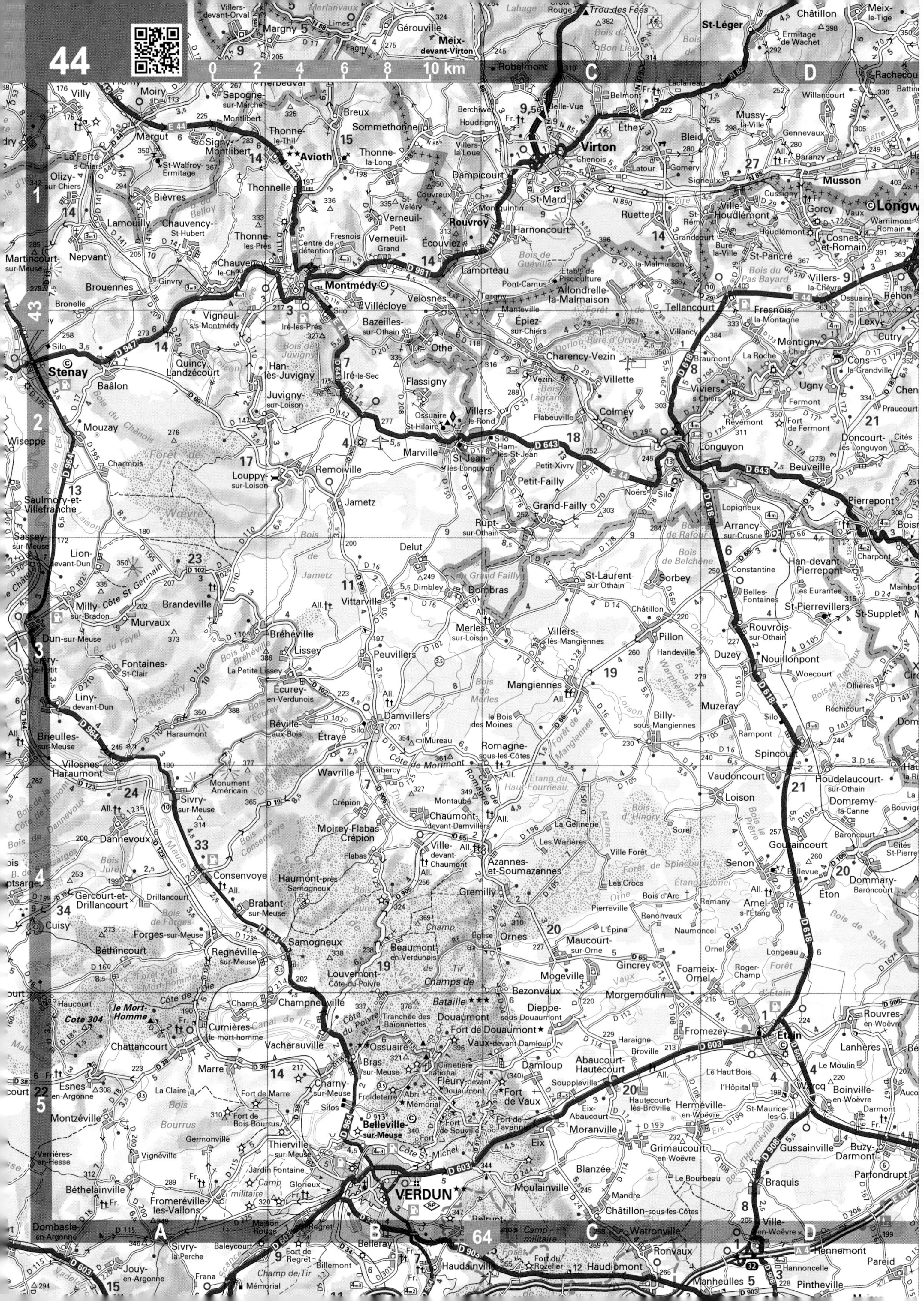
0 2 4 6 8 10 km
A
B
C
D
1
2
3
4
5
Villers-devant-Orval
Margny
Gérouville
Meix-devant-Virton
Trou des Fées
St-Léger
Châtillon
Meix-le-Tige
Robelmont
Villy
Moiry
Sapogne-sur-Marche
Breux
Sommethonne
Margut
Signy-Montlibert
Avioth
Thonne-le-Thil
Thonne-la-Long
Virton
Ethe
Bleid
Mussy-la-Ville
Musson
Longwy
La Ferté-s-Chiers
Olizy-sur-Chiers
Thonnelle
Dampicourt
St-Mard
Latour
Gomery
Bièvres
Lamouilly
Chauvency-St-Hubert
Verneuil-Petit
Verneuil-Grand
Rouvroy
Harnoncourt
Ruette
Gorcy
Cosnes-et-Romain
Martincourt-sur-Meuse
Nepvant
Thonne-les-Prés
Écouviez
Lamorteau
Chauvency-le-Château
Brouennes
Montmédy
Villécloye
Velosnes
Allondrelle-la-Malmaison
Villers-la-Chèvre
Réhon
Tellancourt
Fresnois-la-Montagne
Vigneul-s/s-Montmédy
Iré-les-Prés
Bazeilles-sur-Othain
Othe
Épiez-sur-Chiers
Charency-Vezin
Montigny-s-Chiers
Cutry
Stenay
Quincy-Landzécourt
Han-lès-Juvigny
Iré-le-Sec
Flassigny
Villette
Baâlon
Juvigny-sur-Loison
Villers-le-Rond
Colmey
Viviers-s-Chiers
Ugny
Mouzay
Marville
St-Jean-lès-Longuyon
Longuyon
Doncourt-lès-Longuyon
Wiseppe
Louppy-sur-Loison
Remoiville
Petit-Failly
Grand-Failly
Beuveille
Jametz
Noërs
Pierrepont
Saulmory-et-Villefranche
Forêt de Woëvre
Rupt-sur-Othain
Arrancy-sur-Crusne
Sassey-sur-Meuse
Lion-devant-Dun
Delut
St-Laurent-sur-Othain
Sorbey
Han-devant-Pierrepont
Dombras
Milly-sur-Bradon
Brandeville
Vittarville
Merles-sur-Loison
Pillon
St-Pierrevillers
Dun-sur-Meuse
Murvaux
Bréhéville
Lissey
Villers-lès-Mangiennes
Rouvrois-sur-Othain
Nouillonpont
Fontaines-St-Clair
Peuvillers
Mangiennes
Duzey
Écurey-en-Verdunois
Liny-devant-Dun
Damvillers
Billy-sous-Mangiennes
Muzeray
Réville-aux-Bois
Étraye
Brieulles-sur-Meuse
Haraumont
Romagne-sous-les-Côtes
Spincourt
Vilosnes-Haraumont
Wavrille
Vaudoncourt
Sivry-sur-Meuse
Loison
Houdelaucourt-sur-Othain
Chaumont-devant-Damvillers
Domremy-la-Canne
Moirey-Flabas-Crépion
Ville-devant-Chaumont
Azannes-et-Soumazannes
Gouraincourt
Dannevoux
Consenvoye
Haumont-près-Samogneux
Gremilly
Senon
Dommary-Baroncourt
Gercourt-et-Drillancourt
Brabant-sur-Meuse
Amel-s-l'Étang
Éton
Cuisy
Forges-sur-Meuse
Samogneux
Ornes
Maucourt-sur-Orne
Béthincourt
Regnéville-sur-Meuse
Beaumont-en-Verdunois
Gincrey
Foameix-Ornel
Louvemont-Côte-du-Poivre
Mogeville
Champneuville
Bezonvaux
Morgemoulin
Cumières-le-mort-homme
Douaumont
Dieppe-sous-Douaumont
Rouvres-en-Woëvre
Chattancourt
Vacherauville
Fort de Douaumont
Vaux-devant-Damloup
Fromezey
Étain
Lanhères
Marre
Bras-sur-Meuse
Damloup
Abaucourt-Hautecourt
Warcq
Esnes-en-Argonne
Charny-sur-Meuse
Fleury-devant-Douaumont
Fort de Vaux
Hautecourt-lès-Broville
Herméville-en-Woëvre
Boinville-en-Woëvre
Montzéville
Belleville-sur-Meuse
Eix
Moranville
Gussainville
Buzy-Darmont
Thierville-sur-Meuse
Grimaucourt-en-Woëvre
Blanzée
Braquis
Parfondrupt
Béthelainville
Fromeréville-les-Vallons
VERDUN
Moulainville
Châtillon-sous-les-Côtes
Ville-en-Woëvre
Dombasle-en-Argonne
Sivry-la-Perche
Belleray
Watronville
Ronvaux
Hennemont
Pareid
Jouy-en-Argonne
Haudainville
Haudiomont
Manheulles
Pintheville

43
64

Messancy
Athus
Aubange
Pétange
Bascharage
Sanem
Mont-St-Martin
Longlaville
Differdange
Dippach
Bertrange
Hesperange
Leudelange
Bettembourg
Schifflange
Esch-sur-A.
Kayl
Dudelange
Mondorf-les-Bains
Villerupt
Audun-le-Tiche
Rumelange
Ottange
Aumetz
Hettange-Grande
Thionville
Yutz
Algrange
Nilvange
Hayange
Uckange
Fameck
Guénange
Metzervisse
Cattenom
Richemont
Rosselange
Amnéville
Hagondange
Rombas
Walygator Parc
Maizières-lès-M.
Briey
Jœuf
Homécourt
Auboué
Tucquegnieux
Piennes
Bouligny
Jarny
Conflans-en-Jarnisy
Woippy
Metz
Moulins-lès-M.
Thiumeréville
Gravelotte
Ars-Laquenexy
Fléville-Lixières
Mancieulles
Landres
Crusnes
Errouville
Fillières
Serrouville
Joppécourt
Malavillers
Murville
Anderny
Mont-Bonvillers
Sancy
Lommerange
Trieux
Avril
Moyeuvre-Gde
Clouange
Vitry-s-O.
Talange
Ennery
Argancy
Chieulles
Vany
Ste-Barbe
Noisseville
St-Privat-la-Montagne
Amanvillers
Saulny
Plappeville
Longeville-lès-M.
Scy-Chazelles
Rozérieulles
Vernéville
Batilly
Doncourt-lès-Conflans
Bruville
Mars-la-Tour
65
46

0 2 4 6 8 10 km
A
B
C
D
1
2
3
4
5
45
66
NATURPARK
Saar-Hunsrück
SAAR
Hesperange
Stadtbredimus
Remich
Lenningen
Merzkirchen
Trassem
Serrig
Kastel-Staadt
Taben-Rodt
Freudenburg
Greimerath
Waldbredimus
Dalheim
Roeser
Weiler-la-Tour
Frisange
Mondorff
Mondorf-les-Bains
Burmerange
Wellenstein
Remerschen
Schengen
Perl
Nennig
Kirf
Kesslingen
Orscholz
Mettlach
Cloef
Keuchingen
Merzig
Besseringen
Brotdorf
Saarhölzbach
Vogelfelsen
Hagen
Evrange
Basse-Rentgen
Puttelange-lès-Thionville
Beyren-lès-Sierck
Rodemack
Breistroff-la-Grde
Zoufftgen
Roussy-le-Village
Haute-Kontz
Contz-les-Bains
Apach
Merschweiller
Malbrouck
Manderen
Kirsch-lès-Sierck
Ritzing
Launstroff
Waldwisse
Mondorf
Silwingen
Rustroff
Sierck-les-Bains
Berg-s-M.
Rettel
Montenach
Malling
Hunting
Boust
Fixem
Gavisse
Cattenom
Kerling-lès-Sierck
Kœnigsmacker
Oudrenne
Laumesfeld
Halstroff
Grindorff-Bizing
Rémeling
Kirschnaumen
Schwerdorff
Flastroff
Waldweistroff
Colmen
Neunkirchen-lès-Bouzonville
Siersburg
Rehlingen
Basse-Ham
Manom
Thionville
Yutz
Valmestroff
Elzange
Inglange
Kuntzig
Hackenberg
Bibiche
St-François-Lacroix
Veckring
Monneren
Kemplich
Buding
Distroff
Stuckange
Metzervisse
Volstroff
Kédange-s-Canner
Hombourg-Budange
Klang
Menskirch
Dalstein
Chémery-les-Deux
Bouzonville
Alzing
Vaudreching
Freistroff
Uckange
Bertrange
Guénange
Richemont
Bousse
Rurange-lès-Thionville
Luttange
Ébersviller
Anzeling
Rémelfang
Holling
Hestroff
Piblange
Gomelange
Valmunster
Velving
Tromborn
Berviller-en-Moselle
Rémering
Falck
Hargarten-aux-Mines
Creutzwald
Hagondange
Walygator Parc
Maizières-lès-M.
Ennery
Chailly-lès-Ennery
Flévy
Trémery
Bettelainville
St-Hubert
Burtoncourt
Mégange
Guinkirchen
Roupeldange
Denting
Coume
Boulay-Moselle
Varsberg
Ham-s/s-Varsberg
Vigy
Antilly
Argancy
Charly-Oradour
Malroy
Sanry-lès-Vigy
Charleville-s/s-Bois
Hinckange
Volmerange-lès-Boulay
Niedervisse
Bisten-en-Lorraine
Porcelette
Woippy
St-Julien-lès-M.
Vantoux
Servigny-lès-Ste-Barbe
Noisseville
Glatigny
Les Étangs
Vaudoncourt
Brouck
Helstroff
Narbéfontaine
Boucheporn
Longeville-lès-St-Avold
Montoy-Flanville
Retonfey
Silly-sur-Nied
Landonvillers
Courcelles-Chaussy
Bannay
Hallering
Zimming
Bambiderstroff
Marange-Zondrange
Bionville-s-Nied
Vigneulles
Laudrefang
METZ
Maizery
Coincy
Ogy
Colligny
Raville
Fouligny
Moulins-lès-M.

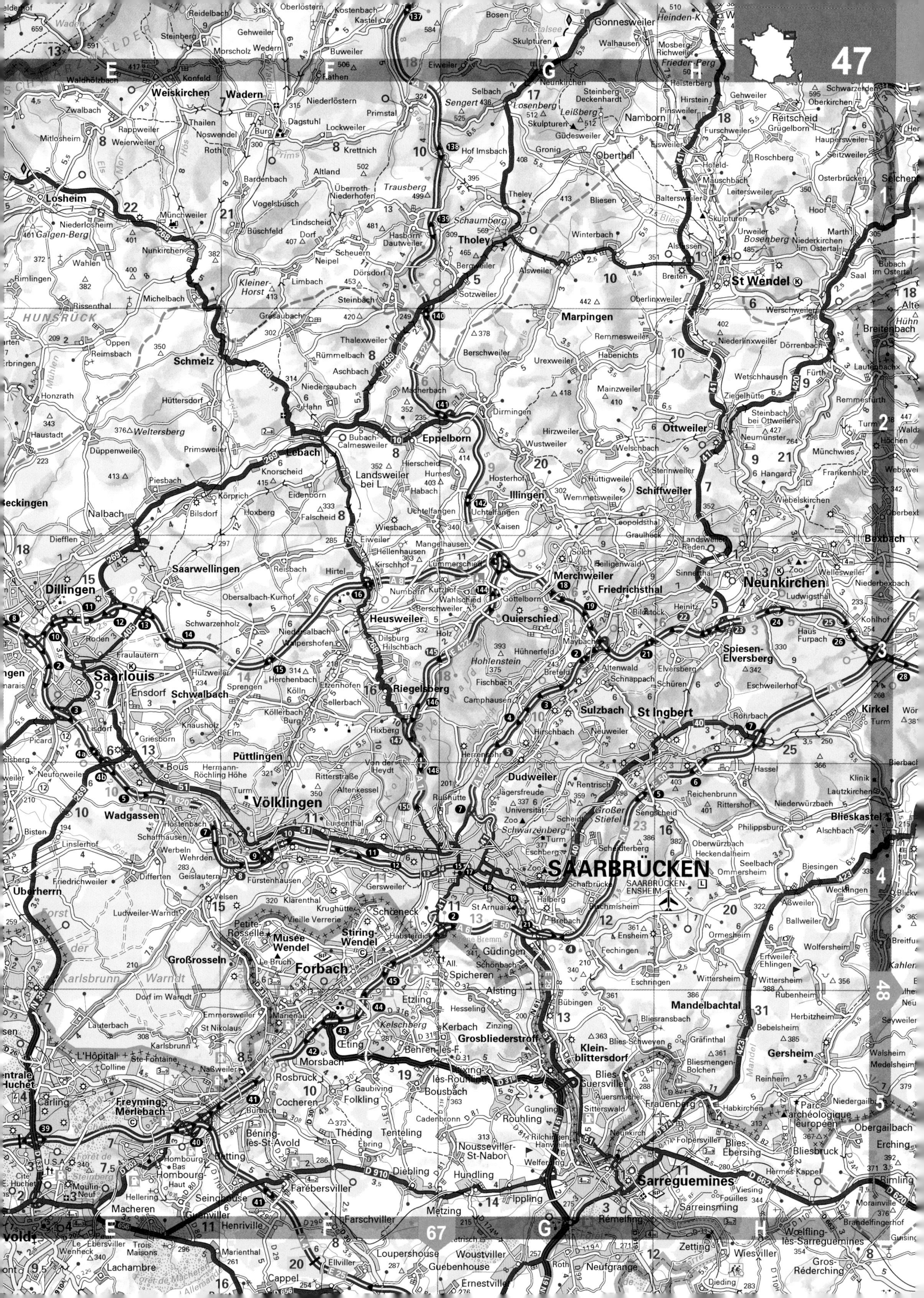
Weiskirchen
Wadern
Losheim
Tholey
Gonnesweiler
Namborn
St Wendel
Marpingen
Schmelz
Lebach
Eppelborn
Ottweiler
Illingen
Schiffweiler
Beckingen
Dillingen
Saarwellingen
Merchweiler
Friedrichsthal
Neunkirchen
Heusweiler
Quierschied
Saarlouis
Schwalbach
Riegelsberg
Spiesen-Elversberg
Sulzbach
St Ingbert
Kirkel
Püttlingen
Völklingen
Dudweiler
Wadgassen
Blieskastel
SAARBRÜCKEN
Überherrn
Forbach
Stiring-Wendel
Großrosseln
Mandelbachtal
Gersheim
Kleinblittersdorf
Grosbliederstroff
Freyming-Merlebach
Sarreguemines
HUNSRÜCK
Hohlenstein
Schwarzenberg
Warndt
48
67

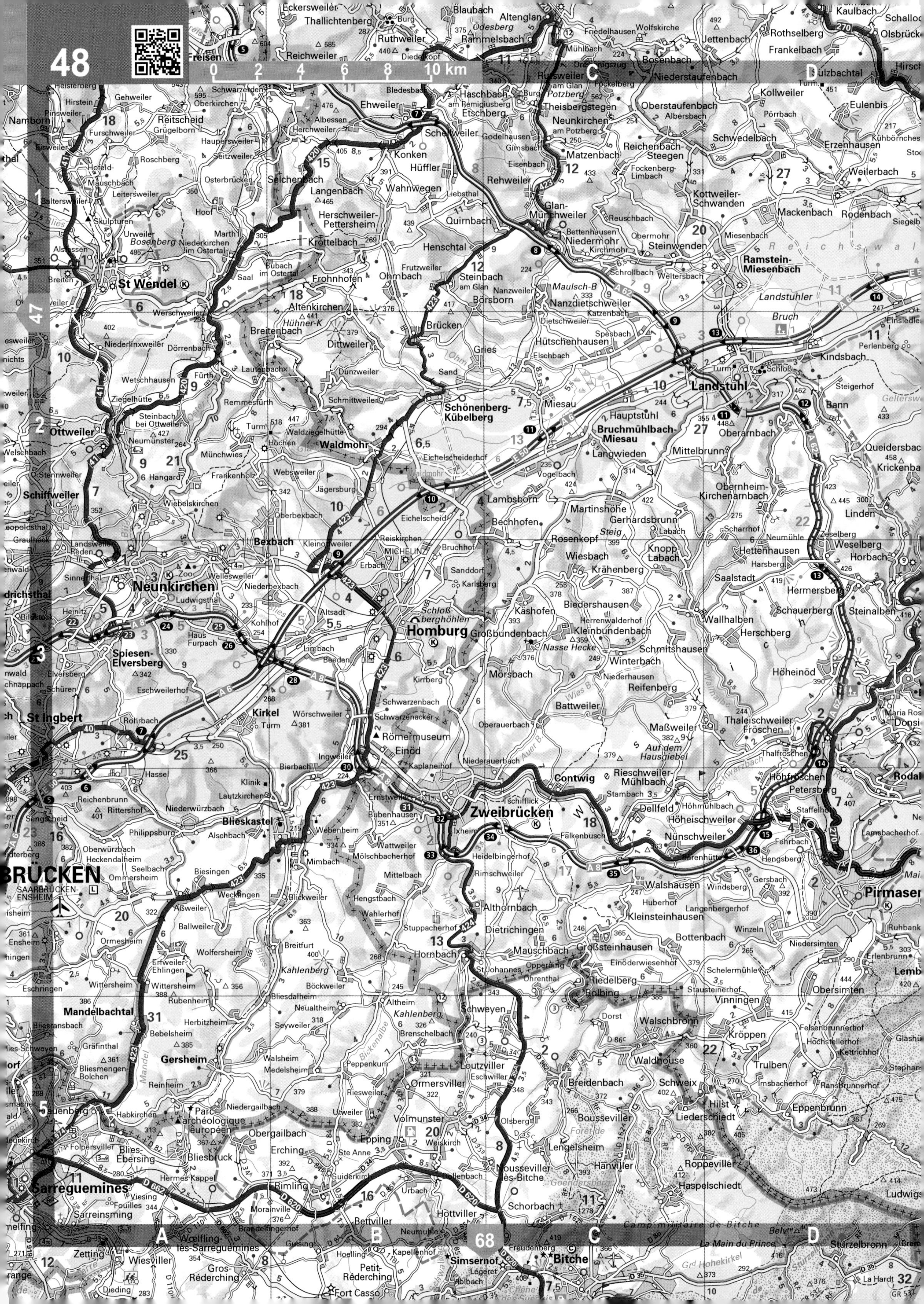
0 2 4 6 8 10 km
47
68
A
B
C
D
1
2
3
4
5
St Wendel
Namborn
Freisen
Reitscheid
Oberkirchen
Schwarzerden
Herchweiler
Selchenbach
Langenbach
Konken
Schellweiler
Ehweiler
Etschberg
Haschbach
Rammelsbach
Altenglan
Ruthweiler
Thallichtenberg
Eckersweiler
Blaubach
Rutsweiler
Niederstaufenbach
Bosenbach
Jettenbach
Rothselberg
Frankelbach
Kaulbach
Theisbergstegen
Neunkirchen am Potzberg
Oberstaufenbach
Kollweiler
Eulenbis
Schwedelbach
Erzenhausen
Matzenbach
Reichenbach-Steegen
Weilerbach
Rehweiler
Glan-Münchweiler
Kottweiler-Schwanden
Mackenbach
Rodenbach
Niedermohr
Steinwenden
Ramstein-Miesenbach
Herschweiler-Pettersheim
Quirnbach
Henschtal
Steinbach am Glan
Börsborn
Frohnhofen
Ohmbach
Altenkirchen
Breitenbach
Dittweiler
Brücken
Nanzdietschweiler
Hütschenhausen
Landstuhl
Kindsbach
Bruch
Landstuhler
Schönenberg-Kübelberg
Miesau
Hauptstuhl
Bruchmühlbach-Miesau
Oberarnbach
Bann
Waldmohr
Jägersburg
Eichelscheiderhof
Lambsborn
Martinshöhe
Gerhardsbrunn
Obernheim-Kirchenarnbach
Linden
Queidersbach
Krickenbach
Ottweiler
Fürth
Schiffweiler
Wiebelskirchen
Bexbach
Neunkirchen
Spiesen-Elversberg
Homburg
Bechhofen
Wiesbach
Krähenberg
Knopp-Labach
Hettenhausen
Weselberg
Saalstadt
Hermersberg
Biedershausen
Käshofen
Großbundenbach
Kleinbundenbach
Wallhalben
Schauerberg
Herschberg
Steinalben
Schmitshausen
Winterbach
Höheinöd
Mörsbach
Reifenberg
Battweiler
Kirkel
St Ingbert
Schwarzenbach
Römermuseum
Einöd
Maßweiler
Thaleischweiler-Fröschen
Contwig
Rieschweiler-Mühlbach
Höhfröschen
Petersberg
Zweibrücken
Dellfeld
Höheischweiler
Nünschweiler
Pirmasens
Blieskastel
Mimbach
Walshausen
Althornbach
Kleinsteinhausen
Dietrichingen
Bottenbach
Hornbach
Mauschbach
Großsteinhausen
Riedelberg
Vinningen
Obersimten
Mandelbachtal
Gersheim
Schweyen
Walschbronn
Kröppen
Trulben
Waldhouse
Breidenbach
Schweix
Hilst
Eppenbrunn
Loutzviller
Ormersviller
Liederschiedt
Bousseviller
Volmunster
Roppeviller
Haspelschiedt
Bliesbruck
Epping
Nousseviller-lès-Bitche
Sarreguemines
Rimling
Schorbach
Bettviller
Hottviller
Bitche
Camp militaire de Bitche
Stürzelbronn
Wœlfling-lès-Sarreguemines
Gros-Réderching
Simserhof
Petit-Réderching
Fort Casso
SAARBRÜCKEN-ENSHEIM
Parc archéologique européen

KAISERSLAUTERN
Otterberg
Otterbach
Katzweiler
Mehlbach
Sembach
Mehlingen
Enkenbach-Alsenborn
Neuhemsbach
Wartenberg-Rohrbach
Hochspeyer
Fischbach
Diemersteiner Wald
Frankenstein
Weidenthal
Carlsberg
Altleiningen
Wattenheim
Bobenheim am Berg
Battenberg
Kallstadt
Bad Dürkheim
Hardenburg
Wachenheim
Forst
Deidesheim
Niederkirchen bei Deidesheim
Friedelsheim
Ellerstadt
Rödersheim-Gronau
Ruppertsberg
Königsbach
Gimmeldingen
Mußbach
Haardt
Neustadt an der Weinstraße
Hambach
Hambacher Schloß
Kalmit
Diedesfeld
Maikammer
St Martin
Edenkoben
Rhodt
Ludwigshöhe
Edesheim
Weyher in der Pfalz
Hainfeld
Burrweiler
Roschbach
Flemlingen
Böchingen
Walsheim
Knöringen
Frankweiler
Albersweiler
Siebeldingen
Birkweiler
Ranschbach
Arzheim
Ilbesheim
Landau in der Pfalz
Offenbach an der Queich
Mörlheim
Wollmesheim
Mörzheim
Impflingen
Insheim
Göcklingen
Heuchelheim-Klingen
Billigheim-Ingenheim
Rohrbach
Steinweiler
Herxheim bei Landau
Erlenbach bei Kandel
Kandel
Minfeld
Winden
Barbelroth
Oberhausen
Hergersweiler
Bad Bergzabern
Dierbach
Vollmersweiler
Freckenfeld
Niederotterbach
Schaidt
Steinfeld
Kapsweyer
Schweighofen
Schweigen-Rechtenbach
Wissembourg
Altenstadt
Büchelberg
Dörrenbach
Oberotterbach
Böllenborn
Birkenhördt
Gleiszellen-Gleishorbach
Pleisweiler-Oberhofen
Klingenmünster
Münchweiler
Silz
Waldhambach
Waldrohrbach
Madenburg
Eschbach
Leinsweiler
Trifels
Annweiler am Trifels
Rinnthal
Sarnstall
Spirkelbach
Wilgartswiesen
Wernersberg
Lug
Hauenstein
Völkersweiler
Gossersweiler-Stein
Schwanheim
Dimbach
Darstein
Erfweiler
Dahner Felsenland
Dahn
Altdahn
Schindhard
Busenberg
Lauterschwan
Berwartstein
Erlenbach bei Dahn
Bundenthal
Rumbach
Fischbach bei Dahn
Nothweiler
Bobenthal
Niederschlettenbach
Schönau
Hirschthal
Chau de Fleckenstein
Col du Litschhof
Hinterweidenthal
Teufelstisch
Münchweiler an der Rodalb
Kaltenbach
Ruppertsweiler
Merzalben
Gräfenstein
Leimen
Heltersberg
Geiselberg
Schmalenberg
Waldfischbach-Burgalben
Trippstadt
Johanniskreuz
Schopp
Stelzenberg
Hohenecken
Harter Kopf
Groß Humberg
Waldleiningen
Elmstein
Esthal
Frankeneck
Lambrecht
Neidenfels
Lindenberg
Drachenfels
Eschkopf
Erlenkopf
Eußerthal
Ramberg
Dernbach
Gräfenhausen
Rehberg
Bindersbach
Naturpark
Pfälzerwald
Wild und Wanderpark
Fladenstein
Saarbacherhammer
Petersbächel
Chau de Wasigenstein
Chau de Hohenbourg
Weiler
Petit Wingen
A 6
A 63
A 65
E 50
E
F
G
H
69

0 2 4 6 8 10 km
C
D
1
2
3
4
5
A
B
C
D
79
Chenal
Grd Romont
Grande Île
Île Lon
La Pierre de He
CÔTE D'ÉMERAUDE
Cap Fréhel ★★★
Fort la Latte ★★
La Latte
Roche-Lossoye
La Motte
Plévenon
St-Géran
Anse des Sévignés
Baie de la Frênaye
Pointe de St-Cast ★★
L'Isle
Le Meurtel
La Ville-Norme
La Baillie
St-Cast-le-Guildo ★
Notre-Dame
Pnte de la Garde ★★
Le Bourg
St-Germain
Port-à-la-Duc
Pléboulle
Trecaradeuc
La Chapelle
Pen-Guen
Pnte de Bay
Pnte du Chevet
Le Biot
La Cour
Chesnay
L'Hôpital
Ste-Brigitte
Quatre Vaux
Matignon
St-Jaguel
Pierres Sonnantes
Beaussais
St-Gallery
La Croix-aux-Merles
Les Mauffries
Brousse
N.-D. du Guildo
Le Guildo
Ville-Briend
Le Kerpont
La Hauguemorais
St-Pôtan
La Ville-Robert
St-Pierre
La Saudraie
St-Lormel
Créhen
La Rougerais
Pluduno
Le Clos-Noël
La Rompaie
La Ville-Oreux
La Millière
Vx-Bourg
La Ville Beuve
La Croix-Janet
Pont Cornou
Île Agot
Île Ébihens
Lancieux
St-Briac-s-Mer
St-Jacut-de-la-Mer ★
Plage du Rougeret
Biord
Trégon
La Ville-ès-Comte
Pont-Arson
Plage du Port-Hue
La Chapelle
La Fosse
Pnte de la Garde Guérin
St-Lunaire ★
Pnte du Décollé ★★
DINARD
St-Enogat
Fourberie
Le Pont
La Ville-Agan
La Ville-Nizan
Prévotais
La Ville-aux-Monniers
La Mettrie
Les Ruais
Ploubalay
La Hamonais
Kergoat
Les Rues
Villou
La Rochardais
Tréméreuc
Le Chesnay
Ville-Oger
Le Gray
Trébéfour
Plessix-Balisson
La Rouxière
Pleslin-Trigavou
La Ricchardais
Bourgneuf
Montmarin
Pleurtuit
La Jouvente
Le Minihic-s-Rance
Rogerais
Les Landriais
Usine marémotrice
Pnte de la Vicomte ★★
Passage du Décollé
Île de Cézembre
Le Grd Jardin
Île Harbour
Grd Bé
Les Haies de la Conchée
Pte de la Varde
ST-MALO ★★★
Le Minihic
Rochebonne
Paramé ★
St-Servan-s-M.
Grd Aquarium ★★
La Magdeleine
Le Bos
La Passagère
St-Jouan-des-Guérets
Les Gastines
Trégondé
St-Suliac
La Rabinais
Mont Garrot
Les Bagais
Langrolay-sur-Rance
La Ville ès-Nonais
La Chiennais
Rance
Rochers sculptés
Rothéneuf
Le Lupin
La Guimorais
St-Vincent
St-Ideuc
Le Gué
Croix-Desilles
La Massuère
La Buzardière
Grand-Frotu
Château-Malo
La Chapelle-de-la-Lande
Pte du Meinga
Les Tintiaux
Île Du Guesclin
★★ Pnte du Grouin
Îles des Landes
Port-Mer
Basse-Cancale
Le Verger
Le Ht Pays
La Mare
St-Jouan
Port-Briac
Îles des Rimains
Pointe de la Chaîne
Pointe du Hock
St-Coulomb
La Croix-Blanche
La Beuglais
Les Portes Rouges
Cancale ★
Terrelabouët
La Coudre
St-Méloir-des-Ondes
Blessin
St-Benoît-des-Ondes
Vildé-la-Marine
La Roche
La Gouesnière
St-Père
Bonaban
Les Quatre Croix
St-George
Les Landes
La Motte
St-Guinoux
Châteauneuf-d'Ille-et-Vilaine
Le Havre
La Mare
L'Angle
Mesnil-des-Aulnays
Lillemer
Le Féděuil
Dol-de-Bretagne
Roz-Landrieux
La Quémière
La Fresnais
Hirel
Mirlange
La Guéhairie
La Pigassière
Le Roblin
Les Turmeaux
Le Vivier-s-Mer
Marais
D 355
D 155
N 176 E 401
GR 34

Agon-Coutainville
Coutances
Regnéville-s-Mer
Pointe d'Agon
Montmartin-s-Mer
Hauteville-Plage
Annoville
Hyenville
Hérenguerville
Quettreville-s-Sienne
Contrières
Trelly
St-Denis-le-Vêtu
Roncey
Cerisy-la-Salle
Montpinchon
Guéhébert
Grimesnil
Lingreville
Muneville-s-Mer
Bricqueville-s-Mer
Cérences
Lengronne
Hambye
Abb de Hambye
Chanteloup
Bréhal
Coudeville-Plage
Coudeville-s-Mer
Gavray
Ver
Le Mesnil-Amand
Montaigu-les-Bois
Le Loreur
Bréville-s-Mer
Donville-les-Bains
Hudimesnil
Longueville
Chausey
Les Huguenans
Le Pignon
Granville
Pointe du Roc
Yquelon
Anctoville-s-Boscq
St-Sauveur-la-Pommeraye
La Meurdraquière
Équilly
Villedieu-les-Poêles
Rouffigny
Champrepus
St-Pair-s-Mer
Banc de Tombelaine
St-Planchers
St-Jean-des-Champs
Folligny
Beauchamps
Le Tanu
Hocquigny
St-Aubin-des-Préaux
Bourguenolles
Abb de La Lucerne
La Haye-Pesnel
La Lucerne-d'Outremer
Kairon-Plage
Jullouville
Carolles-Plage
St-Pierre-Langers
Champcervon
La Mouche
La Trinité
Le Pignon Butor
Cabane Vauban
Pointe de Champeaux
Champeaux
Angey
Sartilly
Ste-Pience
Le Luot
Subligny
Lolif
St-Jean-le-Thomas
Dragey-Ronthon
Chavoy
Tirepied
BAIE
DU MONT-SAINT-MICHEL
Bec d'Andaine
Genêts
Bacilly
Marcey-les-Grèves
Ponts
St-Senier-s/s-Avranches
Avranches
Vains
Le Grand-Port
St-Léonard
Tombelaine
Pointe du Grouin du Sud
Le Val-St-Père
St-Martin-des-Champs
St-Quentin-s-le-Homme
Marcilly
LE MONT-ST-MICHEL
Pointe de Roche-Torin
Céaux
Pontaubault
Ducey
Courtils
Huisnes-s-Mer
Ardevon
Beauvoir
Poilley
Servon
Précey
Tanis
Juilley
Crollon
Cherrueix
Ste-Anne
Chemin Dolais
Polders
St-Broladre
St-Marcan
Roz-s-Couesnon
St-Georges-de-Gréhaigne
Mont Dol
Baguer-Pican
Vergoncey
St-Senier-de-Beuvron
St-Laurent-de-Terregatte
Les Chéris
E
F
G
31
80
52

0 2 4 6 8 10 km
32
51
81
A
B
C
D
1
2
3
4
5
Condé-s-Vire
Roches de Ham
St-Amand
Torigny-les-Villes
Placy-Montaigu
Troisgots
Moyon Villages
La Chapelle-s-Vire
St-Louet-s-Vire
Domjean
Tessy-Bocage
Beuvrigny
Fourneaux
Villebaudon
Percy-en-Normandie
Mont Robin
Montabot
Gouvets
Pont-Farcy
Ste-Marie-Outre-l'Eau
Pont-Bellanger
St-Vigor-des-Monts
Margueray
Montbray
Morigny
Landelles-et-Coupigny
Beaumesnil
Campagnolles
Le Mesnil-Robert
Sept-Frères
Le Mesnil-Benoist
Courson
Le Mesnil-Caussois
Beslon
Mesnil-Clinchamps
Ste-Cécile
St-Aubin-des-Bois
St-Sever-Calvados
Fontenermont
St-Manvieu-Bocage
Vire Normandie
St-Martin-de-Tallevende
La Chapelle-Cécelin
Boisyvon
Le Gast
Coulouvray-Boisbenâtre
Champ-du-Boult
Gathemo
St-Michel-de-Montjoie
St-Pois
Lingeard
Perriers-en-Beauficel
Beauficel
Sourdeval
Brécey
Cuves
Le Mesnil-Gilbert
Chérencé-le-Roussel
Le Mesnil-Adelée
Le Mesnil-Tôve
Juvigny-le-Tertre
Bellefontaine
St-Barthélemy
Mortain-Bocage
Le Neufbourg
Romagny Fontenay
Chasseguey
Reffuveille
Isigny-le-Buat
Le Mesnillard
St-Hilaire-du-Harcouët
Parigny
Virey
St-Clément-Rancoudray
Le Fresne-Poret
Ger
Le Ménil-Ciboult
Tinchebray-Bocage
Truttemer-le-Petit
St-Quentin-les-Chardonnets
Chaulieu
St-Christophe-de-Chaulieu
Lonlay-l'Abbaye
St-Georges-de-Rouelley
Barenton
Souleuvre en Bocage
Abbe de Hambye
Jurques
Brémoy
Le Mesnil-Auzouf
Montchamp
Estry
Vassy
Le Theil-Bocage
Montsecret-Clairefougère
Noron
Rully
St-Jean-des-Essartiers
Dampierre
Sept-Vents
Cahagnes
Dangy
Soulles
Le Mesnil-Herman
St-Romphaire
Rouffigny
La Trinité
Chérencé-le-Héron
St-Laurent-de-Cuves
Le Petit-Celland
Le Grand-Celland
Le Mesnil-Ozenne
La Chapelle-Urée
Montgothier
Villedieu-les-Poêles-Rouffigny

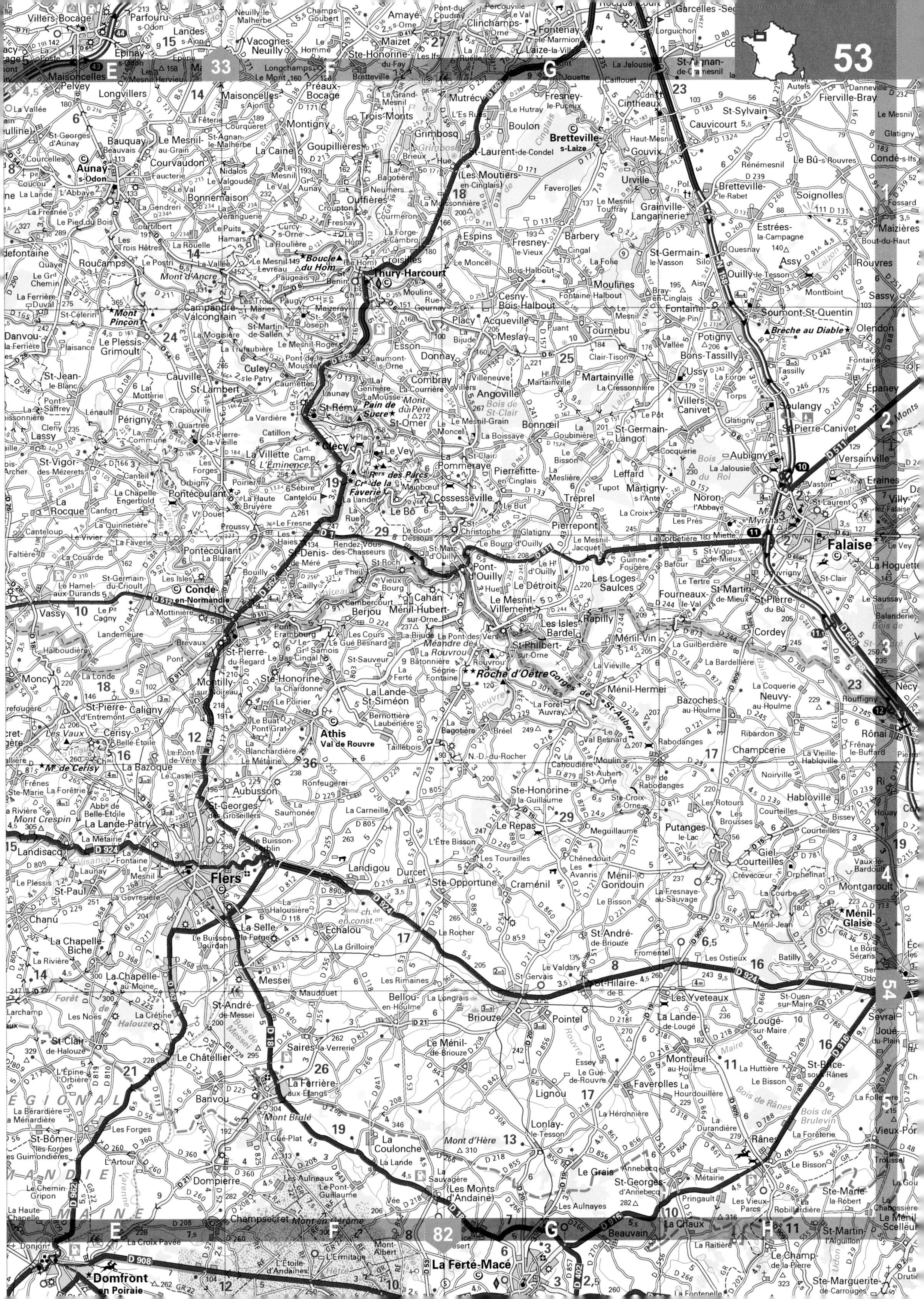
Villers-Bocage
Aunay-s-Odon
Thury-Harcourt
Bretteville-s-Laize
Falaise
Condé-en-Normandie
Flers
Athis Val de Rouvre
Clécy
Pont-d'Ouilly
Putanges-le-Lac
Briouze
La Ferté-Macé
Domfront en Poiraie
Roche d'Oëtre
Gorges de St-Aubert
Mont Pinçon
Brèche au Diable
Mont Crespin
Ménil-Glaise
Rânes
Tinchebray
St-Sylvain
Potigny
Ussy
Pont-Erambourg
Messei
Lonlay-le-Tesson
Champsecret
E
F
G
H
33
82
54
1
2
3
4
5

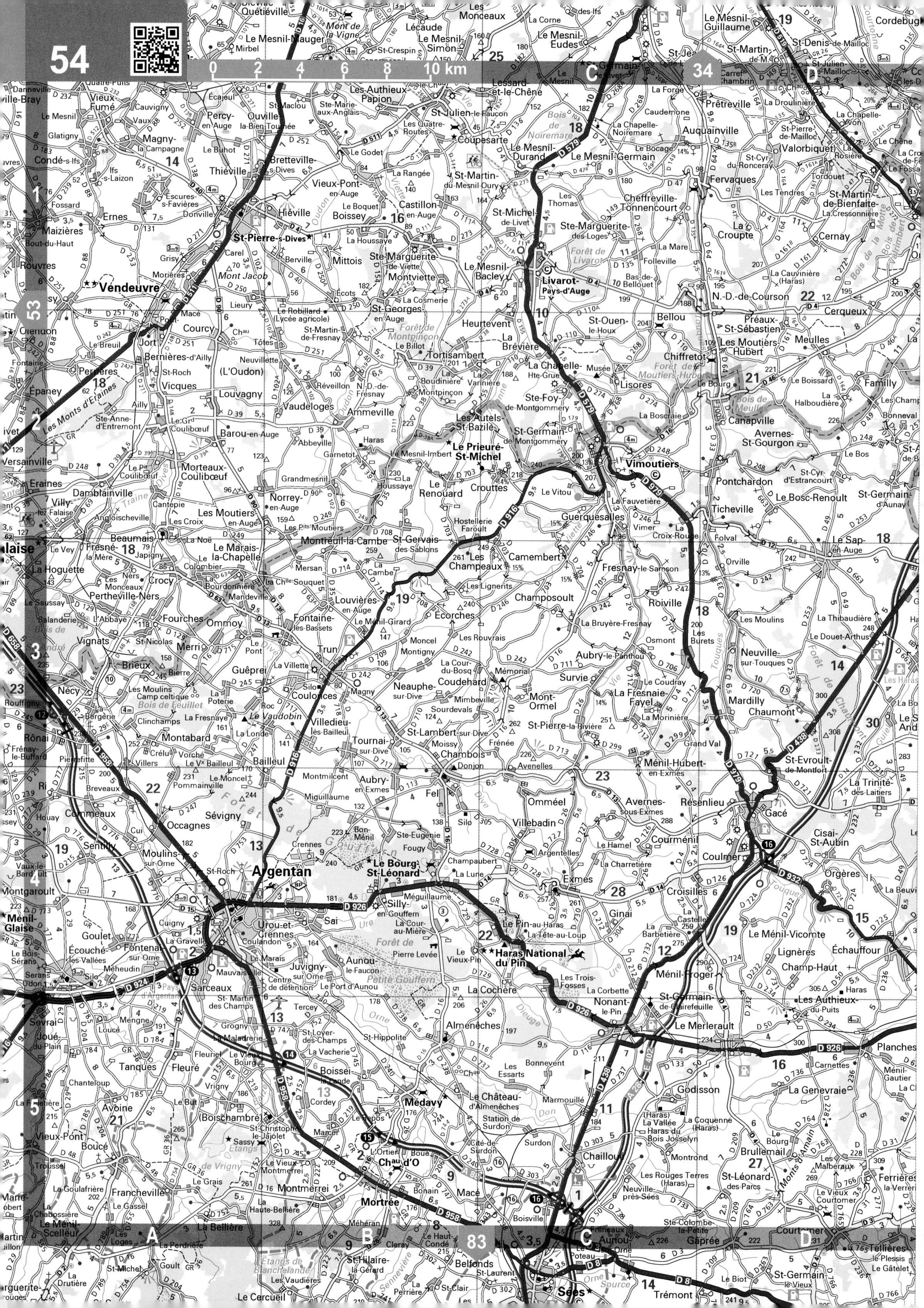
0 2 4 6 8 10 km
Quetiéville
Le Mesnil-Mauger
Mont de la Vigne
Lécaude
Le Mesnil-Simon
Les Monceaux
La Corne
Le Mesnil-Eudes
St-Germain-de-Livet
Le Mesnil-Guillaume
St-Martin-de-M.
St-Denis-de-Mailloc
Cordebugle
Vieux-Fumé
Cauvigny
Percy-en-Auge
Ouville-la-Bien-Tournée
Les Authieux-Papion
St-Julien-le-Faucon
Lessard-et-le-Chêne
Prêtreville
Magny-la-Campagne
Bretteville-s-Dives
Coupesarte
Le Mesnil-Durand
Le Mesnil-Germain
Auquainville
Condé-s-Ifs
Thiéville
St-Martin-du-Mesnil-Oury
Fervaques
Vieux-Pont-en-Auge
Castillon-en-Auge
St-Michel-de-Livet
Ste-Marguerite-des-Loges
Cheffreville-Tonnencourt
St-Martin-de-Bienfaite-la-Cressonnière
Ernes
Maizières
Escures-s-Favières
Hiéville
Boissey
St-Pierre-s-Dives
La Croupte
Cernay
Rouvres
Vendeuvre
Mittois
Ste-Marguerite-de-Viette
Montviette
Le Mesnil-Bacley
Livarot-Pays-d'Auge
Forêt de Livarot
Mont Jacob
St-Georges-en-Auge
N.-D.-de-Courson
Cerqueux
Courcy
Forêt de Montpinçon
Heurtevent
St-Ouen-le-Houx
Bellou
Préaux-St-Sébastien
Jort
Bernières-d'Aïlly
Tôtes
La Brévière
Les Moutiers-Hubert
Meulles
Tortisambert
La Chapelle-Hte-Grue
Chiffretot
Forêt des Moutiers-Hubert
Épaney
Perrières
Vicques
Louvagny
Réveillon
Montpinçon
Lisores
Familly
Les Monts d'Eraines
Ste-Anne-d'Entremont
Vaudeloges
Ammeville
Ste-Foy-de-Montgommery
Canapville
Barou-en-Auge
Abbeville
Les Autels-St-Bazile
St-Germain-de-Montgommery
Avernes-St-Gourgon
Versainville
Le Prieuré-St-Michel
Vimoutiers
Eraines
Damblainville
Morteaux-Coulibœuf
Grandmesnil
Le Renouard
Crouttes
Pontchardon
Villy-lez-Falaise
Norrey-en-Auge
Ticheville
St-Germain-d'Aunay
Les Moutiers-en-Auge
Guerquesalles
Le Bosc-Renoult
Falaise
Beaumais
Le Marais-la-Chapelle
Montreuil-la-Cambe
St-Gervais-des-Sablons
Camembert
Le Sap-en-Auge
La Hoguette
Crocy
Les Champeaux
Fresnay-le-Samson
Orville
Pertheville-Ners
Louvières-en-Auge
Champosoult
Roiville
Fourches
Ommoy
Fontaine-les-Bassets
Écorches
Vignats
Merri
Trun
Aubry-le-Panthou
Neuville-sur-Touques
Brieux
Guêprei
Coudehard
Survie
Mardilly
Chaumont
Nécy
Coulonces
Neauphe-sur-Dive
Mont-Ormel
La Fresnaie-Fayel
Villedieu-lès-Bailleul
St-Lambert-sur-Dive
St-Pierre-la-Rivière
Rônai
Montabard
Tournai-sur-Dive
Chambois
Ménil-Hubert-en-Exmes
St-Evroult-de-Montfort
Bailleul
Aubry-en-Exmes
Fel
Commeaux
Omméel
Avernes-sous-Exmes
Résenlieu
Gacé
Occagnes
Sévigny
Villebadin
Courménil
Cisai-St-Aubin
Sentilly
Forêt de Gouffern
Le Bourg-St-Léonard
Coulmer
Moulins-sur-Orne
Argentan
Exmes
Croisilles
Orgères
Ginai
Urou-et-Crennes
Le Pin-au-Haras
Goulet
Écouché-les-Vallées
Forêt de Pierre Levée
Haras National du Pin
Le Ménil-Vicomte
Échauffour
Sarceaux
Juvigny-sur-Orne
Aunou-le-Faucon
Ménil-Froger
Nonant-le-Pin
St-Germain-de-Clairefeuille
Les Authieux-du-Puits
Sevrai
Almenêches
Le Merlerault
Planches
Tanques
Fleuré
Boissei-la-Lande
Avoine
Médavy
Godisson
La Genevraie
Vieux-Pont
Sassy
Chailloué
Brullemail
St-Léonard-des-Parcs
Francheville
Montmerrei
Mortrée
Macé
Le Ménil-Scelleur
St-Hilaire-la-Gérard
Belfonds
Aunou-sur-Orne
Gâprée
Courtomer
Sées
Tellières-le-Plessis
St-Germain-le-Vieux
Le Cercueil
Trémont

55
35
56
84
E
F
G
H
Bernay
Broglie
Beaumesnil
Beaumont-le-Roger
Serquigny
Conches-en-Ouche
Forêt de Conches
Forêt de Beaumont
La Neuve-Lyre
La Vieille-Lyre
Breteuil-s-Iton
Forêt de Breteuil
Rugles
L'Aigle
Verneuil-s-Avre
Montreuil-l'Argillé
Bois de Broglie
St-Evroult-N.-D.-du-Bois
Forêt de St-Evroult
La Ferté-en-Ouche
Forêt de la Ferté-Frênel
Bois de la Garenne
Chambord
Bois-Normand-près-Lyre
Neaufles-Auvergny
Les Baux-de-Breteuil
Ambenay
St-Sulpice-sur-Risle
Chandai
Chaise-Dieu-du-Theil
Forêt de l'Aigle
Bourth
Forêt de Bourth
Francheville
Rai
Aube
St-Michel-Tubœuf
Tubœuf
Moulins-la-Marche
Bonsmoulins
Moulins-Bonsmoulins
Crulai
Irai
Randonnai
Normandel
Bois du Châtelet
Chennebrun
St-Christophe-s-Avre
Armentières-s-Avre
Boissy-lès-Perche
St-Maurice-lès-Charencey
Moussonvilliers
La Chapelle-Fortin
Morvilliers
Lamblore
La Ventrouze
Soligny-la-Trappe
Champignolles
Ste-Marthe
Grosley-s-Risle
La Ferrière-s-Risle
Romilly-la-Puthenaye
D 140
D 830
D 833
D 840
D 926
D 919
D 819
D 438
N 12

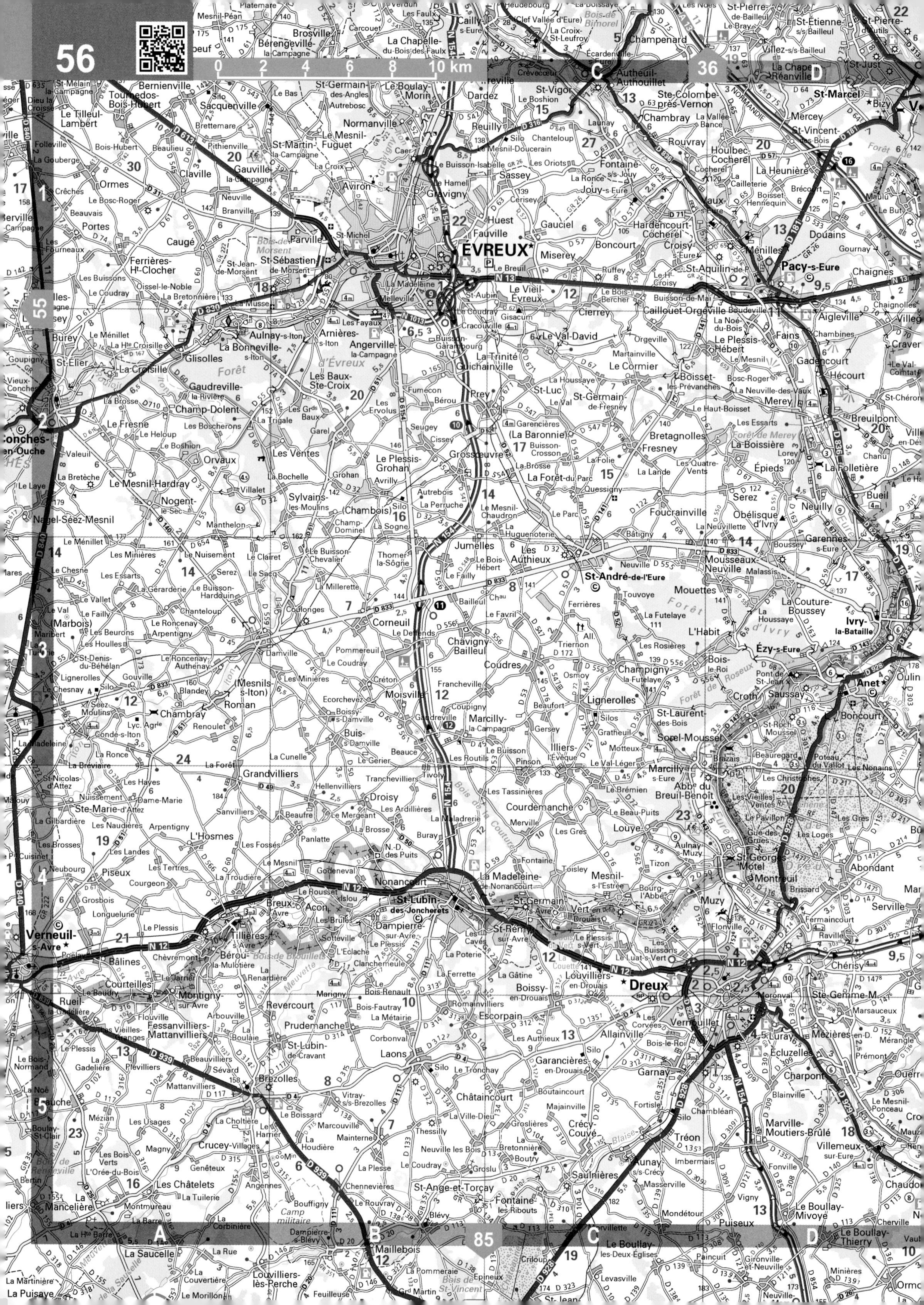
0 2 4 6 8 10 km
ÉVREUX
Pacy-s-Eure
St-André-de-l'Eure
Ivry-la-Bataille
Anet
Dreux
Verneuil-s-Avre
Conches-en-Ouche
Nonancourt
St-Lubin-des-Joncherets
Tillières-s-Avre
Breux-s-Avre
Damville
Brezolles
Vernouillet
Luray
Aunay-s/s-Crécy
Châteauneuf-en-Thymerais
Maillebois
St-Ange-et-Torçay
Garnay
Cherisy
Abondant
Ézy-s-Eure
Saussay
Marcilly-s-Eure
Muzy
St-Georges-Motel
Montreuil
Mouettes
Mousseaux-Neuville
Garennes-s-Eure
Bueil
Neuilly
Serez
Épieds
Breuilpont
Merey
Hécourt
Gadencourt
Fains
Aigleville
Ménilles
Douains
St-Marcel
Bizy
Autheuil-Authouillet
St-Vigor
Cailly-s-Eure
La Chapelle-du-Bois-des-Faulx
Brosville
Normanville
Gravigny
Aviron
Gauville-la-Campagne
Claville
Sacquenville
Tournedos-Bois-Hubert
Le Tilleul-Lambert
Ormes
Parville
St-Sébastien-de-Morsent
Cauqé
Ferrières-Ht-Clocher
Aulnay-s-Iton
La Bonneville-s-Iton
Glisolles
Arnières-s-Iton
Angerville-la-Campagne
Les Baux-Ste-Croix
Gaudreville-la-Rivière
Champ-Dolent
Orvaux
Les Ventes
Le Plessis-Grohan
Grossœuvre
Sylvains-les-Moulins
Nogent-le-Sec
Le Mesnil-Hardray
Nagel-Séez-Mesnil
Jumelles
Les Authieux
Corneuil
Chavigny-Bailleul
Coudres
Champigny-la-Futelaye
Lignerolles
St-Laurent-des-Bois
Sorel-Moussel
Marcilly-la-Campagne
Illiers-l'Évêque
Courdemanche
Louye
Grandvilliers
L'Hosmes
Piseux
Droisy
Moisville
Roman
Chambray
Bâlines
Courteilles
Rueil-la-Gadelière
Montigny-sur-Avre
Revercourt
Prudemanche
St-Lubin-de-Cravant
Laons
Escorpain
Boissy-en-Drouais
Louvilliers-en-Drouais
Allainville
Garancières-en-Drouais
Châtaincourt
Crécy-Couvé
Tréon
Saulnières
Puiseux
Le Boullay-Mivoye
Le Boullay-Thierry
Marville-Moutiers-Brûlé
Villemeux-sur-Eure
Charpont
Écluzelles
Mézières-en-D.
Ste-Gemme-M.
Serville
La Saucelle
Louvilliers-lès-Perche
La Puisaye
La Mancelière
Les Châtelets
Crucey-Villages
Forêt d'Évreux
Forêt d'Ivry
Forêt de Roseux
Forêt de Dreux
Bois de Broüillets
A B C D
55 36 85

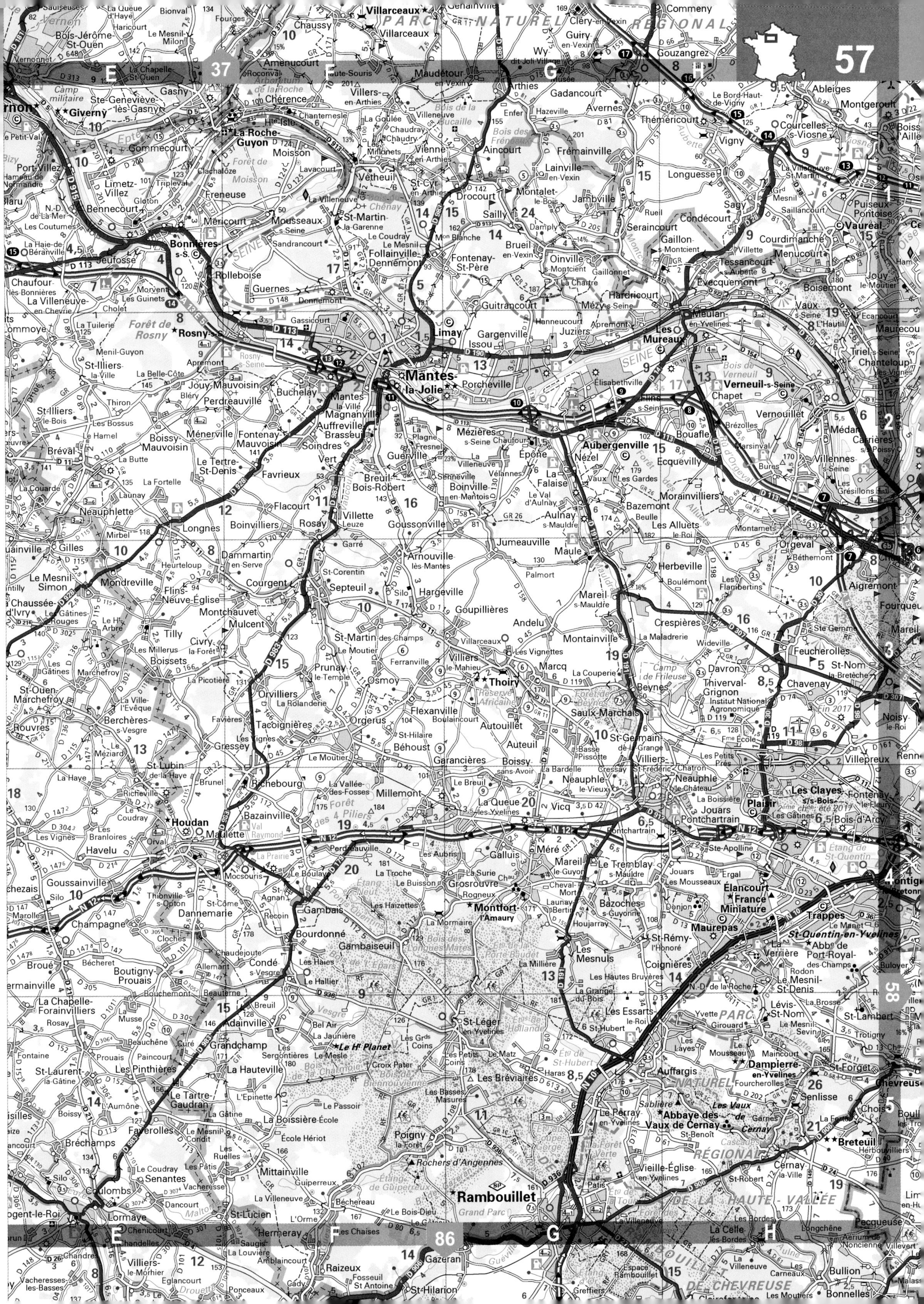
PARC NATUREL RÉGIONAL
37
86
58
E
F
G
H
Vernon
Giverny
La Roche-Guyon
Gasny
Bonnières-s-S.
Rosny-s-S.
Mantes-la-Jolie
Limay
Les Mureaux
Meulan-en-Yvelines
Verneuil-s-Seine
Aubergenville
Épône
Vigny
Vauréal
Puiseux-Pontoise
Ecquevilly
Orgeval
Maule
Septeuil
Thoiry
Houdan
Montfort-l'Amaury
Plaisir
Les Clayes-s/s-Bois
Élancourt
France Miniature
Maurepas
Trappes
St-Quentin-en-Yvelines
St-Léger-en-Yvelines
Le Perray-en-Yvelines
Les Essarts-le-Roi
Dampierre-en-Yvelines
Abbaye des Vaux de Cernay
Rambouillet
Gazeran
Épernon
Villiers-le-Morhier
Coulombs
Nogent-le-Roi
Orgerus
Neauphle-le-Château
Beynes
Crespières
Chavenay
Noisy-le-Roi
Chevreuse
Breteuil
Forêt de Rosny
Forêt de Moisson
Forêt des 4 Piliers
Forêt de Rambouillet
SEINE

0 2 4 6 8 10 km
PARIS
Pontoise
Cergy
Cergy-Pontoise
St-Ouen-l'Aumône
Conflans-Ste-Honorine
Poissy
ST-GERMAIN-EN-LAYE
Maisons-Laffitte
Argenteuil
Sartrouville
Houilles
Colombes
Asnières
Clichy
Levallois-Perret
Courbevoie
La Défense
Nanterre
Neuilly-s-S.
Rueil-Malmaison
St-Cloud
Boulogne-Billancourt
VERSAILLES
St-Cyr-l'École
Montigny-le-Bretonneux
Guyancourt
Meudon
Clamart
Bagneux
Cachan
Villejuif
Vitry-s-Seine
Ivry-s-Seine
Alfortville
CRÉTEIL
St-Maur-des-Fossés
Champigny-s-M.
Nogent-s-M.
Vincennes
Montreuil
Bagnolet
Bobigny
Drancy
Aubervilliers
ST-DENIS
Sarcelles
Montmorency
Enghien-les-Bains
Le Bourget
Aulnay-s/s-Bois
Sevran
Le Raincy
Antony
Massy
Palaiseau
Orly
Longjumeau
Savigny-s-Orge
Juvisy-s-Orge
Draveil
Vigneux-s-Seine
Athis-Mons
EVRY
Les Ulis
Gif-s-Y.
Chevreuse
Limours-en-Hurepoix
Tour Eiffel
Arc de Triomphe
Notre-Dame
AÉROPORT DE PARIS-ORLY
AÉROPORT DE PARIS-CHARLES DE GAULLE
AÉROPORT DE PARIS-LE BOURGET
Forêt de Montmorency
Forêt de Sénart
A B C D
1 2 3 4 5
38
57
87

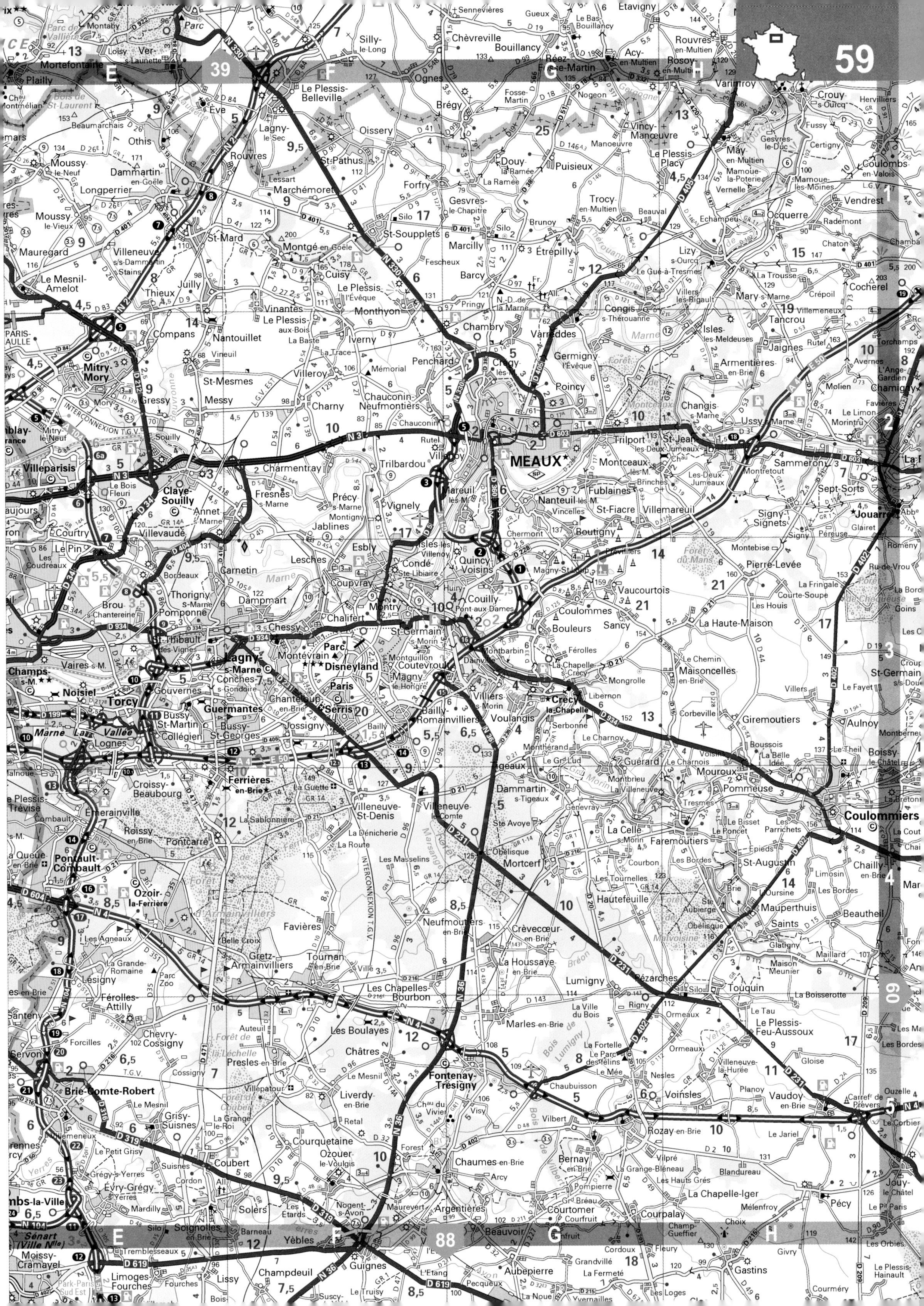
39
E
F
G
H
60
88
1
2
3
4
5
6
MEAUX
Mortefontaine
Plailly
Ève
Lagny-le-Sec
Le Plessis-Belleville
Silly-le-Long
Chèvreville
Bouillancy
Réez-Fosse-Martin
Acy-en-Multien
Rosoy-en-Multien
Rouvres-en-Multien
Varinfroy
Crouy-s-Ourcq
Oissery
St-Pathus
Forfry
Douy-la-Ramée
Puisieux
Vincy-Manœuvre
Le Plessis-Placy
May-en-Multien
Dammartin-en-Goële
Othis
Moussy-le-Neuf
Moussy-le-Vieux
Longperrier
Rouvres
Marchémoret
Gesvres-le-Chapitre
Trocy-en-Multien
Ocquerre
Vendrest
Coulombs-en-Valois
St-Soupplets
Marcilly
Étrépilly
Lizy-s-Ourcq
Mauregard
Villeneuve-s/s-Dammartin
St-Mard
Montgé-en-Goële
Cuisy
Barcy
Le Plessis-l'Évêque
Monthyon
Le Mesnil-Amelot
Thieux
Juilly
Vinantes
Le Plessis-aux-Bois
Iverny
Chambry
Varreddes
Congis-s-Thérouanne
Isles-les-Meldeuses
Mary-s-Marne
Tancrou
Cocherel
Jaignes
Compans
Nantouillet
Penchard
Crégy-lès-M.
Germigny-l'Évêque
Armentières-en-Brie
Mitry-Mory
Gressy
St-Mesmes
Messy
Villeroy
Chauconin-Neufmontiers
Charny
Poincy
Changis-s-Marne
Ussy-s-Marne
Villeparisis
Claye-Souilly
Annet-s-Marne
Charmentray
Trilbardou
Précy-s-Marne
Fresnes-s-Marne
Vignely
Mareuil-lès-M.
Trilport
St-Jean-les-Deux-Jumeaux
Montceaux-lès-M.
Fublaines
Nanteuil-lès-M.
St-Fiacre
Villemareuil
Sammeron
Sept-Sorts
Jouarre
Courtry
Villevaudé
Le Pin
Jablines
Esbly
Isles-lès-Villenoy
Quincy-Voisins
Boutigny
Signy-Signets
Carnetin
Thorigny-s-Marne
Dampmart
Lesches
Condé-Ste-Libiaire
Coupvray
Couilly-Pont-aux-Dames
Vaucourtois
Pierre-Levée
Brou-s-Chantereine
Pomponne
Chalifert
Montry
St-Germain-s-Morin
Coulommes
Sancy
Bouleurs
La Haute-Maison
Chessy
Lagny-s-Marne
St-Thibault-des-Vignes
Vaires-s-M.
Champs-s-M.
Noisiel
Torcy
Montévrain
Disneyland Paris
Coutevroult
Magny-le-Hongre
Serris
Conches-s-Gondoire
Gouvernes
Guermantes
Bussy-St-Martin
Bussy-St-Georges
Chanteloup-en-Brie
Jossigny
Bailly-Romainvilliers
Villiers-s-Morin
Voulangis
Crécy-la-Chapelle
Maisoncelles-en-Brie
Giremoutiers
Marne-la-Vallée
Lognes
Collégien
Ferrières-en-Brie
Croissy-Beaubourg
Guérard
Mouroux
Pommeuse
Coulommiers
Émerainville
Roissy-en-Brie
Pontcarré
Villeneuve-St-Denis
Villeneuve-le-Comte
Dammartin-s-Tigeaux
La Celle-s-Morin
Faremoutiers
Pontault-Combault
Ozoir-la-Ferrière
Mortcerf
Hautefeuille
St-Augustin
Chailly-en-Brie
Favières
Neufmoutiers-en-Brie
Crèvecœur-en-Brie
Mauperthuis
Saints
Beautheil
Gretz-Armainvilliers
Tournan-en-Brie
La Houssaye-en-Brie
Lumigny
Pézarches
Touquin
Lésigny
Férolles-Attilly
Les Chapelles-Bourbon
Marles-en-Brie
Le Plessis-Feu-Aussoux
Chevry-Cossigny
Les Boulayes
Châtres
Presles-en-Brie
Fontenay-Trésigny
Brie-Comte-Robert
Liverdy-en-Brie
Voinsles
Vaudoy-en-Brie
Grisy-Suisnes
Rozay-en-Brie
Évry-Grégy
Coubert
Ozouer-le-Voulgis
Chaumes-en-Brie
Bernay
La Chapelle-Iger
Pécy
Jouy-le-Châtel
Combs-la-Ville
Sénart (Ville Nle)
Moissy-Cramayel
Soignolles-en-Brie
Solers
Yèbles
Guignes
Courtomer
Courpalay
Limoges-Fourches
Lissy
Champdeuil
Aubepierre
Gastins
N 330
N 2
N 3
N 4
N 36
A 4
E 50
A 104
D 231
D 402
D 319
D 603
D 934
D 405

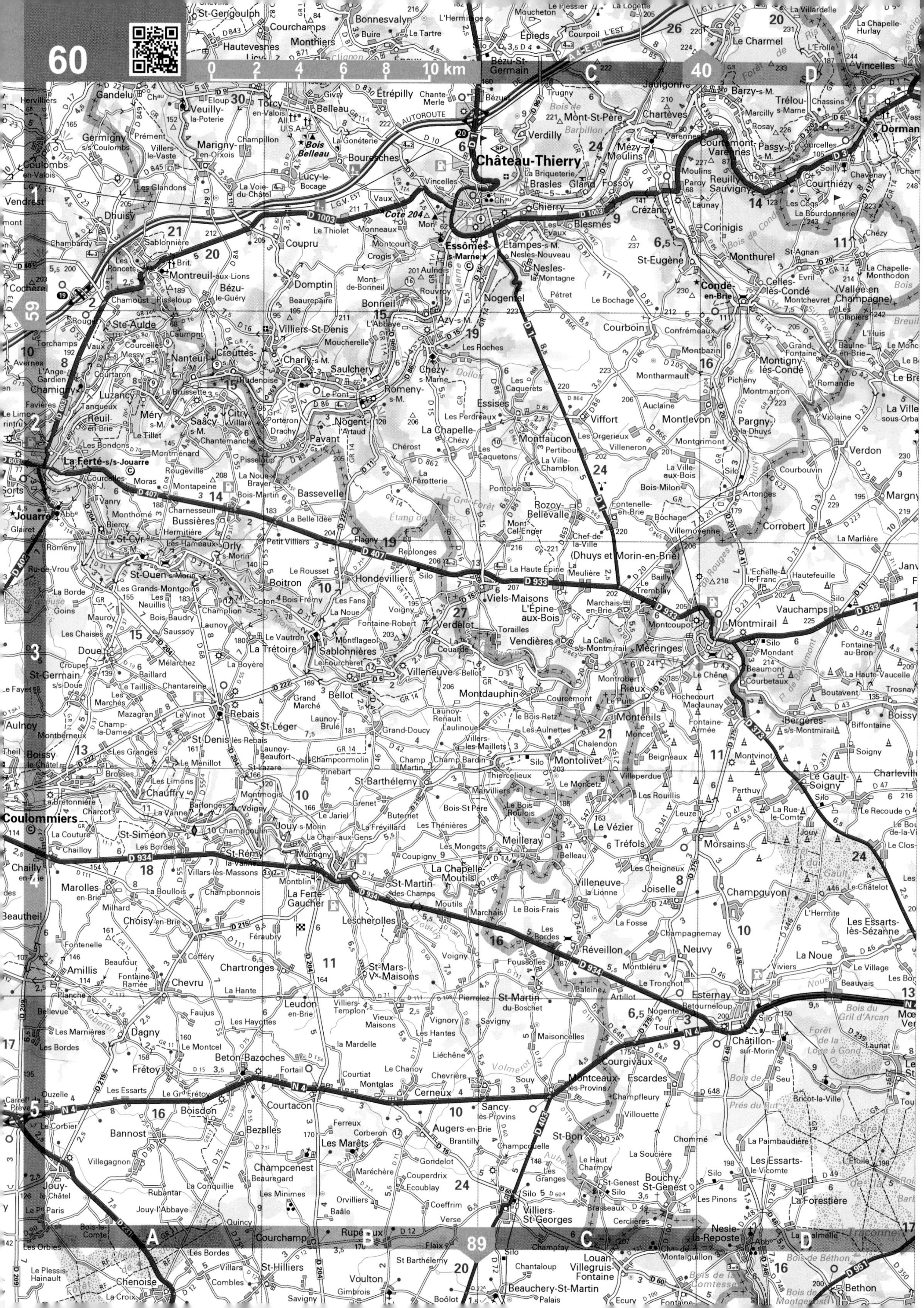
0 2 4 6 8 10 km
59
40
89
C
D
A
B
St-Gengoulph
Courchamps
Bonnesvalyn
Hautevesnes
Monthiers
Le Tartre
Épieds
Courpoil
Le Charmel
Vincelles
La Chapelle-Hurlay
Bézu-St-Germain
Jaulgonne
Barzy-s-M.
Trélou-s-Marne
Chassins
Dormans
Gandelu
Veuilly-la-Poterie
Torcy-en-Valois
Belleau
Étrépilly
Chante-Merle
Bézuet
Trugny
Mont-St-Père
Chartèves
Courtemont-Varennes
Passy
Courcelles
Germigny s/s-Coulombs
Prémont
Villers-le-Vaste
Marigny-en-Orxois
Champillon
Bois Belleau
La Gonéterie
Bouresches
Verdilly
Château-Thierry
Mézy-Moulins
Reuilly-Sauvigny
Chavenay
Courthiézy
Coulombs-en-Valois
Les Glandons
La Voie-du-Châtel
Lucy-le-Bocage
Vincelles
La Briqueterie
Brasles
Gland
Fossoy
Vendrest
Dhuisy
Vaux
Côte 204
Chierry
Crézancy
Les Cogs
La Bourdonnerie
Chambardy
Sablonnière
Le Thiolet
Monneaux
Coupru
Montcourt
Crogis
Essômes-s-Marne
Étampes-s-M.
Blesmes
Nesles-Nouveau
Nesles-la-Montagne
Connigis
Monthurel
St-Eugène
St-Agnan
Chézy
Cocherel
Les Poncets
Montreuil-aux-Lions
Bézu-le-Guéry
Domptin
Aulnois
Mont-de-Bonneil
Rouvroy
Nogentel
Pétret
Le Bochage
Condé-en-Brie
Celles-lès-Condé
La Chapelle-Monthodon
Vallée en Champagne
Montchevret
Chamoust
Pisseloup
Beaurepaire
Bonneil
Azy-s-M.
Courboin
Confrémeaux
Les Glapiers
Rougeville
Ste-Aulde
Caumont
Villiers-St-Denis
L'Abbaye
Les Roches
Torchamps
Vaux
Courcelles
Nanteuil-s-M.
Crouttes-s-M.
Moucherelle
Charly-s-M.
Saulchery
Chézy-s-Marne
Montharmault
Montbazin
Montigny-lès-Condé
Grand-Fontaine
Baulne-en-Brie
Avernes
Messy
Courtaron
Rudenoise
Romeny-s-M.
Les Caquerets
Picheny
Romandie
Chamigny
L'Ange-Gardien
Luzancy
La Brussette
Le Pont
Essises
Auclaine
Montmarçon
Favières
Tanqueux
Méry-s-M.
Saâcy-s-M.
Citry
Villaré
Porteron
Drachy
Nogent-l'Artaud
Les Perdreaux
La Chapelle-s-Chézy
Viffort
Montlevon
Pargny-la-Dhuys
Violaine
La Ville-sous-Orbais
Reuil-en-Brie
Le Tillet
Chantemanche
Pavant
Montfaucon
Les Orgerieux
Villeneron
Montgrimont
Verdon
Les Bondons
Montménard
Chérost
Les Caquetons
Pertibout
La Ville-Chamblon
La Ville-aux-Bois
La Ferté-s/s-Jouarre
Rougeville
La Noue-Brayer
La Fèrotterie
Courbouvin
Courcelles-s/s-J.
Moras
Montapeine
Bois-Martin
Basseville
Pontoise
Bois-Milon
Artonges
Margny
Sorts
Vanry
Charnesseuil
Bussières
La Belle Idée
La Grde Forêt
Étang de Vergis
Rozoy-Bellevalle
Fontenelle-en-Brie
Bôchage
Corrobert
Jouarre
Monthomé
Biercy
L'Hermitière
Mont-Cel-Enger
Villemoyenne
Glairet
St-Cyr
Les Hameaux
Orly-s-Morin
Petit Villiers
Flagny
Chef-de-la-Ville
Dhuys et Morin-en-Brie
La Marlière
Romény
Replonges
La Haute Épine
La Meulière
L'Échelle-le-Franc
Hautefeuille
Ru-de-Vrou
St-Ouen-s-Morin
Le Rousset
Hondevilliers
Viels-Maisons
Bailly
Le Tremblay
Janvilliers
La Borde
Les Grands-Montgoins
Boitron
Les Fans
Marchais-en-Brie
Montmirail
Vauchamps
Goins
Les Neuillis
Coton
Bois Frémy
Voigny
L'Épine-aux-Bois
Montcoupot
Mauroy
Champlion
La Noue
Fontaine-Robert
Verdelot
Torailles
Fontaine-au-Bron
Les Chaises
Bois-Baudry
Saussoy
Launoy
Le Vautron
Montflageol
La Celle-s/s-Montmirail
Mécringes
Mondant
Doue
La Trétoire
Sablonnières
La Couarde
Vendières
Beaumont
Courbetaux
La Haute-Vaucelle
St-Germain-s/s-Doue
Croupet
Mélarchez
La Boyère
Le Fourcheret
Villeneuve-s-Bellot
Le Chêne
Le Fayet
Baillard
Les Taillis
Chantareine
Bellot
Montrobert
Rieux
Boutavent
Trosnay
Les Marchés
Grand Marché
Montdauphin
Courcemont
Le Puits
Hochecourt
Maclaunay
Bergères-s/s-Montmirail
Boissy
Aulnoy
Mazagran
Champ-la-Dame
Le Vinot
Rebais
St-Léger
Launoy-Brulé
Launoy-Renault
Laulinoue
Le Bois-Retz
Les Aulnettes
Montenils
Le Moncet
Fontaine-Armée
Biffontaine
Montberneux
Grand-Doucy
Villers-les-Maillets
Chalendon
Soigny
Boissy-le-Châtel
St-Denis-lès-Rebais
Launoy-Beaufort
Champcormolin
Champ-Martin
Champ Bardin
Montolivet
Beigneaux
Montvinot
Charleville
Les Granges
Le Ménillot
St-Lazare
Pinebart
Thiercelieux
Villeperdue
Le Gault-Soigny
Les Brosses
Les Limons
Chauffry
Montmogis
St-Barthélemy
Marvilliers
Le Moncetz
Perthuy
La Bretonnière
Charcot
Barlonges
Voigny
Grenet
Bois-St-Père
Le Bois Roulois
Les Rouilles
Le Recoude
Coulommiers
La Vanne
Champgoulin
Jouy-s-Morin
Le Jariel
Buternet
Les Thénières
Le Vézier
Leuze
La Rue-le-Comte
Jouy
Le Bout-de-la-Ville
La Couture
St-Siméon
La Chair-aux-Gens
La Frévillard
Tréfols
Morsains
Le Clos
Chailloy
Les Bordes
St-Rémy-la-Vanne
Montigny
Coupigny
Les Mongets
Meilleray
Belleau
Chailly-en-Brie
Villars-les-Massons
La Ferté-Gaucher
La Chapelle-Moutils
Les Cheigneux
Forêt du Gault
Marolles-en-Brie
Montblin
St-Martin-des-Champs
Villeneuve-la-Lionne
Joiselle
Champguyon
Le Châtelot
La Boullois
Champbonnois
Moutils
Marchais
Le Bois-Frais
L'Hermite
Milhard
Choisy-en-Brie
Lescherolles
Drouilly
Les Bordes
La Fosse
Les Essarts-lès-Sézanne
Beautheil
Féraubry
Champagnemay
Fontenelle
Coffery
Réveillon
Neuvy
La Noue
Amillis
Beaufour
Chartronges
St-Mars-Vx-Maisons
Voigny
Foussolles
Viviers
Le Village
Fontaine-Ramée
Chevru
Montbléru
Noue
Beauvais
Planche
La Hante
Baleine
Le Tronchot
Esternay
Retourneloup
Bois du Gril d'Arcan
Bellevue
Faujus
Leudon-en-Brie
Villiers-Templon
Vieux-Maisons
Pierrelez
St-Martin-du-Boschet
Artillot
Nogentel
Tour
Châtillon-sur-Morin
Forêt de la Loge à Gond
Launat
Les Marnières
Dagny
Les Hayottes
Vignory
Les Hantes
Savigny
Maisoncelles
Les Bordes
Le Montcel
La Mardelle
Liéchêne
Volmerot
Courgivaux
Seu
Fortail
Frétoy
Beton-Bazoches
Le Chanoy
Courtiat
Montglas
Chevrière
Cerneux
Souy
Montceaux-lès-Provins
Escardes
Champfleury
Bois de Seu
Bricot-la-Ville
Ouzelle
Les Essarts
Le Gd Frétoy
Courtacon
Sancy-lès-Provins
Villouette
Prés du But
Carref. de Prévost
Le Corbier
Boisdon
Bannost
Bezalles
Ferreux
Corberon
Augers-en-Brie
Brantilly
St-Bon
Chommé
La Paimbaudière
Villegagnon
Les Marêts
Champcouelle
Gondelot
Le Haut Charmoy
La Soucière
Les Essarts-le-Vicomte
L'Étoile
Champcenest
Beauregard
Maréchère
Couperdrix
Ecoublay
Les Granges
St-Genest
Bouchy-St-Genest
Jouy-le-Châtel
La Conquillie
Rubantar
Les Minimes
Orvilliers
Coeffrim
Villiers-St-Georges
Brasseaux
Les Pinons
La Forestière
Le Pt Paris
Jouy-l'Abbaye
Baâle
Verse
Cerclières
Bois-le-Comte
Quincy
Courchamp
Rupéreux
Flaix
Champfay
Nesle-la-Reposte
La Palmelle
Les Orbies
Les Bordes
St Barthélemy
Chau de Montaiguillon
Bois de Béthon
Le Plessis-Hainault
Villars
St-Hilliers
Voulton
Chantaloup
Louan-Villegruis-Fontaine
Bois de la Comtesse
Chenoise
Combles
Gimbrois
Beauchery-St-Martin
Bethon
La Croix
Savigny
Boôlot
Palais
Ecury

Épernay
Vertus
Sézanne
Mailly-le-Camp
Fère-Champenoise
Hautvillers
Cumières
Damery
Mardeuil
Magenta
Dizy
Ay
Mutigny
Avenay-Val-d'Or
Champillon
Tours-s-Marne
Bisseuil
Ambonnay
Isse
Condé-sur-Marne
Oiry
Chouilly
Plivot
Athis
Cherville
Jâlons
Aulnay-s-Marne
Matougues
Pierry
Moussy
Vinay
Chavot-Courcourt
St-Martin-d'Ablois
Brugny-Vaudancourt
Monthelon
Mancy
Cuis
Cramant
Avize
Grauves
Oger
Le Mesnil-sur-Oger
Flavigny
Les Istres-et-Bury
Champigneul-Champagne
Pocancy
Rouffy
Vouzy
Thibie
Chaintrix-Bierges
Villeneuve-Renneville-Chevigny
Voipreux
Gionges
Villers-aux-Bois
Chaltrait
Soulières
Givry-lès-Loisy
Étréchy
Loisy-en-Brie
Bergères-lès-Vertus
Mont Aimé
Trécon
Vélye
Germinon
Villeseneux
Soudron
Clamanges
Pierre-Morains
Écury-le-Repos
Morains
Normée
Lenharrée
Vassimont-et-Chapelaine
Haussimont
Connantray-Vaurefroy
Sommesous
Connantre
Euvy
Montépreux
Corroy
Gourgançon
Semoine
Ognes
Pleurs
Gaye
Marigny
Angluzelles-et-Courcelles
Faux-Fresnay
Salon
Villiers-Herbisse
Herbisse
Champfleury
Courcemain
St-Saturnin
La Chapelle-Lasson
Villeneuve-St-Vistre-et-Villevotte
Fontaine-Denis-Nuisy
Barbonne-Fayel
Queudes
Saudoy
Chichey
Vindey
Meix-Epoing
St-Remy-sous-Broyes
Linthelles
Linthes
St-Loup
Péas
Allemant
Broyes
Mondement-Montgivroux
Broussy-le-Petit
Broussy-le-Grand
Bannes
Coizard-Joches
Reuves
Oyes
Soizy-aux-Bois
Talus-St-Prix
Villevenard
Courjeonnet
Vert-la-Gravelle
Congy
Baye
Champaubert
Fèrebrianges
Étoges
Beaunay
Le Thoult-Trosnay
Bannay
La Caure
Montmort-Lucy
Corribert
Mareuil-en-Brie
Le Baizil
Suizy-le-Franc
Orbais-l'Abbaye
La Chapelle-sous-Orbais
Igny-Comblizy
Festigny
Nesle-le-Repons
Leuvrigny
Œuilly
Boursault
Vauciennes
Troissy
Mareuil-le-Port
Binson-et-Orquigny
Châtillon-s-Marne
Vandières
Verneuil
Venteuil
Fleury-la-Rivière
Romery
Cormoyeux
Germaine
St-Imoges
Louvois
Vraux
Juvigny
Lachy
Verdey
Villiers
Chapton
La Villeneuve-lès-Charleville
Corfélix
Le Mont
PARIS-VATRY
Marais de St-Gond
Forêt d'Épernay
Forêt de Vertus
Forêt de Brugny
Terrain militaire

0 2 4 6 8 10 km
A
B
C
D
42
61
91
Louvercy
Crête Niel
Ancienne Voie Romaine
Haricot de Vadenay
Mont Piémont
Somme-Tourbe
Somme-Bionne
Moulin de Valmy
Vadenay
Cuperly
Les Grandes-Loges
St-Hilaire-au-Temple
Mont Gravonne
Fontenelle
Camp d'Attila
Mont des Vignes
Bussy-le-Château
Noblette
La Cheppe
St-Remy-sur-Bussy
Le Vieux-Bellay
La Croix-en-Champagne
Les Maigneux
La Chapelle-Felcourt
Auve
St-Mard-s-Auve
L.G.V. EST
Aigny
Vraux
Juvigny
Aulnay-s-Marne
Le Lac des Grands Prés
La Veuve
Centre Routier
Dampierre-au-Temple
St-Étienne-au-Temple
AUTOROUTE DE L'EST
Mont de la Savelonnière
Mont de Charme
Ancienne La Grande Romaine
Lycée agricole
Le Neuf-Bellay
Tilloy-et-Bellay
Poste de Somme-Vesle
Chaussée Romaine
Herpont
Recy
St-Martin-sur-le-Pré
St-Gibrien
Fagnières
Villers-le-Château
St-Georges
Les Cours-Brûlées
St-Pierre
Thibie
Melette
La Maison-Neuve
St-Julien
Courtisols
Somme-Vesle
L'Épine
La Folie
St-Memmie
Basilique N.-D. de l'Épine ★★
CHÂLONS-EN-CHAMPAGNE ★★
St-Memmie
Compertrix
Mont-Choisy
Coolus
Longevas
Poix
Somme-Yèvre
La Malassise
Moivre
Coupéville
Le Fresne
Frécul
La Saux
Bussy-le-Repos
St-Laurent
Sarry
Sogny-aux-Moulins
Moncetz-Longevas
Chepy
Marson
St-Jean-sur-Moivre
Les Ormes
Dampierre-sur-Moivre
Francheville
La Motte-Hériton
Notre-Dame
Écury-sur-Coole
Cheniers
Nuisement-sur-Coole
Mont Toisé
Mairy-s-Marne
St-Germain-la-Ville
Vésigneul-s-Marne
Pogny
Bronne
Vanault-le-Châtel
Bellevue
Breuvery-s-Coole
Vaugency
St-Quentin-sur-Coole
Cernon
Togny-aux-Bœufs
Vouciennes
Vitry-la-Ville
Omey
La Chaussée-sur-Marne
Mentarah
Mandre
Les Quatre-Chemins
Aulnay-l'Aître
La Cense-des-Prés
Bassu
Soudron
Vatry
Coupetz
Cheppes-la-Prairie
St-Martin-aux-Champs
Coulmier
Coulvagny
St-Amand-sur-Fion
Lisse-en-Champagne
Val-de-Vière
Vavray-le-Petit
Vavray-le-Grand
Bussy-Lettrée
Fontaine
Vésigneul
Faux-Vésigneul
Songy
Ablancourt
Soulanges
Bassuet
St-Lumier-en-Champagne
St-Quentin-les-Marais
Changy
Outrepont
Le Buisson
Lettrée
Dommartin-Lettrée
Notre-Dame
Pringy
Le Mont Larron
Drouilly
Gravelines
Mont de Fourche
Vitry-en-Perthois
Merlaut
Ponthion
Maisons-en-Champagne
Loisy-s-Marne
Couvrot
Saulx
Brusson
Sommesous
Soudé
Ste-Croix
Coole
Blacy
St-Étienne
Canal
Plichancourt
Dompremy
Reims-la-Brûlée
Tournay
Favresse
Mailly-Camp
Poivres
Forêt de Vauhalaise
Vitry-le-François
Glannes
Huiron
Marolles
Villotte
Vauclerc
Écriennes
Thiéblemont-Farémont
Courdemanges
Frignicourt
Luxémont-et-Villotte
Sompuis
La Galbaudine
La Croix
Châtelraould-St-Louvent
Mont Moret
Bignicourt-sur-Marne
Goncourt
Matignicourt-Goncourt
St-Louvent
Blaise-s/s-Arzillières
Norrois
Camp militaire
La Breuille
Cloyes-s-Marne
Humbauville
La Certine
Perthes
Les Rivières-Henruel
Arzillières-Neuville
Neuville-sous-Arzillières
Moncetz-l'Abbaye
Larzicourt
Les Mandres
Henruel
Isle-sur-Marne
Tharges
Le Meix-Tiercelin
Orphelinat
St-Chéron
Flumet
St-Genest
St-Remy-en-Bouzemont-St-Genest-et-Isson
Les Monts Torlors
La Verpillière
Trouans
Arrigny
de Mailly
St-Ouen-Domprot
La Malmaison
Bussy-aux-Bois
Gigny-Bussy
Bois de Bussy
Isson
Dosnon
Petit-Paris
Presqu'île de Larzicourt
St-Étienne

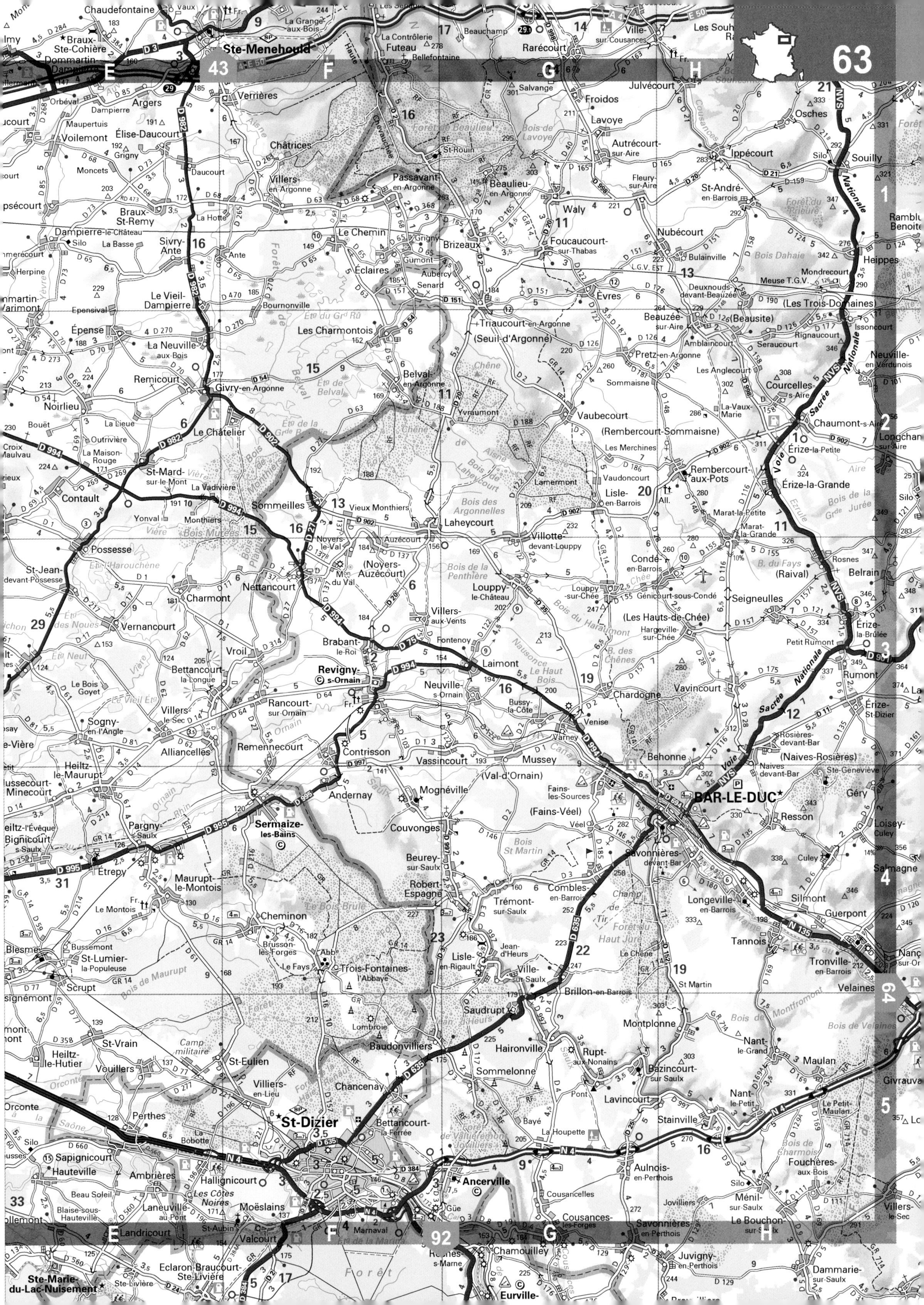
Ste-Menehould
Chaudefontaine
Braux-Ste-Cohière
Dommartin-Dampierre
Verrières
Argers
Élise-Daucourt
Voilement
Châtrices
Villers-en-Argonne
Passavant-en-Argonne
Beaulieu-en-Argonne
Futeau
Les Islettes
Rarécourt
Froidos
Lavoye
Autrécourt-sur-Aire
Ippécourt
Souilly
Osches
Julvécourt
Waly
Brizeaux
Foucaucourt-sur-Thabas
Nubécourt
Bulainville
Heippes
Le Chemin
Éclaires
Sivry-Ante
Braux-St-Remy
Dampierre-le-Château
Le Vieil-Dampierre
Épense
La Neuville-aux-Bois
Remicourt
Givry-en-Argonne
Noirlieu
Le Châtelier
Les Charmontois
Belval-en-Argonne
Triaucourt-en-Argonne
(Seuil-d'Argonne)
Èvres
Beauzée-sur-Aire
Amblaincourt
Pretz-en-Argonne
Sommaisne
Vaubecourt
(Rembercourt-Sommaisne)
Rembercourt-aux-Pots
Courcelles-s-Aire
Chaumont-s-Aire
Érize-la-Petite
Érize-la-Grande
Longchamps-sur-Aire
St-Mard-sur-le-Mont
Sommeilles
Laheycourt
Lisle-en-Barrois
Villotte-devant-Louppy
Contault
Possesse
Nettancourt
Noyers-le-Val
(Noyers-Auzécourt)
Louppy-le-Château
Condé-en-Barrois
Génicourt-sous-Condé
Seigneulles
Rosnes
(Raival)
Belrain
Érize-la-Brûlée
Charmont
Vernancourt
Villers-aux-Vents
Brabant-le-Roi
Revigny-s-Ornain
Laimont
Neuville-s-Ornain
Chardogne
Vavincourt
Rumont
Érize-St-Dizier
Bettancourt-la-Longue
Rancourt-sur-Ornain
Villers-le-Sec
Sogny-en-l'Angle
Remennecourt
Contrisson
Vassincourt
Mussey
(Val-d'Ornain)
Varney
Behonne
BAR-LE-DUC
Andernay
Mognéville
Fains-les-Sources
(Fains-Véel)
Heiltz-le-Maurupt
Alliancelles
Pargny-s-Saulx
Sermaize-les-Bains
Couvonges
Savonnières-devant-Bar
Resson
Géry
Étrepy
Maurupt-le-Montois
Beurey-sur-Saulx
Robert-Espagne
Combles-en-Barrois
Trémont-sur-Saulx
Longeville-en-Barrois
Silmont
Guerpont
Tannois
Tronville-en-Barrois
Velaines
Cheminon
Trois-Fontaines-l'Abbaye
Lisle-en-Rigault
Ville-sur-Saulx
Brillon-en-Barrois
Blesme
St-Lumier-la-Populeuse
Scrupt
Saudrupt
Montplonne
Baudonvilliers
Haironville
Rupt-aux-Nonains
Nant-le-Grand
Maulan
St-Vrain
Heiltz-le-Hutier
Vouillers
St-Eulien
Villiers-en-Lieu
Chancenay
Sommelonne
Bazincourt-sur-Saulx
Lavincourt
Nant-le-Petit
Orconte
Perthes
St-Dizier
Bettancourt-la-Ferrée
Baudonvilliers
Stainville
Aulnois-en-Perthois
Fouchères-aux-Bois
Sapignicourt
Hauteville
Ambrières
Hallignicourt
Ancerville
Cousancelles
Ménil-sur-Saulx
Laneuville-au-Pont
Moëslains
Valcourt
Marnaval
Cousances-les-Forges
Savonnières-en-Perthois
Le Bouchon-sur-Saulx
Chamouilley
Juvigny-en-Perthois
Dammarie-sur-Saulx
Eclaron-Braucourt-Ste-Livière
Ste-Marie-du-Lac-Nuisement
Eurville
Voie Sacrée
Nationale
Camp militaire
Forêt de Beaulieu
Bois des Argonnelles
43
92
64
E F G H
1 2 3 4 5

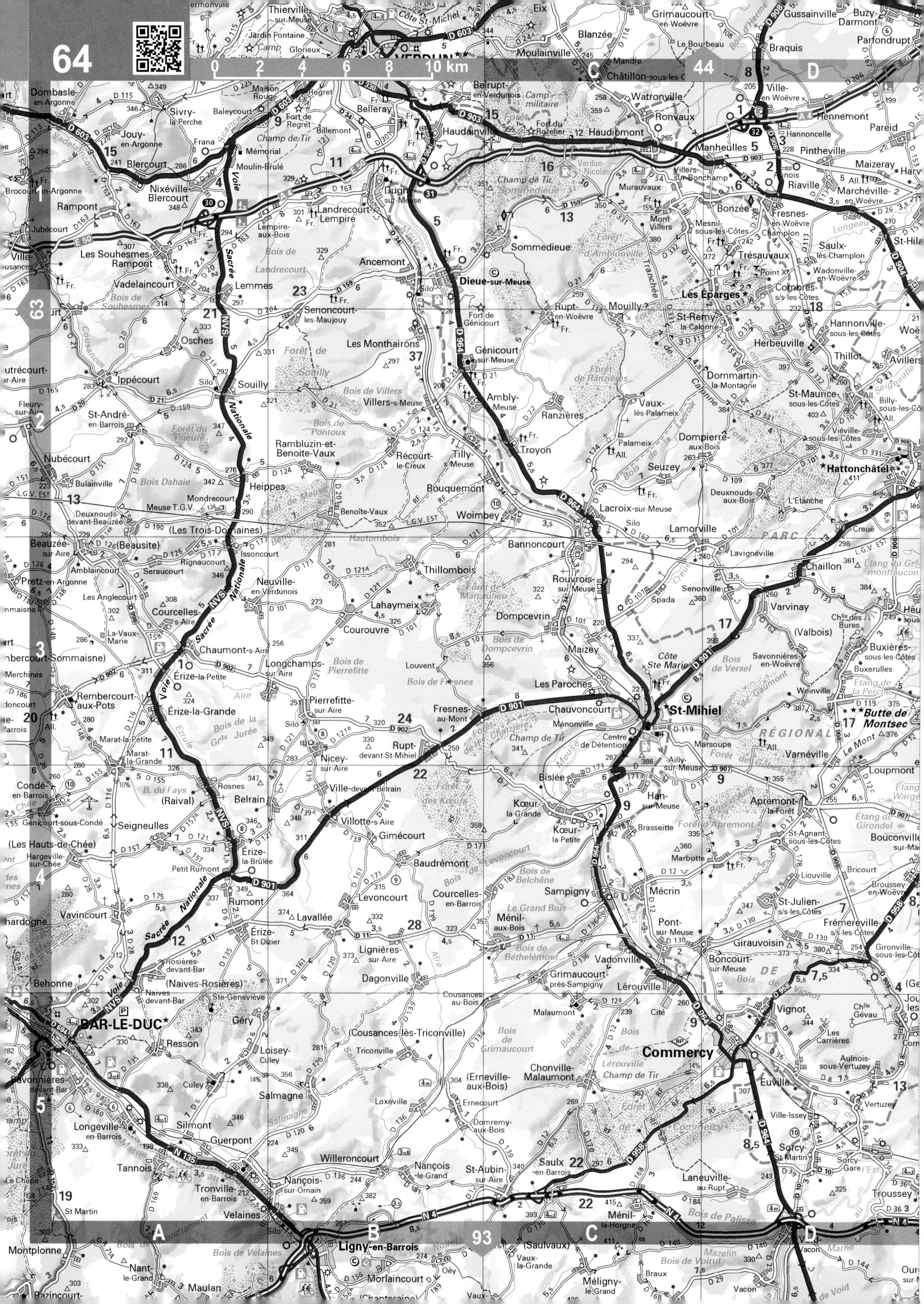

0 2 4 6 8 10 km
A
B
C
D
44
63
93
1
2
3
4
5
VERDUN
Thierville-sur-Meuse
Côte St-Michel
Eix
Blanzée
Moulainville
Grimaucourt-en-Woëvre
Gussainville
Buzy-Darmont
Parfondrupt
Braquis
Châtillon-sous-les-C.
Dombasle-en-Argonne
Sivry-la-Perche
Baleycourt
Regret
Maison Rouge
Fort de Regret
Belleray
Belrupt-en-Verdunois
Camp militaire
Fort du Rozelier
Haudiomont
Watronville
Ronvaux
Ville-en-Woëvre
Hennemont
Pareid
Jouy-en-Argonne
Frana
Mémorial
Champ de Tir
Billemont
Haudainville
Manheulles
Hannoncelle
Pintheville
Blercourt
Moulin-Brulé
Verdun-St-Nicolas
Maizeray
Brocourt-en-Argonne
Nixéville-Blercourt
Dugny-sur-Meuse
Champ de Tir Sommedieue
Muraucaux
Villers-sur-Bonchamp
Aulnois
Riaville
Marchéville-en-Woëvre
Rampont
Landrecourt-Lempire
Lempire-aux-Bois
Bonzée
Fresnes-en-Woëvre
Jubécourt
Sommedieue
Forêt d'Amblonville
Mont-Villers
Mesnil-sous-les-Côtes
Champlon
Saulx-lès-Champlon
Les Souhesmes-Rampont
Bois de Landrecourt
Ancemont
Tranchée
Trésauvaux
Wadonville-en-Woëvre
Vadelaincourt
Lemmes
Dieue-sur-Meuse
Les Éparges
Combres-s/s-les-Côtes
Bois de Souhesmes
Senoncourt-les-Maujouy
Fort de Génicourt
Rupt-en-Woëvre
Mouilly
St-Remy-la-Calonne
Hannonville-sous-les-Côtes
Herbeuville
Osches
Les Monthairons
Forêt de Souilly
Génicourt-sur-Meuse
Thillot
Avillers
Ippécourt
Souilly
Forêt de Ranzières
Dommartin-la-Montagne
Fleury-sur-Aire
St-André-en-Barrois
Bois de Villers
Villers-s-Meuse
Ambly-s-Meuse
Ranzières
Vaux-lès-Palameix
St-Maurice-sous-les-Côtes
Billy-sous-les-Côtes
Viéville-sous-les-Côtes
Forêt du Prieuré
Bois de Pontoux
Rambluzin-et-Benoite-Vaux
Récourt-le-Creux
Tilly-s-Meuse
Troyon
Palameix
Dompierre-aux-Bois
Nubécourt
Bois Dahaie
Heippes
Bouquemont
Seuzey
Hattonchâtel
Bulainville
L.G.V. EST
Mondrecourt
Meuse T.G.V.
Forêt de Meuse
Deuxnouds-aux-Bois
L'Étanche
Deuxnouds-devant-Beauzée
Benoîte-Vaux
Woimbey
Lacroix-sur-Meuse
Lamorville
Creuë
Beauzée-sur-Aire
(Les Trois-Domaines)
(Beausite)
Hautombois
Bannoncourt
PARC
Lavignéville
Rignaucourt
Issoncourt
Thillombois
Chaillon
Étang du Grand montfaucon
Amblaincourt
Seraucourt
Pretz-en-Argonne
Neuville-en-Verdunois
Forêt de Marcaulieu
Rouvrois-sur-Meuse
Senonville
Les Anglecourt
Lahaymeix
Spada
Varvinay
Courcelles-s-Aire
Couronvre
Dompcevrin
(Valbois)
Chlle des Bures
La-Vaux-Marie
Bois de Dompcevrin
Maizey
Buxières-sous-les-Côtes
Rembercourt-Sommaisne
Chaumont-s-Aire
Longchamps-sur-Aire
Bois de Pierrefitte
Louvent
Côte Ste Marie
Bois de Versel
Savonnières-en-Woëvre
Buxerulles
Merchines
Érize-la-Petite
Bois de Fresnes
Les Paroches
Étang de la Perche
Woinville
Rembercourt-aux-Pots
Érize-la-Grande
Aire
Pierrefitte-sur-Aire
Fresnes-au-Mont
Chauvoncourt
St-Mihiel
Butte de Montsec
Bois de la Grde Jurée
Forêt de Hte Charrière
Ménonville
Forêt de Gaumont
RÉGIONAL
Marat-la-Petite
Nicey-sur-Aire
Rupt-devant-St-Mihiel
Champ de Tir
Centre de Détention
Marsoupe
Varnéville
Marat-la-Grande
Forêt de Gobessart
Loupmont
Condé-en-Barrois
Rosnes
Ville-devant-Belrain
Bislée
Ailly-sur-Meuse
Apremont-la-Forêt
Étang de Wargevaux
B. du Fays
(Raival)
Belrain
Forêt des Kœurs
Han-sur-Meuse
Bois d'Ailly
Génicourt-sous-Condé
Seigneulles
Villotte-s-Aire
Kœur-la-Grande
Kœur-la-Petite
Brasseitte
Forêt d'Apremont
St-Agnant-sous-les-Côtes
Étang de Girondel
Bouconville-sur-Madt
(Les Hauts-de-Chée)
Gimécourt
Bois de Levoncourt
Marbotte
Hargeville-sur-Chée
Petit Rumont
Érize-la-Brûlée
Baudrémont
Bois de Belchéne
Liouville
Bricourt
Brousey-en-Woëvre
Sampigny
Mécrin
St-Julien-s/s-les-Côtes
Levoncourt
Courcelles-en-Barrois
Le Grand Bois
Frémeréville-s/s-les-Côtes
Vavincourt
Rumont
Lavallée
Ménil-aux-Bois
Pont-sur-Meuse
Érize-St-Dizier
Lignières-sur-Aire
Bois de Béthelémont
Girauvoisin
Gironville-sous-les-Côtes
Behonne
Rosières-devant-Bar
Vadonville
Boncourt-sur-Meuse
(Naives-Rosières)
Dagonville
Grimaucourt-près-Sampigny
Lérouville
Naives-devant-Bar
Ste-Geneviève
Cousances-au-Bois
Malaumont
Cité
Bois de Vignot
Vignot
Chlle Gévau
BAR-LE-DUC
Géry
Resson
(Cousances-lès-Triconville)
Bois de Grimaucourt
Bois de Chonville
Commercy
Les Carrières
Triconville
Lérouville Champ de Tir
Loisey-Culey
Chonville-Malaumont
Aulnois-sous-Vertuzey
Savonnières-devant-Bar
Culey
(Erneville-aux-Bois)
Euville
Salmagne
Forêt de Commercy
Ernecourt
Vertuzey
Longeville-en-Barrois
Loxéville
Domremy-aux-Bois
Ville-Issey
Silmont
Guerpont
Sorcy-St-Martin
Sorcy-Gare
Willeroncourt
Nançois-le-Grand
St-Aubin-sur-Aire
Saulx-en-Barrois
Tannois
Laneuville-au-Rupt
Nançois-sur-Ornain
Tronville-en-Barrois
Ménil-la-Horgne
Trousey
Le Chêne
St Martin
Velaines
Bois de Palisse
Montplonne
Bois de Velaines
Ligny-en-Barrois
(Saulvaux)
Mazelin
Vacon
Nant-le-Grand
Vaux-la-Grande
Bois de Voirut
Braux
Ménil-la-Grand
Oëy
Morlaincourt
Maulan
Bazincourt
(Chanteraine)
Voie Sacrée
Nationale
D 603
D 901
D 964
D 908
A 4
E 50
N 135
N 4

Jarny
Doncourt-lès-Conflans
Jouaville
Vernéville
Vigneulles
Plappeville
Lorry-lès-M.
Le Ban-St-Martin
METZ
Scy-Chazelles
Longeville-lès-M.
Moulins-lès-M.
Ste-Ruffine
Rozérieulles
Gravelotte
Montigny-lès-M.
Mars-la-Tour
Vionville
Rezonville
Bruville
Brainville
Villers-sous-Pareid
Allamont
Moulotte
Labeuville
Hannonville-Suzémont
Latour-en-Woëvre
Tronville
Puxieux
Jonville-en-Woëvre
Sponville
Xonville
Chambley-Bussières
Hagéville
Lachaussée
Dampvitoux
St-Julien-lès-Gorze
Gorze
Ars-s-Moselle
Ancy-Dornot
Jouy-aux-Arches
Corny-s-Moselle
Novéant-s-Moselle
Vandelainville
Bayonville-sur-Mad
Onville
Waville
Arnaville
Villecey-s-Mad
Pagny-s-Moselle
Dommartin-la-Chaussée
Charey
Rembercourt-sur-Mad
Xammes
Jaulny
Beney-en-Woëvre
Thiaucourt-Regniéville
Bouillonville
Pannes
Euvezin
Nonsard-Lamarche
Essey-et-Maizerais
St-Baussant
Lahayville
Richecourt
Xivray-Marvoisin
Seicheprey
Flirey
Beaumont
Mandres-aux-Quatre-Tours
Rambucourt
Bernécourt
Grosrouvres
Hamonville
Ansauville
Minorville
Manonville
Noviant-aux-Prés
Martincourt
Gézoncourt
Rogéville
Domèvre-en-Haye
Tremblecourt
Manoncourt-en-Woëvre
Royaumeix
Andilly
Avrainville
Ménil-la-Tour
Jaillon
Bouvron
Francheville
Lagney
Lucey
Bruley
Pagney-derrière-Barine
Trondes
Laneuveville-derrière-Foug
Boucq
Foug
Lay-St-Rémy
TOUL
Écrouves
Dommartin-lès-Toul
Chaudeney-sur-Moselle
Choloy-Ménillot
Villey-le-Sec
Gondreville
Fontenoy-s-Moselle
Velaine-en-Haye
Sexey-les-Bois
Aingeray
Liverdun
Frouard
Pompey
Champigneulles
Maxéville
Malzéville
St-Max
Essey-lès-N.
NANCY
Laxou
Villers-lès-N.
Vandœuvre-lès-N.
Jarville-la-Malgrange
Tomblaine
Heillecourt
Laneuveville-devant-N.
Dieulouard
Blénod-lès-Pont-à-Mousson
Jezainville
Maidières
Montauville
Pont-à-Mousson
Mousson
Atton
Loisy
Ste-Geneviève
Bezaumont
Landremont
Autreville-s-Moselle
Belleville
Millery
Marbache
Custines
Malleloy
Faulx
Bouxières-aux-Dames
Lay-St-Christophe
Eulmon
Agincourt
Dommartemont
Nomeny
Clémery
Port-s-Seille
Morville-s-Seille
Raucourt
Éply
Mailly-s-Seille
Sillegny
Pagny-lès-Goin
Louvigny
Cheminot
Vittonville
Champey-s-Moselle
Bouxières-s/s-Froidmont
Vandières
Norroy-lès-Pont-à-Mousson
Vilcey-s-Trey
Viéville-en-Haye
Fey-en-Haye
Marieulles
Pommérieux
Arry
Lorry-Mardigny
Fey
Coin-lès-Cuvry
Coin-s-Seille
Cuvry
Pournoy-la-Chétive
Pournoy-la-Grasse
Fleury
Marly
Augny
Pouilly
Chesny
Peltre
Jury
Courcelles-sur-Nied
Orny
Verny
Chérisey
Goin
Liéhon
Solgne
Vigny
St-Jure
Longeville-lès-Cheminot
Ponce
Lesménils
Rosières-en-Haye
Saizerais
Villers-en-Haye
Griscourt
Toulaire
Villey-St-Étienne
E
F
G
H
45
94
99

0 2 4 6 8 10 km
46
65
95
A
B
C
D
1
2
3
4
5
METZ
NANCY
Montigny-lès-M.
Moulins-lès-M.
Longeville-lès-M.
Marly
Pouilly
Chesny
Peltre
Jury
Laquenexy
Courcelles-sur-Nied
Mécleuves
Orny
Pournoy-la-Grasse
Chérisey
Verny
Liéhon
Goin
Pagny-lès-Goin
METZ-NANCY-LORRAINE
Sillegny
Louvigny
Vigny
Solgne
Buchy
Silly-en-Saulnois
Secourt
Sailly-Achâtel
St-Jure
Moncheux
Juville
Liocourt
Delme
Puzieux
Donjeux
Aulnois-s-Seille
Létricourt
Nomeny
Abaucourt
Raucourt
Éply
Mailly-s-Seille
Port-s-Seille
Clémery
Rouves
Bénicourt
Manoncourt-sur-Seille
Mange-Seille
Lixières
Landremont
Ste-Geneviève
Bezaumont
Ville-au-Val
Autreville-s-Moselle
Belleau
Sivry
Moivrons
Millery
Malleloy
Faulx
Montenoy
Custines
Pompey
Bouxières-aux-Dames
Bouxières-aux-Chênes
Lay-St-Christophe
Eulmont
Amance
Laître-s/s-Amance
Dommartin-s/s-Amance
Agincourt
Dommartemont
Malzéville
St-Max
Essey-lès-N.
Tomblaine
Pulnoy
Seichamps
Saulxures-lès-Nancy
Laxou
Maxéville
Champigneulles
Frouard
Vandœuvre-lès-N.
Jarville-la-Malgrange
Laneuveville-devant-N.
Art-s-Meurthe
Varangéville
Haraucourt
Buissoncourt
Cerville
Laneuvelotte
Velaine-s/s-Amance
Champenoux
Mazerulles
Moncel-sur-Seille
Brin-sur-Seille
Bey-sur-Seille
Lanfroicourt
Armaucourt
Abaucourt-sur-Seille
Manhoué
Arraye-et-Han
Ajoncourt
Jeandelaincourt
Fossieux
Malaucourt-sur-Seille
Jallaucourt
Oriocourt
Laneuveville-en-Saulnois
Fresnes-en-Saulnois
Château-Salins
Amelécourt
Lubécourt
Gerbécourt
Vaxy
Puttigny
Salonnes
Vic-sur-Seille
Morville-lès-Vic
Chambrey
Moyenvic
Bioncourt
Attilloncourt
Pettoncourt
Grémecey
Sornéville
Erbéviller-sur-Amezule
Réméréville
Courbesseaux
Gellenoncourt
Drouville
Hoéville
Serres
Athienville
Arracourt
Bathelémont
Valhey
Bauzemont
Einville-au-Jard
Raville-s-Sânon
Bienville-la-Petite
Crion
Sionviller
Hénaménil
Parroy
Bures
Coincourt
Juvrecourt
Xanrey
Bezange-la-Grande
Bezange-la-Petite
Réchicourt-la-Petite
Lezey
Juvelize
Marsal
Haraucourt-sur-Seille
Hampont
Obreck
Dédeling
Château-Voué
Sotzeling
Burlioncourt
Vannecourt
Dalhain
Haboudange
Riche
Pévange
Achain
Morhange
Bréhain
Château-Bréhain
Chicourt
Villers-s-Nied
Marthille
Baronville
Destry
Fonteny
Faxe
Oron
Hannocourt
Viviers
Tincry
Xocourt
Prévocourt
Frémery
Lucy
Bacourt
Morville-s-Nied
Thimonville
Tragny
Baudrecourt
Chenois
Lesse
Holacourt
Vatimont
Arraincourt
Brulange
Thonville
Eincheville
Landroff
Suisse
Flocourt
St-Epvre
Béchy
Luppy
Beux
Pontoy
Aube
Lemud
Ancerville
Voimhaut
Rémilly
Vittoncourt
Adaincourt
Han-sur-Nied
Herny
Many
Arriance
Mainvillers
Chémery
Thicourt
Vahl-lès-Faulquemont
Adelange
Faulquemont
Créhange
Elvange
Flétrange
Hémilly
Guinglange
Chanville
Villers-Stoncourt
Bazoncourt
Sanry-sur-Nied
Sorbey
Pange
Maizeroy
Servigny-lès-Raville
Raville
Fouligny
Bionville-s-Nied
Marange-Zondrange
Courcelles-Chaussy
Maizery
Colligny
Ogy
Coincy
Marsilly
Ars-Laquenexy
Glatigny
Les Étangs
Vaudoncourt
Landonvillers
Varize
Brouck
Boucheporn
Longeville-lès-St-Avold
Zimming
Bambiderstroff
Laudrefang
Tritteling-Redlach
Teting
Pontpierre
D 910
D 955
D 674
D 603
D 999
D 913

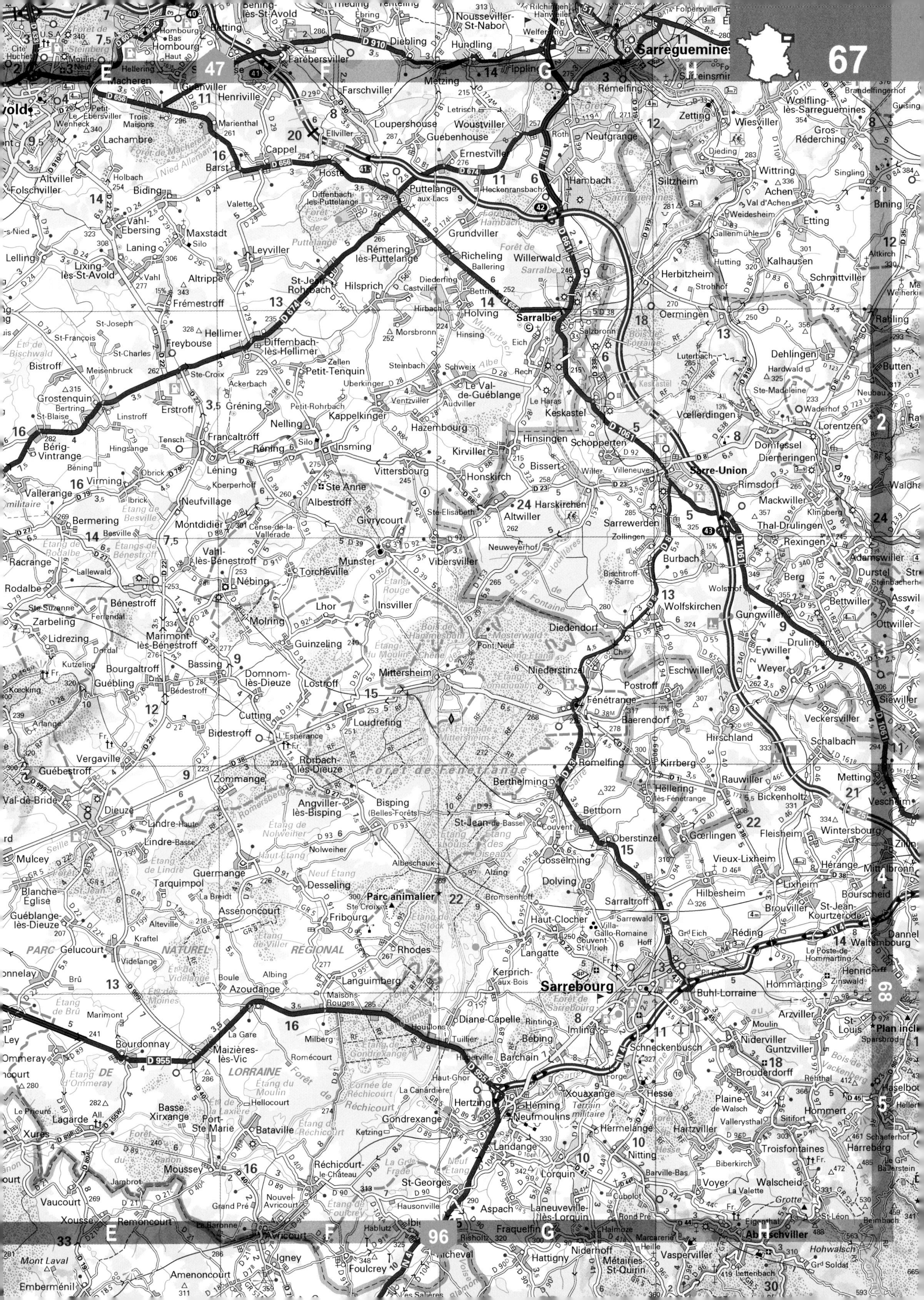
67
47
96
89
E
F
G
H
Sarreguemines
Sarralbe
Sarre-Union
Sarrebourg
Puttelange-aux-Lacs
Hombourg-Haut
Farébersviller
Diebling
Rémelfing
Hambach
Keskastel
Dieuze
Mittersheim
Fénétrange
Albestroff
Munster
Vibersviller
Harskirchen
Sarrewerden
Drulingen
Phalsbourg
Abreschviller
Lorquin
Héming
Avricourt
Maizières-lès-Vic
Bourdonnay
Azoudange
Rhodes
Fribourg
Parc animalier
Forêt de Fénétrange
PARC NATUREL RÉGIONAL DE LORRAINE
Étang de Lindre
Étang du Stock
Bischwald
Morhange
Grostenquin
Freybouse
Hellimer
Diffembach-lès-Hellimer
Rohrbach
Holving
Willerwald
Ernestviller
Woustviller
Siltzheim
Herbitzheim
Oermingen
Wittring
Butten
Diemeringen
Lorentzen
Vœllerdingen
Rexingen
Wolfskirchen
Postroff
Niederstinzel
Oberstinzel
Sarraltroff
Buhl-Lorraine
Réding
Hommarting
Arzviller
Niderviller
Brouderdorff
Hesse
Xouaxange
Hertzing
Gondrexange
Réchicourt-le-Château
Moussey
Bataville
Xures
Lagarde
Vaucourt
Xousse
Igney
Foulcrey
Fraquelfing
Niderhoff
Vasperviller
Walscheid
Hattigny
Métairies-St-Quirin
Harreberg
Dabo
A 4
E 25
D 955
D 674
D 656
N 4
D 1061

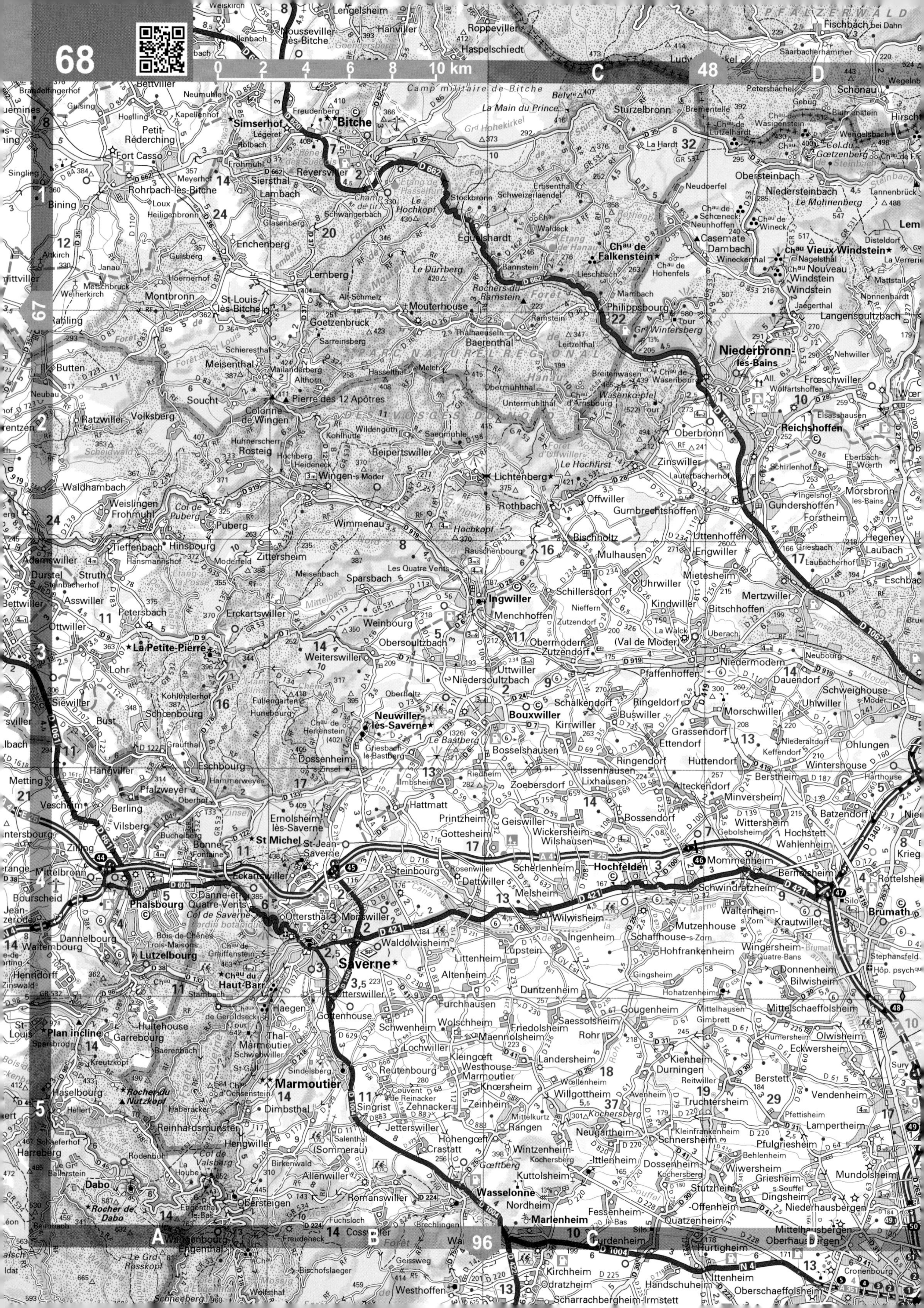
0 2 4 6 8 10 km
C
D
A
B
PFÄLZERWALD
Camp militaire de Bitche
La Main du Prince
Bitche
Simserhof
Fort Casso
Rohrbach-lès-Bitche
Bining
Lengelsheim
Hanviller
Roppeviller
Haspelschiedt
Nousseviller-lès-Bitche
Bettviller
Petit-Réderching
Siersthal
Lambach
Reyersviller
Enchenberg
Lemberg
Montbronn
St-Louis-lès-Bitche
Goetzenbruck
Mouterhouse
Eguelshardt
Stockbronn
Bannstein
Sturzelbronn
Philippsbourg
Baerenthal
Niederbronn-les-Bains
Reichshoffen
Obersteinbach
Niedersteinbach
Chau de Falkenstein
Chau Vieux Windstein
Windstein
Dambach
Lembach
Schönau
Fischbach bei Dahn
Meisenthal
Soucht
Pierre des 12 Apôtres
Colonne de Wingen
PARC NATUREL RÉGIONAL
DES VOSGES DU NORD
Rahling
Butten
Ratzwiller
Volksberg
Rosteig
Reipertswiller
Wingen-s-Moder
Lichtenberg
Rothbach
Offwiller
Zinswiller
Oberbronn
Gundershoffen
Waldhambach
Weislingen
Frohmuhl
Puberg
Wimmenau
Tieffenbach
Hinsbourg
Zittersheim
Adamswiller
Struth
Asswiller
Petersbach
Erckartswiller
Sparsbach
Ingwiller
Menchhoffen
Weinbourg
Obersoultzbach
Bischholtz
Mulhausen
Schillersdorf
Uhrwiller
Uttenhoffen
Engwiller
Mietesheim
Mertzwiller
Kindwiller
Bitschhoffen
Laubach
Eschbach
Hegeney
Morsbronn-les-Bains
Forstheim
Ottwiller
La Petite-Pierre
Lohr
Weiterswiller
Uttwiller
Niedersoultzbach
Obermodern-Zutzendorf
Pfaffenhoffen
Niedermodern
Dauendorf
Schweighouse-s-Moder
Uhlwiller
Sieweiller
Bust
Schœnbourg
Neuwiller-lès-Saverne
Bouxwiller
Kirrwiller
Schalkendorf
Ringeldorf
Buswiller
Morschwiller
Grassendorf
Ettendorf
Ohlungen
Wintershouse
Eschbourg
Hangviller
Pfalzweyer
Dossenheim-s-Zinsel
Bosselshausen
Ringendorf
Huttendorf
Berstheim
Metting
Vescheim
Berling
Vilsberg
Ernolsheim-lès-Saverne
Hattmatt
Printzheim
Geiswiller
Zoebersdorf
Issenhausen
Lixhausen
Bossendorf
Alteckendorf
Minversheim
Wittersheim
Batzendorf
Hochstett
Wahlenheim
St Michel
St-Jean-Saverne
Gottesheim
Wickersheim-Wilshausen
Zilling
Mittelbronn
Phalsbourg
Danne-et-Quatre-Vents
Col de Saverne
Eckartswiller
Ottersthal
Monswiller
Steinbourg
Dettwiller
Scherlenheim
Hochfelden
Mommenheim
Bernolsheim
Brumath
Rottelsheim
Schwindratzheim
Melsheim
Wilwisheim
Waltenheim-s-Zorn
Krautwiller
Mutzenhouse
Schaffhouse-s-Zorn
Hohfrankenheim
Wingersheim-les-Quatre-Bans
Ingenheim
Lupstein
Littenheim
Altenheim
Waldolwisheim
Saverne
Dannelbourg
Waltembourg
Lutzelbourg
Chau du Haut-Barr
Henridorff
Otterswiller
Duntzenheim
Gingsheim
Donnenheim
Bilwisheim
Haegen
Gottenhouse
Furchhausen
Wolschheim
Saessolsheim
Gougenheim
Rohr
Mittelschaeffolsheim
Olwisheim
Eckwersheim
Plan incliné
Garrebourg
Hultehouse
Thal-Marmoutier
Marmoutier
Schwenheim
Lochwiller
Maennolsheim
Friedolsheim
Kleingœft
Westhouse-Marmoutier
Landersheim
Kienheim
Durningen
Reutenbourg
Haselbourg
Rocher du Nutzkopf
Dimbsthal
Singrist
Zehnacker
Knœrsheim
Zeinheim
Willgottheim
Truchtersheim
Berstett
Vendenheim
Reinhardsmunster
Jetterswiller
Rangen
Kochersberg
Neugartheim-Ittlenheim
Schnersheim
Lampertheim
Pfulgriesheim
Harreberg
Hengwiller
Crastatt
Hohengœft
Wintzenheim-Kochersberg
Dossenheim-Kochersberg
Wiwersheim
Griesheim-s-Souffel
Mundolsheim
Dabo
Rocher de Dabo
Obersteigen
Allenwiller
Romanswiller
Wasselonne
Kuttolsheim
Stutzheim-Offenheim
Dingsheim
Niederhausbergen
Wangenbourg-Engenthal
Cosswiller
Nordheim
Marlenheim
Fessenheim-le-Bas
Quatzenheim
Furdenheim
Hurtigheim
Mittelhausbergen
Oberhausbergen
Kirchheim
Odratzheim
Ittenheim
Handschuheim
Oberschaeffolsheim
Cronenbourg
Westhoffen
Scharrachbergheim-Irmstett
Schneeberg
Le Grd Rosskopf

48
67
96

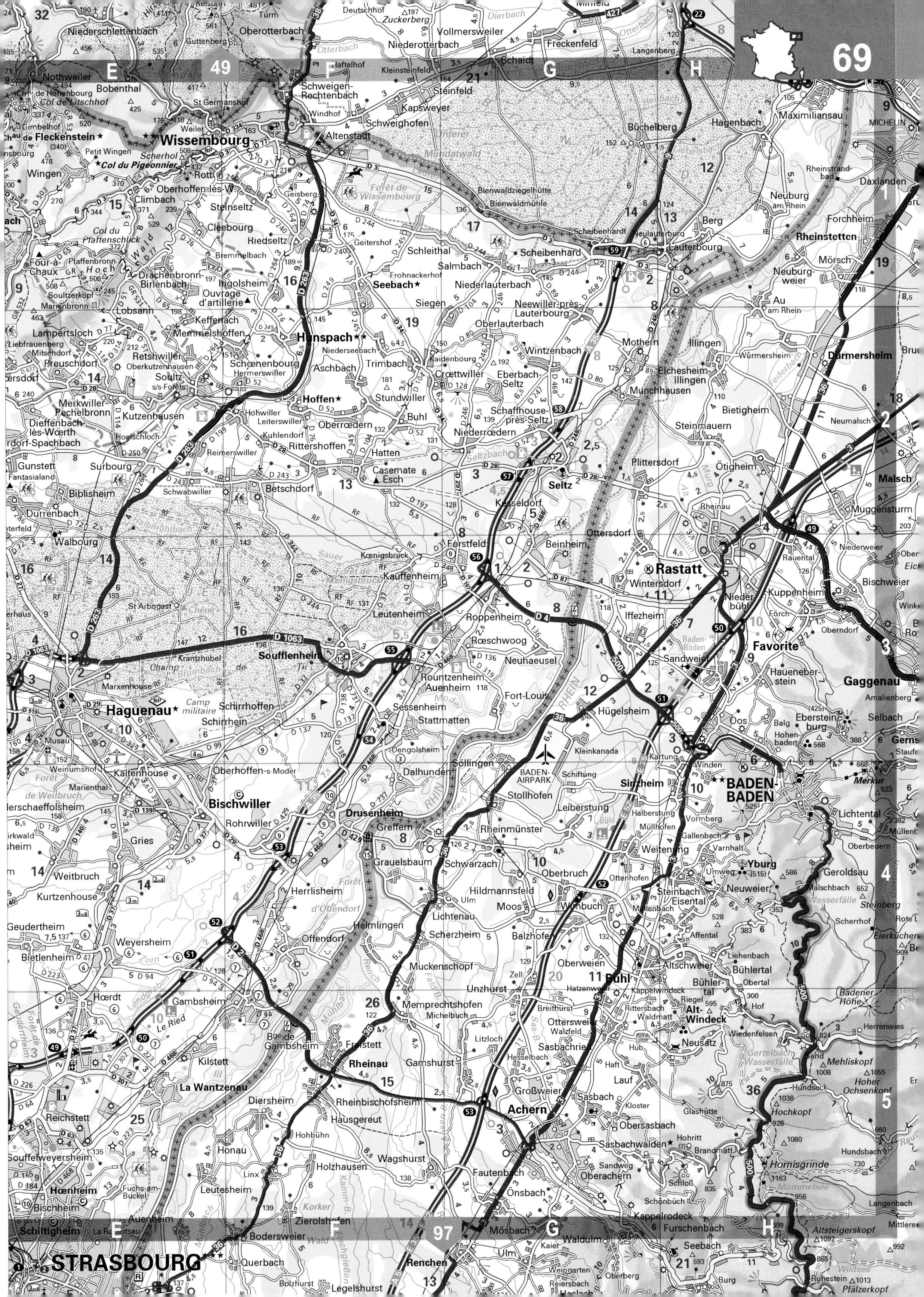
Wissembourg
Schweigen-Rechtenbach
Steinfeld
Kapsweyer
Schweighofen
Niederotterbach
Vollmersweiler
Freckenfeld
Schaidt
Büchelberg
Hagenbach
Maximiliansau
Daxlanden
Neuburg am Rhein
Berg
Lauterbourg
Scheibenhard
Forchheim
Rheinstetten
Mörsch
Neuburgweier
Au am Rhein
Seebach
Salmbach
Niederlauterbach
Neewiller-près-Lauterbourg
Oberlauterbach
Mothern
Illingen
Durmersheim
Wintzenbach
Elchesheim-Illingen
Munchhausen
Bietigheim
Steinmauern
Hunspach
Soultz s/s-Forêts
Climbach
Cleebourg
Riedseltz
Ingolsheim
Lobsann
Lampertsloch
Preuschdorf
Merkwiller-Pechelbronn
Kutzenhausen
Dieffenbach-lès-Woerth
Hoffen
Trimbach
Crœttwiller
Eberbach-Seltz
Stundwiller
Buhl
Oberrœdern
Rittershoffen
Hatten
Niederrœdern
Schaffhouse-près-Seltz
Seltz
Plittersdorf
Ötigheim
Malsch
Muggensturm
Surbourg
Betschdorf
Biblisheim
Durrenbach
Walbourg
Kesseldorf
Forstfeld
Kauffenheim
Beinheim
Ottersdorf
Rastatt
Wintersdorf
Kuppenheim
Bischweier
Niederbühl
Iffezheim
Roppenheim
Leutenheim
Rœschwoog
Neuhaeusel
Soufflenheim
Rountzenheim
Auenheim
Fort-Louis
Sandweier
Haueneberstein
Favorite
Gaggenau
Haguenau
Schirrhein
Schirrhoffen
Sessenheim
Stattmatten
Hügelsheim
Oos
Ebersteinburg
Dalhunden
Söllingen
Baden-Airpark
Stollhofen
Sinzheim
BADEN-BADEN
Lichtental
Kaltenhouse
Oberhoffen-s-Moder
Bischwiller
Rohrwiller
Drusenheim
Greffern
Rheinmünster
Leiberstung
Weitenung
Yburg
Gries
Weitbruch
Herrlisheim
Schwarzach
Oberbruch
Hildmannsfeld
Moos
Steinbach
Neuweier
Geroldsau
Kurtzenhouse
Weyersheim
Offendorf
Helmlingen
Lichtenau
Scherzheim
Balzhofen
Vimbuch
Bietlenheim
Gambsheim
Hœrdt
Muckenschopf
Oberweier
Bühl
Altschweier
Bühlertal
Memprechtshofen
Unzhurst
Alt-Windeck
Ottersweier
Sasbachried
Neusatz
Kilstett
Freistett
Rheinau
Gamshurst
Hub
Lauf
Mehliskopf
Hundseck
La Wantzenau
Diersheim
Rheinbischofsheim
Hausgereut
Großweier
Achern
Sasbach
Obersasbach
Hochkopf
Reichstett
Souffelweyersheim
Hœnheim
Bischheim
Schiltigheim
Honau
Hohbühn
Wagshurst
Holzhausen
Sasbachwalden
Hornisgrinde
Mummelsee
Fautenbach
Önsbach
Oberachern
Kappelrodeck
Leutesheim
Zierolshofen
Bodersweier
Querbach
Mösbach
Waldulm
Furschenbach
Seebach
STRASBOURG
Renchen
Ulm
Legelshurst
Ruhestein
Pfälzerkopf
Altsteigerskopf

0 2 4 6 8 10 km
C
D
1
2
3
4
5
Légendes
des
Côte
Pointe de Pontu
Chapelle
Méného
Plateau d'Amand ar Ross
Karrec-Hir
La Digue
Boutrouilles
L'Île Vierge
Le Libenter
Î. Stagadon
Î. Venan
La Grève Blanche
St-Michel
Île Penenès
Grève du Vougot
Chenal de l'Aber Wrac'h
Î. de la Croix
Î. Vrac'h
Presqu'île de St-Marguerite
Î. Cézon
Î. d'Erch
Dunes
Île Guenioc
Î. Tariec
Corn Carhai
Roches de Portsall
Rosservor
Î. du Bec
Île Trevors
Î. Garo
Île Carne
Tumulus
Dunes de Corn-ar-Gazel
Brouënnou
Porsguen
Île Verte
Roches d'Argenton
Trémazan
St-Samson
Pointe de Landunvez
St-Gonvel
Île d'Iock
Le Four
Presqu'île St-Laurent
Porspoder
Les Liniou
Île Melon
Rocher du Crapaud
Porscave
Grève de Gouérou
Porspaul
Les Plâtresses
Île Ségal
Pointe de Corsen
Ruscumunoc
Lilia
Plouguerneau
Guissény
Lannilis
Landéda
L'Aber-Wrac'h
St-Pabu
Lampaul-Ploudalmézeau
Portsall
Ploudalmézeau
Landunvez
Argenton
Tréglonou
Plouguin
Plourin
Brélès
Lanildut
Kergroadès
Lampaul-Plouarzel
Plouarzel
Lanrivoaré
Tréouergat
Guipronvel
Milizac
Coat-Méal
Bourg-Blanc
Plabennec
Plouvien
St-Jaoua
Le Grouanec
Kernilis
Loc-Brévalaire
Le Folgoët
Lanarvily
Le Drennec
Locmaria
St-Frégant
Kernouës
Gouesnou
Kersaint-Plabennec
Guipavas
Bohars
St-Divy
74
75
A
B
C
D

E
F
G
H
1
2
3
4
5
72
75
76
Île-de-Batz
Trou du Serpent
Le Ru
Chapelle Ste-Anne
Jardin exotique
Pte de Perharidy
Roscoff
Jardin exotique
Le Pouldu
Santec
Île de Sieck
an Annec
Théven-Kerbrat
Bougourouan
Dossen
Moguériec
Poulfoën
Plage des Chardons Bleus
Sémaphore
Brignogan-Plages
Le Garo
Plage du Lividic
Goueltoc
Grève de Frouden
Plages de Pors-Meur et de Pors-Guen
Baie de Kernic
Grève de Goulven
St-Eden
Forban
Kerfissien
Leur-ar-Bagan
Kersauson
Kerbrat
Kersaint
Kérouzéré
Tronjoly
Brélénévez
Kérider
St-Maudez
Trégor
Croissant-de-Plougoulm
Plougoulm
Cléder
Sibiril
Lanneusfeld
Plouescat
Lannurien
Kérurus
Plounéour-Trez
Maison des Dunes
Keremma
Rocher
Pont-Christ
Kerdézant
Mezonan
Lochrist
Goulven
Tréflez
Gare de Tréflez
Kérus
Plouider
Plounévez-Lochrist
Runeven
Mouster
Kerizinen
Croazou
Moulin-du-Chatel
Maillé
Quéran
Chau de Kergornadeac
Kerzéan
Kerlissien
Lanveur
Fme Mée du Léon
Tréflaouénan
Kerdrein
Meslein
Kerouez
Trézilidé
Mengleus
Berven
Plouzévédé
St-Vougay
Kervigodou
Kerjean
Trévin
Kergunic
Pont-du-Châtel
Kerguélen
Pontéalet
Lanhouarneau
Lesneven
Porléach
St-Méen
Kérilien
Trégarantec
Lichen
Kergroas
Traonien-Querné
St-Derrien
Plougar
Trémagon
Coativellec
Langéoguer
Kéryvon
Plougourvest
Guerruas
Kernoter
Kerlaer
Bodilis
Base aéronavale
Kervoanec
Lesveoc
Bellevue
Locmélar
Trébodennic
Kergongar
Kergoff
Plounéventer
Kerfelgar
Pont Neuf
Trémaouézan
Château
St-Servais
Kérivin
Lanneuffret
Keriel
Lestreonec
Landivisiau
Quinquis
Moulin de Brézal
Kerbenéat
Créach-Miloc
Plouédern
Chlle de Pont-Christ
Runhuel
St-Eloi
Botiguery
St-Derbot
La Roche-Maurice
Mescoat
Kerriou
Loc-Eguiner
Landerneau
Kernevez
Ploudiry
Pont
Pencran
Chapelle
Kermaria
Le Queff
La Martyre
Le Traon
St-Antoine
Traonien
Roch-Fily
Kergréven
Kerroc'h
Locmélar
Boscornou
Dirizinet
Lampaul-Guimiliau
Guimiliau
St-Jacques
St-Thégonnec
Loc-Eguiner
Penhoat-Huon
Kéroual
Croix-Rouge
Perros
Goazeuzen
St-Sauveur
Loc-Eguiner-St-Thégonnec
Kerambellec
Kervern
Coat-Losquet
Le Plessis
Penmergues
Kergrenn
Ste-Brigitte
Pen-ar-Vern
Lespodou
Silo
Pleyber-Christ
Kergalein
Trégunvez
Bodister
Le Cloître-St-Thégonnec
Quélern
Vieux Moulin
Coat-Miniou
Penvern
Vallon-du-Pont
Kervenarc'hant
Coatilès
Guerjean
Locmenven
La Poterie
Kerlidou
Guiclan
Hellin
Kergoat
Ste-Sève
Moulin-Neuf
Kerguédal
Lambader
Croas-ar-Born
Kerilly
Kerbrat
Plouvorn
Keruzoret
Kertanguy
Forêt de Lannuzouarn
Croix-Neuve
Penhoat
Lopreden
Kermancouez
Ste-Catherine
Mespaul
Pont-Eon
Kervren
Kermenguy
Plouénan
Kerlaudy
Ruplouénan
Stang
Rochers Ste-Anne
Pempoul
La Madeleine
Kérisnel
Tregondern
Carantec
St-Pol-de-Léon
Kersaliou
Keragon
Keradennec
Laber
Henvic
Pont de la Corde
Penzé
Taulé
Les Bruyères
Locquénolé
Kerozal
St-Julien
Kerdanet
Kermen
La Lande
Rade de Morlaix
Trodibon
Cairn de Barnenez
Pte de Pen-al-Lann
Kerprigent
Île Callot
Route submersible
Chaise du Curé
Chau du Taureau
Î. Noire
Baie de Morlaix
St-Samson
Le Guerzit
Pte de Diben
Le Diben
Primel-T
Pointe de Rochers
Plougasno
Kerbiguet
Kerenot
Terenez
Kermebel
Pont-Plaincoat
Kerbabu
Kerméléhen
St-Gonven
Kergaradec
Woallas
Plouezoc'h
Mesgouez
Kervélégant
St-Antoine
Le Dourduff
Dourduff
Pen-an-Traon
St-André
Trefeunteuniou
Ploujean
Kerfanroux
Lanugy
Penquer
N.D. de la Victoire
St-Geneviève
Kerozar
St-Martin-des-Champs
Morlaix
St-Fiacre
Kerivin
La Croix
Plouigneau
Penn ar Coat
D 10
D 788
D 69
D 58
D 19
D 712
D 32
D 30
E 50
E 60
N 12
GR 34
GR 380

0 2 4 6 8 10 km

C D

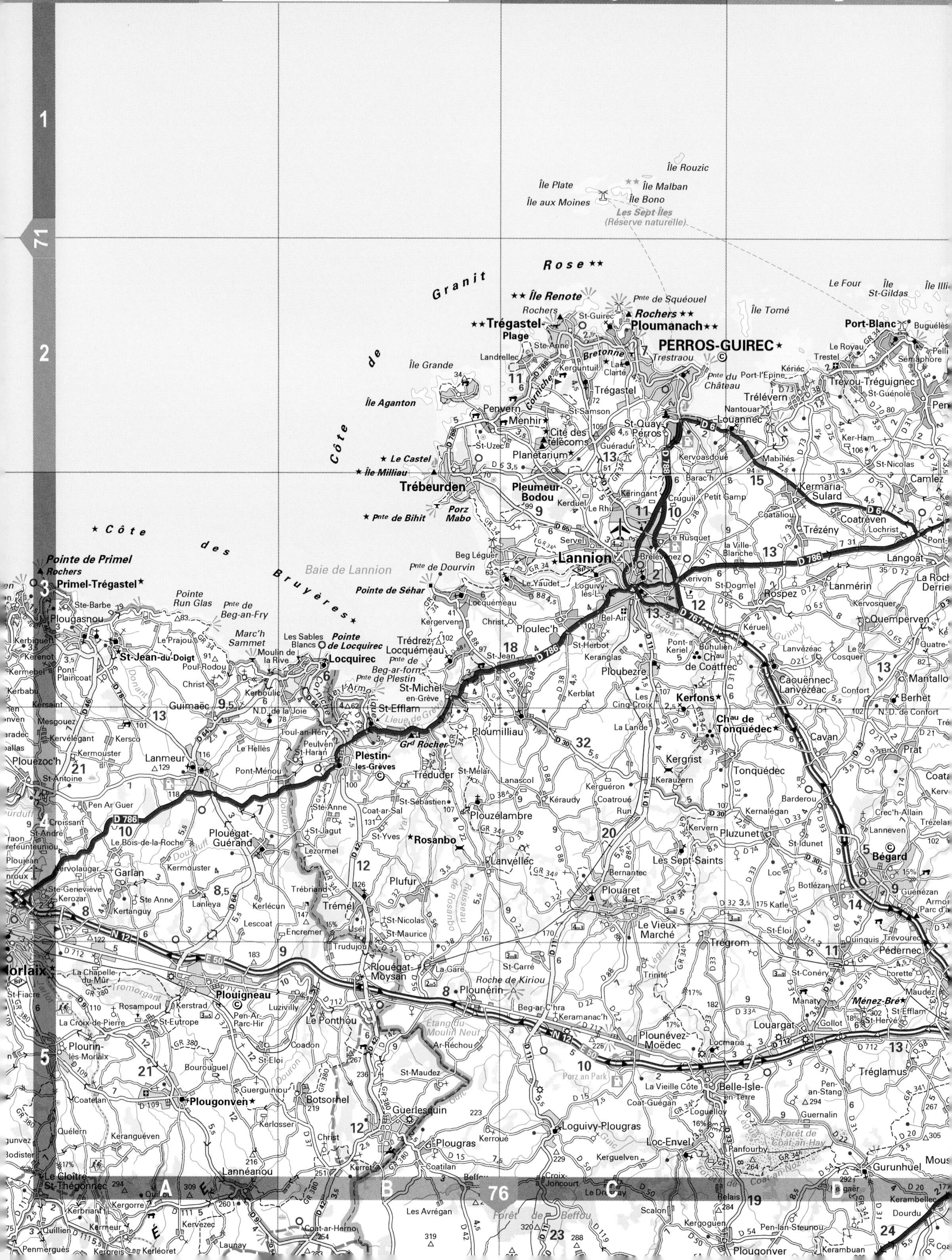

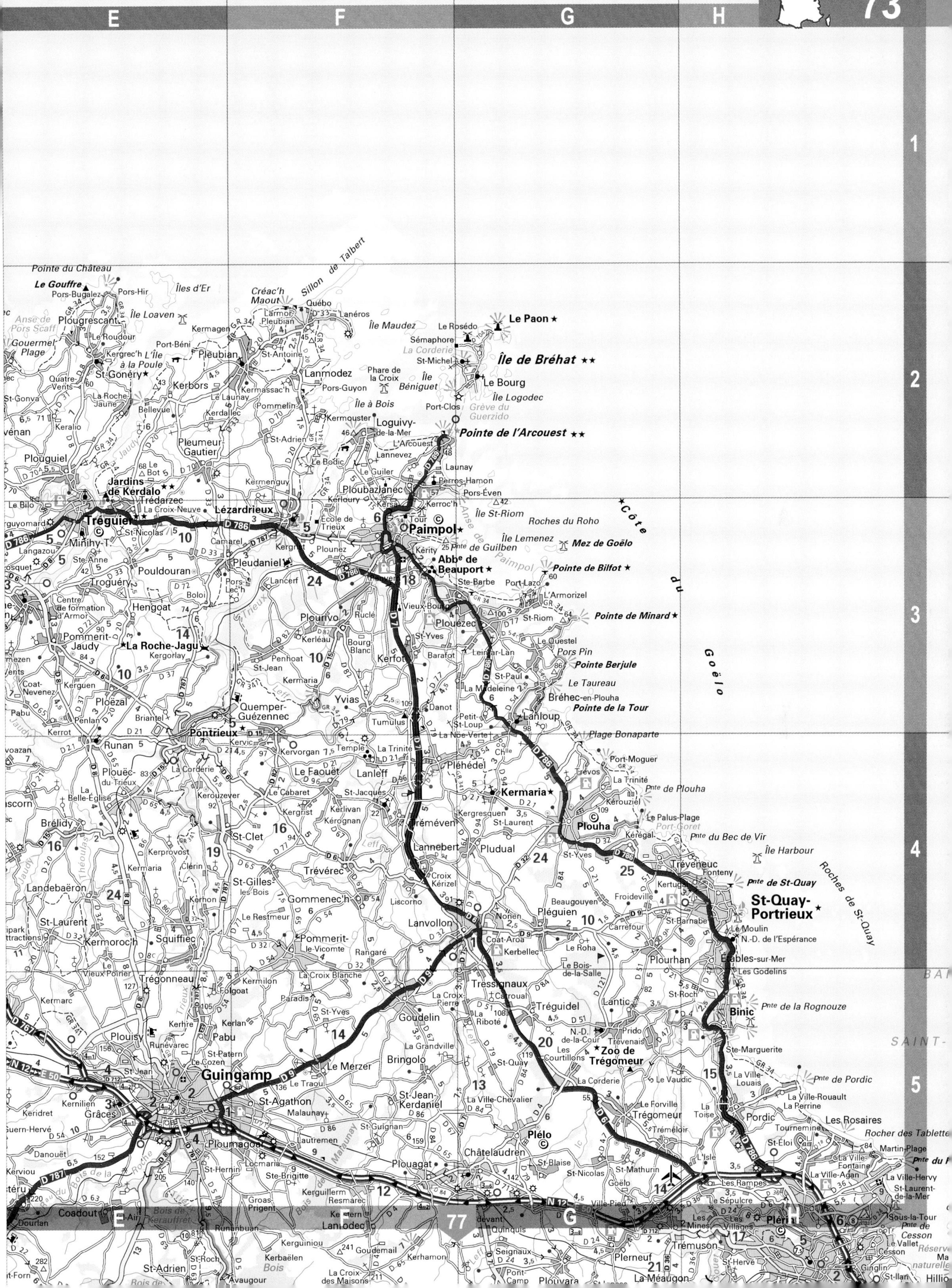
E
F
G
H
1
2
3
4
5
Pointe du Château
Le Gouffre
Pors-Bugalez
Pors-Hir
Îles d'Er
Créac'h Maout
Sillon de Talbert
Québo
Laneros
Île Loaven
Plougrescant
Anse de Pors Scaff
Gouermel Plage
Le Roudour
Kermagen
Larmor Pleubian
Île Maudez
Le Rosédo
Le Paon
Sémaphore
La Corderie
St-Michel
Île de Bréhat
Le Bourg
Île Logodec
Port-Béni
Pleubian
St-Antoine
Kergrec'h
L'Île à la Poule
St-Gonéry
Quatre-Vents
Kerbors
Kermassac'h
Lanmodez
Phare de la Croix
Île Béniguet
Pors-Guyon
St-Gonva
La Roche-Jaune
Le Launay
Bellevue
Kerdallec
Pommelin
Île à Bois
Port-Clos
Grève du Guerzido
Kermouster
Loguivy-de-la-Mer
Pointe de l'Arcouest
Keralio
Pleumeur-Gautier
St-Adrien
L'Arcouest
Lannevez
Plouguiel
Le Bodic
Launay
Le Guiler
Perros-Hamon
Jardins de Kerdalo
Kermenguy
Ploubazlanec
Pors-Éven
Trédarzec
Kerloury
Kerroc'h
Île St-Riom
Roches du Roho
Côte du Goëlo
Le Bilo
La Croix-Neuve
Lézardrieux
Tréguier
Paimpol
St-Nicolas
Camarel
École de Trieux
Île Lemenez
Mez de Goëlo
Minihy-T.
Langazou
Kergrist
Plounez
Kérity
Pointe de Guilben
Abbaye de Beauport
Anse de Paimpol
Pointe de Bilfot
Ste-Anne
Pleudaniel
Pouldouran
Troguéry
Lancerf
Ste-Barbe
Port-Lazo
L'Armorizel
Centre de formation d'Armor
Hengoat
Boloi
Pors-Lec'h
Vieux-Bourg
St-Riom
Pointe de Minard
Pommerit-Jaudy
La Roche-Jagu
Kergorlay
Plourivo
Ruclé
Plouézec
Kerléau
Bourg-Blanc
Le Questel
Pors Pin
Penhoat
Kerfot
Barafot
Leinnar-Lan
Pointe Berjule
St-Jean
Kermaria
St-Paul
Le Taureau
Kerguen
Coat-Nevenez
La Madeleine
Bréhec-en-Plouha
Pointe de la Tour
Ploëzal
Quemper-Guézennec
Yvias
Danot
Pabu
Penlan
Briantel
Tumulus
Petit St-Loup
Lanloup
Kerrot
Pontrieux
Runan
Kervic
La Noë-Verte
Plage Bonaparte
Kervorgan
Temple
La Trinité
Port-Moguer
Plouëc-du-Trieux
La Corderie
Le Faouët
Lanleff
Plehédel
Trévros
La Trinité
Le Cabaret
Kerouzever
St-Jacques
Kermaria
Pointe de Plouha
La Belle-Église
Kerlivan
Kergrist
Kérogn
Tréméven
Kergresquen
St-Laurent
Kérouziel
Le Palus-Plage
Port-Goret
Brélidy
St-Clet
Lannebert
Pludual
Plouha
Kérégal
Pointe du Bec de Vir
Kerprovost
Clérin
Île Harbour
Kermaria
Trévérec
Croix Kérizel
St-Yves
Tréveneuc
Fonteny
Roches de St-Quay
Landebaëron
St-Gilles-les-Bois
Kertugal
Pointe de St-Quay
Kerhon
Gommenec'h
Liscorno
Beaugouyen
Froideville
St-Quay-Portrieux
St-Laurent
Le Restmeur
Lanvollon
Nonen
Pléguien
St-Barnabé
Le Moulin
N.-D. de l'Espérance
Kermoroc'h
Squiffiec
Pommerit-le-Vicomte
Rangaré
Coat-Aroa
Kerbellec
Carrefour
Étables-sur-Mer
Le Roha
Plourhan
Les Godelins
Le Bois-de-la-Salle
Le Vieux Poirier
Trégonneau
Kermilon
La Croix Blanche
Tressignaux
Folgoat
Paradis
Carroual
Lantic
St-Roch
Kermarc
La Croix-Pierre
Tréguidel
Pointe de la Rognouze
St-Yves
La Riboté
Binic
Kerhire
Kerlan
Goudelin
N.-D. de-la-Cour
Prido
Trévenais
Plouisy
Pabu
Zoo de Trégomeur
Runévarec
La Grandville
Les Courtillons
Ste-Marguerite
St-Patern
Le Cozen
Bringolo
St-Quay
St-Jean
Le Merzer
La Ville-Louais
Pointe de Pordic
Guingamp
Le Traou
La Corderie
Le Vaudic
Kernilien
St-Agathon
St-Jean-Kerdaniel
La Ville-Chevalier
La Ville-Rouault
Grâces
La Perrine
Keridret
Malaunay
Le Forville
La Toise
Pordic
Les Rosaires
Guern-Hervé
Trégomeur
Tournemine
Rocher des Tablettes
St-Guignan
Trémeloir
Lautremen
Plélo
Danouët
Ploumagoar
Châtelaudren
L'Isle
St-Éloi
Martin-Plage
La Ville-Fontaine
Kerviou
Locmaria
Plouagat
St-Blaise
St-Mathurin
La Ville-Agan
St-Hernin
Ste-Brigitte
St-Nicolas
Goëlo
Les Rampes
St-Laurent-de-la-Mer
Kerguillerm
Resmarec
Groas-Prigent
Le Sépulcre
Ville-Pied
Coadout
Dourlan
Bois de Kerauffret
Runanbuan
Kerstern
Lanrodec
Quinquis
Les Mines
Les Villages
Plérin
Sous-la-Tour
Pointe de Cesson
Le Vallet
Réserve naturelle
Cesson
Kerguiniou
Goudemail
Kerbaëlen
Kerhamon
Seignaux
Pont-Camp
Plouvara
Pleneuf
Trémuson
St-Hervé
Ginglin
St-Ilan
Hillion
St-Adrien
St-Roch
Avaugour
La Croix-des Maisons
La Méaugon
N 12
E 50
D 786
D 787
D 7
D 6
D 9
77

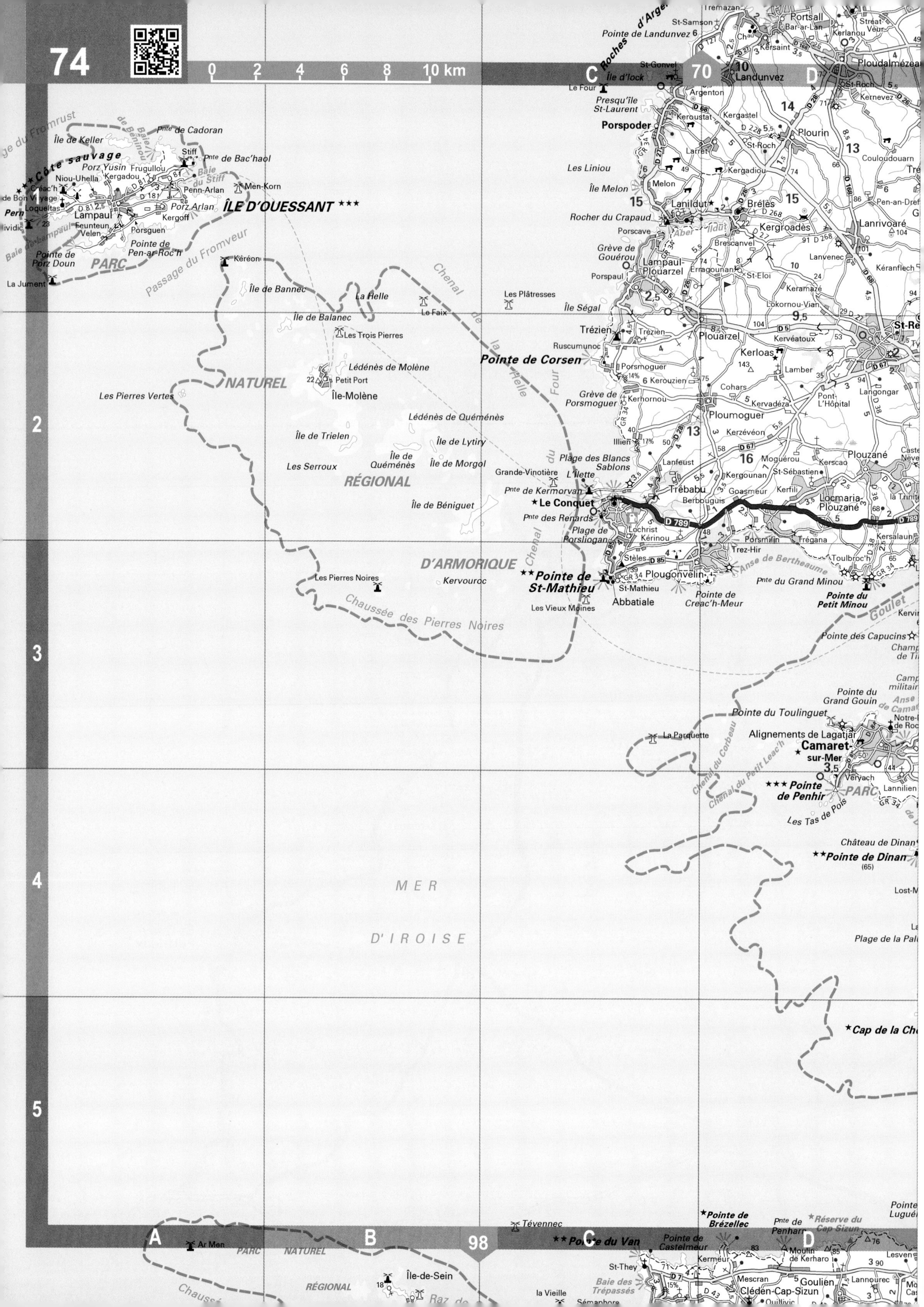
0 2 4 6 8 10 km
70
98
A
B
C
D
1
2
3
4
5
Côte sauvage
Île de Keller
Pnte de Cadoran
Baie de Béninou
Stiff
Pnte de Bac'haol
Porz Yusin
Frugullou
Niou-Uhella
Kergadou
Baie du Stiff
Créac'h
Penn-Arlan
Men-Korn
Loqueltas
Lampaul
Porz Arlan
ÎLE D'OUESSANT ★★★
Kergoff
Feunteun Velen
Porsguen
Pointe de Pen-ar-Roc'h
Pointe de Porz Doun
PARC
La Jument
Passage du Fromveur
Kéréon
Île de Bannec
La Helle
Le Faix
Chenal de la Helle
Île de Balanec
Les Trois Pierres
Lédénès de Molène
Petit Port
Île-Molène
NATUREL
Les Pierres Vertes
Lédénès de Quéménès
Île de Trielen
Île de Lytiry
Île de Quéménès
Île de Morgol
Les Serroux
RÉGIONAL
Île de Béniguet
D'ARMORIQUE
Les Pierres Noires
Kervouroc
Chaussée des Pierres Noires
Chenal du Four
Les Plâtresses
Île Ségal
Roches d'Argenton
Pointe de Landunvez
St-Samson
Portsall
Landunvez
Ploudalmézeau
Île d'Iock
Le Four
Argenton
Presqu'île St-Laurent
Porspoder
Kergastel
Plourin
Larret
St-Roch
Les Liniou
Kergadiou
Île Melon
Melon
Lanildut
Brélès
Rocher du Crapaud
Kergroadès
Lanrivoaré
Porscave
Aber Ildut
Brescanvel
Grève de Gouérou
Lampaul-Plouarzel
Erragounan
St-Eloi
Lanvenec
Kéranflech
Porspaul
Keramazé
Lokornou-Vian
Trézien
Plouarzel
Kervéatoux
St-Renan
Ruscumunoc
Pointe de Corsen
Kerloas
Porsmoguer
Kerouzien
Lamber
Cohars
Langongar
Grève de Porsmoguer
Kerhornou
Kervadéza
Pont-L'Hôpital
Ploumoguer
Illien
Kerzévéon
Plouzané
Plage des Blancs Sablons
Lanfeust
Moguérou
Kerscao
Grande-Vinotière
L'Ilette
Kergounan
St-Sébastien
Pnte de Kermorvan
Trébabu
Goasmeur
Kerfili
Locmaria-Plouzané
★ Le Conquet
Berbouguis
Pnte des Renards
Lochrist
Kérinou
Plage de Porsliogan
Porsmilin
Trégana
Kersalaun
Stèles
Trez-Hir
Plougonvelin
Anse de Bertheaume
Toulbroc'h
★★ Pointe de St-Mathieu
St-Mathieu
Abbatiale
Pointe de Creac'h-Meur
Pnte du Grand Minou
Pointe du Petit Minou
Les Vieux Moines
Goulet
Pointe des Capucins
Pointe du Grand Gouin
Pointe du Toulinguet
La Parquette
Alignements de Lagatjar
Camaret-sur-Mer
Chenal du Corbeau
Chenal du Petit Leac'h
Véryach
★★★ Pointe de Penhir
Lannilien
Les Tas de Pois
Château de Dinan
★★ Pointe de Dinan
MER
D'IROISE
Plage de la Palue
★ Cap de la Chèvre
Tévennec
Ar Men
★★ Pointe du Van
Pointe de Castelmeur
★ Pointe de Brézellec
Pnte de Penharn
★ Réserve du Cap Sizun
Moulin de Kerharo
Kermeur
St-They
Île-de-Sein
Baie des Trépassés
Mescran
Cléden-Cap-Sizun
Goulien
Lannourec
Lesven
la Vieille
Sémaphore
Raz de Sein
Chaussée de Sein
D 789
D 5
D 28
D 68
D 67
D 85

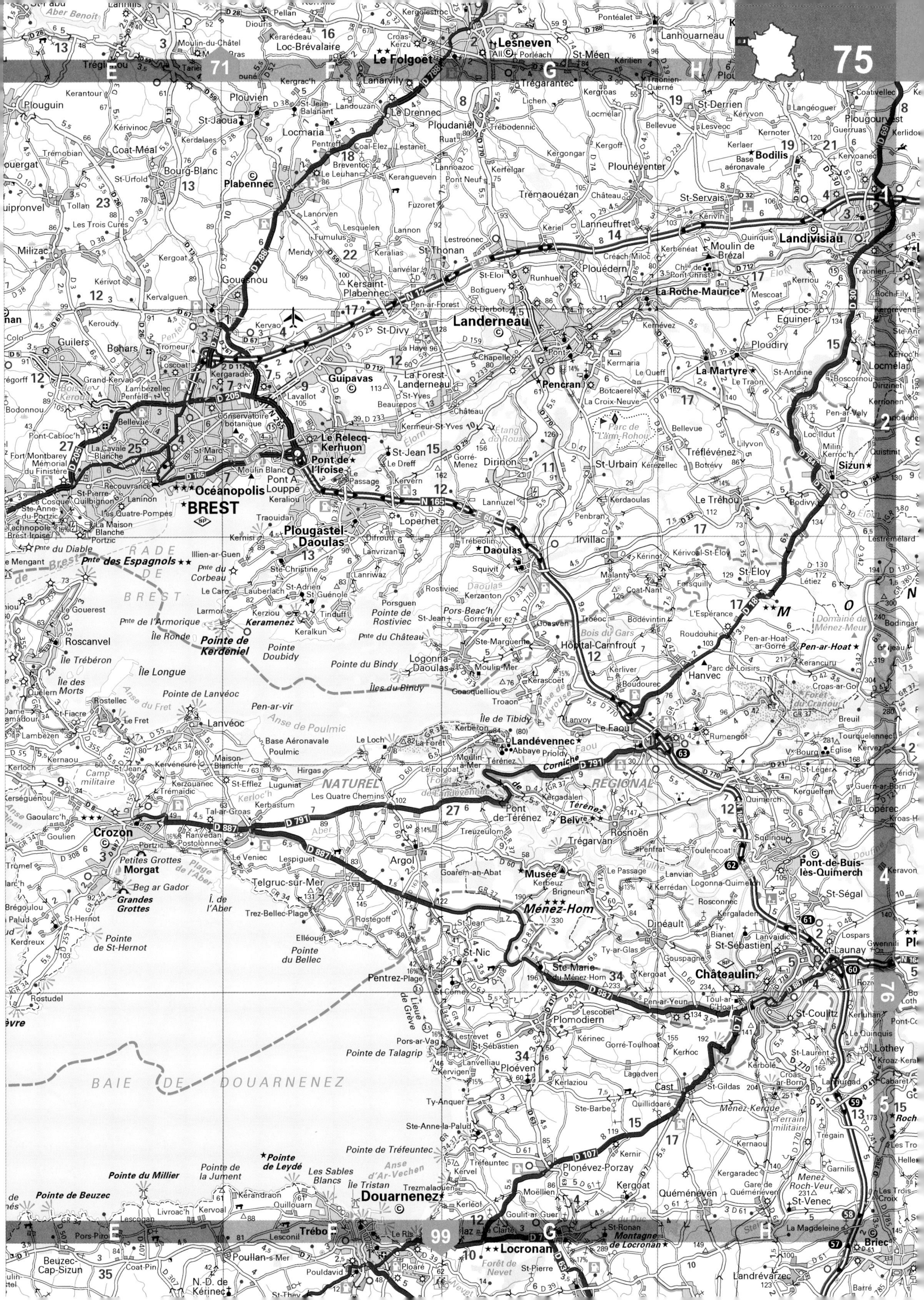
71
99
76
Lesneven
Le Folgoët
Loc-Brévalaire
Lanhouarneau
St-Méen
Plouvien
Plouguin
Bourg-Blanc
Coat-Méal
St-Jaoua
Plabennec
Le Drennec
Ploudaniel
Trémaouézan
Plounéventer
Bodilis
Plougourvest
St-Derrien
St-Servais
Landivisiau
Lanneuffret
Plouédern
Mendy
Kersaint-Plabennec
St-Thonan
Gouesnou
Milizac
Guilers
Bohars
Landerneau
La Roche-Maurice
Loc-Eguiner
Ploudiry
La Martyre
Guipavas
La Forest-Landerneau
Pencran
Le Relecq-Kerhuon
Pont de l'Iroise
Océanopolis
BREST
Plougastel-Daoulas
Daoulas
Dirinon
St-Urbain
Tréflévénez
Sizun
Le Tréhou
Irvillac
St-Eloy
RADE DE BREST
Pointe des Espagnols
Roscanvel
Île Longue
Pointe de Kerdéniel
Logonna-Daoulas
Hôpital-Camfrout
Hanvec
Lanvéoc
Landévennec
Le Faou
Rosnoën
Crozon
Morgat
Telgruc-sur-Mer
Argol
Ménez-Hom
Dinéault
Châteaulin
Pont-de-Buis-lès-Quimerch
St-Ségal
Port-Launay
St-Coulitz
Ste-Marie-du-Ménez-Hom
St-Nic
Plomodiern
Ploéven
Cast
St-Gildas
Quéménéven
Plonévez-Porzay
Kergoat
BAIE DE DOUARNENEZ
Pointe de Talagrip
Ste-Anne-la-Palud
Pointe de Tréfeuntec
Pointe de Leydé
Pointe du Millier
Pointe de Beuzec
Douarnenez
Tréboul
Locronan
Beuzec-Cap-Sizun
Poullan-s-Mer
Landrévarzec
Briec
Lothey
Pointe de St-Hernot
Pointe du Bellec
Grandes Grottes
Forêt du Cranou
Parc de l'Arm-Rohou

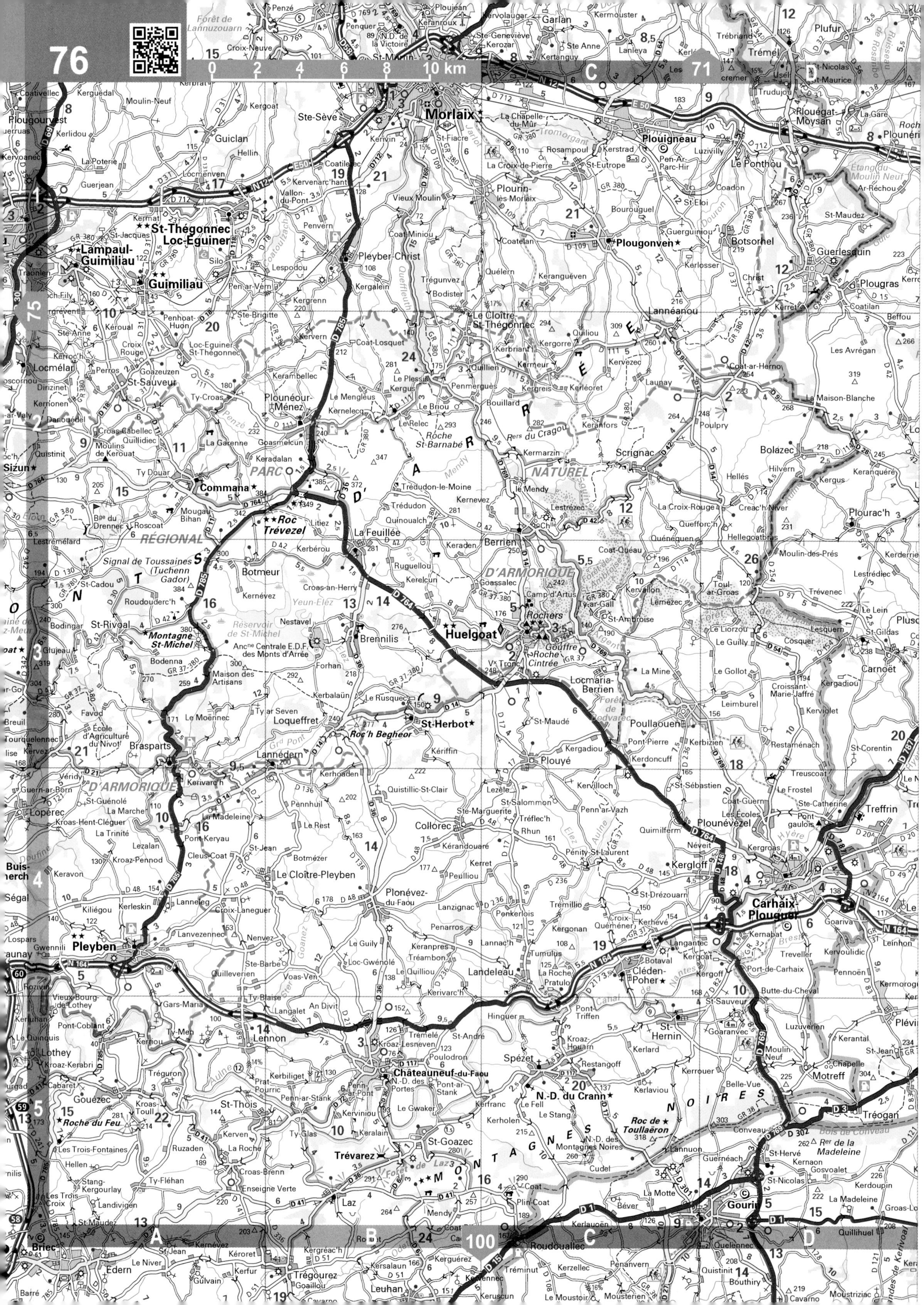
0 2 4 6 8 10 km
71
75
100
Morlaix
Plouigneau
Plougonven
Plourin-lès-Morlaix
St-Thégonnec Loc-Eguiner
Lampaul-Guimiliau
Guimiliau
Pleyber-Christ
Guiclan
Ste-Sève
Garlan
Plouégat-Moysan
Guerlesquin
Plougras
Botsorhel
Lannéanou
Le Cloître-St-Thégonnec
Scrignac
Bolazec
Plourac'h
Sizun
Commana
Roc Trévezel
Plounéour-Ménez
La Feuillée
Botmeur
Berrien
Huelgoat
Locmaria-Berrien
Poullaouen
Brennilis
Loqueffret
St-Herbot
Roc'h Begheor
Brasparts
Lannédern
Montagne St-Michel
Signal de Toussaines (Tuchenn Gador)
Réservoir de St-Michel
Yeun-Elez
Plouyé
Collorec
Le Cloître-Pleyben
Plonévez-du-Faou
Pleyben
Landeleau
Cléden-Poher
Carhaix-Plouguer
Plounévézel
Kergloff
Treffrin
Lennon
Châteauneuf-du-Faou
Spézet
N.-D. du Crann
Roc de Toullaëron
St-Goazec
Trévarez
Laz
Gouézec
Roche du Feu
St-Thois
Lothey
Briec
Edern
Gourin
Motreff
Tréogan
St-Hernin
Roudouallec
Leuhan
Trégourez
Carnoët
Plusquellec
PARC NATUREL RÉGIONAL D'ARMORIQUE
MONTS D'ARRÉE
MONTAGNES NOIRES
Forêt de Huelgoat
Canal de Nantes à Brest
Aulne
E 50
N 12
N 164
D 785
D 764
D 769
A B C D

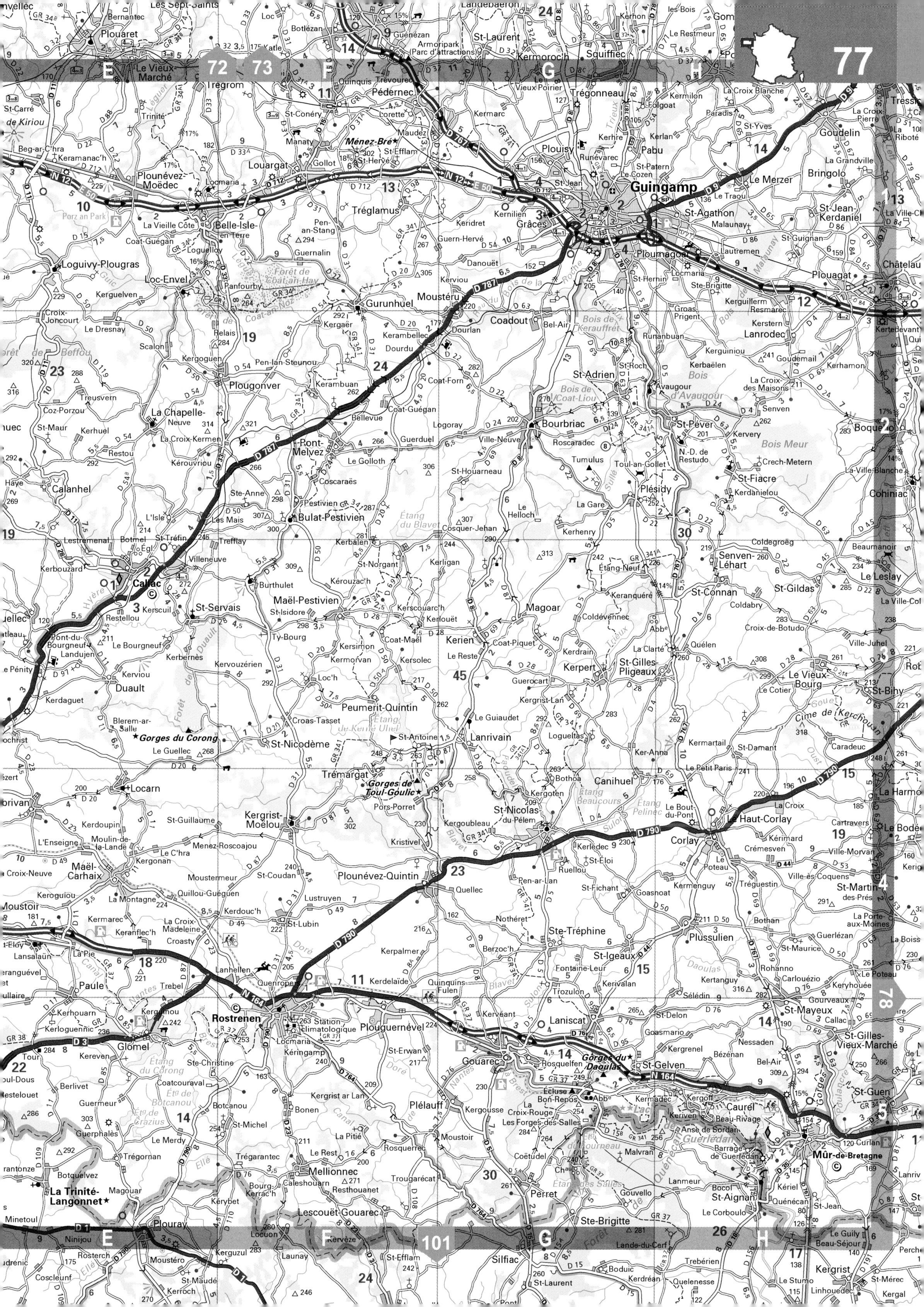
E
F
G
H
72
73
78
101
Plouaret
Le Vieux-Marché
Tregrom
Pédernec
Ménez-Bré
Louargat
Plounévez-Moëdec
Belle-Isle-en-Terre
Loguivy-Plougras
Loc-Envel
Forêt de Coat-an-Hay
Gurunhuel
Moustéru
Coadout
Guingamp
Grâces
Ploumagoar
Plouisy
Pabu
St-Agathon
Tréglamus
Bringolo
Goudelin
Plouagat
Lanrodec
Châtelau
St-Jean-Kerdaniel
Plougonver
La Chapelle-Neuve
Calanhel
Bulat-Pestivien
Callac
Bourbriac
St-Adrien
Avaugour
St-Péver
St-Fiacre
Plésidy
Senven-Léhart
St-Gildas
Le Leslay
St-Connan
Maël-Pestivien
St-Servais
Duault
Magoar
Kerien
Kerpert
St-Gilles-Pligeaux
Peumerit-Quintin
Lanrivain
Gorges du Corong
St-Nicodème
Trémargat
Gorges de Toul-Goulic
Locarn
Kergrist-Moëlou
St-Nicolas-du-Pélem
Canihuel
Le Haut-Corlay
Corlay
Maël-Carhaix
Plounévez-Quintin
Ste-Tréphine
Plussulien
St-Igeaux
St-Martin-des-Prés
Rostrenen
Paule
Glomel
Plouguernével
Laniscat
Gouarec
St-Gelven
Gorges du Daoulas
St-Mayeux
St-Gilles-Vieux-Marché
Caurel
Lac de Guerlédan
Mûr-de-Bretagne
St-Guen
Bon-Repos
Plélauff
Mellionnec
Perret
Silfiac
St-Aignan
La Trinité-Langonnet
Plouray
Lescouët-Gouarec
Ste-Brigitte
Kergrist
N 12
E 50
D 787
D 790
N 164
D 767

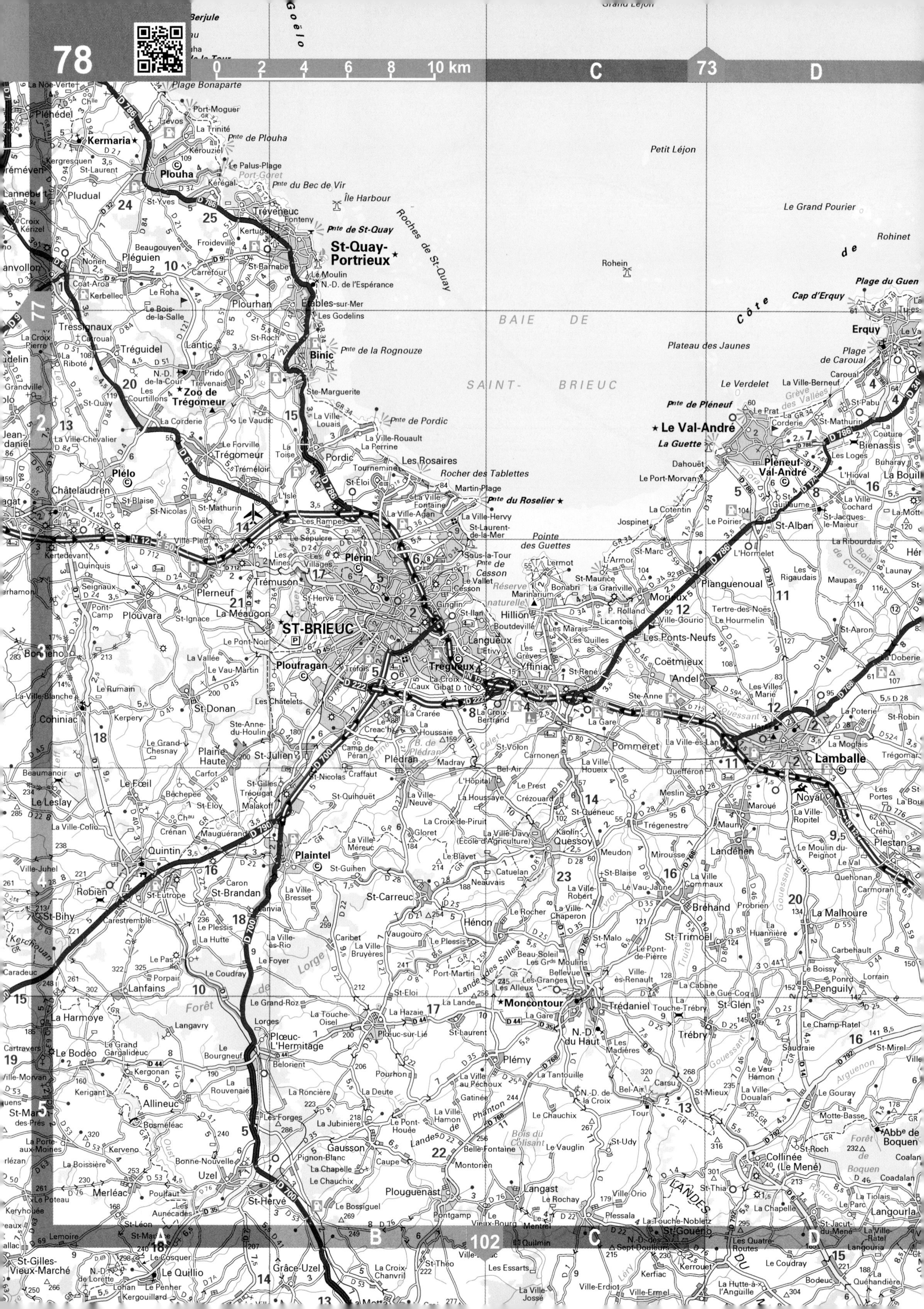
0 2 4 6 8 10 km
C
73
D
77
102
A
B
Plage Bonaparte
Port-Moguer
Tréveneuc
Pte de Plouha
Kermaria
Plouha
Plehedel
Pludual
Le Palus-Plage
Pte du Bec de Vir
Île Harbour
Roches de St-Quay
Pte de St-Quay
St-Quay-Portrieux
N.-D. de l'Espérance
Étables-sur-Mer
Les Godelins
Pléguien
Plourhan
Lantic
Tréguidel
Binic
Pte de la Rognouze
Zoo de Trégomeur
Trégomeur
Ste-Marguerite
Pte de Pordic
Pordic
Les Rosaires
Rocher des Tablettes
Martin-Plage
Pte du Roselier
Tournemine
Petit Léjon
Le Grand Pourier
Rohinet
Rohein
Plage du Guen
Cap d'Erquy
Côte de
BAIE DE
SAINT-BRIEUC
Plateau des Jaunes
Erquy
Plage de Caroual
Le Verdelet
Pte de Pléneuf
Le Val-André
La Guette
Dahouët
Pléneuf-Val-André
Le Port-Morvan
Jospinet
Pointe des Guettes
St-Alban
Plélo
Châtelaudren
Plerneuf
Plouvara
Trémuson
Plérin
St-Laurent-de-la-Mer
Pte de Cesson
Réserve naturelle
Hillion
ST-BRIEUC
La Méaugon
Ploufragan
Langueux
Trégueux
Yffiniac
Morieux
Planguenoual
Coëtmieux
Les Ponts-Neufs
Andel
Lamballe
Noyal
Pommeret
La Malhoure
Plédran
St-Julien
St-Donan
Cohiniac
Le Fœil
Le Leslay
Quintin
St-Brandan
Plaintel
St-Carreuc
Hénon
Quessoy
Meslin
Landéhen
Bréhand
St-Trimoël
Penguily
St-Glen
Moncontour
Trédaniel
Trébry
Plémy
N.-D. du Haut
Plœuc-L'Hermitage
Plœuc-sur-Lié
Lanfains
Forêt de Lorge
Le Bodéo
Allineuc
Uzel
Merléac
Le Quillio
Grâce-Uzel
St-Hervé
Plouguenast
Gausson
Langast
Plessala
St-Gouéno
Collinée (Le Mené)
Langourla
Abbe de Boquen
Forêt de Boquen
LANDES DU
Plestan
Robien
St-Bihy
La Harmoye
St-Gilles-Vieux-Marché
St-Mayeux
Carsu
Tour
Bel-Air
Le Vaublin
St-Udy
St-Théo
Les Essarts

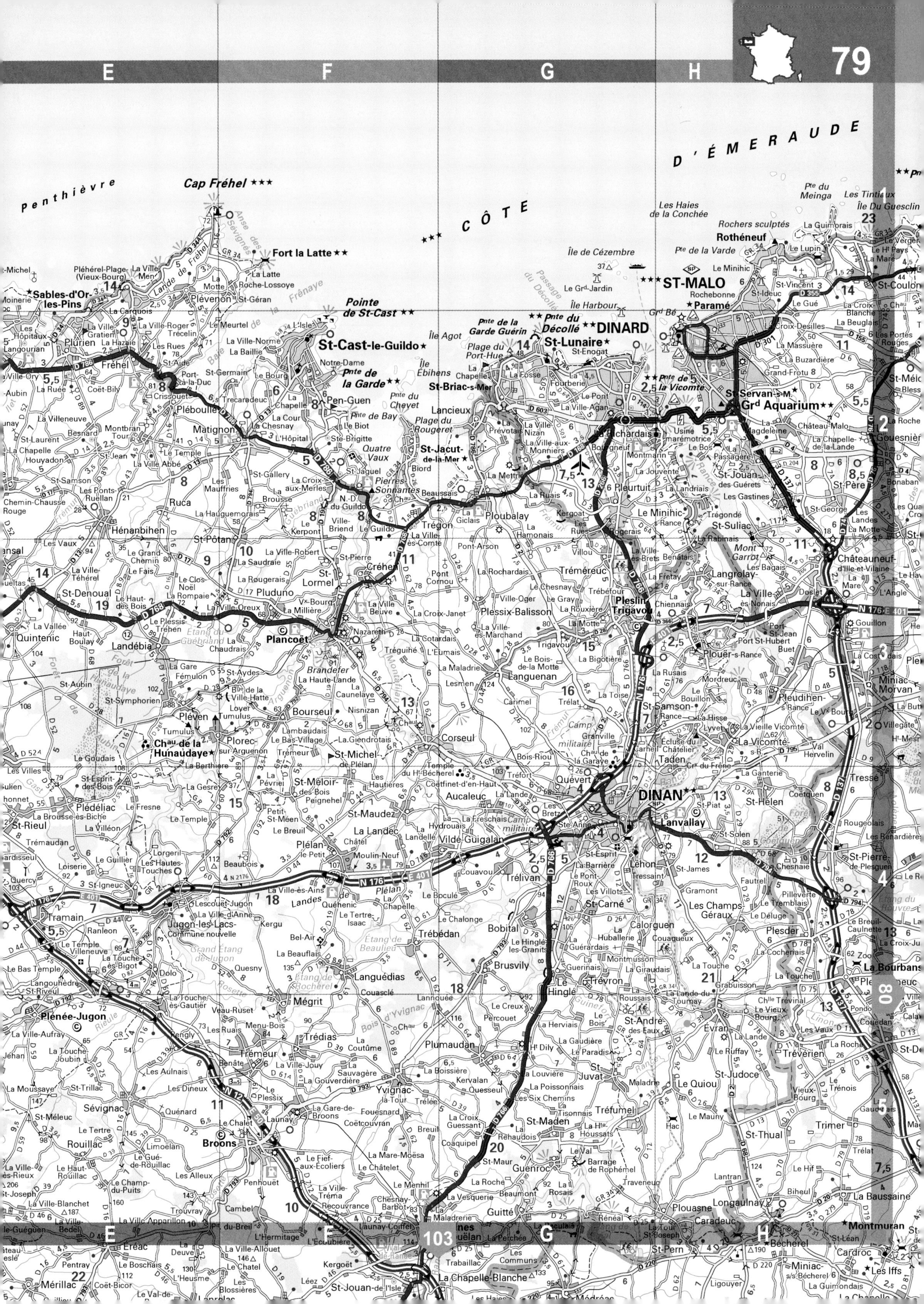
E
F
G
H
CÔTE D'ÉMERAUDE
Penthièvre
Cap Fréhel ★★★
Fort la Latte ★★
Pointe de St-Cast ★★
Sables-d'Or-les-Pins
Pléhérel-Plage (Vieux-Bourg)
Plurien
Fréhel
Plévenon
St-Cast-le-Guildo ★
Pte de la Garde ★★
Pen-Guen
Pte du Chevet
Pte de Bay
St-Jacut-de-la-Mer ★
Lancieux
St-Briac-s-Mer
St-Lunaire ★
Pte du Décollé ★★
Pte de la Garde Guérin ★★
DINARD ★★
Île de Cézembre
ST-MALO ★★★
Paramé
Rochebonne
Rothéneuf
Rochers sculptés
Pte de la Varde
Pte du Meinga
Les Haies de la Conchée
St-Servan-s-M.
Grd Aquarium ★★
Pte de la Vicomte ★★
La Richardais
Pleurtuit
Le Minihic-s-Rance
St-Suliac
Châteauneuf-d'Ille-et-Vilaine
Matignon
Pléboulle
Hénanbihen
Ruca
St-Pôtan
Pluduno
Créhen
Plancoët
Trégon
Ploubalay
Tréméreuc
Pleslin-Trigavou
Plouër-s-Rance
Langrolay-sur-Rance
La Ville-ès-Nonais
Miniac-Morvan
Pleudihen-s-Rance
Landébia
St-Denoual
Quintenic
Pléven
Chau de la Hunaudaye ★
Plorec-sur-Arguenon
Bourseul
Corseul
Languenan
Plessix-Balisson
Trélat
Quévert
DINAN ★★
Lanvallay
Léhon
Taden
St-Samson-s-Rance
La Vicomté-s-R.
St-Hélen
Pleslin
Aucaleuc
Vildé-Guigalan
Trélivan
St-Maudez
St-Méloir-des-Bois
Plélan-le-Petit
La Landec
Pledéliac
St-Rieul
Jugon-les-Lacs-Commune nouvelle
Tramain
Plénée-Jugon
Languédias
Trébédan
Brusvily
Le Hinglé
Calorguen
Les Champs Géraux
Plesder
La Bourbansais
Mégrit
Trédias
Trémeur
Broons
Sévignac
Rouillac
Yvignac-la-Tour
Plumaudan
St-André-des-Eaux
Évran
Tréverien
St-Juvat
Le Quiou
St-Judoce
Tréfumel
St-Maden
Guenroc
Guitté
St-Thual
Trimer
Plouasne
Longaulnay
La Baussaine
Montmuran
Bécherel
Miniac-s/s-Bécherel
Les Iffs
Cardroc
Caulnes
Éréac
Mérillac
Kergoët
La Chapelle-Blanche
St-Pern
St-Jouan-de-l'Isle
Pléguen
Tressé
Rance
Fremur
Arguenon
Frémur
N 176
E 401
N 12
E 50
D 137
D 766
D 768
D 786
D 794
103
80

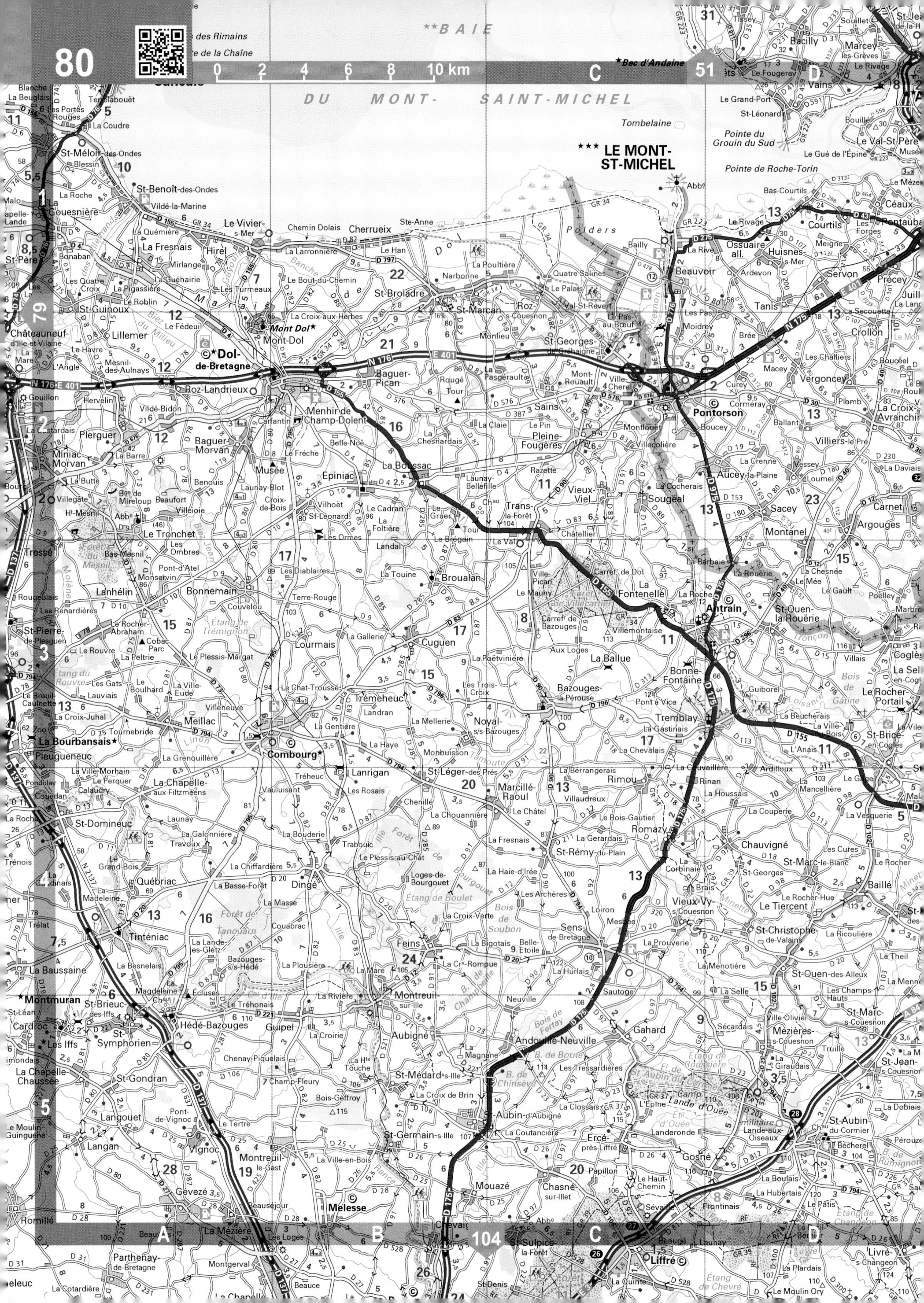
0 2 4 6 8 10 km
BAIE DU MONT-SAINT-MICHEL
LE MONT-ST-MICHEL
Tombelaine
Bec d'Andaine
Pointe du Grouin du Sud
Pointe de Roche-Torin
Polders
Marais de Dol
Dol-de-Bretagne
Mont Dol
Châteauneuf-d'Ille-et-Vilaine
St-Méloir-des-Ondes
St-Benoît-des-Ondes
Vildé-la-Marine
La Gouesnière
Le Vivier-s-Mer
Cherrueix
Hirel
La Fresnais
St-Guinoux
Lillemer
Roz-Landrieux
St-Broladre
St-Marcan
Roz-s-Couesnon
St-Georges-de-Gréhaigne
Pontorson
Beauvoir
Moidrey
Baguer-Pican
Baguer-Morvan
Pleine-Fougères
Sains
Miniac-Morvan
Pleugueneuc
La Bourbansais
Épiniac
La Boussac
Trans-la-Forêt
Vieux-Viel
Sougéal
Broualan
La Fontenelle
Antrain
Bonnemain
Lanhélin
Combourg
Cuguen
Lourmais
Trémeheuc
Bazouges-la-Pérouse
Tremblay
Noyal-s/s-Bazouges
Meillac
St-Domineuc
Québriac
Tinténiac
Dingé
Lanrigan
St-Léger-des-Prés
Marcillé-Raoul
Rimou
Romazy
St-Rémy-du-Plain
Chauvigné
St-Marc-le-Blanc
Baillé
Vieux-Vy-s-Couesnon
Sens-de-Bretagne
Feins
Montreuil-sur-Ille
Hédé-Bazouges
Guipel
Aubigné
Andouillé-Neuville
Gahard
St-Médard-s-Ille
St-Aubin-d'Aubigné
Mouazé
Chasné-sur-Illet
Ercé-près-Liffré
Gosné
St-Aubin-du-Cormier
Mézières-s-Couesnon
St-Ouen-des-Alleux
St-Christophe-de-Valains
Tinténiac
Langouet
Vignoc
Gévezé
Melesse
Montreuil-le-Gast
St-Germain-s-Ille
La Mézière
Liffré
St-Sulpice-la-Forêt
Romillé
Parthenay-de-Bretagne
Montgerval
Montmuran
Les Iffs
Cardroc
St-Brieuc-des-Iffs
St-Symphorien
St-Gondran
La Chapelle-Chaussée
Langan
Ducey
Huisnes-s-Mer
Courtils
Céaux
Précey
Servon
Tanis
Crollon
Macey
Vergoncey
Curey
Aucey-la-Plaine
Sacey
Carnet
Argouges
Montanel
St-Quen-la-Rouërie
St-Brice-en-Coglès
Le Tiercent
Vains
Marcey-les-Grèves
Genêts
Le Val-St-Père
Forêt de Villecartier
Forêt de Tanouarn
Forêt de Bourgouet
Forêt de Rennes
Étang de Boulet
Camp militaire Lande d'Ouée
Forêt de St-Aubin-du-Cormier
N 176 E 401
N 175
D 137
D 155
D 175
A 84
C
D
A
B
C
D
51
79
104
1
2
3
4
5

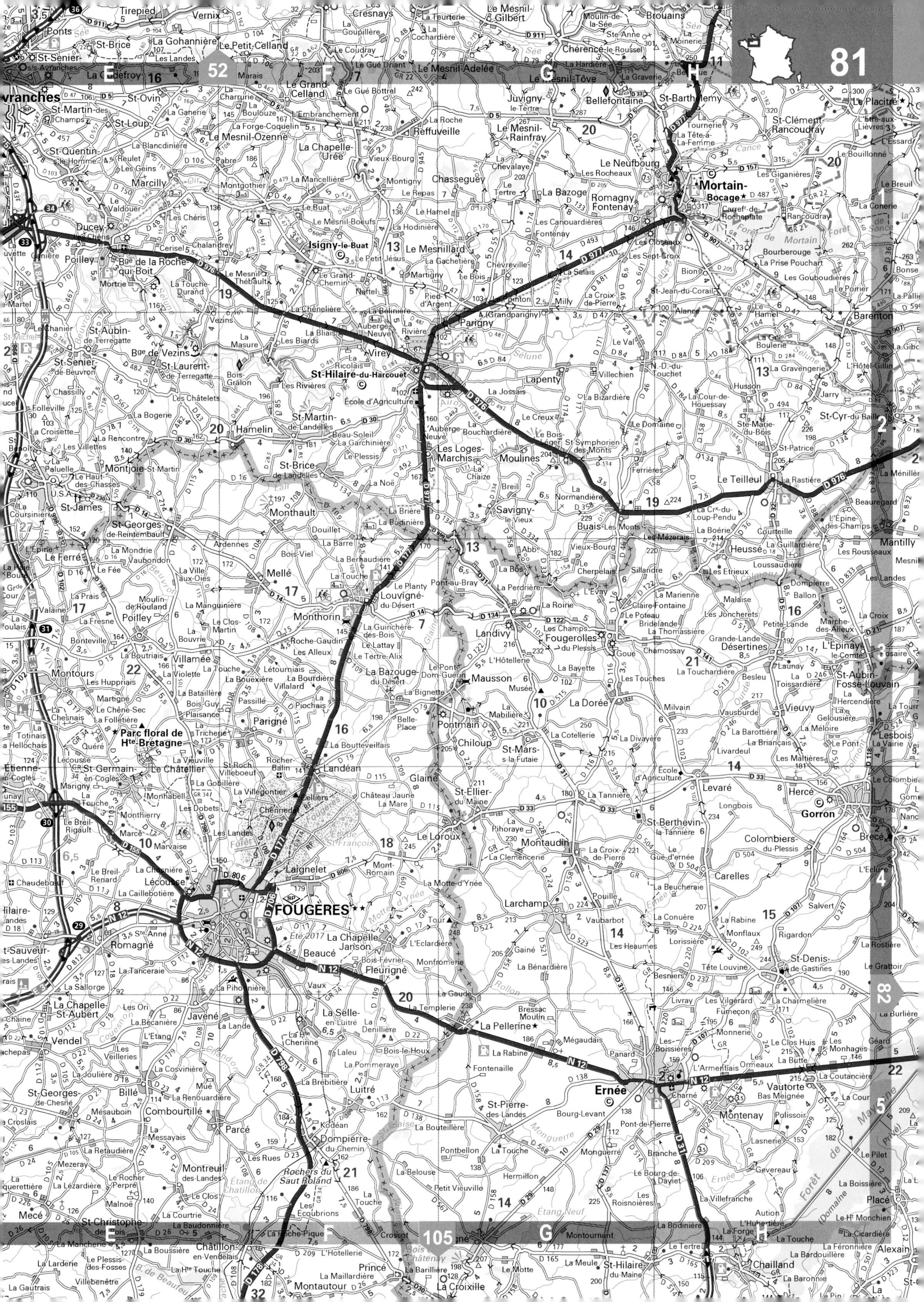
52
82
105
Avranches
Mortain-Bocage
St-Hilaire-du-Harcouët
FOUGÈRES
Ernée
Gorron
Le Teilleul
Louvigné-du-Désert
Landivy
St-James
Ducey
Isigny-le-Buat
Barenton
Juvigny-le-Tertre
Le Neufbourg
Parigny
Lapenty
Savigny-le-Vieux
Buais-Les-Monts
Heussé
Désertines
Fougerolles-du-Plessis
Mausson
Pontmain
St-Mars-s-la-Futaie
Levaré
Hercé
Colombiers-du-Plessis
Larchamp
Landéan
Parigné
Le Loroux
Laignelet
Romagné
Beaucé
Fleurigné
La Chapelle-Janson
La Pellerine
Javené
Billé
Vendel
Luitré
Dompierre-du-Chemin
Montautour
Châtillon-en-Vendelais
Princé
St-Hilaire-du-Maine
Chailland
Montenay
Vautorte
St-Denis-de-Gastines
Lécousse
Le Ferré
Montours
Poilley
Villamée
Mellé
Monthault
Hamelin
Montjoie-St-Martin
St-Georges-de-Reintembault
Le Châtellier
St-Germain-en-Coglès
Parc floral de Hte-Bretagne
Combourtillé
Parcé
Montreuil-des-Landes
Mecé
St-Christophe-des-Bois
Forêt de Fougères
Forêt de Mortain
Forêt de Mayenne

0 2 4 6 8 10 km
A
B
C
D
1
2
3
4
5
53
81
106
PARC RÉGIONAL
NORMANDIE
MAINE
Domfront en Poiraie
La Ferté-Macé
Bagnoles-de-l'Orne
Lassay-les-Châteaux
Mayenne
Villaines-la-Juhel
Ambrières-les-Vallées
Passais
Lonlay-l'Abbaye
St-Georges-de-Rouelley
Juvigny-sous-Andaine
Magny-le-Désert
Couptrain
Javron-les-Chapelles
Gorges de Villiers
Mont Margantin
Mont Brûlé
Mont d'Hère
Mont en Gérôme
Tour de Bonvouloir
Forêt de Halouze
Bois de Messei
Bois de Buleu
Bois de Vaux
Butte de Montaigu
Ville romaine
Jublains
Briouze
Messei
Champsecret
Ceaucé
Couesmes-Vaucé
Le Horps
Le Ribay
Montreuil-Poulay
Champéon
Chantrigné
La Haie-Traversaine
Martigné
Oisseau
Châtillon-sur-Colmont
St-Fraimbault-de-Prières
Aron
La Bazoge-Montpinçon
Moulay
Alexain
Commer
Bais
Hambers
Champgenéteux
Loupfougères
Hardanges
La Chapelle-au-Riboul
Marcillé-la-Ville
Grazay
Belgeard
Contest
St-Baudelle
Placé
Parigné-sur-Braye
St-Georges-Buttavent
Montesson
Izé
Trans
N 12
D 908
D 976
D 35
D 34
D 962
D 23
D 18
D 916
D 176

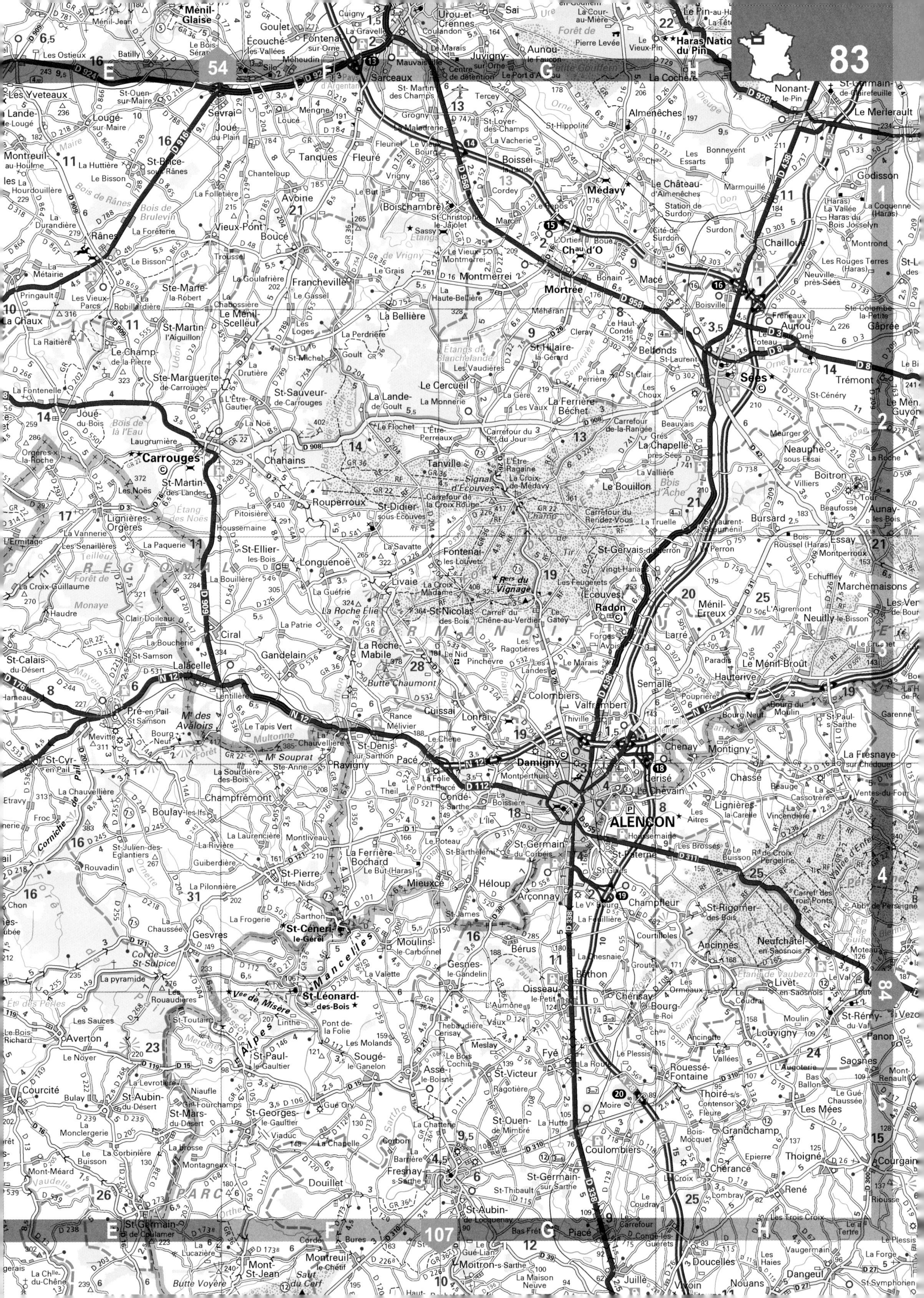
54
E
F
G
H
1
2
3
4
5
84
107
Ménil-Glaise
Goulet
Écouché-les-Vallées
Urou-et-Crennes
Sai
Forêt de Pierre Levée
Haras National du Pin
Le Pin-au-Haras
Sarceaux
Juvigny-sur-Orne
Aunou-le-Faucon
La Cochère
Nonant-le-Pin
St-Germain-de-Clairefeuille
Le Merlerault
Les Yveteaux
Sevrai
Lougé-sur-Maire
Joué-du-Plain
Tanques
Fleuré
Almenêches
Montreuil-au-Houlme
St-Brice-sous-Rânes
Boissei-la-Lande
Médavy
Le Château-d'Almenêches
Godisson
Avoine
Rânes
Vieux-Pont
Boucé
(Boischambre)
St-Christophe-le-Jajolet
Chau d'O
Chailloué
Montmerrei
Mortrée
Macé
Francheville
Le Ménil-Scelleur
La Bellière
St-Martin-l'Aiguillon
Le Champ-de-la-Pierre
Ste-Marguerite-de-Carrouges
St-Sauveur-de-Carrouges
La Lande-de-Goult
Le Cercueil
La Ferrière-Béchet
St-Hilaire-la-Gérard
Belfonds
Sées
Aunou-sur-Orne
Trémont
Joué-du-Bois
Carrouges
Chahains
Tanville
La Chapelle-près-Sées
Neauphe-sous-Essai
St-Martin-des-Landes
Rouperroux
St-Didier-sous-Écouves
Le Bouillon
Lignières-Orgères
Forêt d'Écouves
Bursard
Aunay-les-Bois
St-Ellier-les-Bois
Longuenoë
Fontenai-les-Louvets
Signal d'Écouves
St-Gervais-du-Perron
Essay
Livaie
St-Nicolas-des-Bois
Radon
Ménil-Erreux
Marchemaisons
Neuilly-le-Bisson
La Roche Elie
Ciral
Gandelain
La Roche-Mabile
Larré
Le Ménil-Broût
Lalacelle
St-Calais-du-Désert
Butte Chaumont
Colombiers
Semallé
Hauterive
Valframbert
Pré-en-Pail
Mt des Avaloirs
Cuissai
Lonrai
St-Denis-sur-Sarthon
Ravigny
Pacé
Damigny
Cerisé
Chenay
Montigny
St-Cyr-en-Pail
Mt Souprat
Champfrémont
Boulay-les-Ifs
Condé-sur-Sarthe
ALENÇON
Lignières-la-Carelle
La Ferrière-Bochard
St-Germain-du-Corbéis
St-Paterne
St-Pierre-des-Nids
Mieuxcé
Héloup
Arçonnay
Champfleur
St-Rigomer-des-Bois
Gesvres
St-Céneri-le-Gérei
Moulins-le-Carbonnel
Béru
Ancinnes
Neufchâtel-en-Saosnois
Col de St-Sulpice
Alpes Mancelles
St-Léonard-des-Bois
Gesnes-le-Gandelin
Oisseau-le-Petit
Bourg-le-Roi
Livet-en-Saosnois
St-Rémy-du-Val
Averton
Sougé-le-Ganelon
Assé-le-Boisne
Fyé
Rouessé-Fontaine
Louvigny
Saosnes
St-Aubin-du-Désert
St-Paul-le-Gaultier
St-Victeur
Thoiré-s/s-Contensor
Les Mées
Courcité
St-Mars-du-Désert
St-Georges-le-Gaultier
St-Ouen-de-Mimbré
Moire
Grandchamp
Thoigné
Douillet
Fresnay-sur-Sarthe
Coulombiers
St-Germain-sur-Sarthe
Chérancé
René
Courgains
St-Germain-de-Coulamer
St-Aubin-de-Locquenay
Piacé
Montreuil-le-Chétif
Mont-St-Jean
Moitron-sur-Sarthe
Doucelles
Juillé
Vivoin
Nouans
Dangeul
Le Chêne
Butte Voyère
Saut du Cerf

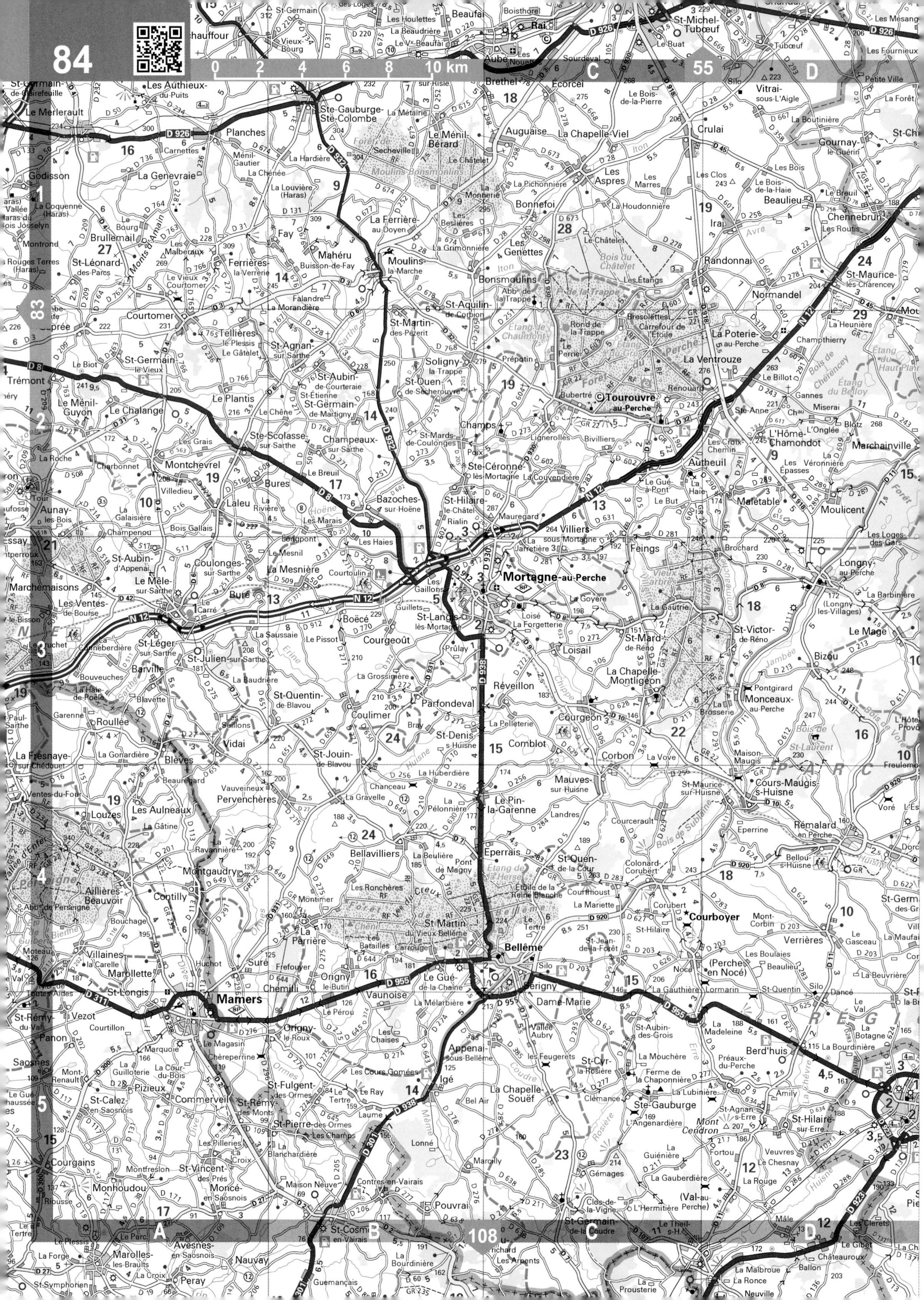
0 2 4 6 8 10 km
55
83
108
A
B
C
D
Mortagne-au-Perche
Bellême
Mamers
Tourouvre au-Perche
Rai
Le Merlerault
Ste-Gauburge-Ste-Colombe
Moulins-la-Marche
Bonsmoulins
Longny-au-Perche
Rémalard en Perche
Courgeon
Soligny-la-Trappe
Le Mêle-sur-Sarthe
Courtomer
Randonnai
St-Maurice-lès-Charencey
La Ventrouze
Autheuil
Feings
Réveillon
Le Pin-la-Garenne
Igé
Pervenchères
Courboyer
Ste-Gauburge
St-Cosme-en-Vairais
Marolles-les-Braults
Forêt de Bellême
Forêt du Perche
Forêt de Perseigne
PARC
REG
N 12
D 8
D 926
D 938
D 955
D 311
D 920
D 930
D 932

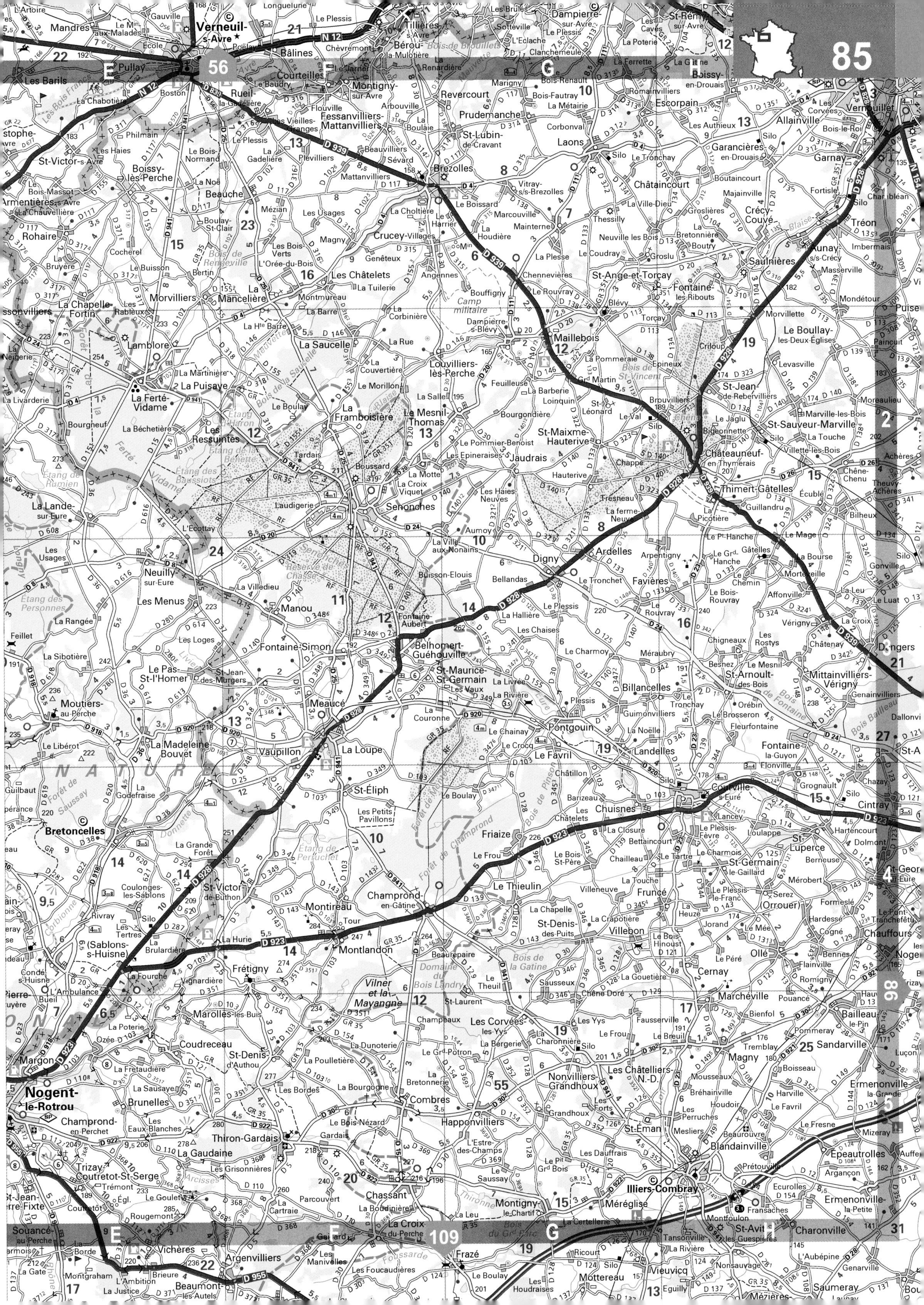

56
E
F
G
H
Verneuil-s-Avre
Tillières-s-Avre
Bérou-la-Mulotière
Dampierre-sur-Avre
St-Rémy-sur-Avre
Pullay
Rueil-la-Gadelière
Courteilles
Montigny-sur-Avre
Boissy-en-Drouais
Vernouillet
Revercourt
Prudemanche
Escorpain
Allainville
Fessanvilliers-Mattanvilliers
St-Lubin-de-Cravant
Laons
Garancières-en-Drouais
Garnay
Brezolles
Châtaincourt
St-Victor-s-Avre
Boissy-lès-Perche
Beauche
Crucey-Villages
Crécy-Couvé
Tréon
Rohaire
Les Châtelets
St-Ange-et-Torçay
Fontaine-les-Ribouts
Saulnières
Aunay-s/s-Crécy
La Chapelle-Fortin
Morvilliers
La Mancelière
Blévy
Puiseux
Lamblore
La Saucelle
Maillebois
Le Boullay-les-Deux-Églises
Louvilliers-lès-Perche
La Puisaye
La Ferté-Vidame
St-Jean-de-Rebervilliers
La Framboisière
Le Mesnil-Thomas
Marville-les-Bois
St-Sauveur-Marville
Les Ressuintes
St-Maixme-Hauterive
Jaudrais
Châteauneuf-en-Thymerais
Thimert-Gâtelles
Senonches
La Lande-sur-Eure
Ardelles
Digny
Neuilly-sur-Eure
Les Menus
Manou
Favières
Fontaine-Simon
Belhomert-Guéhouville
St-Maurice-St-Germain
Le Pas-St-l'Homer
Billancelles
St-Arnoult-des-Bois
Mittainvilliers-Vérigny
Dangers
Moutiers-au-Perche
Meaucé
Pontgouin
La Madeleine-Bouvet
Vaupillon
La Loupe
Landelles
Fontaine-la-Guyon
St-Éliph
Courville-s-Eure
Cintray
Bretoncelles
Chuisnes
Friaize
St-Luperce
St-Germain-le-Gaillard
St-Victor-de-Buthon
Le Thieulin
Champrond-en-Gâtine
Fruncé
Montireau
St-Denis-des-Puits
Villebon
Chauffours
(Sablons-s-Huisne)
Montlandon
Frétigny
Ollé
Nogent-le-Phaye
Marolles-les-Buis
Marchéville
Bailleau-le-Pin
Les Corvées-les-Yys
Sandarville
Coudreceau
St-Denis-d'Authou
Magny
Nonvilliers-Grandhoux
Les Châtelliers-N.-D.
Ermenonville-la-Grande
Nogent-le-Rotrou
Brunelles
Combres
Happonvilliers
St-Éman
Blandainville
Epeautrolles
Champrond-en-Perchet
Thiron-Gardais
La Gaudaine
Trizay-Coutretot-St-Serge
Chassant
Montigny-le-Chartif
Illiers-Combray
Méréglise
Ermenonville-la-Petite
Charonville
St-Avit-les-Guespières
Vichères
Argenvilliers
La Croix-du-Perche
Frazé
Vieuvicq
Beaumont-les-Autels
Mottereau
Saumeray
109
86
Forêt de Senonches
Forêt de Champrond
Forêt de Montécot
Bois de Pinson
Forêt de Châteauneuf
Bois de Fontaine

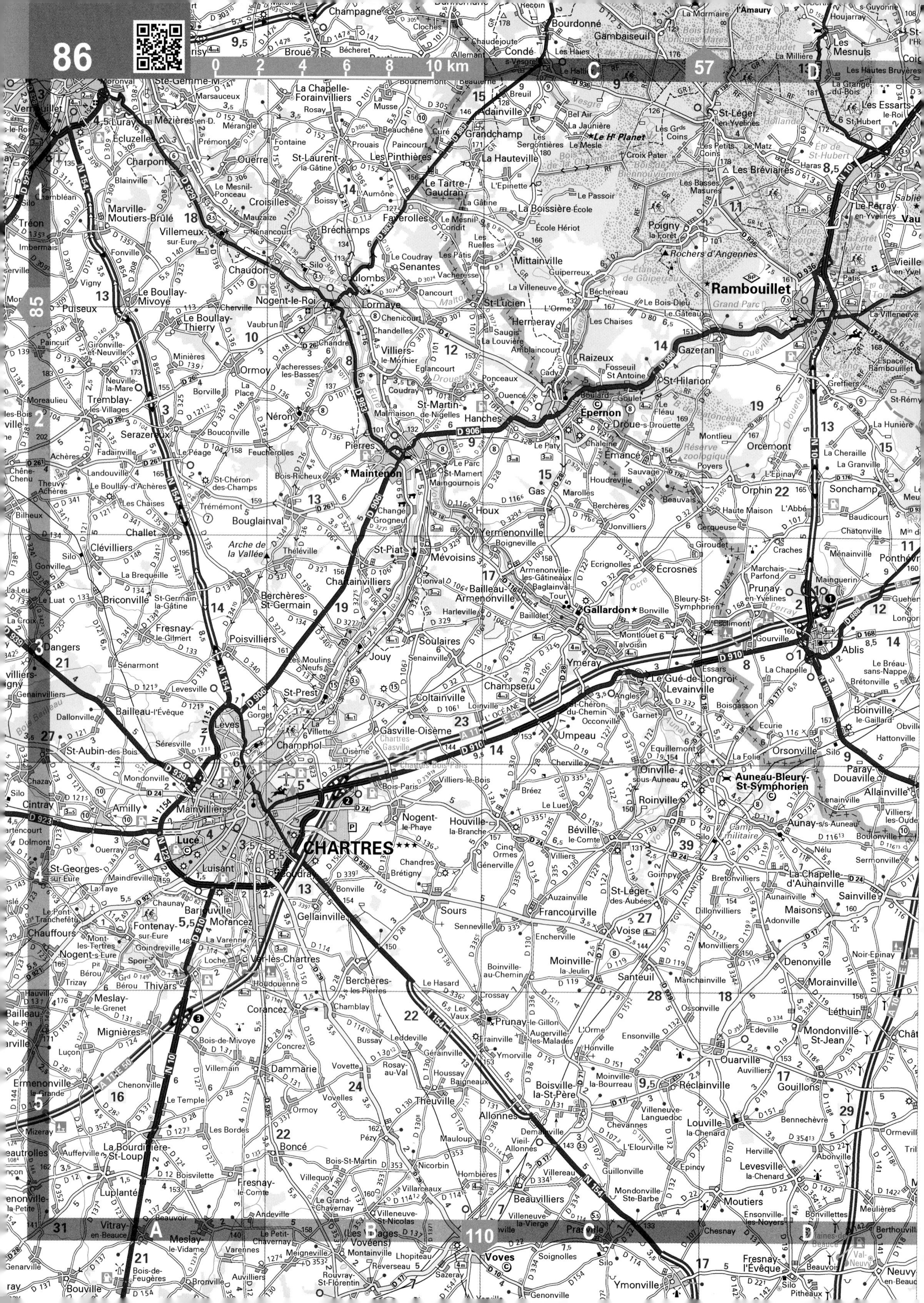
0 2 4 6 8 10 km
57
85
110
Chartres
Rambouillet
Maintenon
Épernon
Gallardon
Auneau-Bleury-St-Symphorien
Ablis
Voves
Nogent-le-Roi
Lèves
Mainvilliers
Lucé
Luisant
Champhol
Le Coudray
Gasville-Oisème
Jouy
St-Prest
Pierres
Hanches
Gazeran
St-Hilarion
Émancé
Orphin
Prunay-en-Yvelines
Sonchamp
Épernon
Droue-s-Drouette
Houx
Yermenonville
Mévoisins
St-Piat
Soulaires
Coltainville
Champseru
Ymeray
Le Gué-de-Longroi
Levainville
Umpeau
Oinville-sous-Auneau
Roinville
Béville-le-Comte
Aunay-s/s-Auneau
Sainville
Denonville
Morainville
Santeuil
Voise
Francourville
St-Léger-des-Aubées
Moinville-la-Jeulin
Houville-la-Branche
Nogent-le-Phaye
Sours
Prunay-le-Gillon
Berchères-les-Pierres
Corancez
Dammarie
Bonville
Gellainville
Morancez
Barjouville
Thivars
Ver-lès-Chartres
Fontenay-sur-Eure
Nogent-sur-Eure
Mignières
Ermenonville-la-Grande
Vitray-en-Beauce
Meslay-le-Vidame
Bonce
Fresnay-le-Comte
Beauvilliers
Allonnes
Theuville
Boisville-la-St-Père
Réclainville
Louville-la-Chenard
Ouarville
Gouillons
Moutiers
Levesville-la-Chenard
Mondonville-St-Jean
Léthuin
Allainville
Paray-Douaville
Orsonville
Boinville-le-Gaillard
Prasville
Fresnay-l'Évêque
Ymonville
Amilly
Cintray
St-Georges-sur-Eure
Dangers
St-Aubin-des-Bois
Bailleau-l'Évêque
Briconville
Fresnay-le-Gilmert
Poisvilliers
Berchères-St-Germain
Clévilliers
Challet
Bouglainval
Chartainvilliers
Tremblay-les-Villages
Serazereux
Néron
Ormoy
Le Boullay-Thierry
Le Boullay-Mivoye
Puiseux
Villemeux-sur-Eure
Chaudon
Croisilles
Bréchamps
Coulombs
Lormaye
Faverolles
Senantes
St-Lucien
Hermeray
Raizeux
Marville-Moutiers-Brûlé
Charpont
Écluzelles
Mézières-en-D.
Luray
Vernouillet
Adainville
Grandchamp
La Hauteville
Le Tartre-Gaudran
La Boissière École
Mittainville
Poigny-la-Forêt
Les Bréviaires
St-Léger-en-Yvelines
Le Perray-en-Yvelines
Les Essarts-le-Roi
Bourdonné
Condé-s-Vesgre
Gambaiseuil
Champagne
Broué
Cherisy
Écrosnes
Ymeray
Bailleau-Armenonville
Senainville
Vieilles-Allonnes

Trappes
Maurepas
St-Quentin-en-Yvelines
Antony
Massy
Palaiseau
Saclay
Orsay
Gif-s-Y.
Chevreuse
Dampierre-en-Yvelines
Les Ulis
Longjumeau
Savigny-s-Orge
Athis-Mons
Draveil
AÉROPORT DE PARIS-ORLY
Ste-Geneviève-des-Bois
ÉVRY
Arpajon
Limours-en-Hurepoix
Dourdan
Rambouillet
PARC NATUREL RÉGIONAL DE LA HAUTE-VALLÉE DE CHEVREUSE
Étréchy
Lardy
Mennecy
La Ferté-Alais
Étampes
Angerville
Méréville
Malesherbes
Camp de Linas-Montlhéry
Montlhéry
Brétigny-s-Orge
Chamarande
E
F
G
H
58
88
111

0 2 4 6 8 10 km
Brie-Comte-Robert
Combs-la-Ville
Sénart (Ville Nlle)
Moissy-Cramayel
EVRY
Corbeil-Essonnes
Savigny-le-Temple
MELUN
Le Mée-s-Seine
Dammarie-les-Lys
Vaux-le-Vicomte
Blandy
Champeaux
Fontenay-Trésigny
Tournan-en-Brie
Ozouer-le-Voulgis
Guignes
Mormant
Nangis
Barbizon
Courances
Milly-la-Forêt
Fleury-en-Bière
FONTAINEBLEAU
Avon
Samois-s-Seine
Bois-le-Roi
Héricy
Montereau-Fault-Yonne
Moret Loing et Orvanne
Nemours
Larchant
Château-Landon
Bourron-Marlotte
Montigny-s-Loing
Grez-s-Loing
Forêt de Fontainebleau
Gorges d'Apremont
Gorges de Franchard
Hauteurs de la Solle
Massif de la Dame Jouanne
les Trois Pignons
Forêt de Sénart
Bois de Valence
NATUREL RÉGIONAL DU GÂTINAIS FRANÇAIS

59
87
112

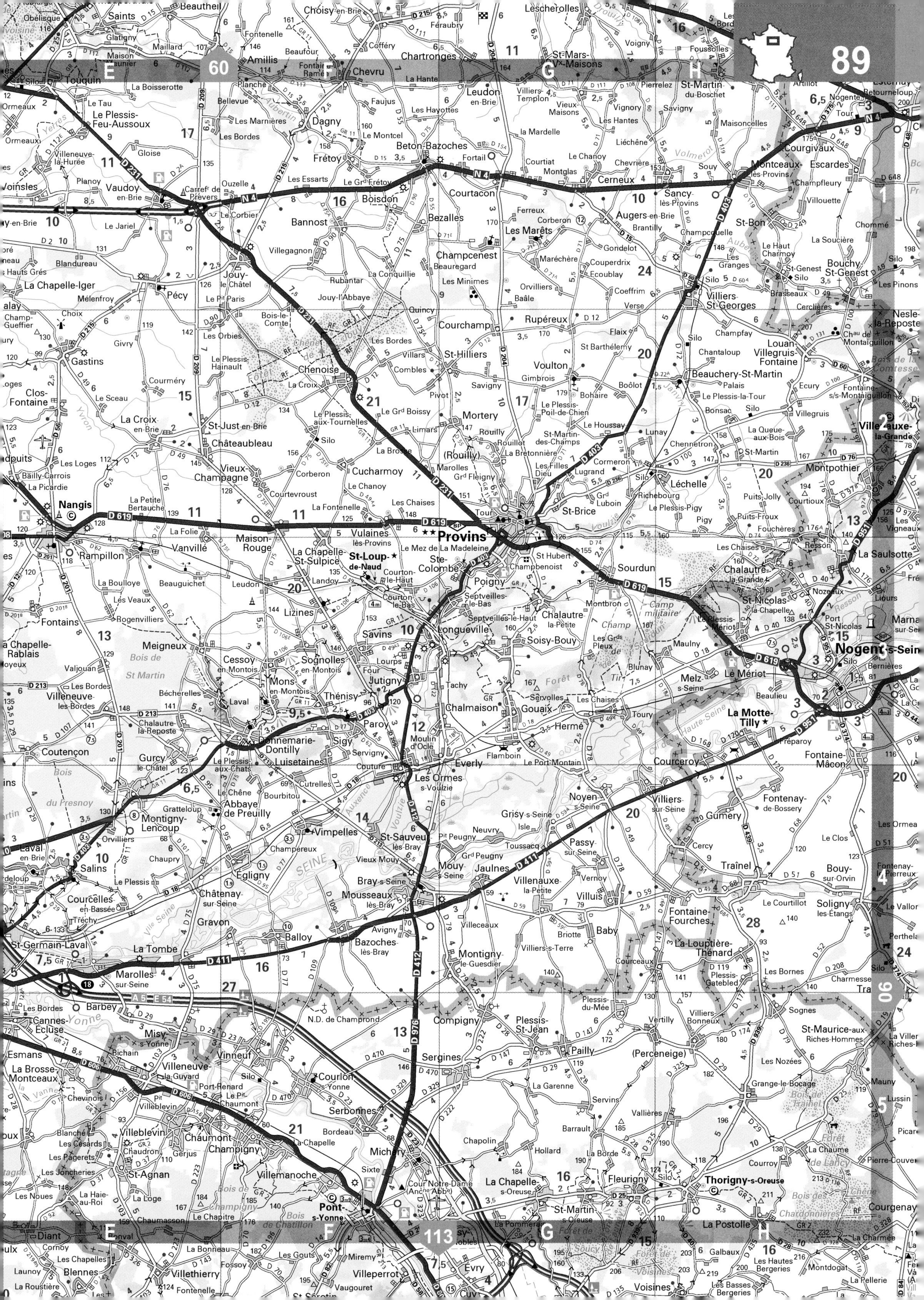

60
E
F
G
H
Touquin
Chevru
Amillis
Chartronges
Leudon-en-Brie
St-Mars-Vx-Maisons
St-Martin-du-Boschet
Vaudoy-en-Brie
Beton-Bazoches
Courtacon
Cerneux
Sancy-lès-Provins
Montceaux-lès-Provins
Courgivaux
Escardes
Boisdon
Bannost
Bezalles
Champcenest
Les Marêts
Augers-en-Brie
Jouy-le-Châtel
Pécy
La Chapelle-Iger
Villiers-St-Georges
St-Bon
Bouchy-St-Genest
Courchamp
Rupéreux
Louan-Villegruis-Fontaine
Gastins
Chenoise
St-Hilliers
Voulton
Beauchery-St-Martin
Nesle-la-Reposte
Clos-Fontaine
La Croix-en-Brie
St-Just-en-Brie
Châteaubleau
Mortery
Villenauxe-la-Grande
Vieux-Champagne
Cucharmoy
Léchelle
Montpothier
Nangis
Provins
Rampillon
Maison-Rouge
La Chapelle-St-Sulpice
St-Loup-de-Naud
Ste-Colombe
Poigny
Sourdun
Chalautre-la-Grande
St-Nicolas-la-Chapelle
La Saulsotte
Nogent-s-Seine
Fontains
Meigneux
Lizines
Savins
Longueville
Soisy-Bouy
Le Mériot
Cessoy-en-Montois
Sognolles-en-Montois
Jutigny
Villeneuve-les-Bordes
Donnemarie-Dontilly
Paroy
Chalmaison
Gouaix
Hermé
La Motte-Tilly
Coutençon
Gurcy-le-Châtel
Sigy
Luisetaines
Les Ormes-s-Voulzie
Everly
Courceroy
Fontaine-Mâcon
Montigny-Lencoup
Abbaye de Preuilly
Vimpelles
St-Sauveur-lès-Bray
Noyen-s-Seine
Villiers-sur-Seine
Fontenay-de-Bossery
Gumery
Laval-en-Brie
Salins
Égligny
Bray-s-Seine
Mouy-s-Seine
Jaulnes
Passy-sur-Seine
Traînel
Bouy-sur-Orvin
Châtenay-sur-Seine
Mousseaux-lès-Bray
Villenauxe-la-Petite
Soligny-les-Étangs
Gravon
Balloy
Bazoches-lès-Bray
Montigny-le-Guesdier
Fontaine-Fourches
La Louptière-Thénard
St-Germain-Laval
La Tombe
Marolles-sur-Seine
Barbey
Cannes-Écluse
Misy-s-Yonne
Vinneuf
Courlon-s-Yonne
Compigny
Plessis-St-Jean
Sergines
Pailly
St-Maurice-aux-Riches-Hommes
Villeneuve-la-Guyard
Serbonnes
Villeblevin
Chaumont
Champigny
St-Agnan
Villemanoche
Michery
La Chapelle-s-Oreuse
St-Martin-s-Oreuse
Fleurigny
Thorigny-s-Oreuse
Courgenay
Pont-s-Yonne
113
SEINE
Forêt de Sourdun
N 4
D 619
D 231
D 403
D 411
D 412
D 976
D 606
A 5 - E 54

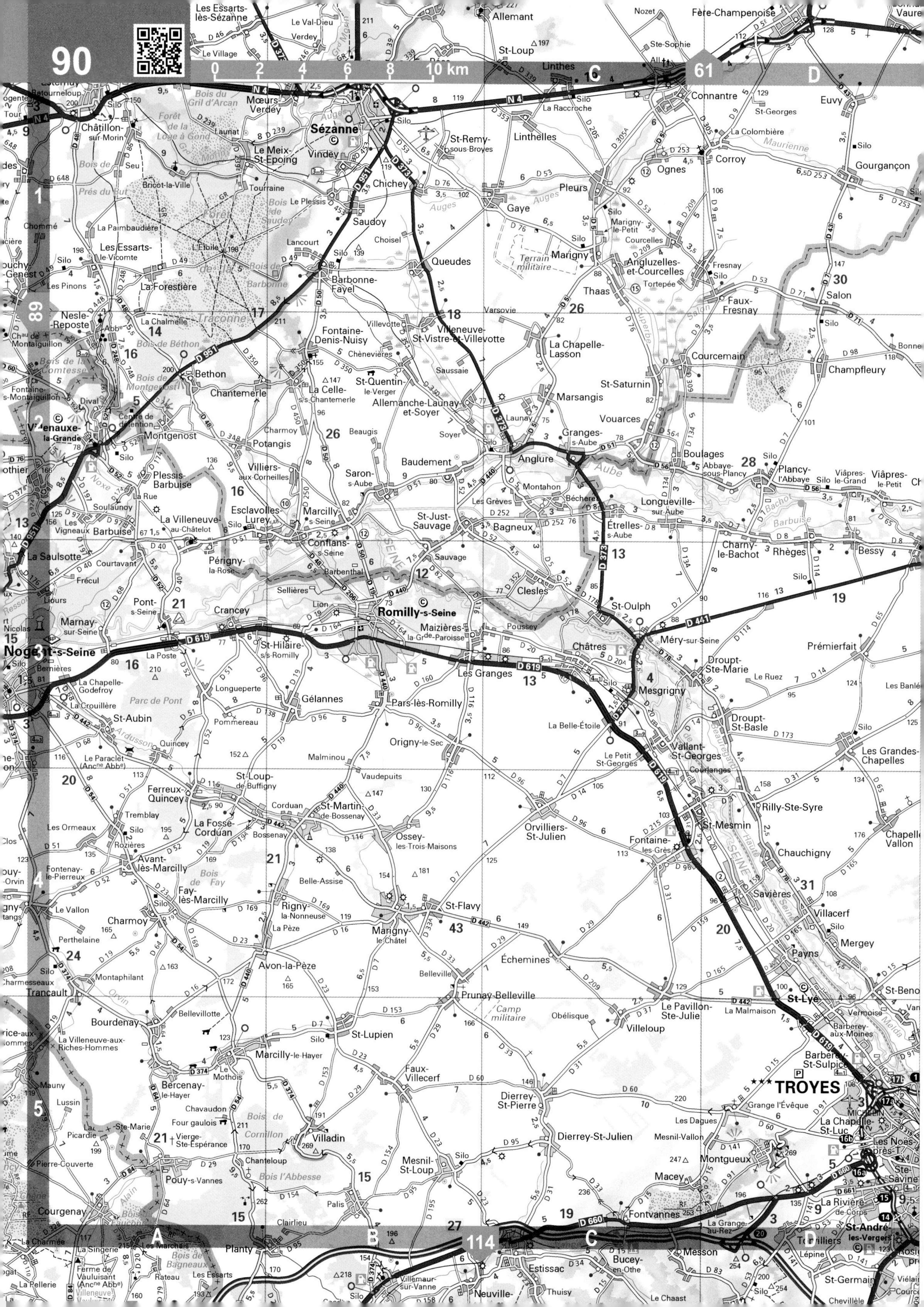

0 2 4 6 8 10 km
A
B
C
D
61
114
89
1
2
3
4
5
Les Essarts-lès-Sézanne
Le Val-Dieu
Verdey
Le Village
Allemant
St-Loup
Nozet
Fère-Champenoise
Ste-Sophie
Vaure
Linthes
Connantre
Euvy
St-Georges
La Colombière
Maurienne
Corroy
Silo
Gourgançon
Ognes
Pleurs
Châtillon-sur-Morin
Mœurs-Verdey
Bois du Gril d'Arcan
Forêt de la Loge à Gond
Launat
Sézanne
Le Meix-St-Epoing
Vindey
St-Remy-sous-Broyes
Linthelles
La Raccroche
Bois de Seu
Bricot-la-Ville
Prés du But
Tourraine
Le Plessis
Chichey
Gaye
Saudoy
Queudes
Marigny-le-Petit
Marigny
Courcelles
Angluzelles-et-Courcelles
Tortepée
Fresnay
Faux-Fresnay
Thaas
Terrain militaire
Salon
Chomme
La Paimbaudière
Les Essarts-le-Vicomte
L'Étoile
Forêt de la Traconne
Bois de Barbonne
Lancourt
Choisel
Barbonne-Fayel
La Forestière
Les Pinons
Nesle-la-Reposte
La Chalmelle
Bois de Béthon
Villevotte
Villeneuve-St-Vistre-et-Villevotte
Fontaine-Denis-Nuisy
Chènevières
Varsovie
La Chapelle-Lasson
Courcemain
Champfleury
Forêt de la Perthe
Bonne
Bois de la Comtesse
Bois de Montgenost
Bethon
Chantemerle
St-Quentin-le-Verger
La Celle-s/s-Chantemerle
Allemanche-Launay-et-Soyer
Saussaie
St-Saturnin
Marsangis
Vouarces
Launay
Granges-s-Aube
Dival
Villenauxe-la-Grande
Centre de détention
Montgenost
Potangis
Charmoy
Beaugis
Soyer
Baudement
Anglure
Boulages
Abbaye-sous-Plancy
Plancy-l'Abbaye
Viâpres-le-Grand
Viâpres-le-Petit
Plessis-Barbuise
Villiers-aux-Corneilles
Saron-s-Aube
Montahon
Bécheret
Les Grèves
Longueville-sur-Aube
Aube
Noxe
Soulaunoy
La Rue
La Villeneuve-au-Châtelot
Esclavolles-Lurey
Marcilly-s-Seine
St-Just-Sauvage
Bagneux
Étrelles-s-Aube
Charny-le-Bachot
Rhèges
Bessy
Barbuise
Les Vigneaux
Conflans-s-Seine
La Saulsotte
Courtavant
Périgny-la-Rose
Barbenthal
Sauvage
Frécul
Sellières
Clesles
St-Oulph
Liours
Pont-s-Seine
Crancey
Lion
Romilly-s-Seine
Maizières-la-Gde-Paroisse
Poussey
Marnay-sur-Seine
Nicolas
Nogent-s-Seine
St-Hilaire-s/s-Romilly
La Poste
Châtres
Méry-sur-Seine
Droupt-Ste-Marie
Prémierfait
Les Granges
Mesgrigny
Le Ruez
Les Banlées
Bernières
La Chapelle-Godefroy
La Crouillère
Parc de Pont
Longueperte
Gélannes
Pars-lès-Romilly
La Belle-Étoile
Droupt-St-Basle
St-Aubin
Pommereau
Quincey
Ardusson
Origny-le-Sec
Le Petit St-Georges
Vallant-St-Georges
Courlanges
Les Grandes-Chapelles
Le Paraclet (Ancne Abbe)
Malminou
St-Loup-de-Buffigny
Vaudepuits
Ferreux-Quincey
Tremblay
Corduan
St-Martin-de-Bossenay
La Fosse-Corduan
Bossenay
Orvilliers-St-Julien
Rilly-Ste-Syre
St-Mesmin
Les Ormeaux
Rozières
Ossey-les-Trois-Maisons
Fontaine-les-Grès
Chapelle-Vallon
Avant-lès-Marcilly
Fontenay-le-Pierreux
Bois de Fay
Fay-lès-Marcilly
Belle-Assise
Chauchigny
Savières
Le Vallon
Charmoy
Rigny-la-Nonneuse
La Pèze
St-Flavy
Marigny-le-Châtel
Villacerf
Mergey
Perthelaine
Avon-la-Pèze
Échemines
Payns
Montaphilant
Belleville
Charmesseaux
Trancault
Orvin
Prunay-Belleville
Camp militaire
Obélisque
Le Pavillon-Ste-Julie
La Malmaison
St-Lyé
St-Benoît
Bourdenay
Bellevillotte
St-Lupien
Villeloup
Vermoise
Barberey-aux-Moines
La Villeneuve-aux-Riches-Hommes
Marcilly-le-Hayer
Faux-Villecerf
Barberey-St-Sulpice
Mauny
Lussin
Bercenay-le-Hayer
Le Mothois
Dierrey-St-Pierre
Grange l'Évêque
TROYES
Chavaudon
Four gaulois
Bois de Cornillon
Villadin
Les Dagues
La Chapelle-St-Luc
Ste-Marie
Picardie
Vierge-Ste-Espérance
Dierrey-St-Julien
Mesnil-Vallon
Les Noës-près-Troyes
Pierre-Couverte
Chanteloup
Mesnil-St-Loup
Montgueux
Ste-Savine
Pouy-s-Vannes
Bois l'Abbesse
Macey
Courgenay
Palis
Fontvannes
La Rivière-de-Corps
La Grange-au-Rez
St-André-les-Vergers
La Charmée
La Singerie
Les Marchais
Bois de Bagneaux
Clairlieu
Planty
Torvilliers
Messon
Bucey-en-Othe
Lépine
Ferme de Vauluisant (Ancne Abbe)
Les Essarts
Rateau
Villemaur-sur-Vanne
Estissac
La Pellerie
Neuville-
Thuisy
Le Chaast
St-Germain
Chevillèle

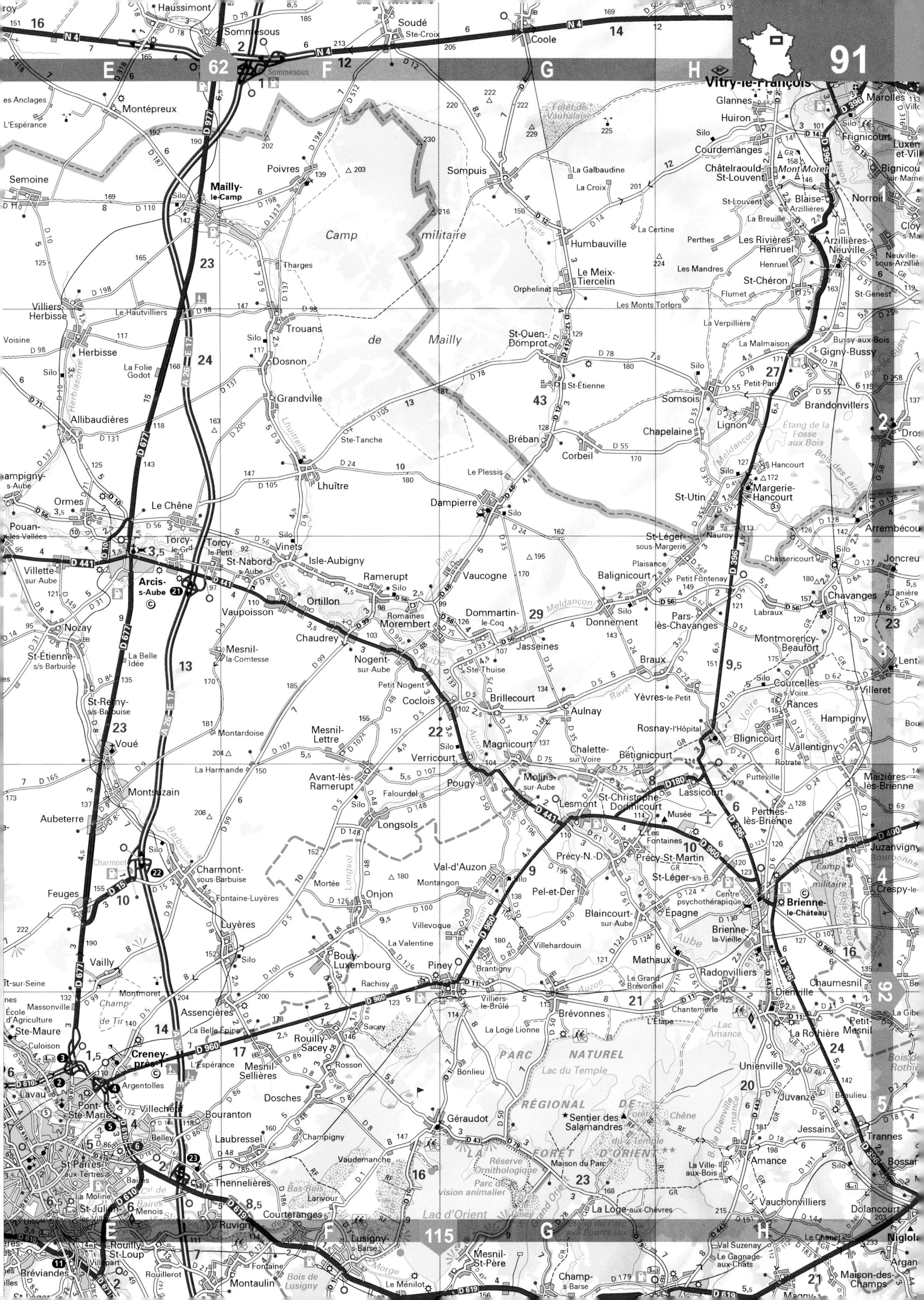

Haussimont
Sommesous
Soudé
Ste-Croix
Coole
Vitry-le-François
Glannes
Huiron
Marolles
Frignicourt
Courdemanges
Châtelraould-St-Louvent
Mont Moret
Bignicourt-sur-Marne
Blaise-s/s-Arzillières
Norrois
St-Louvent
La Breuille
Arzillières-Neuville
Les Rivières-Henruel
Henruel
St-Chéron
Flumet
St-Genest
Neuville-sous-Arzillières
es Anclages
L'Espérance
Montépreux
Semoine
Poivres
Mailly-le-Camp
Sompuis
La Galbaudine
La Croix
Forêt de Vauhalaise
Camp
militaire
de
Mailly
Tharges
Humbauville
Le Meix-Tiercelin
La Certine
Perthes
Les Mandres
Orphelinat
Les Monts Torlors
La Verpillière
La Malmaison
Bussy-aux-Bois
Gigny-Bussy
Villiers-Herbisse
Le Hautvilliers
Voisine
Herbisse
Trouans
Dosnon
La Folie Godot
St-Ouen-Domprot
St-Étienne
Somsois
Petit-Paris
Lignon
Brandonvillers
Grandville
Allibaudières
Ste-Tanche
Bréban
Corbeil
Chapelaine
Étang de la Fosse aux Bois
Lhuître
Le Plessis
Dampierre
Hancourt
Margerie-Hancourt
St-Utin
Arrembécourt
Ormes
Le Chêne
Pouan-les-Vallées
Torcy-le-Grd
Torcy-le-Petit
Vinets
Isle-Aubigny
St-Nabord-s-Aube
St-Léger-sous-Margerie
Plaisance
Chassericourt
Joncreuil
Villette-sur-Aube
Arcis-s-Aube
Ramerupt
Vaucogne
Balignicourt
Petit Fontenay
Chavanges
Vaupoisson
Ortillon
Romaines
Morembert
Dommartin-le-Coq
Donnement
Pars-lès-Chavanges
Labraux
Nozay
Chaudrey
Jasseines
Montmorency-Beaufort
Mesnil-la-Comtesse
St-Étienne-s/s-Barbuise
La Belle Idée
Nogent-sur-Aube
Ste-Thuise
Braux
Lentilles
Courcelles-s/Voire
Villeret
St-Remy-s/s-Barbuise
Petit Nogent
Coclois
Brillecourt
Aulnay
Yèvres-le-Petit
Rances
Hampigny
Voué
Montardoise
Mesnil-Lettre
Rosnay-l'Hôpital
Blignicourt
Vallentigny
Magnicourt
Chalette-sur-Voire
Bétignicourt
Rotrate
La Harmande
Verricourt
Avant-lès-Ramerupt
Pougy
Molins-sur-Aube
Putteville
Maizières-lès-Brienne
Montsuzain
Faloudel
Lesmont
St-Christophe-Dodinicourt
Lassicourt
Perthes-lès-Brienne
Aubeterre
Longsols
Musée
Les Fontaines
Juzanvigny
Charmont
Charmont-sous-Barbuise
Val-d'Auzon
Précy-N.-D.
Précy-St-Martin
St-Léger-s/s-B.
Feuges
Mortée
Montangon
Onjon
Pel-et-Der
Centre psychothérapique
Crespy-le-Neuf
Brienne-le-Château
Fontaine-Luyères
Blaincourt-sur-Aube
Épagne
Villevoque
Brienne-la-Vieille
Luyères
La Valentine
Villehardouin
Vailly
Bouy-Luxembourg
Piney
Brantigny
Mathaux
Radonvilliers
Rachisy
Le Grand Brévonnel
Montmorel
Massonville
École d'Agriculture
Champ de Tir
Assencières
Villiers-le-Brûlé
Brévonnes
Chantemerle
Dienville
Chaumesnil
Ste-Maure
La Belle Épine
Sacey
La Loge Lionne
L'Étape
Lac Amance
La Rothière
Petit-Mesnil
Culoison
Creney-près-T.
Rouilly-Sacey
PARC
NATUREL
Lac du Temple
L'Espérance
Mesnil-Sellières
Rosson
Bonlieu
Unienville
Lavau
Argentolles
Pont-Ste-Marie
Villechétif
Dosches
RÉGIONAL
DE
Sentier des Salamandres
Forêt du Temple
Chêne
Juvanzé
Beaulieu
Bouranton
Géraudot
Jessains
Trannes
Belley
Laubressel
Champigny
Amance
Bossancourt
St-Parres-aux-Tertres
Vaudemanche
LA
Réserve Ornithologique
FORÊT
Maison du Parc
D'ORIENT
La Ville-aux-Bois
Thennelières
Bas-Bois
Larivour
vision animalier
Parc de Piney
Grand Orient
La Moline
St-Julien
Menois
Baires
Courteranges
Lac d'Orient
La Loge-aux-Chèvres
Vauchonvilliers
Dolancourt
Ruvigny
Rouilly-St-Loup
Lusigny-s-Barse
Mesnil-St-Père
Champ-s-Barse
Val Suzenay
Le Gagnage-aux-Chats
Le Chanet
Nigloland
Villepart
Bréviandes
Fontaine
Rouillerot
Montaulin
Bois de Lusigny
Le Ménilot
Maison-des-Champs
Magny
Argançon
62
115
92

0 2 4 6 8 10 km
St-Dizier
Joinville
Wassy
Ancerville
Eurville-Bienville
Ste-Marie-du-Lac-Nuisement
Lac du Der-Chantecoq
Réserve Ornithologique
Presqu'île de Larzicourt
Presqu'île de Nemours
Presqu'île de Champaubert
Giffaumont-Champaubert
Montier-en-Der
(La Porte du Der)
Ceffonds
Frampas
Planrupt
Droyes
Outines
Châtillon-sur-Broué
Arrembécourt
Joncreuil
Lentilles
Villeret
Drosnay
Maizières-lès-Brienne
Juzanvigny
Épothémont
Crespy-le-Neuf
Morvilliers
Soulaines-Dhuys
Trémilly
Nully
Blumeray
Thil
Ville-sur-Terre
Fuligny
Vernonvilliers
Éclance
Lévigny
Trannes
Bossancourt
Dolancourt
Nigloland
Arsonval
Montier-en-l'Isle
Ailleville
Jaucourt
Arrentières
Colombé-le-Sec
Rouvres-les-Vignes
Voigny
Bar-sur-Aube
Engente
Saulcy
Thors
Maisons-lès-Soulaines
Fresnay
Beurville
Rizaucourt-Buchey
Cirey-sur-Blaise
Doulevant-le-Château
Sommevoire
Dommartin-le-St-Père
Courcelles-sur-Blaise
Dommartin-le-Franc
Doulevant-le-Petit
Bailly-aux-Forges
Montreuil-s-Blaise
Vaux-sur-Blaise
Rachecourt-Suzémont
Brousseval
Vallerret
Louvemont
Humbécourt
Eclaron-Braucourt-Ste-Livière
Valcourt
Moëslains
Hallignicourt
Perthes
Orconte
Vitry
Marolles
Vauclerc
Thiéblemont-Farémont
Heiltz-le-Hutier
Blesme
Trois-Fontaines-l'Abbaye
Chancenay
Bettancourt-la-Ferrée
Saudrupt
Sommelonne
Chamouilley
Roches-s-Marne
Bayard-sur-Marne
Fontaines-sur-Marne
Rachecourt-sur-Marne
Chatonrupt-Sommermont
Vecqueville
Mathons
Charmes-la-Grande
Brachay
Ambonville
Cerisières
Mirbel
Vignory
Guindrecourt-sur-Blaise
Blaise
Marbéville
Curmont
Vraincourt
Forêt du Der
du Val (Domaine privé)
Forêt de Soulaines
Bois d'Ambonville
Les Grands Ordons
A B C D
116
63
91
22 23

64
Ligny-en-Barrois
Velaines
Nançois-sur-Ornain
Tronville-en-Barrois
Tannois
Willeroncourt
Nançois-le-Grand
St-Aubin-sur-Aire
Saulx-en-Barrois
Laneuville-au-Rupt
Ménil-la-Horgne
Void-Vacon
Ourches-sur-Meuse
Nant-le-Grand
Maulan
Givrauval
Morlaincourt
(Chanteraine)
Chennevières
Vaux-la-Grande
Vaux-la-Petite
Méligny-le-Grand
Méligny-le-Petit
Naives-en-Blois
Vacon
St-Germain-sur-Meuse
Nant-le-Petit
Menaucourt
Longeaux
Boviolles
Marson-s-Barboure
Broussey-en-Blois
Bovée-sur-Barboure
Sauvoy
Naix-aux-Forges
Nantois
Reffroy
Fouchères-aux-Bois
St-Amand-sur-Ornain
Villeroy-s-Méholle
Vaucouleurs
Tréveray
Villers-le-Sec
Ménil-sur-Saulx
Le Bouchon-sur-Saulx
Hévilliers
St-Joire
Mauvages
Montigny-lès-Vaucouleurs
Juvigny-en-Perthois
Dammarie-sur-Saulx
Couvertpuis
Demange-aux-Eaux
Neuville-lès-Vaucouleurs
Brauvilliers
Morley
Baudignécourt
Delouze-Rosières
Rosières-en-Blois
Badonvilliers-Gérauvilliers
Burey-en-Vaux
Sepvigny
Biencourt-sur-Orge
Houdelaincourt
Épiez-sur-Meuse
Champougny
Ribeaucourt
Maxey-sur-Vaise
Taillancourt
Montiers-sur-Saulx
Abainville
Gondrecourt-le-Château
Bonnet
Amanty
Dommartin-St-Antoine
Paroy-s-Saulx
Bure
Burey-la-Côte
Osne-le-Val
Effincourt
Saudron
Mandres-en-Barrois
Tourailles-sous-Bois
Horville-en-Ornois
Vouthon-Bas
Vouthon-Haut
Goussaincourt
Pansey
Gillaumé
Lumeville-en-Ornois
Bertheléville
Les Roises
Greux
Domrémy-la-Pucelle
Montreuil-s-Thonnance
Echenay
Cirfontaines-en-Ornois
Chassey-Beaupré
Vaudeville-le-Haut
Thonnance-lès-Joinville
Suzannecourt
Aingoulaincourt
Soulaincourt
Harméville
Dainville
Seraumont
Basilique du Bois-Chenu
Poissons
Sailly
Noncourt-s-le-Rongeant
Bressoncourt
Lezéville
Avranville
Chermisey
Coussey
Thonnance-les-Moulins
Laneuville-au-Bois
Germay
Sionne
Frebécourt
Brouthières
Germisay
Grand
Mosaïque
Midrevaux
Bourlémont
St-Urbain-Maconcourt
Annonville
Épizon
Pargny-sous-Mureau
Mont-lès-Neufchâteau
Vaux-s-St-Urbain
Morionvilliers
La Violette
Brechainville
Trampot
Chambroncourt
Domremy-Landéville
Augeville
Villouxel
Donjeux
Rouvroy-s-Marne
Pautaines-Augeville
St-Thiébault
Aillianville
Fréville
Leurville
Liffol-le-Grand
Villiers-sur-Marne
Champaumont
Doulaincourt-Saucourt
Busson
Roches-Bettaincourt
Liffol-le-Petit
Bazoilles-sur-Meuse
Lafauche
Orquevaux
Froncles
Buxières
Roches-sur-Rognon
Reynel
Vesaignes-s/s-Lafauche
Prez-sous-Lafauche
Montot-sur-Rognon
Humberville
St-Blin
N. D. du Pilier de Saragosse
Vouécourt
Signéville
Vignes-la-Côte
Manois
Semilly
Harréville-les-Chanteurs
Montéclair
Rimaucourt
Goncourt
Chalvraines
Sommerécourt
Viéville
Andelot-Blancheville
Rochefort
La Guinguette
Illoud
Vaudrecourt
117
94

0 2 4 6 8 10 km
65
93
118
NANCY
TOUL
Neufchâteau
Mirecourt
VITTEL
Vézelise
Neuves-Maisons
Pont-St-Vincent
Vandœuvre-lès-N.
Laxou
Villers-lès-N.
Jarville-la-Malgrange
Ludres
Chaligny
Maron
Villey-le-Sec
Chaudeney-sur-Moselle
Dommartin-lès-Toul
Domgermain
Blénod-lès-Toul
Colombey-les-Belles
Allain
Crépey
Thuilley-aux-Groseilles
Xeuilley
Pierreville
Sion
Vaudémont
Signal de Vaudémont
Haroué
Tantonville
Thorey-Lyautey
Favières
Saulxerotte
Harmonville
Autreville
Martigny-les-Gerbonvaux
Châtenois
Houécourt
La Neuveville-sous-Châtenois
Rouvres-en-Xaintois
Dombasle-en-Xaintois
Bulgnéville
Gendreville
Vaudoncourt
Morville
Aulnois
Landaville
Rollainville
Frebécourt
Coussey
Maxey-sur-Meuse
Ruppes
Punerot
Vannes-le-Châtel
Allamps
Uruffe
Gibeaumeix
Choloy-Ménillot
Ourches-sur-Meuse
Rigny-la-Salle
Ugny-sur-Meuse
Champougny
Sepvigny
Pagny-la-Blanche-Côte
Saulxures-lès-Vannes
Montbras
Burey-la-Côte
Clérey-la-Côte
Brixey-aux-Chanoines
Jubainville
Tranqueville-Graux
Gémonville
Aroffe
Soncourt
Attignéville
Barville
Houéville
Removille
Rainville
Dommartin-sur-Vraine
St-Paul
Balléville
Vouxey
Courcelles-s/s-Châtenois
Viocourt
Gironcourt-s-Vraine
St-Menge
Gemmelaincourt
Remicourt
Thiraucourt
Ambacourt
Poussay
Mattaincourt
Hymont
Valleroy-aux-Saules
Maroncourt
Domjulien
Parey-sous-Montfort
Remoncourt
Mandres-sur-Vair
Norroy
Sandaucourt
Dombrot-sur-Vair
Belmont-sur-Vair
Auzainvilliers
Hagnéville-et-Roncourt
Jainvillotte
Beaufremont
Ollainville
Darney-aux-Chênes
Circourt-sur-Mouzon
Tilleux
Rebeuville
Certilleux
Rouvres-la-Chétive
Villars
Sartes
Médonville
Malaincourt
Outremécourt
La Motte
Haréville
Valfroicourt
Bainville-aux-Saules
Begnécourt
Rancourt
Madecourt
Rozerotte
Domèvre-sous-Montfort
Girovillers-sous-Montfort
Estrennes
Offroicourt
Viviers-lès-Offroicourt
Bazoilles-et-Ménil
Juvaincourt
Puzieux
Frenelle-la-Petite
Frenelle-la-Grande
Chef-Haut
Blémerey
Courcelles
Aboncourt
Repel
Biécourt
Totainville
Oëlleville
Ménil-en-Xaintois
St-Prancher
Maconcourt
Beuvezin
Pleuvezain
Vicherey
Aouze
Tramont-Lassus
Tramont-Émy
Tramont-St-André
Fécocourt
Grimonviller
Pulney
Gugney
Fraisnes-en-Saintois
Bouzanville
Boulaincourt
Forcelles-s/s-Gugney
Houssévillle
Diarville
Praye
Xirocourt
St-Firmin
Jevoncourt
Battexey
Xaronval
Vomécourt-sur-Madon
Pont-sur-Madon
Bettoncourt
Chauffecourt
Mazirot
Ramecourt
Domvallier
Baudricourt
Vroville
Velotte-et-Tatignécourt
Racécourt
Hagécourt
Dompaire
Ahéville
Villers
Savigny
Vaudeville
Affracourt
Vaudigny
Ormes-et-Ville
Crantenoy
Lemainville
Voinémont
Ceintrey
Benney
Pulligny
Autrey
Clérey-sur-Brenon
Houdreville
Hammeville
Omelmont
Gerbécourt-et-Haplemont
Quevilloncourt
Forcelles-St-Gorgon
Vroncourt
Étreval
Ognéville
Vitrey
Goviller
Dolcourt
Selaincourt
Gélaucourt
Laloeuf
Battigny
Vandeléville
Dommarie-Eulmont
Saxon-Sion
Chaouilley
They-s/s-Vaudemont
Germiny
Thélod
Parey-St-Césaire
Houdelmont
Marthemont
Frolois
Flavigny-s-Moselle
Méréville
Bainville-sur-Madon
Maizières
Viterne
Messein
Richardménil
Fléville-devant-N.
Heillecourt
Houdemont
Chavigny
Sexey-aux-Forges
Pierre-la-Treiche
Bicqueley
Gye
Moutrot
Ochey
Crézilles
Bulligny
Bagneux
Barisey-la-Côte
Barisey-au-Plain
Mont-l'Étroit
Sauvigny
Taillancourt
Fontenoy-s-Moselle
Gondreville
Velaine-en-Haye
Bruley
Pagney-derrière-Barine
Lucey
Grandmesnil
St-Rémy
Charmes-la-Côte
Mont-le-Vignoble
Rigny-St-Martin
Forêt de Meine
Forêt de Neufeys
Bois de Grammont
Terrain militaire
Champ de Tir
Bois de Colombey
Lorraine-Sandaucourt

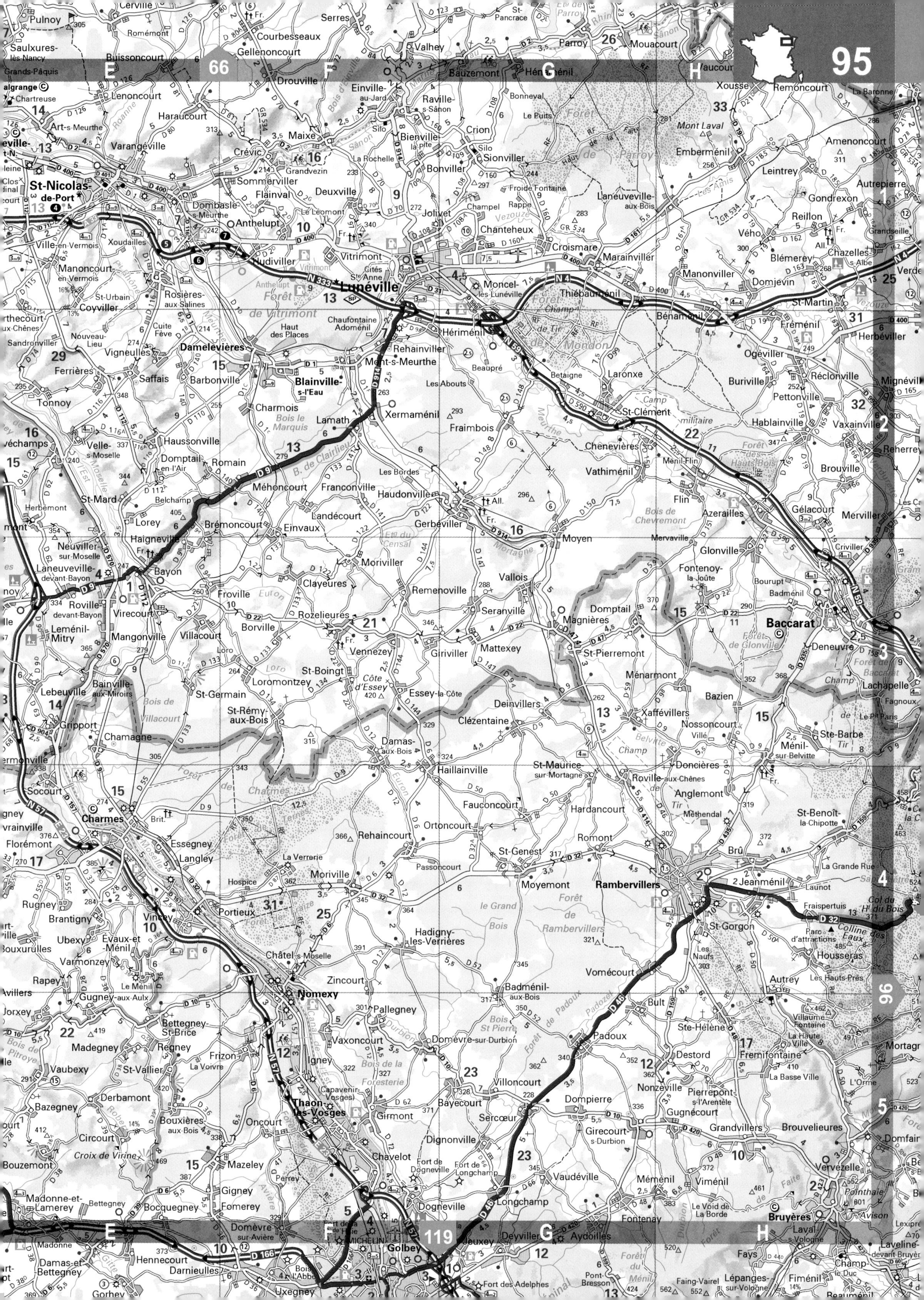
66
E
F
G
H
St-Nicolas-de-Port
Lunéville
Dombasle-s-Meurthe
Blainville-s-l'Eau
Baccarat
Rambervillers
Charmes
Nomexy
Thaon-les-Vosges
Golbey
Bruyères
Gerbéviller
Bayon
Damelevières
Jolivet
Chanteheux
Moncel-lès-Lunéville
Hériménil
Mont-s-Meurthe
Rehainviller
Xermaménil
Lamath
Haudonville
Moyen
Vallois
Magnières
Ménil-Flin
Azerailles
St-Clément
Bénaménil
Thiébauménil
Marainviller
Croismare
Manonviller
Domjevin
Vitrimont
Hudiviller
Rosières-aux-Salines
Varangéville
Einville-au-Jard
Sionviller
Bauzemont
Parroy
Mouacourt
Xousse
Remoncourt
Emberménil
Leintrey
Amenoncourt
Autrepierre
Gondrexon
Reillon
Blémerey
Chazelles-s-Albe
St-Martin
Herbéviller
Fréménil
Ogéviller
Buriville
Réclonville
Pettonville
Hablainville
Vaxainville
Reherrey
Brouville
Gélacourt
Merviller
Glonville
Fontenoy-la-Joûte
Deneuvre
Lachapelle
Bazien
Ménarmont
Xaffévillers
Nossoncourt
Ste-Barbe
Ménil-sur-Belvitte
Doncières
Roville-aux-Chênes
Anglemont
St-Benoît-la-Chipotte
Brû
Jeanménil
St-Gorgon
Housseras
Autrey
Vomécourt
Padoux
Bult
Ste-Hélène
Destord
Fremifontaine
Nonzeville
Pierrepont-s-l'Arentèle
Gugnécourt
Grandvillers
Brouvelieures
Domfaing
Vervezelle
Ménémil
Viménil
Fontenay
Aydoilles
Deyvillers
Jeuxey
Longchamp
Vaudéville
Dignonville
Dompierre
Girecourt-s-Durbion
Sercœur
Villoncourt
Bayecourt
Domèvre-sur-Durbion
Badménil-aux-Bois
Moyemont
St-Genest
Romont
Hardancourt
Fauconcourt
Ortoncourt
Rehaincourt
Hadigny-les-Verrières
Zincourt
Pallegney
Vaxoncourt
Igney
Girmont
Oncourt
Chavelot
Dogneville
Domèvre-sur-Avière
Darnieulles
Uxegney
Hennecourt
Gigney
Fomerey
Bocquegney
Madonne-et-Lamerey
Mazeley
Bouxières-aux-Bois
Circourt
Bazegney
Derbamont
Vaubexy
St-Vallier
Regney
Bettegney-St-Brice
Madegney
Frizon
Gugney-aux-Aulx
Varmonzey
Évaux-et-Ménil
Ubexy
Brantigny
Rugney
Vincey
Portieux
Châtel-s-Moselle
Moriville
Essegney
Langley
Socourt
Florémont
Chamagne
Gripport
Lebeuville
Bainville-aux-Miroirs
Loromontzey
St-Germain
St-Rémy-aux-Bois
Damas-aux-Bois
Haillainville
Clézentaine
Deinvillers
St-Maurice-sur-Mortagne
St-Pierremont
Essey-la-Côte
St-Boingt
Vennezey
Giriviller
Mattexey
Seranville
Rozelieures
Borville
Remenoville
Clayeures
Moriviller
Einvaux
Froville
Villacourt
Virecourt
Mangonville
Roville-devant-Bayon
Laneuveville-devant-Bayon
Haigneville
Brémoncourt
Méhoncourt
Romain
Franconville
Landécourt
Domptail-en-l'Air
Haussonville
Velle-s-Moselle
Saffais
Vigneulles
Barbonville
Charmois
Ferrières
Tonnoy
St-Mard
Lorey
Neuviller-sur-Moselle
Leménil-Mitry
Coyviller
Manoncourt-en-Vermois
Ville-en-Vermois
Lenoncourt
Art-s-Meurthe
Haraucourt
Buissoncourt
Saulxures-lès-Nancy
Pulnoy
Courbesseaux
Gellenoncourt
Drouville
Serres
Valhey
Crévic
Maixe
Sommerviller
Flainval
Deuxville
Anthelupt
Bonviller
Crion
Raville-s-Sânon
Bienville-la-Petite
Forêt de Parroy
Forêt de Vitrimont
Forêt de Charmes
Forêt de Rambervillers
Camp militaire
Meurthe
Mortagne
Moselle
96
119

0 2 4 6 8 10 km
67
95
120
A
B
C
D
1
2
3
4
5
Landange
Nitting
Lorquin
St-Georges
Troisfontaines
Harreberg
Dabo
Rocher de Dabo
Walscheid
Voyer
Ibigny
Avricourt
Igney
Richeval
Foulcrey
Fraquelfing
Hattigny
Niderhoff
Métairies-St-Quirin
Abreschviller
Vasperviller
St-Quirin
Wangenbourg-Engenthal
Gogney
Repaix
Autrepierre
Tanconville
Frémonville
Bertrambois
Cirey-s-Vezouze
Lafrimbolle
Blâmont
Verdenal
Barbas
Harbouey
Val-et-Châtillon
Turquestein-Blancrupt
Domèvre-s-Vezouze
Herbéviller
Halloville
Nonhigny
Parux
Petitmont
Montreux
Bréménil
St-Sauveur
Ancerviller
Mignéville
Neuviller-lès-Badonviller
Montigny
Angomont
Badonviller
St-Maurice-aux-Forges
Reherrey
Ste-Pôle
Fenneviller
Pexonne
Bionville
Vexaincourt
Allarmont
Raon-lès-Leau
Raon-sur-Plaine
Luvigny
Grandfontaine
Donon
Col du Donon
Mémorial d'Alsace Moselle
Schirmeck
Barembach
Signal de Grendelbruch
La Broque
Rothau
Le Struthof
Vacqueville
Merviller
Pierre-Percée
Col de la Chapelotte
Veney
Neufmaisons
Celles-s-Plaine
Moussey
Bertrichamps
Thiaville-s-Meurthe
Raon-l'Étape
Lachapelle
Senones
Vieux-Moulin
Le Saulcy
Belval
La Petite-Raon
Le Puid
Le Vermont
St-Stail
Saulxures
Plaine
Blancherupt
St-Blaise-la-Roche
Colroy-la-Roche
Ranrupt
Fouday
Waldersbach
Belmont
Champ du Feu
Bellefosse
Natzwiller
Wildersbach
Neuviller-la-Roche
Étival-Clairefontaine
Moyenmoutier
Ménil-de-Senones
Grandrupt
Châtas
Saales
Col de Saales
La Grande Fosse
Bourg-Bruche
Le Climont
Steige
Maisonsgoutte
St-Martin
Bassemberg
Lalaye
Fouchy
Urbeis
Col d'Urbeis
St-Remy
Hurbache
Denipaire
La Voivre
St-Jean-d'Ormont
La Petite-Fosse
Lubine
Provenchères-et-Colroy
Lusse
Le Beulay
La Salle
St-Michel-sur-Meurthe
La Bourgonce
St-Dié-des-Vosges
Nayemont-les-Fosses
Frapelle
Neuvillers-s-Fave
Pair-et-Grandrupt
Combrimont
Bertrimoutier
Wisembach
Ste-Marie-aux-Mines
Ste-Croix-aux-Mines
Lièpvre
Rombach-le-Franc
Mortagne
Les Rouges-Eaux
Ste-Marguerite
Remomeix
Raves
Coinches
Taintrux
Saulcy-s-Meurthe
Ban-de-Laveline
Gemaingoutte
Col de Ste-Marie
Domfaing
Belmont-s-Buttant
Biffontaine
Entre-deux-Eaux
Mandray
La Croix-aux-Mines
St-Léonard
Col de Mandray
Le Brézouard
Aubure
Les Poulières
Anould
Le Bonhomme
Col du Bonhomme
Fréland
Corcieux
Plainfaing
Ban-sur-Meurthe-Clefcy

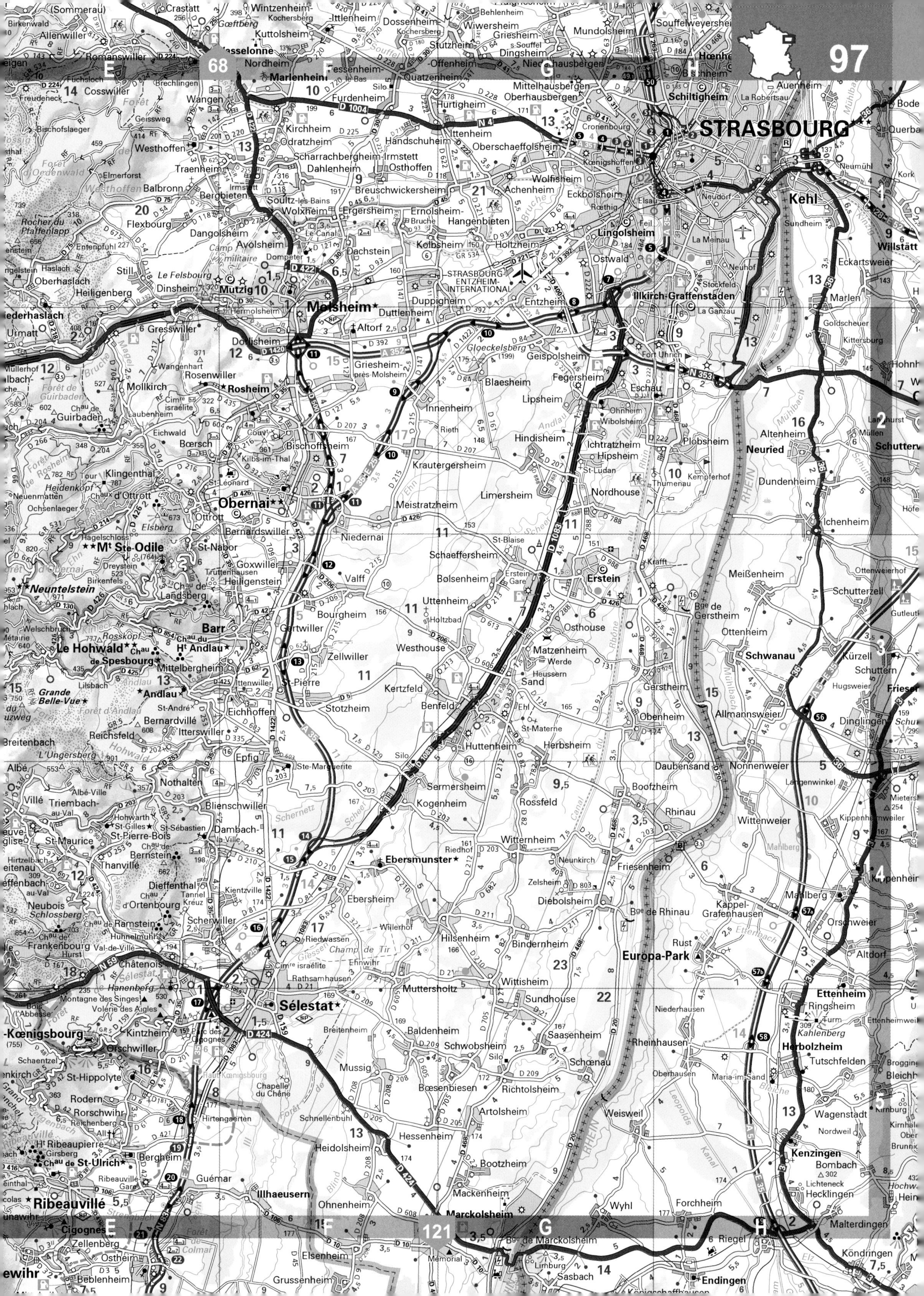
STRASBOURG
Schiltigheim
Hœnheim
Bischheim
Kehl
Willstätt
Lingolsheim
Illkirch-Graffenstaden
Ostwald
STRASBOURG ENTZHEIM INTERNATIONAL
Entzheim
Geispolsheim
Fegersheim
Eschau
Plobsheim
Molsheim
Mutzig
Dinsheim
Rosheim
Obernai
Mt Ste-Odile
Barr
Le Hohwald
Andlau
Erstein
Benfeld
Sélestat
Marckolsheim
Ribeauvillé
Bergheim
Guémar
Illhaeusern
Ebersmunster
Europa-Park
Rust
Ettenheim
Herbolzheim
Kenzingen
Endingen
Riegel
Neuried
Schwanau
Kappel-Grafenhausen
Wasselonne
Marlenheim
Soultz-les-Bains
Dachstein
Duttlenheim
Dorlisheim
Bischoffsheim
Niedernai
Meistratzheim
Krautergersheim
Blaesheim
Hindisheim
Nordhouse
Gerstheim
Rhinau
Boofzheim
Diebolsheim
Friesenheim
Sundhouse
Wittisheim
Muttersholtz
Châtenois
Kintzheim
-Kœnigsbourg
Orschwiller
St-Hippolyte
Rorschwihr
Ht Ribeaupierre
Chau de St-Ulrich
Cigognes
Zellenberg
Ostheim
Beblenheim
Elsenheim
Grussenheim
Memorial
Bde de Marckolsheim
Sasbach
Limburg
Wyhl
Weisweil
Forchheim
Malterdingen
Köndringen
Mahlberg
Lahr
Altdorf
Wagenstadt
Bombach
Hecklingen
RHEIN
A 35
A 5
E 25
E 35
N 4
N 353
D 1004
D 1083
D 424
68
121
E
F
G
H

D'IROISE
0 2 4 6 8 10 km
A
B
C
D
1
2
3
4
5
Plage de la Pa
Cap de la Ch
Pointe de Brézellec
Pte de Penharn
Réserve du Cap Sizun
Pointe Lugué
Ar Men
PARC NATUREL RÉGIONAL D'ARMORIQUE
Chaussée de Sein
Île-de-Sein
Raz de Sein
Pont des Chats
Tévennec
Pointe du Van
Pointe de Castelmeur
St-They
Baie des Trépassés
la Vieille
Sémaphore
Pointe du Raz
Lescoff
Port de Bestrée
Pointe de Feunteunod
Kermeur
Mescran
Cléden-Cap-Sizun
Goulien
Moulin de Kerharo
Lannourec
Lesven
Quillivic
Lescleden
Plogoff
St-Tremeur
Quatre-Vents
Trevenouen
Pendreff
Landrer
Lézurec
Keraudier
Penneac'h
Primelin
Esquibien
St-Tugen
Audierne
Custren
Ste-Evette
Anse du Loch
Pointe de Lervily
BAIE
D'AUDI

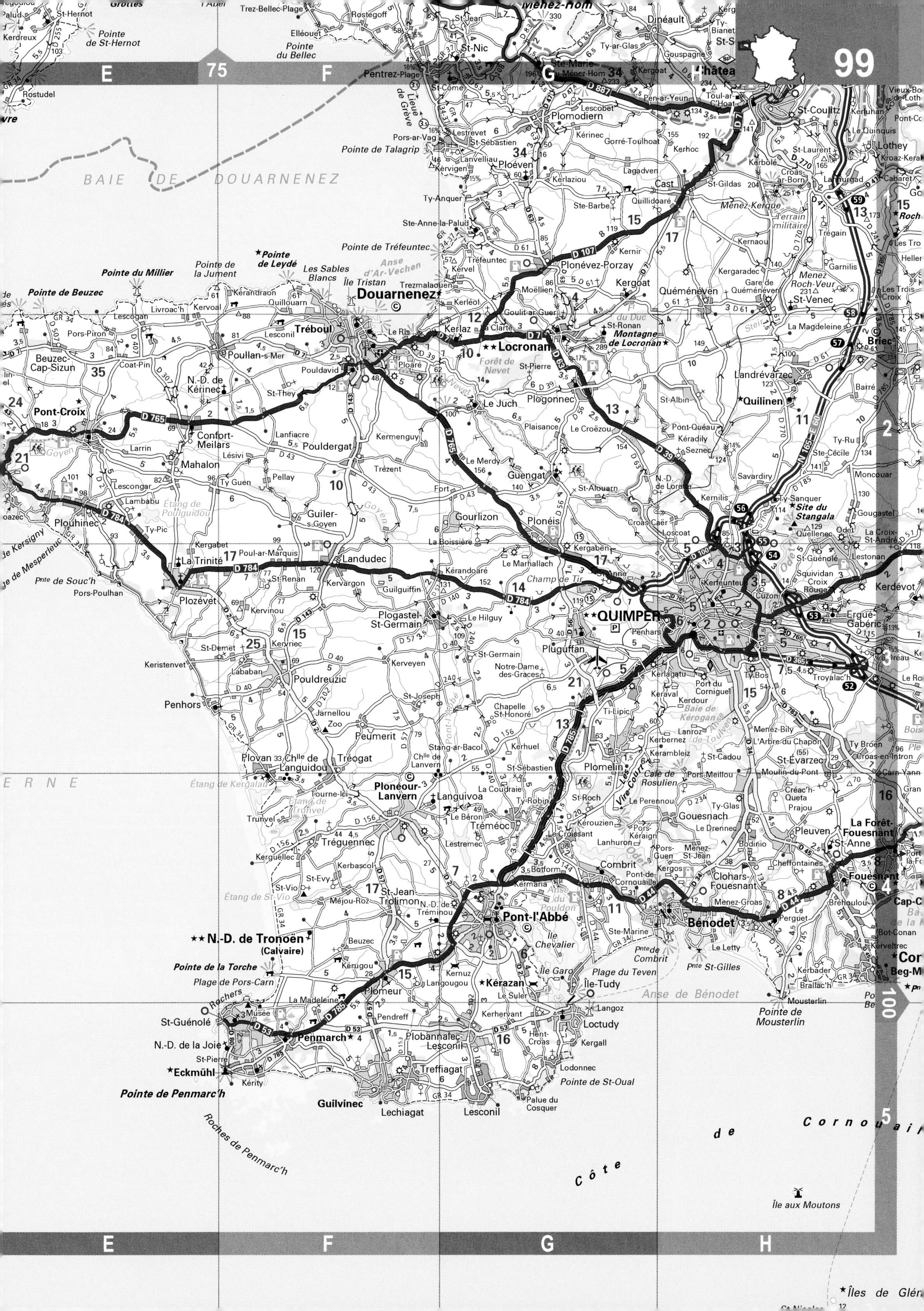
E
75
F
G
H
St-Hernot
Pointe de St-Hernot
Kerdreux
Rostudel
Trez-Bellec-Plage
Rostegoff
Elléouet
Pointe du Bellec
Ménez-Hom
St-Jean
St-Nic
Dinéault
Ty-ar-Glas
Gouspagne
Ste-Marie-du-Ménez-Hom
Pentrez-Plage
St-Côme
Lieue de Grève
Châtea
Pen-ar-Yeun
Toul-ar-C'Hoat
St-Coulitz
Lescobet
Plomodiern
Kérinec
Gorré-Toulhoat
Kerhoc
Lestrevet
St-Sébastien
Pors-ar-Vag
Pointe de Talagrip
Lanvelliau
Kervigen
Ploéven
Kerlaziou
Lagadven
Cast
St-Gildas
St-Laurent
Kerbolé
Croas-ar-Born
Lothey
Cabaret
BAIE DE DOUARNENEZ
Ty-Anquer
Ste-Barbe
Quillidoaré
Ménez-Kerque
Terrain militaire
Trégain
Ste-Anne-la-Palud
Kernaou
Pointe de Tréfeuntec
Tréfeuntec
Kervel
Kernir
Plonévez-Porzay
Kergaradec
Garnilis
Pointe de Leydé
Pointe de la Jument
Pointe du Millier
Les Sables Blancs
Anse d'Ar-Vechen
Île Tristan
Trezmalaouen
Moëllien
Kergoat
Gare de Quéménéven
Quéménéven
Menez Roch-Veur
St-Venec
Les Trois Croix
Pointe de Beuzec
Kérandraon
Quillouarn
Douarnenez
Kerléol
Livroac'h
Kervoal
Lescogan
Goulit-ar-Guer
St-Ronan
La Clarté
Kerlaz
Tréboul
Le Ris
Lesconil
Pors-Piron
Montagne de Locronan
Locronan
La Magdeleine
Briec
Beuzec-Cap-Sizun
Coat-Pin
Poullan-s-Mer
Pouldavid
Ploaré
Forêt de Nevet
St-Pierre
Landrévarzec
N.-D. de Kérinec
St-They
Le Juch
Plogonnec
St-Albin
Quilinen
Pont-Croix
Confort-Meilars
Lanfiacre
Pouldergat
Kermenguy
Plaisance
Le Croëzou
Pont-Quéau
Kéradily
Seznec
Ty-Ru
Goyen
Larrin
Lésivi
Mahalon
Pellay
Trézent
Le Merdy
Guengat
Ste-Cécile
Moncouar
Lescongar
Ty Guen
St-Alouarn
Savardiry
N.-D. de Lorette
Lambabu
Étang de Poulguidou
Guiler-s-Goyen
Fort
Ty-Sanquer
Site du Stangala
Gougastel
Plouhinec
Ty-Pic
Gourlizon
Plonéis
Croas-Caër
Kernilis
Quellenec
Odet
La Croix-St-André
Kergabet
La Trinité
Poul-ar-Marquis
Landudec
La Boissière
Kergaben
Loscoat
St-Guénolé
Lestonan
Pte de Souc'h
Pors-Poulhan
St-Renan
Kervargon
Guilguiffin
Kérandoaré
Le Marhallach
Champ de Tir
Ste-Anne
Kerfeunteun
Squividan
Croix Rouge
Kerdévot
Plozévet
Kervinou
Plogastel-St-Germain
Le Hilguy
QUIMPER
Cuzon
Penhars
Ergué-Gabéric
St-Demet
Kervriec
St-Germain
Pluguffan
Keristenvet
Lababan
Pouldreuzic
Kerveyen
Notre-Dame-des-Grâces
Kerlagatu
Port du Corniguel
Ty Bos
Troyalac'h
Penhors
St-Joseph
Chapelle St-Honoré
Keraval
Kerdour
Baie de Kérogan
Ti-Lipic
Jarnellou
Zoo
Peumerit
Lanroz
Anse de Toulven
Menez-Bily
L'Arbre du Chapon
Ty Broën
Croas-en-Intron
Stang-ar-Bacol
Kerhuel
Kerbernez
Kerambleiz
St-Cadou
St-Évarzec
Plovan
Chlle de Languidou
Tréogat
Chlle de Lanvern
St-Sébastien
Plomelin
Moulin-du-Pont
Étang de Kergalan
Plonéour-Lanvern
Languivoa
La Coudraie
Anse de Rosulien
Pors-Meillou
Créac'h-Queta
Prajou
Tourne-Ici
Étang de Trunvel
Trunvel
Ty-Robin
St-Roch
Le Perennou
Ty-Glas
Le Béron
Tréméoc
Kérouzien
Gouesnach
Le Drennec
La Forêt-Fouesnant
Tréguennec
Lestremec
Le Croissant
Pors-Kéraign
Lanhuron
Bodinio
Pleuven
St-Anne
Kerguellec
Kerbascol
Menez-St-Jean
Pors-Guen
Chefffontaines
St-Evy
Combrit
Pont-de-Cornouaille
Kergos
Clohars-Fouesnant
Fouesnant
St-Vio
Étang de St-Vio
St-Jean-Trolimon
N.-D. de Tréminou
Kermaria
Anse du Pouldon
Menez-Groas
Le Perguet
Bréhoulou
Méjou-Roz
Pont-l'Abbé
Bénodet
N.-D. de Tronoën (Calvaire)
Beuzec
Île Chevalier
Ste-Marine
Pte de Combrit
Le Letty
Bot-Conan
Kerveltrec
Pointe de la Torche
Plage de Pors-Carn
Kérugou
Plomeur
Kernuz
Langougou
Kérazan
Île Garo
Plage du Teven
Île-Tudy
Pte St-Gilles
Kerbader
Brallac'h
Beg-M
Rochers
Musée
La Madeleine
Le Suler
Anse de Bénodet
Langoz
Mousterlin
Pointe de Mousterlin
St-Guénolé
Penmarch
Pendreff
Kerhervant
Loctudy
N.-D. de la Joie
Plobannalec-Lesconil
Hent-Croas
Kergall
St-Pierre
Eckmühl
Kérity
Treffiagat
Lodonnec
Pointe de St-Oual
Pointe de Penmarc'h
Guilvinec
Lechiagat
Lesconil
Palue du Cosquer
Roches de Penmarc'h
Côte de Cornouaille
Île aux Moutons
Îles de Glénan
100

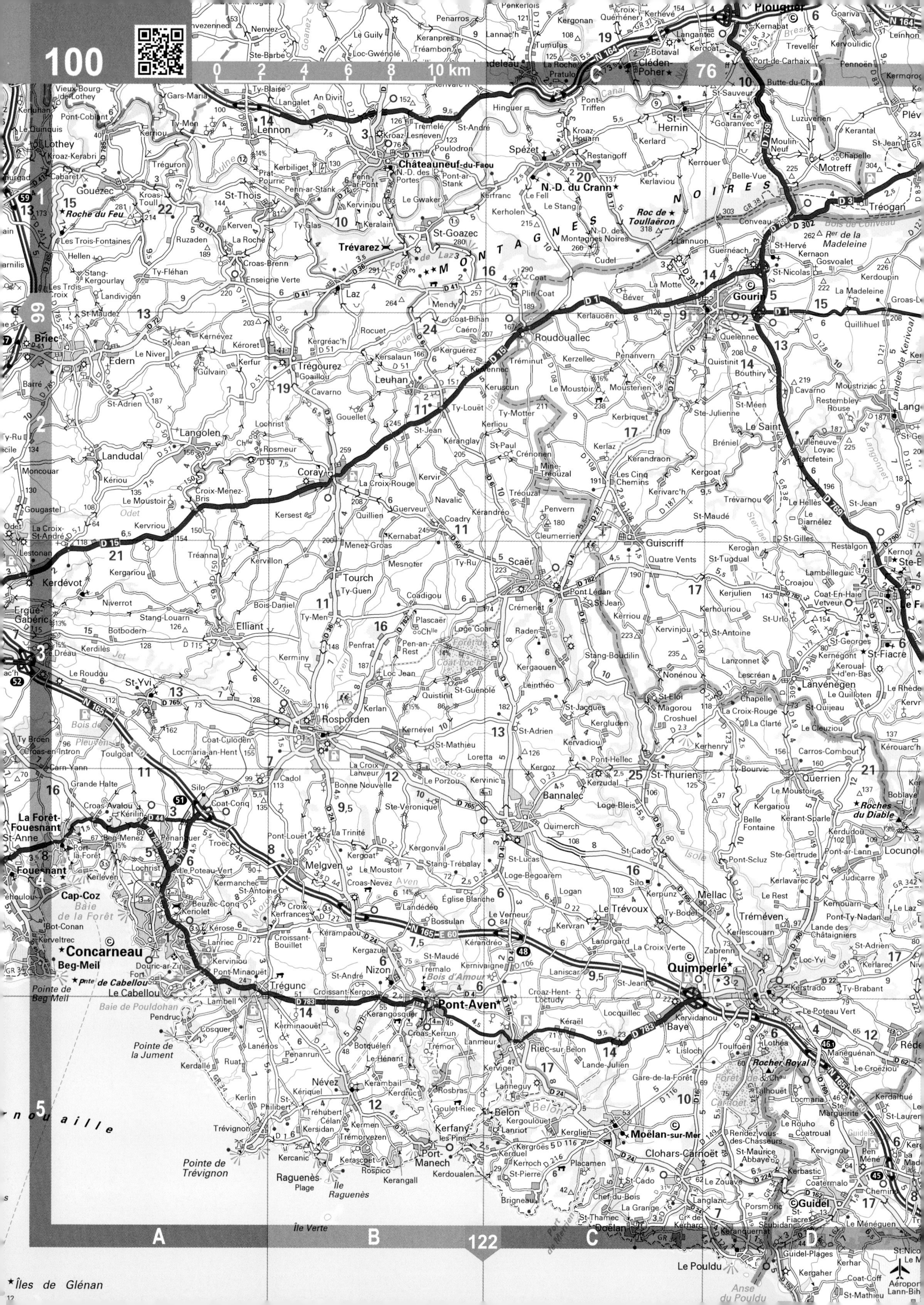
0 2 4 6 8 10 km
76
99
122
A
B
C
D
1
2
3
4
5
Plouguer
Cléden-Poher
Lennon
Châteauneuf-du-Faou
Spézet
N.-D. du Crann
Roc de Toullaëron
MONTAGNES NOIRES
Trévarez
St-Goazec
Laz
Gourin
Roudouallec
Briec
Edern
Trégourez
Leuhan
Langolen
Landudal
Coray
Guiscriff
Scaër
Elliant
Tourch
Ergué-Gabéric
Kerdévot
Rosporden
St-Yvi
Bannalec
St-Thurien
Querrien
Melgven
La Forêt-Fouesnant
Fouesnant
Cap-Coz
Baie de la Forêt
Concarneau
Beg-Meil
Pointe de Beg Meil
Pte de Cabellou
Le Cabellou
Trégunc
Nizon
Pont-Aven
Riec-sur-Belon
Quimperlé
Mellac
Le Trévoux
Tréméven
Baye
Névez
Kerfany-les-Pins
Port-Manech
Belon
Moëlan-sur-Mer
Clohars-Carnoët
Doëlan
Le Pouldu
Guidel
Guidel-Plages
Rocher Royal
Forêt de Carnoët
Roches du Diable
Locunolé
Le Faouët
Lanvénégen
St-Fiacre
Motreff
Tréogan
Le Saint
Pointe de la Jument
Pointe de Trévignon
Trévignon
Raguenès-Plage
Île Raguenès
Île Verte
Anse du Pouldu
Aéroport Lann-Bihoué
Cornouaille
Îles de Glénan
N 164
N 165
E 60
D 1
D 15
D 769
D 765
D 783

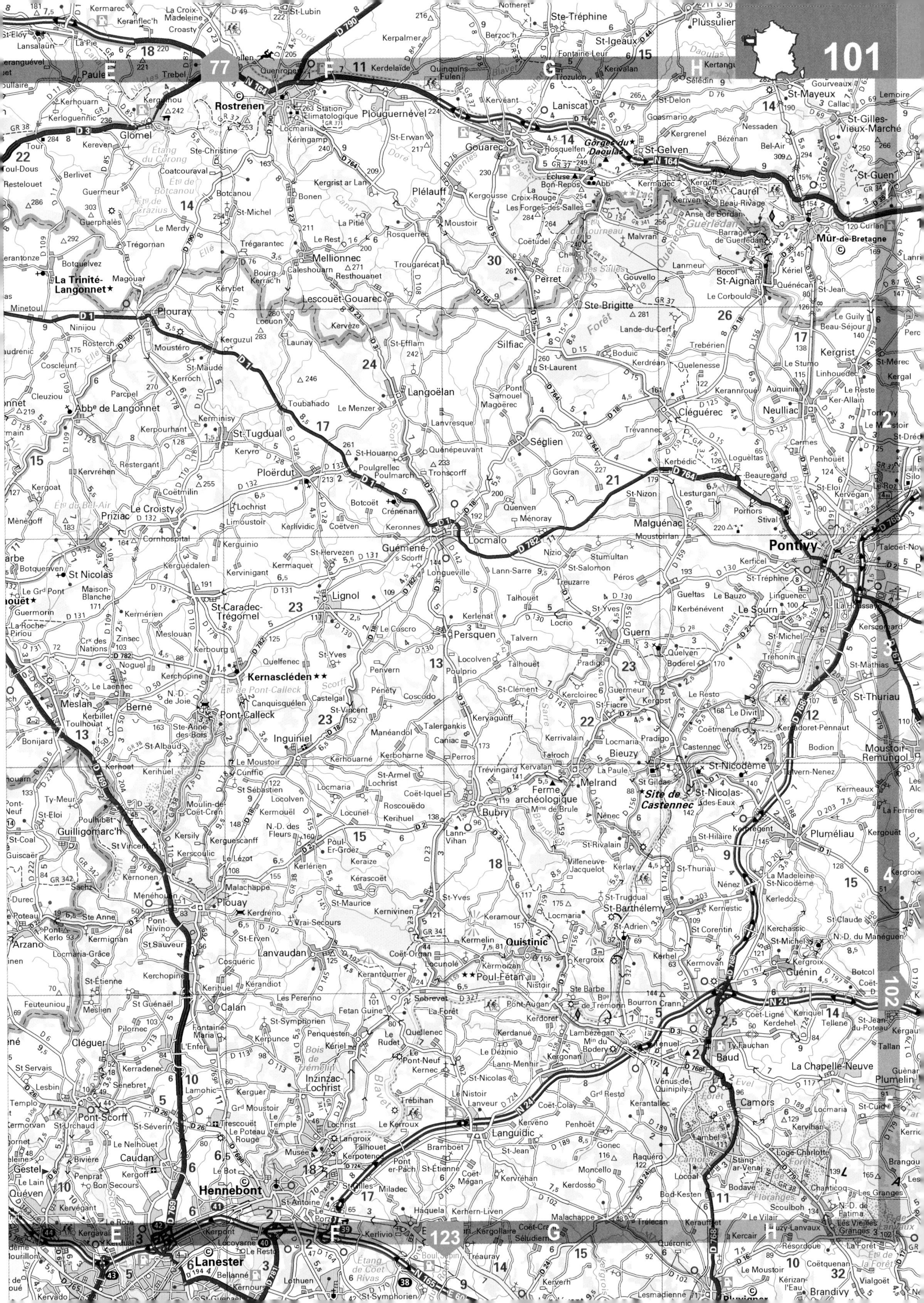
Rostrenen
Plouguernével
Glomel
Gouarec
Laniscat
Plélauff
Mellionnec
Lescouët-Gouarec
Perret
Ste-Brigitte
Silfiac
St-Aignan
Mûr-de-Bretagne
St-Mayeux
St-Gilles-Vieux-Marché
Caurel
St-Gelven
Gorges du Daoulas
Plouray
Langoëlan
Cléguérec
Séglien
St-Tugdual
Ploërdut
La Trinité-Langonnet
Abbe de Langonnet
Le Croisty
Priziac
Locmalo
Guémené-s-Scorff
Malguénac
Pontivy
Neulliac
Kergrist
Lignol
Persquen
St-Caradec-Trégomel
Kernascléden
Guern
Meslan
Berné
Pont-Calleck
Inguiniel
Bubry
Melrand
Bieuzy
St-Nicodème
St-Nicolas-des-Eaux
Site de Castennec
Ferme archéologique
Pluméliau
Moustoir-Remungol
St-Thuriau
Plouay
Quistinic
Poul-Fétan
Lanvaudan
Calan
Inzinzac-Lochrist
Languidic
Baud
Guénin
Camors
Pont-Scorff
Caudan
Hennebont
Lanester
Cléguer
Arzano
Guilligomarc'h
Gestel
Quéven
La Chapelle-Neuve
Plumelin
St-Jean-Brévelay
N 164
N 24
D 768
D 769
D 782
D 1
GR 37
GR 341
Lac de Guerlédan
Forêt de Quénécan
Étang du Corong
Canal de Nantes à Brest
Blavet
Scorff
Evel
77
123
102
E
F
G
H

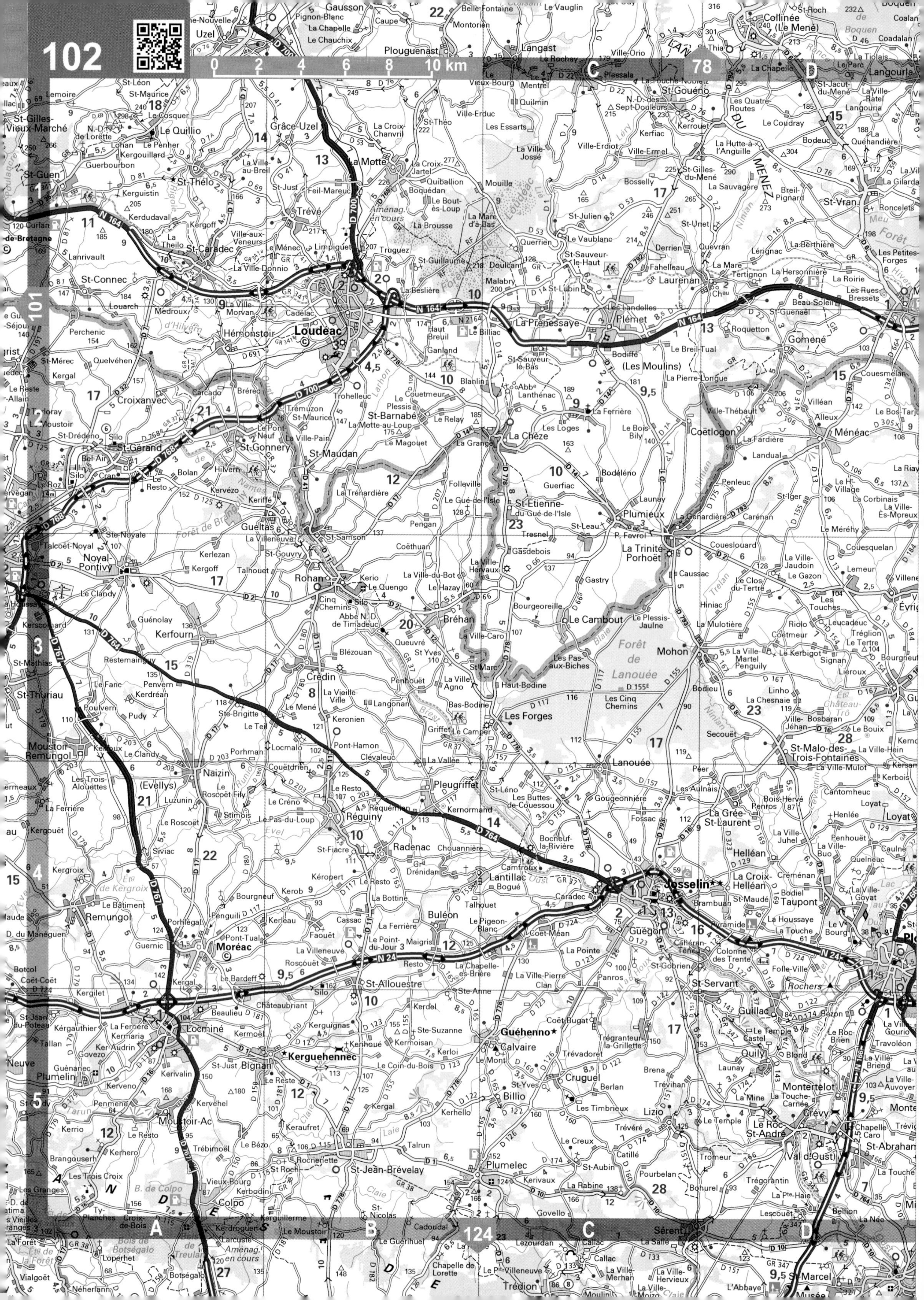
0 2 4 6 8 10 km
78
101
124
Loudéac
Plémet
Uzel
Plouguenast
Grâce-Uzel
La Motte
Trévé
St-Caradec
Hémonstoir
St-Thélo
Le Quillio
St-Gilles-Vieux-Marché
St-Guen
St-Connec
Croixanvec
St-Gérand
St-Gonnery
St-Maudan
St-Barnabé
La Chèze
Plumieux
La Trinité-Porhoët
Coëtlogon
Ménéac
Gomené
Laurenan
St-Vran
Langourla
Collinée (Le Mené)
St-Gouéno
Langast
Plessala
Gueltas
Noyal-Pontivy
Rohan
Bréhan
Crédin
Kerfourn
Naizin
Réguiny
Radenac
Pleugriffet
Les Forges
Lanouée
Mohon
Josselin
Guégon
Helléan
Taupont
Lantillac
Buléon
Moréac
Remungol
Moustoir-Remungol
Locminé
Bignan
Kerguehennec
St-Allouestre
Guéhenno
St-Jean-Brévelay
Plumelec
Cruguel
Billio
Lizio
Sérent
Quily
Guillac
St-Servant
Montertelot
Crévy
Le Roc-St-André
St-Abraham
Moustoir-Ac
Plumelin
Colpo
St-Malo-des-Trois-Fontaines
St-Thuriau
Forêt de Lanouée
Forêt de Loudéac
LANDES DU MENEZ
N 164
N 24
D 700
D 764
D 767
D 768

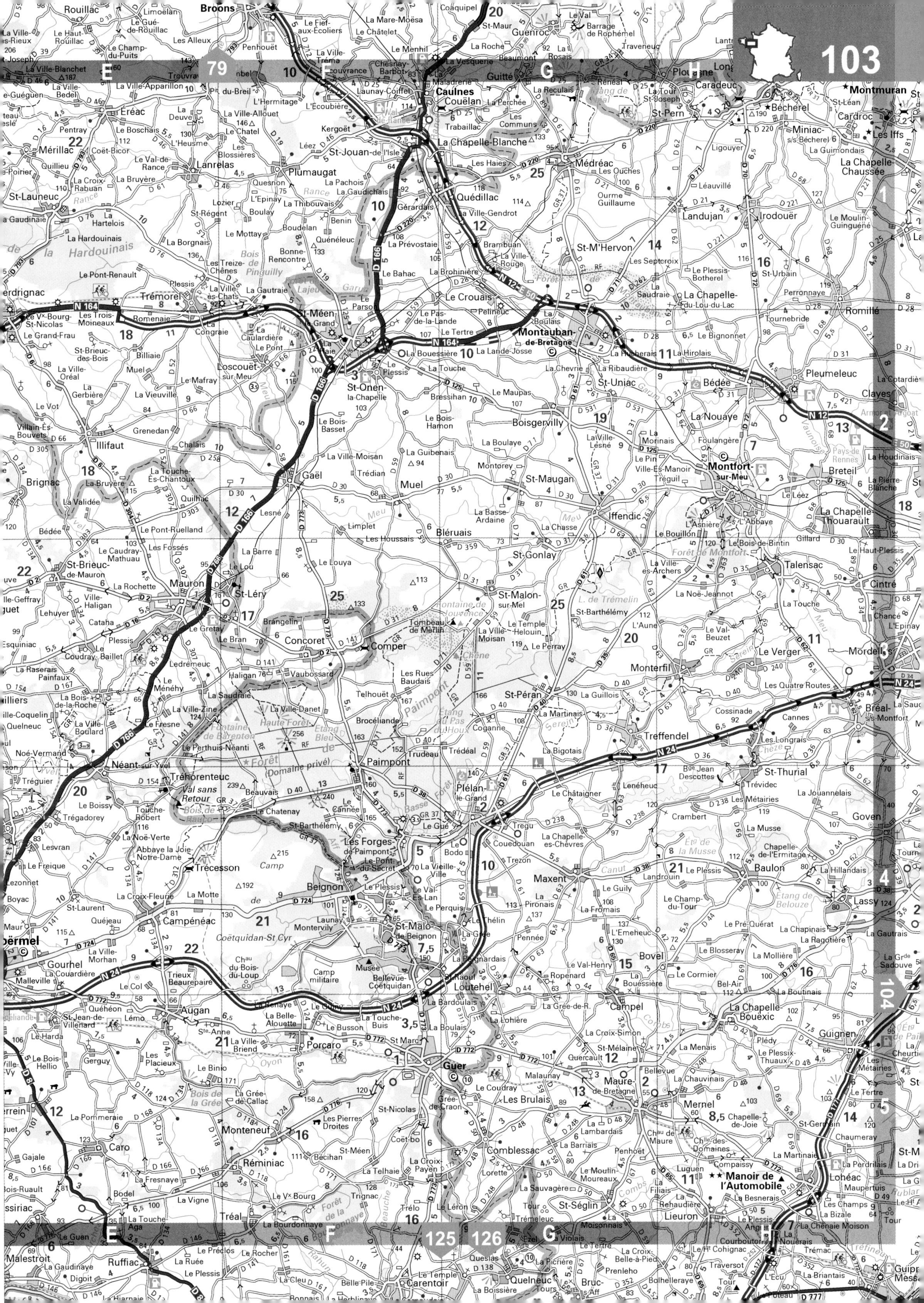
103
Broons
Caulnes
Montmuran
Bécherel
Médréac
Quédillac
St-Méen-le-Grand
Montauban-de-Bretagne
Irodouër
Romillé
Bédée
Pleumeleuc
Montfort-sur-Meu
Breteil
Iffendic
Talensac
Mauron
St-Léry
Gaël
Concoret
Comper
Paimpont
Plélan-le-Grand
Tréhorenteuc
Néant-sur-Yvel
Campénéac
Beignon
Treffendel
St-Thurial
Bréal-s/s-Montfort
Baulon
Maxent
Lassy
Guer
Augan
Porcaro
Bovel
Campel
Maure-de-Bretagne
Guignen
Mernel
Comblessac
Les Brulais
Monteneuf
Réminiac
Caro
Malestroit
Ruffiac
Carentoir
Quelneuc
Lohéac
Manoir de l'Automobile
Lieuron
St-Séglin
Forêt de Paimpont
Coëtquidan-St Cyr
104
125
126
79

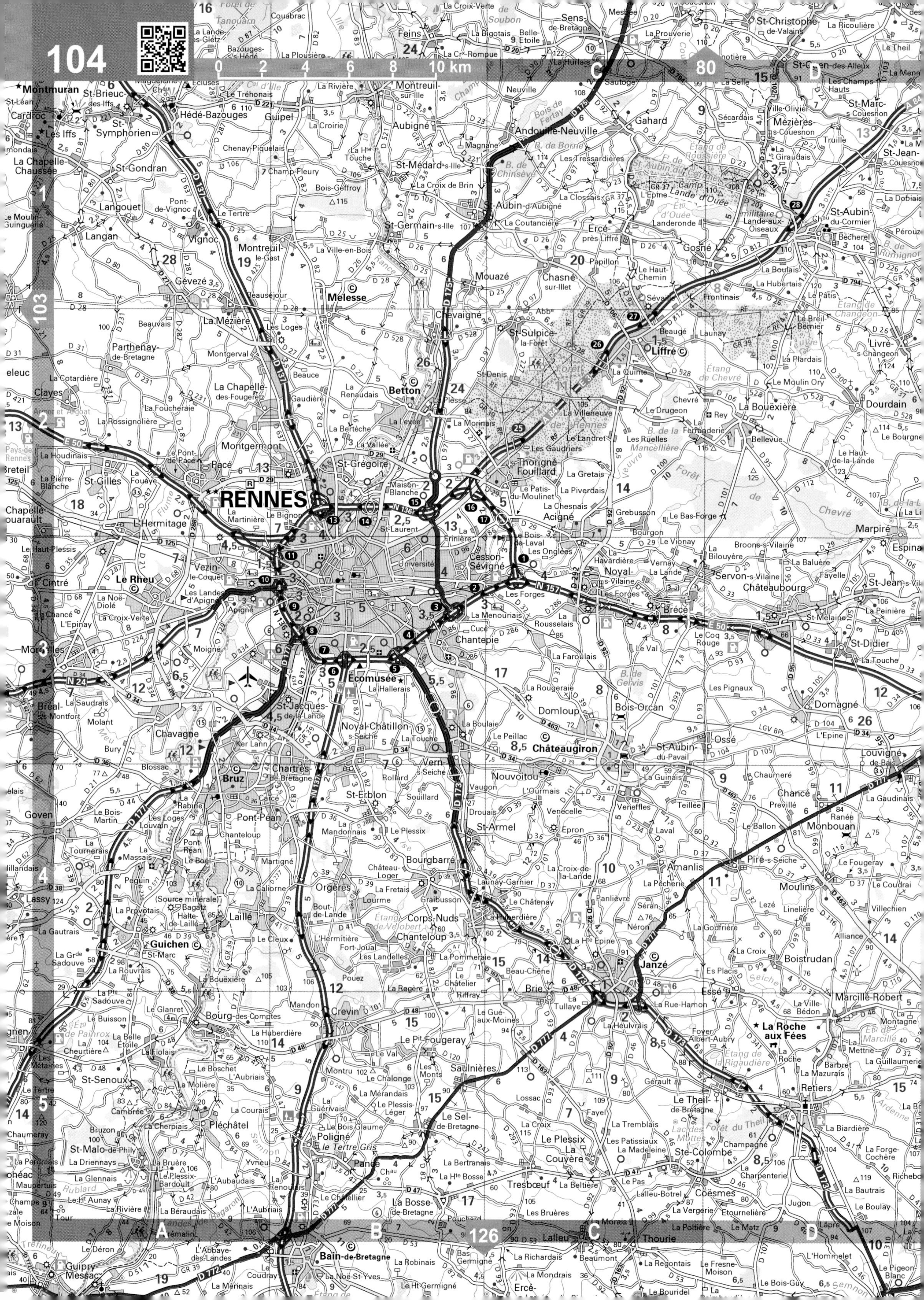
0 2 4 6 8 10 km
80
126
103
RENNES
Montmuran
Hédé-Bazouges
Guipel
Feins
Montreuil-sur-Ille
Aubigné
Andouillé-Neuville
Gahard
St-Christophe-de-Valains
St-Brieuc-des-Iffs
St-Symphorien
Les Iffs
Cardroc
La Chapelle-Chaussée
St-Gondran
Langouet
Langan
Vignoc
Montreuil-le-Gast
St-Médard-s-Ille
St-Germain-s-Ille
St-Aubin-d'Aubigné
Ercé-près-Liffré
Gosné
St-Aubin-du-Cormier
Mézières-s-Couesnon
St-Marc-s-Couesnon
St-Jean-s-Couesnon
Gévezé
Melesse
Mouazé
Chasné-sur-Illet
La Mézière
Chevaigné
St-Sulpice-la-Forêt
Liffré
Parthenay-de-Bretagne
Betton
La Bouëxière
Dourdain
Livré-s-Changeon
Clayes
La Chapelle-des-Fougeretz
Montgermont
St-Grégoire
Thorigné-Fouillard
Acigné
Pacé
St-Gilles
L'Hermitage
Cesson-Sévigné
Noyal-s-Vilaine
Servon-s-Vilaine
Châteaubourg
Brécé
Marpiré
Le Rheu
Vezin-le-Coquet
Cintré
Mordelles
Chantepie
Domloup
St-Didier
Bréal-s-Montfort
Chavagne
St-Jacques-de-la-Lande
Noyal-Châtillon-s-Seiche
Vern-s-Seiche
Châteaugiron
Domagné
Ossé
St-Aubin-du-Pavail
Louvigné-de-Bais
Bruz
Chartres-de-Bretagne
Pont-Péan
St-Erblon
Nouvoitou
St-Armel
Bourgbarré
Orgères
Corps-Nuds
Amanlis
Piré-s-Seiche
Moulins
Goven
Laillé
Guichen
Chanteloup
Janzé
Boistrudan
Brie
Essé
Marcillé-Robert
Bourg-des-Comptes
Crevin
La Roche aux Fées
Saulnières
Le Sel-de-Bretagne
Le Theil-de-Bretagne
Retiers
Pléchâtel
Poligné
Pancé
St-Senoux
St-Malo-de-Phily
Tresbœuf
Ste-Colombe
Coësmes
La Bosse-de-Bretagne
Bain-de-Bretagne
Guipry-Messac
Lalleu
Thourie
Ercé-en-Lamée
Écomusée
Forêt de Rennes
Forêt de Chevré
Forêt du Theil

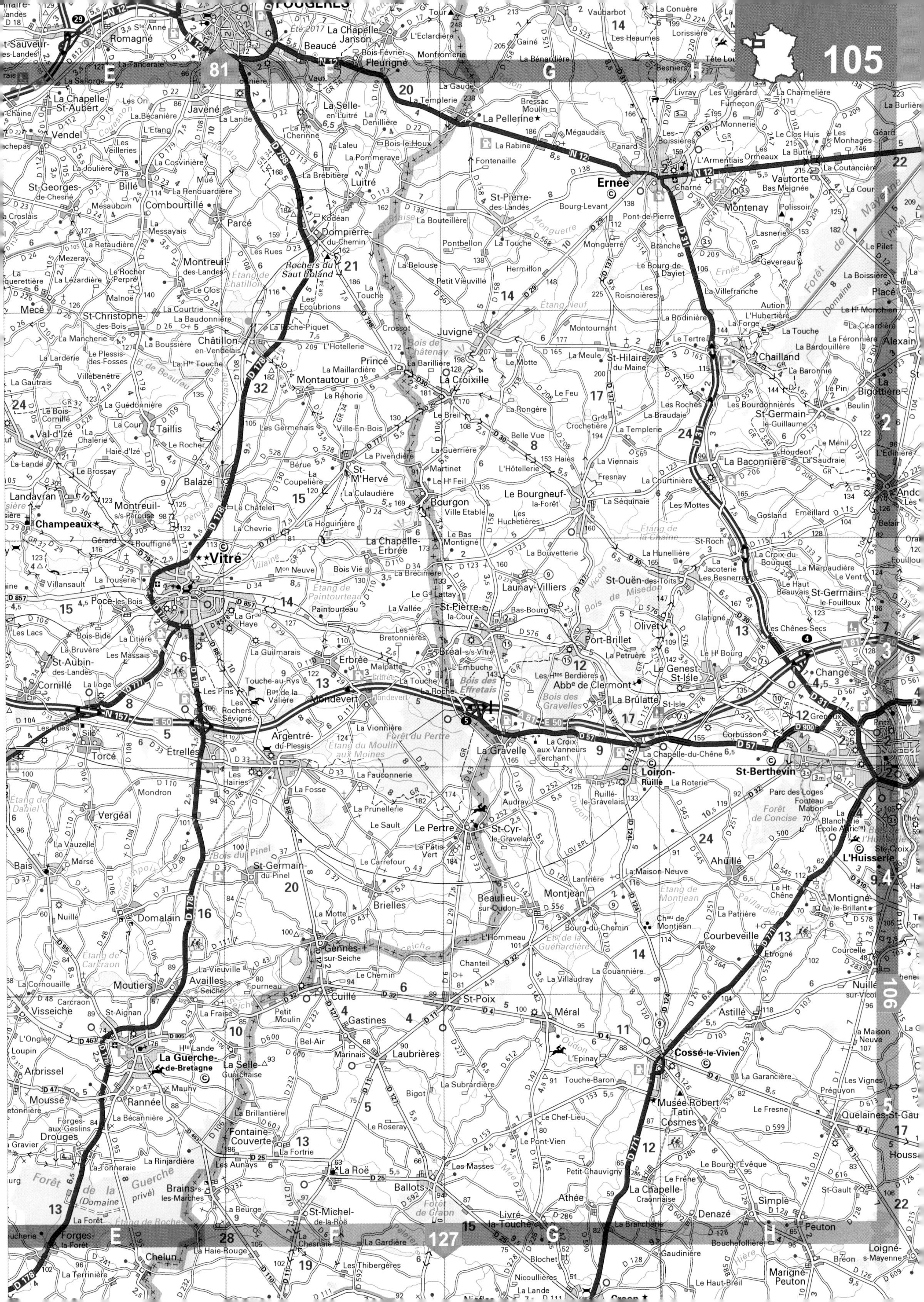
Fougères
Romagné
Beaucé
La Chapelle-Janson
Fleurigné
La Selle-en-Luitré
Javené
La Chapelle-St-Aubert
Vendel
La Pellerine
Luitré
Billé
St-Georges-de-Chesné
Combourtillé
Parcé
Dompierre-du-Chemin
Rochers du Saut Roland
Ernée
St-Pierre-des-Landes
Montenay
Vautorte
Charné
Montreuil-des-Landes
Mecé
St-Christophe-des-Bois
Châtillon-en-Vendelais
Juvigné
Princé
Montautour
La Croixille
St-Hilaire-du-Maine
Chailland
St-Germain-le-Guillaume
La Bigottière
Alexain
Taillis
Val-d'Izé
Balazé
St-M'Hervé
Bourgon
Le Bourgneuf-la-Forêt
La Baconnière
Andouillé
Landavran
Champeaux
Montreuil-s/s-Pérouse
Vitré
La Chapelle-Erbrée
Launay-Villiers
St-Ouën-des-Toits
St-Germain-le-Fouilloux
Pocé-les-Bois
St-Pierre-la-Cour
Port-Brillet
Olivet
Le Genest-St-Isle
Changé
St-Aubin-des-Landes
Cornillé
Erbrée
Bréal-s/s-Vitré
Abbaye de Clermont
La Brûlatte
Mondevert
Argentré-du-Plessis
Étrelles
Torcé
La Gravelle
Loiron-Ruillé
St-Berthevin
Vergéal
Le Pertre
St-Cyr-le-Gravelais
Ahuillé
L'Huisserie
Bais
St-Germain-du-Pinel
Montjean
Domalain
Brielles
Beaulieu-sur-Oudon
Montigné-le-Brillant
Courbeveille
Gennes-sur-Seiche
Moutiers
Availles-s-Seiche
Visseiche
Cuillé
St-Poix
Méral
Astillé
Nuillé-sur-Vicoin
Gastines
Laubrières
La Guerche-de-Bretagne
La Selle-Guerchaise
Cossé-le-Vivien
Arbrissel
Rannée
Mousse
Drouges
Fontaine-Couverte
Cosmes
Quelaines-St-Gault
La Roë
Brains-s-les-Marches
Ballots
Athée
La Chapelle-Craonnaise
Simplé
Forges-la-Forêt
St-Michel-de-la-Roë
Livré-la-Touche
Denazé
Peuton
Chelun
Marigné-Peuton
Loigné-s-Mayenne
Craon
Forêt de la Guerche
Forêt du Pertre
Bois de Misedon
Forêt de Concise
Forêt de Craon
N 12
N 157
A 81
E 50
D 178
D 771
D 31
81
106
127

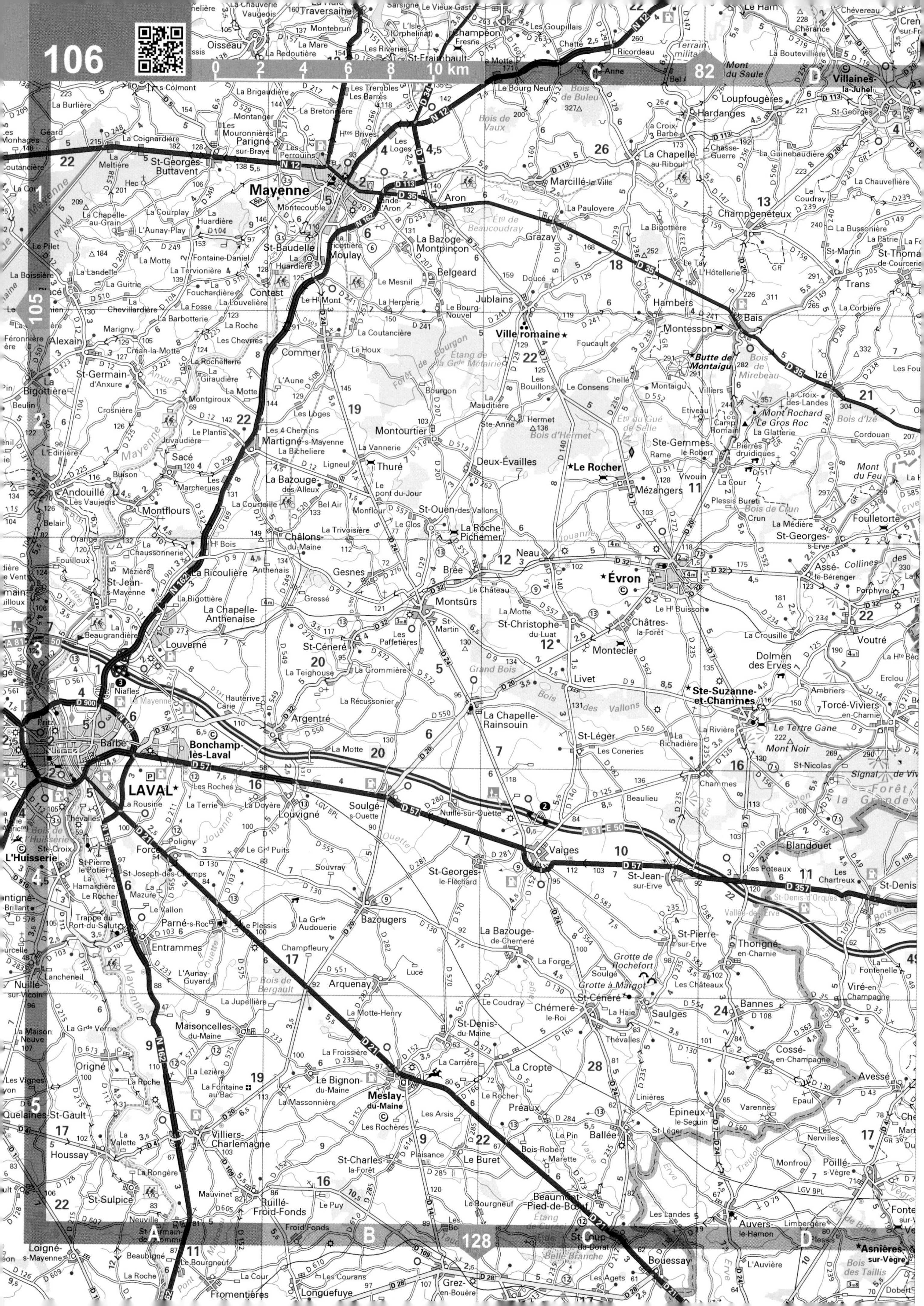

0 2 4 6 8 10 km
82
105
128
Mayenne
St-Baudelle
Moulay
Aron
La Bazoge-Montpinçon
Belgeard
Jublains
Grazay
Marcillé-la-Ville
La Chapelle-au-Riboul
Champgenéteux
Hardanges
Loupfougères
Villaines-la-Juhel
Hambers
Bais
Montesson
Izé
Ville romaine
Butte de Montaigu
Contest
Commer
Alexain
St-Germain-d'Anxure
Martigné-s-Mayenne
La Bazouge-des-Alleux
Montourtier
Deux-Évailles
Le Rocher
Mézangers
Ste-Gemmes-le-Robert
Thuré
St-Ouën-des-Vallons
La Roche-Pichemer
Andouillé
Montflours
Sacé
Châlons-du-Maine
Gesnes
Brée
Neau
Évron
Montsûrs
St-Christophe-du-Luat
Châtres-la-Forêt
Montecler
Livet
Ste-Suzanne-et-Chammes
Torcé-Viviers-en-Charnie
Voutré
Assé-le-Bérenger
St-Georges-s-Erve
Foulletorte
La Chapelle-Anthenaise
Louverné
St-Jean-s-Mayenne
St-Céneré
Argentré
La Chapelle-Rainsouin
Bonchamp-lès-Laval
Laval
L'Huisserie
St-Léger
Chammes
Louvigné
Soulgé-s-Ouette
Vaiges
St-Jean-sur-Erve
St-Georges-le-Fléchard
Forcé
Parné-s-Roc
Entrammes
Bazougers
La Bazouge-de-Chemeré
Thorigné-en-Charnie
St-Pierre-sur-Erve
Blandouet
St-Denis-d'Orques
Grotte de Rochefort
Grotte à Margot
St-Céneré
Saulges
Chémeré-le-Roi
Bannes
Viré-en-Champagne
Cossé-en-Champagne
Arquenay
Maisoncelles-du-Maine
St-Denis-du-Maine
Le Bignon-du-Maine
Meslay-du-Maine
La Cropte
Préaux
Ballée
Épineux-le-Seguin
Villiers-Charlemagne
St-Charles-la-Forêt
Le Buret
Beaumont-Pied-de-Bœuf
Quelaines-St-Gault
Houssay
St-Sulpice
Ruillé-Froid-Fonds
Nuillé-sur-Vicoin
Origné
Poillé-s-Vègre
Auvers-le-Hamon
Asnières-sur-Vègre
St-Loup-du-Dorat
Boussay
Grez-en-Bouère
Longuefuye
Frontenières
Loigné-s-Mayenne
N 12
N 162
D 35
D 57
A 81 E 50
D 21
D 32

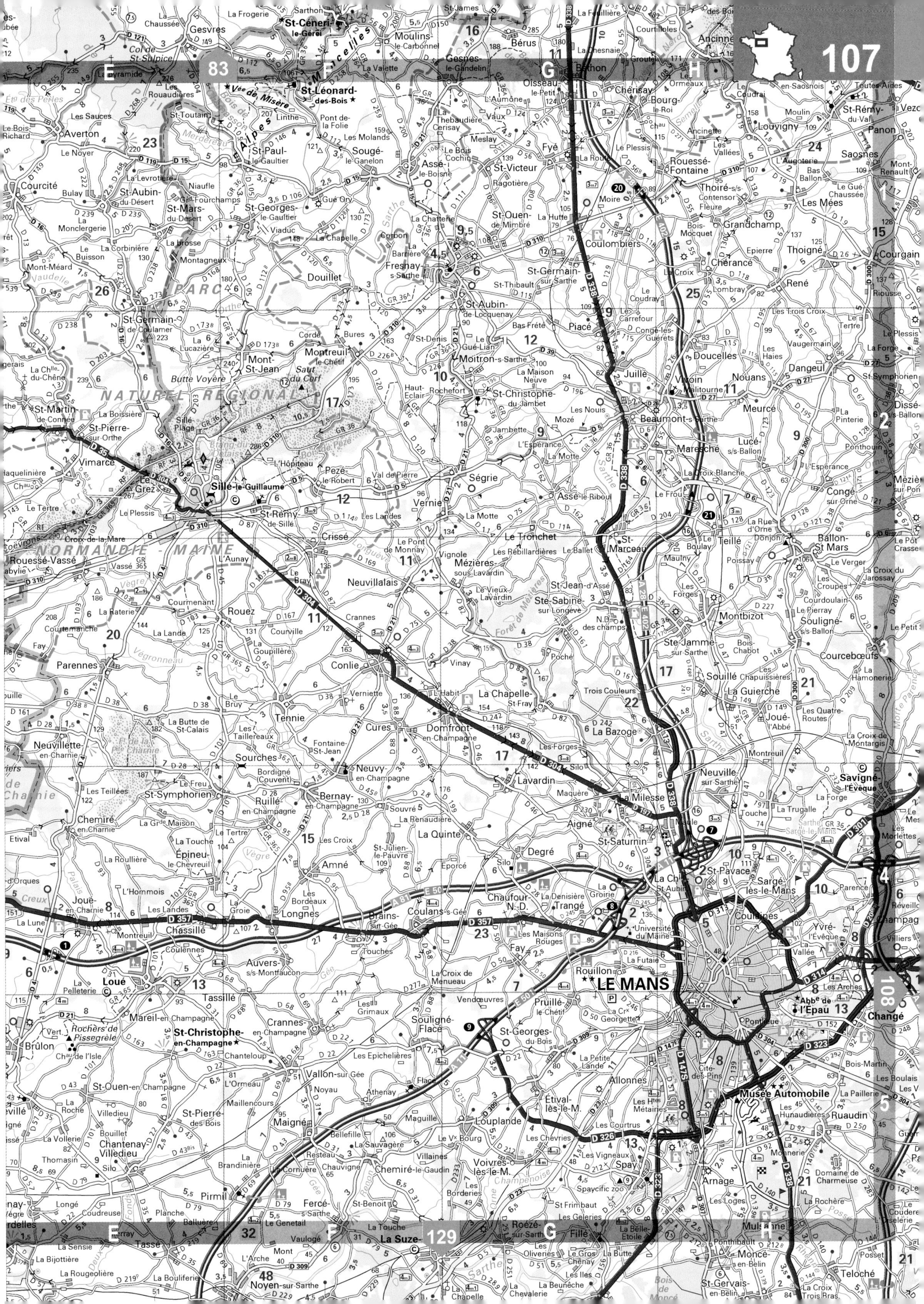
83
E
F
G
H
St-Céneri-le-Gérei
Gesvres
La Frogerie
Moulins-le-Carbonnel
Bérus
La Feuillière
Ancinnes
Col de St-Sulpice
La Pyramide
St-Léonard-des-Bois
Gesnes-le-Gandelin
Béthon
Oisseau-le-Petit
Chérisay
Bourg-le-Roi
St-Rémy-du-Val
Louvigny
Panon
Averton
Les Sauces
St-Paul-le-Gaultier
Sougé-le-Ganelon
Assé-le-Boisne
St-Victeur
Fyé
Rouessé-Fontaine
Saosnes
Courcité
St-Aubin-du-Désert
St-Mars-du-Désert
St-Georges-le-Gaultier
Moire
Thoiré-s/s-Contensor
Les Mées
Grandchamp
Thoigné
Courgains
Fresnay-s-Sarthe
St-Ouen-de-Mimbré
Coulombiers
Chérancé
René
Douillet
St-Germain-sur-Sarthe
St-Germain-de-Coulamer
St-Aubin-de-Locquenay
Piacé
Mont-St-Jean
Montreuil-le-Chétif
Moitron-s-Sarthe
Doucelles
Juillé
Vivoin
Nouans
Dangeul
Saut du Cerf
Butte Voyère
PARC NATUREL RÉGIONAL NORMANDIE - MAINE
St-Martin-de-Connée
St-Pierre-sur-Orthe
Rochefort
St-Christophe-du-Jambet
Beaumont-s-Sarthe
Meurcé
Dissé-s-Ballon
Vimarcé
Sillé-le-Guillaume
Pezé-le-Robert
Ségrie
Maresché
Lucé-s/s-Ballon
Le Grez
St-Rémy-de-Sillé
Vernie
Assé-le-Riboul
Congé-sur-Orne
Mézières-sur-Ponthouin
Crissé
Le Tronchet
St-Marceau
Teillé
Ballon-St Mars
Rouessé-Vassé
Vassé
Neuvillalais
Mézières-sous-Lavardin
St-Jean-d'Assé
Ste-Sabine-sur-Longève
Montbizot
Souligné-s/s-Ballon
Rouez
Courcemont
Conlie
Ste-Jamme-sur-Sarthe
Courceboeufs
Parennes
La Chapelle-St-Fray
Souillé
La Guierche
Joué-l'Abbé
Tennie
Cures
Domfront-en-Champagne
La Bazoge
Neuvillette-en-Charnie
Sourches
Neuvy-en-Champagne
Lavardin
Neuville-sur-Sarthe
Savigné-l'Évêque
St-Symphorien
Bernay-en-Champagne
Ruillé-en-Champagne
La Milesse
Chemiré-en-Charnie
La Quinte
Aigné
St-Saturnin
Épineu-le-Chevreuil
Amné
Degré
St-Pavace
Sargé-lès-le-Mans
Joué-en-Charnie
Longnes
Chaufour-N.-D.
Trangé
Coulaines
Yvré-l'Évêque
Chassillé
Coulans-s-Gée
Brains-sur-Gée
Loué
Auvers-s/s-Montfaucon
Rouillon
LE MANS
Tassillé
Crannes-en-Champagne
Souligné-Flacé
Pruillé-le-Chétif
Abbaye de l'Épau
Changé
Mareil-en-Champagne
St-Christophe-en-Champagne
St-Georges-du-Bois
Brûlon
Vallon-sur-Gée
Allonnes
Musée Automobile
St-Ouen-en-Champagne
Chantenay-Villedieu
Maigné
Louplande
Étival-lès-le-M.
Ruaudin
St-Pierre-des-Bois
Chemiré-le-Gaudin
Voivres-lès-le-M.
Spay
Arnage
Pirmil
Fercé-s-Sarthe
Mulsanne
La Suze
Roëzé-sur-Sarthe
Fillé
Moncé-en-Belin
Noyen-sur-Sarthe
St-Gervais-en-Belin
Teloché
Tassé
108
129

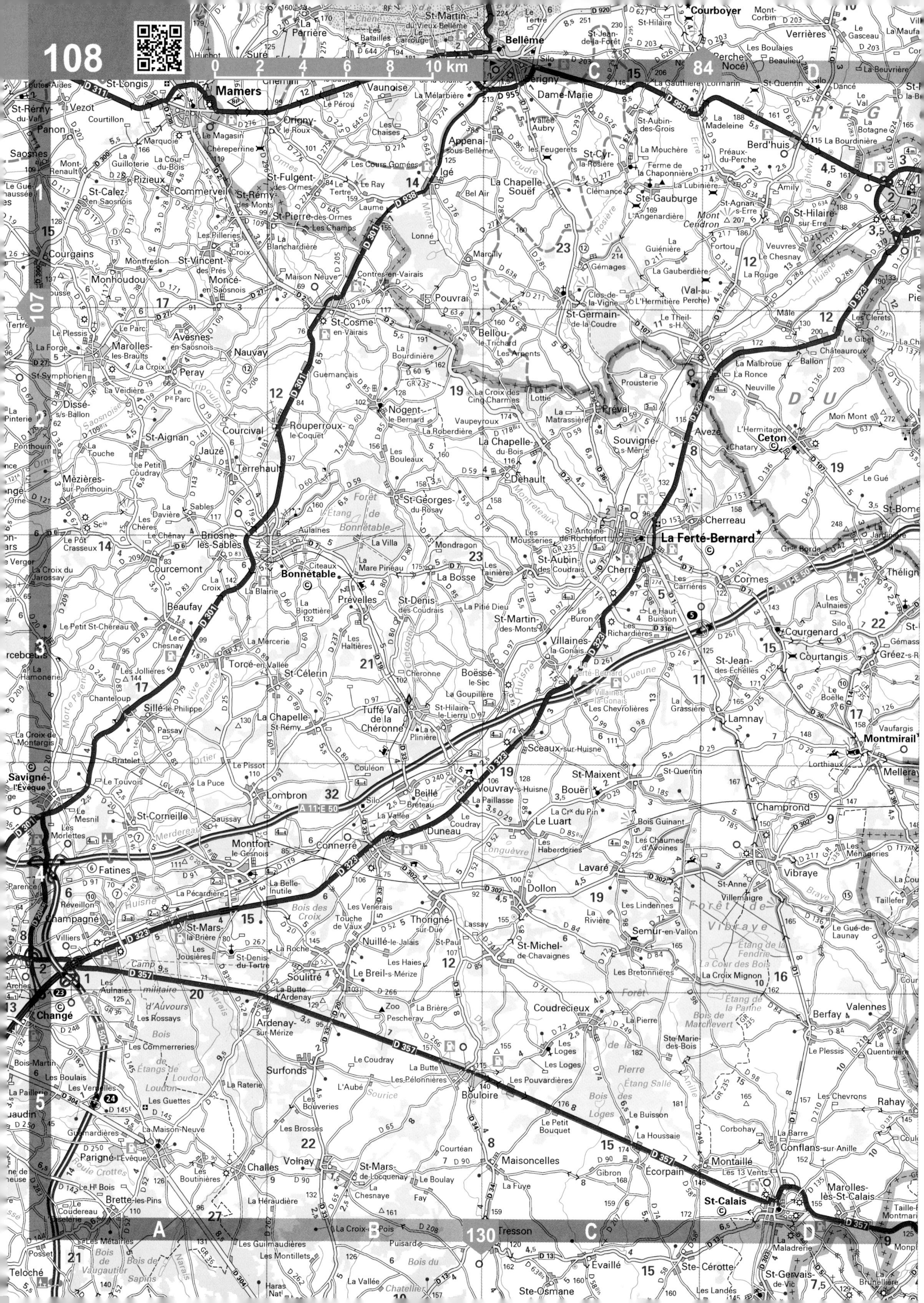
0 2 4 6 8 10 km
Bellême
Mamers
Courboyer
Verrières
Vaunoise
St-Longis
Igé
Appenai-sous-Bellême
St-Fulgent-des-Ormes
St-Rémy-des-Monts
St-Pierre-des-Ormes
Commerveil
Pizieux
St-Calez-en-Saosnois
Saosnes
Courgains
Monhoudou
St-Vincent-des-Prés
Moncé-en-Saosnois
Contres-en-Vairais
Pouvrai
St-Cosme-en-Vairais
Marolles-les-Braults
Avesnes-en-Saosnois
Nauvay
Peray
Dissé-s/s-Ballon
St-Aignan
Courcival
Rouperroux-le-Coquet
Nogent-le-Bernard
Jauzé
Terrehault
Mézières-sur-Ponthouin
Briosne-lès-Sables
Bonnétable
Courcemont
Beaufay
Prévelles
St-Denis-des-Coudrais
La Bosse
Torcé-en-Vallée
St-Célerin
Sillé-le-Philippe
La Chapelle-St-Rémy
Tuffé Val de la Chéronne
Boëssé-le-Sec
Savigné-l'Évêque
Lombron
Montfort-le-Gesnois
St-Corneille
Connerré
Beillé
Duneau
Champagné
St-Mars-la-Brière
Thorigné-sur-Dué
Nuillé-le-Jalais
Soulitré
Le Breil-s-Mérize
Ardenay-sur-Mérize
Changé
Surfonds
Bouloire
Volnay
Challes
St-Mars-de-Locquenay
Maisoncelles
Parigné-l'Évêque
Brette-les-Pins
Coudrecieux
Écorpain
St-Calais
Montaillé
Conflans-sur-Anille
Marolles-lès-St-Calais
Évaillé
Ste-Cérotte
St-Gervais-de-Vic
Ste-Osmane
Tresson
Dollon
Lavaré
Semur-en-Vallon
St-Michel-de-Chavaignes
Vibraye
Champrond
Berfay
Valennes
Rahay
Bouër
St-Maixent
Vouvray-s-Huisne
Le Luart
Sceaux-sur-Huisne
Lamnay
Montmirail
Melleray
St-Jean-des-Échelles
Courgenard
Villaines-la-Gonais
St-Martin-des-Monts
La Ferté-Bernard
Cherré
St-Aubin-des-Coudrais
Cherreau
Cormes
Avezé
Souvigné-s-Même
Préval
Dehault
La Chapelle-du-Bois
St-Georges-du-Rosay
Ceton
St-Germain-de-la-Coudre
Bellou-le-Trichard
Ste-Gauburge
St-Cyr-la-Rosière
La Chapelle-Souëf
Dame-Marie
Berd'huis
St-Hilaire-sur-Erre
Le Theil-s-H.
A 11 E 50
D 323
D 357
D 301
D 938
D 955
D 923
84
107
130
A B C D
1 2 3 4 5

Nogent-le-Rotrou
Thiron-Gardais
Illiers-Combray
Brou
Châteaudun
Cloyes-sur-le-Loir
Montigny-le-Gannelon
Mondoubleau
Droué
Courtalain
Arrou
Authon-du-Perche
Le Gault-Perche
La Bazoche-Gouet
Chapelle-Royale
Châtillon-en-Dunois
Yèvres
Dangeau
Bonneval
Alluyes
Marboué
Logron
Unverre
Moulhard
Frazé
Combres
Happonvilliers
Champrond-en-Perchet
Beaumont-les-Autels
Miermaigne
Luigny
Béthonvilliers
Argenvilliers
Vichères
Coudray-au-Perche
Soizé
Charbonnières
Les Autels-Villevillon
Chapelle-Guillaume
Oigny
Arville
St-Agil
Souday
Boursay
Choue
Baillou
Cormenon
St-Marc-du-Cor
Le Temple
Épuisay
La Ville-aux-Clercs
Chauvigny-du-Perche
Romilly
La Chapelle-Vicomtesse
Fontaine-Raoul
Bouffry
Villebout
Ruan-sur-Egvonne
Boisgasson
Langey
St-Hilaire-sur-Yerre
La Chapelle-du-Noyer
Autheuil
Romilly-sur-Aigre
La Ferté-Villeneuil
Charray
St-Jean-Froidmentel
Brévainville
Ouzouer-le-Doyen
Moisy
Morée
Danzé
Saumeray
Bullou
Méréglise
Magny
Sandarville
Ermenonville-la-Grande
Blandainville
Cernay
Montlandon
Marchéville
Bailleau-le-Pin
PERCHE
L'OCÉANE
A 11 - E 50
D 955
D 927
D 921
N 10
D 357
Forêt de Fréteval
Forêt de Bois Ruffin
Bois de St-Claude
Loir
Yerre
E
F
G
H
85
131
110
31

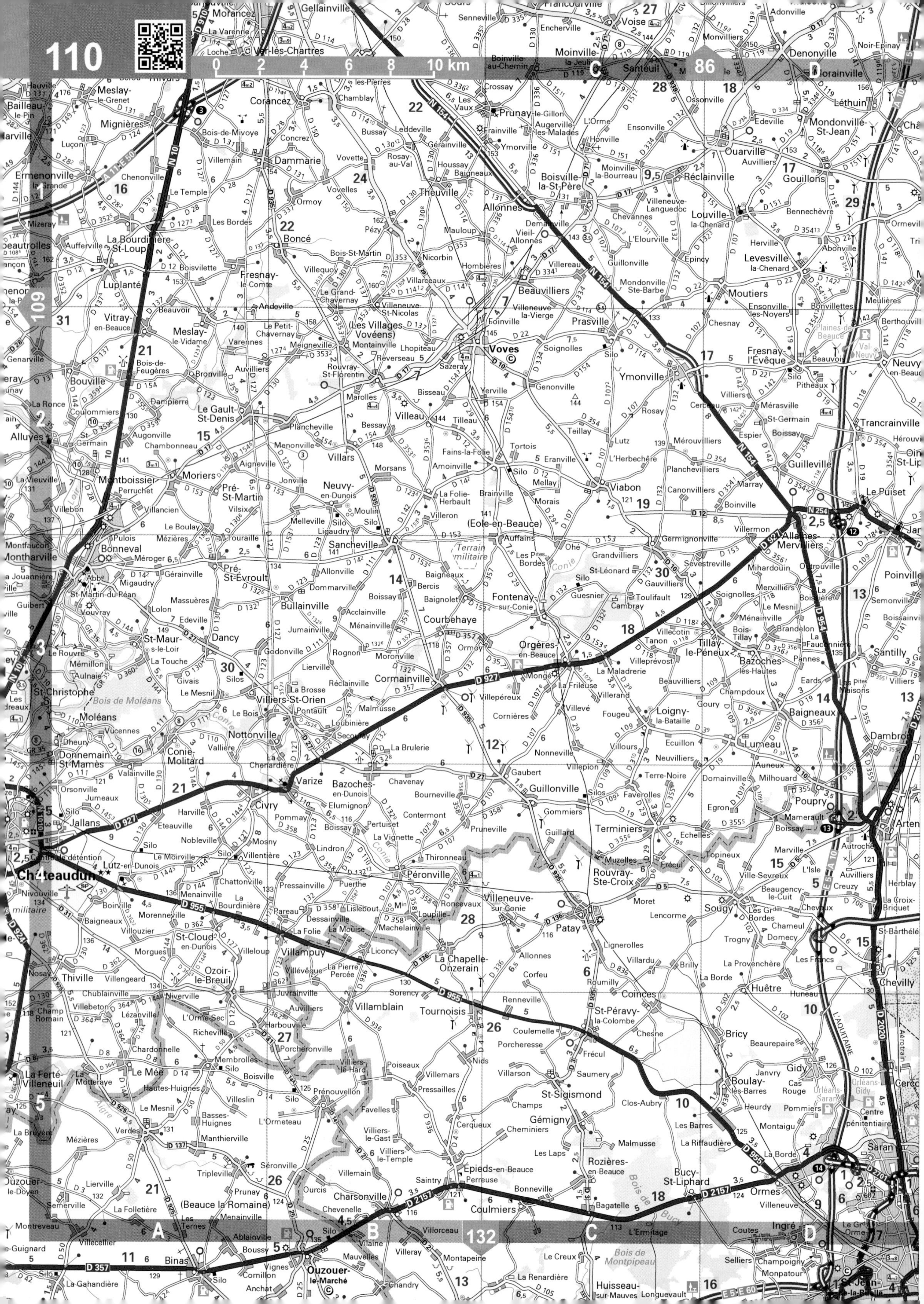
0 2 4 6 8 10 km
86
109
132
A
B
C
D
Châteaudun
Voves
Orgères-en-Beauce
Patay
Bonneval
Cloyes
Santeuil
Prunay-le-Gillon
Theuville
Allonnes
Beauvilliers
Ymonville
Fresnay-l'Évêque
Janville
Toury
Artenay
Saran
Ormes
Ingré
Ouzouer-le-Marché
Coulmiers
Tournoisis
St-Péravy-la-Colombe
Rozières-en-Beauce
Bucy-St-Liphard
Gidy
Chevilly
Sougy
Terminiers
Loigny-la-Bataille
Baigneaux
Guillonville
Varize
Cormainville
Courbehaye
Fontenay-sur-Conie
Sancheville
Bullainville
Dancy
Moriers
Alluyes
Montboissier
Le Gault-St-Denis
Mignières
Dammarie
Bonce
Luplanté
Vitray-en-Beauce
Meslay-le-Vidame
Ermenonville-la-Grande
Meslay-le-Grenet
Corancez
Thiville
St-Cloud-en-Dunois
Ozoir-le-Breuil
Villamblain
Le Mée
La Ferté-Villeneuil
Binas
Charsonville
Épieds-en-Beauce
St-Sigismond
Gémigny
Boulay-les-Barres
Bricy
Huêtre
Coinces
Villeneuve-sur-Conie
Péronville
Rouvray-Ste-Croix
Tillay-le-Péneux
Lumeau
Poupry
Allaines-Mervilliers
Le Puiset
Guilleville
Viabon
Prasville
Moutiers
Levesville-la-Chenard
Réclainville
Ouarville
Boisville-la-St-Père
Gouillons
Denonville
Voise
Moinville-la-Jeulin
Léthuin
Mondonville-St-Jean
N 154
D 927
D 955
D 2157
D 357
A 10
D 2020

111
87
133
112
GÂTINAIS
Angerville
Méréville
Pithiviers
Malesherbes
Toury
Outarville
Chilleurs-aux-Bois
Neuville-aux-Bois
Loury
Bellegarde
Boiscommun
Beaune-la-Rolande
Puiseaux
Orgères
Mareau-aux-Bois
Bazoches-les-Gallerandes
Ascoux
Dadonville
Escrennes
Ingrannes
Sully-la-Chapelle
Seichebrières
Combreux
Vitry-aux-Loges
Fay-aux-Loges
Donnery
Saint-Jean-de-Braye
ORLÉANS
Fleury-les-Aubrais
Semoy
Marigny-les-Usages
Rebréchien
Traînou
Vennecy
Chanteau
Nesploy
Sury-aux-Bois
Châtenoy
Beauchamps-sur-Huillard
Montbarrois
Boynes
Yèvre-la-Ville
Estouy
Bondaroy
Ramoulu
Engenville
Intville-la-Guétard
Audeville
Thignonville
Autruy-sur-Juine
Andonville
Boisseaux
Erceville
Léouville
Guigneville
Greneville-en-Beauce
Châtillon-le-Roi
Jouy-en-Pithiverais
Attray
Montigny
Aschères-le-Marché
Trinay
Oison
Chaussy
Tivernon
Pussay
Monnerville
Oysonville
Gommerville
Arrancourt
Sermaises
Blandy
Champmotteux
Boigneville
Prunay-s-Essonne
Mespuits
Rouvres-St-Jean
Estouches
Pannecières
Saclas
Guillerval
St-Cyr-la-Rivière
Abbéville-la-Rivière
FORÊT D'ORLÉANS
Chamerolles
A 19
E 60
D 2152
D 927
D 921
D 950
D 2020

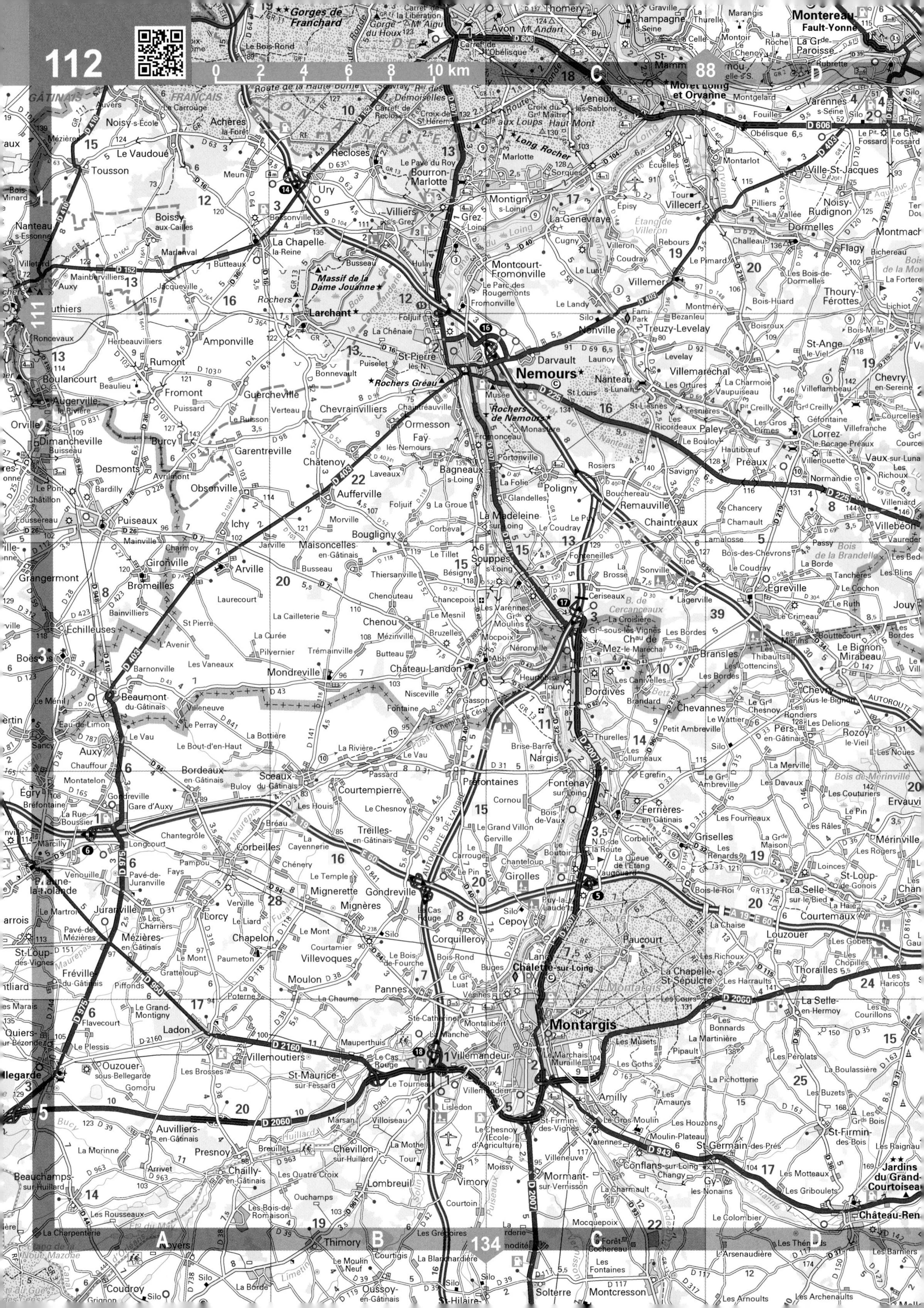
0 2 4 6 8 10 km
88
111
134
A
B
C
D
1
2
3
4
5
Gorges de Franchard
Avon
Thomery
Champagne-sur-Seine
Montereau-Fault-Yonne
Moret-Loing-et-Orvanne
Veneux-les-Sablons
Recloses
Bourron-Marlotte
Achères-la-Forêt
Noisy-sur-École
Le Vaudoué
Tousson
Ury
Villiers-sous-Grez
Grez-sur-Loing
Montigny-sur-Loing
La Genevraye
Épisy
Villecerf
Ville-St-Jacques
Dormelles
La Chapelle-la-Reine
Boissy-aux-Cailles
Nanteau-sur-Essonne
Massif de la Dame Jouanne
Larchant
Montcourt-Fromonville
Villemer
Thoury-Férottes
Treuzy-Levelay
Nonville
Darvault
Nemours
Nanteau-sur-Lunain
Villemaréchal
St-Ange-le-Viel
Chevry-en-Sereine
Amponville
Rumont
Boulancourt
Fromont
Guercheville
Chevrainvilliers
St-Pierre-lès-Nemours
Rochers Gréau
Rochers de Nemours
Ormesson
Faÿ-lès-Nemours
Lorrez-le-Bocage-Préaux
Vaux-sur-Lunain
Augerville-la-Rivière
Dimancheville
Orville
Burcy
Garentreville
Desmonts
Obsonville
Châtenoy
Aufferville
Bagneux-sur-Loing
Poligny
Remauville
Chaintreaux
Puiseaux
Ichy
La Madeleine-sur-Loing
Bougligny
Maisoncelles-en-Gâtinais
Souppes-sur-Loing
Villebéon
Gironville
Bromeilles
Arville
Grangermont
Égreville
Échilleuses
Chenou
Château-Landon
Mondreville
Dordives
Bransles
Le Bignon-Mirabeau
Beaumont-du-Gâtinais
Chevannes
Chevry-sous-le-Bignon
Rozoy-le-Vieil
Auxy
Bordeaux-en-Gâtinais
Sceaux-du-Gâtinais
Courtempierre
Préfontaines
Nargis
Fontenay-sur-Loing
Ferrières-en-Gâtinais
Griselles
Égry
Corbeilles
Gondreville
Mignerette
Mignères
Girolles
Cepoy
Corquilleroy
Beaune-la-Rolande
Juranville
Lorcy
Chapelon
Mézières-en-Gâtinais
Villevoques
Châlette-sur-Loing
Paucourt
La Chapelle-St-Sépulcre
Thorailles
Courtemaux
La Selle-sur-le-Bied
St-Loup-de-Gonois
Montargis
Pannes
Moulon
Ladon
Villemoutiers
St-Maurice-sur-Fessard
Villemandeur
Amilly
La Selle-en-Hermoy
Ouzouer-sous-Bellegarde
Auvilliers-en-Gâtinais
Chailly-en-Gâtinais
Chevillon-sur-Huillard
Lombreuil
Vimory
Mormant-sur-Vernisson
Conflans-sur-Loing
St-Germain-des-Prés
St-Firmin-des-Bois
Jardins du Grand-Courtoiseau
Château-Renard
Thimory
Solterre
Montcresson
A 19 - E 60
A 6 - E 15
A 77
D 2060
D 403
D 606
D 225
D 2007

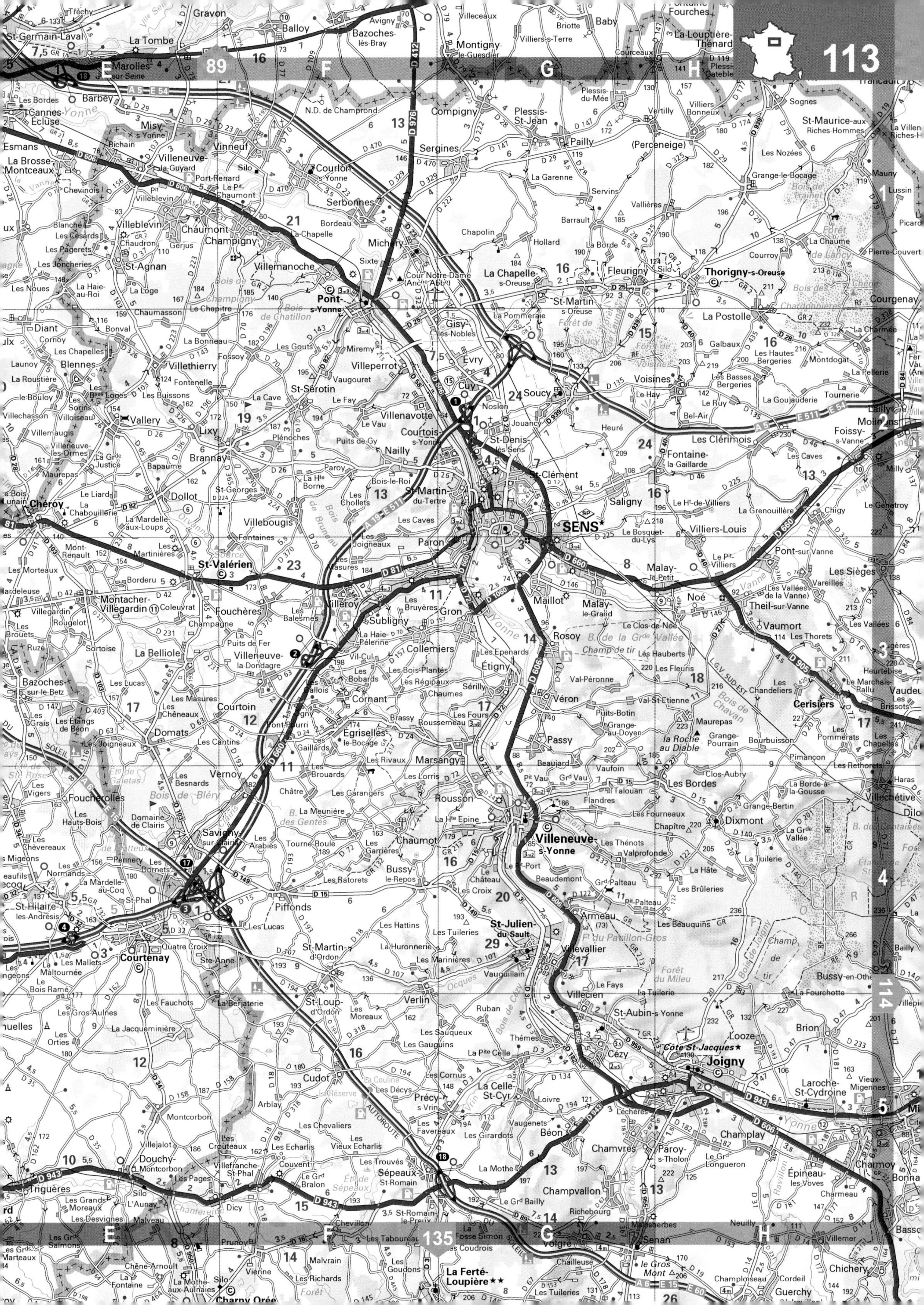

St-Germain-Laval
La Tombe
Gravon
Balloy
Bazoches-lès-Bray
Montigny-le-Guesdier
Villiers-s-Terre
Baby
Fourches
La Louptière-Thénard
Marolles-sur Seine
Barbey
Cannes-Écluse
Misy-s-Yonne
Vinneuf
Courlon-s-Yonne
Sergines
Compigny
Plessis-St-Jean
Pailly
(Perceneige)
Sognes
St-Maurice-aux-Riches-Hommes
La Brosse-Montceaux
Villeneuve-la-Guyard
Serbonnes
Villeblevin
Chaumont
Champigny
Michery
Thorigny-s-Oreuse
St-Agnan
Villemanoche
Pont-s-Yonne
Fleurigny
La Chapelle-s-Oreuse
St-Martin-s-Oreuse
La Postolle
Courgenay
Gisy-les-Nobles
Evry
Soucy
Voisines
Villethierry
Blennes
Villeperrot
St-Sérotin
Vallery
Lixy
Villenavotte
Courtois-s-Yonne
St-Denis-lès-Sens
Fontaine-la-Gaillarde
Foissy-s-Vanne
Brannay
Nailly
St-Clément
Chéroy
Dollot
St-Martin-du-Tertre
Saligny
SENS
Villiers-Louis
Villebougis
Paron
Malay-le-Petit
Noé
Pont-sur-Vanne
St-Valérien
Montacher-Villegardin
Fouchères
Villeroy
Gron
Maillot
Malay-le-Grand
Theil-sur-Vanne
Vaumort
Subligny
Rosoy
Villeneuve-la-Dondagre
Collemiers
Étigny
La Belliole
Véron
Cerisiers
Bazoches-sur-le-Betz
Courtoin
Cornant
Domats
Égriselles-le-Bocage
Passy
Marsangy
Vernoy
Foucherolles
Rousson
Les Bordes
Dixmont
Villechétive
Savigny-sur-Clairis
Chaumot
Villeneuve-s-Yonne
Bussy-le-Repos
Piffonds
St-Hilaire-les-Andrésis
Courtenay
Armeau
St-Julien-du-Sault
Villevallier
St-Martin-d'Ordon
Bussy-en-Othe
St-Loup-d'Ordon
Verlin
Villecien
St-Aubin-s-Yonne
Brion
Cézy
Côte St-Jacques
Joigny
Cudot
Précy-s-Vrin
La Celle-St-Cyr
Laroche-St-Cydroine
Béon
Chamvres
Paroy-s-Tholon
Champlay
Douchy-Montcorbon
Villefranche-St-Phal
Sépeaux-St-Romain
Champvallon
Épineau-les-Voves
Charmoy
Triguères
St-Romain-le-Preux
Villemer
Chevillon
Senan
Volgré
La Ferté-Loupière
Charny Orée
Chichery

89
135
114

0 2 4 6 8 10 km
TROYES
St-Lyé
Payns
Mergey
Barberey-St-Sulpice
La Chapelle-St-Luc
Les Noës-près-T.
Ste-Savine
La Rivière-de-Corps
St-André-les-Vergers
Torvilliers
St-Germain
Prunay-Belleville
Échemines
Marigny-le-Châtel
Avon-la-Pèze
Bourdenay
Marcilly-le-Hayer
St-Lupien
Faux-Villecerf
Dierrey-St-Pierre
Dierrey-St-Julien
Le Pavillon-Ste-Julie
Villeloup
Bercenay-le-Hayer
Villadin
Mesnil-St-Loup
Pouy-s-Vannes
Montgueux
Macey
Fontvannes
Estissac
Messon
Bucey-en-Othe
Planty
Villemaur-sur-Vanne
Neuville-sur-Vanne
Prugny
St-Benoist-s-Vanne
Paisy-Cosdon
Bagneaux
Vulaines
Villeneuve-l'Archevêque
Flacy
Aix-en-Othe
Villemoiron-en-Othe
Chennegy
Vauchassis
Bercenay-en-Othe
Souligny
Bouilly
Rigny-le-Ferron
Cérilly
Bérulle
Coulours
Fournaudin
St-Mards-en-Othe
Maraye-en-Othe
Sommeval
Javernant
Villery
Vaudeurs
Bœurs-en-Othe
Nogent-en-Othe
Eaux-Puiseaux
Chamoy
St-Phal
Vosnon
Auxon
Montigny-les-Monts
Villechétive
Dilo
Arces-Dilo
Chailley
Sormery
Villeneuve-au-Chemin
Coursan-en-Othe
Lasson
Montfey
Neuvy-Sautour
Ervy-le-Châtel
Davrey
Avreuil
Vanlay
Bellechaume
Champlost
Venizy
Turny
Paroy-en-Othe
Mercy
Bligny-en-Othe
Soumaintrain
Courtaoult
Chessy-les-Prés
Brienon-s-Armançon
St-Florentin
Germigny
Les Croûtes
Bernon
Esnon
Migennes
Butteaux
Jaulges
Vergigny
Bouilly
Rebourseaux
Flogny-la-Chapelle
Percey
Marolles-s/s-Lignières
Lignières
Ormoy
Cheny
Mont-St-Sulpice
Villiers-Vineux
Hauterive
Carisey
Tronchoy
Charmoy
Bonnard
Bassou
Beaumont
Pontigny
Roffey
Cheney
Dannemoine
Seignelay
Rouvray
Ligny-le-Châtel
Dyé
Bernouil
Méré
Chichery
Héry
Venouse
Vézinnes
Forêt de Contigny
Bois de Cornillon
Bois des Fays
Forêt de la Potence
Camp militaire

113
90
136

91
116
137
E
F
G
H
PARC NATUREL RÉGIONAL DE LA FORÊT D'ORIENT
Lac du Temple
Lac d'Orient
Lac Amance
Réserve Ornithologique
Parc de vision animalier
Piney
Brévonnes
Géraudot
Mesnil-St-Père
Lusigny-s-Barse
Vendeuvre-sur-Barse
Dienville
Unienville
Amance
Vauchonvilliers
Creney-près-T.
Pont-Ste-Marie
St-Parres-aux-Tertres
St-Julien-les-Villas
Rouilly-St-Loup
Bréviandes
Bucheres
Montaulin
Verrières
Isle-Aumont
St-Thibault
Clérey
Fresnoy-le-Château
Montiéramey
Montreuil-sur-Barse
Chauffour-lès-Bailly
Villemoyenne
Chappes
Fouchères
Courtenot
Rumilly-lès-Vaudes
Virey-sous-Bar
Bourguignons
Bar-s-Seine
Merrey-sur-Arce
Celles-sur-Ource
Polisot
Buxeuil
Neuville-sur-Seine
Gyé-sur-Seine
Courteron
Plaines-St-Lange
Mussy-s-Seine
Gomméville
Charrey-s-Seine
Noiron-s-Seine
Pothières
Villers-Patras
Les Riceys
Ricey-Haut
Chaource
Lagesse
Cussangy
Chesley
Étourvy
Praslin
Pargues
Lantages
Vougrey
Villemorien
Bagneux-la-Fosse
Balnot-la-Grange
Essoyes
Loches-sur-Ource
Landreville
Ville-sur-Arce
Chervey
Chacenay
Éguilly-sous-Bois
Bertignolles
Noé-les-Mallets
Vitry-le-Croisé
Magnant
Fralignes
Beurey
Thieffrain
Villy-en-Trodes
Magny-Fouchard
Puits-et-Nuisement
Montmartin-le-Haut
Longpré-le-Sec
Bligny
Molesme
Villedieu
Vertault
Maulnes
Étrochey
Montliot-et-Courcelles
Forêt d'Aumont
Forêt de Rumilly
Forêt de Cussangy
Bois du Devois
Forêt des Brosses
Forêt de Chamesson

0 2 4 6 8 10 km
92
115
138
Soulaines-Dhuys
Nully
Trémilly
Blumeray
Doulevant-le-Château
Villiers-aux-Chênes
Brachay
Charmes-en-l'Angle
Flammerécourt
Monthonval
Arnancourt
Leschères-sur-le-Blaiseron
Gudmont-Villiers
Rouécourt
Thil
Cirey-sur-Blaise
Petit-Mesnil
La Giberie
Étang de Ramerupt
Bois de Pute-Bête
Étang de Laborde
Bois de la Rothière
Fuligny
Ville-sur-Terre
Fresnay
La Gaîté
Chânet
Beurville
Les Grands Ordons
Bouzancourt
Ambonville
Mont Gimont
Cerisières
Provenchères-sur-Marne
Vernonvilliers
Éclance
Lévigny
Bois de Beauregard
Maisons-lès-Soulaines
Thors
Blinfey
Daillancourt
Froideau
Mirbel
Trannes
Bossancourt
Maison-Neuve
Bois de Courtgain
Engente
Colombé-la-Fosse
Saulcy
Rizaucourt-Buchey
Harricourt
Champcourt
Guindrecourt-sur-Blaise
Blaise
La Genevroye
N.-D. du Val
Vignory
Marbéville
Arsonval
Montier-en-l'Isle
Arrentières
Cornay
Buchey
Biernes
Curmont
Soncourt-sur-Marne
Nigloland
Jaucourt
Ailleville
Fme du Cellier
Colombé-le-Sec
Argentolles
Pratz
Le Plachet
L'Étoile
Vraincourt
Arganςon
Gagnage
Voigny
Rouvres-les-Vignes
Lamothe-en-Blaisy
Maison-des-Champs
Bar-sur-Aube
Lavilleneuve-aux-Fresnes
Colombey-les-Deux-Églises
Oudincourt
Fravaux
Proverville
Ste-Germaine
Lignol-le-Château
La Boisserie
Mémorial
Ormoy-lès-Sexfontaines
Spoy
Couvignon
Fontaine
Belroy
La Pipière
Sexfontaines
Lamancine
Annéville-la-Prairie
Meurville
Le Val Perdu
Bayel
La Belle Idée
Baroville
Lachapelle-en-Blaisy
Meures
Marault
Bois de Pimeux
Juzennecourt
Forêt des Dhuits
Bergères
La Borde
Blaisy
Forêt de Bossican
Bligny
Urville
La Bretonnière
Montheries
Gillancourt
Laharmand
Étang du Patis
Arconville
Forges-St-Bernard
Lavilleneuve-au-Roi
Brethenay
Clairvaux Maison Centrale (Anc^ne Abb^e)
Rennepont
Sarcicourt
Vitry-le-Croisé
Fraville
Longchamp-sur-Aujon
St-Martin-sur-la-Renne
Jonchery
Champignol-lez-Mondeville
Outre-Aube
Maranville
Forêt de Bois Gérard
Euffigneix
Fontarce
Forêt de Fontaine St-Bernard
Ville-s/s-la-Ferté
Vaudrémont
Autreville-sur-la-Renne
Buxières-lès-Villiers
Villiers-le-Sec
Viaduc
Juvancourt
Moulin
Cirfontaines-en-Azois
Aizanville
Braux-le-Châtel
Valdelancourt
CHAUMONT
Fays-Haut
Laferté-sur-Aube
Varencey
Pont-la-Ville
St-Usage
Bois de Laferté
Orges
Bricon
Montsaon
Les Fosses
Fontette
Fins
Semoutiers-Montsaon
Villars-en-Azois
Le Val-du-Four
Essey-les-Ponts
Forêt de Châteauvillain-Orges
Blessonville
Silvarouvres
Marmesse
Châteauvillain-Val-Marnay
Ste-Anastasie
Verpillières-sur-Ource
Cunfin
Ste-Anne
Beaumont
La Forge
Derville
Maison Renaud
Corgebin
Dinteville
Châteauvillain
Animal'Explora
Richebourg
Lanty-sur-Aube
Moulin
Bois de la Longe
Forêt de Châteauvillain et d'Arc
Valfond
Créancey
Grancey-sur-Ource
Bois des Forts
Forêt de Vigne Rouget
Bois de Lanty
Ormoy-sur-Aube
Bon Air
Montribourg
Val-des-Dames
Autricourt
Les Essarts
Champigny
Gevrolles
Latrecey-Ormoy-sur-Aube
La Lucine
Coupray
Carref de la Croix-de-Fer
Riel-les-Eaux
Fme du Mont
St-Roch
Cour-l'Évêque
Maison Paulin
Montigny-sur-Aube
Mont Rémin
Forêt du Montot
Veuxhaulles-sur-Aube
Bois de Faye
Arc-en-Barrois
La Vendue
Bugnières
Belan-sur-Ource
La Jarrie
Bois de Dancevoir
Maison-Fouin
Val-Bruant
Thoires
Bois de la Fontaine
Le Souhy
Boudreville
Dancevoir
Montrot
N.-D. de Montrot
Chaumont-le-Bois
Mosson
Brion-sur-Ource
Bissey-la-Côte
Courban
Longue
Aubepierre-sur-Aube
Obtrée
Vannaire
Massingy
Lignerolles
Giey-sur-Aujon
Montliot-et-Courcelles
Langres
Layer-sur-Roche
Louesme
Eriseul
St-Loup-sur-Aujon
Crépan
Les Goulles
La Chaume
Etufs
Cascade
A B C D
1 2 3 4 5

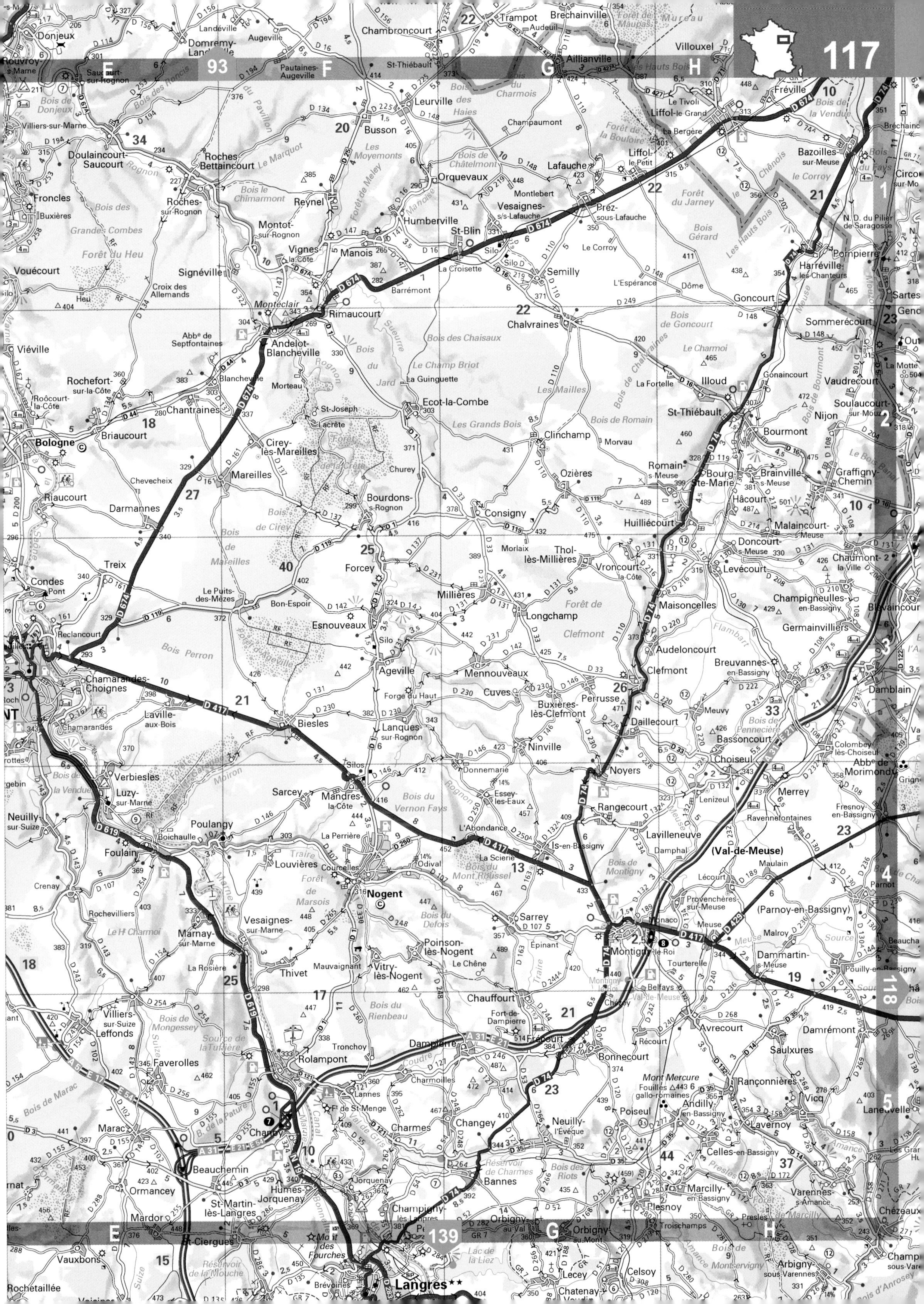

93
E
F
G
H
Donjeux
Domremy-Landéville
Augeville
Chambroncourt
Trampot
Brechainville
Villouxel
Saucourt-sur-Rognon
Pautaines-Augeville
St-Thiébault
Aillianville
Fréville
Liffol-le-Grand
Leurville
Busson
Champaumont
Doulaincourt-Saucourt
Roches-Bettaincourt
Orquevaux
Lafauche
Liffol-le-Petit
Bazoilles-sur-Meuse
Froncles
Roches-sur-Rognon
Reynel
Vesaignes-s/s-Lafauche
Prez-sous-Lafauche
Humberville
St-Blin
Montot-sur-Rognon
Vignes-la-Côte
Manois
Harréville-les-Chanteurs
Vouécourt
Signéville
Semilly
Goncourt
Rimaucourt
Chalvraines
Sommerécourt
Viéville
Andelot-Blancheville
Rochefort-sur-la-Côte
Ecot-la-Combe
Illoud
St-Thiébault
Chantraines
Soulaucourt-sur-Mouzon
Bologne
Briaucourt
Clinchamp
Bourmont
Cirey-lès-Mareilles
Mareilles
Ozières
Romain-s-Meuse
Bourg-Ste-Marie
Brainville-s-Meuse
Riaucourt
Darmannes
Bourdons-s-Rognon
Consigny
Huilliécourt
Hâcourt
Malaincourt-s-Meuse
Doncourt-s-Meuse
Treix
Forcey
Thol-lès-Millières
Vroncourt-la-Côte
Levécourt
Chaumont-la-Ville
Condes
Millières
Longchamp
Maisoncelles
Champigneulles-en-Bassigny
Esnouveaux
Forêt de Clefmont
Germainvilliers
Audeloncourt
Reclancourt
Ageville
Mennouveaux
Clefmont
Breuvannes-en-Bassigny
Chamarandes-Choignes
Cuves
Buxières-lès-Clefmont
Perrusse
Daillecourt
Damblain
Laville-aux-Bois
Biesles
Lanques-sur-Rognon
Ninville
Bassoncourt
Choiseul
Verbiesles
Luzy-sur-Marne
Sarcey
Mandres-la-Côte
Noyers
Merrey
Neuilly-sur-Suize
Poulangy
Rangecourt
L'Abondance
Is-en-Bassigny
Lavilleneuve
Foulain
Louvières
Nogent
(Val-de-Meuse)
(Parnoy-en-Bassigny)
Marnay-sur-Marne
Vesaignes-sur-Marne
Sarrey
Montigny-le-Roi
Poinson-lès-Nogent
Thivet
Vitry-lès-Nogent
Dammartin-s-Meuse
Chauffourt
Avrecourt
Damrémont
Villiers-sur-Suize
Leffonds
Faverolles
Rolampont
Dampierre
Frécourt
Bonnecourt
Saulxures
Andilly-en-Bassigny
Vicq
Marac
Charmes
Changey
Neuilly-l'Évêque
Poiseul
Lavernoy
Celles-en-Bassigny
Beauchemin
Ormancey
Humes-Jorquenay
Bannes
Marcilly-en-Bassigny
Varennes-s-Amance
St-Martin-lès-Langres
Plesnoy
Mardor
St-Ciergues
Orbigny-au-Val
Orbigny-au-Mont
Vauxbons
Celsoy
Arbigny-sous-Varennes
Rochetaillée
Langres
Lecey
Chatenay
139
118

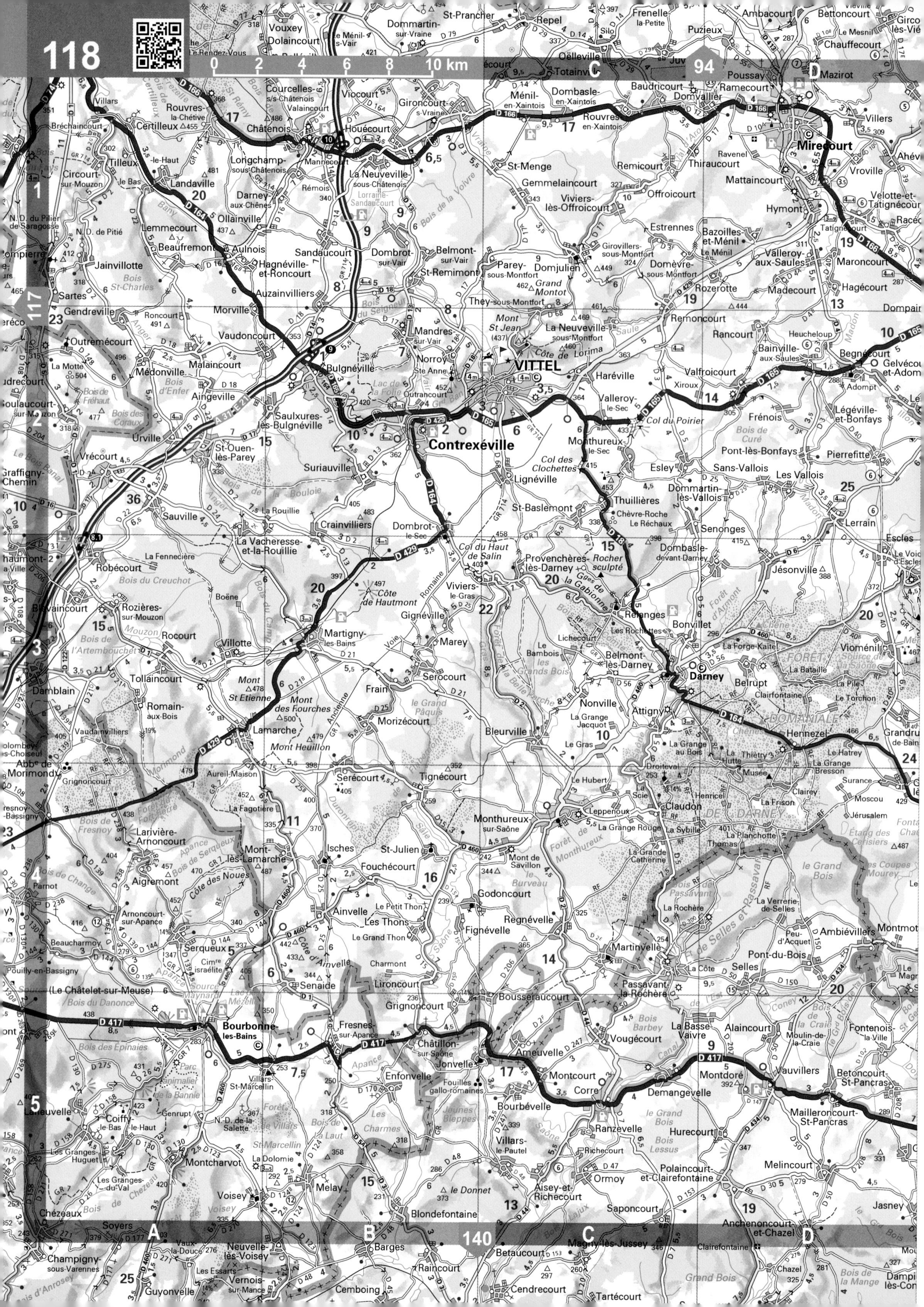
0 2 4 6 8 10 km
94
117
140
A
B
C
D
1
2
3
4
5
VITTEL
Contrexéville
Mirecourt
Darney
Bourbonne-les-Bains
Lamarche
Martigny-les-Bains
Châtenois
Bulgnéville
Monthureux-sur-Saône
Passavant-la-Rochère
Jonvelle
Châtillon-sur-Saône
Vougécourt
Dombasle-en-Xaintois
Rouvres-en-Xaintois
Remicourt
Domjulien
Haréville
Valfroicourt
Lignéville
Provenchères-lès-Darney
Relanges
Attigny
Hennezel
Claudon
Serocourt
Morizécourt
Tignécourt
Isches
Fouchécourt
Godoncourt
Regnévelle
Fignévelle
Martinvelle
Senaide
Lironcourt
Grignoncourt
Fresnes-sur-Apance
Serqueux
Aigremont
Larivière-Arnoncourt
Robécourt
Rozières-sur-Mouzon
Damblain
Tollaincourt
Romain-aux-Bois
Villotte
Rocourt
Sauville
La Vacheresse-et-la-Rouillie
Crainvilliers
Dombrot-le-Sec
Viviers-le-Gras
Gignéville
Marey
Frain
Bleurville
Nonville
Jésonville
Vioménil
Belrupt
Lerrain
Dommartin-lès-Vallois
Thuillières
Esley
Senonges
Dombasle-devant-Darney
Bonvillet
Landaville
Certilleux
Aulnois
Sandaucourt
Dombrot-sur-Vair
Morville
Vaudoncourt
Médonville
Malaincourt
Aingeville
Saulxures-lès-Bulgnéville
Suriauville
Urville
Vrécourt
St-Ouen-lès-Parey
Mandres-sur-Vair
Norroy
Valleroy-le-Sec
Col du Poirier
Col des Clochettes
Col du Haut de Salin
Côte de Hautmont
Mont St Etienne
Mont des Fourches
Mont Heuillon
Rocher sculpté
Forêt Domaniale de Darney
Ft de Selles et Passavant
D 164
D 165
D 166
D 417
D 429
D 460
A 31 - E 21

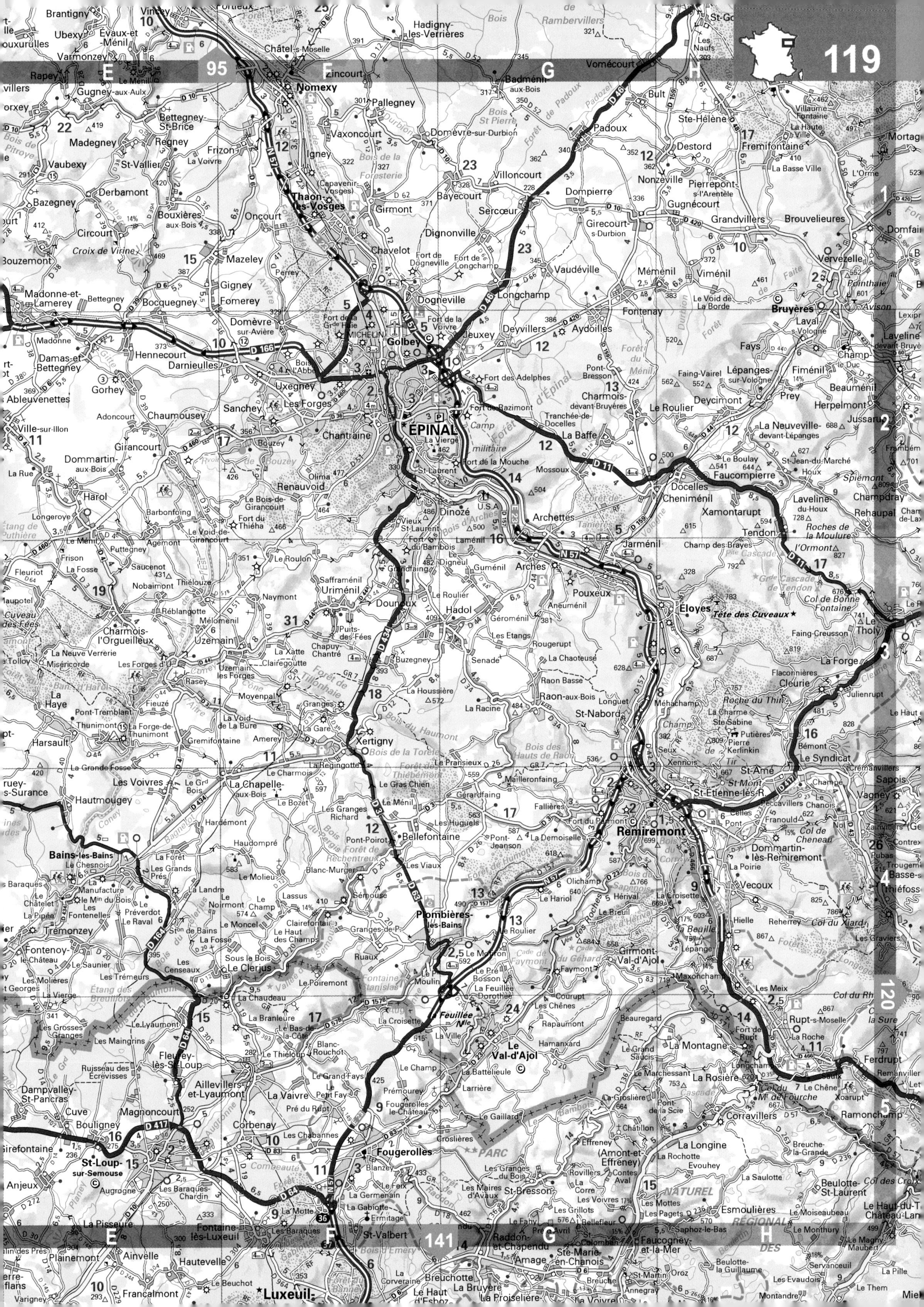
Nomexy
Châtel-s-Moselle
Thaon-les-Vosges
Golbey
ÉPINAL
Chantraine
Dinozé
Arches
Pouxeux
Eloyes
Jarménil
Docelles
Bruyères
Deyvillers
Jeuxey
Dogneville
Longchamp
Uxegney
Les Forges
Sanchey
Chaumousey
Renauvoid
Xertigny
Uriménil
Dounoux
Hadol
Remiremont
St-Étienne-lès-R.
St-Nabord
Plombières-les-Bains
Le Val-d'Ajol
Fougerolles
St-Loup-sur-Semouse
Bains-les-Bains
Fontenoy-le-Château
Aillevillers-et-Lyaumont
Corbenay
Luxeuil-
Faucogney-et-la-Mer
Rupt-s-Moselle
Vecoux
Dommartin-lès-Remiremont
Le Tholy
Tête des Cuveaux
Charmois-l'Orgueilleux
Uzemain
Darnieulles
Domèvre-sur-Avière
Girmont-Val-d'Ajol
Ramonchamp
Padoux
Dompierre
Fremifontaine
Grandvillers
Brouvelieures
Vervezelle
Fontenay
Aydoilles
Faucompierre
Cheniménil
Xamontarupt
Tendon
Fays
Lépanges-sur-Vologne
Deycimont
Le Roulier
La Baffe
Charmois-devant-Bruyères
Badménil-aux-Bois
Domèvre-sur-Durbion
Vaxoncourt
Girmont
Villoncourt
Bayecourt
Sercœur
Dignonville
Chavelot
Igney
Pallegney
Zincourt
Hennecourt
Gorhey
Harol
Dommartin-aux-Bois
Girancourt
Ville-sur-Illon
Madonne-et-Lamerey
Bocquegney
Gigney
Fomerey
Mazeley
Oncourt
Bouxières-aux-Bois
Derbamont
Vaubexy
Madegney
Bettegney-St-Brice
Regney
Gugney-aux-Aulx
Rapey
Brantigny
Hadigny-les-Verrières
Vomécourt
Bult
Ste-Hélène
Destord
Nonzeville
Gugnécourt
Pierrepont-s-l'Arentèle
Méménil
Viménil
Girecourt-s-Durbion
Vaudéville
Fontaine-lès-Luxeuil
Hautevelle
Ainvelle
Plainemont
Magnoncourt
Bouligney
Dampvalley-St-Pancras
Cuve
Fleurey-lès-St-Loup
Hautmougey
Harsault
Les Voivres
La Chapelle-aux-Bois
Bellefontaine
Le Clerjus
La Vaivre
St-Bresson
Esmoulières
Corravillers
La Longine
Raon-aux-Bois
Cleurie
Le Syndicat
Champdray
Rehaupal
Herpelmont
Beauménil
Jussarupt
Laval-s-Vologne
Prey
Fiménil
E
F
G
H
95
141
120

0 2 4 6 8 10 km
St-Dié-des-Vosges
Provenchères-et-Colroy
Lusse
Le Beulay
Frapelle
Neuvillers-s-Fave
Combrimont
Bertrimoutier
Wisembach
Ste-Marie-aux-Mines
Col de Ste-Marie
Ste-Marguerite
Remomeix
Raves
Coinches
Ban-de-Laveline
Gemaingoutte
Col du Ht Jacques
Col de Mon Repos
Mortagne
Les Rouges-Eaux
Taintrux
Saulcy-s-Meurthe
Entre-deux-Eaux
Mandray
St-Léonard
La Croix-aux-Mines
Col de Mandray
Fraize
Anould
Plainfaing
Col du Bonhomme
Le Bonhomme
Lapoutroie
Le Brézouard
Ban-sur-Meurthe-Clefcy
Col du Plafond
Gerbépal
Corcieux
Vienville
La Houssière
Les Poulières
Laveline-devant-Bruyères
La Chapelle-devant-Bruyères
Barbey-Seroux
Granges-Aumontzey
Champ de Roches
Champdray
Rehaupal
Liézey
Gérardmer
Xonrupt-Longemer
Roche du Diable
Col de la Schlucht
Col du Louchbach
Col de Martimpré
Le Valtin
Val d'Orbey
Orbey
Kaysersberg-Vignoble
Les Trois-Épis
Niedermorschwihr
Turckheim
Le Linge
Munster
Soultzeren
Hohrodberg
Gunsbach
Walbach
Zimmerbach
Pflixbourg
Le Tholy
Bas Beillard
Col du Haut de la Côte
Col de Falimont
Hohneck
Col des Feignes
Col de Sapois
Col de Grosse Pierre
Stosswihr
Muhlbach-s-M.
Luttenbach-près-M.
Breitenbach
Metzeral
Mittlach
Schnepfenried
Pt Ballon
Sondernach
Wasserbourg
Soultzbach-les-Bains
Griesbach-au-Val
Eschbach-au-Val
Sapois
Vagney
Rochesson
La Bresse
Col de Bramont
Rainkopf
Col de Menufosse
Col de la Vierge
Col du Brabant
Col du Herrenberg
Wildenstein
Cornimont
Grand Ventron
Ventron
Col d'Oderen
Col du Page
Col de la Burotte
Col du Haut du Roc
Thiéfosse
Saulxures-s-Moselotte
Kruth
Le Markstein
Col du Hahnenbrunnen
Le Breitfirst
Klintzkopf
Linthal
Lautenbach
Lautenbachzell
Murbach
Buhl
Guebwiller
Soultzmatt
Grd Ballon
Rimbach-près-G.
Oderen
Fellering
Pt Drumont
Grand Drumont
Col de Bussang
Bussang
Urbès
Husseren-Wesserling
Ranspach
Geishouse
St-Amarin
Storckensohn
Mitzach
Mollau
Malmerspach
Moosch
Willer-s-Thur
Le Thillot
Fresse-s-Moselle
St-Maurice-sur-Moselle
Tête des Perches
Ballon de Servance
Ballon d'Alsace
Col des Charbonniers
Col du Ballon
Rimbach-près-Masevaux
Thann
Vieux-Thann
Cernay
Uffholtz
Steinbach
Bitschwiller-lès-T.
Vieil Armand
Hartmannswiller
Wuenheim
Berrwiller
Wattwiller
Soultz Haut-Rhin
Jungholtz
Thierenbach
Ramonchamp
Ferdrupt
Le Ménil
Col du Ménil
Col de Morbieu
Tête du Midi
Col du Rhamne
Miellin
Le Haut-du-Them-Château-Lambert
Parc Naturel Régional des Ballons des Vosges
A B C D
96
142
119
1 2 3 4 5

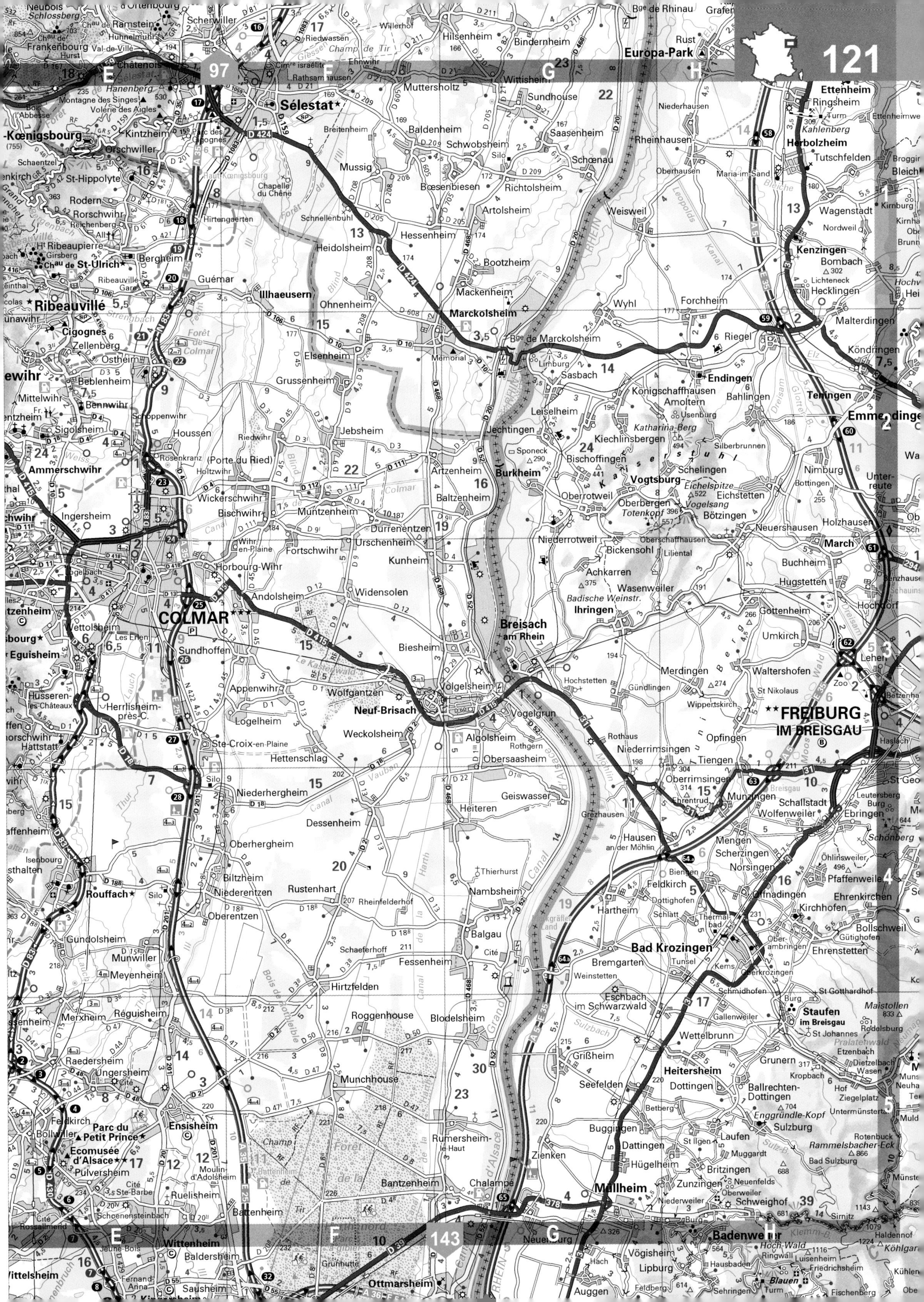
97
143
E
F
G
H
Sélestat
Europa-Park
Ettenheim
Herbolzheim
Kenzingen
Marckolsheim
Ribeauvillé
Riquewihr
Kaysersberg
Colmar
Breisach am Rhein
Neuf-Brisach
Freiburg im Breisgau
Emmendingen
Endingen
Riegel
Sasbach
Kaiserstuhl
Vogtsburg
Ihringen
Rouffach
Guebwiller
Ensisheim
Bad Krozingen
Heitersheim
Sulzburg
Müllheim
Badenweiler
Staufen im Breisgau
Ottmarsheim
Wittenheim
Parc du Petit Prince
Ecomusée d'Alsace
Rhein
Grand Canal d'Alsace
Forêt de la Hardt
Markgräfler Land
Badische Weinstr.
Eguisheim
Turckheim
Hirtzfelden
Fessenheim
Munchhouse
Chalampé
Neuenburg
Bantzenheim
Rumersheim-le-Haut
Blodelsheim
Sundhoffen
Andolsheim
Horbourg-Wihr
Illhaeusern
Guémar
Bergheim
Chapelle du Chêne
Haut-Kœnigsbourg
Châtenois
Scherwiller
Rhinau
Rust
Kippenheim
Wyhl
Weisweil
Jechtingen
Burkheim
Achkarren
Umkirch
Gottenheim
March
Hugstetten
Merdingen
Tiengen
Opfingen
Munzingen
Ebringen
Schallstadt
Pfaffenweiler
Ehrenkirchen
Hartheim
Eschbach
Grißheim
Buggingen
Ballrechten-Dottingen

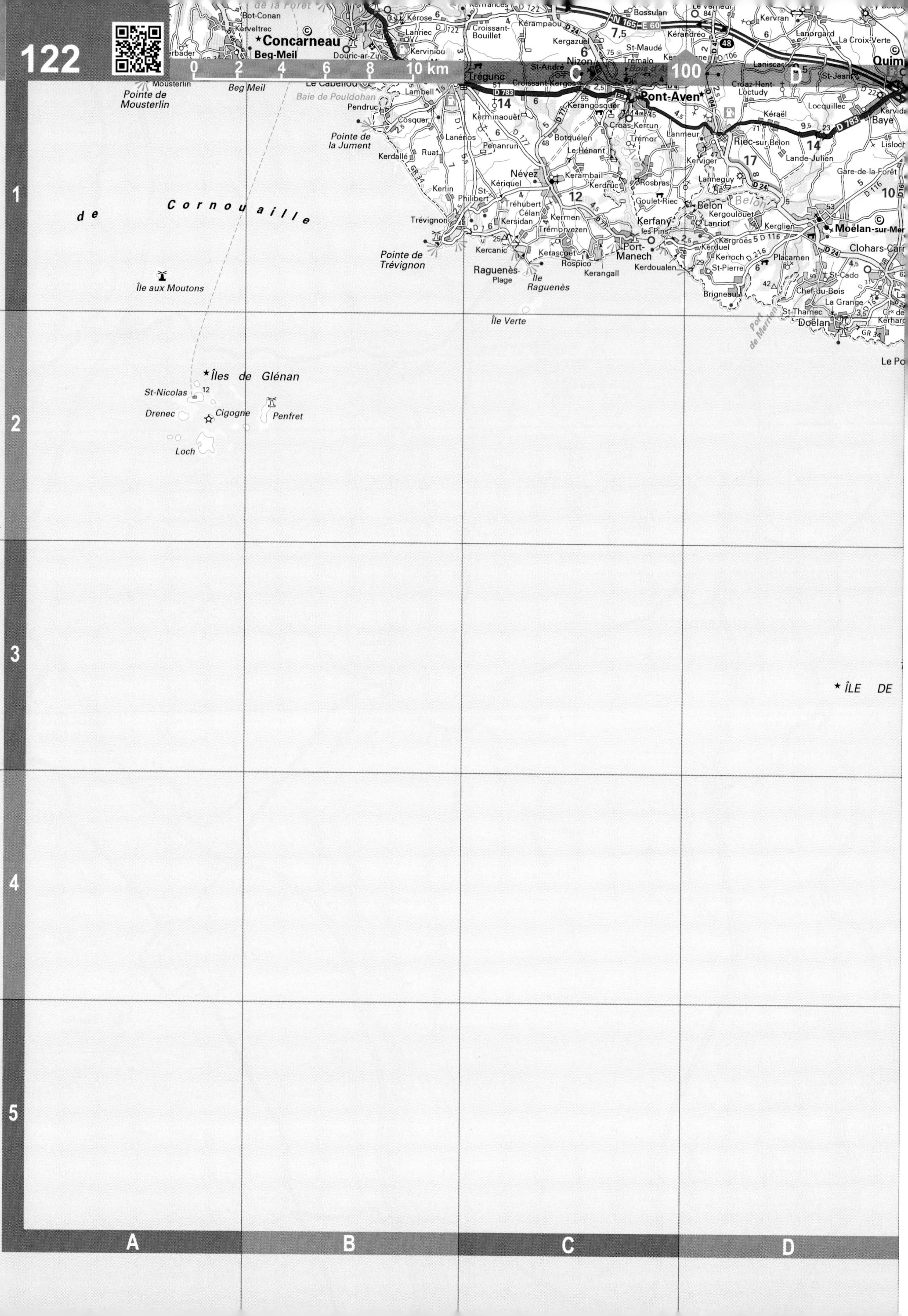
0 2 4 6 8 10 km
100
Concarneau
Beg-Meil
Bot-Conan
Kerveltrec
Douric-ar-Zin
Kérose
Lanriec
Kerviniou
Croissant-Bouillet
Kérampaou
Bossulan
Kergazuel
Kérandréo
Kervran
Lanorgard
La Croix-Verte
N 165 - E 60
Nizon
St-Maudé
Trémalo
St-André
Lanisca
St-Jean
Quim
Mousterlin
Pointe de Mousterlin
Beg Meil
Le Cabellou
Baie de Pouldohan
Lambell
Trégunc
Croissant-Kergos
Pont-Aven
Croaz-Hent-Loctudy
Locquillec
Kervida
Baye
Pendruc
Cosquer
Kerminaouët
Kerangosquer
Croas-Kerrun
Kéraël
Pointe de la Jument
Lanénos
Penanrun
Botquélen
Trémor
Lanmeur
Riec-sur-Belon
Lande-Julien
Lisloch
Kerdallé
Ruat
Le Hénant
Kerviger
Gare-de-la-Forêt
Névez
Kériquel
Kerambail
Kerdruc
Rosbras
Lanneguy
Kerlin
St-Philibert
Tréhubert
Célan
Goulet-Riec
Belon
Kergoulouet
Lanriot
Kerglien
Moëlan-sur-Mer
de Cornouaille
Trévignon
Kersidan
Kermen
Trémorvezen
Kerfany-les-Pins
Kergroës
Kerduel
Kerroch
Placamen
Clohars-Carr
Pointe de Trévignon
Kercanic
Kerascoët
Rospico
Port-Manech
Kerdoualen
St-Pierre
St-Cado
Raguenès-Plage
Île Raguenès
Kerangall
Chef-du-Bois
Île aux Moutons
Brigneau
La Grange
St-Thamec
Doëlan
Port de Merrien
Île Verte
Le Po
Îles de Glénan
St-Nicolas
Drenec
Cigogne
Penfret
Loch
ÎLE DE
D 783
D 24
D 116
GR 34
1
2
3
4
5
A
B
C
D

101
E
F
G
H
Arzano
Rédené
Cléguer
Lanvaudan
Calan
Inzinzac-Lochrist
Languidic
Pont-Scorff
Caudan
Hennebont
Quéven
Gestel
Guidel
Guidel-Plages
Lanester
LORIENT
Ploemeur
Larmor-Plage
Port-Louis
Gâvres
Locmiquélic
Riantec
Kervignac
Nostang
Merlevenez
Ste-Hélène
Plouhinec
Brandérion
Landévant
Landaul
Locoal-Mendon
Belz
Étel
Erdeven
Ploemel
Plouharnel
Carnac
La Trinité-sur-Mer
St-Pierre-Quiberon
Quiberon
Port-Haliguen
Portivy
GROIX
Groix
Pen-Men
Locmaria
Trou de l'Enfer
Pnte des Chats
Plage des Grands Sables
Côte des Mégalithes
Roches de Magouéro
Barre d'Etel
Pnte d'Erdeven
Alignements
Tumulus
Carnac-Plage
Pnte de Légenès
Île Theviec
Fort de Penthièvre
Pointe du Percho
Côte Sauvage
PRESQU'ÎLE DE QUIBERON
Beg er Goalennec
Beg Rohu
Pnte du Conguel
Port Maria
Beg er Vil
La Teignouse
Chaussée de la Teignouse
Passage de la Teignouse
Chaussée du Béniguet
Île Glazic
Plateau des Birvideaux
Pnte de Gâvres
Les Errants
Basse des Bretons
Passe de l'Ouest
Passe du Sud
Pnte du Talut
Anse du Pouldu
BAIE DE QUIBERON
124
144

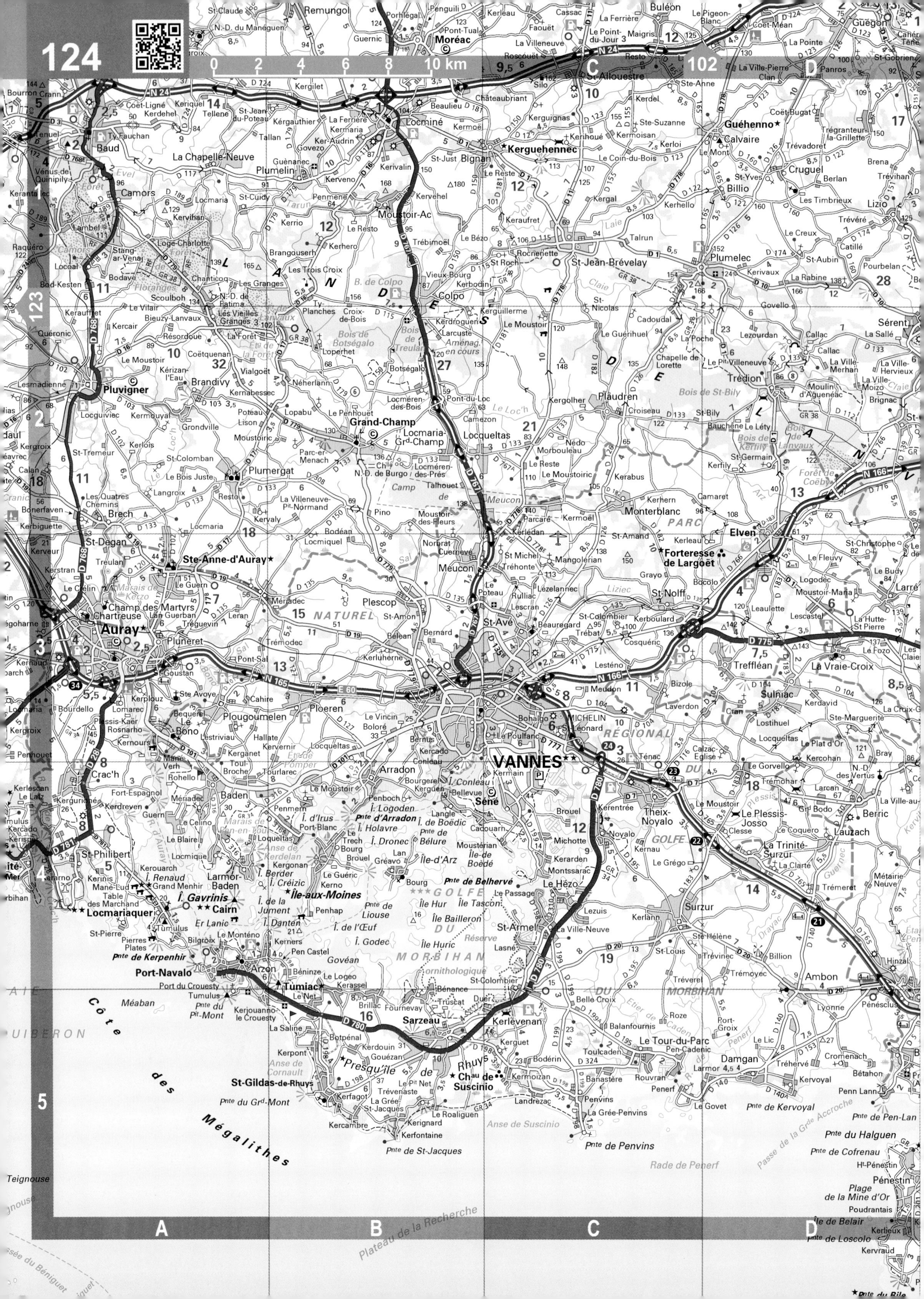
0 2 4 6 8 10 km
102
123
St-Claude
Remungol
Porhlégal
Penguili
Kerleau
Cassac
La Ferrière
Buléon
Le Pigeon-Blanc
Guégon
N.-D. du Manéguen
Guernic
Moréac
Pont-Tual
Faouët
Le Point-du-Jour
Maigris
Coët-Méan
La Pointe
La Villeneuve
Roscouët
St-Allouestre
Silo
La Ville-Pierre
Clan
Panros
St-Gobrien
N 24
Bourron
Crann
Kergilet
Beaulieu
Châteaubriant
Ste-Anne
Kerdel
Ste-Suzanne
Coët-Bugat
Guéhenno
Coët-Ligné
Keriquel
Tellene
St-Jean-du-Poteau
Kergauthier
La Ferrière
Kermaria
Locminé
Kermoël
Kerguignas
Kerihoué
Kermoisan
Kerloi
Calvaire
Trégranteur-la-Grillette
Tenuel
Baud
Ty-Fauchan
Tallan
Ker-Audrin
Govezo
Bignan
St-Just
Kerguehennec
Le Coin-du-Bois
Le Mont
Trévadoret
Brena
Vénus-de-Quinipily
La Chapelle-Neuve
Guénanec
Plumelin
Kerivalin
Kerveno
Le Reste
Cruguel
Berlan
Trévihan
Evel
Camors
Locmaria
St-Cuidy
Penmené
Kervehel
Billio
Les Timbrieux
Lizio
Kerantalec
Moustoir-Ac
Kerhello
Kergal
Kerviban
Kerrio
Le Resto
Keraufret
Trévéré
Raquéro
Lambel
Le Bézo
Talrun
Le Creux
Catillé
Loge-Charlotte
Stang-ar-Venaj
Kerhero
Trébimoël
Rocneriette
St-Jean-Brévelay
Plumelec
St-Aubin
Pourbelan
Locoal
Brangouserh
St-Roch
Kerivaux
La Rabine
Bodaye
Chanticoq
Les Trois Croix
Vieux-Bourg
Kerbodin
Bod-Kesten
Les Granges
Florange
B. de Colpo
Colpo
Claie
St-Nicolas
Govello
Scoulboh
N.-D. de Fatima
Ty-Planches
Croix-de-Bois
Kerguillerme
Cadoudal
Sérent
Kerauffret
Le Vilair
Bieuzy-Lanvaux
Les Vieilles Granges
Kerdroguen
Larcuste
Le Moustoir
Le Guérihuel
Lezourdan
Callac
La Sallé
Quéronic
Kercair
Résordoue
La Forêt
Bois de Botségalo
Bois de Treulan
Aménag. en cours
Chapelle de Lorette
Le Pt Villeneuve
La Ville-Merhan
La Ville-Hervieux
Le Moustoir
Coëtquenan
Kérizan-l'Eau
Brandivy
Vialgoët
Loperhet
Botségalo
Tredion
La Ville-Moizo
Lesmadienne
Pluvigner
Kernabessec
Néherlann
Locméren-des-Bois
Pont-du-Loc
Plaudren
Moulin d'Aguenéac
Brignac
Locquiviec
Kermouyal
Poteau
Lison
Lopabu
Le Penhouët
Grand-Champ
Camezon
Kergolher
Croiseau
St-Bily
Bois de St-Bily
Grondville
Moustoirc
Locmaria-Grd-Champ
Locqueltas
Bauchêne
Le Léty
Bois de Kerfily
Bois de Lanvaux
St-Tremeur
Kerlois
Parc-er-Menach
Morbouleau
Nédo
St-Germain
Kergroix
Calan
St-Colomban
Le Bois Juste
Plumergat
N.-D. de Burgo
Locméren-des-Prés
Le Moustoiric
Kerabus
Kerfily
Forêt de Coëby
N 166
Langroix
Resto
Camp
Talhouet
de Meucon
Kernern
Camaret
Les Quatres Chemins
Brech
Bonerfaven
Kerbiguette
La Villeneuve-Pt-Normand
Pino
Kervaly
Moustoir-des-Fleurs
Parcaré
Kermoël
Monterblanc
PARC
Elven
St-Degan
Kerveur
Locmaria
Bodéan
Locmiquel
Norbrat
Cuerneve
Kerlédan
St-Amand
St-Christophe
Kerstran
Treulan
Ste-Anne-d'Auray
Meucon
St-Michel
Tréhonte
Mangolérian
Kerleau
Forteresse de Largoët
Le Fleuvy
Le Budy
Le Crélin
Marais de Kerzo
Le Guern
Plescop
Le Poteau
Lézelannec
Grayo
Bocolo
Logodec
Moustoir-Maria
Larré
Champ des Martyrs
Chartreuse
Lan Guerban
Mériadec
NATUREL
St-Amon
Rulliac
Lescran
Liziec
St-Nolff
Leaulette
Lescastel
La Hutte-St-Pierre
Auray
Treguevin
Leran
Bélean
Bernard
St-Avé
Beauregard
St-Colombier
Trébat
Kerboulard
Cosquéric
Pluneret
Trémodec
Le Fozo
Kernaud
Pont-Sal
Kerluherne
Lesténo
Treffléan
La Vraie-Croix
St-Goustan
N 165
E 60
N 166
Meudon
Bizole
Sulniac
Kerdavid
La Croix-G
Kerplouz
Ste Avoye
Cahire
Ploeren
Laverdon
Cran
Bourdello
Lomarec
Bequerel
Le Bono
Plougoumelen
Le Vincin
Boloré
Bohalgo
St-Léonard
MICHELIN
RÉGIONAL
Lostihuel
Ste-Marguerite
Kergroix
Plessis-Kaër
Rosnarho
Kernours
Lestriviau
Hallate
Kervernir
Locqueltas
Bernus
Kercado
Le Poulfanc
Calzac-Eglise
Ténac
Locqueltas
Le Plat d'Or
Bray
Penhouet
Mané Verh
Kerganet
Toul-Broche
Tourlarec
Étel de Pomper
Conleau
VANNES
Kermain
DU
Le Gorvello
Kercohan
N.-D. des Vertus
Crac'h
Rohello
Arradon
Bourgerel
Kerguen
Î. Conleau
Bellevue
Séné
Theix-Noyalo
Trémohar
Larcan
Fort-Espagnol
Baden
Le Moustoir
Penboch
Î. Logoden
Pte d'Arradon
Î. Holavre
Langle
Î. de Boëdic
Kerentrée
Le Moustoir
Le Plessis-Josso
Grd Bodo
Berric
La Ville-au-
Kerlescan
Le Latz
Kerguriche
Kerdreven
Guern
Mériadec
Le Celino
Penmern
Î. d'Irus
Port-Blanc
Cadouarn
Brouel
Noyalo
Clesse
Le Coquero
Lauzach
Kercado
Kerispel
Le Blaire
Marais de Pen-en-Pont
Loqueltas
Le Trech
Bourg
Î. Dronec
Pte de Bélure
Moustérian
Île-de Boëdé
Michotte
Kernau
GOLFE
La Trinité-Surzur
St-Philibert
Locmique
Anse de Kerdelan
Kergonan
Brouel
Lan Gréavo
Île-d'Arz
Le Reste
Kerarden
Montssarac
Le Grégo
La Clarté
Métairie-Neuve
Kerouarch
Larmor-Baden
Î. Berder
Le Guéric
Kerno
Bourg
Pte de Belhervé
Le Hézo
Trémeret
Kerinis
Mané-Lud
Grand Menhir
Table des Marchand
Î. Gavrinis
Cairn
Î. Créizic
Î. de la Jument
Île-aux-Moines
Pte de Liouse
GOLFE
Île Hur
Île Tascon
Le Passage
Surzur
Locmariaquer
Er Lanic
Penhap
Î. Danten
Île Bailleron
Lezuis
Kerlann
St-Pierre
Tumulus
Pierres Plates
Le Monténo
Bilgroix
Kerners
Î. de l'Œuf
Î. Godec
DU
Réserve
St-Armel
La Ville-Neuve
Ste Hélène
Drayac
Pte de Kerpenhir
Pen Castel
Govéan
Île Huric
MORBIHAN
ornithologique
Lasné
St-Louis
Trévinec
Billion
Hinzal
Port-Navalo
Arzon
Béninze
Le Logeo
St-Colombier
Tréverel
Trémoyec
Ambon
Port du Crouesty
Tumiac
Kerassel
Bénance
Truscat
Duer
Belle Croix
MORBIHAN
Pénesclus
Méaban
Tumulus
Pte du Pit-Mont
Kerjouanno
le Crouesty
Le Net
Brillac
Fournevay
Sarzeau
Kerlévenan
Etier de Caden
Lyonne
La Saline
Botpénal
Kerdouin
Balanfournis
Roze
Port-Groix
Côte des Mégalithes
Kerpont
Anse de Cornault
Gouézan
Presqu'île de Rhuys
Kerguet
Bodérin
Toulcaden
Le Tour-du-Parc
Pen-Cadenic
Penerf
Le Lic
Cromenach
Damgan
Tréhervé
Larmor
Bétahon
St-Gildas-de-Rhuys
Le Pit Net
Trévenaste
Chau de Suscinio
Kermoizan
Banastère
Rouvran
Penerf
Kervoyal
Penn Lann
Pte du Grd-Mont
Kerfagot
La Grée
St-Jacques
Landrezac
Penvins
La Grée-Penvins
Le Govet
Pte de Kervoyal
Pte de Pen-Lan
Kercambre
Kerignard
Le Roaliguen
Anse de Suscinio
Pte du Halguen
Kerfontaine
Pte de St-Jacques
Pte de Penvins
Rade de Penerf
Passe de la Grde Accroche
Pte de Cofrenau
Ht-Pénestin
Pénestin
Teignouse
Plage de la Mine d'Or
Poudrantais
Plateau de la Recherche
Île de Belair
Pte de Loscolo
Kerlieux
Kervraud
Passée du Béniguet
Pte du Bile
A
B
C
D
1
2
3
4
5

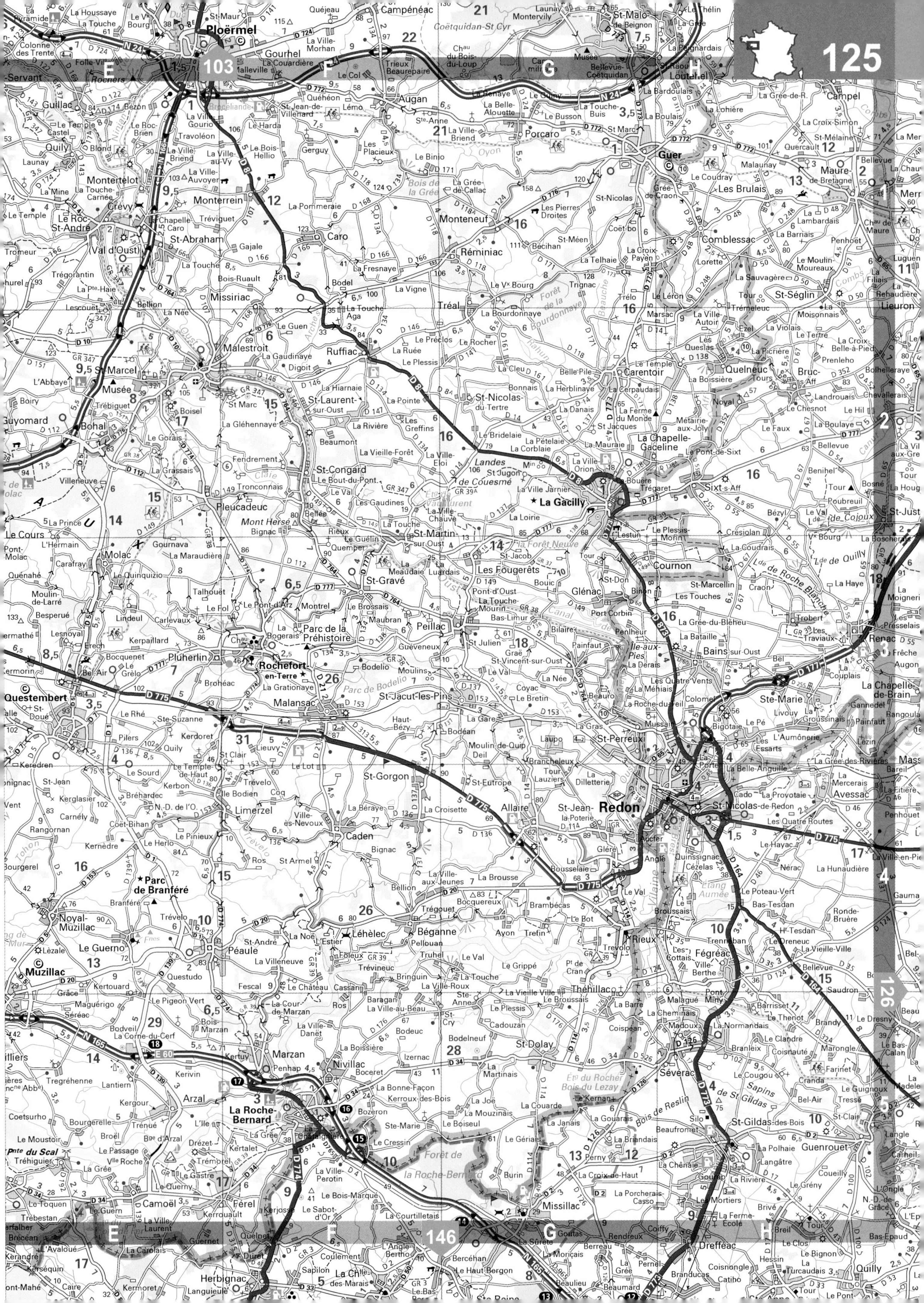
Ploërmel
Campénéac
Coëtquidan-St Cyr
St-Malo-de-Beignon
Guer
Augan
Porcaro
Maure-de-Bretagne
Les Brulais
Comblessac
Monterrein
Montertelot
Caro
Monteneuf
Réminiac
Missiriac
Malestroit
Ruffiac
Tréal
Carentoir
Quelneuc
St-Séglin
St-Marcel
St-Laurent-sur-Oust
St-Nicolas-du-Tertre
La Chapelle-Gaceline
La Gacilly
Sixt-s-Aff
Bohal
St-Congard
Pleucadeuc
Molac
St-Martin-sur-Oust
Les Fougerêts
Glénac
Cournon
St-Gravé
Peillac
Bains-sur-Oust
Renac
Pluherlin
Rochefort-en-Terre
Parc de la Préhistoire
Malansac
St-Jacut-les-Pins
Questembert
Ste-Marie
St-Perreux
St-Gorgon
Limerzel
Caden
Allaire
St-Jean-la-Poterie
Redon
St-Nicolas-de-Redon
Avessac
Parc de Branféré
Noyal-Muzillac
Muzillac
Le Guerno
Péaule
Béganne
Rieux
Fégréac
Marzan
Nivillac
St-Dolay
Théhillac
Sévérac
St-Gildas-des-Bois
Guenrouet
Arzal
La Roche-Bernard
Camoël
Férel
Missillac
Drefféac
Herbignac
Quilly
N 24
N 165
D 775
D 177
D 773
E 60
103
146
126

0 2 4 6 8 10 km
Guichen
Janzé
Corps-Nuds
Chanteloup
Bourg-des-Comptes
Crevin
Guignen
St-Senoux
Pléchâtel
Poligné
Pancé
Saulnières
Le Sel-de-Bretagne
Tresbœuf
La Bosse-de-Bretagne
Lohéac
Manoir de l'Automobile
Lieuron
Mernel
Guipry
Messac
Bain-de-Bretagne
Pipriac
La Noë Blanche
Teillay
Ercé-en-Lamée
Lalleu
Thourie
St-Just
St-Ganton
La Dominelais
St-Sulpice-des-Landes
Rougé
Ruffigné
Renac
Langon
Ste-Anne-s-Vilaine
Grand-Fougeray
Sion-les-Mines
La Chapelle-de-Brain
Brain-s-Vilaine
Besslé
Pierric
Mouais
Lusanger
St-Aubin-des-Châteaux
Masserac
Avessac
Derval
Louisfert
Guémené-Penfao
Conquereuil
St-Vincent-des-Landes
Jans
Treffieux
Issé
Marsac-s-Don
Plessé
Vay
Nozay
Abbaretz
La Grigonnais
Le Gâvre
Puceul
Blain
Saffré
La Chevallerais
Joué-s-Erdre
Forêt du Gâvre

104
125
147

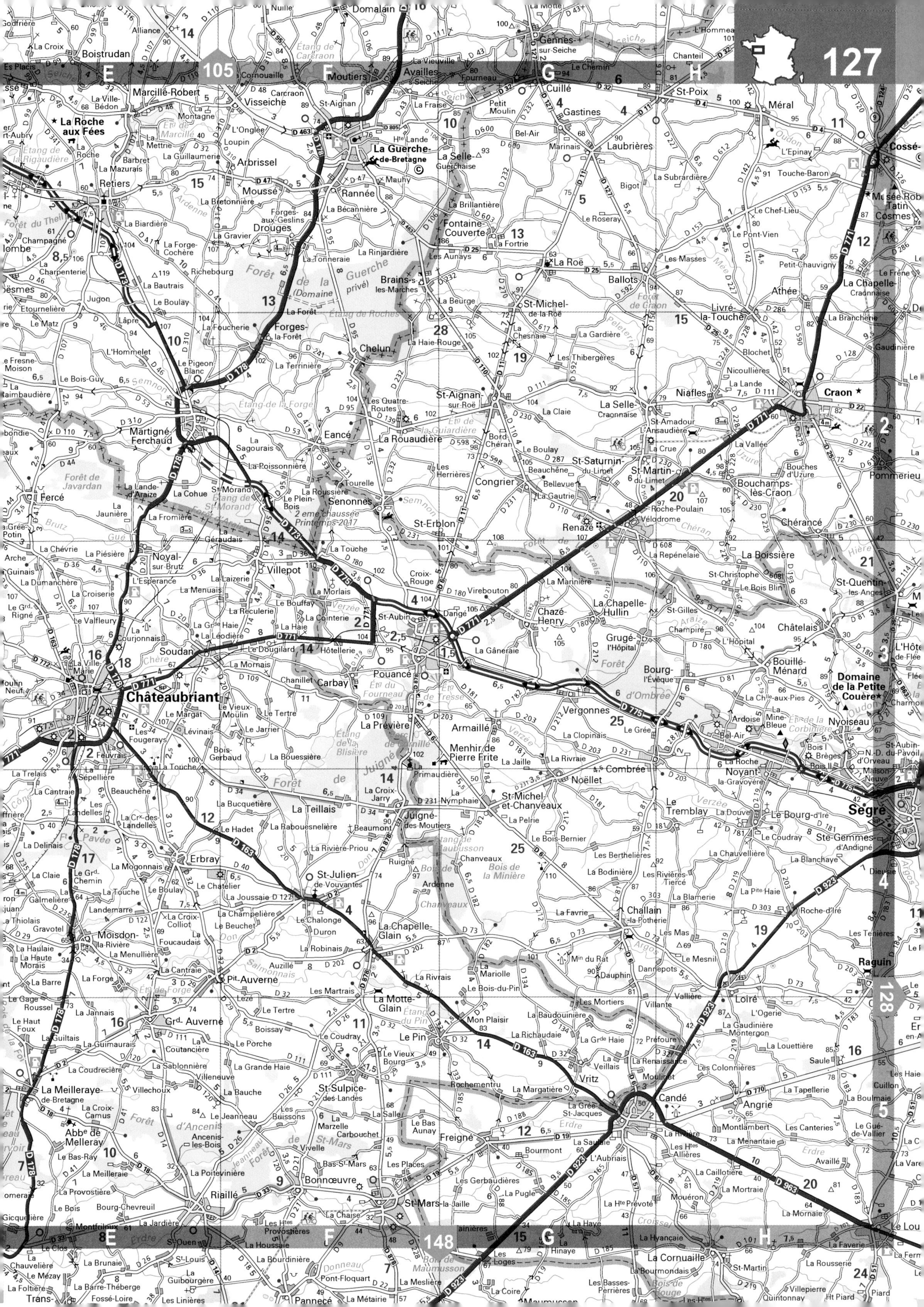
105
148
128
E
F
G
H
Domalain
Gennes-sur-Seiche
L'Hommeau
Boistrudan
Moutiers
Availles-sur-Seiche
Cuillé
St-Poix
Méral
Marcillé-Robert
Visseiche
La Roche aux Fées
La Guerche-de-Bretagne
Gastines
Laubrières
Cossé-le-Vivien
Retiers
Arbrissel
Rannée
La Selle-Guerchaise
Musée Robert Tatin
Drouges
Fontaine-Couverte
La Roë
Ballots
Forêt de la Guerche (Domaine privé)
Brains-s-les-Marches
St-Michel-de-la-Roë
Athée
Livré-la-Touche
La Chapelle-Craonnaise
Forges-la-Forêt
Chelun
Forêt de Craon
Craon
Niafles
St-Aignan-sur-Roë
La Selle-Craonnaise
Martigné-Ferchaud
Eancé
La Rouaudière
St-Saturnin-du-Limet
St-Martin-du-Limet
Pommerieux
Forêt de Javardan
Congrier
Senonnes
Bouchamps-lès-Craon
Fercé
St-Erblon
Renazé
Chérancé
La Boissière
Noyal-sur-Brutz
Villepot
St-Quentin-les-Anges
Chazé-Henry
La Chapelle-Hullin
Châtelais
Soudan
St-Aubin
Pouancé
Grugé-l'Hôpital
Bouillé-Ménard
Domaine de la Petite Couère
Châteaubriant
Carbay
Bourg-l'Évêque
La Prévière
Armaillé
Vergonnes
Nyoiseau
Menhir de Pierre Frite
Noyant-la-Gravoyère
Combrée
Noëllet
St-Michel-et-Chanveaux
La Teillais
Juigné-des-Moutiers
Le Tremblay
Segré
Le Bourg-d'Iré
Ste-Gemmes-d'Andigné
Erbray
St-Julien-de-Vouvantes
Bois de la Minière
Challain-la-Potherie
Moisdon-la-Rivière
La Chapelle-Glain
Roche-d'Iré
Pt-Auverne
Dauphin
Loiré
Raguin
La Motte-Glain
Grd-Auverné
Le Pin
Vritz
Candé
La Meilleraye-de-Bretagne
St-Sulpice-des-Landes
Angrie
Abbe de Melleray
Freigné
Bonnœuvre
St-Mars-la-Jaille
Riaillé
La Cornuaille
Trans-sur-Erdre

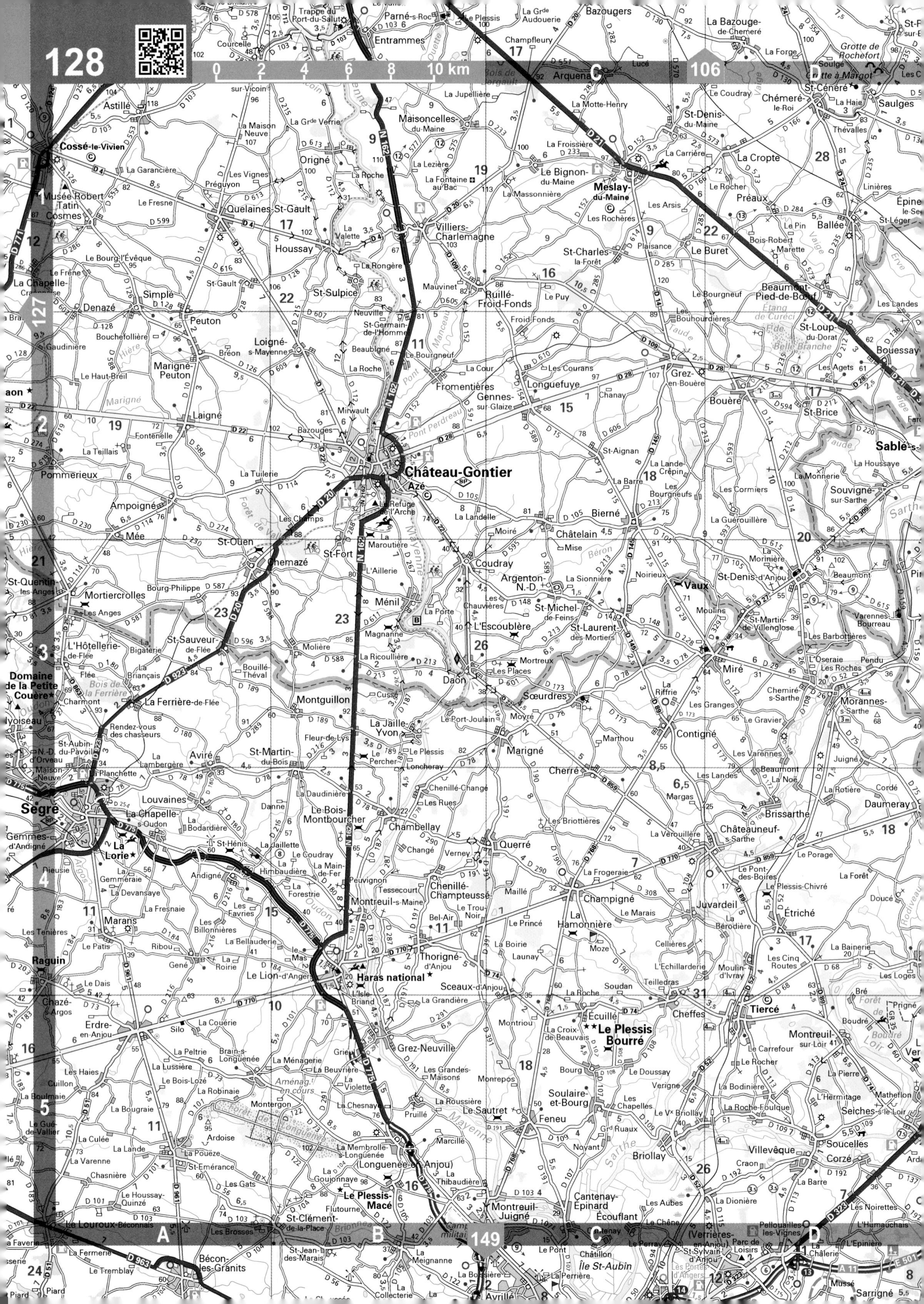
0 2 4 6 8 10 km
106
127
149
A
B
C
D
1
2
3
4
5
Entrammes
Parné-s-Roc
Bazougers
La Bazouge-de-Chemeré
Arquenay
Grotte de Rochefort
Grotte à Margot
St-Céneré
Saulges
Chémeré-le-Roi
Astillé
Cossé-le-Vivien
Maisoncelles-du-Maine
Origné
St-Denis-du-Maine
La Cropte
Le Bignon-du-Maine
Meslay-du-Maine
Préaux
Ballée
Musée Robert Tatin
Cosmes
Quelaines-St-Gault
Villiers-Charlemagne
St-Charles-la-Forêt
Le Buret
Houssay
La Chapelle-Craonnaise
Simplé
St-Sulpice
Ruillé-Froid-Fonds
Beaumont-Pied-de-Bœuf
Denazé
Peuton
Loigné-s-Mayenne
St-Germain-de-l'Homme
Étang de Curécy
St-Loup-du-Dorat
Bouessay
Marigné-Peuton
Fromentières
Gennes-sur-Glaize
Longuefuye
Grez-en-Bouère
Bouère
St-Brice
Laigné
Bazouges
Sablé-s-Sarthe
Pommerieux
Château-Gontier
Azé
Le Refuge de l'Arche
St-Aignan
La Lande-Crépin
Ampoigné
Bierné
Souvigné-sur-Sarthe
Mée
St-Ouen
St-Fort
Châtelain
Coudray
Chemazé
Argenton-N.-D.
St-Michel-de-Feins
Vaux
St-Denis-d'Anjou
St-Quentin-les-Anges
Mortiercrolles
Ménil
St-Laurent-des-Mortiers
St-Martin-de-Villenglose
L'Hôtellerie-de-Flée
St-Sauveur-de-Flée
Magnanne
L'Escoublère
Daon
Miré
Domaine de la Petite Couère
La Ferrière-de-Flée
Montguillon
Sœurdres
Morannes-s-Sarthe
La Jaille-Yvon
Contigné
St-Aubin-du-Pavoil
Avirė
St-Martin-du-Bois
Marigné
Cherré
Segré
Louvaines
La Chapelle-s-Oudon
Le Bois-Montbourcher
Chambellay
Brissarthe
Daumeray
La Lorie
Querré
Châteauneuf-s-Sarthe
Chenillé-Champteussé
Champigné
Juvardeil
Étriché
Marans
Montreuil-s-Maine
La Hamonnière
Raguin
Le Lion-d'Angers
Haras national
Thorigné-d'Anjou
Sceaux-d'Anjou
Chazé-s-Argos
Cheffes
Tiercé
Erdre-en-Anjou
Grez-Neuville
Écuillé
Le Plessis Bourré
Montreuil-sur-Loir
Seiches-s-le-Loir
Soulaire-et-Bourg
Feneu
Le Sautret
Briollay
Villevêque
Soucelles
Corzé
La Pouëze
La Membrolle-s-Longuenée
(Longuenée-en-Anjou)
Le Plessis-Macé
Cantenay-Épinard
Le Louroux-Béconnais
Montreuil-Juigné
Écouflant
St-Clément-de-la-Place
Bécon-les-Granits
Avrillé
Châtillon
Île St-Aubin
St-Sylvain-d'Anjou
Sarrigné
Forêt de Longuenée
N 162
D 21
D 775
D 923
D 770
D 28
D 22
D 20

107
130
150
E
F
G
H
1
2
3
4
5
La Flèche
La Suze-s-Sarthe
Solesmes
Sablé-sur-Sarthe
Malicorne-sur-Sarthe
Le Lude
Loué
Brûlon
Noyen-sur-Sarthe
Durtal
Jarzé
Baugé
Vieil-Baugé
St-Christophe-en-Champagne
Asnières-sur-Vègre
Chantenay-Villedieu
Parcé-sur-Sarthe
Clermont-Créans
Bazouges-sur-le-Loir
Mansigné
Guécélard
Cérans-Foulletourte
Spay
Allonnes
Étival-lès-le-M.
Louplande
Chemiré-le-Gaudin
Voivres-lès-le-M.
Fillé
Roézé-sur-Sarthe
Yvré-le-Pôlin
Requeil
Ligron
Courcelles-la-Forêt
Villaines-s/s-Malicorne
La Chapelle-d'Aligné
Crosmières
Précigné
Louailles
Juigné-s-Sarthe
Avoise
Vion
Fontenay-sur-Vègre
Poillé-s-Vègre
Auvers-le-Hamon
Pirmil
Tassé
Fercé-s-Sarthe
Maigné
Vallon-sur-Gée
Crannes-en-Champagne
Chassillé
Longnes
Brains-sur-Gée
Coulans-s-Gée
Auvers-s/s-Montfaucon
Tassillé
Mareil-en-Champagne
St-Ouen-en-Champagne
St-Pierre-des-Bois
Souligné-Flacé
St-Georges-du-Bois
Pruillé-le-Chétif
Mézeray
Oizé
St-Jean-de-la-Motte
Vénevelles
Luché-Pringé
Mareil-sur-Loir
Thorée-les-Pins
Savigné-s/s-le-Lude
Dissé-s/s-le-Lude
Genneteil
Chigné
Broc
Chalonnes-sous-le-Lude
Dénezé-s/s-le-Lude
Noyant
Vaulandry
Clefs-Val-d'Anjou
Montigné-lès-Rairies
Les Rairies
Huillé
Lézigné
Baracé
Marcé
Seiches
Musée rég. de l'Air
Chaumont-d'Anjou
Fougeré
Cré
Le Tertre-Rouge
Zoo
La Pierre Couverte
Pontigné
Chavaignes
Lasse
Auverse
Sermaise
Landifer
Montpollin
Marolles
Bois-Dauphin
Courtillers
Beaufort
Cossé-en-Champagne
Bannes
Thorigné-en-Charnie
Avessé
Chevillé
Forêt de Chambiers
Forêt de Pincé
Forêt de Courcelles
Bois de Pins
A 11
A 85
E 501
D 306
D 323
D 357
D 766
D 938
D 309
D 326
LGV BPL
Sarthe
Loir
Vègre

0 2 4 6 8 10 km
108
129
151
A
B
C
D
Changé
Musée Automobile
Arnage
Mulsanne
Ruaudin
Parigné-l'Évêque
Brette-les-Pins
Teloché
St-Mars-d'Outillé
Ecommoy
Marigné-Laillé
Jupilles
Le Grand-Lucé
Pruillé-l'Éguillé
St-Vincent-du-Lorouër
Villaines-s/s-Lucé
Bouloire
Ardenay-sur-Mérize
Surfonds
Volnay
Challes
Tresson
Evaillé
Ste-Osmane
Montreuil-le-Henri
Cogners
St-Georges-de-la-Couée
Vancé
Courdemanche
St-Pierre-du-Lorouër
Lavenay
Ponce-s-le-Loir
Ruillé-s-Loir
La Chartre-s-le-Loir
Lhomme
Chahaignes
Marçon
Beaumont-sur-Dême
Château-du-Loir
Vouvray-s-Loir
Flée
Thoiré-sur-Dinan
Beaumont-Pied-de-Bœuf
Luceau
Montabon
Nogent-sur-Loir
Dissay-s/s-Courcillon
Villebourg
Bueil-en-Touraine
Chemillé-sur-Dême
Neuvy-le-Roi
Loüestault
Marray
St-Paterne-Racan
St-Christophe-sur-le-Nais
La Roche-Racan
Neuillé-Pont-Pierre
Beaumont-
Château-la-Vallière
Marcilly-s-Maulne
Brèches
Couesmes
Villiers-au-Bouin
St-Germain-d'Arcé
La Chapelle-aux-Choux
Chenu
St-Aubin-le-Dépeint
La Bruère-sur-Loir
Vaas
Aubigné-Racan
Coulongé
Lavernat
Mayet
Verneil-le-Chétif
Pontvallain
Sarcé
St-Ouen-en-Belin
St-Biez-en-Belin
Laigné-en-Belin
St-Gervais-en-Belin
Moncé-en-Belin
Château-l'Hermitage
Requeil
Yvré-le-Pôlin
Sonzay
Semur-en-Vallon
Coudrecieux
St-Michel-de-Chavaignes
Maisoncelles
Écorpain
Thorigné-sur-Dué
Nuillé-le-Jalais
Soulitré
Le Breil-s-Mérize
Champagné
Yvré-l'Évêque
St-Mars-la-Brière
Forêt de Bercé
A 28
E 502
D 338
D 304
D 323
D 357
D 766
D 959
D 305
D 306

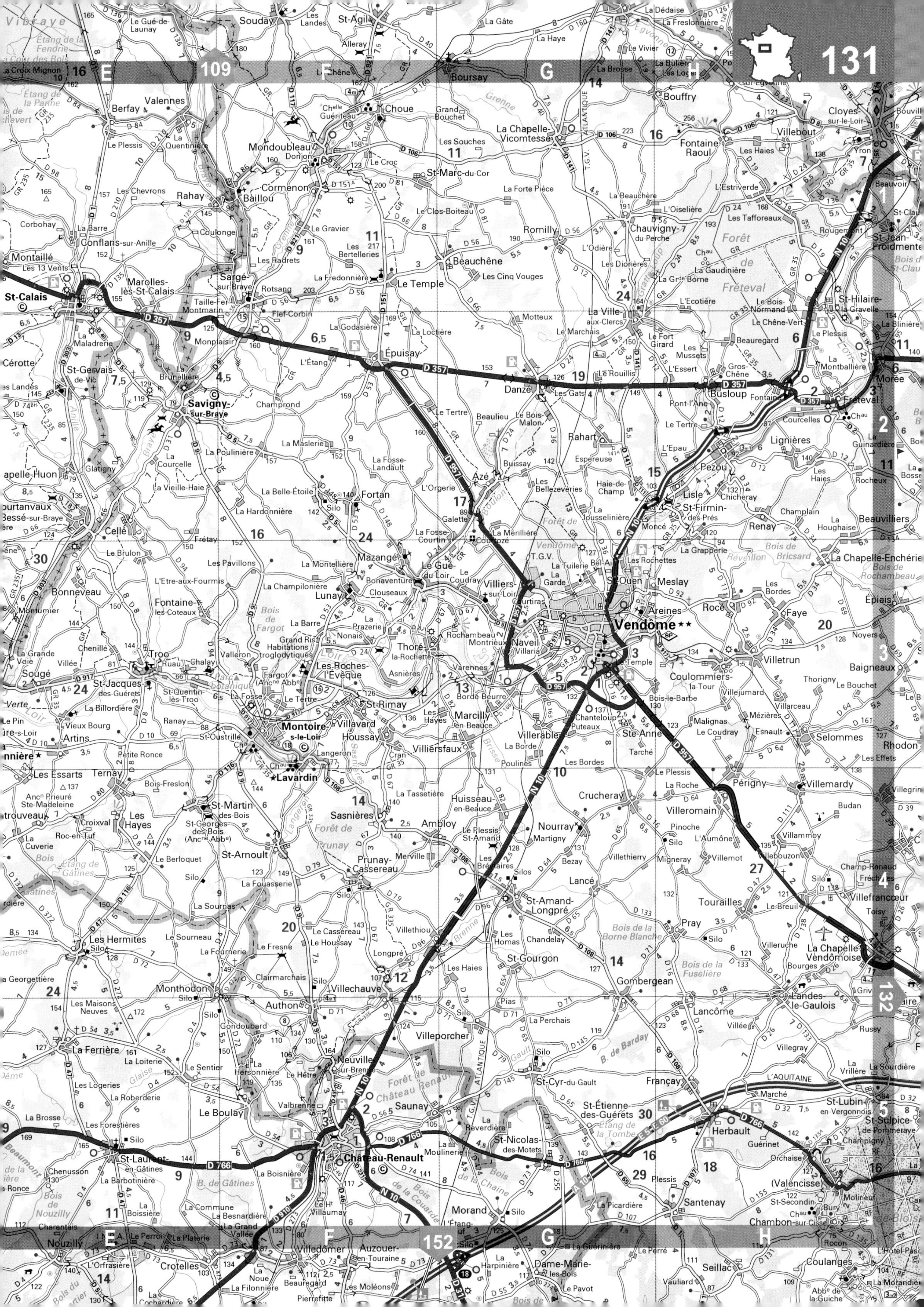
109
E
F
G
H
16
Souday
St-Agil
Boursay
La Dédaise
La Fresionnière
La Haye
La Gâte
Le Gué-de-Launay
Berfay
Valennes
Choue
Mondoubleau
Cormenon
Baillou
Rahay
Bouffry
Cloyes-sur-le-Loir
Villebout
Fontaine-Raoul
La Chapelle-Vicomtesse
St-Marc-du-Cor
Le Temple
Beauchêne
Romilly
Chauvigny-du-Perche
Forêt de Fréteval
Conflans-sur-Anille
Montaillé
St-Calais
Marolles-lès-St-Calais
Sargé-sur-Braye
Épuisay
La Ville-aux-Clercs
Danzé
Busloup
Morée
Fréteval
St-Hilaire-la-Gravelle
St-Jean-Froidmentel
Savigny-sur-Braye
St-Gervais-de-Vic
Cérotte
D 357
D 957
Lignières
Pezou
Lisle
St-Firmin-des-Prés
Azé
Fortan
Renay
Beauvilliers
Mazangé
Le Gué-du-Loir
Lunay
Villiers-sur-Loir
Vendôme
Meslay
Areines
Rocé
Épiais
Faye
La Chapelle-Enchérie
Bonneveau
Fontaine-les-Coteaux
Troo
Sougé
St-Jacques-des-Guérets
Les Roches-l'Évêque
Thoré-la-Rochette
Naveil
Montoire-sur-le-Loir
Lavardin
St-Rimay
Houssay
Marcilly-en-Beauce
Villerable
Ste-Anne
Coulommiers-la-Tour
Villetrun
Baigneaux
Selommes
Artins
Ternay
Les Hayes
St-Martin-des-Bois
St-Arnoult
Sasnières
Ambloy
Huisseau-en-Beauce
Crucheray
Villeromain
Périgny
Villemardy
Nourray
Lancé
St-Amand-Longpré
Prunay-Cassereau
Tourailles
Pray
Les Hermites
Monthodon
Authon
Villechauve
St-Gourgon
Gombergean
La Chapelle-Vendômoise
Landes-le-Gaulois
Lancôme
La Ferrière
Villeporcher
Neuville-sur-Brenne
St-Cyr-du-Gault
Françay
Le Boulay
Saunay
St-Étienne-des-Guérets
Herbault
St-Lubin-en-Vergonnois
St-Sulpice-de-Pommeray
St-Laurent-en-Gâtines
Château-Renault
St-Nicolas-des-Motets
Santenay
Morand
Nouzilly
Villedômer
Auzouer-en-Touraine
Crotelles
Dame-Marie-les-Bois
Seillac
Coulanges
132
152
D 766
A 10
N 10
L'AQUITAINE

0 2 4 6 8 10 km
110
131
153
A
B
C
D
1
2
3
4
5
Cloyes
Autheuil
Romilly-sur-Aigre
La Ferté-Villeneuil
Charray
St-Jean-Froidmentel
Brévainville
Ouzouer-le-Doyen
Moisy
Morée
Fréteval
Villamblain
Tournoisis
Patay
Coinces
St-Péravy-la-Colombe
St-Sigismond
Gémigny
Épieds-en-Beauce
Coulmiers
Charsonville
Ouzouer-le-Marché
Binas
Autainville
St-Laurent-des-Bois
Marchenoir
Oucques
Vievy-le-Rayé
Beauvilliers
La Chapelle-Enchérie
St-Léonard-en-Beauce
Lorges
Cravant
Baccon
Huisseau-sur-Mauves
Le Bardon
Meung-sur-Loire
Cléry-St-André
Beaugency
Messas
Villorceau
Josnes
Talcy
Roches
Concriers
Séris
Villeneuve-Frouville
Boisseau
Conan
Maves
Villexanton
La Chapelle-St-Martin-en-Plaine
Mer
Courbouzon
St-Laurent-Nouan
Lailly-en-Val
Tavers
Avaray
Lestiou
Champigny-en-Beauce
Averdon
Mulsans
Suèvres
Villerbon
Menars
Cour-sur-Loire
Montlivault
Muides-sur-Loire
St-Dyé-sur-Loire
Crouy-sur-Cosson
La Ferté-St-Cyr
Maslives
Chambord
Thoury
Villeny
St-Denis-sur-Loire
St-Claude-de-Diray
La Chaussée-St-Victor
Vineuil
BLOIS
St-Sulpice-de-Pommeraye
Villebarou
Marolles
Fossé
Huisseau-sur-Cosson
Dhuizon
Mont-près-Chambord
Villesavin
Bracieux
Neuvy
Montrieux-en-Sologne
Chailles
Beauregard
St-Gervais-la-Forêt
Forêt de Marchenoir
Forêt de Blois
Parc de Chambord
Bois de la Ferté
Bois de Pully
Loire
L'Aquitaine
A 10
D 924
D 357
D 2157
D 955
D 2152
D 951
D 925

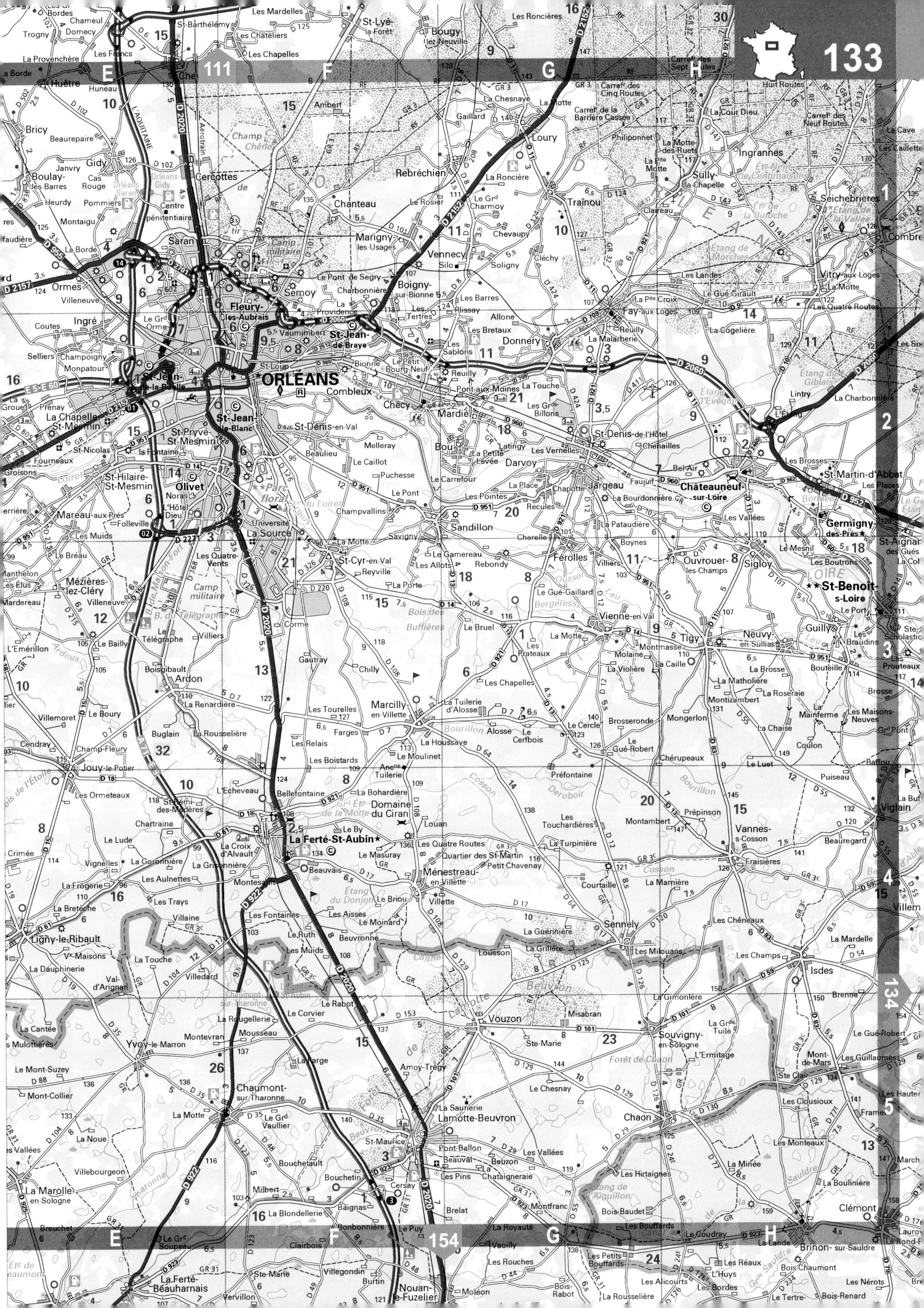

111
154
134
ORLÉANS
Fleury-les-Aubrais
St-Jean-de-Braye
St-Jean-de-la-Ruelle
St-Jean-le-Blanc
St-Pryvé-St-Mesmin
Olivet
La Source
Saran
Ormes
Ingré
Semoy
Combleux
Chécy
Mardié
St-Denis-en-Val
St-Cyr-en-Val
Sandillon
Darvoy
Jargeau
St-Denis-de-l'Hôtel
Châteauneuf-sur-Loire
Germigny-des-Prés
St-Benoît-s-Loire
Sigloy
Ouvrouer-les-Champs
Férolles
Vienne-en-Val
Tigy
Neuvy-en-Sullias
Vannes-s-Cosson
Viglain
Isdes
Sennely
Souvigny-en-Sologne
Vouzon
Chaon
Lamotte-Beuvron
Clémont
Brinon-sur-Sauldre
Nouan-le-Fuzelier
La Ferté-Beauharnais
Chaumont-sur-Tharonne
Yvoy-le-Marron
La Marolle-en-Sologne
Ligny-le-Ribault
Jouy-le-Potier
Ardon
Mézières-lez-Cléry
La Chapelle-St-Mesmin
St-Hilaire-St-Mesmin
Mareau-aux-Prés
La Ferté-St-Aubin
Ménestreau-en-Villette
Marcilly-en-Villette
Domaine du Ciran
Fay-aux-Loges
Donnery
Boigny-sur-Bionne
Vennecy
Marigny-les-Usages
Rebréchien
Loury
Traînou
Chanteau
Cercottes
Gidy
Boulay-les-Barres
Bricy
Huêtre
Sully-la-Chapelle
Ingrannes
Seichebrières
Vitry-aux-Loges
St-Martin-d'Abbat
Guilly
St-Lyé-la-Forêt
Bougy-lez-Neuville
FORÊT D'ORLÉANS
LOIRE
D 2020
D 2152
D 2060
A 71 - E 9
E 5 - E 60

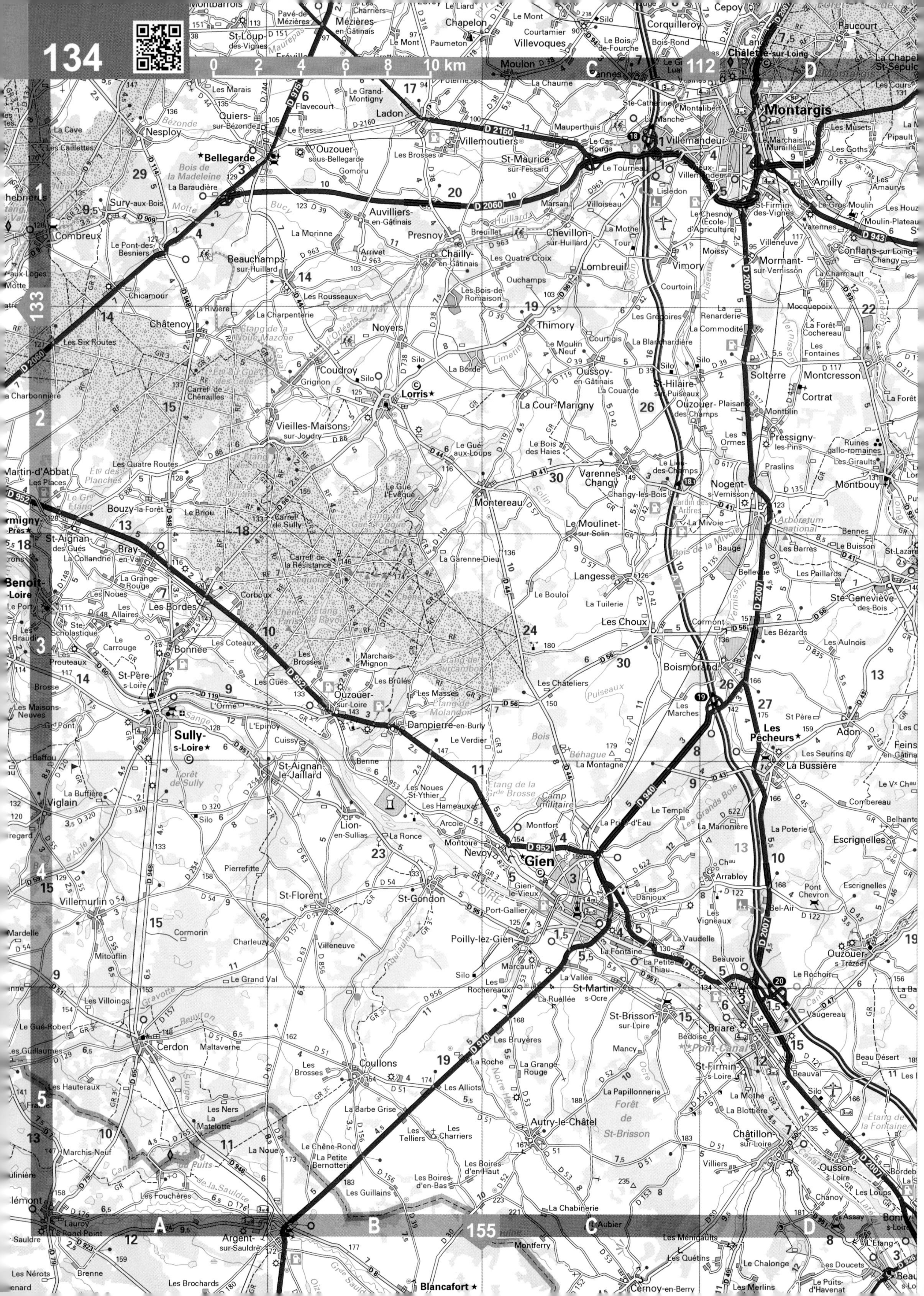
0 2 4 6 8 10 km
112
133
155
A
B
C
D
1
2
3
4
5
Montargis
Châlette-sur-Loing
Paucourt
Amilly
Villemandeur
Corquilleroy
Cepoy
Chapelon
Villevoques
Mézières-en-Gâtinais
St-Loup-des-Vignes
Ladon
Flavecourt
Quiers-sur-Bézonde
Nesploy
Bellegarde
Ouzouer-sous-Bellegarde
Villemoutiers
St-Maurice-sur-Fessard
Sury-aux-Bois
Combreux
Auvilliers-en-Gâtinais
Presnoy
Chailly-en-Gâtinais
Chevillon-sur-Huillard
Beauchamps-sur-Huillard
Lombreuil
Vimory
Mormant-sur-Vernisson
Conflans-sur-Loing
Chicamour
Châtenoy
Thimory
Noyers
Coudroy
Lorris
Oussoy-en-Gâtinais
St-Hilaire-sur-Puiseaux
Ouzouer-des-Champs
Solterre
Montcresson
Cortrat
La Cour-Marigny
Vieilles-Maisons-sur-Joudry
Pressigny-les-Pins
Varennes-Changy
Montereau
Nogent-sur-Vernisson
Montbouy
Bouzy-la-Forêt
St-Aignan-des-Gués
Bray-en-Val
Le Moulinet-sur-Solin
Langesse
Les Bordes
Ste-Geneviève-des-Bois
Les Choux
Bonnée
St-Père-s-Loire
Sully-s-Loire
Ouzouer-sur-Loire
Dampierre-en-Burly
Boismorand
Les Pêcheurs
Adon
La Bussière
St-Aignan-le-Jaillard
Lion-en-Sullias
Viglain
Villemurlin
Gien
Nevoy
St-Florent
St-Gondon
Poilly-lez-Gien
Escrignelles
Ouzouer-s-Trézée
St-Martin-s-Ocre
St-Brisson-sur-Loire
Briare
Cerdon
Coullons
Autry-le-Châtel
St-Firmin-s-Loire
Châtillon-sur-Loire
Ousson-s-Loire
Argent-sur-Sauldre
Blancafort
Cernoy-en-Berry
Forêt de Sully
Forêt de St-Brisson
Pont-Canal
D 2060
D 2160
D 952
D 940
D 2007
A 77
LOIRE

135
113
156
136
E
F
G
H
Courtenay
Château-Renard
Jardins du Grand-Courtoiseau
Trigueres
Charny Orée de Puisaye
La Ferté-Loupière
Châtillon-Coligny
Dammarie-s-Loing
Aillant-s-Milleron
Champignelles
Rogny-les-Sept-Écluses
Écluses
Bléneau
St-Fargeau
Chantier médiéval de Guédelon
St-Sauveur-en-Puisaye
Toucy
Mézilles
Villiers-St-Benoît
Aillant-s-Tholon
Cézy
Villecien
St-Aubin-s-Yonne
Senan
Volgré
Sépeaux
Cudot
Chuelles
St-Firmin-des-Bois
Melleroy
Septfonds
Tannerre-en-Puisaye
Moutiers-en-P.
Ste-Colombe-sur-Loing
Lavau
Thury
Sougères-en-Puisaye
Fontenoy
Leugny
Moulins-s-Ouanne
Égleny
St-Amand-en-Puisaye
Arquian
Treigny
Ratilly
AUTOROUTE DU SOLEIL
D 943
D 965

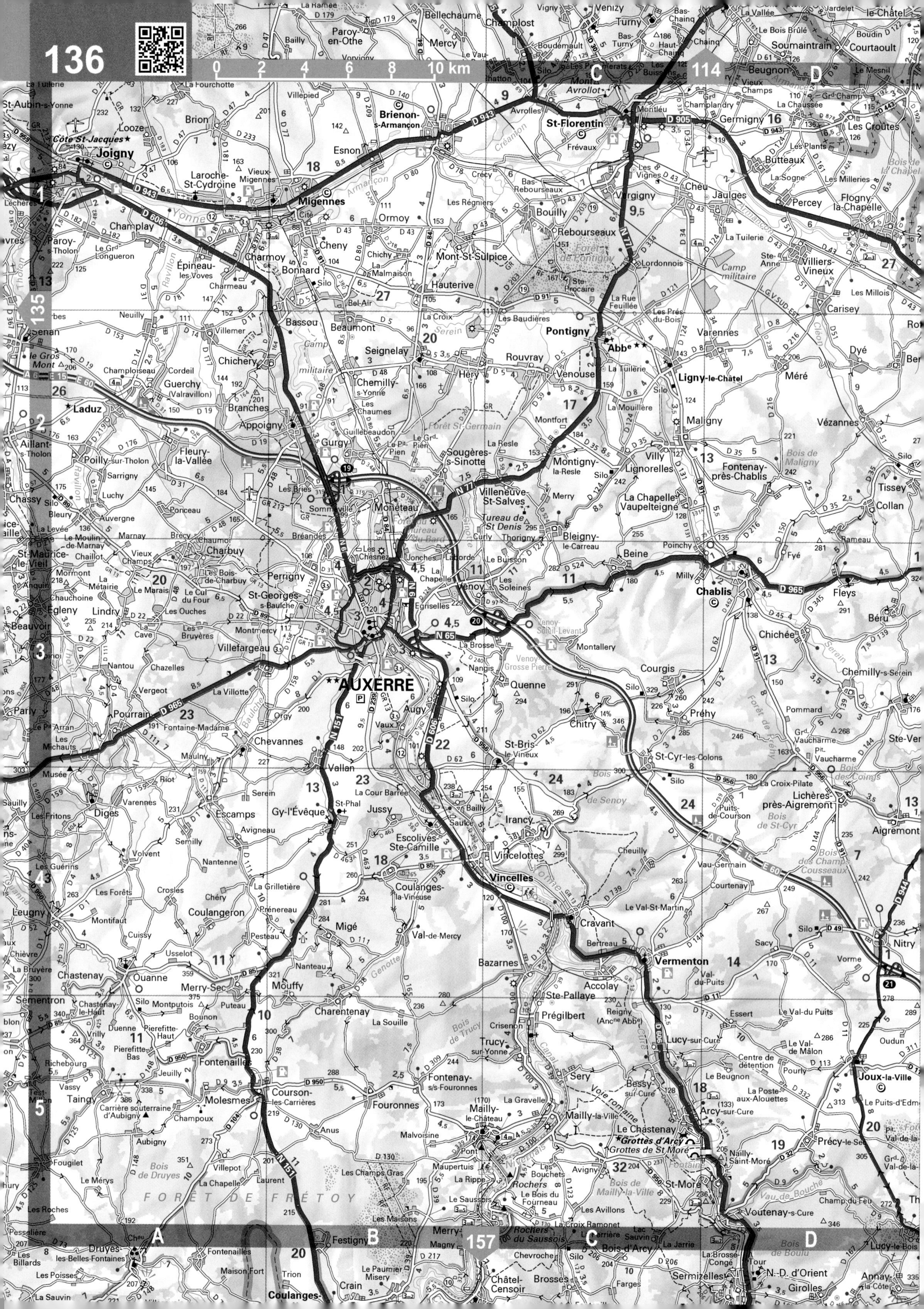
0 2 4 6 8 10 km
114
135
157
A
B
C
D
1
2
3
4
5
Joigny
Côte St-Jacques
Migennes
Brienon-s-Armançon
St-Florentin
Pontigny
Ligny-le-Châtel
Chablis
AUXERRE
Vermenton
Cravant
Vincelles
Irancy
St-Bris-le-Vineux
Chitry
Préhy
St-Cyr-les-Colons
Courgis
Beine
Monéteau
Seignelay
Appoigny
Laduz
Charbuy
Perrigny
St-Georges-s-Baulche
Chevannes
Vallan
Gy-l'Évêque
Escolives-Ste-Camille
Coulanges-la-Vineuse
Courson-les-Carrières
Mailly-le-Château
Mailly-la-Ville
Arcy-sur-Cure
Grottes d'Arcy
St-Moré
Voutenay-s-Cure
Joux-la-Ville
Lichères-près-Aigremont
Aigremont
Chemilly-s-Serein
Fontenay-près-Chablis
Maligny
Villy
Lignorelles
Germigny
Butteaux
Jaulges
Vergigny
Chéu
Fleys
Béru
Chichée
Nitry
Fontenailles
Molesmes
Ouanne
Chastenay
Leugny
Diges
Pourrain
Egleny
Lindry
Villefargeau
Poilly-sur-Tholon
Fleury-la-Vallée
Aillant-s-Tholon
Champlay
Charmoy
Bonnard
Cheny
Épineau-les-Voves
Guerchy (Valravillon)
Chichery
Branches
Rouvray
Venouse
Héry
Chemilly-s-Yonne
Gurgy
Villeneuve-St-Salves
Bleigny-le-Carreau
Venoy
Quenne
Augy
Vaux
Jussy
Migé
Val-de-Mercy
Bazarnes
Accolay
Prégilbert
Trucy-sur-Yonne
Fontenay-s/s-Fouronnes
Fouronnes
Charentenay
Mouffy
Merry-Sec
Festigny
Druyes-les-Belles-Fontaines
Coulanges-
Châtel-Censoir
Sermizelles
N.-D. d'Orient
Girolles
Annay-la-Côte
Lucy-le-Bois
Bois d'Arcy
Brosses
Forêt de Frétoy
Forêt de Pontigny
Forêt St-Germain
Camp militaire
Rochers du Saussois
D 965
D 606
N 151
N 6
N 77
N 65
D 943
D 905
A 6 - E 15 - E 60

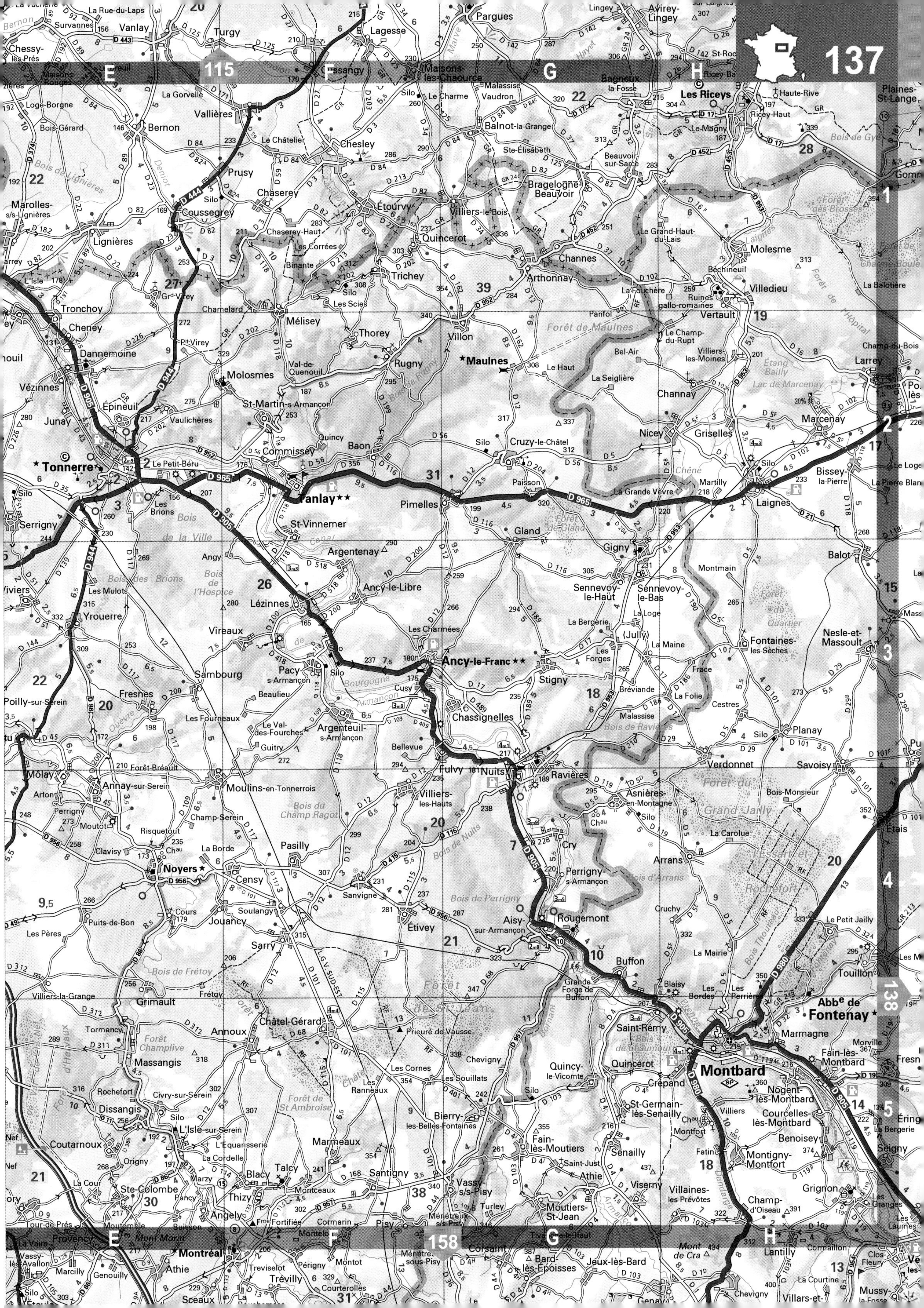

115
E
F
G
H
Vanlay
Turgy
Lagesse
Pargues
Avirey-Lingey
Maisons-lès-Chaource
Cussangy
Les Riceys
Ricey-Haut
Bernon
Vallières
Chesley
Balnot-la-Grange
Prusy
Chaserey
Étourvy
Villiers-le-Bois
Bragelogne-Beauvoir
Coussegrey
Lignières
Marolles-s/s-Lignières
Quincerot
Channes
Molesme
Trichey
Arthonnay
Villedieu
Tronchoy
Cheney
Mélisey
Thorey
Villon
Vertault
Dannemoine
Rugny
Maulnes
Larrey
Vézinnes
Molosmes
St-Martin-s-Armançon
Channay
Épineuil
Junay
Cruzy-le-Châtel
Nicey
Griselles
Marcenay
Tonnerre
Commissey
Baon
Tanlay
Pimelles
Laignes
Bissey-la-Pierre
Serrigny
St-Vinnemer
Gland
Gigny
Balot
Argentenay
Ancy-le-Libre
Lézinnes
Sennevoy-le-Haut
Sennevoy-le-Bas
Yrouerre
Vireaux
Fontaines-les-Sèches
Nesle-et-Massoult
Ancy-le-Franc
Pacy-s-Armançon
Sambourg
Stigny
Fresnes
Poilly-sur-Serein
Chassignelles
Argenteuil-s-Armançon
Planay
Savoisy
Verdonnet
Fulvy
Nuits
Ravières
Annay-sur-Serein
Moulins-en-Tonnerrois
Asnières-en-Montagne
Villiers-les-Hauts
Étais
Noyers
Pasilly
Censy
Cry
Arrans
Perrigny-s-Armançon
Étivey
Aisy-sur-Armançon
Rougemont
Jouancy
Sarry
Buffon
Touillon
Abbe de Fontenay
Grimault
Châtel-Gérard
Annoux
Saint-Rémy
Marmagne
Fain-lès-Montbard
Massangis
Chevigny
Quincy-le-Vicomte
Quincerot
Montbard
L'Isle-sur-Serein
Bierry-les-Belles-Fontaines
St-Germain-lès-Senailly
Nogent-lès-Montbard
Courcelles-lès-Montbard
Dissangis
Coutarnoux
Marmeaux
Fain-lès-Moutiers
Senailly
Benoisey
Montigny-Montfort
Blacy
Talcy
Santigny
Athie
Viserny
Ste-Colombe
Thizy
Vassy-s/s-Pisy
Moutiers-St-Jean
Villaines-les-Prévôtes
Grignon
Angely
Pisy
Corsaint
Lantilly
Montréal
Provency
Bard-lès-Époisses
Jeux-lès-Bard
Trévilly
Sceaux
Mussy-la-Fosse
138
158

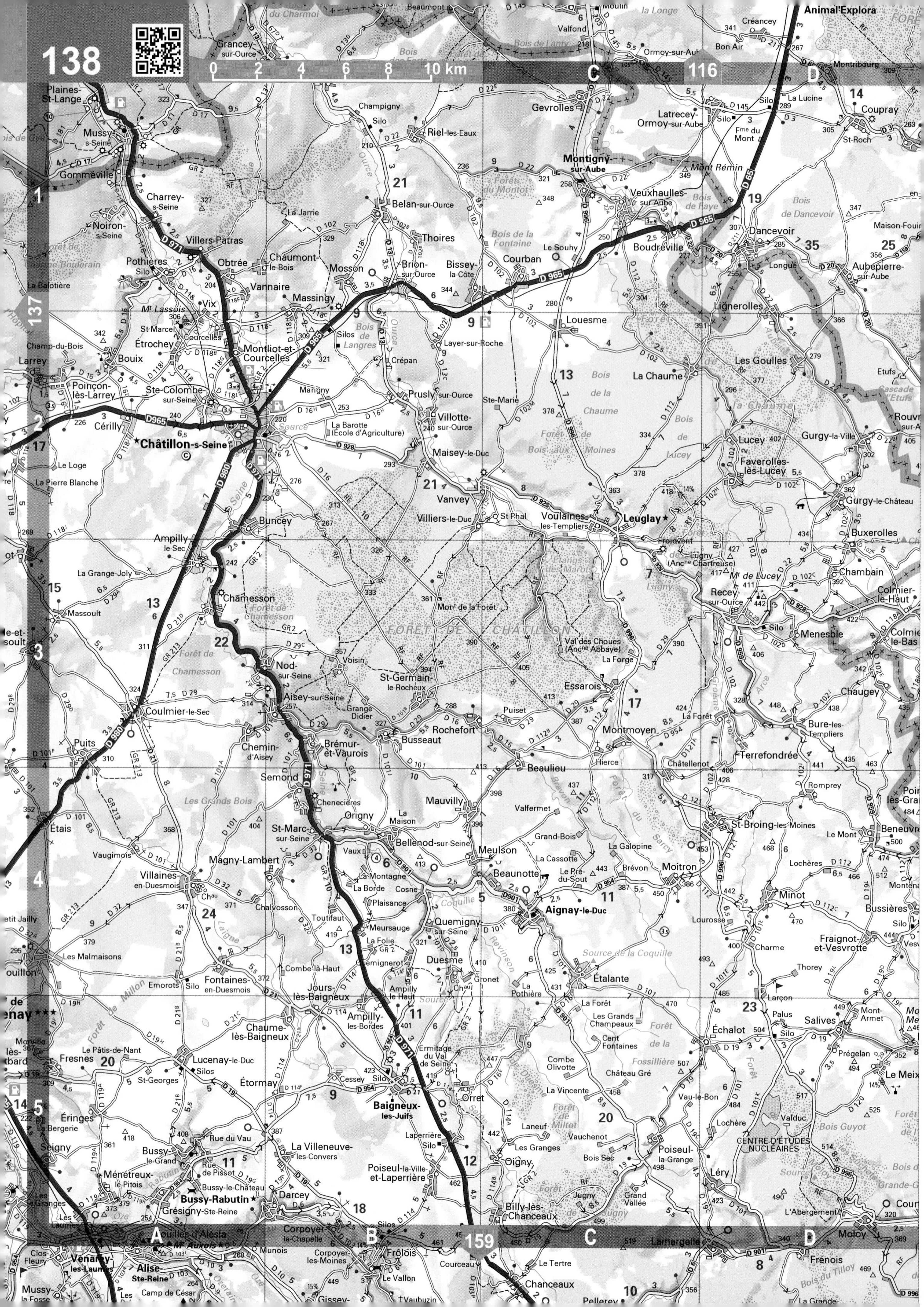
0 2 4 6 8 10 km
116
137
159
Châtillon-s-Seine
Aignay-le-Duc
Baigneux-les-Juifs
Bussy-Rabutin
Montigny-sur-Aube
Leuglay
Recey-sur-Ource
Mussy-s-Seine
Gommeville
Charrey-s-Seine
Noiron-s-Seine
Villers-Patras
Pothières
Obtrée
Vix
Mt Lassois
Etrochey
Montliot-et-Courcelles
Ste-Colombe-sur-Seine
Cérilly
Poinçon-lès-Larrey
Larrey
Bouix
Massingy
Chaumont-le-Bois
Mosson
Brion-sur-Ource
Belan-sur-Ource
Thoires
Bissey-la-Côte
Courban
Gevrolles
Veuxhaulles-sur-Aube
Boudreville
Louesme
Dancevoir
Lignerolles
Aubepierre-sur-Aube
Les Goulles
La Chaume
Lucey
Gurgy-la-Ville
Gurgy-le-Château
Buxerolles
Chambain
Menesble
Colmier-le-Bas
Colmier-le-Haut
Chaugey
Bure-les-Templiers
Terrefondrée
Rochefort
Busseaut
Beaulieu
Montmoyen
Essarois
St-Germain-le-Rocheux
Voulaines-les-Templiers
Villiers-le-Duc
Vanvey
Maisey-le-Duc
Villotte-sur-Ource
Prusly-sur-Ource
Buncey
Ampilly-le-Sec
Chamesson
Nod-sur-Seine
Aisey-sur-Seine
Coulmier-le-Sec
Puits
Etais
Villaines-en-Duesmois
Magny-Lambert
St-Marc-sur-Seine
Bellenod-sur-Seine
Meulson
Beaunotte
Moitron
St-Broing-les-Moines
Minot
Fraignot-et-Vesvrotte
Echalot
Salives
Etalante
Duesme
Quemigny-sur-Seine
Jours-lès-Baigneux
Ampilly-les-Bordes
Chaume-lès-Baigneux
Lucenay-le-Duc
Etormay
Fontaines-en-Duesmois
Darcey
La Villeneuve-les-Convers
Poiseul-la-Ville-et-Laperrière
Billy-lès-Chanceaux
Poiseul-la-Grange
Léry
Oigny
Grésigny-Ste-Reine
Ménétreux-le-Pitois
Seigny
Fresnes
Frôlois
Corpoyer-la-Chapelle
Alise-Ste-Reine
Venarey-les-Laumes
Chanceaux
Lamargelle
Frénois
Moloy
Forêt de Châtillon
Forêt de Chamesson
Les Grands Bois
CENTRE D'ÉTUDES NUCLÉAIRES
Animal'Explora
A B C D
1 2 3 4 5

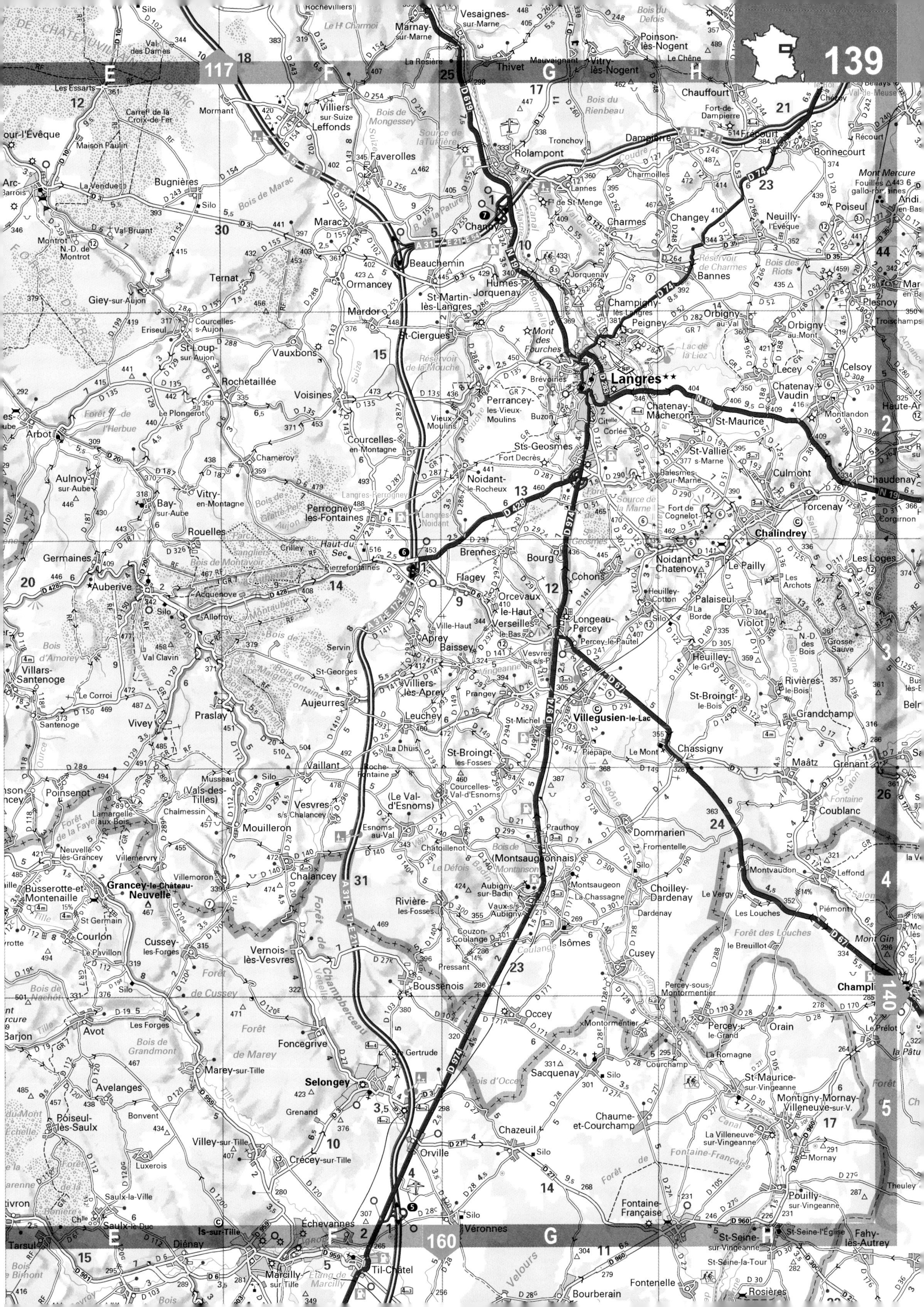

139
Langres
Chalindrey
Villegusien-le-Lac
Selongey
Is-sur-Tille
Fontaine-Française
Grancey-le-Château-Neuvelle
Auberive
Arbot
Rolampont
Chaudenay
Vesaignes-sur-Marne
Marnay-sur-Marne
Poinson-lès-Nogent
Vitry-lès-Nogent
Thivet
Chauffourt
Dampierre
Frécourt
Bonnecourt
Poiseul
Neuilly-l'Évêque
Changey
Charmes
Bannes
Orbigny-au-Val
Orbigny-au-Mont
Plesnoy
Celsoy
Lecey
Chatenay-Vaudin
Peigney
Champigny-lès-Langres
Humes-Jorquenay
Jorquenay
Chanoy
Beauchemin
Marac
Ormancey
Mardor
St-Martin-lès-Langres
St-Ciergues
Vauxbons
Villiers-sur-Suize
Leffonds
Faverolles
Mormant
Bugnières
Ternat
Giey-sur-Aujon
Courcelles-s-Aujon
St-Loup-sur-Aujon
Rochetaillée
Voisines
Perrancey-les-Vieux-Moulins
Brévoines
Buzon
Chatenay-Mâcheron
St-Maurice
Culmont
Torcenay
St-Vallier-s-Marne
Balesmes-sur-Marne
Sts-Geosmes
Noidant-le-Rocheux
Courcelles-en-Montagne
Perrogney-les-Fontaines
Aulnoy-sur-Aube
Vitry-en-Montagne
Bay-sur-Aube
Rouelles
Germaines
Brennes
Bourg
Cohons
Flagey
Orcevaux
Verseilles-le-Haut
Verseilles-le-Bas
Longeau-Percey
Noidant-Chatenoy
Le Pailly
Palaiseul
Violot
Heuilley-le-Grand
Rivières-le-Bois
St-Broingt-le-Bois
Grandchamp
Chassigny
Maâtz
Grenant
Coublanc
Aprey
Baissey
Villiers-lès-Aprey
Leuchey
Aujeurres
Praslay
Vivey
Villars-Santenoge
Vaillant
Vesvres-s/s-Chalancey
Esnoms-au-Val
Chalancey
Mouilleron
Poinsenot
Rivière-les-Fosses
Aubigny-sur-Badin
Vaux-s/s-Aubigny
Montsaugeon
Prauthoy
Dommarien
Choilley-Dardenay
Isômes
Cusey
Percey-le-Grand
Orain
Occey
Sacquenay
Chazeuil
Chaume-et-Courchamp
St-Maurice-sur-Vingeanne
Montigny-Mornay-Villeneuve-sur-V.
La Villeneuve-sur-Vingeanne
Pouilly-sur-Vingeanne
St-Seine-sur-Vingeanne
Fahy-lès-Autrey
Véronnes
Orville
Crécey-sur-Tille
Villey-sur-Tille
Marey-sur-Tille
Foncegrive
Avelanges
Poiseul-lès-Saulx
Saulx-le-Duc
Avot
Barjon
Courlon
Cussey-les-Forges
Vernois-lès-Vesvres
Boussenois
Échevannes
Til-Châtel
Marcilly-sur-Tille
Diénay
Tarsul
Bourberain
Fontenelle
Rosières
Forêt d'Arc
Forêt de Chamberceau
Forêt des Louches
Lac de la Liez
Réservoir de Charmes
Réservoir de la Mouche
A 31 E 21
A 5 E 17 E 54
N 19
D 974
D 67
D 428
117
160
140

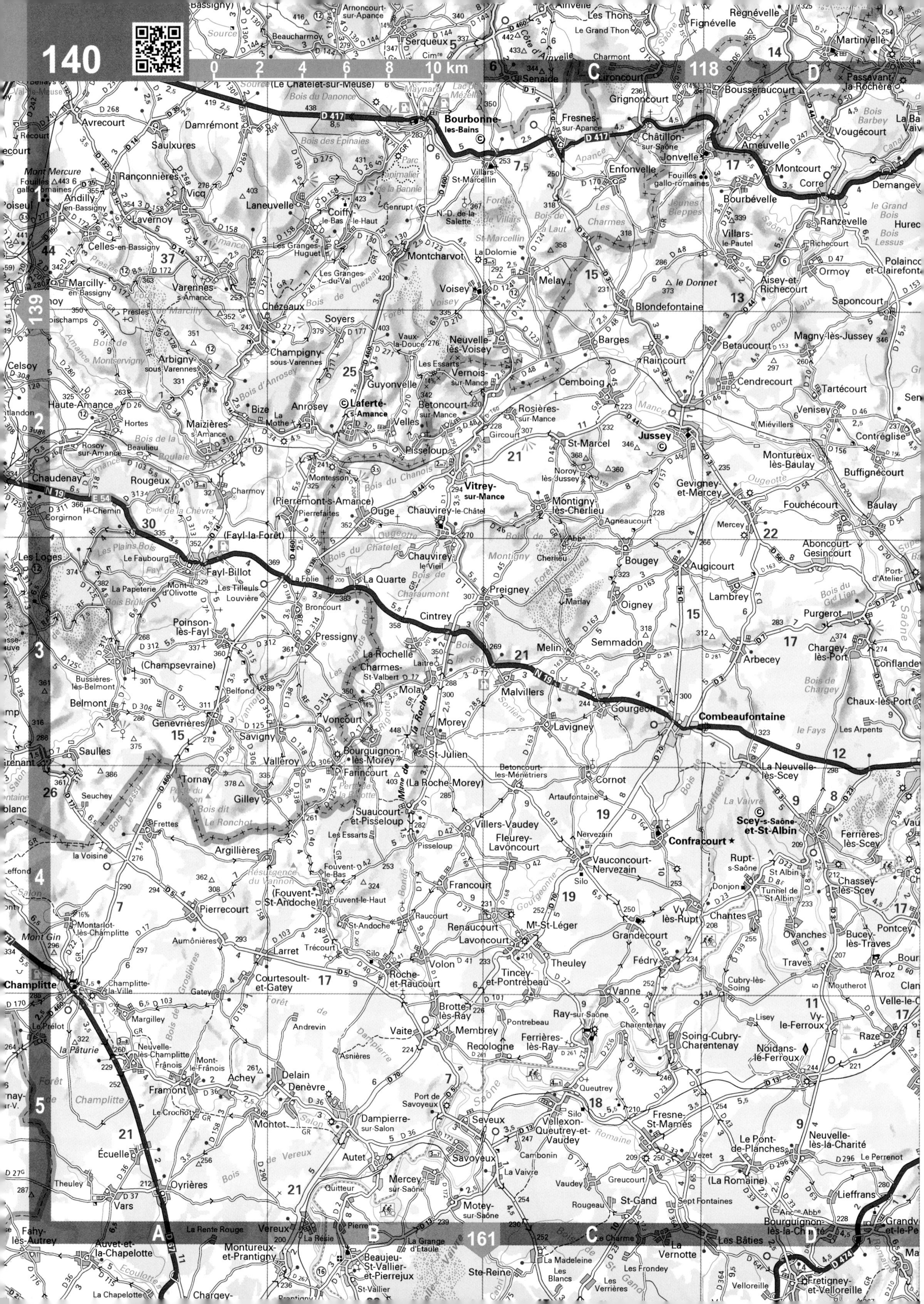
0 2 4 6 8 10 km
Bourbonne-les-Bains
Avrecourt
Damrémont
Saulxures
Rançonnières
Vicq
Andilly-en-Bassigny
Lavernoy
Celles-en-Bassigny
Marcilly-en-Bassigny
Varennes-s-Amance
Laneuvelle
Coiffy-le-Bas
Coiffy-le-Haut
Montcharvot
Chézeaux
Soyers
Champigny-sous-Varennes
Arbigny-sous-Varennes
Guyonvelle
Laferté-s-Amance
Anrosey
Bize
Maizières-s-Amance
Haute-Amance
Hortes
Rosoy-sur-Amance
Chaudenay
Rougeux
Charmoy
Fayl-Billot
Les Loges
Poinson-lès-Fayl
Belmont
Genevrières
Saulles
Savigny
Valleroy
Tornay
Gilley
Argillières
Pierrecourt
Champlitte
Champlitte-la-Ville
Margilley
Neuvelle-lès-Champlitte
Framont
Achey
Delain
Denèvre
Dampierre-sur-Salon
Montot
Écuelle
Oyrières
Vars
Autet
Mercey-sur-Saône
Savoyeux
Seveux
Vellexon-Queutrey-et-Vaudey
Motey-sur-Saône
Beaujeu-St-Vallier-et-Pierrejux
Ste-Reine
La Vernotte
Les Bâties
Fretigney-et-Velloreille
Bourguignon-lès-la-Charité
Neuvelle-lès-la-Charité
Le Pont-de-Planches
Fresne-St-Mamès
Vezet
Sept Fontaines
St-Gand
Soing-Cubry-Charentenay
Noidans-le-Ferroux
Vy-le-Ferroux
Raze
Ray-sur-Saône
Ferrières-lès-Ray
Recologne
Membrey
Vaite
Brotte-lès-Ray
Vanne
Fédry
Theuley
Roche-et-Raucourt
Volon
Tincey-et-Pontrebeau
Lavoncourt
Renaucourt
Mt-St-Léger
Francourt
Vauconcourt-Nervezain
Grandecourt
Vy-lès-Rupt
Chantes
Rupt-s-Saône
Scey-s-Saône-et-St-Albin
Ferrières-lès-Scey
Chassey-lès-Scey
Ovanches
Bucey-lès-Traves
Traves
Confracourt
Cornot
Villers-Vaudey
Fleurey-Lavoncourt
Suaucourt-et-Pisseloup
Bourguignon-lès-Morey
Farincourt
St-Julien
Morey
Voncourt
Molay
Charmes-St-Valbert
La Rochelle
Pressigny
Cintrey
Preigney
Malvillers
Gourgeon
Lavigney
Combeaufontaine
La Neuvelle-lès-Scey
Melin
Semmadon
Oigney
Bougey
Augicourt
Lambrey
Purgerot
Arbecey
Chargey-lès-Port
Conflandey
Chaux-lès-Port
Vitrey-sur-Mance
Chauvirey-le-Châtel
Chauvirey-le-Vieil
La Quarte
Ouge
Montigny-lès-Cherlieu
Jussey
Gevigney-et-Mercey
Fouchécourt
Montureux-lès-Baulay
Buffignécourt
Baulay
Contréglise
Venisey
Cendrecourt
Tartécourt
Betaucourt
Magny-lès-Jussey
Raincourt
Cemboing
Barges
Blondefontaine
Rosières-sur-Mance
St-Marcel
Pisseloup
Betoncourt-sur-Mance
Vernois-sur-Mance
Neuvelle-lès-Voisey
Voisey
Melay
Fresnes-sur-Apance
Châtillon-sur-Saône
Jonvelle
Enfonvelle
Villars-St-Marcellin
Grignoncourt
Bousseraucourt
Ameuvelle
Vougécourt
Montcourt
Corre
Ranzevelle
Villars-le-Pautel
Bourbévelle
Aisey-et-Richecourt
Ormoy
Saponcourt
Passavant-la-Rochère
Martinvelle
Serqueux
Fignévelle
Regnévelle
Les Thons
Senaide
Lironcourt
A
B
C
D
1
2
3
4
5

139
118
161

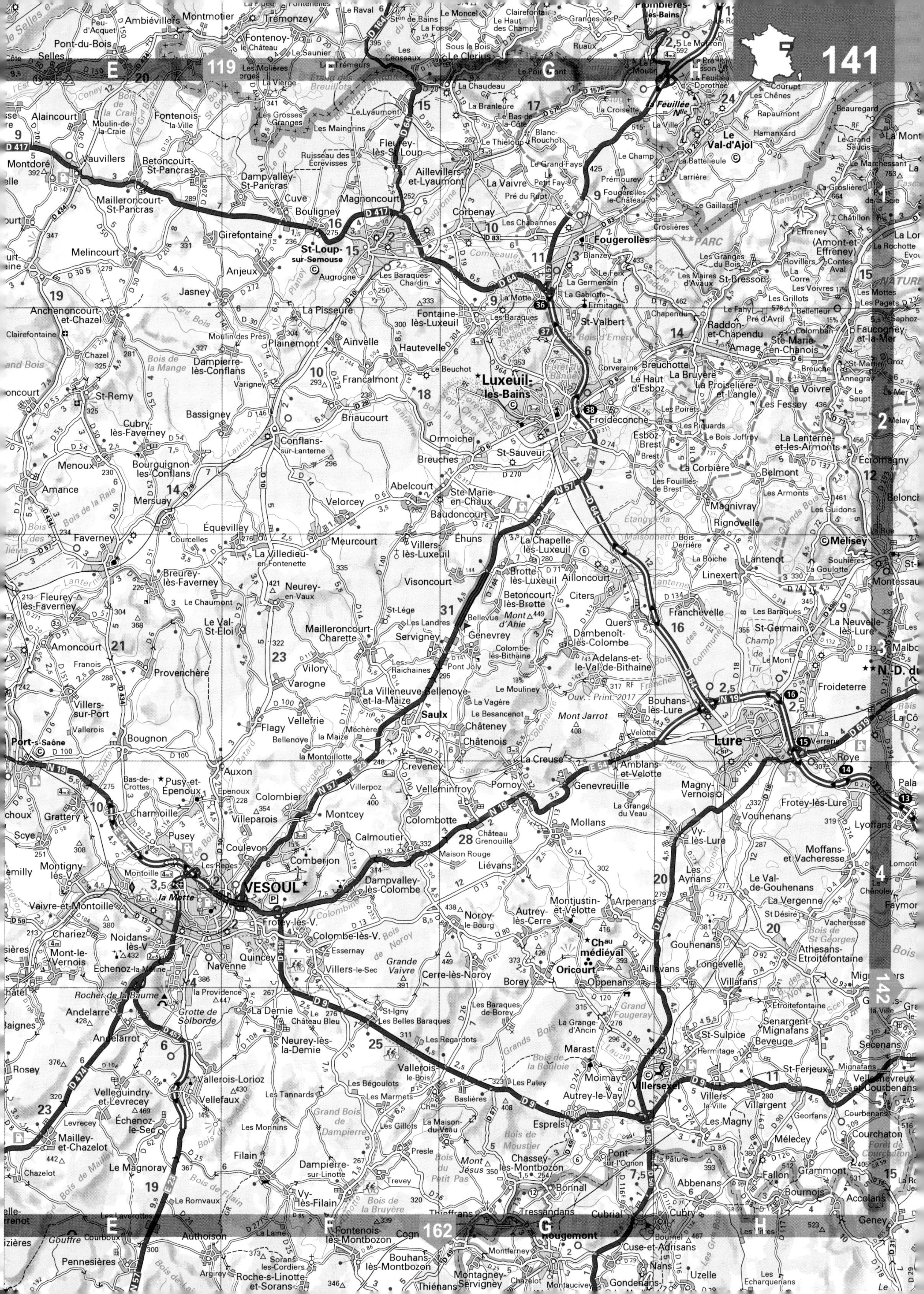
E
F
G
H
119
162
142
Vesoul
Lure
Luxeuil-les-Bains
St-Loup-sur-Semouse
Fougerolles
Le Val-d'Ajol
Villersexel
Rougemont
Port-s-Saône
Faverney
Conflans-sur-Lanterne
Saulx
Mélisey
Oricourt
Ch^au médiéval
Montmotier
Ambiévillers
Pont-du-Bois
Selles
Alaincourt
Vauvillers
Montdoré
Mailleroncourt-St-Pancras
Melincourt
Girefontaine
Anchenoncourt-et-Chazel
Aillevillers-et-Lyaumont
Magnoncourt
Corbenay
Fontaine-lès-Luxeuil
Hautevelle
Francalmont
Briaucourt
Breuches
St-Sauveur
Froideconche
Abelcourt
Baudoncourt
Meurcourt
Villers-lès-Luxeuil
Visoncourt
Genevrey
Citers
Quers
Franchevelle
St-Germain
Froideterre
Roye
Magny-Vernois
Genevreuille
Mollans
Vy-lès-Lure
Colombier
Villeparois
Coulevon
Frotey-lès-V.
Noidans-lès-V.
Navenne
Quincey
Echenoz-la-Méline
Andelarre
Vallerois-Lorioz
Velleguindry-et-Levrecey
Échenoz-le-Sec
Mailley-et-Chazelot
Le Magnoray
Filain
Dampierre-sur-Linotte
Neurey-lès-la-Demie
Esprels
Chassey-lès-Montbozon
Pont-sur-l'Ognon
Abbenans
Cubry
Bonnal
Cuse-et-Adrisans
Autrey-le-Vay
Moimay
Marast
Villargent
Mélecey
Courchaton
Geney
Athesans-Etroitefontaine
Gouhenans
Longevelle
Villafans
Senargent-Mignafans
Lyoffans
Frotey-lès-Lure
Vouhenans
Fontenois-lès-Montbozon
Bouhans-lès-Montbozon
Pennesières
Authoison
N 19
N 57
E 23
E 54
D 64
D 417
D 9
D 486

0 2 4 6 8 10 km
120
141
163
A
B
C
D
1
2
3
4
5
Ballon d'Alsace
Ballon de Servance
Col du Ballon
Col des Chevrères
Col du Hirtzelach
Planche des Belles Filles
Giromagny
Thann
Masevaux-Niederbruck
Sewen
Servance
Champagney
Ronchamp
N.-D. du Haut
Valdoie
BELFORT
Citadelle
Bavilliers
Héricourt
Châtenois-les-Forges
Bethoncourt
Montbéliard
Mée Peugeot
Sochaux
Audincourt
Valentigney
Mandeure
Seloncourt
Hérimoncourt
Grandvillars
Delle
Porrentruy
Bavans
L'Isle-s-le-Doubs
Pont-de-Roide
Chèvremont
Bessoncourt
Lachapelle-s/s-Rougemont
Rougemont-le-Château
Étueffont
Belfahy
Plancher-les-Mines
Auxelles-Haut
Auxelles-Bas
Lachapelle-s/s-Chaux
Sermamagny
Offemont
Danjoutin
Andelnans
Sevenans
Bourogne
Fesches-le-Châtel
Étupes
Beaucourt
Montbouton
Croix
Abbévillers
Blamont
Glay
Dannemarie
Roches-lès-Blamont
Courtedoux
Chevenez
Bressaucourt
Réclère
Damvant
Grandfontaine
Vermondans
Colombier-Fontaine
Étouvans
Longevelle-s-Doubs
Médière
Onans
Arcey
Désandans
Saulnot
Champey
Couthenans
Chagey
Frahier-et-Chatebier
Étobon
Magny-Jobert
Lomont
Faymont
Belverne
Frédéric-Fontaine
Clairegoutte
Lure
Mélisey
Ternuay-Melay-et-St-Hilaire
Fresse
Montessaux
St-Barthélemy
Belonchamp
Écromagny
Faucogney-et-la-Mer
Miellin
Lepuix
Rougegoutte
Vescemont
Grosmagny
Petitmagny
Anjoutey
Éloie
Roppe
Menoncourt
Bethonvilliers
Lagrange
Felon
Romagny-s/s-R.
Foussemagne
Montreux-Château
Fontaine
Vézelois
Meroux
Moval
Dorans
Botans
Urcerey
Argiésans
Banvillars
Brevilliers
Bermont
Trévenans
Morvillars
Froidefontaine
Méziré
Brognard
Dambenois
Allenjoie
Nommay
Vieux-Charmont
Exincourt
Taillecourt
Dampierre-les-Bois
Badevel
Fêche-l'Église
Courcelles-lès-Montbéliard
Ste-Suzanne
Dung
Allondans
Présentevillers
Dampierre-s-le-Doubs
Voujeaucourt
Berche
Mathay
Bourguignon
Écot
Villars-s/s-Écot
Blussans
Blussangeaux
St-Maurice-Colombier
Lanthenans
St-Georges-Armont
Hyémondans
Pierrefontaine-lès-Blamont
Vaufrey
Montancy
Vendoncourt
Thulay
Bondeval
Badevel
Boncourt
Buix
Bure
Fahy
Florimont
Courtelevant
Faverois
Joncherey
Thiancourt
Boron
Vellescot
Grosne
Brebotte
Recouvrance
Chavannes-les-Grands
Magny
Romagny
Novillard
Autrechêne
Charmois
Petit-Croix
Fontenelle
Cunelières
Montreux-Vieux
Valdieu-Lutran
Retzwiller
Bretten
Sternenberg
Étimbes
Angeot
Bellemagny
Vauthiermont
St-Cosme
Larivière
Reppe
Bréchaumont
Traubach-le-Bas
Elbach
Soppe-le-Haut
Soppe-le-Bas
Mortzwiller
Leval
Petitefontaine
Bourbach-le-Bas
Sentheim
Lauw
Sickert
Kirchberg
Dolleren
Wegscheid
Oberbruck
Rimbach-près-Masevaux
Lamadeleine-Val-des-Anges
Riervescemont
Le Sudel
Bitschwiller

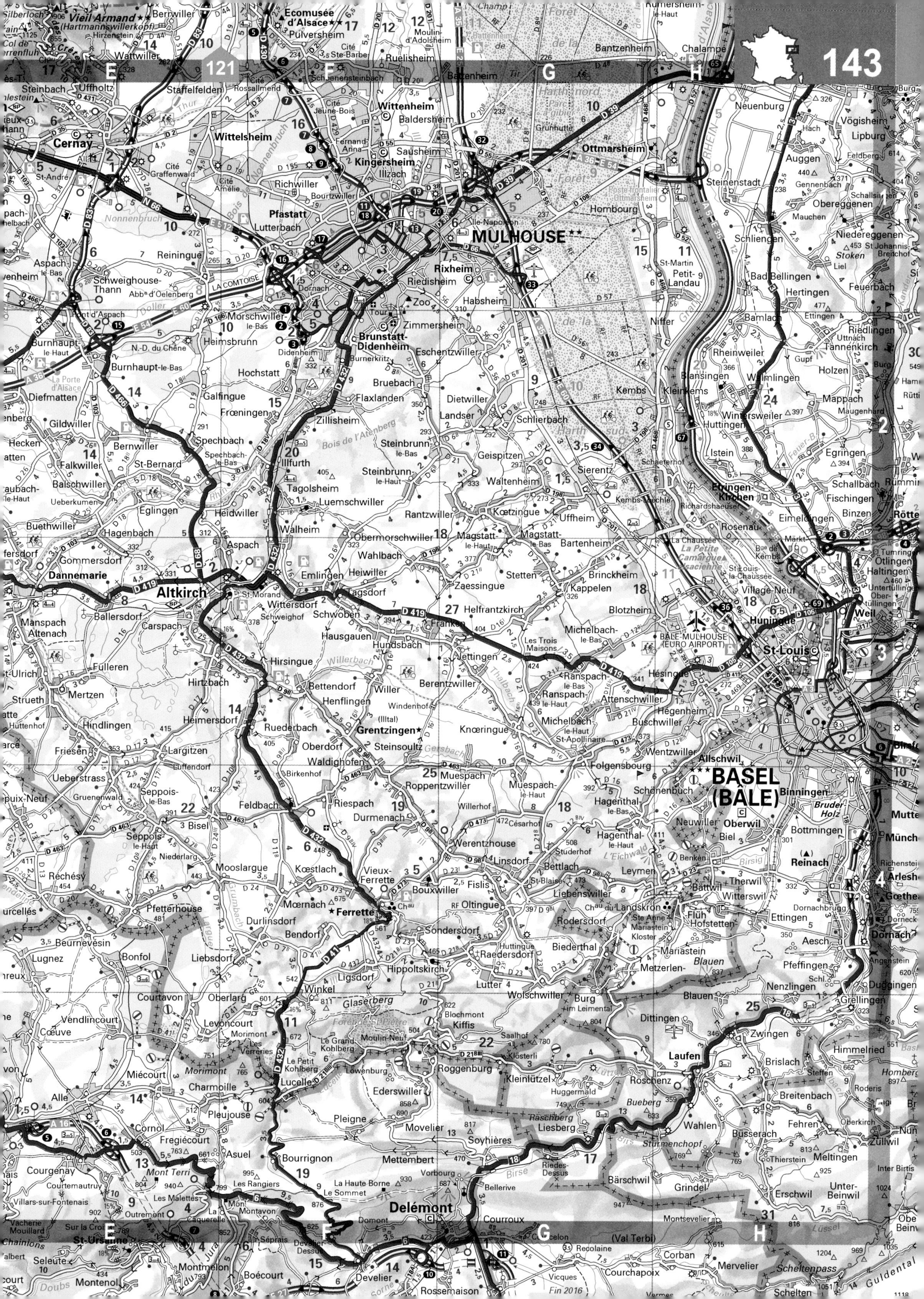
121
143
E
F
G
H
MULHOUSE
BASEL
(BÂLE)
Cernay
Wittelsheim
Staffelfelden
Pulversheim
Ecomusée d'Alsace
Vieil Armand
Wattwiller
Uffholtz
Steinbach
Wittenheim
Kingersheim
Illzach
Sausheim
Baldersheim
Battenheim
Bantzenheim
Chalampé
Ottmarsheim
Richwiller
Pfastatt
Lutterbach
Reiningue
Rixheim
Riedisheim
Habsheim
Zimmersheim
Brunstatt-Didenheim
Morschwiller-le-Bas
Heimsbrunn
Burnhaupt-le-Haut
Burnhaupt-le-Bas
Schweighouse-Thann
Aspach-le-Bas
Hombourg
Niffer
Kembs
Petit-Landau
Eschentzwiller
Bruebach
Flaxlanden
Dietwiller
Landser
Schlierbach
Sierentz
Zillisheim
Illfurth
Tagolsheim
Luemschwiller
Walheim
Galfingue
Frœningen
Hochstatt
Spechbach
Bernwiller
Hecken
Gildwiller
Diefmatten
Falkwiller
Balschwiller
Eglingen
Heidwiller
Aspach
Hagenbach
Buethwiller
Gommersdorf
Dannemarie
Altkirch
Carspach
Ballersdorf
Manspach
Altenach
Wittersdorf
Tagsdorf
Emlingen
Heiwiller
Wahlbach
Schwoben
Hausgauen
Hundsbach
Franken
Helfrantzkirch
Zaessingue
Stetten
Kappelen
Brinckheim
Blotzheim
Michelbach-le-Bas
Hésingue
Huningue
St-Louis
Village-Neuf
BÂLE-MULHOUSE (EURO AIRPORT)
Hegenheim
Buschwiller
Wentzwiller
Folgensbourg
Allschwil
Schönenbuch
Hagenthal-le-Bas
Hagenthal-le-Haut
Neuwiller
Oberwil
Binningen
Bottmingen
Reinach
Therwil
Ettingen
Aesch
Dornach
Pfeffingen
Grellingen
Nenzlingen
Blauen
Dittingen
Zwingen
Laufen
Brislach
Himmelried
Breitenbach
Wahlen
Büsserach
Fehren
Zullwil
Meltingen
Erschwil
Grindel
Bärschwil
Liesberg
Röschenz
Kleinlützel
Roggenburg
Ederswiller
Movelier
Soyhières
Mettembert
Bourrignon
Pleigne
Delémont
Courroux
Vicques
Courchapoix
Corban
Mervelier
Develier
Rossemaison
Montsevelier
Ferrette
Vieux-Ferrette
Bouxwiller
Fislis
Oltingue
Sondersdorf
Raedersdorf
Kiffis
Lutter
Wolschwiller
Biederthal
Rodersdorf
Leymen
Bettlach
Liebenswiller
Linsdorf
Werentzhouse
Durmenach
Roppentzwiller
Muespach
Riespach
Feldbach
Waldighofen
Steinsoultz
Grentzingen
Oberdorf
Henflingen
Bettendorf
Hirsingue
Hirtzbach
Heimersdorf
Ruederbach
Largitzen
Hindlingen
Mertzen
Fulleren
Strueth
Friesen
Ueberstrass
Seppois-le-Bas
Seppois-le-Haut
Bisel
Mooslargue
Kœstlach
Mœrnach
Durlinsdorf
Bendorf
Liebsdorf
Winkel
Ligsdorf
Pfetterhouse
Réchésy
Beurnevésin
Bonfol
Lugnez
Courtavon
Oberlarg
Levoncourt
Vendlincourt
Cœuve
Miécourt
Charmoille
Alle
Pleujouse
Cornol
Fregiécourt
Asuel
Courgenay
Lucelle
Neuenburg
Auggen
Schliengen
Bad Bellingen
Bamlach
Rheinweiler
Istein
Efringen-Kirchen
Weil
Kandern
Lipburg
Vögisheim
Obereggenen
Niedereggenen
Hertingen
Feuerbach
Riedlingen
Tannenkirch
Holzen
Mappach
Egringen
Schallbach
Fischingen
Binzen
Eimeldingen
Märkt
Haltingen
Ötlingen
Tumringen

0 2 4 6 8 10 km
123
Erdeven
Ploemel
Carnac
Carnac-Plage
La Trinité-sur-Mer
Locmariaquer
Crac'h
St-Philibert
Plougoumelen
Le Bono
Baden
Port-Navalo
Plouharnel
Alignements
Tumulus
Île Theviec
Penthièvre
Fort de Penthièvre
Sables Blancs
Portivy
Pointe du Percho
St-Pierre-Quiberon
Côte Sauvage
PRESQU'ÎLE DE QUIBERON
Beg Rohu
Port-Haliguen
Quiberon
Beg er Goalennec
Port Maria
Beg er Vil
Pnte du Conguel
BAIE DE QUIBERON
Plateau des Birvideaux
La Teignouse
Chaussée de la Teignouse
Passage de la Teignouse
Chaussée du Béniguet
Passage du Béniguet
Île Glazic
Île Valhuec
Banc de Taillefer
Île Cenis
Île-d'Houat
Île d'Houat
En Thal
Banc de Houat
Chaussée de l'Île aux Chevaux
Île aux Chevaux
Passage des Sœurs
Pnte du Vieux Château
Hœdic
Île de Hœdic
Méaban
Côte des Mégalithes
Pointe des Poulains
Fort Sarah Bernhardt
Sauzon
Citadelle
Le Palais
Rade du Palais
Pnte de Taillefer
Pnte de Kerzo
Port Jean
Bangor
Grand Phare
Aiguilles de Port Coton
Port Goulphar
Port Donnant
Côte Sauvage
Locmaria
Pointe de Kerdonis
Pointe du Skeul
Plage des Grands Sables
BELLE-ÎLE
A
B
C
D
1
2
3
4
5

124
146
E
F
G
H
VANNES
Ploeren
Arradon
Séné
Theix-Noyalo
Le Plessis-Josso
La Trinité-Surzur
Lauzach
Berric
Sulniac
Questembert
Surzur
Le Hézo
St-Armel
Île-aux-Moines
Île-d'Arz
GOLFE DU MORBIHAN
Sarzeau
Presqu'île de Rhuys
Chau de Suscinio
Tumiac
Kerlévenan
Le Tour-du-Parc
Damgan
Ambon
Muzillac
Noyal-Muzillac
Parc de Branféré
Billiers
Arzal
Camoël
Pénestin
Pnte de Penvins
Rade de Penerf
Anse de Suscinio
Pnte de St-Jacques
Plateau de la Recherche
Île Dumet
Pnte du Bile
Pnte de Merquel
Plage de Sorlock
Assérac
Herbignac
Mesquer
Piriac-sur-Mer
Pointe du Castelli
La Turballe
Rade du Croisic
Guérande
Le Croisic
Batz-sur-Mer
LA BAULE
Le Pouliguen
Pornichet
La Baule-Escoublac
St-André-des-Eaux
Kerhinet
Kerbourg
Les Petits Cardinaux
Les Grands Cardinaux
Le Four
La Calebasse
Côte d'Amour
Chenal du Nord
La Banche
Pnte de Penchâteau
Grotte des Korrigans
E 60
N 165
D 780
D 774

0 2 4 6 8 10 km
125
145
164
A B C D
1 2 3 4 5
ST-NAZAIRE
LA BAULE
Le Pouliguen
Pornichet
Guérande
Pont-Château
Herbignac
Missillac
La Baule-Escoublac
St-Brevin-les-Pins
St-Brevin-l'Océan
Pornic
Paimbœuf
St-Michel-Chef-Chef
Tharon-Plage
Préfailles
La Bernerie-en-Retz
Les Moutiers-en-Retz
Bourgneuf-en-Retz
Chauvé
St-Père-en-Retz
St-Viaud
Corsept
Donges
Montoir-de-Bretagne
Trignac
St-Joachim
St-Lyphard
Crossac
Besné
Prinquiau
La Chapelle-Launay
Savenay
Drefféac
Guenrouet
Ste-Reine-de-Bretagne
St-André-des-Eaux
St-Molf
Mesquer
Asserac
Pont-Mahé
Kerhinet
La Grande-Brière
PARC NATUREL RÉGIONAL DE BRIÈRE
Île de Fédrun
LOIRE
Pont routier
Côte de Jade
BAIE DE BOURGNEUF
Pointe de St-Gildas
Pointe de Chémoulin
Pointe de l'Aiguillon
Pointe de Penchâteau
Grd Charpentier
Pierre Moine
Île du Pilier
Pointe de l'Herbaudière
Pointe des Charniers
Plage des Souzeaux
Pointe des Dames
Bois de la Chaise
ÎLE DE NOIRMOUTIER
Pointe de la Coupelasse
Pointe de la Noëveillard
Plage des Sablons
Plage Mombeau
Canal de Haute Perche
Forêt de la Roche-Bernard
N 165
N 171
E 60
D 213
D 774
D 751
D 92
D 77
D 100

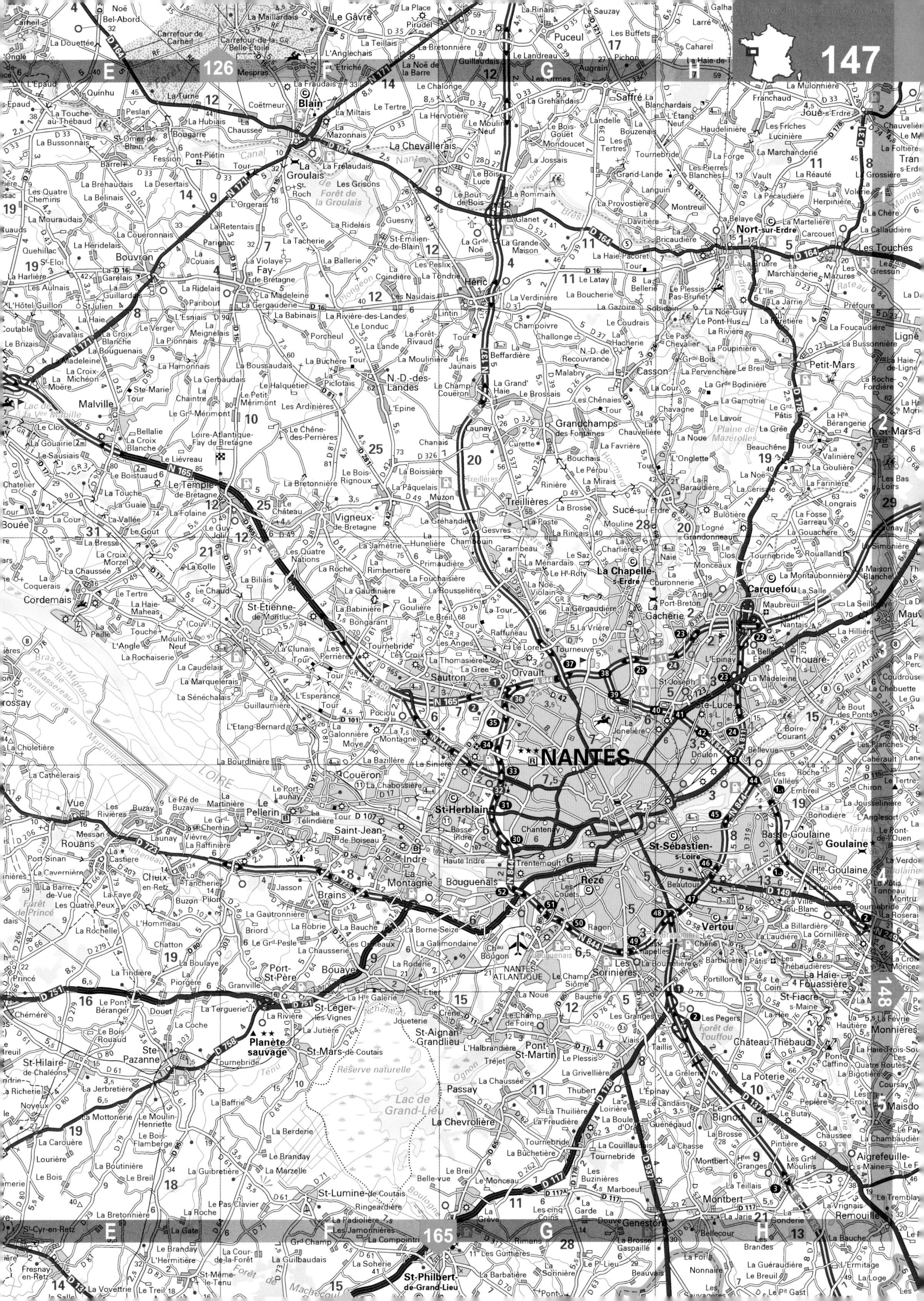
126
E
F
G
H
147
148
165
NANTES
Blain
Le Gâvre
Puceul
Saffré
Nort-sur-Erdre
Les Touches
Joué-s-Erdre
La Chevallerais
La Groulais
Forêt de la Groulais
Bouvron
Fay-de-Bretagne
Héric
Malville
Le Temple-de-Bretagne
Vigneux-de-Bretagne
Grandchamps-des-Fontaines
Treillières
Sucé-sur-Erdre
Casson
Petit-Mars
La Chapelle-s-Erdre
Carquefou
Cordemais
St-Étienne-de-Montluc
Sautron
Orvault
Thouaré
Ste-Luce
Couëron
St-Herblain
Le Pellerin
Vue
Rouans
Cheix-en-Retz
Saint-Jean-de-Boiseau
Indre
La Montagne
Bouguenais
Brains
Rezé
St-Sébastien-s-Loire
Vertou
Basse-Goulaine
Goulaine
Hte-Goulaine
Bouaye
Port-St-Père
St-Léger-les-Vignes
St-Aignan-Grandlieu
Les Sorinières
Pont-St-Martin
Château-Thébaud
St-Fiacre-s-Maine
Monnières
Ste-Pazanne
Planète sauvage
St-Mars-de-Coutais
Lac de Grand-Lieu
Réserve naturelle
St-Hilaire-de-Chaléons
Passay
La Chevrolière
Le Bignon
La Haie-Fouassière
Aigrefeuille-s-Maine
St-Lumine-de-Coutais
Montbert
Geneston
Remouillé
St-Philbert-de-Grand-Lieu
Fresnay-en-Retz
NANTES ATLANTIQUE
LOIRE
Canal de Nantes à Brest
N 171
N 165
N 137
N 844
N 249
A 11
A 83
A 844
E 60
D 164
D 16
D 178
D 723
D 751
D 937
D 117
D 149

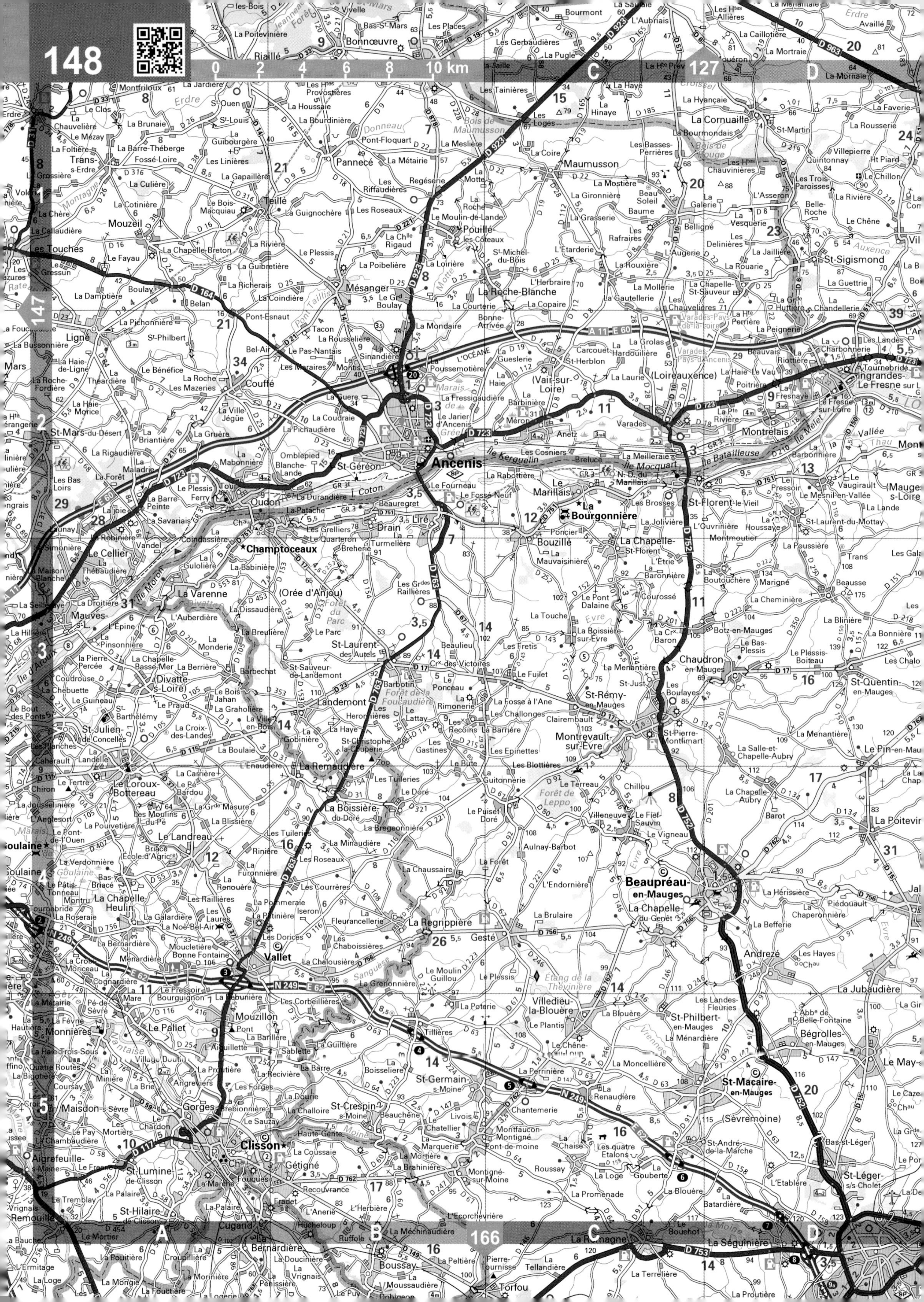
0 2 4 6 8 10 km
127
147
166
A
B
C
D
Ancenis
St-Géréon
Champtoceaux
Vallet
Clisson
Beaupréau-en-Mauges
St-Macaire-en-Mauges
La Bourgonnière
Oudon
Varades
Ligné
Couffé
Mésanger
Teillé
Mouzeil
Pannecé
Maumusson
La Roche-Blanche
Pouillé
Riaillé
Bonnœuvre
La Cornuaille
St-Sigismond
Belligné
Montrelais
Ingrandes-Le Fresne sur Loire
Le Cellier
Mauves-s.-L.
La Varenne
(Divatte-s-Loire)
St-Julien-de-Concelles
Le Loroux-Bottereau
Le Landreau
La Chapelle-Heulin
Le Pallet
Mouzillon
Monnières
Gorges
Maisdon-s-Sèvre
Aigrefeuille-s-Maine
St-Lumine-de-Clisson
St-Hilaire-de-Clisson
Gétigné
Cugand
Boussay
Torfou
La Boissière-du-Doré
La Remaudière
Landemont
St-Laurent-des-Autels
(Orée d'Anjou)
Drain
Liré
Bouzillé
Marillais
St-Florent-le-Vieil
La Chapelle-St-Florent
Chaudron-en-Mauges
St-Quentin-en-Mauges
St-Rémy-en-Mauges
Montrevault-sur-Èvre
St-Pierre-Montlimart
La Regrippière
Gesté
Villedieu-la-Blouère
Tillières
St-Germain-s-Moine
St-Crespin-s-Moine
Montfaucon-Montigné
St-Philbert-en-Mauges
Andrezé
Bégrolles-en-Mauges
La Séguinière
St-Léger-s/s-Cholet
(Sèvremoine)
(Vair-sur-Loire)
(Loireauxence)
A 11 - E 60
N 249 - E 62
D 723
D 763
D 752
D 923
Loire
Forêt de Leppo
Forêt de la Foucaudière
Étang de la Thévinière

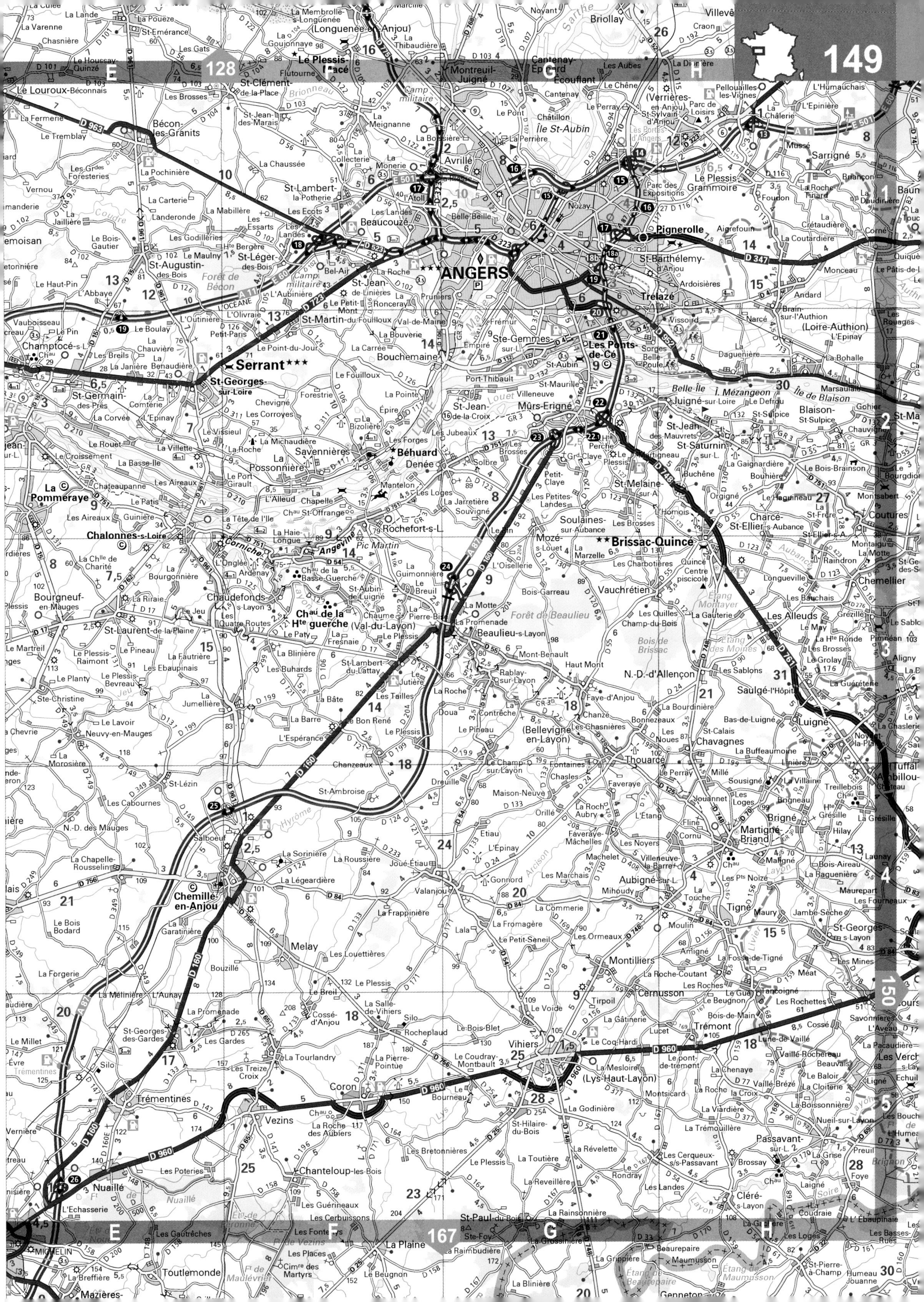

128
150
167
E
F
G
H
1
2
3
4
5
ANGERS
Serrant
Brissac-Quincé
Béhuard
Trélazé
Avrillé
Beaucouzé
St-Barthélemy-d'Anjou
Les Ponts-de-Cé
Ste-Gemmes-sur-Loire
Bouchemaine
St-Georges-sur-Loire
Savennières
Rochefort-s-L.
Chalonnes-s-Loire
Chemillé-en-Anjou
Vihiers
Coron
Vezins
Nuaillé
Trémentines
Toutlemonde
Mazières-
Cholet
Martigné-Briand
Thouarcé
Beaulieu-s-Layon
Mûrs-Erigné
Juigné-sur-Loire
St-Jean-de-Linières
St-Martin-du-Fouilloux
St-Léger-des-Bois
St-Lambert-la-Potherie
Bécon-les-Granits
Le Louroux-Béconnais
St-Clément-de-la-Place
Le Plessis-Macé
Montreuil-Juigné
Cantenay-Épinard
Écouflant
Briollay
Pellouailles-les-Vignes
Le Plessis-Grammoire
Sarrigné
Pignerolle
Andard
Brain-sur-l'Authion
(Loire-Authion)
Blaison-St-Sulpice
Les Alleuds
Saulgé-l'Hôpital
Luigné
Chavagnes
Aubigné-sur-L.
Tigné
Montilliers
Cernusson
Trémont
Passavant-sur-L.
Cléré-s-Layon
St-Paul-du-Bois
La Plaine
Melay
Valanjou
Chanzeaux
St-Lambert-du-Lattay
Rablay-sur-Layon
Faye-d'Anjou
(Bellevigne-en-Layon)
Vauchrétien
Chaudefonds-s-Layon
St-Laurent-de-la-Plaine
Bourgneuf-en-Mauges
Neuvy-en-Mauges
La Pommeraye
Champtocé-s-L.
St-Germain-des-Prés
St-Augustin-des-Bois
St-Lézin
La Jumellière
St-Georges-des-Gardes
Cossé-d'Anjou
La Salle-de-Vihiers
Chanteloup-les-Bois
St-Hilaire-du-Bois
Forêt de Bécon
Forêt de Beaulieu
Bois de Brissac
Chau de la Hte guerche
(Val-du-Layon)
(Lys-Haut-Layon)
Pic Martin
Corniche Angevine
Loire
Layon
Maine
Louet
A 11
A 87
E 60
E 501
D 723
D 160
D 960
D 748
D 761
D 347
D 963
MICHELIN

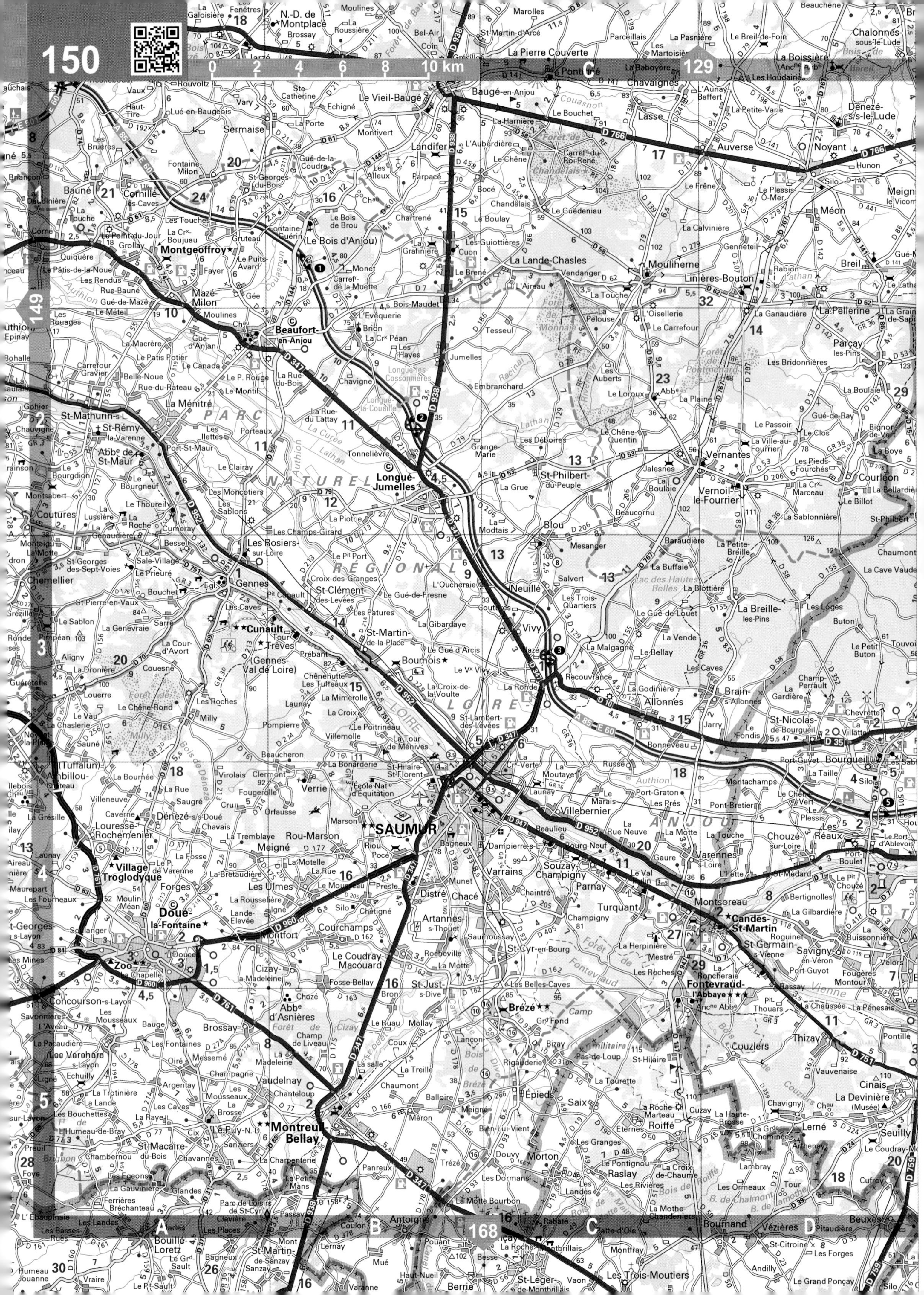
0 2 4 6 8 10 km
129
149
168
Baugé-en-Anjou
Le Vieil-Baugé
Pontigné
Chavaignes
Lasse
Auverse
Noyant
Mouliherne
Linières-Bouton
Beaufort-en-Anjou
Mazé-Milon
Montgeoffroy
Cornillé-les-Caves
Sermaise
Fontaine-Milon
St-Georges-du-Bois
Landifer
Jumelles
Longué-Jumelles
Vernantes
Vernoil-le-Fourrier
Blou
St-Philbert-du-Peuple
La Ménitré
St-Mathurin-s-Loire
Les Rosiers-sur-Loire
Gennes
Cunault
Trèves
Gennes-Val de Loire
St-Clément-des-Levées
St-Martin-de-la-Place
Neuillé
Vivy
Allonnes
Brain-s-Allonnes
St-Nicolas-de-Bourgueil
Bourgueil
Chouzé-sur-Loire
PARC NATUREL RÉGIONAL
LOIRE
ANJOU
SAUMUR
Villebernier
Varennes-s-Loire
Montsoreau
Candes-St-Martin
Fontevraud-l'Abbaye
Souzay-Champigny
Parnay
Turquant
Dampierre-s-Loire
Varrains
Chacé
Distré
Artannes-s-Thouet
St-Cyr-en-Bourg
Brézé
Doué-la-Fontaine
Zoo
Village Troglodyque
Louresse-Rochemenier
Dénezé-s/s-Doué
Les Ulmes
Courchamps
Montfort
Le Coudray-Macouard
Concourson-s-Layon
St-Just-s-Dive
Montreuil-Bellay
Vaudelnay
Le Puy-N.-D.
Épieds
Morton
Roiffé
Couziers
Lerné
Seuilly
Thizay
Cinais
La Devinière (Musée)
Les Trois-Moutiers
Bouillé-Loretz
St-Martin-de-Sanzay
Bournand
Vézières
A
B
C
D
1
2
3
4
5

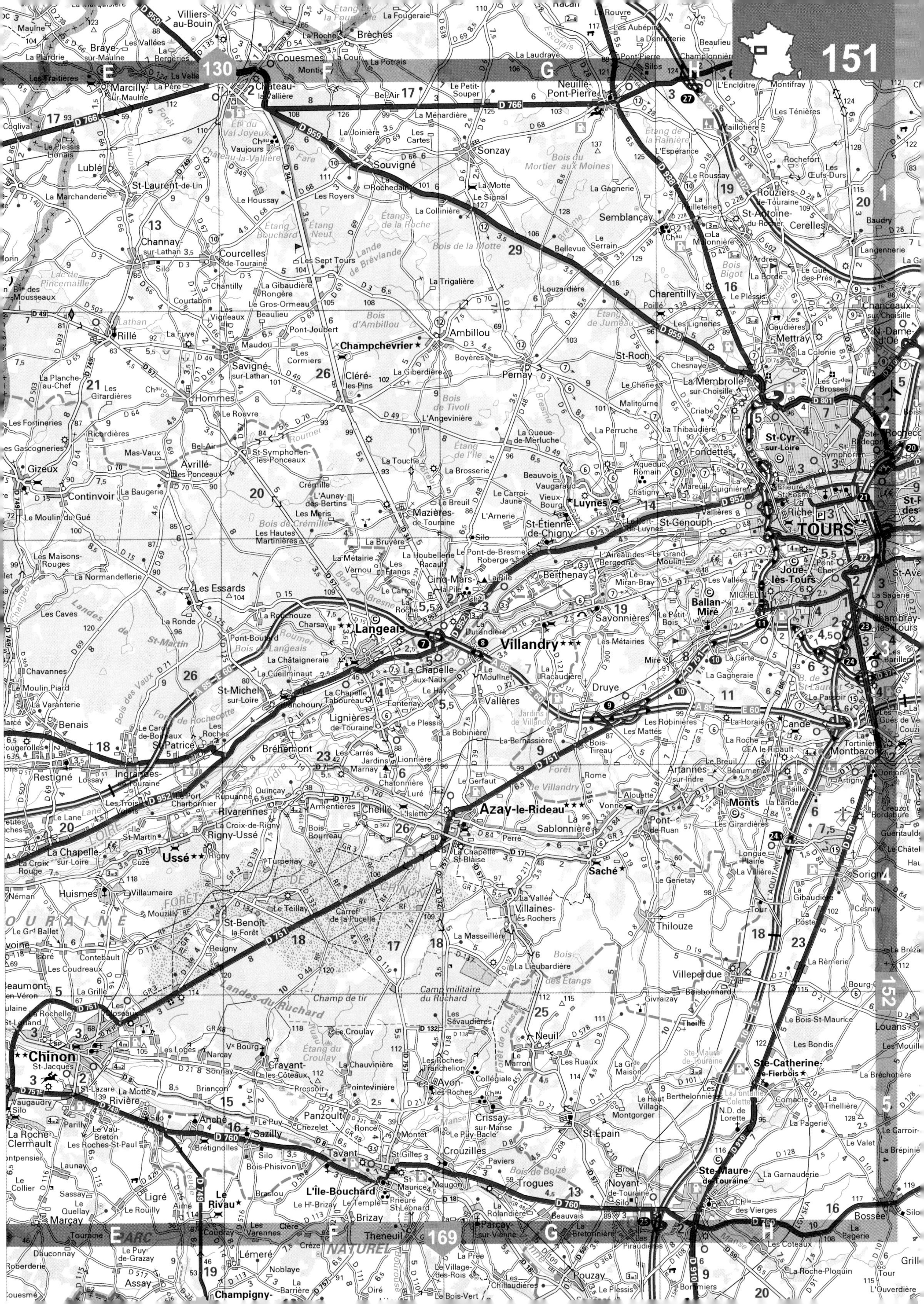
130
169
152
Villiers-au-Bouin
Brèches
Couesmes
Château-la-Vallière
Marcilly-sur-Maulne
Neuillé-Pont-Pierre
Sonzay
Souvigné
Lublé
St-Laurent-de-Lin
Channay-sur-Lathan
Courcelles-de-Touraine
Semblançay
Rouziers-de-Touraine
St-Antoine-du-Rocher
Cerelles
Charentilly
Rillé
Ambillou
Champchevrier
Savigné-sur-Lathan
Hommes
Cléré-les-Pins
Pernay
St-Roch
Mettray
La Membrolle-sur-Choisille
Chanceaux-sur-Choisille
Gizeux
Continvoir
Avrillé-les-Ponceaux
Mazières-de-Touraine
Fondettes
Luynes
St-Cyr-sur-Loire
TOURS
St-Étienne-de-Chigny
St-Genouph
Cinq-Mars-la-Pile
Langeais
Villandry
Savonnières
Berthenay
Ballan-Miré
Joué-lès-Tours
Les Essards
St-Michel-sur-Loire
La Chapelle-aux-Naux
Lignières-de-Touraine
Vallères
Druye
Benais
Restigné
Ingrandes-de-Touraine
St-Patrice
Bréhémont
Rivarennes
Azay-le-Rideau
Artannes-sur-Indre
Monts
Montbazon
Candé
Rigny-Ussé
Ussé
La Chapelle-sur-Loire
Huismes
Cheillé
Saché
Pont-de-Ruan
Sorigny
St-Benoît-la-Forêt
Villaines-les-Rochers
Thilouze
Villeperdue
Chinon
Cravant-les-Côteaux
Avon-les-Roches
Neuil
Ste-Catherine-de-Fierbois
Louans
Rivière
Anché
Sazilly
Panzoult
Crissay-sur-Manse
St-Épain
Crouzilles
Tavant
L'Île-Bouchard
Trogues
Noyant-de-Touraine
Ste-Maure-de-Touraine
Ligré
Le Rivau
Marçay
Parçay-sur-Vienne
Theneuil
Lémeré
Champigny-
Pouzay
Bossée
FORÊT DE CHINON
LOIRE
A 85
E 60
A 10
D 910
D 751
D 952
D 760
D 766
D 959
D 938
D 749

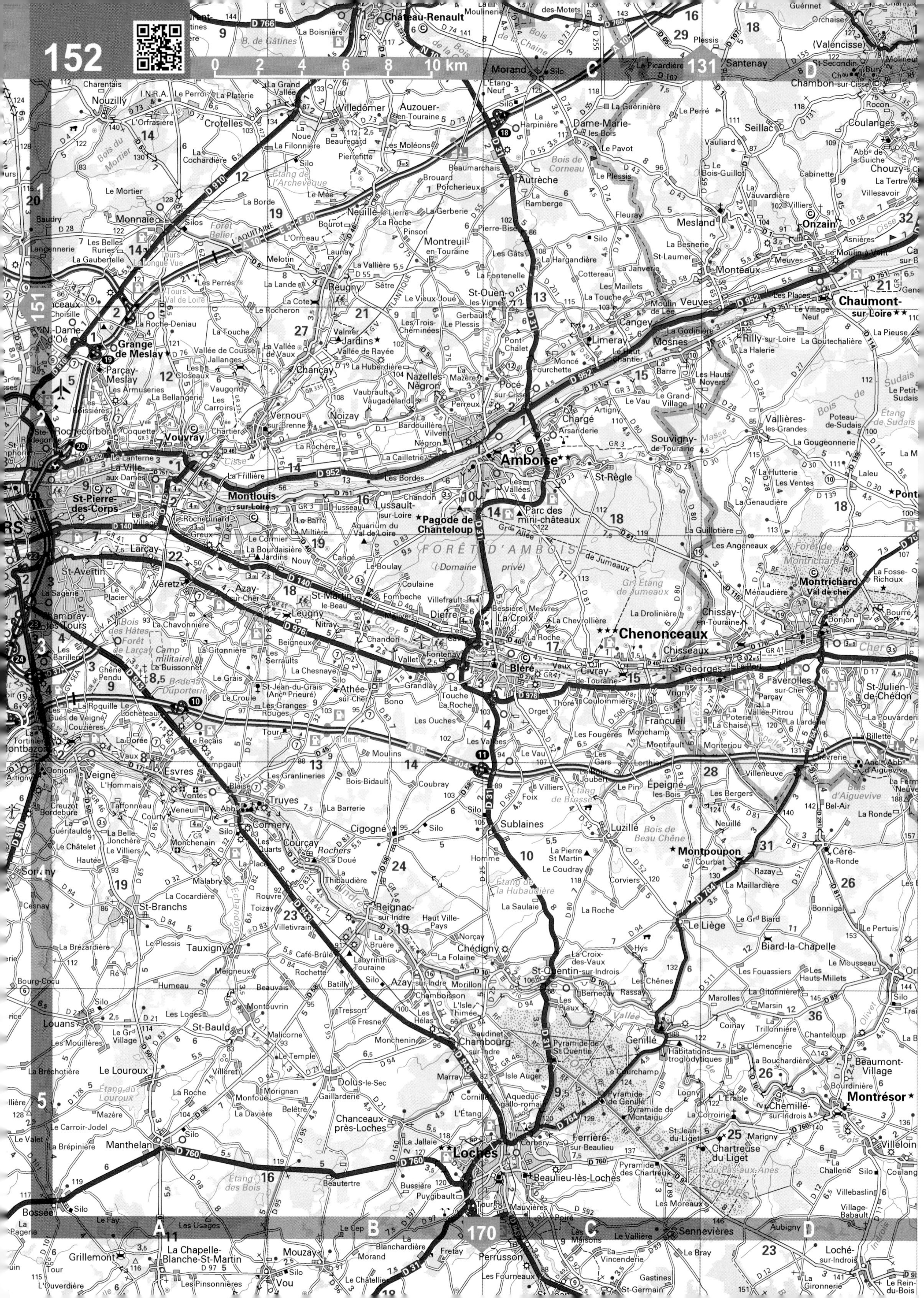
0 2 4 6 8 10 km
Château-Renault
Morand
Santenay
Chambon-sur-Cisse
Nouzilly
Villedômer
Auzouer-en-Touraine
Crotelles
Dame-Marie-les-Bois
Seillac
Coulanges
Beaumarchais
Autrèche
Chouzy-sur-Cisse
Monnaie
Neuillé-le-Lierre
Montreuil-en-Touraine
Mesland
Onzain
Reugny
St-Ouen-les-Vignes
Monteaux
Veuves
Chaumont-sur-Loire
Grange de Meslay
Parçay-Meslay
Limeray
Cangey
Mosnes
Rilly-sur-Loire
Chançay
Nazelles-Négron
Pocé-sur-Cisse
Vernou-sur-Brenne
Noizay
Rochecorbon
Vouvray
Chargé
Souvigny-de-Touraine
Vallières-les-Grandes
Amboise
St-Règle
St-Pierre-des-Corps
Montlouis-sur-Loire
Lussault-sur-Loire
Pagode de Chanteloup
Parc des mini-châteaux
FORÊT D'AMBOISE
(Domaine privé)
Larçay
St-Avertin
Véretz
Azay-sur-Cher
St-Martin-le-Beau
Dierré
La Croix-en-T.
Chenonceaux
Chisseaux
Montrichard Val de Cher
Chambray-lès-Tours
Athée-sur-Cher
Bléré
Civray-de-Touraine
St-Georges-sur-Cher
Faverolles-sur-Cher
St-Julien-de-Chédon
Francueil
Esvres
Veigné
Truyes
Cormery
Épeigné-les-Bois
Luzillé
Sublaines
Cigogné
Courçay
Montpoupon
Céré-la-Ronde
St-Branchs
Reignac-sur-Indre
Le Liège
Biard-la-Chapelle
Tauxigny
Chédigny
St-Quentin-sur-Indrois
Azay-sur-Indre
Genillé
Louans
St-Bauld
Chambourg-sur-Indre
Beaumont-Village
Le Louroux
Dolus-le-Sec
Montrésor
Chanceaux-près-Loches
Chemillé-sur-Indrois
Manthelan
Loches
Ferrière-sur-Beaulieu
Beaulieu-lès-Loches
Chartreuse du Liget
Bossée
Sennevières
Perrusson
Mouzay
La Chapelle-Blanche-St-Martin
Grillemont
Loché-sur-Indrois
A B C D
1 2 3 4 5
131
151
170

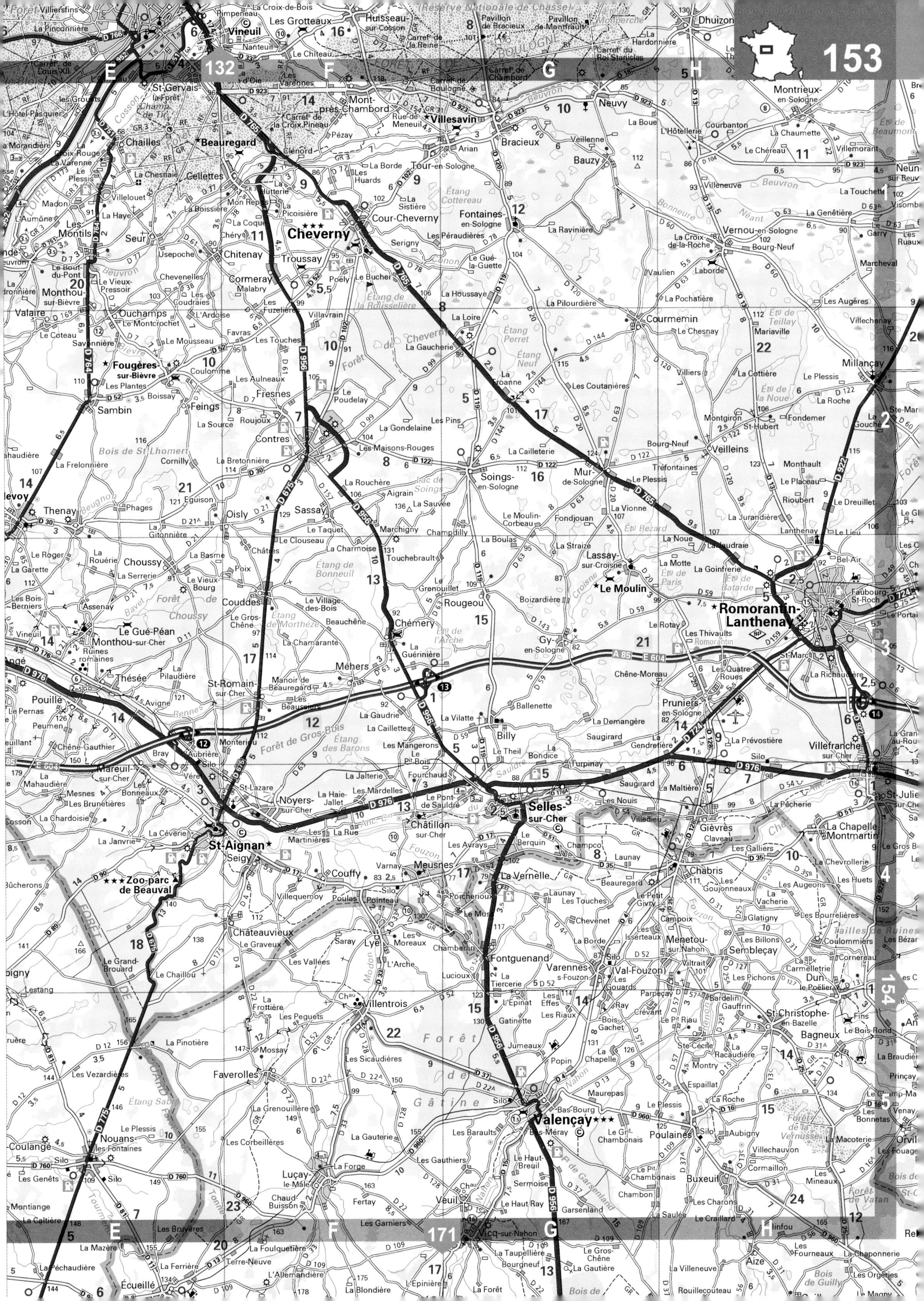

Vineuil
Les Grotteaux
Huisseau-sur-Cosson
Pavillon de Bracieux
Dhuizon
St-Gervais-la-Forêt
Mont-près-Chambord
Villesavin
Neuvy
Montrieux-en-Sologne
Chailles
Beauregard
Cellettes
Bracieux
Bauzy
Tour-en-Sologne
Fontaines-en-Sologne
Cour-Cheverny
Cheverny
Les Montils
Seur
Chitenay
Troussay
Cormeray
Vernou-en-Sologne
Monthou-sur-Bièvre
Ouchamps
Courmemin
Fougères-sur-Bièvre
Fresnes
Sambin
Feings
Contres
Soings-en-Sologne
Mur-de-Sologne
Millançay
Veilleins
Thenay
Oisly
Sassay
Choussy
Couddes
Rougeou
Chémery
Lassay-sur-Croisne
Le Moulin
Romorantin-Lanthenay
Le Gué-Péan
Monthou-sur-Cher
Thésée
Méhers
Gy-en-Sologne
Pouillé
St-Romain-sur-Cher
Billy
Pruniers-en-Sologne
Villefranche-sur-Cher
Mareuil-sur-Cher
Noyers-sur-Cher
Selles-sur-Cher
Châtillon-sur-Cher
Gièvres
St-Aignan
Seigy
Couffy
Meusnes
Chabris
Zoo-parc de Beauval
Châteauvieux
Lye
Fontguenand
Varennes-s-Fouzon
Menetou-sur-Nahon
Sembleçay
Villentrois
St-Christophe-en-Bazelle
Faverolles
Valençay
Poulaines
Nouans-les-Fontaines
Luçay-le-Mâle
Veuil
Buxeuil
Vicq-sur-Nahon
Écueillé
Forêt de Gâtine
A 85
E 604
D 976
D 956
D 765
D 922
D 960

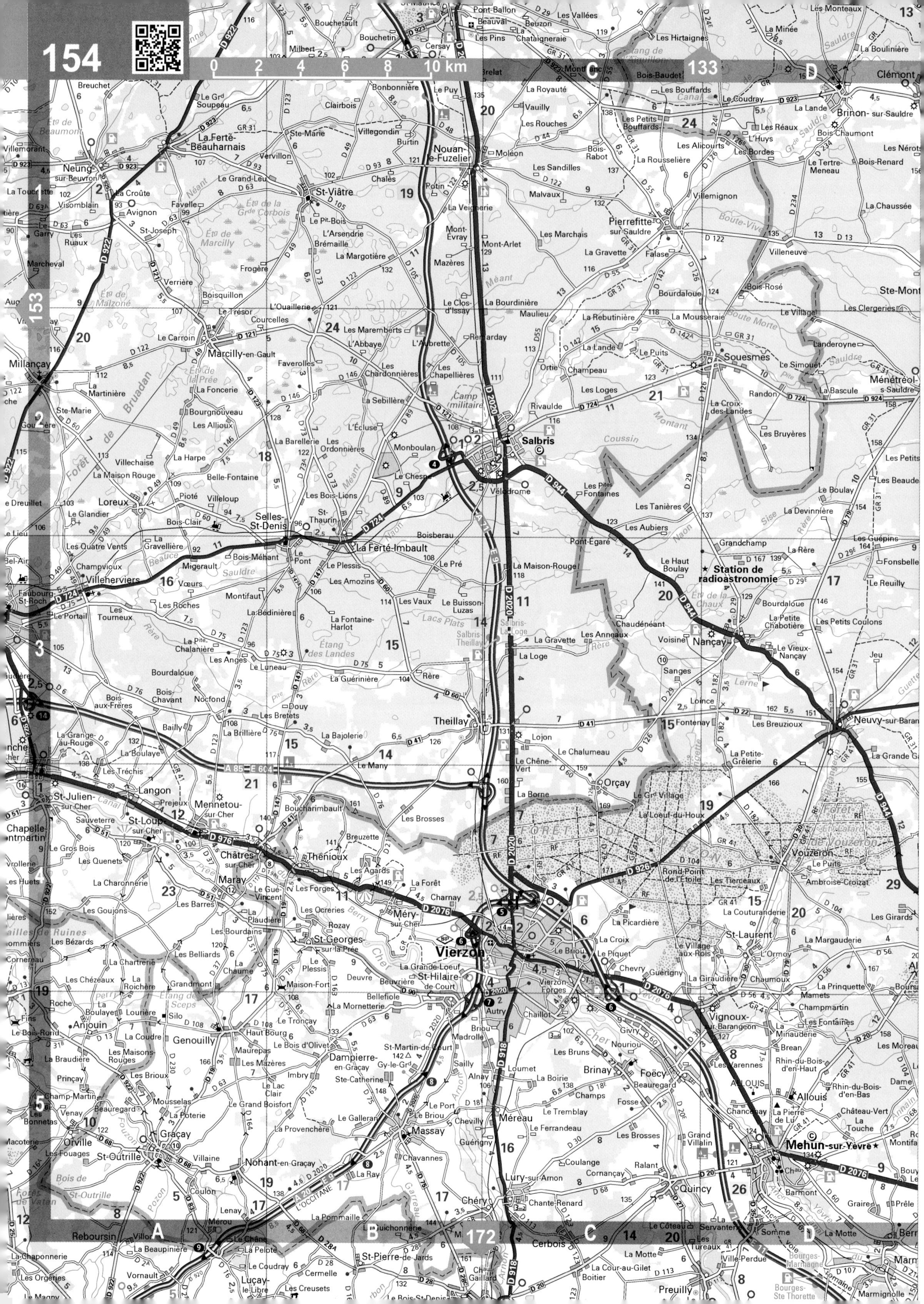
0 2 4 6 8 10 km
Neung-sur-Beuvron
La Ferté-Beauharnais
St-Viâtre
Nouan-le-Fuzelier
Pierrefitte-sur-Sauldre
Brinon-sur-Sauldre
Clémont
Marcilly-en-Gault
Souesmes
Ménétréol-s-Sauldre
Millançay
Salbris
Loreux
Selles-St-Denis
La Ferté-Imbault
Villeherviers
Station de radioastronomie
Nançay
Neuvy-sur-Barangeon
Theillay
Orçay
Langon
Mennetou-sur-Cher
St-Julien-sur-Cher
St-Loup-sur-Cher
Châtres-sur-Cher
Maray
Thénioux
Vouzeron
Forêt de Vierzon
Méry-sur-Cher
St-Georges-sur-la-Prée
Vierzon
St-Laurent
Vignoux-sur-Barangeon
St-Hilaire-de-Court
Genouilly
Anjouin
Dampierre-en-Graçay
Brinay
Foëcy
Allouis
Mehun-sur-Yèvre
Graçay
St-Outrille
Nohant-en-Graçay
Massay
Méreau
Lury-sur-Arnon
Quincy
Chéry
Cerbois
Reboursin
St-Pierre-de-Jards
Lucay-le-Libre
Preuilly
Bourges

133
153
172

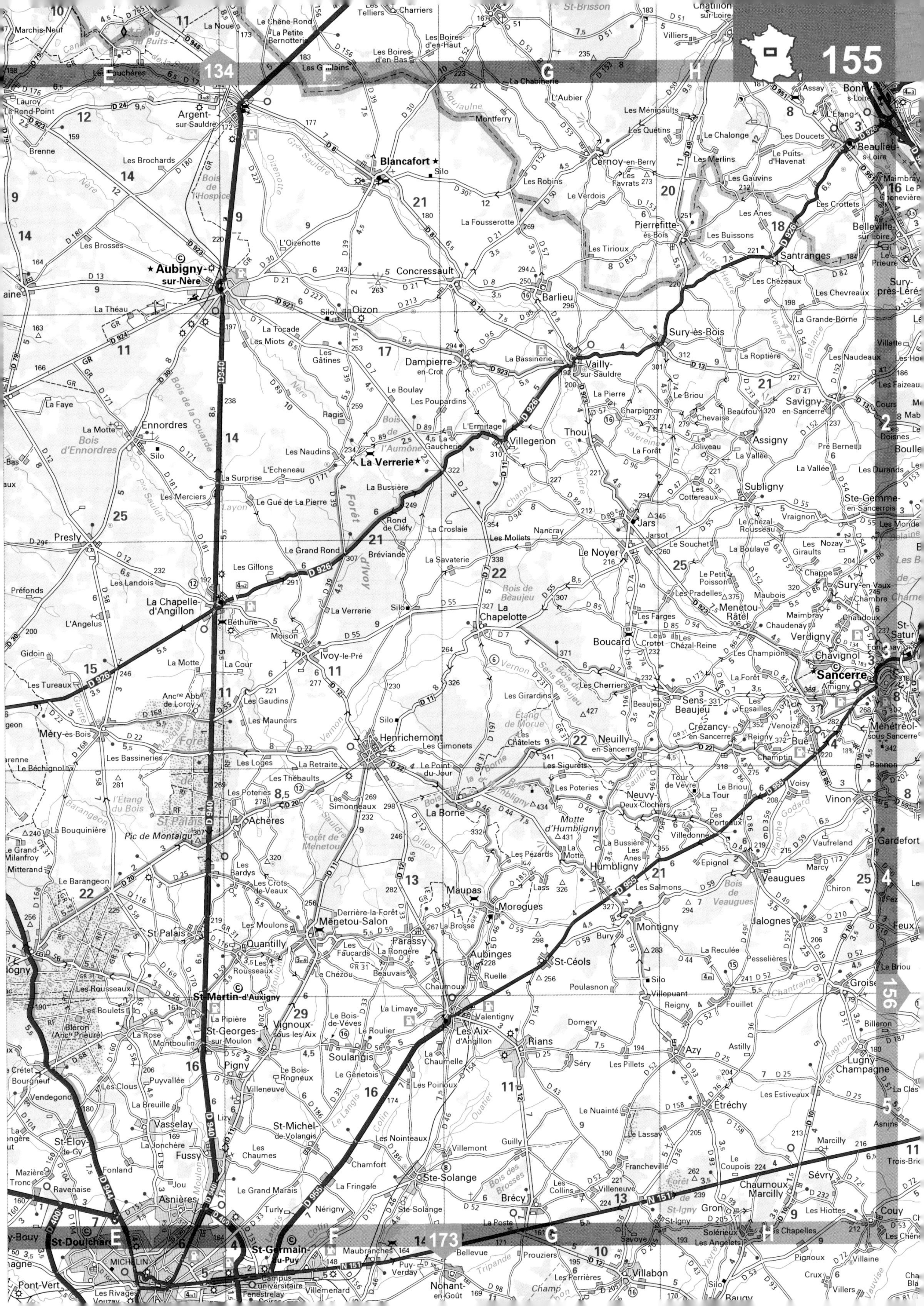
134
E
F
G
H
155
Argent-sur-Sauldre
Blancafort
Aubigny-sur-Nère
Concressault
Oizon
Barlieu
Cernoy-en-Berry
Pierrefitte-ès-Bois
Santranges
Beaulieu-sur-Loire
Bonny-s-Loire
Belleville-sur-Loire
Sury-près-Léré
Sury-ès-Bois
Vailly-sur-Sauldre
Dampierre-en-Crot
Ennordres
La Verrerie
Villegenon
Thou
Assigny
Savigny-en-Sancerre
Subligny
Ste-Gemme-en-Sancerrois
Jars
Le Noyer
Presly
La Chapelle-d'Angillon
Ivoy-le-Pré
Henrichemont
La Chapelotte
Boucard
Menetou-Râtel
Sury-en-Vaux
Verdigny
Sancerre
Chavignol
St-Satur
Sens-Beaujeu
Crézancy-en-Sancerre
Neuilly-en-Sancerre
Bué
Ménétréol-sous-Sancerre
Méry-ès-Bois
Achères
La Borne
Neuvy-Deux-Clochers
Humbligny
Vinon
Veaugues
Gardefort
St-Palais
Menetou-Salon
Morogues
Montigny
Jalognes
Quantilly
Parassy
Aubinges
St-Céols
St-Martin-d'Auxigny
St-Georges-sur-Moulon
Vignoux-sous-les-Aix
Soulangis
Les Aix-d'Angillon
Rians
Azy
Pigny
Lugny-Champagne
Vasselay
St-Michel-de-Volangis
Étréchy
St-Eloy-de-Gy
Fussy
Ste-Solange
Asnières
Brécy
Villeneuve
Chaumoux-Marcilly
Sévry
Gron
St-Doulchard
St-Germain-du-Puy
Nohant-en-Goût
Villabon
Baugy
156
173

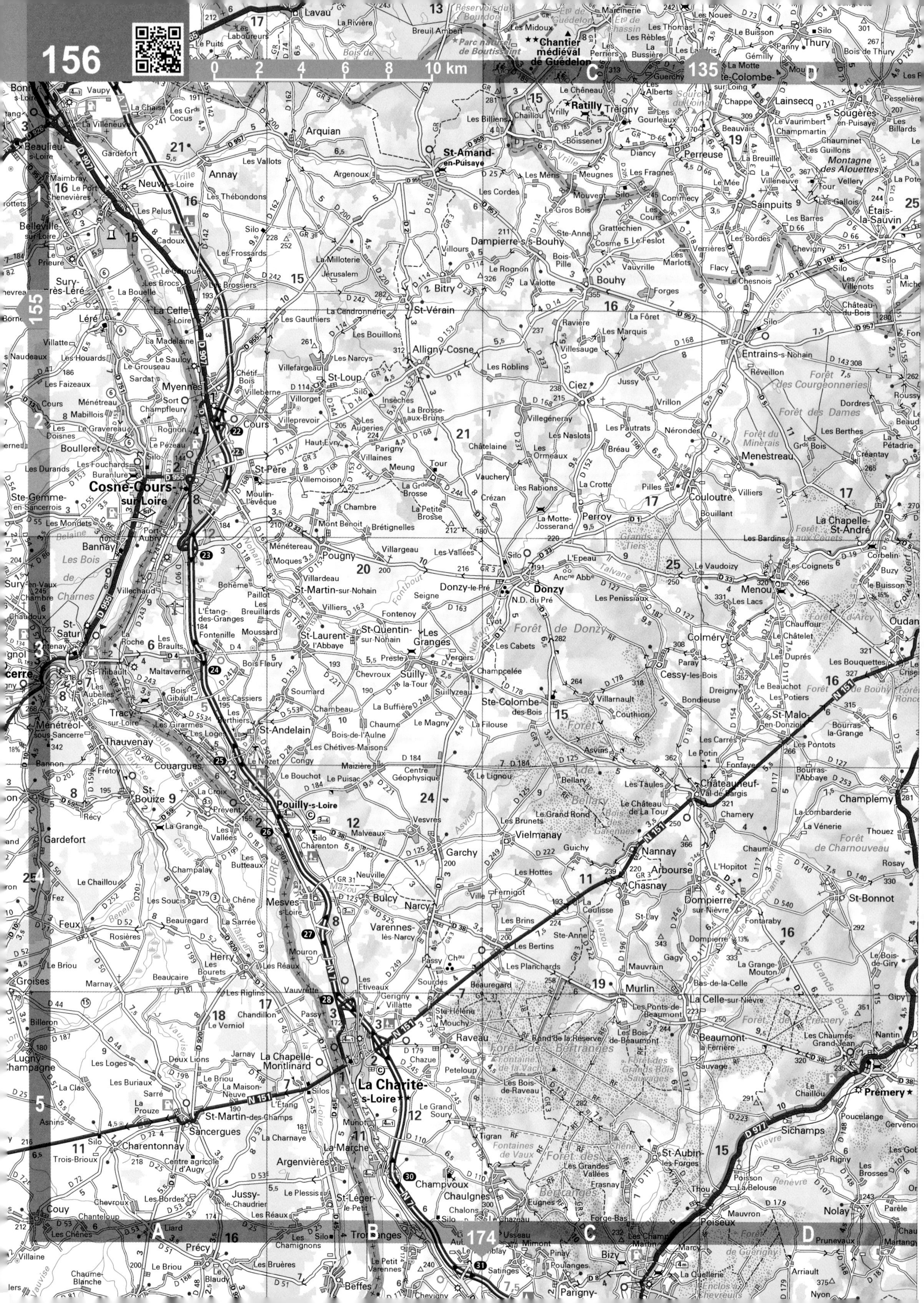
0 2 4 6 8 10 km
135
155
174
A
B
C
D
1
2
3
4
5
Chantier médiéval de Guédelon
Parc naturel de Boutissaint
Réservoir du Bourdon
Lavau
Arquian
St-Amand-en-Puisaye
Ratilly
Treigny
Perreuse
Lainsecq
Sougères-en-Puisaye
Thury
Montagne des Alouettes
Sainpuits
Étais-la-Sauvin
Bonny-s-Loire
Beaulieu-s-Loire
Neuvy-s-Loire
Annay
Belleville-sur-Loire
Dampierre-s-s-Bouhy
Bouhy
Bitry
St-Vérain
Sury-près-Léré
Léré
La Celle-s-Loire
Alligny-Cosne
Entrains-s-Nohain
Forêt des Courgeonneries
Forêt des Dames
St-Loup
Myennes
Ciez
Cours
Cosne-Cours-sur-Loire
St-Père
Châtelaine
Menestreau
Couloutre
La Chapelle-St-André
Pougny
Donzy
Donzy-le-Pré
Menou
Colméry
Oudan
St-Satur
Sancerre
St-Martin-sur-Nohain
St-Laurent-l'Abbaye
St-Quentin-sur-Nohain
Les Granges
Forêt de Donzy
Suilly-la-Tour
Cessy-les-Bois
St-Malo-en-Donziois
Ménétréol-sous-Sancerre
Thauvenay
Tracy-sur-Loire
St-Andelain
Ste-Colombe-des-Bois
Couargues
St-Bouize
Pouilly-s-Loire
Châteauneuf-Val-de-Bargis
Champlemy
Garchy
Vielmanay
Nannay
Arbourse
Chasnay
Gardefort
Mesves-s-Loire
Bulcy
Narcy
Varennes-lès-Narcy
Dompierre-sur-Nièvre
St-Bonnot
Feux
Herry
Murlin
La Celle-sur-Nièvre
Forêt de Prémery
Beaumont-la-Ferrière
Forêt des Bertranges
La Chapelle-Montlinard
La Charité-s-Loire
Raveau
Prémery
Sancergues
St-Martin-des-Champs
Charentonnay
Argenvières
Champvoux
Chaulgnes
St-Aubin-les-Forges
Sichamps
Nolay
Jussy-le-Chaudrier
Couy
Précy
Tronsanges
Beffes
Bizy
Poiseux
Forêt de Guérigny
LOIRE
N 151
N 7
A 77
D 957
D 955
D 977

136
175
158
E
F
G
H
Clamecy
Coulanges-sur-Yonne
Vézelay
Avallon
Corbigny
Lormes
Tannay
Varzy
St-Saulge
Druyes-les-Belles-Fontaines
Châtel-Censoir
Asquins
St-Père
Pierre-Perthuis
Bazoches
Brinon-sur-Beuvron
St-Révérien
Montenoison
Chitry-les-Mines
Chaumot
Marigny-sur-Yonne
Germenay
Metz-le-Comte
Asnois
Amazy
St-Didier
Monceaux-le-Comte
Ruages
Dirol
Challement
Asnan
Talon
Grenois
Beuvron
Cuncy-lès-Varzy
Villiers-le-Sec
Oisy
Surgy
Andryes
Festigny
Crain
Lucy-sur-Yonne
Merry-sur-Yonne
Chamoux
Armes
Dornecy
Breugnon
Rix
Ouagne
Brèves
Villiers-sur-Yonne
Sermizelles
Givry
Blannay
Montillot
Domecy-sur-Cure
Fontenay-près-Vézelay
Foissy-lès-Vézelay
St-Aubin-des-Chaumes
Neuffontaines
Empury
Vauclaix
Cervon
Mhère
Marcilly
Sardy-lès-Epiry
Epiry
Mouron-sur-Yonne
Montreuillon
La Collancelle
Aunay-en-Bazois
Bazolles
Crux-la-Ville
Ste-Marie
St-Benin-des-Bois
St-Franchy
Moussy
Vitry-Laché
Guipy
Beaulieu
Héry
Moraches
Champallement
Neuilly
Champlin
Arthel
Authiou
Chazeuil
Corvol-d'Embernard
Chevannes-Changy
Parigny-la-Rose
Marcy
Oulon
Lucy-le-Bourg
Montenoison
Forêt de Montreuillon
Mont de la Justice
Gorges de Narvau
Signal de Montrecon
Butte de Montenoison
Chastellux-sur-Cure
St-André-en-Morvan
St-Martin-du-Puy
Montigny-en-Morvan
Dun-sur-Grandry
Chougny
Mont-et-Marré
Montapas
Jailly
Lac de Pannecière-Chaumard

0 2 4 6 8 10 km
137
157
176
A
B
C
D
1
2
3
4
5
Avallon
Montréal
Époisses
Semur-en-Auxois
Guillon
Toutry
Vignes
Savigny-en-Terre-Plaine
Cussy-les-Forges
Ste-Magnance
Rouvray
Bussières
St-Andeux
Montbard
Précy-sous-Thil
Butte de Thil
Vic-sous-Thil
La Roche-en-Brenil
St-Germain-de-Modéon
St-Léger-Vauban
Quarré-les-Tombes
Abbe de la Pierre-qui-Vire
St-Agnan
Dun-les-Places
Saulieu
Molphey
St-Didier
Champeau-en-Morvan
Montlay-en-Auxois
Thoisy-la-Berchère
Liernais
St-Martin-de-la-Mer
Alligny-en-Morvan
Montsauche-les-Settons
Les Settons
Gouloux
Moux-en-Morvan
Blanot
Bard-le-Régulier
Ménessaire
Planchez
Chissey-en-Morvan
Cussy-en-Morvan
Manlay
Marcheseuil
Savilly
Brazey-en-Morvan
Chaumard
Ouroux-en-Morvan
Brassy
Marigny-l'Église
Chalaux
Lac de Pannecière-Chaumard
Forêt de Saulieu
PARC NATUREL RÉGIONAL DU MORVAN
A 6
E 15 - E 60
D 606
D 980
D 906
D 70
D 954

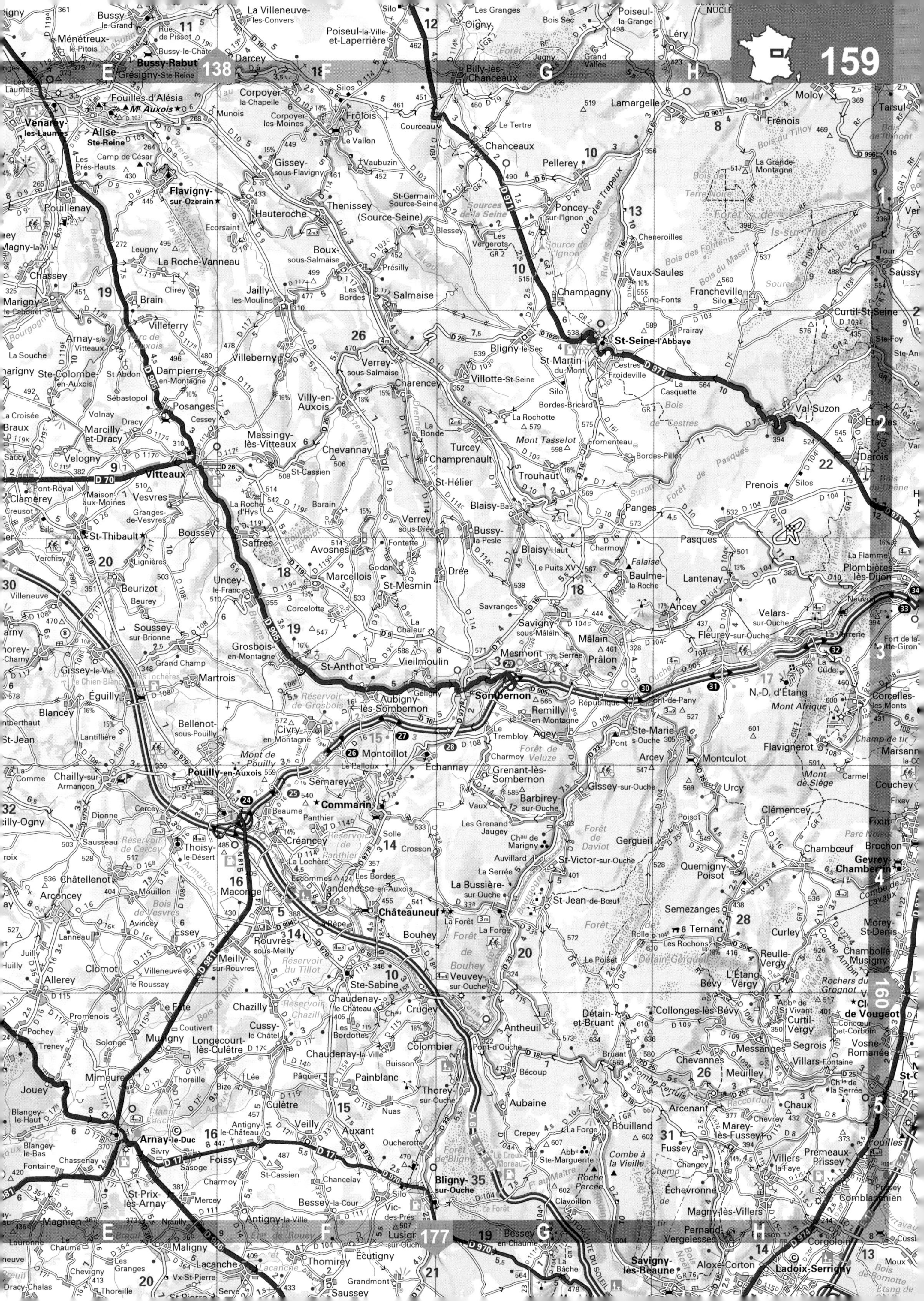
Bussy-Rabutin
Grésigny-Ste-Reine
Venarey-les-Laumes
Alise-Ste-Reine
Flavigny-sur-Ozerain
Pouillenay
Frôlois
Billy-lès-Chanceaux
Chanceaux
Poiseul-la-Ville-et-Laperrière
Léry
Lamargelle
Moloy
Tarsul
Pellerey
Poncey-sur-l'Ignon
Thenissey (Source-Seine)
Hauteroche
Salmaise
Champagny
St-Seine-l'Abbaye
Francheville
Curtil-St-Seine
Val-Suzon
Étaules
Darois
Prenois
Arnay-s/s-Vitteaux
Villeberny
Verrey-sous-Salmaise
Charencey
Villy-en-Auxois
Posanges
Marcilly-et-Dracy
Massingy-lès-Vitteaux
Vitteaux
Chevannay
Turcey
Champrenault
Trouhaut
St-Hélier
Blaisy-Bas
Bussy-la-Pesle
Blaisy-Haut
Pasques
Lantenay
Plombières-lès-Dijon
Saffres
Avosnes
Marcellois
St-Mesmin
Drée
Baulme-la-Roche
Ancey
Velars-sur-Ouche
Fleurey-sur-Ouche
Savigny-sous-Mâlain
Mâlain
Mesmont
Prâlon
Sombernon
Remilly-en-Montagne
Grosbois-en-Montagne
St-Anthot
Vieilmoulin
Aubigny-lès-Sombernon
Civry-en-Montagne
Montoillot
Echannay
Ste-Marie-s-Ouche
Arcey
Montculot
Flavignerot
Corcelles-les-Monts
Pouilly-en-Auxois
Commarin
Créancey
Grenant-lès-Sombernon
Barbirey-sur-Ouche
Gissey-sur-Ouche
Urcy
Clémencey
Gevrey-Chambertin
Thoisy-le-Désert
Vandenesse-en-Auxois
Châteauneuf
La Bussière-sur-Ouche
St-Victor-sur-Ouche
St-Jean-de-Bœuf
Quemigny-Poisot
Semezanges
Ternant
Curley
Morey-St-Denis
Chambolle-Musigny
Meilly-sur-Rouvres
Rouvres-sous-Meilly
Ste-Sabine
Veuvey-sur-Ouche
Bouhey
L'Étang-Vergy
Reulle-Vergy
Clos de Vougeot
Chazilly
Chaudenay-le-Château
Crugey
Détain-et-Bruant
Collonges-lès-Bévy
Curtil-Vergy
Vosne-Romanée
Longecourt-lès-Culêtre
Colombier
Antheuil
Messanges
Segrois
Villars-Fontaine
Chevannes
Meuilley
Mimeure
Thorey-sur-Ouche
Aubaine
Arcenant
Bouilland
Marey-lès-Fussey
Arnay-le-Duc
Foissy
Bligny-sur-Ouche
Crepey
Ste-Marguerite
Fussey
Villers-la-Faye
Premeaux-Prissey
St-Prix-lès-Arnay
Échevronne
Comblanchien
Magny-lès-Villers
Pernand-Vergelesses
Corgoloin
Savigny-lès-Beaune
Aloxe-Corton
Ladoix-Serrigny
Maligny
Lacanche
Thomirey
Ecutigny
Saussey
177
160
138

0 2 4 6 8 10 km
139
178
159
A
B
C
D
1
2
3
4
5
DIJON
Fontaine-lès-Dijon
Talant
Plombières-lès-Dijon
Chenôve
Longvic
St-Apollinaire
Quetigny
Chevigny-St-Sauveur
Sennecey-lès-Dijon
Neuilly-lès-Dijon
Crimolois
Ouges
Marsannay-la-Côte
Perrigny-lès-Dijon
Couchey
Fixin
Brochon
Gevrey-Chambertin
Morey-St-Denis
Chambolle-Musigny
Vougeot
Clos de Vougeot
Flagey-Echézeaux
Vosne-Romanée
Nuits-St-Georges
Agencourt
Boncourt-le-Bois
Quincey
Comblanchien
Gerland
Argilly
Is-sur-Tille
Marcilly-sur-Tille
Til-Châtel
Crécey-sur-Tille
Orville
Véronnes
Lux
Gemeaux
Pichanges
Spoy
Bèze
Bourberain
Fontenelle
Mirebeau sur-Bèze
Arceau
Beire-le-Châtel
Genlis
Auxonne
St-Jean-de-Losne
Losne
Brazey-en-Plaine
Pontailler-sur-Saône
Talmay
Tillenay
Villers-les-Pots
Flagey-lès-Auxonne
Lamarche-sur-Saône
Montmançon
Heuilley
Vielverge
Labergement-Foigney
Magny-sur-Tille
Izier
Bressey-sur-Tille
Remilly-sur-Tille
Couternon
Arc-sur-Tille
Varois-et-Chaignot
Ruffey-lès-Echirey
Asnières-lès-Dijon
Bellefond
Norges-la-Ville
Clénay
Brognon
St-Julien
Savigny-le-Sec
Épagny
Marsannay-le-Bois
Flacey
Messigny-et-Vantoux
Hauteville-lès-Dijon
Ahuy
Daix
Corcelles-les-Monts
Fénay
Saulon-la-Rue
Saulon-la-Chapelle
Barges
Broindon
Noiron-sous-Gevrey
Savouges
Corcelles-lès-Cîteaux
Izeure
Aiserey
Échigey
Longecourt-en-Plaine
Thorey-en-Plaine
Rouvres-en-Plaine
Varanges
Fauverney
Bretenière
Marliens
Tart-le-Haut
Tart-le-Bas
Tart-l'Abbaye
Longeault
Pluvault
Collonges-lès-Premières
Premières
Soirans
Tréclun
Champdôtre
Pont
Les Maillys
Trouhans
Montot
Échenon
St-Usage
Magny-lès-Aubigny
Esbarres
Charrey-sur-Saône
Bonnencontre
Aubigny-en-Plaine
Bessey-lès-Cîteaux
Abbe de Cîteaux
Villebichot
St-Nicolas-lès-Cîteaux
St-Bernard
Gilly-lès-Cîteaux
Épernay-sous-Gevrey
St-Philibert
Broin
Auvillars-sur-Saône
Lechâtelet
Bagnot
Pagny-la-Ville
Abergement-la-Ronce
Aumur
Samerey
Laperrière-sur-Saône
St-Symphorien-sur-Saône
St-Seine-en-Bâche
Champvans
Foucherans
Damparis
Sampans
Labergement-lès-Auxonne
Villers-Rotin
Billey
Athée
Flammerans
Poncey-lès-Athée
Magny-Montarlot
Longchamp
Chambeire
Cessey-sur-Tille
Tellecey
Cirey-lès-Pontailler
Vonges
St-Léger-Triey
Étevaux
Binges
Trochères
Drambon
Marandeuil
Cuiserey
Charmes
Bézouotte
Savolles
Magny-St-Médard
Belleneuve
Tanay
Noiron-sur-Bèze
Vievigne
Oisilly
Renève
Cheuge
Jancigny
Essertenne-et-Cecey
Blagny-sur-Vingeanne
Champagne-sur-Vingeanne
Beaumont-sur-Vingeanne
Dampierre-et-Flée
Licey-sur-Vingeanne
Attricourt
Lœuilley
Broye-les-Loups-et-Verfontaine
St-Seine-sur-Vingeanne
Pouilly-sur-Vingeanne
Rosières
Chaignay
Villecomte
Vernot
Saussy
Tarsul
Saulx-le-Duc
Diénay
Échevannes
Étaules
Darois
Val Suzon
Ste-Foy
Ste-Anne
D 974
D 70
D 905
D 960
D 959
D 968
D 996
A 31 E 17 E 21
A 39 E 21
A 36 E 60
LGV RHIN-RHÔNE
Canal de Bourgogne
Forêt de Cîteaux
Forêt de Velours

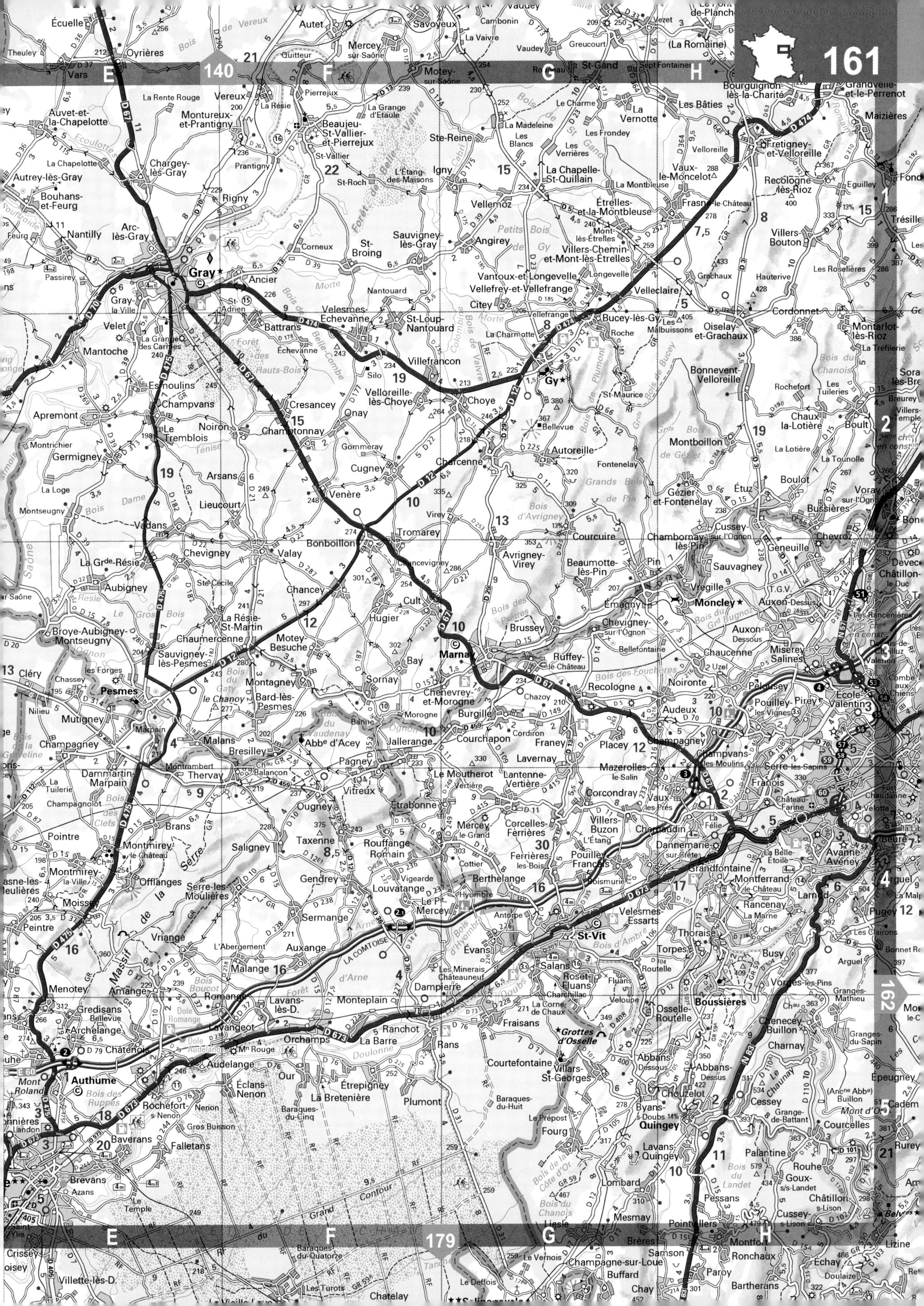
Écuelle
Oyrières
Theuley
Vars
Autet
Savoyeux
Cambonin
La Vaivre
Vaudey
Mercey-sur-Saône
Quitteur
Motey-sur-Saône
Greucourt
St-Gand
Vezet
(La Romaine)
Sept Fontaines
Bourguignon-lès-la-Charité
Grandvelle-et-le-Perrenot
Maizières
La Rente Rouge
Vereux
La Résie
Pierrejux
La Grange d'Étaule
Bois de la Vaivre
Le Charme
La Vernotte
Les Bâties
Auvet-et-la-Chapelotte
Montureux-et-Prantigny
Beaujeu-St-Vallier-et-Pierrejux
St-Vallier
Ste-Reine
La Madeleine
Les Blancs
Les Verrières
Les Frondey
Fretigney-et-Velloreille
Velloreille
La Chapelotte
Chargey-lès-Gray
Prantigny
L'Étang-des-Maisons
Igny
La Chapelle-St-Quillain
Vaux-le-Moncelot
Recologne-lès-Rioz
Eguilley
Autrey-lès-Gray
St-Roch
La Montbleuse
Bouhans-et-Feurg
Rigny
Vellemoz
Étrelles-et-la-Montbleuse
Frasne-le-Château
Forêt de Belle-Vaivre
Feurg
Nantilly
Arc-lès-Gray
Corneux
St-Broing
Sauvigney-lès-Gray
Angirey
Petits Bois de Gy
Mont-lès-Étrelles
Villers-Chemin-et-Mont-lès-Étrelles
Villers-Bouton
Trésilley
Passirey
Gray
Ancier
Nantouard
Vantoux-et-Longevelle
Longevelle
Vellefrey-et-Vellefrange
Grachaux
Hauterive
Les Roselières
Gray-la-Ville
St-Adrien
Velesmes-Echevanne
St-Loup-Nantouard
Citey
Vellefrange
Bucey-lès-Gy
Velleclaire
Cordonnet
Velet
Battrans
Echevanne
La Charmotte
Roche
Les Malbuissons
Oiselay-et-Grachaux
Montarlot-lès-Rioz
La Tréfilerie
Mantoche
La Grange des Carmes
Forêt des Hauts-Bois
Villefrancon
Gy
Bonnevent-Velloreille
Silo
Choye
St-Maurice
Rochefort
Les Tuileries
Esmoulins
Apremont
Champvans
Cresancey
Vellorreille-lès-Choye
Onay
Bellevue
Chaux-la-Lotière
Boult
Breurey
Montrichier
Le Tremblois
Noiron
Champtonnay
Montboillon
La Lotière
Germigney
Gommeray
Autoreille
La Tounolle
La Loge
Arsans
Cugney
Charcenne
Fontenelay
Grands Bois
Gézier-et-Fontenelay
Étuz
Boulot
Voray-sur-l'Ognon
Montseugny
Lieucourt
Venère
Virey
Bois d'Avrigney
Bussières
Vadans
Tromarey
Courcuire
Chambornay-lès-Pin
Cussey-sur-l'Ognon
Chevroz
Geneuille
Chevigney
Bonboillon
Valay
Avrigney-Virey
Sauvagney
Châtillon-le-Duc
La Grde-Résie
Ste-Cécile
Chancevigney
Beaumotte-lès-Pin
Pin
Aubigney
Chancey
Cult
Émagny
Vregille
Moncley
Auxon-Dessus
La Résie-St-Martin
Hugier
Bois des Prêtres
Brussey
Chevigney-sur-l'Ognon
Auxon-Dessous
Les Rancenières
Broye-Aubigney-Montseugny
Chaumercenne
Motey-Besuche
Marnay
Ruffey-le-Château
Bellefontaine
Chaucenne
Miserey-Salines
Clery
Sauvigney-lès-Pesmes
Bay
Chassey
Les Forges
Montagney
Bois des Foucheres
Noironte
Pelousey
Pirey
École-Valentin
Pesmes
Le Chanoy
Bard-lès-Pesmes
Sornay
Chenevrey-et-Morogne
Chazoy
Recologne
Audeux
Pouilley-les-Vignes
Nilieu
Mutigney
Marpain
Morogne
Burgille
Cordiron
Champagney
Champagney
Malans
Abbe d'Acey
Jallerange
Courchapon
Franey
Placey
Champvans-les-Moulins
Serre-les-Sapins
Dammartin-Marpain
Montrambert
Thervay
Balançon
Pagney
Le Moutherot
Lantenne-Vertière
Lavernay
Mazerolles-le-Salin
La Tuilerie
Vitreux
Corcondray
Franois
Champagnolot
Bois des Clefs
Ougney
Étrabonne
Vaux-les-Prés
Chaudanne
Château-Farine
Pointre
Brans
Taxenne
Mercey-le-Grand
Corcelles-Ferrières
Villers-Buzon
Chemaudin
La Félie
Montmirey-le-Château
Saligney
Rouffange
Romain
L'Étang
Dannemarie-sur-Crête
La Belle-Étoile
Avanne-Aveney
Montmirey-la-Ville
Offlanges
Gendrey
Vigearde
Louvatange
Berthelange
Ferrières-les-Bois
Pouilley-Français
Boismurie
Grandfontaine
Montferrand-le-Château
Moissey
Serre-les-Moulières
Sermange
Le Pt Mercey
Hyombre
Rancenay
La Marne
Peintre
Vriange
Massif de la Serre
Bois d'Hyombre
Antorpe
Velesmes-Essarts
St-Vit
Thoraise
L'Abergement
Auxange
La Comtoise
Évans
Bois d'Ambre
Torpes
Busy
Malange
Les Minerais
Châteauneuf
Salans
Roset-Fluans
Routelle
Vorges-les-Pins
Menotey
Amange
Forêt d'Arne
Dampierre
Charchillac
Veloupe
Boussières
Grange-Mathieu
Gredisans
Bellevue
Dole Romange
Romange
Lavans-lès-D.
Monteplain
La Corne de Chaux
Osselle-Routelle
Archelange
Lavangeot
Ranchot
Fraisans
Grottes d'Osselle
Chenecey-Buillon
Granges-du-Sapin
Châtenois
Dole Audelange
Mn Rouge
Orchamps
La Barre
Rans
Charnay
Authume
Audelange
Doulonne
Courtefontaine
Abbans-Dessous
Abbans-Dessus
Epeugney
Mont Roland
Bois des Ruppes
Éclans-Nenon
Our
Étrepigney
Villars-St-Georges
Chouzelot
(Ancne Abbe) Buillon
Rochefort-s-Nenon
Nenon
La Bretenière
Plumont
Baraques-du-Huit
Cessey
Grange-de-Battant
Courcelles
Gros Buisson
Baraques-du-Cinq
Le Prépost
Byans-s-Doubs
Quingey
Baverans
Falletans
Fourg
Lavans-Quingey
Palantine
Rurey
Brevans
Azans
Grand Contour
Bois de la Côte d'Or
Lombard
Bois du Landet
Rouhe
Goux-s-Landet
Le Temple
Bois du Chanois
Mesmay
Pessans
Châtillon-s-Lison
Cussey-s-Lison
Liesle
Pointvillers
Montfort
Belvoye
Saint-Ylie
Crissey
Foisey
Baraques-du-Quatorze
Le Vernois
Champagne-sur-Loue
Brères
Samson
Ronchaux
Lizine
Échay
Villette-lès-D.
Les Turots
Buffard
Paroy
Doulaize
Chatelay
Le Deffois
Chay
Bartherans
140
162
179
E
F
G
H

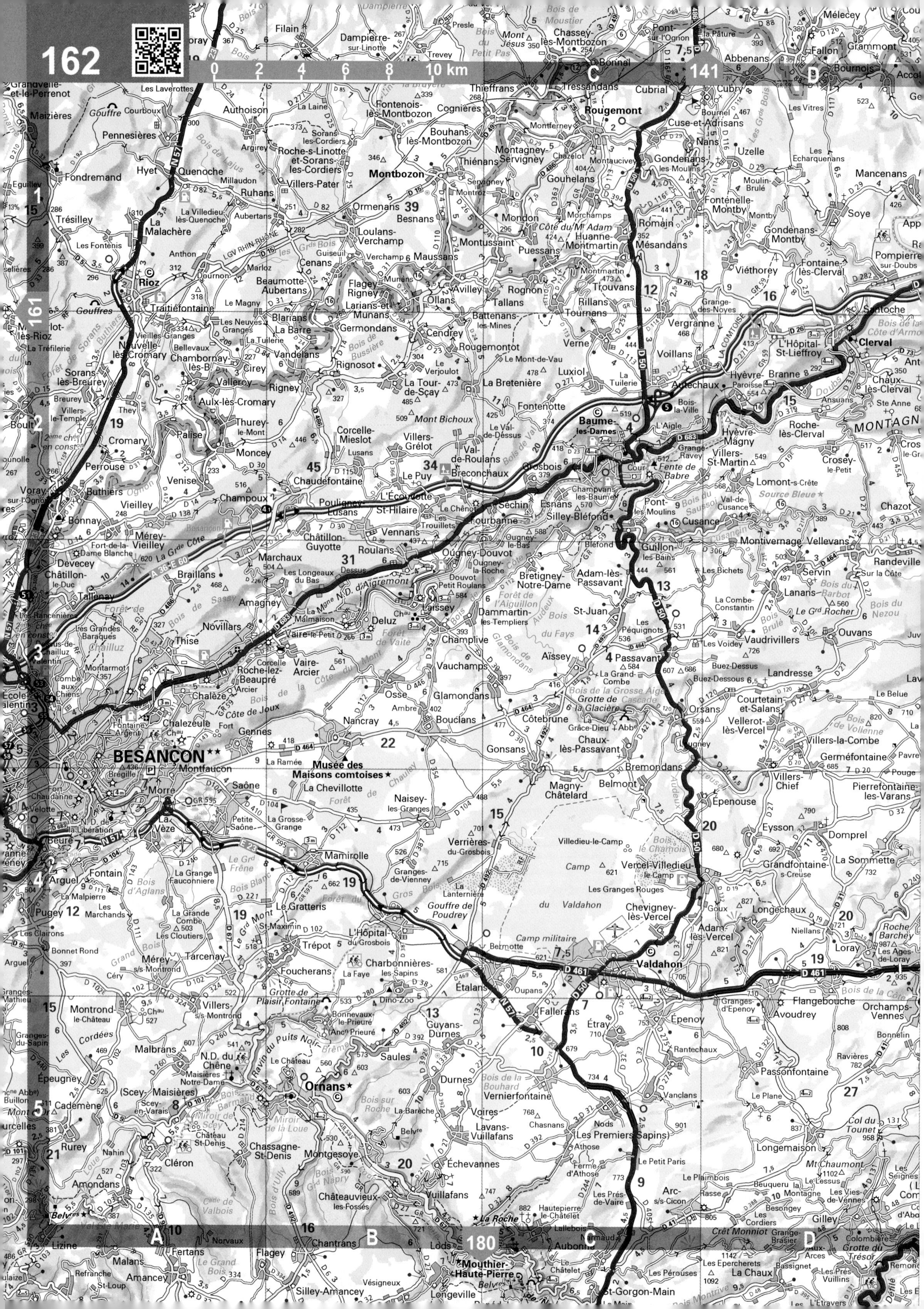
0 2 4 6 8 10 km
141
161
180
C
D
A
B
BESANÇON
Montbozon
Rougemont
Rioz
Baume-les-Dames
Clerval
Valdahon
Ornans
Musée des Maisons comtoises
Mouthier-Haute-Pierre
Filain
Dampierre-sur-Linotte
Presle
Mont Jésus
Chassey-lès-Montbozon
Pont-sur-l'Ognon
Mélecey
Fallon
Grammont
Abbenans
Bournois
Thieffrans
Tressandans
Cubrial
Cubry
Cognières
Fontenois-lès-Montbozon
Authoison
Maizières
Pennesières
Fondremand
Hyet
Quenoche
Ruhans
Villers-Pater
Roche-s-Linotte-et-Sorans-les-Cordiers
Bouhans-lès-Montbozon
Thiénans
Montagney-Servigney
Gouhelans
Cuse-et-Adrisans
Nans
Gondenans-les-Moulins
Uzelle
Mancenans
Tresilley
La Malachère
Ormenans
Besnans
Loulans-Verchamp
Maussans
Montussaint
Mondon
Puessans
Huanne-Montmartin
Romain
Mésandans
Fontenelle-Montby
Gondenans-Montby
Soye
Pompierre-sur-Doubs
Fontaine-lès-Clerval
Viéthorey
Cenans
Beaumotte-Aubertans
Flagey-Rigney
Avilley
Rognon
Tallans
Trouvans
Rillans
Tournans
Traitiéfontaine
Blarians
La Barre
Germondans
Battenans-les-Mines
Cendrey
Rougemontot
Verne
Vergranne
Voillans
Santoche
L'Hôpital-St-Lieffroy
Nouvelle-lès-Cromary
Chambornay-lès-B.
Cirey
Vandelans
Rignosot
La Tour-de-Sçay
La Bretenière
Luxiol
Autechaux
Hyèvre-Paroisse
Branne
Chaux-lès-Clerval
Sorans-lès-Breurey
Valleroy
Rigney
Aulx-lès-Cromary
Thurey-le-Mont
Fontenotte
Mont Bichoux
Corcelle-Mieslot
Villers-Grélot
Val-de-Roulans
Hyèvre-Magny
Roche-lès-Clerval
MONTAGNE
Cromary
Palise
Moncey
Perrouse
Venise
Buthiers
Voray-sur-l'Ognon
Vieilley
Champoux
Chaudefontaine
Le Puy
Breconchaux
Grosbois
Villers-St-Martin
Crosey-le-Petit
Lomont-s-Crête
Source Bleue
Bonnay
Mérey-Vieilley
Pouligney-Lusans
L'Écouvotte
St-Hilaire
Séchin
Fourbanne
Esnans
Champvans-les-Baume
Silley-Bléfond
Pont-les-Moulins
Cusance
Chazot
Devecey
Châtillon-le-Duc
Tallenay
Châtillon-Guyotte
Vennans
Roulans
Ougney-Douvot
Guillon-les-Bains
Montivernage
Vellevans
Servin
Randevillers
Braillans
Marchaux
Bretigney-Notre-Dame
Adam-lès-Passavant
Lanans
Amagney
Laissey
Deluz
Dammartin-les-Templiers
St-Juan
Novillars
Thise
Vaire-le-Petit
Champlive
Aïssey
Passavant
Vaudrivillers
Ouvans
Roche-lez-Beaupré
Vaire-Arcier
Vauchamps
Landresse
Chalèze
Osse
Glamondans
Courtetain-et-Salans
Orsans
Vellerot-lès-Vercel
Chalezeule
Gennes
Nancray
Bouclans
Côtebrune
Chaux-lès-Passavant
Villers-la-Combe
Germéfontaine
Montfaucon
Saône
La Chevillotte
Naisey-les-Granges
Gonsans
Bremondans
Belmont
Magny-Châtelard
Villers-Chief
Pierrefontaine-les-Varans
Morre
La Vèze
Épenouse
Eysson
Dompre
Arguel
Fontain
Mamirolle
Verrières-du-Grosbois
Villedieu-le-Camp
Vercel-Villedieu-le-Camp
Grandfontaine-s-Creuse
La Sommette
Pugey
Le Gratteris
Gouffre de Poudrey
Camp du Valdahon
Chevigney-lès-Vercel
Longechaux
Loray
Adam-lès-Vercel
Trépot
L'Hôpital-du-Grosbois
Tarcenay
Mérey-s/s-Montrond
Foucherans
Charbonnières-les-Sapins
Étalans
Flangebouche
Avoudrey
Orchamps-Vennes
Montrond-le-Château
Villers-s/s-Montrond
Grotte de Plaisir Fontaine
Guyans-Durnes
Fallerans
Étray
Épenoy
Malbrans
N.D. du Chêne
Saules
Durnes
Vernierfontaine
Passonfontaine
Épeugney
Cademène
Scey-Maisières
Voires
Lavans-Vuillafans
Nods
Chasnans
Les Premiers Sapins
Longemaison
Rurey
Cléron
Chassagne-St-Denis
Montgesoye
Échevannes
Amondans
Châteauvieux-les-Fossés
Vuillafans
Hautepierre-le-Châtelet
Arc-s/s-Cicon
Gilley
Lizine
Fertans
Chantrans
Flagey
Lods
Aubonne
Malans
Amancey
Silley-Amancey
Longeville
St-Gorgon-Main
La Chaux
Les Pérouses
Grotte du Trésor

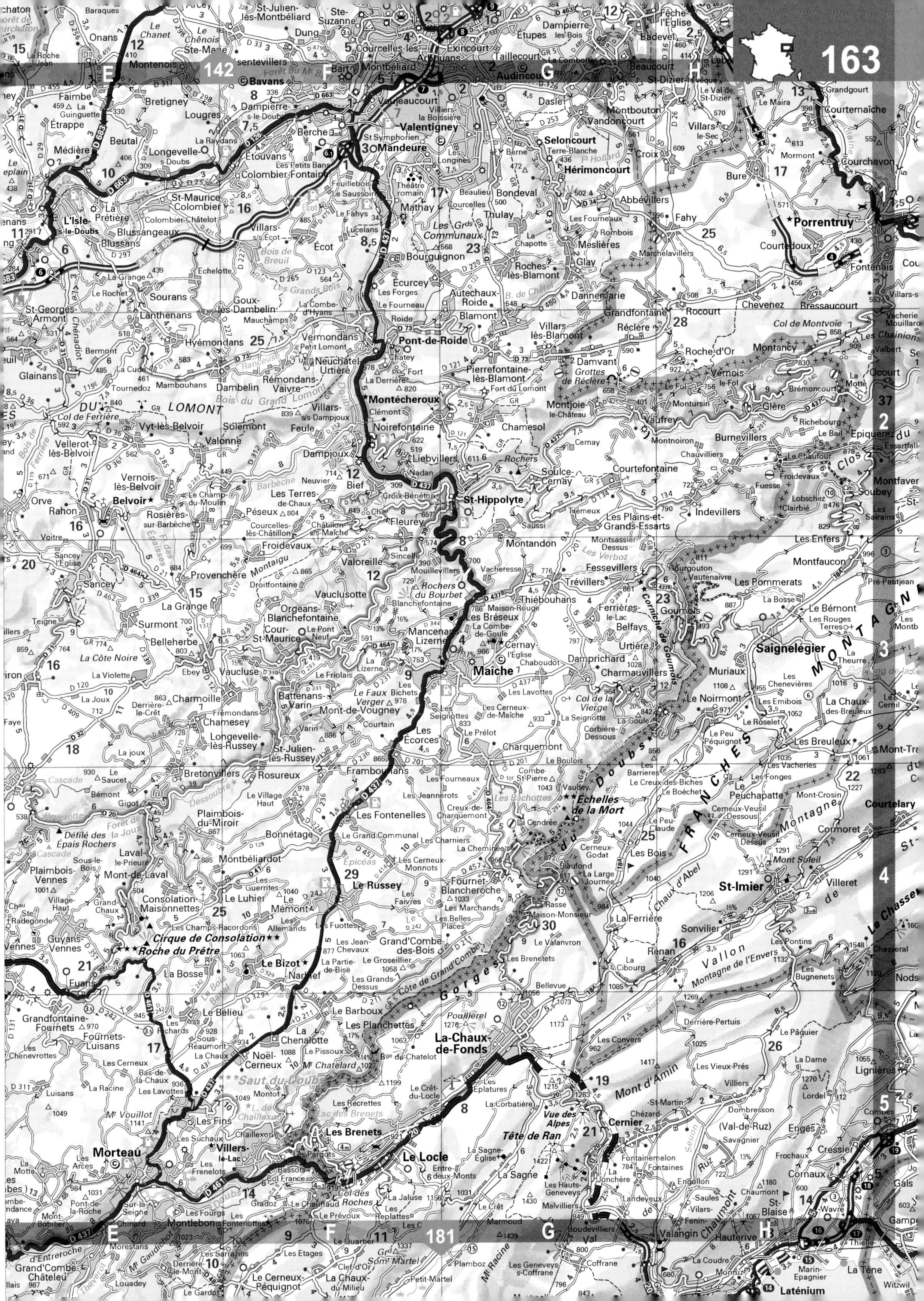
Montbéliard
Audincourt
Valentigney
Mandeure
Bavans
Seloncourt
Hérimoncourt
Porrentruy
L'Isle-s-le-Doubs
Pont-de-Roide
Montécheroux
St-Hippolyte
Maîche
Saignelégier
Belvoir
Le Russey
Le Bizot
Cirque de Consolation
Roche du Prêtre
Échelles de la Mort
Corniche de Goumois
Gorges du Doubs
Saut du Doubs
La-Chaux-de-Fonds
Le Locle
Les Brenets
Villers-le-Lac
Morteau
St-Imier
Courtelary
Mont Soleil
Vue des Alpes
Tête de Ran
Cernier
Laténium
Franches Montagnes
Lomont
Grottes de Réclère
Damvant
Courtemaîche
Montbéliardot
Charquemont
Les Bois
Le Noirmont
Les Breuleux
Tramelan
Renan
Sonvilier
Villeret
La Sagne
Valangin
Hauterive
Neuchâtel
Chaumont
Marin-Epagnier
La Tène
Cressier
Cornaux
St-Blaise
142
181
E
F
G
H

0 2 4 6 8 10 km
146
A
B
C
D
1
2
3
4
5
Pierre Moine
Pointe de la Gardette
BOURGNEUF
Pré-Vincent
Les Moutiers-en-Retz
La Davière
Sables
Lyonne
Bourgneuf-en-Retz
(Villeneuve-en-Retz)
Le Collet
Les Rivières
Pointe des Charniers
L'Herbaudière
La Linière
Guérande
Le Grand-Viel
Tour Plantier
Plage des Souzeaux
Pointe des Dames
Bois de la Chaise
Le Sableau
Luzay
ÎLE DE NOIRMOUTIER
Pointe de Devin
Océanile
Noirmoutier-en-l'Île
Bressuire
La Bosse
L'Épine
La Mongendrie
La Guérinière
Le Fier
Pointe de la Loire
Le Bonhomme
La Tresson
La Vendette
La Préoire
Le Fain
Pointe de la Coupelasse
La Coupelasse
Le Pont-du-Fresne
Le Bernard
Les Brochets
Roches de Bouin
Parc à Huîtres
Bouin
Les Virées
Port-la-Roche
La Guillaudière
Les Champs
Île de Bouin
Les Billarderies
La Maison-Rouge
Roches de la Loire
Barbâtre
Passage du Gois
(Route praticable à basse mer)
Port du Bec
Époids
Les Onchères
La Frandière
Bellevue
La Croix Rouge
Le Port
Le Petit-Fresne
Cossonnière
Le Marais-Moreau
Abbe de l'Île Chauvet
La Raguenerie
La Gaubretière
Bordevert
Beauvoir-sur-Mer
Château
La Fosse
le Pit Moulin
St-Gervais
CÔTE
Pointe de la Fosse
Fromentine
Pointe N.D. de Monts
La Grande Côte
La Barre-de-Monts
Le Grand Pont
La Bonnetière
La Pierre-Blanche
La Lande
Pey de la Blet
Le Poirot
Écomusée du Daviaud
St-Urbain
Les Quatre Moulins
La Croix-Joslain
Forêt des Pays de Monts
Côte
Le Pré-aux-Filles
La Croix-Verte
Les Bouchauds
Bourrine à Rosalie
Raire
Sallertaine
Pont Habert
Le Fief-Haut
Kulmino
Challans
Les Marguerites
Grande Croix
La Paunière
Le Vieux Cerne
N.-D.-de-Monts
La Mouraine
Le Plaud
La Gobetière
Plage du Pont d'Yeu
Le Perrier
Licheret
Pierre Levée
La Tonnelle
Pont d'Yeu
La Cailleterie
Le Grand Pinier
Plage de la Tonnelle
Le Porteau
Le Petit Mariau
La Rivière
Soullans
Les Mattes
Plage St-Jean
St-Jean-de-Monts
Musée Milcendeau-Jean Yole
Plage des Demoiselles
Les Chapelles
La Fradinière
Le Petit-Bec
Le Grand-Bec
Orouet
La Bourrine du Bois Jucaud
Les Rouches
Le Bois-Jucaud
Les Chiens Perrins
La Planche à Puare
Port-Joinville
Pte du But
Cadouère
Ker-Châlon
Les Mouettes
La Pège
La Conge
Le Pissot
N.-D.-de-Riez
Grd Phare
Fort de Pierre-Levée
(L'Île-d'Yeu)
La Parée-Préneau
Ker-Chauvineau
Le Vx Château
Ker-Bossy
Saint-Sauveur
Marais-Salé
Les Loires
Sion-sur-l'Océan
St-Hilaire-de-Riez
Pte du Châtelet
La Croix
Plage des Sabias
Port-de-la-Meule
Corniche Vendéenne
Le Plessis
St-Gilles-Croix-de-Vie
Côte Sauvage
Anse des Vieilles
Tour
Pte de la Tranche
Pte des Corbeaux
Croix-de-Vie
Pte de Grosse Terre
Pte de la Garenne
La Bégaudière
Le Pont-Jaunay
Givrand
DE
Monts
LUMIÈRE
N.-D. des Dunes
La Sauzaie
Brétignolles-s-Mer
La Parée
Le Marais-Gir

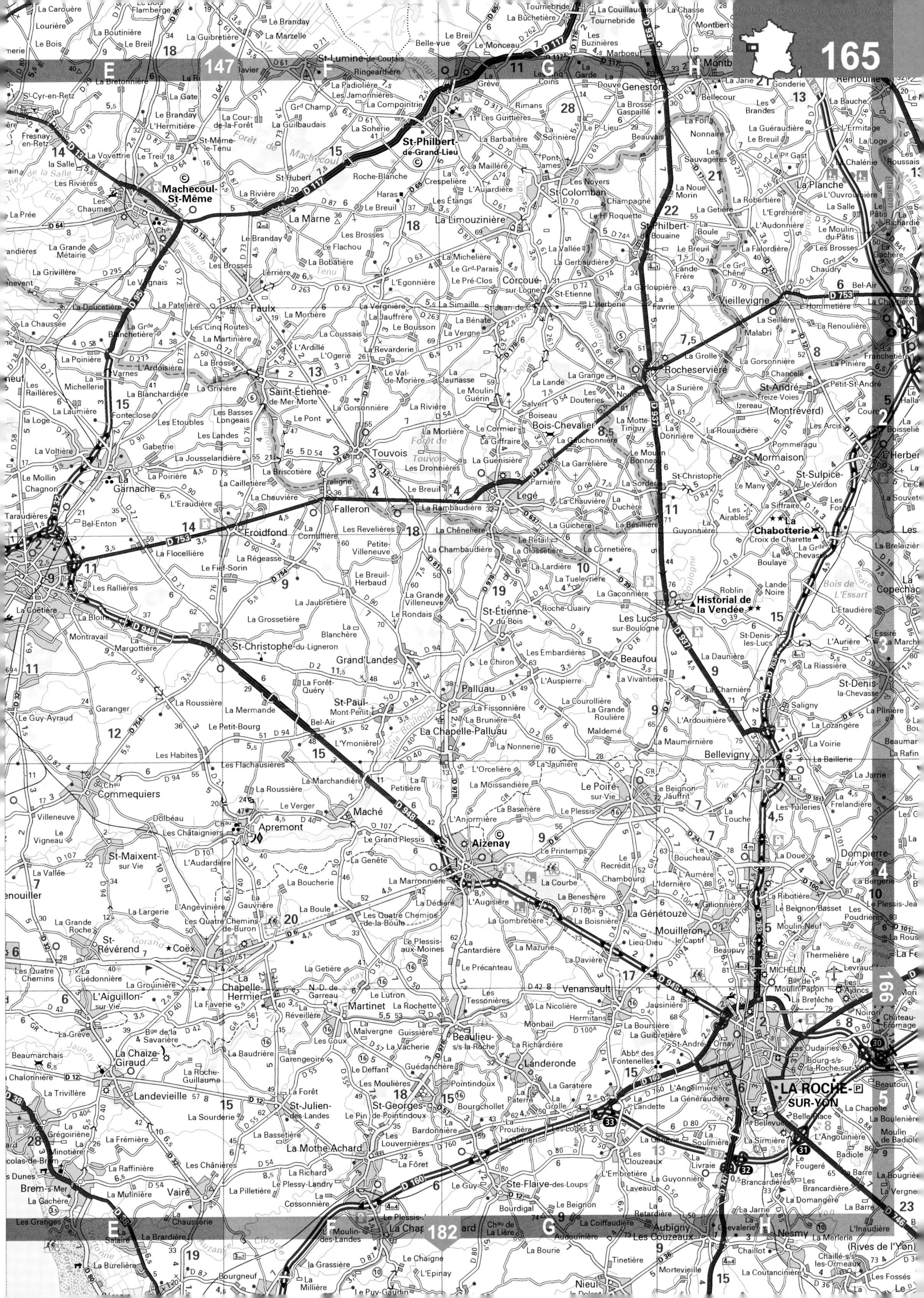
147
182
166
Machecoul-St-Même
St-Philbert-de-Grand-Lieu
St-Lumine-de-Coutais
Geneston
Montbert
St-Colomban
La Limouzinière
La Marne
Paulx
St-Philbert-de-Bouaine
Corcoué-sur-Logne
Vieillevigne
Rocheservière
Saint-Étienne-de-Mer-Morte
Touvois
Bois-Chevalier
La Garnache
Falleron
Legé
Froidfond
St-André-Treize-Voies (Montréverd)
Mormaison
St-Sulpice-le-Verdon
La Chabotterie
Historial de la Vendée
Les Lucs-sur-Boulogne
St-Étienne-du-Bois
St-Christophe-du-Ligneron
Grand'Landes
Palluau
Beaufou
St-Denis-la-Chevasse
St-Paul-Mont-Penit
La Chapelle-Palluau
Bellevigny
Commequiers
Apremont
Maché
Aizenay
Le Poiré-sur-Vie
St-Maixent-sur-Vie
Coëx
St-Révérend
La Génétouze
Mouilleron-le-Captif
Dompierre-sur-Yon
La Chapelle-Hermier
L'Aiguillon-sur-Vie
Martinet
Venansault
La Chaize-Giraud
Beaulieu-s/s-la-Roche
Landeronde
Landevieille
St-Julien-des-Landes
St-Georges-de-Pointindoux
La Mothe-Achard
LA ROCHE-SUR-YON
Brem-s-Mer
Vairé
Ste-Flaive-des-Loups
Aubigny-Les Clouzeaux
Nesmy
Forêt de Machecoul
Forêt de Touvois
D 117
D 937
D 753
D 948
D 160
D 763
A 87

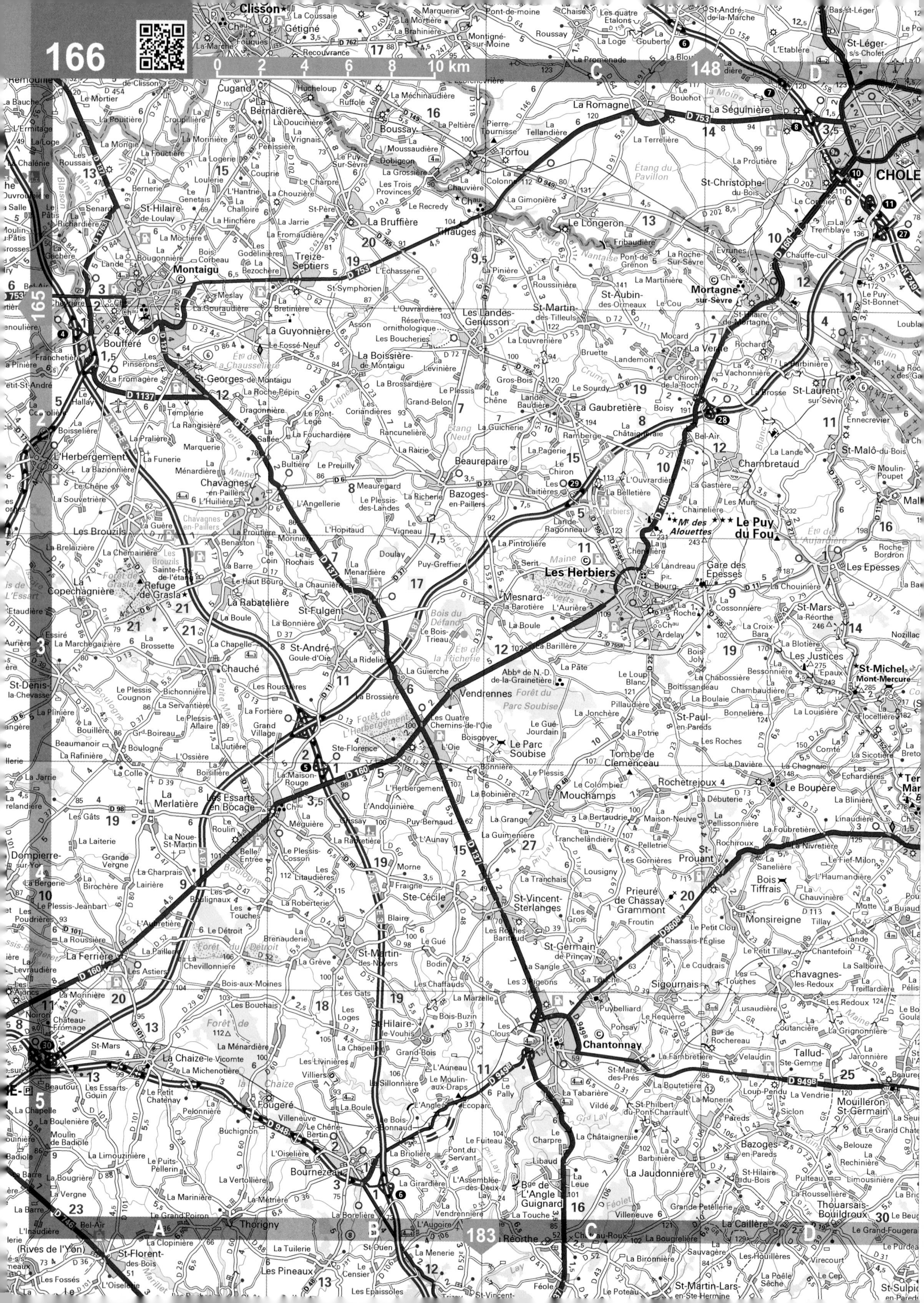

0 2 4 6 8 10 km
148
165
183
A
B
C
D
Clisson
Gétigné
Cugand
Montaigu
Boufféré
St-Georges-de-Montaigu
Tiffauges
La Bruffière
Treize-Septiers
Torfou
Boussay
La Romagne
La Séguinière
CHOLET
St-Léger-s/s-Cholet
Le Longeron
St-Christophe-du-Bois
Mortagne-sur-Sèvre
St-Laurent-sur-Sèvre
La Verrie
Les Landes-Genusson
La Gaubretière
St-Hilaire-de-Loulay
L'Herbergement
Chavagnes-en-Paillers
La Boissière-de-Montaigu
Beaurepaire
Bazoges-en-Paillers
Les Herbiers
Le Puy du Fou
Les Epesses
St-Mars-la-Réorthe
St-Michel-Mont-Mercure
Mesnard-la-Barotière
St-Fulgent
Chauché
Copechagnière
La Rabatelière
Vendrennes
St-Paul-en-Pareds
Le Boupère
Mouchamps
Les Essarts en Bocage
Ste-Florence
Ste-Cécile
St-Vincent-Sterlanges
Monsireigne
St-Prouant
Sigournais
Chantonnay
St-Germain-de-Prinçay
St-Martin-des-Noyers
St-Hilaire-le-Vouhis
La Ferrière
Dompierre-sur-Yon
La Chaize-le-Vicomte
Fougeré
Bournezeau
Thorigny
Réorthe
Chavagnes-les-Redoux
Tallud-Ste-Gemme
Mouilleron-St-Germain
Bazoges-en-Pareds
La Jaudonnière
Thouarsais-Bouildroux
St-Florent-des-Bois
Les Pineaux
St-Martin-Lars-en-Ste-Hermine
La Caillère

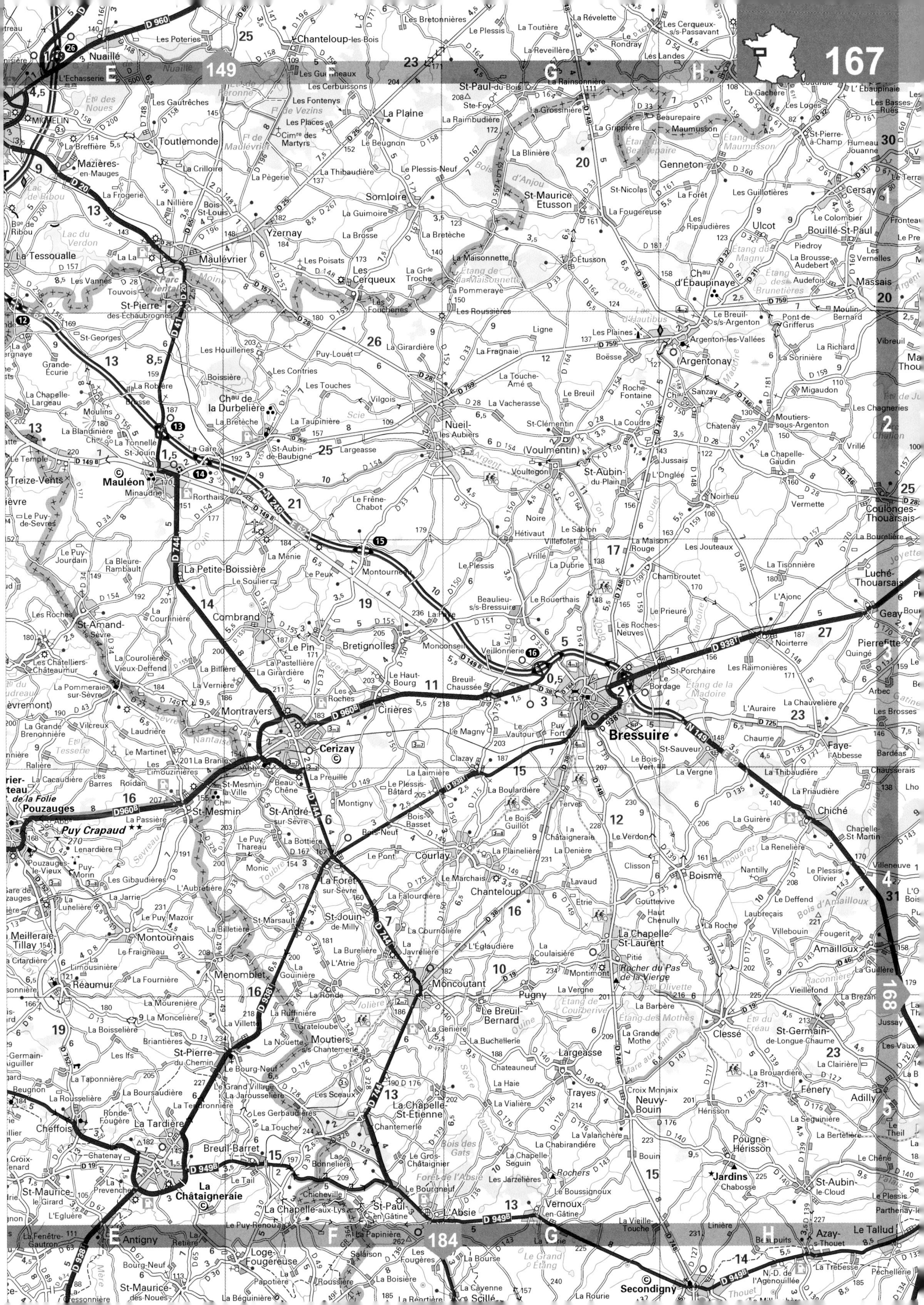
Chanteloup-les-Bois
Nuaillé
Les Poteries
Les Bretonnières
Les Cerqueux-s/s-Passavant
Les Cerbuissons
St-Paul-du-Bois
La Rainsonnière
L'Ébaupinaie
La Gachère
Les Loges
Les Gautrêches
Les Fontenys
La Plaine
Ste-Foy
La Raimbudière
La Grossinière
Beaurepaire
Maumusson
St-Pierre-à-Champ
Toutlemonde
Les Places
Le Beugnon
La Grippière
Humeau Jouanne
Mazières-en-Mauges
La Breffière
La Blinière
Genneton
Cersay
La Crilloire
La Thibaudière
Le Plessis-Neuf
La Pègerie
St-Nicolas
La Forêt
Les Guillotières
La Frogerie
La Nillière
Bois-St-Louis
Somloire
St-Maurice-Etusson
La Fougereuse
Le Colombier
Bouillé-St-Paul
La Guimoire
Yzernay
La Brosse
La Bretèche
Les Ripaudières
Ulcot
Piedroy
La Tessoualle
Maulévrier
Les Poisats
La Maisonnette
Étusson
Chau d'Ébaupinaye
La Brousse-Audebert
Les Vernelles
Les Vannes
Touvois
Parc Oriental
Les Cerqueux
La Grde Troche
La Pommeraye
Audefois
Massais
St-Pierre-des-Échaubrognes
Les Foucheries
Les Roussières
Le Breuil-s/s-Argenton
Pont de Grifferus
Moulin-Bernard
St-Georges
Les Houillières
Puy-Louet
La Girardière
Ligne
Les Plaines
Argenton-les-Vallées
Vibreuil
Grande-Écurie
Boissière
Les Contries
La Fragnaie
Boësse
Argentonay
La Richard
La Sorinière
Les Touches
La Touche-Amé
Roche-Fontaine
Sanzay
Migaudon
La Chapelle-Largeau
Chau de la Durbelière
Vilgois
Le Breuil
La Robière
La Vacherasse
Chatenay
Moutiers-sous-Argenton
Les Chagneries
Moulins
La Blandinière
La Bretèche
La Taupinière
Nueil-les-Aubiers
St-Clémentin
La Coudre
La Tonnelle
St-Jouin
La Gare
St-Aubin-de-Baubigné
Largeasse
(Voulmentin)
Jussais
La Chapelle-Gaudin
Vrillé
Le Temple
Treize-Vents
Mauléon
Minaudrie
Voultegon
St-Aubin-du-Plain
L'Ongiée
Noirlieu
Vermette
Coulonges-Thouarsais
Rorthais
Le Frêne-Chabot
Le Puy-de-Sèvres
Noire
Hétivaut
Le Sablon
Villefolet
La Maison Rouge
Les Jouteaux
La Bourelière
Le Puy-Jourdain
La Bleure-Rambault
La Ménie
Vrillé
La Dubrie
Chambroutet
La Tisonnière
Luché-Thouarsais
La Petite-Boissière
Le Soulier
Le Peux
Montourneau
Le Plessis
Combrand
Beaulieu-s/s-Bressuire
Le Rouerthais
Le Prieuré
L'Ajonc
Les Roches
La Courlinière
La Faye
Les Roches-Neuves
Geay
St-Amand-s/s-Sèvre
Le Pin
Bretignolles
Monconseil
La Veillonnerie
Noirterre
Pierrefitte
Les Châtelliers-Châteaumur
La Couroliere Vieux-Deffend
La Billière
La Pastellière
La Girardière
Le Haut-Bourg
Breuil-Chaussée
St-Porchaire
Le Bordage
Étang de la Madoire
Les Raimonières
Quingé
La Pommeraie-sur-Sèvre
La Vernière
Les Roches
Arbec
Montravers
Cirières
La Chauvelière
L'Auraire
Les Brosses
La Grande Brenonnière
Vilcreux
Laudrière
Cerizay
Le Magny
Le Vautour
Puy Fort
Bressuire
St-Sauveur
Chaume
Faye-l'Abbesse
Le Martinet
La Branle
Les Limouzinières
Clazay
Le Bois-Vert
La Vergne
La Thibaudière
Bardéas
La Cacaudière
Les Barres
Roidan
St-Mesmin-la-Ville
Beau-Chêne
La Preuille
La Laimière
Le Plessis-Bâtard
La Boulardière
Terves
La Priaudière
Pouzauges
La Passière
St-Mesmin
St-André-sur-Sèvre
Montigny
Bois-Basset
Le Bois-Guillot
La Châtaigneraie
Le Verdon
La Guirère
Chiché
Chapelle-St Martin
Puy Crapaud
Lenardière
Le Puy-Thareau
La Bottière
Bois-Neuf
La Plainelière
La Denière
La Renelière
Pouzauges-le-Vieux
Puy-Morin
Les Gibaudières
Monic
Le Pont
Courlay
Clisson
Boismé
Nantilly
Le Plessis-Olivier
L'Aubretière
La Forêt-sur-Sèvre
Le Marchais
Chanteloup
Lavaud
La Jarrie
La Falourdière
Etrie
Gouttevive
Le Deffend
Bois d'Amailloux
La Lunelière
Le Puy-Mazoir
St-Marsault
St-Jouin-de-Milly
Haut Chenully
Laubreçais
La Meilleraie-Tillay
Montournais
La Billetière
La Cournolière
La Chapelle-St-Laurent
La Roche
Villebouin
Fougerit
La Citardière
Le Fraigneau
La Burelière
La Javrelière
L'Églaudière
La Coulaisière
Pitié
Amailloux
Limousinière
L'Atrie
Rocher du Pas de la Vierge
La Guillère
Réaumur
La Fournière
Menomblet
La Gouinière
Moncoutant
Montimont
Ét de Olivette
Vieillefond
La Ronde
La Vergne
La Mourenière
La Moncelière
La Ruffinière
Le Breuil-Bernard
Pugny
Étang de Courberive
Étang des Mothes
La Barbère
La Brezan
La Boisselière
Briantières
La Villette
Grateloube
Moutiers-s/s-Chantemerle
La Genière
La Buchellerie
La Grande Mothe
Clessé
Ét du Fréau
St-Germain-de-Longue-Chaume
Jussay
Les Vaux
Les Ifs
St-Pierre-du-Chemin
La Nouette
Largeasse
Chateauneuf
La Clairière
La Taponnière
Le Bourg-Neuf
La Haie
Traves
Croix Monjaix
Neuvy-Bouin
La Brouardière
Fénery
Adilly
La Rousselière
La Boursaudière
Le Grand Village
La Jarousselière
Les Sceaux
La Chapelle-St-Étienne
La Vialière
Hérisson
Le Tendronnière
Les Gerbaudières
Chantemerle
La Valanchère
La Seguinière
La Bertelière
Cheffois
Ronde-Fougère
La Tardière
La Touche
Bois des Gats
La Chabirandière
Pougne-Hérisson
Le Theil
Chatenay
Breuil-Barret
Bonnelière
Le Gros-Châtaignier
La Chapelle-Seguin
Bouin
Le Chêne
Croix-Renard
Le Tail
Forêt de l'Absie
Rochers
Jardins
Chabosse
St-Aubin-le-Cloud
St-Maurice-le-Girard
La Prevenchère
La Châtaigneraie
Chicheville
Les Jarzelières
Le Boussignoux
Le Plessis
Parthenay
L'Églure
La Chapelle-aux-Lys
St-Paul-en-Gâtine
Le Bourgneuf
L'Absie
Vernoux-en-Gâtine
La Fenêtre-Gautron
Antigny
Le Puy-Renou
La Papinière
Salaison
La Vieille-Touche
Linière
Beaupuits
Azay-s-Thouet
Le Tallud
Retière
Loge-Fougereuse
Les Fougères
La Bourse
Le Grand Étang
N.-D. de l'Agenouillée
La Trebesse
Pechellerie
Bourg-Neuf
St-Maurice-des-Noues
Papotière
Roussière
La Boisière
La Cayenne
Scillé
La Rourie
Secondigny
Thouet
La Béguinière
La Bertière
149
168
184

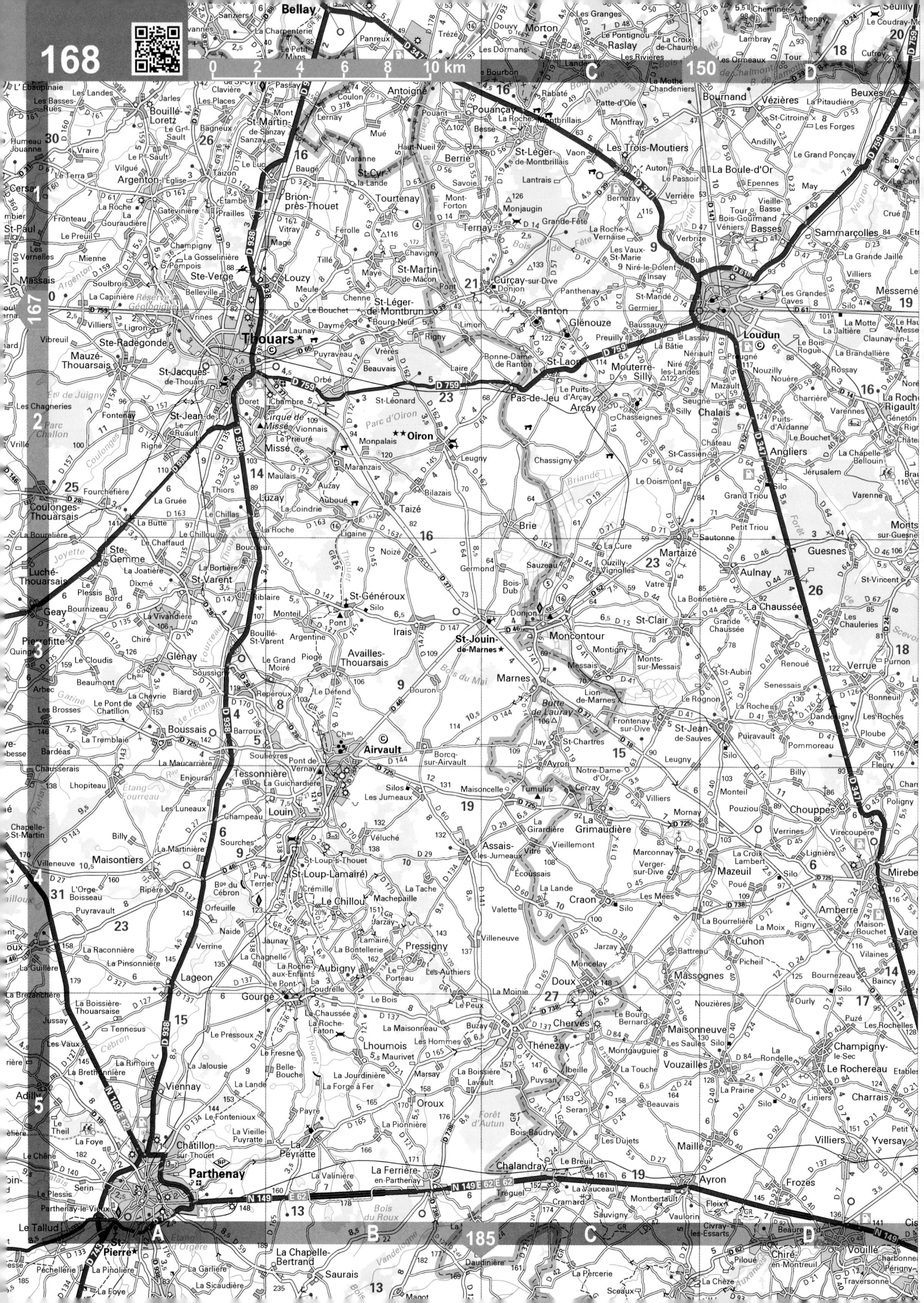
0 2 4 6 8 10 km
150
167
185
A
B
C
D
1
2
3
4
5
Bellay
Thouars
Loudun
Oiron
Airvault
Parthenay
St-Jouin-de-Marnes
Moncontour
Argenton-l'Église
Ste-Verge
Louzy
St-Jacques-de-Thouars
Ste-Radegonde
Mauzé-Thouarsais
St-Jean-de-T.
Missé
Luzay
Taizé
Brie
St-Varent
Glénay
Boussais
Louin
Assais-les-Jumeaux
Le Chillou
Pressigny
Aubigny
Gourgé
Lageon
Viennay
Châtillon-sur-Thouet
La Peyratte
Thénezay
Doux
Craon
Mazeuil
Mirebeau
Ayron
Vouillé
Chalandray
La Ferrière-en-Parthenay
Les Trois-Moutiers
Curçay-sur-Dive
Ranton
Glénouze
Mouterre-Silly
Arçay
Chalais
Angliers
Martaizé
Aulnay
La Chaussée
St-Clair
Marnes
St-Jean-de-Sauves
Frontenay-sur-Dive
Cherves
Maisonneuve
Vouzailles
Champigny-le-Sec
Villiers
Amberre
Cuhon
Massognes
Chouppes
Coulonges-Thouarsais
Luché-Thouarsais
Geay
Pierrefitte
Maisontiers
St-Loup-Lamairé
Availles-Thouarsais
St-Généroux
Irais
Saurais
La Chapelle-Bertrand
St-Pierre
Parthenay-le-Vieux
Le Tallud
N 149
E 62
D 938
D 759
D 347

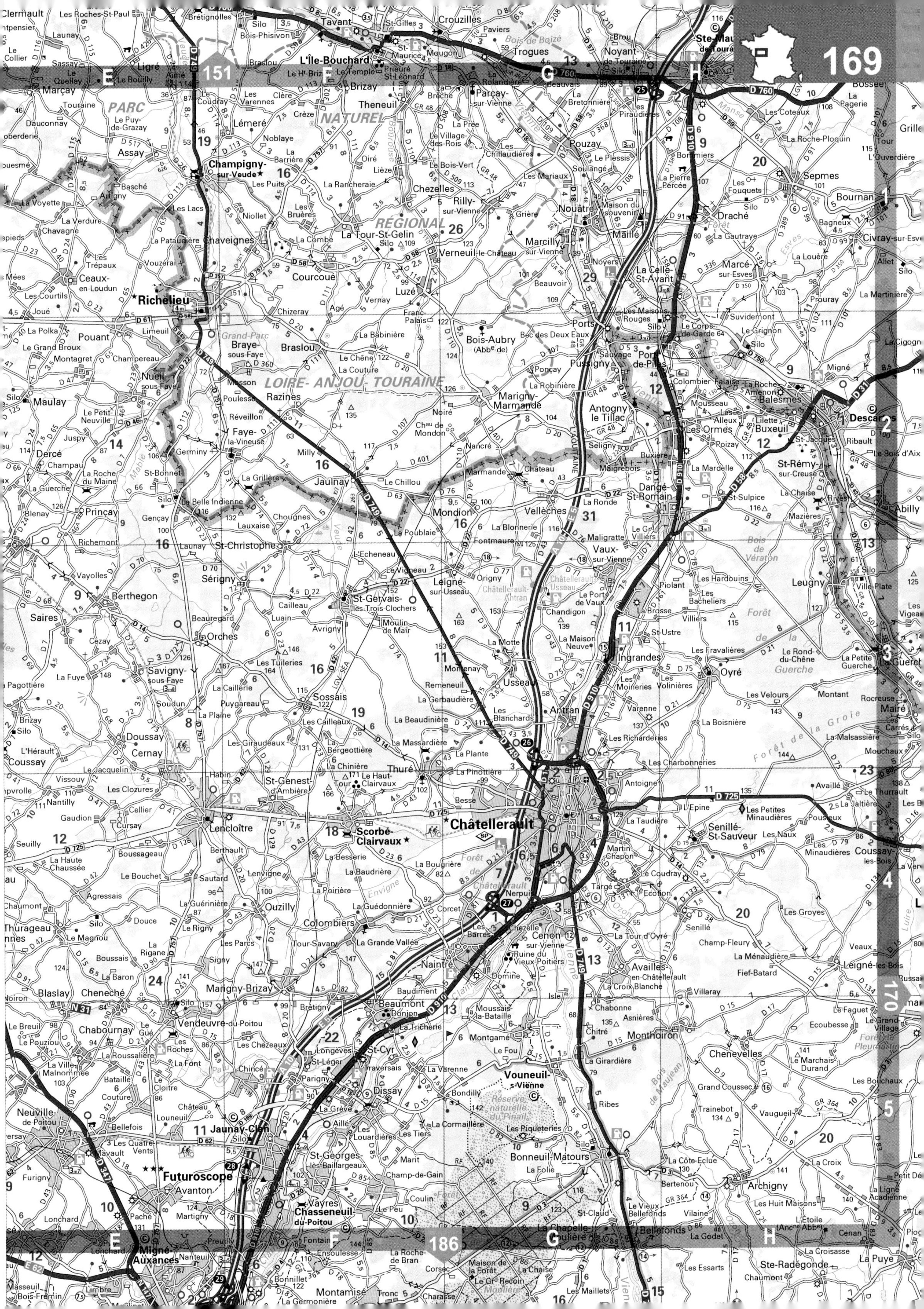
151
186
170
E
F
G
H
PARC NATUREL RÉGIONAL LOIRE-ANJOU-TOURAINE
L'Île-Bouchard
Tavant
Crouzilles
Trogues
Ste-Maure-de-Touraine
Noyant-de-Touraine
Richelieu
Champigny-sur-Veude
Chaveignes
Ligré
Lémeré
Assay
Ceaux-en-Loudun
Braye-sous-Faye
Braslou
Razines
Faye-la-Vineuse
Jaulnay
Marigny-Marmande
Antogny le Tillac
Les Ormes
Buxeuil
Descartes
Port-de-Piles
Pussigny
Ports
Nouâtre
Maillé
Pouzay
Sepmes
Drache
Marcé-sur-Esves
La Celle-St-Avant
Dangé-St-Romain
Vellèches
Leigné-sur-Usseau
St-Gervais-les-Trois-Clochers
Sérigny
Orches
Savigny-sous-Faye
Doussay
Cernay
Lencloître
Scorbé-Clairvaux
Châtellerault
Thuré
St-Genest-d'Ambière
Ingrandes
Oyré
Antran
Usseau
Leugny
Senillé-St-Sauveur
Cenon-sur-Vienne
Naintré
Ouzilly
Colombiers
Beaumont
Vouneuil-s-Vienne
Availles-en-Châtellerault
Monthoiron
Archigny
Bonneuil-Matours
Chabournay
Vendeuvre-du-Poitou
Jaunay-Clan
Futuroscope
Neuville-de-Poitou
Chasseneuil-du-Poitou
Migné-Auxances
St-Georges-lès-Baillargeaux
Dissay
St-Cyr
Ste-Radegonde
La Puye
Coussay-les-Bois
Leigné-les-Bois
Réserve naturelle du Pinail
Forêt de Châtellerault
Forêt de la Guerche
Forêt de la Groie
Bois de Vératon
D 749
D 910
D 725
D 760
A 10
E 5

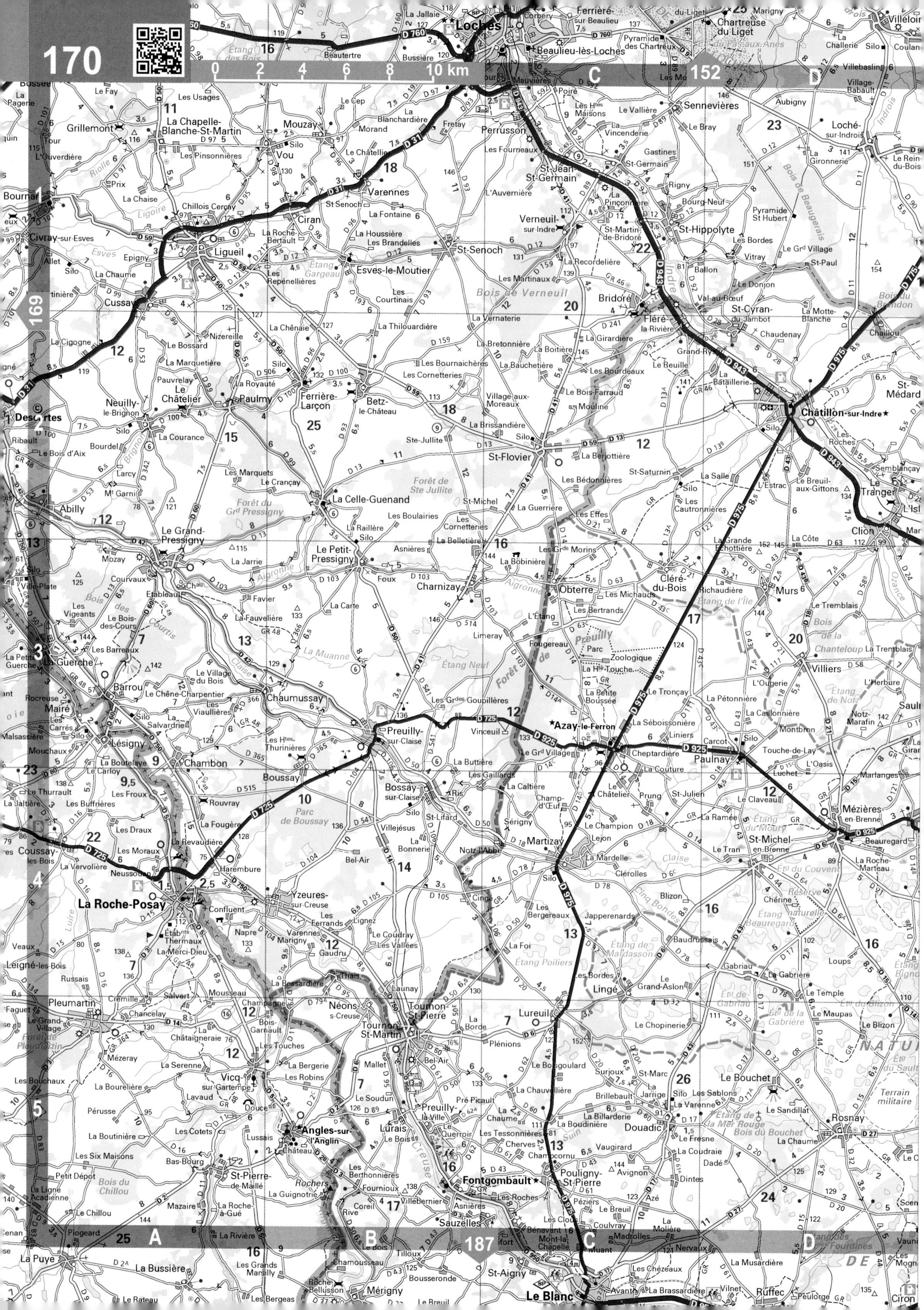

0 2 4 6 8 10 km
152
169
187
A
B
C
D
Loches
Beaulieu-lès-Loches
Chartreuse du Liget
Sennevières
Perrusson
Loché-sur-Indrois
St-Jean-St-Germain
Mouzay
Vou
La Chapelle-Blanche-St-Martin
Grillemont
Varennes
Ciran
Ligueil
Civray-sur-Esves
Cussay
Esves-le-Moutier
St-Senoch
Verneuil-sur-Indre
St-Hippolyte
Bridoré
Fléré-la-Rivière
St-Cyran-du-Jambot
Châtillon-sur-Indre
Bois de Verneuil
Descartes
Neuilly-le-Brignon
Le Châtelier
Paulmy
Ferrière-Larçon
Betz-le-Château
St-Flovier
La Celle-Guenand
Abilly
Le Grand-Pressigny
Le Petit-Pressigny
Forêt de Ste Jullite
Forêt du Grd Pressigny
Charnizay
Obterre
Cléré-du-Bois
Murs
Clion
Le Tranger
La Guerche
Barrou
Chaumussay
Preuilly-sur-Claise
Azay-le-Ferron
Paulnay
Mézières-en-Brenne
Lésigny
Chambon
Boussay
Parc de Boussay
Bossay-sur-Claise
Martizay
Forêt de Preuilly
Parc Zoologique
Villiers
St-Michel-en-Brenne
Coussay-les-Bois
La Roche-Posay
Yzeures-sur-Creuse
Néons-s-Creuse
Tournon-St-Pierre
Tournon-St-Martin
Lureuil
Linge
Pleumartin
Vicq-sur-Gartempe
Angles-sur-l'Anglin
Lurais
Preuilly-la-Ville
Fontgombault
Pouligny-St-Pierre
Douadic
Rosnay
Le Bouchet
St-Pierre-de-Maillé
Sauzelles
La Puye
La Bussière
Mérigny
St-Aigny
Le Blanc
Ruffec

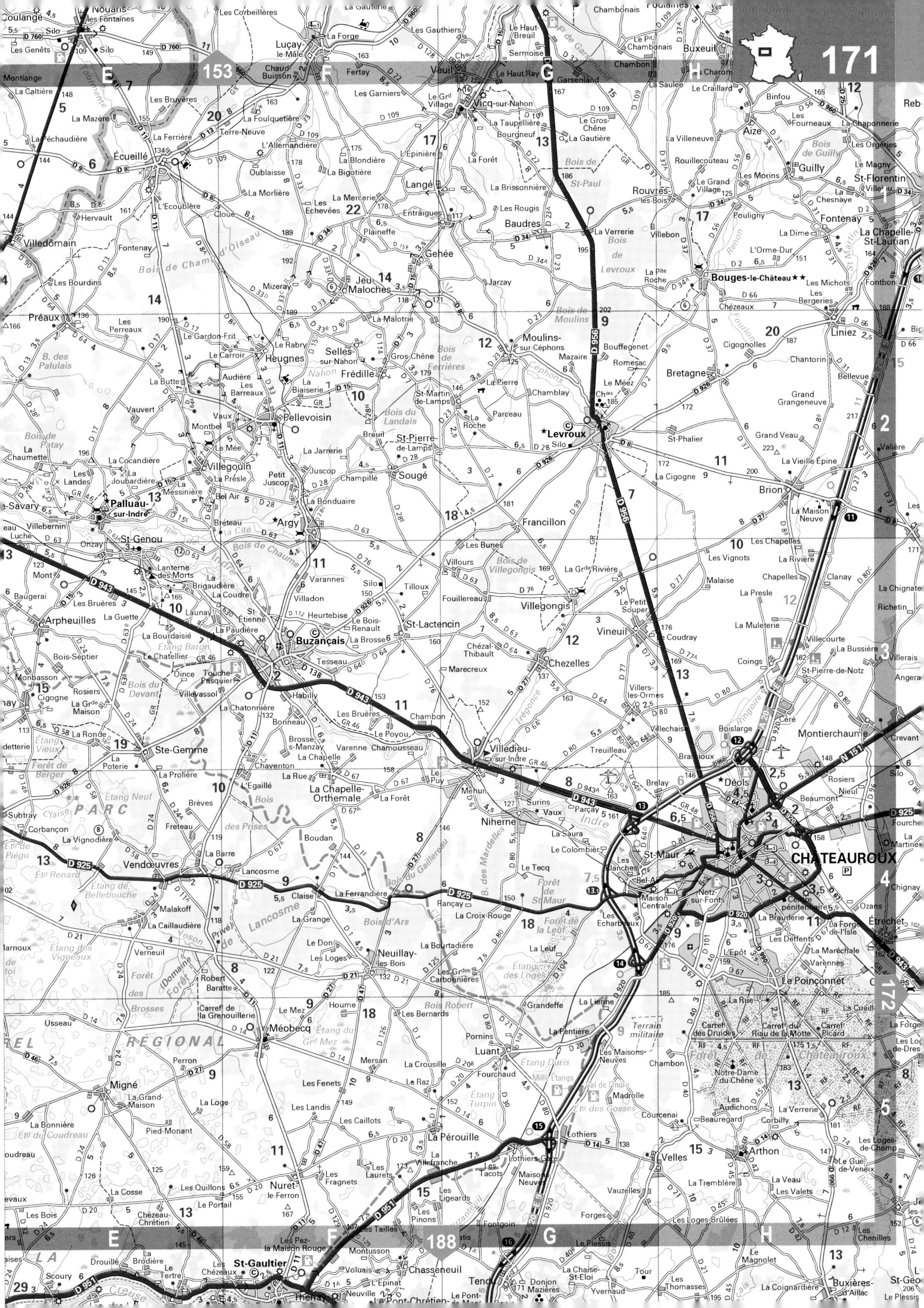
153
188
172
Écueillé
Villedômain
Préaux
Heugnes
Pellevoisin
Palluau-sur-Indre
St-Genou
Arpheuilles
Buzançais
Argy
Levroux
Vicq-sur-Nahon
Veuil
Luçay-le-Mâle
Langé
Baudres
Bouges-le-Château
Liniez
Bretagne
Moulins-sur-Céphons
Selles-sur-Nahon
Jeu-Maloches
Gehée
St-Pierre-de-Lamps
Sougé
Villegouin
Francillon
Villegongis
Vineuil
Chezelles
St-Lactencin
Villedieu-sur-Indre
Niherne
Déols
CHÂTEAUROUX
St-Maur
Le Poinçonnet
Ste-Gemme
La Chapelle-Orthemale
Vendœuvres
Neuillay-les-Bois
Méobecq
Migné
Luant
La Pérouille
Arthon
Velles
St-Gaultier
Chasseneuil
Thenay
Brion
Montierchaume
Coings
Guilly
Fontenay
La Chapelle-St-Laurian
Aize
Buxeuil
Rouvres-les-Bois
PARC
RÉGIONAL
Forêt de Châteauroux
Terrain militaire
Bois de Chaume
Bois de Champ d'Oiseau
Forêt de Lancosme
D 943
D 925
D 956
D 920
A 20
N 151

0 2 4 6 8 10 km
154
171
189
A
B
C
D
1
2
3
4
5
Mehun-sur-Yèvre
Villaine
Nohant-en-Graçay
Chavannes
Guérigny
Lury-sur-Arnon
Coulange
Cornançay
Ralant
Villalin
Chante-Renard
Mérou
Reboursin
Villon
La Chaponnerie
La Beaupinière
Le Chêne
La Pelote
La Pommaille
La Guichonnerie
Maurepas
Cerbois
Le Côteau
Servanterie
Les Tureaux
Somme
La Motte
Bourges-Marmagne
Marmignolle
St-Pierre-de-Jards
Vornault
Les Orgeries
Le Coudray
Cermelle
Lucay-le-Libre
Les Creusets
Le Bois-St-Denis
Chau Gaillard
La Cour-au-Gilet
Boitier
Preuilly
Ville-Perdue
Bourges-Ste Thorette
La Coudray
Le Magny
St-Florentin
Villejeu
Vatan
Les Champs d'Amour
Meunet-sur-Vatan
L'Herbay
Les Cotels
La Terchauderie
Pouzelas
L'Ormeteau
Reuilly
Les Lats
Saragosse
Le Carroir
Ste-Thorette
La Foye
Giroux
Pont-Bordat
Lazenay
Limeux
Bertigny
Les Chaumes
Cors
La Chapelle-St-Laurian
Villepierre
Chézeau
Villeneuve
Dangy
Prenay
La Ferté
Manzay
Jardin
Fublaine
Fontaine-Claire
L'Erable
Concisain
Bois de Font-Moreau
Fontbon
Paudy
Mérolles
Diou
Mazières
Les Cocuas
Le Souchet
Plou
Moulin-Neuf
Prunet
Les Breux
Morthomiers
Poncet-la-Ville
Yvoy
La Ronde
Pied-de-Bois
Vœu
Bignoux
Beauvoir
Ménétréols-sous-Vatan
Ste-Lizaigne
Mignu
Les Maras
La Genevraie
Poisieux
Le Bouchet
Castelnau Brouillamnon
Villeneuve-sur-Cher
Villeneuve
Bois du Palais
Bellevue
Rouze
Néroux
Les Monts
Thoiry
Châtillon
St-Florent-sur-Cher
Villeneuve
Barillon
L'Epinière
Pouillault
La Chaise
St-Georges-sur-Arnon
Le Grand Entrevin
Brisevent
Lizeray
Les Bordes
Villiers-les-Roses
Chârost
Champfrost
Les Lagnys
Bois du Roi
Silo
Chenevière
Saugy
Civray
Le Coudray
Valière
Chasseigne
St-Denis
Avail
Massoeuvre
Bois-Ratier
St-Caprais
Les Ouches
St-Valentin
Chinault
Issoudun
Pontet
Rosières
La Champenoise
Les Loges
Clois
Frapesle
La Chapelle-du-Puits
La Vergne
Chanteloup
St-Aoustrille
Tassay
Arnaises
St-Ambroix
La Pillourde
Le Grand Malleray
Bellechaume
Lunery
Villefavant
Le Raincay
Les Barreaux
St-Hilaire
La Chignaterie
Champlait
Silo
Le Mez
L'Echalusse
Richetin
Villesaison
Jean Varenne
Chouday
Abbé
La Prée
Bois de Luc
Bois de St-Martin
St-Chevrais
Lunerette
Vilaines
Les Epinettes
Les Quatre Routes
Thizay
Théry
Prault
Praslay
Brissantier
Bois de Ballay
Villiers
Primelles
Effes
Les Villerais
La Bussière
Marande
Le Fay
Ségry
Gouers
Mareuil-sur-Arnon
Thoux
Corquoy
Neuvy-Pailloux
Les Arrivés
Angeray
Lisson
Condé
Levée de César
La Foucherine
Le Petit Malleray
Les Sarrays
B. de Chaumet
St-Léger
Nouan
Bois Mesmains de l'Ecoron
Les Lacs
Les Loges
La Pouge
Bois de Chatin
Les Girards
Cousseron
Ste-Fauste
Le Noyer
La Motte
Crevant
La Lande
Dampierre
Les Pruneaux
Beauchemin
La Bouloie
Montaboulin
La Ferté
Le Grd Villiers
Le Pit Villiers
Brives
St-Aubin
Fontissant
Mérolles
Chérigny
La Brosse
Colombe
Ecléneuil
Silo
Nieul
Ablenay
La Jaglotterie
Meunet-Planches
Villechaud
Forêt de Bommiers
La Croix Blanche
Les Gours
La Vêve
Etg des Deux Queues
St-Baudel
Parassay
Huvault
Fourches
Diors
Vouillon
Planches
Erables
Chezal-Benoît
Villecelin
Scay
La Martinière
Bois de Mâron
Les Loges
Mâron
Beauvoir
Montlouis
Charmusseau
Tilliaire
Le Relais
Les Minimes
Les Bindets
Bois de Malvève
La Bruyère
Les Soumards
AUROUX
Chignay
Piou
Resay
Les Bois-Ramier
Chiré
Bommiers
Pruniers
Grde Thonaise
Les Magnoux
Léday
Condé
Bourreas
Lunezay
Ozans
Etrechet
Villemongin
Ambrault
Champmenard
Les Meuniers
La Perrière
La Celle-Condé
Le Plessis
Forges
L'Isle
Sanguille
Le Breuil
Pte Thonaise
Felouze
Etg de la Chelouze
Villiers
Blord
Jarry
Bommiers
Ineuil
Bellat
Sassierges-St-Germain
Les Bouleaux
Les Brunets
Les Cotillons
Chatoullé
Bois de Villefort
Le Bois-Prieur
Clavières
Châtre
Le Grd Plessis
Les Pichons
Les Pages
Lassout
Chassepain
L'Eperse
La Cueille
La Preugne
Buxerolle
Les Vedeaux
Les Tendrons
Lignières
Prévieres
Riaujonc
La Forge
Ardentes
Civrenne
Le Plaix
Boisroux
Les Loges-de-Dressais
Etg de la Villette
Les Jouhannets
Les Gerfaux
Greuille
St-Août
Les Giraudons
Les Piverts
Vermanche
Les Mollats
La Berthodrie
St-Hilaire-en-Lignières
Larcille
Le Trait
Les Riaux
Les Baudons
Le Frêne
La Carroux
Touchay
L'Ile
Ids-St-Roch
Les Cloux
Vigonne
Le Vigneau
Encheur
La Cossonnerie
Les Soupizons
Les Loges-de-Champ
Etg des Pinassières
La Poulinière
Les Dijeux
Les Jaux
Lavault
La Forêt
Vinceuil
La Forêt
Le Gué-de-Veneix
B. de Chanteloube
Les Morins
Les Loges
Les Perrots
Les Forges
Malleray
La Vieille-Morte
Les Baudons
Les Mottes
La Bonneville
Le Carroir
Jardins N.-D. d'Orsan
Orsan
Rébérantin
Jeu-les-Bois
Fourche
Le Magnet
Le Ris
Villechère
Les Blins
Bellet
Bretagne
Les Sept Chemins
St-Christophe-en-Boucherie
Rezay
Les Aublancs
Sanglier
Etang de Lys-St-Georges
Corlay
La Breuille
Verneuil-sur-Igneraie
Les Hérauts
Chauvetons
Les Chenilles
Mers-sur-Indre
La Berthenoux
Feuilletin
Besse
St-Pierre-les-Bois
Jaunoux
Les Houillères
Filaine
Bussière
Montipouret
Courtioux
Les Granges
Lys-St-Georges
St-Chartier
Le Bois-Trevy
La Tuilerie-de-Bouchenoire
Beaulieu
Baudoin
Grand-Foulinin
Maisonnais
Chassinières
Beaupin
Le Plessis
Rein
Thevet
N 151
D 925
D 918
D 943
D 940
A 20
A 71

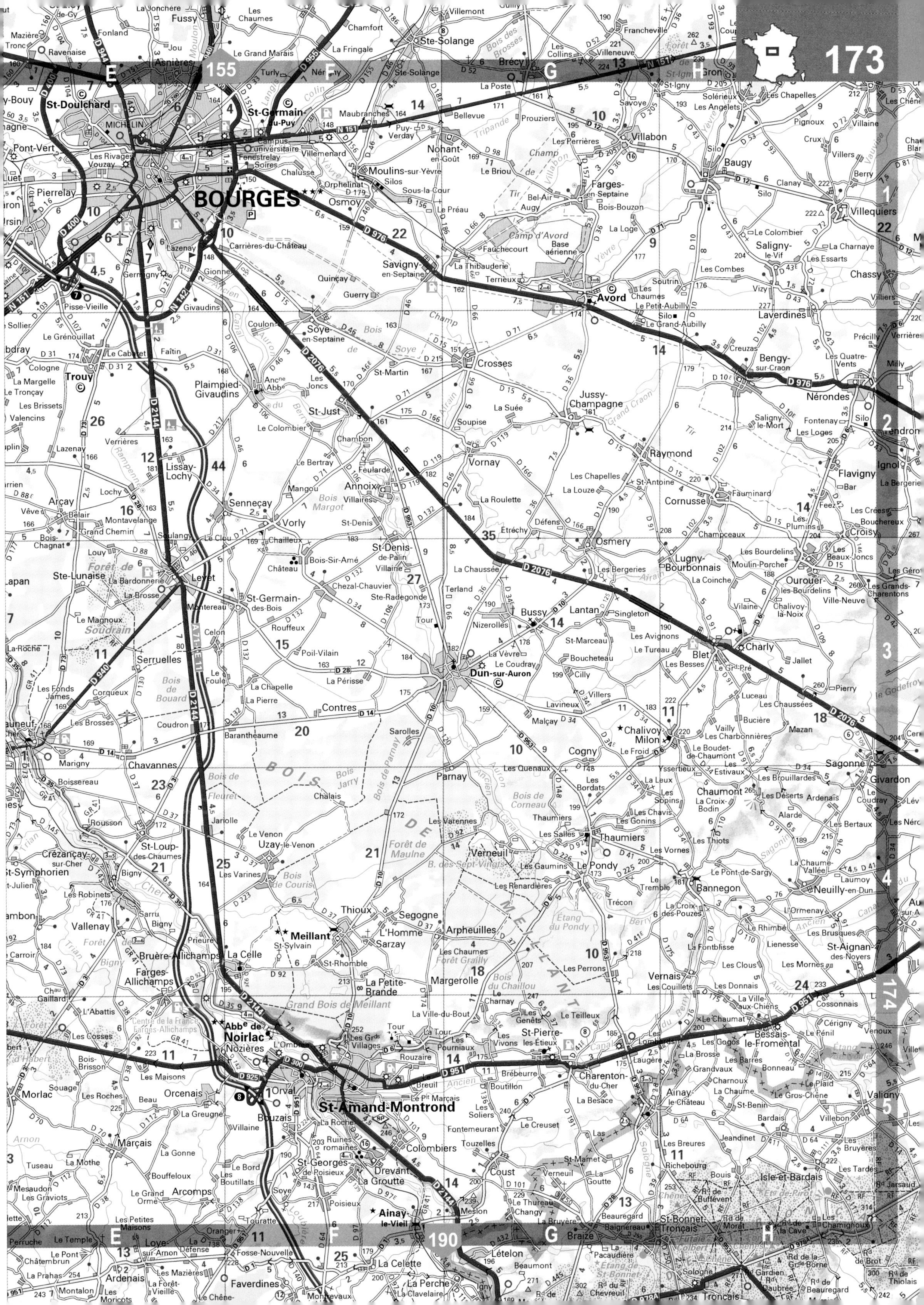
155
E
F
G
H
BOURGES
St-Doulchard
St-Germain-du-Puy
Ste-Solange
Villemont
Chamfort
Fussy
Asnières
Brécy
Francheville
Villeneuve
Gron
St-Igny
Savoye
Villabon
Baugy
Moulins-sur-Yèvre
Nohant-en-Goût
Farges-en-Septaine
Osmoy
Savigny-en-Septaine
Avord
Villequiers
Saligny-le-Vif
Chassy
Laverdines
Bengy-sur-Craon
Nérondes
Crosses
Soye-en-Septaine
Trouy
Plaimpied-Givaudins
St-Just
Jussy-Champagne
Raymond
Vornay
Lissay-Lochy
Senneçay
Annoix
Vorly
Osmery
Cornusse
Lugny-Bourbonnais
Ourouer-les-Bourdelins
Levet
St-Germain-des-Bois
Ste-Lunaise
Bussy
Lantan
Blet
Charly
Serruelles
Dun-sur-Auron
Contres
Chavannes
Chalivoy-Milon
Sagonne
Givardon
Parnay
Cogny
Chaumont
Thaumiers
Uzay-le-Venon
St-Loup-des-Chaumes
Verneuil
Le Pondy
Bannegon
Neuilly-en-Dun
Meillant
Thioux
Segogne
Arpheuilles
Bruère-Allichamps
La Celle
Farges-Allichamps
Margerolle
Vernais
St-Aignan-des-Noyers
Abbe de Noirlac
St-Pierre-les-Étieux
Charenton-du-Cher
Bessais-le-Fromental
St-Amand-Montrond
Orval
Bouzais
Colombiers
Ainay-le-Château
Marçais
Orcenais
St-Georges-de-Poisieux
Drevant
La Groutte
Coust
Isle-et-Bardais
Arcomps
Ainay-le-Vieil
Braize
St-Bonnet-Tronçais
Letelon
La Celette
Faverdines
Ardenais
Loye-sur-Arnon
190
174
D 976
D 2076
D 2144
D 951
D 940
A 71 - E 11
N 151
Forêt de Tronçais
Forêt de Maulne
Bois de Meillant
Grand Bois de Meillant
Étang du Pondy
Camp d'Avord

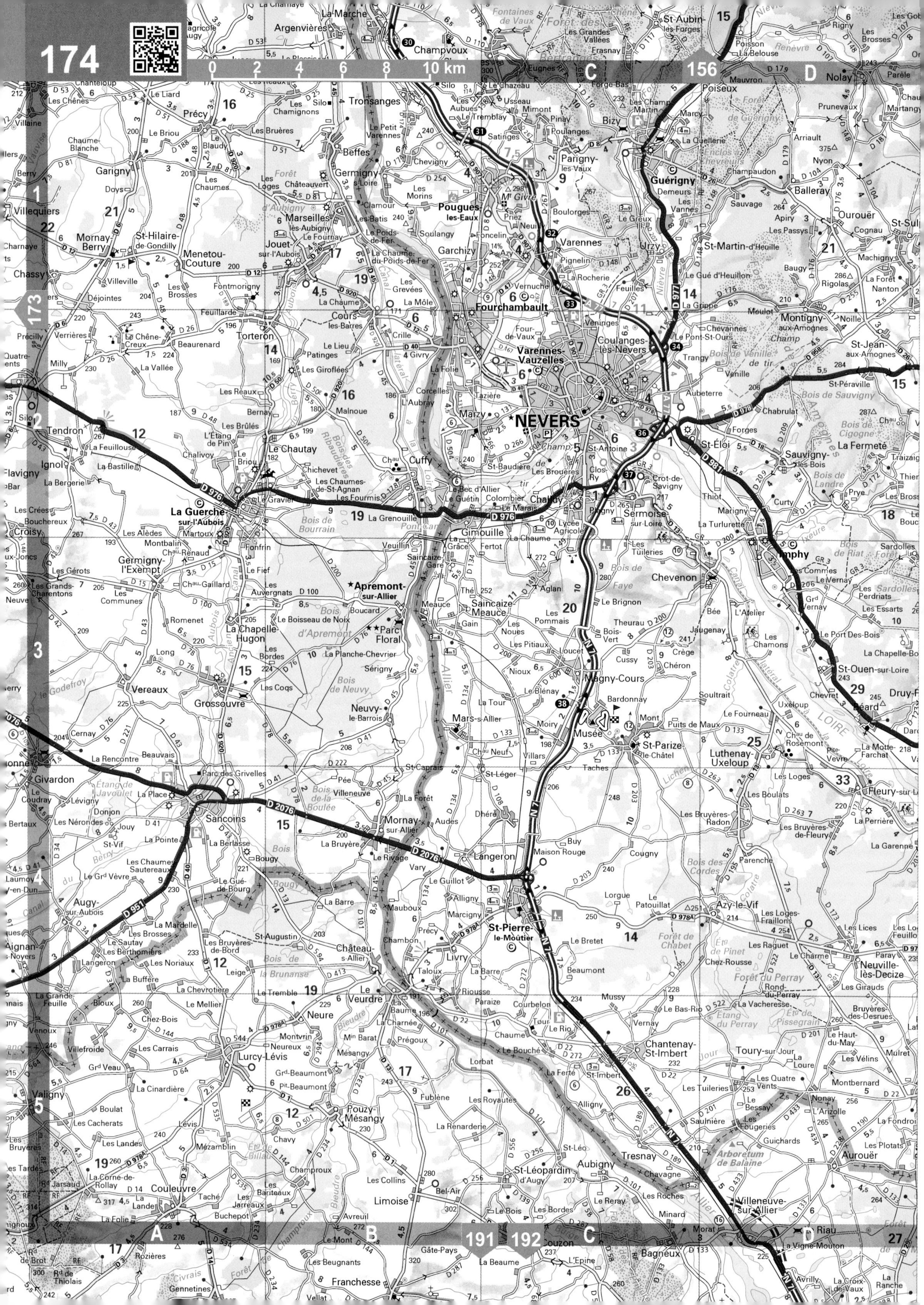
0 2 4 6 8 10 km
156
173
191
192
NEVERS
Fourchambault
Varennes-Vauzelles
Coulanges-lès-Nevers
Pougues-les-Eaux
Garchizy
Guérigny
Urzy
Varennes
Marzy
Challuy
Sermoise-sur-Loire
Imphy
Chevenon
Magny-Cours
St-Parize-le-Châtel
Luthenay-Uxeloup
St-Pierre-le-Moûtier
Langeron
Mornay-sur-Allier
Sancoins
Apremont-sur-Allier
La Guerche-sur-l'Aubois
Jouet-sur-l'Aubois
Marseilles-lès-Aubigny
Cours-les-Barres
Cuffy
Le Chautay
Germigny-l'Exempt
La Chapelle-Hugon
Grossouvre
Neuvy-le-Barrois
Mars-s-Allier
Saincaize-Meauce
Chantenay-St-Imbert
Tresnay
Villeneuve-sur-Allier
St-Léopardin-d'Augy
Aubigny
Le Veurdre
Neure
Lurcy-Lévis
Pouzy-Mésangy
Couleuvre
Château-s-Allier
Livry
Azy-le-Vif
Toury-sur-Jour
Neuville-lès-Decize
Fleury-sur-Loire
Béard
St-Ouen-sur-Loire
Sauvigny-les-Bois
St-Éloi
Montigny-aux-Amognes
St-Jean-aux-Amognes
Ourouër
Balleray
Poiseux
Nolay
Parigny-les-Vaux
Bizy
Champvoux
Tronsanges
Beffes
Germigny-s-Loire
Précy
Garigny
Mornay-Berry
St-Hilaire-de-Gondilly
Menetou-Couture
Torteron
Tendron
Givardon
Augy-sur-Aubois
Valigny
Aurouër
Riau
Bagneux
Franchesse
Couzon
Musée
Parc Floral
Forêt de Chabet
Forêt du Perray
Arboretum de Balaine
Bois de Bourrain
Bois de Neuvy
Bois de la Brunansé
LOIRE
Allier
D 976
D 2076
D 978A
D 951
N 7
A 77

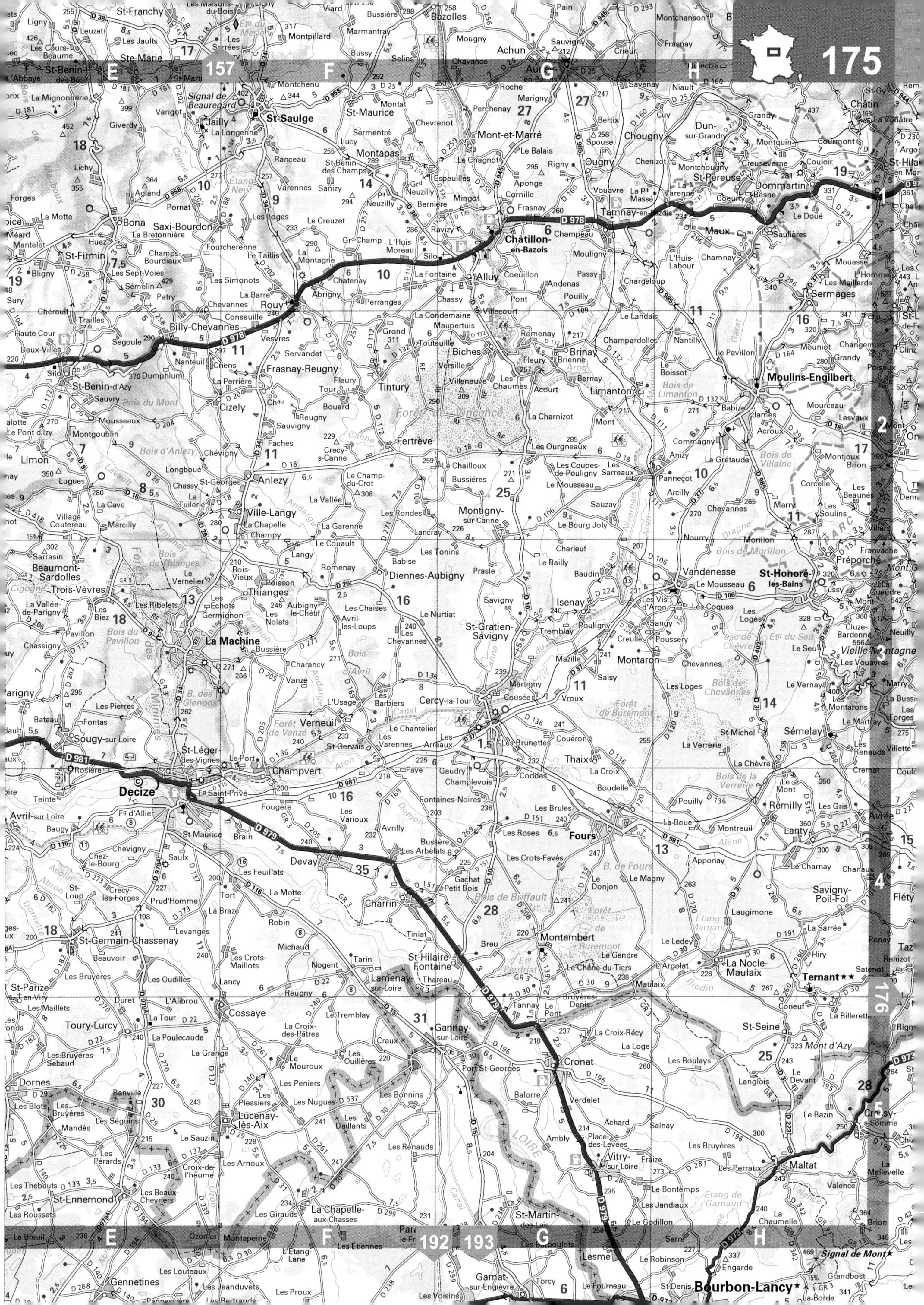
157
E
F
G
H
St-Saulge
Châtillon-en-Bazois
Moulins-Engilbert
St-Honoré-les-Bains
La Machine
Decize
Cercy-la-Tour
Fours
Champvert
Ternant
Bourbon-Lancy
Forêt de Vincence
D 978
D 981
D 979
D 973
LOIRE
Canal
176
192
193
Signal de Beauregard
Signal de Mont
St-Benin-d'Azy
Anlezy
Ville-Langy
Montambert
Cronat
Maltat
Dornes
Cossaye
Lucenay-lès-Aix
Vandenesse
Limanton
Sémelay
Rémilly
Tintury
Fertrève
Isenay
Verneuil
Thaix
Devay
Charrin
Alluy
Rouy
Frasnay-Reugny
Diennes-Aubigny
Montigny-sur-Canne
St-Gratien-Savigny
Montaron
La Nocle-Maulaix
St-Seine
Toury-Lurcy
St-Ennemond
St-Germain-Chassenay
Sougy-sur-Loire
St-Léger-des-Vignes
Thianges
Biches
Brinay
Tamnay-en-Bazois
Achun
Montapas
Mont-et-Marré
Chougny
Dommartin
St-Péreuse
Préporché
Lanty
Savigny-Poil-Fol
Vitry-sur-Loire
Gannay-sur-Loire
St-Hilaire-Fontaine
Lamenay-sur-Loire
La Chapelle-aux-Chasses
Garnat-sur-Engièvre
Cressy-sur-Somme

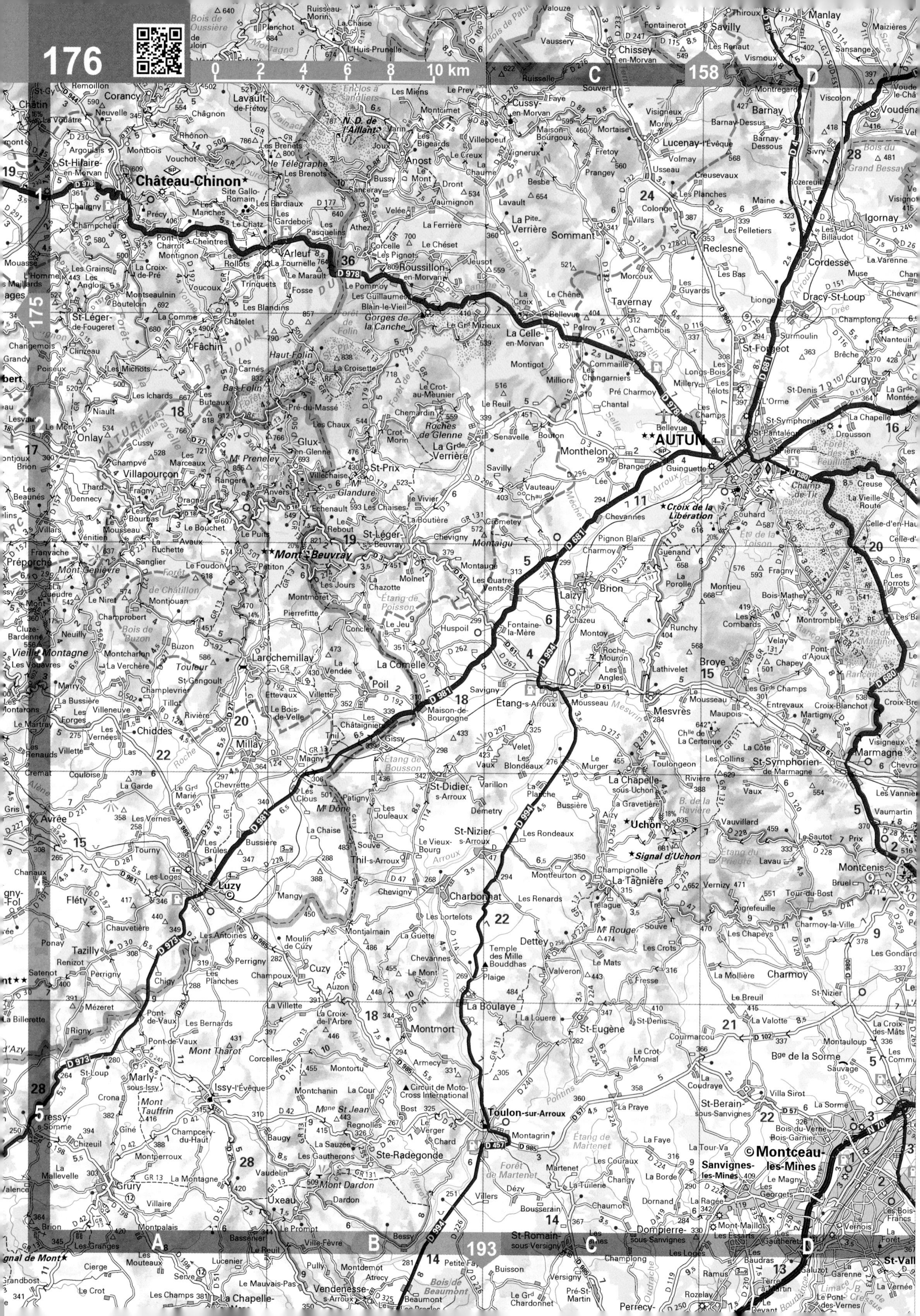

0 2 4 6 8 10 km
158
175
193
Château-Chinon
Arleuf
Roussillon-en-Morvan
Anost
Cussy-en-Morvan
Lucenay-l'Évêque
Sommant
Reclesne
Igornay
Cordesse
Dracy-St-Loup
La Celle-en-Morvan
St-Forgeot
Curgy
AUTUN
Croix de la Libération
Monthelon
Mont Beuvray
St-Léger-s/s-Beuvray
Glux-en-Glenne
St-Prix
La Grde-Verrière
Roches de Glenne
Gorges de la Canche
Haut-Folin
Bas-Folin
Mt Preneley
Villapourçon
Onlay
Fâchin
Larochemillay
La Comelle
Poil
Étang-s-Arroux
Brion
Laizy
Broye
Mesvres
Marmagne
St-Symphorien-de-Marmagne
La Chapelle-sous-Uchon
Uchon
Signal d'Uchon
Montcenis
Charmoy
Luzy
Millay
Chiddes
Avrée
Tazilly
Fléty
Cuzy
Charbonnat
St-Didier-s-Arroux
St-Nizier-s-Arroux
Thil-s-Arroux
La Boulaye
Temple des Mille Bouddhas
Dettey
La Tagnière
St-Eugène
Montmort
Issy-l'Évêque
Mont Tharot
Toulon-sur-Arroux
Ste-Radegonde
Uxeau
Mont Dardon
Grury
Marly-sous-Issy
Cressy-s-Somme
Montceau-les-Mines
Sanvignes-les-Mines
St-Berain-sous-Sanvignes
St-Romain-sous-Versigny
Dompierre-sous-Sanvignes
Vendenesse-s-Arroux
La Chapelle-au-Mans
PARC NATUREL RÉGIONAL DU MORVAN
D 978
D 981
D 973
D 994
D 680
D 681
N 70

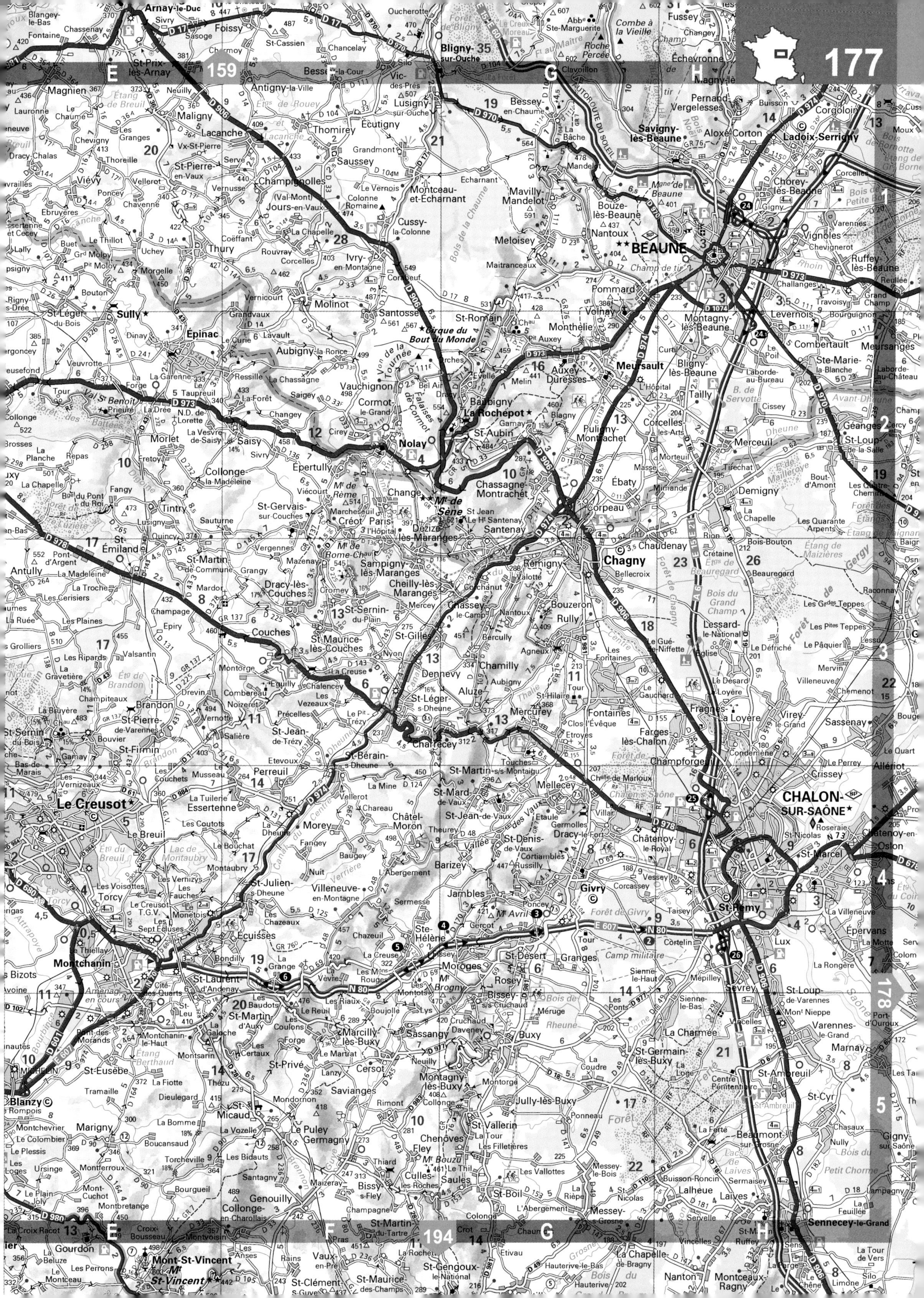

Arnay-le-Duc
Bligny-sur-Ouche
BEAUNE
Savigny-lès-Beaune
Aloxe-Corton
Ladoix-Serrigny
Pommard
Volnay
Meursault
Auxey-Duresses
St-Romain
La Rochepot
Nolay
Épinac
Sully
Santenay
Chagny
Rully
Mercurey
Givry
Buxy
CHALON-SUR-SAÔNE
St-Rémy
St-Marcel
Le Creusot
Montchanin
Blanzy
Couches
Epertully
Mt de Sène
Cirque du Bout du Monde
Falaises de Cormot
Sennecey-le-Grand
Mont-St-Vincent
St-Gengoux-le-National
Forêt de Gergy
Forêt de Givry
D 906
D 973
D 974
D 978
N 80
E 607
A 6
E 15 - E 21
AUTOROUTE DU SOLEIL
159
194
178

0 2 4 6 8 10 km
160
177
195
A
B
C
D
1
2
3
4
5
Nicolas-Cîteaux
La Borde
Magny-lès-Aubigny
Charrey-sur-Saône
Esbarres
St-Usage
St-Jean-de-Losne
Losne
St-Symphorien-sur-Saône
Laperrière-sur-Saône
Samerey
Champvans
Foucherans
Dole
Maison-Dieu
Damparis
Broin
Le Port-de-Charrey
Tontenans
Chaugey
Abergement-la-Ronce
Belvoye
Cussigny
Antilly
Balon
Moux
Auvillars-sur-Saône
Le Port-de-Bonnencontre
Pagny-la-Ville
Borde-Martenne
Aumur
Argilly
Bagnot
Lechâtelet
Auxon
Bois des Noues
Longvay
Labruyère
Glanon
Pagny-le-Château
Franxault
Borde-Rouge
Tavaux
Corcelles
Villy-le-Moutier
Villy-le-Brûlé
Pouilly-sur-Saône
Chamblanc
Montagny-lès-Seurre
St-Aubin
Gevry
Molay
Ruffey-lès-Beaune
Montmain
Corberon
Étang de Champjarley
Grosbois-lès-Tichey
Tichey
St-Loup
Champdivers
Moisey
Reullée
Seurre
Le Meix
La Borde
Silos
Marigny-lès-Reullée
Grosbois
Jossigny
Labergement-lès-Seurre
Jallanges
Lanthes
Bousselange
Villagrette
Peseux
St-Baraing
Corgengoux
Meursanges
Pleuvey
Mazerotte
Aignay
Paruey
Chivres
Trugny
Chemin
Les Jousserots
Moussières
Chaussin
Laborde-au-Château
Chevigny-en-Valière
La Crose
La Tuilerie
Forêt de Pourlans
Beauchemin
Asnans-Beauvoisin
Gatey
Chazelle
Méchin
Clux
Pourlans
Annoire
Longwy-s-le-Doubs
Palleau
Le Port
Champseuil
Chaublanc
Cercy
Géanges
St-Loup-de-la-Salle
Sondebois
St-Martin-en-Gâtinois
Molaise
Écuelles
Mont-lès-Seurre
La Villeneuve
Longepierre
Petit-Noir
Hotelans
Pondrevaux
Neuvelle
St-Gervais-en-Vallière
Navilly
Charnay-lès-Chalon
Pontoux
Es Montots
Varenne-sur-le-Doubs
Lays-sur-le-Doubs
Fretterans
Neublans-Abergement
Vornes
Le Parolais
Beauvoisin
Les Essards-Taignevaux
Pleure
Corcelles
Pussey
La Barre
Pt Pussey
Bragny-sur-Saône
Chauvort
Frontenard
Charette-Varennes
Pierre-de-Bresse
Petit Meix
Les Hays
Le Chalonge
Baignant
Allerey-sur-Saône
Saunières
Sermesse
Couronne
La Faye
L'Abergement
Grand-Mont
Authumes
Taignevaux
Osnay
Les Bordes
Verdun-sur-le-Doubs
Ciel
Étang de Mervins
Quintin
Terrans
Bout-d'Amont
Les Bois
Les Rattes
Abergement-St-Jean
Le Ferment
Le Fligny
Raconnay
Verjux
Merley
Toutenant
Le Péroux
Les Flats
Vernes-Guyotte
Chouillère
Le Colombier
Rye
Les Teppes
Gergy
Mont
Pont-de-Charbonneau
Sennecey-en-Bresse
La Coutière
Malplaque
St-Bonnet-en-Bresse
Le Buisson-Jean-Chêne
Chavenotte
Chavenne
Verne
Disscy
Mouthier-en-Bresse
Chêne
Hiège
Event
L'Abergement-de-St-Didier
Chevrey
St-Maurice-en-Rivière
Vaulvry
La Couhée
St-Didier-en-Bresse
Mirbel
Aloise
La Chapelle-St-Sauveur
Boibe
Torpes
Les Pernards
Les Tenaudins
Le Four-en-Chaux
Les Bigueux
Beauvernois
Chemenot
Bois-de-la-Velle
Les Donzeaux
La Motte
Dampierre-en-Bresse
Les Repesses
Bellevesvre
Les Creuillons
Bougerot
Chauley
Osnard
La Racineuse
Le Bouchat
La Reurre
La Chaux
Bacheley
Neuillon
Les Lorances
Charnay
Les Valliers
La Marre
La Piotière
Damerey
Le Quart
Allériot
Bey
Planche
St-Martin-en-Bresse
Serrigny-en-Bresse
Les Ivolots
La Picardière
Le Rondot
Fontenelle
Les Rabuts
Le Haut-de-Montjay
Le Portail
Les Camus
Les Quatres Routes
Villeneuve
Reure-s-Florence
La Charmotte
Communautés
La Gde Chancelle
Montjay
Chapelle-Voland
Rue-de-l'Haut
L'Argillois
Les Rivières
Vernois
Perrigny
Seignotte
Villegaudin
Glairans
Mervans
Les Autelins
Étang de Chaudenard
La Pte Chancelle
Le Planois
Les Brantus
Les Roz
Prondevaux
Montcoy
Reversey
La Tuilerie
Solutenans
Serley
La Replonge
Heurarde
Les Piotelats
Les Chavannes
Les Montarlots
Châtenoy-en-Bresse
Montagny
Colnand
Le Veilley
Chau de la Marche
Ville-des-Maréchaux
Les Chênes
Le Deffait
Bois-Bouleau
Les Rollins
Oslon
Guerfand
Les Gautheys
Diombe
Monflin
Champonnière
Bouhans
Petit Bêche
Les Blancs
Petit-Nance
Lans
Cortot
Rues-Bourdillons
Bellefond
Diconne
Ronfand
St-Claude
La Balme
St-Germain-du-Bois
Les Deux-Marronniers
La Commune
Les Dameys
La Madeleine
Les Jacquards
Les Marlins
Villeneuve
Les Quatre-Chemins
La Margot
Le Villey
Gérand
Bosjean
Le Brouillat
L'Abergement-Ste-Colombe
St-Christophe-en-Bresse
Devrouze
La Chassaigne
La Révaillère
Fosse
L'Estalet
Bois-de-Long
Les Lorins
Panissière
Cosges
Vizent
Bletterans
La Villeneuve
Épervans
Villargeault
Le Villerot
Thurey
Quain
Prost-des-Vernes
Layer
Sens-sur-Seille
Sotessard
Jousseaux
La Motte
Servigny
Les Plates
La Forêt
Grde Faye
Le Tartre
Nance
Colombey
Foichot
Boullerand
Les Cottins
Layer
Lessard-en-Bresse
Les Tabourets
Les Peutots
Condé
Visargent
Frangy-en-Bresse
Gommerand
Charnay-Bas
Pt Servigny
Abbaye-des-Barres
Serville
Les Vallots
Les Guillons
Simard
Grde Commune
Les Flattots
Clémencey
Villeneuve
Charnay
Charnay-Haut
Ouroux-s-Saône
Port-d'Ouroux
Chirey
Les Durandards
Tronchy
Noisy
Bons-Amis
Le Perroir
Balosle
L'Abergement
Le Frânois
Les Moissons
Meix-Vallant
Prombry
Villermin
Le Devant
Les Grandjean
Le Servin
Chamottey
Marnay
Velard
Tour
Grd Limon
Le Villey
Vérissey
Meix-Peinot
La Gde Trémaillère
Montcony
Villemartin
Fontainebrux
St-Germain-du-Plain
Pt Limon
St-Étienne-en-Bresse
Le Faye
Vernotte
La Pte Chaux
Le Vauvril
Chârangeroux
Mauperrins
Saillenard
Les Tantes
Roussenne
Narbonne
Les Bordiau
Les Moutrets
Long-le-Bief
Les Guillemins
Bernard
Les Richards
Les Repôts
Le Nassey
Les Chivanys
Les Chaillots
Les Trigots
Les Seurres
St-Usuge
Les Vernets-Coulon
Les Buissons
Thorey
Le Grd St-Germain
Le Nuzeret
Pite Chize
Putigny
Juif
Breuve
Les Varennes
Beaurepaire-en-Bresse
La Pommeraye
Boullay
Les Planches
Montret
Bessard
Le Monceau
La Ferrière
Le Fay
Le Monceau
Chasaux
Nully
Gigny-sur-Saône
Baudrières
Chize
La Momine
Viennette
Les Boulards
Beauvoir
Charmont
Montsavin
Cugny
Molambief
La Montbertière
Les Piés
Les Colots
Condamine
Tenarre
Saugy
Villeveny
St-Vincent-en-Bresse
St-André-en-Bresse
Le Châtelet
Branges
Ambutelière
Seugny
Vincelles
Putacrot
Montagny-près-Louhans
Maître-Camps
Villeron
Savigny-en-Revermont
L'Epervière
Vanoise
La Colonne
Campagny
Noiry
La Bêcherie
La Frette
Bois-Philibert
Mogny
Les Pilloux
Chenerie
Pré-du-Vernay
Le Villard
Châteaurenaud
Ratte
Le Moulin Rouge
Les Chavannes
La Tuilerie
La Feuillée
Sennecey-le-Grand
Ormes
Les Brulés
Letrey
La Varenne
La Crenière
Savigny-sur-Seille
Lusigny
Sornay
L'Aupretin
Les Vincents
Louhans-Châteaurenaud
Les Badiers
La Forêt
Les Sutils
La Bernoux
Devaudrey
La Tour de Vers
Simandre
Les Crozes
Le Mollard
Trézoire
Chatenay
Limone
Silo
L'Amont
Chardenet
Les Crochets
Arbain
Bantanges
Rancy
Gizonge
Grannod
La Croix
La Buclière
Grd Rédy
Les Genevriers
Patran
La Barque
St-Martin-du-Mont
Blaine
Marcilly
Aiseray
Sagy
Fontainessot
Vériat
Beauvernois
Chante-Merle
La Villard
Connièvre
Flacey
Le Perron
Bonnaiso
A 36
E 60
A 39
D 973
D 996
D 673
D 970
D 678
D 978
D 971
D 470
D 469
LA COMTOISE

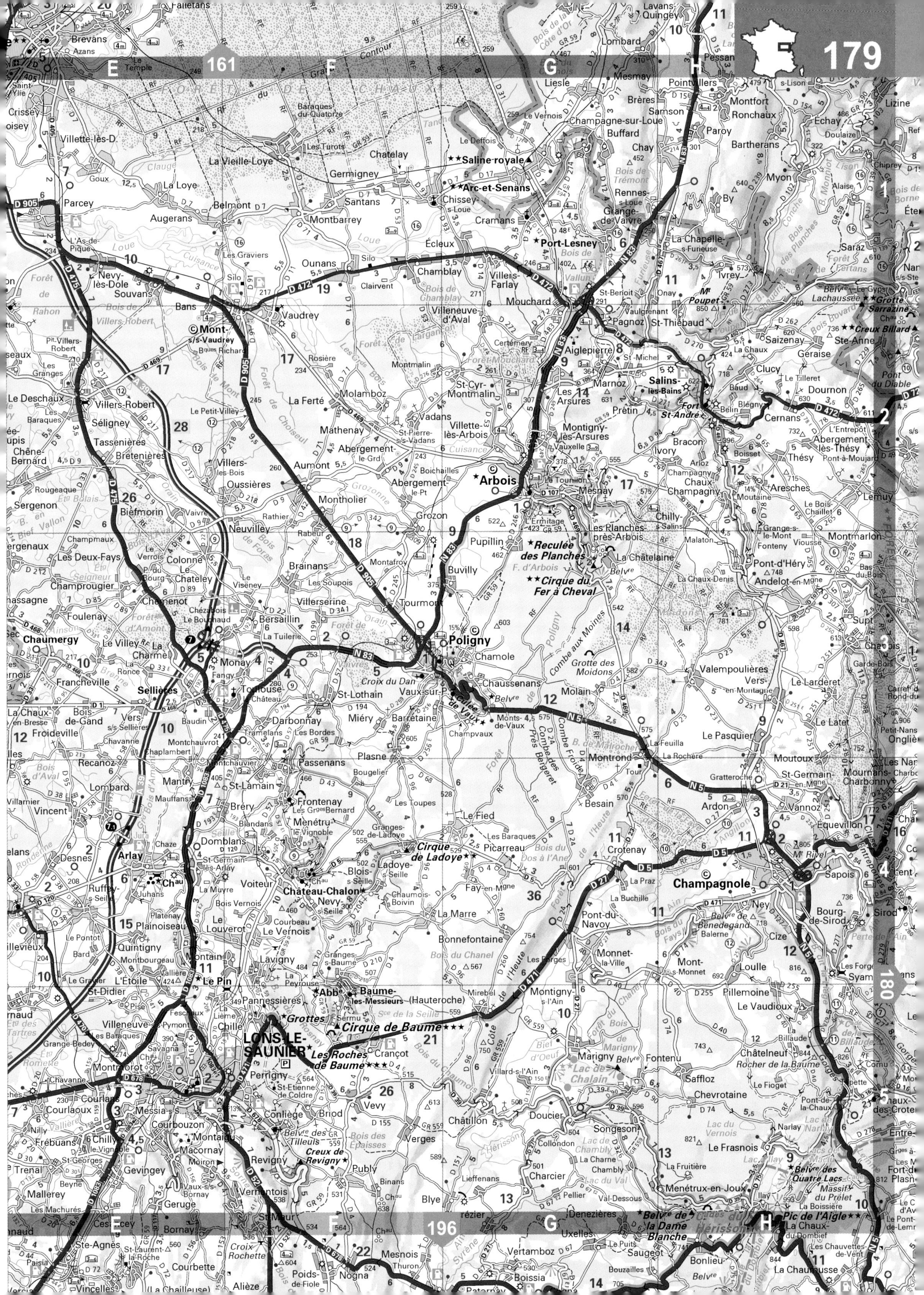
161
E
F
G
H
Forêt de Chaux
Saline royale
Arc-et-Senans
Port-Lesney
Salins-les-Bains
Fort St-André
Arbois
Reculée des Planches
Cirque du Fer à Cheval
Poligny
Culée de Vaux
Grotte des Moidons
Champagnole
Cirque de Ladoye
Château-Chalon
Baume-les-Messieurs
Cirque de Baume
Grottes
Les Roches de Baume
Lons-le-Saunier
Creux de Revigny
Lac de Chalain
Belvédère des Quatre Lacs
Pic de l'Aigle
Belvédère de la Dame Blanche
Cascades du Hérisson
Mont-s/s-Vaudrey
Sellières
Arlay
Montmorot
Conliège
Mouchard
Chamblay
Vaudrey
Nevy-lès-Dole
Souvans
Parcey
Chaumergy
Voiteur
Crotenay
Montrond
Ney
Syam
Clucy
Nans-sous-Ste-Anne
Grotte Sarrazine
Creux Billard
Vallières
Bois de Tremont
Foulenay
Monay
Toulouse-le-Château
Saffloz
Doucier
Châtillon
Publy
Revigny
Briod
Chilly
Macornay
Vernantois
196
180

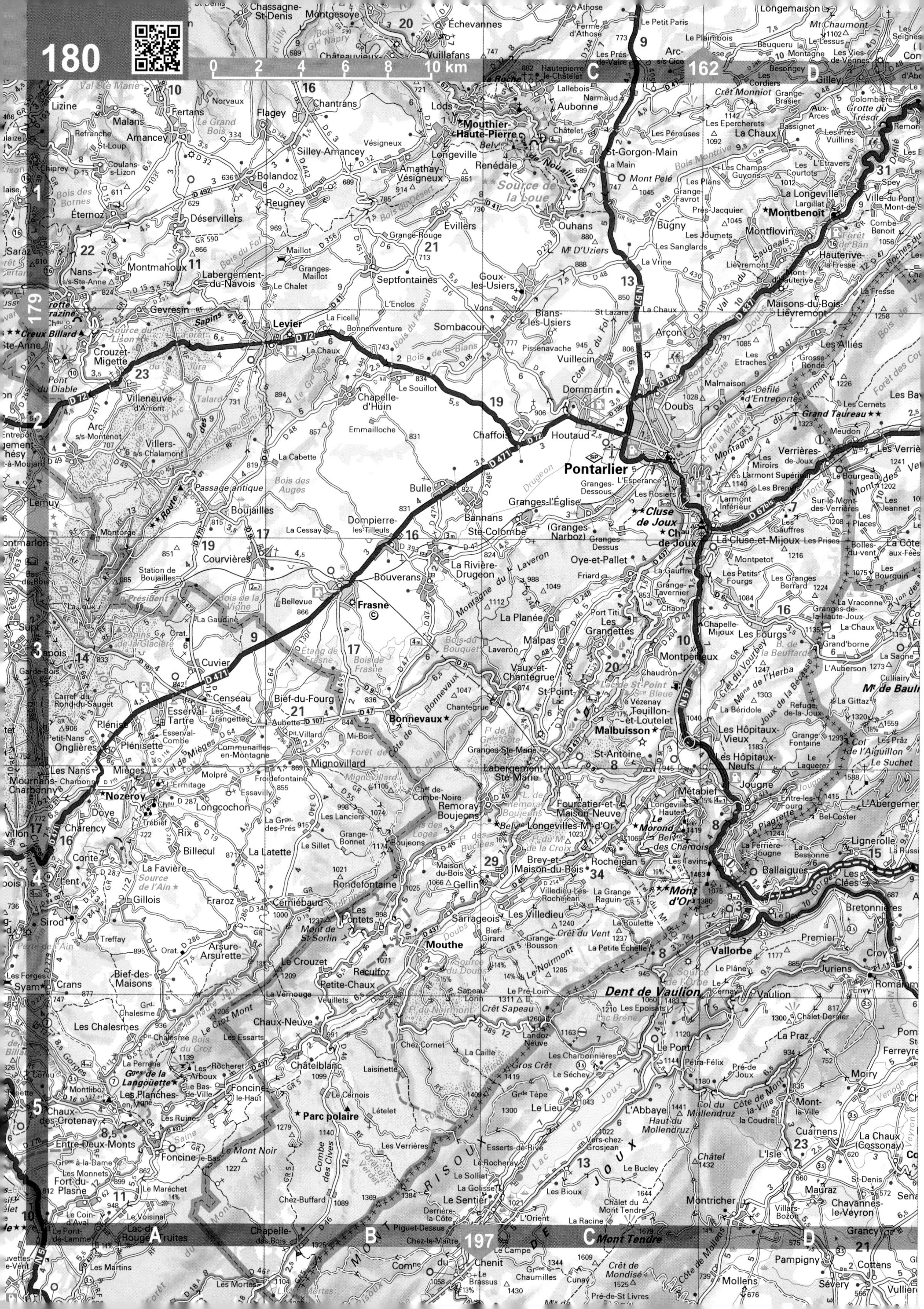
0 2 4 6 8 10 km
162
179
197
Pontarlier
Levier
Frasne
Nozeroy
Mouthier-Haute-Pierre
Source de la Loue
Montbenoît
Morteau
Cluse de Joux
Château de Joux
Malbuisson
Lac de St-Point
Métabief
Mont d'Or
Jougne
Vallorbe
Mouthe
Source du Doubs
Chapelle-des-Bois
Dent de Vaulion
Lac de Joux
Le Brassus
Le Sentier
Mont Tendre
Parc polaire
Forêt du Risoux
Foncine-le-Haut
Foncine-le-Bas
Chaux-des-Crotenay
Source de l'Ain
Sirod
Champagnole
Ornans
Vuillafans
Échevannes
Longemaison
Gilley
Arçon
Doubs
Houtaud
Chaffois
Dommartin
Bulle
Bannans
Ste-Colombe
La Rivière-Drugeon
Bouverans
Dompierre-les-Tilleuls
Boujailles
Courvières
Censeau
Mignovillard
Bonnevaux
Labergement-Ste-Marie
Remoray-Boujeons
Les Fourgs
Les Hôpitaux-Vieux
Les Hôpitaux-Neufs
Ballaigues
Romainmôtier
L'Abbaye
Le Pont
Col du Mollendruz
Montricher
Cuarnens
La Chaux (Cossonay)
Mont-la-Ville
Vaulion
Premier
Croy
Juriens
Bretonnières
Lignerolle
L'Abergement
Les Clées
Vallorbe
Chaux-Neuve
Châtelblanc
Mont de St Sorlin
Petite-Chaux
Reculfoz
Sarrageois
Gellin
Rochejean
Longevilles-Mont-d'Or
Le Morond
Montperreux
Chapelle-Mijoux
St-Antoine
Oye-et-Pallet
Granges-Narboz
Les Grangettes
Malpas
Vaux-et-Chantegrue
Septfontaines
Sombacour
Goux-les-Usiers
Bians-les-Usiers
Évillers
Ouhans
Renédale
Longeville
Lods
Chantrans
Flagey
Amancey
Bolandoz
Reugney
Déservillers
Labergement-du-Navois
Montmahoux
Nans-s/s-Ste-Anne
Creux Billard
Crouzet-Migette
Villeneuve-d'Amont
Arc-s/s-Montenot
Villers-s/s-Chalamont
Passage antique
Lemuy
Andelot-en-Montagne
Cuvier
Esserval-Tartre
Plénise
Onglières
Mièges
Charency
Lent
Gillois
Fraroz
Cerniébaud
Bief-des-Maisons
Crans
Syam
Les Chalesmes
Entre-Deux-Monts
Fort-du-Plasne
Lac-des-Rouges-Truites
Les Rousses
Bois-d'Amont
Mont Risoux

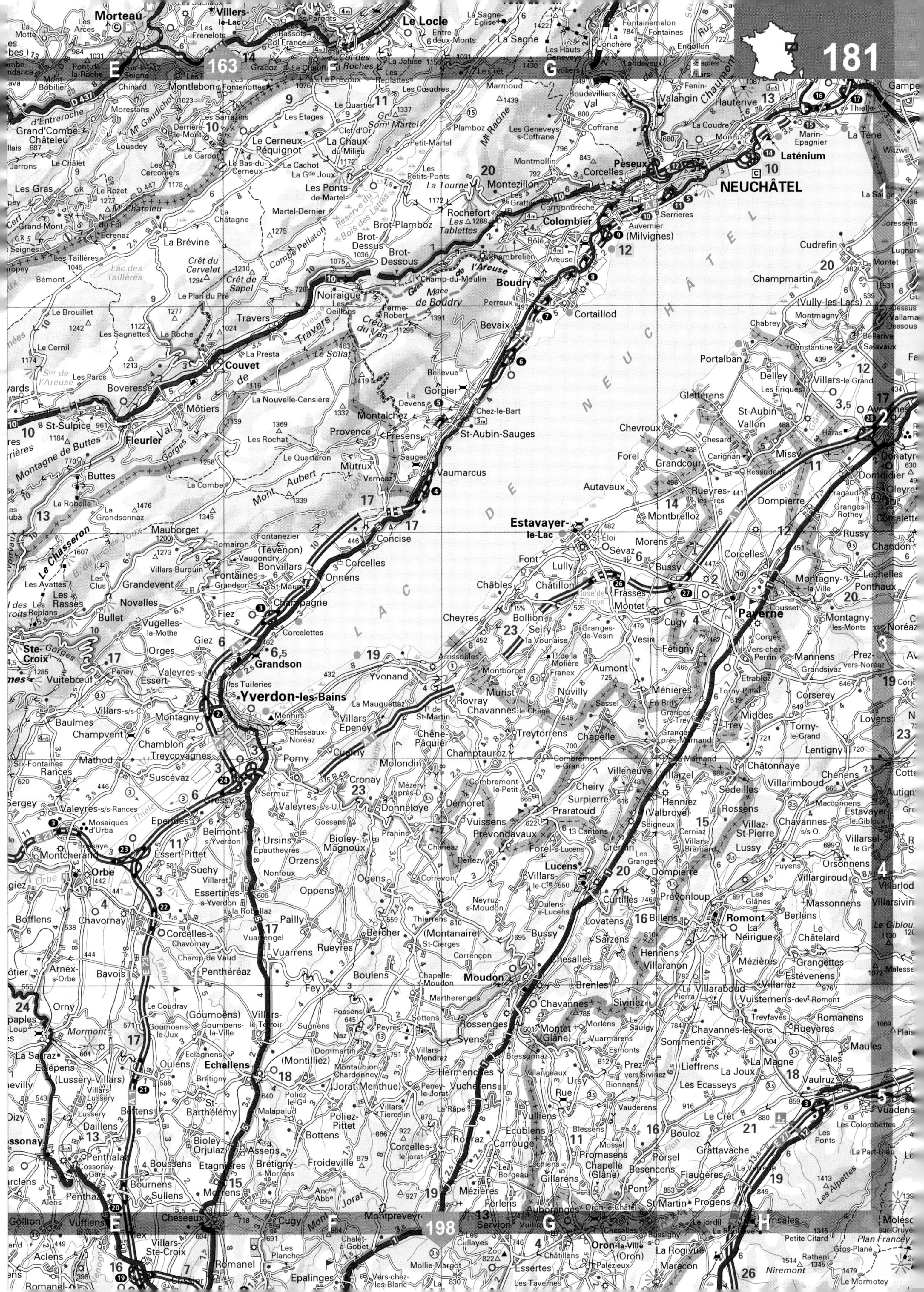
Morteau
Villers-le-Lac
Le Locle
La Sagne
163
Montlebon
Le Cerneux-Péquignot
La Chaux-du-Milieu
Valangin
Hauterive
Peseux
Corcelles
NEUCHÂTEL
Laténium
La Tène
Marin-Epagnier
Les Ponts-de-Martel
Rochefort
Montezillon
Colombier
Auvernier
Boudry
Cortaillod
La Brévine
Brot-Dessous
Noiraigue
Creux du Van
Travers
Couvet
Môtiers
Fleurier
Boveresse
St-Sulpice
Buttes
Bevaix
Gorgier
St-Aubin-Sauges
Vaumarcus
Provence
Mutrux
Concise
Le Chasseron
Mauborget
Bonvillars
Onnens
Corcelles
Champagne
Grandson
Ste-Croix
Vuiteboeuf
Yverdon-les-Bains
Yvonand
Montagny
Chamblon
Pomy
Cronay
Donneloye
Orbe
Chavornay
Essertines-s-Yverdon
Echallens
Bercher
Moudon
Lucens
Romont
Payerne
Estavayer-le-Lac
Cudrefin
Portalban
Avenches
Domdidier
Montet
Cugy
Grandcour
Dompierre
Villars-le-Grand
Murist
Chavannes-le-Chêne
Rue
Oron-la-Ville
Mézières
Servion
Cugy
Cheseaux
La Sarraz
Cossonay
Penthalaz
Bettens
Vuadens
Vaulruz
Sâles
Bouloz
Châtel-St-Denis
Les Alpettes
LAC DE NEUCHÂTEL
E
F
G
H
1
2
3
4
5
198

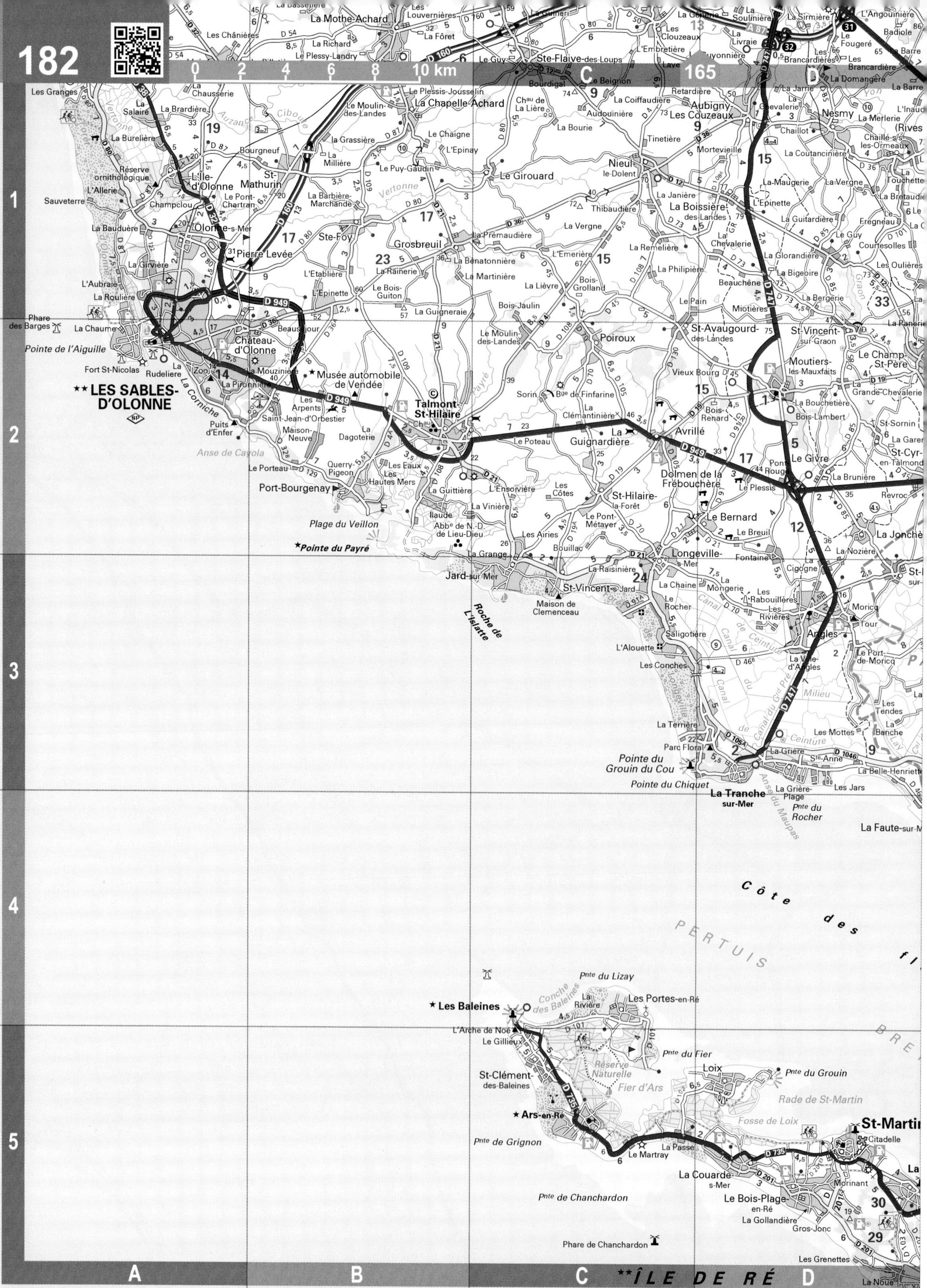
0 2 4 6 8 10 km
165
1
2
3
4
5
A
B
C
D
★★ ÎLE DE RÉ
★★ LES SABLES-D'OLONNE
La Mothe-Achard
Les Louvernières
La Forêt
Les Chânières
La Richard
Le Plessy-Landry
Ste-Flaive-des-Loups
Les Clouzeaux
L'Embretière
La Livraie
La Sirmière
L'Angouinière
Badiole
Le Fougeré
Brancardières
Les Brancardière
La Domangère
Le Guy
Bourdigal
Le Beignon
Les Granges
La Chausserie
Le Plessis-Jousselin
La Chapelle-Achard
Le Moulin-des-Landes
Ch^au de La Lière
La Coiffaudière
Audouinière
Retardière
Aubigny-Les Couzeaux
Nesmy
La Jarrie
Chevalerie
Chaillot
La Merlerie
La Salaire
La Brardière
La Bureliere
Réserve ornithologique
L'Allerie
Sauveterre
L'Île-d'Olonne
St-Mathurin
Bourgneuf
La Grassière
La Millière
Le Chaigne
L'Epinay
La Bourie
Tinetière
Mortevieille
La Coutancinière
Chaillé-s/s-les-Ormeaux
Le Puy-Gaudin
Le Girouard
Nieul-le-Dolent
La Maugerie
La Vergne
La Touchette
La Bretaudière
Champclou
Le Pont-Chartran
La Barbière-Marchande
Vertonne
Thibaudière
La Janière
La Boissière-des-Landes
L'Epinette
La Guitardière
Frégneau
La Baudère
Olonne-s-Mer
Pierre Levée
Ste-Foy
Grosbreuil
La Prémaudière
La Vergne
La Remelière
La Chevalerie
Le Guy
Courtesolles
La Girvière
L'Etablière
La Rainerie
La Bénatonnière
La Martinière
L'Emerière
La Philipière
La Glorandière
La Bigeoire
Les Oulières
L'Aubraie
La Roulière
L'Epinette
Le Bois-Guiton
La Lièvre
Bois-Grolland
Beauchêne
La Bergerie
La Guigneraie
Bois-Jaulin
Le Pain
Miotières
Phare des Barges
La Chaume
Pointe de l'Aiguille
Beauséjour
Château-d'Olonne
Le Moulin-des-Landes
Poiroux
St-Avaugourd-des-Landes
St-Vincent-sur-Graon
Le Champ-St-Père
Fort St-Nicolas
Rudelière
Zoo
La Mouzinière
Musée automobile de Vendée
Vieux Bourg
Moutiers-les-Mauxfaits
La Pironnière
La Corniche
Sorin
B^ge de Finfarine
La Grande-Chevalerie
Les Arpents
Saint-Jean-d'Orbestier
Talmont-St-Hilaire
La Clémantinière
Bois-Renard
La Bouchetière
Bois-Lambert
Puits d'Enfer
Maison-Neuve
La Dagoterie
Le Poteau
La Guignardière
Avrillé
St-Sornin
La Garenne
St-Cyr-en-Talmondais
Anse de Cayola
Le Porteau
Querry-Pigeon
Les Eaux
Les Hautes Mers
Dolmen de la Frébouchère
Le Plessis
Le Givre
La Brunière
Revroc
Port-Bourgenay
La Guittière
L'Ensoivière
Les Côtes
St-Hilaire-la-Forêt
La Vinière
Ilaude
Abb^e de N.-D. de Lieu-Dieu
Le Pont-Métayer
Le Bernard
Le Breuil
La Jonchère
Plage du Veillon
★Pointe du Payré
Les Airies
Bouillac
La Grange
Longeville-s-Mer
Fontaine
La Nozière
Jard-sur-Mer
La Raisinière
Cigogne
St-Vincent-s-Jard
La Chaine
La Mongerie
Les Rabouillères
Les Rivières
Moricq
Tour
Maison de Clemenceau
Roche de L'Islatte
Le Rocher
Saligotière
Angles
L'Alouette
La Ville-d'Angles
Le Port-de-Moricq
Les Conches
Canal de Ceinture
Milieu
Les Tendes
La Terrière
Les Mottes
La Banche
Parc Floral
Pointe du Grouin du Cou
La Grière
Ste-Anne
La Belle-Henriette
Pointe du Chiquet
La Tranche-sur-Mer
La Grière-Plage
Les Jars
Anse du Maupas
P^nte du Rocher
La Faute-sur-Mer
Côte des
PERTUIS
P^nte du Lizay
★ Les Baleines
Conche des Baleines
La Rivière
Les Portes-en-Ré
L'Arche de Noé
Le Gillieux
P^nte du Fier
St-Clément-des-Baleines
Réserve Naturelle
Fier d'Ars
Loix
P^nte du Grouin
Rade de St-Martin
★ Ars-en-Ré
Fosse de Loix
St-Martin
Citadelle
P^nte de Grignon
La Passe
Le Martray
La Couarde-s-Mer
Morinant
P^nte de Chanchardon
Le Bois-Plage-en-Ré
La Gollandière
Gros-Jonc
Phare de Chanchardon
Les Grenettes
La Noue
A 87
D 949
D 160
D 32
D 36
D 21
D 747
D 105
D 735
D 201

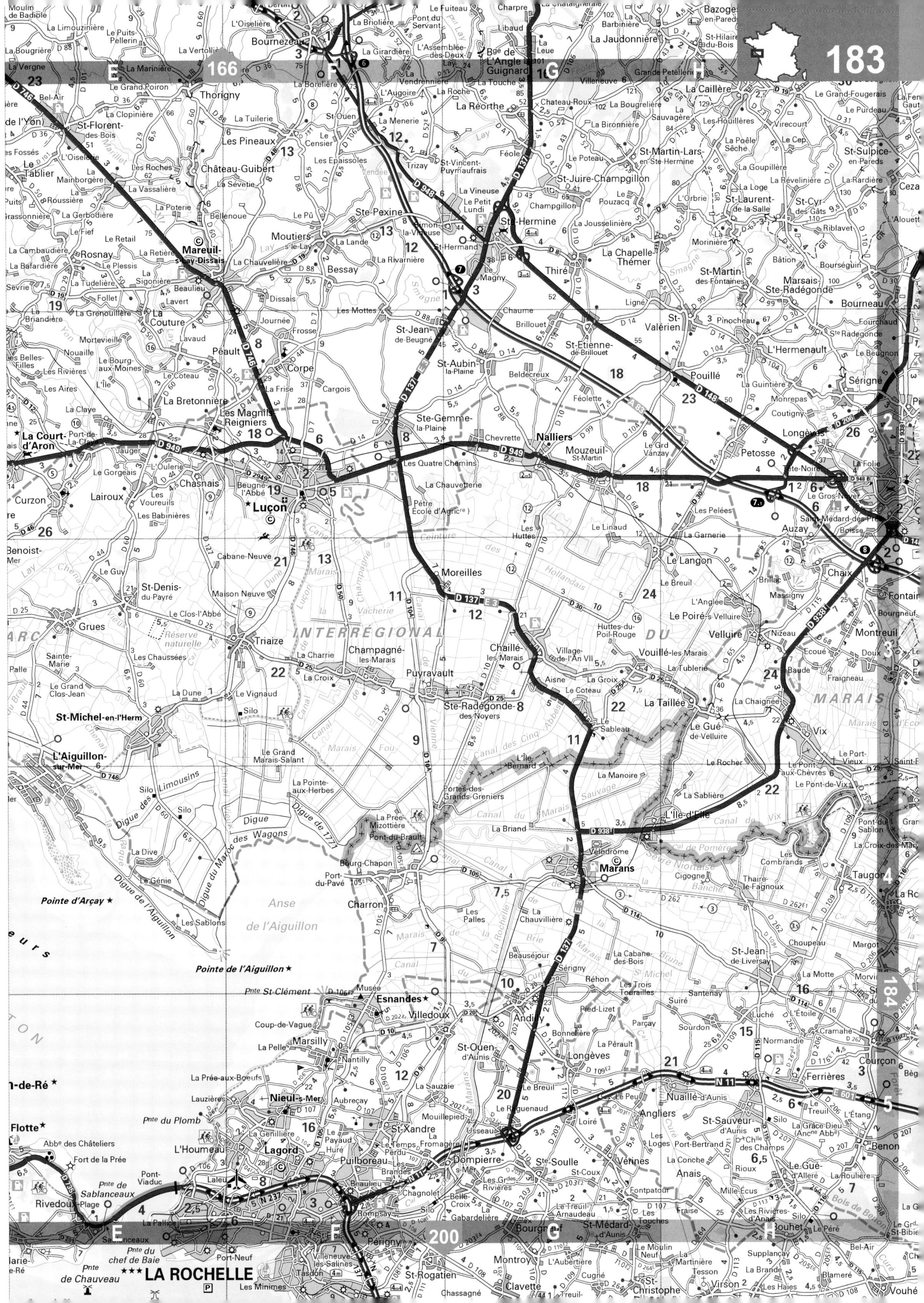
166
184
200
Bournezeau
Thorigny
St-Florent-des-Bois
Les Pineaux
Château-Guibert
Mareuil-s-Lay-Dissais
Rosnay
Moutiers-s-le-Lay
Bessay
Ste-Pexine
La Réorthe
Ste-Hermine
Thiré
La Chapelle-Thémer
St-Martin-Lars-en-Ste-Hermine
St-Juire-Champgillon
St-Laurent-de-la-Salle
St-Cyr-des-Gâts
St-Sulpice-en-Pareds
Marsais-Ste-Radégonde
Bourneau
L'Hermenault
Sérigné
Pouillé
St-Valérien
St-Etienne-de-Brillouet
St-Jean-de-Beugné
St-Aubin-la-Plaine
Ste-Gemme-la-Plaine
Nalliers
Mouzeuil-St-Martin
Corpe
Péault
La Couture
Les Magnils-Reigniers
La Bretonnière
Luçon
Chasnais
Lairoux
Curzon
La Court-d'Aron
Les Quatre Chemins
Moreilles
Le Langon
Petosse
Longèves
Auzay
Chaix
St-Denis-du-Payré
Grues
Triaize
Champagné-les-Marais
Puyravault
Chaillé-les-Marais
Ste-Radégonde-des-Noyers
Vouillé-les-Marais
Le Poiré-s-Velluire
Velluire
Montreuil
La Taillée
Le Gué-de-Velluire
Vix
St-Michel-en-l'Herm
L'Aiguillon-sur-Mer
INTERRÉGIONAL
DU
MARAIS
Réserve naturelle
L'Île-d'Elle
Marans
Charron
Anse de l'Aiguillon
Pointe d'Arçay
Pointe de l'Aiguillon
Pte St-Clément
Esnandes
Villedoux
Marsilly
Andilly
Sérigny
St-Ouen-d'Aunis
Longèves
Nieul-s-Mer
Lagord
L'Houmeau
St-Xandre
Puilboreau
Dompierre-s-Mer
Nuaillé-d'Aunis
Angliers
St-Sauveur-d'Aunis
Courçon
Ferrières
Benon
Taugon
St-Jean-de-Liversay
La Rochelle
Périgny
St-Rogatien
Bourgneuf
St-Médard-d'Aunis
Montroy
Clavette
Vérines
Ste-Soulle
Anais
Le Gué-d'Alleré
Virson
St-Christophe
Rivedoux-Plage
Flotte
Pte de Sablanceaux
Pte du Plomb
Pte de Chauveau
Pte du chef de Baie
Tasdon
Les Minimes
Villeneuve-les-Salines
Aytré
Digue du Maroc des Wagons
Digue de l'Aiguillon
Canal de Vix
Sèvre Niortaise
D 137
D 949
D 938
D 746
A 83
N 11
N 237
E 3
E 601

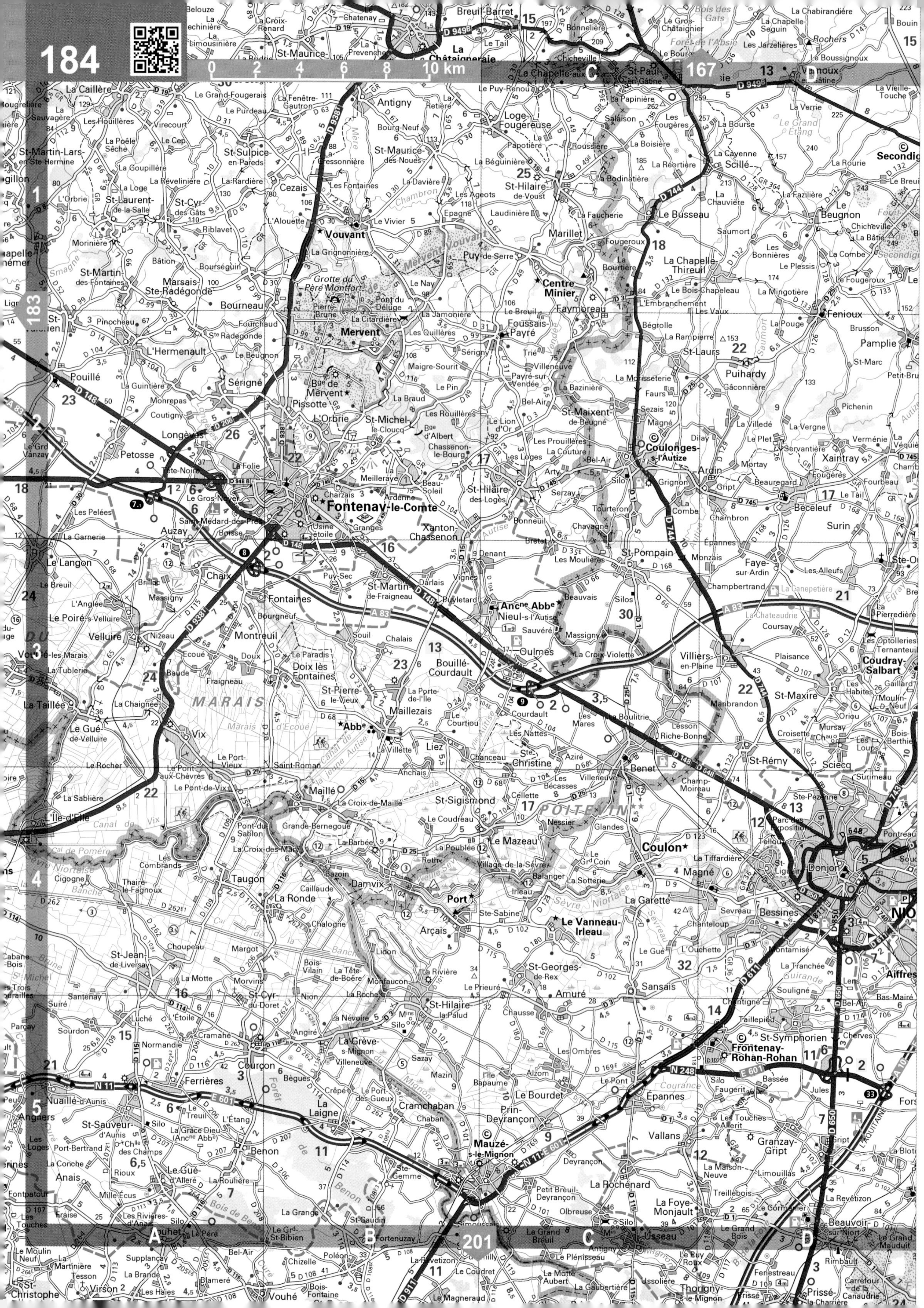
0 2 4 6 8 10 km
167
183
201
La Châtaigneraie
Breuil-Barret
Vouvant
Mervent
Forêt de Mervent-Vouvant
Foussais-Payré
Centre Minier
Faymoreau
St-Hilaire-de-Voust
Loge-Fougereuse
L'Hermenault
Pouillé
Sérigné
Pissotte
L'Orbrie
St-Michel-le-Cloucq
Fontenay-le-Comte
Auzay
Le Langon
Chaix
Fontaines
Montreuil
Velluire
Vix
Doix lès Fontaines
St-Pierre-le-Vieux
Maillezais
Bouillé-Courdault
Nieul-s-l'Autise
Oulmes
St-Hilaire-des-Loges
Xanton-Chassenon
St-Maixent-de-Beugné
Coulonges-s-l'Autize
St-Pompain
Villiers-en-Plaine
Benet
Coulon
Magné
Niort
Le Vanneau-Irleau
Arçais
Damvix
St-Sigismond
Le Mazeau
Maillé
L'Île-d'Elle
Taugon
La Ronde
St-Hilaire-la-Palud
Mauzé-s-le-Mignon
Frontenay-Rohan-Rohan
Épannes
Prin-Deyrançon
Courçon
Ferrières
St-Sauveur-d'Aunis
Nuaillé-d'Aunis
Anais
Benon
La Laigne
Cramchaban
Vallans
Granzay-Gript
Beauvoir-sur-Niort
Usseau
Secondigny
Scillé
Le Busseau
Beugnon
Fenioux
Pamplie
Xaintray
Béceleuf
Surin
Coudray-Salbart
St-Maxire
St-Rémy
Sciecq
Sansais
Amuré
St-Georges-de-Rex
Aiffres
Bessines
Marais Poitevin
A 83
N 11
E 601
N 248
A 10
L'Aquitaine

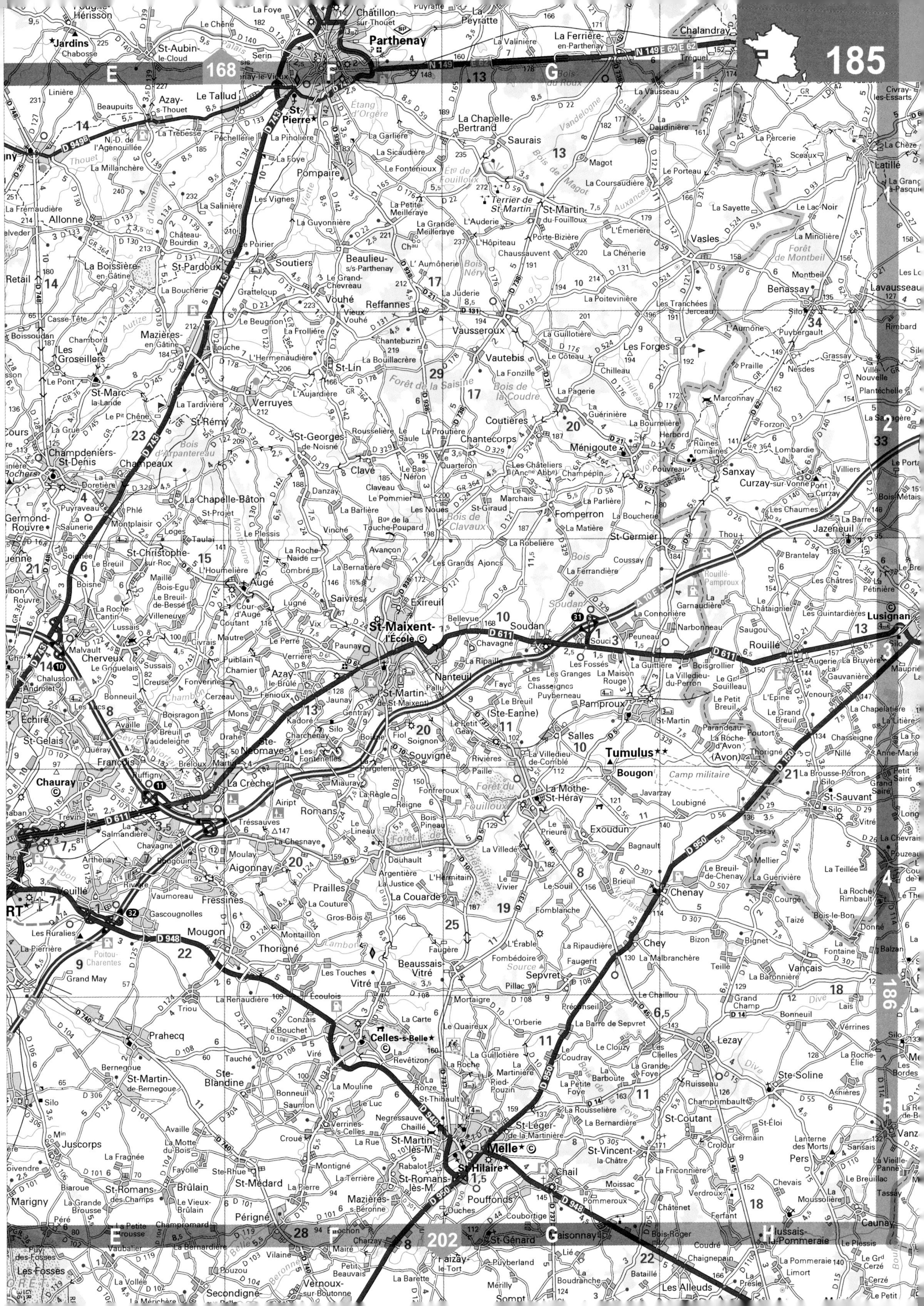

168
186
202
E
F
G
H
Parthenay
Châtillon-sur-Thouet
La Peyratte
Chalandray
La Ferrière-en-Parthenay
St-Aubin-le-Cloud
Jardins
Azay-s-Thouet
Le Tallud
St-Pierre
Pompaire
La Chapelle-Bertrand
Saurais
St-Martin-du-Fouilloux
Allonne
Vasles
Latillé
La Boissière-en-Gâtine
St-Pardoux
Soutiers
Beaulieu-s/s-Parthenay
Vouhé
Reffannes
Vausseroux
Vautebis
Benassay
Mazières-en-Gâtine
Les Groseillers
St-Marc-la-Lande
Verruyes
St-Lin
Forêt de la Saisine
Les Forges
Coutières
Chantecorps
Ménigoute
Champdeniers-St-Denis
Champeaux
St-Georges-de-Noisné
Clavé
Sanxay
Curzay-sur-Vonne
La Chapelle-Bâton
Fomperron
St-Germier
Jazeneuil
St-Christophe-sur-Roc
Augé
Exireuil
Soudan
Lusignan
St-Maixent-l'École
Cherveux
Nanteuil
Rouillé
Pamproux
St-Martin-de-St-Maixent
Échiré
St-Gelais
Chauray
François
Ste-Néomaye
Souvigné
Salles
Tumulus
Bougon
La Crèche
La Mothe-St-Héray
St-Sauvant
Romans
Exoudun
Aigonnay
Prailles
La Couarde
Chenay
Mougon
Thorigné
Beaussais-Vitré
Chey
Sepvret
Vançais
Lezay
Prahecq
Celles-s-Belle
Ste-Soline
St-Martin-de-Bernegoue
Ste-Blandine
St-Léger-de-la-Martinière
St-Coutant
Juscorps
St-Martin-lès-M.
Melle
St-Vincent-la-Châtre
St-Hilaire
Chail
Brûlain
St-Médard
St-Romans-lès-M.
St-Romans-des-Champs
Pouffonds
Marigny
Périgné
Mazières-s-Béronne
Pers
Caunay
Hussais-la-Pommeraie
St-Génard
Gaisonnay
Les Alleuds
Les Fosses
Secondigné
Vernoux-sur-Boutonne
Les Poitou-Charentes

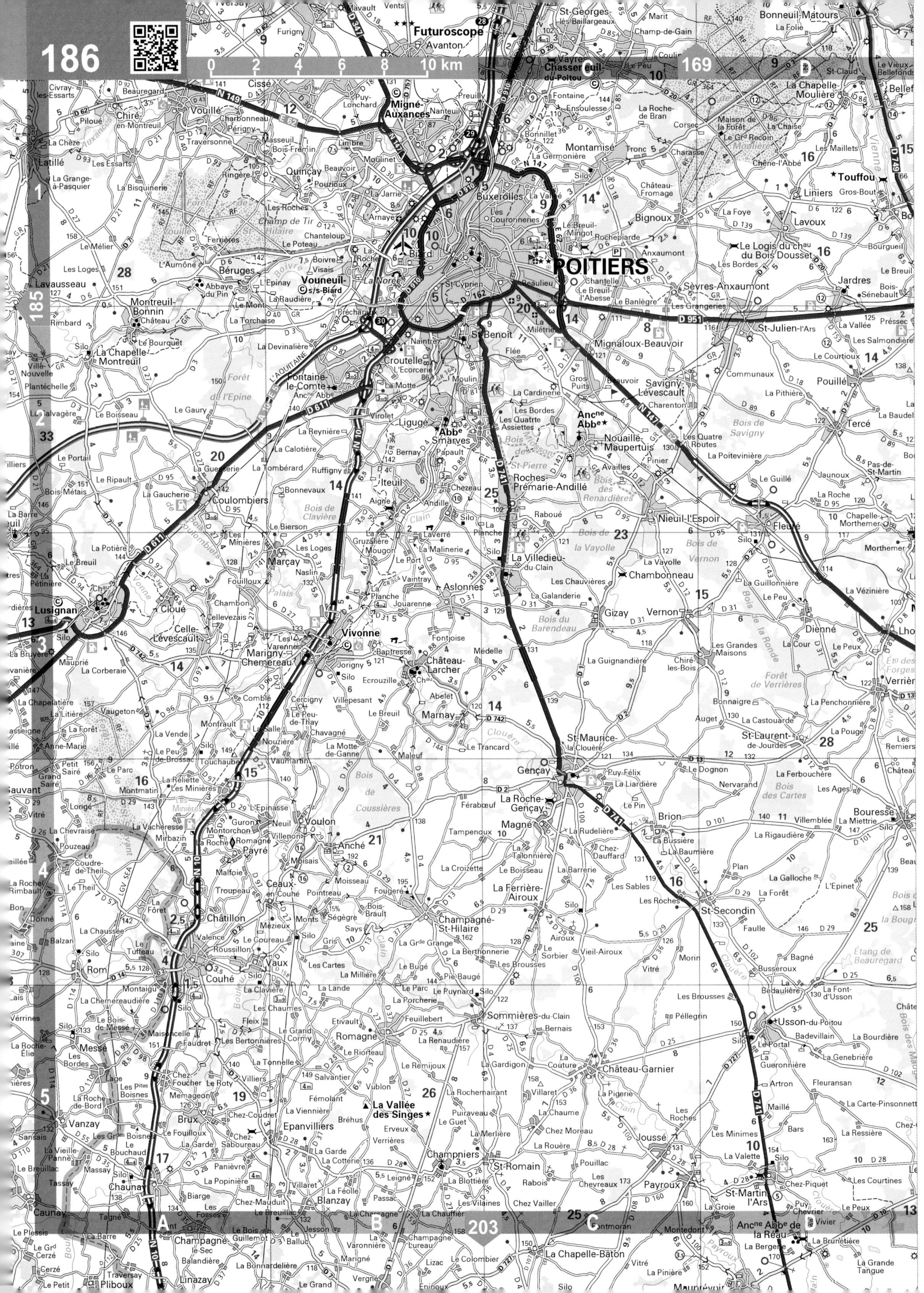
0 2 4 6 8 10 km
Futuroscope
Avanton
Cissé
Migné-Auxances
Vouillé
Chasseneuil-du-Poitou
St-Georges-lès-Baillargeaux
Bonneuil-Matours
La Chapelle-Moulière
Latillé
Quinçay
Buxerolles
Montamisé
Touffou
Liniers
Lavoux
Béruges
Vouneuil-s/s-Biard
Biard
POITIERS
St-Benoît
Jardres
Sèvres-Anxaumont
St-Julien-l'Ars
Montreuil-Bonnin
La Chapelle-Montreuil
Fontaine-le-Comte
Croutelle
Ligugé
Mignaloux-Beauvoir
Savigny-Lévescault
Pouillé
Tercé
Nouaillé-Maupertuis
Coulombiers
Iteuil
Roches-Prémarie-Andillé
Nieuil-l'Espoir
Fleuré
Lusignan
Marçay
La Villedieu-du-Clain
Aslonnes
Chambonneau
Cloué
Celle-Lévescault
Vivonne
Marigny-Chemereau
Château-Larcher
Gizay
Vernon
Dienné
Marnay
St-Maurice-la-Clouère
St-Laurent-de-Jourdes
Gençay
La Roche-Gençay
Magné
Brion
Voulon
Anché
Payré
Ceaux-en-Couhé
Champagné-St-Hilaire
La Ferrière-Airoux
St-Secondin
Châtillon
Couhé
Vaux
Sommières-du-Clain
Usson-du-Poitou
Romagne
Château-Garnier
Messé
Brux
La Vallée des Singes
Vanzay
Epanvilliers
Joussé
Champniers
St-Romain
Chaunay
Payroux
St-Martin-l'Ars
Caunay
Blanzay
Champagné-le-Sec
Linazay
La Chapelle-Bâton
Anc^ne Abb^e de la Réau

185
169
203

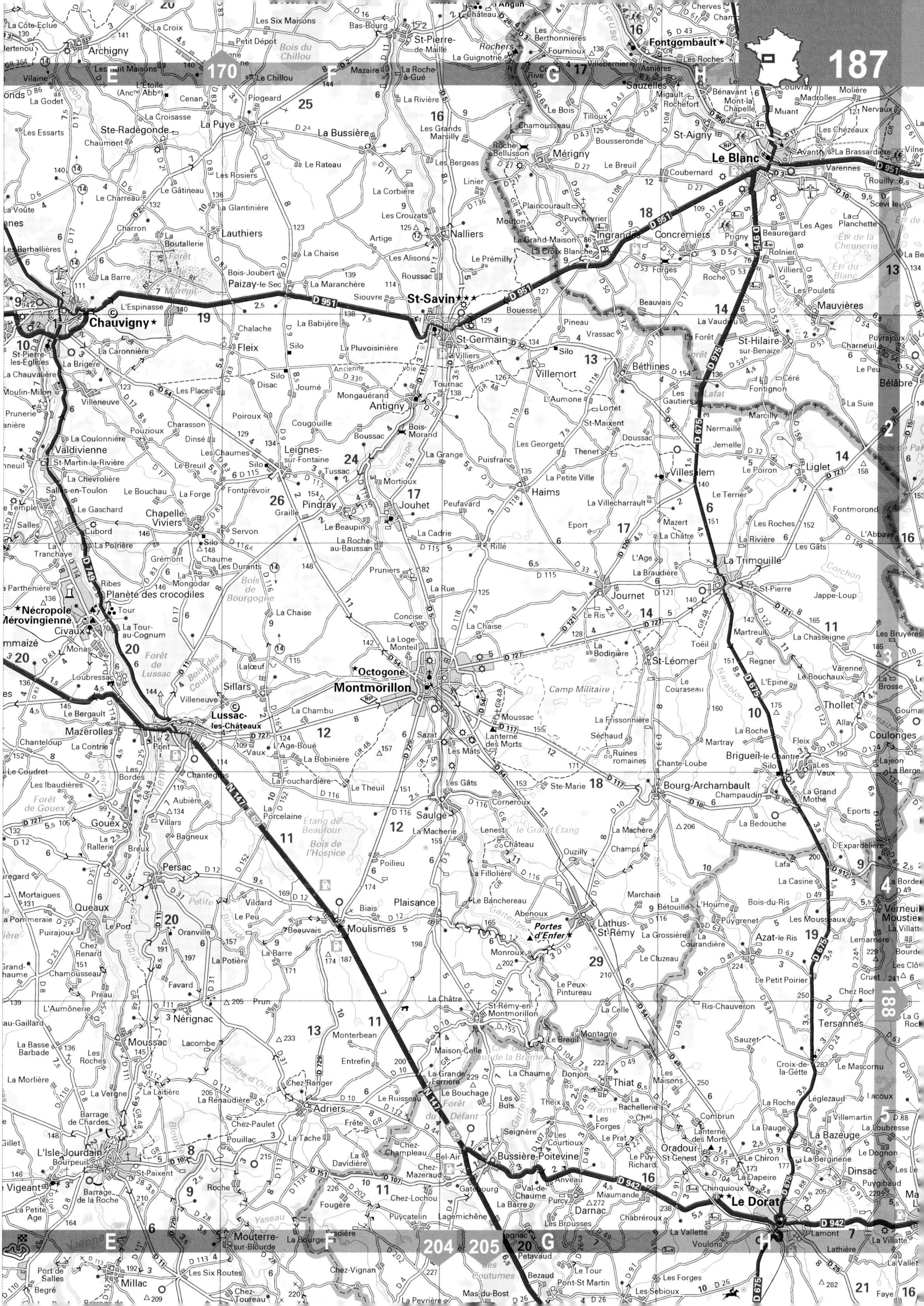
Archigny
La Puye
Pindray
St-Pierre-de-Maillé
Fontgombault
Mérigny
Le Blanc
Ste-Radégonde
La Bussière
Lauthiers
Nalliers
Ingrandes
Concremiers
St-Aigny
Paizay-le-Sec
St-Savin
Chauvigny
St-Germain
Fleix
Antigny
Béthines
St-Hilaire-sur-Benaize
Mauvières
Bélâbre
Villemort
Valdivienne
Leignes-sur-Fontaine
Jouhet
Haims
Villesalem
Liglet
Chapelle-Viviers
La Trimouille
Journet
Planète des crocodiles
Nécropole Mérovingienne
Civaux
Montmorillon
Octogone
Sillars
Lussac-les-Châteaux
St-Léomer
Thollet
Coulonges
Mazerolles
Saulgé
Bourg-Archambault
Brigueil-le-Chantre
Gouex
Persac
Moulismes
Plaisance
Lathus-St-Rémy
Portes d'Enfer
Azat-le-Ris
Queaux
St-Rémy-en-Montmorillon
Tersannes
Nérignac
Moussac
Adriers
Thiat
L'Isle-Jourdain
Bussière-Poitevine
Oradour-St-Genest
Le Dorat
Dinsac
Mouterre-sur-Blourde
Millac
Darnac
D 951
D 675
D 727
D 749
N 147
E 62
D 942
170
188
204
205

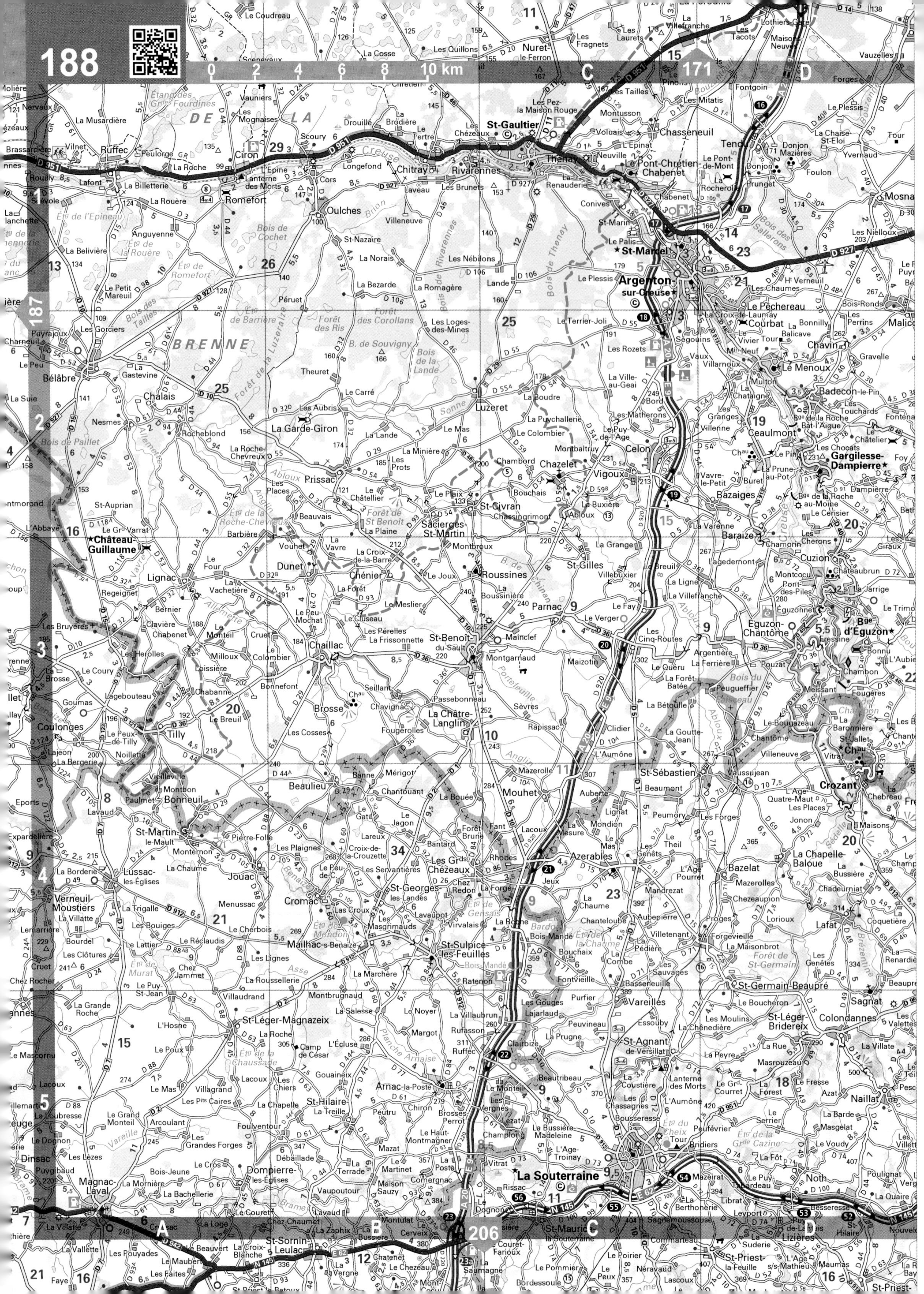
0 2 4 6 8 10 km
C
D
171
187
206
A
B
1
2
3
4
5
6
7
BRENNE
DE LA
Creuse
St-Gaultier
Thenay
Ciron
Ruffec
Rivarennes
Chitray
Oulches
Romefort
Le Pont-Chrétien-Chabenet
Chasseneuil
St-Marcel
Argenton-sur-Creuse
Le Pêchereau
Le Menoux
Tendu
Bélâbre
Chalais
La Garde-Giron
Luzeret
Prissac
Chazelet
Vigoux
Celon
Ceaulmont
Gargilesse-Dampierre
St-Civran
Sacierges-St-Martin
Roussines
Chéniers
Dunet
Lignac
Château-Guillaume
Parnac
St-Gilles
Bazaiges
Baraize
Cuzion
Éguzon-Chantôme
Chaillac
St-Benoît-du-Sault
La Châtre-Langlin
Brosse
Tilly
Coulonges
Beaulieu
Mouhet
St-Sébastien
Crozant
Bonneuil
St-Martin-le-Mault
Lussac-les-Églises
Jouac
Cromac
Les Grds Chézeaux
Azerables
St-Georges-les-Landes
Mailhac-s-Benaize
St-Sulpice-les-Feuilles
Vareilles
St-Germain-Beaupré
St-Léger-Magnazeix
St-Agnant-de-Versillat
Arnac-la-Poste
St-Hilaire-la-Treille
Dompierre-les-Églises
La Souterraine
Magnac-Laval
Verneuil-Moustiers
St-Léger-Bridereix
Colondannes
Naillat
St-Sornin-Leulac
St-Maurice-la-Souterraine
St-Priest-la-Feuille
A 20
E 9
D 951
D 927
N 145
E 62
D 1
D 36

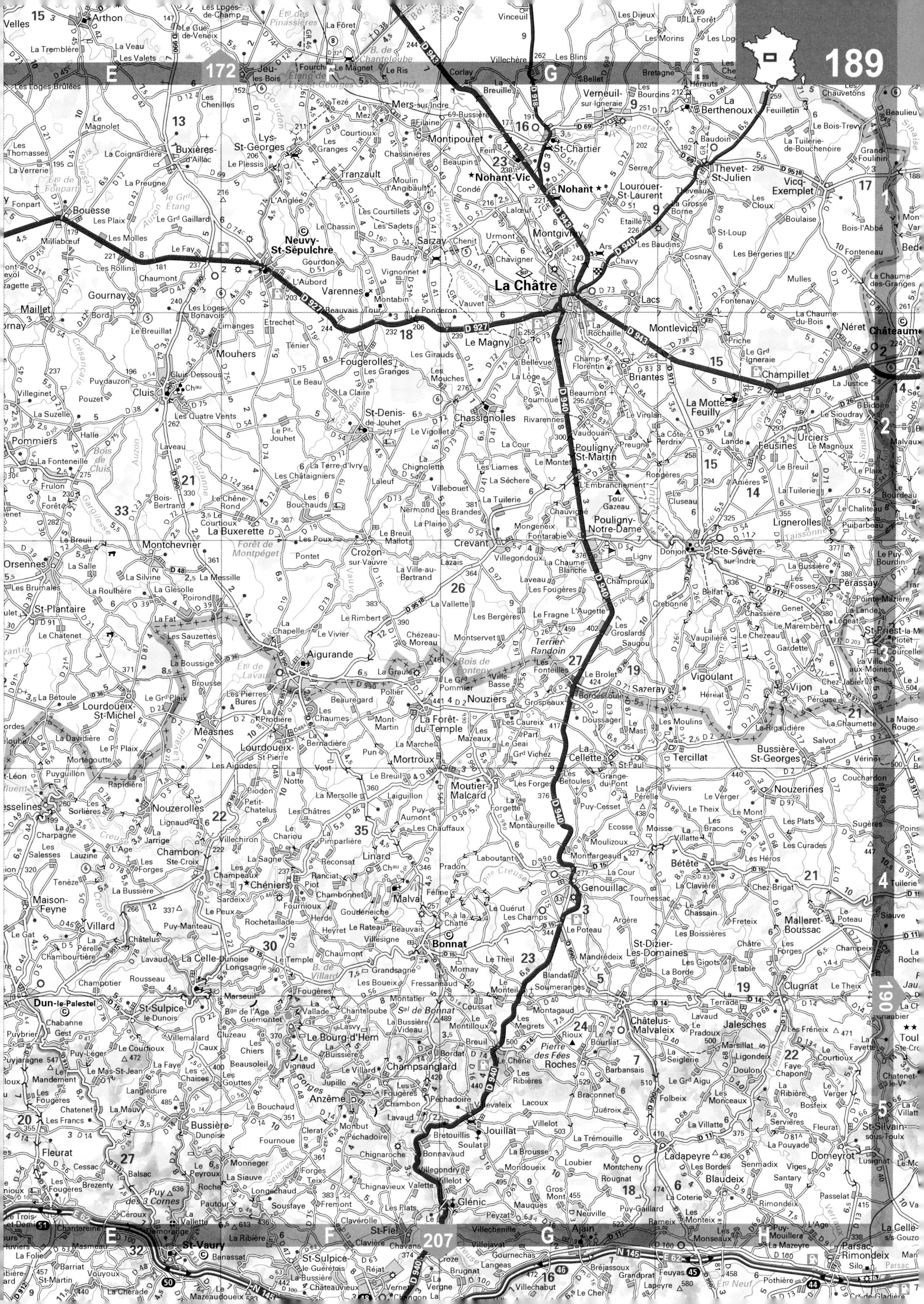
189
172
190
207
E
F
G
H
La Châtre
Nohant-Vic
Nohant
Neuvy-St-Sépulchre
Aigurande
Montchevrier
Cluis
Mouhers
Fougerolles
St-Denis-de-Jouhet
Chassignolles
Crozon-sur-Vauvre
Crevant
Pouligny-Notre-Dame
Pouligny-St-Martin
Ste-Sévère-sur-Indre
Briantes
Montlevicq
Champillet
La Motte-Feuilly
Lignerolles
Vigoulant
Vijon
Sazeray
Nouziers
La Forêt-du-Temple
Mortroux
Moutier-Malcard
Genouillac
Linard
Malval
Bonnat
Chéniers
Chambon-Ste-Croix
Nouzerolles
Lourdoueix-St-Pierre
Lourdoueix-St-Michel
Méasnes
St-Plantaire
Orsennes
Bouesse
Gournay
Buxières-d'Aillac
Lys-St-Georges
Mers-sur-Indre
Montipouret
St-Chartier
Verneuil-sur-Igneraie
La Berthenoux
Thevet-St-Julien
Vicq-Exemplet
Lourouer-St-Laurent
Montgivray
Sarzay
Lacs
Néret
Châteaumeillant
Tercillat
Bussière-St-Georges
Nouzerines
Bétête
St-Dizier-Les-Domaines
Clugnat
Châtelus-Malvaleix
Jalesches
Champsanglard
Anzême
Jouillat
Glénic
Ladapeyre
Domeyrot
St-Silvain-sous-Toulx
Dun-le-Palestel
St-Sulpice-le-Dunois
La Celle-Dunoise
Le Bourg-d'Hem
Bussière-Dunoise
Fleurat
St-Vaury
St-Fiel
Ajain
St-Sulpice-le-Guérétois
Forêt de Montpégat
Gorges de la Creuse
Pierre des Fées
Puy des 3 Cornes
D 943
D 940
D 927
D 990
D 917
D 951
N 145
E 62

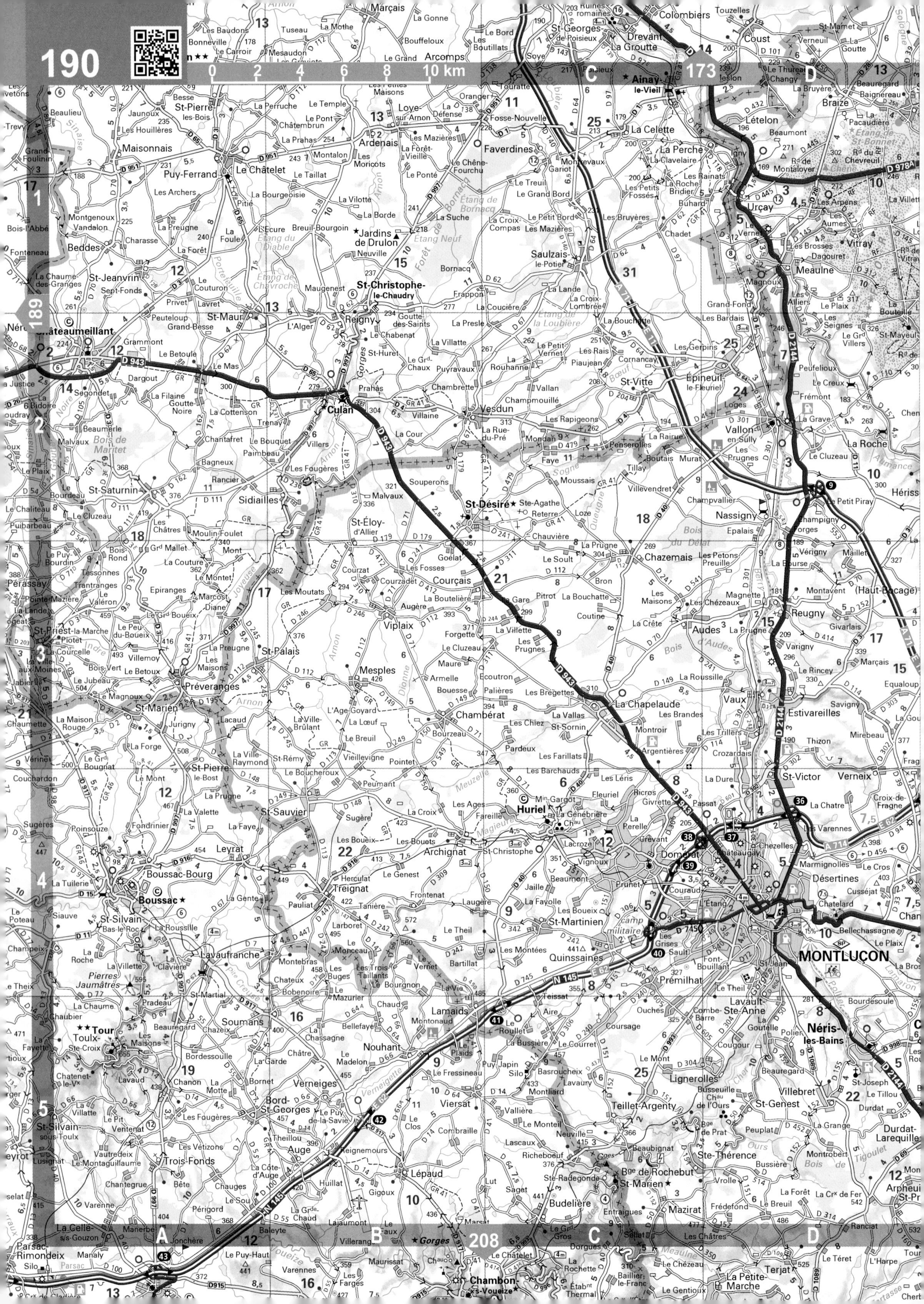
0 2 4 6 8 10 km
173
189
208
A
B
C
D
1
2
3
4
5
MONTLUÇON
Châteaumeillant
Culan
Huriel
Boussac
Néris-les-Bains
Domérat
Désertines
Vallon-en-Sully
Ainay-le-Vieil
Urçay
Meaulne
Vitray
Épineuil-le-Fleuriel
St-Christophe-le-Chaudry
St-Désiré
Vesdun
Saulzais-le-Potier
Préveranges
Chambérat
Viplaix
Courçais
Mesples
Treignat
Archignat
Quinssaines
Prémilhat
Lavault-Ste-Anne
Estivareilles
St-Victor
Reugny
Nassigny
Chazemais
La Chapelaude
Teillet-Argenty
Lignerolles
Villebret
St-Genest
Ste-Thérence
Lépaud
Viersat
Auge
Nouhant
Soumans
Lavaufranche
St-Silvain-Bas-le-Roc
Boussac-Bourg
Leyrat
St-Sauvier
St-Pierre-le-Bost
St-Marien
Sidiailles
St-Saturnin
St-Maur
Le Châtelet
Faverdines
Ardenais
Reigny
Jardins de Drulon
Toulx-Ste-Croix
Trois-Fonds
Chambon-s-Voueize
Durdat-Larequille
Fontenat
Lamaids
Budelière
Mazirat
La Celette
La Perche
Colombiers
Drevant
Marçais
D 943
D 2144
D 916
D 997
N 145
A 71
A 714
E 62

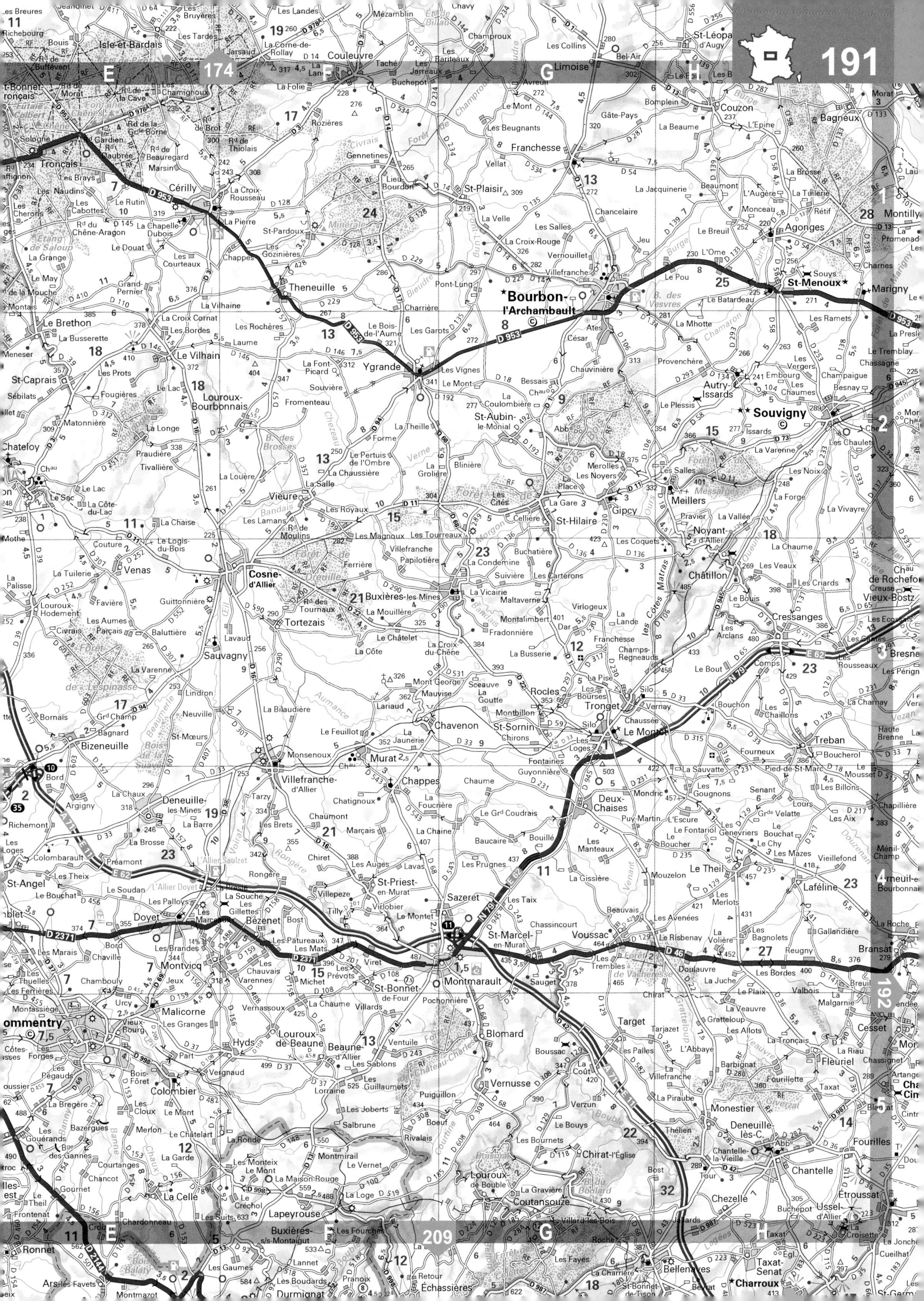

174
192
209
E
F
G
H
1
2
3
4
5
Isle-et-Bardais
Couleuvre
Cérilly
Tronçais
Theneuille
Ygrande
Franchesse
St-Plaisir
Bourbon-l'Archambault
Souvigny
St-Menoux
Agonges
Bagneux
Couzon
Autry-Issards
Meillers
Gipcy
St-Hilaire
Noyant-d'Allier
Châtillon
Cressanges
Le Vilhain
Louroux-Bourbonnais
St-Caprais
Le Brethon
Vieure
Cosne-d'Allier
Venas
Buxières-les-Mines
Tortezais
Sauvagny
Bizeneuille
Murat
Villefranche-d'Allier
Deneuille-les-Mines
Chappes
Chavenon
St-Sornin
Rocles
Tronget
Le Montet
Deux-Chaises
Treban
Le Theil
Laféline
St-Priest-en-Murat
Sazeret
Bézenet
Doyet
Montvicq
Montmarault
St-Marcel-en-Murat
Voussac
Commentry
Malicorne
Hyds
Louroux-de-Beaune
Beaune-d'Allier
Blomard
Vernusse
Colombier
La Celle
Lapeyrouse
Target
Deneuille-lès-C.
Monestier
Fleuriel
Chantelle
Fourilles
Chirat-l'Église
Louroux-de-Bouble
Coutansouze
Bellenaves
Étroussat
Ussel-d'Allier
Charroux
Durmignat
Échassières
Buxières-s/s-Montaigut
Bransat
Cesset
Taxat-Senat
Le Montet
Forêt de Tronçais
Forêt de Messarges
Forêt de Gros Bois

0 2 4 6 8 10 km
MOULINS
Yzeure
Avermes
Trévol
Neuvy
Coulandon
Bressolles
Toulon-sur-Allier
Chemilly
Besson
Bessay-sur-Allier
Neuilly-le-Réal
Chapeau
Chevagnes
Lusigny
Gennetines
Chézy
Montbeugny
Thiel-sur-Acolin
Dompierre-sur-Besbre
Parc le Pal
Beaulon
Garnat-sur-Engièvre
Paray-le-Frésil
La Chapelle-aux-Chasses
Thoury
St-Pourçain-sur-Besbre
Beauvoir
Vaumas
Mercy
Gouise
St-Voir
Thionne
Jaligny-sur-Besbre
Chavroches
Treteau
Vieux Chambord
Trézelles
Cindré
Bouçé
Varennes-sur-Tèche
St-Léon
Châtelperron
Sorbier
Montcombroux les Mines
Montaigu-le-Blin
Servilly
Lapalisse
St-Prix
Droiturier
Barrais-Bussolles
Périgny
St-Gérand-le-Puy
Sanssat
Langy
Créchy
Billy
St-Félix
Magnet
Seuillet
Billezois
St-Germain-des-Fossés
St-Didier-la-Forêt
Marcenat
Loriges
Paray-s/s-Briailles
Varennes-s-Allier
Rongères
Montoldre
St-Loup
St-Gérand-de-Vaux
La Ferté-Hauterive
Châtel-de-Neuvre
Monétay-s-Allier
Contigny
Saulcet
St-Pourçain-sur-Sioule
Louchy-Montfand
Montord
Chareil-Cintrat
Bayet
Verneuil-en-Bourbonnais
Meillard
Bresnay
Fourchaud
Montilly
Marigny
Bransat
Barberier
Étroussat
Broût-Vernet
Anc.ne Abb.e de St Gilbert
Forêt de Moladier
Bois de Leyde
Bois de Chapeau
N 7
N 79
E 62
D 2009
D 779
D 973
A
B
C
D
1
2
3
4
5

175
191
210

176
211
194
E
F
G
H
Maltat
Bourbon-Lancy
Signal de Mont
Grury
Uxeau
Mont Dardon
Ste-Radegonde
Gueugnon
Vendenesse-s-Arroux
La Chapelle-au-Mans
Neuvy-Grandchamp
Curdin
Chalmoux
Perrecy-les-Forges
Génelard
Palinges
Digoin
St-Vincent-Bragny
Paray-le-Monial
Volesvres
Charolles
Rigny-sur-Arroux
La Motte-St-Jean
St-Agnan
Pierrefitte-sur-Loire
Gilly-sur-Loire
Perrigny-sur-Loire
Coulanges
Saligny-sur-Roudon
Molinet
Chassenard
St-Léger-sur-Vouzance
St-Yan
L'Hôpital-le-Mercier
Vitry-en-Charollais
Monétay-sur-Loire
St-Didier-en-Donjon
Le Donjon
Neuilly-en-Donjon
Luneau
Vindecy
Anzy-le-Duc
Montceaux-l'Étoile
Versaugues
Marcigny
Semur-en-Brionnais
St-Christophe-en-Brionnais
Bourg-le-Comte
Baugy
Chambilly
Artaix
St-Martin-du-Lac
Lenax
Loddes
Montaiguët-en-Forez
Sail-les-Bains
Urbise
Chenay-le-Châtel
Melay
Iguerande
St-Julien-de-Jonzy
St-Bonnet-de-Cray
Ligny-en-Brionnais
St-Maurice-lès-Châteauneuf
Châteauneuf
St-Laurent-en-Brionnais
Oyé
St-Julien-de-Civry
Varenne-l'Arconce
St-Didier-en-Brionnais
Briant
Sarry
Lugny-lès-Charolles
Changy-Tourny
St-Aubin-en-Charollais
St-Pierre-Laval
St-Martin-d'Estréaux
La Pacaudière
Vivans
St-Pierre-la-Noaille
Fleury-la-Montagne
St-Edmond
LOIRE
Forêt de Germigny
Bois de Perrecy
Bois de la Motte
Forêt de Cartérand
Forêt de Charolles
Canal du Centre
N 79
E 62
D 982
D 994
D 973
D 60
N 70
E 607
D 979

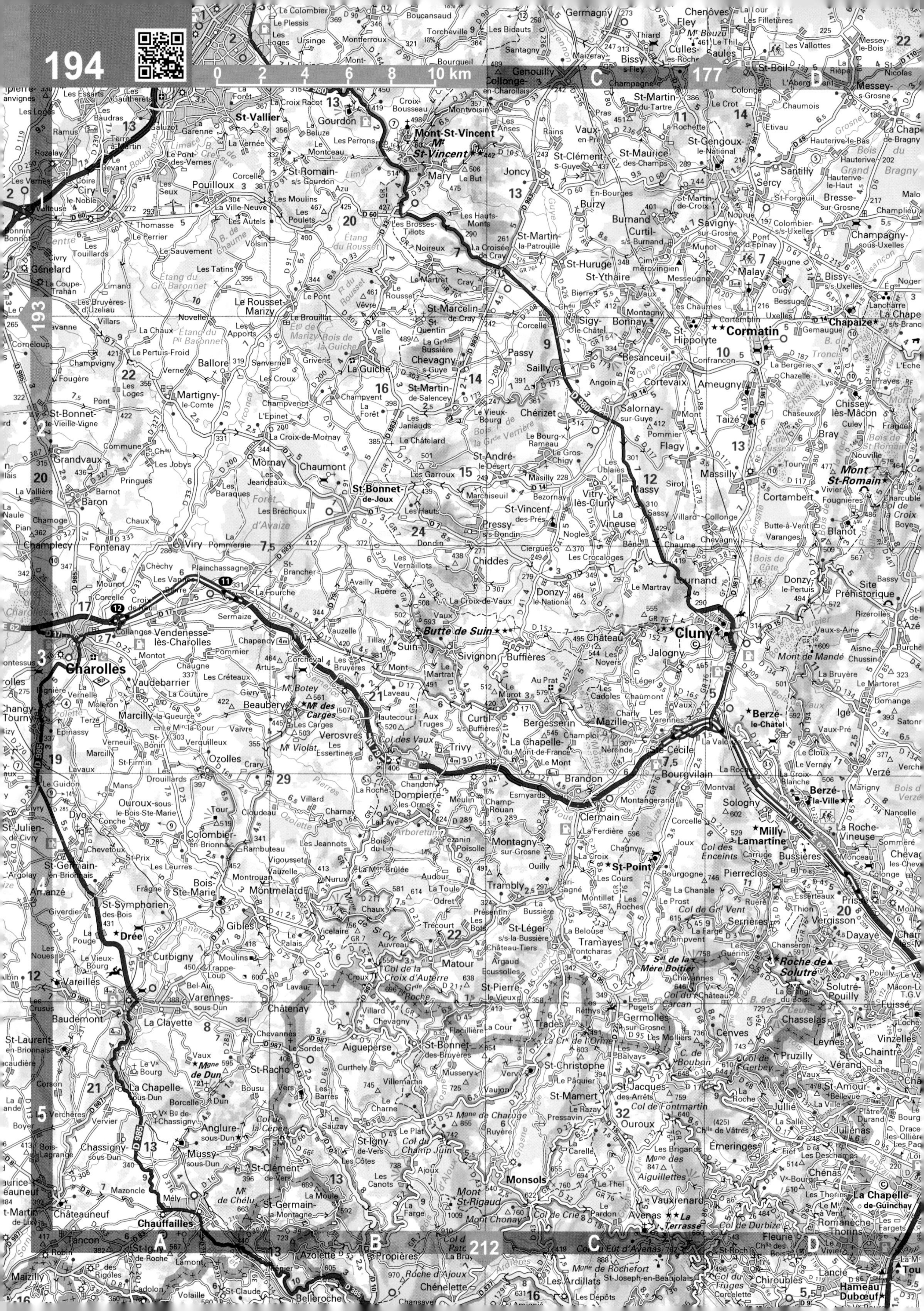
0 2 4 6 8 10 km
177
193
212
A
B
C
D
Mont-St-Vincent
St-Vallier
Gourdon
Génelard
Pouilloux
Ciry-le-Noble
St-Romain-s/s-Gourdon
Mary
Joncy
St-Gengoux-le-National
Cormatin
Chapaize
St-Hippolyte
Besanceuil
Taizé
Ameugny
Salornay-sur-Guye
Sigy-le-Châtel
Bonnay
La Guiche
Chevagny-s-Guye
St-Martin-de-Salencey
St-Bonnet-de-Joux
Chaumont
Mornay
Martigny-le-Comte
Ballore
St-Bonnet-de-Vieille-Vigne
Grandvaux
Baron
Viry
Champlecy
Fontenay
Charolles
Vendenesse-lès-Charolles
Butte de Suin
Suin
Cluny
Château
Jalogny
Donzy-le-National
Chiddes
Pressy-s/s-Dondin
St-Vincent-des-Prés
Massy
Lournand
Blanot
Mont St-Romain
Cortambert
Bray
Chissey-lès-Mâcon
Berzé-le-Châtel
Berzé-la-Ville
Milly-Lamartine
Pierreclos
Bussières
Sologny
Ste-Cécile
Mazille
Bergesserin
La Chapelle-du-Mont-de-France
Trivy
Verosvres
Dompierre-les-Ormes
Beaubery
Mt des Carges
Ozolles
Marcilly-la-Gueurce
Colombier-en-Brionnais
Ouroux-sous-le-Bois-Ste-Marie
Bois-Ste-Marie
St-Germain-en-Brionnais
Amanzé
St-Symphorien-des-Bois
Dree
Gibles
Montmelard
Matour
Trambly
Montagny-sur-Grosne
St-Point
Tramayes
St-Léger-s/s-la-Bussière
Serrières
Vergisson
Roche de Solutré
Solutré-Pouilly
Davayé
Chasselas
Leynes
Chaintré
Vinzelles
Juliénas
Jullié
Émeringes
St-Jacques-des-Arrêts
St-Mamert
Ouroux
St-Christophe
Germolles-sur-Grosne
Trades
St-Pierre-le-Vieux
Châtenay
Aigueperse
St-Bonnet-des-Bruyères
Monsols
St-Igny-de-Vers
St-Clément-de-Vers
St-Germain-la-Montagne
Mont St-Rigaud
Propières
Azolette
Chauffailles
Châteauneuf
Mussy-sous-Dun
Anglure-sous-Dun
La Chapelle-sous-Dun
Chassigny-sous-Dun
Mgne de Dun
La Clayette
Baudemont
Varennes-sous-Dun
Vareilles
Curbigny
St-Laurent-en-Brionnais
Vauxrenard
La Terrasse
Avenas
Col du Fût d'Avenas
Fleurie
Chiroubles
Chénas
La Chapelle-de-Guinchay
Romanèche-Thorins
Hameau Duboeuf
Belleroche
Chénelette
St-Joseph-en-Beaujolais
Les Ardillats
Cenves
Pruzilly
St-Vérand
St-Amour-Bellevue
Fuissé
Prissé
Igé
Verzé
Azé
Donzy-le-Pertuis
Site Préhistorique
Massilly
Flagy
Chérizet
Sailly
Passy
St-André-le-Désert
Vitry-lès-Cluny
Brandon
Bourgvilain
Clermain
Tancon
St-Igny-de-Roche
Mailly
Vaudebarrier
Charolles
Sivignon
Buffières
Curtil-s/s-Buffières
Savigny-sur-Grosne
Malay
Bissy-s/s-Uxelles
Champagny-sous-Uxelles
Burzy
St-Huruge
St-Ythaire
Sercy
Santilly
Bresse-sur-Grosne
Messey-sur-Grosne
St-Boil
Germagny
Genouilly
Fley
Bissy-s-Fley
Collonge-en-Charollais
St-Clément-s-Guye
St-Maurice-des-Champs
St-Martin-du-Tartre
St-Marcelin-de-Cray
Le Rousset-Marizy
Pouilloux

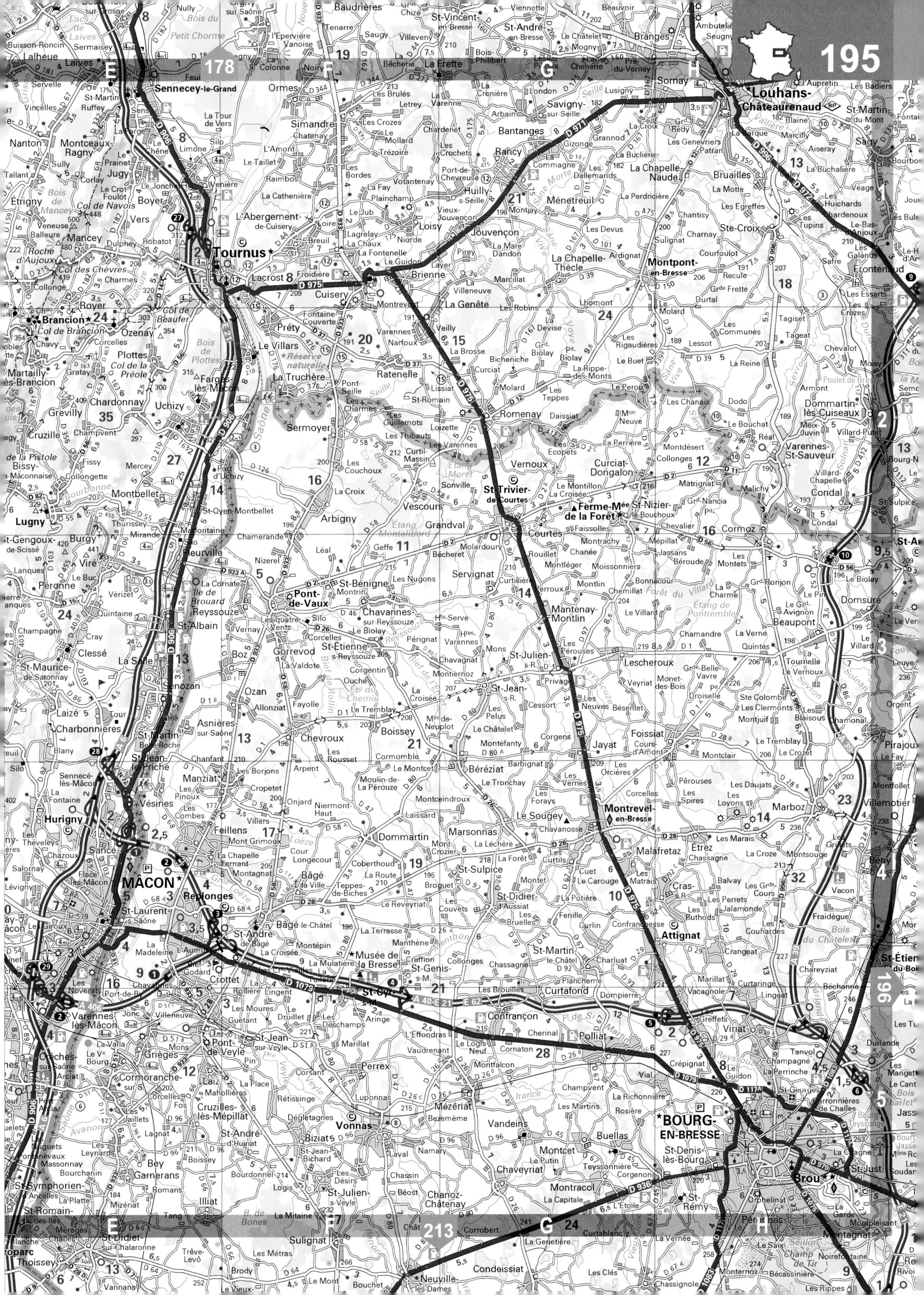
178
196
213
E
F
G
H
Louhans-Châteaurenaud
Sennecey-le-Grand
Tournus
Cuisery
Montpont-en-Bresse
Brancion
Romenay
St-Trivier-de-Courtes
Ferme-Mée de la Forêt
Pont-de-Vaux
Montrevel-en-Bresse
MÂCON
Replonges
St-Laurent-s-Saône
Attignat
Vonnas
BOURG-EN-BRESSE
Brou
Lugny
Chardonnay
Uchizy
Fleurville
Bâgé-le-Châtel
Pont-de-Veyle
St-Cyr-s-M.
Musée de la Bresse
Thoissey
Vescours
Coligny
Marboz
Cormoz
Beaupont
Domsure
Foissiat
Jayat
Dommartin
Feillens
Manziat
Ozan
Chevroux
Boissey
Béréziat
Marsonnas
Vandeins
Buellas
Polliat
Viriat
Montagnat

0 2 4 6 8 10 km
179
195
214
A
B
C
D
1
2
3
4
5
Lons-le-Saunier
Orgelet
Cuiseaux
St-Amour
Coligny
St-Julien
Arinthod
Clairvaux-les-Lacs
Moirans-en-Montagne
St-Lupicin
Oyonnax
Nantua
Dortan
Ceyzériat
St-Étienne-du-Bois
Pont-de-Poitte
Beaufort
Maynal
Augisey
Gigny
Louvenne
Thoissia
Treffort-Cuisiat
Montréal-la-Cluse
Izernore
Lavancia-Epercy
Champfromier
Chamfroid
Foissiat
Villeversure
Hautecourt-Romanèche
Serrières
Chancia
Condes
Arbent
Apremont
Échallon
Plagne
Charix
Meillonnas
Jasseron
Simandre-s-Suran
Corveissiat
Matafelon-Granges
Samognat
Géovreisset
Belleydoux
Vaux-lès-St-Claude
Lect
Martigna
Molinges
Ravilloles
D 1083
D 52
D 470
D 678
D 979
D 936
A 39
A 404
D 109
D 117
Gorges de l'Ain
Col du Berthiand
Forêt de Macretet
Lac de Vouglans
Mont Nivigne
Creux de Revigny
Belvre du Regardoir

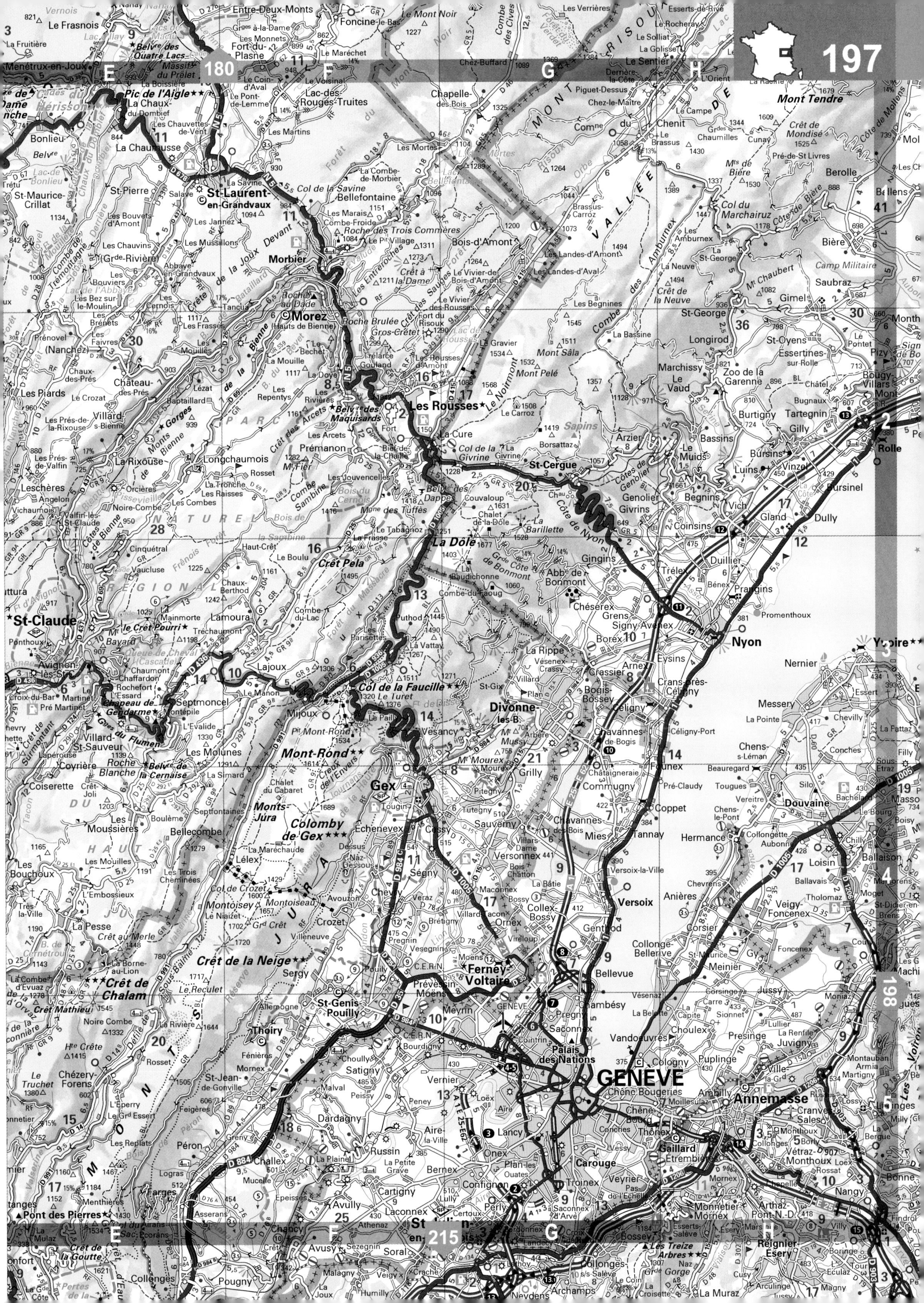

180
215
198
Le Frasnois
Entre-Deux-Monts
Foncine-le-Bas
Le Mont Noir
Les Verrières
Fort-du-Plasne
Le Sentier
Belvre des Quatre Lacs
Massif du Prélet
Pic de l'Aigle
La Chaux-du-Dombief
Lac-des-Rouges-Truites
Chapelle-des-Bois
Mont Tendre
Bonlieu
La Chaumusse
St-Laurent-en-Grandvaux
Col de la Savine
Bellefontaine
St-Pierre
St-Maurice-Crillat
Roche des Trois Commères
Bois-d'Amont
Morbier
Morez
Crêt de la Neuve
Les Rousses
Mont Sâla
Mont Pelé
Col de la Givrine
St-Cergue
Prémanon
Longchaumois
Les Piards
Valfin-lès-St-Claude
La Dôle
Crêt Pela
Gingins
Nyon
Rolle
St-Claude
Le Crêt Pourri
Lajoux
Septmoncel
Col de la Faucille
Mijoux
Mont-Rond
Divonne-les-B.
Gex
Colomby de Gex
Monts Jura
Coppet
Versoix
Crêt de la Neige
Ferney-Voltaire
St-Genis-Pouilly
Thoiry
Meyrin
Crêt de Chalam
Crêt Mathieu
GENÈVE
Palais des Nations
Annemasse
Douvaine
Carouge
Bernex
Lancy
Onex
Chêne-Bougeries
Gaillard
St-Julien-en-Genevois
Les Treize Arbres
Reignier-Esery
Collonges
Pont des Pierres

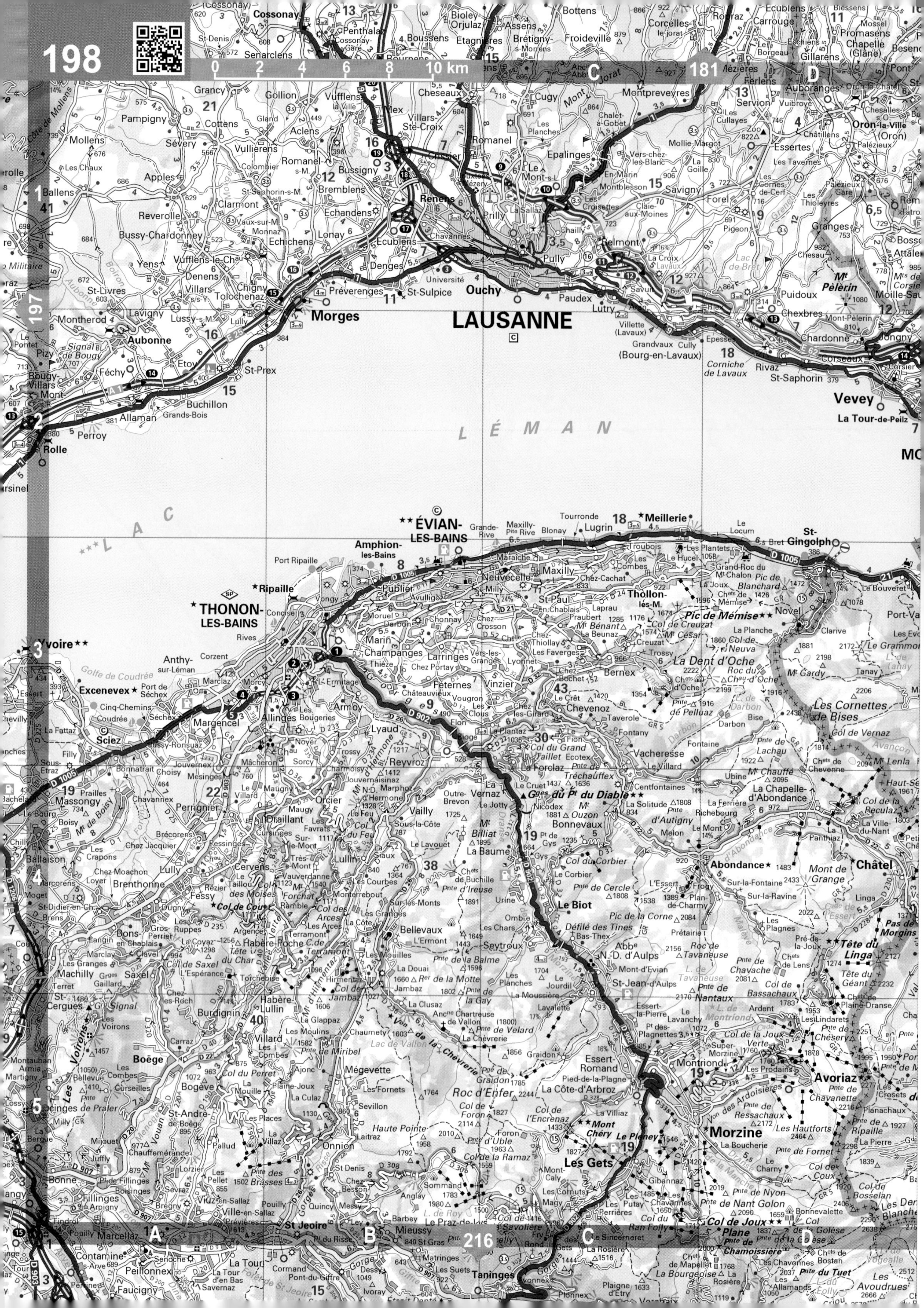
0 2 4 6 8 10 km
181
197
216
A
B
C
D
LAUSANNE
LÉMAN
LAC
Morges
Ouchy
Renens
Prilly
Pully
Lutry
Préverenges
St-Sulpice
Ecublens
Cossonay
Cheseaux
Epalinges
Le Mont-s-L.
Belmont
Savigny
Puidoux
Chexbres
Chardonne
Vevey
La Tour-de-Peilz
Corseaux
St-Saphorin
Rivaz
Grandvaux
Cully
(Bourg-en-Lavaux)
Corniche de Lavaux
Mt Pèlerin
Oron-la-Ville (Oron)
Aubonne
Rolle
Allaman
St-Prex
Buchillon
Perroy
Ballens
Apples
Mollens
Bussigny
Crissier
Romanel
Lonay
Denges
Echandens
Échichens
Vufflens-le-Chât.
Tolochenaz
Lussy-s-M.
Lully
Etoy
Féchy
Yens
ÉVIAN-LES-BAINS
Amphion-les-Bains
THONON-LES-BAINS
Ripaille
Port Ripaille
Publier
Neuvecelle
Maxilly
Lugrin
Meillerie
St-Gingolph
Le Locum
Bret
Tourronde
Grande-Rive
Maxilly-Pte Rive
Blonay
St-Paul en Chablais
Thollon-les-M.
Pic de Mémise
La Dent d'Oche
Bernex
Novel
Les Cornettes de Bises
Vacheresse
Chevenoz
Abondance
La Chapelle-d'Abondance
Châtel
Tête du Linga
Pas de Morgins
Avoriaz
Morzine
Les Gets
Mont Chéry
Le Pleney
Montriond
St-Jean-d'Aulps
Abbe N.-D. d'Aulps
Seytroux
Le Biot
Gges du Pt du Diable
La Vernaz
Le Jotty
La Baume
Reyvroz
Lyaud
Armoy
Allinges
Margencel
Anthy-sur-Léman
Sciez
Excenevex
Yvoire
Golfe de Coudrée
Orcier
Draillant
Perrignier
Vailly
Lullin
Bellevaux
Habère-Poche
Habère-Lullin
Burdignin
Boëge
Bogève
Villard
Mégevette
Onnion
St-Jeoire
Mieussy
Taninges
Marcellaz
Peillonnex
Faucigny
Fillinges
Viuz-en-Sallaz
Saxel
Machilly
Bons-en-Chablais
Douvaine
Massongy
Ballaison
Brenthonne
Fessy
Lully
Cervens
Les Voirons
Col de Cou
Col de Saxel
Col du Feu
Col du Corbier
Col de Joux Plane
Col de la Ramaz
Roc d'Enfer
Haute Pointe
Pointe de Nantaux
D 1005
D 902
A 1
A 9
E 62
E 25

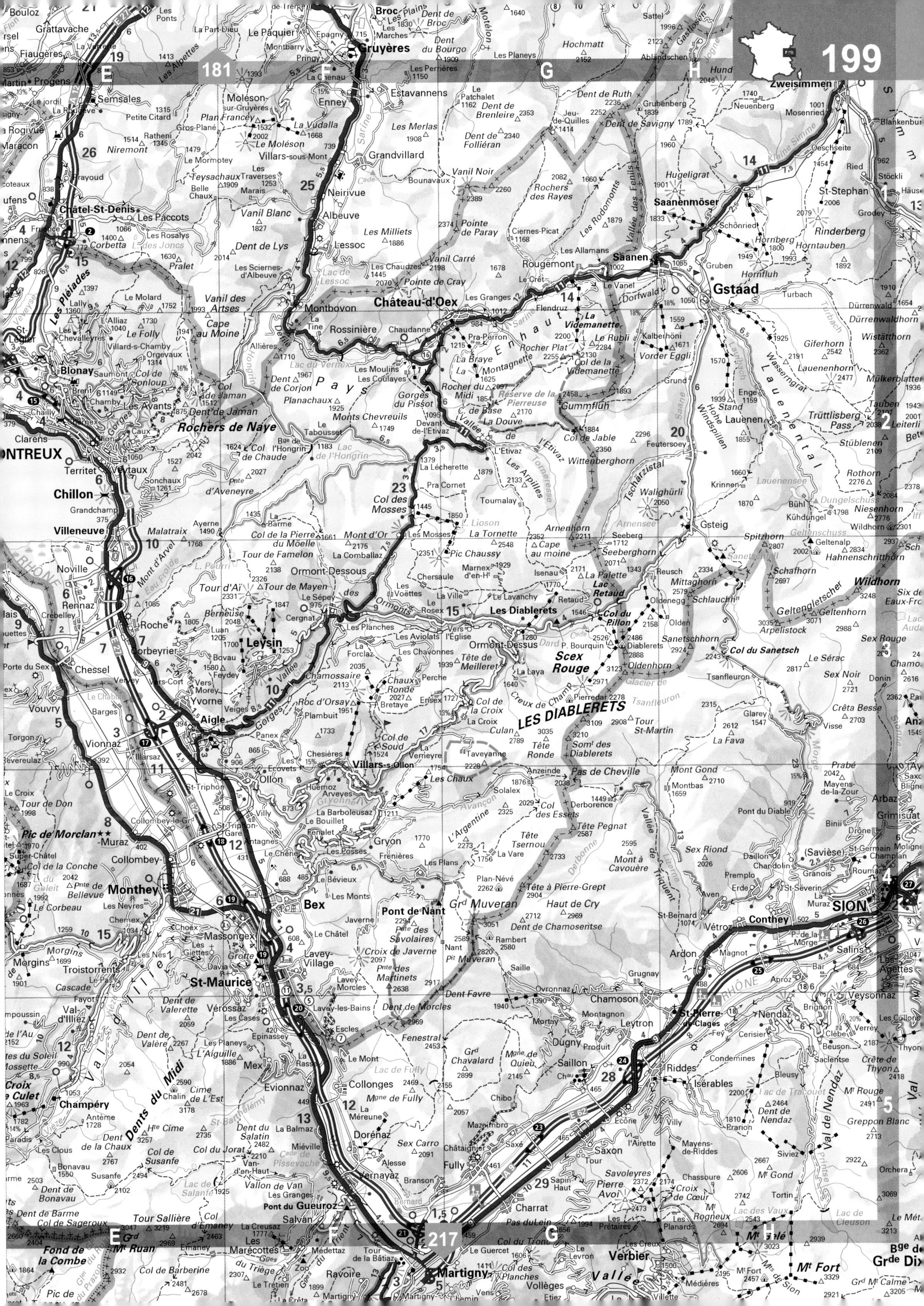
Gruyères
Broc
Zweisimmen
Moléson-sur-Gruyères
Le Moléson
Villars-sous-Mont
Grandvillard
Neirivue
Albeuve
Lessoc
Châtel-St-Denis
Les Paccots
Vanil Blanc
Vanil Noir
Saanenmöser
Saanen
Rougemont
Gstaad
Château-d'Oex
Montbovon
Rossinière
Pays d'Enhaut
Blonay
Rochers de Naye
Col de Jaman
Gummfluh
Col de Jable
L'Etivaz
Lauenen
Montreux
Territet
Veytaux
Chillon
Villeneuve
Col des Mosses
Les Mosses
Pic Chaussy
Tour d'Aï
Leysin
Ormont-Dessous
Ormont-Dessus
Les Diablerets
Col du Pillon
Gsteig
Wildhorn
Col du Sanetsch
Scex Rouge
LES DIABLERETS
Aigle
Villars-s-Ollon
Ollon
Gryon
Bex
Monthey
Collombey
Pic de Morclan
St-Maurice
Pont de Nant
Grd Muveran
Pas de Cheville
Derborence
Sion
Conthey
Chamoson
St-Pierre-de-Clages
Saillon
Leytron
Riddes
Isérables
Fully
Saxon
Charrat
Verbier
Martigny
Champéry
Val d'Illiez
Morgins
Troistorrents
Dents du Midi
Salvan
Les Marécottes
Vernayaz
Pont du Gueuroz
Mt Fort
Mt Gelé
Fond de la Combe
Rhône
181
217

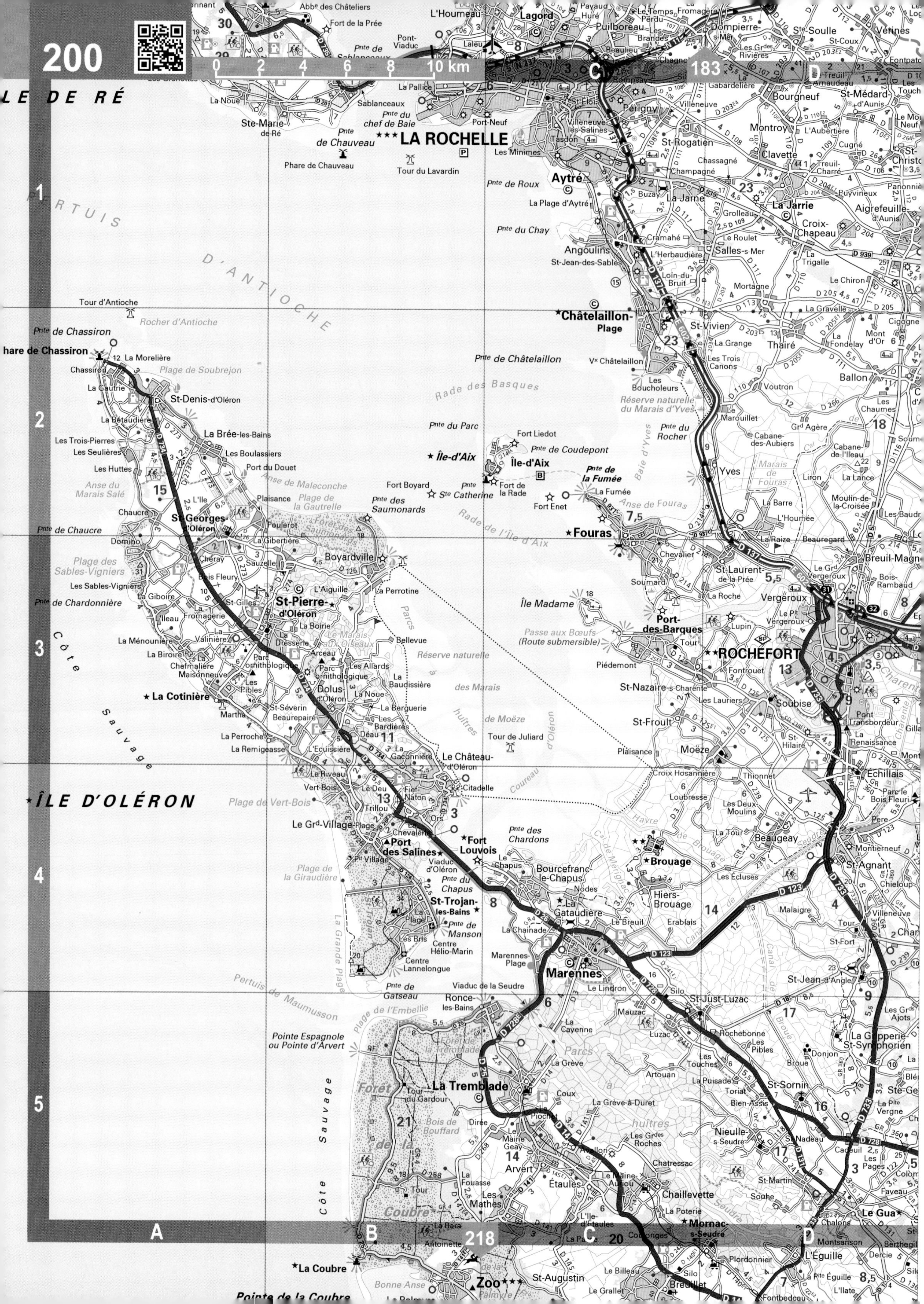
0 2 4 6 8 10 km
183
218
LE DE RÉ
PERTUIS D'ANTIOCHE
ÎLE D'OLÉRON
Côte Sauvage
LA ROCHELLE
Lagord
L'Houmeau
Puilboreau
Dompierre-s-Mer
Ste-Soulle
Vérines
La Pallice
Sablanceaux
Ste-Marie-de-Ré
Pnte de Chauveau
Phare de Chauveau
Tour du Lavardin
Les Minimes
Port-Neuf
Périgny
Villeneuve-les-Salines
Tasdon
St-Rogatien
Bourgneuf
St-Médard-d'Aunis
Montroy
Clavette
Aytré
Pnte de Roux
La Plage d'Aytré
La Jarne
La Jarrie
Croix-Chapeau
Aigrefeuille-d'Aunis
Pnte du Chay
Angoulins
St-Jean-des-Sables
Salles-s-Mer
Châtelaillon-Plage
Pnte de Châtelaillon
St-Vivien
Thairé
Tour d'Antioche
Rocher d'Antioche
Pnte de Chassiron
Phare de Chassiron
Chassiron
La Morelière
Plage de Soubrejon
St-Denis-d'Oléron
La Brée-les-Bains
Les Boulassiers
Port du Douet
Anse de Maleconche
Rade des Basques
Réserve naturelle du Marais d'Yves
Pnte du Parc
Fort Liedot
Pnte de Coudepont
Île-d'Aix
Fort Boyard
Pnte Ste Catherine
Fort Enet
Pnte de la Fumée
La Fumée
Anse de Fouras
Fouras
Yves
Rade de l'Île d'Aix
Pnte des Saumonards
St-Georges-d'Oléron
Pnte de Chaucre
Plage des Sables-Vigniers
Boyardville
St-Pierre-d'Oléron
Pnte de Chardonnière
Île Madame
Passe aux Bœufs (Route submersible)
Port-des-Barques
ROCHEFORT
Soubise
St-Nazaire-s-Charente
St-Froult
Moëze
Réserve naturelle des Marais de Moëze
La Cotinière
Dolus-d'Oléron
Tour de Juliard
Le Château-d'Oléron
Citadelle
Plage de Vert-Bois
Le Grd-Village-Plage
Port des Salines
Fort Louvois
Bourcefranc-le-Chapus
Brouage
Hiers-Brouage
St-Agnant
Échillais
Plage de la Giraudière
St-Trojan-les-Bains
Pnte de Manson
Marennes
Pertuis de Maumusson
Pnte de Gatseau
Viaduc de la Seudre
Ronce-les-Bains
Pointe Espagnole ou Pointe d'Arvert
La Tremblade
Forêt de la Coubre
Arvert
Étaules
Les Mathes
Chaillevette
Mornac-s-Seudre
St-Just-Luzac
St-Sornin
Le Gua
L'Éguille
La Coubre
Zoo
St-Augustin
Pointe de la Coubre
A B C D
1 2 3 4 5

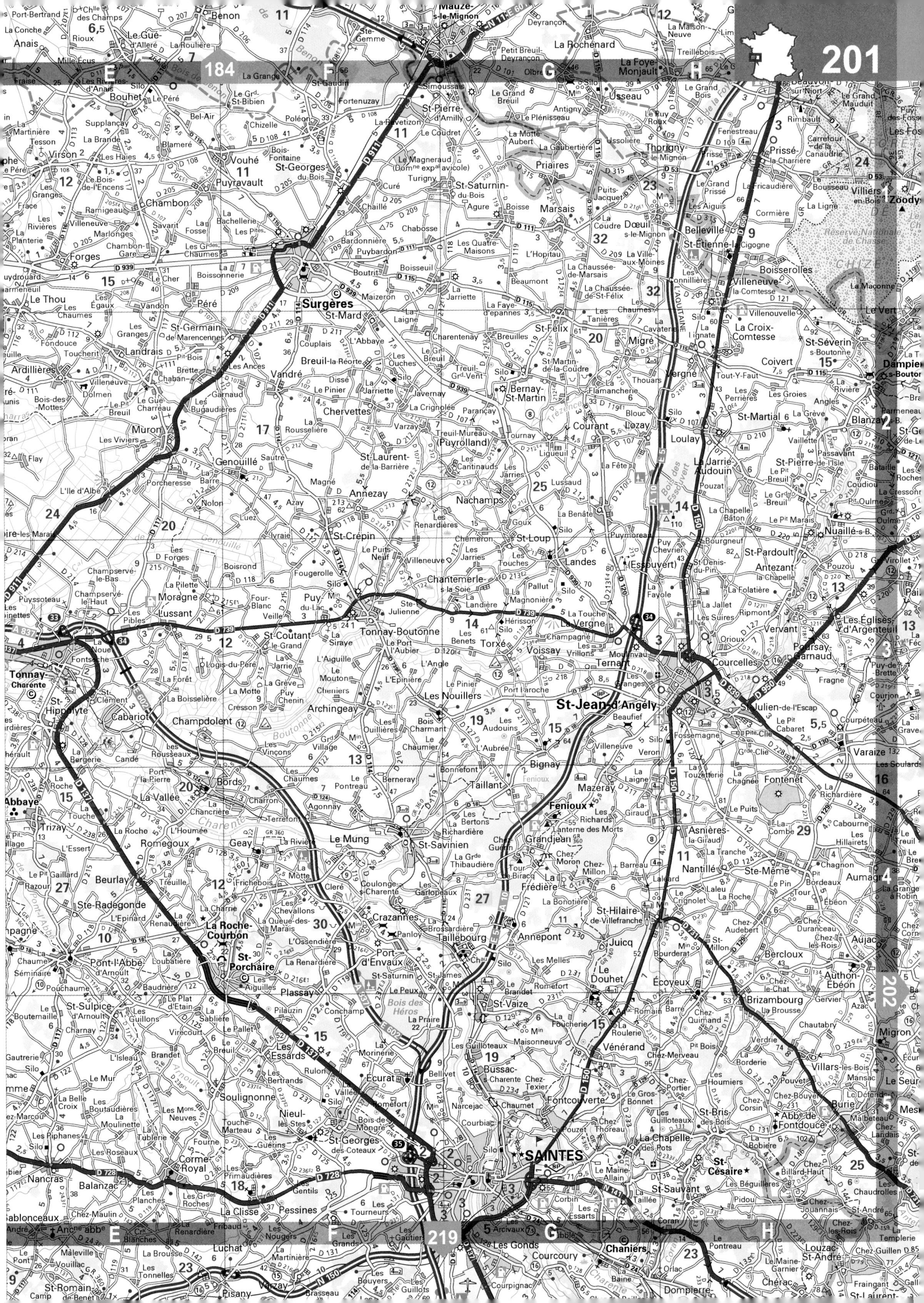
Surgères
St-Jean-d'Angély
SAINTES
Tonnay-Charente
Tonnay-Boutonne
St-Porchaire
La Roche-Courbon
Taillebourg
St-Savinien
Crazannes
Fenioux
Mauzé-s-le-Mignon
Beauvoir-sur-Niort
Villeneuve-la-Comtesse
Aulnay
Chaniers
Pont-l'Abbé-d'Arnoult
St-Césaire
Brizambourg
Burie
Matha
Loulay
Archingeay
Bords
Saujon
Forêt de Chizé
184
202
219

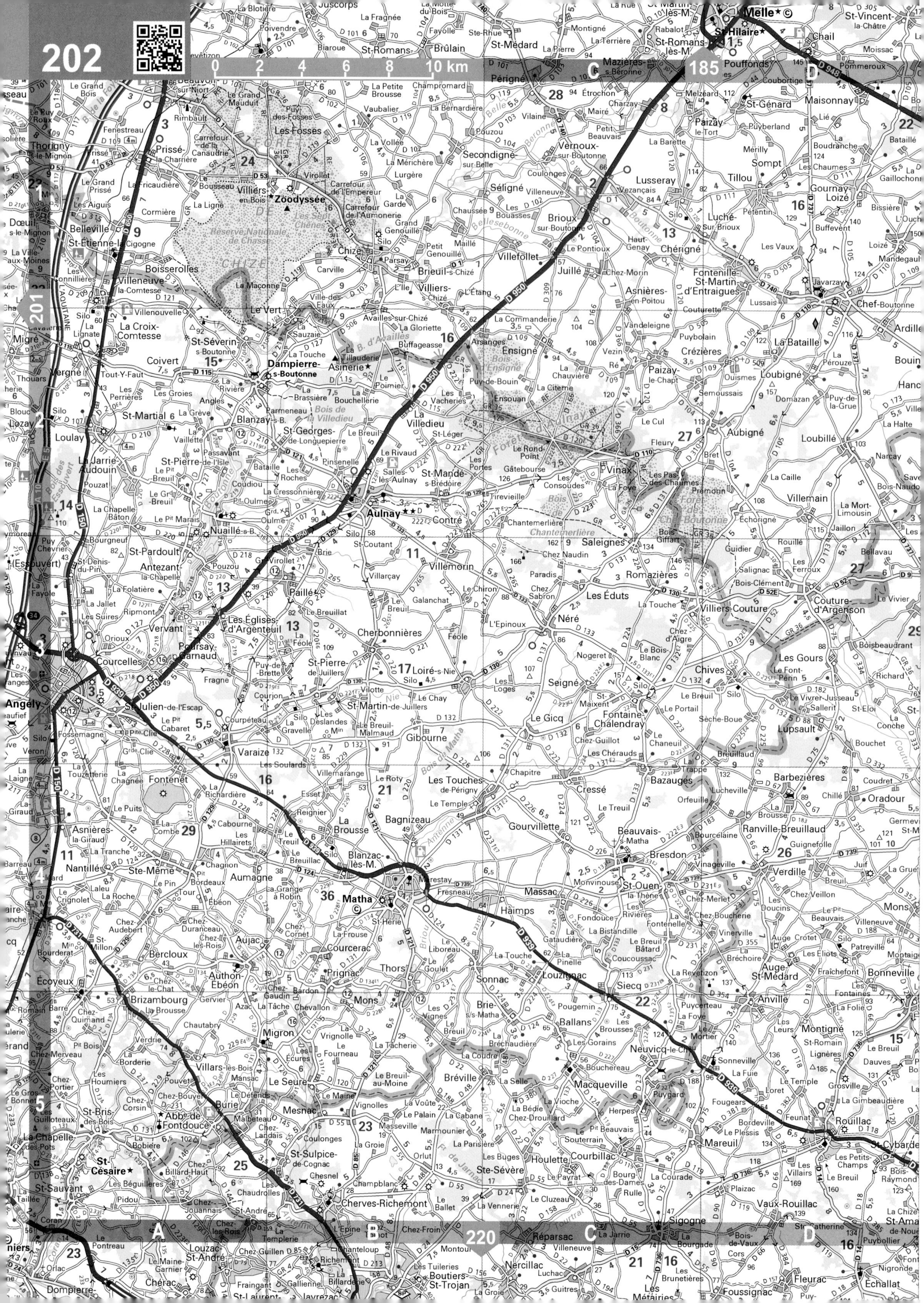
0 2 4 6 8 10 km
185
201
220
Melle
St-Hilaire
Chail
Pouffonds
Maisonnay
St-Génard
Périgné
Mazières-s-Béronne
Beauvoir-sur-Niort
Prissé-la-Charrière
Thorigny-le-Mignon
Villiers-en-Bois
Zoodyssée
Forêt de Chizé
Réserve Nationale de Chasse
Belleville
St-Étienne-la-Cigogne
Boisserolles
Villeneuve-la-Comtesse
La Croix-Comtesse
Chizé
Brieuil-s-Chizé
Villiers-s-Chizé
Secondigné-sur-Belle
Séligné
Vernoux-sur-Boutonne
Brioux-sur-Boutonne
Lusseray
Tillou
Sompt
Gournay-Loizé
Luché-sur-Brioux
Chérigné
Villefollet
Juillé
Asnières-en-Poitou
Fontenille-St-Martin-d'Entraigues
Javarzay
Chef-Boutonne
Ardilles
La Bataille
Bouin
Loubigné
Crézières
Paizay-le-Chapt
Ensigné
St-Séverin-s-Boutonne
Dampierre-s-Boutonne
Asnière
Coivert
Vergné
Migré
St-Martial
Loulay
Lozay
La Jarrie-Audouin
Blanzay
St-Georges-de-Longuepierre
La Villedieu
Forêt d'Aulnay
Aubigné
Fleury
Vinax
Loubillé
Villemain
St-Pierre-de-l'Isle
Aulnay
Salles-lès-Aulnay
St-Mandé-s-Bredoire
Contré
Nuaillé-s-B.
St-Pardoult
Antezant-la-Chapelle
Saleignes
Villemorin
Romazières
Les Éduts
Néré
Villiers-Couture
Couture-d'Argenson
Paillé
Les Églises-d'Argenteuil
Poursay-Garnaud
Vervant
Cherbonnières
Courcelles
St-Jean-d'Angély
St-Julien-de-l'Escap
Loiré-s-Nie
St-Pierre-de-Juillers
St-Martin-de-Juillers
Seigné
Fontaine-Chalendray
Chives
Les Gours
Le Gicq
Lupsault
Varaize
Fontenet
Gibourne
Les Touches-de-Périgny
Bazauges
Cressé
Barbezières
Oradour
Asnières-la-Giraud
Nantillé
Ste-Même
Aumagne
La Brousse
Bagnizeau
Gourvillette
Beauvais-s-Matha
Bresdon
Ranville-Breuillaud
Verdille
Matha
Haimps
Massac
St-Ouen
Blanzac-lès-M.
Bercloux
Aujac
Courcerac
Thors
Sonnac
Louzignac
Siecq
Auge-St-Médard
Anville
Bonneville
Écoyeux
Brizambourg
Authon-Ebéon
Prignac
Mons
Migron
Ballans
Neuvicq-le-Château
Montigné
Villars-les-Bois
Le Seure
Bréville
Macqueville
Sonneville
Burie
Mesnac
St-Bris-des-Bois
Abb. de Fontdouce
St-Sulpice-de-Cognac
Houlette
Courbillac
Mareuil
Rouillac
St-Cybardeaux
St-Césaire
Cherves-Richemont
Ste-Sévère
Vaux-Rouillac
St-Sauvant
Sigogne
Réparsac
Nercillac
Boutiers-St-Trojan
Fleurac
Échallat
Louzac-St-André
Chérac
Dompierre

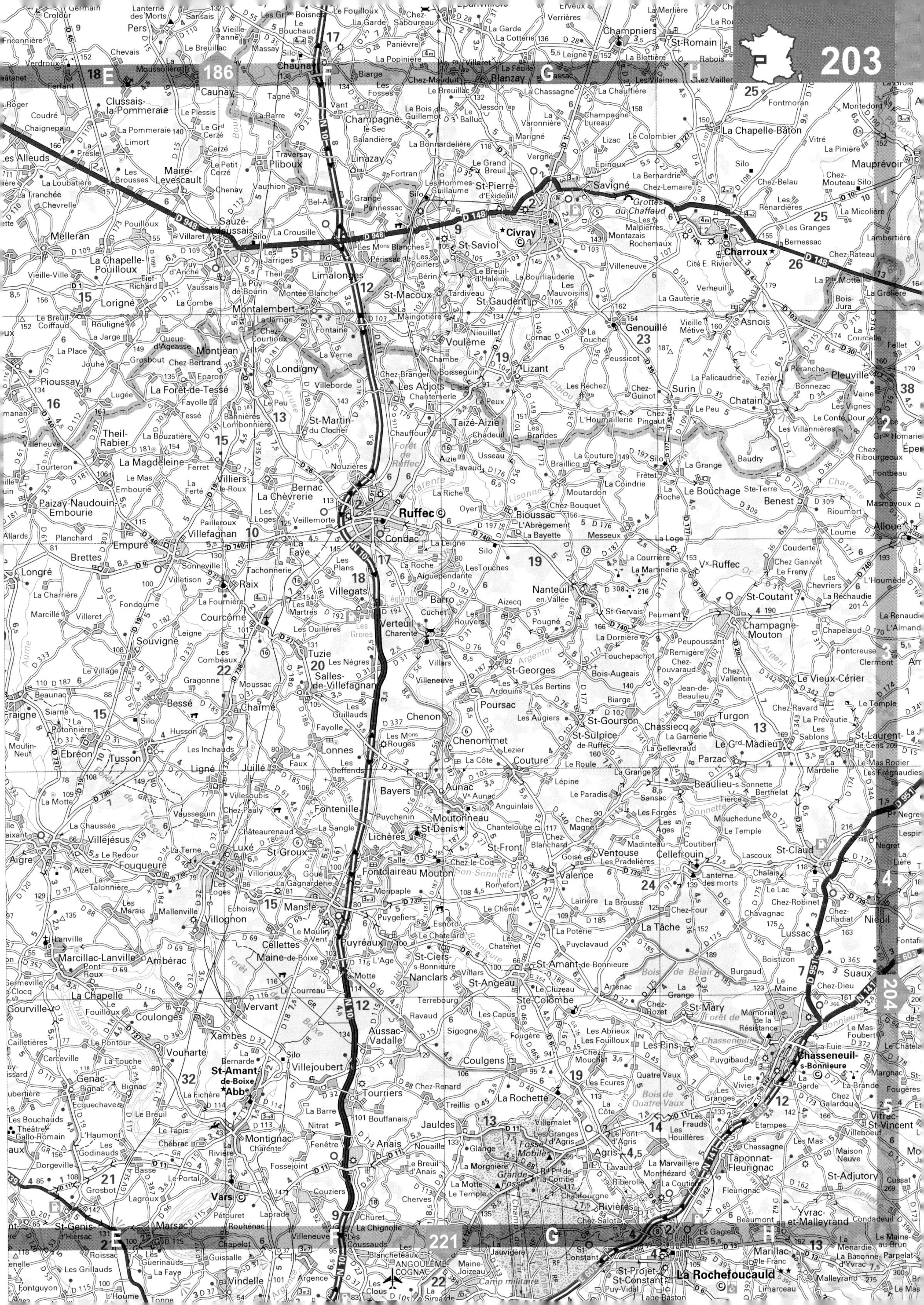
186
221
204
Chaunay
Blanzay
Champniers
St-Romain
Caunay
Clussais-la-Pommeraie
Champagne-le-Sec
Linazay
Pliboux
Mairé-Levescault
Sauzé-Vaussais
St-Pierre-d'Exideuil
Savigné
Civray
St-Saviol
Charroux
La Chapelle-Bâton
Mauprévoir
Melleran
La Chapelle-Pouilloux
Limalonges
St-Macoux
St-Gaudent
Lorigné
Montalembert
Genouillé
Asnois
Vouléme
Lizant
Montjean
Londigny
Pioussay
La Forêt-de-Tessé
Les Adjots
Surin
Chatain
Pleuville
St-Martin-du-Clocher
Taizé-Aizie
Theil-Rabier
La Magdeleine
Villiers-le-Roux
Bernac
La Chèvrerie
Ruffec
Condac
Paizay-Naudouin-Embourie
Villefagnan
Empuré
Brettes
Bioussac
Le Bouchage
Benest
Alloue
Raix
Villegats
Nanteuil-en-Vallée
Vx-Ruffec
St-Coutant
Courcôme
Verteuil-s-Charente
Champagne-Mouton
Souvigné
Tuzie
Salles-de-Villefagnan
St-Georges
Le Vieux-Cérier
Bessé
Charmé
Poursac
St-Gourson
Chassiecq
Turgon
Ébréon
Tusson
Lonnes
Chenon
Chenommet
St-Sulpice-de-Ruffec
Le Grd-Madieu
Parzac
St-Laurent-de-Céris
Ligné
Juillé
Bayers
Aunac
Couture
Beaulieu-s-Sonnette
Fontenille
Moutonneau
Villejésus
Lichères
St-Denis
St-Front
Aigre
Fouqueure
Luxé
St-Groux
Ventouse
Cellefrouin
St-Claud
Villognon
Mansle
Fontclaireau
Mouton
Valence
Nieuil
La Tâche
Lussac
Marcillac-Lanville
Ambérac
Cellettes
Maine-de-Boixe
Puyréaux
St-Ciers-s-Bonnieure
Nanclars
St-Angeau
St-Amant-de-Bonnieure
Suaux
La Chapelle
Vervant
Coulonges
Ste-Colombe
St-Mary
Gourville
Xambes
Vouharte
Aussac-Vadalle
Coulgens
Les Pins
Chasseneuil-s-Bonnieure
St-Amant-de-Boixe
Villejoubert
Tourriers
La Rochette
Genac-Bignac
Montignac-Charente
Jauldes
Anais
Agris
Taponnat-Fleurignac
Vitrac-St-Vincent
St-Adjutory
Vars
Rivières
Yvrac-et-Malleyrand
St-Genis-d'Hiersac
Marsac
Vindelle
St-Projet-St-Constant
La Rochefoucauld
Marillac-le-Franc
ANGOULÊME COGNAC
Camp militaire
Forêt de Ruffec
Forêt de la Boixe
Bois de Belair
Bois de Quatre-Vaux
Grottes du Chaffaud
Charente
Sonnette
Bonnieure
N 10
D 948
D 148
D 740
D 739
D 951
E 603

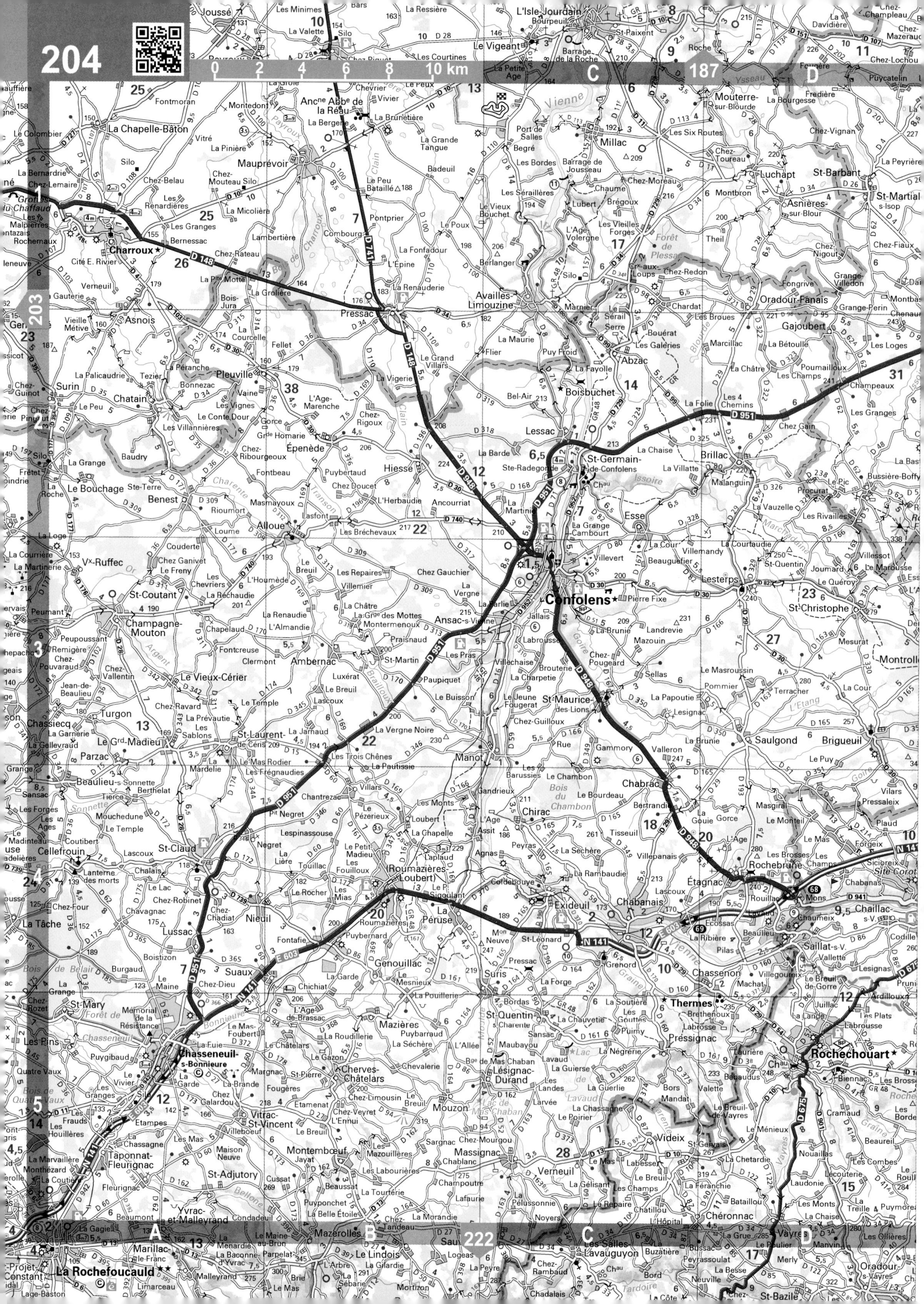
0 2 4 6 8 10 km
187
203
222
A
B
C
D
1
2
3
4
5
Charroux
La Chapelle-Bâton
Mauprévoir
Pressac
Availles-Limouzine
L'Isle-Jourdain
Le Vigeant
Millac
Mouterre-sur-Blourde
Luchapt
St-Barbant
St-Martial-s-Isop
Asnières-sur-Blour
Oradour-Fanais
Abzac
Boisbuchet
Lessac
St-Germain-de-Confolens
Brillac
Esse
Confolens
Lesterps
St-Christophe
Saulgond
Brigueuil
Chabrac
Étagnac
Rochebrune
Chabanais
Exideuil
St-Maurice-des-Lions
Manot
Chirac
Ansac-s-Vienne
Alloue
Épenède
Hiesse
Pleuville
Asnois
Surin
Chatain
Benest
Le Bouchage
St-Coutant
Champagne-Mouton
Le Vieux-Cérier
Ambernac
Turgon
St-Laurent-de-Céris
Le Grd-Madieu
Parzac
Beaulieu-s-Sonnette
Cellefrouin
St-Claud
Nieuil
Lussac
Suaux
Roumazières-Loubert
Genouillac
La Péruse
Suris
St-Quentin-s-Charente
Chassenon
Saillat-s-V.
Chaillac-s-V.
Rochechouart
Thermes
Pressignac
Lésignac-Durand
Mazières
Cherves-Châtelars
Chasseneuil-s-Bonnieure
Vitrac-St-Vincent
Taponnat-Fleurignac
Montemboeuf
Massignac
Verneuil
Videix
Chéronnac
Yvrac-et-Malleyrand
Marillac-le-Franc
La Rochefoucauld
Lavauguyon
Vayres
Oradour-s-Vayres
St-Bazile
Vienne
Charente
Clain
D 148
D 741
D 951
D 948
N 141
E 603
D 10
D 30
D 34
D 740

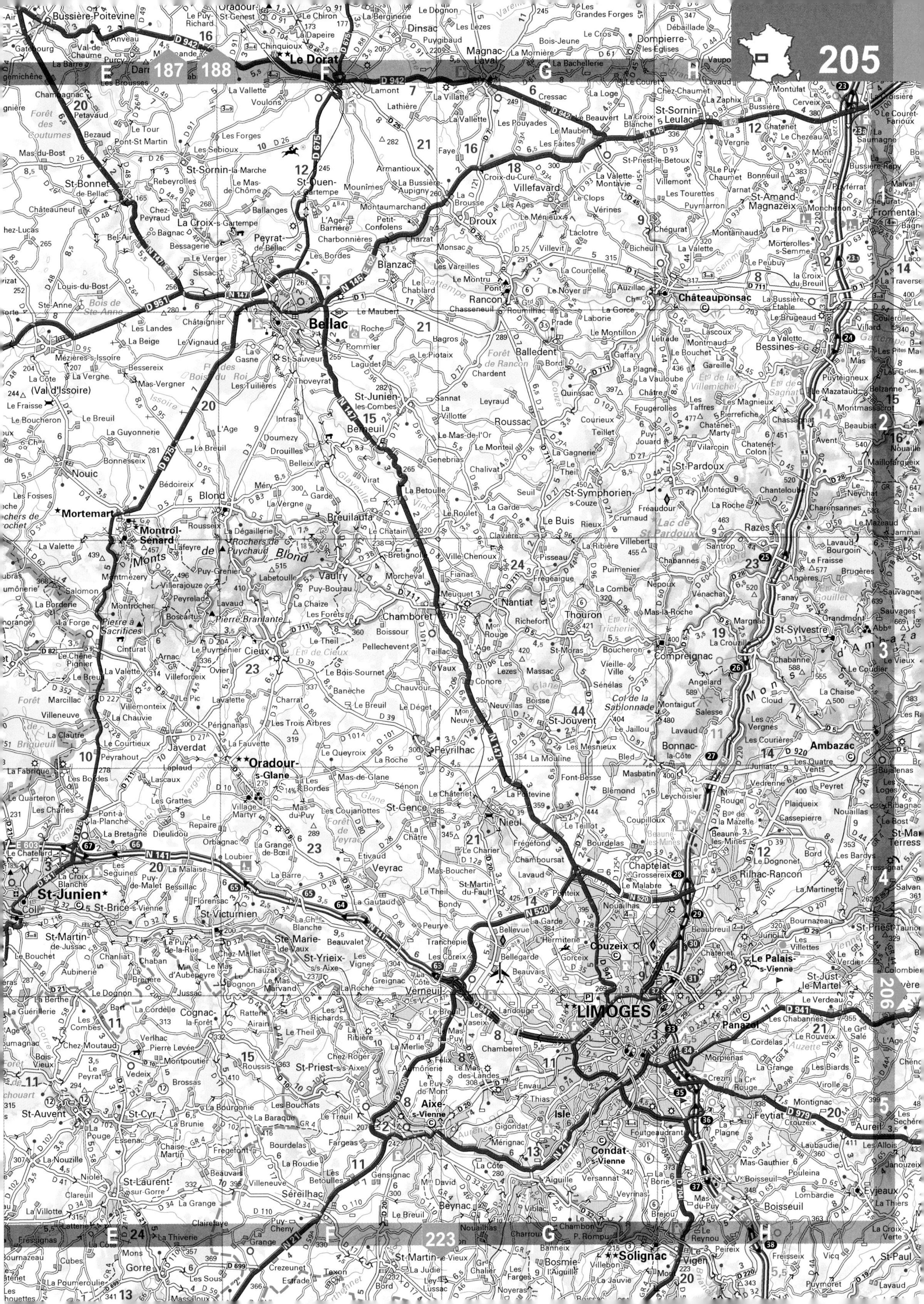
Le Dorat
Bellac
Châteauponsac
Bessines-s-G.
Mortemart
Montrol-Sénard
Monts de Blond
Nantiat
Compreignac
Ambazac
Oradour-s-Glane
St-Junien
St-Victurnien
Nieul
Couzeix
LIMOGES
Panazol
Le Palais-s-Vienne
Aixe-s-Vienne
Isle
Condat-s-Vienne
Solignac
Feytiat
Magnac-Laval
St-Sornin-Leulac
Villefavard
Rancon
Balledent
Lac de St-Pardoux
Razès
St-Sylvestre
Peyrilhac
Veyrac
Cieux
Javerdat
Blond
Vaulry
Chamboret
Thouron
St-Jouvent
Bonnac-la-Côte
Verneuil-s-V.
Beynac
St-Laurent-sur-Gorre
Cognac-la-Forêt
St-Auvent
St-Cyr
Séreilhac
Eyjeaux
Boisseuil
Le Vigen
Auriet
St-Just-le-Martel
E
F
G
H
187
188
206
223

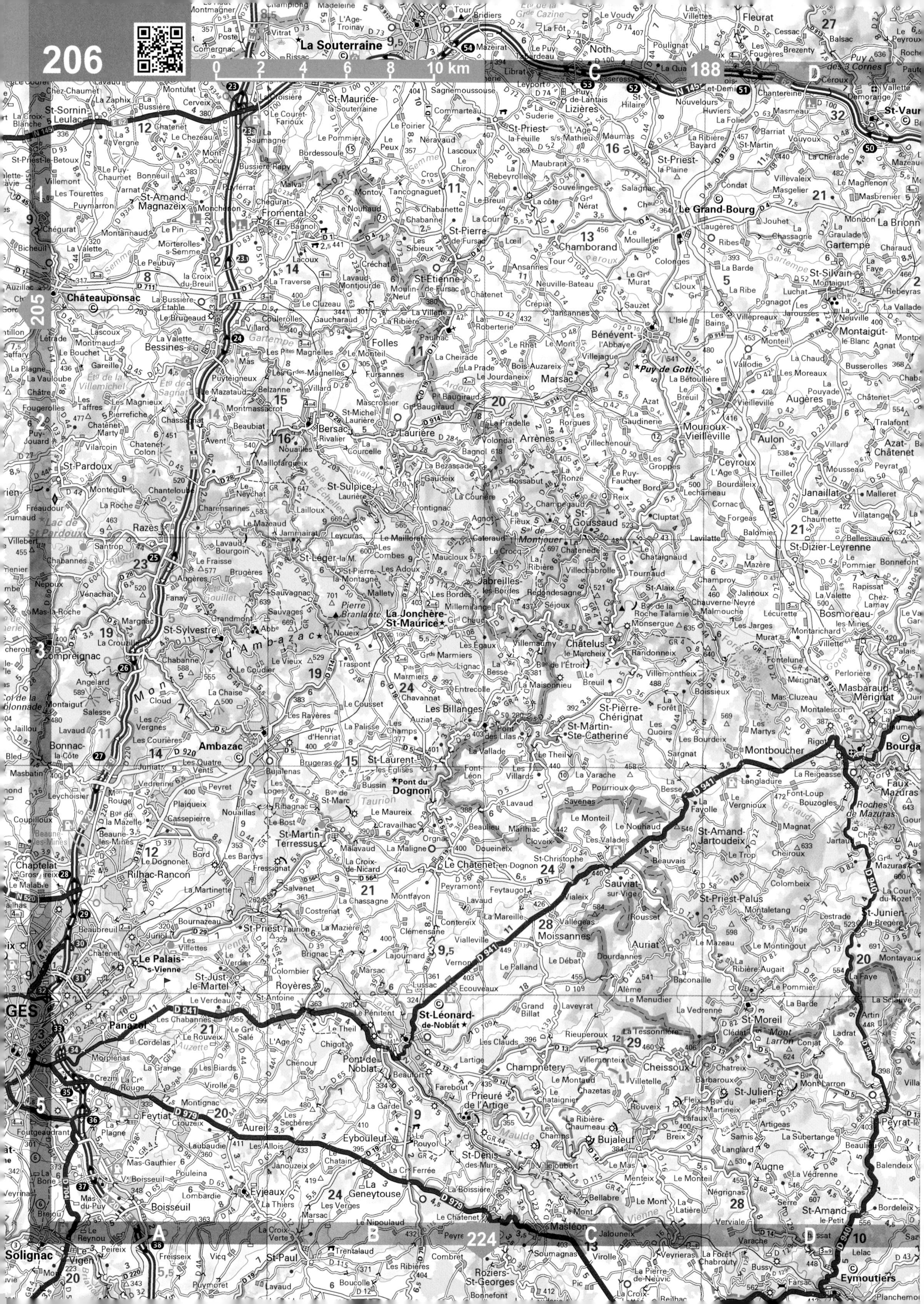
0 2 4 6 8 10 km
188
205
224
A
B
C
D
1
2
3
4
5
La Souterraine
Châteauponsac
St-Sornin-Leulac
St-Amand-Magnazeix
Fromental
St-Maurice-la-Souterraine
Le Grand-Bourg
St-Pierre-de-Fursac
St-Étienne-de-Fursac
Chamborand
Bénévent-l'Abbaye
Puy de Goth
Marsac
Folles
Bessines-s-G.
Laurière
Bersac-s-Rivalier
Mourioux-Vieilleville
Arrènes
St-Goussaud
Augères
Aulon
Ceyroux
St-Pardoux
Lac de St-Pardoux
Razès
St-Sulpice-Laurière
Jabreilles-les-Bordes
La Jonchère-St-Maurice
Pierre Branlante
St-Léger-la-M.
St-Sylvestre
Monts d'Ambazac
Compreignac
Châtelus-le-Marcheix
St-Dizier-Leyrenne
Bosmoreau-les-Mines
Masbaraud-Mérignat
Ambazac
Les Billanges
St-Martin-Ste-Catherine
St-Pierre-Chérignat
Montboucher
St-Laurent-les-Églises
Pont du Dognon
St-Martin-Terressus
Rilhac-Rancon
Le Châtenet-en-Dognon
Sauviat-sur-Vige
St-Amand-Jartoudeix
Roches de Mazuras
St-Priest-Taurion
Moissannes
St-Priest-Palus
Auriat
Le Palais-s-Vienne
St-Just-le-Martel
Royères
St-Léonard-de-Noblat
St-Moreil
St-Junien-la-Bregère
Panazol
Pont-de-Noblat
Champnétery
Cheissoux
Feytiat
Aureil
Eybouleuf
Prieuré de l'Artige
St-Denis-des-Murs
Bujaleuf
St-Julien-le-Petit
Peyrat-le-Château
Eyjeaux
Boisseuil
Geneytouse
Masléon
St-Amand-le-Petit
Solignac
St-Paul
Roziers-St-Georges
Eymoutiers
Bourganeuf
St-Vaury
La Brionne
Gartempe
Montaigut-le-Blanc
N 145
A 20
E 9
D 941
D 979
D 940
D 914
D 912

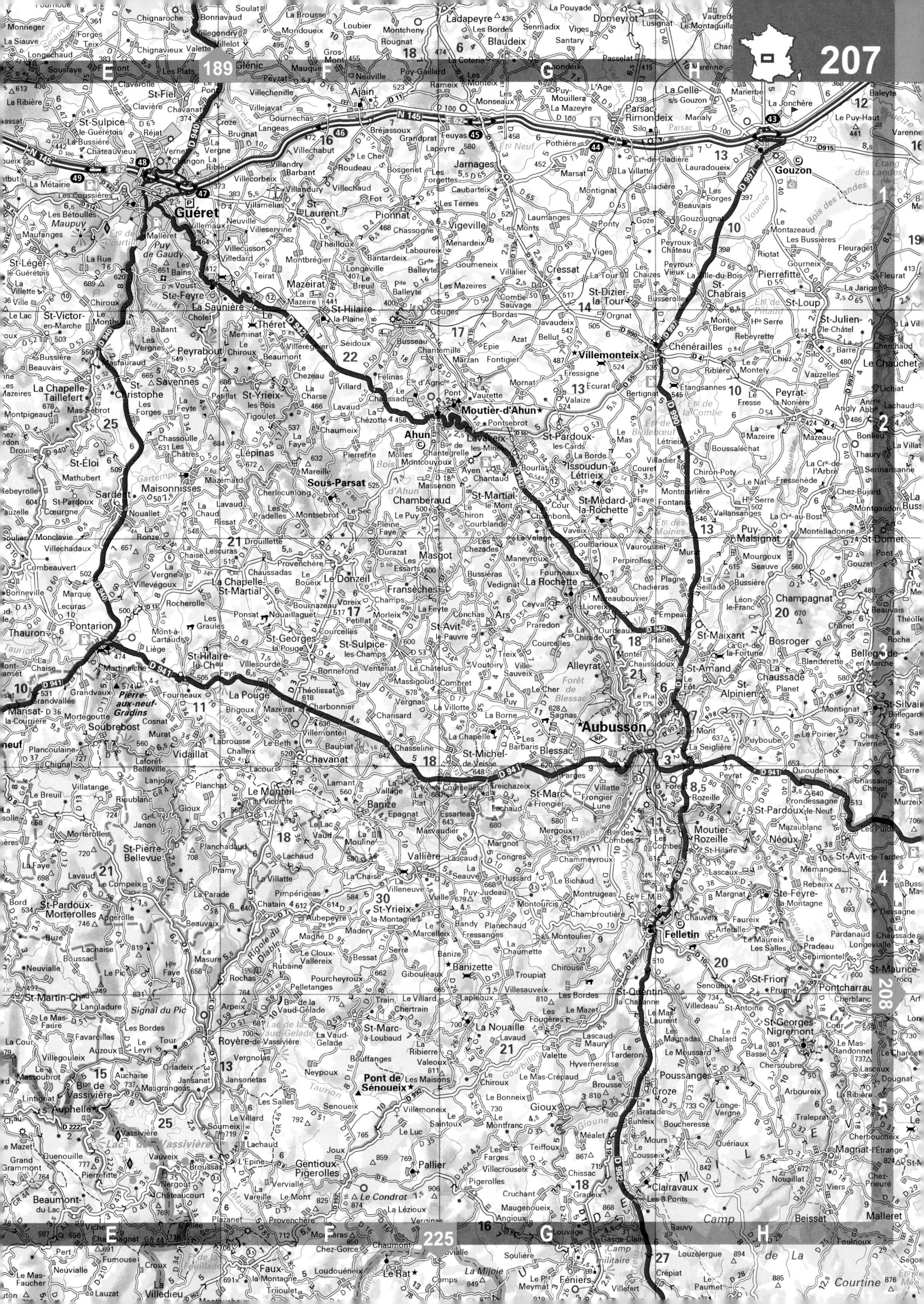
189
E
F
G
H
208
225
1
2
3
4
5
Guéret
Gouzon
Ajain
Jarnages
Parsac-Rimondeix
Pionnat
St-Laurent
Vigeville
Cressat
Ste-Feyre
St-Sulpice-le-Guérétois
St-Fiel
St-Dizier-la-Tour
Chénérailles
Pierrefitte
St-Chabrais
Villemonteix
Moutier-d'Ahun
Ahun
Sous-Parsat
Chamberaud
St-Hilaire-la-Plaine
Peyrabout
St-Christophe
La Chapelle-Taillefert
St-Victor-en-Marche
Sardent
Maisonnisses
Lépinas
St-Yrieix-les-Bois
St-Éloi
Pontarion
Thauron
Issoudun-Létrieix
St-Médard-la-Rochette
Puy-Malsignat
Champagnat
St-Pardoux-les-Cards
Le Donzeil
Masgot
Fransèches
La Rochette
St-Avit-le-Pauvre
St-Sulpice-les-Champs
St-Georges-la-Pouge
St-Hilaire-le-Château
La Pouge
Vidaillat
Soubrebost
Chavanat
St-Michel-de-Veisse
Blessac
Aubusson
St-Maixant
St-Amand
St-Alpinien
Bosroger
La Chaussade
Alleyrat
Néoux
Moutier-Rozeille
St-Marc-à-Frongier
Banize
Le Monteil-au-Vicomte
St-Pierre-Bellevue
St-Pardoux-Morterolles
Vallière
St-Yrieix-la-Montagne
Felletin
Ste-Feyre-la-Montagne
St-Frion
St-Quentin-la-Chabanne
St-Georges-Nigremont
La Nouaille
Royère-de-Vassivière
St-Marc-à-Loubaud
Pont de Sénoueix
Gioux
Croze
Poussanges
Magnat-l'Étrange
Clairavaux
Gentioux-Pigerolles
Pallier
Faux-la-Montagne
Féniers
Beaumont-du-Lac
Lac de Vassivière
St-Martin-Château
Signal du Pic
Bellegarde-en-Marche
St-Domet
Le Chauchet
St-Julien-le-Châtel
St-Loup
Peyrat-la-Nonière
Mansat-la-Courrière
Camp militaire
La Courtine

0 2 4 6 8 10 km
207
190
226
A
B
C
D
Gouzon
Chambon-s-Voueize
Evaux-les-Bains
Lussat
Tardes
Pierrefitte
St-Chabrais
St-Loup
Chénérailles
Peyrat-la-Nonière
St-Priest
Sannat
Reterre
Fontanières
Château-s-Cher
Pionsat
St-Fargeol
St-Marcel-en-Marcillat
Marcillat-en-Combraille
Chambonchard
Lépaud
Auge
Budelière
Mainsat
Auzances
Rougnat
Charron
Bussières
St-Maurice-près-Pionsat
Puy-Malsignat
St-Domet
Champagnat
St-Maixant
Bellegarde-en-Marche
Lupersat
St-Silvain-Bellegarde
St-Amand
Aubusson
Tour-Brousse
Sermur
Lioux-les-Monges
Chard
Le Compas
Les Mars
Dontreix
Charensat
Vergheas
Biollet
Mautes
St-Pardoux-le-Neuf
Moutier-Rozeille
Néoux
St-Avit-de-Tardes
La Villetelle
St-Bard
La Villeneuve
Mérinchal
St-Avit
Tralaigues
Villosanges
Montel-de-Gelat
Landogne
Felletin
Ste-Feyre-la-Montagne
Crocq
St-Oradoux-près-Crocq
Basville
St-Maurice-près-Crocq
St-Frion
Pontcharraud
La Mazière-aux-Bons-Hommes
Condat-en-Combraille
Combrailles
La Celle
St-Georges-Nigremont
Montel-Guillaume
Poussanges
Croze
Magnat-l'Étrange
St-Agnant-près-Crocq
Fernoël
Giat
Voingt
St-Étienne-des-Champs
Puy-St-Gulmier
Sauvagnat
Verneugheol
Clairavaux
Flayat
Malleret
Beissat
Herment
Prondines
La Courtine
St-Merd-
D 941
D 990
D 4
D 988
D 915
D 997
D 993

191
227
210
E
F
G
H
Lapeyrouse
Montaigut
St-Éloy-les-Mines
Durmignat
Échassières
Menat
Gorges de la Sioule
Gorges de Chouvigny
Ébreuil
Gannat
St-Gervais-d'Auvergne
Châteauneuf-les-Bains
Manzat
Combronde
Aigueperse
Méandre de Queuille
Viaduc des Fades
St-Georges-de-Mons
Châtel-Guyon
Mozac
RIOM
Volvic
Pontgibaud
Vulcania
Puy de Dôme
Orcines
Chamalières
Royat
CLERMONT-FERRAND
PARC NATUREL RÉGIONAL DES VOLCANS D'AUVERGNE
A 89
A 71
A 719
A 711
D 2144
D 2009
D 941

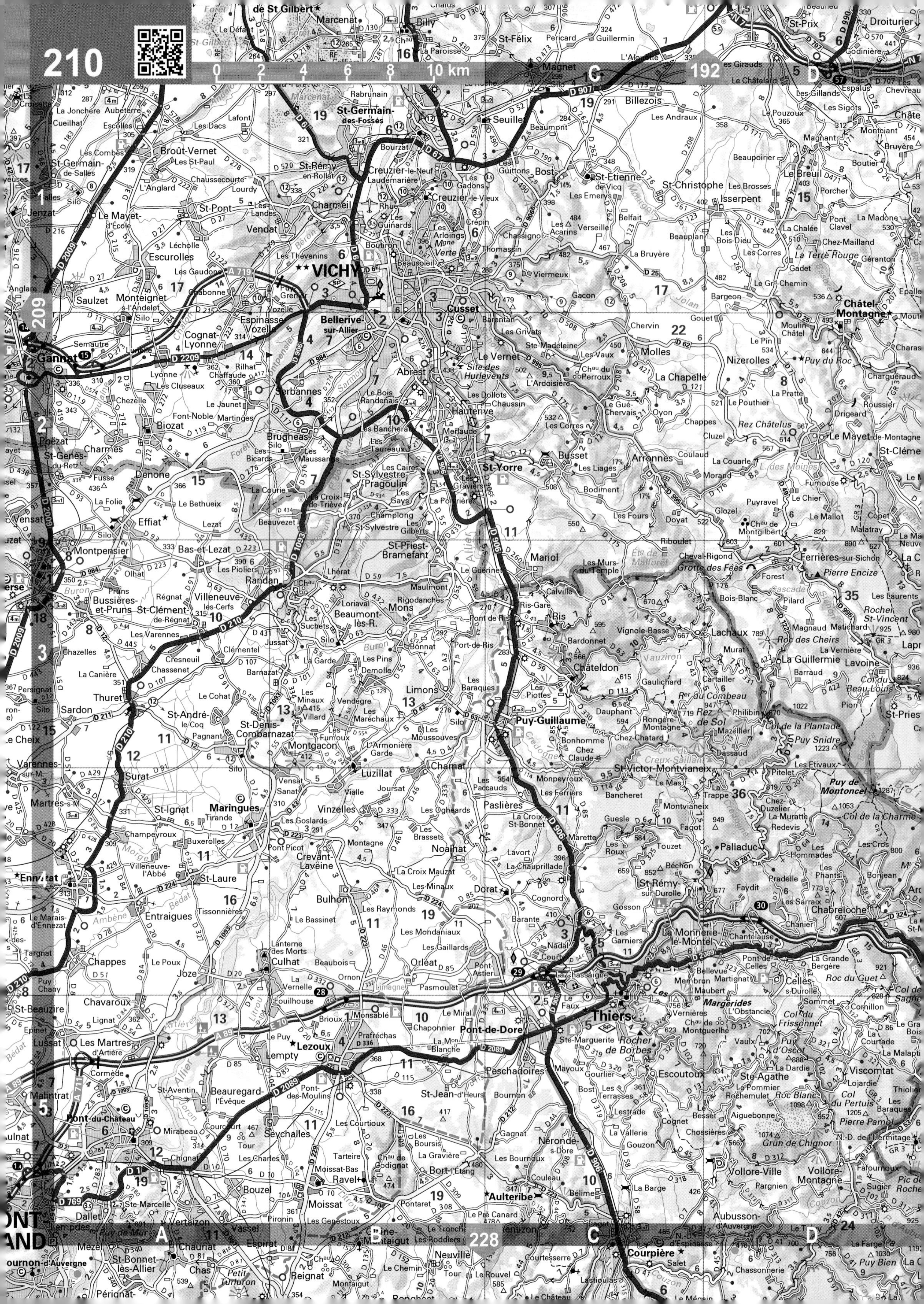
0 2 4 6 8 10 km
192
209
228
VICHY
Cusset
Bellerive-sur-Allier
Gannat
Thiers
Lezoux
Pont-du-Château
Maringues
Randan
St-Yorre
Puy-Guillaume
Châteldon
Courpière
Châtel-Montagne
Le Mayet-de-Montagne
Ferrières-sur-Sichon
St-Germain-des-Fossés
Creuzier-le-Vieux
Abrest
Hauterive
Effiat
Aigueperse
Ennezat
St-Rémy-sur-Durolle
Celles-s-Durolle
Pont-de-Dore
La Monnerie-le-Montel
Escoutoux
Vollore-Montagne
Billy
Magnet
Seuillet
St-Pont
Vendat
Espinasse-Vozelle
Serbannes
Brugheas
Busset
Mariol
Limons
Luzillat
Culhat
Ravel
Moissat
Vertaizon
Mezel
Reignat
Neuville
Aulteribe
Puy de Montoncel
Grotte des Fées
Roc des Cheirs
Col de la Plantade
A 89
A 719
D 2209
D 906
D 2089
D 907

192
209
228

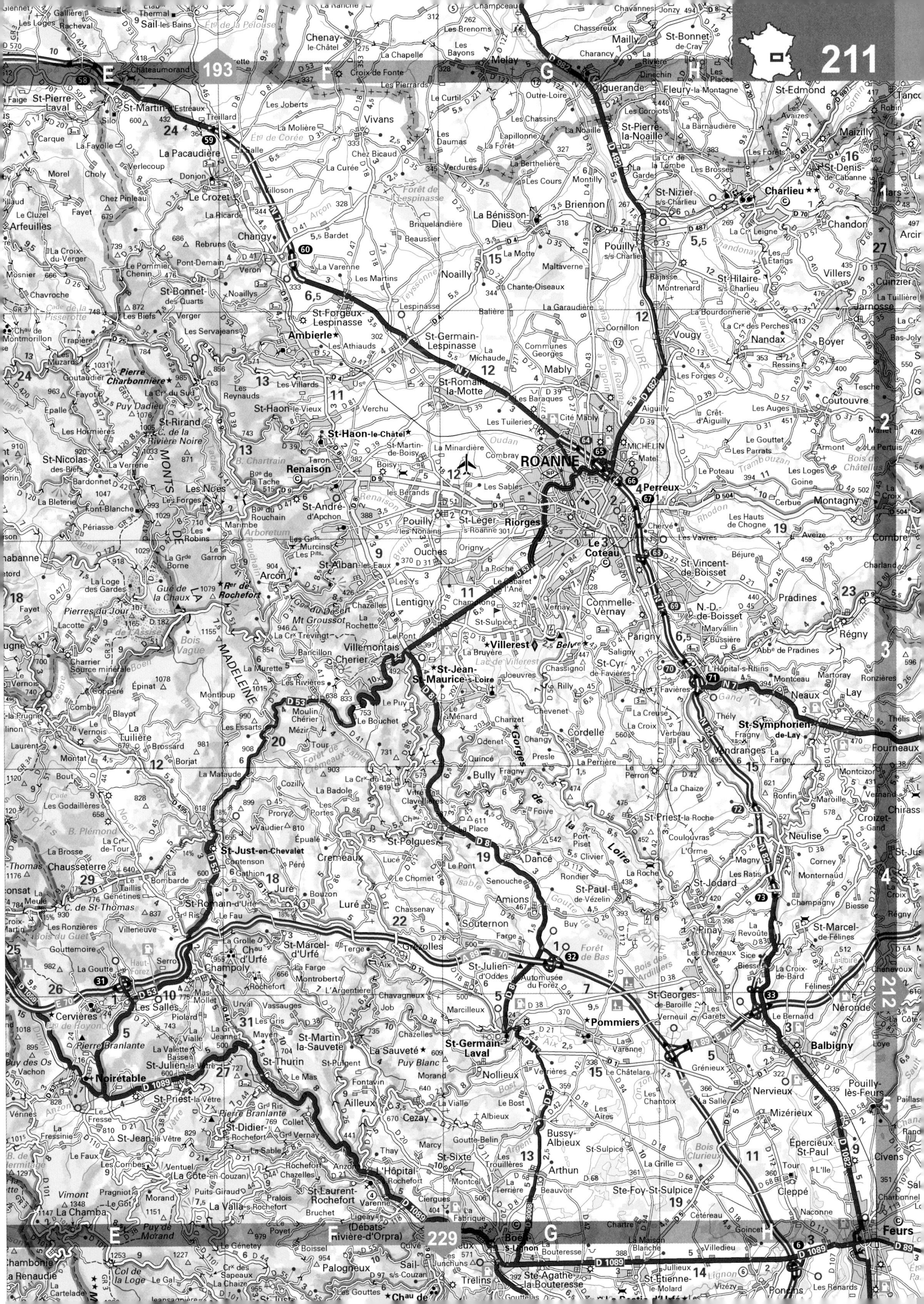
193
E
F
G
H
229
212
ROANNE
Riorges
Le Coteau
Mably
Perreux
Charlieu
Noailly
Renaison
Ambierle
St-Haon-le-Châtel
St-Just-en-Chevalet
Noirétable
Cervières
St-Germain-Laval
Pommiers
Balbigny
Feurs
Boën
Villerest
St-Symphorien-de-Lay
Neaux
Régny
Iguerande
Marcigny
La Pacaudière
St-Martin-d'Estréaux
Le Crozet
Changy
St-Forgeux-Lespinasse
St-Germain-Lespinasse
St-Romain-la-Motte
Pouilly-sous-Charlieu
Briennon
La Bénisson-Dieu
Vougy
Nandax
Commelle-Vernay
St-Jean-St-Maurice-s-Loire
Cordelle
Bully
St-Polgues
Cremeaux
Champoly
St-Marcel-d'Urfé
Grézolles
St-Julien-d'Oddes
Nervieux
Mizérieux
Pinay
Neulise
St-Jodard
Vendranges
St-Priest-la-Roche
St-Cyr-de-Favières
L'Hôpital-s-Rhins
Parigny
N.-D.-de-Boisset
St-Vincent-de-Boisset
Montagny
Coutouvre
Pradines
Lay
Fourneaux
St-Paul-de-Vézelin
Amions
Dancé
St-Georges-de-Baroille
Nollieux
Bussy-Albieux
Arthun
Ste-Foy-St-Sulpice
Cleppé
Epercieux-St-Paul
St-Didier-s-Rochefort
St-Laurent-Rochefort
La Chamba
Chausseterre
St-Romain-d'Urfé
St-Nicolas-des-Biefs
Arfeuilles
MONTS DE LA MADELEINE
LOIRE
Gorges de la Loire
Lac de Villerest
Forêt de Lespinasse
Forêt de Bas
MICHELIN
St-Pierre-Laval
Chenay-le-Châtel
Vivans
Melay
St-Edmond
Maizilly
St-Denis-de-Cabanne
Chandon
Villers
Jarnosse
Boyer
Sail-les-Bains
Mailly
St-Bonnet-de-Cray
Fleury-la-Montagne
St-Pierre-la-Noaille
St-Nizier-s-Charlieu
St-Hilaire-s-Charlieu
St-Alban-les-Eaux
Ouches
Lentigny
Villemontais
Arcon
St-André-d'Apchon
Pouilly-les-Nonains
St-Léger-s-Roanne
Sail-s-Couzan
Trelins
Ste-Agathe-la-Bouteresse
Pouilly-lès-Feurs
Civens

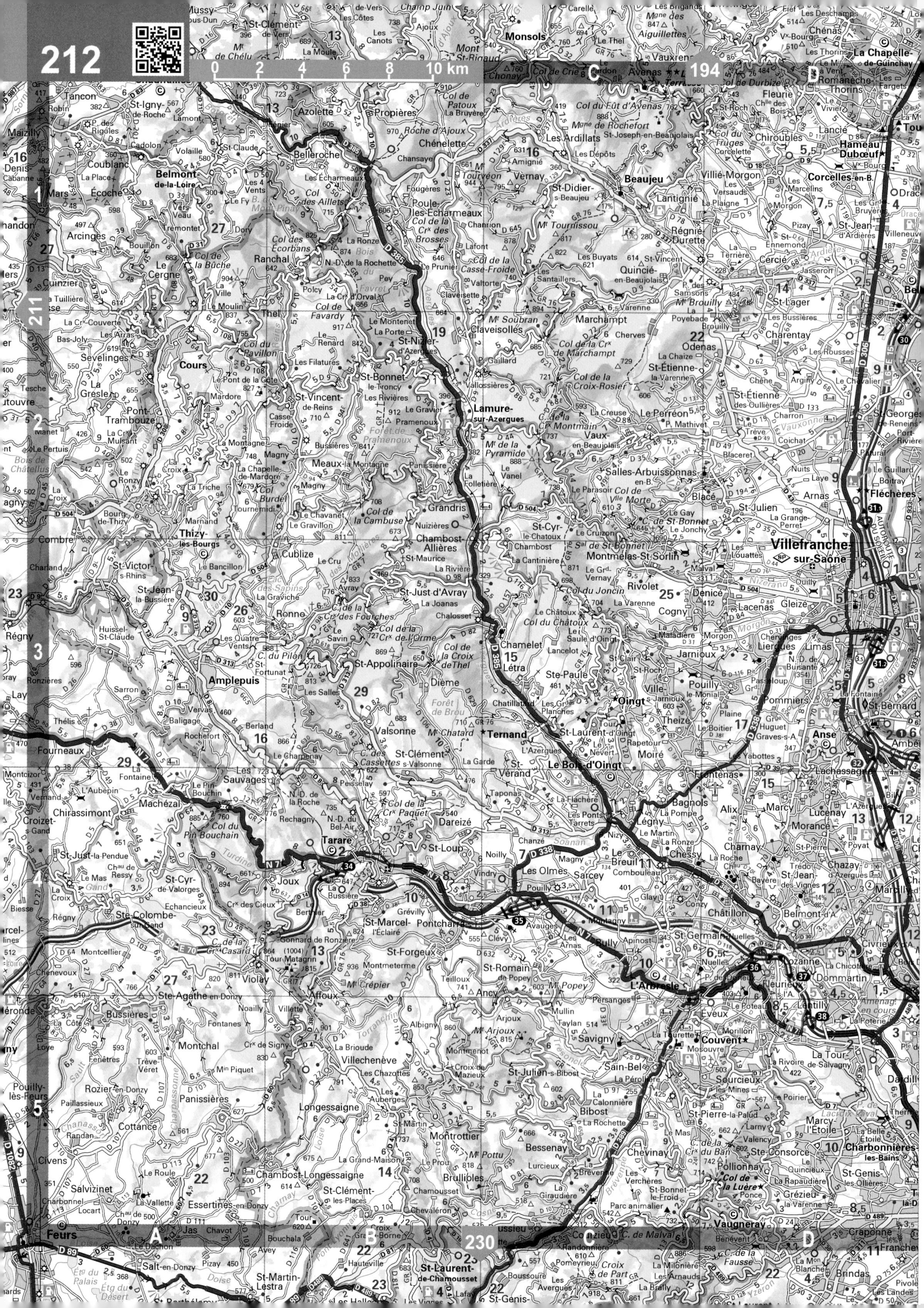
0 2 4 6 8 10 km
194
211
230
Monsols
Beaujeu
Belmont-de-la-Loire
Cours
Thizy-les-Bourgs
Amplepuis
Lamure-sur-Azergues
Villefranche-sur-Saône
Tarare
L'Arbresle
Le Bois-d'Oingt
Anse
Oingt
Ternand
Chénas
Fleurie
Chiroubles
Villié-Morgon
Régnié-Durette
Quincié-en-Beaujolais
Claveisolles
Chénelette
St-Nizier-d'Azergues
Chambost-Allières
St-Just d'Avray
Valsonne
St-Clément-s-Valsonne
Ronno
Cublize
St-Victor-s-Rhins
St-Jean-la-Bussière
Pont-Trambouze
Ranchal
Poule-les-Écharmeaux
Joux
St-Forgeux
Violay
Affoux
Montrottier
Bessenay
Savigny
Sain-Bel
Bibost
Chevinay
Vaugneray
Pollionnay
Sourcieux-les-Mines
Charbonnières-les-Bains
Dardilly
Dommartin
Lozanne
Châtillon
Chessy
Belmont-d'Azergues
Lucenay
Morancé
Marcy
Alix
Bagnols
Légny
Frontenas
Theizé
Pommiers
Limas
Gleizé
Denicé
Cogny
Rivolet
Montmelas-St-Sorlin
Blacé
Arnas
St-Julien
Salles-Arbuissonnas-en-B.
Vaux-en-Beaujolais
Le Perréon
Odenas
Charentay
St-Georges-de-Reneins
Marchampt
St-Étienne-des-Oullières
Feurs
Panissières
Montchal
Chambost-Longessaigne
Longessaigne
Villechenève
St-Laurent-de-Chamousset
Brullioles
Ste-Agathe en Donzy
Ste-Colombe-sur-Gand
St-Cyr-de-Valorges
Machézal
St-Just-la-Pendue
Chirassimont
Fourneaux
Régny
Col de la Luère
Mt Tourvéon
Col du Pin Bouchain
Croix de Part
Craponne
Brindas
Grézieu-la-Varenne
St-Genis-les-Ollières
Marcy-l'Étoile
La Tour-de-Salvagny
Fleurieux
Éveux
St-Germain-Nuelles
Bully
Sarcey
Pontcharra
Les Olmes
St-Loup
Dareizé
St-Marcel-l'Éclairé
St-Romain-de-Popey
Ancy
Salvizinet
Essertines-en-Donzy
Cottance
Rozier-en-Donzy
Civens

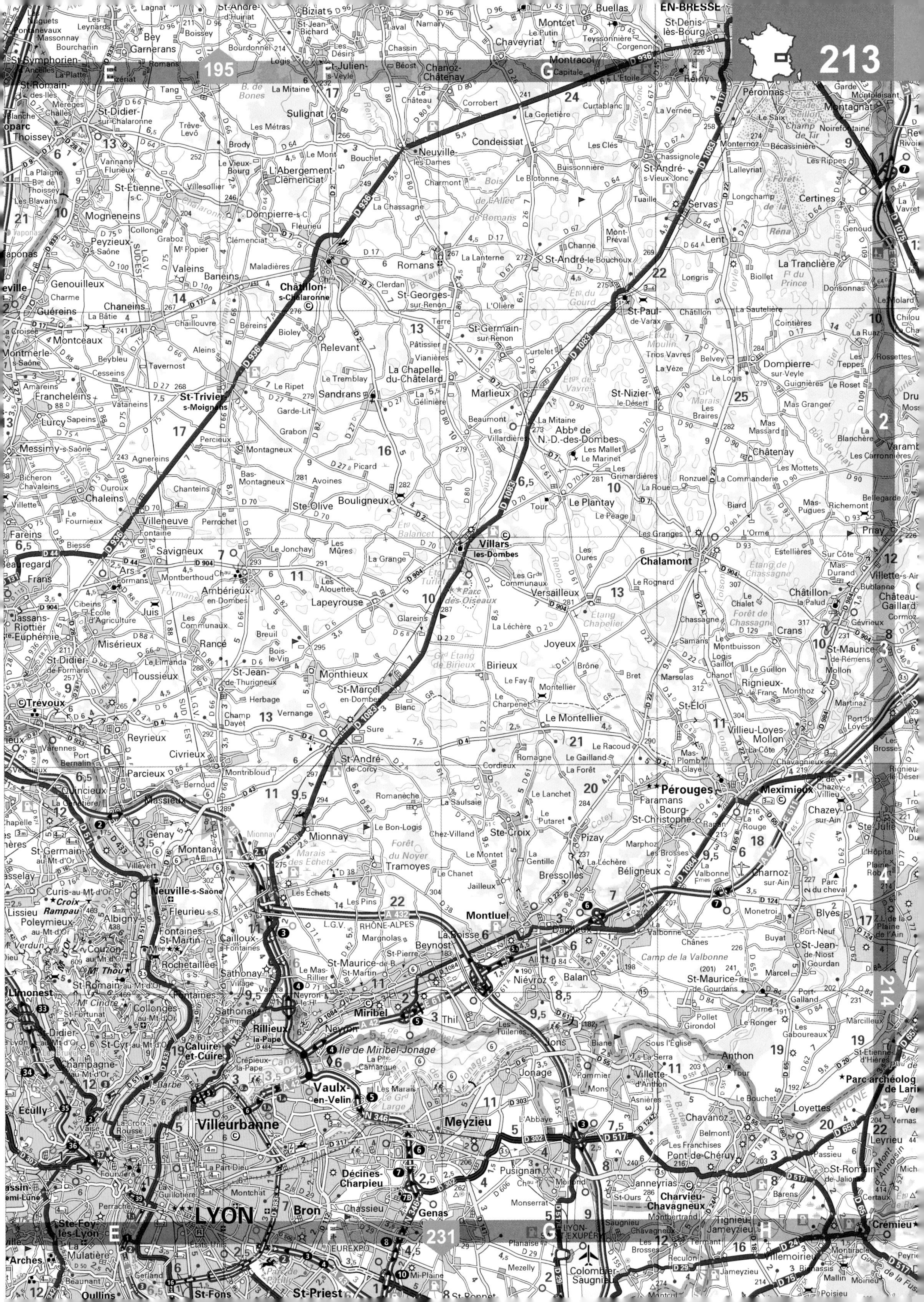
195
231
214
Châtillon-s-Chalaronne
Villars-les-Dombes
St-Trivier-s-Moignans
St-Paul-de-Varax
Chalamont
Pérouges
Meximieux
Montluel
Miribel
Trévoux
Neuville-s-Saône
Rillieux-la-Pape
Caluire-et-Cuire
Villeurbanne
LYON
Vaulx-en-Velin
Meyzieu
Décines-Charpieu
Bron
Genas
St-Priest
Crémieu
Péronnas
Servas
Lent
Dompierre-sur-Veyle
Neuville-les-Dames
Marlieux
Abbe de N.-D.-des-Dombes
Parc des Oiseaux
Ambérieux-en-Dombes
Mionnay
Tramoyes
Beynost
Niévroz
Jonage
Pusignan
Charvieu-Chavagneux
Tignieu-Jameyzieu
Colombier-Saugnieu
Ile de Miribel-Jonage
Camp de la Valbonne
Forêt du Noyer
Parc archéolog de Larina

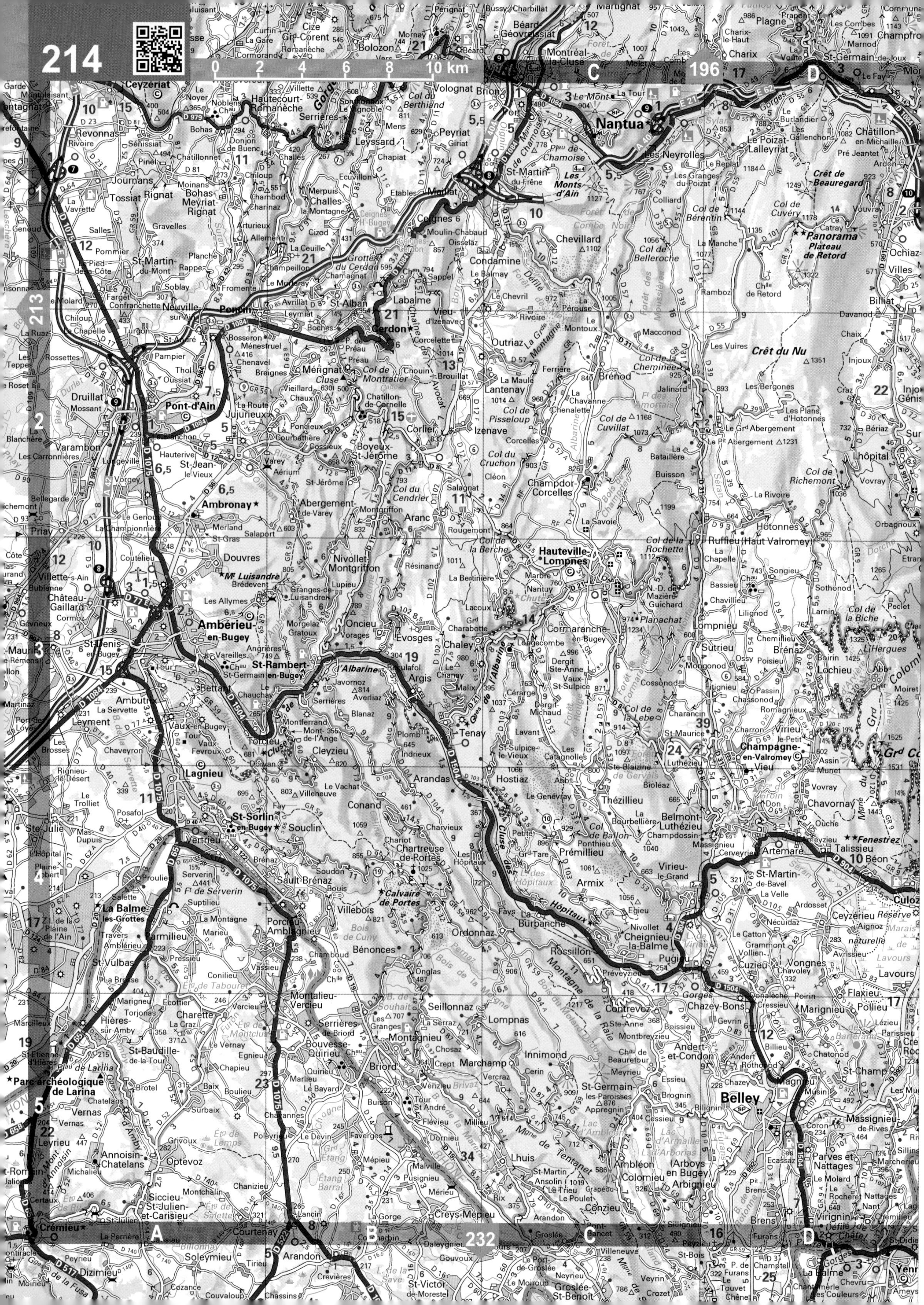
0 2 4 6 8 10 km
196
213
232
Ceyzériat
Nantua
Pont-d'Ain
Ambronay
Ambérieu-en-Bugey
St-Rambert-en-Bugey
Hauteville-Lompnes
Champagne-en-Valromey
Lagnieu
St-Sorlin-en-Bugey
La Balme-les-Grottes
Crémieu
Belley
Cerdon
Montréal-la-Cluse
Châtillon-en-Michaille
Panorama Plateau de Retord
Crêt du Nu
Crêt de Beauregard
Les Monts d'Ain
Col de Cuvéry
Col de Bérentin
Col de Belleroche
Col de Pisseloup
Col de Cuvillat
Col du Cruchon
Col du Cendrier
Col de la Berche
Col de la Rochette
Col de la Lebe
Col de Ballon
Col de Richemont
Col de Montratier
Col de la Cheminée
Calvaire de Portes
Chartreuse de Portes
Parc archéologique de Larina
Cluse de l'Albarine
Cluse des Hôpitaux
Grottes du Cerdon
Mt Luisandre
Tenay
Argis
Virieu-le-Grand
Culoz
Artemare
Fenestrez
Marais de Lavours
Montagne de Tentanet
Rhône
A
B
C
D
1
2
3
4
5

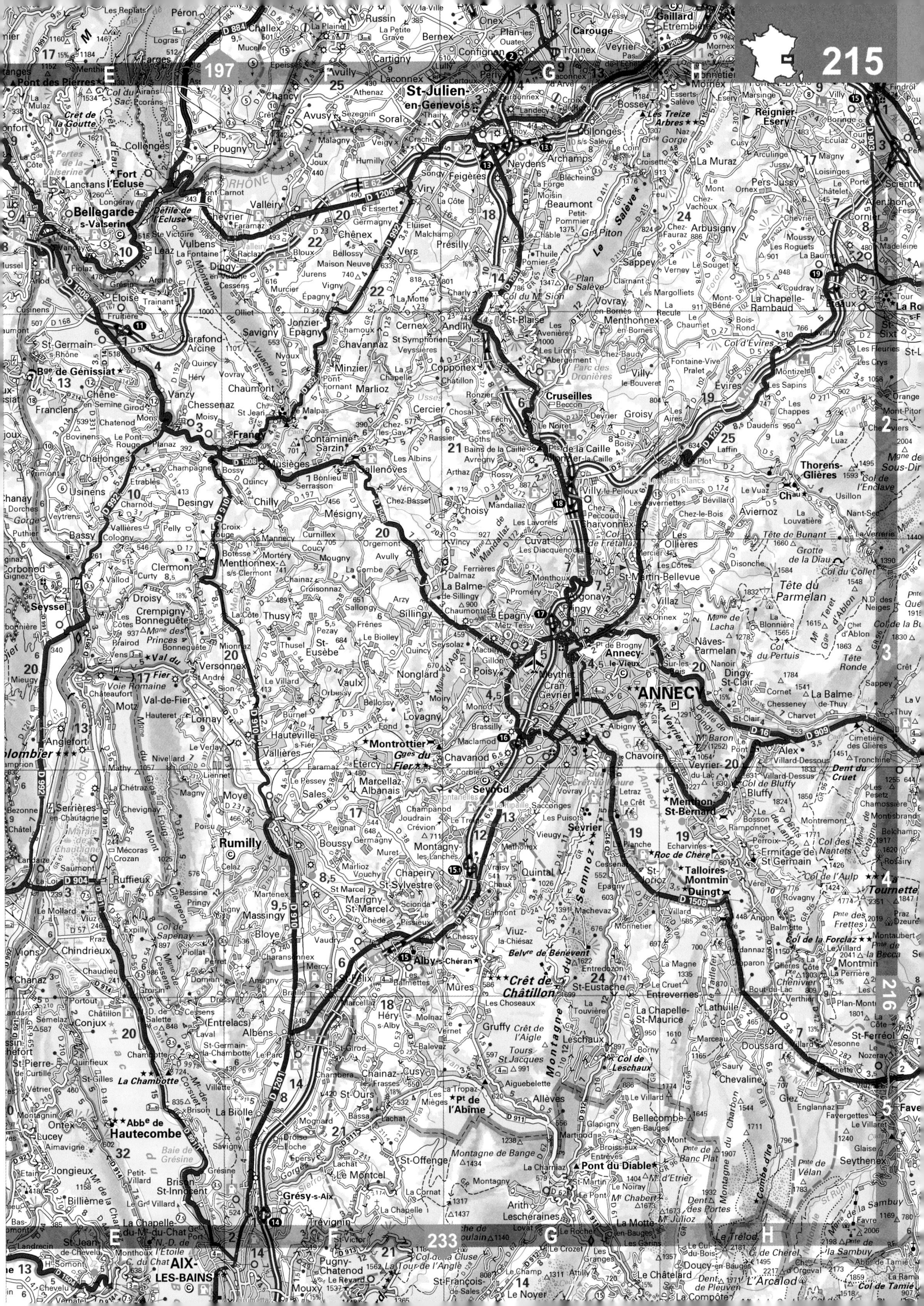
197
E
F
G
H
Pont des Pierres
Péron
Challex
Russin
Onex
Carouge
Gaillard
Étrembières
Farges
Avully
Cartigny
Confignon
Perly
Troinex
Veyrier
Collonges
Chancy
Athenaz
St-Julien-en-Genevois
Bossey
Reignier-Esery
Fort l'Écluse
Lancrans
Bellegarde-s-Valserine
Pougny
Soral
Viry
Feigères
Collonges-s/s-Salève
Archamps
Neydens
Les Treize Arbres
La Muraz
Pers-Jussy
Valleiry
Chevrier
Vulbens
Dingy-en-Vuache
Chênex
Présilly
Beaumont
Le Salève
Arbusigny
Arenthon
Eloise
Savigny
Jonzier-Epagny
Cernex
Andilly
St-Blaise
Vovray-en-Bornes
Menthonnex-en-Bornes
La Chapelle-Rambaud
Le Chaumet
St-Germain-s-Rhône
Bge de Génissiat
Franclens
Chêne-en-Semine
Vanzy
Chessenaz
Chaumont
Frangy
Minzier
Marlioz
Copponex
Cruseilles
Villy-le-Bouveret
Évires
Groisy
Contamine-Sarzin
Allonzier-la-Caille
Thorens-Glières
Challonges
Usinens
Desingy
Chilly
Musièges
Sallenôves
Mésigny
Choisy
Charvonnex
Les Ollières
Seyssel
Clermont
Menthonnex-s/s-Clermont
Crempigny-Bonneguête
Droisy
Thusy
Sillingy
La Balme-de-Sillingy
Épagny
Pringy
St-Martin-Bellevue
Tête du Parmelan
Val du Fier
Versonnex
Vaulx
Nonglard
Poisy
Annecy-le-Vieux
Meythet
Cran-Gevrier
ANNECY
Nâves-Parmelan
Dingy-St-Clair
La Balme-de-Thuy
Anglefort
Motz
Val-de-Fier
Lornay
Hauteville-s-Fier
Vallières
Montrottier
Gges du Fier
Chavanod
Seynod
Chavoire
Veyrier-du-Lac
Alex
Bluffy
Menthon-St-Bernard
Serrières-en-Chautagne
Moye
Rumilly
Marcellaz-Albanais
Sales
Montagny-les-Lanches
Quintal
Sévrier
Semnoz
Talloires
Duingt
Roc de Chère
Ermitage de St Germain
Col de la Forclaz
Ruffieux
Massingy
St-Sylvestre
Marigny-St-Marcel
Chapeiry
Viuz-la-Chiésaz
Entrevernes
Chindrieux
Bloye
Alby-s-Chéran
Crêt de Châtillon
Belvre de Bénévent
St-Eustache
Lathuile
Doussard
Chanaz
Conjux
St-Félix
Héry-s-Alby
Gruffy
Leschaux
Col de Leschaux
La Chambotte
Albens
Cessens
St-Germain-la-Chambotte
Tours St Jacques
Chevaline
Faverges
Abbe de Hautecombe
La Biolle
St-Ours
Pt de l'Abîme
Allèves
Bellecombe-en-Bauges
Seythenex
Grésy-s-Aix
St-Offenge
Pont du Diable
Le Montcel
Brison-St-Innocent
Arith
Lescheraines
La Motte-en-Bauges
Le Trélod
Dent des Portes
Trévignin
Pugny-Chatenod
Mouxy
AIX-LES-BAINS
Le Châtelard
Doucy-en-Bauges
L'Arcalod
La Sambuy
Col de Tamié
St-François-de-Sales
233
216

0 2 4 6 8 10 km
198
215
234
A B C D
1 2 3 4 5
Les Gets
St Jeoire
Mieussy
Taninges
Samoëns
Sixt-Fer-à-Cheval
Bonneville
Marignier
Cluses
Scionzier
La Roche-s-Foron
Mont-Saxonnex
Chaîne du Bargy
Le Reposoir
Flaine
Sallanches
Passy
Le Grand-Bornand
La Clusaz
Thônes
Cordon
Combloux
St-Gervais-les-Bains
MEGÈVE
Praz-s-Arly
Flumet
N.-D.-de-Bellecombe
Les Contamines-Montjoie
Les Saisies
Hauteluce
Beaufort
Ugine
Faverges
Albertville
Conflans
Col de la Colombière
Col des Aravis
Mont Joly
Aigle Croche
Col du Joly
Col des Saisies
Cormet de Roselend
Bge de Roselend
Chaîne des Aravis
Désert de Platé
La Tournette

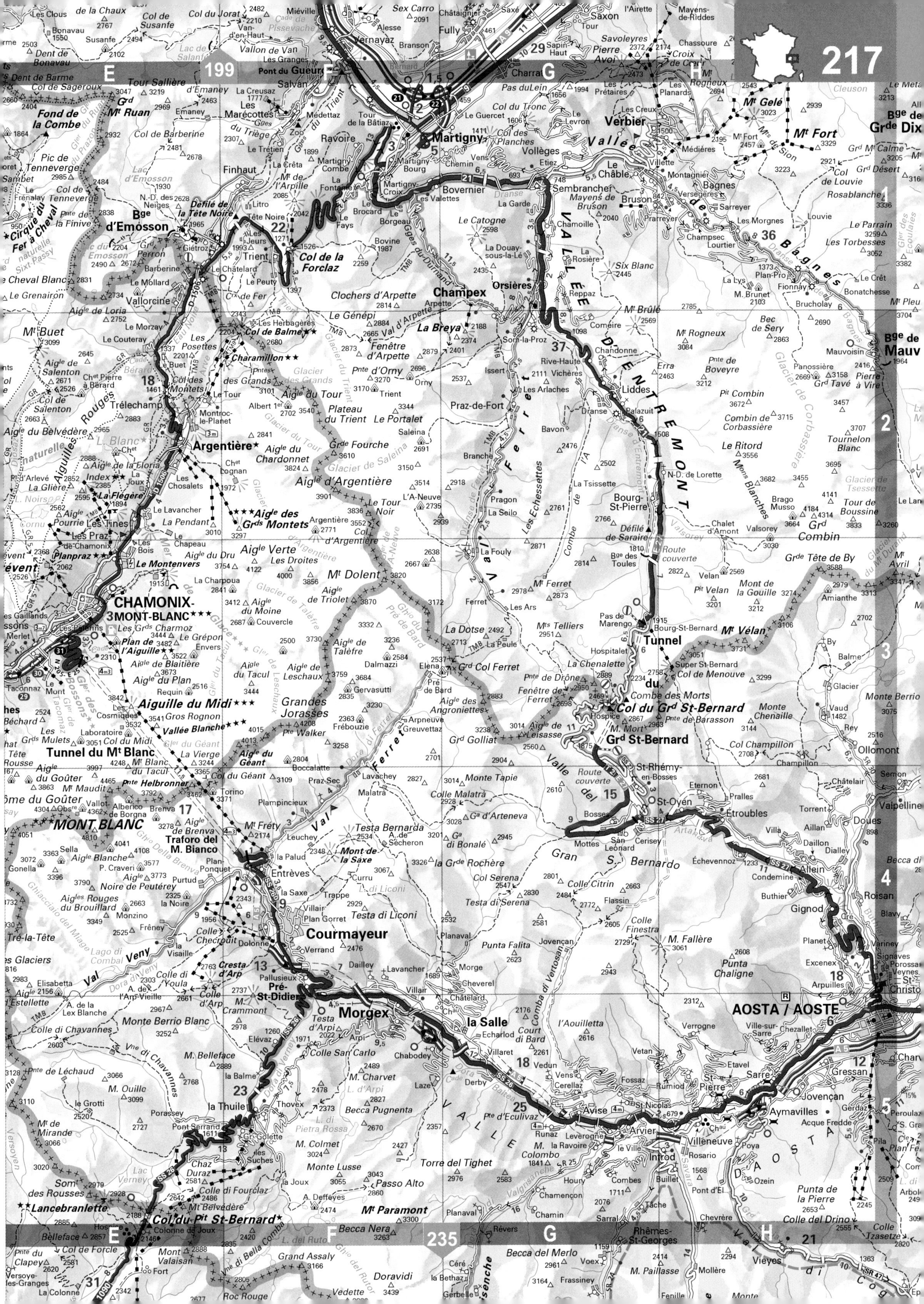
199
235
E
F
G
H
1
2
3
4
5
Martigny
Verbier
Vallée de Bagnes
Champex
Orsières
Val Ferret
VALLÉE D'ENTREMONT
Bourg-St-Pierre
Tunnel du Grd St-Bernard
Col du Grd St-Bernard
Grd St-Bernard
Bge d'Émosson
Col de la Forclaz
Vallorcine
Col de Balme
Argentière
Aigle du Tour
Aigle d'Argentière
Aigle Verte
Mt Dolent
Grandes Jorasses
CHAMONIX-MONT-BLANC
Le Montenvers
Aiguille du Midi
Tunnel du Mt Blanc
MONT BLANC
Traforo del M. Bianco
Courmayeur
Pré-St-Didier
Morgex
La Salle
La Thuile
Col du Pit St-Bernard
Valle del Gran S. Bernardo
St-Rhémy-en-Bosses
St-Oyen
Étroubles
Gignod
AOSTA / AOSTE
Villeneuve
Aymavilles
Sarre
Arvier
Avise
Grd Combin
Mt Vélan
Mt Fort
Mt Gelé
Bge de Mauvoisin
Fionnay
Le Châble
Bagnes
Sembrancher
Liddes
Mt Paramont
Becca Nera
Grand Assaly
Rhêmes-St-Georges

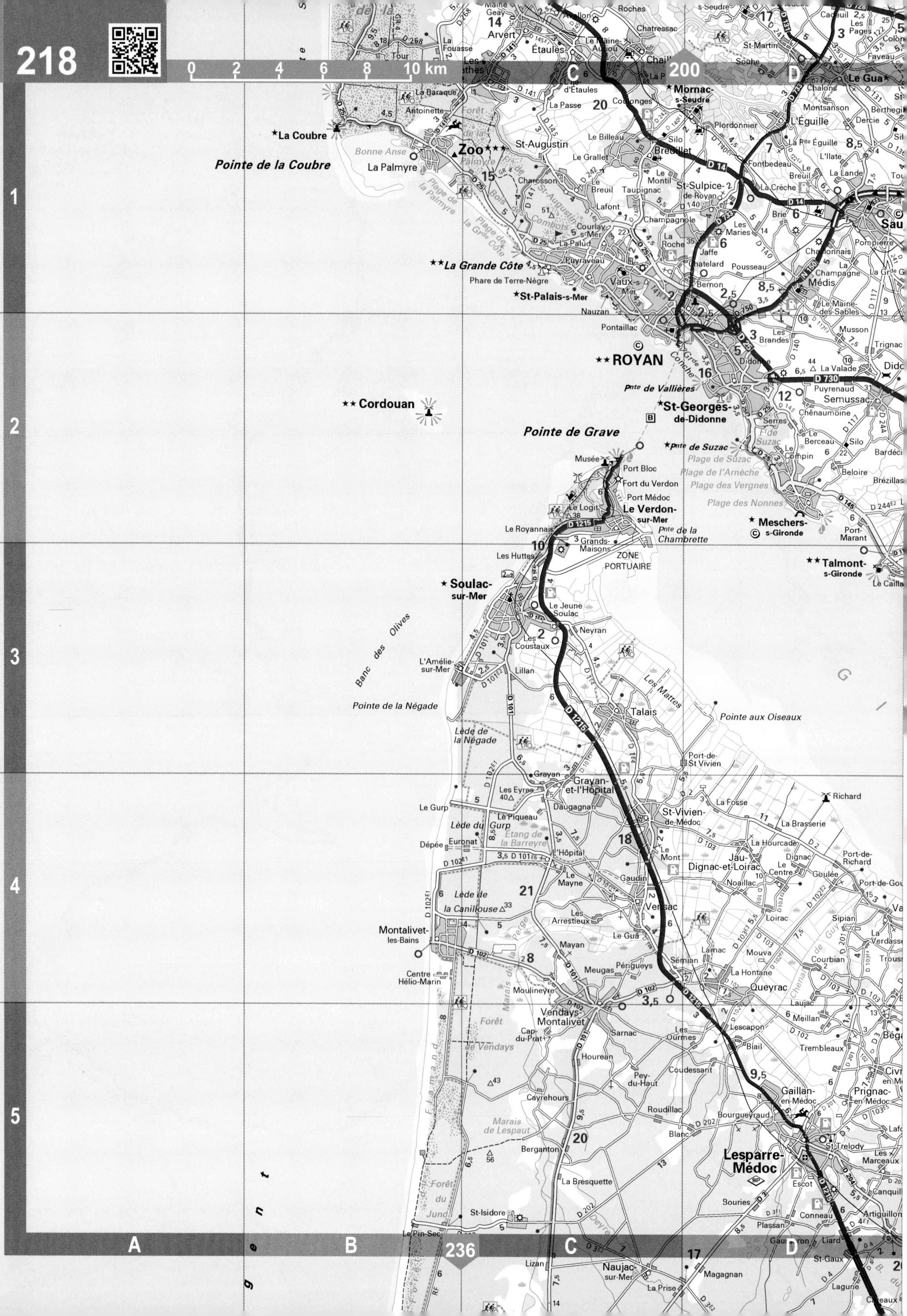

0 2 4 6 8 10 km
200
236
A
B
C
D
1
2
3
4
5
La Coubre
Pointe de la Coubre
Bonne Anse
La Palmyre
Zoo
Plage de la Palmyre
Plage de la Grde Côte
St-Augustin
Forêt de la Coubre
Les Mathes
Arvert
Étaules
Chaillevette
Mornac-s-Seudre
Breuillet
St-Sulpice-de-Royan
Saujon
Médis
La Grande Côte
Phare de Terre-Nègre
St-Palais-s-Mer
Vaux-s-Mer
Nauzan
Pontaillac
ROYAN
Grde Conche
Pte de Vallières
St-Georges-de-Didonne
Semussac
Cordouan
Pointe de Grave
Pte de Suzac
Plage de Suzac
Plage de l'Arnèche
Plage des Vergnes
Plage des Nonnes
Meschers-s-Gironde
Talmont-s-Gironde
Musée
Port Bloc
Fort du Verdon
Port Médoc
Le Verdon-sur-Mer
Le Logit
Le Royannais
Pte de la Chambrette
Grands-Maisons
ZONE PORTUAIRE
Les Huttes
Soulac-sur-Mer
Le Jeune Soulac
Neyran
Les Coustaux
Banc des Olives
L'Amélie-sur-Mer
Lillan
Pointe de la Négade
Les Mattes
Talais
Pointe aux Oiseaux
Lède de la Négade
Port-de-St Vivien
Grayan
Grayan-et-l'Hôpital
Les Eyres
Le Gurp
Daugagnan
Le Piqueau
Lède du Gurp
Étang de la Barreyre
Dépée
Euronat
L'Hôpital
St-Vivien-de-Médoc
La Fosse
Richard
La Brasserie
La Hourcade
Jau-Dignac-et-Loirac
Port-de-Richard
Le Mayne
Gaudin
Lède de la Canillouse
Vensac
Les Arrestieux
Montalivet-les-Bains
Mayan
Le Guâ
Loirac
Centre Hélio-Marin
Meugas
Périgueyts
Sémian
Queyrac
Mouliney
Vendays-Montalivet
Forêt de Vendays
Cap-du-Prat
Sarnac
Les Ourmes
Lescapon
Houréan
Pey-du-Haut
Coudessant
Gaillan-en-Médoc
Prignac-en-Médoc
Cayrehours
Marais de Lespaut
Roudillac
Bourgueyraud
Berganton
Blanc
Lesparre-Médoc
St-Trelody
La Bresquette
Escot
Forêt du Junca
St-Isidore
Bouries
Conneau
Le Pin-Sec
Plassan
Lizan
Naujac-sur-Mer
La Prise
Magagnan
St-Gaux
Lagune

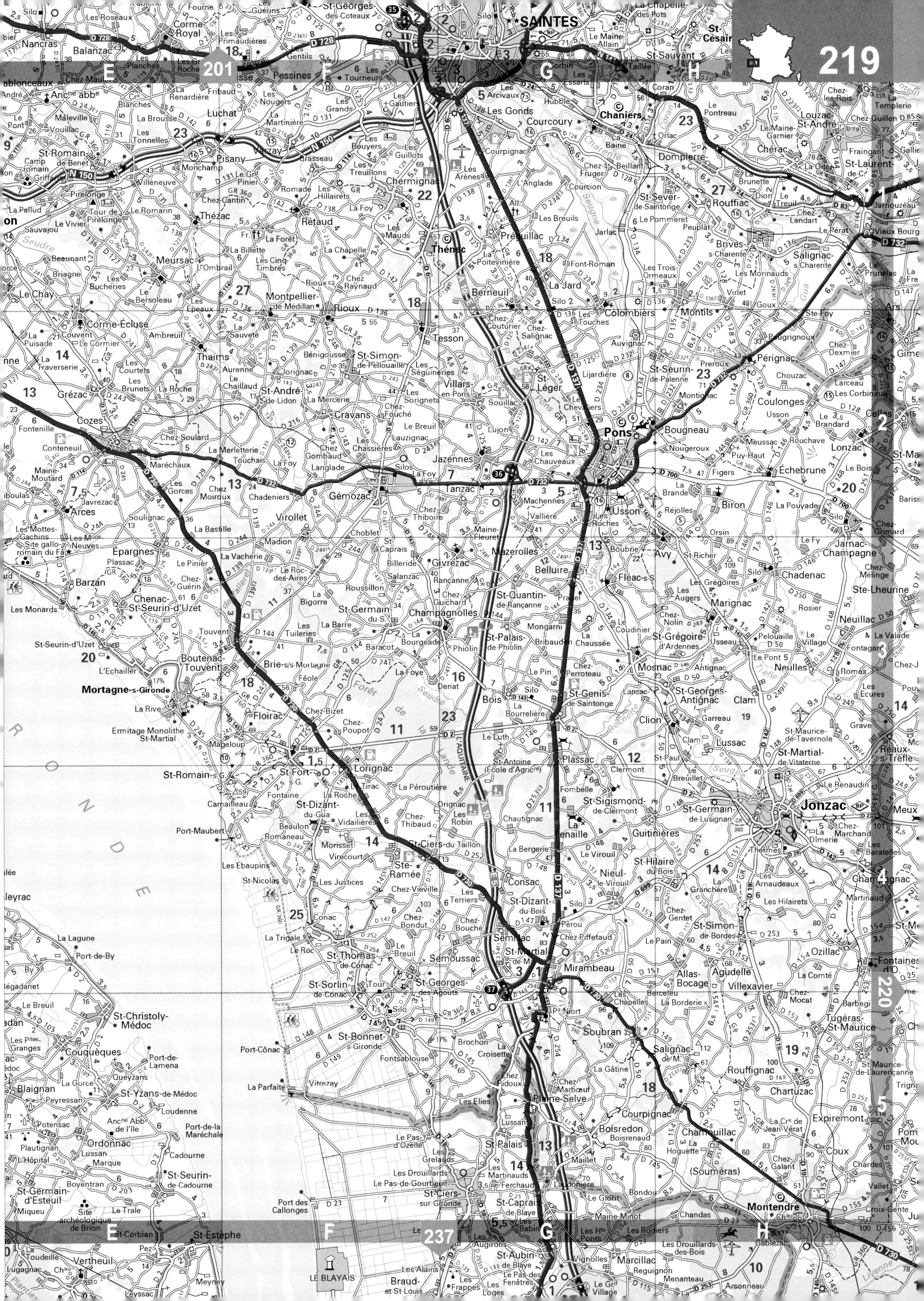

201
220
237
SAINTES
St-Georges-des-Coteaux
Corme-Royal
Balanzac
Nancras
Pessines
Les Gonds
Courcoury
Chaniers
St-Sauvant
St-Césaire
Dompierre-s-C.
Chérac
Louzac-St-André
St-Laurent-de-C.
Rouffiac
St-Sever-de-Saintonge
Pisany
Varzay
St-Romain-de-Benet
Chermignac
Thénac
Rétaud
Thézac
Meursac
Préguillac
La Jard
Berneuil
Colombiers
Montils
Brives-s-Charente
Salignac-s-Charente
Rioux
Montpellier-de-Médillan
Le Chay
Corme-Écluse
Thaims
Tesson
St-Simon-de-Pellouaille
St-Léger
St-Seurin-de-Palenne
Pérignac
Grézac
Cozes
St-André-de-Lidon
Cravans
Villars-en-Pons
Pons
Bougneau
Coulonges
Arces
Gémozac
Jazennes
Tanzac
Échebrune
Lonzac
Biron
Usson
Épargnes
Givrezac
Mazerolles
Belluire
Fléac-s-S.
Avy
Chadenac
Barzan
Chenac-St-Seurin-d'Uzet
St-Germain-du-S.
Champagnolles
St-Palais-de-Phiolin
Marignac
St-Grégoire-d'Ardennes
Neuillac
Boutenac-Touvent
Mortagne-s-Gironde
Brie-s/s-Mortagne
Mosnac
Neulles
St-Genis-de-Saintonge
St-Georges-Antignac
Clam
Floirac
Lorignac
St-Fort-s-G.
St-Romain-s-G.
Plassac
Lussac
St-Martial-de-Vitaterne
Jonzac
St-Dizant-du-Gua
St-Sigismond-de-Clermont
St-Germain-de-Lusignan
St-Ciers-du-Taillon
Ste-Ramée
Consac
St-Dizant-du-Bois
Nieul-le-Virouil
St-Hilaire-du-Bois
Champagnac
Semillac
St-Martial-de-M.
Mirambeau
St-Thomas-de-Conac
Semoussac
St-Sorlin-de-Conac
St-Georges-des-Agoûts
St-Simon-de-Bordes
Ozillac
Agudelle
Allas-Bocage
Villexavier
Fontaines-d'O.
St-Christoly-Médoc
Couquèques
St-Yzans-de-Médoc
St-Bonnet-s-Gironde
Soubran
Salignac-de-M.
Rouffignac
Tugéras-St-Maurice
Plaine-Selve
Courpignac
Chartuzac
Expiremont
Ordonnac
St-Seurin-de-Cadourne
St-Germain-d'Esteuil
Boisredon
Chamouillac
St-Palais
St-Ciers-sur-Gironde
St-Caprais-de-Blaye
Montendre
St-Estèphe
Vertheuil
LE BLAYAIS
St-Aubin-de-Blaye
Marcillac
Braud-et-St-Louis
N 150
N 137
A 10
L'AQUITAINE
D 730
D 732
D 700
Seudre
Seugne
Charente
GIRONDE
Forêt de la Lande
E
F
G
H

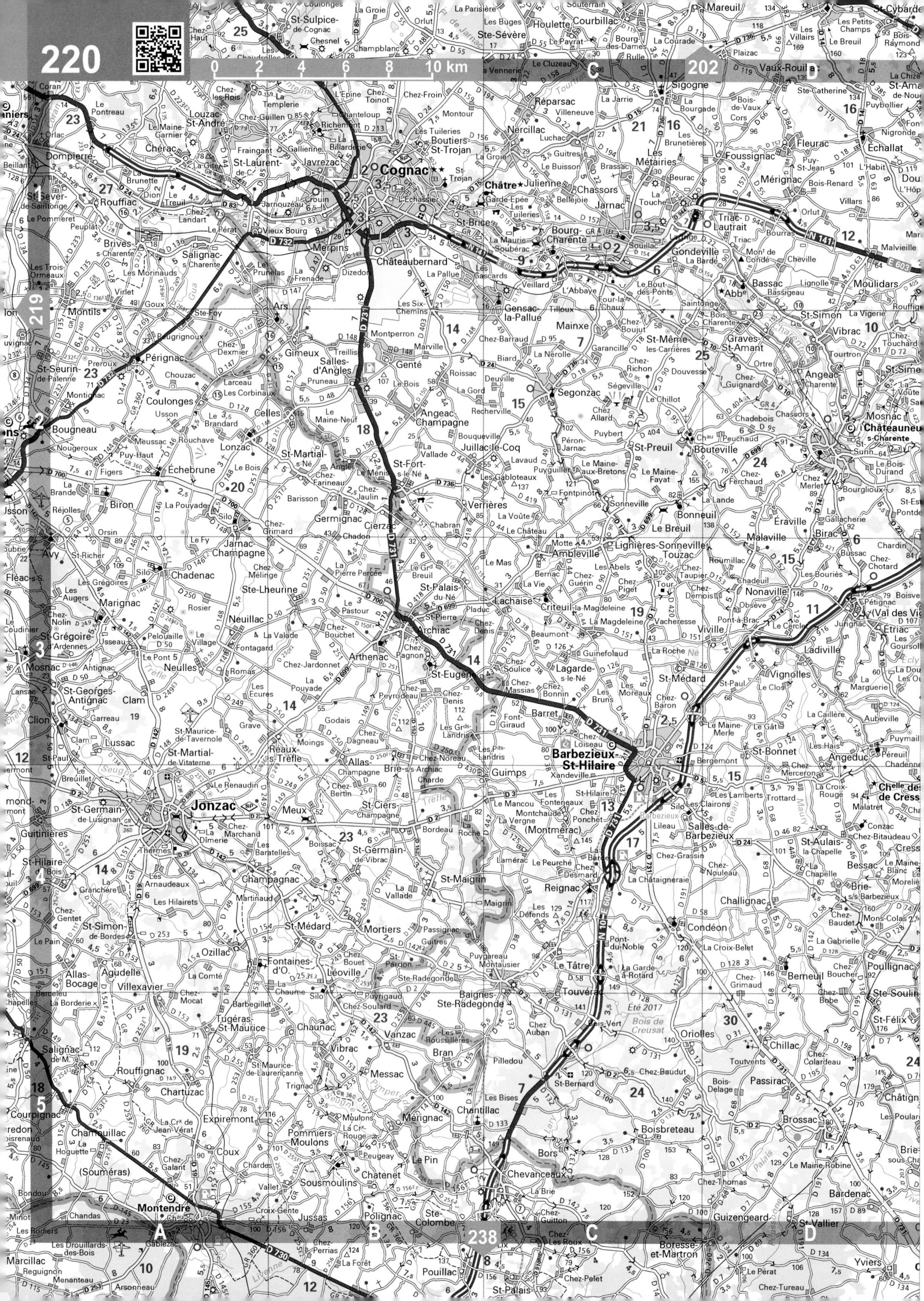
0 2 4 6 8 10 km
202
219
238
A
B
C
D
Cognac
Châteaubernard
Jarnac
Segonzac
Châteauneuf-s-Charente
Archiac
Barbezieux-St-Hilaire
Jonzac
Montendre
Baignes-Ste-Radegonde
Chevanceaux
St-Sulpice-de-Cognac
Sigogne
Vaux-Rouillac
Javrezac
St-Brice
Bourg-Charente
Triac-Lautrait
Gensac-la-Pallue
Salles-d'Angles
Angeac-Champagne
Juillac-le-Coq
Lignières-Sonneville
Bouteville
St-Preuil
Lonzac
Celles
Pérignac
St-Fort-s-le-Né
Germignac
Jarnac-Champagne
Ambleville
Criteuil-la-Magdeleine
Lagarde-s-le-Né
St-Palais-du-Né
St-Eugène
Neuillac
Neulles
Arthenac
St-Médard
Guimps
Salles-de-Barbezieux
Reignac
Condéon
Touvérac
Oriolles
Passirac
Brossac
St-Vallier
Boisbreteau
St-Maigrin
St-Germain-de-Vibrac
St-Ciers-Champagne
Meux
Champagnac
Ozillac
Fontaines-d'O.
Léoville
Vanzac
Messac
Chantillac
Mérignac
Pommiers-Moulons
Sousmoulins
Polignac
Jussas
Expiremont
Coux
Chartuzac
Rouffignac
Tugéras-St-Maurice
St-Simon-de-Bordes
Agudelle
Villexavier
Allas-Bocage
St-Germain-de-Lusignan
Guitinières
St-Hilaire-du-Bois
Marignac
Chadenac
St-Grégoire-d'Ardennes
Mosnac
St-Georges-Antignac
Clion
Lussac
St-Maurice-de-Tavernole
Réaux-s-Trèfle
Allas-Champagne
Brie-s-s-Archiac
Biron
Échebrune
Coulonges
St-Seurin-de-Palenne
Montils
Brives-s-Charente
Salignac-s-Charente
Rouffiac
Dompierre-s-C.
Chérac
Louzac-St-André
St-Laurent-de-C.
Mérignac
Foussignac
Échallat
Fleurac
Moulidars
Bassac
St-Simon
Vibrac
Graves-St-Amant
Angeac-Charente
Mosnac
Malaville
Birac
Nonaville
Touzac
Viville
Éraville
Bonneuil
Angeduc
Aubeville
Challignac
Bessac
St-Aulais-la-Chapelle
Brie-s/s Barbezieux
Poullignac
Berneuil
St-Félix
Chillac
Bardenac
Guizengeard
Boresse-et-Martron
Yviers
Pouillac
St-Palais-
Marcillac
Salignac-de-M.
Courpignac
Chamouillac
(Souméras)
N 141
N 10
D 731
D 732
D 730
D 700
D 699
D 736
Été 2017
Bois de Creusat

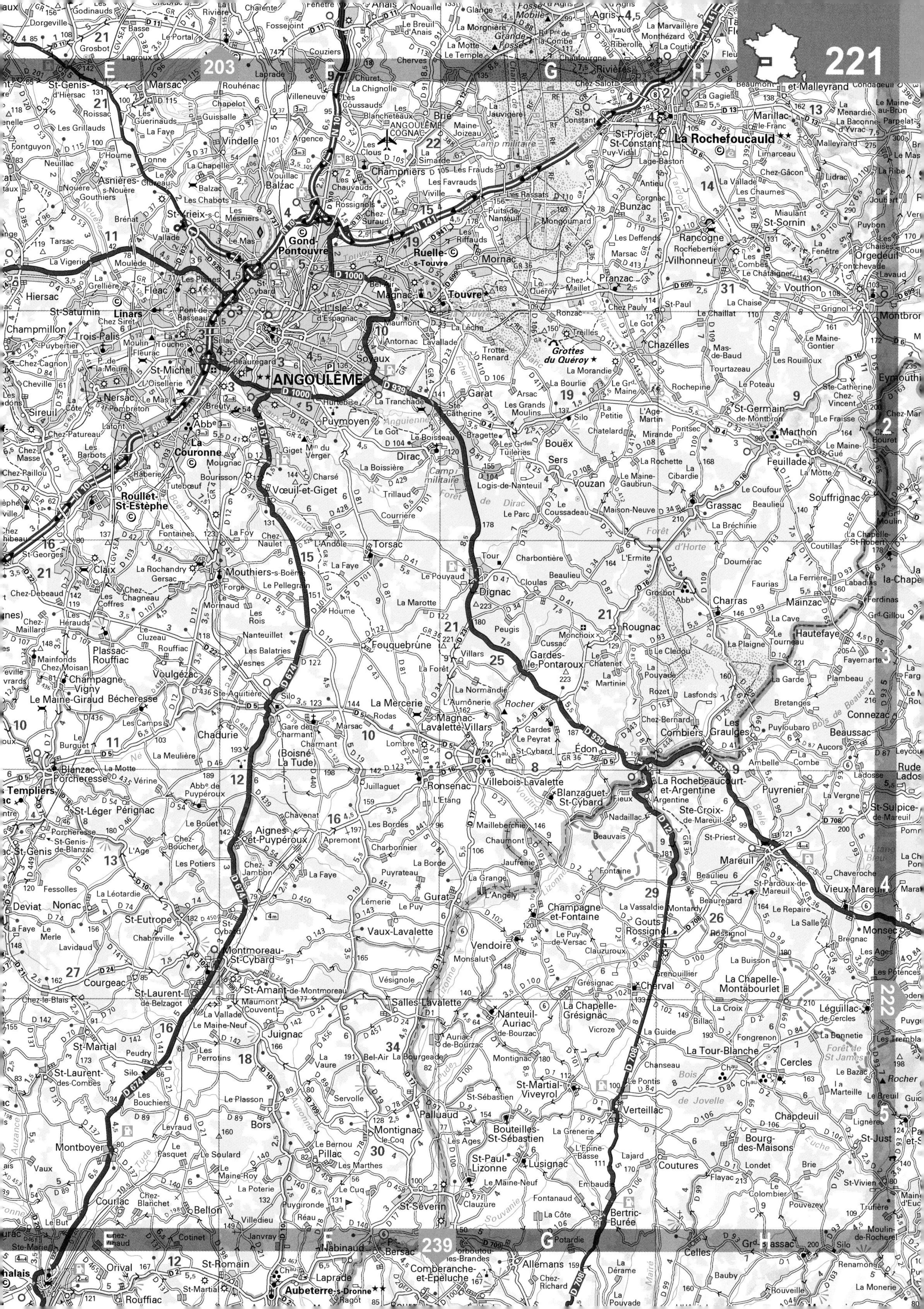
203
239
222
E
F
G
H
ANGOULÊME
La Rochefoucauld
Gond-Pontouvre
Ruelle-s-Touvre
Touvre
Magnac-s-T.
L'Isle-d'Espagnac
Soyaux
St-Yrieix-s-C.
Fléac
Linars
St-Saturnin
Champmillon
Trois-Palis
St-Michel
Nersac
Sireuil
La Couronne
Roullet-St-Estèphe
Puymoyen
Vœuil-et-Giget
Mouthiers-s-Boëme
Claix
Torsac
Dirac
Garat
Dignac
Fouquebrune
Magnac-Lavalette-Villars
Villebois-Lavalette
Ronsenac
Blanzac-Porcheresse
Pérignac
Aignes-et-Puypéroux
Montmoreau-St-Cybard
St-Amant-de-Montmoreau
Salles-Lavalette
Juignac
Palluaud
Montignac-le-Coq
Pillac
St-Séverin
Aubeterre-s-Dronne
Nabinaud
Bors
Montboyer
Courlac
Bellon
Orival
St-Romain
Rouffiac
Chalais
Champagne-et-Fontaine
Vendoire
Gouts-Rossignol
Cherval
Nanteuil-Auriac-de-Bourzac
La Chapelle-Grésignac
Verteillac
Bouteilles-St-Sébastien
St-Paul-Lizonne
Lusignac
Bertric-Burée
Allemans
La Tour-Blanche
Cercles
Chapdeuil
Bourg-des-Maisons
Mareuil
Vieux-Mareuil
La Rochebeaucourt-et-Argentine
Combiers
Édon
Rougnac
Charras
Grassac
Marthon
Feuillade
Souffrignac
Hautefaye
Connezac
Beaussac
Puyrenier
Vouzan
Sers
Bouëx
Pranzac
Chazelles
Rancogne
Vilhonneur
Bunzac
St-Projet-St-Constant
Rivières
Agris
Brie
Champniers
Balzac
Vindelle
Marsac
Asnières-s-Nouère
Montbron
Vouthon
Orgedeuil
Eymouthiers
Grottes du Quéroy
Forêt de Dirac
Forêt d'Horte
Forêt de la Mothe-Clédou
Bois de Jovelle
Forêt de St James
N 10
N 141
D 1000
D 939
D 674
D 708
E 606
E 603

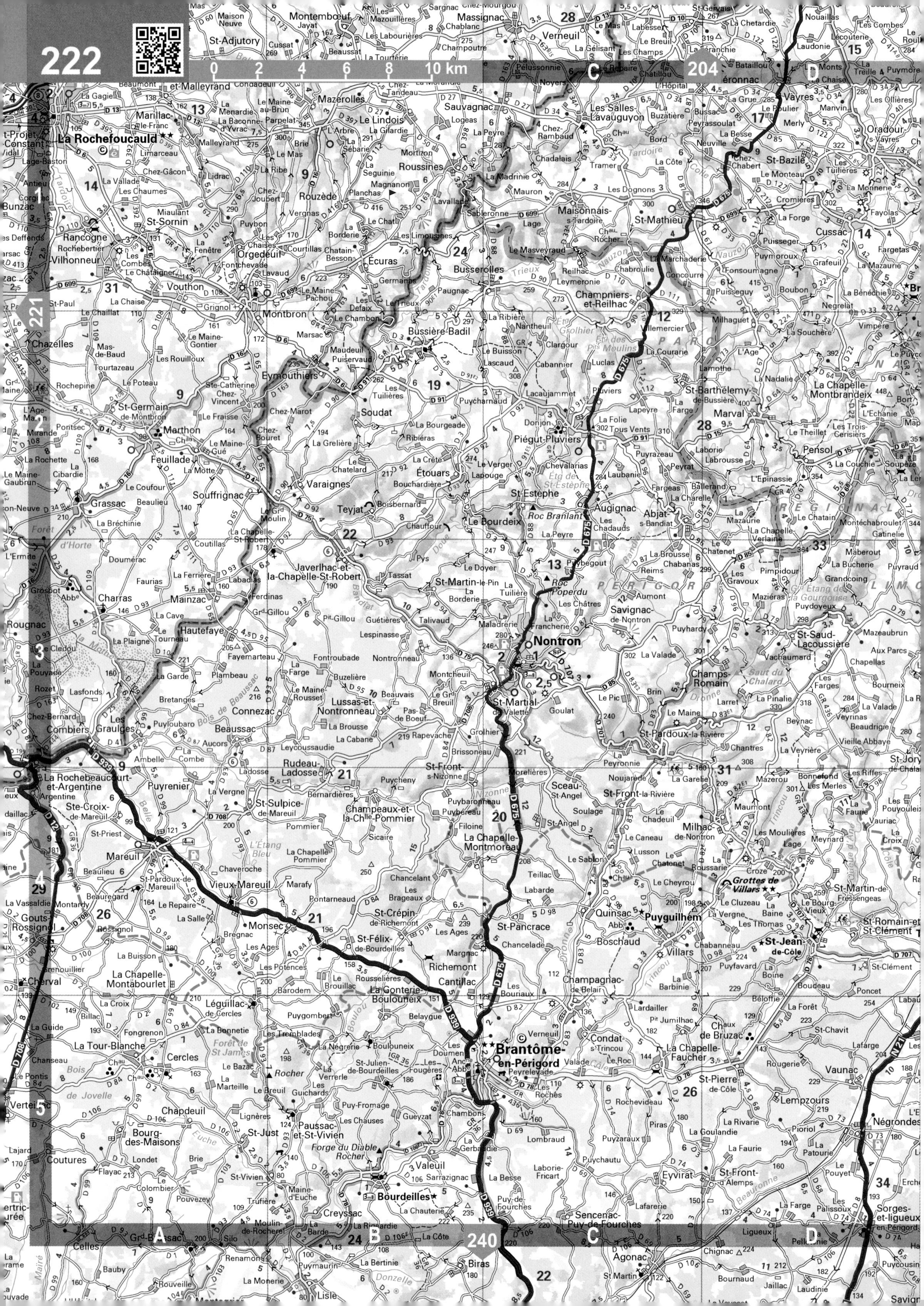
0 2 4 6 8 10 km
204
221
240
La Rochefoucauld
Marillac-le-Franc
Rancogne
Vilhonneur
St-Sornin
Vouthon
Orgedeuil
Montbron
Écuras
Rouzède
Roussines
Mazerolles
Le Lindois
Sauvagnac
Massignac
Montembœuf
Verneuil
Les Salles-Lavauguyon
St-Mathieu
Maisonnais-s-Tardoire
Busserolles
Champniers-et-Reilhac
Bussière-Badil
Eymouthiers
Chazelles
Marthon
St-Germain-de-Montbron
Feuillade
Souffrignac
Grassac
Soudat
Varaignes
Teyjat
Étouars
Piégut-Pluviers
Augignac
Abjat-s-Bandiat
St-Barthélemy-de-Bussière
Marval
La Chapelle-Montbrandeix
Pensol
Cussac
Oradour-s-Vayres
Vayres
St-Bazile
Javerlhac-et-la-Chapelle-St-Robert
Le Bourdeix
St-Estèphe
St-Martin-le-Pin
Nontron
Savignac-de-Nontron
St-Saud-Lacoussière
Champs-Romain
St-Pardoux-la-Rivière
St-Martial-de-Valette
Lussas-et-Nontronneau
Connezac
Hautefaye
Charras
Mainzac
Combiers
Les Graulges
Beaussac
Rudeau-Ladosse
Puyrenier
La Rochebeaucourt-et-Argentine
Ste-Croix-de-Mareuil
Mareuil
Vieux-Mareuil
St-Sulpice-de-Mareuil
Champeaux-et-la-Chapelle-Pommier
La Chapelle-Montmoreau
St-Front-la-Rivière
Milhac-de-Nontron
Sceau-St-Angel
Quinsac
Puyguilhem
Villars
St-Jean-de-Côle
St-Pancrace
St-Crépin-de-Richemont
St-Félix-de-Bourdeilles
Monsec
Richemont
Cantillac
La Gonterie-Boulouneix
Léguillac-de-Cercles
La Chapelle-Montabourlet
Gouts-Rossignol
Cherval
La Tour-Blanche
Cercles
Champagnac-de-Belair
Condat-s-Trincou
La Chapelle-Faucher
Brantôme-en-Périgord
Chapdeuil
Bourg-des-Maisons
Paussac-et-St-Vivien
Valeuil
Bourdeilles
Creyssac
St-Julien-de-Bourdeilles
Lempzours
St-Pierre-de-Côle
Vaunac
Négrondes
Eyvirat
St-Front-d'Alemps
Sencenac-Puy-de-Fourches
Agonac
Sorges-et-Ligueux-en-Périgord
Biras
Lisle
Grand-Brassac
Celles
Coutures
Grottes de Villars
Roc Branlant
Forge du Diable
Forêt d'Horte
PÉRIGORD
PARC
RÉGIONAL
D 675
D 939
D 708
D 699
D 707
N 21

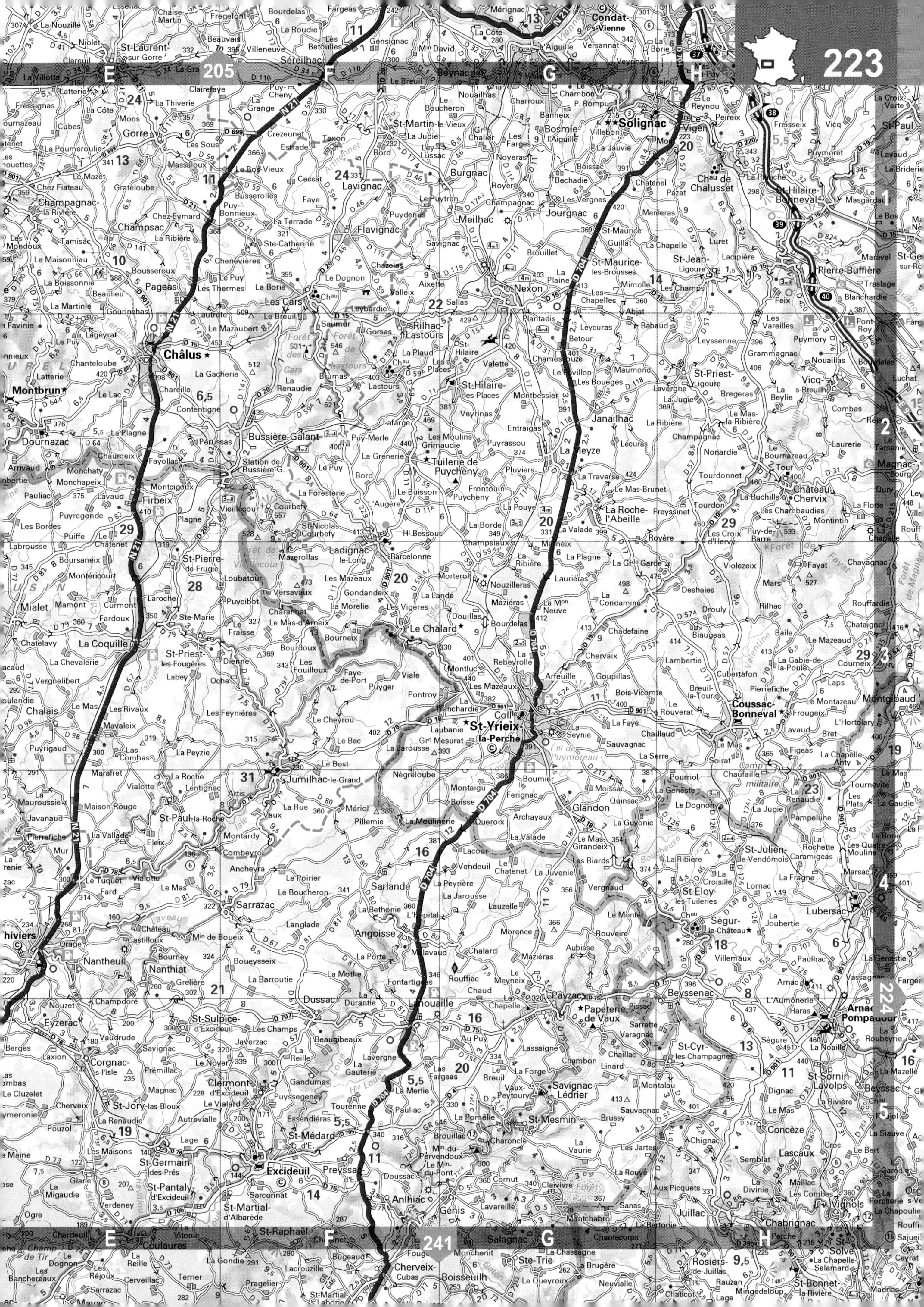
205
241
224
E
F
G
H
1
2
3
4
5
Condat-s-Vienne
St-Laurent-sur-Gorre
Séreilhac
Beynac
Solignac
Le Vigen
Bosmie-l'Aiguille
Chau de Chalusset
St-Hilaire-Bonneval
Pierre-Buffière
St-Martin-le-Vieux
Burgnac
Lavignac
Champagnac-la-Rivière
Gorre
Champsac
Pageas
Flavignac
Meilhac
Jourgnac
Nexon
St-Maurice-les-Brousses
St-Jean-Ligoure
Les Cars
Rilhac-Lastours
Châlus
Montbrun
Dournazac
St-Hilaire-les-Places
Janailhac
St-Priest-Ligoure
Vicq-s-Breuilh
Magnac-Bourg
Bussière-Galant
Tuilerie de Puycheny
La Meyze
Château-Chervix
La Roche-l'Abeille
Firbeix
Ladignac-le-Long
St-Pierre-de-Frugie
St-Nicolas-Courbefy
Le Chalard
Coussac-Bonneval
Montgibaud
La Coquille
St-Priest-les Fougères
St-Yrieix-la-Perche
Jumilhac-le-Grand
Glandon
St-Julien-le-Vendômois
St-Paul-la-Roche
Sarlande
St-Eloy-les-Tuileries
Ségur-le-Château
Lubersac
Angoisse
Nantheuil
Nanthiat
Payzac
Beyssenac
Arnac-Pompadour
Lanouaille
Dussac
Papeterie de Vaux
St-Sulpice-d'Excideuil
Eyzerac
Corgnac-s-l'Isle
Clermont-d'Excideuil
Savignac-Lédrier
St-Cyr-les-Champagnes
St-Sornin-Lavolps
Beyssac
St-Jory-las-Bloux
St-Médard-d'E.
St-Mesmin
Concèze
St-Germain-des-Prés
Excideuil
Preyssac-d'E.
Anlhiac
Génis
Juillac
Vignols
St-Pantaly-d'Excideuil
St-Martial-d'Albarède
Chabrignac
St-Raphaël
Salagnac
Couiaures
Ste-Trie
Cherveix-Cubas
Boisseuilh
Rosiers-de-Juillac
St-Solve
St-Bonnet-la-Rivière
Forêt de Lastours
Forêt de Vieillecour
Forêt de Fayat
Camp militaire
N 21
D 704
A 20

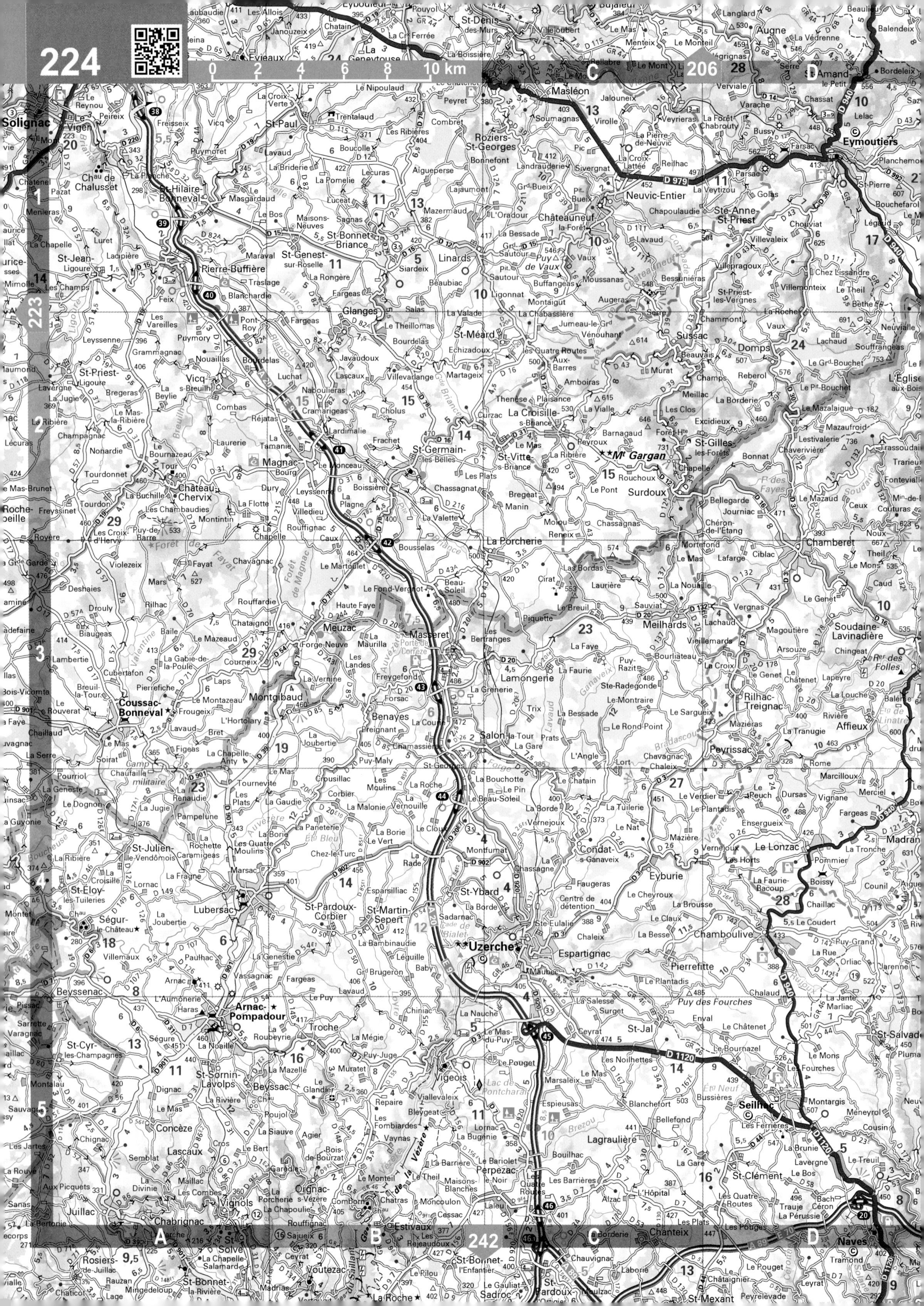
0 2 4 6 8 10 km
206
223
242
Solignac
Le Vigen
Chalusset
St-Hilaire-Bonneval
Pierre-Buffière
St-Jean-Ligoure
St-Paul
St-Genest-sur-Roselle
St-Bonnet-Briance
Linards
Roziers-St-Georges
Masléon
Neuvic-Entier
Châteauneuf-la-Forêt
Eymoutiers
Ste-Anne-St-Priest
Glanges
St-Méard
Sussac
Domps
St-Priest-Ligoure
Vicq-s-Breuilh
Magnac-Bourg
St-Germain-les-Belles
St-Vitte-s-Briance
La Croisille-s-Briance
Mt Gargan
Surdoux
St-Gilles-les-Forêts
Château-Chervix
La Porcherie
Chamberet
Meuzac
Masseret
Lamongerie
Meilhards
Soudaine-Lavinadière
Coussac-Bonneval
Montgibaud
Benayes
Salon-la-Tour
Rilhac-Treignac
Affieux
Peyrissac
St-Julien-le-Vendômois
Lubersac
St-Eloy-les-Tuileries
Ségur-le-Château
St-Pardoux-Corbier
St-Martin-Sepert
St-Ybard
Uzerche
Espartignac
Eyburie
Chamboulive
Le Lonzac
Condat-s-Ganaveix
Pierrefitte
Beyssenac
Arnac-Pompadour
Troche
Vigeois
St-Jal
Seilhac
St-Cyr-les-Champagnes
St-Sornin-Lavolps
Beyssac
Concèze
Lascaux
Juillac
Orgnac-s-Vézère
Perpezac-le-Noir
Lagraulière
St-Clément
Chanteix
Naves
Vignols
Chabrignac
St-Solve
Estivaux
St-Bonnet-l'Enfantier
Sadroc
St-Pardoux-l'Ortigier
St-Mexant
Voutezac
Rosiers-de-Juillac
St-Bonnet-la-Rivière

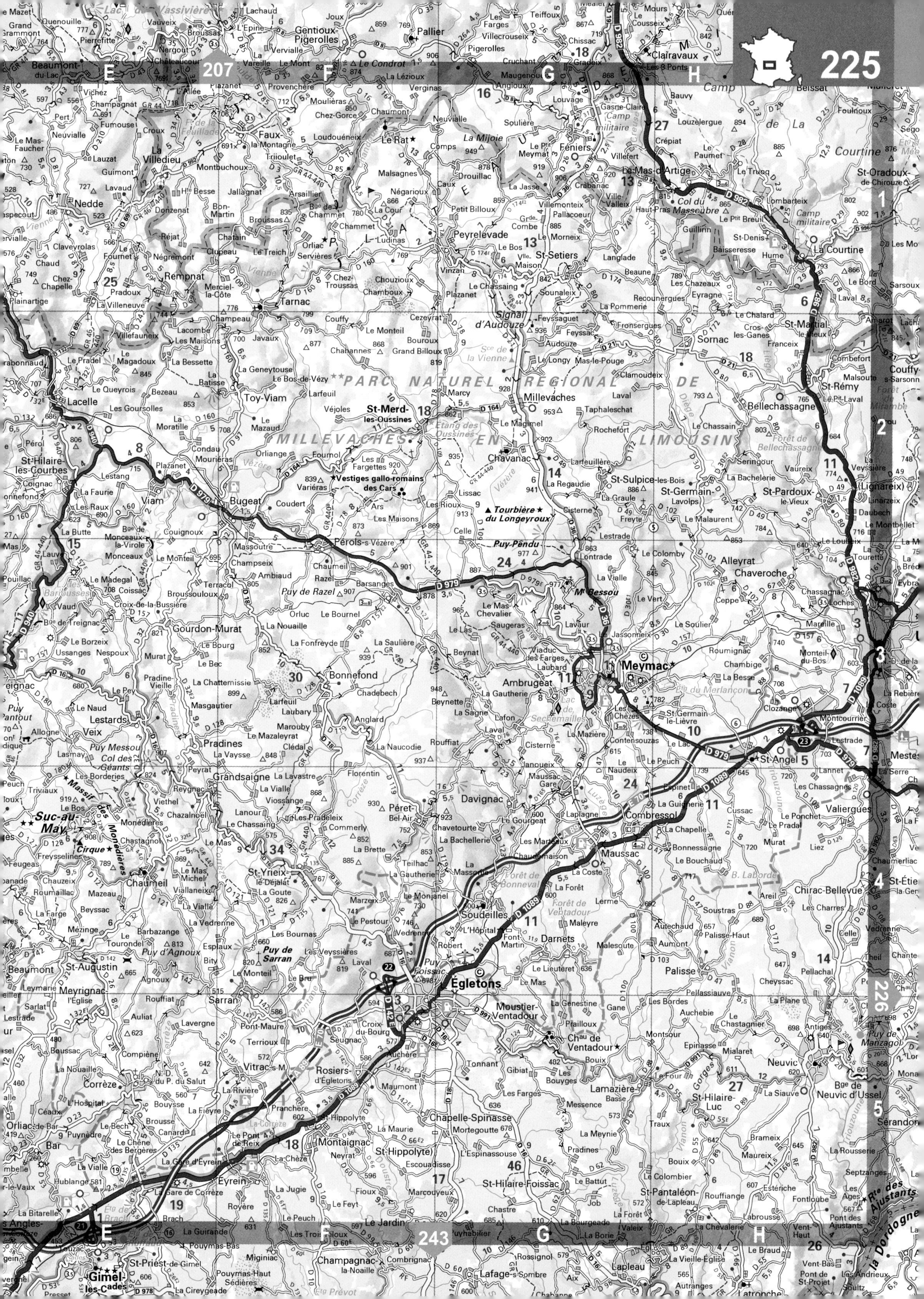
207
E
F
G
H
243
226
1
2
3
4
5
PARC NATUREL RÉGIONAL DE MILLEVACHES EN LIMOUSIN
Lac de Vassivière
Beaumont-du-Lac
Gentioux-Pigerolles
Pallier
Le Condrot
Clairavaux
Camp de La Courtine
Camp militaire
Féniers
Le-Mas-d'Artige
Col du Massoubre
St-Oradoux-de-Chirouze
La Courtine
Nedde
Faux-la-Montagne
Rempnat
Tarnac
Peyrelevade
St-Setiers
Signal d'Audouze
Sornac
St-Martial-le-Vieux
St-Rémy
Bellechassagne
Millevaches
Toy-Viam
St-Merd-les-Oussines
Étang des Oussines
Chavanac
Lacelle
St-Hilaire-les-Courbes
Viam
Bugeat
Vestiges gallo-romains des Cars
Tourbière du Longeyroux
Puy Pendu
St-Sulpice-les-Bois
St-Germain-Lavolps
St-Pardoux-le-Vieux
Alleyrat
Chaveroche
Pérols-s-Vézère
Puy de Razel
Mt Bessou
Gourdon-Murat
Meymac
Ambrugeat
Lac de Séchemailles
Bonnefond
St-Angel
Lestards
Veix
Puy Messou
Col des Géants
Massif des Monédières
Suc-au-May
Cirque
Pradines
Grandsaigne
Davignac
Combressol
Maussac
Valiergues
Chaumeil
St-Yrieix-le-Déjalat
Soudeilles
Forêt de Ventadour
Darnets
Chirac-Bellevue
Puy d'Agnoux
Puy de Sarran
St-Augustin
Beaumont
Sarran
Égletons
Moustier-Ventadour
Palisse
Chau de Ventadour
Rosiers-d'Égletons
Vitrac-s-M.
Corrèze
Neuvic
Puy de Manzagol
Gorges
St-Hilaire-Luc
Lamazière-Basse
Neuvic d'Ussel
Chapelle-Spinasse
Montaignac-St-Hippolyte
Eyrein
St-Hilaire-Foissac
St-Pantaléon-de-Lapleau
Rte des Ajustants
la Dordogne
Lapleau
Lafage-s-Sombre
Champagnac-la-Noaille
St-Priest-de-Gimel
Gimel-les-Cascades
Sérandon
Latronche
D 979
D 982
D 1089
D 36
D 979E
A 89
E 70

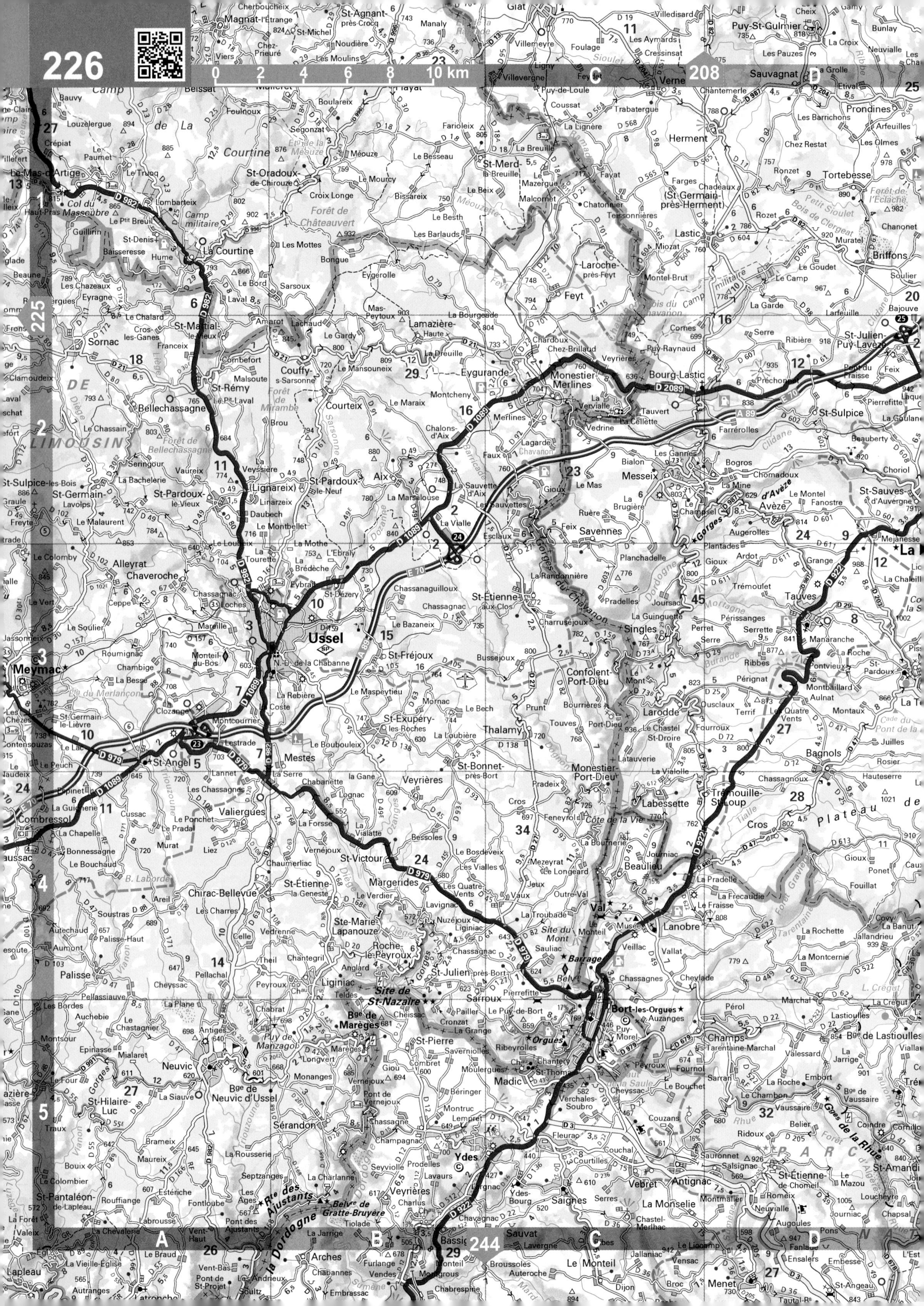

0 2 4 6 8 10 km
225
208
244
A
B
C
D
Ussel
Meymac
Bort-les-Orgues
Ydes
Neuvic
La Courtine
Le Mas-d'Artige
Sornac
St-Rémy
Bellechassagne
Eygurande
Monestier-Merlines
Bourg-Lastic
Herment
Tortebesse
Briffons
St-Julien-Puy-Lavèze
St-Sulpice
Messeix
St-Sauves-d'Auvergne
Avèze
Tauves
Singles
Confolent-Port-Dieu
Larodde
Labessette
Tremouille-St-Loup
Bagnols
Lanobre
Champs-sur-Tarentaine-Marchal
St-Étienne-de-Chomeil
Antignac
Saignes
Vebret
La Monselie
Madic
Sarroux
St-Julien-près-Bort
Liginiac
Margerides
St-Victour
St-Exupéry-les-Roches
St-Fréjoux
Thalamy
Aix
Courteix
Lamazière-Haute
Couffy-s-Sarsonne
St-Martial-le-Vieux
St-Oradoux-de-Chirouze
St-Merd-la-Breuille
Feyt
Laroche-près-Feyt
Lastic
Chirac-Bellevue
Valiergues
St-Angel
Palisse
Sérandon
St-Pierre
Veyrières
Mestes
St-Étienne-aux-Clos
Monestier-Port-Dieu
Beaulieu
St-Pantaléon-de-Lapleau
St-Hilaire-Luc
Lapleau
Le Monteil
Menet
Riom-ès-Montagnes
Camp militaire
Plateau de Millevaches
LIMOUSIN
Forêt de Châteauvert
Forêt de Mirambel
Gorges du Chavanon
Gorges d'Avèze
la Dordogne
Rte des Ajustants
Site de St-Nazaire
Bge de Marèges
Bge de Neuvic d'Ussel
Bge de Lastioulles
Bge de Vaussaire
Ggés de la Rhue
Orgues
Barrage
D 1089
D 979
D 982
D 922
D 2089
A 89
E 70

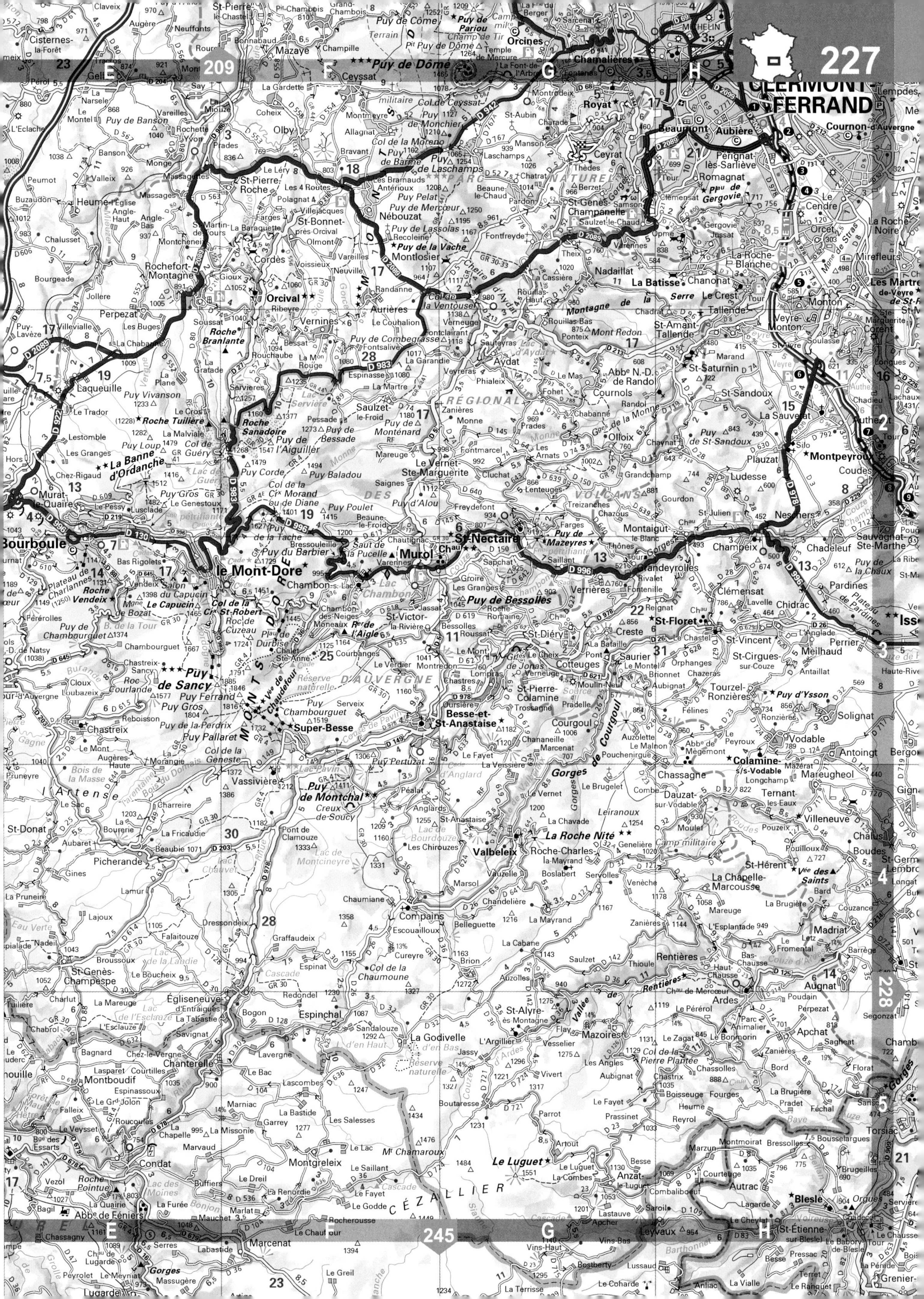
CLERMONT-FERRAND
Chamalières
Royat
Aubière
Beaumont
Cournon-d'Auvergne
Pérignat-lès-Sarliève
Orcines
Puy de Dôme
Puy de Pariou
Puy de Côme
Ceyssat
Mazaye
Ceyrat
St-Genès-Champanelle
Plateau de Gergovie
Romagnat
La Roche-Blanche
Orcet
Le Cendre
Mirefleurs
Les Martres-de-Veyre
Veyre-Monton
Tallende
St-Amant-Tallende
St-Saturnin
La Sauvetat
Authezat
Montpeyroux
Coudes
Plauzat
Ludesse
Neschers
Champeix
Chadeleuf
Sauvagnat-Ste-Marthe
Issoire
St-Floret
Montaigut-le-Blanc
St-Pierre-Roche
St-Bonnet-près-Orcival
Orcival
Rochefort-Montagne
Nébouzat
Puy de la Vache
Puy de Lassolas
Col de la Ventouse
Aydat
Lac d'Aydat
Cournols
Olloix
Le Vernet-Ste-Marguerite
Murol
St-Nectaire
Lac Chambon
Saillant
Grandeyrolles
Verrières
La Bourboule
Laqueuille
Murat-le-Quaire
Puy Gros
La Banne d'Ordanche
Roche Tuilière
Roche Sanadoire
Col de Guéry
Lac de Guéry
Le Mont-Dore
Puy de Sancy
Monts Dore
Col de la Croix St-Robert
Super-Besse
Besse-et-St-Anastaise
Lac Pavin
Puy de Montchal
Creux de Soucy
Vassivière
Puy de Bessolles
St-Diéry
Courgoul
Gorges de Courgoul
Saurier
Valbeleix
La Roche Nité
Compains
Espinchal
Égliseneuve-d'Entraigues
Lac de l'Esclauze
La Godivelle
St-Alyre-ès-Montagne
Vallée de Rentières
Rentières
Ardes
Mazoires
Col de la Pierre Plantée
Le Luguet
Anzat-le-Luguet
Cézallier
Condat
Montboudif
Chanterelle
Picherande
St-Donat
Chastreix
St-Genès-Champespe
Roche Pointue
Blesle
Massiac
Apchat
Augnat
Madriat
Villeneuve
Vodable
Colamine-s/s-Vodable
Solignat
Puy d'Ysson
Tourzel-Ronzières
Chidrac
Pardines
Meilhaud
St-Vincent
St-Cirgues-sur-Couze
Clémensat
Perrier
Parc Naturel Régional des Volcans d'Auvergne
Réserve naturelle
Montgreleix
Marcenat
Leyvaux
D 2089
D 996
D 978
D 983
D 130
D 922
D 203
D 679
209
245
228
E
F
G
H
1
2
3
4
5

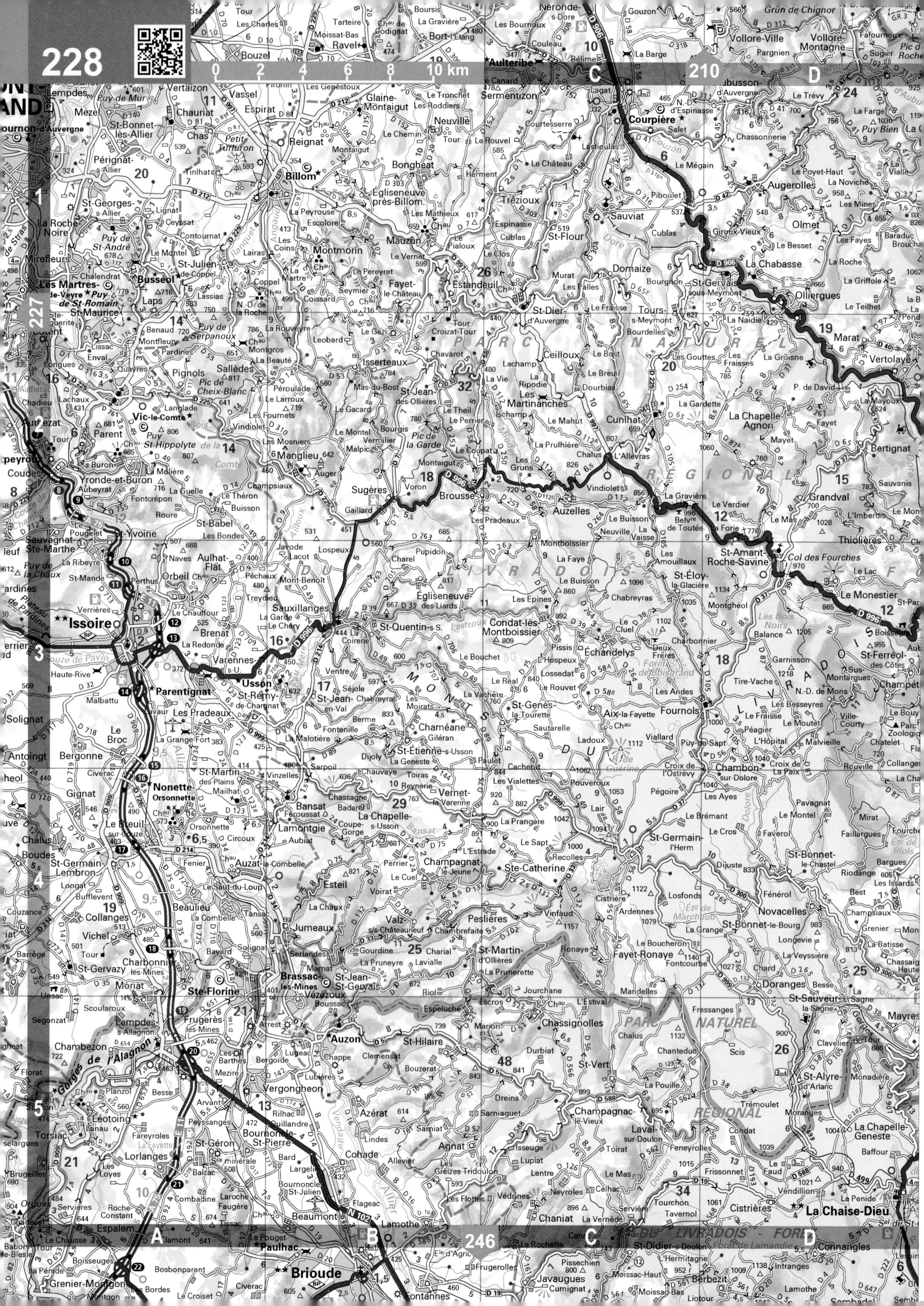
0 2 4 6 8 10 km
210
227
246
A
B
C
D
1
2
3
4
5
Issoire
Billom
Courpière
Brioude
La Chaise-Dieu
Ambert
Olliergues
Vic-le-Comte
Sauxillanges
St-Germain-l'Herm
St-Amant-Roche-Savine
Cunlhat
Arlanc
Brassac-les-Mines
Auzon
Paulhac
Usson
Nonette
Ste-Florine
St-Dier-d'Auvergne
Lempdes-s-Allagnon
PARC NATUREL RÉGIONAL DU LIVRADOIS-FOREZ
MONTS DU LIVRADOIS
Gorges de l'Alagnon
Col des Fourches
A 75
D 996
D 906
D 999
N 102
E 11

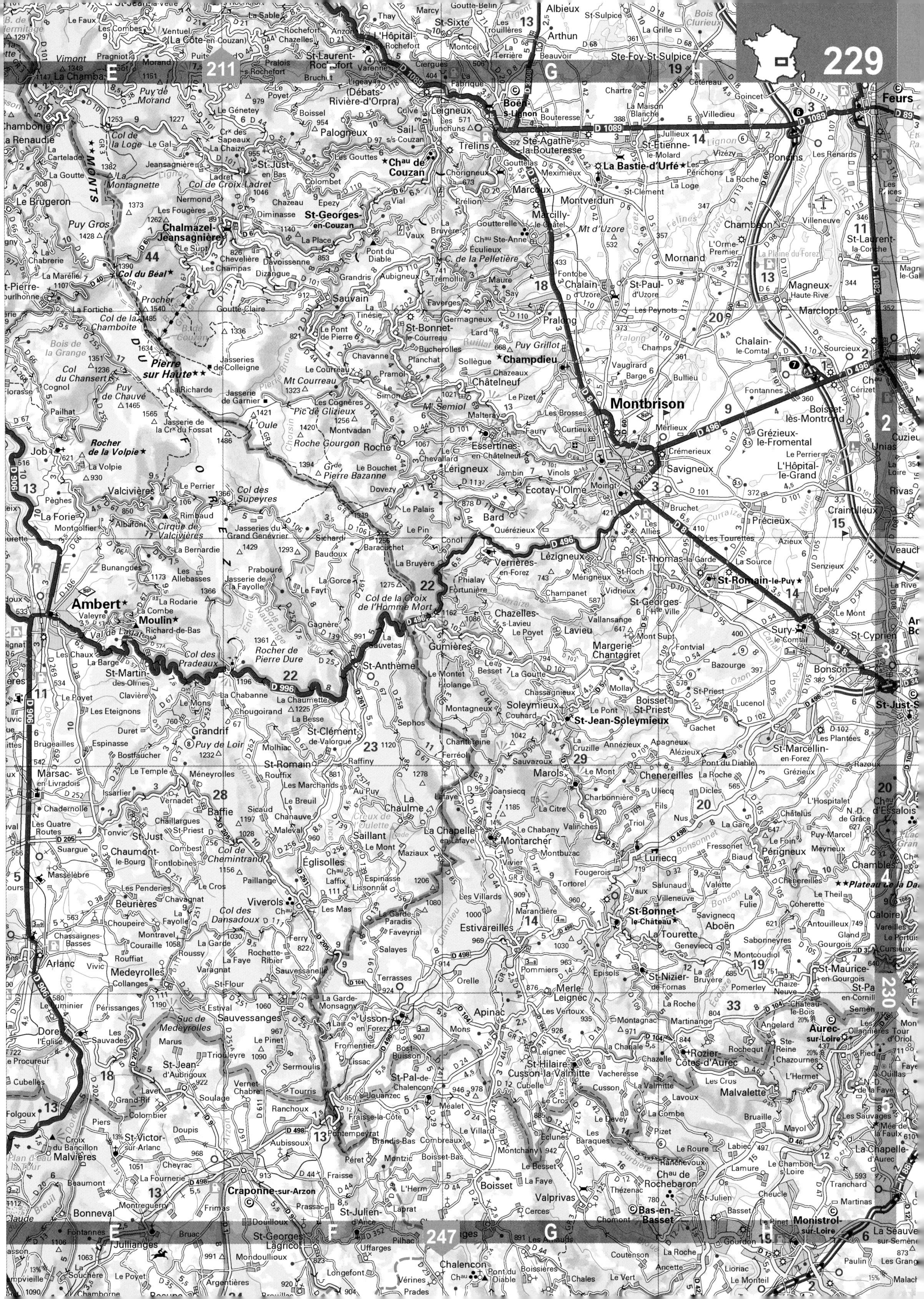
211
E
F
G
H
Boën-s-Lignon
Feurs
Montbrison
Ambert
Moulin
Chalmazel-Jeansagnière
St-Georges-en-Couzan
Chau de Couzan
Champdieu
St-Romain-le-Puy
Sury-le-Comtal
St-Just-St-Rambert
St-Marcellin-en-Forez
St-Bonnet-le-Château
St-Jean-Soleymieux
Montarcher
Usson-en-Forez
Craponne-sur-Arzon
Bas-en-Basset
Monistrol-sur-Loire
Aurec-sur-Loire
Rozier-Côtes-d'Aurec
Apinac
Estivareilles
Viverols
St-Anthème
Arlanc
Pierre sur Haute
Col du Béal
Col des Supeyres
Col de la Croix de l'Homme Mort
Col des Pradeaux
Plateau de la Danse
La Bastie-d'Urfé
Chau de Rochebaron
D 1089
D 496
D 8
D 906
D 996
D 498
230
247

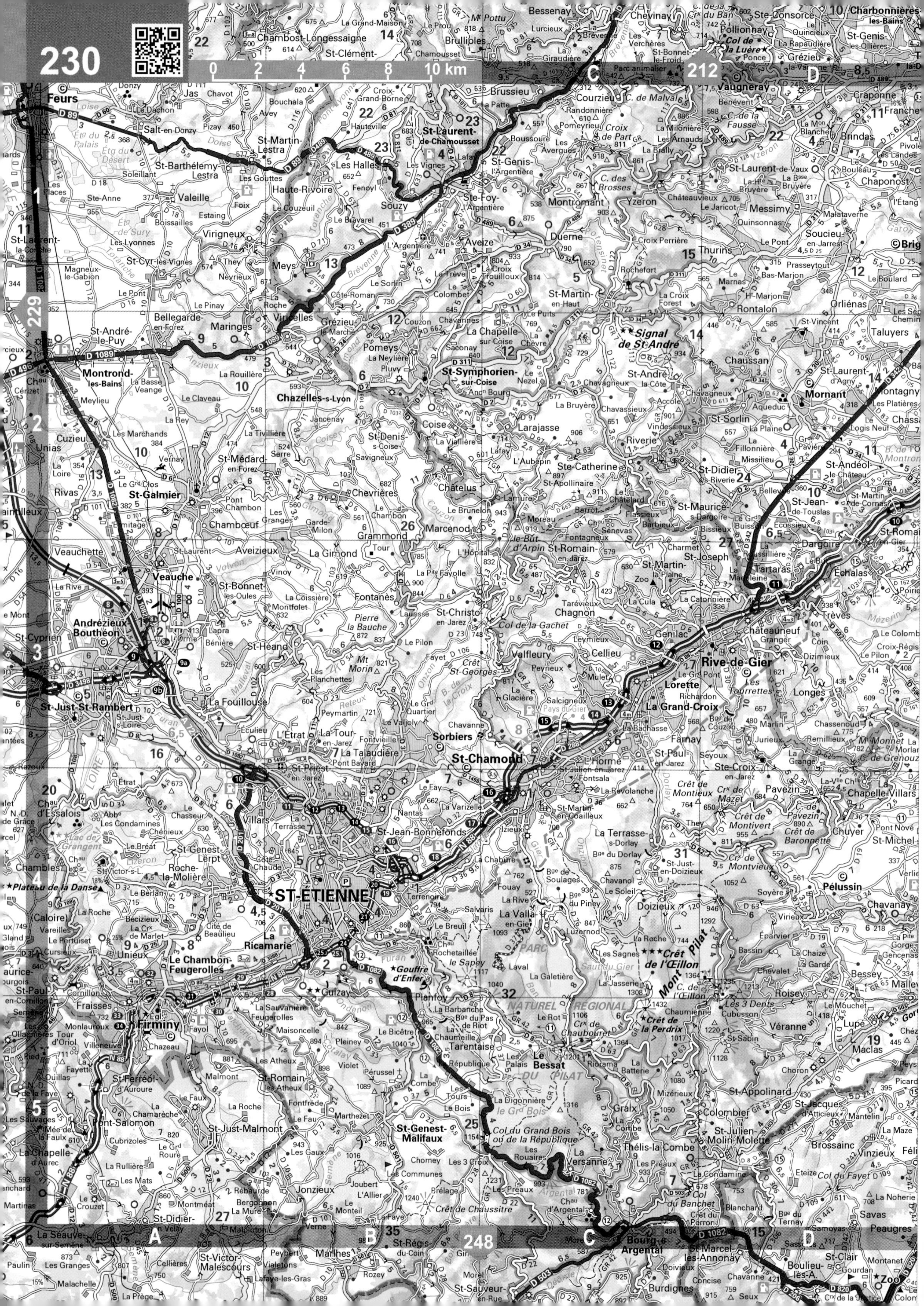
0 2 4 6 8 10 km
212
229
248
Feurs
Chambost-Longessaigne
St-Clément-
Bessenay
Chevinay
Brullioles
Pollionnay
Ste-Consorce
Charbonnières-les-Bains
Col de la Luère
Vaugneray
Grézieu-la-Varenne
Craponne
Francheville
Salt-en-Donzy
St-Martin-Lestra
St-Laurent-de-Chamousset
Brussieu
Courzieu
Brindas
St-Barthélemy-Lestra
Les Halles
Haute-Rivoire
Souzy
Ste-Foy-l'Argentière
St-Genis-l'Argentière
Montromant
Yzeron
St-Laurent-de-Vaux
Messimy
Chaponost
Valeille
Virigneux
Aveize
Duerne
Thurins
Soucieu-en-Jarrest
St-Laurent-la-Conche
St-Cyr-les-Vignes
Meys
Rochefort
St-Martin-en-Haut
Rontalon
Orliénas
Bellegarde-en-Forez
Maringes
Viricelles
Grézieu-le-Marché
La Chapelle-sur-Coise
Signal de St-André
Taluyers
St-André-le-Puy
Montrond-les-Bains
Pomeys
St-Symphorien-sur-Coise
St-André-la-Côte
Chaussan
St-Laurent-d'Agny
Mornant
Montagny
Chazelles-s-Lyon
Coise
Larajasse
Riverie
St-Sorlin
Cuzieu
Unias
St-Médard-en-Forez
St-Denis-s-Coise
Ste-Catherine
St-Didier-s-Riverie
St-Andéol-le-Château
St-Galmier
Chevrières
Châtelus
St-Maurice-s-Dargoire
St-Jean-de-Touslas
Rivas
Chambœuf
Grammond
Marcenod
St-Romain-en-Jarez
St-Joseph
Dargoire
Veauchette
Aveizieux
La Gimond
St-Martin-la-Plaine
Tartaras
Échalas
Veauche
St-Bonnet-les-Oules
Fontanès
Chagnon
Andrézieux-Bouthéon
St-Christo-en-Jarez
Genilac
Châteauneuf
Trèves
St-Cyprien
St-Héand
Valfleury
Cellieu
Rive-de-Gier
St-Just-St-Rambert
La Fouillouse
Sorbiers
Lorette
La Grand-Croix
Longes
L'Étrat
La Tour-en-Jarez
La Talaudière
St-Chamond
Farnay
St-Paul-en-Jarez
St-Priest-en-Jarez
L'Horme
Ste-Croix-en-Jarez
Pavezin
Chapelle-Villars
Villars
St-Jean-Bonnefonds
St-Martin-en-Coailleux
La Terrasse-s-Dorlay
Chuyer
St-Michel
St-Genest-Lerpt
Roche-la-Molière
Doizieux
Pélussin
ST-ÉTIENNE
Chambles
Plateau de la Danse
La Valla-en-Gier
Chavanay
La Ricamarie
Crêt de l'Œillon
Mont Pilat
Unieux
Le Chambon-Feugerolles
Gouffre d'Enfer
Bessey
Malleval
Guizay
Planfoy
Roisey
Firminy
Fraisses
Le Bessat
PARC NATUREL RÉGIONAL DU PILAT
Crêt de la Perdrix
Véranne
Lupé
Maclas
St-Ferréol-d'Auroure
St-Romain-les-Atheux
Tarentaise
St-Appolinard
Pont-Salomon
St-Just-Malmont
St-Genest-Malifaux
Col du Grand Bois ou de la République
Graix
Colombier
St-Jacques-d'Atticieux
La Chapelle-d'Aurec
Jonzieux
Thélis-la-Combe
St-Julien-Molin-Molette
Brossainc
Vinzieux
Crêt de Chaussitre
La Versanne
Col du Banchet
Col du Fayet
St-Didier-en-Velay
Bourg-Argental
Savas
Peaugres
La Séauve-sur-Semène
St-Régis-du-Coin
St-Marcel-les-Annonay
Marlhes
St-Victor-Malescours
St-Clair
Boulieu-lès-A.
Burdignes
St-Sauveur-en-Rue
Zoo

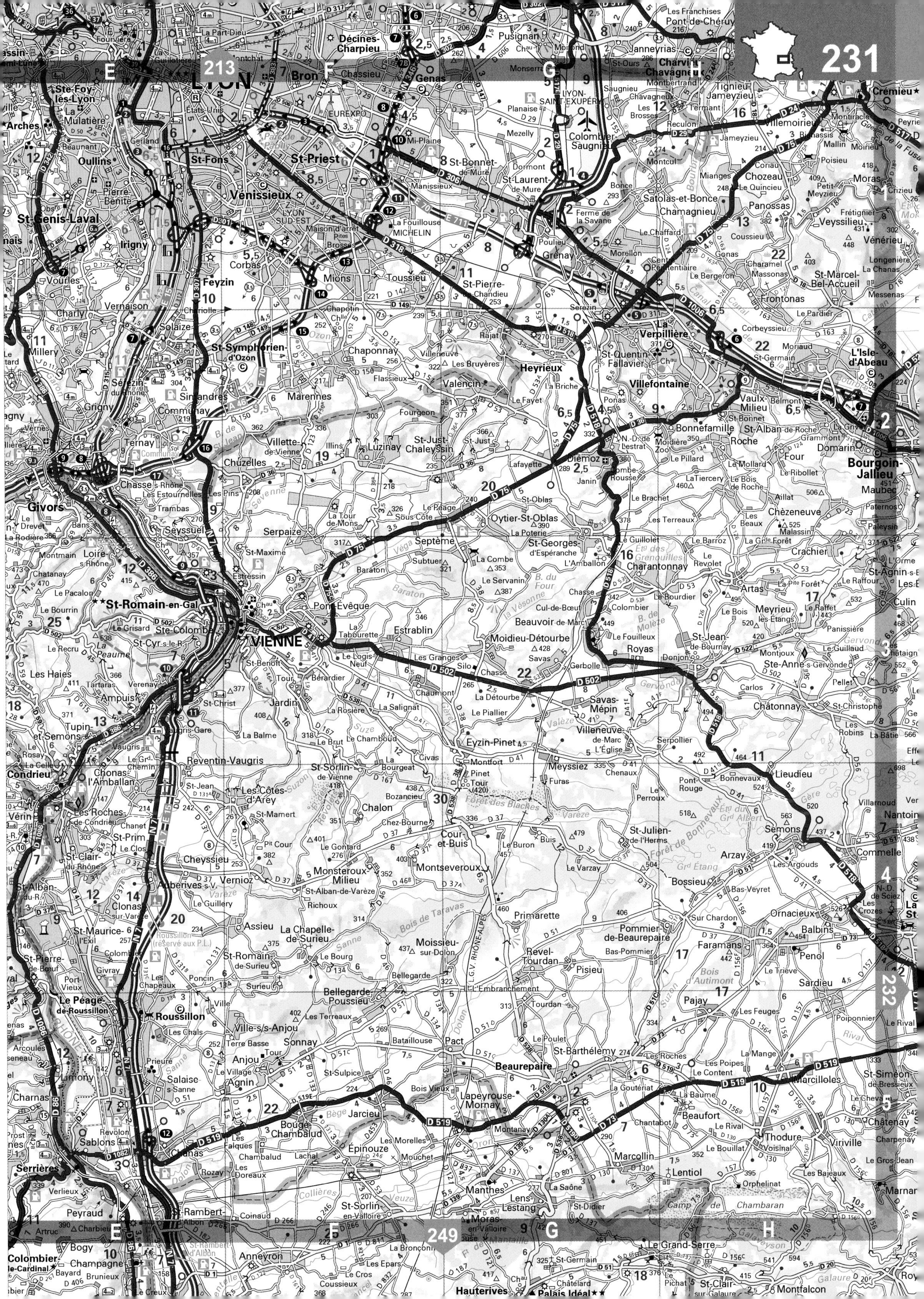

213
LYON
Bron
Décines-Charpieu
Genas
Pusignan
Janneyrias
Charvieu-Chavagneux
Pont-de-Chéruy
Crémieu
Ste-Foy-lès-Lyon
La Mulatière
Oullins
St-Fons
St-Priest
Vénissieux
Pierre-Bénite
St-Genis-Laval
Irigny
Feyzin
Corbas
Mions
Toussieu
St-Pierre-de-Chandieu
LYON-SAINT-EXUPÉRY
Colombier-Saugnieu
St-Bonnet-de-Mure
St-Laurent-de-Mure
Satolas-et-Bonce
Chamagnieu
Villemoirieu
Tignieu-Jameyzieu
Grenay
Heyrieux
St-Quentin-Fallavier
La Verpillière
Villefontaine
L'Isle-d'Abeau
Vaulx-Milieu
Bourgoin-Jallieu
Frontonas
St-Marcel-Bel-Accueil
Vourles
Charly
Vernaison
Millery
Solaize
St-Symphorien-d'Ozon
Sérézin-du-Rhône
Simandres
Communay
Grigny
Ternay
Chaponnay
Marennes
Valencin
Villette-de-Vienne
Luzinay
St-Just-Chaleyssin
Diémoz
Bonnefamille
Chuzelles
Chasse-s-Rhône
Givors
Seyssuel
Serpaize
Septème
Oytier-St-Oblas
St-Georges-d'Espéranche
Charantonnay
Loire-s-Rhône
St-Romain-en-Gal
Ste-Colombe
St-Cyr-s-le-R.
VIENNE
Pont-Évêque
Estrablin
Moidieu-Détourbe
Beauvoir-de-Marc
Royas
St-Jean-de-Bournay
Meyrieu-les-Étangs
Châtonnay
Ste-Anne-s-Gervonde
Ampuis
Tupin-et-Semons
Condrieu
Les Roches-de-Condrieu
Reventin-Vaugris
Chonas-l'Amballan
Les Côtes-d'Arey
Jardin
Savas-Mépin
Eyzin-Pinet
Villeneuve-de-Marc
Meyssiez
Lieudieu
St-Sorlin-de-Vienne
Chalon
Cour-et-Buis
Montseveroux
St-Julien-de-l'Herms
Semons
Arzay
St-Clair-du-Rhône
St-Prim
Cheyssieu
Vernioz
Auberives-s-V.
Monsteroux-Milieu
St-Alban-du-R.
Clonas-sur-Varèze
St-Maurice-l'Exil
Assieu
La Chapelle-de-Surieu
Moissieu-sur-Dolon
Primarette
Pommier-de-Beaurepaire
Revel-Tourdan
Faramans
Ornacieux
Balbins
Penol
St-Pierre-de-Bœuf
Le Péage-de-Roussillon
Roussillon
St-Romain-de-Surieu
Bellegarde-Poussieu
Pisieu
Pajay
Sardieu
Ville-s/s-Anjou
Sonnay
Pact
Beaurepaire
St-Barthélemy
Marcilloles
Salaise-s-Sanne
Anjou
Agnin
Limony
Charnas
Bougé-Chambalud
Jarcieu
Lapeyrouse-Mornay
Beaufort
Thodure
Viriville
Châtenay
Sablons
Serrières
Épinouze
Manthes
Lens-Lestang
Marcollin
Lentiol
St-Sorlin-en-Valloire
St-Rambert-d'Albon
Moras-en-Valloire
Le Grand-Serre
Anneyron
Colombier-le-Cardinal
Hauterives
Palais Idéal
249
232

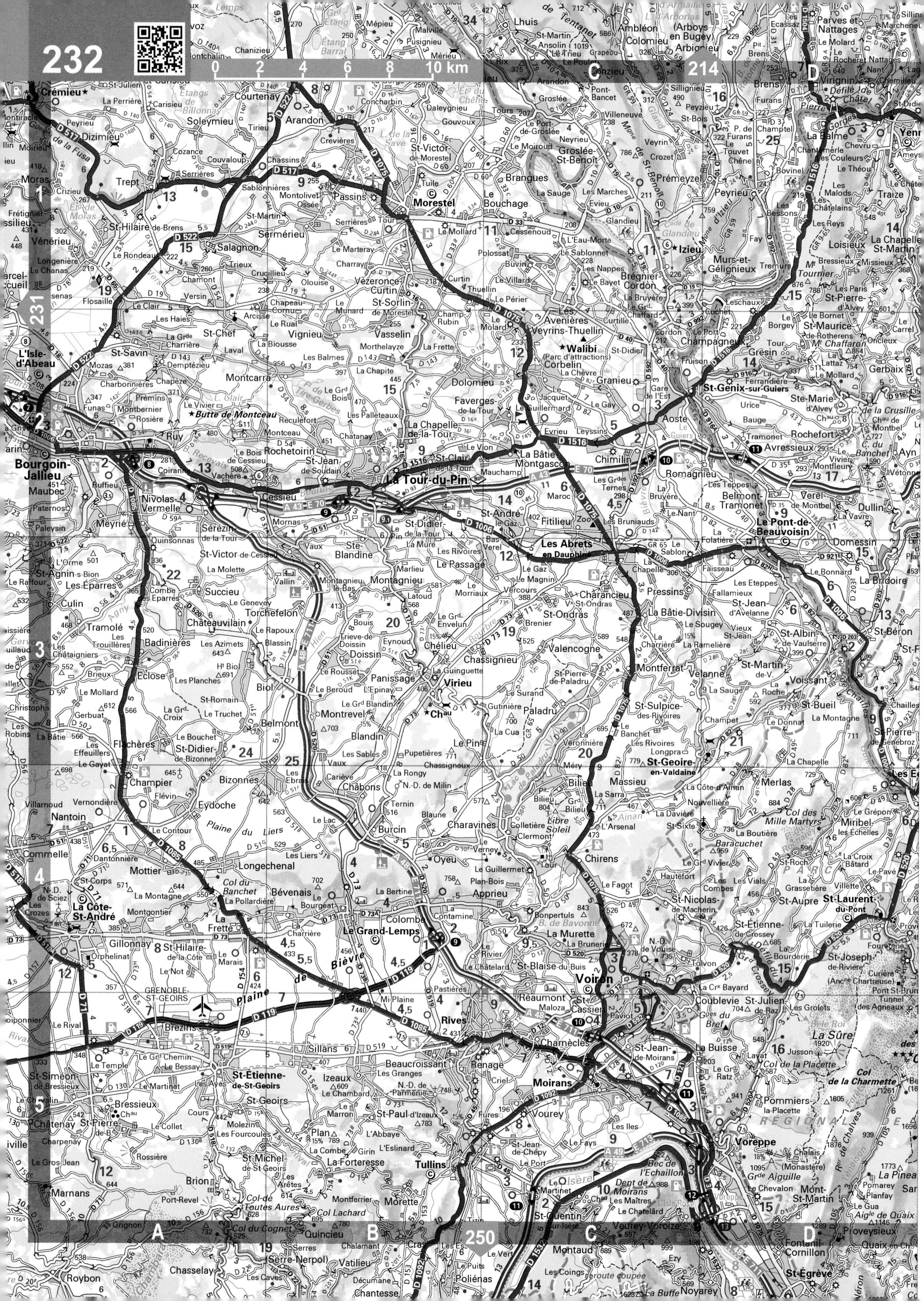
0 2 4 6 8 10 km
A
B
C
D
1
2
3
4
5
214
231
250
Crémieu
Dizimieu
Courtenay
Soleymieu
Arandon
Trept
Morestel
Passins
Brangues
Le Bouchage
Groslée-St-Benoît
Izieu
Brens
Virignin
Yenne
La Balme
Prémeyzel
St-Hilaire-de-Brens
Sermérieu
Salagnon
Vézeronce-Curtin
St-Sorlin-de-Morestel
Les Avenières
Veyrins-Thuellin
Walibi
St-Genix-sur-Guiers
Champagneux
St-Chef
St-Savin
L'Isle-d'Abeau
Montcarra
Vignieu
Dolomieu
Faverges-de-la-Tour
Aoste
Bourgoin-Jallieu
Ruy
Rochetoirin
St-Jean-de-Soudain
La Tour-du-Pin
La Bâtie-Montgascon
Chimilin
Romagnieu
Avressieux
Le Pont-de-Beauvoisin
Domessin
Les Abrets en Dauphiné
Nivolas-Vermelle
Cessieu
St-Didier-de-la-Tour
St-André-le-Gaz
Fitilieu
Pressins
La Bridoire
Meyrié
Sérézin-de-la-Tour
St-Victor-de-Cessieu
Ste-Blandine
Montagnieu
Le Passage
Charancieu
St-Ondras
St-Jean-d'Avelanne
Succieu
Torchefelon
Châteauvilain
Tramolé
Badinières
Eclose
Doissin
Chélieu
Chassignieu
Valencogne
Virieu
Panissage
Montferrat
Velanne
Voissant
St-Béron
Biol
Belmont
Montrevel
Blandin
Paladru
St-Bueil
Flachères
St-Didier-de-Bizonnes
Bizonnes
Châbons
Le Pin
Lac de Paladru
St-Geoire-en-Valdaine
Massieu
Merlas
Champier
Eydoche
Burcin
Charavines
Bilieu
Chirens
Miribel-les-Échelles
Nantoin
Plaine du Liers
Longechenal
Oyeu
Apprieu
St-Nicolas-de-Macherin
St-Aupre
St-Laurent-du-Pont
La Côte-St-André
Mottier
Bévenais
Le Grand-Lemps
Colombe
La Murette
St-Étienne-de-Crossey
St-Joseph-de-Rivière
La Frette
Gillonnay
St-Hilaire-de-la-Côte
Plaine de Bièvre
Voiron
Réaumont
Rives
St-Cassien
Coublevie
St-Julien-de-Raz
Brézins
Sillans
Beaucroissant
Renage
Charnècles
La Buisse
St-Étienne-de-St-Geoirs
Izeaux
Moirans
Bressieux
St-Pierre-de-B.
Châtenay
St-Paul-d'Izeaux
Vourey
Voreppe
Pommiers-la-Placette
St-Michel-de-St-Geoirs
Tullins
Brion
Marnans
Morette
St-Quentin-sur-Isère
Veurey-Voroize
Mont-St-Martin
Proveysieux
Roybon
Chasselay
Quincieu
Poliénas
Montaud
Noyarey
St-Égrève
Fontanil-Cornillon
Quaix-en-Chartreuse

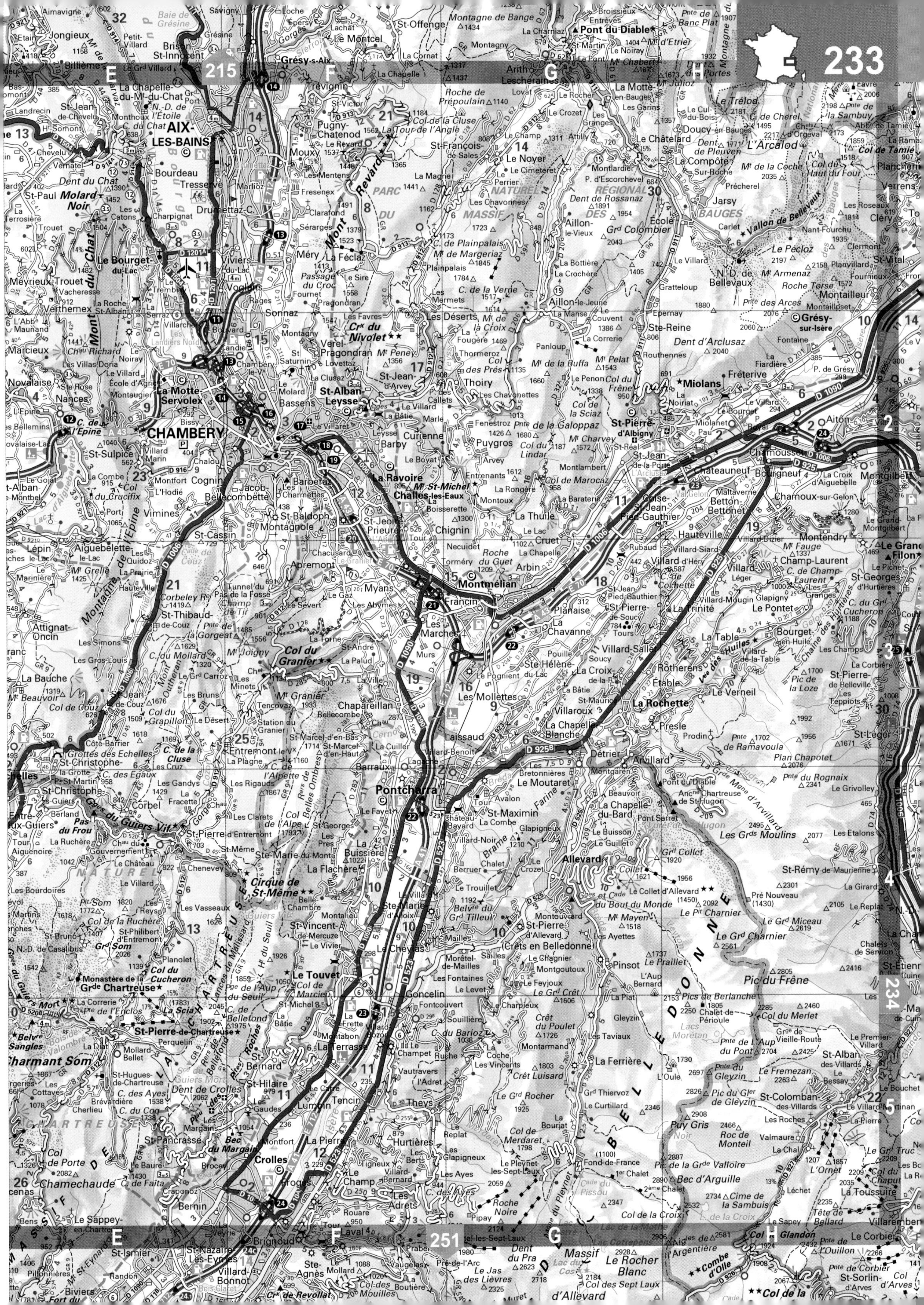
215
251
234
E
F
G
H
AIX-LES-BAINS
CHAMBÉRY
La Motte-Servolex
St-Alban-Leysse
La Ravoire
Challes-les-Eaux
Montmélian
Pontcharra
Allevard
La Rochette
St-Pierre-d'Albigny
Grésy-sur-Isère
Le Bourget-du-Lac
Crolles
Le Touvet
St-Pierre-de-Chartreuse
Brignoud
Grésy-s-Aix
Miolans
Mont Revard
Crx du Nivolet
Col du Granier
Mt Granier
Cirque de St-Même
Monastère de la Grde Chartreuse
Charmant Som
Chamechaude
Dent de Crolles
Dent du Chat
Molard Noir
Col de l'Épine
Mont du Chat
Lac du Bourget
PARC NATUREL RÉGIONAL DU MASSIF DES BAUGES
Pont du Diable
Vallon de Bellevaux
Col de Tamié
L'Arcalod
Le Pécloz
Pic du Frêne
BELLEDONNE
CHARTREUSE
Combe d'Olle
Col du Glandon
Col de la Croix de Fer
Col des Sept Laux
Le Rocher Blanc
Massif d'Allevard
Col de Porte
Col du Cucheron
Col de la Ruchère
Col du Frêne
Col de Marocaz
Le Grand Filon
Les Grds Moulins
Montagne de l'Épine
Col du Crucifix
Aiguebelette-le-Lac
St-Christophe
Les Échelles

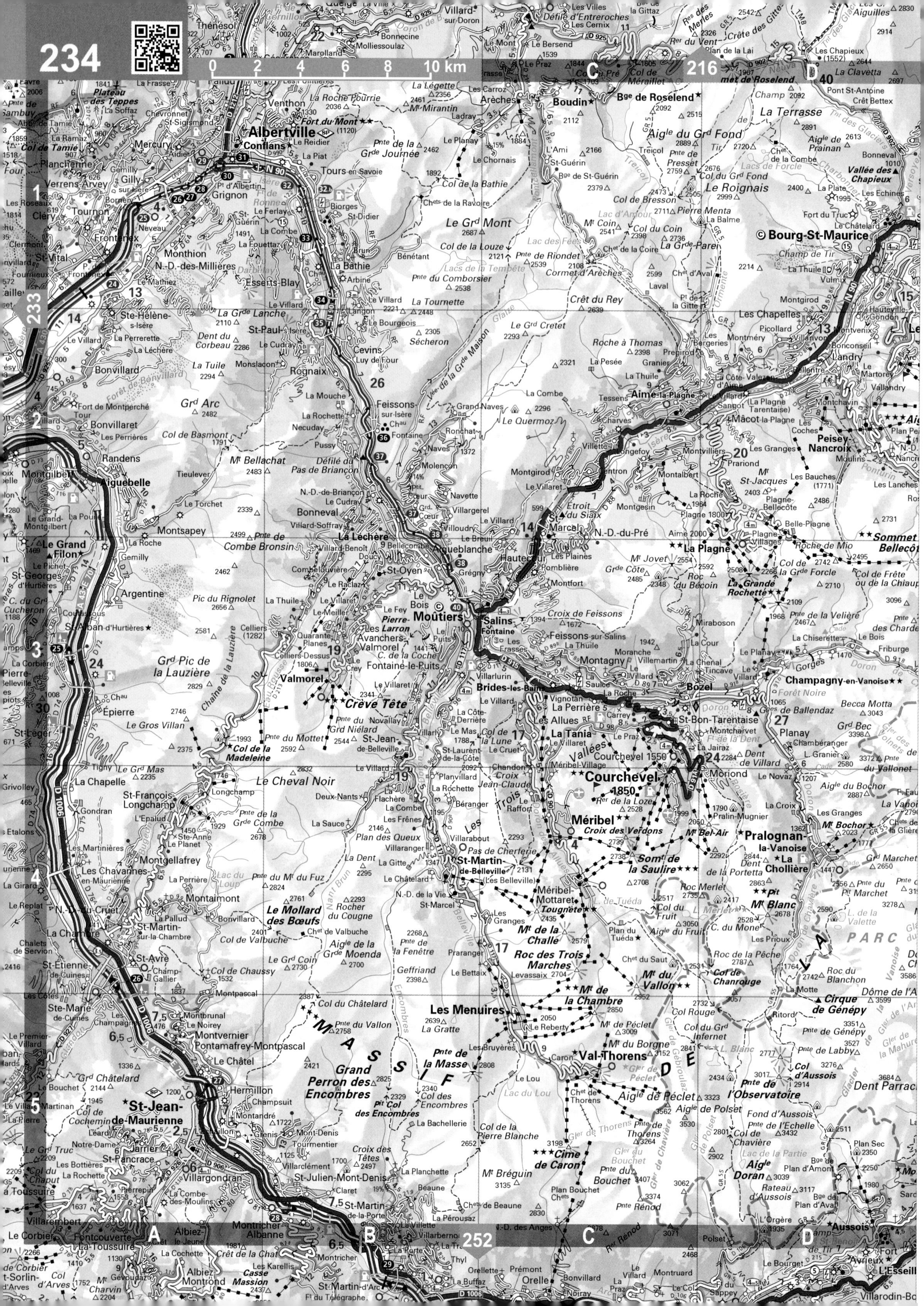
0 2 4 6 8 10 km
216
233
252
A
B
C
D
1
2
3
4
5
Albertville
Conflans
Mercury
Gilly-sur-Isère
Grignon
Frontenex
Monthion
N.-D.-des-Millières
Tournon
Cléry
Verrens-Arvey
Plancherine
Col de Tamié
Plateau des Teppes
Venthon
Fort du Mont
Pte de la Grde Journée
Tours-en-Savoie
La Bâthie
Esserts-Blay
Ste-Hélène-s-Isère
St-Paul-s-Isère
Cevins
Rognaix
Feissons-sur-Isère
Bonvillard
Grd Arc
Bonvillaret
Col de Basmont
Randens
Aiguebelle
Montgilbert
Mt Bellachat
Défilé du Pas de Briançon
N.-D.-de-Briançon
Bonneval
Villard-Soffray
La Léchère
Aigueblanche
Montsapey
Pte de Combe Bronsin
Le Grand Filon
St-Georges-d'Hurtières
Argentine
Pic du Rignolet
St-Alban-d'Hurtières
St-Oyen
Moûtiers
Salins-Fontaine
Hautecour
Pierre-Larron
Les Avanchers-Valmorel
C. de la Coche
Fontaine-le-Puits
Valmorel
Crève Tête
Grd Pic de la Lauzière
Chaîne de la Lauzière
Épierre
St-Léger
Le Gros Villan
Col de la Madeleine
Pte du Mottet
Grd Niélard
St-Jean-de-Belleville
Brides-les-Bains
Les Allues
La Perrière
La Tania
Courchevel 1550
Courchevel 1850
Méribel
Croix des Verdons
Mt Bel-Air
Som! de la Saulire
Pralognan-la-Vanoise
La Chollière
St-Bon-Tarentaise
Bozel
Champagny-en-Vanoise
Planay
Le Cheval Noir
La Chapelle
St-François-Longchamp
Pte de la Grde Combe
Montgellafrey
Les Chavannes-en-Maurienne
Montaimont
N.-D.-du-Cruet
St-Martin-sur-la-Chambre
La Chambre
St-Avre
St-Étienne-de-Cuines
Le Mollard des Bœufs
Aigle de la Grde Moenda
Col de Chaussy
St-Martin-de-Belleville
Méribel-Mottaret
Tougnète
Mt de la Challe
Roc des Trois Marches
Mt du Vallon
Mt de la Chambre
Les Menuires
La Gratte
Pte de la Masse
Val-Thorens
Aigle de Péclet
Aigle de Polset
Cime de Caron
Col du Châtelard
M A S S I F D E
Grand Perron des Encombres
Pt Col des Encombres
St-Jean-de-Maurienne
Montvernier
Pontamafrey-Montpascal
Hermillon
Villargondran
St-Julien-Mont-Denis
St-Martin-de-la-Porte
Jarrier
St-Pancrace
Fontcouverte-la-Toussuire
Albiez-le-Jeune
Albiez-Montrond
Montricher-Albanne
Orelle
Col de Chanrouge
Cirque de Génépy
Col Rouge
Col d'Aussois
Pte de l'Observatoire
Aigle Doran
Dent Parrachée
Aussois
Avrieux
L'Esseillon
PARC
LA
Bourg-St-Maurice
Aime-la-Plagne
Landry
Peisey-Nancroix
Vallée des Chapieux
Le Roignais
Aigle du Grd Fond
La Terrasse
Bge de Roselend
Boudin
Arêches
Le Grd Mont
Cormet d'Arêches
Col de la Bathie
Crêt du Rey
Roche à Thomas
Mâcot-la-Plagne
Montvalbert
La Plagne
Plagne 1800
Aime 2000
Plagne-Bellecôte
Belle-Plagne
Sommet de Bellecôte
La Grande Rochette
Mt Jovet
Feissons-sur-Salins
Montagny
Col de Mériallet
Pte de Riondet
Col de la Louze
Le Quermoz
Mt St-Jacques
Mt Bochor
Mt Blanc
Dent de Villard
Le Villaret
Cormet de Roselend

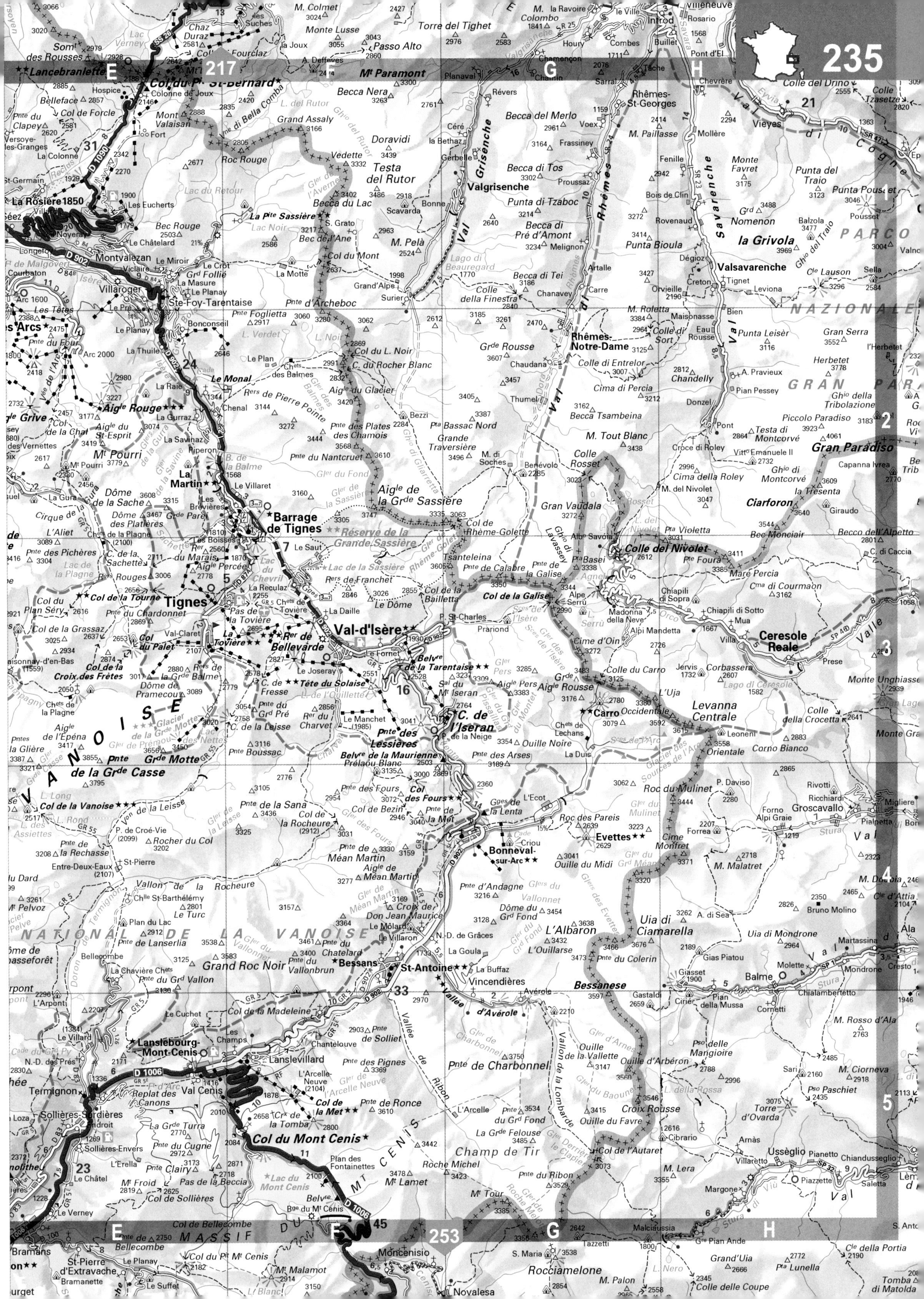
217
253
E
F
G
H
1
2
3
4
5
Lancebranlette
Col du Pt St-Bernard
Mt Paramont
Planaval
Chamençon
Introd
Villeneuve
Rosario
Buillet
Pont d'El
Colle del Drino
Colle Tzasetze
Vieyes
Val di Cogne
Torre del Tighet
Passo Alto
Monte Lusse
M. Colmet
M. la Ravoire
Colombo
la Joux
Houry
Combes
Sarral
Tache
Chevrère
Hospice
Colonne de Joux
Belleface
Col de Forcle
Pnte du Clapey
Versoye-les-Granges
La Colonne
Mont Valaisan
Fort
Vne di Bella Comba
Becca Nera
L. del Rutor
Grand Assaly
Doravidi
Testa del Rutor
Vedette
Roc Rouge
Lac du Retour
La Rosière 1850
Séez
Les Eucherts
Villard
Le Noyeray
Bec Rouge
Le Châtelard
Longefoy
Montvalezan
Ft de Malgovert
Courbaton
Vicaire
Le Miroir
Le Crot
Grd Follié
La Masure
Le Planay
Villaroger
Ste-Foy-Tarentaise
Arc 1600
Les Têtes
Les Arcs
Pnte du Four
Arc 2000
Le Pré
Bonconseil
Le Planay
La Thuile
L. Verdet
Pnte Foglietta
Pnte d'Archeboc
Le Monal
Le Plan
Chets des Balmes
La Raie
Chenal
Rers de Pierre Pointe
Aigle Rouge
Aigle du St-Esprit
La Gurraz
La Savinaz
Riperon
Col de la Chal
Mt Pourri
Aigle Grive
B. de la Balme
La Martin
Le Villaret
Dôme de la Sache
Les Brevières
Grde Paret
Cirque de la Gura
Dôme des Platières
Chet de la Plagne
L'Aliet
Barrage de Tignes
Réserve de la Grande Sassière
Le Saut
Lac de la Sassière
Les Boisses
Pnte des Pichères
C. de la Sachette
du Marais
Aigle Percée
Lac du Chevril
Lac de la Plagne
Rers Rouges
La Reculaz
Col de la Tourne
Tignes
Col du Plan Séry
Pnte du Chardonnet
Pas de la Tovière
Chets de Tovière
Rers de Franchet
La Daille
Val-d'Isère
Le Dôme
Col de la Bailletta
Col de la Grassaz
Val-Claret
Col du Palet
La Tovière
Rer de Bellevarde
Le Fornet
Belvre de la Tarentaise
Le Joseray
Col de la Croix des Frètes
Rers de la Grde Balme
C. de Fresse
Tête du Solaise
L. de l'Ouillette
Dôme de Pramecou
Pnte du Grd Pré
Rer du Charvet
Le Manchet
Pnte des Lessières
C. de l'Iseran
Chets de la Plagne
Aigle de l'Epéna
Pntes la Glière
Glacier de la Grde Motte
C. de la Leisse
Pnte de la Grde Casse
Grde Motte
Pnte Boussac
Belvre de la Maurienne
Prélaou Blanc
VANOISE
Col de la Vanoise
L. Long
L. Rond
L. des Assiettes
Von de la Leisse
P. de Croé-Vie
Rocher du Col
Pnte de la Rechasse
St-Pierre
Entre-Deux-Eaux
Pnte de la Sana
Col de la Rocheure
Pnte des Fours
Col des Fours
Col de Bezin
Pnte de la Met
Gges de la Lenta
Pnte de Méan Martin
Aigle de Méan Martin
Bonneval-sur-Arc
Vallon de la Rocheure
Chlle St-Barthélémy
Le Turc
Mt Pelvoz
Plan du Lac
Pnte de Lanserlia
Croix des Frêtes
Don Jean Maurice
Le Mollard
Le Villaron
PARC NATIONAL DE LA VANOISE
Bellecombe
La Chavière
Chets Pnte du Grd Vallon
Grand Roc Noir
Pnte du Chatelard
Pnte du Vallonbrun
Bessans
St-Antoine
N.-D. de Grâces
La Goula
La Buffaz
Vincendières
Vallée d'Avérole
Avérole
L'Arpont
Le Cuchet
Col de la Madeleine
Les Champs
Chantelouve
Pnte de Sollier
Le Villard
Lanslebourg-Mont-Cenis
Lanslevillard
Pnte des Pignes
L'Arcelle-Neuve
Glacier de l'Arcelle Neuve
N.-D. des Prés
Termignon
Replat des Canons
Val Cenis
Col de la Met
Pnte de Ronce
Sollières-Sardières
Endroit
Crx de la Tomba
La Grde Turra
Pnte du Cugne
Sollières-Envers
Col du Mont Cenis
L'Erella
Pnte Clairy
Le Châtel
Mt Froid
Pas de la Beccia
Col de Sollières
Lac du Mont Cenis
Plan des Fontainettes
Mt Lamet
Le Verney
Belvre
Bge du Mt Cenis
Col de Bellecombe
MASSIF DU MT CENIS
Pnte de Bellecombe
Bramans
St-Pierre d'Extravache
Bramanette
Le Planay
Col du Pt Mt Cenis
Mt Malamot
Le Suffet
Moncenisio
Novalesa
Rocciamelone
M. Palon
S. Maria
Tazzetti
Malciaussia
Colle delle Coupe
Grand'Uia
Pta Lunella
Colle della Portia
Tomba di Matolda
Gra Pian Ande
Rêvers
Valgrisenche
Val Grisenche
Becca del Merlo
Voex
Frassiney
Becca di Tos
Proussaz
Céré
la Bethaz
Gerbelle
Bonne
Scavarda
Becca du Lac
La Pte Sassière
S. Grato
Lac Noir
Bec de l'Ane
M. Pelà
Col du Mont
La Motte
Grand'Alpe
Surier
Lago di Beauregard
Punta di Tzaboc
Becca di Pré d'Amont
Melignon
Colle della Finestra
Becca di Tei
Chanavey
Carre
Rhêmes-St-Georges
M. Paillasse
Fenille
Val di Rhêmes
Bois de Clin
Rovenaud
Punta Bioula
Artalle
Rhêmes-Notre-Dame
M. Roletta
Colle di Sort
Colle di Entrelor
Chandelly
Cima di Percia
Grde Rousse
Chaudana
Thumel
Becca Tsambeina
M. Tout Blanc
Col du L. Noir
C. du Rocher Blanc
Aigle du Glacier
Pnte des Plates des Chamois
Pnte du Nantcruet
Bezzi
Pta Bassac Nord
Grande Traversière
M. di Soches
Benevolo
Aigle de la Grde Sassière
Col de Rhême-Golette
Gler de Rhême-Golette
Colle Rosset
Gran Vaudala
Alb. Savoia
Colle del Nivolet
Pta Violetta
Pta Basei
Tsanteleina
Pnte de Calabre
Pnte de la Galise
Col de la Galise
Alpe Serrù
P. St-Charles
Prariond
Cime d'Oin
Colle del Carro
Grde Aigle Rousse
Aigle Pers
Carro
Occidentale
Levanna Centrale
Leonen
Orientale
Chets de Lechans
Ouille Noire
La Duis
Pnte des Arses
Roc du Mulinet
Roc des Pareis
L'Ecot
Criou
Evettes
Oullie du Midi
Cime Monfret
Pnte d'Andagne
Glers du Vallonnet
Dôme du Grd Fond
L'Albaron
L'Ouillarse
Pnte du Colerin
Bessanese
Uia di Ciamarella
Pnte de Charbonnel
Ouille de la Vallette
Ouille d'Arbéron
Croix Rousse
Ouille du Favre
L'Arcelle
Pnte du Grd Fond
La Grde Felouse
Champ de Tir
Roche Michel
Pnte du Ribon
Mt Tour
Col de l'Autaret
Vallon de la Lombarde
Cibrario
M. Lera
Margone
Villaretto
Usseglio
Pianetto
Chiandusseglio
Piazzette
Saletta
Arnàs
Torre d'Ovarda
Pso Paschiet
M. Ciorneva
Sari
Pso delle Mangioire
L. della Rossa
Gias Piatou
Gastaldi
Pian della Mussa
Ciriè
Balme
Molette
Mondrone
Cresto
Martassina
Chialambertetto
Cornetti
M. Rosso d'Ala
Uia di Mondrone
Bruno Molino
A. di Sea
M. Dorbia
Forno Alpi Graie
Groscavallo
Ricchiardi
Rivotti
Migliere
Pialpetta
Forrea
M. Malatret
P. Daviso
Corno Bianco
Colle della Crocetta
Monte Unghiasse
Monte Gra
Ceresole Reale
Villa
Prese
Corbassera
Lago di Ceresole
Jervis
L'Uja
Chiapili di Sopra
Chiapili di Sotto
Mua
Madonna della Neve
Alpi Mandetta
Mare Percia
Cma di Courmaon
Pta Foura
Bec Monciair
Becco dell'Alpetto
C. di Caccia
Giraudo
Ciarforon
La Tresenta
Ghio di Moncorvé
Capanna Ivrea
Gran Paradiso
Vittio Emanuele II
Testa di Montcorvé
Piccolo Paradiso
Ghio della Tribolazione
GRAN PARADISO
Herbetet
Gran Serra
Punta Leisèr
Pian Pessey
A. Pravieux
Donzel
Pont
Croce di Roley
Cima della Roley
M. del Nivolet
Valsavarenche
Val Savarenche
Tignet
Orvieille
Creton
Dégioz
Maisonasse
Eau Rousse
Bien
Leviona
Cle Lauson
Sella
la Grivola
Grd Nomenon
Balzola
Ghio del Traio
Punta del Traio
Monte Favret
Punta Pousset
Pousset
Mollère
PARCO NAZIONALE

0 2 4 6 8 10 km
218
254
A
B
C
D
1
2
3
4
5
Côte d'Argent
Lesparre-Médoc
Escot
Bouries
Conneau
Artiguillon
Plassan
Gausseron
Liard
St-Gaux
Lagune
Magagnan
La Prise
Naujac-sur-Mer
Lizan
La Bresquette
St-Isidore
Le Pin-Sec
Forêt du
Hourtin-Plage
Le Pt Mont
Contaut
Louley
Marais dit Palu
Les Genêts
C.F.M.
Cartignac
Lande de Vignolles
Le Port
Bas-Bré
Piqueyrot
Hourtin
Hourtin-Port
Lagunan
Haut-Bré
Silo
Sémignan
Pey-de-Camin
Lachanau
Lac d'Hourtin-Carcans
Pointe-Blanche
Berle de Caillava
Lupian
Le Crohot-de France
La Gracieuse
Phares d'Hourtin
Ste-Hélène-de-Hourtin
Garthieu
Mourlan
Forêt de St-Laurent
Craste Lambert
Ste-Hélène-de-l'etang
Berdillan
Pipeyrous
Le Crohot-des-Cavales
Bombannes
Couyras
Villeneuve
Carcans-Plage
Carcans
Couyrasseau
Maubuisson
Le Pouch
Troussas
Berron
Cap-de-Ville
Mayne-Pauvre
Le Montaut
Raouset
Réserve naturelle
Étang de Cousseau
L'Alexandre
Brach
Devinas
Lande de Ludée
Lacanau-Océan
Le Huga
Landes de Méogas
Grand Ludée
Petit Ludée
Talaris
l'Ardilouse
Le Moutchic
Méogas
Constantenins
Carreyre
Landes du Bourg
Narsot
Lande de Villeneuve
Le Devès
Taussac
Le Tedey
Lac de Lacanau
Le Port
Mejos
Lacanau
La Grde Escourre
Le Lion
Les Nerps
Aux Andraux
Au Chalet
Planque-Peyre
Ste-Hélène
Longarisse
Le Bernos
Lède du Grd Bernos
Craste de la Levade
Tronquats
Mistre
Étang de Batejin
Landes de Lacousteyre
Le Grand Courgas
Le Petit Courgas
Bedillon
Landes du Gartiou-Croutat
Le Pleg
Dunes du Hughey
Étang de Batourtot
Saumos
Landes d'Eyron
Le Gressier
Le Porge-Océan
Étang de Lède Basse
Grand Bos
Maisonneuve
Petit Bos
Serigas
Lescarran
Le Temple
Gleyse Vielle
Vignas
Le Porge
Sautuges
Dunes de Partillot
Le Crastieu
La Jenny
Laruau
Bois de Boutas
Lande des Courtious Brûlés
Forêt du Porge
Lauros
Le Pas-du-Bouc
Terrain militaire
Silo
Les Dorat
Maisonnieu
Grand Crohot Océan
Dune du Grd Crohot
Lège-Cap-Ferret
Mautans
Blagon

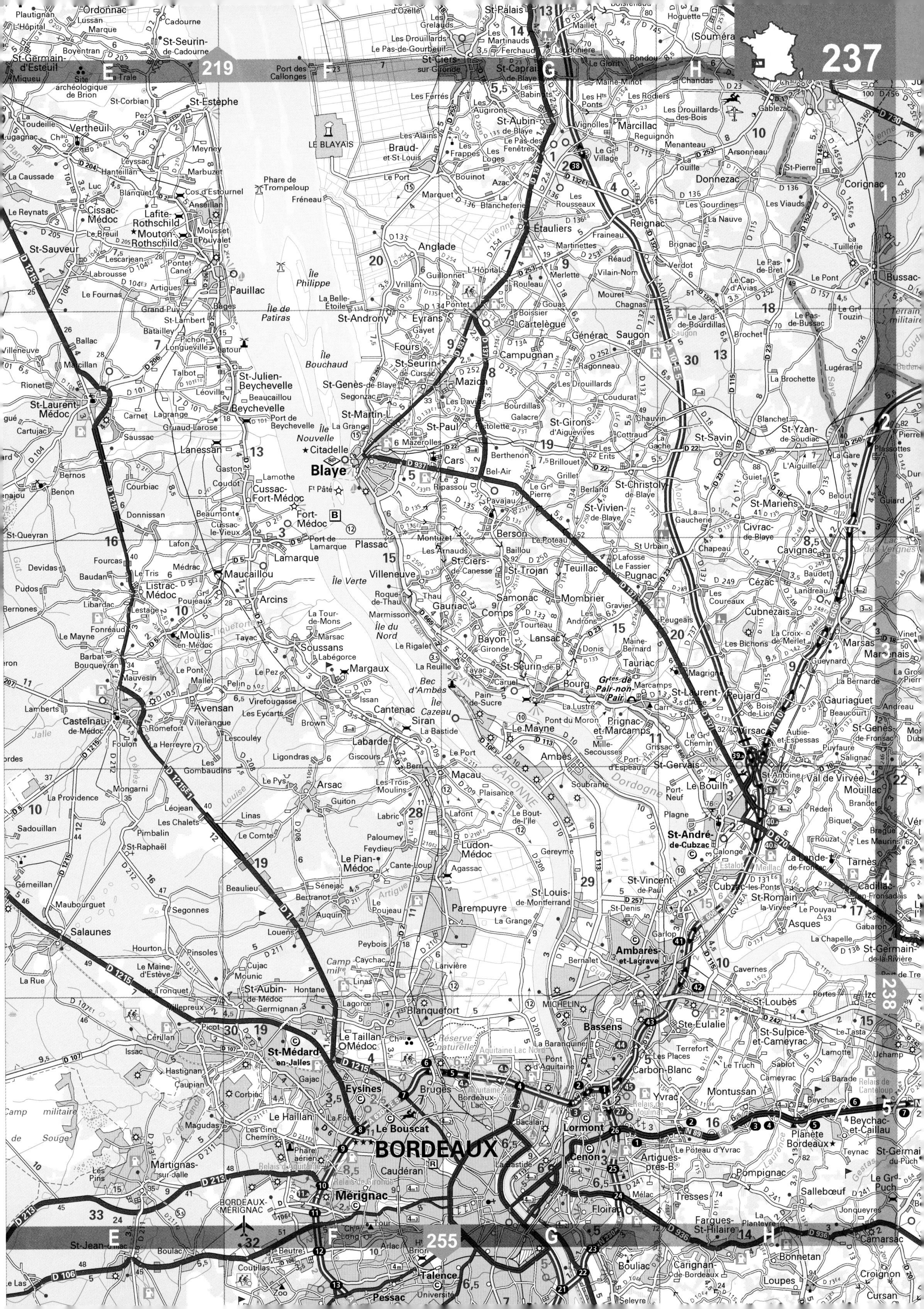
219
238
255
E
F
G
H
BORDEAUX
Blaye
Pauillac
St-Estèphe
St-Julien-Beychevelle
Margaux
Castelnau-de-Médoc
St-Laurent-Médoc
Lesparre
St-André-de-Cubzac
Ambarès-et-Lagrave
Bassens
Lormont
Cenon
Mérignac
Le Bouscat
Eysines
Bruges
Blanquefort
St-Médard-en-Jalles
Le Haillan
Talence
Pessac
Caudéran
Floirac
Artigues-près-B.
Carbon-Blanc
St-Loubès
Ste-Eulalie
Yvrac
Montussan
Pompignac
Tresses
Fargues-St-Hilaire
Bourg
St-Ciers-sur-Gironde
Étauliers
Reignac
St-Savin
St-Christoly-de-Blaye
St-Vivien-de-Blaye
St-Yzan-de-Soudiac
Cézac
Cavignac
Cubnezais
Marsas
Gauriaguet
Virsac
Peujard
St-Gervais
Cubzac-les-Ponts
St-Romain-la-Virvée
Ambès
Macau
Ludon-Médoc
Parempuyre
Le Pian-Médoc
Le Taillan-Médoc
Arsac
Labarde
Cantenac
Soussans
Avensan
Moulis-en-Médoc
Listrac-Médoc
Arcins
Lamarque
Cussac-Fort-Médoc
Lanessan
Vertheuil
Cissac-Médoc
Lafite-Rothschild
Mouton-Rothschild
Cos d'Estournel
Plassac
Villeneuve
Gauriac
Samonac
Comps
Bayon-s-Gironde
Lansac
Tauriac
Prignac-et-Marcamps
St-Laurent-d'Arce
St-Vincent-de-Paul
St-Louis-de-Montferrand
Martignas-sur-Jalle
Salaunes
Île de Patiras
Île Bouchaud
Île Nouvelle
Île Verte
Île du Nord
Bec d'Ambès
Île Cazeau
Citadelle
Fort Pâté
Fort-Médoc
LE BLAYAIS
GARONNE
Dordogne
Grtes de Pair-non-Pair
Réserve naturelle
Aquitaine Lac Nord
Planète Bordeaux
BORDEAUX-MÉRIGNAC
Camp militaire de Souge
Terrain militaire
MICHELIN
A 10
D 1215
D 137
D 937
D 669
D 113
D 10
N 10
N 89
N 230
A 630

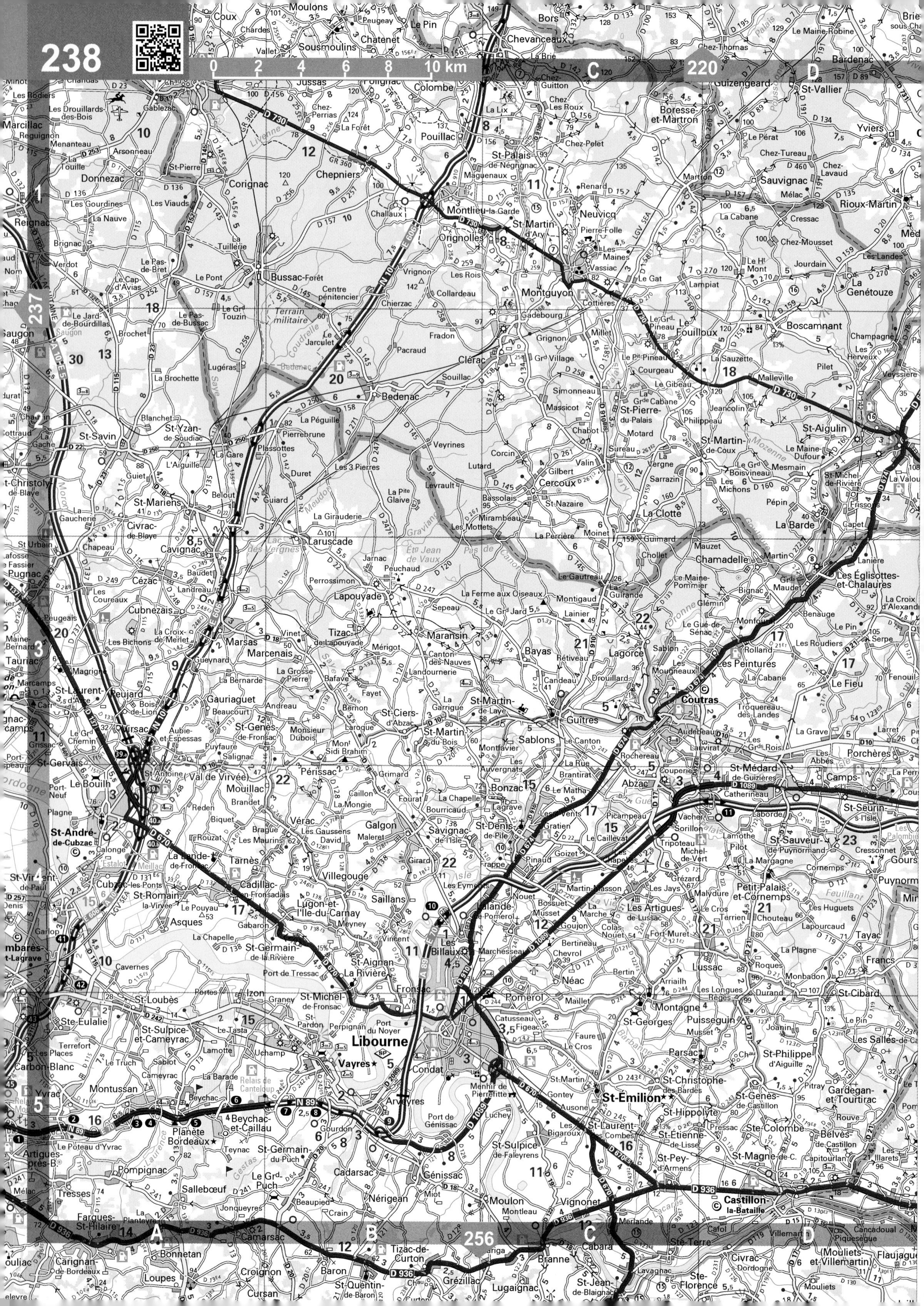
0 2 4 6 8 10 km
220
237
256
C
D
A
B
Chevanceaux
Montlieu-la-Garde
Montguyon
Bussac-Forêt
Corignac
Chepniers
Pouillac
Jussas
Colombe
Donnezac
Marcillac
Reignac
Orignolles
St-Martin-d'Ary
Neuvicq
St-Palais-de-Négrignac
Clérac
Bedenac
St-Savin
St-Yzan-de-Soudiac
St-Mariens
Cavignac
Cézac
Cubnezais
Laruscade
Lapouyade
Marsas
Marcenais
Tizac-de-Lapouyade
Maransin
Bayas
Lagorce
Coutras
Guîtres
Sablons
Abzac
St-Médard-de-Guizières
St-Seurin-s-l'Isle
St-Aigulin
La Clotte
Cercoux
St-Pierre-du-Palais
Boscamnant
Chamadelle
Les Églisottes-et-Chalaures
Les Peintures
St-André-de-Cubzac
St-Gervais
Virsac
St-Laurent-d'Arce
Peujard
Gauriaguet
Aubie-et-Espessas
St-Genès-de-Fronsac
Périssac
Mouillac
Galgon
Vérac
Savignac-de-l'Isle
St-Denis-de-Pile
Bonzac
Villegouge
Saillans
Lugon-et-l'Ile-du-Carnay
Cadillac-en-Fronsadais
Cubzac-les-Ponts
St-Romain-la-Virvée
Asques
St-Germain-de-la-Rivière
St-Aignan
La Rivière
Fronsac
Les Billaux
Lalande-de-Pomerol
Pomerol
Néac
Lussac
Montagne
St-Georges
Puisseguin
Petit-Palais-et-Cornemps
St-Sauveur-de-Puynormand
Libourne
Vayres
Arveyres
St-Loubès
St-Sulpice-et-Cameyrac
Ste-Eulalie
Izon
St-Michel-de-Fronsac
Carbon-Blanc
Yvrac
Montussan
Beychac-et-Caillau
Planète Bordeaux
Pompignac
Tresses
Salleboeuf
Artigues-près-B.
St-Germain-du-Puch
Cadarsac
Génissac
Nérigean
Moulon
Vignonet
St-Sulpice-de-Faleyrens
St-Émilion
St-Christophe-des-Bardes
St-Laurent-des-Combes
St-Hippolyte
St-Étienne-de-Lisse
St-Pey-d'Armens
Ste-Colombe
St-Magne-de-C.
Castillon-la-Bataille
Belvès-de-Castillon
St-Philippe-d'Aiguille
St-Genès-de-Castillon
Gardegan-et-Tourtirac
Fargues-St-Hilaire
Camarsac
Bonnetan
Tizac-de-Curton
Branne
Cabara
Grézillac
Lugaignac
Ste-Terre
Cadillac
D 730
D 10
D 670
D 936
D 1089
D 674
N 10
N 89
A 10
A 89
E 606
E 70
LGV SEA

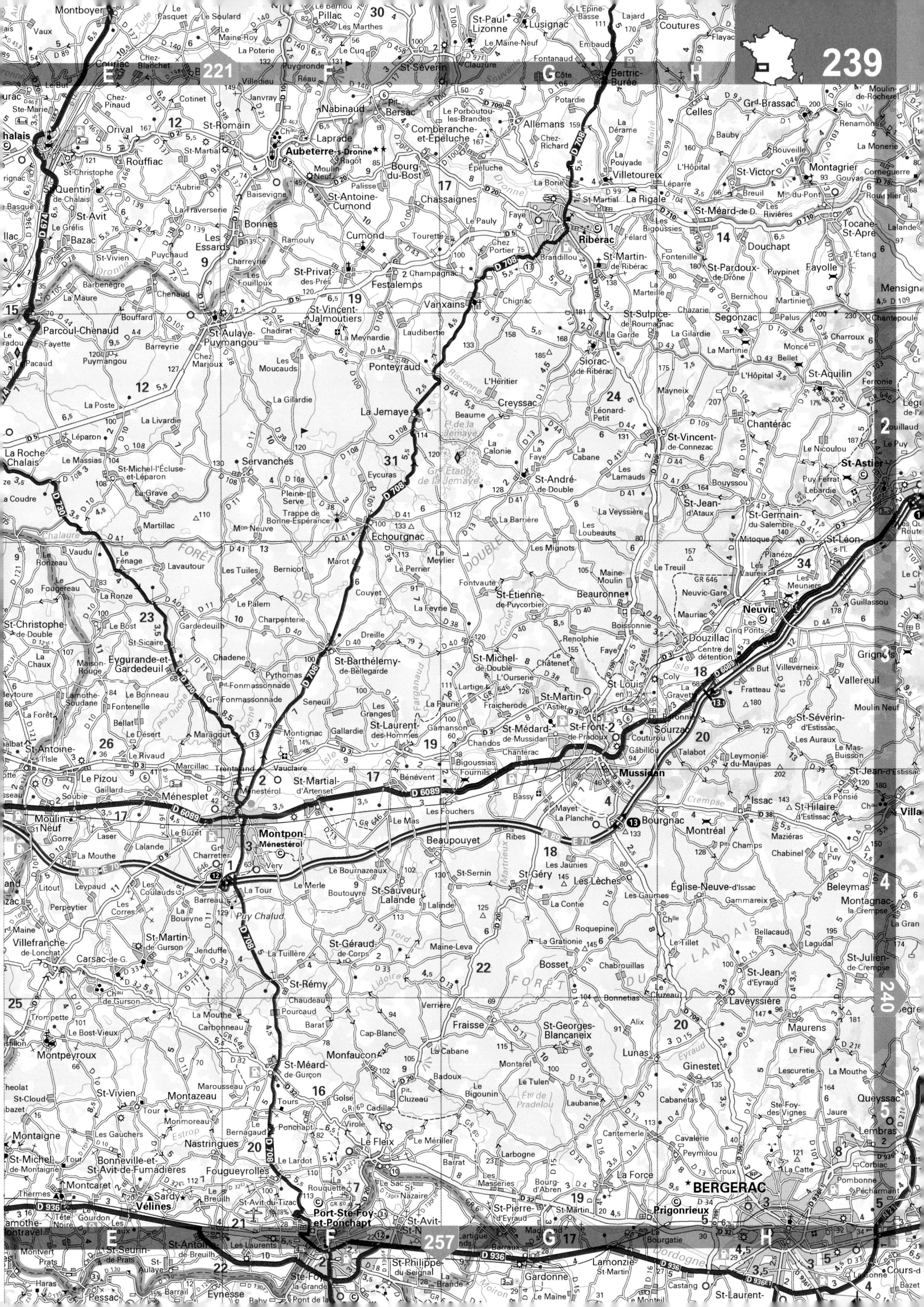

221
E
F
G
H
Montboyer
Pillac
St-Paul-Lizonne
Lusignac
Coutures
St-Séverin
Bertric-Burée
Nabinaud
Bersac
Allemans
Celles
Grd-Brassac
Orival
St-Romain
Aubeterre-s-Dronne
Laprade
Comberanche-et-Epeluche
Montagrier
Rouffiac
St-Quentin-de-Chalais
Bourg-du-Bost
Villetoureix
St-Victor
Bonnes
St-Antoine-Cumond
Chassaignes
La Rigale
St-Méard-de-D.
Tocane-St-Apre
Bazac
Les Essards
Cumond
Ribérac
Douchapt
St-Privat-des-Prés
Festalemps
St-Martin-de-Ribérac
St-Pardoux-de-Drône
Fayolle
Vanxains
Parcoul-Chenaud
St-Aulaye-Puymangou
St-Vincent-Jalmoutiers
St-Sulpice-de-Roumagnac
Segonzac
Ponteyraud
Siorac-de-Ribérac
St-Aquilin
Creyssac
La Jemaye
St-Vincent-de-Connezac
Chantérac
La Roche-Chalais
Servanches
St-Michel-l'Écluse-et-Léparon
Grd Etang de la Jemaye
St-André-de-Double
St-Astier
St-Jean-d'Ataux
St-Germain-du-Salembre
Échourgnac
St-Léon-s-l'I.
Neuvic-Gare
Neuvic
St-Christophe-de-Double
St-Étienne-de-Puycorbier
Beauronne
Eygurande-et-Gardedeuil
St-Barthélemy-de-Bellegarde
St-Michel-de-Double
Douzillac
Grignols
St-Louis-en-l'I.
Vallereuil
St-Martin-l'Astier
St-Laurent-des-Hommes
St-Médard-de-Mussidan
St-Front-de-Pradoux
Sourzac
St-Séverin-d'Estissac
St-Antoine-s-l'Isle
Le Pizou
Ménesplet
St-Martial-d'Artenset
Mussidan
Moulin-Neuf
Montpon-Ménestérol
Beaupouyet
Bourgnac
Montréal
Issac
St-Hilaire-d'Estissac
St-Sauveur-Lalande
St-Géry
Les Lèches
Église-Neuve-d'Issac
Beleymas
Villefranche-de-Lonchat
St-Martin-de-Gurson
St-Géraud-de-Corps
Carsac-de-G.
St-Rémy
Bosset
St-Jean-d'Eyraud
St-Julien-de-Crempse
Fraisse
St-Georges-Blancaneix
Laveyssière
Maurens
Montpeyroux
Monfaucon
St-Méard-de-Gurçon
Lunas
Ginestet
St-Vivien
Montazeau
Queyssac
Nastringues
Le Fleix
Fougueyrolles
La Force
Bonneville-et-St-Avit-de-Fumadières
BERGERAC
Vélines
Port-Ste-Foy-et-Ponchapt
Prigonrieux
St-Pierre-d'Eyraud
257
St-Philippe-du-Seignal
Gardonne
Lamonzie-St-Martin
Ste-Foy-la-Grande
Eynesse
Pessac
240

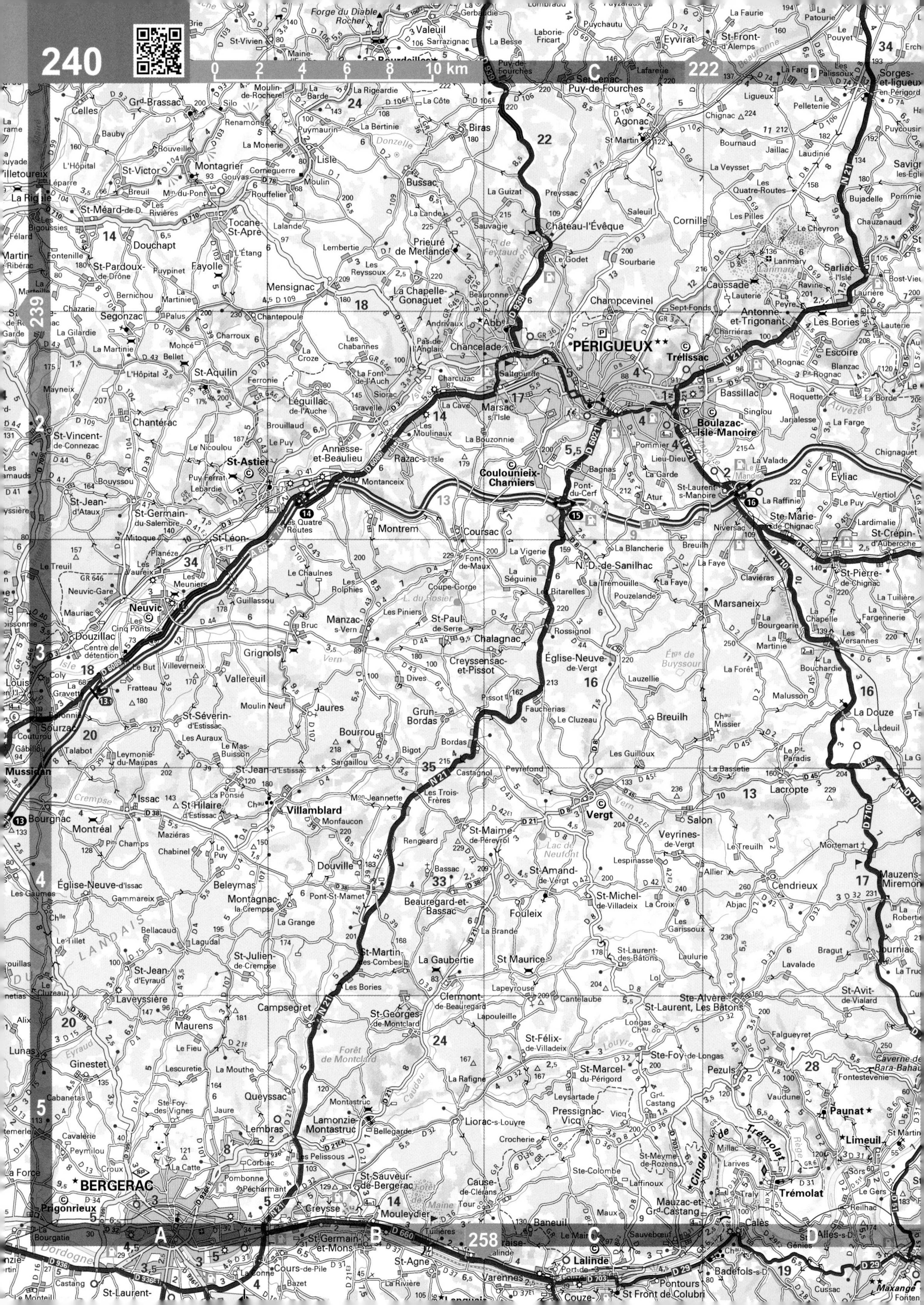
0 2 4 6 8 10 km
222
239
258
A
B
C
D
1
2
3
4
5
Forge du Diable
Rocher
Valeuil
Bourdeilles
Sarrazignac
St-Vivien
La Besse
Puy-de-Fourches
Laborie-Fricart
Puychautu
Eyvirat
St-Front-d'Alemps
La Faurie
La Patourie
Le Pouyet
Sorges-et-Ligueux-en-Périgord
Sencenac-Puy-de-Fourches
Lafarerie
Ligueux
La Pelletenie
Chignac
Celles
Grd-Brassac
Moulin-de-Rocherel
La Rigeardie
La Barde
La Côte
Biras
Agonac
St Martin
Bournaud
Jaillac
Laudinie
Savignac-les-Églises
Bauby
Renamon
Silo
La Bertinie
Puymaurin
La Monerie
Lisle
Donzelle
St-Victor
Montagrier
Corneguerre
Moulin
Bussac
La Guizat
Preyssac
La Veyssset
Les Quatre-Routes
Bujadelle
Pommier
L'Hôpital
Léparre
Gouyas
Rouffelier
Breuil
Mln-du-Pont
La Rigale
St-Méard-de-D.
Les Rivières
Tocane-St-Apre
La Lande
Sauvagie
Château-l'Évêque
Saleuil
Cornille
Les Pilles
Chauzanaud
Les Bigoussies
Félard
Douchapt
Lalande
Prieuré de Merlande
Lembertie
Le Godet
Sourbarie
Le Cheyron
Lanmary
Sarliac-s-l'Isle
Bost-Vieux
Fontenille
St-Pardoux-de-Drône
Puypinet
Fayolle
L'Étang
Les Reyssoux
Mensignac
La Chapelle-Gonaguet
Beauronne
Caussade
Lauterie
Ravine
Lauriere
Bernichou
La Martinie
Champcevinel
Sept-Fonds
Antonne-et-Trigonant
Les Bories
Chazarie
Segonzac
Palus
Chantepoule
Andrivaux
Abbaye
Charriéras
Lauterie
La Gilardie
Charroux
Les Chabannes
Pas-de-l'Anglais
Chancelade
PÉRIGUEUX
Trélissac
Escoire
La Martinie
Moncé
Bellet
La Croze
La Font-de-l'Auch
Saltgourde
Rognac
Blanzac
Pt-Rognac
L'Hôpital
St-Aquilin
Ferronie
Charcuzac
Bassillac
La Roquette
La Borde
Mayneix
Léguillac-de-l'Auche
Siorac
Gravelle
La Cave
Marsac-s-l'Isle
Singlou
Jarjalesse
La Farge
Auvézère
Chantérac
Brouillaud
Les Moulinaux
Boulazac-Isle-Manoire
St-Vincent-de-Connezac
Le Nicoulou
Le Puy
Annesse-et-Beaulieu
La Bouzonnie
Pommier
Lieu-Dieu
La Valade
Chignaguet
St-Astier
Razac-s-l'Isle
Coulounieix-Chamiers
Bagnas
La Garde
Eyliac
Puy Ferrat
Bouyssou
Lebardie
Montanceix
Pont-du-Cerf
Atur
St-Laurent-s-Manoire
La Raffinie
Vertiol
Le Puy
St-Jean-d'Ataux
St-Germain-du-Salembre
Les Quatre Routes
Montrem
Coursac
Ste-Marie-de-Chignac
Lardimalie
St-Crépin-d'Auberoche
Mitoque
St-Léon-s-l'I.
Niversac
Breuilh
Planèze
Font-de-Maux
La Vigerie
La Blancherie
Le Treuil
Les Vaureix
Les Meuniers
Le Chaulnes
La Séguinie
N.-D.-de-Sanilhac
La Faye
St-Pierre-de-Chignac
Neuvic-Gare
Les Rolphies
Coupe-Gorge
La Trémouille
Clavièras
La Tuilière
Neuvic
Guillassou
L. du Rosier
Les Bitarelles
Pouzelande
Marsaneix
La Chapelle
La Fargennerie
Mauriac
Douzillac
Cinq Ponts
Bruc
Manzac-s-Vern
Les Piniers
St-Paul-de-Serre
Rossignol
La Bourgearie
Les Versannes
Centre de détention
Grignols
Chalagnac
La Martinie
Étgs de Buyssour
Isle
Le But
Villeverneix
Vern
Creyssensac-et-Pissot
Église-Neuve-de-Vergt
La Bouchardie
Coly
La Gravette
Fratteau
Vallereuil
Dives
Lauzellie
La Forêt
Pissot
Malusson
Sourzac
Moulin Neuf
Jaures
Grun-Bordas
Faucherias
Le Cluzeau
Breuilh
Chau Missier
La Douze
Ladeuil
Couturou
Gâbillou
St-Séverin-d'Estissac
Les Auraux
Bourrou
Le Mas-Buisson
Talabot
Leymonie-du-Maupas
Bigot
Sargaillou
Bordas
Les Guilloux
Paradis
Mussidan
St-Jean-d'Estissac
Castagnol
Peyrefond
La Bassetie
Lacropte
Crempse
Issac
St-Hilaire-d'Estissac
La Ponsié
Villamblard
Mon-Jeannette
Les Trois-Frères
Vergt
Salon
Bourgnac
Montréal
Monfaucon
Rengeard
St-Maime-de-Péreyrol
Veyrines-de-Vergt
Le Treuil
Mortemart
Pts Champs
Maziéras
Chabinel
Le Puy
Lac de Neufont
Lespinasse
Douville
Bassac
St-Amand-de-Vergt
Allier
Mauzens-Miremont
Église-Neuve-d'Issac
Les Gaumes
Beleymas
Gammareix
Montagnac-la-Crempse
Pont-St-Mamet
Beauregard-et-Bassac
St-Michel-de-Villadeix
La Croix
Abjac
Cendrieux
La Grange
Fouleix
Les Garissoux
La Roberte
Chlle
Bellacaud
La Brande
Le Tillet
Lagudal
St-Martin-des-Combes
La Gaubertie
St Maurice
St-Laurent-des-Bâtons
Laulurie
Bragut
Journiac
LANDAIS
St-Jean-d'Eyraud
St-Julien-de-Crempse
Lavalade
La Truc
Le Cluzeau
Les Bories
Lapeyrouse
Lol
Laveyssière
Campsegret
Clermont-de-Beauregard
Cantelaube
Ste-Alvère
St-Laurent, Les Bâtons
St-Avit-de-Vialard
Alix
Maurens
St-Georges-de-Montclard
Lapouleille
Longas
Chau
Falgueyret
Lunas
Eyraud
Le Fieu
Forêt de Montclard
St-Félix-de-Villadeix
Louyre
Ste-Foy-de-Longas
Caverne-de-Bara-Bahau
Ginestet
Lescuretie
La Mouthe
La Rafigne
St-Marcel-du-Périgord
Pezuls
Fontestevenie
Cabanetas
Ste-Foy-des-Vignes
Queyssac
Montastruc
Leysartade
Grd-Castang
Vaudune
Jaure
Lamonzie-Montastruc
Bellegarde
Liorac-s-Louyre
Pressignac-Vicq
Vicq
Paunat
Cavalerie
Lembras
Crocherie
Millac
Limeuil
St Martin
Peymilou
Corbiac
Les Pelissous
Cingle de Trémolat
Croix
La Catte
Ste-Colombe
St-Meyme-de-Rozens
Larives
Sors
La Force
BERGERAC
Pombonne
Pécharmant
St-Sauveur-de-Bergerac
Cause-de-Clérans
Laffinoux
Trémolat
Le Gers
Prigonrieux
Creysse
Mouleydier
Forêt de Maine
Tour
Maux
Mauzac-et-Grd-Castang
Traly
Reilhac
La Bourgatie
Baneuil
Calès
Alles-s-D.
Dordogne
St-Germain-et-Mons
Tuilières
Le Mairie
Sauveboeuf
Génies
Cours-de-Pile
St-Agne
Lalinde
Port-de-Couze
Badefols-s-D.
Castang
St-Laurent-
Bazet
La Rivière
Varennes
Couze-
St Front de Colubri
Pontours
Cussac
Maxange
Fontenille
Le Monteil

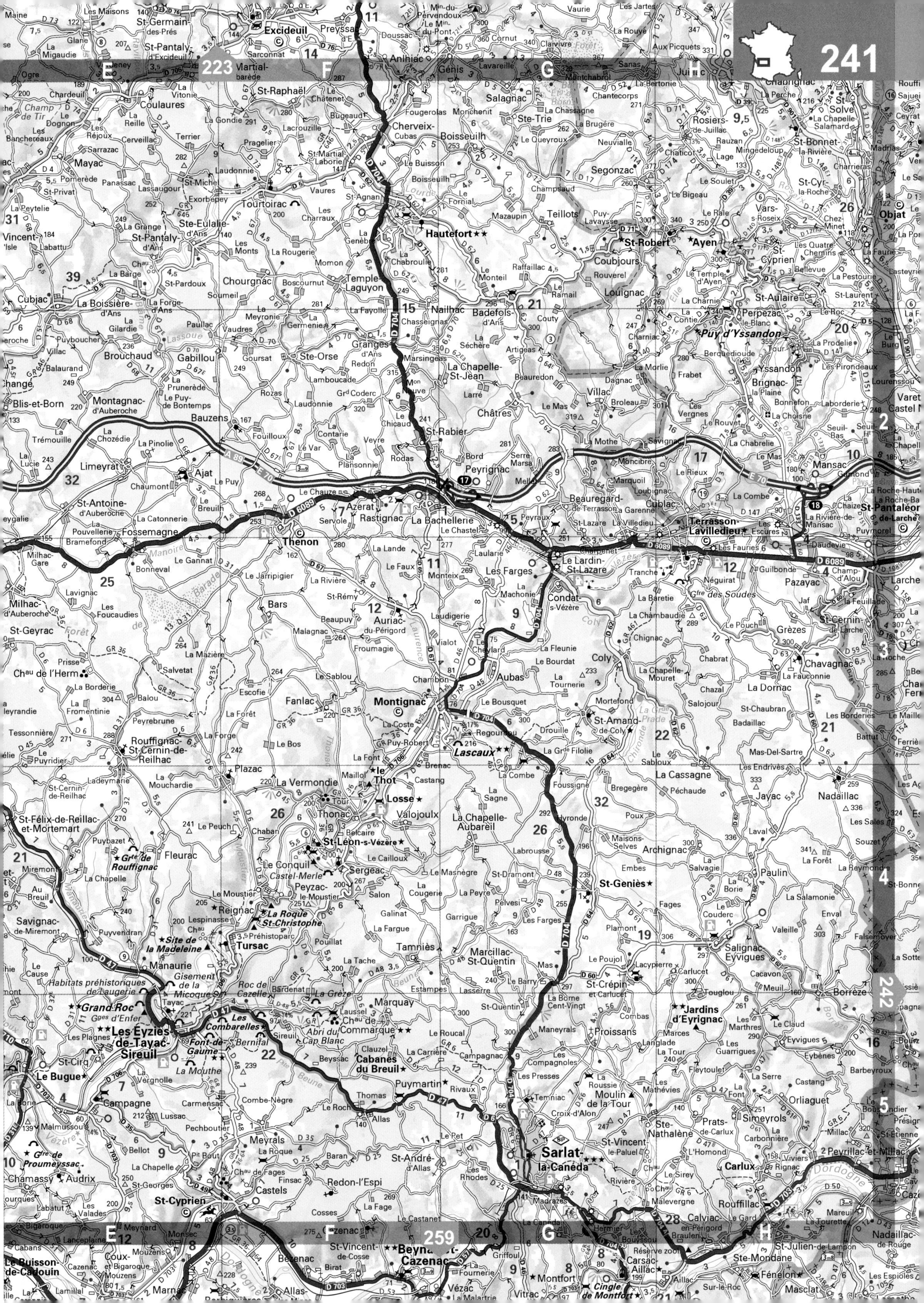
241
223
242
259
E
F
G
H
Excideuil
Hautefort
St-Robert
Ayen
Puy d'Yssandon
Terrasson-Lavilledieu
St-Pantaléon-de-Larche
Thenon
Montignac
Lascaux
Le Thot
Losse
St-Léon-s-Vézère
Gr^tte de Rouffignac
Rouffignac-St-Cernin-de-Reilhac
La Roque St-Christophe
Site de la Madeleine
Tursac
Les Eyzies-de-Tayac-Sireuil
Grand Roc
Les Combarelles
Font-de-Gaume
Le Bugue
St-Cyprien
Sarlat-la-Canéda
Salignac-Eyvigues
Jardins d'Eyrignac
St-Geniès
Carlux
Beynac-et-Cazenac
Le Buisson-de-Cadouin
Cingle de Montfort
Dordogne
Vézère
A 89
E 70
D 704
D 6089
D 47
D 703

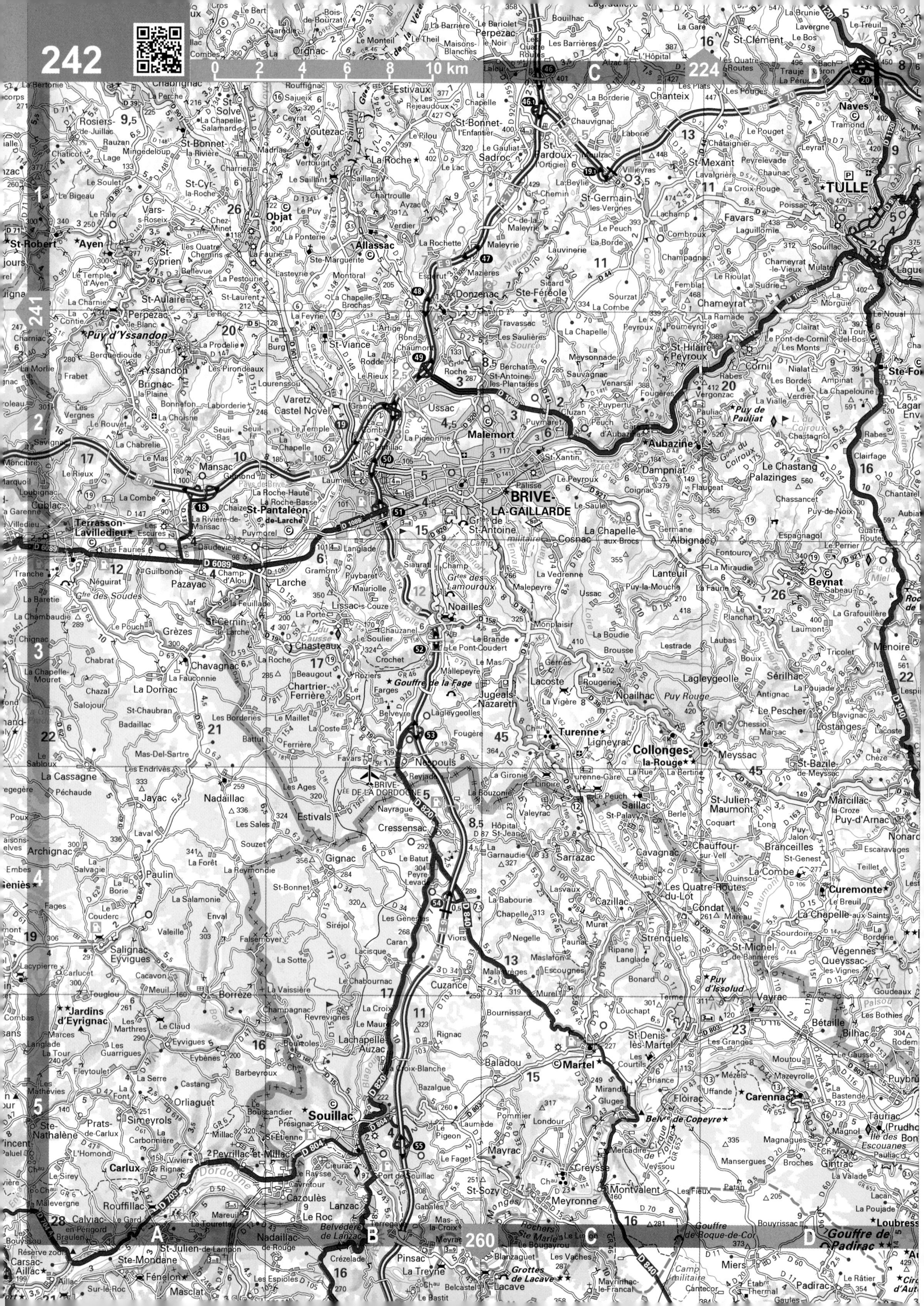

0 2 4 6 8 10 km
224
241
260
A
B
C
D
1
2
3
4
5
TULLE
Naves
Objat
Allassac
Donzenac
Ste-Féréole
St-Germain-les-Vergnes
St-Mexant
Chameyrat
Favars
St-Robert
Ayen
St-Aulaire
Perpezac-le-Blanc
Puy d'Yssandon
Yssandon
Brignac-la-Plaine
St-Viance
Varetz
Castel Novel
Ussac
Malemort
Aubazine
Puy de Pauliat
Dampniat
Mansac
St-Pantaléon-de-Larche
Terrasson-Lavilledieu
BRIVE-LA-GAILLARDE
Grtes de St-Antoine
Cosnac
La Chapelle-aux Brocs
Albignac
Beynat
Larche
Pazayac
Lissac-s-Couze
Noailles
Chasteaux
Gouffre de la Fage
Jugeals-Nazareth
Turenne
Collonges-la-Rouge
Meyssac
Noailhac
Lagleygeolle
Sérilhac
Chavagnac
Nespouls
BRIVE-VALLÉE DE LA DORDOGNE
Estivals
Cressensac
Nadaillac
Jayac
Archignac
Paulin
Gignac
Sarrazac
Saillac
Collonges
St-Julien-Maumont
Curemonte
Puy-d'Arnac
Marcillac-la-Croze
Cavagnac
Chauffour-sur-Vell
Les Quatre-Routes-du-Lot
Condat
Strenquels
St-Michel-de-Bannières
Vayrac
Puy d'Issolud
Bétaille
Cuzance
Martel
St-Denis-lès-Martel
Salignac-Eyvigues
Jardins d'Eyrignac
Borrèze
Lachapelle-Auzac
Souillac
Baladou
Floirac
Carennac
Belvé de Copeyre
Creysse
Montvalent
Mayrac
St-Sozy
Meyronne
Simeyrols
Orliaguet
Ste-Nathalène
Carlux
Rouffillac
Peyrillac-et-Millac
Cazoulès
Lanzac
Belvédère de Lanzac
Pinsac
La Treyne
Grottes de Lacave
Lacave
Gouffre de Roque-de-Cor
Gouffre de Padirac
Miers
Padirac
Fénelon
Ste-Mondane
St-Julien-de-Lampon
Calviac-en-Périgord
Nadaillac-de-Rouge
Dordogne
A 20
A 89
E 70
E 9
D 1089
D 6089
D 820
D 840
D 803
D 804
D 921
D 940

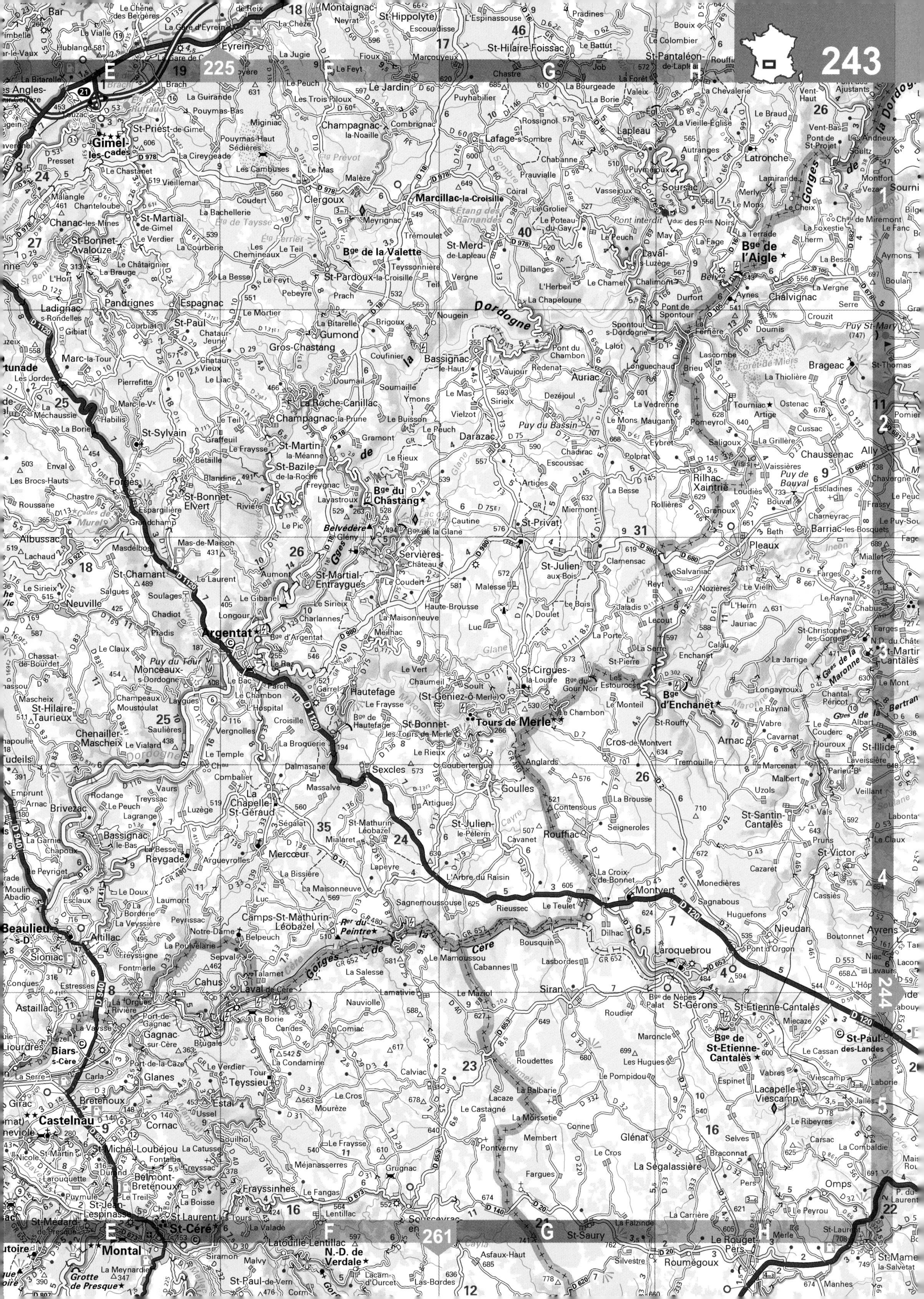
225
261
244
E
F
G
H
Gimel-les-Cascades
Marcillac-la-Croisille
Clergoux
Lapleau
Soursac
Latronche
Bge de la Valette
Bge de l'Aigle
St-Pardoux-la-Croisille
Dordogne
Gorges de la Dordogne
Argentat
Bge du Chastang
St-Martial-Entraygues
Servières-le-Château
Auriac
Darazac
St-Privat
Rilhac-Xaintrie
Pleaux
St-Julien-aux-Bois
Hautefage
Tours de Merle
Bge d'Enchanet
Bge de Hautefage
Goulles
Sexcles
Mercœur
Beaulieu-s-D.
Laroquebrou
Montvert
Gorges de la Cère
Laval-de-Cère
Biars-s-Cère
Bretenoux
Castelnau
St-Céré
Montal
N.-D. de Verdale
St-Saury
St-Étienne-Cantalès
Bge de St-Etienne-Cantalès
St-Paul-des-Landes
Lacapelle-Viescamp
Glénat
La Ségalassière
Roumégoux
Le Rouget-Pers
Chaussenac
Barriac-les-Bosquets
Arnac
St-Illide
St-Santin-Cantalès
Cros-de-Montvert
Rouffiac
Teyssieu
Cornac
Gagnac-sur-Cère
Glanes
Reygade
Brivezac
Neuville
Forgès
St-Chamant
Monceaux-s-Dordogne
St-Sylvain
Champagnac-la-Prune
La Roche-Canillac
Gros-Chastang
Espagnac
Pandrignes
Ladignac-s-Rondelles
St-Martial-de-Gimel
St-Priest-de-Gimel
Eyrein
Champagnac-la-Noaille
Lafage-s-Sombre
St-Hilaire-Foissac
Chanac-les-Mines
St-Bonnet-Avalouze
Albussac
Camps-St-Mathurin-Léobazel
La Chapelle-St-Géraud
St-Julien-le-Pèlerin
Siran
St-Gérons
Puy St-Mary (747)
Brageac
Ally
Tourniac
St-Cirgues-la-Loutre
Dilhac
Chalvignac

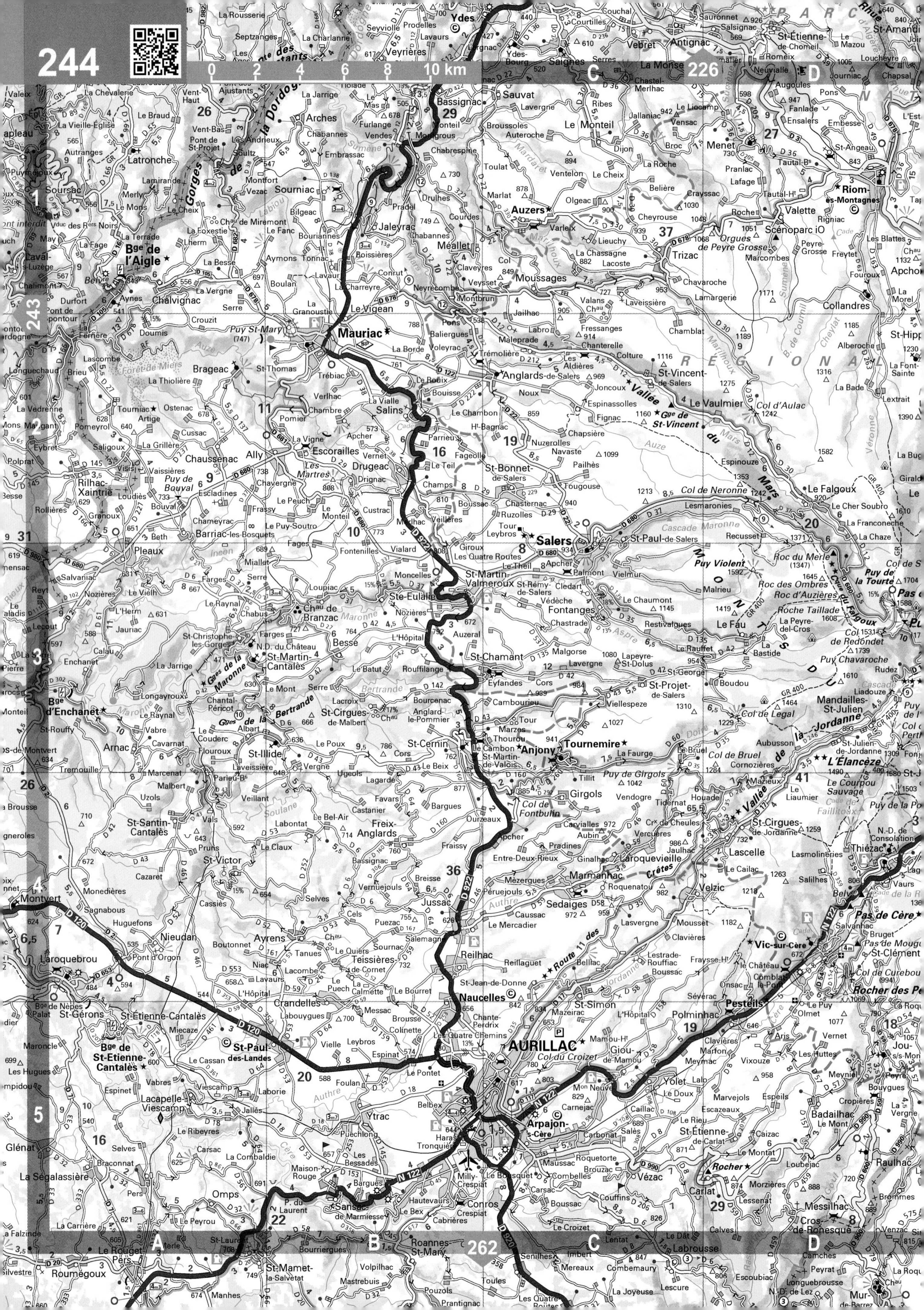
0 2 4 6 8 10 km
226
243
262
Mauriac
Salers
Aurillac
Ydes
Bassignac
Riom-ès-Montagnes
Pleaux
Laroquebrou
Arpajon-s-Cère
Vic-sur-Cère
Naucelles
St-Martin-Valmeroux
Anglards-de-Salers
Tournemire
Anjony
Puy Violent
Monts du Cantal
Puy de Bouval
Puy St-Mary
Gorges de la Dordogne
Gges de la Maronne
Gges de la Bertrande
Vallée de la Jordanne
Vallée du Mars
Gge de St-Vincent
Col de Neronne
Col d'Aulac
Col de Legal
Col de Bruel
Col de Fontbulin
Col du Croizet
Pas de Cère
Rocher des Pens
Bge de l'Aigle
Bge d'Enchanet
Bge de St-Etienne-Cantalès
Parc Naturel Régional
Route des Crêtes
Orgues de Peyre Grosse
Scénoparc iO
N 122
D 922
D 120
D 680

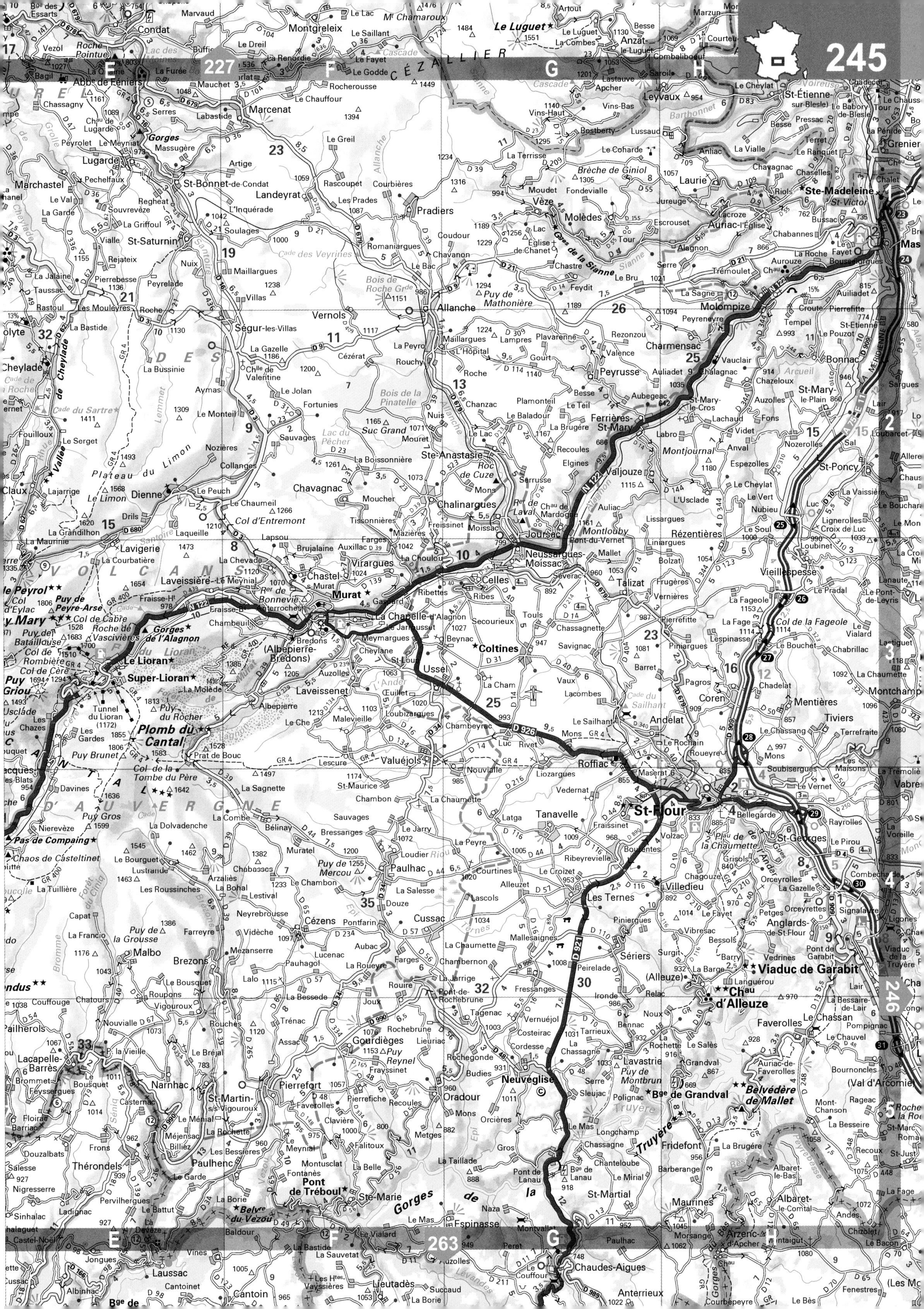
227
263
246
CÉZALLIER
Condat
Montgreleix
Marcenat
Le Luguet
Anzat-le-Luguet
Leyvaux
Lugarde
St-Bonnet-de-Condat
Landeyrat
Pradiers
Marchastel
St-Saturnin
Allanche
Vernols
Ségur-les-Villas
Vèze
Molèdes
Laurie
Auriac-l'Église
Ste-Madeleine
Molompize
Charmensac
Peyrusse
Ferrières-St-Mary
Massiac
Cheylade
Vallée de Cheylade
Dienne
Plateau du Limon
Chavagnac
Chalinargues
Neussargues-Moissac
Joursac
Murat
Laveissière
Le Lioran
Super-Lioran
Plomb du Cantal
Puy Mary
Puy de Peyre-Arse
Col de Cabre
Gorges de l'Alagnon
MONTS DU CANTAL
VOLCANS D'AUVERGNE
Coltines
Ussel
Talizat
Celles
Valuéjols
Roffiac
St-Flour
Andelat
Coren
Tanavelle
Villedieu
Les Ternes
Paulhac
Cézens
Brezons
Malbo
Viaduc de Garabit
Chau d'Alleuze
Anglards-de-St-Flour
Neuvéglise
Pierrefort
Narnhac
St-Martin-s/s-Vigouroux
Paulhenc
Thérondels
Lacapelle-Barrès
Pont de Tréboul
Gorges de la Truyère
Bge de Grandval
Belvédère de Mallet
Fridefont
Maurines
Chaudes-Aigues
Laussac
Cantoin
Lieutadès
Anterrieux
Faverolles
Vieillespesse
Montchamp
Tiviers
Rézentières
Lorcières
St-Poncy
St-Mary-le-Plain
Bonnac
LA MÉRIDIENNE
A 75 E 11
N 122
D 926
D 921
D 909

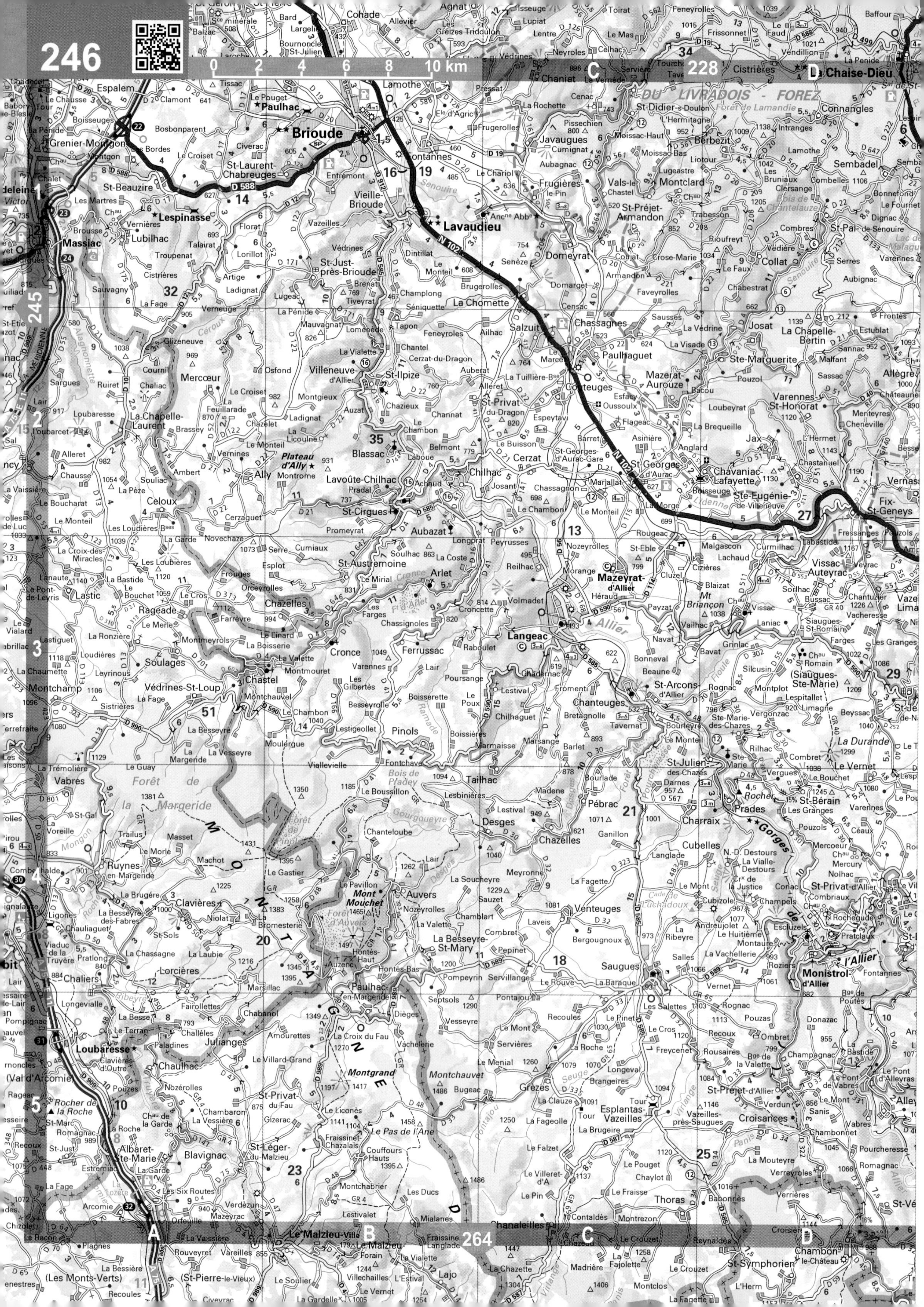
0 2 4 6 8 10 km
228
245
264
A
B
C
D
1
2
3
4
5
DU LIVRADOIS - FOREZ
Brioude
Paulhac
Lamothe
Fontannes
St-Laurent-Chabreuges
St-Beauzire
Lespinasse
Massiac
Lubilhac
Vieille-Brioude
Lavaudieu
Vézezoux
St-Just-près-Brioude
La Chomette
Salzuit
Chassagnes
Paulhaguet
Domeyrat
Frugières-le-Pin
Javaugues
St-Didier-s-Doulon
Berbezit
Montclard
St-Préjet-Armandon
Collat
Connangles
Sembadel
La Chaise-Dieu
St-Pal-de-Senouire
Josat
La Chapelle-Bertin
Ste-Marguerite
Allègre
Mazerat-Aurouze
Couteuges
Varennes-St-Honorat
Jax
St-Georges-d'Aurac
Chavaniac-Lafayette
Ste-Eugénie-de-Villeneuve
Fix-St-Geneys
Villeneuve-d'Allier
St-Ilpize
St-Privat-du-Dragon
Cerzat
Chilhac
Blassac
Lavoûte-Chilhac
St-Cirgues
Aubazat
Plateau d'Ally
Ally
Mercœur
La Chapelle-Laurent
Celoux
Lastic
Rageade
Chazelles
St-Austremoine
Arlet
Langeac
Mazeyrat-d'Allier
Mt Briançon
Vissac-Auteyrac
Siaugues-Ste-Marie
Cronce
Ferrussac
Chastel
Védrines-St-Loup
Soulages
Montchamp
Pinols
Tailhac
Chanteuges
St-Arcons-d'Allier
St-Julien-des-Chazes
Prades
St-Bérain
Pébrac
Desges
Chazelles
Charraix
Cubelles
Gorges de l'Allier
St-Privat-d'Allier
Monistrol-d'Allier
Vabres
Forêt de la Margeride
Ruynes-en-Margeride
Clavières
Mont Mouchet
Auvers
Venteuges
Saugues
La Besseyre-St-Mary
Paulhac-en-Margeride
Chaliers
Lorcières
Loubaresse
Julianges
Chaulhac
Montgrand
Grèzes
Esplantas-Vazeilles
St-Préjet-d'Allier
Croisances
St-Privat-du-Fau
St-Léger-du-Malzieu
Albaret-Ste-Marie
Blavignac
Thoras
Chanaleilles
Le Malzieu-Ville
Le Malzieu-Forain
St-Symphorien
Chambon-le-Château
Lajo
(Les Monts-Verts)
(St-Pierre-le-Vieux)
N 102
D 588
D 590
D 585
D 589
A 75
MONTS DE LA MARGERIDE

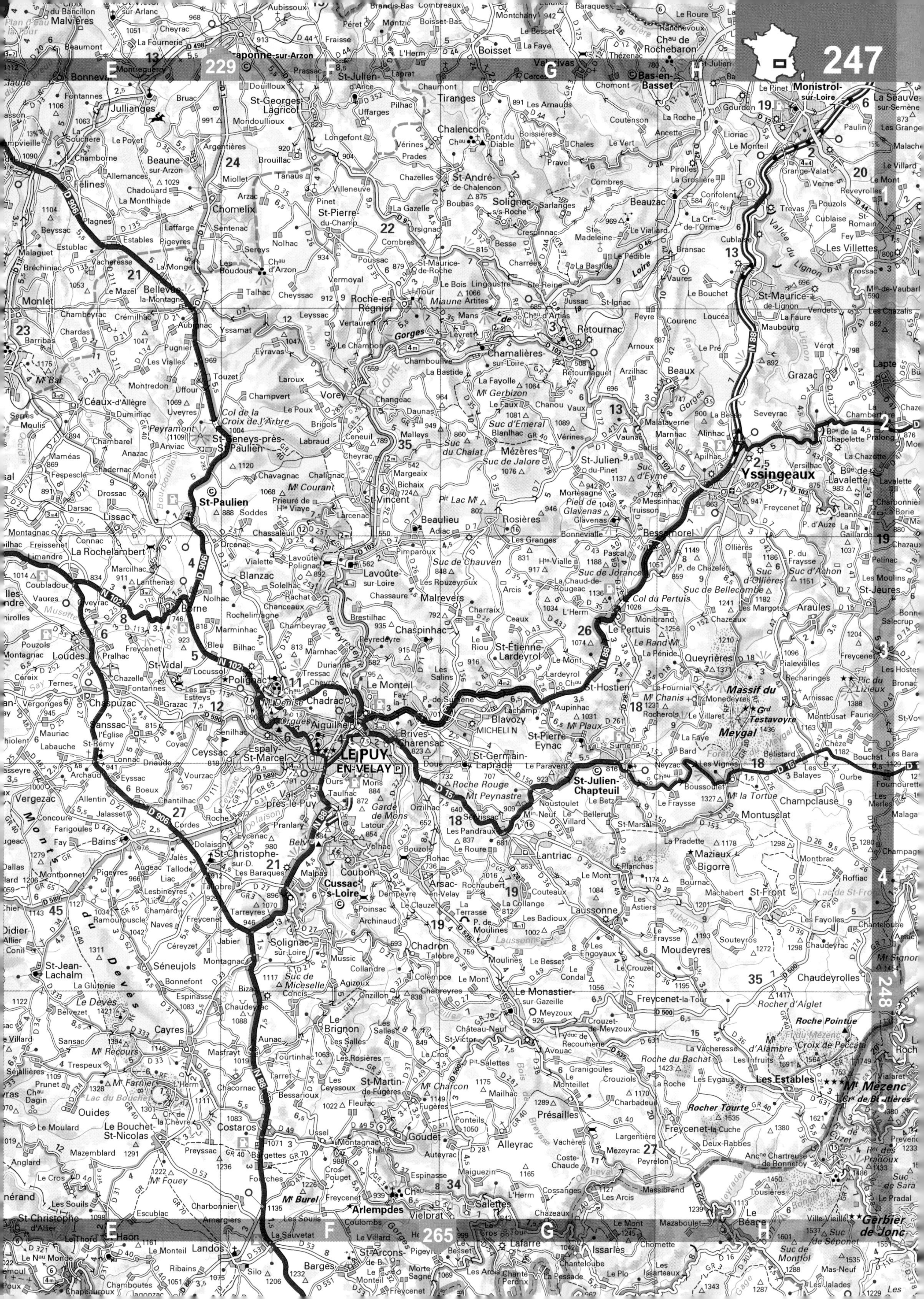

E
F
G
H
229
265
248
Craponne-sur-Arzon
St-Julien-d'Ance
Bas-en-Basset
Monistrol-sur-Loire
Tiranges
Chalencon
St-André-de-Chalencon
Solignac-s/s-Roche
Beauzac
St-Pierre-du-Champ
Roche-en-Régnier
Retournac
Chamalières-sur-Loire
Vorey
Yssingeaux
St-Maurice-de-Lignon
Grazac
Allègre
Bellevue-la-Montagne
St-Paulien
St-Geneys-près-St-Paulien
Lavoûte-sur-Loire
Malrevers
St-Julien-du-Pinet
Beaulieu
Rosières
Le Pertuis
Queyrières
Massif du Meygal
Araules
St-Jeures
Borne
Loudes
St-Vidal
Polignac
Chadrac
Aiguilhe
LE PUY-EN-VELAY
Espaly-St-Marcel
Brives-Charensac
St-Germain-Laprade
Blavozy
St-Pierre-Eynac
St-Julien-Chapteuil
St-Hostien
St-Étienne-Lardeyrol
Vals-près-le-Puy
Coubon
Cussac-s-Loire
Bains
St-Christophe-sur-D.
Solignac-sur-Loire
Le Monastier-sur-Gazeille
Laussonne
Moudeyres
Champclause
Montusclat
Chaudeyrolles
Les Estables
Mt Mézenc
Présailles
Goudet
Alleyrac
Arlempdes
Le Brignon
St-Martin-de-Fugères
Costaros
Cayres
Séneujols
Ouides
Le Bouchet-St-Nicolas
Landos
St-Arcons-de-B.
Issarlès
Lafarre
Freycenet-la-Cuche
Freycenet-la-Tour
Le Béage
Gerbier de Jonc
St-Christophe d'Allier
Haon
Barges
Monts du Devès
Gorges de la Loire

0 2 4 6 8 10 km
230
247
266
A
B
C
D
1
2
3
4
5
Ste-Sigolène
St-Victor-Malescours
St-Romain-Lachalm
Marlhes
St-Régis-du-Coin
St-Sauveur-en-Rue
Bourg-Argental
St-Marcel-lès-Annonay
Burdignes
Annonay
Davézieux
Boulieu-lès-A.
Riotord
Dunières
Montfaucon-en-Velay
Raucoules
St-Julien-Molhesabate
Vanosc
Villevocance
Roiffieux
Monestier
Vocance
St-Julien-Vocance
Quintenas
St-Alban-d'Ay
St-Romain-d'Ay
St-Symphorien-de-Mahun
Satillieu
Préaux
Montregard
St-Bonnet-le-Froid
Col des Baraques
St-Pierre-sur-Doux
Lalouvesc
Tence
Chenereilles
St-Jeures
St-André-en-Vivarais
Vaudevant
St-Félicien
St-Victor
Col du Rouvey
Col du Marchand
Col du Faux
Rochepaule
Devesset
Pailharès
Colombier-le-Vieux
Le Chambon-sur-Lignon
Mazet-St-Voy
St-Jeure-d'Andaure
Chau de Rocheblone
Bozas
Arlebosc
Boucieu-le-Roi
Nozières
Empurany
Labatie-d'Andaure
St-Agrève
Mars
Désaignes
Lamastre
Chau de Retourtour
Les Vastres
Fay-sur-Lignon
St-Julien-Boutières
Chau de Rochebonne
St-Jean-Roure
St-Barthélemy-Grozon
St-Basile
Col de Montreynaud
Col du Mazel
Gilhoc-sur-Ormèze
St-Clément
Lachapelle-s/s-Chanéac
Chanéac
St-Martin-de-Valamas
St-Cierge-s/s-le-Cheylard
St-Prix
Nonières
St-Julien-Labrousse
St-Apollinaire-de-Rias
Châteauneuf-de-Vernoux
Boffres
La Rochette
Le Cheylard
Arcens
Mt Mezenc
Borée
Mariac
Accons
St-Michel-d'Aurance
St-Jean-Chambre
Vernoux-en-Vivarais
Chau de la Tourrette
St-Martial
St-Christol
St-Barthélemy-le-Meil
Beauvène
Chalencon
Silhac
St-Julien-le-Roux
Dornas
Gluiras
St-Maurice-en-Chalencon
St-Fortunat-s-Eyrieux
Gerbier de Jonc
St-Andéol-de-Fourchades
St-Genest-Lachamp
St-Michel-de-Chabrillanoux
St-Sauveur-de-Montagut
Dunières-s-Eyrieux
St-Pierreville
Albon-d'Ardèche
Le Chambon
P A R C
N A T U R E L

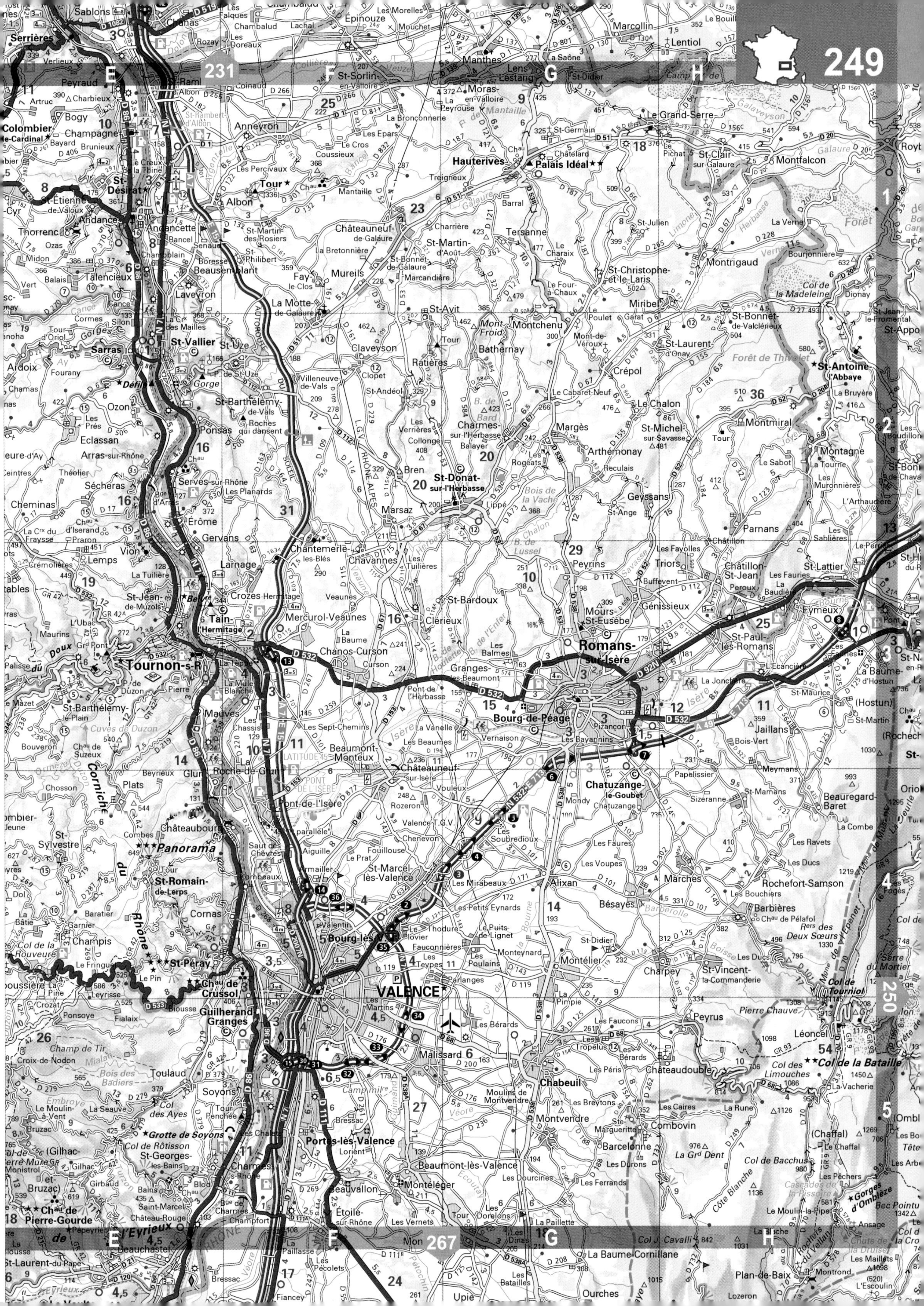
231
250
267
Sablons
Serrières
Chanas
Épinouze
Manthes
Marcollin
Lentiol
Le Grand-Serre
St-Sorlin-en-Valloire
Moras-en-Valloire
Lens-Lestang
Anneyron
Hauterives
Palais Idéal
St-Clair-sur-Galaure
Montfalcon
Colombier-le-Cardinal
Champagne
St-Désirat
Andance
Andancette
Albon
Châteauneuf-de-Galaure
Tersanne
Montrigaud
Talencieux
Beausemblant
Laveyron
Mureils
La Motte-de-Galaure
St-Avit
Montchenu
Miribel
St-Bonnet-de-Valclérieux
Sarras
St-Vallier
St-Uze
Claveyson
Ratières
Bathernay
St-Laurent-d'Onay
Crépol
St-Antoine-l'Abbaye
Ozon
St-Barthélemy-de-Vals
Ponsas
Charmes-sur-l'Herbasse
Margès
Le Chalon
St-Michel-sur-Savasse
Montmiral
Arras-sur-Rhône
Serves-sur-Rhône
Bren
St-Donat-sur-l'Herbasse
Arthémonay
Geyssans
Montagne
Érôme
Gervans
Marsaz
Parnans
Chantemerle-les-Blés
Chavannes
Larnage
Peyrins
Triors
Châtillon-St-Jean
St-Lattier
Lemps
Crozes-Hermitage
Tain-l'Hermitage
Tournon-s-R.
St-Bardoux
Clérieux
Mercurol-Veaunes
Mours-St-Eusèbe
Génissieux
Eymeux
Chanos-Curson
Romans-sur-Isère
St-Paul-lès-Romans
Granges-les-Beaumont
Bourg-de-Péage
Mauves
Beaumont-Monteux
Châteauneuf-sur-Isère
Jaillans
Chatuzange-le-Goubet
Roche-de-Glun
Pont-de-l'Isère
Beauregard-Baret
Châteaubourg
Panorama
St-Romain-de-Lerps
Corniche du Rhône
Alixan
Marches
Rochefort-Samson
St-Marcel-lès-Valence
Bourg-lès-Valence
Besayes
Barbières
Cornas
Champis
St-Péray
Montélier
Charpey
St-Vincent-la-Commanderie
Ch.au de Crussol
Guilherand-Granges
VALENCE
Peyrus
Léoncel
Col de la Bataille
Malissard
Chabeuil
Châteaudouble
Soyons
Grotte de Soyons
Montvendre
Combovin
Portes-lès-Valence
Barcelonne
St-Georges-les-Bains
Charmes-sur-Rhône
Beaumont-lès-Valence
Beauvallon
Montéléger
Étoile-sur-Rhône
Ch.au de Pierre-Gourde
Beauchastel
La Baume-Cornillane
Plan-de-Baix
Upie
Ourches
Gorges d'Omblèze
Col de Bacchus
Col de Tourniol
Forêt de Thivolet
Col de la Madeleine
Valence T.G.V.
LATITUDE 45

0 2 4 6 8 10 km
232
249
268
Voreppe
Tullins
St-Égrève
Sassenage
Fontaine
Seyssinet-Pariset
St-Nizier-du-Moucherotte
Le Moucherotte
Échirolles
Le Pont-de-Claix
Claix
Vif
Varces-Allières-et-Risset
St-Marcellin
Vinay
L'Albenc
Poliénas
Veurey-Voroize
Noyarey
Autrans
Autrans-Méaudre-en-Vercors
Lans-en-Vercors
Villard-de-Lans
Corrençon-en-Vercors
Rencurel
Pont-en-Royans
Choranche
Gorges de la Bourne
St-Jean-en-Royans
Combe Laval
Grds Goulets
St-Martin-en-Vercors
La Chapelle-en-Vercors
St-Agnan-en-Vercors
Vassieux-en-Vercors
Col de Rousset
La Grde Moucherolle
MONTAGNE DE LANS
Château-Bernard
St-Andéol
St-Guillaume
Gresse-en-Vercors
Le Grd Veymont
Mt Aiguille
Monestier-de-Clermont
Sinard
Avignonet
Monteynard
St-Paul-lès-Monestier
St-Michel-les-Portes
St-Martin-de-Clelles
Clelles
Chichilianne
Pont de Brion
Roissard
Treffort
Réserve Naturelle des Hauts Plateaux du Vercors
Forêt du Vercors
Chatte
St-Romans
St-Hilaire-du-Rosier
St-Nazaire-en-Royans
St-Thomas-en-Royans
Oriol-en-Royans
Bouvante
St-Julien-en-Quint
Marignac-en-Diois
Chamaloc
A B C D

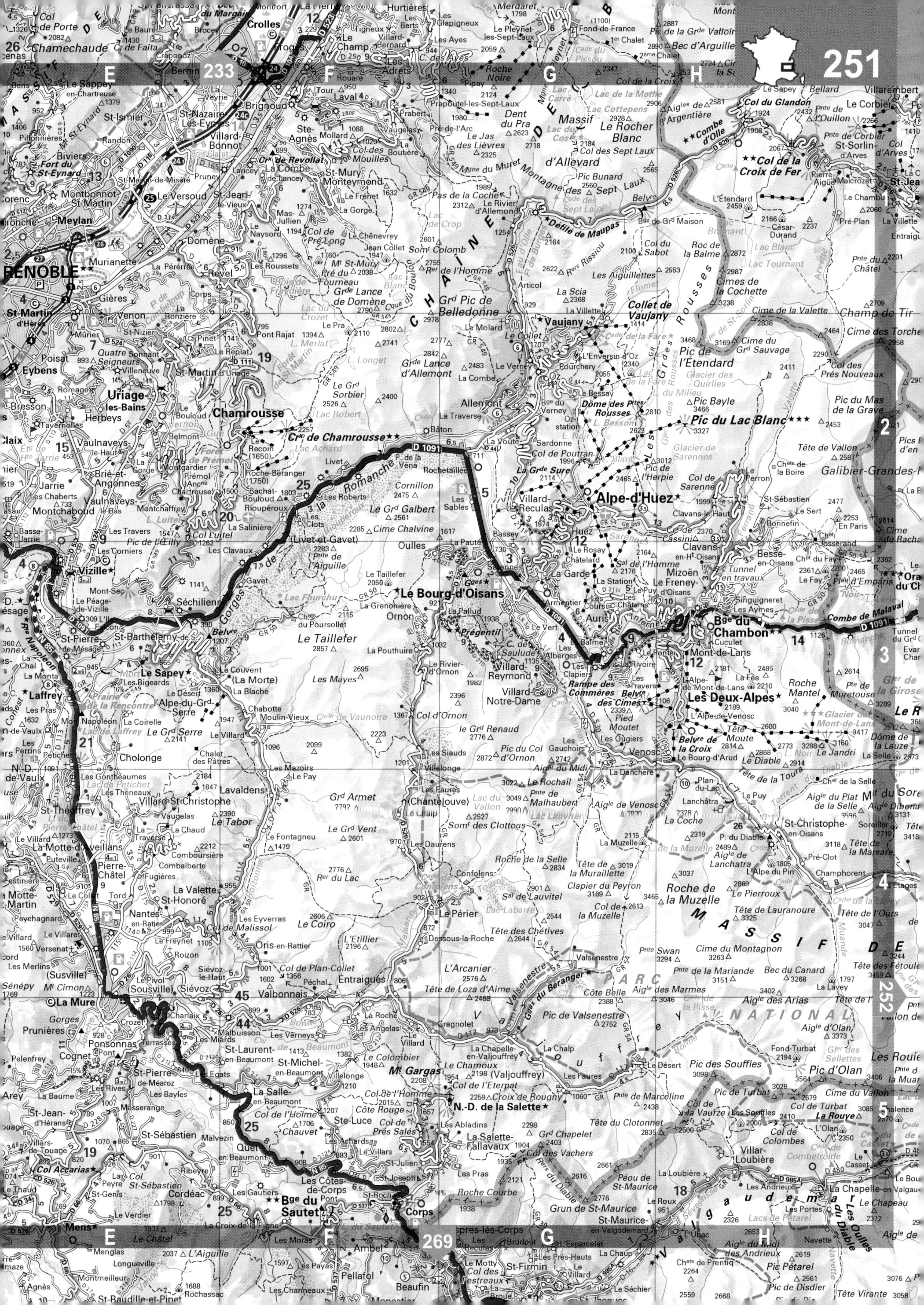

233
269
252
E
F
G
H
Crolles
Chamechaude
Col de Porte
Bernin
Le Sapey en-Chartreuse
St-Ismier
St-Nazaire-les-Eymes
Villard-Bonnot
Brignoud
Biviers
Fort du St-Eynard
Montbonnot-St-Martin
Meylan
Corenc
GRENOBLE
Murianette
Domène
Le Versoud
Revel
Gières
St-Martin-d'Hères
Eybens
Poisat
Venon
St-Martin-d'Uriage
Uriage-les-Bains
Bresson
Herbeys
Chamrousse
Cr.x de Chamrousse
Vaulnaveys-le-Haut
Brié-et-Angonnes
Jarrie
Vaulnaveys-le-Bas
Montchaboud
Vizille
Séchilienne
St-Barthélemy-de-Séchilienne
St-Pierre-de-Mésage
Le Sapey
Laffrey
Prairie de la Rencontre
Lac de Laffrey
Cholonge
St-Théoffrey
Pierre-Châtel
La Motte-d'Aveillans
La Valette
St-Honoré
Nantes-en-Ratier
La Mure
Sousville
Susville
Prunières
Ponsonnas
Cognet
St-Jean-d'Hérans
St-Sébastien
Col Accarias
Cordéac
Mens
Bge du Sautet
Corps
Valbonnais
Entraigues
Oris-en-Rattier
Col de Malissol
Lavaldens
Villard-St-Christophe
Le Tabor
Le Grd Serre
Alpe-du-Grand-Serre
Le Taillefer
Livet-et-Gavet
Gorges de la Romanche
Rioupéroux
Allemont
Oulles
Le Bourg-d'Oisans
Ornon
Col d'Ornon
Chantelouve
Villard-Reymond
Villard-Notre-Dame
Vaujany
Col du Glandon
Col de la Croix de Fer
St-Sorlin-d'Arves
Le Rocher Blanc
Massif d'Allevard
Défilé de Maupas
Chaîne de Belledonne
Grd Pic de Belledonne
Pic de l'Étendard
Grandes Rousses
Alpe-d'Huez
Pic du Lac Blanc
Huez
La Garde
Auris
Mizoën
Bge du Chambon
Le Freney-d'Oisans
Combe de Malaval
Mont-de-Lans
Les Deux-Alpes
Venosc
Bourg-d'Arud
St-Christophe-en-Oisans
Roche de la Muzelle
Massif des Écrins
Parc National
Valjouffrey
La Chapelle-en-Valjouffrey
Le Désert
Pic d'Olan
Pic des Souffles
N.-D. de la Salette
Mt Gargas
La Salette-Fallavaux
St-Laurent-en-Beaumont
St-Michel-en-Beaumont
La Salle-en-Beaumont
Ste-Luce
Quet-en-Beaumont
Valgaudemar
St-Firmin
Chaillol
Pic de Turbat
La Chapelle-en-Valgaudemar
Galibier-Grandes-Rousses
Pic du Mas de la Grave
Col de Sarenne
Clavans
Besse-en-Oisans
D 1091
D 1090
D 526
D 985A
N 85
A 41

0 2 4 6 8 10 km
234
251
270
A
B
C
D
2
3
4
5
St-Jean-d'Arves
St-Julien-Mont-Denis
St-Michel-de-Maurienne
Valloire
Valmeinier
Orelle
Modane
Valfréjus
Aussois
Bardonècchia
Col du Galibier
Col du Lautaret
La Grave
La Meije
Le Monêtier-les-Bains
Névache
Mt Thabor
Roche Bernaude
Tunnel du Fréjus
Montgenèvre
BRIANÇON
Col du Granon
Serre Chevalier
La Salle-les-Alpes
Barre des Écrins
Mt Pelvoux
Vallouise
Puy-St-Vincent
L'Argentière-la-Bessée
PARC DES ÉCRINS
Le Goléon
Les Aigles d'Arves
Col du Télégraphe
Col du Mollard

Col du Mont Cenis
Lac du Mont Cenis
Col de Sollière
235
Champ de Tir
Rocciamelone
Massif du Mt Cenis
Moncenisio
Novalesa
Venaus
Mompantero
Chianocco
Bruzolo di Susa
S. Didero
Borgone Susa
Bussoleno
S. Giorio di Susa
Susa
Gravere
Meana di Susa
Mattie
Villar Focchiardo
S. Antonino di Susa
Giaglione
Chiomonte
Exilles
Salbertrand
Oulx
Sauze d'Oulx
Bardonecchia
Col d'Ambin
Dent d'Ambin
Rognosa d'Etiache
Colle delle Finestre
M. Orsiera
Usseaux
Fenestrelle
Pragelato
Roure
Perosa Argentina
Pinasca
Villar Perosa
S. Germano Chisone
Sestriere
Cesana Torinese
Claviere
M. Fraiteve
M. Sises
Bric Ghinivert
Salza di Pinerolo
Massello
Perrero
Prali
Gran Truc
Punta Cornour
Torre Pellice
Luserna S. Giovanni
Bobbio Pellice
Villar Pellice
Bric Bouchet
Bric Froid
Pic du Grd Glaiza
Pic de Rochebrune
Col d'Izoard
Abriès
Aiguilles
Ristolas
Ville-Vieille
Château Queyras
271
Col Agnel
M. Granero
M. Frioland
Angrogna
Rorà
E
F
G
H
1
2
3
4
5

0 2 4 6 8 10 km
A
B
C
D
1
2
3
4
5
236
272
Lauros
Le Pas-du-Bouc
Silo
Maisonnieu
Les Dorat
des Courtious Brûlés
Terrain militaire
Grand Crohot Océan
Lège-Cap-Ferret
Le Cousteau de la Machine
Réserve naturelle
Arès
La Grde Heyre
Les Chalets
Les Nargues
Mautans
Blagon
La Pignada
Jane-de-Boy
Claouey
Andernos-les-Bains
Jossaume
La Huillarde
Dune de Bayle
Les Jacquets
Le Truc Vert
Le Petit Piquey
BASSIN
Le Mauret
Taussat
Cassy
PARC NATUREL RÉGIONAL
La Pointe Emil
Le Grand Piquey
Piraillan
Le Canon
L'Herbe
D'ARCACHON
Île aux Oiseaux
Parcs à huîtres
Le Renet
Le Nan
Lanton
Certes
Lubec
Hougueyra
La Possession
Pnte de Branne
Villa-Algérienne
La Vigne
Réservoirs
La Courbe
Audenge
Les Trucailles
Bas-Vallon
Vigneau
Les Argentières
Belisaire
ARCACHON
Cap Ferret
Les Abatilles
Pnte de l'Aiguillon
La Hume
Port de Larros
Gujan-Mestras
Parc ornithologique du Teich
Tagon
Biganos
Testarrouy
Lacanau-de-Mios
Quartier Bas
Le Moulleau
Pyla-sur-Mer
Les Bordes
Ruat
Le Teich
Facture
Florence
Les Douils
La Teste-de-Buch
Meyran
Lamothe
Cap Ferret
Pilat-Plage
Les Miguelots
Balanos
Le Voisin
Banc du Toulinguet
Le Truc de la Truque
Forêt
Nezer
Mios
Caze
Réserve naturelle du Banc d'Arguin
Dune du Pilat
Petit Caudos
Arnauton
Moura
Peyot
Lillet
Le Courneau
Zoo
Montmorency
Hobre
Forêt usagère
Gailloneys
Dunes de Ginestras
Champ
Peylon
Larrieu
Peylahon
Argilas
Gassian
Castandet
Le Petit Nice
de la Teste
Paris
Arnautille
Pointe d'Arcachon
Caudos
Salles
La Salie-Nord
Cazaux
Le Caplanne
La Salie-Sud
de Tir
Le Mayne
Béguey
Lanot
La Teste
Bilos
Curepipe
Langeot
Bernon
Le Petit Lagnereau
Forêt de Lagnereau
Champ de Tir
Dunes des Places
Étang de Cazaux
Louse
et de Sanguinet
Forêt de Salles
Lugos
Les Hautes Rives
Lombard
Sanguinet
Le Bougès
Sillac
Méoule
Once
Courneilley
Port-Maguide
Le Clerc
Biscarrosse-Plage
Petite Male
Forêt de Lugos
Silo
Camontès
Ispes
Canal
Gare de Lugos
Mariar
En Mayotte
Navarrosse
La Broutasse
Goubern
Nigon
CENTRE D'ESSAIS
Bosque
En Belliard
Millas
Pit Étang de Biscarrosse
En Bergoin
Narp
Lilaire
Trappe
En Hill
Le Mure
Biscarrosse
Bidaou
Hourtiquets
La Crabette
En Bonnet
Étang de
CENTRE D'ESSAIS DES LANDES
Lahitte
Les Mouliès
Le Bôo
Biscarrosse
et de Parentis
Naoutoy
Parentis-en-Born
Le Lac
Bourruque
Mothes
D 106
D 3
D 5
D 650
D 218
D 652
D 46
D 216
D 110
D 146
D 108
N 250
A 660
A 63
D 1250
D 348

BORDEAUX
Martignas-sur-Jalle
Mérignac
Caudéran
Cenon
Artigues-près-B.
Floirac
Tresses
Fargues-St-Hilaire
Camarsac
St-Jean-d'Illac
Pessac
Talence
Bègles
Bouliac
Carignan-de-Bordeaux
Croignon
Loupes
Lignan-de-B.
Gradignan
Villenave-d'Ornon
Latresne
Cénac
Camblanes-et-Meynac
Sadirac
Créon
Canéjan
Cestas
Léognan
Cadaujac
Quinsac
St-Caprais-de-Bordeaux
Madirac
St-Genès-de-Lombaud
Haux
Tabanac
Baurech
Cambes
Isle-St-Georges
Ayguemorte-les-Graves
Martillac
Beautiran
Langoiran
Castres-Gironde
Portets
Lestiac-s-Garonne
Paillet
Marcheprime
Saucats
La Brède
St-Selve
Arbanats
Virelade
Rions
Podensac
St-Morillon
Cabanac-et-Villagrains
St-Michel-de-Rieufret
Cérons
Barsac
Illats
Le Barp
Landiras
Pujols-sur-Ciron
Villagrains
Guillos
Bommes
Sauternes
Budos
Léogeats
St-Magne
Louchats
Belin-Béliet
Hostens
Origne
Balizac
Noaillan
Villandraut
Le Tuzan
St-Symphorien
St-Léger-de-Balson
Uzeste
Mano
Saugnacq-et-Muret
Préchac
Cazeneuve
Belhade
Argelouse
Moustey
Bourideys
LANDES DE GASCOGNE
GARONNE
237
256
273

0 2 4 6 8 10 km
238
255
274
A
B
C
D
1
2
3
4
5
Créon
Camarsac
Carignan-de-Bordeaux
Fargues-St-Hilaire
Tizac-de-Curton
St-Quentin-de-Baron
Grézillac
Lugaignac
Branne
Cabara
St-Jean-de-Blaignac
St-Aubin-de-B.
Castillon-la-Bataille
St-Magne-de-C.
St-Pey-d'Armens
St-Sulpice-de-Faleyrens
St-Germain-du-Puch
Génissac
Cadarsac
Moulon
Vignonet
Ste-Terre
Civrac-Dordogne
Ste-Florence
St-Pey-de-Castets
St-Vincent-de-Pertignas
Mérignas
Pujols
Ste-Radegonde
Doulezon
Labarthe
Blasimon
Mauriac
Rauzan
Naujan-et-Postiac
Jugazan
Bellefond
Courpiac
Lugasson
Frontenac
Cessac
Daignac
Espiet
Dardenac
Faleyras
Blésignac
La Sauve
St-Léon
Romagne
Targon
Bellebat
Baigneaux
Sadirac
Lignan-de-B.
Cénac
Camblanes-et-Meynac
Quinsac
Madirac
St-Caprais-de-Bordeaux
St-Genès-de-Lombaud
Haux
Cambes
Baurech
Tabanac
Langoiran
Le Tourne
Portets
Castres-Gironde
Beautiran
Villenave-de-Rions
Lestiac-s-Garonne
Paillet
Capian
Soulignac
Cardan
Escoussans
Arbis
Ladaux
Cantois
Montignac
St-Genis-du-Bois
Coirac
Daubèze
St-Brice
Sauveterre-de-Guyenne
Cleyrac
Castelmoron-d'Albret
St-Martin-du-Puy
Rimons
Caumont
Cazaugitat
St-Léger-de-Vignague
St-Sulpice-de-Pommiers
Castelviel
Gornac
Mourens
St-Pierre-de-Bat
Donzac
Rions
Laroque
Béguey
Omet
Cadillac
Loupiac
Podensac
Virelade
Arbanats
St-Selve
Cérons
Monprimblanc
St-Germain-de-Grave
St-Martial
St-Laurent-du-Bois
St-Félix-de-Foncaude
St-Hilaire-du-Bois
St-Martin-de-Lerm
Landerrouet-sur-Ségur
Neuffons
Mesterrieux
Camiran
St-Exupéry
Bagas
Loubens
Roquebrune
St-Michel-de-Rieufret
Illats
Barsac
Ste-Croix-du-Mont
Gabarnac
Semens
Verdelais
St-André-du-Bois
Ste-Foy-la-Longue
St-Laurent-du-Plan
Morizès
Les Esseintes
St-Sève
St-Hilaire-de-la-Noaille
Fossés-et-Baleyssac
La Réole
Gironde-sur-Dropt
Casseuil
Le Pian-sur-Garonne
St-Martin-de-Sescas
Caudrot
Barie
St-Maixant
Preignac
Landiras
Pujols-sur-Ciron
Malle
Toulenne
St-Macaire
St-Pierre-d'Aurillac
St-Loubert
Floudès
Fontet
Montagoudin
St-André-du-Garn
Bommes
Yquem
Langon
St-Pardon-de-Conques
Castets-en-Dorthe
Castillon-de-Castets
Puybarban
Blaignac
Loupiac-de-la-Réole
Bourdelles
Hure
St-Pierre-de-Mons
Bieujac
Sauternes
Fargues
Budos
Léogeats
Brannens
Savignac
Pondaurat
Noaillac
Balizac
Noaillan
Roaillan
Roquetaillade
Mazères
Coimères
Auros
Brouqueyran
Berthez
Lados
Aillas
St-Sauveur-de-Meilhan
Villandraut
Uzeste
Aubiac
Cazats
Gans
Labescau
Sigalens
Cocumont
St-Léger-de-Balson
Bazas
Lignan-de-Bazas
St-Côme
Gajac
Mitton
Sendets
Cauvignac
Birac
Préchac
Marimbault
Pompéjac
Sauviac
Cazeneuve
Cudos
Lavazan
Masseilles
Grignols
Flaujacq
Cours-les-Bains
Romestaing
Bourideys
Bernos-Beaulac
Marions
Sillas
Ruffiac
GARONNE
AUTOROUTE DES DEUX-MERS
A 62
E 72
A 65
N 524
D 936
D 670
D 671
D 672
D 1113
D 10
D 655
D 3
D 9

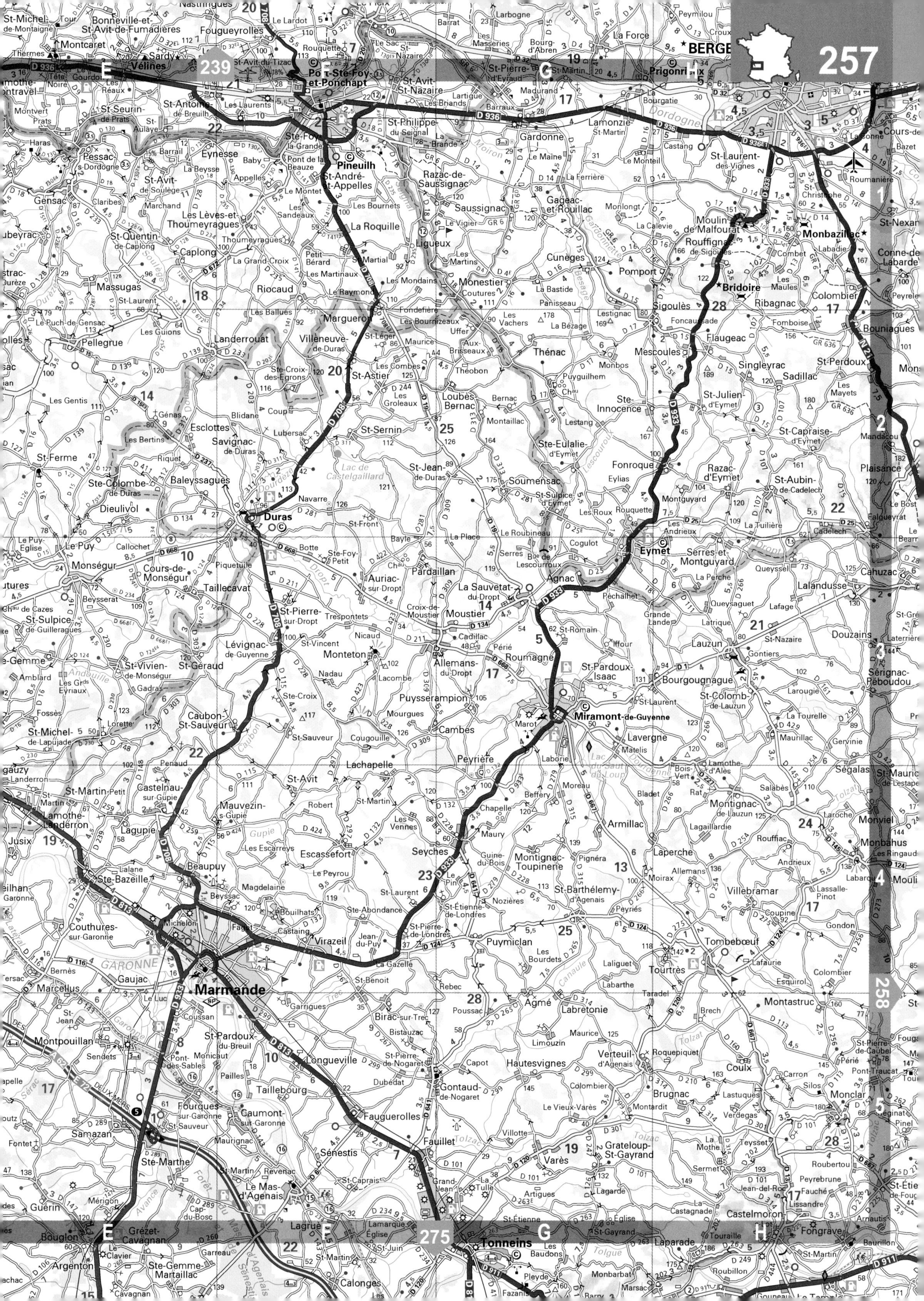
Bergerac
Ste-Foy-la-Grande
Port-Ste-Foy-et-Ponchapt
Vélines
Pineuilh
Monbazillac
Sigoulès
Eymet
Duras
Monségur
Miramont-de-Guyenne
Lauzun
Marmande
Tombebœuf
Seyches
Tonneins
Castelmoron
Fongrave
Le Mas-d'Agenais
Bouglon
Argenton
Ste-Bazeille
Gontaud-de-Nogaret
Allemans-du-Dropt
Issigeac
Castillonnès
Cahuzac
Lalandusse
Douzains
Villebramar
Monclar
Montastruc
Verteuil-d'Agenais
Grateloup-St-Gayrand
Varès
Fauillet
Fauguerolles
Longueville
Caumont-sur-Garonne
Fourques-sur-Garonne
Samazan
Ste-Marthe
Gaujac
Marcellus
Montpouillan
Couthures-sur-Garonne
Lagupie
Beaupuy
Virazeil
Puymiclan
Cambes
Lévignac-de-Guyenne
St-Pierre-sur-Dropt
La Sauvetat-du-Dropt
Soumensac
Margueron
Landerrouat
Pellegrue
Gensac
St-Quentin-de-Caplong
Caplong
Riocaud
La Roquille
Saussignac
Gardonne
Lamonzie-St-Martin
Prigonrieux
St-Laurent-des-Vignes
Pomport
Cunèges
Thénac
Singleyrac
St-Perdoux
Bouniagues
Colombier
Rouffignac-de-Sigoulès
Razac-d'Eymet
St-Aubin-de-Cadelech
Serres-et-Montguyard
Agnac
Roumagne
St-Pardoux-Isaac
Bourgougnague
Lavergne
Peyrière
Armillac
Montignac-de-Lauzun
Laperche
Monviel
Monbahus
Ségalas
St-Barthélemy-d'Agenais
Montignac-Toupinerie
Labretonie
Agmé
Hautesvignes
Brugnac
Coulx
Birac-sur-Trec
St-Pardoux-du-Breuil
Taillebourg
Escassefort
Mauvezin-s-Gupie
Castelnau-sur-Gupie
Caubon-St-Sauveur
St-Géraud
Savignac-de-Duras
Esclottes
St-Ferme
Dieulivol
St-Sernin
St-Jean-de-Duras
Loubès-Bernac
Puysserampion
Lachapelle
Ste-Gemme-Martaillac
Grézet-Cavagnan
D 936
D 933
D 708
D 813
D 668
D 911
N 21
A 62 E 72
GARONNE
Dordogne
Dropt
239
275
258
E
F
G
H
1
2
3
4
5

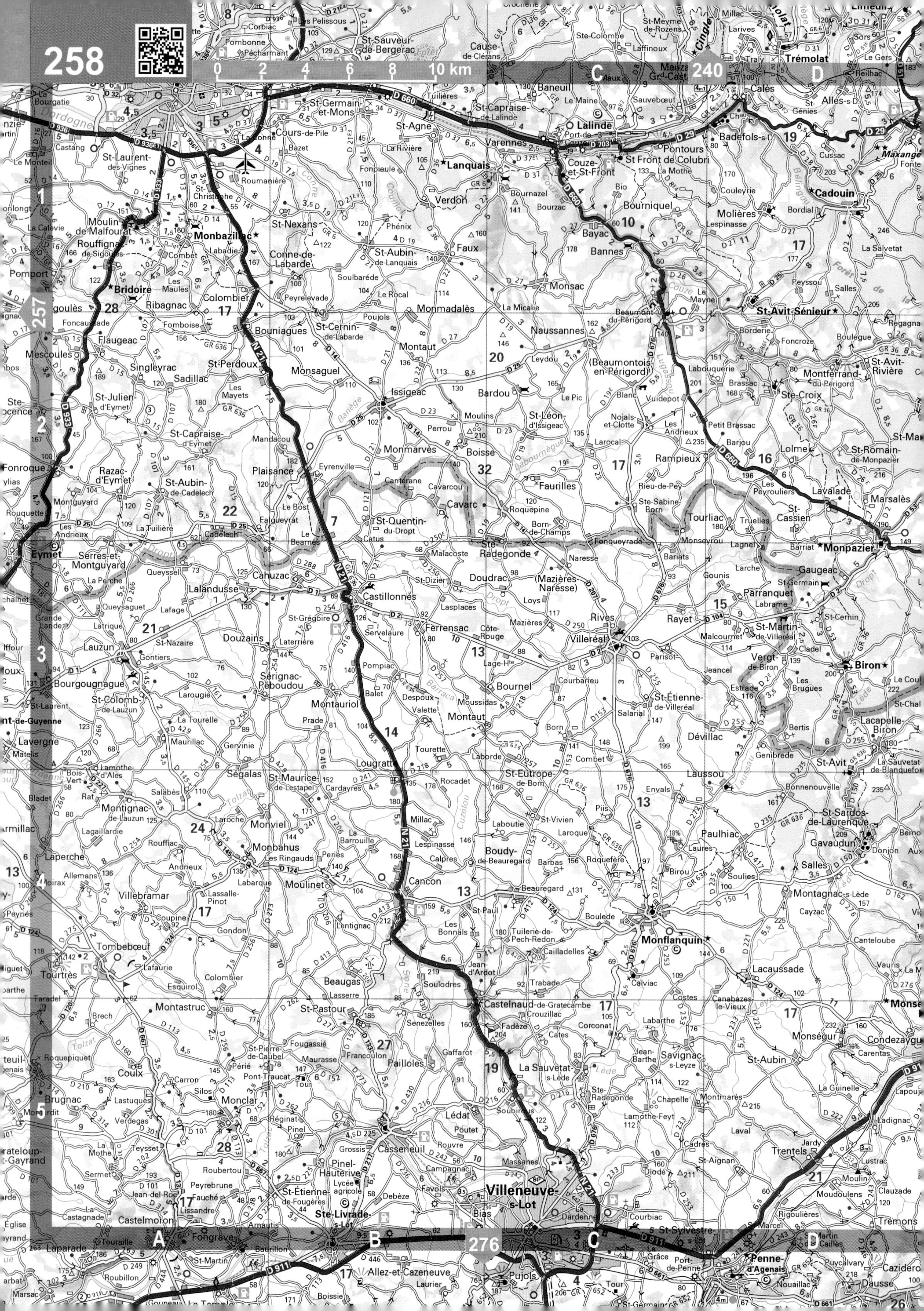
0 2 4 6 8 10 km
A
B
C
D
240
257
276
Bergerac
Dordogne
Cours-de-Pile
St-Germain-et-Mons
St-Capraise-de-Lalinde
Lalinde
Couze-et-St-Front
St Front de Colubri
Pontours
Badefols-s-D.
Calès
Trémolat
Alles-s-D.
Cadouin
Lanquais
Varennes
Verdon
Bournazel
Bourniquel
Molières
Monbazillac
St-Nexans
Phénix
Faux
Bayac
Bannes
Rouffignac-de-Sigoulès
Pomport
Bridoire
Ribagnac
Colombier
Conne-de-Labarde
St-Aubin-de-Lanquais
Monsac
Beaumont-du-Périgord
St-Avit-Sénieur
Bouniagues
St-Cernin-de-Labarde
Monmadalès
Naussannes
Flaugeac
Singleyrac
Sadillac
St-Perdoux
Monsaguel
Montaut
Issigeac
Bardou
(Beaumontois-en-Périgord)
Labouquerie
Montferrand-du-Périgord
St-Avit-Rivière
Ste-Croix
St-Julien-d'Eymet
St-Capraise-d'Eymet
St-Léon-d'Issigeac
Nojals-et-Clotte
Rampieux
Lolme
St-Romain-de-Monpazier
Razac-d'Eymet
St-Aubin-de-Cadelech
Plaisance
Monmarvès
Boisse
Faurilles
Cavarc
Lavalade
Marsalès
Eymet
Serres-et-Montguyard
St-Quentin-du-Dropt
Ste-Radegonde
Tourliac
St-Cassien
Monpazier
Cahuzac
Lalandusse
Castillonnès
Doudrac
Rives
Villeréal
Parranquet
Gaugeac
St-Martin-de-Villeréal
Lauzun
Douzains
Ferrensac
Bournel
Biron
Bourgougnague
Sérignac-Péboudou
Montauriol
Montaut
St-Étienne-de-Villeréal
Dévillac
Lavergne
Ségalas
St-Maurice-de-Lestapel
Lougratte
St-Eutrope-de-Born
Laussou
Lacapelle-Biron
Montignac-de-Lauzun
Monviel
Monbahus
Moulinet
Cancon
Boudy-de-Beauregard
Paulhiac
St-Sardos-de-Laurenque
Gavaudun
Villebramar
Tombebœuf
Tourtrès
Monflanquin
Montagnac-s-Lède
Beaugas
Castelnaud-de-Gratecambe
Lacaussade
Montastruc
St-Pastour
Pailloles
La Sauvetat-s-Lède
Savignac-s-Leyze
Monségur
St-Aubin
Coulx
Monclar
Brugnac
Casseneuil
Lédat
Trentels
Pinel-Hauterive
Villeneuve-s-Lot
Castelmoron-s-Lot
Fongrave
Ste-Livrade-s-Lot
St-Sylvestre-s-Lot
Penne-d'Agenais
Allez-et-Cazeneuve
Pujols
Dausse

Sarlat-la-Canéda
Beynac-et-Cazenac
Castelnaud-la-Chapelle
Marqueyssac
La Roque-Gageac
Domme
Cingle de Montfort
Montfort
Vitrac
Vézac
Carsac-Aillac
Calviac-en-Périgord
St-Julien-de-Lampon
Ste-Mondane
Fénelon
Nadaillac-de-Rouge
Lamothe-Fénelon
Masclat
Veyrignac
Groléjac
Milhac
Fajoles
St-Cirq-Madelon
Rouffilhac
Anglars-Nozac
Grottes de Cougnac
Gourdon
N.-D. des Neiges
Payrignac
Nabirat
St-Aubin-de-Nabirat
Léobard
St-Martial-de-Nabirat
Siorac-en-Périgord
St-Germain-de-Belvès
Monplaisant
Belvès (Pays de Belvès)
Sagelat
St-Pardoux-et-Vielvic
Larzac
Grives
St-Laurent-la-Vallée
Daglan
St-Pompont
Bouzic
Florimont-Gaumier
Salviac
Cazals
Marminiac
Prats-du-Périgord
Campagnac-lès-Quercy
Orliac
Doissat
Ste-Foy-de-Belvès
Salles-de-Belvès
Fongalop
Capdrot
Mazeyrolles
Besse
Villefranche-du-Périgord
Loubejac
St-Cernin-de-l'Herm
Lavaur
Blanquefort-s-Briolance
Sauveterre-la-Lémance
St-Front-s-Lémance
Cuzorn
Bonaguil
Montcabrier
St-Martin-le-Redon
Duravel
Puy-l'Évêque
Fumel
Soturac
Touzac
Vire-sur-Lot
Montayral
Lacapelle-Cabanac
Mauroux
Thézac
Lagardelle
Prayssac
Castelfranc
Anglars-Juillac
Bélaye
Grézels
Albas
Luzech
Labastide-du-Vert
Les Arques
Montcléra
Frayssinet-le-Gélat
Goujounac
Pomarède
Cassagnes
Les Junies
Lherm
Gindou
Rampoux
Lavercantière
Dégagnac
Thédirac
Montgesty
Catus
St-Médard
Nuzéjouls
Calamane
Crayssac
Espère
Mercuès
Pradines
Caillac
Parnac
Douelle
CAHORS
Pont Valentré
St-Denis-Catus
Gigouzac
Uzech
Peyrilles
Concorès
St-Chamarand
St-Clair
Cambayrac
Sauzet
Villesèque
Trespoux-Rassiels
Floressas
Sérignac
Le Boulvé
Tournon-d'Agenais
Masquières
St-Matré
Bourlens
St-Georges
260
277
241
E
F
G
H
D 660
D 710
D 703
D 811
D 820
D 704
D 656
D 653

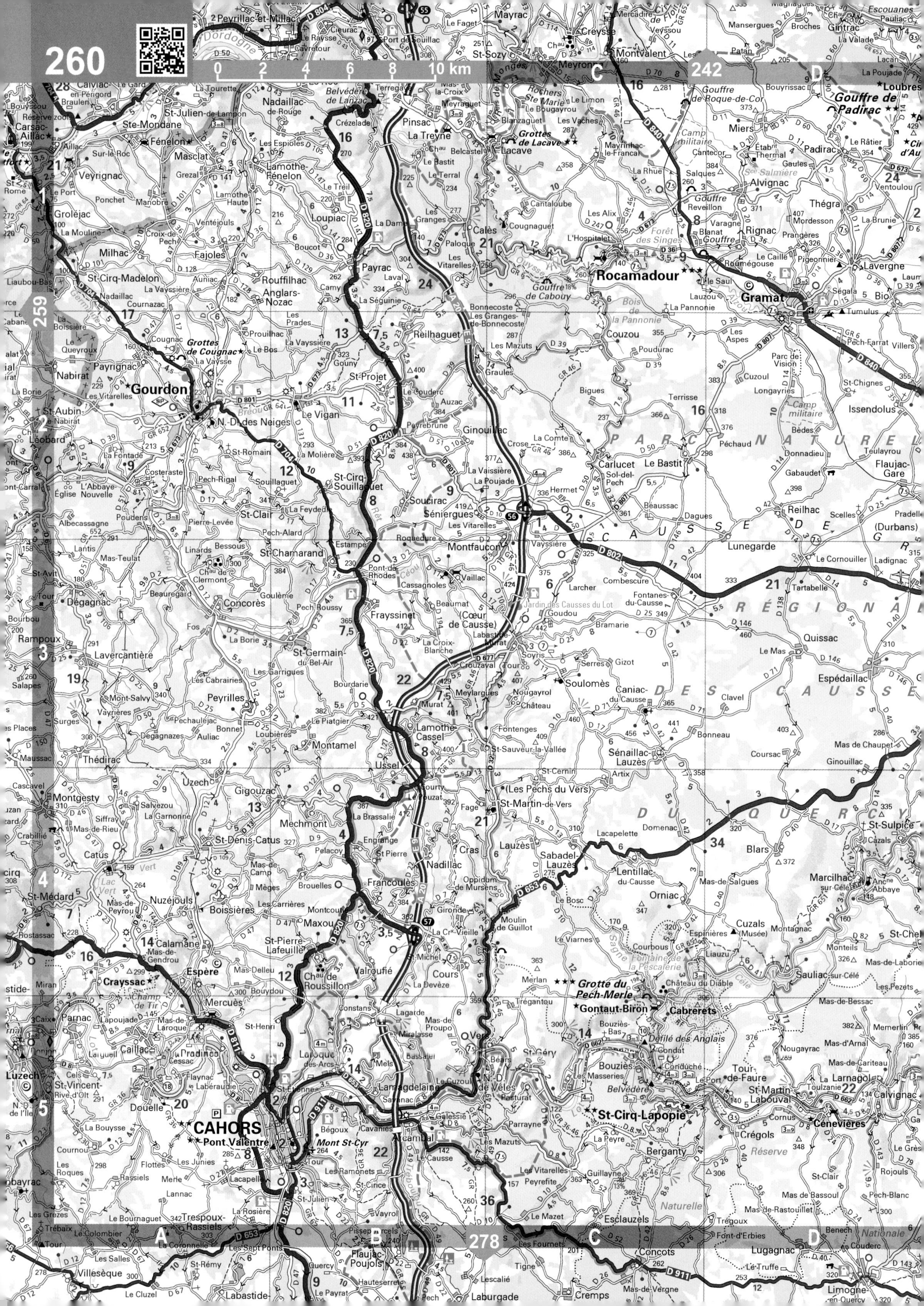
0 2 4 6 8 10 km
242
259
278
A
B
C
D
1
2
3
4
5
Dordogne
Peyrillac-et-Millac
Mayrac
Creysse
Montvalent
St-Sozy
Meyronne
Gintrac
Calviac-en-Périgord
Carsac-Aillac
Ste-Mondane
St-Julien-de-Lampon
Fénelon
Masclat
Nadaillac-de-Rouge
Belvédère de Lanzac
Pinsac
La Treyne
Lacave
Grottes de Lacave
Gouffre de Roque-de-Cor
Gouffre de Padirac
Padirac
Miers
Alvignac
Thégra
Loubressac
Veyrignac
Lamothe-Fénelon
Loupiac
Groléjac
Milhac
Fajoles
Payrac
Calès
Rocamadour
L'Hospitalet
Forêt des Singes
Rignac
Gramat
Lavergne
St-Cirq-Madelon
Rouffilhac
Anglars-Nozac
Reilhaguet
Couzou
Grottes de Cougnac
Gourdon
Payrignac
Nabirat
Le Vigan
N.-D. des Neiges
St-Projet
Le Bastit
Carlucet
Ginouillac
Issendolus
Flaujac-Gare
PARC NATUREL RÉGIONAL DES CAUSSES DU QUERCY
St-Aubin-de-Nabirat
Léobard
St-Cirq-Souillaguet
Soucirac
Séniergues
Montfaucon
Reilhac
Lunegarde
St-Clair
St-Chamarand
Frayssinet
Cœur de Causse
Labastide-Murat
Quissac
Espédaillac
Dégagnac
Concorès
Rampoux
Lavercantière
St-Germain-du-Bel-Air
Soulomès
Caniac-du-Causse
Peyrilles
Lamothe-Cassel
Montamel
Sénaillac-Lauzès
Thédirac
Uzech
Gigouzac
Montgesty
Mechmont
St-Martin-de-Vers
St-Denis-Catus
Catus
Cras
Lauzès
Sabadel-Lauzès
Blars
Nadillac
Francoulès
St-Médard
Nuzéjouls
Boissières
Maxou
Orniac
Marcilhac-sur-Célé
Calamane
St-Pierre-Lafeuille
Valroufié
Cuzals
Crayssac
Espère
Grotte du Pech-Merle
Gontaut-Biron
Cabrerets
Sauliac-sur-Célé
Mercuès
Parnac
Caillac
Pradines
Luzech
Laroque-des-Arcs
Vers
St-Géry
Bouziès
Défilé des Anglais
Tour-de-Faure
St-Martin-Labouval
Larnagol
Calvignac
Douelle
CAHORS
Pont Valentré
Mont St-Cyr
Lamagdelaine
Arcambal
St-Cirq-Lapopie
Cénevières
Crégols
Berganty
Esclauzels
Trespoux-Rassiels
Concots
Lugagnac
Flaujac-Poujols
Laburgade
Cremps
Limogne-en-Quercy
Villesèque
Labastide-

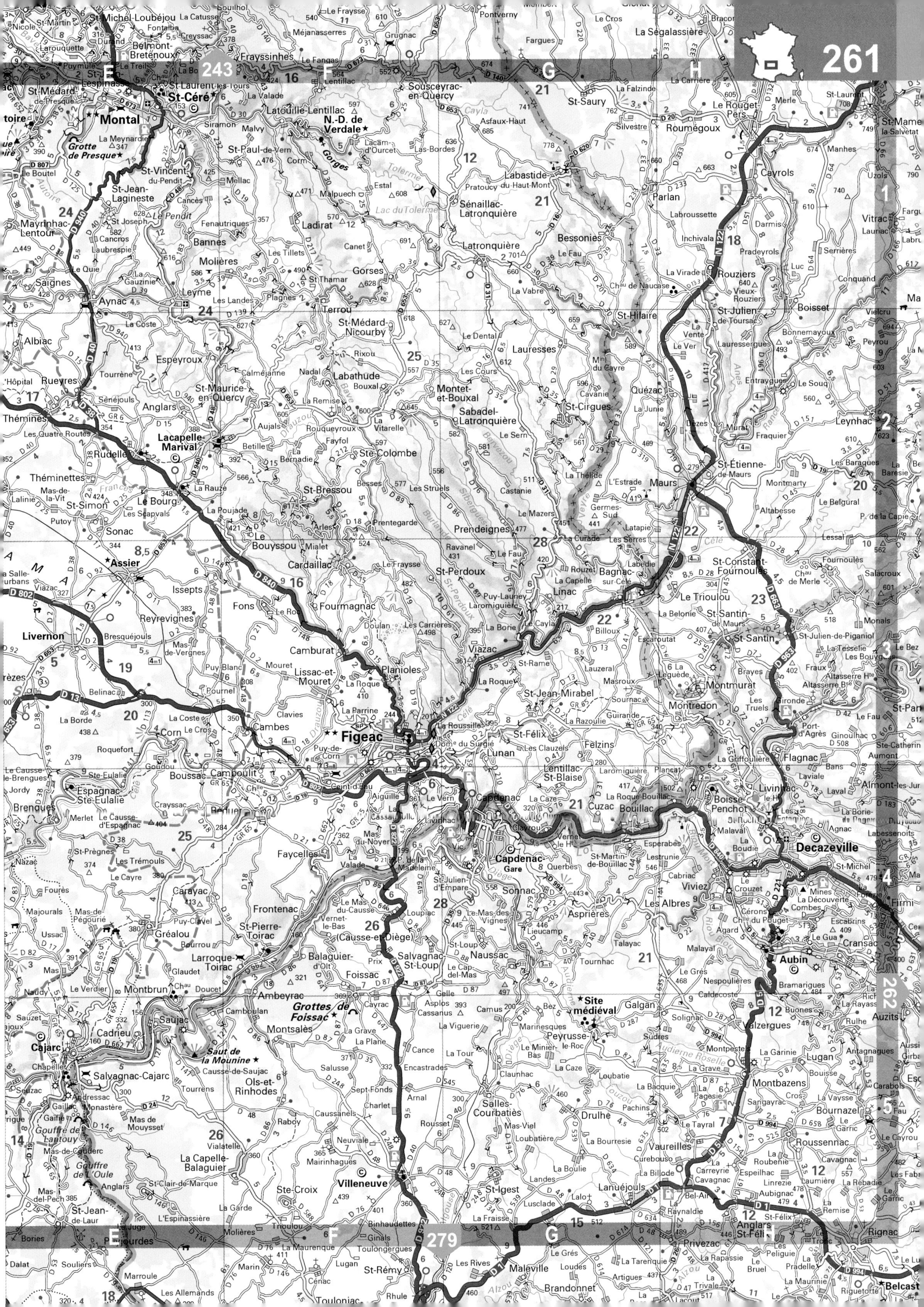
243
E
F
G
H
1
2
3
4
5
262
279
St-Céré
Montal
Grotte de Presque
Belmont-Bretenoux
St-Laurent-les-Tours
Latouille-Lentillac
N.-D. de Verdale
Sousceyrac-en-Quercy
Gorges
Lac du Tolerme
Labastide-du-Haut-Mont
Sénaillac-Latronquière
Latronquière
St-Saury
Roumégoux
Le Rouget-Pers
Cayrols
St-Mamet-la-Salvetat
Parlan
Bessonies
Ladirat
Leyme
Aynac
Gorses
Terrou
St-Médard-Nicourby
St-Hilaire
Rouziers
Vieux-Rouziers
St-Julien-de-Toursac
Boisset
Laurèsses
Quézac
Albiac
Rueyres
Espeyroux
St-Maurice-en-Quercy
Labathude
Montet-et-Bouxal
Sabadel-Latronquière
St-Cirgues
Leynhac
Thémines
Lacapelle-Marival
Rudelle
Théminettes
Ste-Colombe
St-Bressou
Maurs
St-Étienne-de-Maurs
Le Bourg
Sonac
Assier
Le Bouyssou
Cardaillac
Prendeignes
St-Perdoux
Bagnac-sur-Célé
Linac
Le Trioulou
St-Constant-Fournoulès
St-Santin-de-Maurs
St-Santin
Livernon
Issepts
Reyrevignes
Fons
Fourmagnac
Camburat
Viazac
Lissac-et-Mouret
Planioles
St-Jean-Mirabel
Montmurat
Montredon
Cambes
Figeac
St-Félix
Lunan
Felzins
Flagnac
Livinhac-le-Haut
Boussac
Camboulit
Espagnac-Ste-Eulalie
Brengues
Capdenac
Capdenac-Gare
Cuzac
Bouillac
Decazeville
Faycelles
St-Julien-d'Empare
Sonnac
Asprières
Viviez
Les Albres
Aubin
Cransac
Firmi
Carayac
Frontenac
St-Pierre-Toirac
Grealou
Larroque-Toirac
Balaguier-d'Olt
Salvagnac-St-Loup
Naussac
Montbrun
Saujac
Grottes de Foissac
Foissac
Ambeyrac
Site médiéval
Galgan
Valzergues
Cajarc
Cadrieu
Saut de la Mounine
Salvagnac-Cajarc
Ols-et-Rinhodes
Peyrusse-le-Roc
Lugan
Montbazens
Salles-Courbatiès
Drulhe
Bournazel
Gouffre de Lantouy
Gouffre de L'Oule
La Capelle-Balaguier
Villeneuve
Ste-Croix
Vaureilles
Roussennac
St-Igest
Lanuéjouls
Anglars-St-Félix
Rignac
Privezac
Maleville
St-Rémy
Belcastel

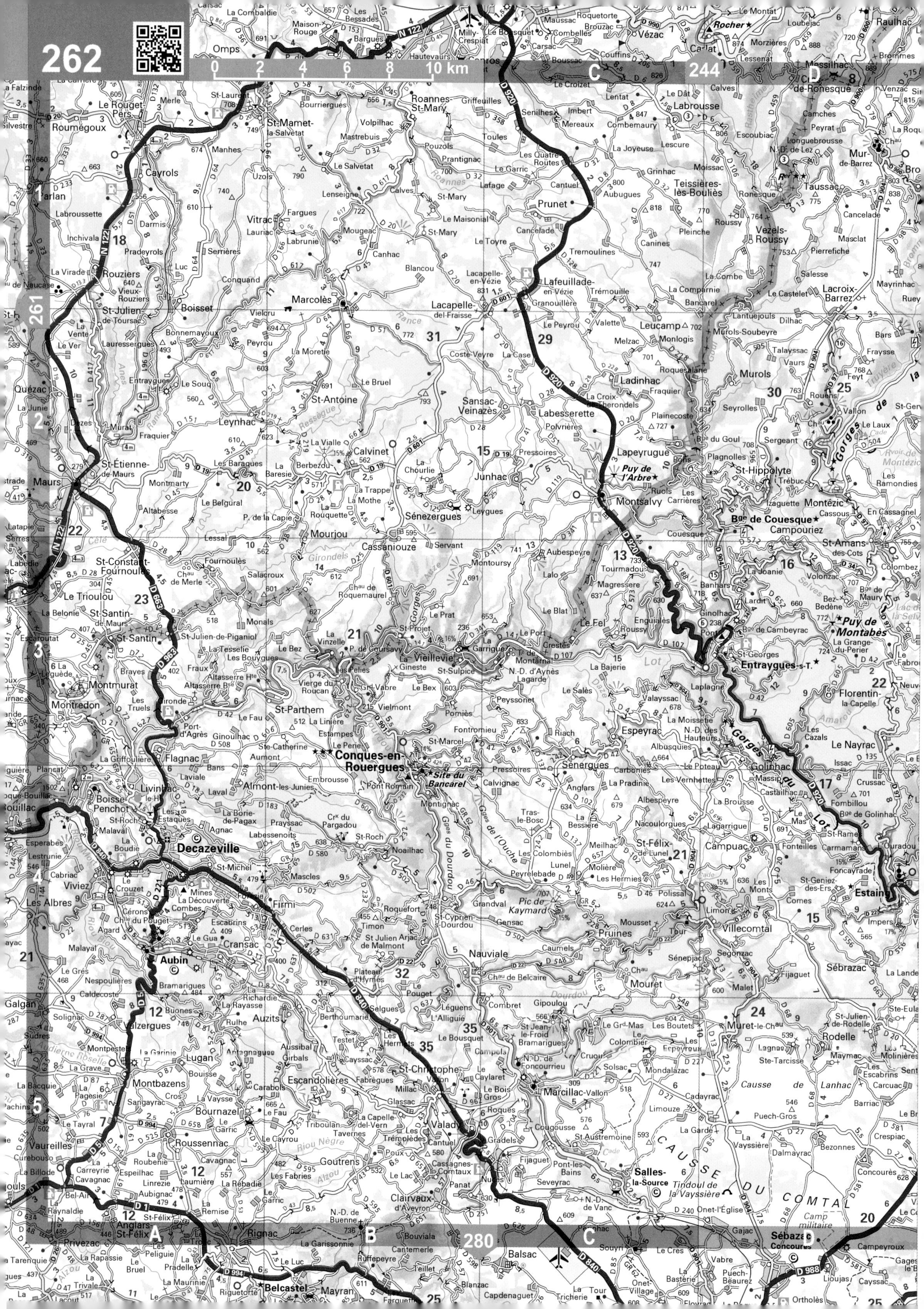
0 2 4 6 8 10 km
244
261
280
Maurs
St-Étienne-de-Maurs
Cayrols
Parlan
Rouziers
St-Julien-de-Toursac
Boisset
Marcolès
Vitrac
St-Mamet-la-Salvetat
Roannes-St-Mary
Prunet
Lafeuillade-en-Vézie
Lacapelle-del-Fraisse
Labrousse
Teissières-lès-Bouliès
Vezels-Roussy
Leynhac
St-Antoine
Calvinet
Sansac-Veinazès
Junhac
Labesserette
Lapeyrugue
Montsalvy
Sénezergues
Cassaniouze
Mourjou
St-Constant-Fournoulès
St-Santin-de-Maurs
Montmurat
Montredon
Flagnac
Livinhac
Decazeville
Aubin
Cransac
Firmi
Vieillevie
St-Parthem
Conques-en-Rouergues
Site du Bancarel
Grand-Vabre
Sénergues
Espeyrac
Entraygues-s-T.
Golinhac
Estaing
St-Hippolyte
Bge de Couesque
Montézic
Campouriez
St-Amans-des-Cots
Puy de Montabès
Florentin-la-Capelle
Le Nayrac
Nauviale
Pruines
Villecomtal
Mouret
Muret-le-Chau
Sébrazac
Rodelle
Marcillac-Vallon
Salles-la-Source
Valady
St-Christophe-Vallon
Bournazel
Montbazens
Lugan
Valzergues
Roussennac
Goutrens
Clairvaux-d'Aveyron
Rignac
Anglars-St-Félix
Belcastel
Balsac
Sébazac-Concourès
Causse du Comtal
Causse de Lanhac
Camp militaire
Gorges du Lot
Gorges de la Truyère
Pic de Kaymard
Puy de l'Arbre
Tindoul de la Vayssière
D 920
N 122
D 840
D 963
D 601
D 901
D 988
D 994
A B C D

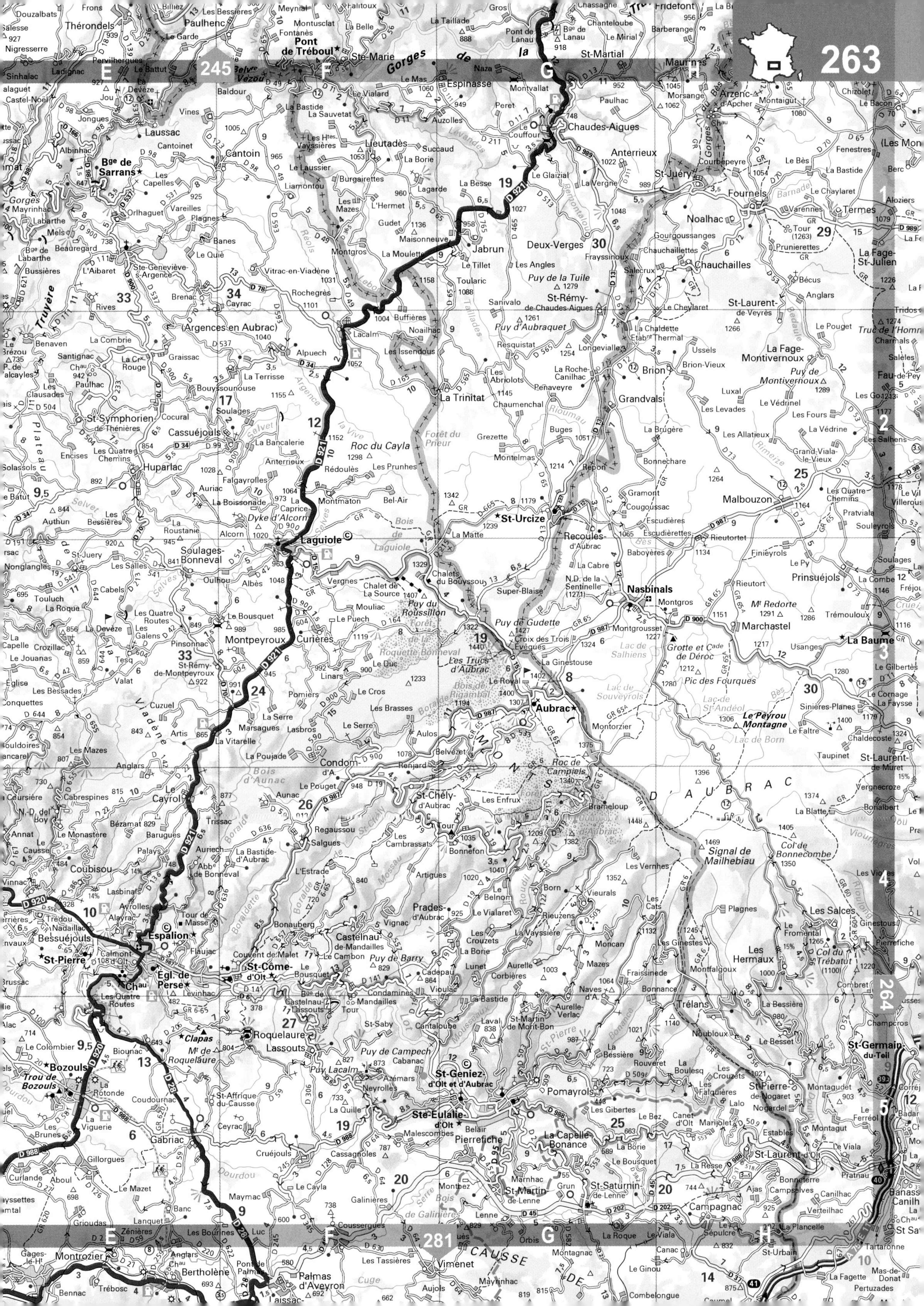
Gorges de la Truyère
Chaudes-Aigues
Pont de Tréboul
Laguiole
Nasbinals
Aubrac
Monts d'Aubrac
St-Urcize
Espalion
St-Côme-d'Olt
St-Geniez-d'Olt et d'Aubrac
Ste-Eulalie-d'Olt
Bozouls
Trou de Bozouls
St-Laurent-d'Olt
Roc du Cayla
Signal de Mailhebiau
Forêt de la Roquette Bonneval
Les Trucs d'Aubrac
Bois de Laguiole
Bois de Rigambal
Bois d'Aunac
Puy de Gudette
Puy de la Tuile
Puy d'Aubraquet
Puy de Campech
Puy de Barry
Col de Bonnecombe
Col du Trébatut
Grotte et Cade de Déroc
Pic des Fourques
Le Peyrou Montagne
Lac de Salhiens
Lac de Souveyrols
Lac de St-Andéol
Lac de Born
Argences en Aubrac
Plateau de St-Symphorien
Viadène
Causse de Sévérac
Lot
Truyère
245
264
281
E
F
G
H

0 2 4 6 8 10 km
246
263
282
Le Malzieu-Ville
St-Chély-d'Apcher
St-Alban-sur-Limagnole
Aumont-Aubrac
Javols
Serverette
Les Laubies
St-Amans
Rieutort-de-Randon
Châteauneuf-de-Randon
Grandrieu
Chambon-le-Château
St-Symphorien
Chanaleilles
Ste-Eulalie
St-Denis-en-Margeride
La Villedieu
St-Sauveur-de-Ginestoux
Estables
Signal de Randon
Truc de Fortunio
Roc de Fenestre
Col de la Croix-de-Bor
Col des Trois Sœurs
Col du Cheval Mort
Plateau du Palais du Roi
Lac de Charpal
Col de la Pierre Plantée
Laubert
Pelouse
Le Born
Badaroux
Mende
Chastel-Nouvel
Mont Mimat
Causse de Mende
Lanuéjols
Bagnols-les-Bains
St-Julien-du-Tournel
Col de la Loubière
St-Étienne-du-Valdonnez
Col de Montmirat
Balsièges
Barjac
Chanac
Esclanèdes
Col de Vielbougue
Marvejols
Montrodat
Chirac
Le Monastier-Pin-Moriès
Palhers
St-Bonnet-de-Chirac
Grèzes
St-Léger-de-Peyre
Antrenas
Parc à loups du Gévaudan
Roc de Peyre
Col des Issartets
La Baume
Le Buisson
Vallée de l'Enfer
St-Laurent-de-Muret
St-Sauveur-de-Peyre
Ste-Colombe-de-Peyre
La Chaze-de-Peyre
Les Bessons
Rimeize
Fontans
St-Gal
St-Germain-du-Teil
La Canourgue
Banassac-Canilhac
Les Salelles
Sabot de Malepeyre
Sauveterre
Causse de Changefège
Montagne de la Margeride
A 75
E 11
N 88
N 106
D 806

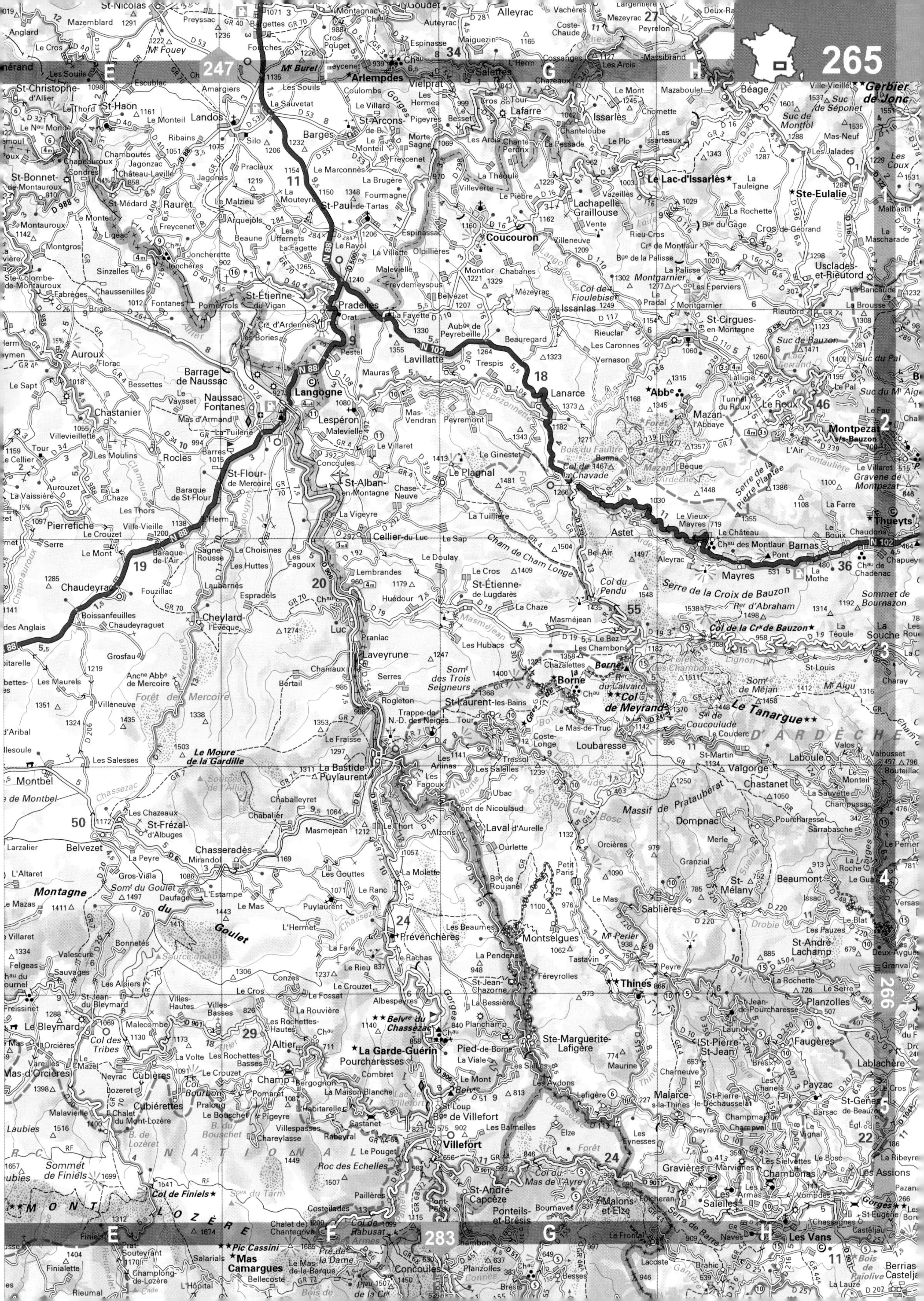
247
266
283
E
F
G
H
Arlempdes
Landos
St-Haon
Barges
Le Lac-d'Issarlès
Ste-Eulalie
Coucouron
Lachapelle-Graillouse
Issarlès
Pradelles
Langogne
Lavillatte
Lanarce
Mazan-l'Abbaye
St-Cirgues-en-Montagne
Montpezat s/s-Bauzon
Thueyts
Barnas
Mayres
Col de la Chavade
St-Étienne-du Vigan
Auroux
Naussac-Fontanes
Barrage de Naussac
Rocles
St-Flour-de-Mercoire
Chaudeyrac
Cheylard-l'Évêque
Luc
Laveyrune
St-Étienne-de-Lugdarès
Col du Pendu
Borne
Col de Meyrand
Le Tanargue
Loubaresse
Valgorge
St-Laurent-les-Bains
La Bastide-Puylaurent
Forêt de Mercoire
Le Moure de la Gardille
Montbel
Belvezet
Chasseradès
Montagne du Goulet
Laval-d'Aurelle
Dompnac
Montselgues
Thines
Prévenchères
Sablières
St-Mélany
Beaumont
Le Bleymard
Altier
La Garde-Guérin
Pied-de-Borne
Villefort
Malarce-s-la-Thines
Payzac
Faugères
Planzolles
Les Vans
Chambonas
Cubières
Cubiérettes
Col de Finiels
Mont Lozère
Pic Cassini
Mas Camargues
Concoules
Malons-et-Elze
St-André-Capcèze
Ponteils-et-Brésis
Gerbier de Jonc
Suc de Bauzon
Massif de Prataubérat
Serre de la Croix de Bauzon

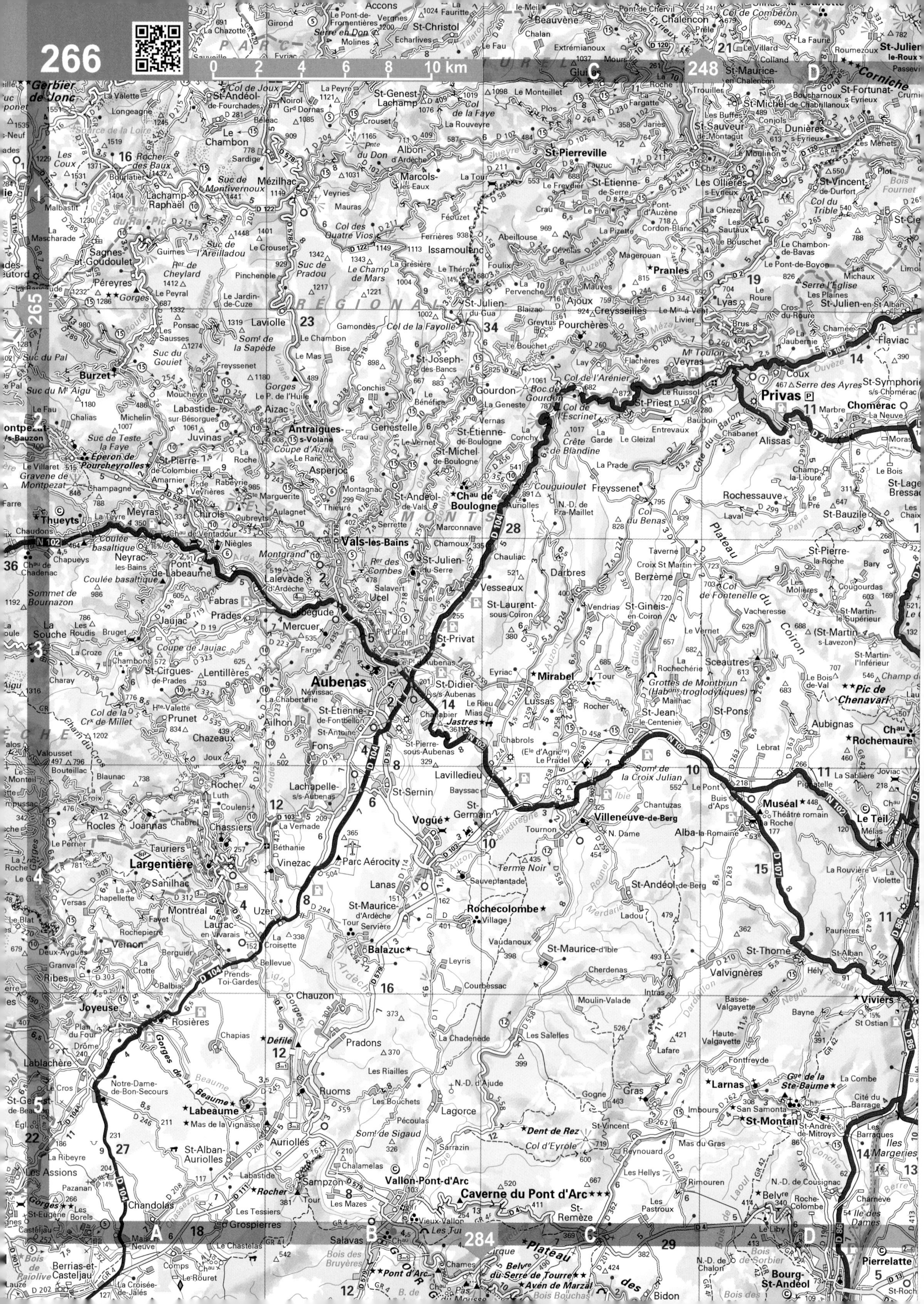
0 2 4 6 8 10 km
248
265
284
A
B
C
D
1
2
3
4
5
Gerbier de Jonc
St-Andéol-de-Fourchades
St-Genest-Lachamp
Le Chambon
Mézilhac
Marcols-les-Eaux
Albon-d'Ardèche
St-Pierreville
St-Sauveur-de-Montagut
Les Ollières-s-Eyrieux
St-Vincent-de-Durfort
St-Fortunat-s-Eyrieux
Dunière-s-Eyrieux
St-Michel-de-Chabrillanoux
St-Maurice-en-Chalencon
Chalencon
Beauvène
Lachamp-Raphaël
Sagnes-et-Goudoulet
Péreyres
Burzet
Laviolle
Issamoulenc
St-Julien-du-Gua
Pranles
Ajoux
Creysseilles
Pourchères
Lyas
Flaviac
Coux
Privas
Veyras
Chomérac
Alissas
St-Priest
Gourdon
Col de l'Escrinet
Antraigues-s-Volane
Aizac
Genestelle
St-Étienne-de-Boulogne
St-Michel-de-Boulogne
Juvinas
Labastide-sur-Bésorgues
Montpezat-s-Bauzon
Thueyts
Meyras
Asperjoc
St-Andéol-de-Vals
Chau de Boulogne
Vals-les-Bains
Neyrac-les-Bains
Pont-de-Labeaume
Lalevade-d'Ardèche
Ucel
Vesseaux
St-Laurent-sous-Coiron
Freyssenet
Darbres
Mirabel
St-Gineis-en-Coiron
Berzème
Rochessauve
St-Bauzile
Fabras
Prades
Jaujac
Labégude
Mercuer
St-Privat
Aubenas
St-Didier-s-Aubenas
St-Étienne-de-Fontbellon
Lussas
St-Jean-le-Centenier
Sceautres
St-Pons
Aubignas
Chau Rochemaure
Lentillères
St-Cirgues-de-Prades
Prunet
Chazeaux
Ailhon
Fons
Lavilledieu
St-Sernin
Lachapelle-s/s-Aubenas
Vogüé
St-Germain
Villeneuve-de-Berg
Alba-la-Romaine
Muséal
Le Teil
Rocles
Joannas
Chassiers
Largentière
Vinezac
Parc Aérocity
Lanas
Rochecolombe
St-Andéol-de-Berg
Sanilhac
Montréal
Uzer
Laurac-en-Vivarais
St-Maurice-d'Ardèche
Balazuc
St-Maurice-d'Ibie
St-Thomé
Valvignères
Viviers
Vernon
Ribes
Joyeuse
Rosières
Chauzon
Pradons
Lablachère
Labeaume
Ruoms
Lagorce
Gras
Larnas
St-Montan
Auriolles
St-Alban-Auriolles
Vallon-Pont-d'Arc
Caverne du Pont d'Arc
St-Remèze
Chandolas
Grospierres
Salavas
Berrias-et-Casteljau
Bourg-St-Andéol
Pierrelatte
Plateau des Gras
Pont d'Arc
Bidon
Coiron
Plateau du Coiron
Corniche
D 104
N 102
D 120
D 86
D 579
D 107

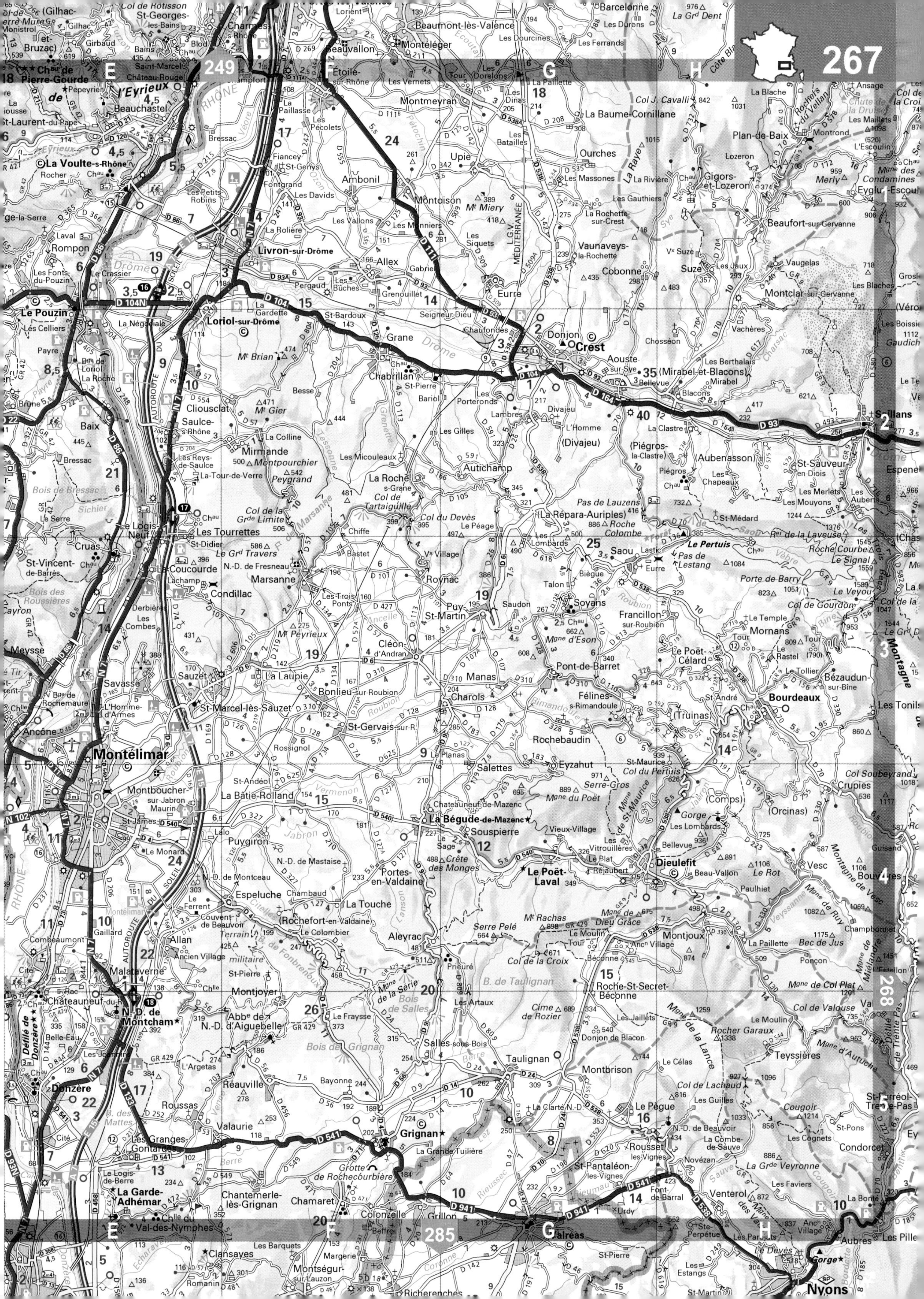
249
285
268
E
F
G
H
Étoile-sur-Rhône
Beauvallon
Montéléger
Beaumont-lès-Valence
Barcelonne
Les Durons
La Grd Dent
La Baume-Cornillane
Montmeyran
Upie
Ourches
Plan-de-Baix
Montrond
Gigors-et-Lozeron
Beaufort-sur-Gervanne
Charmes-s-Rhône
St-Georges-les-Bains
Chau de Pierre-Gourde
Beauchastel
St-Laurent-du-Pape
La Voulte-s-Rhône
Rompon
Les Fonts-du-Pouzin
Le Pouzin
Le Crassier
Livron-sur-Drôme
Allex
Ambonil
Montoison
Mt Miery
Vaunaveys-la-Rochette
Cobonne
Suze
Montclar-sur-Gervanne
Eurre
Grenouillet
Loriol-sur-Drôme
Grane
Chabrillan
Crest
Aouste-sur-Sye
Mirabel-et-Blacons
Saillans
Divajeu
Autichamp
La Roche-s-Grane
Col de Tartaiguille
Mt Brian
Mt Gier
Cliousclat
Saulce-s-Rhône
Mirmande
Montpourchier
Peygrand
Baix
Bressac
Les Tourrettes
Cruas
St-Vincent-de-Barrès
La Coucourde
Condillac
Marsanne
Le Grd Travers
Roynac
Puy-St-Martin
Soyans
Saou
Le Pertuis
Pas de Lestang
Francillon-sur-Roubion
Piégros-la-Clastre
Aubenasson
St-Sauveur-en-Diois
Espenel
La Répara-Auriples
Pas de Lauzens
Roche Colombe
Forêt de Saou
Roche Courbe
Le Signal
Porte de Barry
Col de Gourdon
Le Veyou
Mornans
Le Poët-Célard
Bourdeaux
Bézaudun-sur-Bîne
Montagne
Les Tonils
Meysse
Savasse
Sauzet
Cléon-d'Andran
Mt Peyrieux
La Laupie
Bonlieu-sur-Roubion
Manas
Charols
Pont-de-Barret
Félines-s-Rimandoule
Truinas
Rochebaudin
St-Marcel-lès-Sauzet
St-Gervais-sur-R.
Rossignol
Ancône
Montélimar
Montboucher-sur-Jabron
La Bâtie-Rolland
Salettes
Eyzahut
Col du Pertuis
Serre-Gros
Mgne du Poët
Mgne de St-Maurice
Crupies
Orcinas
Comps
Col Soubeyrand
La Bégude-de-Mazenc
Châteauneuf-de-Mazenc
Souspierre
Vieux-Village
Gorge
Les Lombards
Dieulefit
Le Poët-Laval
Vesc
Bouvières
Puygiron
N.-D. de Mastaise
Portes-en-Valdaine
Crête des Monges
Le Rot
Espeluche
La Touche
Rochefort-en-Valdaine
Aleyrac
Mt Rachas
Mgne de Dieu Grâce
Montjoux
Serre Pelé
Col de la Croix
Allan
Malataverne
Bec de Jus
Montagne de Vesc
Mgne de Miélandre
Montjoyer
Mgne de la Série
Bois de Salles
B. de Taulignan
Roche-St-Secret-Béconne
Mgne de Col Plat
Col de Valouse
Châteauneuf-du-Rhône
N.-D. de Montcham
Abbe de N.-D. d'Aiguebelle
Cime de Rozier
Donjon de Blacon
Rocher Garaux
Mgne de la Lance
Teyssières
Défilé de Trente Pas
Défilé de Donzère
Bois de Grignan
Salles-sous-Bois
Taulignan
Montbrison
Col de Lachaud
Les Guilles
Donzère
Réauville
Roussas
Valaurie
Grignan
La Clarté N.-D.
Le Pègue
Rousset-les-Vignes
Cougoir
St-Ferréol-Trente-Pas
Condorcet
Les Granges-Gontardes
La Garde-Adhémar
Chantemerle-lès-Grignan
Grotte de Rochecourbière
Chamaret
Colonzelle
Grillon
Valréas
St-Pantaléon-les-Vignes
Novézan
La Grde Veyronne
Venterol
Val-des-Nymphes
Clansayes
Montségur-sur-Lauzon
Richerenches
St-Pierre
Aubres
Nyons
Les Pilles

0 2 4 6 8 10 km
250
267
286
A B C D
1 2 3 4 5
Die
Saillans
Châtillon-en-Diois
Luc-en-Diois
La Motte-Chalancon
Rémuzat
Col de Rousset
Jardin des découvertes
Cirque d'Archiane
Col de Menée
Col de Grimone
Col de Cabre
Clelles
St-Martin-de-Clelles
Chichilianne
Mt Aiguille
Marignac-en-Diois
Chamaloc
St-Andéol
Vachères-en-Quint
Ponet-et-St-Auban
Ste-Croix
Pontaix
Barsac
Vercheny
Aurel
Espenel
Molières-Glandaz
Laval-d'Aix
Aix-en-Diois
St-Roman
Menglon
Barnave
Recoubeau-Jansac
Montmaur-en-Diois
Rimon-et-Savel
Pennes-le-Sec
Aucelon
Montlaur-en-Diois
Pradelle
Rochefourchat
Brette
Poyols
Jonchères
Beaumont-en-Diois
Miscon
Lesches-en-Diois
Val-Maravel
Beaurières
La Beaume
Glandage
Boulc
Treschenu-Creyers
Menée
St-Maurice-en-Trièves
Lalley
Le Percy
Le Monestier-du-Percy
Prébois
St-Nazaire-le-Désert
Volvent
Bellegarde-en-Diois
Charens
St-Dizier-en-Diois
Valdrôme
Chalancon
Establet
Arnayon
Gumiane
Rottier
La Charce
Cornillon-sur-l'Oule
Cornillac
Pommerol
Bruis
Ste-Marie
Montmorin
Villeperdrix
Sahune
Eyroles
Montréal-les-Sources
Verclause
Rosans
Moydans
Ribeyret
Pelonne
St-André-de-Rosans
Sorbiers
Montjay
Chanousse
L'Épine
Le Poët-Sigillat
Bellecombe-Tarendol
Les Pilles
Condorcet
Montagne de Couspeau
Montagne d'Angèle
Mgne de Raton
Mgne de Marraysse
Les Baronnies
D 93
D 94
D 994
D 1075

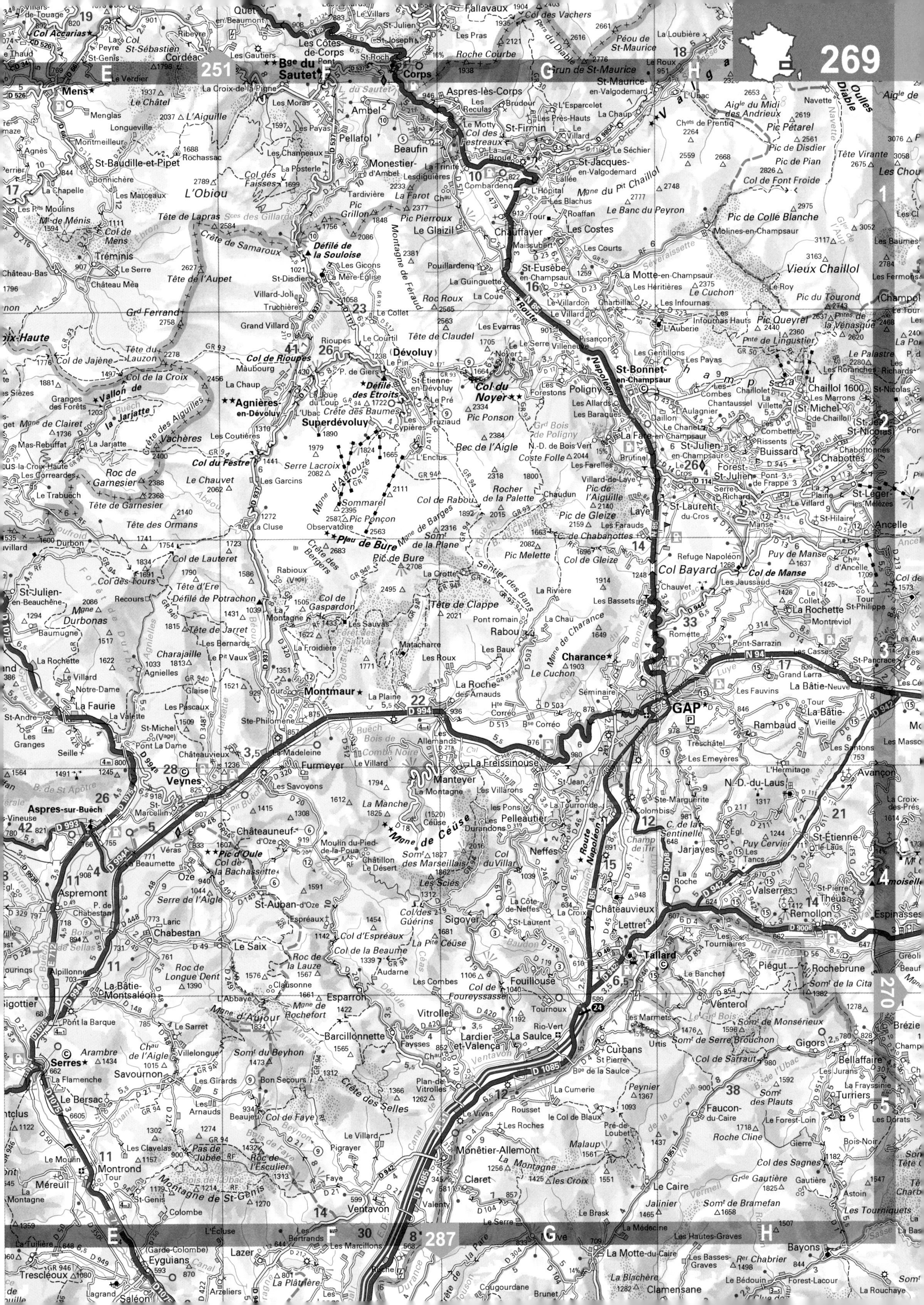
251
270
287
E
F
G
H
1
2
3
4
5
Mens
Corps
Bge du Sautet
Aspres-lès-Corps
St-Firmin
St-Jacques-en-Valgodemard
St-Maurice-en-Valgodemard
L'Obiou
Tréminis
St-Baudille-et-Pipet
Beaufin
Monestier-d'Ambel
Pellafol
Le Glaizil
Chauffayer
Les Costes
St-Eusèbe-en-Champsaur
La Motte-en-Champsaur
Vieux Chaillol
Pic de Colle Blanche
Défilé de la Souloise
St-Disdier
Dévoluy
Col du Noyer
Col de Rioupes
Agnières-en-Dévoluy
Superdévoluy
Défilé des Etroits
Pic Ponson
Bec de l'Aigle
St-Bonnet-en-Champsaur
Poligny
Chaillol 1600
St-Michel-de-Chaillol
St-Julien-en-Champsaur
Buissard
Chabottes
Forest-St-Julien
Col Bayard
Col de Manse
Ancelle
St-Léger-les-Mélezes
Col du Festre
Roc de Garnesier
Plau de Bure
Pic de Bure
Tête de Clappe
Col de Gaspardon
Rabou
Charance
La Rochette
St-Julien-en-Beauchêne
Montmaur
GAP
La Freissinouse
Manteyer
Veynes
Aspres-sur-Buëch
Furmeyer
Pic d'Oule
Châteauneuf-d'Oze
Mgne de Céüse
Pelleautier
Neffes
Jarjayes
Châteauvieux
Tallard
Remollon
Théus
Valserres
Espinasses
N.-D.-du-Laus
Avançon
La Bâtie-Neuve
Rambaud
Sigoyer
Fouillouse
Vitrolles
Barcillonnette
Esparron
Lardier-et-Valença
La Saulce
Curbans
Venterol
Piégut
Rochebrune
Gigors
Bellaffaire
Turriers
Faucon-du-Caire
Le Caire
Claret
Monêtier-Allemont
Ventavon
Serres
Savournon
La Bâtie-Montsaléon
Le Bersac
Montrond
Méreuil
Chabestan
Aspremont
Oze
St-Auban-d'Oze
Le Saix
Lazer
Eyguians
Trescléoux
Saléon
La Motte-du-Caire
Clamensane
Bayons
Col de Sarraut
Col des Sagnes
Les Tourniquets
Sentier des Bans
Route Napoléon
N 85
N 94
D 994
D 1075
D 1085
D 942
D 9008
A 51

0 2 4 6 8 10 km
252
288
269
A
B
C
D
1
2
3
4
5
PARC NATIONAL DES ÉCRINS
L'Argentière-la-Bessée
Mur des Vaudois
Belvre du Pelvoux
Ste-Marguerite
La Bessée
Col de la Pousterle
Puy-St Vincent
Freissinières
Vallée de Freissinières
Dormillouse
Crête de Dormillouse
Pntes de Rougnoux
Sirac
Pic de Vallonpierre
Aigle de Morges
Pic de la Cavale
Puy Rivarol
Les Choucières Vertes
Mgne de Cédera
Col de Prelles
Somt de Prelles
Aigle de Cédera
Roc des Hommes
Somt Drouvet
Orcières-Merlette
Orcières
Champoléon
Roc d'Alibrandes
Prapic
Pic de Rochelaire
Pic de Couleau
Tête de Vautisse
Roche Charnière
La Roche-de-Rame
Gouffre de Gourfouran
Champcella
St-Crépin
Eygliers
Mont-Dauphin
Guillestre
Réotier
St-Clément-sur-Durance
Risoul
Risoul 1850
Peyre-Haute
Pic du Béal Traversier
Col du Lauzet
Prachaval
Tête de Fouran
Tête de Clotinaille
Châteauroux-les-Alpes
St-Marcellin
Tête de Soleil Bœuf
Le Mourre Froid
Pnte de Serre
Pic de Pied Brun
Tête de l'Hivernet
Grde Autane
Pte Autane
Pnte de la Diablée
Le Pain de Sucre
Le Carabrut
Tête des Maïtz
Col des Tourettes
St-Jean-St-Nicolas
St-Léger-les-Mélezes
Ancelle
Pnte de Fleurendon
Col de Moissière
Le Piolit
Les Parias
La Pousterle
Réallon
Mt Guillaume
Pic de Chabrières
Les Croix de Viandre
Puy-St-Eusèbe
Puy-Sanières
St-Apollinaire
Chorges
Montgardin
Prunières
Embrun
Baratier
St-Sauveur
Crots
Les Orres
Savines-le-Lac
Serre-Ponçon
St-André-d'Embrun
C. de la Cloche
Pic du Clocher
Col de Valbelle
Col de Chérine
Crête de Razis
Pic de Chabrières
Pic St-André
Pic de Crévoux
Crévoux
Pnte de l'Eyssina
(Vars)
Ste-Marie-de-Vars
Col du Crachet
Mgne de Parpaillon
Col de Parpaillon
Grd Parpaillon
Rocher de Serre
Pic de Boussolenc
Tête de la Mazelière
Crête du Lauzet
Abb. de Boscodon
Forêt de Boscodon
Cirque du Bragousse
Pic de Morgon
Demoiselles coiffées
Col de Pontis
Sauze-du-Lac
Pontis
Col Lebraut
Mt Colombis
Belvre I. Wilhem
Bge de Serre-Ponçon
Rousset
Espinasses
La Bréole
Ubaye
Le Lauzet-Ubaye
St-Vincent-les-Forts
Joug de l'Aigle
Le Pouzenc
L'Aupillon
Grd Bérard
Col de l'Ane
La Montagnette
Tête de Louis XVI
(Méolans-Revel)
Méolans
Les Thuiles
St-Pons
Faucon-de-B.
Barcelonnette
Le Sauze
Super-Sauze
Pra Loup
Col des Thuiles
Pic de Savernes
Pic de Bernardez
Col Bas
(Montclar)
Col St-Jean
Dormillouse
Col des Fillys
Mgne de la Scie
Bréziers
Turriers
St-Martin-lès-Seyne
Col des Garcinets
Selonnet
Somt de Tête Grosse
Tête de Charbonnier
Crête des Mélèzes
Seyne
Col du Fanget
Col de Maure
Tête Grosse
Roche Bénite
Pte Séolane
Grde Séolane
Siolane des Besses
Le Chapeau de Gendarme
Bachelard
Le Pain de Sucre
Tête de la Sestrière
Tête de Chabrière
Tête de Vescal
N 94
D 900
D 954
D 942

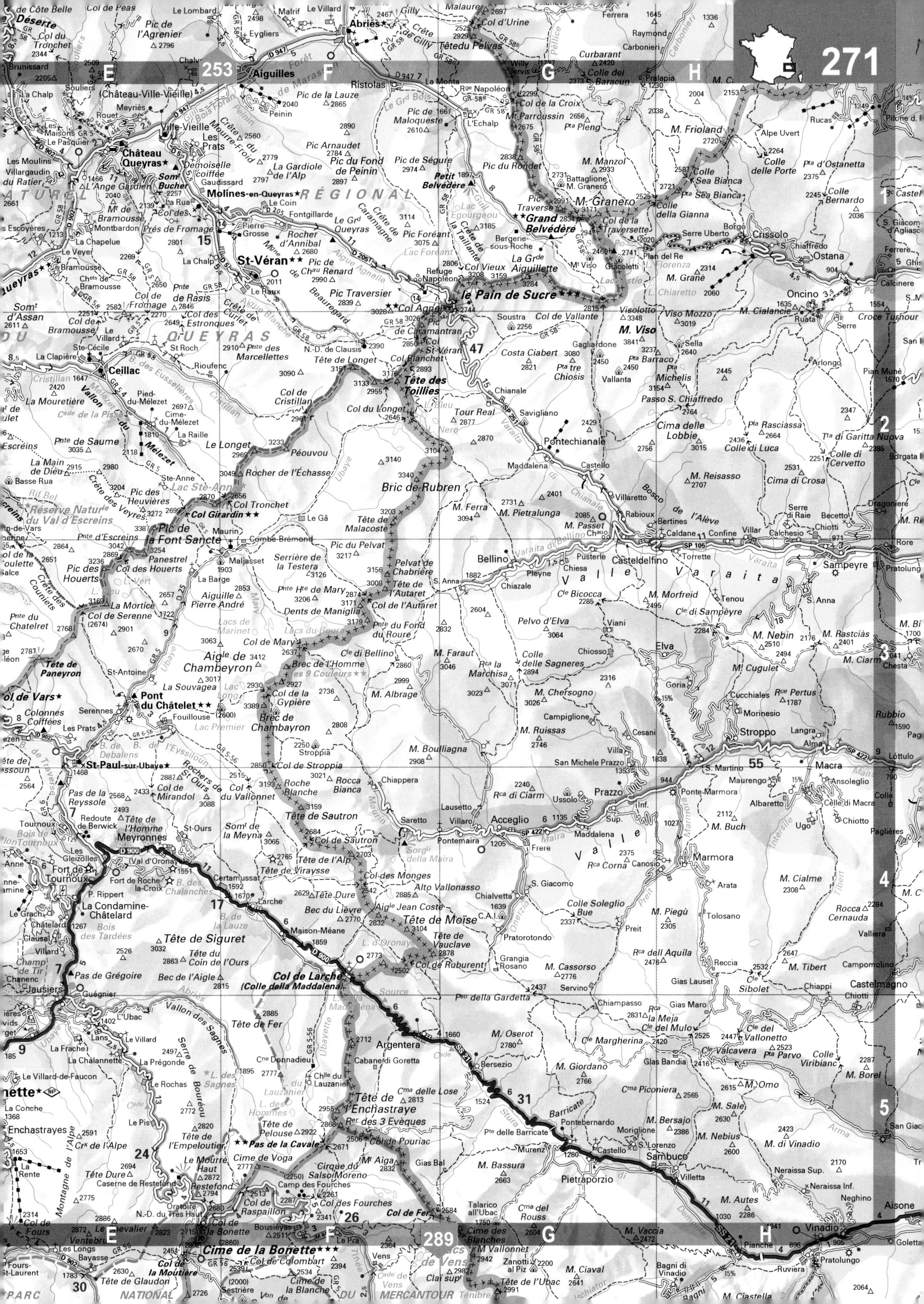

Abriès
Aiguilles
Ristolas
Château Queyras
Ville-Vieille
Molines-en-Queyras
St-Véran
Ceillac
Col Agnel
le Pain de Sucre
M. Granero
Crissolo
Ostana
Oncino
M. Viso
Pontechianale
Casteldelfino
Sampeyre
Valle Varaita
Bellino
Elva
Stroppo
Macra
Prazzo
Acceglio
Marmora
Valle Maira
Tête des Toillies
Bric de Rubren
Pic de la Font Sancte
Aiguille de Chambeyron
Pont du Châtelet
St-Paul-sur-Ubaye
Meyronnes
Larche
Col de Larche (Colle della Maddalena)
La Condamine-Châtelard
Jausiers
Argentera
Bersezio
Pietraporzio
Sambuco
Vinadio
Aisone
Pas de la Cavale
Cime de la Bonette
Col de la Bonette
Col de Fer
Tête de l'Enchastraye
Q U E Y R A S
R É G I O N A L
253
289
E
F
G
H

0 2 4 6 8 10 km
Biscarrosse
Hourtiquets
En Bonnet
254
CENTRE D'ESSAIS DES LANDES
Zone militaire interdite
Étang de Biscarrosse et de Parentis
Lahitte
Les Mouliès
Le Bôo
Naoutoy
Parentis-en-Born
Le Lac
Bourruque
Poms
Les Espalanques
Herran
Gastes
Le Pourjeau
Hillan
Esleys
Maynage
Lucats
Dupouy
Les Forges
Haou
Ychoux
Lafont
Pelouche
Mongaillard
Forêt de Piche
St-Trosse
Forêt de Ligautenx
Forêt de Ste-Eulalie
P. de l'Oustaline
Ste-Eulalie-en-Born
Grand Ligautenx
Petit Ligautenx
Lette de Sepbiat
Courant
Souleyraou
Guirosse
Pontenx-les-Forges
Menaut
Baxente
Bestaven
Étang d'Aureilhan
Aureilhan
Bouricos
Lüe
Jean de Crabe
Larrousseau
Cantaloup
Gaillard
Mimizan-Plage
Merquedey
Vigon
Daricau
St-Paul-en-Born
La Barde
Haza
Médous
Mimizan
Villenave
Gillet
Grué
Baschoc
Ménéou
Terrenave
Cantaure
Mariné
Réserve
Angoulin
Salin
Chéou
Esting
Lette d'Esting
Leych
Gaye
Archus
Jouanicot
Escource
Bias
Côte d'Argent
Jouanon
Bouheben
Cap-de-Pin
Forêt de St-Julien-en-Born
Capas
Lisacq
Larden
Salbert
Lestajau
Contis-Plage
Lesbordes
P. Rose
Tuquelets du Nord
Tresse
Silo
Contis-les-Marais
La Lette
Le Cusson
Caoule
Guetch
Mézos
Autoroute landes
Tuquelets du Sud
Courant de Contis
St-Julien-en-Born
Casteja
Onesse
Onesse-Laharie
Les Pignats
Lafitte
Cap-de-l'Homy Plage
Laharie
Tuc-Gaillat
Le Cout
Lit-et-Mixe
Uza
Grand Coulin
Hourre
Harenoin
Padaou
Sindères
Lévignacq
Miquéou
Moulin-Vieux
Garrosse
Lugadets
Naboude
Mixe
Vignac
Le Bouscat
Vignacot
Carpit
Frouas
Louise
Bernadic
Le Souquet
Mathiouic
Caillaube
Lesperon
Boucaou
St-Girons-Plage
St-Girons
Cerboueyre
Labaste
Bernadon
Crieré
(Vielle-St-Girons)
Vielle-St-Girons
L'Océan
Jeantot
Gracian
Péliou
Gournau
Rion-des-Landes
Lassalle
Mansenes
Vielle
Arnaoutchot
Linxe
Leurteyrou
Pouin
A
B
C
D
292
Huchet
Courant d'Huchet
Pas du Loup
Étang de Léon
Escalus
(St-Michel-Escalus)
Castets
Pichelèbe
Réserve naturelle
Lestage
1
2
3
4
5

255
274
293
E
F
G
H
1
2
3
4
5
PARC NATUREL RÉGIONAL
DES LANDES
DE GASCOGNE
Forêt de Landes
★★ Écomusée la Grande Lande (Marquèze)
Muret
Bidaou
La Crabette
Mirador
Lesquire
Castelnau
Marianne
La Nave
Belhade
Lagleyre
Silo
Jouanhaut
Capure
Hourtoy
Montauzey
Moustey
Botte
Argelouse
La Trougne
L'Abeilley
Bouridey
Berdoy
Les Ombres
Capdarrieux
Vieux-Richet
Richet
Haut-Richet
Moucheruc
La Ville
Mothes
Malet
Bourdieu
Liposthey
Lavigne
Menroux
Pissos
Harribey
Barthe
Sore
Pignada
Lagassey
Callen
Escourssolles
Bern
Traounquet
Le Thus
Dumène
Grison
Gruey
Daugnague
La Crotte
Luxey
Le Hallot
Autoroute landaise
Bel-Air
Cantegrit
Houssats
Mahan
Guisoua
Labrit
Labouheyre
Guidenson
Commensacq
Capbat
Trensacq
La Gelère
Lagavarre
Sarroucas
Lesgoudies
Nan
Silo
Pin
Solférino
Sabres
Perrègue
Las Broudes
Mautoire
Lompré
Le Sen
Pouybaquedis
Marais du Platiet
Peyticq
Courtes
Maguide
Pouy Blanc
Labrit
La Place
Vert
Maurin
Luglon
Marais de l'Anguille
Marais du Brau de Pian
Peyrau
Forêt de Morcenx
Cornalis
Bélis
Cach
Taulad
Sanglia
Réserve
Bezin
Garein
Puy Luçon
Hourats
Brocas
Parc-de-Poussade
Branenx
Choux
de
Arjuzanx
Moulin Vieux
Morcenx-Bourg
Castillon
Arengosse
Bagatelle
La Chapelle
Guillemensous
Canenx-et-R
chasse
d'Arjuzanx
Barbet
Le Fruit
Pelegarie
Marais de la Coumme
Cère
Geloux
Lagraulet
Maisonnave
Villenave
Serroun
Ygos-St-Saturnin
Réaut
La Bastide
Ousse-Suzan
Marrouat
Matha
Birbe
Parentis-d'Uchacq
Lucbardez-et-Bargues
Mougnoc
Rey
Piroc
Suzan
Garbay
Bouniart
St-Martin-d'Oney
Menjoulicq
St-Avit
Beylongue
Silos
Pouy
Coumet
Mellan
Uchacq-et-Parentis
Campet-et-Lamolère
Lamolère
Base aérienne
Raubet
MONT-DE-MAR
Estrigon
Grave
Pte Leyre
Pte Barade
Barade de Raouzet
Naou
Peyronnet
Grde Leyre
Tiensacq
Eyre
Bez
Geloux
Douze

0 2 4 6 8 10 km
256
273
294
Bourideys
Luxey
Cazalis
Lucmau
Bernos-Beaulac
Cudos
St-Clément
Sauviac
Pompéjac
Marimbault
Birac
Sendets
Cauvignac
Romestaing
Lavazan
Marions
Grignols
Sillas
Cours-les-Bains
Ruffiac
Antagnac
Lerm-et-Musset
St-Martin-Curton
Beauziac
Escaudes
Goualade
Captieux
Cœur d'Aquitaine
St-Michel-de-Castelnau
Giscos
Pindères
Maillas
Lartigue
Pompogne
Champ de Tir
Les Cultures
Sauméjan
Hourquey
Rieussout
Allons
Houeillès
Luxuriguey
Silos
Étang de Graoulie
Bourriot-Bergonce
Bergonce
Losse
Lubbon
Lencouacq
Retjons
Cachen
Arue
St-Gor
Vielle-Soubiran
Estigarde
Roquefort
Sarbazan
Maillères
Canenx-et-Réaut
Créon-d'Armagnac
St-Julien-d'Armagnac
St-Justin
Labastide-d'Armagnac
Betbezer-d'Armagnac
Gabarret
Escalans
Bostens
Pouydesseaux
Lucbardez-et-Bargues
St-Avit
Gaillères
Lacquy
Mauvezin-d'Armagnac
Barbotan-les-Thermes
Parleboscq
Cazaubon
Monclar
MONT-DE-MARSAN
A
B
C
D
1
2
3
4
5

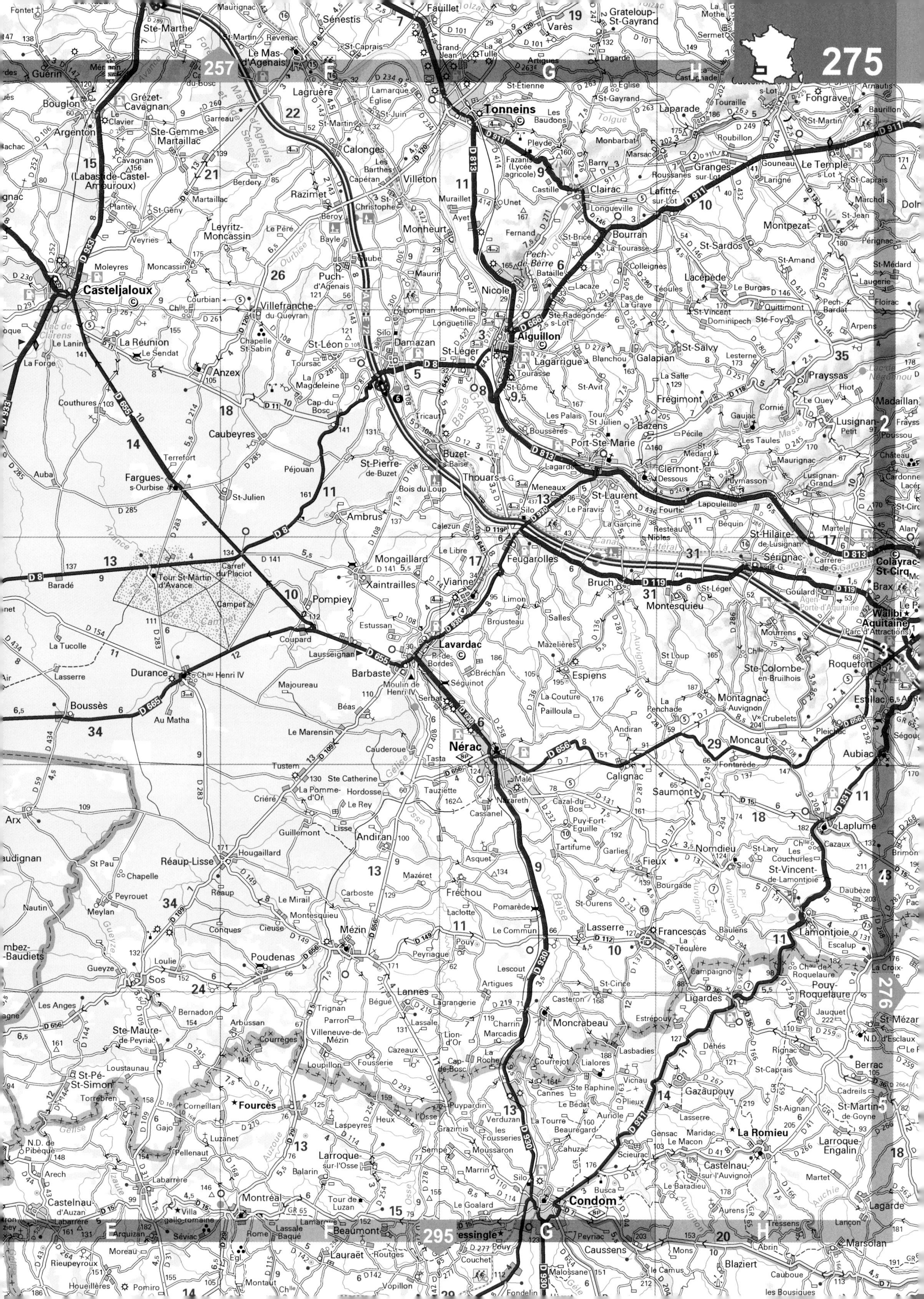
257
276
295
Tonneins
Casteljaloux
Aiguillon
Port-Ste-Marie
Nérac
Lavardac
Condom
Colayrac-St-Cirq
Walibi Aquitaine
Francescas
Mézin
Laplume
La Romieu
Fourcès
Montréal
Damazan
Ste-Marthe
Le Mas-d'Agenais
Clairac
Bourran
Feugarolles
Vianne
Barbaste
Montesquieu
Moncrabeau
Prayssas
Lusignan
Astaffort
Roquefort
Estillac
Aubiac
Durance
Houeillès
Réaup-Lisse
Poudenas
Sos
Gazaupouy
Ligardes
Lamontjoie
Castelnau-d'Auzan
Cassaigne
Lagarde
Marsolan

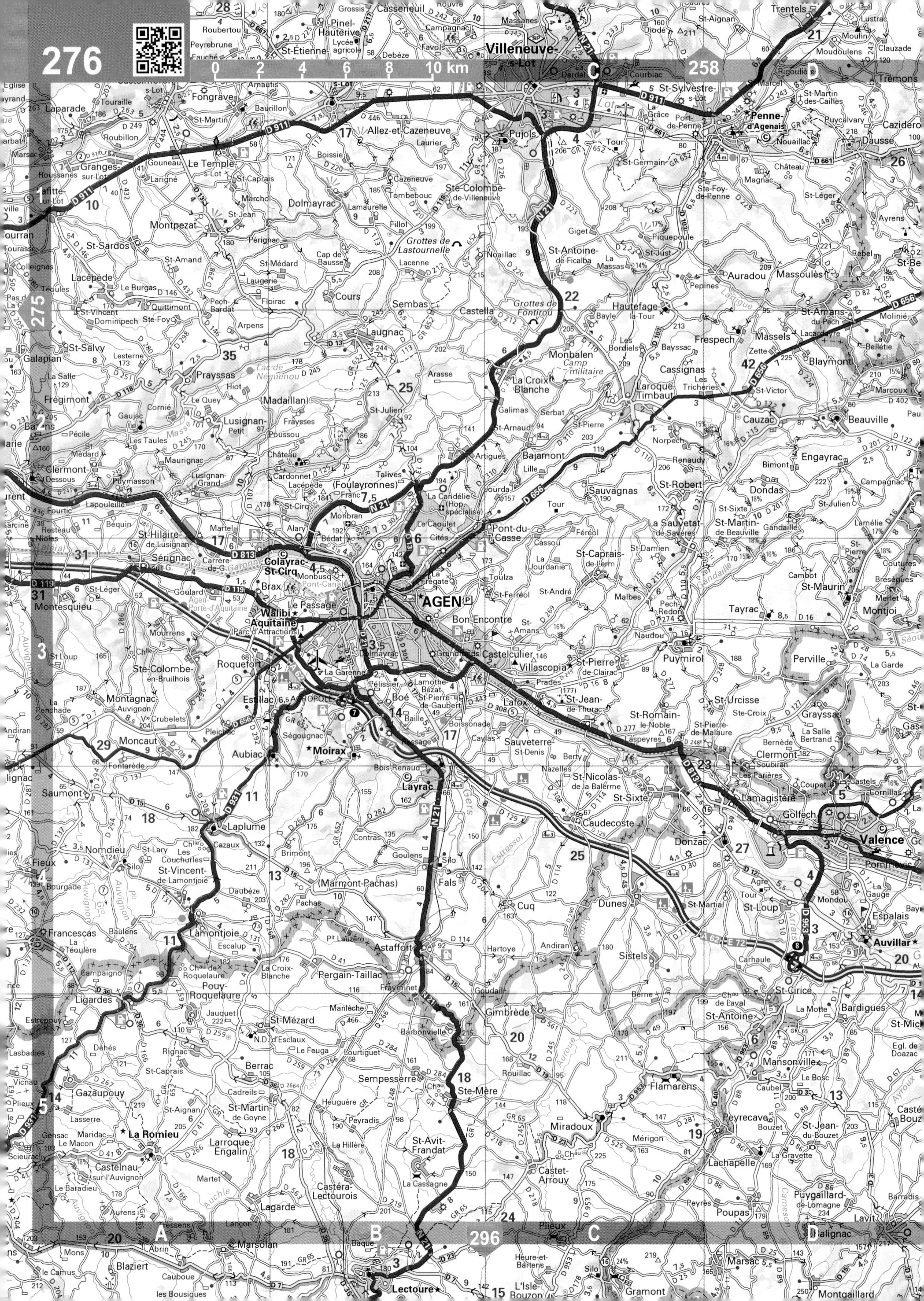

0 2 4 6 8 10 km
258
275
296
Villeneuve-s-Lot
Pujols
Penne-d'Agenais
St-Sylvestre-s-Lot
Fongrave
Le Temple-s-Lot
Granges-sur-Lot
Allez-et-Cazeneuve
Ste-Colombe-de-Villeneuve
Dolmayrac
Montpezat
St-Sardos
Lacépède
Grottes de Lastournelle
St-Antoine-de-Ficalba
Hautefage-la-Tour
Frespech
Massels
Auradou
Massoulès
Dausse
Laugnac
Sembas
Castella
Grottes de Fontirou
Prayssas
Lac de Néguenou
Monbalen
Camp militaire
La Croix-Blanche
Laroque-Timbaut
Cassignas
Blaymont
Beauville
Cauzac
Engayrac
Bajamont
Sauvagnas
St-Robert
Dondas
Lusignan-Petit
Clermont-Dessous
Foulayronnes
Pont-du-Casse
La Sauvetat-de-Savères
St-Martin-de-Beauville
Colayrac-St-Cirq
Sérignac-sur-G.
St-Hilaire-de-Lusignan
Montesquieu
AGEN
Bon-Encontre
Walibi Aquitaine
Le Passage
Brax
Castelculier
Villascopia
St-Pierre-de-Clairac
Puymirol
Tayrac
St-Maurin
Montjoi
Perville
Roquefort
Ste-Colombe-en-Bruilhois
Estillac
Boé
Lafox
St-Jean-de-Thurac
St-Romain-le-Noble
Grayssas
Montagnac-s-Auvignon
Moncaut
Aubiac
Moirax
Layrac
Sauveterre-St-Denis
St-Nicolas-de-la-Balerme
St-Sixte
Clermont-Soubiran
Lamagistère
Golfech
Valence
Saumont
Laplume
Caudecoste
Donzac
Nomdieu
St-Vincent-de-Lamontjoie
Fals
Cuq
Dunes
St-Loup
Espalais
Auvillar
Francescas
Lamontjoie
Astaffort
Sistels
St-Cirice
Ligardes
Pergain-Taillac
Pouy-Roquelaure
Gimbrède
St-Antoine
Bardigues
St-Mézard
Flamarens
Mansonville
Gazaupouy
Sempesserre
Ste-Mère
Miradoux
Peyrecave
St-Jean-du-Bouzet
La Romieu
Castelnau-sur-l'Auvignon
Larroque-Engalin
St-Avit-Frandat
Castet-Arrouy
Lachapelle
Castéra-Lectourois
Lagarde
Poupas
Puygaillard-de-Lomagne
Marsolan
Plieux
Dalignac
Lectoure
Gramont
Montgaillard

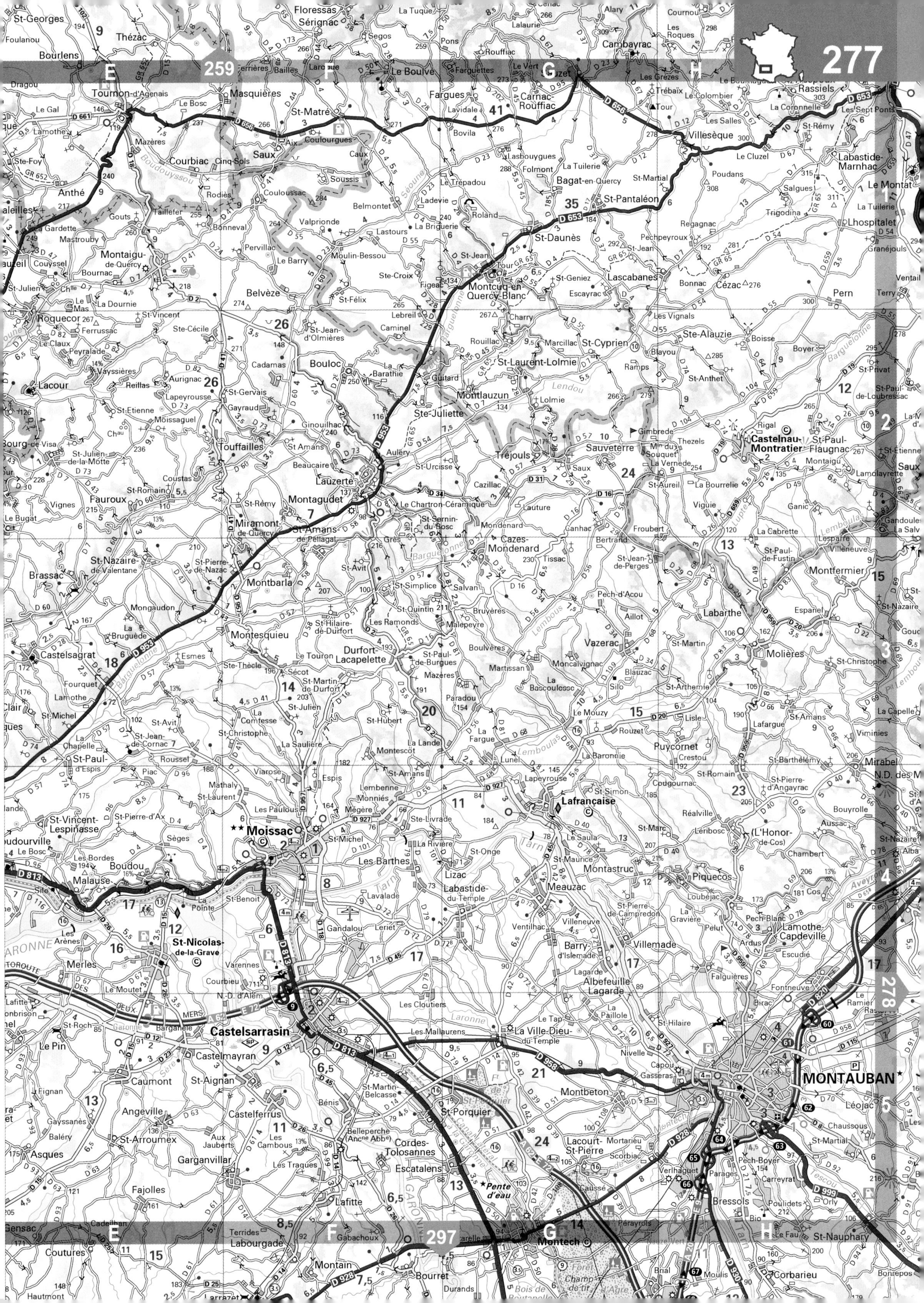
259
297
278
E
F
G
H
1
2
3
4
5
St-Georges
Thézac
Bourlens
Floressas
Sérignac
La Tuque
Lalaurie
Alary
Cambayrac
Tournon-d'Agenais
Masquières
Le Boulvé
Fargues
Carnac-Rouffiac
Gizet
Villesèque
Rassiels
St-Matré
Courbiac
Saux
Anthé
Montaigu-de-Quercy
Roquecor
Lacour
Belvèze
Bouloc
Montcuq-en-Quercy-Blanc
Lascabanes
Cézac
Pern
Bagat-en-Quercy
St-Pantaléon
St-Daunès
Labastide-Marnhac
Lhospitalet
Le Montat
St-Laurent-Lolmie
St-Cyprien
Ste-Alauzie
Montlauzun
Ste-Juliette
Lauzerte
Montagudet
Touffailles
Fauroux
Miramont-de-Quercy
St-Amans-de-Pellagal
Tréjouls
Sauveterre
Castelnau-Montratier
Cazes-Mondenard
Brassac
St-Nazaire-de-Valentane
Montbarla
Montesquieu
Castelsagrat
Durfort-Lacapelette
Vazerac
Labarthe
Molières
Montfermier
Puycornet
Lafrançaise
Moissac
Malause
St-Nicolas-de-la-Grave
Castelsarrasin
Meauzac
Montastruc
Piquecos
Lamothe-Capdeville
Villemade
Albefeuille-Lagarde
La Ville-Dieu-du-Temple
MONTAUBAN
Montbeton
Lacourt-St-Pierre
Montech
Escatalens
Cordes-Tolosannes
Garganvillar
Castelferrus
Angeville
Labourgade
Bressols
Corbarieu
Léojac
St-Porquier
Caumont
St-Aignan
Castelmayran
Lafitte
Fajolles
Coutures
Bourret
Montain
D 656
D 653
D 953
D 927
D 813
D 958
D 820
D 999
A 62
E 72
A 20
Tarn
Garonne
Barguelonne
Lemboulas
Aveyron

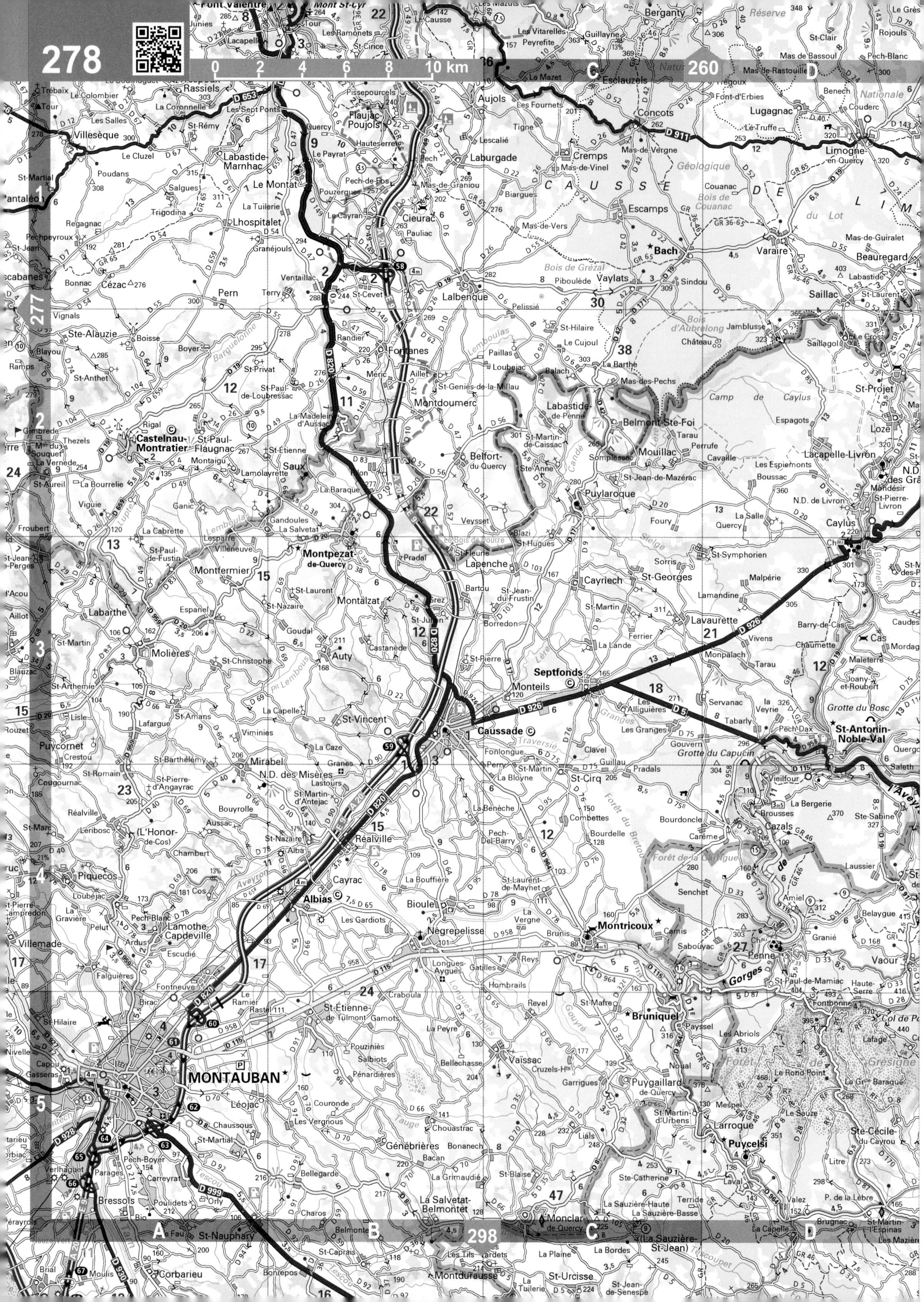

0 2 4 6 8 10 km
260
277
298
A
B
C
D
1
2
3
4
5
MONTAUBAN
Caussade
Septfonds
Caylus
St-Antonin-Noble-Val
Montpezat-de-Quercy
Castelnau-Montratier
Lalbenque
Limogne-en-Quercy
Montricoux
Bruniquel
Nègrepelisse
Réalville
Albias
Molières
Puylaroque
Lapenche
Montalzat
Mirabel
Puycelsi
Penne
Villemade
Bressols
Labastide-Marnhac
Cieurac
Laburgade
Escamps
Vaylats
Saillac
Varaire
Beauregard
Fontanes
Montdoumerc
Belfort-du-Quercy
Labastide-de-Penne
Belmont-Ste-Foi
Mouillac
Lacapelle-Livron
Cayriech
St-Georges
Lavaurette
Auty
Monteils
St-Cirq
Cayrac
Bioule
Génébrières
La Salvetat-Belmontet
Monclar-de-Quercy
Vaïssac
Puygaillard-de-Quercy
Léojac
Saux
Lhospitalet
Le Montat
Villesèque
Cézac
Pern
Labarthe
Lamothe-Capdeville
Piquecos
Corbarieu
C A U S S E D E L I M
Camp de Caylus
Forêt de la Grésigne
Gorges de l'Aveyron
Aveyron
Lemboulas
D 820
A 20
E 9
D 926
D 911
D 958
D 115
D 999

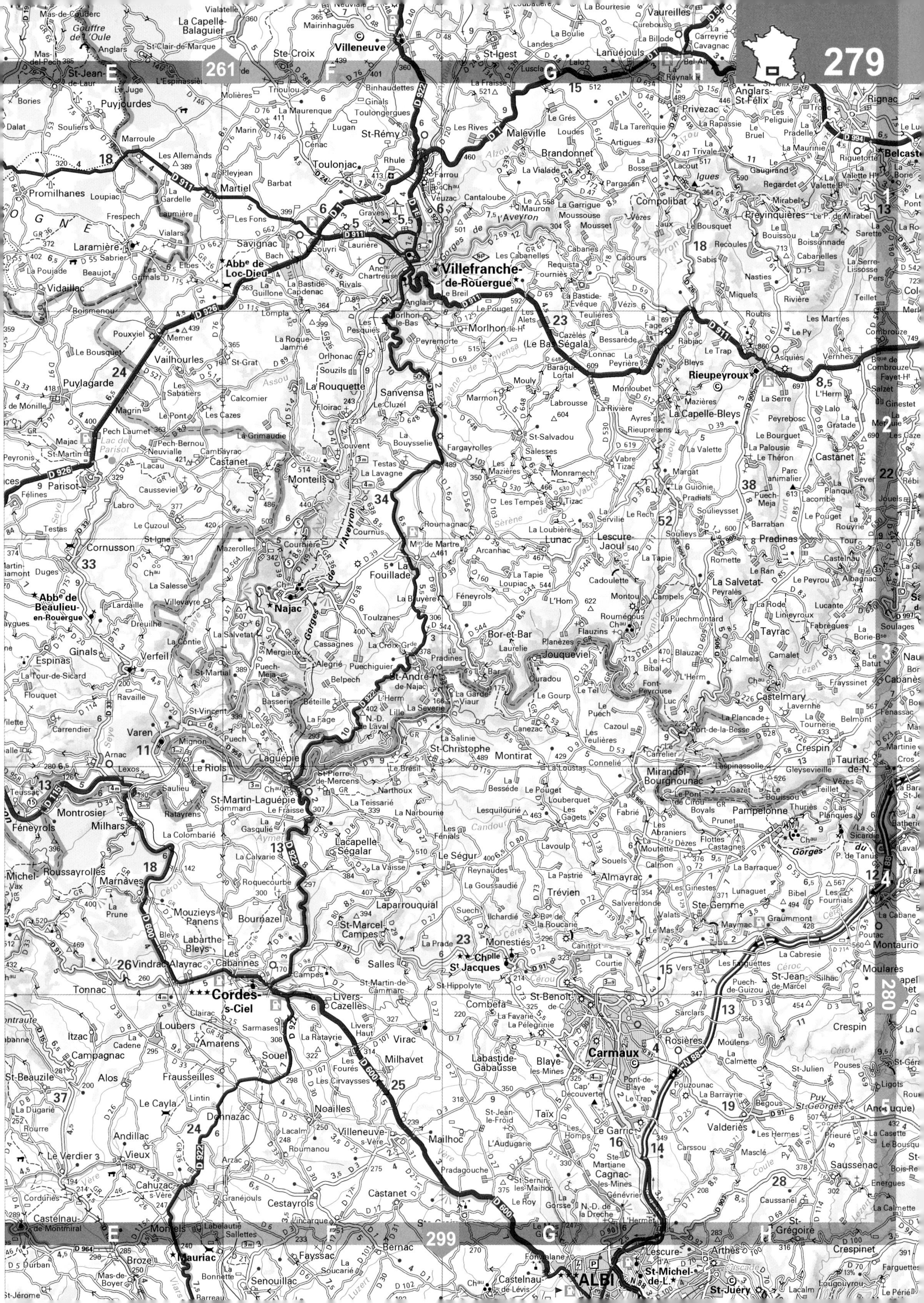
261
280
299
E
F
G
H
Villeneuve
St-Igest
Lanuéjouls
Vaureilles
Anglars-St-Félix
Rignac
Belcastel
Puyjourdes
St-Rémy
Maleville
Brandonnet
Privezac
Compolibat
Prévinquières
Promilhanes
Martiel
Laramière
Savignac
Abbe de Loc-Dieu
Villefranche-de-Rouergue
Morlhon-le-Haut
(Le Bas Ségala)
Rieupeyroux
La Capelle-Bleys
Vailhourles
Puylagarde
La Rouquette
Sanvensa
St-Salvadou
Parisot
Monteils
Castanet
Lunac
Lescure-Jaoul
Cornusson
Najac
La Fouillade
La Salvetat-Peyralès
Abbe de Beaulieu-en-Rouergue
Ginals
Verfeil
Bor-et-Bar
Jouqueviel
Tayrac
St-André-de-Najac
Varen
Laguépie
St-Christophe
Montirat
Castelmary
Crespin
St-Martin-Laguépie
Mirandol-Bourgnounac
Pampelonne
Montrosier
Milhars
Féneyrols
Lacapelle-Ségalar
Le Ségur
Almayrac
Roussayrolles
Marnaves
Laparrouquial
Trévien
Ste-Gemme
Mouzieys-Panens
Bournazel
St-Marcel-Campes
Monestiés
Chplle St Jacques
Vindrac-Alayrac
Cordes-s-Ciel
Salles
Carmaux
Rosières
Tonnac
Livers-Cazelles
Virac
Milhavet
Blaye-les-Mines
Itzac
Campagnac
Alos
Souel
Noailles
Le Garric
Valderiès
Donnazac
Andillac
Vieux
Villeneuve-s-Vère
Mailhoc
Cagnac-les-Mines
Cahuzac-s-Vère
Castanet
Cestayrols
Castelnau-de-Montmiral
Mauriac
Fayssac
Bernac
Lescure-d'Albigeois
St-Grégoire
Arthès
ALBI
St-Michel-de-L.
St-Juéry
Gorges de l'Aveyron
Gorges du Viaur

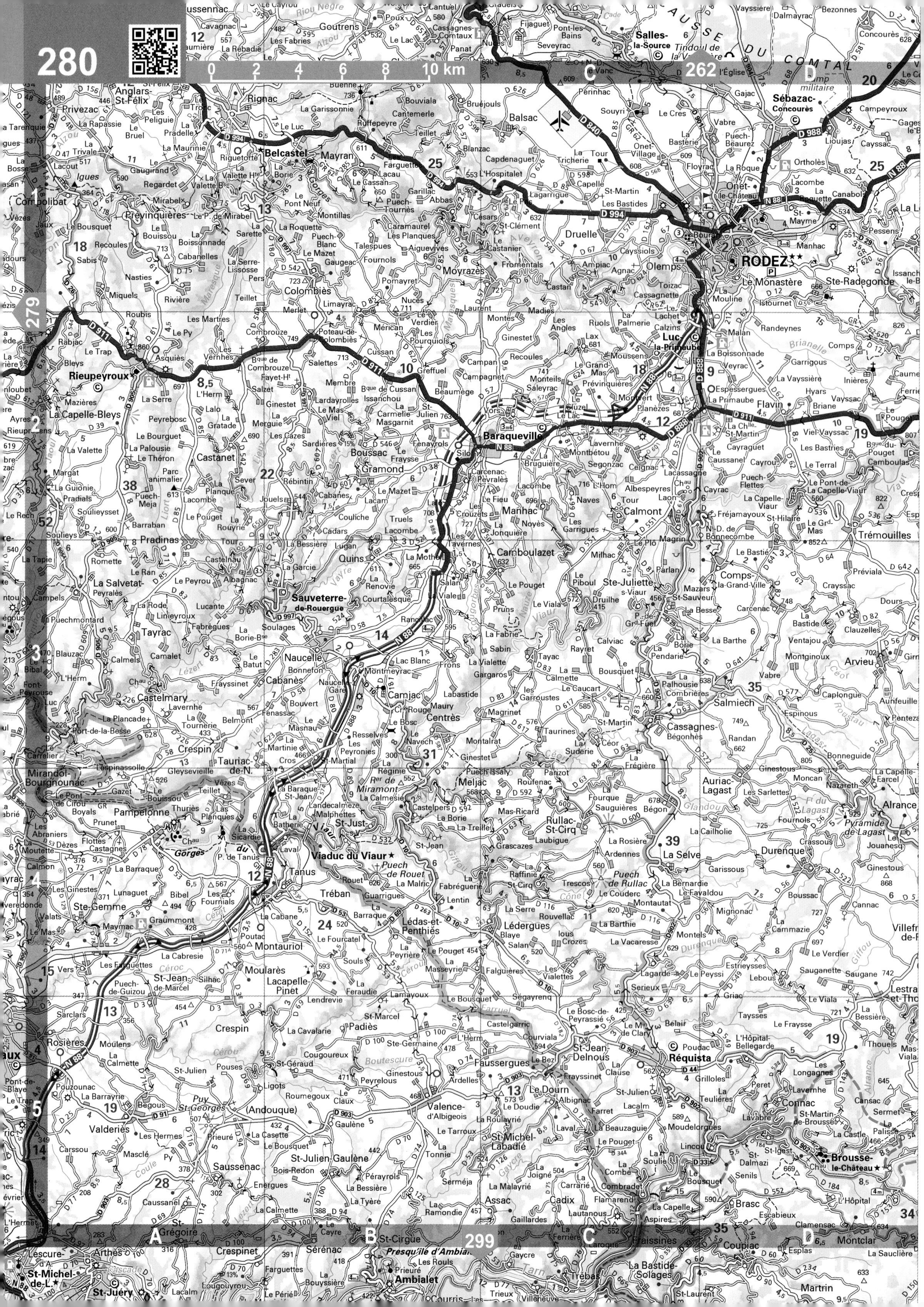
0 2 4 6 8 10 km
262
279
299
RODEZ
Rieupeyroux
Baraqueville
Luc-la-Primaube
Naucelle
Sauveterre-de-Rouergue
Réquista
Salles-la-Source
Sébazac-Concourès
Onet-le-Château
Belcastel
Rignac
Moyrazès
Druelle
Olemps
Le Monastère
Calmont
Cassagnes-Bégonhès
Salmiech
Pampelonne
Tanus
Viaduc du Viaur
Carmaux
St-Juéry
Ambialet
Brousse-le-Château
Coupiac
Valence-d'Albigeois
Lédergues
Durenque
Colombiès
Camboulazet
Ste-Juliette-s-Viaur
Centrès
Meljac
Trémouilles
Arvieu
Flavin
La Selve
Faussergues
Valderiès
St-Michel-de-L.
Lescure-d'Albigeois
Arthès
Crespin
Tauriac-de-N.
Castelmary
La Salvetat-Peyralès
Prévinquières
Compolibat
Privezac
Anglars-St-Félix
Mayran
Balsac
Ste-Radegonde
Presqu'île d'Ambialet
Puech de Rullac
Pyramide de Lagast
Causse du Comtal
Camp militaire
A B C D
1 2 3 4 5
N 88
D 911
D 994
D 888
D 902
D 903
D 988

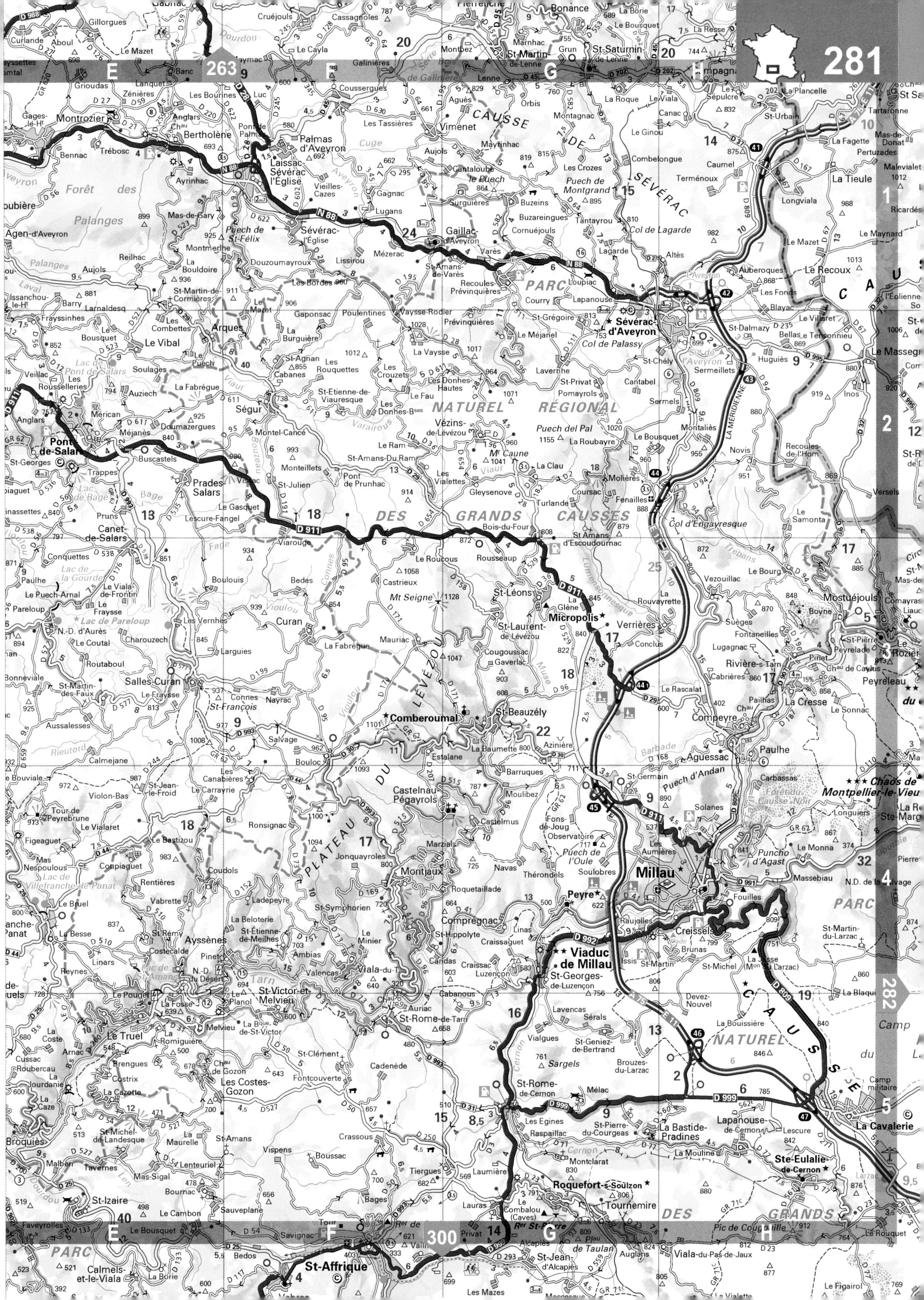

281
263
282
300
E
F
G
H
CAUSSE DE SÉVÉRAC
PARC NATUREL RÉGIONAL DES GRANDS CAUSSES
PLATEAU DU LÉVÉZOU
Forêt des Palanges
Montrozier
Bertholène
Laissac-Sévérac l'Église
Palmas d'Aveyron
Sévérac-l'Église
Gaillac-d'Aveyron
Sévérac-d'Aveyron
St-Saturnin-de-Lenne
St-Martin-de-Lenne
Campagnac
Vimenet
Agen-d'Aveyron
Arques
Le Vibal
Ségur
Vézins-de-Lévézou
Pont-de-Salars
Prades-Salars
Canet-de-Salars
Lac de Pareloup
Salles-Curan
Curan
Micropolis
Verrières
St-Léons
Comberoumal
St-Beauzély
Castelnau-Pégayrols
Montjaux
Millau
Viaduc de Millau
Creissels
St-Georges-de-Luzençon
St-Rome-de-Tarn
St-Victor-et-Melvieu
Ayssènes
Le Truel
Les Costes-Gozon
St-Rome-de-Cernon
La Bastide-Pradines
Roquefort-s-Soulzon
Tournemire
St-Affrique
Ste-Eulalie-de-Cernon
La Cavalerie
Lapanouse-de-Cernon
Aguessac
Paulhe
Compeyre
Rivière-s-Tarn
Mostuéjouls
Peyreleau
Chaos de Montpellier-le-Vieux
La Roque-Ste-Marguerite
St-Martin-du-Larzac
La Mélac
Montclarat
Col de Lagarde
Col de Palassy
Col d'Engayresque
Puech d'Andan
Puncho d'Agast
Mt Seigne
Mt Caune
Puech del Pal
Puech de St-Félix
Pic de Cougouille
LA MÉRIDIENNE
N 88
D 911
D 992
D 999
D 809
E 11 - A 75

0 2 4 6 8 10 km
264
281
301
302
CAUSSE DE SAUVETERRE
CAUSSE MÉJEAN
CAUSSE NOIR
GORGES DU TARN
Gorges de la Jonte
Ste-Énimie
Florac Trois Rivières
Meyrueis
Le Vigan
Nant
Mont Aigoual
Observatoire
Aven Armand
Chaos de Nîmes le Vieux
Chaos de Montpellier-le-Vieux
Point Sublime
Cirque des Baumes
Les Détroits
Roc des Hourtous
Roc du Serre
Cirque de St Chély
Cirque de Pougnadoires
Chau de la Caze
Sabot de Malepeyre
Grotte de Dargilan
Corniche du Causse Noir
Terrasses du Truel
Roc St-Gervais
Abîme de Bramabiau
Col de la Séreyrède
Col du Minier
Canyon de la Dourbie
Gorges de la Dourbie
Roquesaltes (Rochers)
Le Rajol
Cantobre
Ispagnac
Quézac
Castelbouc
Prades
Montbrun
Vebron
Fraissinet-de-Fourques
Gatuzières
Le Rozier
Peyreleau
La Malène
Les Vignes
St-Rome-de-Dolan
Le Massegros
St-Georges-de-Lévéjac
La Roque-Ste-Marguerite
St-André-de-Vézines
Veyreau
Lanuéjols
St-Sauveur-Camprieu
Dourbies
Trèves
Causse-Bégon
St-Jean-du-Bruel
Sauclières
L'Hospitalet-du-Larzac
La Cavalerie
Valleraugue
Aulas
Arrigas
Aumessas
Molières-Cavaillac
Avèze
Bréau-et-Salagosse
Mandagout
Bédouès-Cocurès
Les Bondons
Hures-la-Parade
Nivoliers
Larzac
RÉGIONAL
CAUSSES

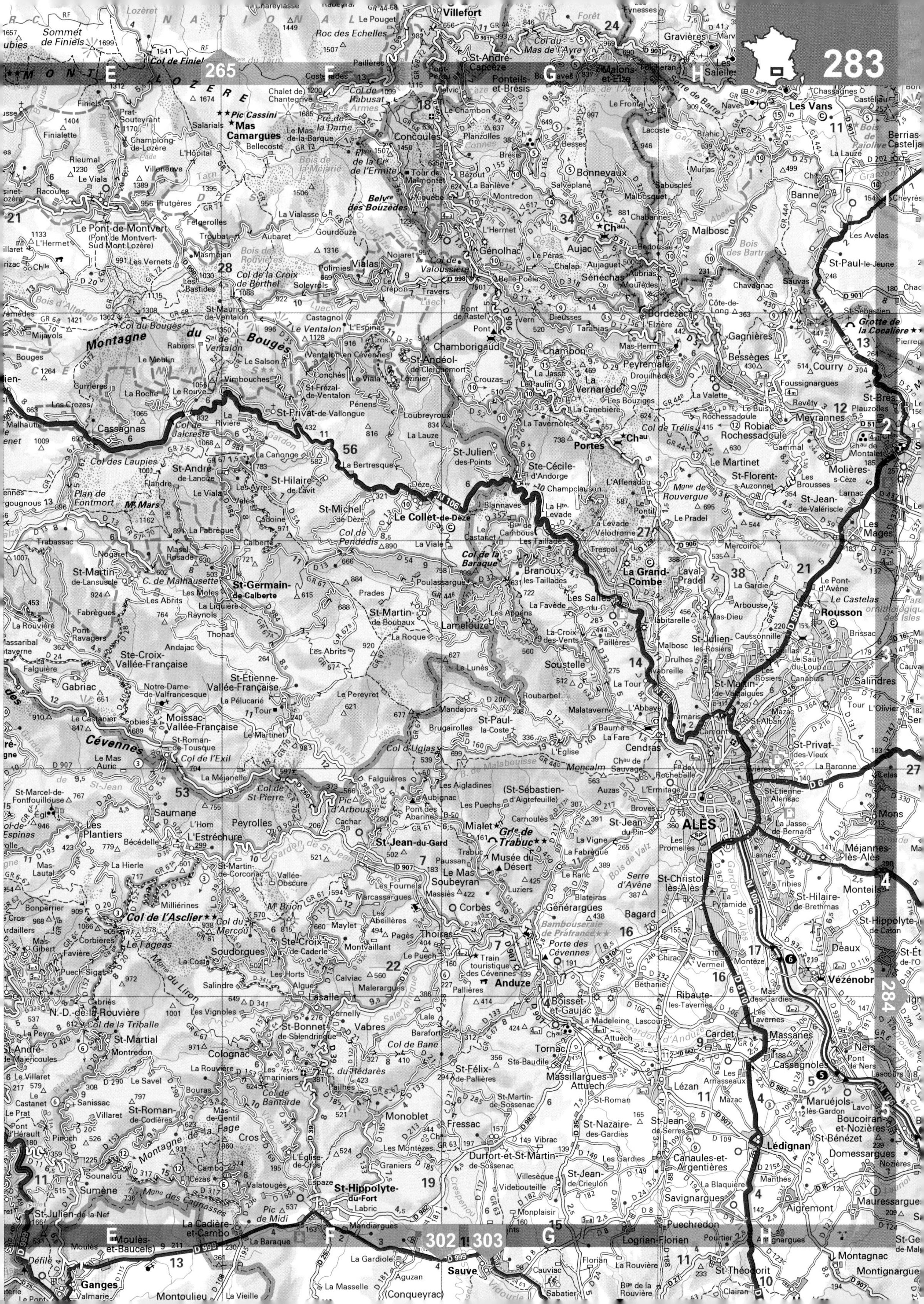
265
Villefort
Les Vans
Concoules
Génolhac
Vialas
Aujac
Sénéchas
Bonnevaux
Malbosc
Bordezac
Chamborigaud
St-Andéol-de-Clerguemort
Le Pont-de-Montvert
Mas Camargues
Pic Cassini
Montagne du Bougès
Cassagnas
St-Privat-de-Vallongue
St-Julien-des-Points
Ste-Cécile-d'Andorge
Portes
Bessèges
Robiac-Rochessadoule
Molières-s-Cèze
St-Jean-de-Valériscle
Le Collet-de-Dèze
St-Michel-de-Dèze
St-Germain-de-Calberte
St-Martin-de-Boubaux
Lamelouze
Branoux-les-Taillades
La Grand-Combe
Laval-Pradel
Les Salles-du-Gardon
Rousson
Soustelle
St-Julien-les-Rosiers
St-Martin-de-Valgalgues
Salindres
Ste-Croix-Vallée-Française
St-Étienne-Vallée-Française
Moissac-Vallée-Française
Gabriac
Cévennes
St-Paul-la-Coste
Cendras
St-Privat-des-Vieux
ALÈS
Mialet
Grte de Trabuc
Musée du Désert
St-Jean-du-Gard
Saumane
Les Plantiers
Peyrolles
L'Estréchure
Col de l'Asclier
Soudorgues
Thoiras
Corbès
Anduze
Générargues
Bambouseraie de Préfrance
St-Christol-lès-Alès
Bagard
Méjannes-lès-Alès
St-Hilaire-de-Brethmas
St-Hippolyte-de-Caton
Vézénobres
Lasalle
Vabres
St-Bonnet-de-Salendrinque
Colognac
St-Martial
Sumène
St-Julien-de-la-Nef
Ganges
Monoblet
Fressac
St-Félix-de-Pallières
Tornac
Massillargues-Attuech
Boisset-et-Gaujac
Cardet
Lézan
Massanes
Cassagnoles
Maruéjols-lès-Gardon
Lédignan
Canaules-et-Argentières
St-Nazaire-des-Gardies
Durfort-et-St-Martin-de-Sossenac
St-Hippolyte-du-Fort
Sauve
Savignargues
Aigremont
Logrian-Florian
Moulès-et-Baucels
Montoulieu
Conqueyrac
302
303
284
E
F
G
H

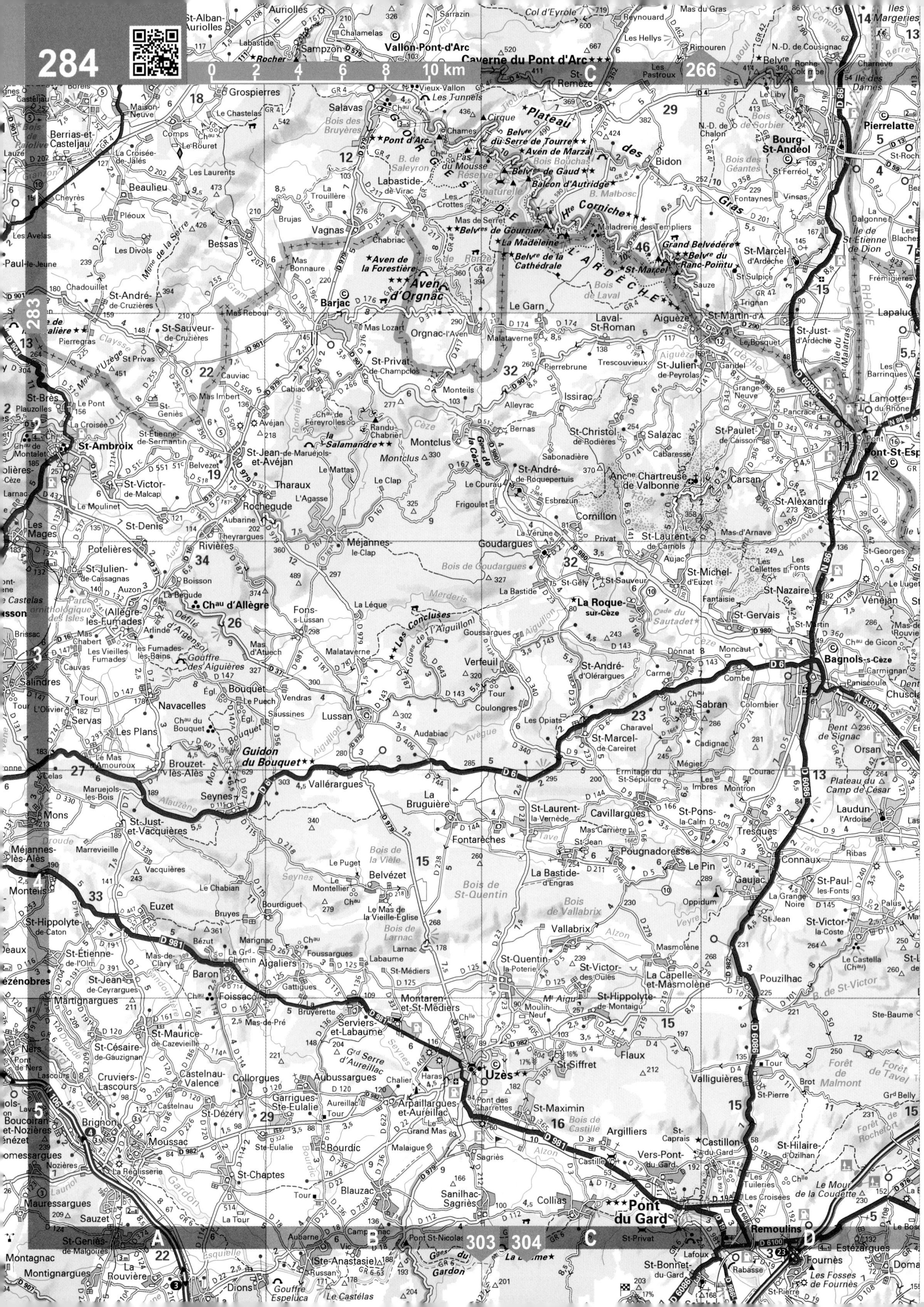
0 2 4 6 8 10 km
266
283
303
304
St-Alban-Auriolles
Auriolles
Sampzon
Vallon-Pont-d'Arc
Caverne du Pont d'Arc
Col d'Eyrole
Mas du Gras
Rimouren
Belvre
N.-D. de Cousignac
Grospierres
Vieux-Vallon
Les Tunnels
St-Remèze
Les Pastroux
Salavas
Le Chastelas
Plateau des Gras
Pont d'Arc
Gorges de l'Ardèche
Belvre du Serre de Tourre
Aven de Marzal
Belvres de Gaud
Balcon d'Autridge
Hte Corniche
Maladrerie des Templiers
La Madeleine
Belvre de la Cathédrale
Grand Belvédère
Belvre du Ranc-Pointu
St-Marcel
Bourg-St-Andéol
Pierrelatte
Berrias-et-Casteljau
Beaulieu
Labastide-de-Virac
Bidon
St-Marcel-d'Ardèche
Vagnas
Bessas
Aven de la Forestière
Aven d'Orgnac
Barjac
St-André-de-Cruzières
St-Sauveur-de-Cruzières
Orgnac-l'Aven
Le Garn
Laval-St-Roman
Aiguèze
St-Martin-d'A.
St-Just-d'Ardèche
Lapalud
St-Privat-de-Champclos
St-Julien-de-Peyrolas
Issirac
Lamotte-du-Rhône
Pont-St-Esprit
St-Ambroix
Avéjan
St-Jean-de-Maruejols-et-Avéjan
Montclus
St-Christol-de-Rodières
Salazac
St-Paulet-de-Caisson
Anc.ne Chartreuse de Valbonne
Carsan
St-Alexandre
Tharaux
Rochegude
St-Victor-de-Malcap
St-André-de-Roquepertuis
Cornillon
Méjannes-le-Clap
Goudargues
St-Laurent-de-Carnols
Rivières
Potelières
St-Julien-de-Cassagnas
Chau d'Allègre
Allègre-les-Fumades
St-Michel-d'Euzet
St-Nazaire
Vénéjan
La Roque-sur-Cèze
Fons-s-Lussan
Les Concluses
St-Gervais
Cade du Sautadet
Bagnols-s-Cèze
Verfeuil
St-André-d'Olérargues
Sabran
Navacelles
Bouquet
Lussan
Guidon du Bouquet
Brouzet-lès-Alès
Seynes
Vallérargues
St-Marcel-de-Careiret
Orsan
Laudun-l'Ardoise
La Bruguière
St-Laurent-la-Vernède
Cavillargues
St-Pons-la-Calm
Tresques
Mons
St-Just-et-Vacquières
Fontarèches
Pougnadoresse
Connaux
Méjannes-lès-Alès
Belvézet
La Bastide-d'Engras
Le Pin
Gaujac
St-Paul-les-Fonts
Euzet
Bois de St-Quentin
Vallabrix
St-Hippolyte-de-Caton
St-Victor-la-Coste
St-Étienne-de-l'Olm
Aigaliers
St-Quentin-la-Poterie
St-Victor-des-Oules
La Capelle-et-Masmolène
Pouzilhac
Baron
Foissac
St-Jean-de-Ceyrargues
Montaren-et-St-Médiers
St-Hippolyte-de-Montaigu
Martignargues
Serviers-et-Labaume
St-Maurice-de-Cazevieille
St-Césaire-de-Gauzignan
Uzès
St-Siffret
Flaux
Valliguières
Cruviers-Lascours
Castelnau-Valence
Collorgues
Aubussargues
Garrigues-Ste-Eulalie
Arpaillargues-et-Aureillac
St-Maximin
Argilliers
Castillon-du-Gard
St-Hilaire-d'Ozilhan
St-Dézéry
Brignon
Moussac
Bourdic
Vers-Pont-du-Gard
St-Chaptes
Blauzac
Sanilhac-Sagriès
Collias
Pont du Gard
Remoulins
Fournès
Estézargues
Sauzet
St-Geniès-de-Malgoirès
La Rouvière
Montignargues
Dions
Russan
St-Bonnet-du-Gard
Gouffre Espeluca
Le Castélas

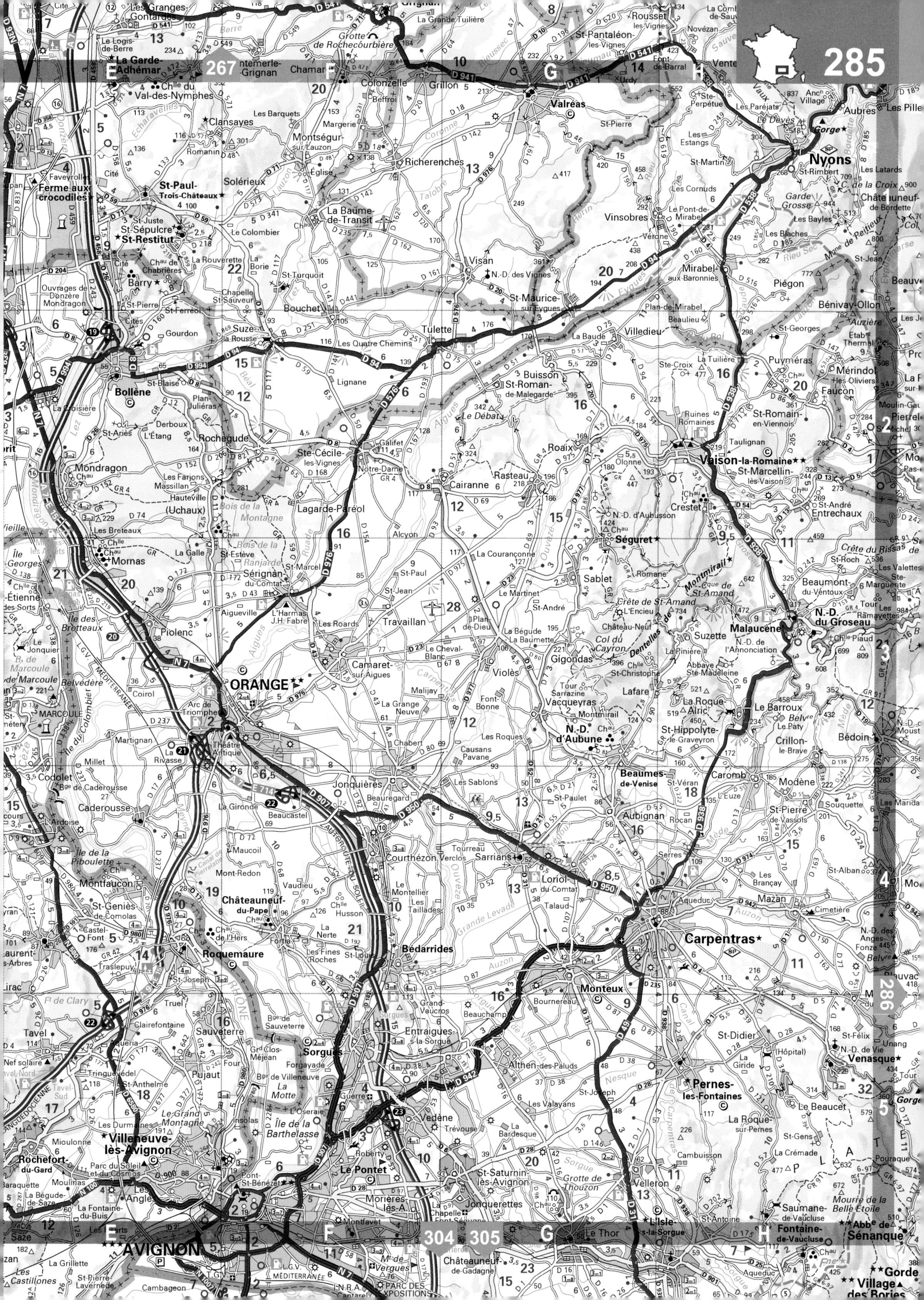
267
Grignan
Valréas
Nyons
St-Paul-Trois-Châteaux
St-Restitut
Clansayes
Montségur-sur-Lauzon
Richerenches
La Baume-de-Transit
Visan
Vinsobres
Mirabel-aux-Baronnies
St-Maurice-sur-Eygues
Suze-la-Rousse
Tulette
Bouchet
Bollène
Mondragon
Rochegude
Ste-Cécile-les-Vignes
Buisson
Villedieu
Vaison-la-Romaine
St-Marcellin-lès-Vaison
Roaix
Rasteau
Cairanne
Séguret
Sablet
Lagarde-Paréol
Sérignan-du-Comtat
Mornas
Piolenc
ORANGE
Travaillan
Camaret-sur-Aigues
Violès
Gigondas
Vacqueyras
Malaucène
N.-D. du Groseau
Le Barroux
Caromb
Beaumes-de-Venise
Jonquières
Courthézon
Sarrians
Loriol-du-Comtat
Aubignan
Carpentras
Monteux
Bédarrides
Châteauneuf-du-Pape
Roquemaure
Sorgues
Entraigues-sur-la-Sorgue
Althen-des-Paluds
Pernes-les-Fontaines
Villeneuve-lès-Avignon
Le Pontet
Vedène
St-Saturnin-lès-Avignon
Velleron
L'Isle-sur-la-Sorgue
Fontaine-de-Vaucluse
Abbaye de Sénanque
Gordes
Village des Bories
Venasque
AVIGNON
Le Thor
Châteauneuf-de-Gadagne
Caderousse
Montfaucon
Tavel
Rochefort-du-Gard
Les Angles
Sauveterre
Pujaut
Bédoin
Crillon-le-Brave
Mazan
Modène
Beaumont-du-Ventoux
Entrechaux
Puyméras
Faucon
Mérindol-les-Oliviers
Buis
286
304
305

268
285
305 306

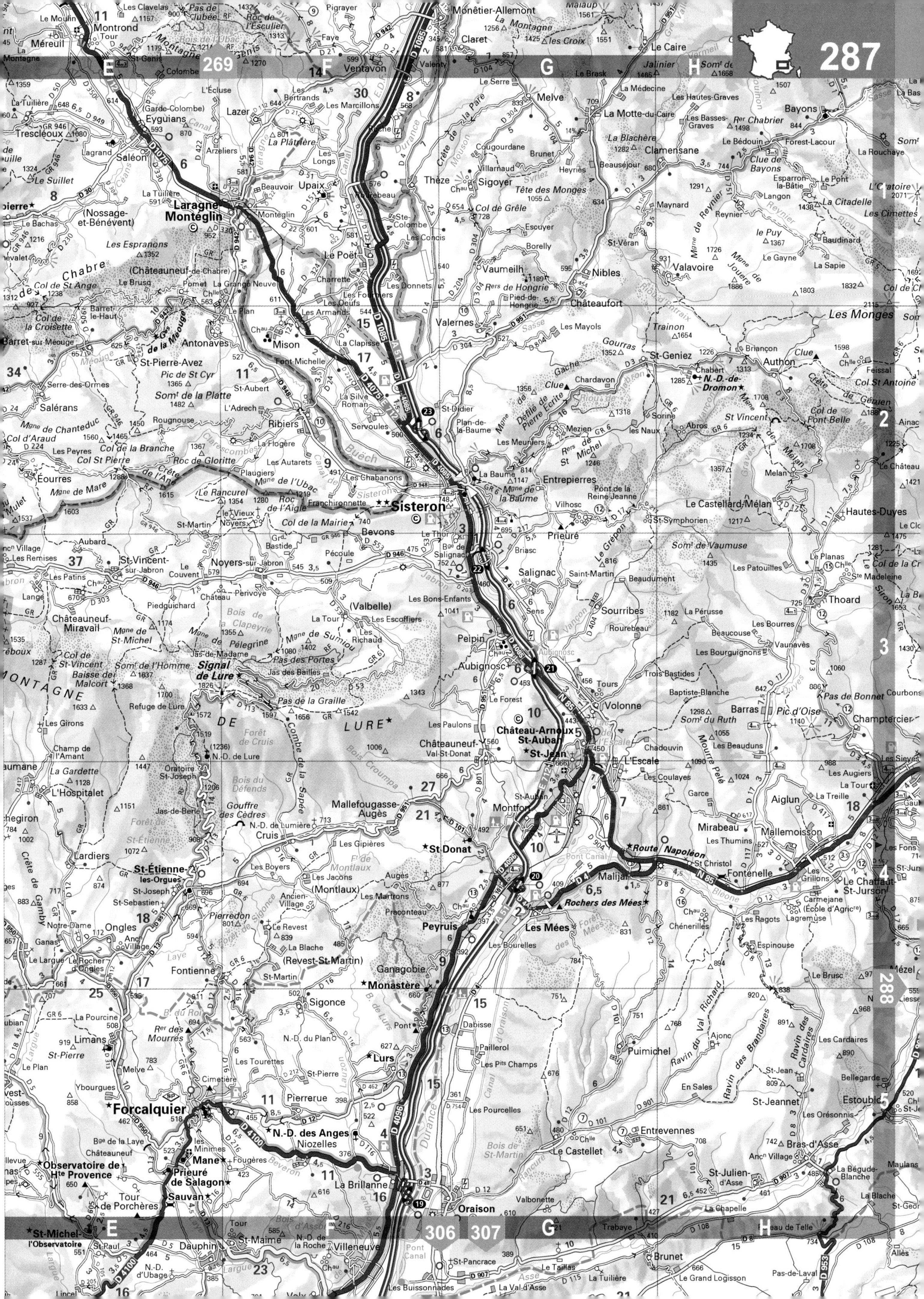

Montrond
Mereuil
Ventavon
Monêtier-Allemont
Claret
Le Caire
Melve
La Motte-du-Caire
Bayons
Eyguians
Trescléoux
Lazer
Saléon
Upaix
Thèze
Sigoyer
Clamensane
Laragne Montéglin
Le Poët
Vaumeilh
Nibles
Valavoire
Châteaufort
Mison
Antonaves
Valernes
St-Geniez
Authon
Ribiers
Sisteron
Entrepierres
Le Castellard-Mélan
Hautes-Duyes
Noyers-sur-Jabron
St-Vincent-sur-Jabron
Salignac
Sourribes
Thoard
Peipin
Aubignosc
Volonne
Château-Arnoux St-Auban
Signal de Lure
MONTAGNE DE LURE
L'Escale
Mallefougasse-Augès
Aiglun
Mirabeau
Malijai
Mallemoisson
Cruis
St Donat
St-Étienne-les-Orgues
Ongles
Peyruis
Les Mées
Rochers des Mées
Route Napoléon
Ganagobie
Monastère
Fontienne
Sigonce
Limans
Puimichel
Lurs
Forcalquier
Pierrerue
Mane
Prieuré de Salagon
N.-D. des Anges
Niozelles
La Brillanne
Oraison
Le Castellet
Entrevennes
Bras-d'Asse
Estoublon
St-Jeanne
Sauvan
Observatoire de Hte Provence
St-Michel-l'Observatoire
Dauphin
St-Maime
Villeneuve
Brunet
Durance
Bléone
A 51
N 85
D 1085
D 4096
269
288
306
307
E
F
G
H

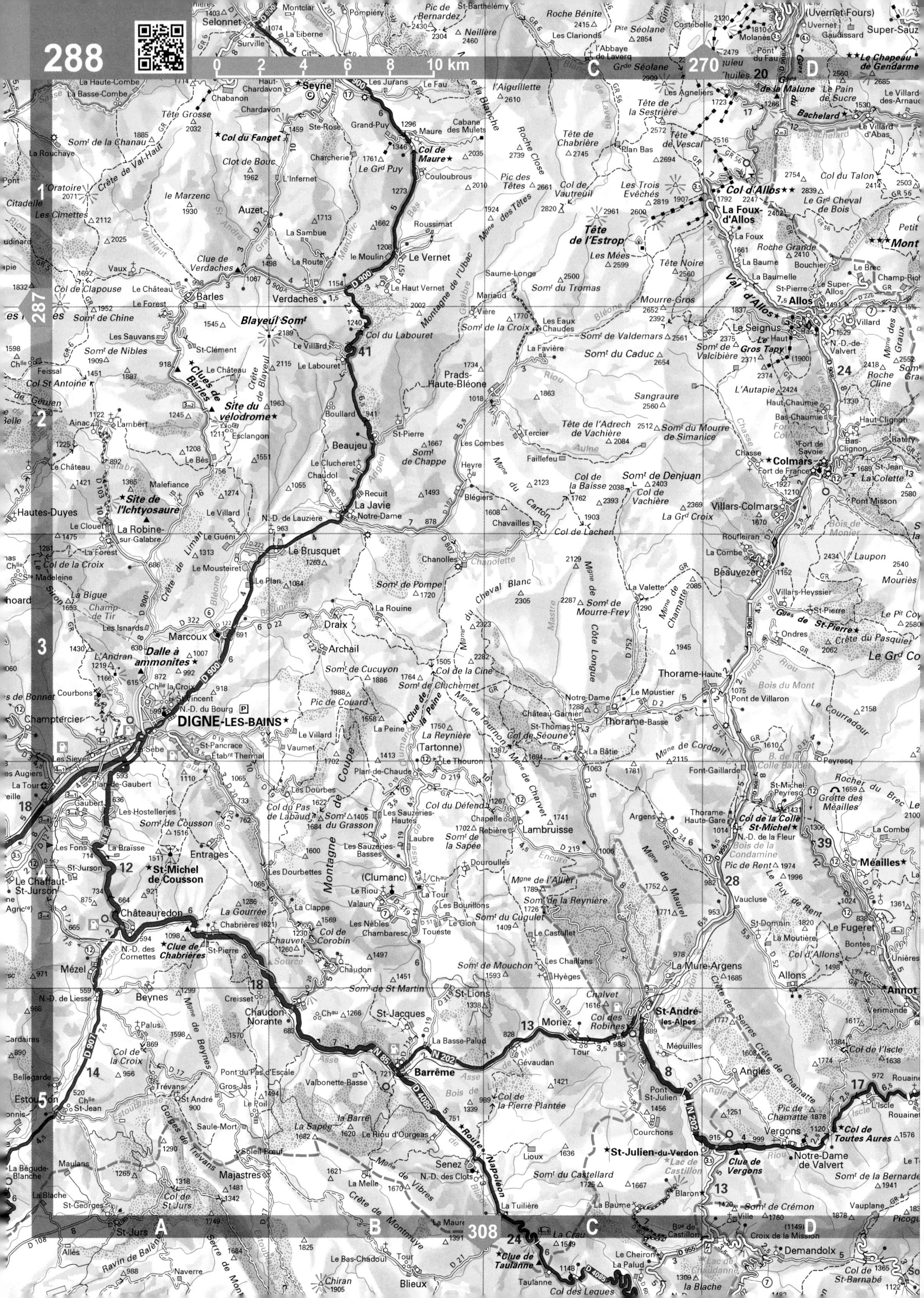
0 2 4 6 8 10 km
287
270
308
A
B
C
D
1
2
3
4
5
Selonnet
Seyne
Col du Fanget
Col de Maure
Auzet
Le Vernet
Clue de Verdaches
Barles
Verdaches
Blayeul Somt
Col du Labouret
Clues de Barles
Site du vélodrome
Prads-Haute-Bléone
Beaujeu
La Javie
Site de l'Ichtyosaure
La Robine-sur-Galabre
Le Brusquet
Draix
Archail
Marcoux
Dalle à ammonites
DIGNE-LES-BAINS
Champtercier
Clue de la Peine
Col de la Cine
Col de Séoune
Thorame-Basse
Thorame-Haute
Entrages
St-Michel de Cousson
Châteauredon
Clue de Chabrières
Mézel
Chaudon-Norante
Barrême
St-Jacques
St-Lions
Moriez
St-André-les-Alpes
Route Napoléon
Senez
Clue de Taulanne
St-Julien-du-Verdon
Lac de Castillon
Clue de Vergons
Col de Toutes Aures
Annot
Méailles
Col de la Colle St-Michel
Beauvezer
Colmars
Villars-Colmars
Allos
Col d'Allos
La Foux-d'Allos
Tête de l'Estrop
Val d'Allos
Le Seignus
Le Gros Tapy
Gges de St-Pierre
Lambruisse
Clumanc
Tartonne
Majastres
Estoublon
Blieux
Demandolx
Col de Chabrières

Cime de la Bonette
Col de la Bonette
Col de la Moutière
Col des Fourches
Col de Restefond
Col de Raspaillon
Col de Fer
Lacs de Vens
Mt Ténibre
Corborant
St-Dalmas-le-Selvage
St-Étienne-de-Tinée
Auron
Las Donnas
Col de la Cayolle
Isola
Isola 2000
Cime de la Lombarde
Vinadio
Pietraporzio
Sambuco
Mt St-Sauveur
Mt Mounier
Parc National du Mercantour
Entraunes
St-Martin-d'Entraunes
Châteauneuf-d'Entraunes
Villeneuve-d'Entraunes
Péone
Valberg
Beuil
Roubion
Roure
St-Sauveur-sur-Tinée
Rimplas
Guillaumes
Croix du Sapet
Gorges de Valabres
Gorges du Cians
Gorges de Daluis
Daluis
Sausses
Pont de St-Léger
Puget-Théniers
Entrevaux
Touët-sur-Var
Villars-sur-Var
Tournefort
Massoins
Malaussène
Clans
Thiéry
Lieuche
Pierlas
Ilonse
Marie
Mt St-Honorat
Castellet-lès-Sausses
Clue de Rouaine
La Rochette
Val-de-Chalvagne
Collongues
Sigale
Roquesteron
Clue du Riolan
Clue d'Aiglu
Clue de St-Auban
Briançonnet
Aiglun
Conségudes
La Penne
Ascros
Toudon
Revest-les-Roches
Mt Vial
Défilé du Chaudan
Bonson
Gilette
D 6202
N 202
D 4202
D 2202
D 2205
SS 21
E
F
G
H
271
291
309

288
289
308
309

E
F
G
H
M. Matto
Cima di Lausetto
REGIONALE
ALPI MARITTIME
Limone-Piemonte
Col de Tende
Tunnel de Tende
Cima del Gelas
Le Boréon
Mt Neillier
St-Martin-Vésubie
La Colmiane
Venanson
Cime du Diable
Tende
La Brigue
N.-D. des Fontaines
PARC
NATIONAL
DU
MERCANTOUR
Roquebillière
Belvédère
L'Authion
La Bollène-Vésubie
Col de Turini
Lantosque
Saorge
Fontan
Breil-s-Roya
Moulinet
Peïra-Cava
Col de Brouis
Utelle
La Madone d'Utelle
Sospel
Lucéram
Col de Braus
Coaraze
Levens
L'Escarène
Contes
Peille
Ste-Agnès
Gorbio
Peillon
Tourrette-Levens
Carros
Roquebrune-
MENTON
Cap-Martin
Cap Martin
Beausoleil
MONTE-CARLO
Ventimiglia
Bordighera
Dolceacqua
Pigna
Airole
Olivetta-San-Michele
Mt Chauve
Falicon
Colomars
Gattières
309

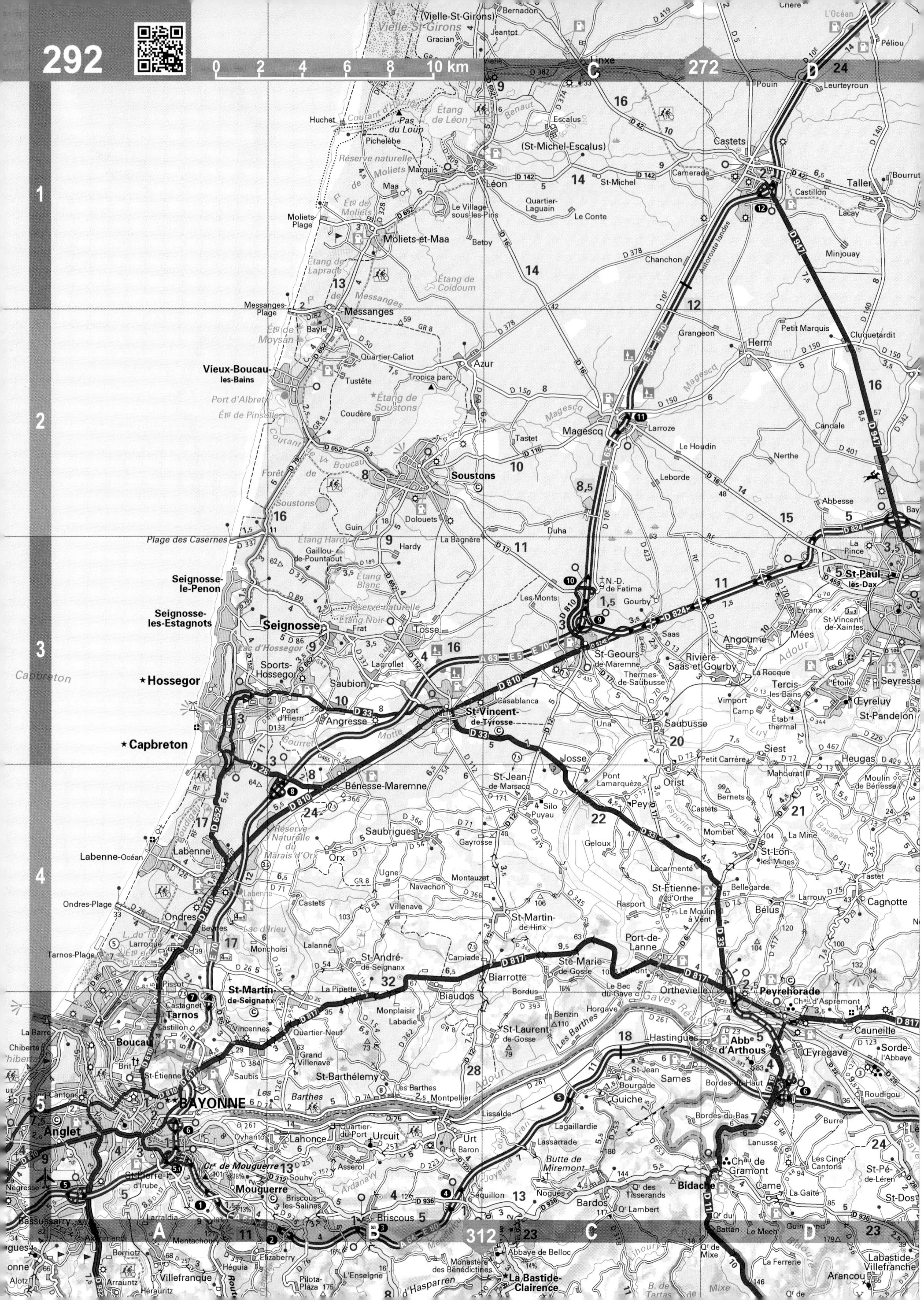

0 2 4 6 8 10 km
272
312
Vielle-St-Girons
Bernadon
Jeantot
Gracian
Linxe
Pouin
Leurteyroun
Péliou
L'Océan
Huchet
Pas du Loup
Pichelèbe
Étang de Léon
Escalus
(St-Michel-Escalus)
Castets
Réserve naturelle
Marquis
Léon
St-Michel
Camerade
Taller
Castillon
Bourrut
Maa
Étg de Moliets
Le Village sous-les-Pins
Quartier-Laguain
Le Conte
Lacay
Moliets-Plage
Moliets-et-Maa
Betoy
Minjouay
Chanchon
Autoroute landes
Étang de Laprade
Étang de Coidoum
Messanges-Plage
Messanges
Bayle
Étg de Moysan
Grangeon
Herm
Petit Marquis
Cluquetardit
Quartier-Caliot
Azur
Vieux-Boucau-les-Bains
Tustête
Tropica parc
Port d'Albret
Étg de Pinsolle
Étang de Soustons
Coudère
Magescq
Larroze
Candale
Tastet
Le Houdin
Nerthe
Soustons
Leborde
Forêt de Soustons
Dolouets
Abbesse
Guin
Plage des Casernes
Étang Hardy
Hardy
Gaillou-de-Pountaout
La Bagnère
Duha
La Pince
St-Paul-lès-Dax
Étang Blanc
Seignosse-le-Penon
N.-D. de Fatima
Les Monts
Gourby
Réserve naturelle
Étang Noir
Frat
Seignosse-les-Estagnots
Seignosse
Tosse
Evrayx
St-Vincent-de-Xaintes
Mées
Lac d'Hossegor
Saas
Angoume
St-Geours-de-Maremne
Rivière-Saas-et-Gourby
Capbreton
Sorts-Hossegor
Hossegor
Lagrollet
Saubion
Thermes-de-Saubusse
La Rocque
Tercis-les-Bains
L'Étoile
Seyresse
Œyreluy
Casablanca
St-Vincent-de-Tyrosse
Vimport
Camp
Étabt thermal
St-Pandelon
Pont d'Hiern
Angresse
Una
Saubusse
Capbreton
Bourret
Motte
Josse
Petit Carrère
Siest
Heugas
Bénesse-Maremne
St-Jean-de-Marsacq
Pont Lamarquèze
Orist
Mahourat
Moulin de Bénesse
Silo Puyau
Pey
Bernets
Castets
Réserve Naturelle du Marais d'Orx
Saubrigues
Labenne-Océan
Labenne
Gayrosse
Orx
Geloux
Mombet
La Mine
St-Lon-les-Mines
Ugne
Montauzet
Navachon
Lacarmenté
Tastet
St-Étienne-d'Orthe
Bellegarde
Larrouy
Cagnotte
Ondres-Plage
Castets
Villenave
Rasport
Le Moulin à Vent
Bélus
Ondres
St-Martin-de-Hinx
Lac d'Irieu
Tarnos-Plage
Larroque
Monchoisi
Lalanne
Port-de-Lanne
Camiade
Ste-Marie-de-Gosse
Lerront
St-André-de-Seignanx
Biarrotte
Pissot
Le Bec du Gave
Orthevielle
Peyrehorade
St-Martin-de-Seignanx
La Pipette
Biaudos
Bordus
Châu d'Aspremont
Castagnet
Tarnos
Monplaisir
Labadie
Benzin
Horgave
Gaves Réunis
Castillon
Vincennes
Quartier-Neuf
St-Laurent-de-Gosse
Les Barthes
Hastingues
Abbe d'Arthous
Cauneille
La Barre
Chiberta
Boucau
Grand Villenave
Œyregave
Sorde-l'Abbaye
Brit
St-Étienne
Saubis
St-Barthélemy
St-Jean
Sames
Bordes-du-Haut
La Bourgade
Cinq-Cantons
BAYONNE
Les Barthes
Montpellier
Guiche
Roudigou
Anglet
Lissalde
Bordes-du-Bas
Burre
Quartier-du-Port
Urcuit
Lahonce
Oyhanto
Urt
Le Baron
Lagaillardie
Lassarrade
Lanusse
Chau de Gramont
Les Cinq-Cantons
St-Pé-de-Léren
Crx de Mouguerre
St-Pierre-d'Irube
Asserol
Souhy
Butte de Miremont
Came
La Gaîté
St-Dos
Mouguerre
Briscous-les-Salines
Ardanavy
Séquillon
Nogués
Qr des Tisserands
Bidache
Bardos
Qr Lambert
Bassussarry
Larraldia
Briscous
Arrunmendi
Mentachoury
Batian
Le Mech
Guinaud
Berriotz
Elizaberry
Abbaye de Belloc
Monastère des Bénédictines
Qr de Mixe
Héguia
Villefranque
Arrauntz
Hérauritz
Alotz
L'Enseigne
Pilota-Plaza
La Bastide-Clairence
La Ferrerie
Labastide-Villefranche
Arancou
Mixe

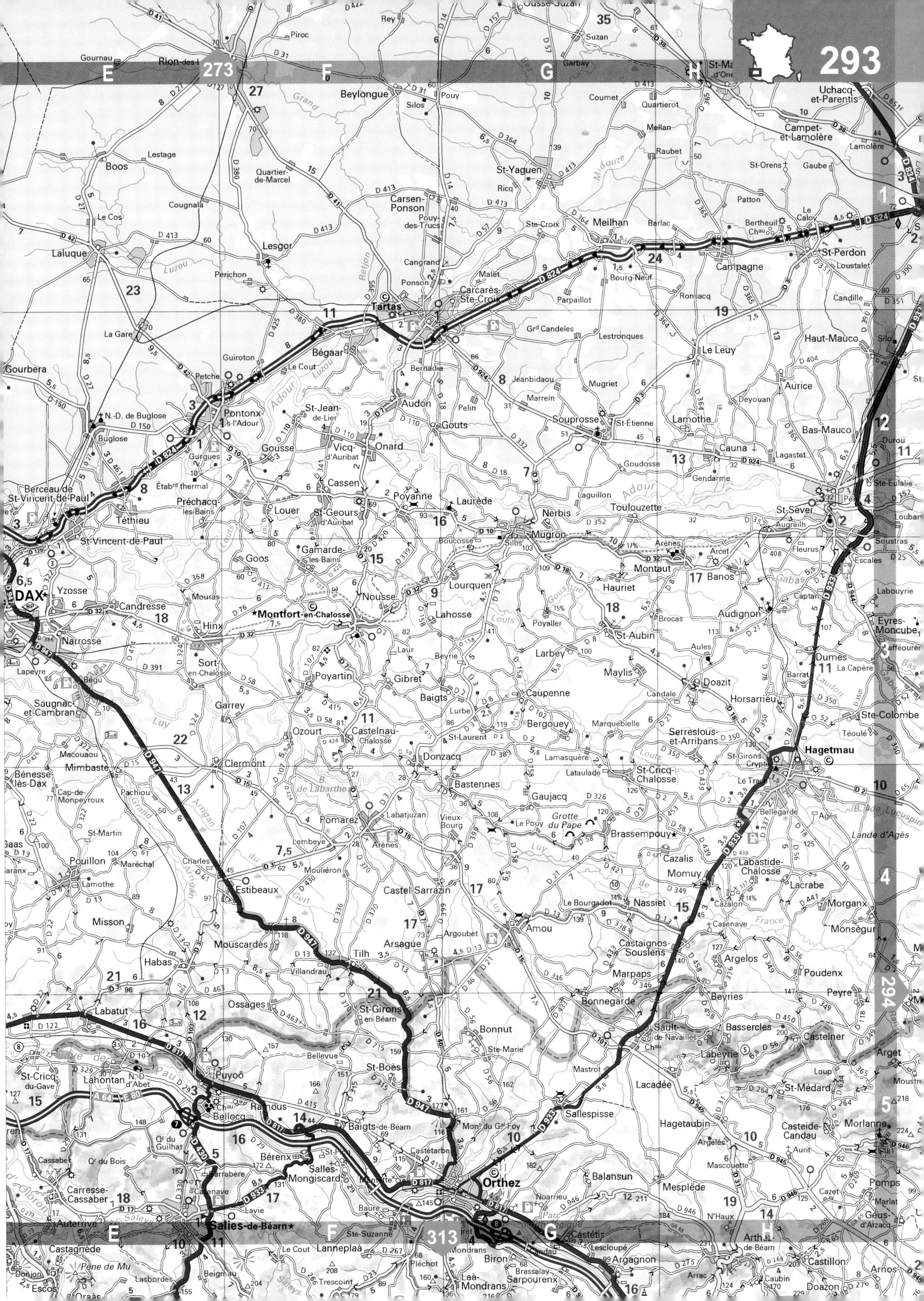
Tartas
Bégaar
Pontonx-s-l'Adour
Meilhan
Campagne
St-Perdon
St-Yaguen
Carcarès-Ste-Croix
Laluque
Lesgor
Boos
Beylongue
Rion-des-L
Ucháçq-et-Parentis
Campet-et-Lamolère
Souprosse
Cauna
Audon
Gouts
Onard
Vicq-d'Auribat
Poyanne
Laurède
Mugron
St-Sever
Montaut
Banos
Audignon
Hauriet
Nousse
Lourquen
Lahosse
Montfort-en-Chalosse
DAX
Yzosse
Candresse
Narrosse
Hinx
Sort-en-Chalosse
St-Vincent-de-Paul
Berceau de St-Vincent-de-Paul
Téthieu
Préchacq-les-Bains
Gamarde-les-Bains
Goos
Poyartin
Gibret
Baigts
Caupenne
Bergouey
Doazit
Maylis
Larbey
St-Aubin
Horsarrieu
Hagetmau
Serreslous-et-Arribans
St-Cricq-Chalosse
Donzacq
Bastennes
Gaujacq
Grotte du Pape
Brassempouy
Castelnau-Chalosse
Ozourt
Clermont
Garrey
Pomarez
Arènes
Labatjuzan
Amou
Nassiet
Castaignos-Souslens
Momuy
Labastide-Chalosse
Morganx
Monségur
Argelos
Poudenx
Peyre
Bonnegarde
Marpaps
Beyries
Sault-de-Navailles
Castelner
Labeyrie
Lacadée
St-Médard
Morlanne
Casteide-Candau
Hagetaubin
Sallespisse
Orthez
Balansun
Mesplède
Castétis
Argagnon
Biron
Sarpourenx
Castel-Sarrazin
Arsague
Tilh
St-Girons-en-Béarn
Bonnut
Ste-Marie
St-Boès
Baigts-de-Béarn
Castétarbe
Salles-Mongiscard
Bérenx
Puyoô
Ramous
Bellocq
Lahontan
St-Cricq-du-Gave
Carresse-Cassaber
Salies-de-Béarn
Auterrive
Castagnède
Escos
Labatut
Habas
Mouscardès
Ossages
Estibeaux
Misson
Pouillon
Mimbaste
Bénesse-lès-Dax
Saugnac-et-Cambran
Gourbera
Buglose
Gousse
Louer
Cassen
St-Geours-d'Auribat
St-Jean-de-Lier
Haut-Mauco
Aurice
Bas-Mauco
Eyres-Moncube
Dumes
Ste-Colombe
Lanneplaa
Laà-Mondrans
Castillon
Arthez-de-Béarn
Pomps
Géus-d'Arzacq
A 64 E 80
273
294
313

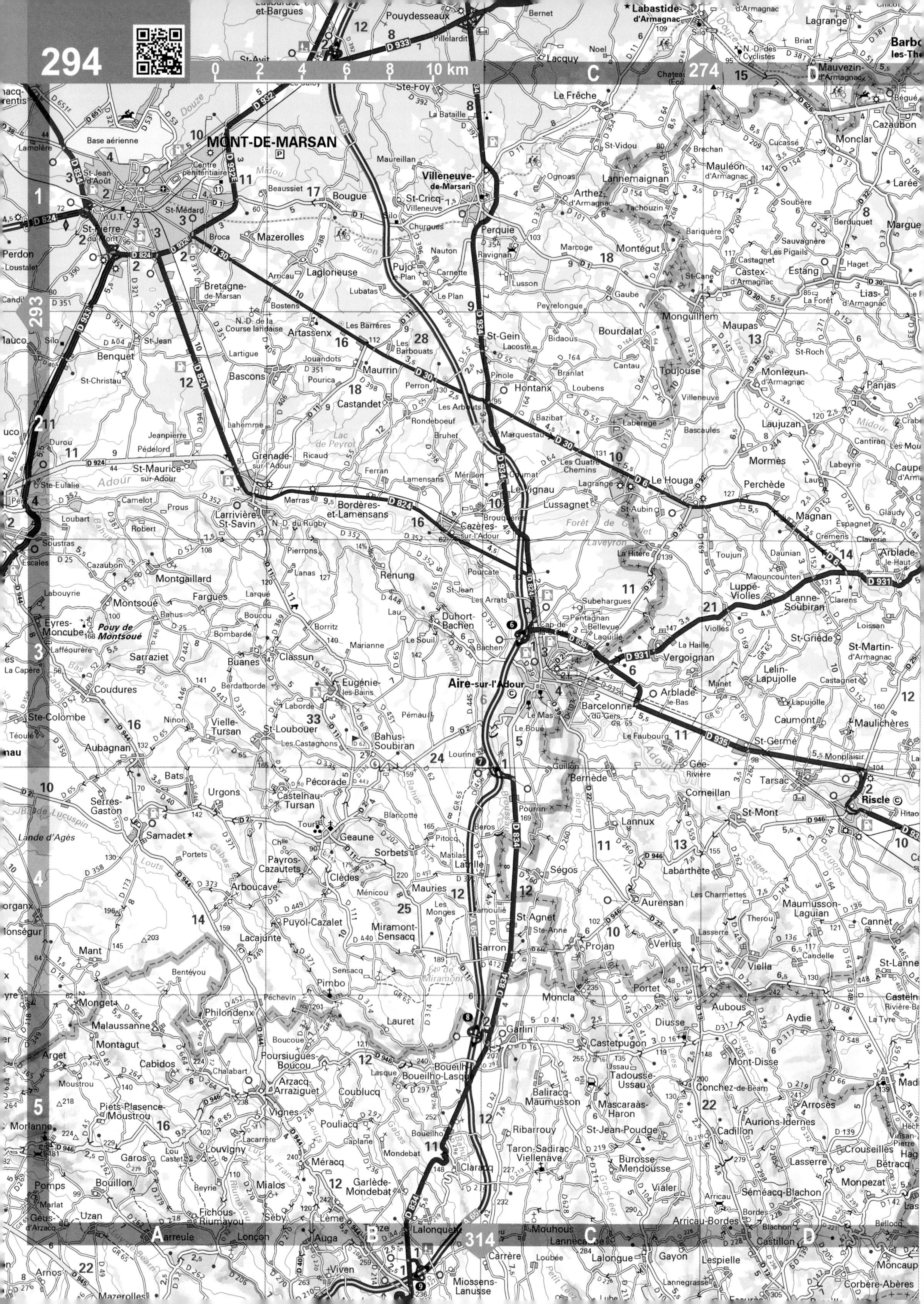
0 2 4 6 8 10 km
274
293
314
MONT-DE-MARSAN
Base aérienne
St-Pierre-du-Mont
St-Médard
Mazerolles
Bougue
Villeneuve-de-Marsan
St-Cricq-Villeneuve
Perquie
Pouydesseaux
Lacquy
Labastide-d'Armagnac
Le Frêche
Lagrange
Mauvezin-d'Armagnac
Monclar
Cazaubon
Lannemaignan
Mauléon-d'Armagnac
Arthez-d'Armagnac
Montégut
Castex-d'Armagnac
Estang
Bretagne-de-Marsan
Laglorieuse
Pujo-le-Plan
Artassenx
St-Gein
Hontanx
Bourdalat
Monguilhem
Toujouse
Maupas
Monlezun-d'Armagnac
Panjas
Benquet
Bascons
Maurrin
Castandet
Laujuzan
Mormès
Le Houga
Perchède
Magnan
Grenade-sur-l'Adour
St-Maurice-sur-Adour
Larrivière-St-Savin
Bordères-et-Lamensans
Cazères-sur-l'Adour
Le Vignau
Lussagnet
Montgaillard
Renung
Duhort-Bachen
Luppé-Violles
Lanne-Soubiran
St-Griède
Vergoignan
Classun
Eugénie-les-Bains
Aire-sur-l'Adour
Barcelonne-du-Gers
Arblade-le-Bas
Caumont
Maulichères
Coudures
Aubagnan
Vielle-Tursan
St-Loubouer
Bahus-Soubiran
Bernède
Corneillan
St-Mont
Riscle
Serres-Gaston
Samadet
Urgons
Castelnau-Tursan
Pécorade
Geaune
Sorbets
Latrille
Ségos
Lannux
Labarthète
Arboucave
Payros-Cazautets
Clèdes
Mauries
Aurensan
Maumusson-Laguian
Puyol-Cazalet
Lacajunte
Miramont-Sensacq
St-Agnet
Sarron
Projan
Verlus
Viella
Cannet
Mant
Pimbo
Lauret
Moncla
Portet
Aubous
Aydie
Philondenx
Malaussanne
Garlin
Castetpugon
Diusse
Mont-Disse
Montagut
Cabidos
Poursiugues-Boucou
Boueilh-Boueilho-Lasque
Arzacq-Arraziguet
Coublucq
Balirac-Maumusson
Tadousse-Ussau
Conchez-de-Béarn
Piets-Plasence-Moustrou
Vignes
Pouliacq
Mascaraàs-Haron
Ribarrouy
St-Jean-Pouge
Aurions-Idernes
Cadillon
Crouseilles
Louvigny
Garos
Méracq
Garlède-Mondebat
Claracq
Taron-Sadirac-Viellenave
Burosse-Mendousse
Lasserre
Bétracq
Bouillon
Mialos
Vialer
Séméacq-Blachon
Monpezat
Pomps
Uzan
Géus-d'Arzacq
Fichous-Riumayou
Séby
Lème
Lalonquette
Mouhous
Lannecaube
Arricau-Bordes
Castillon
Arnos
Auga
Carrère
Lalongue
Gayon
Lespielle
Moncaup
Viven
Miossens-Lanusse
Corbère-Abères
Mazerolles
Adour
Douze
Midou
Forêt de Géloux
A B C D
1 2 3 4 5

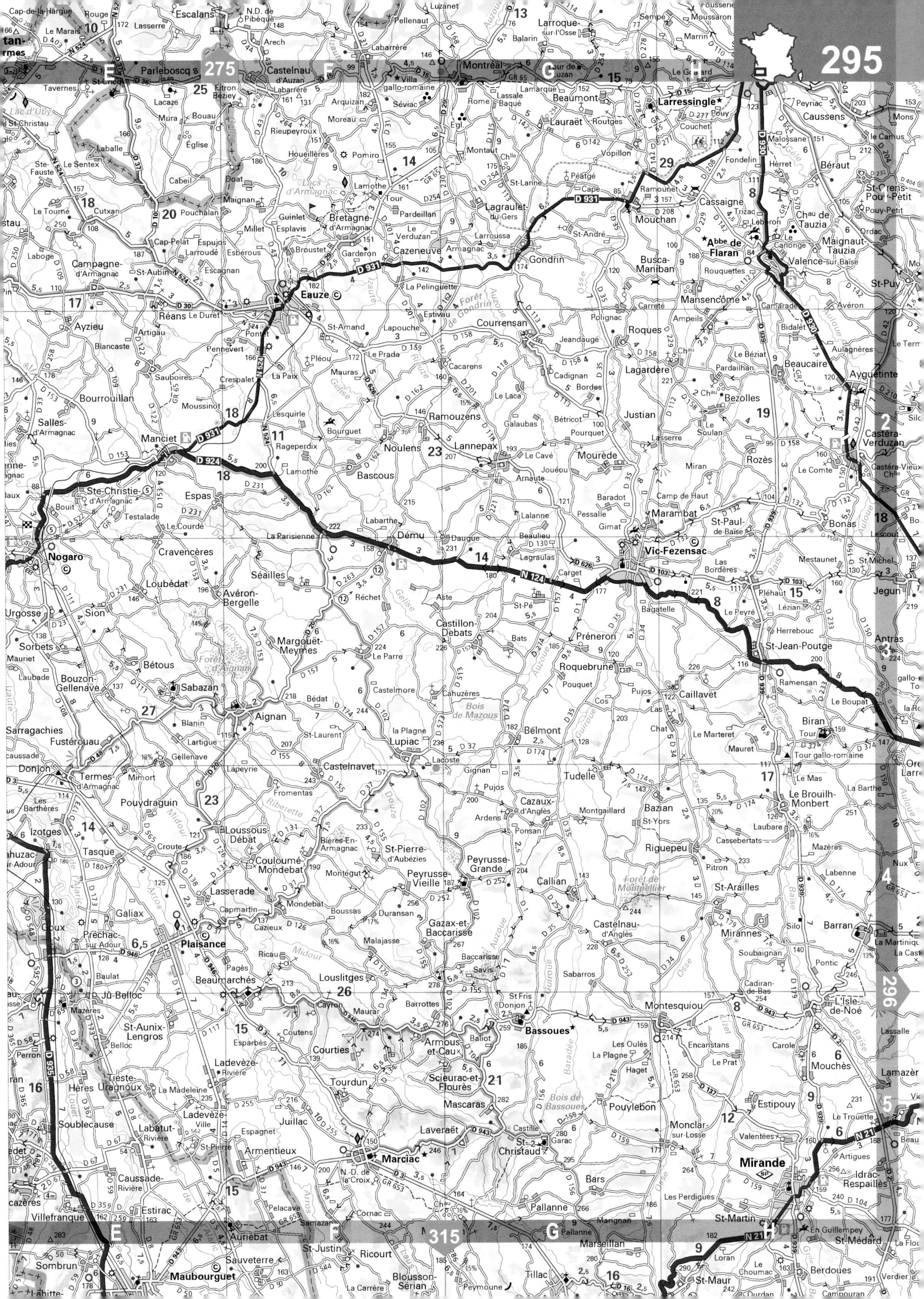
275
315
296
Eauze
Manciet
Nogaro
Vic-Fezensac
Aignan
Plaisance
Marciac
Mirande
Maubourguet
Montréal
Larressingle
Valence-sur-Baïse
Cazeneuve
Gondrin
Lagraulet-du-Gers
Mouchan
Cassaigne
Abbe de Flaran
Castelnau-d'Auzan
Parleboscq
Campagne-d'Armagnac
Réans
Bretagne-d'Armagnac
Courrensan
Roques
Lagardère
Beaucaire
Bezolles
Ramouzens
Noulens
Lannepax
Mourède
Justian
Bascous
Dému
Marambat
St-Paul-de-Baïse
Séailles
Cravencères
Espas
Ste-Christie-d'Armagnac
Loubédat
Avéron-Bergelle
Castillon-Debats
Préneron
Roquebrune
St-Jean-Poutge
Margouët-Meymes
Sabazan
Bétous
Bouzon-Gellenave
Termes-d'Armagnac
Lupiac
Castelnavet
Belmont
Tudelle
Biran
Caillavet
Bazian
Le Brouilh-Monbert
Cazaux-d'Anglès
Riguepeu
Peyrusse-Grande
Peyrusse-Vieille
Loussous-Débat
Couloumé-Mondebat
Callian
St-Arailles
Castelnau-d'Anglès
Mirannes
Barran
Gazax-et-Baccarisse
Louslitges
Beaumarchés
Bassoues
Montesquiou
L'Isle-de-Noé
Mouchès
Armous-et-Cau
Scieurac-et-Flourès
Courties
Tourdun
Juillac
Laveraët
Mascaras
St-Christaud
Pouylebon
Monclar-sur-Losse
Estipouy
Idrac-Respailles
Pallanne
Marseillan
Tillac
Auriébat
Sauveterre
Ricourt
Blousson-Sérian
St-Justin
Villefranque
Estirac
Ladevèze-Rivière
Ladevèze-Ville
Armentieux
Préchac-sur-Adour
Galiax
St-Aunix-Lengros
Jû-Belloc
Riscle
Tasque
Izotges
Sarragachies
Fustérouau
Donjon
Pouydraguin
Salles-d'Armagnac
Bourrouillan
Cutxan
Pouchalan
Laballe
Le Sentex
St-Christau
Lac d'Uby
Montaut
Beaumont
Lauraët
Vopillon
Séviac
Villa gallo-romaine
Forêt de Gondrin
Forêt d'Aignan
Bois de Mazous
Forêt de Montpellier
Bois de Bassoues
Tour gallo-romaine
N 124
N 524
N 21
D 931
D 924
D 930
D 939
D 943
D 946
D 935
Midour
Douze
Osse
Baïse
Auzoue
Gélise
Izaute
Arros
Guiroue
Lizet

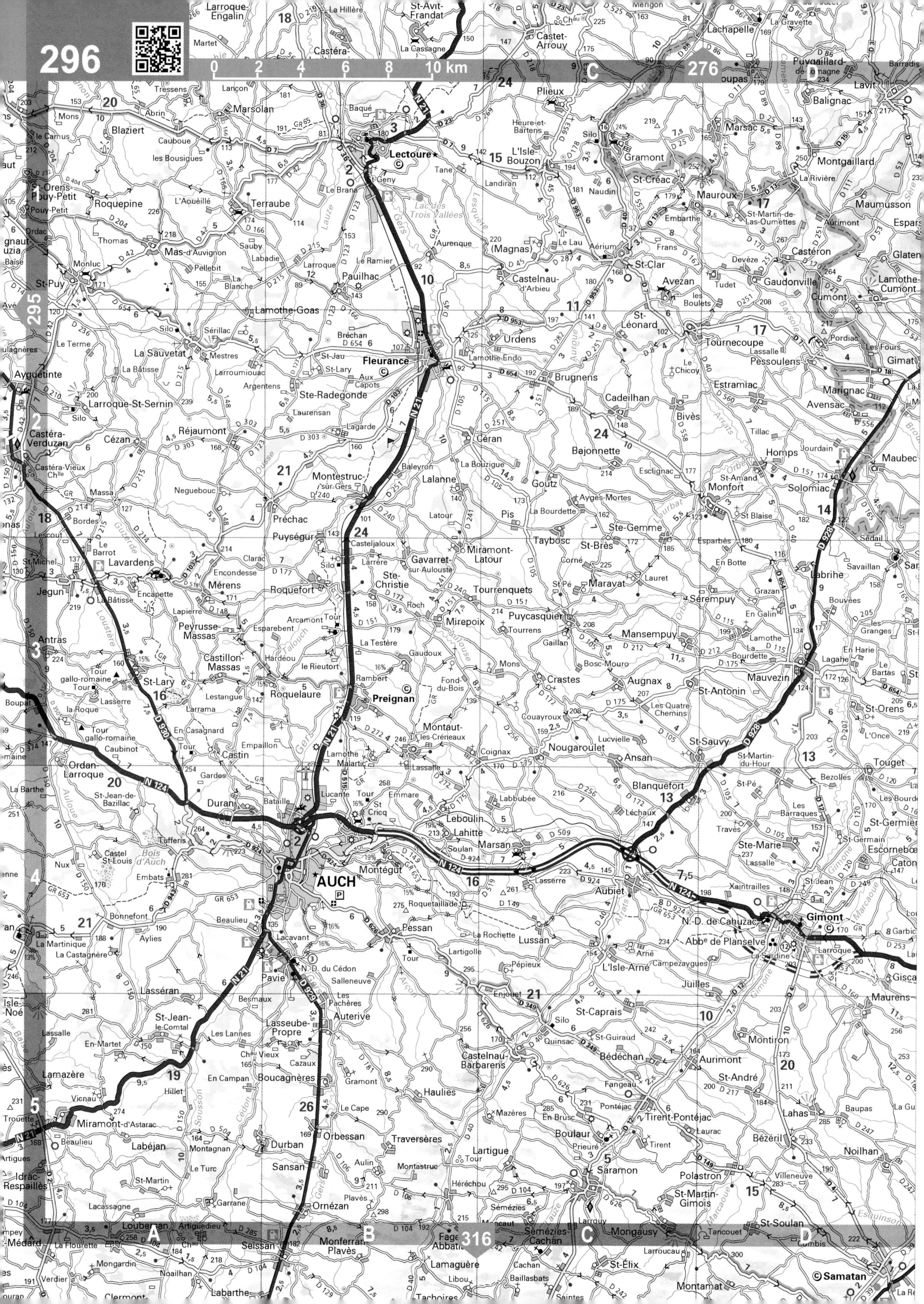
0 2 4 6 8 10 km
276
295
316
A
B
C
D
1
2
3
4
5
Larroque-Engalin
St-Avit-Frandat
La Cassagne
Castéra-
Castet-Arrouy
Lachapelle
La Gravette
Puygaillard-de-Lomagne
Lavit
Balignac
Plieux
Tressens
Lançon
Marsolan
Abrin
Baqué
Lectoure
Mons
Blaziert
le Camus
Cauboue
les Bousigues
Heure-et-Bartens
L'Isle-Bouzon
Silo
Gramont
Marsac
Montgaillard
St-Geny
Tane
Landiran
Naudin
St-Créac
La Rivière
St-Orens-Pouy-Petit
Roquepine
L'Aouëillé
Terraube
Le Brana
Lac des Trois Vallées
Mauroux
Embarthe
St-Martin-de-Las-Oumettes
Maumusson
Pouy-Petit
Aurimont
Espars
Thomas
Mas-d'Auvignon
Sauby
Labadie
Aurenque
(Magnas)
Le Lau
Aérium
Frans
Castéron
Monluc
Pellebit
Larroque
Le Ramier
Pauilhac
St-Clar
Devèze
Glaten
St-Puy
La Blanche
Castelnau-d'Arbieu
Avezan
Tudet
Gaudonville
Lamothe-Cumont
Cumont
Lamothe-Goas
les Boulets
Silo
Sérillac
Bréchan
Urdens
St-Léonard
Tournecoupe
Lassalle
Pordiac
Les Fours
Le Terme
La Sauvetat
Mestres
St-Jau
Fleurance
Lamothe-Endo
Pessoulens
Gimat
Ayguetinte
La Bâtisse
Larroumiouac
St-Lary
Aux Capots
Brugnens
Le Chicoy
Estramiac
Argentens
Ste-Radegonde
Marignac
Larroque-St-Sernin
Laurensan
Cadeilhan
Avensac
Silo
Bivès
Castéra-Verduzan
Cézan
Réjaumont
Lagarde
Géran
Tillac
Bajonnette
Maubec
Castéra-Vieux
Homps
Montestruc-sur-Gers
Baleyron
La Bouzigue
Lalanne
Esclignac
St-Amand
Monfort
Solomiac
Massa
Neguebouc
Goutz
Ayges-Mortes
Bordes
Latour
Pis
La Bourdette
St Blaise
Lescout
Préchac
Puységur
Ste-Gemme
Esparbès
Sédail
Le Barrot
Castéljaloux
Gavarret-sur-Aulouste
Miramont-Latour
Taybosc
St-Brès
St-Michel
Lavardens
Clarac
Larrère
Corné
En Botte
Savaillan
Labrihe
Jegun
Encondesse
Mérens
Silo
Ste-Christie
Lauret
Tourrenquets
Roquefort
St Pé
Maravat
Grazan
La Bâtisse
Encapette
Roch
Sérempuy
Bouvées
Lapierre
Mirepoix
Puycasquier
En Galin
les Granges
Peyrusse-Massas
Arcamont
Tourrens
Mansempuy
Lamothe
Esparebent
Gaillan
La Bourdette
En Harie
Antras
La Testère
Lagarde
Castillon-Massas
Hardéou
Gaudoux
Mons
Bosc-Mouro
Le Bartas
le Rieutort
Mauvezin
Tour gallo-romaine
St-Lary
Rambert
Crastes
Augnax
St-Antonin
Tour
Fond-du-Bois
Lasserre
Lestangue
Roquelaure
Preignan
Les Quatre Chemins
St-Orens
Boupat
la Roque
Larrama
Couayroux
Tour gallo-romaine
En-Casagnard
Montaut-les-Créneaux
Lucvielle
St-Sauvy
L'Once
Caubinot
Tour
Empaillon
Castin
Nougaroulet
Coignax
Ansan
St-Martin-du-Hour
Touget
Ordan-Larroque
Lamothe
Malartic
Lassalle
Gardes
Bezolles
La Barthe
St-Jean-de-Bazillac
Emmare
Blanquefort
St-Pé
Les Bourdets
Duran
Bataille
Lucante
Tour
Labbubée
Léchaux
Les Barraques
St Cricq
Leboulin
Travès
St-Germier
Tufferis
Lahitte
Ste-Marie
St-Germain
Castel St-Louis
Bois d'Auch
Soulan
Marsan
Escornebœuf
Nux
Lassalle
Caton
Embats
AUCH
Montégut
Lasserre
Aubiet
St-Jean
Roquetaillade
Xaintrailles
Bonnefont
Beaulieu
N.-D. de Cahuzac
Gimont
La Martinique
Aylies
Lacavant
Pessan
La Rochette
Lussan
Abbe de Planselve
Garbic
La Castagnère
N.-D. du Cédon
Tour
Lartigolle
Arné
Campezaygues
Larroque
La Sardine
Pavie
Salleneuve
Pépieux
L'Isle-Arné
Juilles
Gisca
Lasséran
Besmaux
Les Pachères
Enjouet
Maurens
Isle-Noé
Auterive
Silo
St-Caprais
St-Jean-le-Comtal
Les Lannes
Lasseube-Propre
Lassalle
En-Martet
Chau Vieux
Castelnau-Barbarens
Quinsac
St-Guiraud
Montiron
Cazaux
Bédéchan
Aurimont
Lamazère
En Campan
Boucagnères
Gramont
St-André
Hillet
Haulies
Fangeau
Vicnau
Le Cape
Pontéjac
Lahas
Baupas
Trouette
Miramont-d'Astarac
Mazères
En Brusc
Tirent-Pontéjac
Laurac
Beaulieu
Labéjan
Montagnan
Durban
Orbessan
Traversères
Boulaur
Tirent
Bézéril
Noilhan
Lartigue
Prieuré
Le Turc
Sansan
Aulin
Tour
Montastruc
Saramon
Polastron
Villeneuve
Idrac-Respailles
St-Martin
Héréchou
St-Martin-Gimois
Garrane
Plavès
Sémézies
Lacassagne
Ornézan
Esquinson
Louberan
Artiguedieu
Larroy
St-Soulan
St-Médard
La Flourette
Seissan
Monferran-Plavès
Fage
Abbatia
Sémézies-Cachan
Mongausy
Tancouet
Combis
Larroucau
Mongardin
Noailhan
Lamaguère
Cachan
St-Élix
Verdier
Labarthe
Libou
Baillasbats
Montamat
Samatan
Clermont
Tachoires
Saintes
La Re
N 21
N 124
D 928
D 930
D 929
D 654
D 953

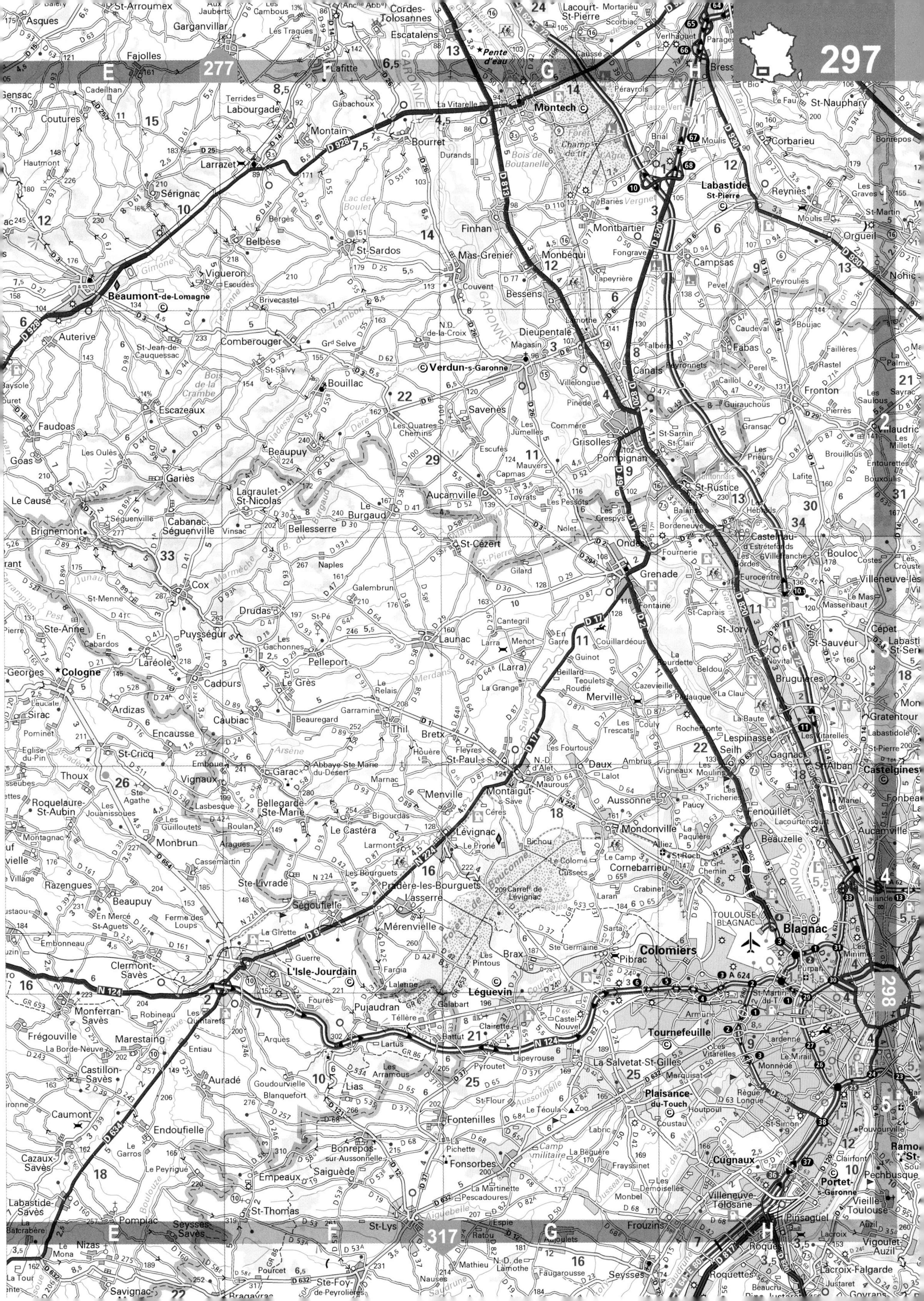
277
298
317
Montech
Beaumont-de-Lomagne
Verdun-s-Garonne
Labastide-St-Pierre
Grisolles
Pompignan
Grenade
Castelnau-d'Estrétefonds
Fronton
Cadours
Cologne
L'Isle-Jourdain
Léguevin
Colomiers
Blagnac
Tournefeuille
Plaisance-du-Touch
Cugnaux
Villeneuve-Tolosane
Portet-s-Garonne
Castelginest
Aucamville
St-Jory
St-Sardos
Larrazet
Sérignac
Finhan
Mas-Grenier
Montbartier
Campsas
Bessens
Dieupentale
Canals
Bouillac
Savenès
Aucamville
St-Cézert
Launac
Merville
Daux
Seilh
Aussonne
Mondonville
Cornebarrieu
Pibrac
Brax
Montaigut-s-Save
Lévignac
Pujaudran
Fontenilles
Fonsorbes
St-Lys
Frouzins
Seysses
Roques
Pinsaguel
Monferran-Savès
Clermont-Savès
Ségoufielle
Pradère-les-Bourguets
Mérenvielle
La Salvetat-St-Gilles
Saiguède
Empeaux
Bonrepos-sur-Aussonnelle
St-Thomas
Forêt de Bouconne
GARONNE
D 928
D 813
D 820
D 2
D 17
N 124
N 224
A 62
A 624
TOULOUSE BLAGNAC

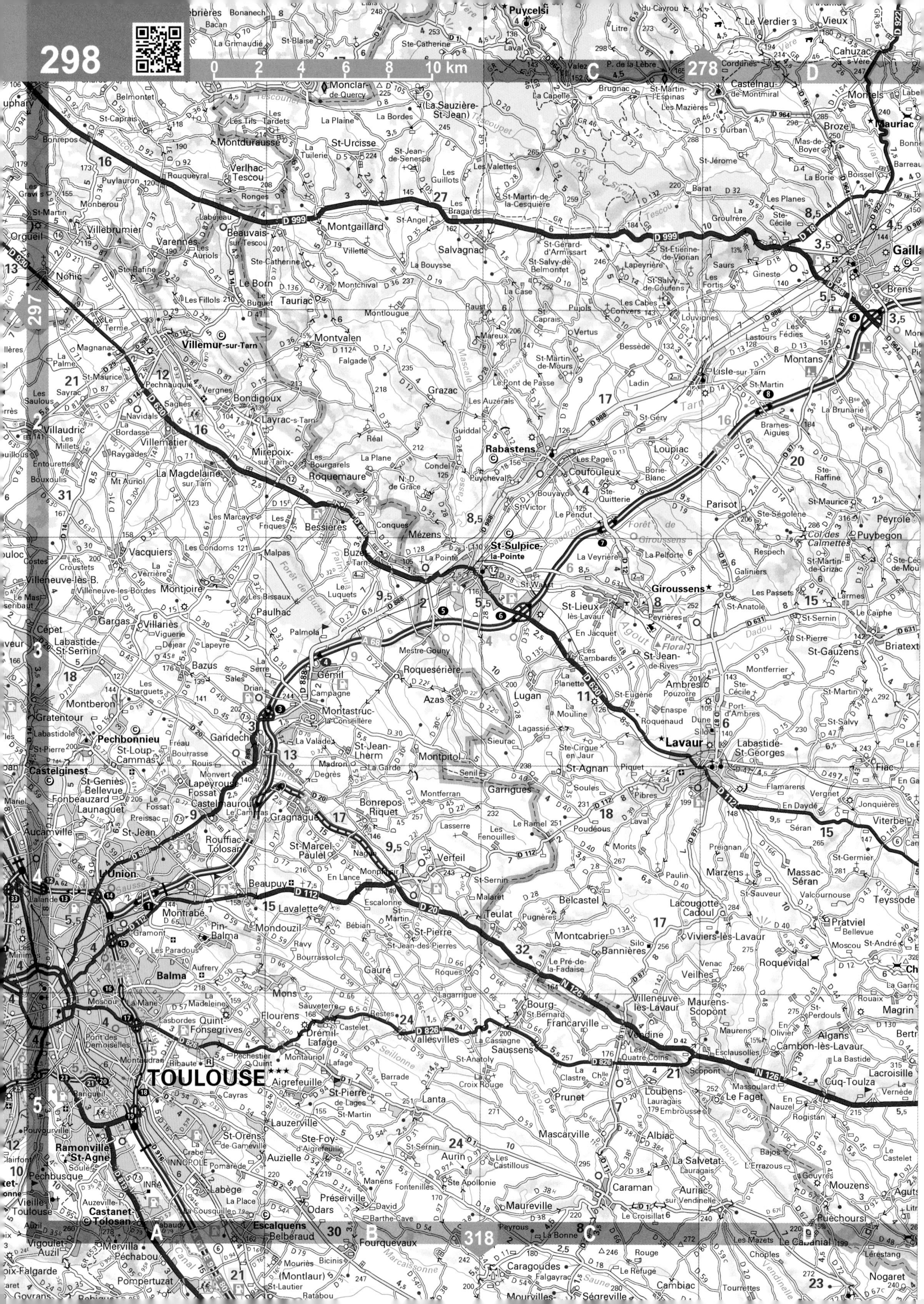
0 2 4 6 8 10 km
278
297
318
A
B
C
D
Puycelsi
Monclar-de-Quercy
Montdurausse
Verlhac-Tescou
Villebrumier
Orgueil
Nohic
Beauvais-sur-Tescou
Montgaillard
Salvagnac
Castelnau-de-Montmiral
Gaillac
Lisle-sur-Tarn
Villemur-sur-Tarn
Montvalen
Grazac
Rabastens
Coufouleux
St-Sulpice-la-Pointe
Bessières
Buzet-s-Tarn
Mirepoix-sur-Tarn
Bondigoux
Layrac-s-Tarn
La Magdelaine-sur-Tarn
Villematier
Giroussens
Montans
Parisot
Peyrole
Vacquiers
Montjoire
Paulhac
Bazus
Gémil
Montastruc-la-Conseillère
Roqueserière
Azas
Lugan
Lavaur
St-Lieux-lès-Lavaur
Ambres
Labastide-St-Georges
St-Jean-de-Rives
Garidech
Pechbonnieu
St-Loup-Cammas
Castelginest
Fonbeauzard
Launaguet
Aucamville
L'Union
Castelmaurou
Gragnague
Lapeyrouse-Fossat
Rouffiac-Tolosan
St-Jean
Montrabé
Balma
Pin-Balma
Lavalette
Beaupuy
Mondouzil
Verfeil
Teulat
Bourg-St-Bernard
Francarville
Saussens
Villeneuve-lès-Lavaur
Vendine
Maurens-Scopont
Roquevidal
Viviers-lès-Lavaur
Belcastel
Montcabrier
Bannières
Massac-Séran
Viterbe
Teyssode
Cuq-Toulza
Lacroisille
Cambon-lès-Lavaur
Algans
TOULOUSE
Quint-Fonsegrives
Flourens
Drémil-Lafage
Vallesvilles
Aigrefeuille
Lanta
Prunet
Loubens-Lauragais
Caraman
Mascarville
Ste-Foy-d'Aigrefeuille
Auzielle
Lauzerville
St-Orens-de-Gameville
Ramonville-St-Agne
Labège
Castanet-Tolosan
Escalquens
Belberaud
Odars
Préserville
Aurin
Maureville
La Salvetat-Lauragais
Auriac-sur-Vendinelle
Mouzens
Puéchoursi
Fourquevaux
Caragoudes
Cambiac
Ségreville
Pompertuzat
Mervilla
Péchabou
Vigoulet-Auzil
N 126
A 68
A 61
A 620

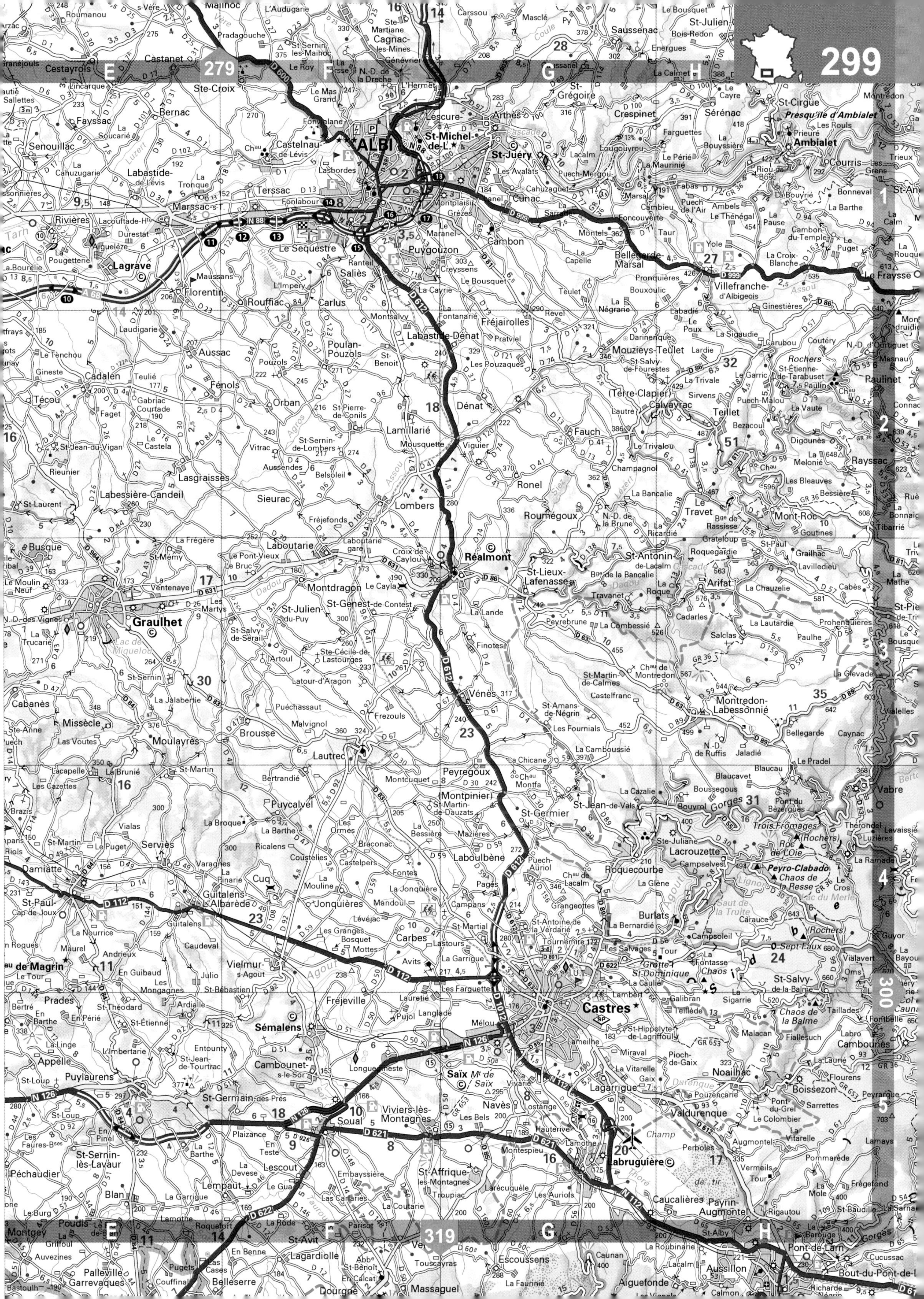
ALBI
St-Juéry
Ambialet
Lescure-d'A.
St-Michel-de-L.
Arthès
Cagnac-les-Mines
Castelnau-de-Lévis
Marssac-s-T.
Terssac
Lagrave
Le Sequestre
Puygouzon
Saliès
Cunac
Cambon
Villefranche-d'Albigeois
Le Fraysse
Bellegarde-Marsal
Florentin
Rouffiac
Carlus
Labastide-Dénat
Fréjairolles
Mouzieys-Teulet
Poulan-Pouzols
Dénat
Lamillarié
Orban
Fénols
Cadalen
Técou
Teillet
Calvayrac
Fauch
Sieurac
Lombers
Ronel
Roumégoux
Laboutarie
Réalmont
St-Lieux-Lafenasse
St-Antonin-de-Lacalm
Arifat
Busque
Graulhet
Montdragon
St-Genest-de-Contest
St-Julien-du-Puy
Labessière-Candeil
Lasgraisses
Montredon-Labessonnié
Vènes
Brousse
Moulayrès
Missècle
Lautrec
Peyregoux
St-Germier
St-Jean-de-Vals
Puycalvel
Serviès
Roquecourbe
Lacrouzette
Burlats
Cuq
Guitalens-L'Albarède
Jonquières
Laboulbène
Carbes
Damiatte
St-Paul-Cap-de-Joux
Vielmur-s-Agout
Fréjeville
Sémalens
Castres
Lagarrigue
Noailhac
Boissezon
Valdurenque
Labruguière
Saïx
Navès
Soual
Viviers-lès-Montagnes
Cambounet-s-le-Sor
Puylaurens
Appelle
St-Germain-des-Prés
St-Affrique-les-Montagnes
Lempaut
Lescout
St-Sernin-lès-Lavaur
Péchaudier
Aussillon
Pont-de-Larn
Caucalières
Payrin-Augmontel
Escoussens
Massaguel
Dourgne
Lagardiolle
St-Avit
Palleville
Garrevaques
Belleserre
Aiguefonde
Cambounès
St-Salvy-de-la-Balme
Vabre
Rayssac
Mont-Roc
Raulinet
Trois Fromages
Peyro-Clabado
Chaos de la Balme
Gorges
E
F
G
H
279
319
300

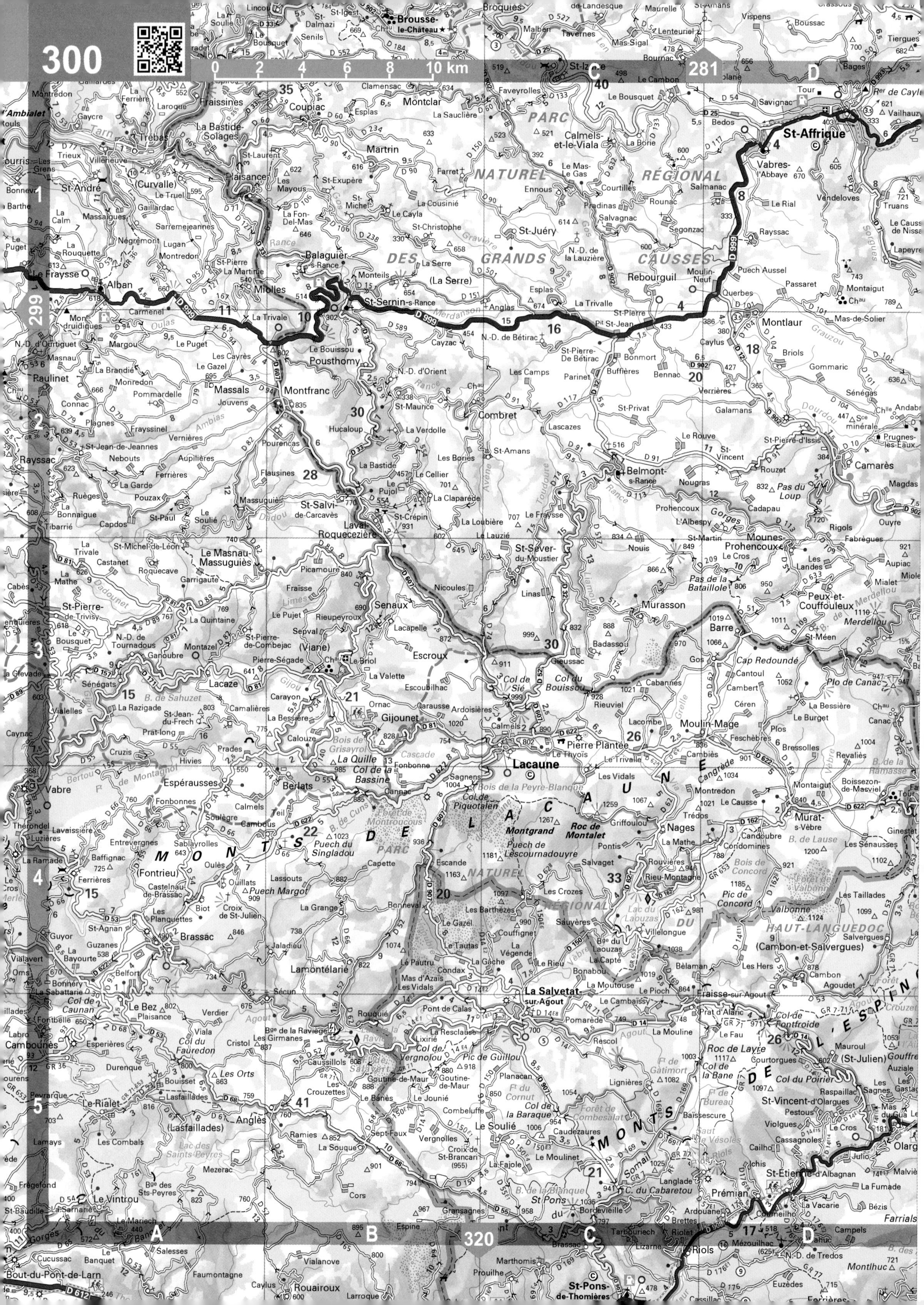
0 2 4 6 8 10 km
281
299
320
A
B
C
D
1
2
3
4
5
St-Affrique
Lacaune
La Salvetat-sur-Agout
Belmont-s-Rance
Camarès
St-Sernin-s-Rance
Alban
Le Fraysse
Brassac
Anglès
St-Pons-de-Thomières
Brousse-le-Château
Coupiac
Plaisance
Balaguier-s-Rance
Combret
Murasson
Montlaur
Vabres-l'Abbaye
St-Izaire
Murat-s-Vèbre
Gijounet
Vabre
Le Vintrou
Olargues
Riols
Ambialet
Trébas
Massals
Montfranc
Pousthomy
St-Salvi-de-Carcavès
Le Masnau-Massuguiès
Senaux
Escroux
Nages
Fraisse-sur-Agout
St-Étienne-d'Albagnan
Prémian
Lacaze
Berlats
Espérausses
Castelnau-de-Brassac
Cambounès
Le Rialet
Le Bez
Rouairoux
Bout-du-Pont-de-Larn
PARC NATUREL RÉGIONAL DES GRANDS CAUSSES
PARC NATUREL RÉGIONAL DU HAUT-LANGUEDOC
MONTS DE LACAUNE
MONTS DE L'ESPINOUSE
Col de Sié
Col du Bouissou
Pas de la Bataillole
Puech du Singladou
Puech Margot
Montgrand
Roc de Montalet
Puech de Lescournadouyre
Lac du Laouzas
Pic de Concord
Roc de Layre
Col de la Bane
Col du Poirier
Col de Fontfroide
Col de Caunan
Col du Fauredon
Pic de Guillou
Col de Vergnolou
Col de la Baraque
Forêt de Montroucous
Forêt de Combesalat
Lac des Saints-Peyres
D 999
D 607
D 622
D 612
D 902
D 81
D 53
D 68
D 907
D 14
D 162

282
321
302
E
F
G
H
1
2
3
4
5
GRANDS CAUSSES
DU LARZAC
Roquefort-s-Soulzon
Ste-Eulalie-de-Cernon
L'Hospitalet-du-Larzac
St-Jean-d'Alcapiès
Viala-du-Pas-de-Jaux
St-Paul-des-Fonts
(St-Jean-et-St-Paul)
La Couvertoirade
Rocher du Larzac
Tour des Aiguillons
Cornus
St-Beaulize
Versols-et-Lapeyre
St-Félix-de-Sorgues
(Marnhagues-et-Latour)
St-Maurice-de-Sorgues
Fondamente
Le Caylar
Aven de Mas-Raynal
Plateau de Guilhaumard
Pas de Licous
Gissac
Sylvanès
Montagnol
Les Rives
Pas de l'Escalette
St-Michel
Col Notre-Dame
Ceilhes-et-Rocozels
Roqueredonde
Romiguières
Pégairolles-de-l'Escalette
Cirque de Labeil
Cirque du Bout du Monde
Fayet
Tauriac-de-Camarès
Brusque
Avène
Col de l'Homme Mort
Col du Perthus
Lauroux
Poujols
Soubès
Mélagues
Puy du Lion
Lodève
Prieuré St-Michel-de-Grandmont
Soumont
Arnac-s-Dourdou
Mont Agut
Col du Layrac
Mont Frech
Joncels
Lunas
Le Bousquet-d'Orb
Olmet-et-Villecun
Le Puech
St-Geniès-de-Varensal
Graissessac
St-Étienne-Estréchoux
Camplong
Dio-et-Valquières
Celles
Lac du Salagou
Sommet de l'Espinouse
St-Gervais-sur-Mare
La Tour-sur-Orb
Octon
Clermont-l'Hérault
Col de l'Ourtigas
Rosis
Taussac
Villemagne-l'Argentière
Bédarieux
Carlencas-et-Levas
Mérifons
Salasc
Mourèze
Cirque de Mourèze
Villeneuvette
Lamalou-les-Bains
Combes
Mont Caroux
Hérépian
Pézènes-les-Mines
Valmascle
Cabrières
St-Martin-de-l'Arcon
Mons
Le Poujol-sur-Orb
Faugères
Vailhan
Roquessels
Cabrerolles
Caussiniojouls
Neffiès
Fontès
Adissan
Laurens
Gabian
Roujan
Caux
Nizas
St-Nazaire-de-Ladarez
Autignac
Roquebrun
Berlou
Margon
Lézignan-la-Cèbe
A 75
E 11
D 908
D 902
D 35

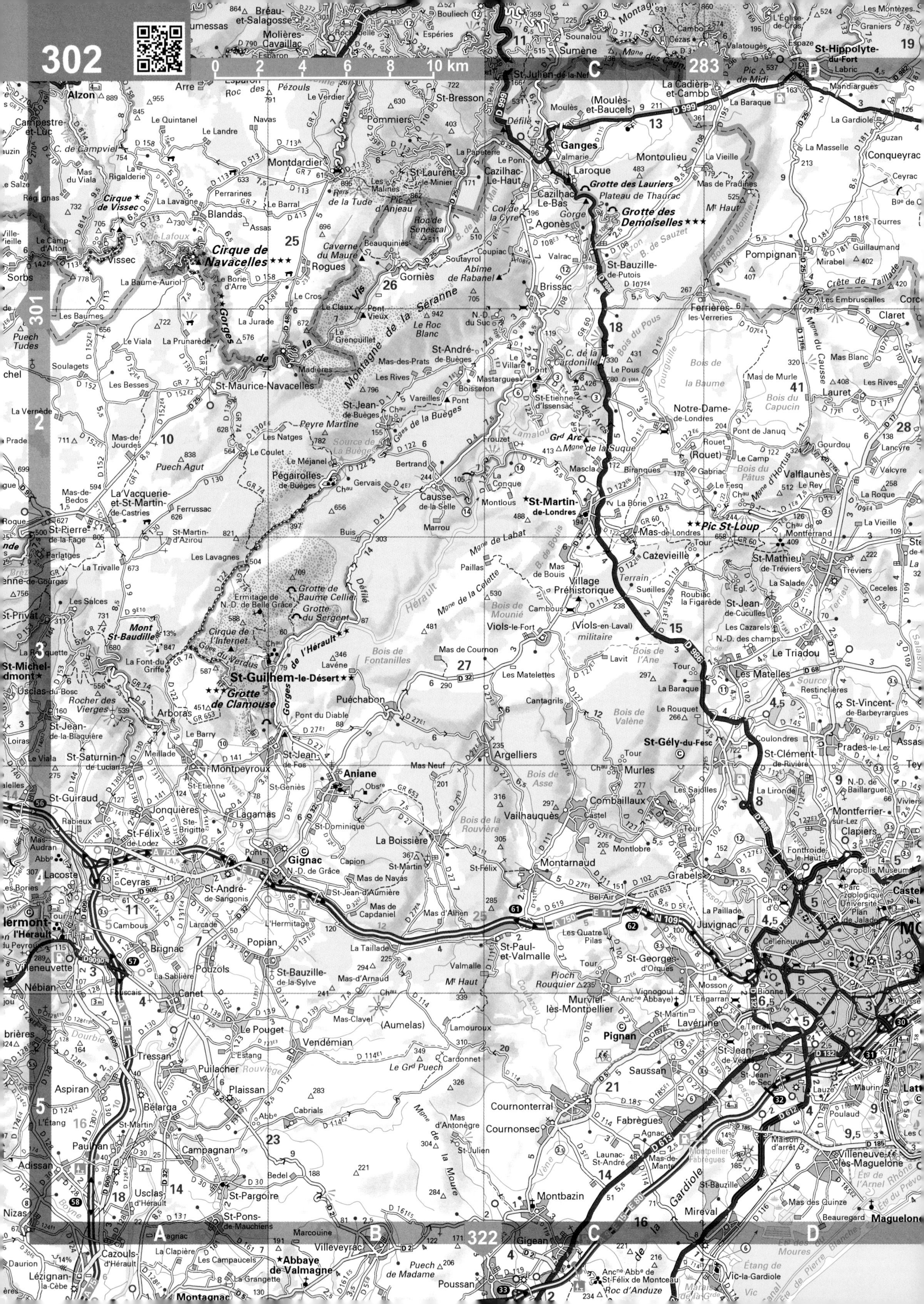
0 2 4 6 8 10 km
283
301
322
A
B
C
D
Alzon
Campestre-et-Luc
Arre
St-Bresson
Pommiers
Montdardier
St-Laurent-le-Minier
Cazilhac-Le-Haut
Ganges
Laroque
Montoulieu
St-Julien-de-la-Nef
Sumène
St-Hippolyte-du-Fort
La Cadière-et-Cambo
Moulès-et-Baucels
Grotte des Lauriers
Plateau de Thaurac
Grotte des Demoiselles ★★★
Cirque de Vissec
Blandas
Cirque de Navacelles ★★★
Vissec
Rogues
Gorniès
Brissac
St-Bauzille-de-Putois
Pompignan
Gorges de la Vis
Montagne de la Séranne
St-Maurice-Navacelles
St-André-de-Buèges
St-Jean-de-Buèges
Pégairolles-de-Buèges
La Vacquerie-et-St-Martin-de-Castries
St-Pierre-de-la-Fage
St-Martin-de-Londres
Notre-Dame-de-Londres
Pic St-Loup ★★
Mas-de-Londres
Cazevieille
St-Mathieu-de-Tréviers
Valflaunès
Ferrières-les-Verreries
Claret
Lauret
Village Préhistorique
Viols-le-Fort
St-Guilhem-le-Désert ★★
Grotte de Clamouse ★★
Gorges de l'Hérault ★★
Mont St-Baudille
Cirque de l'Infernet
Puéchabon
Argelliers
St-Gély-du-Fesc
Les Matelles
St-Vincent-de-Barbeyrargues
St-Clément-de-Rivière
Prades-le-Lez
Montferrier-sur-Lez
Clapiers
Murles
Combaillaux
Vailhauquès
Montarnaud
Grabels
Juvignac
Aniane
Montpeyroux
St-Jean-de-Fos
St-Saturnin-de-Lucian
Jonquières
St-Félix-de-Lodez
St-Guiraud
Lagamas
Gignac
St-André-de-Sangonis
Ceyras
Clermont-l'Hérault
Brignac
Pouzols
Popian
St-Bauzille-de-la-Sylve
La Boissière
St-Paul-et-Valmalle
Murviel-lès-Montpellier
St-Georges-d'Orques
Pignan
Lavérune
Saussan
Fabrègues
Cournonterral
Cournonsec
Vendémian
Le Pouget
Tressan
Puilacher
Plaissan
Aspiran
Paulhan
Bélarga
Campagnan
St-Pargoire
Adissan
Usclas-d'Hérault
Montbazin
Gigean
Villeveyrac
Abbaye de Valmagne
Poussan
Mireval
Vic-la-Gardiole
Villeneuve-lès-Maguelone
Maguelone
Lattes
Montagnac
Cazouls-d'Hérault
Lézignan-la-Cèbe
Nizas
Nébian
Villeneuvette
Canet
Montagne de la Gardiole
Agropolis Museum
Parc zoologique
MONTPELLIER
A 750
A 75
A 9
N 109
D 999
D 986
D 25
D 32

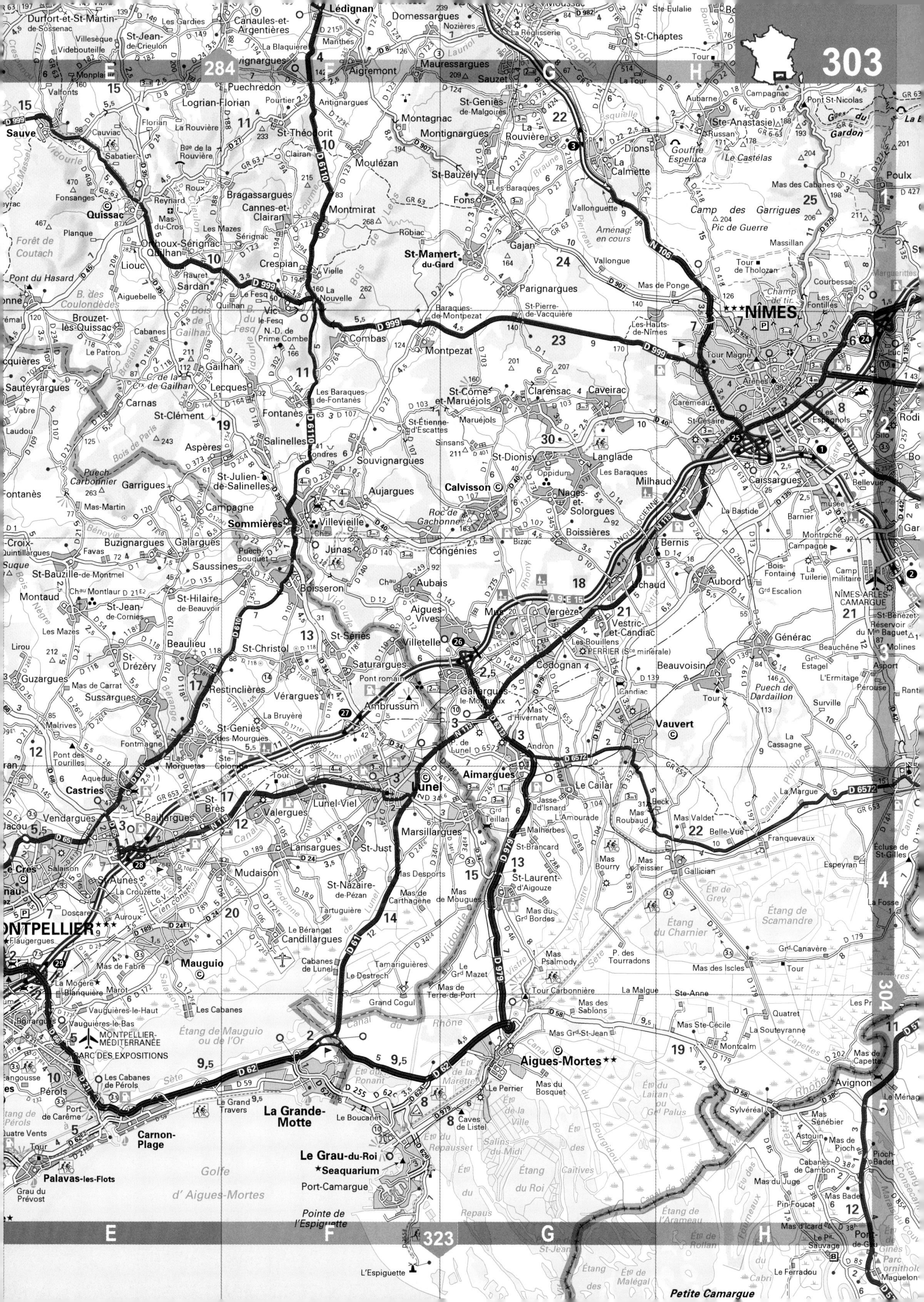

Lédignan
Domessargues
Durfort-et-St-Martin-de-Sossenac
Canaules-et-Argentières
St-Jean-de-Crieulon
St-Chaptes
Aigremont
Mauressargues
Sauzet
Puechredon
Logrian-Florian
St-Geniès-de-Malgoires
Sauve
St-Théodorit
Montagnac
Montignargues
La Rouvière
Moulézan
St-Bauzély
Dions
La Calmette
Gouffre Espeluca
Le Castélas
Bragassargues
Cannes-et-Clairan
Montmirat
Fons
Quissac
Poulx
Mas des Cabanes
Camp des Garrigues
Pic de Guerre
Forêt de Coutach
Orthoux-Sérignac-Quilhan
Crespian
St-Mamert-du-Gard
Gajan
Aménagt en cours
Massillan
Pont du Hasard
Liouc
Sardan
Parignargues
Tour de Tholozan
Courbessac
Vic-le-Fesq
Brouzet-lès-Quissac
Combas
Montpezat
St-Pierre-de-Vacquière
NÎMES
Les-Hauts-de-Nîmes
Tour Magne
Arènes
Gailhan
Sauteyrargues
Lecques
Carnas
St-Clément
Fontanès
St-Côme-et-Maruéjols
Clarensac
Caveirac
St-Étienne-d'Escattes
Maruéjols
Les Espagnols
St-Césaire
Aspères
Salinelles
Souvignargues
St-Dionisy
Langlade
Oppidum
Milhaud
Caissargues
Bellevue
Garrigues
St-Julien-de-Salinelles
Aujargues
Calvisson
Nages-et-Solorgues
Fontanès
Campagne
Sommières
Villevieille
Roc de Gachonne
Boissières
La Bastide
Barnier
Buzignargues
Galargues
Junas
Congénies
Bernis
Montroche
Campagne
Favas
St-Bauzille-de-Montmel
Saussines
Aubais
Uchaud
Aubord
Bois-Fontaine
La Tuilerie
Camp militaire
Montaud
St-Jean-de-Cornies
St-Hilaire-de-Beauvoir
Boisseron
Aigues-Vives
Vergèze
Mus
Vestric-et-Candiac
NÎMES-ARLES-CAMARGUE
Les Mazes
Beaulieu
St-Christol
St-Sériès
Villetelle
Les Bouillens
PERRIER (Sce minérale)
Générac
Guzargues
St-Drézéry
Saturargues
Codognan
Beauvoisin
Mas de Carrat
Sussargues
Restinclières
Vérargues
Pont romain
Ambrussum
Gallargues-le-Montueux
Mas d'Hivernaty
Candiac
Puech de Dardaillon
Vauvert
La Bruyère
St-Geniès-des-Mourgues
Fontmagne
Pont des Tourilles
Les Morguetas
Ste-Colombe
Lunel
Aimargues
Le Cailar
Andron
La Cassagne
Castries
Lunel-Viel
Valergues
St-Brès
Baillargues
Vendargues
Jacou
Jasse-d'Isnard
L'Amourade
Mas Roubaud
Mas Valdet
Belle-Vue
La Margue
Franquevaux
Marsillargues
Lansargues
St-Just
Malherbes
St-Brancard
Mas Bourry
Mas Teissier
Gallician
Le Crès
St-Aunès
Mudaison
Mas Desports
St-Nazaire-de-Pézan
Mas de Carthagène
Mas de Mougues
St-Laurent-d'Aigouze
Étg de Grey
Étang de Scamandre
Espeyran
Écluse de St-Gilles
MONTPELLIER
Auroux
Tartuguière
Le Bérange
Candillargues
Mas du Grd Bordes
Étang du Charnier
La Fosse
Mauguio
Cabanes de Lunel
Tamariguières
Le Destrech
Le Grd Mazet
Mas Psalmody
P. des Tourradons
Mas des Iscles
Grd-Canavère
Tour
La Mogère
Mas de Fabre
Marot
Vauguières-le-Haut
Vauguières-le-Bas
Boirargues
Les Cabanes
Grand Cogul
Mas de Terre-de-Port
Tour Carbonnière
La Malgue
Mas des Sablons
Ste-Anne
Quatret
La Souteyranne
MONTPELLIER-MÉDITERRANÉE
PARC DES EXPOSITIONS
Étang de Mauguio ou de l'Or
Canal du Rhône à Sète
Mas Grd-Jean
Mas Ste-Cécile
Montcalm
Aigues-Mortes
Les Cabanes de Pérols
Pérols
Étg du Ponant
Étg de la Marette
Le Perrier
Mas du Bosquet
Avignon
Mas de Capettes
Port de Carême
Le Grand Travers
La Grande-Motte
Le Boucanet
Caves de Listel
Sylvéréal
Mas Sénébier
Astouin
Mas de Pioch
Pioch-Badet
Carnon-Plage
Palavas-les-Flots
Grau du Prévost
Golfe d'Aigues-Mortes
Le Grau-du-Roi
Seaquarium
Port-Camargue
Pointe de l'Espiguette
Étg du Repausset
Salins du Midi
Étang du Roi
Étg des Caitives
Cabanes de Cambon
Mas du Juge
Mas Bade
Pin-Foucat
Étang de l'Arameau
Mas d'Icard
Le Pt Sauvage
Port-de-Gôu
Parc ornithologique
L'Espiguette
Étg de Malégal
Le Ferradou
Petite Camargue
Méjanes

284
304
323

0 2 4 6 8 10 km
284
303
325
A
B
C
D
1
2
3
4
5
AVIGNON
Villeneuve-lès-Avignon
Rochefort-du-Gard
Le Pontet
Remoulins
Fournès
Estézargues
Domazan
Saze
Les Angles
Barbentane
Rognonas
Châteaurenard
Noves
Montfavet
Morières-lès-A.
Lédenon
Sernhac
St-Bonnet-du-Gard
Poulx
Cabrières
St-Gervasy
Bezouce
Meynes
Montfrin
Théziers
Aramon
Marguerittes
Redessan
Comps
Vallabrègues
Boulbon
Graveson
Eyragues
Maillane
Jonquières-St-Vincent
Manduel
Rodilhan
Bouillargues
Beaucaire
Tarascon
St-Rémy-de-Provence
Les Antiques
Glanum
Garons
Bellegarde
St-Étienne-du-Grès
St-Gabriel
Chaîne des Alpilles
Les Baux-de-Provence
Fontvieille
Paradou
Maussane-les-Alpilles
Mouriès
Abbe de Montmajour
Fourques
ARLES
St-Gilles
Raphèle-lès-Arles
St-Martin-de-Crau
Musée de la Camargue
Albaron
PLAINE DE LA CRAU
Étang de Vaccarès
PARC NATUREL RÉGIONAL DE LA CAMARGUE
Le Sambuc
Salin-de-Badon
Étang de Malagroy
Étang de l'Impérial
Marais du Vigueirat
GRAND RHÔNE
N 113
N 568
D 570
D 572n
A 9 - E 15
A 54
E 80

285
286
326
306
E
F
G
H
1
2
3
4
5
St-Saturnin-lès-Avignon
Grotte de Thouzon
Velleron
Cambuisson
Jonquerettes
St-Antoine
Saumane-de-Vaucluse
Fontaine-de-Vaucluse
Abbe de Sénanque
Mourre de la Belle Étoile
La Crémade
Pouraque
Les Vergiers
Les Beylons
Murs
Le Château
Lioux
Fontjouvale
Le Parrotier
Fontaube
Tuilière
L'Isle-s-la-Sorgue
Le Thor
Châteauneuf-de-Gadagne
Joucas
Les Gardiols
Les Barbiers
Villars
Pérréal
Les Petits Clements
Les Cortasses
Gordes
Roussillon
Village des Bories
Les Sauvestres
Les Lombards
Les Riperts
Les Tamisiers
Gargas
Les Sauvans
Apt
Caumont-sur-Durance
Velorgues
Cabrières-d'Avignon
Les Cèdres
Les Marres
Chaussée des Géants
Les Ferriers
Carrs d'Ocre
Lagnes
Les Imberts
Musée
St-Pantaléon
N.-D.-de-Lumières
Perrotet
Les Huguets
Chartreuse de Bonpas
Le Petit Palais
Les Vignères
Trente-Mouttes
Coustellet
Les Gros
Goult
La Verrière
Le Chêne
Mille
L'Isolette
Pont Julien
Les Agnels
Les Tourrettes
Cabannes
Beaumettes
Lumières
Les Maquignons
Les Chapelins
Cavaillon
Bel-Air
Maubec
Oppède
Les Poulivets
Ménerbes
St-Véran
Lacoste
Le Pointu
Buoux
Sivergues
St-Sauveur
St-Andiol
Robion
Taillades
St-Estève
St-Jacques
M.I.N.
Vidauque
Oppède-le-Vieux
Petit Luberon
La Peyrière
Abbe St-Hilaire
Les Moutins
Bonnieux
Enclos des Bories
Prieuré de St-Symphorien
Fort de Buoux
Plan-d'Orgon
Mollégès
Hautes Plaines
Montagne du Luberon
Massif des Cèdres
Bastidon-du-Pradon
Le Bastidon
Pré de Roustan
Tour
La Chambarelle
Combe de Lourmarin
Gerbaud
Vaugines
Cheval-Blanc
Tête des Buisses
Rers des Onze Heures
Belvre les Portallets
Roquefraîche
Cap de Serre
Orgon
L'Aumône
Le Trou-du-Rat
Durance
Valdition
N.-D.-de-Beauregard
Canal de Carpentras
La Font-de-l'Orme
Lourmarin
Puyvert
La Gravière
Champeau
Le Logis-Neuf
Mérindol
Les Borrys
Les Beaumes
Fontenille
Puget
Lauris
Cadenet
St-Sixte
Eygalières
Les Plaines
La Campane
La Fabrique
Le Perier-Redon
La Lempe
Malespine
Bas-Iclons
Brame-Jean
Le Colombier
Malconseil
Sénas
Roquemartine
La Tapie
Les Marmets
Mallemort
Lévêque
Abbe de Silvacane
La Baronnerie
Bonneval
Charleval
Castelas de Roquemartine
Pont Royal
La Roque-d'Anthéron
P. de Cadenet
Tour
Les Opiès
Grottes de Calès
Mgne du Défends
Aureille
Eyguières
Lamanon
Alleins
Vernègues
Canal de Marseille
Plau de Sèze
Chaîne des Côtes
Caïre-Val
Bassin de St-Christophe
St-Estève-Janson
Colline de Roque Rousse
Ravin de Tallagard
Les Taillades
Cazan
Chau-Bas
Temple romain
Janet
Les Paluds
Grd-Brahis
Curebourse
Pit-St-Paul
Rognes
Régine
Arnajon
La Jasse
La Calanque
Mas-Neuf
Aurons
Badasset
Lambesc
Aiguebelle
St-Suffren
La Cride
Château la Coste
Les Cabanes
Le Merle (École d'Agricre)
Les Blazots
Canourgues
Salon-de-Provence
Bel-Air
Mussas
Pélissanne
La Barben
Chau Zoo
L'Etape
Chaîne de la Trévaresse
Brest
Beaulieu
La Samatane
Centre de détention
Valmousse
St-Cannat
La Madeleine
Le Seuil
Les Décanis
Le Luquier
Camp militaire
Canal d'Istres
Beauchamps
Gigery
Val-d'Estable
Forêt de St-Cannat
Grd-St-Jean
Suffren
Grans
Autoroute du Soleil
Caseneuve
Les Quatre-Termes
La Montauronne
Vallon
Camp militaire
Entressen
Miramas
La Ste-Croix
Belval
Le Pont-de-Rhaud
Contoux
Lançon-Provence
Le Val de Sibourg
Camaïsse
Chaîne d'Éguilles
Lignane
Pontès
Le Verry
Centre d'Essais
Champ de Tir
Valserre
Éguilles
Gervais
Miramas-le-Vx
Cornillon-Confoux
La Fare-les-Oliviers
Coudoux
Les Figons
Sulauze
St-Chamas
St-Léger
Calissanne
Les Guigues
Moulin-du-Pont
Ventabren
La Provençale
Pont Flavien
Les Baisses
Pont de la Fare
Les Quatre-Tours
La Bastide-Neuve
Velaux
Gallice
Les Tuilières
Les Milles
La Bayanne
Étang de l'Olivier
Port de Beau Rivage
La Bosque
Meynes
St-Pons
Istres-le-Tubé
Oppidum du Castellan
Mauran
St-Estève
Aqueduc de Roquefavour
Istres
Boucasson
Port des Heures Claires
Bouquet
La Suzanne
Saragousse
La Mérindolle
Maison d'arrêt
Rassuen
Les Quatre-Vents
Étang de Berre
Rognac
La Tour-d'Arbois
Ventillon
Ranquet
L'Enfant
Berre-l'Étang
Lavalduc
Étang de Lavalduc
Étang de Citis
Massane
Port du Passet
L'Agneau
Vitrolles
Calas
La Mounine
Varage
St-Mitre
Les Carabins
Étang de Vaïne
Hydroaérodrome
Aix-en-Provence

0 2 4 6 8 10 km
287
305
327
Apt
Saignon
Gignac
Oppedette
Aubenas-les-Alpes
Observatoire de Hte Provence
Mane
Prieuré de Salagon
Niozelles
La Brillanne
Colorado de Rustrel
St-Michel-l'Observatoire
Dauphin
St-Maime
Villeneuve
Viens
Reillanne
Céreste
Manosque
Volx
Mourre Nègre
Grand Luberon
PARC NATUREL RÉGIONAL DU LUBERON
Vitrolles-en-Luberon
Pierrevert
Montfuron
Villemus
Montjustin
Cucuron
Vaugines
Cabrières-d'Aigues
La Motte-d'Aigues
Peypin-d'Aigues
La Bastide-des-Jourdans
St-Martin-de-la-Brasque
Grambois
Ste-Tulle
Corbières
Gréoux-les-Bains
Vinon-sur-Verdon
Beaumont-de-Pertuis
Ansouis
La Tour-d'Aigues
Villelaure
Pertuis
Mirabeau
St-Paul-lès-Durance
CENTRE D'ÉTUDES DE CADARACHE (C.E.A.)
Ginasservis
Le Puy-Ste-Réparade
Peyrolles-en-Provence
Meyrargues
Jouques
Rians
Château la Coste
Venelles
Artigues
Esparron
Vauvenargues
Montagne Ste-Victoire
AIX-EN-PROVENCE
Puyloubier
Pourrières
St-Maximin-la-Ste-Baume
Gardanne
Trets
Fuveau
Bouc-Bel-Air
Meyreuil
Rousset
Ollières
Durance
Verdon

287
288
328
308
E
F
G
H
1
2
3
4
5
Oraison
Valbonne
Le Castellet
Bois de St-Martin
Bras-d'Asse
St-Julien-d'Asse
La Bégude-Blanche
Maulans
Majastres
Col de St-Jurs
St-Jurs
Poteau de Telle
Brunet
Le Grand Logisson
Pas-de-Laval
Allès
St-Pancrace
Le Taillas
La Tuilière
La Val-d'Asse
Mas St-Andrieux
Puimoisson
Ségriès
Valensole
Grand-Arlane
Mauroue
PARC
NATUREL
RÉGIONAL
DU
VERDON
Mont St-Maxime
Roumoules
Les Mégis
Riez
Temple
Baptistère
Pontfrac
St-Jean
Bel-Air
La Trinité
St-Antoine
Puberclaire
Montagnac-Montpezat
Le Serre
Les Roux
Ravin de Pinet
Allemagne-en-Provence
St-Martin-de-Brômes
Chautabrie
Lauris
Bellioux
Albiosc
Bge de Gréoux
Basses
Esparron-de-Verdon
Montpezat
St-Saturnin
Ste-Croix-du-Verdon
Lac de Sainte-Croix
Bge de Ste-Croix
St-Laurent-du-Verdon
N.-D. de Baudinard
Baudinard-s-Verdon
Quinson
Gorges du Verdon
Artignosc-s-Verdon
Bge de Quinson
Fontayne
Ste-Maxime
Les Rouvières
L'Eclou
Les Maisons
La Ricarde
La Mourotte
Bois de Malassoque
La Roquette
Villeneuve
Pampelonne
Bois St-Jean
St-Jean
Notre-Dame
Régusse
Moissac-Bellevue
Montmeyan
La Verdière
St-Roch
N.-D. d'Eglise
Grd Blé
Le Pardigaou
Bury
Le Grand-Nans
N.-D. de Bellevue
Le Gros Bois
La Curnière
Le Grd Rougiers
La Bréguière
Cormeil
Tavernes
Varages
St-Pothin
Amphoux
Fox-Amphoux
Le Logis
Barras
Le Grd Pouvet
La Prégentière
St-Barnabé
Sillans-la-Cascade
Salernes
Barjols
Pontevès
Petit Bessillon
Gros Bessillon
Monastère-St-Joseph
Cotignac
N.-D. de Grâces
Bois de Bessillon
Brue-Auriac
Notre-Dame
Châteauvert
Correns
Montfort-sur-Argens
Carcès
Lac de Carcès
Bras
N.-D. d'Espérance
St-Étienne
Le Val
Vins-sur-Caramy
Cabasse
Moustiers-Ste-Marie
N.-D. de Beauvoir
Venascle
Le Pavillon
Mourre de Chanier
Crête de Montdenier
Serre de Montdenier
Chiran
le Grd Mourre
Blieux
Pré Chauvin
Chasteuil
Clue de Chasteuil
Rougon
Point Sublime
La Palud-sur-Verdon
Col de l'Olivier
Mayreste
Belvre de Mayreste
Col d'Ayen
Rte. des Crêtes
GRAND CANYON DU VERDON
Corniche Sublime
Aiguines
Col d'Illoire
Cirque de Vaumale
Les Salles-sur-Verdon
Bauduen
Falaise des Cavaliers
Balcons de la Mescla
Pont de l'Artuby
CAMP MILITAIRE
Grand Plan de Canjuers
Mocrouis
La Colle
St-Andrieux
Les Aumades
Signal de l'Aigle
Collet de l'Aigle
Les Mouches
Mgne de Barjaude
Vérignon
La Basse-Nouguière
Aups
Mgne des Espiguières
Tourtour
Villecroze
Salernes
Entrecasteaux
St-Antonin-du-Var
Lorgues
Abbe du Thoronet
Le Thoronet
Flayosc
Ampus
Forêt de la Darboussière
Mgne des Ubacs

0 2 4 6 8 10 km
289
307
329
A
B
C
D
1
2
3
4
5
Castellane
Clue de Taulanne
Col des Leques
Demandolx
Soleilhas
St-Auban
Clue de St-Auban
Briançonnet
Gars
Col de Bleine
Thorenc
Valderoure
Séranon
Caille
Andon
Peyroules
La Garde
Route Napoléon
St-Thyrse
Point Sublime
VERDON
Trigance
Balcons de la Mescla
Pont de l'Artuby
Châteauvieux
La Martre
Brenon
Le Bourguet
Bargème
La Bastide
La Roque-Esclapon
Comps-sur-Artuby
Col de Valferrière
Escragnolles
Pas de la Faye
St-Vallier-de-Thiey
Mons
Roche Taillée (Aqueduc romain)
Grottes de St-Cézaire
St-Cézaire-sur-Siagne
Cabris
Spéracèdes
Le Tignet
CANJUERS
MILITAIRE
Col du Bel-Homme
Seillans
Fayence
Tourrettes
Callian
Montauroux
Bargemon
Montferrat
Ampus
Châteaudouble
Callas
Claviers
Figanières
Draguignan
Flayosc
Lorgues
Trans-en-Provence
La Motte
Le Muy
Les Arcs
Ste-Roseline
Taradeau
Vidauban
Roquebrune-sur-Argens
Puget-s-Argens
Fréjus
Fréjus-Plage
St-Raphaël
Boulouris
Agay
Les Adrets-de-l'Esterel
Mt Vinaigre
MASSIF DE L'ESTEREL
Massif du Tanneron
Bagnols-en-Forêt
St-Paul-en-Forêt
Lac de St-Cassien
N.-D. de Peygros
Valescure
N.-D. de Jérusalem
Pic de l'Ours
Les Mujouls
Clue d'Aiglun
Amirat
Collongues
Ubraye
Toutes Aures
Clue de Vergons
Cap-Esterel
Sémaphore
Île d'Or

289
290
Crête de Saume Longue
Cuébris
Vieux-Pierrefeu
Tourette-du-Château
Revest-les-Roches
La Villette
Gges de la Vésubie
Le Cros-d'Utelle
St Michel
Col du Dragon
Coaraze
Sigale
Roquesteron-Grasse
Mt Auvière
Bonson
Levens
Mt Férion
Aiglun
Conségudes
Pierrefeu
Les Ferres
Gilette
Plan-du-Var
Les Traverses
Ste-Claire
Bendejun
Touët-de-l'Escarène
L'Escarène
Clue de la Bouisse
Clue de la Péguière
Ste-Marguerite
Bouyon
St-Martin-du-Var
La Roquette-s-Var
St-Blaise
Châteauneuf Villevieille
Contes
Col de Nice
Gréolières-les-Neiges
Cheiron
Cime du Cheiron
Jérusalem
Bézaudun-les-Alpes
Le Broc
Carros-Village
Castagniers
Tourrette-Levens
Peillon
Barres du Cheiron
Gréolières
St-Pons
Coursegoules
Mgne du Chiers
Mouton d'Anou
Aspremont
Mt Chauve
Carros
La Clapière
Cantaron
Laghet
La Turbie
Cipières
Gattières
Colomars
Falicon
St-André-de-la-Roche
Drap
Baou de St-Jeannet
St-Jeannet
Col de Vence
Le Teil
Calern
Observatoire du CERGA
Colle de Rougies
Bramafan
St-Barnabé
Saut du Loup
Puy de Tourettes
Courmes
Le Caire
Baou des Blancs
St-Roman-de-Bellet
La Trinité
Col d'Èze
Èze
Gouffre
Ggés du Loup
Pic de Courmettes
N.-D. des Fleurs
Vence
La Gaude
Lingostière
St-Pierre-de-Féric
Cimiez
Èze-Bord-de-Mer
Beaulieu-sur-Mer
Golfe de St-Hospice
Cap-d'Ail
Gourdon
Tourrettes-sur-Loup
Pont-du-Loup
Fondation Maeght
La Colle Loubière
St-Paul-de-Vence
La Colle-sur-Loup
St-Isidore
Ste-Marguerite
Mt Boron
Villefranche-sur-Mer
St-Jean-Cap-Ferrat
Cap Ferrat
Le Bar-s-Loup
Le Rouret
Notre-Dame
Magagnosc
GRASSE
Le Collet
(Roquefort-les-Pins)
Cagnes-s-M.
St-Laurent-du-Var
NICE
La Californie
Châteauneuf-Grasse
Opio
San Peire
Le Plan
Villeneuve-Loubet
Le Colombier
NICE CÔTE-D'AZUR
CÔTE
St-Mathieu
Napoléon
Cros-de-Cagnes
Logis-du-Loup
Bouches-du-Loup
Villeneuve-Loubet-Plage
Valbonne
Bois Fleuri
Biot
Sophia-Antipolis
Parc International d'Activités
Musée
Aquasplash
Marineland
Baie des Anges
Mouans-Sartoux
Castellaras
Super-Antibes
La Brague
La Fontonne
Fort Carré
Mougins
La Roquette-sur-S.
Pégomas
N.-D. de Vie
La Croix-Rouge
St-Maymes
Vallauris
ANTIBES
Pnte Bacon
Le Cannet
Plau de la Garoupe
Plage de la Garoupe
Cap Gros
Rocheville
Golfe-Juan
Juan-les-Pins
Eden-Roc
Cap d'Antibes
Tanneron
Mandelieu-la-Napoule
La Bocca
Golfe Juan
Palm Beach
CANNES
Golfe de la Napoule
Pnte de la Croisette
Île Ste-Marguerite
Île St-Honorat
Plateau du Milieu
Monastères
Îles de Lérins
La Napoule
Théoule-sur-Mer
La Galère
Pnte de l'Aiguille
Pnte de la Galère
Pnte de l'Esquillon
Miramar
La Figueirette
Le Trayas-Supérieur
Le Trayas
Col des 3 Termes
Col de la Cadière
Col des Lentisques
Pic d'Aurelle
Col de l'Evêque
Pnte de Maubois
Pic du Cap Roux
Pnte du Cap Roux
Pnte de l'Observatoire
Anthéor-Plage
Île des Vieilles
Anthéor
Pnte de Baumette
L'Esterel
D'AZUR
Cap-Martin
Cap Martin
Beausoleil
MONTE-CARLO
La Condamine
MONACO
E
F
G
H
1
2
3
4
5

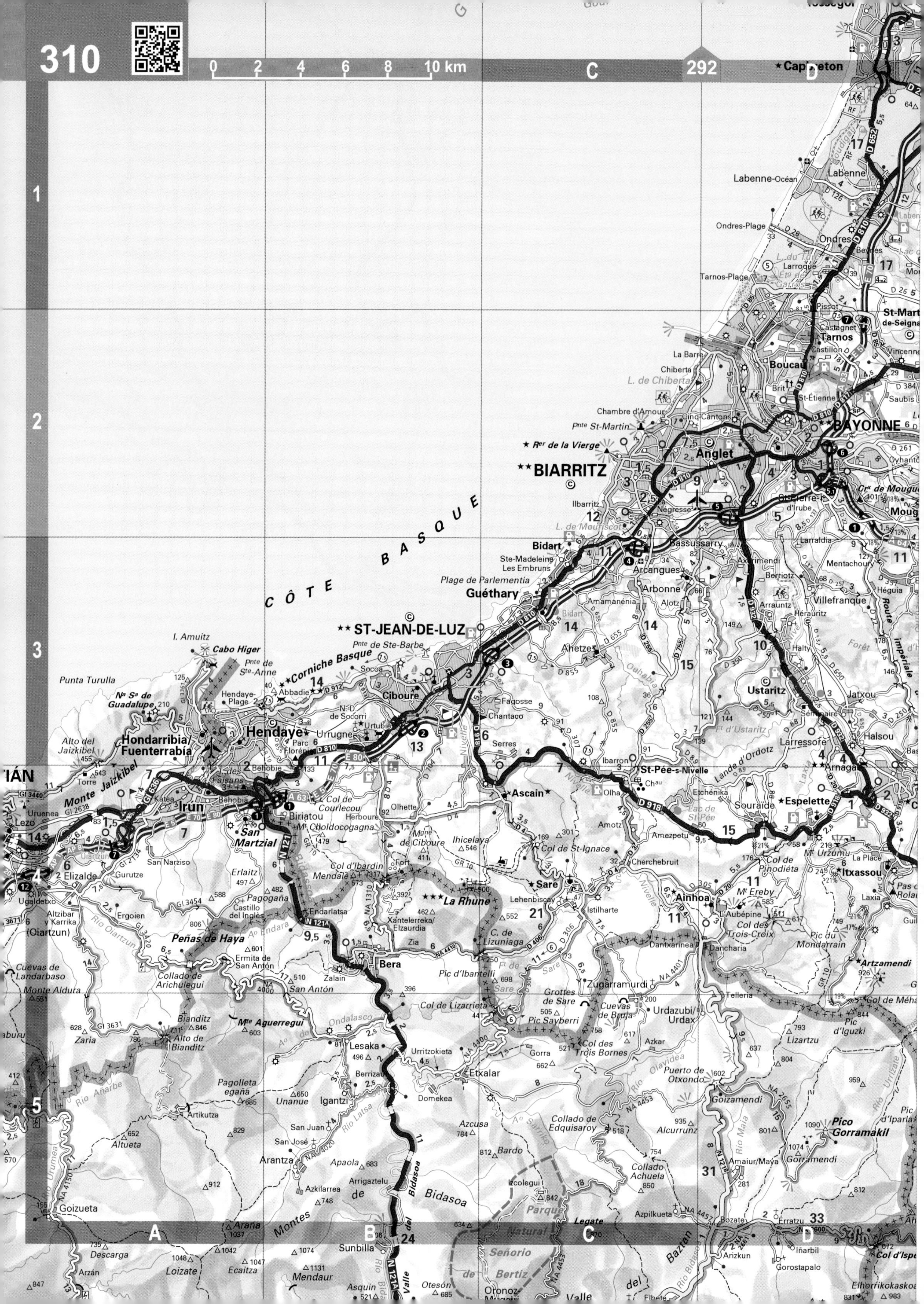
0 2 4 6 8 10 km
C
292
★Capbreton
D
1
2
3
4
5
A
B
C
D
Labenne-Océan
Labenne
Ondres-Plage
Ondres
Tarnos-Plage
Larroque
Étg de Garros
Pissot
Castagnet
Tarnos
St-Martin-de-Seignanx
Castillon
La Barre
Chiberta
L. de Chiberta
Boucau
Brit
St-Étienne
Chambre d'Amour
Cinq-Cantons
Pnte St-Martin
BAYONNE
★ Rer de la Vierge
★★ BIARRITZ
Anglet
Cre de Mouguerre
St-Pierre-d'Irube
Ilbarritz
Négresse
Mouguerre
L. de Mouriscot
Bidart
Bassussarry
Larraldia
Ste-Madeleine
Les Embruns
Arcangues
Axerimendi
Mentachoury
Plage de Parlementia
Arbonne
Berriotz
Villefranque
CÔTE BASQUE
Guéthary
Amamanénia
Alotz
Arrauntz
Hérauritz
Route Impériale
★★ ST-JEAN-DE-LUZ
Bidart
Halty
Forêt
I. Amuitz
Cabo Higer
Pnte de Ste-Barbe
Ahetze
Ouhabia
Pnte de Ste-Anne
★Corniche Basque
Socoa
Punta Turulla
Abbadie
Ciboure
Ustaritz
Jatxou
Na Sa de Guadalupe
Hendaye-Plage
N.-D. de Socorri
Fagosse
Chantaco
Séminaire
Alto del Jaizkibel
Hondarribia/ Fuenterrabia
Hendaye
Urrugne
Urtubie
F. d'Ustaritz
Halsou
Parc Florénia
Serres
Larressore
Lande d'Ordotz
IÁN
Monte Jaizkibel
Behobie
Ibarron
St-Pée-s-Nivelle
Arnaga
Uruenea
Katea
Irun
Behobia
Col de Courlecou
Olhette
Ascain
Olha
Etchénika
Lac de St-Pée
Souraïde
Espelette
Lezo
Biriatou
Mt Choldocogagna
Herboure
Amotz
Amezpetu
Torre
Oiartzun
San Martzial
Mne de Ciboure
Ihicelaya
Col de St-Ignace
Cherchebruit
Mt Urzumu
La Place
Elizalde
Gurutze
San Narziso
Col d'Ibardin
Mendale
Foix
Col de Pinodiéta
Itxassou
Ugaldetxo
Erlaitz
Pagogaña
La Rhune
Sare
Mt Ereby
Laxia
Altzibar y Karrika
(Oiartzun)
Ergoien
Castillo del Inglés
Endarlatsa
Xantelerreka/ Elzaurdia
Lehenbiscay
Istilharte
Ainhoa
Aubépine
Col des Trois-Croix
Peñas de Haya
Ao Endara
C. de Lizuniaga
Dantxarinea
Dancharia
Pic du Mondarrain
Río Oiartzun
Ermita de San Antón
Bera
Zia
Cuevas de Landarbaso
Collado de Arichulegui
San Antón
Zalain
Pic d'Ibanteli
Ft de Sare
Zugarramurdi
Artzamendi
Monte Aldura
Col de Lizarrieta
Grottes de Sare
Cuevas de Bruja
Urdazubi/ Urdax
Telleria
Col de Méha
Bianditz
Alto de Bianditz
Mte Aguerregui
Ondalasco
Pic Sayberri
Pic d'Iguzki
Zaria
Lesaka
Urritzokieta
Col des Trois Bornes
Azkar
Lizartzu
Gorra
Puerto de Otxondo
Río Olavidea
Río Añarbe
Pagolleta egaña
Berrizaun
Etxalar
Unanue
Igantzi
Domekea
Goizamendi
Artikutza
San Juan
Río Latsa
Azcusa
Collado de Edquisaroy
Alcurrunz
Pico Gorramakil
Pic d'Iparla
Altueta
San José
Ao Sarriko
Río Maia
Amaiur/Maya
Gorramendi
Arantza
Apaola
Bardo
Collado Achuela
Río Urumea
Arrigaztelu
Izcolegui
Azkilarrea
de Bidasoa
Parque
Goizueta
Montes
Legate
Azpilkueta
Bozate
Erratzu
Arana
Natural
Descarga
Sunbilla
Señorio
Baztan
Arizkun
Iñarbil
Col d'Ispe
Arzán
Loizate
Ecaitza
Mendaur
de Bertiz
Río Bidasoa
Gorostapalo
Asquin
Valle
Otesón
Oronoz
Valle del
Elhorrikokaskoa

292
293
330
313
St-Vincent-de-Tyrosse
Angresse
Saubion
Casablanca
Saubusse
Orist
Pey
Bénesse-Maremne
St-Jean-de-Marsacq
Saubrigues
Orx
St-Martin-de-Hinx
St-André-de-Seignanx
Biarrotte
Biaudos
Ste-Marie-de-Gosse
St-Laurent-de-Gosse
St-Barthélemy
Port-de-Lanne
Orthevielle
Peyrehorade
St-Étienne-d'Orthe
St-Lon-les-Mines
Bélus
Cagnotte
Pouillon
Misson
Habas
Labatut
Cauneille
Sorde-l'Abbaye
Œyregave
St-Cricq-du-Gave
Lahontan
Puyoô
Bellocq
Hastingues
Abbe d'Arthous
Sames
Guiche
Urt
Urcuit
Lahonce
Briscous
Sequillon
Bardos
Bidache
Came
Léren
St-Pé-de-Léren
St-Dos
Carresse-Cassaber
Salies-de-Béarn
Auterrive
Castagnède
Labastide-Villefranche
Escos
Arancou
Oraàs
Abitain
Athos-Aspis
Sauveterre-de-Béarn
Burgaronne
Andrein
La Bastide-Clairence
Ayherre
Hasparren
Orègue
Arraute-Charritte
Bergouey-Viellenave
Charritte
Masparraute
Ilharre
Autevielle-St-Martin-Bideren
Guinarthe-Parenties
St-Gladie-Arrive-Munein
Bonloc
Grottes d'Isturitz et d'Oxocelhaya
Isturits
St-Martin-d'Arberoue
Amorots-Succos
Béguios
Labets-Biscay
Gabat
Arbouet-Sussaute
Osserain-Rivareyte
Amendeuix-Oneix
Luxe-Sumberraute
Garris
St-Palais
Aïcirits-Camou-Suhast
Arbérats-Sillègue
Espiute
Cambo-les-Bains
Mendionde
Macaye
St-Esteben
Méharin
Hélette
Louhossoa
Béhasque-Lapiste
Domezain-Berraute
Etcharry
Aroue-Ithorots-Olhaïby
Armendarits
Beyrie-sur-Joyeuse
Orsanco
Larribar-Sorhapuru
Iholdy
Uhart-Mixe
Lohitzun-Oyhercq
Bidarray
Irissarry
Ostabat-Asme
Arhansus
Ainharp
Ossès
St-Martin-d'Arrossa
Suhescun
Larceveau-Arros-Cibits
Juxue
Pagolle
Viodos-Abense-de-Bas
Aïnhice-Mongelos
Jaxu
Gamarthe
Bunus
Ibarrolle
Musculdy
Garindein
Irouléguy
St-Étienne-de-Baïgorry
Anhaux
Ascarat
Ispoure
Bussunarits-Sarrasquette
Lacarre
Uhart-Cize
St-Just-Ibarre
Col d'Osquich
Ordiarp
Idaux-Mendy
Gotein-Libarrenx

0 2 4 6 8 10 km
292
310
330
St-Martin-de-Hinx
Port-de-Lanne
Ste-Marie-de-Gosse
Biarrotte
Biaudos
St-Martin-de-Seignanx
Tarnos
Boucau
Orthevielle
Peyrehorade
Cauneille
Hastingues
Abbe d'Arthous
Œyregave
Sorde-l'Abbaye
St-Laurent-de-Gosse
St-Barthélemy
BAYONNE
Anglet
St-Pierre-d'Irube
Lahonce
Urcuit
Urt
Mouguerre
Cr^x de Mouguerre
Briscous
Sames
Guiche
Bardos
Bidache
Ch^au de Gramont
Came
St-Pé-de-Léren
Labastide-Villefranche
Villefranque
La Bastide-Clairence
Abbaye de Belloc
Ustaritz
Jatxou
Halsou
Larressore
Arnaga
Espelette
Souraïde
Cambo-les-Bains
Hasparren
Ayherre
Bonloc
Grottes d'Isturitz et d'Oxocelhaya
Isturits
St-Martin-d'Arberoue
Orègue
Arraute-Charritte
Masparraute
Labets-Biscay
Gabat
Amorots-Succos
Béguios
Luxe-Sumberraute
Amendeuix-Oneix
Garris
St-Palais
Mendionde
Macaye
St-Esteben
Méharin
Itxassou
Pas de Roland
Ainhoa
Louhossoa
Hélette
Armendarits
Iholdy
Mt Baygoura
Artzamendi
Col des Trois-Croix
Bidarray
Irissarry
Ossès
St-Martin-d'Arrossa
Suhescun
Hochahandy
Col d'Ipharlaté
Ostabat-Asme
Larceveau-Arros-Cibits
Pico Gorramakil
Aïnhice-Mongelos
Gamarthe
Ibarrolle
St-Just-Ibarre
Col d'Ispéguy
St-Étienne-de-Baïgorry
Anhaux
Irouléguy
Ascarat
Uhart-Cize
Ispoure
St-Jean-Pied-de-Port
St-Jean-le-Vieux
Bussunarits-Sarrasquette
Ahaxe-Alciette-Bascassan
Lecumberry
Mendive
Béhorléguy
Aincille
Caro
St-Michel
Lasse
Col d'Urdanzia
Banca
Arnéguy
Luzaide Valcarlos
Aldudes
Urepel
Estérençuby
Col d'Haltza
St-Sauveur
Pic de Béhorléguy
Col d'Aphanize
Pic de Belchou
Elizondo
Baztan
Urdazubi/Urdax
Puerto de Otxondo
A B C D
1 2 3 4 5

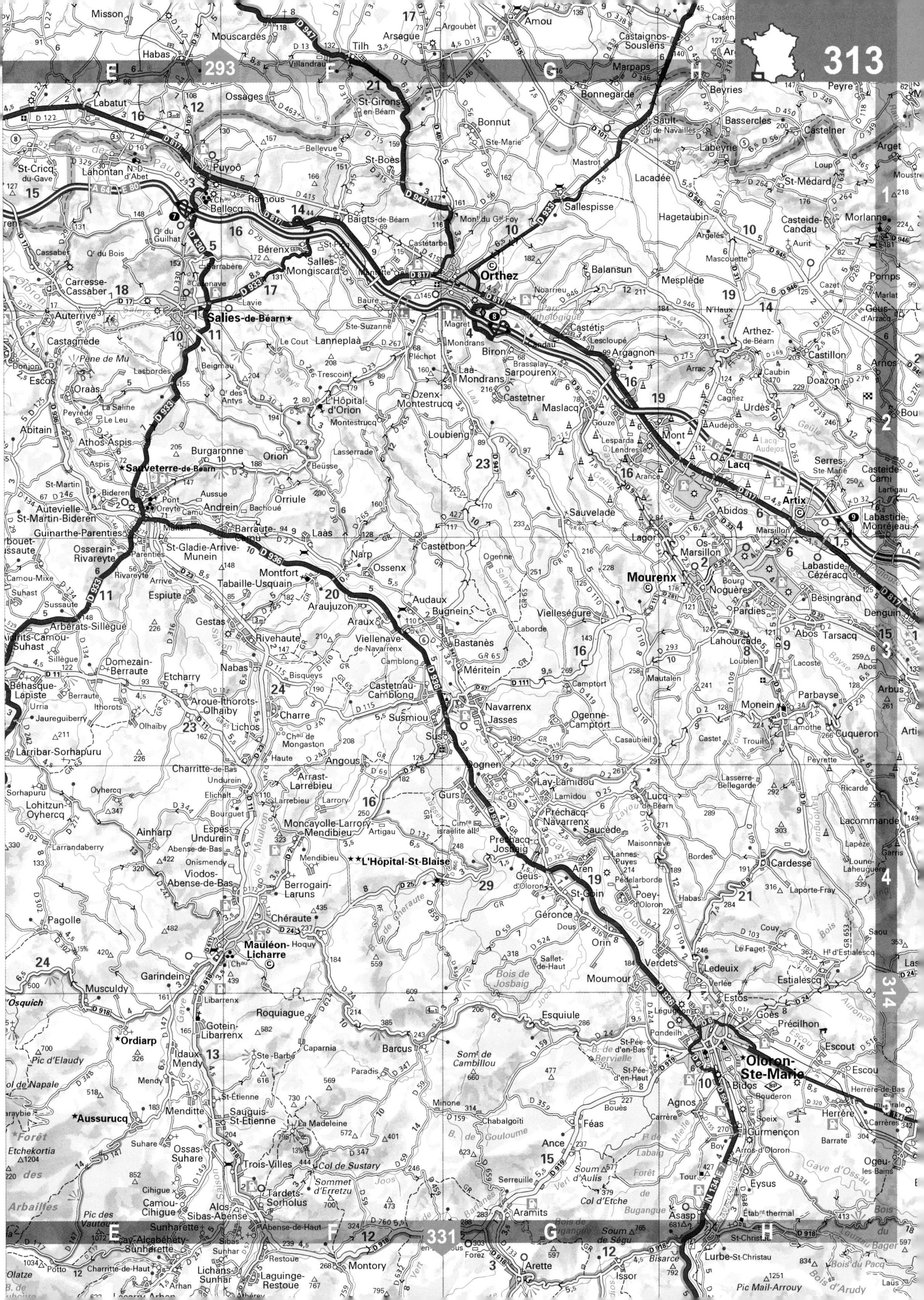
293
331
314
E
F
G
H
Orthez
Salies-de-Béarn
Sauveterre-de-Béarn
Mourenx
Artix
Lacq
Navarrenx
Mauléon-Licharre
Oloron-Ste-Marie
Puyoô
Bellocq
Ramous
Baigts-de-Béarn
Bérenx
Salles-Mongiscard
Lahontan
St-Cricq-du-Gave
Labatut
Habas
Misson
Mouscardès
Ossages
Tilh
Arsague
Amou
Castaignos-Souslens
Marpaps
Bonnegarde
St-Girons-en-Béarn
Bonnut
Ste-Marie
Sault-de-Navailles
Beyries
Bassercles
Castelner
Labeyrie
Lacadée
St-Boès
Mastrot
Sallespisse
Hagetaubin
Casteide-Candau
St-Médard
Morlanne
Arget
Balansun
Mesplède
Carresse-Cassaber
Auterrive
Castagnède
Escos
Oraàs
Abitain
Athos-Aspis
Lanneplaà
L'Hôpital-d'Orion
Ozenx-Montestrucq
Laà-Mondrans
Biron
Sarpourenx
Castetner
Maslacq
Castétis
Argagnon
Arthez-de-Béarn
Castillon
Doazon
Urdès
Mont
Loubieng
Burgaronne
Orion
Orriule
Andrein
Barraute-Camu
Laàs
Narp
Ossenx
Castetbon
Sauvelade
Lagor
Os-Marsillon
Noguères
Pardies
Abidos
Labastide-Monréjeau
Labastide-Cézéracq
Besingrand
Denguin
Abos
Tarsacq
Osserain-Rivareyte
St-Gladie-Arrive-Munein
Guinarthe-Parenties
Autevielle-St-Martin-Bideren
Montfort
Tabaille-Usquain
Araujuzon
Audaux
Bugnein
Vielleségure
Arbérats-Sillègue
Gestas
Rivehaute
Viellenave-de-Navarrenx
Bastanès
Méritein
Domezain-Berraute
Béhasque-Lapiste
Etcharry
Aroue-Ithorots-Olhaïby
Castetnau-Camblong
Charre
Lichos
Susmiou
Sus
Jasses
Ogenne-Camptort
Lahourcade
Monein
Parbayse
Cuqueron
Larribar-Sorhapuru
Charritte-de-Bas
Angous
Arrast-Larrebieu
Dognen
Lay-Lamidou
Lucq-de-Béarn
Gurs
Préchacq-Navarrenx
Saucède
Moncayolle-Larrory-Mendibieu
L'Hôpital-St-Blaise
Préchacq-Josbaig
Geüs-d'Oloron
Aren
St-Goin
Poey-d'Oloron
Cardesse
Lacommande
Lohitzun-Oyhercq
Ainharp
Espès-Undurein
Viodos-Abense-de-Bas
Berrogain-Laruns
Chéraute
Géronce
Orin
Verdets
Ledeuix
Estialescq
Pagolle
Garindein
Musculdy
Moumour
Estos
Goès
Précilhon
Escout
Escou
Roquiague
Gotein-Libarrenx
Esquiule
Barcus
Idaux-Mendy
Ordiarp
Bidos
Agnos
Herrère
Gurmençon
Aussurucq
Menditte
Sauguis-St-Etienne
Féas
Ance
Ossas-Suhare
Trois-Villes
Col de Sustary
Tardets-Sorholus
Alos-Sibas-Abense
Aramits
Eysus
Asasp
Arette
Montory
Lurbe-St-Christau
Issor
Laguinge-Restoue
Lichans-Sunhar
Sunharette
Pic d'Elaudy
Forêt des Arbailles
Bois de Josbaig
Gave d'Ossau
Pic Mail-Arrouy
Col d'Etche
Soum de Ségu
Sommet d'Erretzu
La Madeleine
D 817
D 933
D 936
D 947
A 64
E 80
N 134
D 918

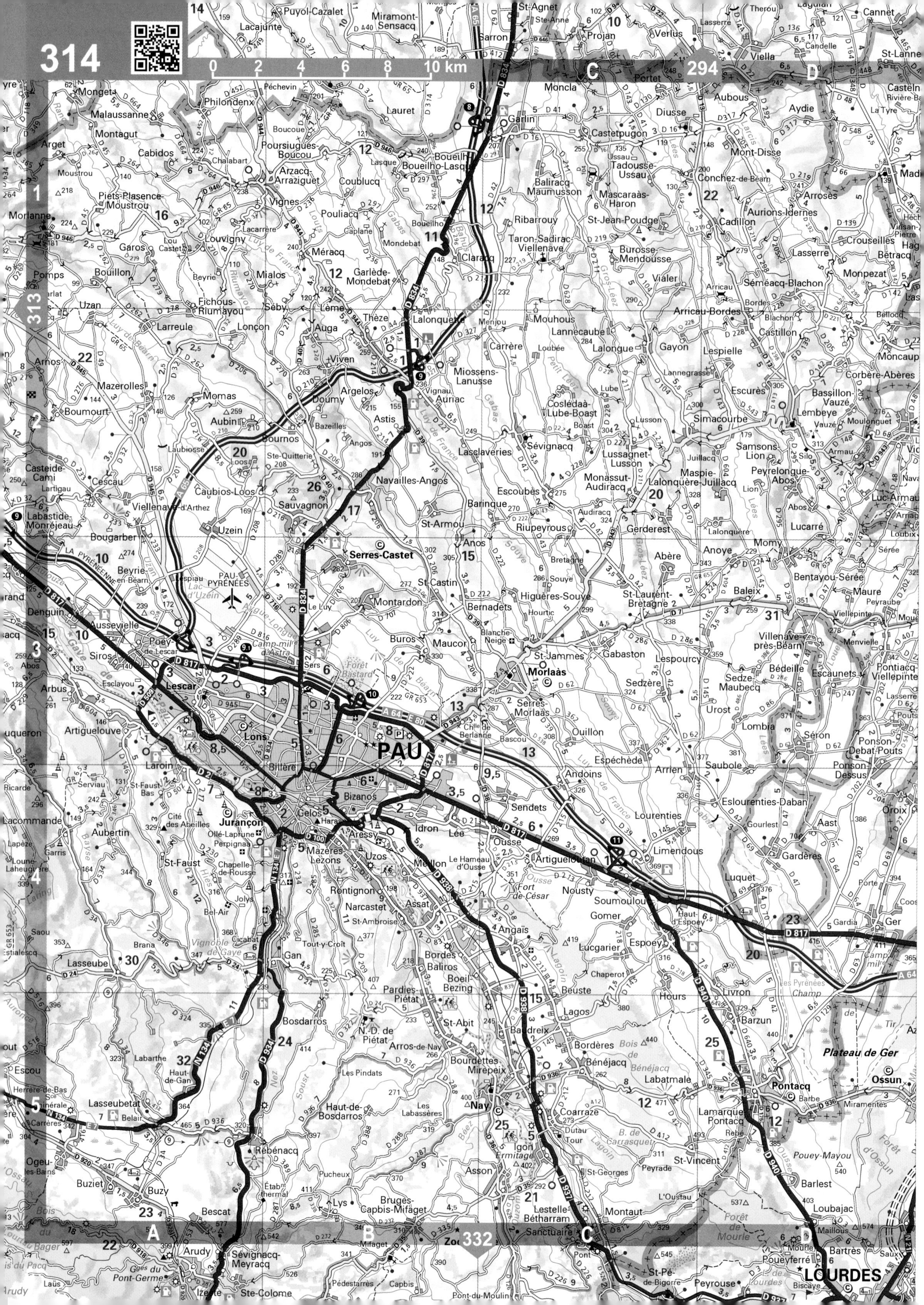
0 2 4 6 8 10 km
PAU
Lescar
Lons
Billère
Jurançon
Gelos
Bizanos
Morlaàs
Serres-Castet
Nay
Pontacq
LOURDES
Arudy
Ossun
Plateau de Ger
Garlin
Lembeye
Navailles-Angos
Sauvagnon
Montardon
Idron
Lée
Ousse
Soumoulou
Assat
Coarraze
Bosdarros
Gan
Lasseube
Lasseubetat
Rébénacq
Sévignacq-Meyracq
Asson
Lestelle-Bétharram
St-Pé-de-Bigorre
Thèze
Auriac
Lalonquette
Arzacq-Arraziguet
Uzein
Pau-Pyrénées
Artiguelouve
Laroin
Poey-de-Lescar
Aussevielle
Denguin
Siros
Arbus
Mazerolles
Momas
Lasclaveries
Sévignacq
Anoye
Baleix
Gerderest
Simacourbe
Espoey
Livron
Barzun
Limendous
Nousty
Angaïs
Baudreix
Bordes
Boeil-Bezing
Mirepeix
Bénéjacq
Labatmale
St-Vincent
Montaut
Igon
Buzy
Buziet
Ogeu-les-Bains
Bescat
Lys
Bruges-Capbis-Mifaget
Haut-de-Bosdarros
Arros-de-Nay
St-Abit
Pardies-Piétat
Uzos
Mazères-Lezons
Aressy
Rontignon
Narcastet
Sendets
Andoins
Morlaàs
Serres-Morlaàs
Ouillon
Espéchède
Sedzère
Lespourcy
Gabaston
St-Jammes
Maucor
Buros
Bernadets
St-Castin
Anos
Higuères-Souye
St-Armou
Riupeyrous
Barinque
Escoubès
Astis
Argelos
Doumy
Viven
Auga
Lème
Sévignacq
Miossens-Lanusse
A 64
A 65
D 817
D 834
D 938
D 940
D 943
N 134
E 80
E 7
LA PYRÉNÉENNE
Forêt de Mourle
Fort de César
Camp mil re d'Astra
Lac d'Uzein
C
D
A
B
C
D
1
2
3
4
5

294
313
332

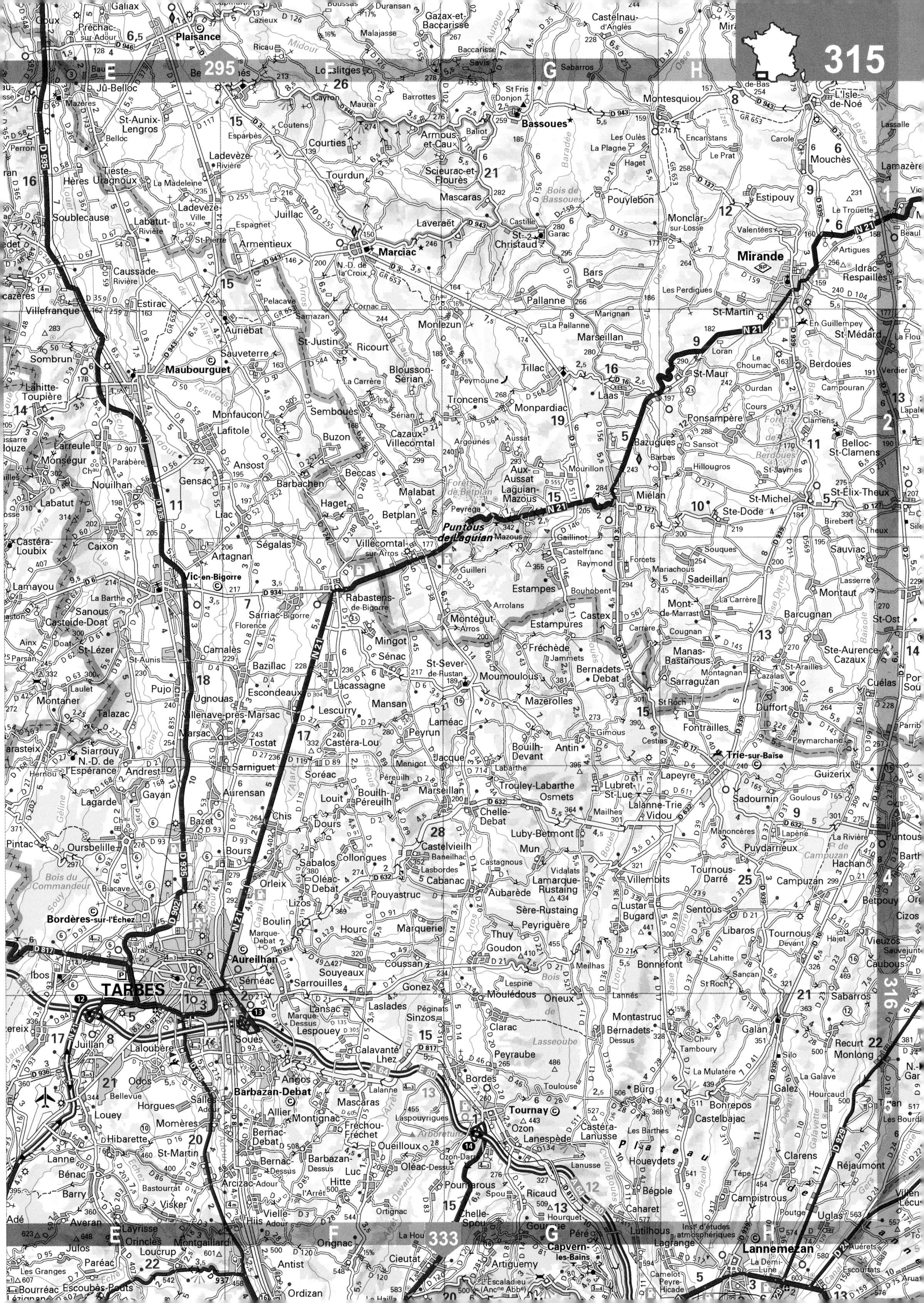
Plaisance
Préchac-sur-Adour
Gazax-et-Baccarisse
Castelnau-d'Anglès
Montesquiou
L'Isle-de-Noé
Bassoues
Jû-Belloc
St-Aunix-Lengros
Courties
Armous-et-Cau
Scieurac-et-Flourès
Ladevèze-Rivière
Tieste-Uragnoux
Hères
Tourdun
Mascaras
Pouylebon
Estipouy
Soublecause
Labatut-Rivière
Ladevèze-Ville
Juillac
Laveraët
Monclar-sur-Losse
Armentieux
Marciac
St-Christaud
Mirande
Caussade-Rivière
Bars
Idrac-Respailles
Estirac
Pallanne
Villefranque
Auriébat
Monlezun
Marseillan
St-Martin
Sombrun
Maubourguet
Sauveterre
St-Justin
Ricourt
Blousson-Sérian
Tillac
Berdoues
Lahitte-Toupière
Troncens
Monpardiac
Laas
St-Maur
Monfaucon
Lafitole
Sembouès
Cazaux-Villecomtal
Ponsampère
Larreule
Monségur
Buzon
Bazugues
Belloc-St-Clamens
Nouilhan
Gensac
Ansost
Beccas
Barbachen
Aux-Aussat
Laguian-Mazous
Mourillon
Miélan
St-Élix-Theux
Labatut
Malabat
Haget
Betplan
St-Michel
Ste-Dode
Castéra-Loubix
Caixon
Liac
Artagnan
Ségalas
Villecomtal-sur-Arros
Puntous de Laguian
Sauviac
Lamayou
Vic-en-Bigorre
Estampes
Sadeillan
Montaut
Sanous
Casteide-Doat
Sarriac-Bigorre
Rabastens-de-Bigorre
Arrolans
Montégut-Arros
Castex
Estampures
Barcugnan
St-Ost
St-Lézer
Camalès
Mingot
Sénac
Fréchède
Bernadets-Debat
Manas-Bastanous
Ste-Aurence-Cazaux
Montaner
Pujo
Bazillac
Lacassagne
St-Sever-de-Rustan
Moumoulous
Sarraguzan
Cuélas
Talazac
Ugnouas
Escondeaux
Mansan
Mazerolles
Duffort
Villenave-près-Marsac
Lescurry
Lameac
Fontrailles
Siarrouy
Marsac
Tostat
Castéra-Lou
Peyrun
Bouilh-Devant
Antin
N.-D. de l'Espérance
Andrest
Sarniguet
Jacque
Trie-sur-Baïse
Guizerix
Soréac
Trouley-Labarthe
Osmets
Lubret-St-Luc
Lapeyre
Gayan
Aurensan
Louit
Bouilh-Péreuilh
Marseillan
Lalanne-Trie
Vidou
Sadournin
Lagarde
Chelle-Debat
Chis
Dours
Luby-Betmont
Castelvieilh
Puntous
Bazet
Mun
Puydarrieux
Oursbelille
Bours
Sabalos
Collongues
Tournous-Darré
Campuzan
Bois du Commandeur
Oléac-Debat
Cabanac
Lamarque-Rustaing
Villembits
Hachan
Orleix
Aubarède
Bordères-sur-l'Échez
Pouyastruc
Sère-Rustaing
Lustar
Bugard
Sentous
Betpouy
Boulin
Peyriguère
Libaros
Tournous-Devant
Hourc
Marquerie
Thuy
Goudon
Aureilhan
Coussan
Bonnefont
Caubous
Ibos
Séméac
Souyeaux
Sarrouilles
TARBES
Gonez
Mouledous
Orieux
Sabarros
Laslades
Lansac
Sinzos
Montastruc
Juillan
Lespouey
Bernadets-Dessus
Galan
Recurt
Monlong
Laloubère
Soues
Calavanté
Lhez
Clarac
Peyraube
Odos
Angos
Bordes
Galez
Barbazan-Debat
Mascaras
Tournay
Burg
Bonrepos
Horgues
Salles-Adour
Allier
Montignac
Fréchou-Fréchet
Ozon
Castéra-Lanusse
Castelbajac
Louey
Momères
Hibarette
Bernac-Debat
Oueilloux
Lanespède
Clarens
Réjaumont
St-Martin
Lanne
Bénac
Bernac-Dessus
Barbazan-Dessus
Oléac-Dessus
Houeydets
Barry
Arcizac-Adour
Luc
Hitte
Poumarous
Ricaud
Bégole
Campistrous
Visker
Caharet
Averan
Hiis
Vielle-Adour
Chelle-Spou
Uglas
Adé
Layrisse
Orincles
Montgaillard
Orignac
Lutilhous
Lagrange
Lannemezan
Julos
Loucrup
Cieutat
Capvern-les-Bains
Paréac
Antist
Artiguemy
Les Granges
Bourréac
Escoubès-Pouts
Ordizan
Plateau de Lannemezan
E
F
G
H
295
333
316
1
2
3
4
5

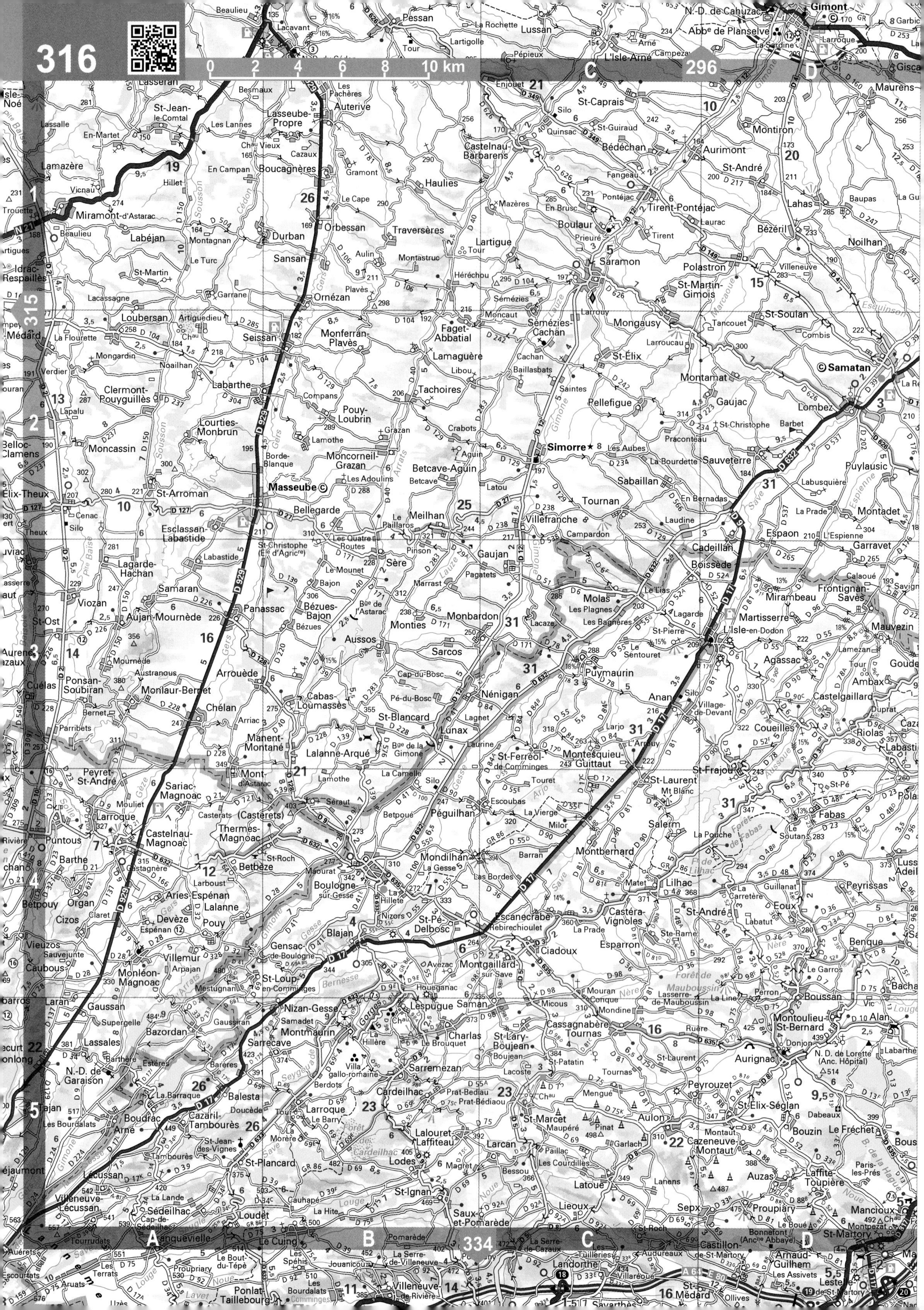
0 2 4 6 8 10 km
296
315
334
A
B
C
D
1
2
3
4
5
Gimont
N.-D. de Cahuzac
Abbe de Planselve
Pessan
Lussan
L'Isle-Arné
Lasseube-Propre
Auterive
St-Jean-le-Comtal
Castelnau-Barbarens
Haulies
Saramon
Aurimont
Montiron
St-André
Tirent-Pontéjac
Boulaur
Lahas
Bézéril
Noilhan
Miramont-d'Astarac
Labéjan
Durban
Orbessan
Sansan
Ornézan
Traversères
Lartigue
Polastron
St-Martin-Gimois
St-Soulan
Samatan
Lombez
Seissan
Monferran-Plavès
Faget-Abbatial
Sémézies-Cachan
Mongausy
St-Élix
Montamat
Gaujac
Pellefigue
Labarthe
Clermont-Pouyguillès
Lourties-Monbrun
Tachoires
Pouy-Loubrin
Moncassin
Moncorneil-Grazan
Simorre
Sabaillan
Sauveterre
Puylausic
Masseube
Betcave-Aguin
Bellegarde
Meilhan
Tournan
Villefranche
St-Arroman
Esclassan-Labastide
Montadet
Espaon
Garravet
Cadeillan
Boissède
Lagarde-Hachan
Sère
Gaujan
Samaran
Viozan
Panassac
Aujan-Mournède
Bézues-Bajon
Monties
Monbardon
Molas
Mirambeau
Frontignan-Savès
Martisserre
L'Isle-en-Dodon
Mauvezin
Aussos
Sarcos
Puymaurin
Agassac
Ambax
Arrouède
Ponsan-Soubiran
Monlaur-Bernet
Cabas-Loumassès
Nénigan
Anan
Castelgaillard
Chélan
St-Blancard
Lunax
Coueilles
Riolas
Manent-Montané
Lalanne-Arqué
St-Ferréol-de-Comminges
Montesquieu-Guittaut
St-Frajou
Peyret-St-André
Mont-d'Astarac
Sariac-Magnoac
St-Laurent
Larroque
Castelnau-Magnoac
Thermes-Magnoac
Péguilhan
Salerm
Fabas
Puntous
Barthe
Betbèze
Mondilhan
Montbernard
Boulogne-sur-Gesse
Lilhac
Peyrissas
Aries-Espénan
Organ
Lalanne
Pouy
Escanecrabe
Castéra-Vignoles
St-André
Eoux
Cizos
Devèze
Blajan
St-Pé-Delbosc
Ciadoux
Esparron
Benque
Villemur
Monléon-Magnoac
Montgaillard-sur-Save
St-Loup-en-Comminges
Boussan
Laran
Gaussan
Nizan-Gesse
Lespugue
Saman
Cassagnabère-Tournas
Montoulieu-St-Bernard
Alan
Bazordan
Montmaurin
Charlas
St-Lary-Boujean
Aurignac
Lassales
Sarrecave
N.-D. de Garaison
Sarremezan
Peyrouzet
Balesta
Cardeilhac
St-Élix-Séglan
Cazaril-Tambourès
Larroque
Lalouret-Laffiteau
St-Marcet
Aulon
Boudrac
Arné
Larcan
Cazeneuve-Montaut
Bouzin
Le Fréchet
St-Plancard
Lodes
Lécussan
St-Ignan
Latoue
Auzas
Laffite-Toupière
Villeneuve-Lécussan
Sédeilhac
Loudet
Saux-et-Pomarède
Lieoux
Sepx
Proupiary
Mancioux
Lannemezan
Anquevielle
Le Cuing
Castillon-de-St-Martory
Arnaud-Guilhem
Landorthe
Villeneuve-de-Rivière
St-Martory
St-Médard
Ponlat-Taillebourg
Savarthès
Estancarbon
Lestelle-de-St-Martory

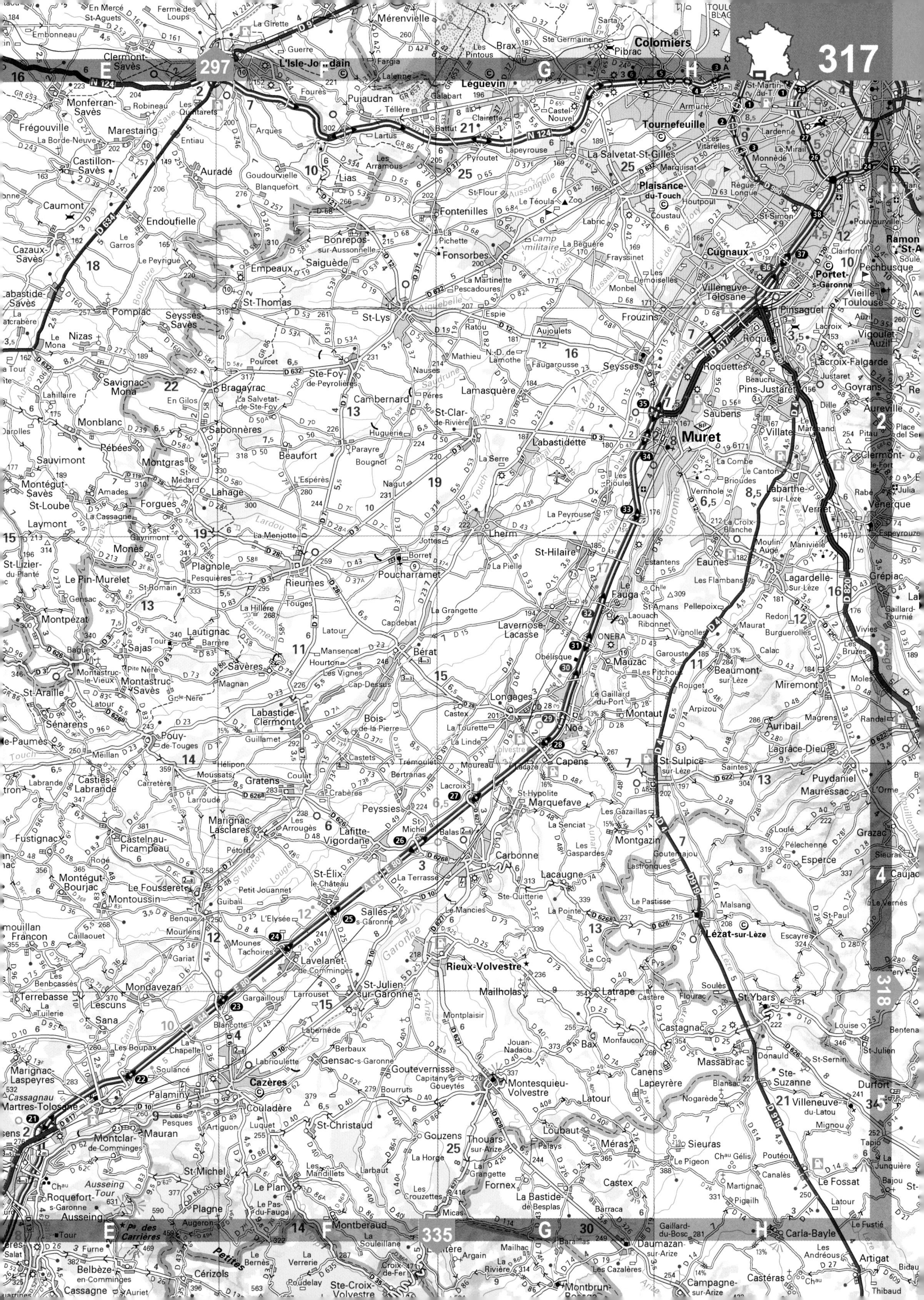
297
L'Isle-Jourdain
Léguevin
Colomiers
Pibrac
Tournefeuille
La Salvetat-St-Gilles
Plaisance-du-Touch
Cugnaux
Villeneuve-Tolosane
Portet-s-Garonne
Pinsaguel
Roques
Muret
Seysses
Frouzins
Fonsorbes
Fontenilles
St-Lys
Saiguède
Empeaux
Pujaudran
Monferran-Savès
Endoufielle
Pompiac
Ste-Foy-de-Peyrolières
Lamasquère
St-Clar-de-Rivière
Labastidette
Beaufort
Lherm
Rieumes
Poucharramet
Le Fauga
Lavernose-Lacasse
Eaunes
Lagardelle-sur-Lèze
Labarthe-sur-Lèze
Venerque
Vernet
Miremont
Beaumont-sur-Lèze
Mauzac
Noé
Longages
Capens
Marquefave
Carbonne
St-Sulpice-sur-Lèze
Lézat-sur-Lèze
Montesquieu-Volvestre
Rieux-Volvestre
St-Élix-le-Château
Lafitte-Vigordane
Bérat
Labastide-Clermont
Le Fousseret
Cazères
Martres-Tolosane
Mondavezan
St-Julien-sur-Garonne
Gensac-s-Garonne
Montclar-de-Comminges
Roquefort-s-Garonne
Ausseing
Daumazan-sur-Arize
Carla-Bayle
St-Ybars
Castagnac
Massabrac
Le Fossat
Villeneuve-du-Latou
Artigat
Montbrun-Bocage
Ste-Croix-Volvestre
Cérizols
Cassagne
Belbèze-en-Comminges
E
F
G
H
335
318

0 2 4 6 8 10 km
298
336
317
A
B
C
D
1
2
3
4
5
TOULOUSE
Balma
Mondouzil
Montcabrier
Bannières
Viviers-lès-Lavaur
Pratviel
Roquevidal
Bourg-St-Bernard
Francarville
Villeneuve-lès-Lavaur
Maurens-Scopont
Vendine
Algans
Cambon-lès-Lavaur
Magrin
Flourens
Dremil-Lafage
Vallesvilles
Saussens
Quint-Fonsegrives
Aigrefeuille
Lanta
Prunet
Loubens-Lauragais
Le Faget
Cuq-Toulza
Lacroisille
Ramonville-St-Agne
Pechbusque
Auzielle
Lauzerville
St-Orens-de-Gameville
Ste-Foy-d'Aigrefeuille
Aurin
Mascarville
Albiac
La Salvetat-Lauragais
Caraman
Auriac-sur-Vendinelle
Mouzens
Labège
Castanet-Tolosan
Escalquens
Odars
Préserville
Maureville
Puéchoursi
Le Cabanial
Vigoulet-Auzil
Mervilla
Péchabou
Belberaud
Fourquevaux
Tarabel
Caragoudes
Ségreville
Cambiac
Nogaret
Pompertuzat
Goyrans
Rebigue
Deyme
Labastide-Beauvoir
Mourvilles-Basses
Toutens
Beauville
Falga
St-Julia
Aureville
Corronsac
Donneville
Montgiscard
Baziège
Varennes
St-Germier
Maurens
Roumens
Clermont-le-Fort
Espanès
Montbrun-Lauragais
Mauremont
Cessales
Juzes
Vaux
St-Félix-Lauragais
Venerque
Pouze
Belbèze-de-Lauragais
Ayguesvives
Villenouvelle
Trébons-sur-la-Grasse
St-Vincent
Lux
Bélesta-en-Lauragais
Mourvilles-Hautes
Les Cassés
Issus
Montgaillard-Lauragais
Montesquieu-Lauragais
St-Rome
Vallègue
Rieumajou
Grépiac
Noueilles
Villefranche-de-Lauragais
Folcarde
St-Paulet
Labruyère-Dorsa
Vieillevigne
Gardouch
Renneville
Montmaur
Auragne
St-Léon
Avignonet-Lauragais
Montferrand
Soupex
Nailloux
Seyre
Montclar-Lauragais
Seuil de Naurouze
Airoux
Mauvaisin
Auterive
Beauteville
Gourvieille
Obélisque de Riquet
Labastide-d'Anjou
Ricaud
Montgeard
Monestrol
Lagarde
Baraigne
Aignes
Caignac
St-Michel-de-Lanès
Molleville
Mas-Stes-Puelles
Cintegabelle
Marquein
Belflou
Cumiès
Caujac
Calmont
Salles-sur-l'Hers
St-Quirc
Fajac-la-Relenque
Montauriol
Villeneuve-la-Comptal
Lissac
Labatut
Gaillac-Toulza
La Louvière-Lauragais
Ste-Camelle
Payra-sur-l'Hers
Fendeille
Mazères
Mézerville
Peyrefitte-sur-l'Hers
Saverdun
Marliac
Molandier
St-Sernin
Mayreville
St-Amans
Brie
Justiniac
Belpech
Pech-Luna
Esplas
Montaut
Cahuzac
Le Vernet
Unzent
Gaudiès
Ribouisse
Pécharic-et-le-Py
St-Martin-d'Oydes
Bonnac
Villeneuve-du-Paréage
Plaigne
Lafage
Fossat
Lescousse
St-Amans
Bézac
Trémoulet
Lapenne
Plavilla
St-Julien-de-Briola
La Bastide-de-Lordat
St-Félix-de-Tournegat
Artigat
St-Michel
Le Carlaret
A 61
A 66
D 813
D 820
D 826
D 6113
N 126
Canal du Midi
Ariège
Hers

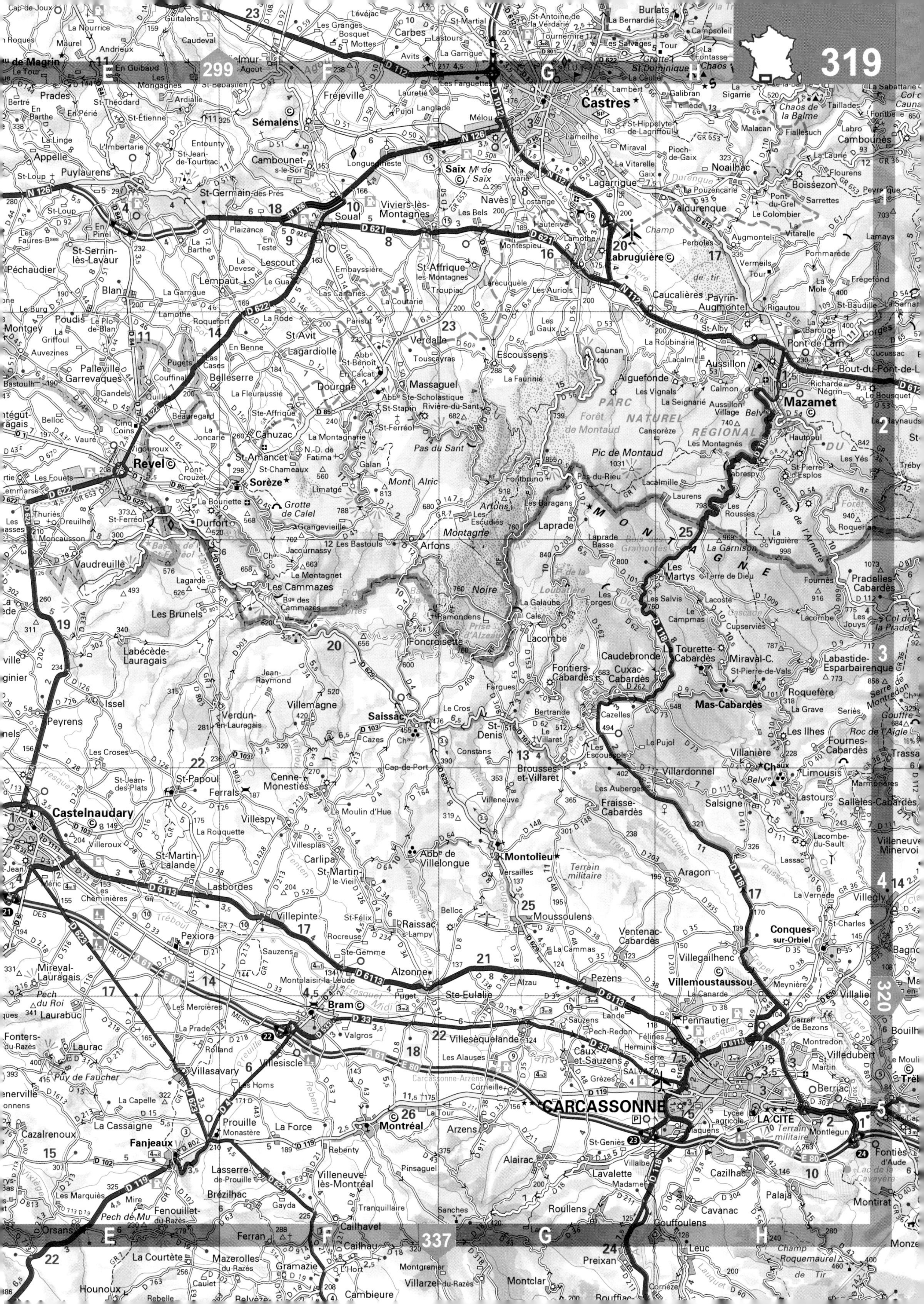
Castres
Mazamet
Revel
Castelnaudary
CARCASSONNE
Labruguière
Sorèze
Saissac
Montolieu
Bram
Montréal
Fanjeaux
Conques-sur-Orbiel
Mas-Cabardès
Aussillon
Pont-de-Larn
Soual
Sémalens
Puylaurens
Dourgne
Massaguel
Arfons
Les Cammazes
Labécède-Lauragais
Villepinte
Alzonne
Pezens
Villemoustaussou
Pennautier
Villesèquelande
Lagarrigue
Valdurenque
Aiguefonde
PARC NATUREL RÉGIONAL
MONTAGNE NOIRE
Pic de Montaud
Forêt de Montaud
Pas du Sant
Mont Alric
Grotte de Calel
Montagne Noire
Prise d'Alzeau
Lacombe
Caudebronde
Cuxac-Cabardès
Fontiers-Cabardès
Brousses-et-Villaret
Fraisse-Cabardès
Salsigne
Aragon
Villardonnel
Lastours
Limousis
Villegailhenc
LA CITÉ
Berriac
Caux-et-Sauzens
Arzens
Alairac
Lavalette
Cavanac
Palaja
Cazilhac
Preixan
Leuc
Couffoulens
Roullens
Villeneuve-lès-Montréal
Brézilhac
Lasserre-de-Prouille
Prouille
La Force
Villasavary
Villesiscle
Laurac
Mireval-Lauragais
Pexiora
Lasbordes
St-Martin-Lalande
St-Papoul
Villespy
Issel
Peyrens
Verdun-en-Lauragais
Villemagne
Carlipa
Raissac-s-Lampy
Moussoulens
Ventenac-Cabardès
Sainte-Eulalie
Saïx
Viviers-lès-Montagnes
Navès
Verdalle
Escoussens
St-Amancet
Durfort
Vaudreuille
Les Brunels
N 126
N 112
D 622
D 621
D 6113
D 118
A 61
E 80
299
337
320
E F G H

0 2 4 6 8 10 km
300
338
319
HAUT-LANGUEDOC
MONTS DE L'ESPINOUSE
NOIRE
La Salvetat-sur-Agout
St-Pons-de-Thomières
Grotte de La Devèze
Riols
Prémian
St-Vincent-d'Olargues
St-Étienne-d'Albagnan
St-Amans-Soult
St-Amans-Valtoret
Labastide-Rouairoux
Rouairoux
Sauveterre
Albine
Lacabarède
Courniou
Anglès
Le Soulié
Le Vintrou
Pic de Nore
Castans
Lespinassière
Cabrespine
Citou
Caunes-Minervois
Trausse
Ferrals-les-Montagnes
Cassagnoles
Boisset
Vélieux
Minerve
La Caunette
Aigne
Aigues-Vives
Agel
Bize-Minervois
Argeliers
Assignan
St-Jean-de-Minervois
Rieussec
Pardailhan
Babeau-Bouldoux
Félines-Minervois
Centeilles
La Livinière
Siran
Azillanet
Cesseras
Olonzac
Pépieux
Azille
Homps
Peyriac-Minervois
Rieux-Minervois
Villeneuve-Minervois
Villegly
Laure-Minervois
Bagnoles
Malves-en-Minervois
Villalier
Bouilhonnac
Trèbes
Rustiques
Badens
Aigues-Vives
Marseillette
Étang asséché de Marseillette
Puichéric
La Redorte
St-Frichoux
Capendu
Barbaira
Blomac
Douzens
Moux
Comigne
Montirat
Fontiès-d'Aude
Floure
Monze
Pradelles-en-Val
Fabrezan
Ferrals-les-Corbières
Fontcouverte
Boutenac
Lézignan-Corbières
Conilhac-Corbières
Montbrun-des-C.
Escales
Castelnau-d'Aude
Roquecourbe-Minervois
Tourouzelle
Argens-Minervois
Roubia
Paraza
Canet
Raissac-d'Aude
Villedaigne
Marcorignan
St-Nazaire-d'A.
Ginestas
Mirepeisset
Mailhac
Pouzols-Minervois
Ste-Valière
Ventenac-en-M.
Cruscades
Ornaisons
Bizanet
Luc-sur-Orbieu
St-Estève
Montredon-des-Corbières
Canal du Midi
AUTOROUTE DES DEUX MERS
Montagne d'Alaric
Gorges de la Clamoux
Canyon de la Cesse
Ponts naturels
Col de Salette
Roc Suzadou
Col de Serières
Pic St-Martin
D 612
D 610
D 6113
D 11
D 5
D 620
D 118

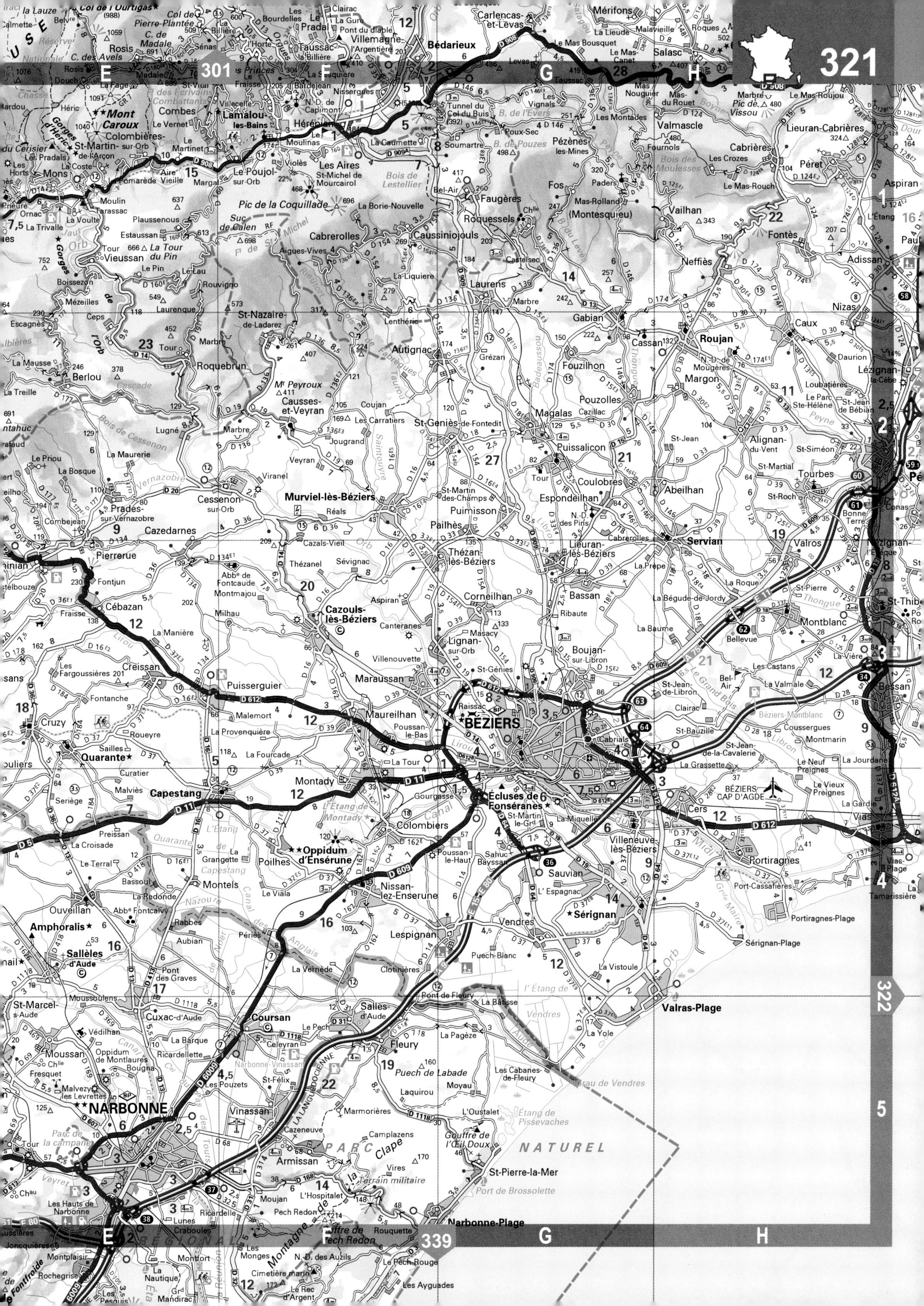
Bédarieux
Carlencas-et-Levas
Lamalou-les-Bains
Hérépian
Mont Caroux
Colombières-sur-Orb
St-Martin-de-l'Arçon
Mons
Le Poujol-sur-Orb
Les Aires
Pic de la Coquillade
Faugères
Roquessels
Caussiniojouls
Cabrerolles
Vieussan
Roquebrun
Berlou
St-Nazaire-de-Ladarez
Causses-et-Veyran
Autignac
Laurens
Gabian
Fos
Vailhan
Neffiès
Roujan
Caux
Nizas
Lézignan-la-Cèbe
Cassan
Fouzilhon
Margon
Pouzolles
Magalas
St-Geniès-de-Fontedit
Puissalicon
Alignan-du-Vent
Abeilhan
Tourbes
Coulobres
Espondeilhan
Servian
Valros
Montblanc
Bassan
Lieuran-lès-Béziers
Thézan-lès-Béziers
Puimisson
Pailhès
Murviel-lès-Béziers
Cessenon-sur-Orb
Prades-sur-Vernazobre
Cazedarnes
Pierrerue
Cébazan
Cazouls-lès-Béziers
Corneilhan
Lignan-sur-Orb
Boujan-sur-Libron
Maraussan
Puisserguier
Creissan
Cruzy
Quarante
Capestang
Maureilhan
BÉZIERS
Montady
Colombiers
Écluses de Fonsérannes
Villeneuve-lès-Béziers
Cers
Portiragnes
Bessan
Vias
Sauvian
Sérignan
Vendres
Lespignan
Nissan-lez-Enserune
Oppidum d'Ensérune
Poilhes
Montels
Ouveillan
Sallèles-d'Aude
Cuxac-d'Aude
Coursan
Salles-d'Aude
Fleury
Valras-Plage
Sérignan-Plage
Portiragnes-Plage
NARBONNE
Vinassan
Armissan
St-Pierre-la-Mer
Narbonne-Plage
Gruissan
PARC NATUREL RÉGIONAL
E
F
G
H
301
322
339
1
2
3
4
5

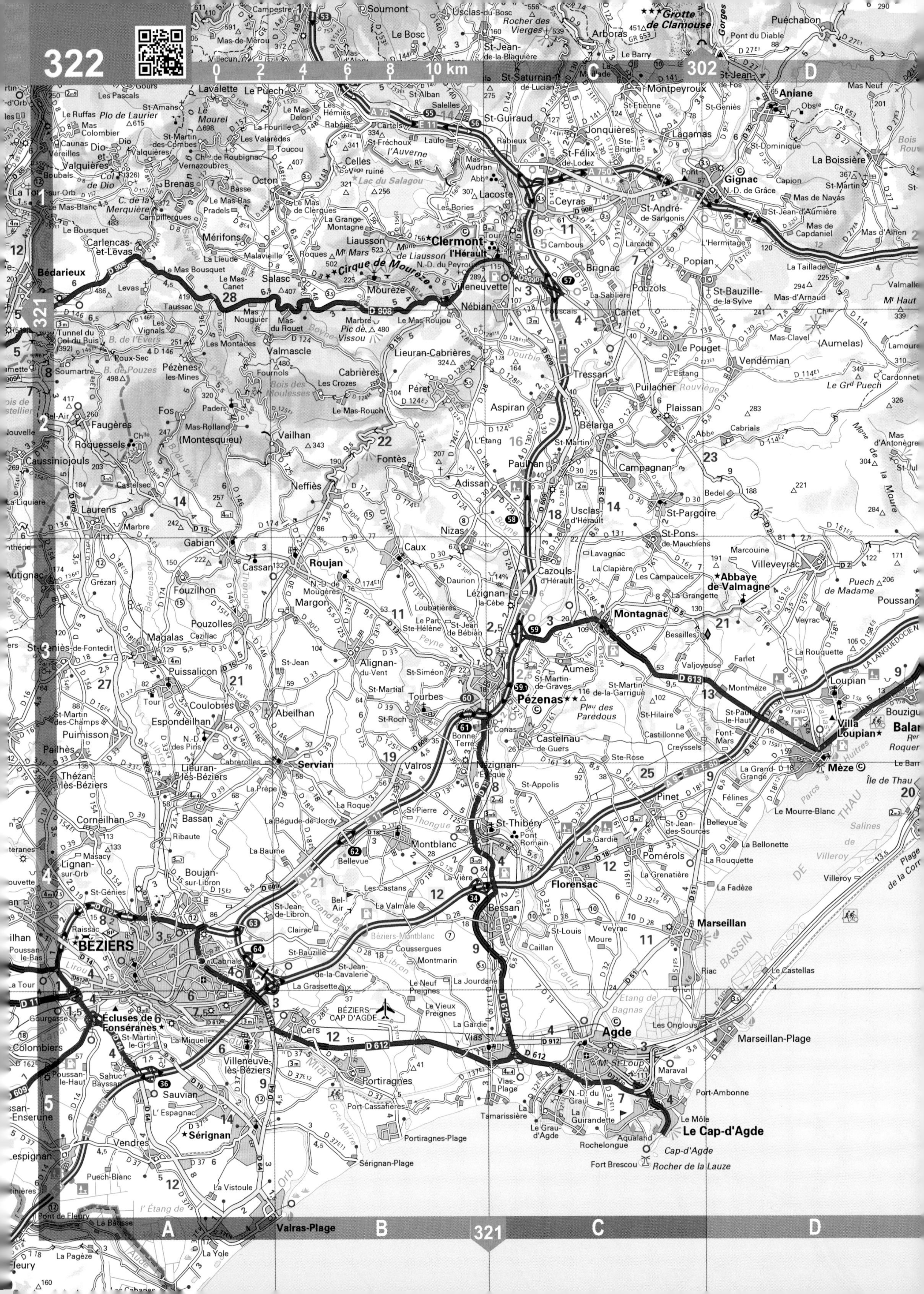
0 2 4 6 8 10 km
302
321
A
B
C
D
Soumont
Usclas-du-Bosc
Rocher des Vierges
Grotte de Clamouse
Arboras
Puéchabon
Pont du Diable
Le Bosc
St-Jean-de-la-Blaquière
St-Saturnin-de-Lucian
Montpeyroux
St-Jean-de-Fos
Aniane
Mas Neuf
Lavalette
Le Puech
Les Pascals
St-Alban
Salelles
St-Guiraud
St-Amans
Plo de Laurier
Le Mourel
Le Mas-Delon
Les Hémiès
Rabéjac
Cartels
La Fourille
St-Martin-des-Combes
Les Valarèdes
St-Fréchoux
Laulo
Rabieux
Jonquières
St-Etienne
St-Geniès
Lagamas
St-Dominique
La Boissière
Dio-et-Valquières
Valquières
Ch. de Roubignac
Vernazoubres
Toucou
Celles
l'Auverne
Mas-Audran
St-Félix-de-Lodez
Ste-Brigitte
Gignac
N.-D. de Grâce
Capion
St-Martin
Mas de Navas
Col de Dio
Brenas
Octon
Lac du Salagou
Abbé
Lacoste
Ceyras
St-André-de-Sangonis
St-Jean-d'Aumière
Mas de Capdaniel
Mas d'Alhen
La Tour-sur-Orb
Le Mas-Blanc
C. de la Merquière
Le Mas-Bas
Pradels
Le Mas de Clergues
La Grange-Montagne
Les Bories
Campillergues
Le Bousquet
Mérifons
Liausson
Mgne de Liausson
Clermont-l'Hérault
Cambous
Larcade
L'Hermitage
Carlencas-et-Levas
Malavieille
Roques
Mt Mars
N.-D. du Peyrou
Brignac
Popian
La Taillade
Bédarieux
La Lieude
Cirque de Mourèze
Le Mas Bousquet
Le Mas-Canet
Salasc
Mourèze
Villeneuvette
La Sablière
Pouzols
St-Bauzille-de-la-Sylve
Mas-d'Arnaud
Mt Haut
Levas
Taussac
Mas Nouguier
Mas-du-Rouet
Marbre
Pic de Vissou
Le Mas-Roujou
Nébian
Fouscais
Canet
Tunnel du Col du Buis
Les Vignals
B. de l'Evers
Les Montades
Valmascle
Lieuran-Cabrières
Dourbie
Le Pouget
Mas-Clavel
(Aumelas)
Lamoure
Poux-Sec
Pézènes-les-Mines
Fournols
Cabrières
Vendémian
Cardonnet
Soumartre
B. de Pouzes
Bois des Moulesses
Les Crozes
Péret
Tressan
Pulacher
L'Estang
Rouviège
Le Grd Puech
Bel-Air
Fos
Paders
Le Mas-Rouch
Aspiran
Plaissan
Faugères
Mas-Rolland
(Montesquieu)
Vailhan
L'Étang
Bélarga
St-Martin
Cabrials
Mas d'Antonègre
Roquessels
Caussiniojouls
Fontès
Paulhan
Campagnan
Mne de la Moure
St-Jul
Castelsec
Neffiès
Adissan
Bedel
Laurens
Marbre
Gabian
Nizas
Usclas-d'Hérault
St-Pargoire
St-Pons-de-Mauchiens
Lavagnac
Marcouine
Villeveyrac
Cassan
Roujan
Caux
Daurion
Cazouls-d'Hérault
La Clapière
Les Campaucels
Abbaye de Valmagne
Puech de Madame
Poussan
Autignac
Grézan
Fouzilhon
N.-D. de Mougères
Margon
Lézignan-la-Cèbe
La Grangette
Montagnac
Pouzolles
Loubatières
Le Parc
Ste-Hélène
St-Jean de Bébian
Bessilles
Veyrac
Magalas
Cazillac
St-Geniès-de-Fontedit
Peyne
Aumes
St-Martin-de-Graves
Valjoyeuse
Farlet
La Rouquette
Loupian
Bouzigues
Puissalicon
St-Jean
Alignan-du-Vent
St-Siméon
Pézenas
St-Martin-de-la-Garrigue
Montmèze
Villa Loupian
Balaruc
Tour
St-Martial
Tourbes
Plau des Paredous
St-Hilaire
St-Paul-le-Haut
St-Martin-des-Champs
Coulobres
Abeilhan
St-Roch
Conas
Castelnau-de-Guers
La Castillonne
Font-Mars
Puimisson
Espondeilhan
N.-D. des Pins
Bonne-Terre
Creyssels
Mèze
Pailhès
Cabrerolles
Servian
Valros
Nézignan-l'Évêque
Ste-Rose
La Grand Grange
Île de Thau
Thézan-lès-Béziers
Lieuran-lès-Béziers
La Prèpe
St-Appolis
Pinet
Félines
Corneilhan
Bassan
La Roque
St-Pierre
Thongue
St-Thibéry
Pont Romain
St-Jean-des-Sources
Bellevue
Le Mourre-Blanc
Salines de Villeroy
Ribaute
La Bégude-de-Jordy
Montblanc
La Gardie
Pomérols
La Bellonette
Lignan-sur-Orb
Masacy
La Baume
Bellevue
La Vière
Florensac
La Grenatière
La Rouquette
Villeroy
Plage de la Corniche
Boujan-sur-Libron
Les Castans
La Fadèze
St-Géniès
Bel-Air
La Valmale
Bessan
Raissac
St-Jean-de-Libron
Le Grand Bois
Clairac
Béziers-Montblanc
Marseillan
BÉZIERS
St-Bauzille
Coussergues
Caillan
St-Louis
Moure
Veyrac
Poussan-le-Bas
Cabrials
Montmarin
Hérault
Lirou
St-Jean-de-la-Cavalerie
La Jourdane
Riac
Le Castellas
BASSIN DE THAU
La Tour
La Grassette
Le Neuf Preignes
Étang de Bagnas
Gourgasse
Écluses de Fonséranes
BÉZIERS CAP D'AGDE
Le Vieux Preignes
Les Onglous
Colombiers
Cers
St-Martin-le-Grd
La Miquelle
Vias
Agde
Marseillan-Plage
Poussan-le-Haut
Sahuc
Bayssan
Villeneuve-lès-Béziers
Portiragnes
Vias-Plage
Mt St-Loup
Maraval
Sauvian
Port-Ambonne
Cassan-Enserune
L' Espagnac
Port-Cassafières
Tamarissière
N.-D. du Grau
La Guirandette
Le Môle
Le Cap-d'Agde
Sérignan
Le Grau-d'Agde
Aqualand
Vendres
Portiragnes-Plage
Rochelongue
Cap-d'Agde
Lespignan
Sérignan-Plage
Fort Brescou
Rocher de la Lauze
Puech-Blanc
La Vistoule
L' Étang de
Pont de Fleury
La Bâtisse
Valras-Plage
La Pagèze
La Yole
Fleury
Les Cabanes
A 75
E 11
A 750
A 9
E 15-E 80
D 908
D 909
D 613
D 612
D 13
D 32
Oris
Orb
Libron
Aude
Midi

E
F
G
H
303
324
MONTPELLIER
St-Gély
Argelliers
Murles
Combaillaux
Vailhauquès
Montarnaud
Grabels
Juvignac
St-Paul-et-Valmalle
St-Georges-d'Orques
Murviel-lès-Montpellier
Pignan
Lavérune
Saussan
Cournonterral
Cournonsec
Fabrègues
Montbazin
Gigean
St-Jean-de-Védas
Lattes
Pérols
Villeneuve-lès-Maguelone
Maguelone
Palavas-les-Flots
Carnon-Plage
La Grande-Motte
Le Grau-du-Roi
Seaquarium
Port-Camargue
Pointe de l'Espiguette
L'Espiguette
Mauguio
Castelnau-le-Lez
Le Crès
Vendargues
Castries
Baillargues
St-Brès
Valergues
Lunel-Viel
Lunel
Marsillargues
Lansargues
St-Just
Mudaison
Candillargues
St-Aunès
Jacou
Clapiers
Montferrier-sur-Lez
Prades-le-Lez
St-Clément-de-Rivière
Teyran
Assas
Sussargues
Restinclières
St-Vincent-de-Barbeyrargues
St-Geniès-des-Mourgues
MONTPELLIER-MÉDITERRANÉE
PARC DES EXPOSITIONS
Étang de Mauguio ou de l'Or
Golfe d' Aigues-Mortes
Mireval
Vic-la-Gardiole
Frontignan
Frontignan-Plage
Balaruc-le-Vieux
Balaruc-les-Bains
Sète
Mt St-Clair
La Corniche
Montagne de la Gardiole
Étang de Vic
Étang d'Ingril
Les Aresquiers
Mas des Dunes
Odysseum
Agropolis Museum
Parc zoologique
G O L F E
D U

0 2 4 6 8 10 km
304
323
Vauvert
Candiac
Puech de Dardaillon
Surville
Pérouse
Rantin
La Grand-Cabane
Fourques
Lunel
Aimargues
Le Cailar
Marsillargues
St-Laurent-d'Aigouze
Jasse-d'Isnard
L'Amourade
Malherbes
St-Brancard
Mas Roubaud
Beck
Mas Valdet
Belle-Vue
La Margue
Franquevaux
St-Gilles
Gallician
Mas Bourry
Mas Teissier
Espeyran
Écluse de St-Gilles
Mas de Julian
Saliers
Figarès
Gimeaux
Stanislas
Les Passerons
Mas de Vert
Mas du Tort
Grd Mas du Roy
Les Grilles
La Montcalde
Van Gogh
Bouchaud
Mas de la Ville
Tour de Mondony
Plan du Bourg
Musée de la Camargue
Mas du Pt de Rousty
Signoret
Albaron
Ste Cécile
Montredon
Gageron
Brunet
Étg de Grey
Étang de Scamandre
Étang du Charnier
Grd-Canavère
La Fosse
Mas de la Vigne
Rizières
Mas des Mougues
Mas du Grd Bordes
Mas Psalmody
P. des Tourradons
Le Grd Mazet
Tour Carbonnière
La Malgue
Ste-Anne
Mas des Isles
Tour
Mas des Sablons
Quatret
Les Pradaux
Le Paty-de-la-Trinité
PARC
DE
LA
Grand Mar
Le Grd Antonelle
Mas d'Agon
Mas du Cabassolle
Villeneuve
Grd Romieu
Rhône
Mas Grd-St-Jean
Mas Ste-Cécile
La Souteyranne
Montcalm
Les Bruns
Pâtis de la Trinité
Méjanes
Aigues-Mortes★★
Le Perrier
Mas du Bosquet
Mas de Capette
Avignon
PLAINE
Le Ménage
Étang de Vaccarès
La Capelière
Caves de Listel
Étg de la Ville
Étg du Lairan
Grd Palus
Sylvéréal
Mas Sénébier
Astouin
Mas de Pioch
Pioch-Badet
Marais de la Sigoulette
NATUREL
RÉGIONAL
Salins-du-Midi
Étang du Roi
Étg des Caïtives
Cabanes de Cambon
Mas du Juge
Les Frignants
Île de Mornes
Étg du Repausset
Étg du Repaus
Pin-Foucat
Mas Bade
Étang de Consecanière
Étang de Malagroy
Étang de Monro
Fiélouse
Étang de l'Arameau
Mas d'Icard
Pont-de-Gau
Mas de Cacharel
Bois des Rièges
Étg du Fournelet
Plaine de St-Jean
Étg de Rollan
Le Pt Sauvage
Étg de Ginès
Parc ornithologique
Étang de l'Impérial
Étg du Lion
Étang des Salants
Étg de Malégal
Le Ferradou
Maguelonne
DE
CAMARGUE
Petite Camargue
Étg du Cabri
Phare de la Gacholle
Étg de la Dame
Le Grd-Radeau
Étg des Launes
Digue à la Mer
Rhône-Vif
Étang d'Icard
Musée
Stes-Maries-de-la-Mer★
Étg du Tampan
St-Bertra
Grau d'Orgon
Port Gardian
Étang de Galabert
Étg du Fangassie
Golfe de Beauduc
Beauduc
Étg du Grd Rascaillan
L I O N
Pointe du Sablon
Étg de Beauduc
Étg du Vaisseau
D 979
D 570
D 58
D 6572
D 572
D 37
D 36
N 572
A
B
C
D
1
2
3
4
5

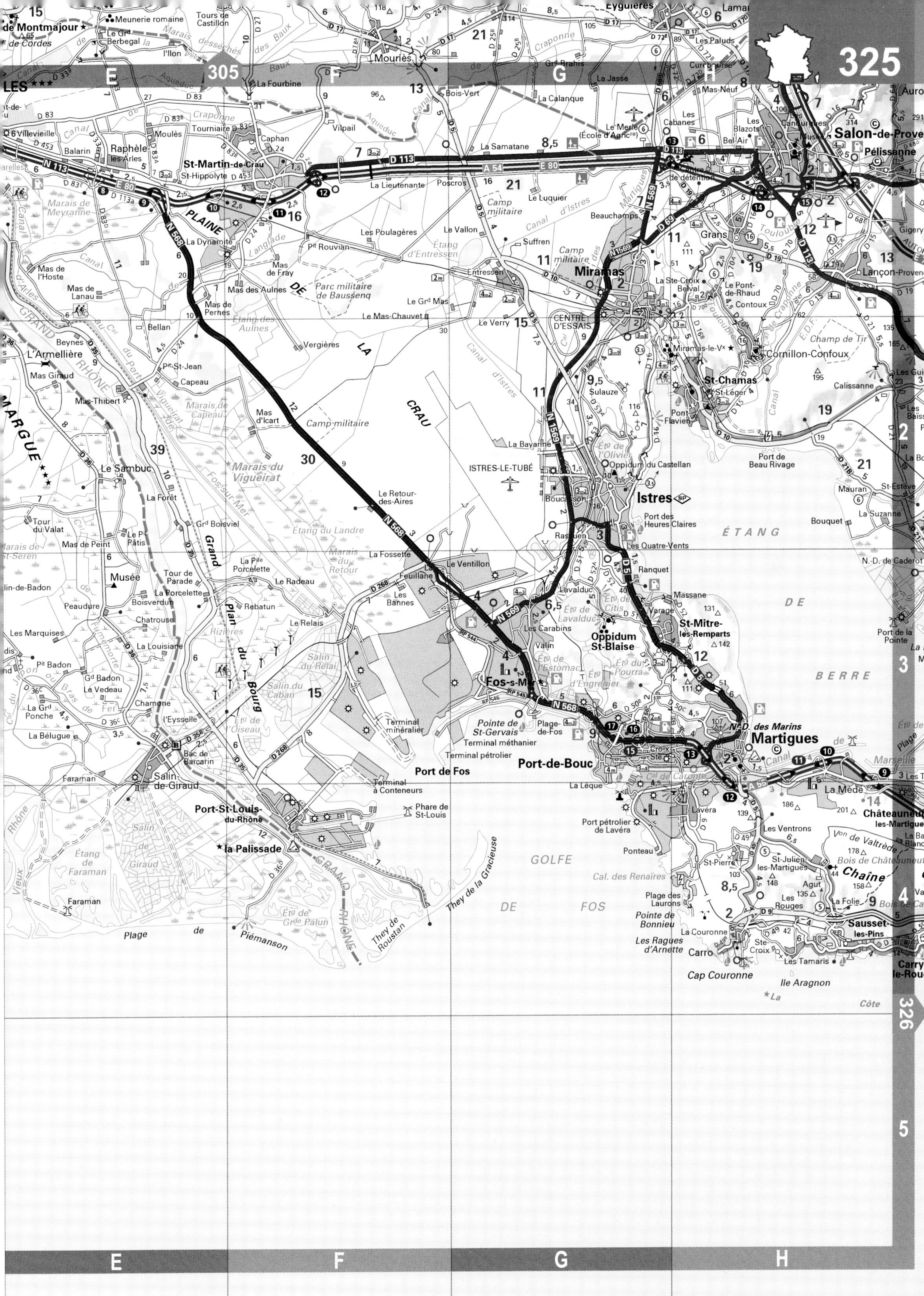
de Montmajour
Meunerie romaine
Tours de Castillon
Mouriès
Eyguières
Les Paluds
Salon-de-Provence
Pélissanne
Aurons
305
LES BAUX
La Fourbine
Bois-Vert
La Calanque
Le Merle (École d'Agric^re)
Les Cabanes
Bel-Air
Raphèle-lès-Arles
St-Martin-de-Crau
St-Hippolyte
Moulès
Caphan
Tourniaire
Balarin
Villevieille
Vilpail
La Samatane
La Lieutenante
Poscros
Le Luquier
Camp militaire
Canal d'Istres
Beauchamps
Grans
Lançon-Provence
Marais de Meyranne
PLAINE
La Dynamite
Pt Rouvian
Les Poulagères
Le Vallon
Suffren
Étang d'Entressen
Entressen
Miramas
La Ste-Croix
Belval
Le Pont-de-Rhaud
Contoux
Mas de l'Hoste
Mas de Lanau
Mas de Fray
Mas des Aulnes
DE
Parc militaire de Bausseng
Le Grd Mas
Le Mas-Chauvet
Mas de Pernes
Étang des Aulnes
Bellan
Le Verry
CENTRE D'ESSAIS
Miramas-le-Vx
Champ de Tir
Cornillon-Confoux
Beynes
L'Armellière
Mas Giraud
Vergières
LA
CRAU
Pit St-Jean
Capeau
Sulauze
St-Chamas
St-Léger
Calissanne
Les Guigue
Mas-Thibert
Marais de Capeau
Mas d'Icart
Camp militaire
Pont-Flavien
La Bayanne
CAMARGUE
Le Sambuc
Marais du Vigueirat
ISTRES-LE-TUBÉ
Étg de l'Olivier
Oppidum du Castellan
Port de Beau Rivage
La Forêt
Le Retour-des-Aires
Istres
Boucasson
Mauran
St-Estève
Port des Heures Claires
Bouquet
La Suzanne
Tour du Valat
Grd Boisviel
Étang du Landre
Rassuen
ÉTANG
Mas de Peint
Le Pt Pâtis
Les Quatre-Vents
La Pite Porcelette
La Fossette
Le Ventillon
N.-D. de Caderot
Musée
Tour de Parade
La Porcelette
Le Radeau
Feuillane
Ranquet
Les Bannes
Lavalduc
Massane
Peaudure
Boisverdun
Rebatun
Étg de Lavalduc
Étg de Citis
Varage
DE
Chatrouse
Le Relais
Les Carabins
St-Mitre-les-Remparts
Port de la Pointe
Les Marquises
La Louisiane
Salin du Relai
Oppidum St-Blaise
Valin
Étg de l'Estomac
Étg du Pourra
Pit Badon
Gd Badon
Le Vedeau
Salin du Caban
Fos-s-Mer
Étg de l'Engrenier
BERRE
La Grd Ponche
Chamone
L'Eysselle
Étg de l'Oiseau
Terminal minéralier
Pointe de St-Gervais
Plage-de-Fos
Terminal méthanier
N.-D. des Marins
Martigues
La Bélugue
Bac de Barcarin
Terminal pétrolier
Port de Fos
Port-de-Bouc
Croix-Ste
Faraman
Salin-de-Giraud
Terminal à Conteneurs
La Lèque
La Mède
Châteauneuf-les-Martigues
Port-St-Louis-du-Rhône
Phare de St-Louis
Lavéra
Les Ventrons
la Palissade
Salin de Giraud
Port pétrolier de Lavéra
Étang de Faraman
GOLFE
Ponteau
St-Pierre
St-Julien-les-Martigues
Chaîne de l'Estaque
Bois de Châteauneuf
Cal. des Renaïres
Agut
Les Rouges
La Folie
Faraman
Étg de Grde Palun
They de la Gracieuse
DE
FOS
Plage des Laurons
Pointe de Bonnieu
Sausset-les-Pins
Plage de Piémanson
They de Roustan
GRAND RHÔNE
Les Ragues d'Arnette
La Couronne
Carro
Ste-Croix
Les Tamaris
Carry-le-Rouet
Cap Couronne
Ile Aragnon
Côte
326
E
F
G
H
1
2
3
4
5

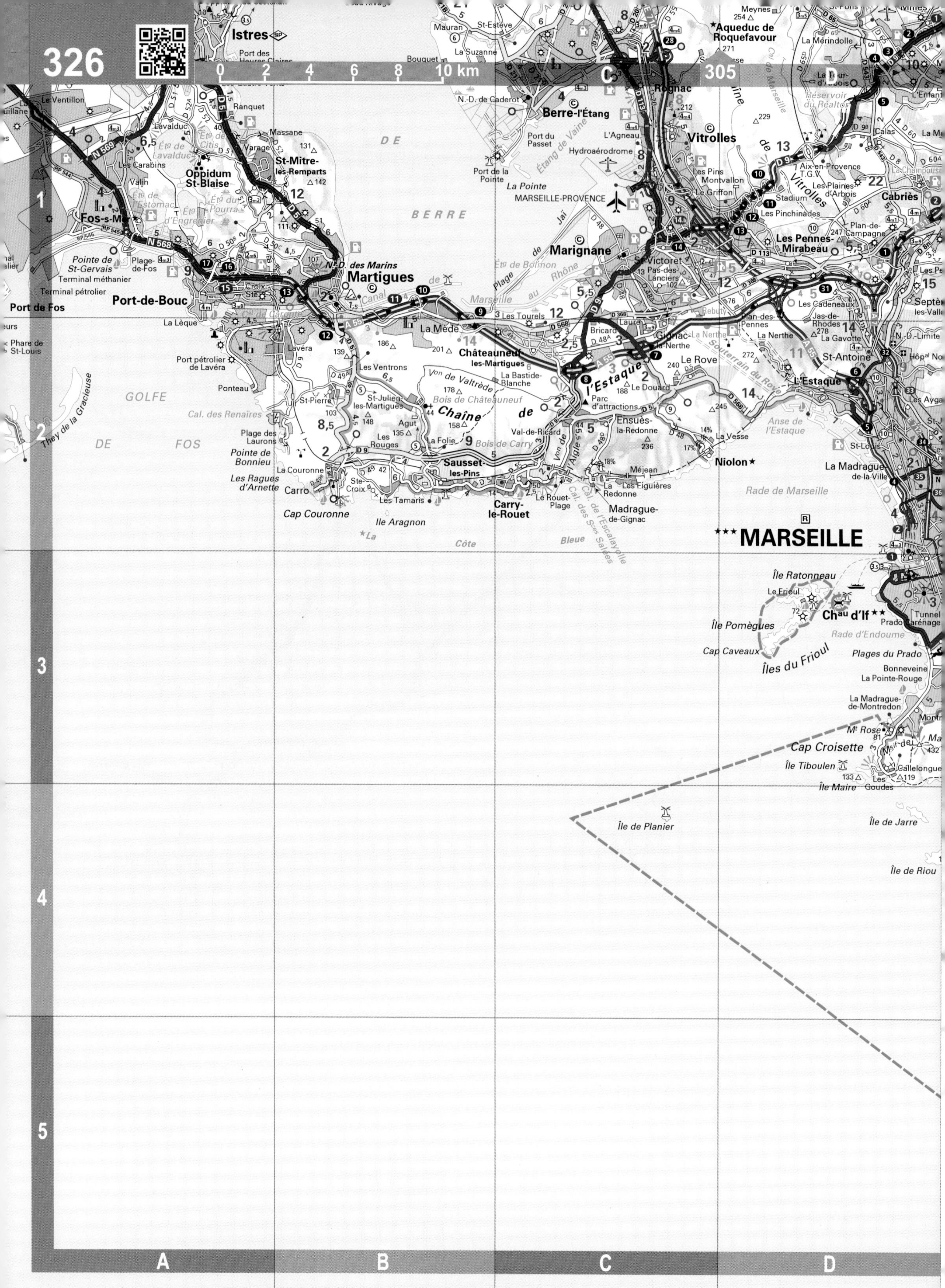
0 2 4 6 8 10 km
305
A
B
C
D
1
2
3
4
5
Istres
Port des Heures Claires
Mauran
St-Estève
La Suzanne
Bouquet
Meynes
Aqueduc de Roquefavour
La Mérindolle
Le Ventillon
Ranquet
Lavalduc
Étg de Lavalduc
Massane
Varage
Étg de Citis
Les Carabins
Oppidum St-Blaise
St-Mitre-les-Remparts
Valin
Étg de l'Estomac
Étg du Pourra
Étg d'Engrenier
Fos-s-Mer
Pointe de St-Gervais
Plage-de-Fos
Terminal méthanier
Terminal pétrolier
Port-de-Bouc
Port de Fos
Phare de St-Louis
La Lèque
Croix-Ste
Cal de Caronte
N.-D. des Marins
Martigues
Canal de Marseille au Rhône
La Mède
Châteauneuf-les-Martigues
Les Tourels
Lavéra
Port pétrolier de Lavéra
Ponteau
Les Ventrons
St-Pierre
St-Julien-les-Martigues
Von de Valtrède
La Bastide-Blanche
Bois de Châteauneuf
Chaîne de l'Estaque
Parc d'attractions
Le Douard
Le Rove
GOLFE DE FOS
They de la Gracieuse
Cal. des Renaïres
Plage des Laurons
Pointe de Bonnieu
Les Rugues d'Arnette
Carro
Cap Couronne
La Couronne
Ste-Croix
Les Tamaris
Les Rouges
Agut
La Folie
Bois de Carry
Sausset-les-Pins
Val-de-Ricard
Carry-le-Rouet
Le Rouet-Plage
Ile Aragnon
La Côte Bleue
Ensuès-la-Redonne
La Redonne
Les Figuières
Méjean
Madrague-de-Gignac
Cal. des Scies Salées
Cal. de l'Escalayolle
Niolon
La Vesse
Anse de l'Estaque
Rade de Marseille
MARSEILLE
DE BERRE
Berre-l'Étang
N.-D. de Caderot
Port du Passet
Étang de Vaïne
Hydroaérodrome
Port de la Pointe
La Pointe
MARSEILLE-PROVENCE
Marignane
Étg de Bolmon
Plage de Jaï
Rognac
L'Agneau
Vitrolles
Les Pins
Montvallon
Le Griffon
St-Victoret
Pas-des-Lanciers
Laure
Bricard
Gignac-la-Nerthe
Souterrain du Rove
Plan-des-Pennes
La Nerthe
Les Cadeneaux
Jas-de-Rhodes
La Gavotte
St-Antoine
N.-D.-Limite
L'Estaque
St-Louis
La Madrague-de-la-Ville
Cal de Marseille
Plateau de Vitrolles
Stadium
Les Pinchinades
Les Pennes-Mirabeau
Plan-de-Campagne
Cabriès
Aix-en-Provence T.G.V.
Les Plaines d'Arbois
La Tour-d'Arbois
Réservoir du Réaltor
Calas
La Champouse
Septèmes-les-Vallons
Île Ratonneau
Le Frioul
Chau d'If
Île Pomègues
Cap Caveaux
Îles du Frioul
Rade d'Endoume
Prado Carénage
Tunnel
Plages du Prado
Bonneveine
La Pointe-Rouge
La Madrague-de-Montredon
Mt Rose
Cap Croisette
Île Tiboulen
Île Maire
Les Goudes
Callelongue
Île de Planier
Île de Jarre
Île de Riou

306
328
E
F
G
H
St-Maximin-la-Ste-Baume
Gardanne
Bouc-Bel-Air
Fuveau
Trets
Rousset
Peynier
Belcodène
Gréasque
Mimet
Simiane-Collongue
Cadolive
Peypin
La Bouilladisse
La Destrousse
Auriol
St-Zacharie
Nans-les-Pins
Rougiers
Roquevaire
Plan-de-Cuques
Allauch
Aubagne
Gémenos
Carnoux-en-Provence
La Penne-sur-Huveaune
Roquefort-la-Bédoule
Cassis
La Ciotat
Ceyreste
Cuges-les-Pins
Plan-d'Aups-Ste-Baume
St-Pilon
Signes
Riboux
Le Castellet
Le Beausset
La Cadière-d'Azur
St-Cyr-sur-Mer
Les Lecques
Bandol
Sanary-sur-Mer
Six-Fours-les-Plages
Ollioules
Évenos
Île de Bendor
Îles des Embiez
Cap Canaille
Sémaphore
Île Verte
Cap de l'Aigle
Les Calanques
Massif de la Sainte-Baume
Chaîne de l'Étoile
Parc National des Calanques
Montagne de Regagnas
Mont Aurélien
Col de l'Espigoulier
O.K. Corral
Le Gros Cerveau
Presqu'île du Cap Sicié

0 2 4 6 8 10 km
C
307
D
327
A
B
Correns
Montfort-sur-Argens
Carcès
Abbe du Thoronet
Le Thoronet
Miraval
Bauxite
La Grde-Bastide
Le Val
Vins-sur-Caramy
Cabasse
Mgne de la Boissière
Entrayques
Le Recou
Le Vieux-Cannet
Notre-Dame
Vaubelle
Cambarette Nord
Terrasses de Provence
LA PROVENCALE
Fontrouvière
Les Censiés
Les Gaëtans
Tourves
Valiancelle
Boulon
Martelle
Brignoles
La Celle
Bauxite
St-Pré
La Gayolle
St-Julien
Moulin-de-Caramy
L'Escarelle
Vieux-Rougiers
Campdumy
La Seigneurie
Le Luc
Le Cannet-des-Maures
Piqueroc
Bedin
Pérégrinage
Commanderie-de-Peyrassol
La Lauzade
Camps-la-Source
Roc de Candelon
Marbre
Montagne de la Loube
Flassans-sur-Issole
St-Quinis
Besse-s-Issole
Blanquefort
Ste-Agathe
Gasqui
Repenti
Reillanne
Autodrome du Var
Barre de St-Quinis
Ste-Anastasie-sur-Issole
Orat.
Bois de Garéoult
Bellevue
Mazaugues
La Roquebrussanne
Garéoult
Forcalqueiret
La Crx de Bontar
Gangasset
Gonfaron
Village de tortues
La Tuilière
Le Mourre d'Anis
Forêt de Mazaugues
Néoules
Rocbaron
Thèmes
Carnoules
Pignans
N.-D. du Figuier
La Fouquette
La Verguine
Mas-de-Peyrougier
Pilon St-Clément
Col de la Bigue
La Foux
Puget-Ville
N.-D. des Anges
Col des Fourches
Signes
Méounes-lès-Montrieux
Le Canadel
Ste-Philomène
Mas-de-Brun
Le Fédon
La Sauvette
Beaupré
Capelière
Le Martinet
Haras du Gapeau
Barre de Cuers
La Ruol
Le Cigalou
Forêt de Pignans
Vallon de Maraval
Crête des Martels
Les Vidaux
Montrieux-le-Vieux
Chartreuse de Montrieux-le-Jeune
Pachoquin
Jas de Laure Sal
Belgentier
Cuers
Beauvais
La Portanière
Le Peyrol
Collobrières
Plateau de Siou-Blanc
Forêt de Morières-Montrieux
Valcros
Font-Freye
La Tuilière
Montaud
La Rivière
La Rode
Pierrefeu-du-Var
Baisse du Castellas
La Portanière
Rocher de l'Aigle
Roca Troca
Morière-le-Cap
Grand Cap
La Guiranne
Ste-Christine
Solliès-Toucas
La Bouisse
Sigaloux
Vallée-de-Sauvebonne
Les Vanades
St-Guillaume
Col de Babaou
Sommet de Laquina
La Mayonnette
La Navarre
Camp-Long
Valaury
Les Aiguiers
Les Terrins
Les Laugiers
Solliès-Pont
La Grde-Bastide
Sauvebonne
Valcros
Mont Caume
Camp militaire
Baux Rouges
Solliès-Ville
Le Decapris
Pas-du-Cerf
MASSIF DES MAURES
Les-Hauts-de-Porquerolles
Col de Gratteloup
Le Revest-les-Eaux
La Tour
Maraval
Tamary
La Galinette
Bormes-les-Mimosas
Col du Corps de Garde
Baou de Quatre Oures
Évenos
Le Broussan
Les Pomets
Les Moulins
Dardennes
La Ripelle
Tourris
La Farlède
Les Laures
Les Mauniers
La Castille
Les Martins
Mesclans
Le Viet
Les Borrels
N.-D.-des-Maures
Jardin d'oiseaux tropicaux
St-Honoré
Le Coudon
Mt Faron
Zoo
Mémorial
Fort de la Crx Faron
Les Moulières
Fort du Girardon
Les Sauvans
La Tuilerie
La Clapière
Le Loli
Les Jassons
La Londe-les-Maures
La Verrerie
Réserve du Trapan
Gorges d'Ollioules
Le Croupatier
Champ de Tir
Châteauvallon
La Valette-du-Var
Super-Toulon
La Crau
Le Fenouillet
Le Plan-du-Pont
Les Maurettes
Hyères
Mauvanne
Le Galoupet
Les Caroubiers
Les Bormettes
La Manne
Beaucaire
Le Touar
Pauline
La Moutonne
La Bayorre
St-Nicolas
Les Salins-d'Hyères
L'Argentière-Plage
Léoube
Brégançon
La Seyne-s-Mer
Le Camp Laurent
Pont-du-Suve
Pont-de-la-Clue
La Garde
Col du Serre
Le Paradis
Mt des Oiseaux
N.-D. de Consolation
Les Salins Riquier
Port-Pothuau
Berriau-Plage
Pte de Miramar
Cap de Léoube
Cabasson
Les Fouirades
Sémaphore
Cap de Brégançon
Le Mourillon
Cap Brun
Ste-Marguerite
Le Pradet
Carqueiranne
Ayguade-Ceinturon
TOULON
Fort Balaguier
Les Bonnettes
La Garonne
Fort de la Colle-Noire
La Californie
Costebelle
Hyères-Plage
Port d'Hyères
Pte de la Tripe
Tamaris
Base aéronavale
Fr. Ital.
St-Mandrier-sur-Mer
Les Oursinières
Cap de Carqueiranne
Canebas
Fort de la Gavaresse
Les Salettes
Le Pradon
Fontbrun
L'Almanarre
RADE D'HYÈRES
Mar-Vivo
Les Sablettes
St-Elme
Le Pin-Roland
Fabrégas
Pte de Marégau
Cap Cépet
Presqu'île de St-Mandrier
Musée de la Mine
Golfe de Giens
Salins des Pesquiers
Étg des Pesquiers
La Capte
Presqu'île de Giens
N.-D. du Mai
Cap Sicié
Les Fourmigues
Giens
La Madrague
Port du Niel
Cap de l'Estérel
La Tour-Fondue
ÎLES
Cap des Mèdes
Île de Porquerolles
Pointe Escampobariou
Île du Grd Ribaud
Pte Passe
Pte du Lequin
Plage Notre-Dame
Grande Passe
Île de Bagaud
Cap Rousset
Porquerolles
Notre-Dame
Fort de la Repentance
Sémaphore (140)
Pte du Grd Langoustier
Mt des Salins
Conservatoire Botanique National
Pte de l'Oustau de Diéu
Cap d'Arme
A 8
E 80
A 57
A 570
D 97
D 554
D 43
D 12
D 14
D 98
N7

308
Les Arcs
Taradeau
Vidauban
Ste-Brigitte
Roquebrune-sur-Argens
Fréjus
Fréjus-Plage
Golfe de Fréjus
St-Aygulf
Boulouris
Dramont
Cap du Dramont
Sémaphore
Île d'Or
Corniche
Les Issambres
Les Calanques
San-Peïre-s-Mer
La Nartelle
Cap des Sardinaux
Tourelle de la Sèche-à-l'Huile
Ste-Maxime
Golfe de St-Tropez
ST-TROPEZ
Port-Grimaud
Grimaud
Cogolin
La Garde-Freinet
Col de Vignon
Roches Blanches
Monastère de la Verne
Gassin
Ramatuelle
Pampelonne
Plage de Pampelonne
Phare de Camarat
Cap Camarat
Presqu'île de St-Tropez
Plage de Tahiti
Cap de St-Tropez
Plage des Salins
Pte de Capon
Cap du Pinet
Tourelle de la Moutte
La Croix-Valmer
Gigaro
Plage de l'Escalet
Cap Taillat
Cap Lardier
Cavalaire-s-Mer
Baie de Cavalaire
Cap Cavalaire
Col du Canadel
Rayol-Canadel-s-Mer
Domaine du Rayol
Cavalière
Aiguebelle
Pramousquier
Cap Nègre
Le Lavandou
St Clair
Plage de la Favière
Port de Bormes-les-Mimosas
Corniche des Maures
Baie de Gau
Pte de l'Esquillette
Cap-Bénat
Cap Bénat
Cap Blanc
MAURES
D'HYÈRES
Île de Port-Cros
(Parc National)
Port-Cros
Port-Man
Île du Levant
Phare du Titan
Pte de Calle-Rousse
Pte du Castellas
Pte de l'Areste
Héliopolis
Le Grd Cap
Pte Maupertuis
Rer de la Gabinière
F
G
H
1
2
3
4
5

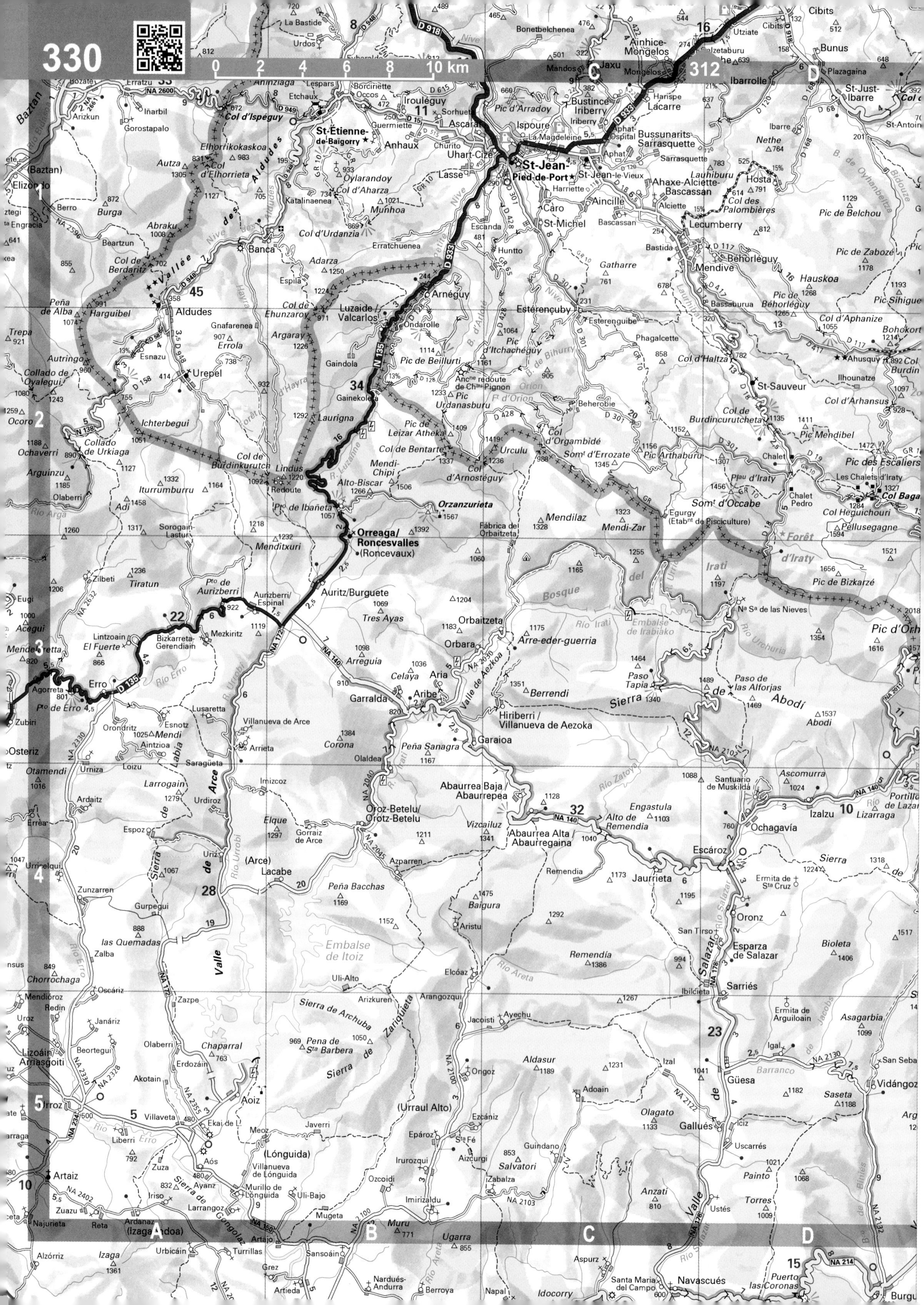
0 2 4 6 8 10 km
312
Baztan
Elizondo
Col d'Ispéguy
St-Étienne-de-Baïgorry
Irouléguy
Ascarat
Ispoure
St-Jean-Pied-de-Port
Uhart-Cize
Lasse
Anhaux
Banca
Aldudes
Urepel
Vallée des Aldudes
Col de Berdaritz
Arnéguy
Luzaide / Valcarlos
Estérençuby
Lecumberry
Mendive
Béhorléguy
St-Michel
Caro
Aincille
Ahaxe-Alciette-Bascassan
Bussunarits-Sarrasquette
Lacarre
Bustince-Iriberry
Jaxu
Ainhice-Mongelos
Ibarrolle
St-Just-Ibarre
Bunus
Hosta
Col des Palombières
Pic de Belchou
Pic de Zabozé
Hauskoa
St-Sauveur
Col d'Haltza
Col de Burdincurutcheta
Pic d'Orhy
Pic des Escaliers
Chalet Pedro
Col Heguichouri
Forêt d'Iraty
Pic de Bizkarzé
Egurgy
Som^t d'Occabe
Mendi-Zar
Mendilaz
Col d'Orgambidé
Urculu
Col d'Arnostéguy
Pic d'Urdanasburu
Pic de Beillurti
Pic de Leizar Atheka
Col de Bentarte
Mendi-Chipi
Alto-Biscar
Orzanzurieta
Lindus
Col de Burdinkurutch
Redoute
P^to de Ibañeta
Orreaga/Roncesvalles (Roncevaux)
Auritz/Burguete
Aurizberri/Espinal
P^to de Aurizberri
Mezkiritz
Bizkarreta-Gerendiain
Lintzoain
El Fuerte
Erro
P^to de Erro
Agorreta
Zubiri
Eugi
Tiratun
Menditxuri
Iturrumburru
Ichterbegui
Collado de Urkiaga
Arguinzu
Olaberri
Río Arga
Bosque del Irati
Embalse de Irabiako
Río Irati
Na S^a de las Nieves
Orbaitzeta
Fábrica de Orbaitzeta
Orbara
Arre-eder-guerria
Tres Ayas
Arreguia
Celaya
Aria
Aribe
Garralda
Valle de Aezkoa
Hiriberri / Villanueva de Aezoka
Berrendi
Sierra de Abodi
Paso Tapia
Paso de las Alforjas
Abodi
Garaioa
Peña Sanagra
Corona
Abaurrea Baja / Abaurrepea
Abaurrea Alta / Abaurregaina
Alto de Remendia
Engastula
Santuario de Muskildá
Ochagavía
Escároz
Izalzu
Portillo de Lazar
Jaurrieta
Remendia
Oronz
Esparza de Salazar
Sarriés
Ibilcieta
Güesa
Gallués
Iciz
Uscarrés
Vidángoz
Saseta
Bioleta
Asagarbia
Ermita de Arguiloain
Valle de Salazar
Navascués
Puerto las Coronas
Burgui
Santa Maria del Campo
Idocorry
Aspurz
Oroz-Betelu / Orotz-Betelu
Azparren
Lacabe
Arce
Sierra de Labia
Sierra de Arce
Valle de Arce
Río Urrobi
Villanueva de Arce
Arrieta
Saragüeta
Urdiroz
Espoz
Uriz
Gurpegui
las Quemadas
Zalba
Chorrochaga
Embalse de Itoiz
Remendía
Aristu
Baigura
Peña Bacchas
Elcóaz
Uli-Alto
Arizkuren
Sierra de Archuba
Sierra de Zariquieta
Pena de Sta Barbera
Jacoisti
Ayechu
Aldasur
Ongoz
Adoain
Izal
Olagato
(Urraul Alto)
Ezcániz
Epároz
Aizcurgi
Guindano
Salvatori
Anzati
Ustés
Torres
Painto
Irurozqui
Ozcoidi
Imirizaldu
Zabalza
Murillo de Lónguida
Villanueva de Lónguida
(Lónguida)
Aós
Aoiz
Villaveta
Ekai de L.
Meoz
Javerri
Uli-Bajo
Mugeta
Muru
Ugarra
Sansoáin
Artajo
Turrillas
Urbicáin
Izaga
Alzórriz
Ardanaz (Izagaondoa)
Reta
Zuazu
Najurieta
Artaiz
Sierra de Gongolaz
Larrangoz
Iriso
Ayanz
Zuza
Liberri
Urroz
Lizoáin
Arriasgoiti
Beortegui
Janáriz
Redin
Mendióroz
Oscáriz
Zazpe
Olaberri
Chaparral
Erdozáin
Akotain
Zunzarren
Urniza
Loizu
Ardaitz
Larrogain
Otamendi
Osteriz
Esnotz
Aintzioa
Mendi
Orondritz
Lusaretta
Acegui
Ocoro
Trepa
Collado de Oyalegui
Ochaverri
Peña de Alba
Harguibel
Autringo
Esnazu
Errola
Gnafarenea
Argaray
Gaindola
Ondarolle
Ehunzaroy
Adarza
Espila
Erratchuenea
Huntto
Escanda
Col d'Urdanzia
Munhoa
Col d'Aharza
Oylarandoy
Katalinaenea
Col d'Elhorrieta
Elhorrikokaskoa
Autza
Abraku
Burga
Berro
Beartzun
Arizkun
Iñarbil
Gorostapalo
Errazu
Urdos
La Bastide
Lespars
Etchaux
Occos
Bonetbelchenea
Mongelos
Utziate
Cibits
Plazagaina
Ibarre
Nethe
Bohokort
Col Burdin
Ahusquy
Col d'Aphanize
Pic Sihigue
Pic de Béhorléguy
Bassaburua
Phagalcette
Esterenguibe
Beherobie
Col d'Arhansus
Pic Mendibel
Chalet
Les Chalets d'Iraty
Col Bagargi
Pellusegagne
Pic d'Arthaburu
Som^t d'Errozate
Pic d'Itchachéguy
Anc^ne redoute de Ch^au Pignon
Gainekoleta
Laurigna
Sorogain-Lastur
Adi
Zilbeti
Ascomurra
Lizarraga
Ermita de Sta Cruz
San Tirso
A B C D
1 2 3 4 5
N 135
D 933
D 918
NA 140
NA 135
NA 172
NA 150
NA 178
NA 2130
NA 214

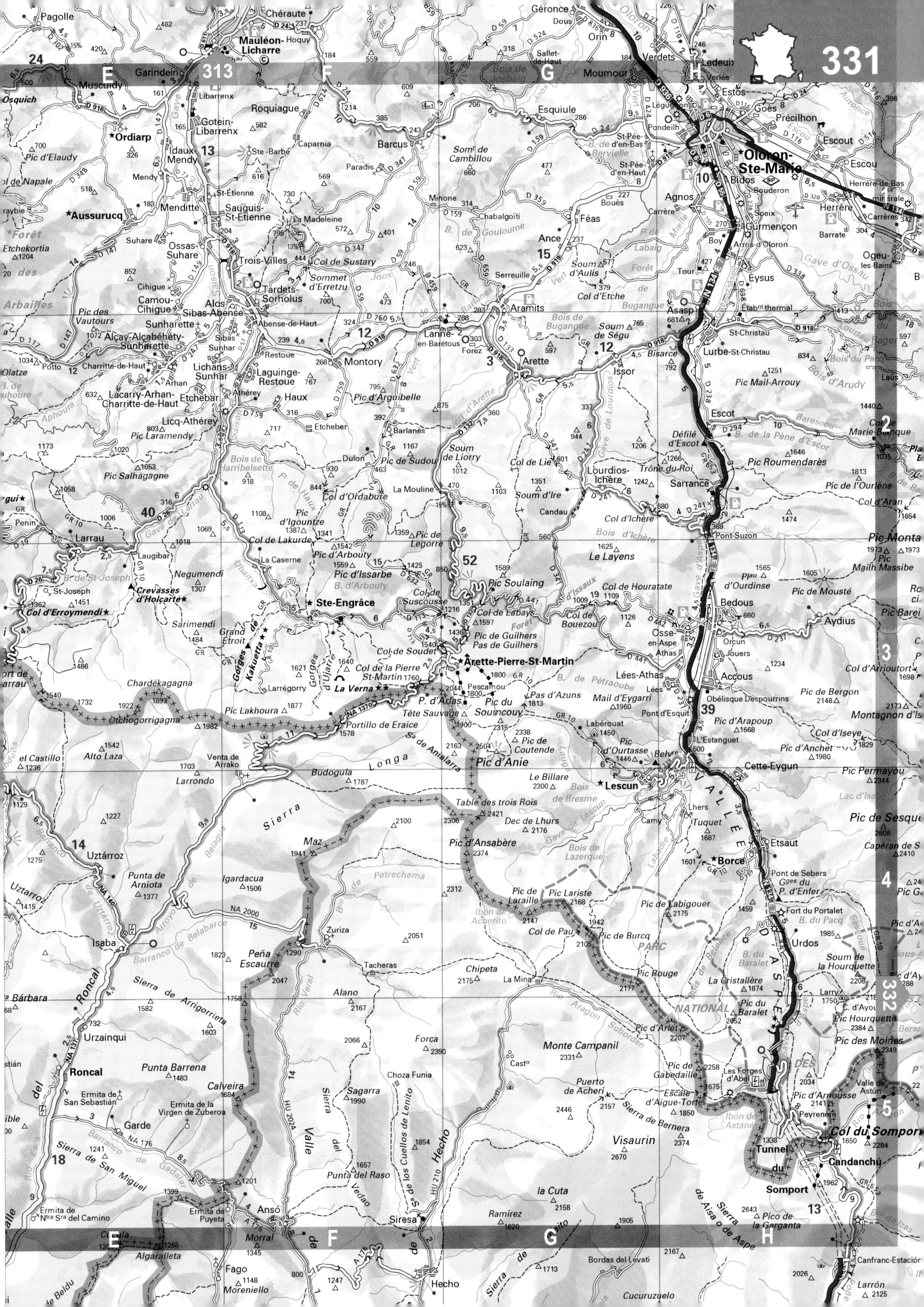

Pagolle
Chéraute
Géronce
Oloron
Mauléon-Licharre
Hoquy
Dous
Orin
Verdets
Ledeuix
Garindein
313
Moumour
Musculdy
Libarrenx
Bois de Josbaig
Estos
Verlée
Goès
Précilhon
Escout
Osquich
Roquiague
Esquiule
Léguignon
Gotein-Libarrenx
Barcus
Caparnia
Pondeilh
Ordiarp
Pic d'Elaudy
Idaux-Mendy
Ste-Barbe
Somt de Cambillou
St-Pée-de-Bas
Bervielle
St-Pée-d'en-Haut
Oloron-Ste-Marie
Escou
Pic de Napale
Mendy
Paradis
Bidos
Bouderon
Herrère-de-Bas
Herrère
Carrères
Menditte
St-Etienne
Sauguis-St-Etienne
Minone
Chabalgoïti
Féas
Bouès
Agnos
Carrère
Soeix
Aussurucq
La Madeleine
B. de Gouloume
Ance
Gurmençon
Barrate
Forêt
Etchekortia
Suhare
Ossas-Suhare
Labaig
Boy
Arros-d'Oloron
Ogeu-les-Bains
des Arbailles
Trois-Villes
Col de Sustary
Sommet d'Erretzu
Soum d'Aulis
Tour
Eysus
Gave d'Ossau
Cihigue
Camou-Cihigue
Tardets-Sorholus
Serreuille
Col d'Etche
Forêt de Bugangue
Asasp
Etabnt thermal
Alos
Sibas-Abense
Abense-de-Haut
Aramits
Bois de Bugangue
Pic des Vautours
Sunharette
Alçay-Alçabéhéty-Sunharette
Lanne-en-Barétous
Forez
Soum de Ségu
St-Christau
Lurbe-St-Christau
Bois du Pacq
Bois d'Arudy
Potto
Charritte-de-Haut
Restoue
Montory
Arette
Issor
Bisarce
Olatze
Lichans-Sunhar
Laguinge-Restoue
Pic Mail-Arrouy
Laùs
Arhan
Lacarry-Arhan-Charritte-de-Haut
Etchebar
Athérey
Haux
Pic d'Arguibelle
Licq-Athérey
Etcheber
Barlanès
Escot
Baresous
Pic Laramendy
Col de Marie-Blanque
Défilé d'Escot
B. de la Pène d'Escot
Soum de Liorry
Pic de Sudou
Pic Roumendarès
Pic Salhagagne
Bois de Harribelsette
Dulon
Col de Lie
Lourdios-Ichère
Trône du Roi
Sarrance
La Mouline
Soum d'Ire
Col d'Ordabure
Pic de l'Ourlène
Col d'Aran
Candau
Col d'Ichère
Larrau
Penin
Pic d'Igountze
Pont-Suzon
Col de Lakurde
Bois d'Ichère
Pic de Legorre
Pic Monta
Laugibar
Pic d'Arbouty
Le Layens
Pic Mailh Massibe
La Caserne
Pic d'Issarbe
B. d'Arbouty
Negumendi
St-Joseph
B. de St-Joseph
Crevasses d'Holcarté
Pic Soulaing
Plau d'Ourdinse
Pic de Mousté
Col de Houratate
Col d'Erroymendi
Ste-Engrâce
Col de Suscousse
Bedous
Col de Labays
Forêt d'Issaux
Col de Bouezou
Sarimendi
Grand Etroit
Gorges de Kakuetta
Pic de Guilhers
Pas de Guilhers
Osse-en-Aspe
Aydius
Pic Barei
Col de Soudet
Orcun
Jouers
Athas
Col de la Pierre St-Martin
Gorges d'Ujarre
Arette-Pierre-St-Martin
Col d'Arrioutort
Lées-Athas
Accous
Chardékagagna
Larrégorry
La Verna
B. de Pétraoube
Pic de Bergon
P. d'Arlas
Pescamou
Pas d'Azuns
Mail d'Eygarri
Obélisque Despourrins
Otchogorrigagna
Pic Lakhoura
Tête Sauvage
Pic du Soumcouy
Pont d'Esquit
Montagnon d'Iseye
Portillo de Eraice
Labérouat
Pic d'Arapoup
Col d'Iseye
Pic de Coutende
Pic d'Ourtasse
L'Estanguet
Pic d'Anchet
Alto Laza
Sa de Anialarra
el Castillo
Venta de Arrako
Longa
Pic d'Anie
Belvé
Cette-Eygun
Pic Permayou
Larrondo
Budogula
Le Billare
Bois de Bresme
Lescun
Lac d'Isabe
Sierra
Table des trois Rois
Dec de Lhurs
Gave de Lescun
Lhers
Camy
Tuquet
Pic de Sesque
VALLÉE
Maz
Pic d'Ansabère
Etsaut
Capéran de Sesque
Barranco
Uztárroz
Punta de Arniota
Igardacua
Petrechema
Bois de Lazerque
Borce
Pont de Sebers
Gges du P. d'Enfer
Uztarroz
Pic de Laraille
Pic Lariste
Ibon de Acherito
Pic de Labigouer
Fort du Portalet
B. du Pacq
Pic G
Arroyo de Belagua
Zuriza
Col de Pau
Pic de Burcq
Isaba
Barranco de Belabarce
Peña Escaurre
PARC
Urdos
B. du Baralet
Soum de la Hourquette
Tacheras
Chipeta
Pic Rouge
La Cristallère
Roncal
Sierra de Arrigorrieta
Alano
La Mina
Rio Aragon Subordan
NATIONAL
Pic du Baralet
Larry
C. d'Ayous
Pic Hourquette
Bárbara
Rio Veral
D'ASPE
Pic d'Arlet
Pic des Moines
Urzainqui
Forca
Monte Campanil
DES
Punta Barrena
Casto
Pic de Gabedaille
Les Forges d'Abel
Valle de Astún
Calveira
Choza Funia
Puerto de Acherí
Escale d'Aigue-Torte
Pic d'Arnousse
Ermita de San Sebastián
Ermita de la Virgen de Zuberoa
Sagarra
Sierra de Bernera
Ibón de Astanés
Peyrenère
Garde
Sierra del Vedao
Sa de los Cuellos de Lenito
Hecho
Valle
Visaurin
Col du Somport
Candanchú
Tunnel du Somport
Sierra de San Miguel
Barranco de Gadalar
Punta del Raso
la Cuta
Sierra de Aisa o de Aspe
Ermita de Ntra Sra del Camino
Ermita de Puyeta
Ansó
Siresa
Ramirez
Pico de la Garganta
Morral
Algaralleta
Fago
Moreniello
Bordas del Levati
Sierra de Gabardito
Canfranc-Estación
Larrón
Cucuruzuelo
E
F
G
H
2
3
4
5
332

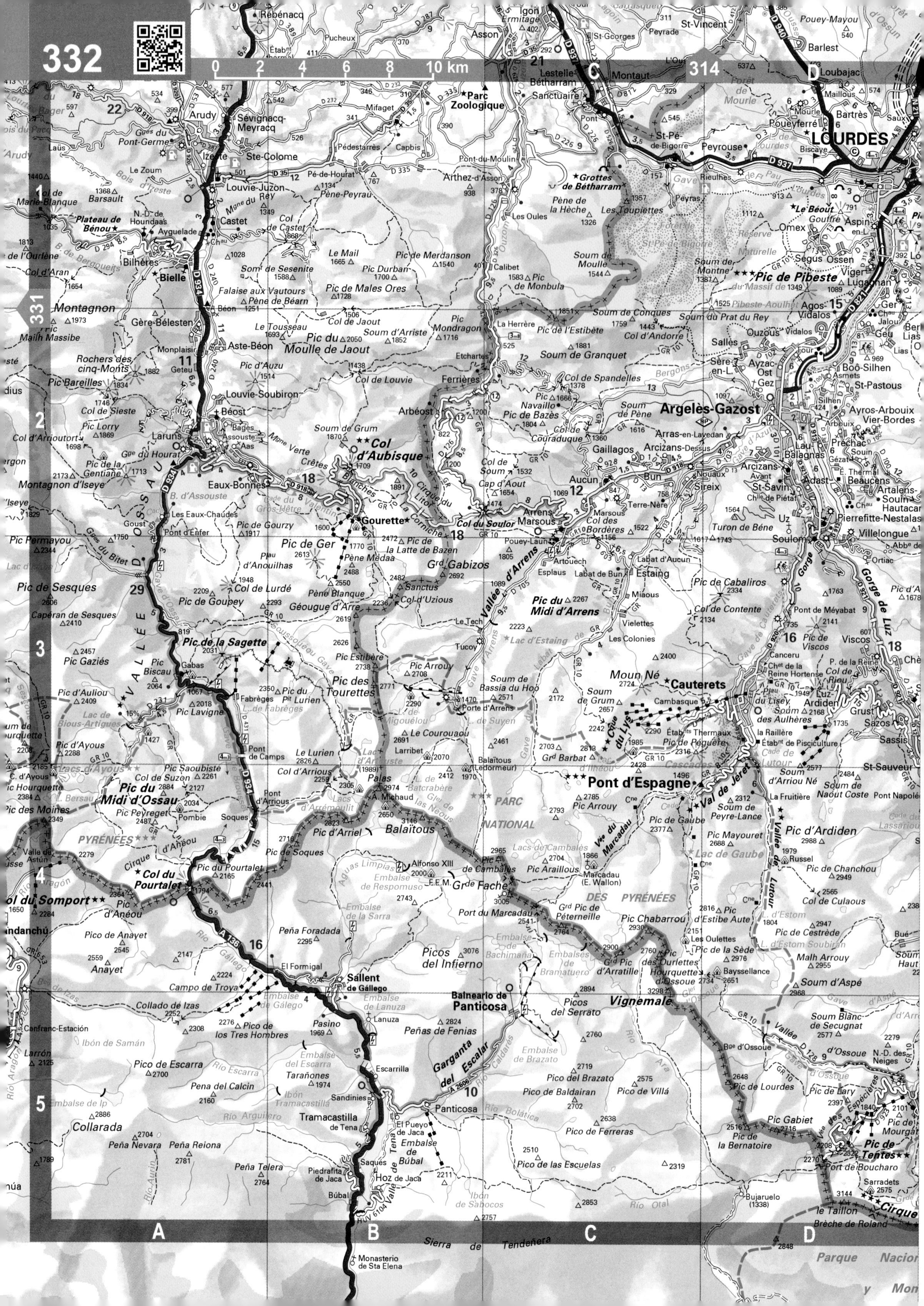
0 2 4 6 8 10 km
314
331
A
B
C
D
1
2
3
4
5
Rébénacq
Igon
Asson
St-Vincent
Pouey-Mayou
Barlest
Lestelle-Bétharram
Montaut
Loubajac
Parc Zoologique
Arudy
Sévignacq-Meyracq
Izeste
Ste-Colome
St-Pé-de-Bigorre
Peyrouse
LOURDES
Louvie-Juzon
Grottes de Bétharram
Col de Marie-Blanque
Plateau de Bénou
Castet
Bielle
Bilhères
Le Béout
Omex
Aspin-en-L.
Pic de Pibeste
Agos-Vidalos
Ségus
Ossen
Viger
Lugagnan
Col d'Aran
Montagnon
Gère-Bélesten
Aste-Béon
Pic du Moulle de Jaout
Pic Mondragon
Soum de Granquet
Col de Spandelles
Col d'Andorre
Ferrières
Arbéost
Louvie-Soubiron
Béost
Laruns
Col d'Aubisque
Argelès-Gazost
Arras-en-Lavedan
Arcizans-Dessus
Gaillagos
Aucun
Bun
Sireix
Arcizans-Avant
St-Savin
Beaucens
Pierrefitte-Nestalas
Eaux-Bonnes
Les Eaux-Chaudes
Gourette
Col du Soulor
Arrens-Marsous
Pic de Ger
Gd Gabizos
Soulom
Villelongue
Pic de Sesques
Pic de Goupey
Col de Lurdé
Vallée d'Arrens
Estaing
Pic de Cabaliros
Pic du Midi d'Arrens
Lac d'Estaing
Pic de la Sagette
Gabas
Pic des Tourettes
Moun Né
Cauterets
Pic Arrouy
Porte d'Arrens
Luz-Ardiden
Viscos
Lac de Bious-Artigues
Pic d'Ayous
Lacs d'Ayous
Pic du Midi d'Ossau
Pont d'Espagne
Val de Jéret
Palas
Balaïtous
PARC NATIONAL DES PYRÉNÉES
Pic d'Ardiden
Lac de Gaube
Col du Pourtalet
Col du Somport
Pic d'Anéou
Gd Fache
Pic Chabarrou
Sallent de Gállego
Picos del Infierno
Balneario de Panticosa
Vignemale
Vallée d'Ossoue
Canfranc-Estación
Pico de Escarra
Escarrilla
Panticosa
Collarada
Tramacastilla de Tena
Peña Telera
Piedrafita de Jaca
Hoz de Jaca
Búbal
Bujaruelo
Pic de Tentes
Port de Boucharo
Brèche de Roland
Sierra de Tendeñera
Monasterio de Sta Elena
Parque Nacional

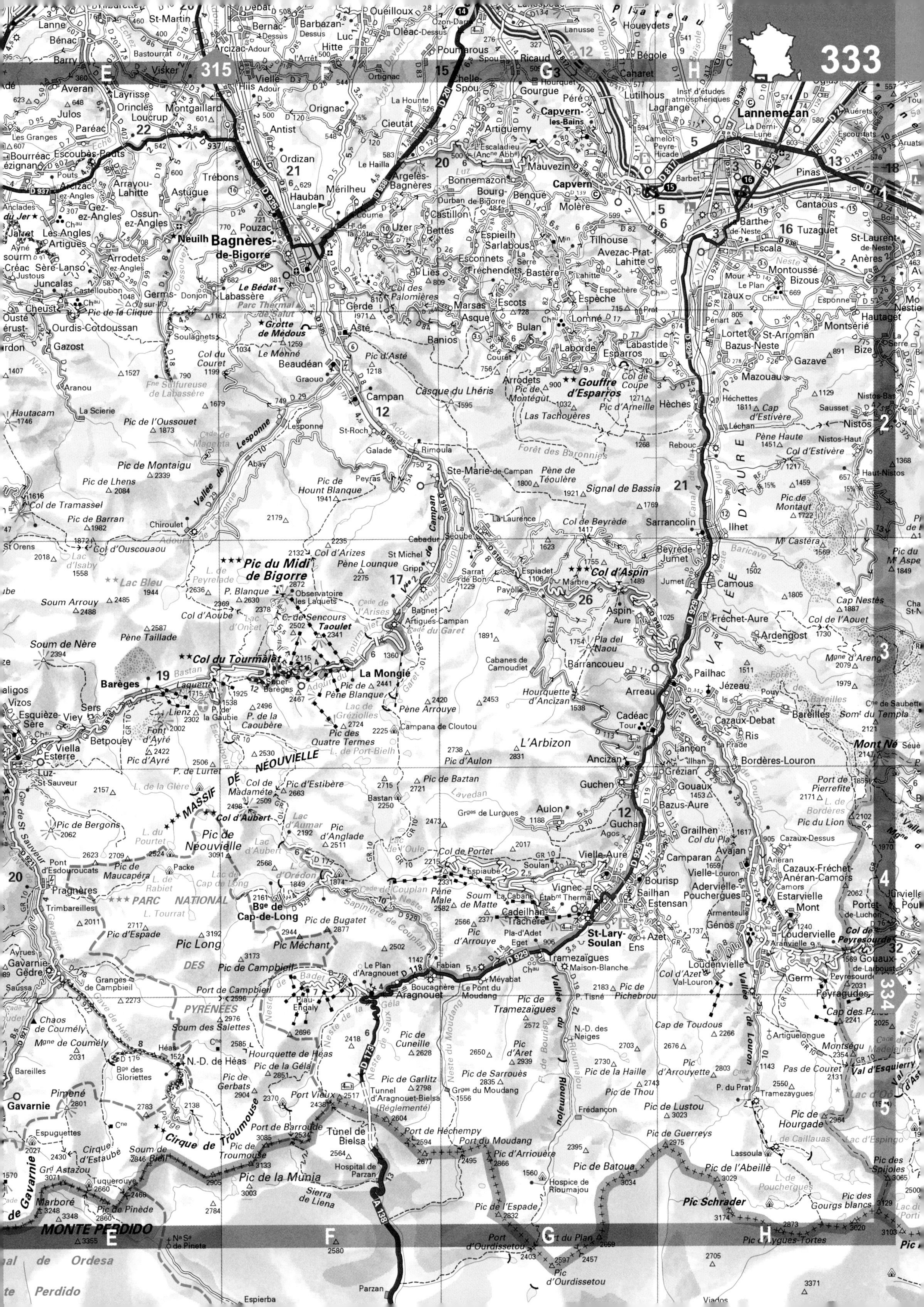
315
334
E
F
G
H
1
2
3
4
5
Lannemezan
Bagnères-de-Bigorre
Capvern-les-Bains
Capvern
Arcizac-Adour
Montgaillard
Pouzac
Trébons
Ordizan
Hauban
Mérilheu
Argelès-Bagnères
Bonnemazon
Bourg-de-Bigorre
Benqué
Molère
Mauvezin
Tilhouse
Avezac-Prat-Lahitte
Lutilhous
Lagrange
Pinas
Cantaous
Tuzaguet
Barthe-de-Neste
St-Laurent-de-Neste
Anères
Escala
Montoussé
Bizous
Izaux
Lortet
St-Arroman
Bazus-Neste
Gazave
Montsérie
Hautaget
Mazouaou
Hèches
Espèche
Lomné
Labastide
Esparros
Laborde
Bulan
Escots
Asque
Marsas
Banios
Gerde
Asté
Beaudéan
Campan
Lesponne
St-Roch
Galade
Rimoula
Ste-Marie-de-Campan
Gripp
Payolle
Espiadet
Aspin-Aure
Col d'Aspin
Pic du Midi de Bigorre
Observatoire les Laquets
Col du Tourmalet
La Mongie
Barèges
Super-Barèges
Sers
Viey
Betpouey
Esquièze-Sère
Viella
Esterre
Luz-St-Sauveur
Pragnères
Gavarnie
Gèdre
Héas
N.-D. de Héas
Cirque de Troumouse
Cirque d'Estaubé
Pic Long
Pic de Campbieil
Pic de Néouvielle
Massif de Néouvielle
Parc National des Pyrénées
Bge de Cap-de-Long
Lac d'Orédon
Lac d'Aumar
Lac d'Aubert
Col d'Aubert
Pic du Midi de Bigorre
Pic de Montaigu
Pic de Lhens
Pic de l'Oussouet
Pic de Barran
Col de Tramassel
Hautacam
Lac Bleu
Soum Arrouy
Soum de Nère
Pène Taillade
Col d'Aoube
Col d'Ouscouaou
Col d'Arizes
Pène Lounque
Pic de Hount Blanque
Signal de Bassia
Col de Beyrède
Sarrancolin
Ilhet
Beyrède-Jumet
Jumet
Camous
Fréchet-Aure
Ardengost
Pailhac
Jézeau
Arreau
Cadéac
Ancizan
Guchen
Aulon
Grézian
Gouaux
Bazus-Aure
Guchan
Agos
Vielle-Aure
Bourisp
Sailhan
Estensan
Vignec
St-Lary-Soulan
Azet
Ens
Tramezaïgues
Fabian
Aragnouet
Le Plan d'Aragnouet
Piau-Engaly
Tunnel d'Aragnouet-Bielsa
Port Vieux
Túnel de Bielsa
Hospital de Parzan
Parzan
Espierba
L'Arbizon
Pic d'Aulon
Pic de Baztan
Col de Portet
Pic de Bugatet
Pic Méchant
Pic d'Arrouye
Pic de Tramezaïgues
Pic de Cuneille
Pic de Garlitz
Pic de Sarrouès
Pic de Thou
Pic de Lustou
Pic de Guerreys
Pic de Batoua
Pic de l'Abeille
Pic Schrader
Pic de l'Espade
Port d'Ourdissetou
Pic d'Ourdissetou
Pic de la Munia
Sierra de Liena
Pic de Pinède
Marboré
Mont Perdido
Monte Perdido
Ordesa
Vallée d'Aure
Vallée du Louron
Vallée du Rioumajou
Vallée de Lesponne
Vallée de Campan
Bordères-Louron
Bareilles
Cazaux-Debat
Ris
Lançon
Ilhan
Avajan
Camparan
Vielle-Louron
Adervielle-Pouchergues
Estarvielle
Mont
Génos
Loudenvielle
Loudervielle
Germ
Peyragudes
Col de Peyresourde
Cap de Toudous
Val Louron
Mont Né
Pic du Lion
Cap des Pales
Pic des Gourgs blancs
Pic des Spijoles
Gouffre d'Esparros
Grotte de Médous
Le Bédat
Casque du Lhéris
Pic de Montégut
Pic d'Arneille
Col de Coupe
Forêt des Baronnies
Neuilh
Germs-sur-l'Oussouet
Labassère
Gazost
Ourdis-Cotdoussan
Juncalas
Artigues
Arrodets-ez-Angles
Ossun-ez-Angles
Arrayou-Lahitte
Astugue
Lies
Esconnets
Fréchendets
Bastère
Espieilh
Sarlabous
Uzer
Bettes
Castillon
Durban
Avéran
Orincles
Loucrup
Julos
Paréac
Layrisse
Escoubès-Pouts
Vielle
Orignac
Cieutat
Antist
Hitte
Luc
Oueilloux
Oléac-Dessus
Barbazan-Dessus
Bernac-Dessus
Pouyarrous
Ricaud
Gourgue
Péré
Artiguemy
Houeydets
Bégole
Lanespède

0 2 4 6 8 10 km
316
333
St-Gaudens
Montréjeau
St-Bertrand-de-Comminges
Bagnères-de-Luchon
Superbagnères
St-Béat
Marignac
Cierp-Gaud
Aspet
Salies-du-Salat
Vielha
Salardú
Baqueira
Bossòst
Les
Arties
Val d'Aran
Col de Portet d'Aspet
Col de Peyresourde
Col du Portillon
Pic de Cagire
Pic de Bacanère
Pic du Gar
Pic des Crabioules
Pic Perdiguère
Montlude
Estany Layó
Mont Né
Vallée du Lys
Vallée d'Oueil
Reserva Nacional
Col de Menté
Col de Buret
Col d'Artigascou
Lannemezan
Tuca Blanca
Aneto

317
336
E
F
G
H
1
2
3
4
5
St-Girons
St-Lizier
Montjoie-en-Couserans
D 117
D 618
Massif de l'Arize
Montagne
Grotte du Mas-d'Azil
Le Mas d'Azil
La Bastide-de-Sérou
Castelnau-Durban
Clermont
Rimont
Lescure
Massat
Seix
Oust
Couflens
Aulus-les-Bains
Ercé
Castillon-en-Couserans
Moulis
Lacourt
Gorges de Ribaouto
Sentenac-d'Oust
Soueix-Rogalle
Mont Valier
Col de Pause
Pic de Certascan
Mont Rouch
Pic Rouge de Bassiès
Pointe des Trois Comtes
Pic de Turguilla
Pic de Fonta
Pic de Montaud
Pic des Trois Comtes
Pic de Barlonguère
Port d'Aula
Port de Salau
Salau
Vallée de Bethmale
Bethmale
Vallée d'Ustou
Som^t de Portel
Col de Port
Col de la Crouzette
Col d'Agnes
Guzet-Neige
Prat-Bonrepaux
Lorp-Sentaraille
Montégut-en-Couserans
Audressein
Sor
Arrien-en-Bethmale
Daumazan-sur-Arize
Campagne-sur-Arize
Sabarat
Carla-Bayle
Montbrun-Bocage
Ste-Croix-Volvestre
Mérigon
Contrazy
Montardit
Barjac
Taurignan-Castet
Taurignan-Vieux
Gajan
Montesquieu-Avantès
Durban-s-Arize
Esplas-de-Sérou
Biert
Aleu
Pico de Moredo
Cabeza de Marimanya
Vall del Noguera Pallaresa
Alòs d'Isil
Isil
Noarre

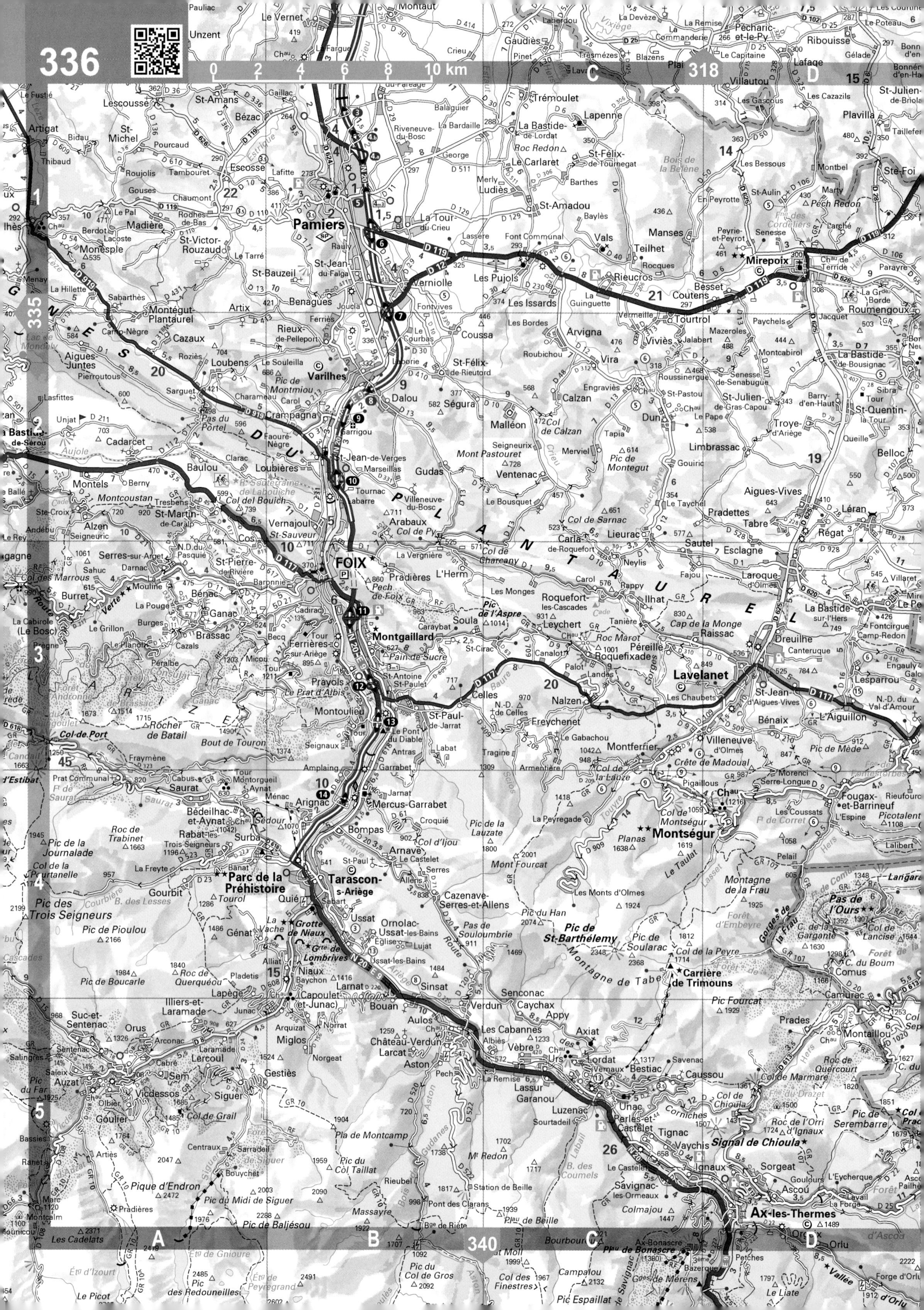
0 2 4 6 8 10 km
318
335
340
Pamiers
FOIX
Varilhes
Mirepoix
Lavelanet
Montgaillard
Tarascon-s-Ariège
Parc de la Préhistoire
Montségur
Ax-les-Thermes
Grotte de Niaux
Grotte de Lombrives
Carrière de Trimouns
Signal de Chioula
Pic de St-Barthélemy
Montagne de Tabe
PLANTAUREL
Pic des Trois Seigneurs
Pic de Montcamp
Col de Port
Col del Bouich
Col de Marrous
Col de Py
Col de Chioula
Col de Grail
Col de la Lauze
Col de Montségur
Pic de Montmiou
Pech de Foix
Pic de l'Aspre
Mont Fourcat
Pic de Soularac
Pic du Han
Pic de Baljésou
Pique d'Endron
Pic du Midi de Siguer
Pic de Serembarre
Pas de l'Ours
Gorges de la Frau
Montagne de la Frau
Forêt d'Embeyre
Roc de Quercourt
Col de Marmare
Saverdun
St-Jean-de-Verges
Mercus-Garrabet
Vicdessos
Auzat
Luzenac
Les Cabanes
Laroque-d'Olmes
Dreuilhe
Belesta
Léran
Vals
Teilhet
Rieucros
Manses
Besset
Coutens
Tourtrol
Arvigna
Vira
Dalou
Ségura
Malléon
Gudas
Ventenac
Loubières
Baulou
Cadarcet
La Bastide-de-Sérou
Serres-sur-Arget
Brassac
Ganac
Bénac
Saurat
Surba
Rabat-les-Trois-Seigneurs
Gourbit
Quié
Ussat
Ornolac-Ussat-les-Bains
Niaux
Capoulet-et-Junac
Bouan
Verdun
Aulos
Château-Verdun
Larcat
Aston
Siguer
Goulier
Lercoul
Gestiès
Miglos
Norgeat
Orus
Suc-et-Sentenac
Roquefixade
Nalzen
Celles
Freychenet
Montferrier
Villeneuve-d'Olmes
Fougax-et-Barrineuf
Bénaix
L'Aiguillon
Lesparrou
Montaillou
Prades
Camurac
Comus
Sorgeat
Ascou
Orgeix
Orlu
Ignaux
Vaychis
Tignac
Perles-et-Castelet
Unac
Caussou
Bestiac
Lordat
Axiat
Appy
Caychax
Senconac
Sinsat
Larnat
Lassur
Garanou
Vèbre
Urs
Albiès
Savignac-les-Ormeaux
Mérens
Le Vernet
Unzent
St-Amans
Bézac
Escosse
Madière
Monesple
St-Victor-Rouzaud
St-Bauzeil
Artix
Benagues
St-Jean-du-Falga
Verniolle
Les Pujols
Les Issards
Coussa
St-Félix-de-Rieutord
Crampagna
Loubens
Cazaux
Montégut-Plantaurel
Aigues-Juntes
Sabarthès
Trémoulet
Lapenne
La Bastide-de-Lordat
St-Félix-de-Tournegat
Le Carlaret
Ludiès
St-Amadou
La Tour-du-Crieu
Gaudiès
Pécharic-et-le-Py
Ribouisse
Plavilla
Ste-Foi
St-Julien-de-Briola
Montbel
Roumengoux
La Bastide-de-Bousignac
St-Quentin-la-Tour
Belloc
Aigues-Vives
Régat
Limbrassac
Troye-d'Ariège
Dun
St-Julien-de-Gras-Capou
Viviès
Calzan
Pradettes
Tabre
Esclagne
Sautel
Lieurac
Carla-de-Roquefort
Roquefort-les-Cascades
Leychert
Péreille
Raissac
Ilhat
Soula
L'Herm
Pradières
Montoulieu
St-Paul-de-Jarrat
Prayols
Ferrières-sur-Ariège
Arabaux
Vernajoul
St-Pierre-de-Rivière
Burret
Alzen
St-Martin-de-Caralp
Montels
Clarac
Bédeilhac-et-Aynat
Arignac
Bompas
Arnave
Cazenave-Serres-et-Allens
Génat
Lapège
Illiers-et-Laramade

Fanjeaux
Limoux
Couiza
Quillan
Axat
St-Hilaire
Alet-les-Bains
Espéraza
Puivert
Chalabre
Belcaire
Cépie
Pieusse
Villefloure
Greffeil
Bugarach
Pic de Bugarach
Caudiès-de-Fenouillèdes
Fenouillet
Sournia
Rennes-les-Bains
Rennes-le-Château
Lauraguel
Malras
Ajac
Castelreng
Roquetaillade
Festes-et-St-André
Nébias
Belvis
Ginoles
St-Martin-Lys
Défilé de Pierre-Lys
Gorges de St-Georges
Escouloubre
Roquefort-de-Sault
Quérigut
Mijanès
Rouze
Pic de Madrès
Pic de Bazes
Forêt de Navarre
Forêt de Gesse
Plateau de Sault
Corbières occidentales
319
338
341
E
F
G
H

0 2 4 6 8 10 km
Capendu
Moux
Douzens
Barbaira
Fontcouverte
Ornaisons
Bizanet
St-Estève
Gaujac
Luc-sur-Orbieu
Grd Caumont
Boutenac
Ferrals-les-Corbières
Fabrezan
Monze
Pradelles-en-Val
Montlaur
Camplong-d'Aude
Réquy
N.-D. de Consolation
Roc de l'Aigle
Alaric
Roc Gris
Mas-des-Cours
Pech Gros
Fajac-en-Val
Arquettes-en-Val
Domneuve
Pech-Lat
Ardolou
Vaugelas
La Coque
Cicéron
Ribaute
Les Vals
Belle Vue
Villerouge-la-Crémade
Les Palais
Thézan-des-Corbières
Montséret
St-André-de-Roquelongue
Saint-Julien
Monastère de Gaussan
St-Martin de Toques
Abbe Fontfroide
Massif de Fontfroide
Pech Rascas
Le Coude
Mé Fioulés
Les Pigeonnie
Pradines
Bois du Vicomte
Plan de Couloubret
Fabiès
Molières
Col de Taurize
Pech de Taurize
Serviès-en-Val
Villemagne
Gorge
Les Auzines
Moulin de Boysède
Lagrasse
Terre-Rouge
Tournissan
St-Laurent-de-la-Cabrerisse
Caraguilhes
Sault
Donos
Rabet-Montjoi
Trébet
Villar-en-Val
Labastide-en-Val
Villetritouls
Rieux-en-Val
Taurize
Pont
N.-D. du Carla
Prat-Neuf
Source
Caunettes-en-Val
Mayronnes
St-Auriol
St-Pierre-des-Champs
Talairan
Coustouge
Fontjoncouse
Montplaisir
Le Cingle
Ripaud
St-Victor Ermitage
Gléon
Lastours
Taura
Portel-des-Corbières
Les Campets
Berre
Plan du Pal
Clermont-sur-Lauquet
Plateau de Lacamp
Cascade
Serre de la Pène
Htes Jonquières
St-Martin-des-Puits
Serre de Blanes
Le Razès
Jonquières
Tréviac-Bas
Come-de-Bête
Villesèque-des-Corbières
Cau-ette-s-Lauquet
Col de la Louviéro
Lairière
Chau de Durfort
Creuille
Col de Villerouge
Col du Prat
Gges du Terminet
Albas
Milobre de Bouisse
Vignevieille
Termes
Villerouge-Termenès
Durban-Corbières
Montjoi
Salza
Félines-Termenès
Pech de Guillaumet
Cascastel-des-Corbières
Col de souil
Bouisse
Pech Montaut
Col de Bedos
Davejean
Villeneuve-les-Corbières
Lanet
Mouthoumet
Col de la Gineste
Col d'Amiel
Serre de Quintillan
Quintillan
Fraissé-des-Corbières
St-Jean-de-Barrou
Pic du Pied du Pou
St-Pancrasse
Albières
Laroque-de-Fa
Pic Cascagne
Palairac
Col de Canteloup
Pont d'Orbieu
Col du Prat
Col de Couisse
Embres-et-Castelmaure
N.-D. de l'Olive
Col de Feuilla
Feuilla
Col du Paradis
La Grave d'Auriac
Borde-Grande
Col de Ferréol
Col d'Extrême
Castelmaure
Le Pech
Auriac
Savignan
Dernacueillette
Ségure
Montoulié de Périllou
Les Moulines
Milobre de Massac
Massac
Maisons
N.-D. de Faste
Tour des Géographes
Col de Redoulade
Montgaillard
Nouvelles
Fourtou
Col de Cédeillan
Pech de Frayssé
St-Roch
Pech de Genièvre
Périllos (Village ruiné)
Les Baillessats
Roc Fourcat
Rouffiac-des-Corbières
Tuchan
Chau d'Aguilar
Mt Plat
Soulatgé
Col de Grès
Chau de Peyrepertuse
Col de la Croix dessus
Padern
La Vall Oriole
Opoul-Périllos
Devès
Cubières-sur-Cinoble
Duilhac-s/s-Peyrepertuse
Paziols
N.-D. du Bon Conseil
La Serre
Gorges de Galamus
Camps-sur-l'Agly
Col du Tribi
Cucugnan
Rer du Mont St-Bernard
Vingrau
Pas de l'Escale
Sarrat de Montpeyrous
Fort de Salses
Chau de Quéribus
Pla de St-Paul
Col de Corbasse
St-Antoine-de-Galamus
Grau de Maury
Mas Janeill
Mas de Las Frèdes
La Devèze
Centre européen de Préhistoire
Mas Vespeil
Prugnanes
St-Paul-de-Fenouillet
Maury
Mas-Amiel
Tautavel
Serre d'el Clot
Montpins
Mas Fages
Terrain militaire
Lesquerde
Clue de la Fou
Borde-Vieille
Alzine
Fosse
Col del Mas
Las Cabanes
St-Martin
Borde-Neuve
Mas Camps
Cases-de-Pène
Espira-de-l'Agly
Rivesaltes
St-Arnac
Latour-de-France
Mas Jau
Vira
Le Vivier
Felluns
Serre de Verges
Aqueduc
Lansac
Rasiguères
Estagel
N.-D. de Pène
Ansignan
Planèzes
Calce
Ste-Catherine
Baixas
Peyrestortes
Prats-de-Sournia
Bge de Caramany
Montner
Pézilla-de-Conflent
Trilla
Cassagnes
Cuchous
Col de la Dona
Mas de Las Fons
Sournia
Caramany
Col de la Bataille
Força Réal
Ermitage
St-Estève
St-Michel
Le Puigt
Col des Auzines
Caladroi
Bélesta
Le Vernet
Campoussy
Trévillach
Corneilla-la-Rivière
Pézilla-la-Rivière
Villeneuve-la-Rivière
Baho
Roc Cornut
Tarerach
Montalba-le-Château
Sybille
Orgues
Néfiach
Millas
Col de Gués
St-Feliu
St-Charles
Moulin
337
320
342

321
343
E
F
G
H
1
2
3
4
5
PARC NATUREL RÉGIONAL DE LA NARBONNAISE EN MÉDITERRANÉE
Armissan
Clape
Vires
Terrain militaire
L'Œil Doux
St-Pierre-la-Mer
Port de Brossolette
Moujan
L'Hospitalet
Pech Redon
Les Hauts de Narbonne
Lunes
Craboules
Rouquette
Narbonne-Plage
Coffre de Pech Redon
Montagne de la Clape
Jonquières
Montplaisir
Montfort
Les Monges
N.-D. des Auzils
Le Pech Bouge
Rochegrise
La Nautique
Cimetière marin
Les Ayguades
Gd Mandirac
Le Rec d'Argent
Les Pesquis
Bages
Prat de Cest
Étang de Mateille
Étang de Gruissan
Gruissan
Estarac
Musée
Île St-Martin
Étang de Campignol
Gruissan-Plage
Grazel
L'Évêque
Étang du Doul
Salin de St-Martin
Peyriac-de-Mer
Î. de Planasse
L'Ayrolle
Étang de l'Ayrolle
Réserve africaine
Île de l'Aute
Le Hameau du Lac
Île Ste-Lucie
Grau de la Vieille Nouvelle
La Courtive
Étang de Sigean
Salin de Ste-Lucie
Villefalse
Les Cabanes
Gd Salin
Les Mattes
Sigean
Port-la-Nouvelle
Parc éolien des Corbières maritimes
St-Martin
Roquefort-des-Corbières
Cap Romarin
Marbre
La Palme
Salin de Lapalme
Les Cabanes-de-Lapalme
Étang de Lapalme
St-Pancrace
Grau de la Franqui
La Franqui
Caves
Treilles
Cap Leucate
Leucate
Leucate-Plage
Fitou
St-Aubin
Les Cabanes-de-Fitou
Grau de Leucate
Port-Fitou
Étang de Leucate ou de Salses
Pnte de la Corrège
LA CATALANE
Port-Leucate
Aquamagic
Gde Dosse
Salses-le-Château
Paquebot Lydia (ensablé)
Garrieux
Île de la Coudalère
Luna Park
Port-Barcarès
Centre nautique
Camp militaire
Port St-Ange
St-Hippolyte
Le Barcarès
St-Laurent-de-la-Salanque
Torreilles-Plage
Clairà
Jouègue
Agly
Pia
Torreilles
Villelongue-de-la-Salanque
Ste-Marie
Ste-Marie-Plage
Bompas
Canet-en-Roussillon
PERPIGNAN
Cabestany
Canet-Plage
L'Esparrou
A 9
E 15
D 6009
D 6139
D 627
D 83
D 617
D 332
D 32

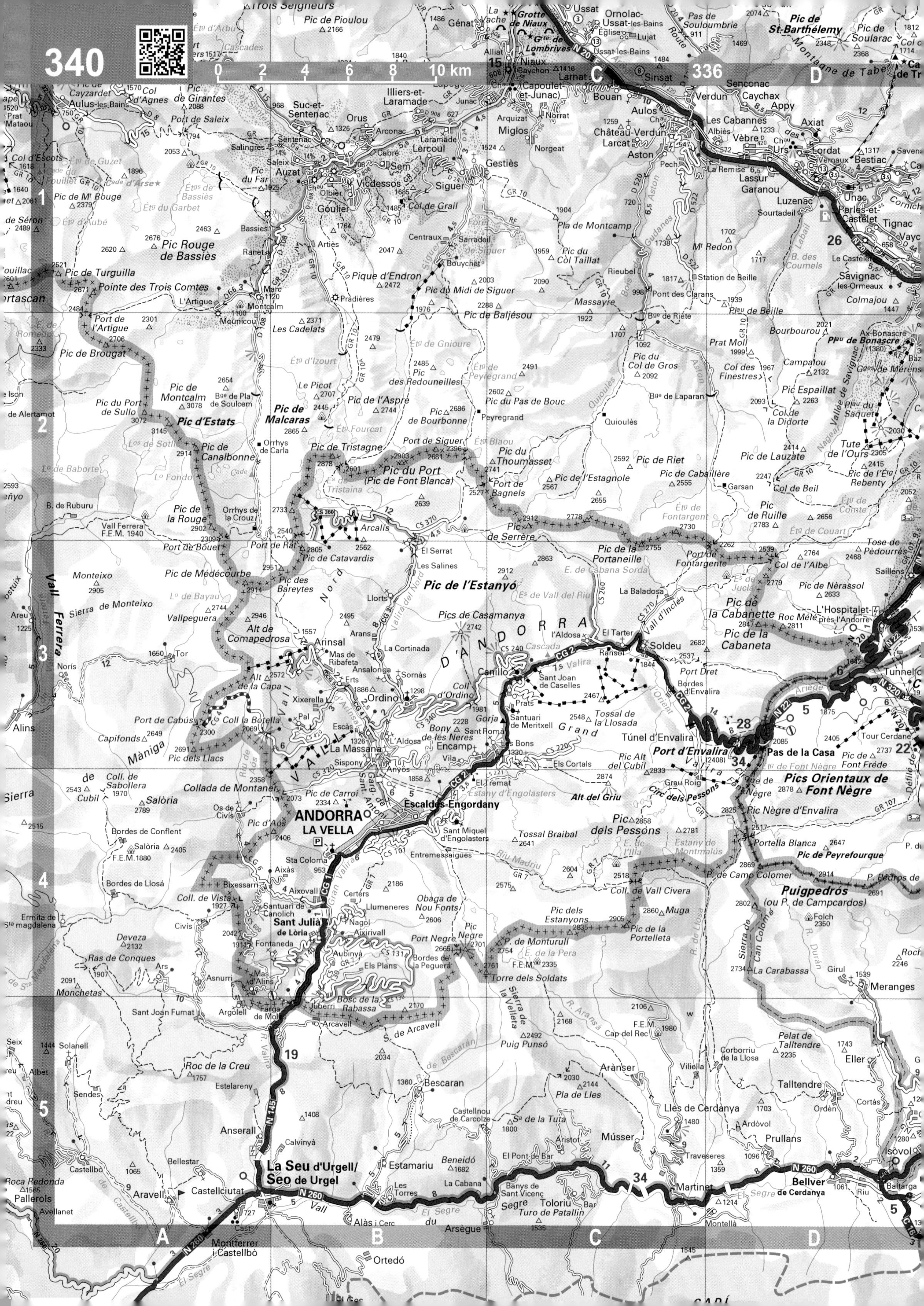
0 2 4 6 8 10 km
336
A
B
C
D
1
2
3
4
5
Trois Seigneurs
Pic de Pioulou
Génat
Grotte de Niaux
Grte de Lombrives
Ussat
Ornolac-Ussat-les-Bains
Pas de Souloumbrie
Pic de St-Barthélemy
Pic de Soularac
Montagne de Tabe
Alliat
Niaux
Baychon
Larnat
Sinsat
Lujat
Aulus-les-Bains
Col d'Agnes
Pic de Girantes
Cayzardet
Illiers-et-Laramade
Suc-et-Sentenac
Orus
Capoulet-et-Junac
Bouan
Verdun
Senconac
Caychax
Appy
Les Cabannes
Axiat
Château-Verdun
Larcat
Aston
Vèbre
Urs
Lordat
Bestiac
Port de Saleix
Arconac
Laramade
Lercoul
Miglos
Norgeat
Arquizat
Junac
Gestiès
Col d'Escots
Étg de Guzet
Cade du Fouillet
Cade d'Arse
Étgs de Bassiès
Étg du Garbet
Pic du Far
Auzat
Saleix
Sentenac
Salingres
Vicdessos
Sem
Siguer
Goulier
Olbier
Col de Grail
Pech
La Remise
Lassur
Garanou
Luzenac
Unac
Perles-et-Castelet
Tignac
Pic de Mt Rouge
Étg d'Aubé
de Séron
Pla de Montcamp
Pic du Col Taillat
Mt Redon
B. des Coumels
Le Castelet
Savignac-les-Ormeaux
Colmajou
Pic Rouge de Bassiès
Bassiès
Ranet
Artiès
Centraux
Sarradeil
Forêt de Siguer
Bouychet
Pique d'Endron
Rieubel
Station de Beille
Pont des Clarans
Pic de Turguilla
Pointe des Trois Comtes
L'Artigue
Marc
Montcalm
Mounicou
Pradières
Pic du Midi de Siguer
Pic de Baljésou
Massayre
Plau de Beille
Bge de Riète
Port de l'Artigue
Les Cadelats
Étg de Gnioure
Étg d'Izourt
Prat Moll
Bourbourou
Ax-Bonascre
Plau de Bonascre
Pic de Brougat
Pic des Redouneilles
Étg de Peyregrand
Pic du Col de Gros
Col des Finestres
Campalou
Gges de Mérens
Pic de Montcalm
Bge de Pla de Soulcem
Le Picot
Pic de l'Aspre
Pic du Pas de Bouc
Quioulès
Bge de Laparan
Pic Espaillat
Vallée de Savignac
Plau du Saquet
Pic du Port de Sullo
Pic d'Estats
Pic de Malcaras
Pic de Bourbonne
Peyregrand
Col de la Didorte
de Alertamot
Los de Sotllo
Orrhys de Carla
Étg Fourcat
Étg Blaou
Tute de l'Ours
Pic de Canalbonne
Pic de Tristagne
Port de Siguer
Pic du Thoumasset
Pic de Riet
Pic de Lauzate
Lo de Baborte
Lo Fondo
Pic du Port (Pic de Font Blanca)
Port de Bagnels
Pic de l'Estagnole
Pic de Caballière
Garsan
Col de Beil
Pic de l'Étg Rebenty
Tristaina
B. de Ruburu
Pic de la Rouge
Orrhys de la Crouz
Arcalis
Pic de Ruille
Étg de Comte
Étg de Fontargent
Étg de Couart
Vall Ferrera F.E.M. 1940
Port de Bouet
Port de Rat
Pic de Catavardis
El Serrat
Pic de Serrère
Pic de la Portaneille
Port de Fontargente
Col de l'Albe
Tose de Pèdourrès
Les Salines
Monteixo
Pic de Médécourbe
Pic des Bareytes
Pic de l'Estanyó
E. de Cabana Sorda
Es de Juclar
Pic de Nèrassol
Saillens
Vall Ferrera
Sierra de Monteixo
Lo de Bayau
Vall Nord
Llorts
Es de Vall del Riu
La Baladosa
Pic de la Cabanette
Roc Mélé
L'Hospitalet-près-l'Andorre
Areu
Vallpeguera
Alt de Comapedrosa
Arans
Pics de Casamanya
Vall d'Incles
l'Aldosa
El Tarter
Pic de la Cabaneta
Arinsal
Mas de Ribafeta
La Cortinada
D'ANDORRA
Cascada
Ransol
Soldeu
Noris
Tor
Ansalonga
Sornàs
Canillo
Sant Joan de Caselles
Port Dret
Bordes d'Envalira
Tunnel
Alt de la Capa
Erts
Ordino
Coll d'Ordino
Prats
Xixerella
Pal
Escàs
Gorja
Santuari de Meritxell
Tossal de la Llosada
Grand
Alins
Port de Cabús
Coll la Botella
Bony de les Neres
Sant Romà
Encamp
Túnel d'Envalira
Pas de la Casa
Tour Cerdane
Capifonds
Mànìga
Pic dels Llacs
La Massana
L'Aldosa
Les Bons
Port d'Envalira
Pic Alt del Cubil
Els Cortals
Vila
Sispony
Anyós
Font Nègre
Pic de Font Fréde
Sierra de Cubil
Coll. de Sabollera
Collada de Montaner
Pic de Carroi
El Tremat
Estany d'Engolasters
Grau Roig
Circ dels Pessons
Pics Orientaux de Font Nègre
Salòria
Os de Civís
Garg. de Sant Antoni
Escaldes-Engordany
Alt del Griu
Pic Nègre d'Envalira
ANDORRA LA VELLA
Pic d'Aòs
Bordes de Conflent
F.E.M.
Sant Miquel d'Engolasters
Tossal Braibal
Pic dels Pessons
Estany de Montmalús
Portella Blanca
Pic de Peyrefourque
Sta Coloma
Entremesaigues
Riu Madriu
E. de l'Illa
Aixàs
Bordes de Llosá
Bixessarri
Aixovall
Certers
Obaga de Nou Fonts
Coll. de Vall Civera
de Camp Colomer
P. Pedros de
Puigpedrós (ou P. de Campcardos)
Coll. de Vista
Santuari de Canolich
Sant Julià de Lòria
Llumeneres
Nagol
Pic dels Estanyons
Muga
Pic de la Portelleta
Folch
Ermita de Sta magdalena
Civís
Deveza
Aixirivall
Port Negre
Pic Negre
P. de Monturull
E. de la Pera
Ras de Conques
Fontaneda
Aubinyà
Els Plans
Bordes de la Peguera
Torre dels Soldats
Sierra de Cam Colomé
La Carabassa
Girul
Meranges
Monchetas
Ars
Asnurri
Mas d'Alins
R. de Llosa
R. Durán
Sant Joan Fumat
Argolell
Farga de Moles
Juberri
Bosc de la Rabassa
Sierra de la Velleta
R. Aransà
Cap del Rec
Arcavell
S. de Arcavell
Puig Punsó
Pelat de Talltendre
Seix
Solanell
Roc de la Creu
Albet
Sendes
Estelareny
R. Valira
Bescaran
Aránser
Pla de Lles
Viliella
Corborriu de la Llosa
Eller
Talltendre
Lles de Cerdanya
Cortàs
Ordén
Castellnou de Carcolze
Sa de la Tuta
Aristot
Ardòvol
Prullans
Anserall
Calvinyà
Múser
Bellestar
Castellbò
La Seu d'Urgell/ Seo de Urgel
Estamariu
Beneidó
El Pont de Bar
Traveseres
Isòvol
Roca Redonda
Pallerols
Aravell
Castellciutat
Les Torres
La Cabana
Banys de Sant Vicenç
Martinet
Bellver de Cerdanya
Baltarga
Riu
Avellanet
Vall
El Segre
Segre
Toloriu
Turo de Patallin
Bar
Montellà
Alàs i Cerc
du
Arsègue
Montferrer i Castellbò
Ortedó
N 20
N 22
N 145
N 260
N 320
CG 1
CG 2
CG 3
CG 4
CS 240
CS 260
CS 270
CS 340
CS 370
CS 380
GR 7
GR 10
GR 107
D 8
D 15
D 18
D 24
D 108
D 520
D 522
19
34
26
28

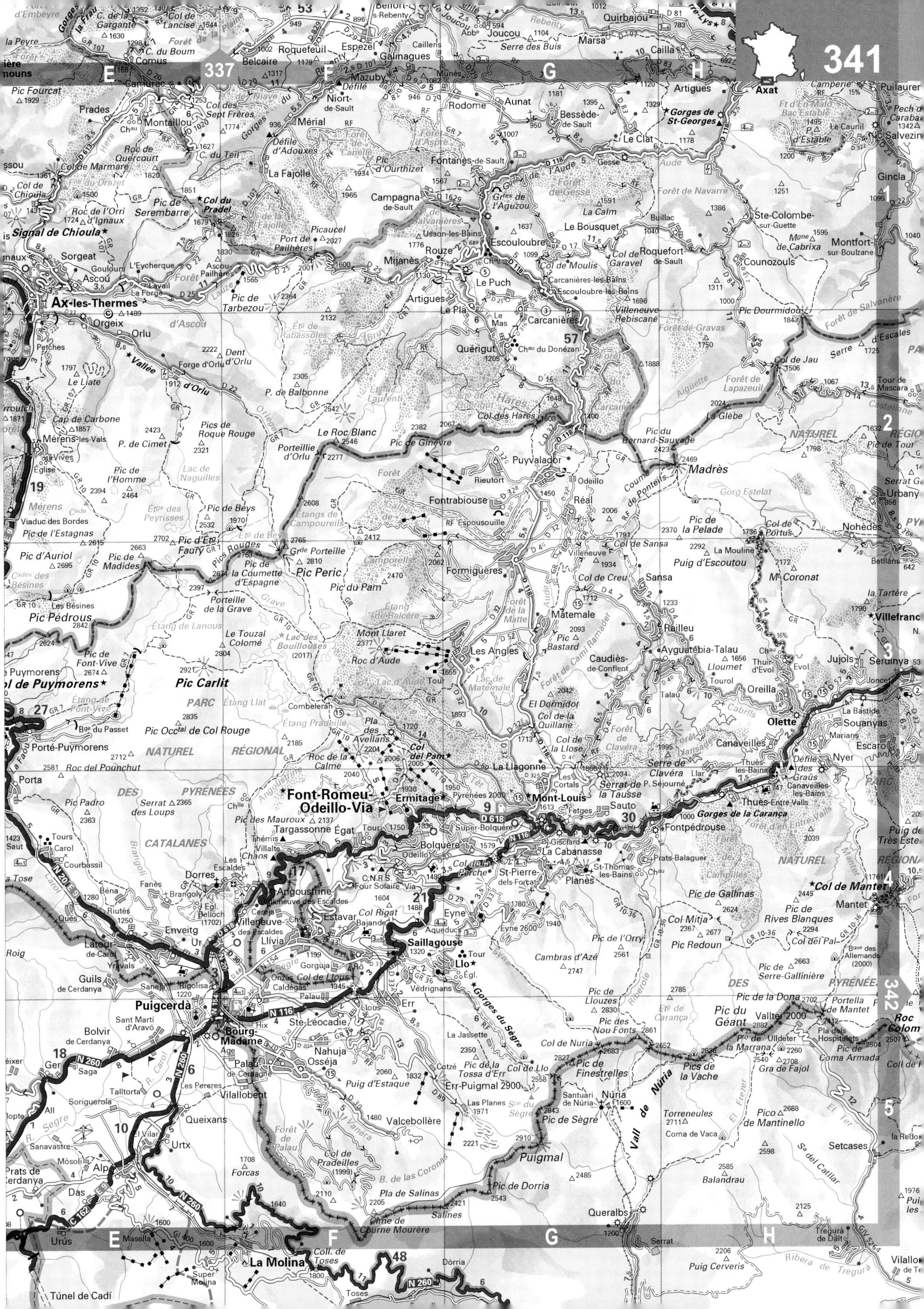

Gorge d'Embeyre · la Frau · C. de la Gargante · Col de Lancise · Forêt de la Plaine · Belfou · Rebenty · Quirbajou · D 81 · Pré-Lys · 53

La Peyre · C. du Boum · Comus · Roquefeuil · Espezel · Caillens · Galinagues · Serre des Buis · Caillla · Puilaurens

E · Camurac · Montaillou · Belcaire · Mazuby · Munes · Aunat · Rodome · Marsa · Joucou · Joucou · Artigues · Camperié · H · 341

Pic Fourcat · 1929 · Prades · Montailla · Col des Sept Frères · Niort-de-Sault · Mérial · Défilé d'Adouxes · Campagna-de-Sault · Aunat · Bessède-de-Sault · Le Clat · Artigues · Gorges de St-Georges · Axat · Ft d'En-Malo · Salvezin

Signal de Chioula · Col de Marmare · Col du Pradel · Picaucel · Port de Pailhères · Escouloubre · Gesse · Forêt de Gesse · Gorges de l'Aguzou · Le Bousquet · Buillac · Ste-Colombe-sur-Guette · Montfort-sur-Boulzane · Counozouls

Ax-les-Thermes · Orgeix · Orlu · d'Ascou · Ascou · Lavail · La Forge · Pic de Tarbezou · Rouze · Mijanès · Le Puch · Le Pla · Le Mas · Carcanières-les-Bains · Escouloubre-les-Bains · Pic Dourmidou · Forêt de Salvanère

Mérens-les-Vals · Cap de Carbone · P. de Cimet · Le Roc Blanc · Porteille d'Orlu · Puyvalador · Rieutort · Fontrabiouse · Réal · Odeillo · Madrès · La Glèbe · NATUREL · Pic de Tour

Pic Pédrous · Pic d'Auriol · Pic de Madides · Pic Peric · Pic du Pam · Formiguères · Matemale · Railleu · Ayguatébia-Talau · Sansa · Pic de la Pelade · Col de Portus · Nohèdes · Betllans

Pic Carlit · Lac des Bouillouses · Mont Lluret · Les Angles · Matemale · Caudiès-de-Conflent · Lloumet · Tourol · Talau · Oreilla · Olette · Serdinya

Col de Puymorens · Porté-Puymorens · Pic Occ.tal de Col Rouge · Pla des Avellans · Col del Pam · La Llagonne · El Dormidor · Col de la Quillane · Col de la Llose · Serre de Clavéra · Canaveilles · Thuès-les-Bains · Escaro · Nyer

Porta · Roc del Pounchut · NATUREL · PYRÉNÉES · Font-Romeu-Odeillo-Via · Ermitage · Pyrénées 2000 · Mont-Louis · Fontpédrouse · Gorges de la Carança · Puig de Très Este

Porta · DES · Serrat des Loups · Pic des Mauroux · Targassonne · Égat · Super-Bolquère · Bolquère · Odeillo · La Cabanasse · St-Pierre-dels-Forcats · St-Thomas-les-Bains · Prats-Balaguer · Col de Mantet · Mantet

Carol · Tours Carol · Courbassil · Béna · Brangoly · Dorres · Les Escaldes · Angoustrine-Villeneuve des Escales · C.N.R.S · Four Solaire · Col de la Perche · Planès · Pic de Gallinas · Pic de Rives Blanques · Col del Pal

Latour-de-Carol · Enveitg · Ur · Villeneuve des Escales · Estavar · Llívia · Bajande · Eyne · Eyne 2600 · Pic de l'Orry · Col Mitja · Pic Redoun

Guils de Cerdanya · Yravals · Rigolisa · Caldégas · Palau · Saillagouse · Llo · Cambras d'Azé · Pic de Serre-Gallinière

Puigcerdà · Sant Martí d'Aravó · Hix · Ste-Léocadie · Err · Gorges du Sègre · Pic de Llouzes · Pic de la Dona · Pic du Géant · Portella de Mantet · Roc Colom

Bolvir de Cerdanya · Bourg-Madame · Age · Palau-de-Cerdagne · Nahuja · Osséja · La Jassette · Col de Nuria · Pics de la Marrana · Pla des Hospitalets · Coll de

Ger · Saga · Les Pereres · Vilallobent · Puig d'Estaque · Err-Puigmal 2900 · Col de Llo · Pic de Finestrelles · Pic de la Vache · Gra de Fajol · Coll de Coma Armada

Soriguerola · El Vilar · Urtx · Queixans · Forêt de Palau · Col de Pradeilles · Las Planes · Santuari de Núria · Núria · Pic de Sègre · Torreneules · Pico de Mantinello

Alp · Das · Prats de Cerdanya · Mosoll · Forcas · Pla de Salinas · Salines · Puigmal · Pic de Dorria · Coma de Vaca · Balandrau · Setcases

Urús · Masella · Super Molina · La Molina · 48 · Dórria · Queralbs · Puig Cerveris · Tregurà de Dalt · Vilallon

Túnel de Cadí · Tunel de Cadí · N 260 · Toses · Coll de Toses · Cime de Courne Mourère · Serrat · Ribera de Tregurà

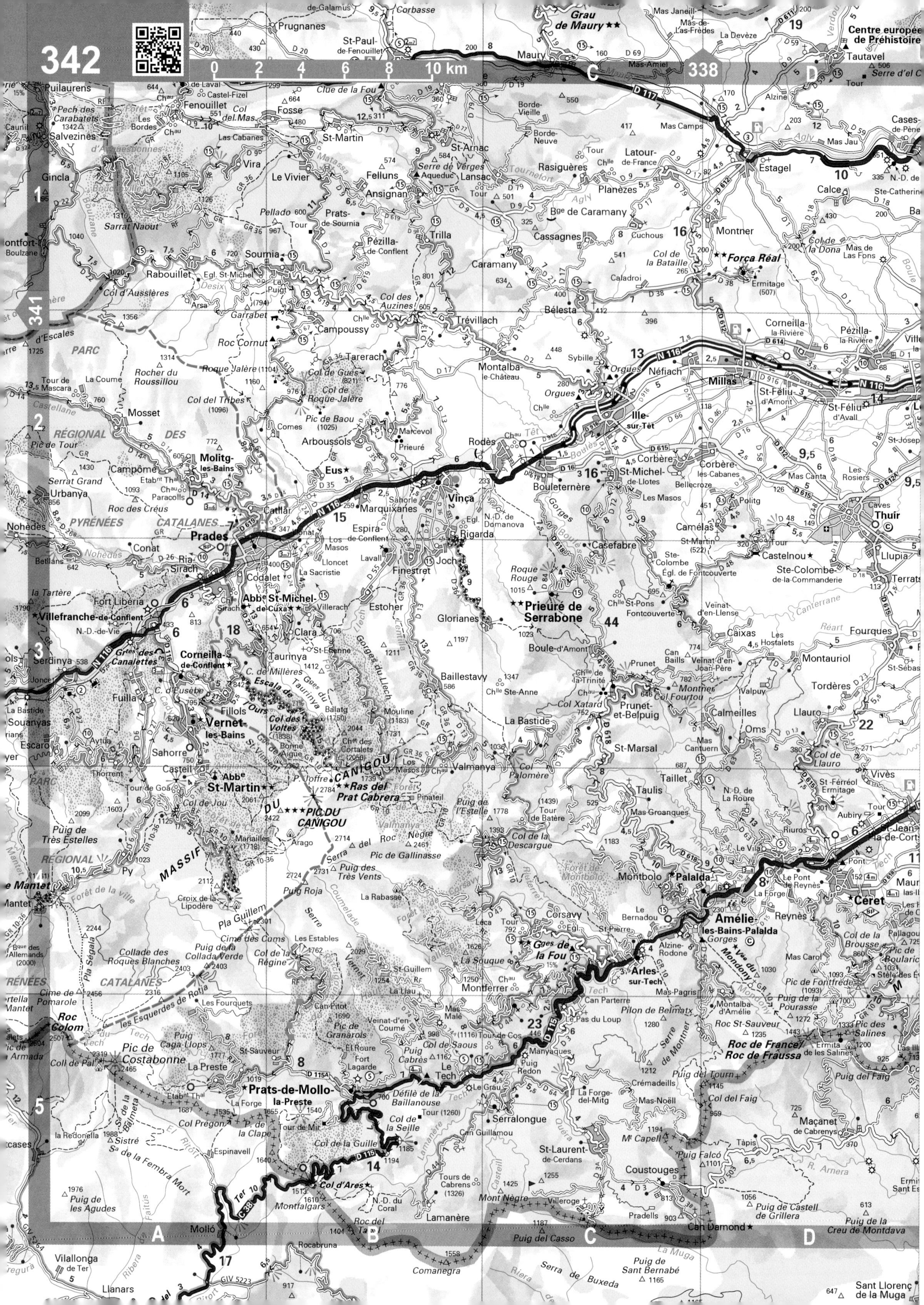
0 2 4 6 8 10 km
338
341
Prugnanes
St-Paul-de-Fenouillet
Grau de Maury
Maury
Tautavel
Centre européen de Préhistoire
Puilaurens
Fenouillet
Salvezines
Caudiès-de-Fenouillèdes
St-Martin
St-Arnac
Estagel
Cases-de-Pène
Gincla
Vira
Le Vivier
Felluns
Ansignan
Lansac
Rasiguères
Latour-de-France
Planèzes
Calce
Sournia
Trilla
Prats-de-Sournia
Pézilla-de-Conflent
Caramany
Cassagnes
Montner
Força Réal
Rabouillet
Col d'Aussières
Bélesta
Trévillach
Campoussy
Corneilla-la-Rivière
Pézilla-la-Rivière
PARC
RÉGIONAL
DES
PYRÉNÉES
CATALANES
Mosset
Montalba-le-Château
Néfiach
Millas
Ille-sur-Têt
St-Féliu-d'Amont
St-Féliu-d'Aval
Molitg-les-Bains
Campôme
Urbanya
Eus
Rodès
Corbère
St-Michel-de-Llotes
Bouleternère
Vinça
Marquixanes
Prades
Catllar
Nohèdes
Conat
Ria-Sirach
Espira-de-Conflent
Rigarda
Finestret
Joch
Casefabre
Thuir
Castelnou
Llupia
Ste-Colombe-de-la-Commanderie
Codalet
Abbaye St-Michel-de-Cuxa
Villefranche-de-Conflent
Fort Libéria
Prieuré de Serrabone
Glorianes
Boule-d'Amont
Fourques
Montauriol
Serdinya
Corneilla-de-Conflent
Taurinya
Baillestavy
Prunet-et-Belpuig
Tordères
Llauro
Fuilla
Vernet-les-Bains
Fillols
Sahorre
La Bastide
Oms
Casteil
St-Martin
Valmanya
St-Marsal
Taillet
Taulis
Py
CANIGOU
PIC DU CANIGOU
MASSIF DU CANIGOU
Pic de Gallinasse
Montbolo
Palalda
Amélie-les-Bains-Palalda
Céret
Reynès
Corsavy
Arles-sur-Tech
Gorges de la Fou
Montferrer
La Preste
Pic de Costabonne
Prats-de-Mollo-la-Preste
Le Tech
Serralongue
St-Laurent-de-Cerdans
Coustouges
Roc de France / Roc de Frausse
Col d'Ares
Lamanère
Molló
Comanegra
Puig de Sant Bernabé
Can Damond
Sant Llorenç de la Muga
Llanars
Vilallonga de Ter

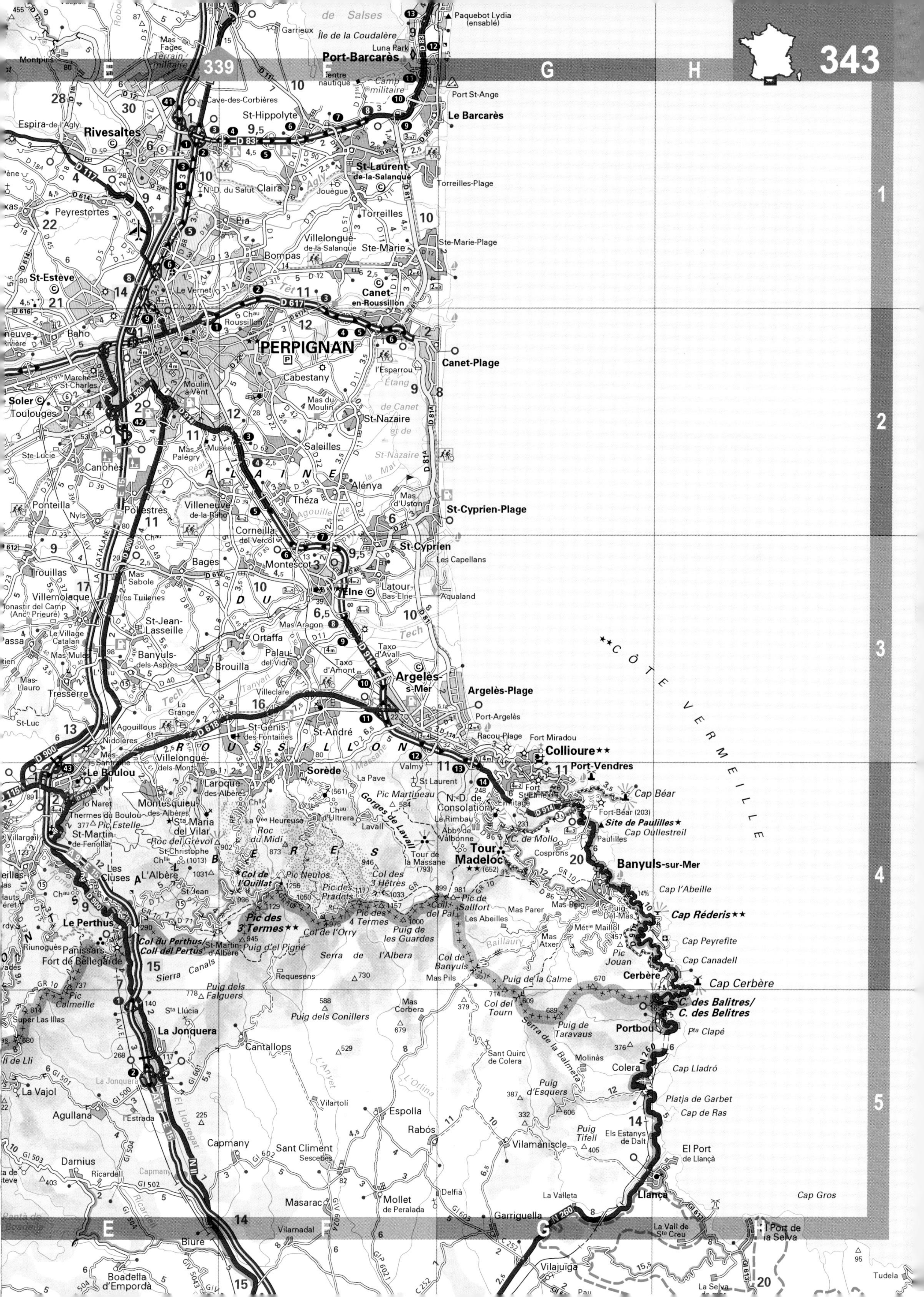
Port-Barcarès
Île de la Coudalère
Paquebot Lydia (ensablé)
Luna Park
Port St-Ange
Le Barcarès
Camp militaire
Terrain militaire
Cave-des-Corbières
St-Hippolyte
Espira-de-l'Agly
Rivesaltes
St-Laurent-de-la-Salanque
Torreilles-Plage
Torreilles
Claira
N. D. du Salut
Peyrestortes
Pia
Villelongue-de-la-Salanque
Ste-Marie
Ste-Marie-Plage
Bompas
St-Estève
Le Vernet
Canet-en-Roussillon
Château Roussillon
Baho
PERPIGNAN
Canet-Plage
Cabestany
L'Esparrou
Étang de Canet et de St-Nazaire
Marché St-Charles
Soler
Toulouges
Moulin à Vent
Mas du Moulin
St-Nazaire
Saleilles
Ste-Lucie
Canohès
Mas Palégry
Musée
P L A I N E
Alénya
Ponteilla
Nyls
Pollestres
Villeneuve-de-la-Raho
Théza
Mas d'Uston
St-Cyprien-Plage
Corneilla-del-Vercol
St-Cyprien
Les Capellans
Trouillas
Bages
Montescot
Mas Sabole
Elne
Latour-Bas-Elne
Aqualand
Villemolaque
Les Tuileries
D U
Monastir del Camp (Anc. Prieuré)
St-Jean-Lasseille
Le Village Catalan
Mas Aragon
Ortaffa
Passa
Mas Mules
Banyuls-dels-Aspres
Palau-del-Vidre
Taxo d'Avall
Taxo d'Amont
Brouilla
Argelès-s-Mer
Argelès-Plage
Mas-Llauro
Tresserre
Villeclare
La Grange
Port-Argelès
Racou-Plage
Fort Miradou
Collioure
St-Luc
Agouillous
St-Genis-des-Fontaines
St-André
R O U S S I L L O N
Nidolères
Mas-Santraille
Villelongue-dels-Monts
Valmy
St Laurent
Port-Vendres
Le Boulou
Laroque-des-Albères
Sorède
La Pave
Pic Martineau
Cap Béar
Fort St-Elme
Ermitage
N.-D. de Consolation
Fort-Béar (203)
Jo Naret
Thermes du Boulou
Montesquieu-des-Albères
Sta Maria del Vilar
La Vee Heureuse
Chau d'Ultrera
Lavall
Le Rimbau
Abb. de Valbonne
Site de Paulilles
Cap Oullestreil
Paulilles
Pic Estelle
St-Martin-de-Fenollar
Villargeil
Roc del Grèvol
Roc du Midi
Gorges de Lavall
Tour de la Massane (793)
Tour Madeloc (652)
C. de Mollo
Cosprons
St-Christophe (1013)
B E R E S
Banyuls-sur-Mer
Les Cluses
L'Albère
St-Jean
Col de l'Ouillat
Pic Neulos
Col des 3 Hêtres
Pic des Pradats
Pic de Sallfort
Coll del Pal
Mas Parer
Mas Reig
Cap l'Abeille
Puig Del-Mas
Le Perthus
Pic des 3 Termes
Pic des 4 Termes
Les Abeilles
Col de l'Orry
Puig de les Guardes
Cap Réderis
Métie Maillol
Col du Perthus/Coll del Pertus
St-Martin-d'Albère
Puig d'el Pigné
Panissars
Fort de Bellegarde
Riunoguès
Serra de l'Albera
Baillaury
Mas Atxer
Pic Jouan
Cap Peyrefite
Cap Canadell
Sierra Canals
Requesens
Col de Banyuls
Mas Pils
Puig de la Calme
Cerbère
Cap Cerbère
C. des Balitres/C. des Belitres
Pic Calmeille
Super Las Illas
Puig dels Falguers
Sta Llúcia
Puig dels Conillers
Mas Corbera
Col del Tourn
Puig de Taravaus
Serra de la Balmeta
Portbou
Pta Clapé
La Jonquera
Cantallops
Sant Quirc de Colera
Molinàs
Colera
Cap Lladró
La Vajol
L'Anyet
L'Orlina
Puig d'Esquers
Platja de Garbet
Cap de Ras
Agullana
l'Estrada
Vilartolí
Espolla
Rabós
Els Estanys de Dalt
Puig Tifell
El Port de Llançà
Capmany
Sant Climent Sescebes
Vilamaniscle
Darnius
Ricardell
Llobregat
Delfià
La Valleta
Llançà
Cap Gros
Masarac
Mollet de Peralada
Garriguella
Pantà de Boadella
Vilarnadal
La Vall de Sta Creu
Port de la Selva
Biure
Vilajuïga
Boadella d'Empordà
Tudela
La Selva
CÔTE VERMEILLE
E F G H
339

0 2 4 6 8 10 11 km

C D

FRANCE ITALIE

Genova
Savona
Livorno
Nice
Marseille
Toulon
Piombino
Bastia
l'Ile-Rousse
Calvi
Ajaccio
Porto-Vecchio
Propriano

LIAISONS MARITIMES
PERMANENTES

SARDEGNA

1

2

3

4

Pnta N
Anse de Mal

Marine d'Alga

Pnta di Solche
Mte
S. Colomb
239 △

*Pnta di
l'Acciolu*

△ 170
Anse de Pinzuta Mte Orlando

DÉS

★*Plage de l'Ostriconi* 213 △
Anse de Peraiola Ogliastro

11 △ 320 Monetta

Lozari *Pnta d'Arco*

T 30 *Cima lo Caigo*

8 *Mte Negro* △ 247
300 △

★Ile de la Pietra

★L'Île-Rousse © Guardiola *Pnta di Paraso*

Pnta Vallitoni Bocca *Capo Mirabo* △ 396 Capo Niello
Marine Fogata △ 436
de Davia Monticello Col de

5 Curzo Corbara △ 26 163 Casella △ 341
Bocca di Carbonaja Occigloni 4,5 405 △
Algajola Palmento
Cit'lle Sta-Reparata- Regino Palasca *Col de
Marine de ★Mte di-Balagna △ 160 Colomb
St-Ambroggio S. Angelo Couv de Corbara 6 △ 63 691 △ 82
★Pigna Regino Belgodere 546 ·△ 734
Pnta di Spano Praoli Couv de Costa 330 △ 813 *Bocca di
Tepina 14 255 Codole u Prunu*
Baie d'Algaio 9,5 7,5 150 △ 975 Latana D 81

Ple de la Revellata *Pnta Caldano*

Golfe de Tour ★St-Pierre
la Revellata 6,5 5,5 ★★Col △ 609
167 △ de Salvi 36
Calvi★★ T 30 Camp militaire
Cit'lle Golfe 491 △ ★★ Avapessa
Grotte des de Calvi 3,5 Lavatoggio 200 Murato
Veaux Marins Capo d'Occi 200 D 71 S. Cesaréo D 963
★St-Reinier △ 803 803 Speloncato ★ 1218
Bocca di-a Battaglia 1093 1286
Bocca di Cima △ 81

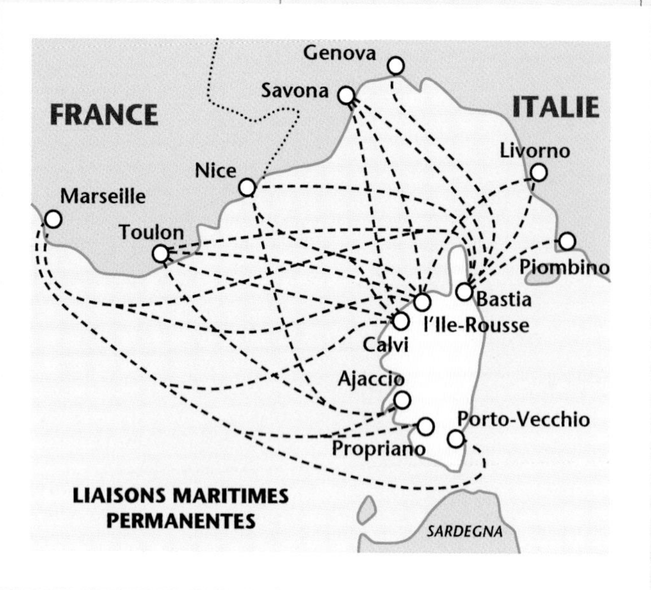

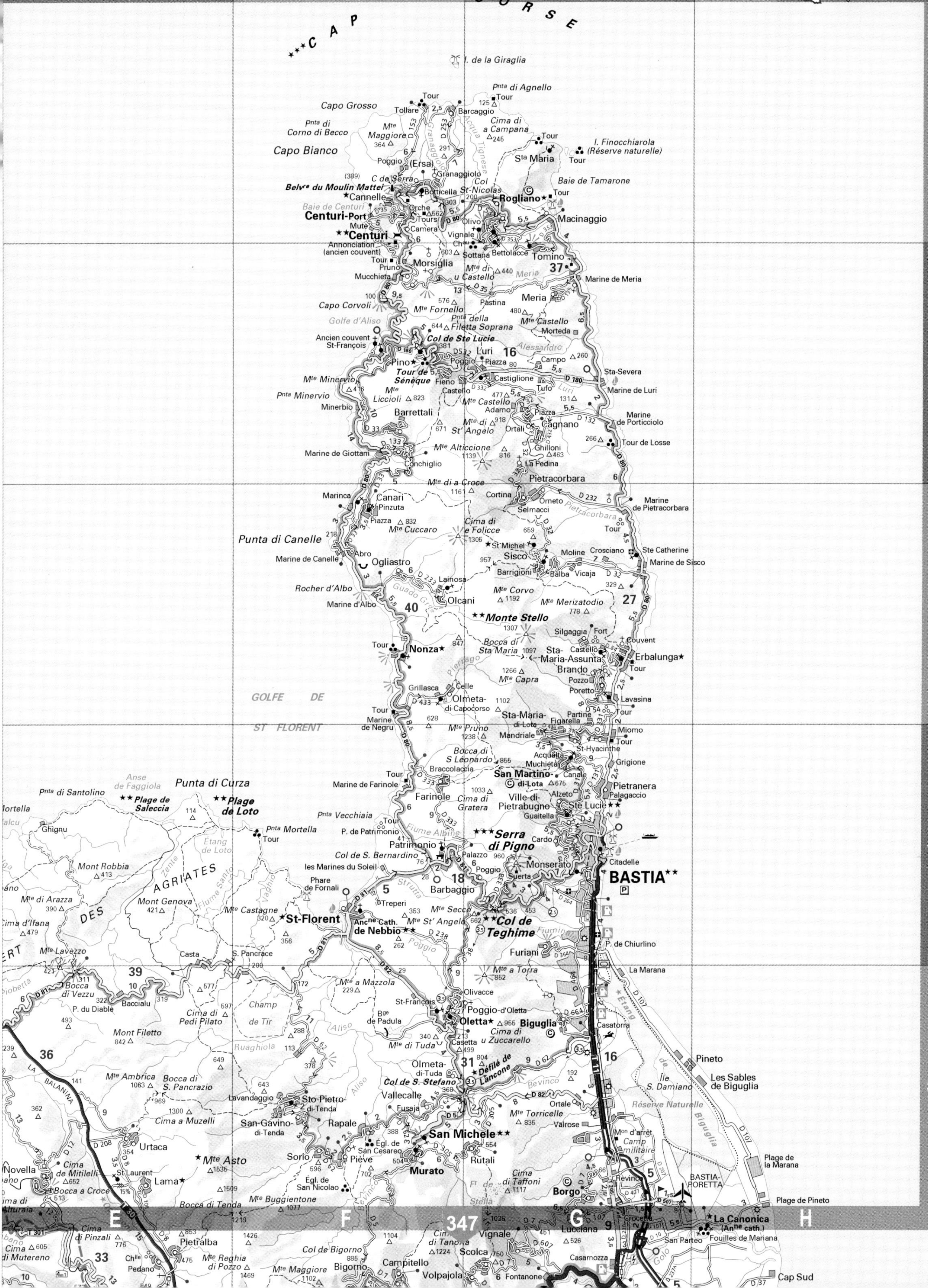
CAP CORSE
I. de la Giraglia
Pnta di Agnello
Capo Grosso
Tollare
Barcaggio
Cima di a Campana
Pnta di Corno di Becco
Mte Maggiore
Capo Bianco
I. Finocchiarola (Réserve naturelle)
Sta Maria
Poggio
(Ersa)
Granaggiolo
C de Serra
Col St-Nicolas
Baie de Tamarone
Belvre du Moulin Mattei
Cannelle
Botticella
Rogliano
Baie de Centuri
Centuri-Port
Macinaggio
Centuri
Annonciation (ancien couvent)
Vignale
Olivo
Camera
Tomino
Sottana
Bettolacce
Morsiglia
Mte di u Castello
Marine de Meria
Meria
Mucchieta
Pruno
Capo Corvoli
Golfe d'Aliso
Mte Fornello
Pnta della Filetta Soprana
Mte Castello
Morteda
Ancien couvent St-François
Col de Ste Lucie
Luri
Pino
Tour de Sénèque
Piazza
Campo
Sta-Severa
Mte Minervio
Castiglione
Marine de Luri
Pnta Minervio
Mte Liccioli
Castello
Mte Castello
Adamo
Minerbio
Barrettali
Mte di St' Angelo
Ortali
Cagnano
Marine de Porticciolo
Tour de Losse
Marine de Giottani
Mte Alticcione
Ghilloni
La Pedina
Conchiglio
Pietracorbara
Mte di a Croce
Marinca
Canari
Pinzuta
Cortina
Orneto
Selmacci
Marine de Pietracorbara
Piazza
Mte Cuccaro
Cima di e Folicce
Punta di Canelle
St Michel
Sisco
Moline
Crosciano
Ste Catherine
Marine de Sisco
Marine de Canelle
Abro
Ogliastro
Barrigioni
Balba
Vicaja
Rocher d'Albo
Lainosa
Mte Corvo
Marine d'Albo
Olcani
Mte Merizatodio
Monte Stello
Silgaggia
Fort
Couvent
Nonza
Bocca di Sta Maria
Sta-Maria-Assunta
Castello
Erbalunga
Brando
Mte Capra
Pozzo
Poretto
GOLFE DE ST FLORENT
Grillasca
Celle
Olmeta-di-Capocorso
Lavasina
Marine de Negru
Sta-Maria-di-Lota
Figarella
Partine
Miomo
Mte Pruno
Mandriale
Bocca di S Leonardo
Acqualta
St-Hyacinthe
Grigione
Braccolaccia
Muchieta
San Martino-di-Lota
Canale
Pietranera
Palagaccio
Marine de Farinole
Farinole
Cima di Gratera
Alzeto
Ville-di-Pietrabugno
Ste Lucie
Guaitella
Anse de Faggiola
Punta di Curza
Pnta di Santolino
Plage de Saleccia
Plage de Loto
Pnta Vecchiaia
Pnta Mortella
P. de Patrimonio
Serra di Pigno
Cardo
Ghignu
Étang de Loto
Patrimonio
Col de S. Bernardino
Palazzo
Monserato
Citadelle
BASTIA
les Marines du Soleil
Poggio
Suerta
Mont Robbia
DES AGRIATES
Phare de Fornali
Barbaggio
Mte di Arazza
Treperi
Mte Secco
Mont Genova
Mte Castagne
St-Florent
Col de Teghime
Ancne Cath. de Nebbio
Mte St' Angelo
P. de Chiurlino
Mte Lavezzo
Casta
S. Pancrace
Furiani
La Marana
Bocca di Vezzu
Mte a Mazzola
Mte a Torra
P. du Diable
Baccialu
Cima di Pedi Pilato
Champ de Tir
St-François
Olivacce
Poggio-d'Oletta
Mont Filetto
Bge de Padula
Oletta
Biguglia
Casatorra
Cima di u Zuccarello
Ruaghiola
Mte di Tuda
Casetta
Étang de Biguglia
Mte Ambrica
Bocca di S. Pancrazio
Olmeta-di-Tuda
Défilé de Lancone
Pineto
Col de S. Stefano
Île S. Damiano
Les Sables de Biguglia
Lavandaggio
Sto-Pietro-di-Tenda
Vallecalle
Ortale
Fusaja
Cima a Muzelli
Mte Torricelle
Réserve Naturelle
San-Gavino-di-Tenda
Rapale
Valrose
San Michele
Urtaca
Égl. de San Cesareo
Mon d'arrêt
Camp militaire
Sorio
Pieve
Rutali
Plage de la Marana
Cima di Mitilelli
Mte Asto
Novella
St Laurent
Lama
Murato
Cima di Taffoni
BASTIA-PORETTA
Revinco
Bocca a Croce
Égl. de San Nicolao
Borgo
Plage de Pineto
Cima di Alturaia
Bocca di Tenda
Mte Buggientone
Crocetta
La Canonica (Anne cath.)
Cima di Pinzali
Pietralba
Cima di Tanona
Vignale
Lucciana
Fouilles de Mariana
Cima di Mutereno
Pedano
Mte Reghia di Pozzo
Col de Bigorno
Scolca
San Parteo
Mte Maggiore
Bigorno
Campitello
Casamozza
Volpajola
Fontanone
Cap Sud
347

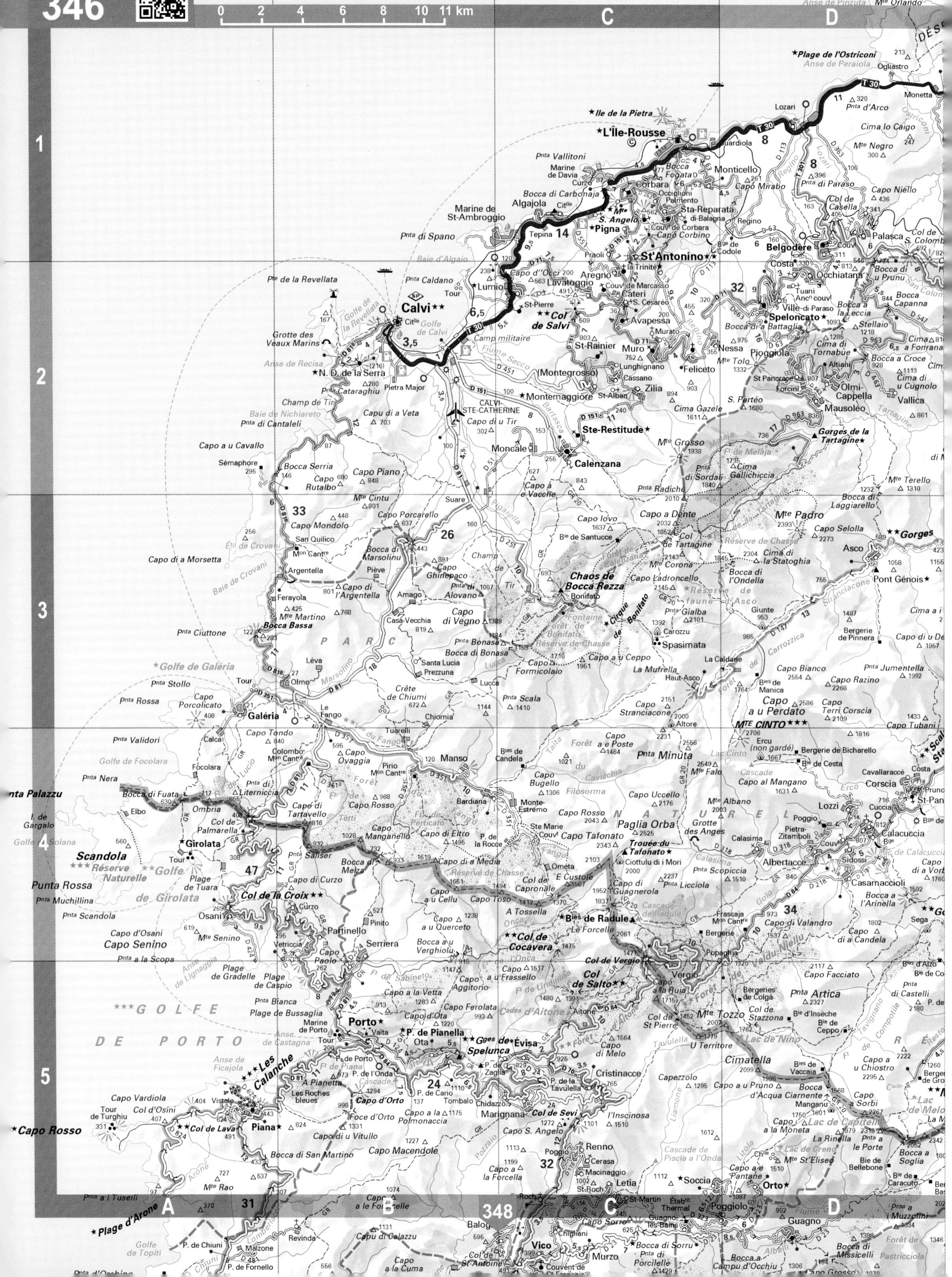
0 2 4 6 8 10 11 km
A
B
C
D
1
2
3
4
5
348
Plage de l'Ostriconi
Anse de Peraiola
Ogliastro
Anse de Pinzuta
Mte Orlando
Pnta di l'Acciolu
S. Colomb
T 30
Monetta
Lozari
Pnta d'Arco
Cima lo Caigo
Mte Negro
Ile de la Pietra
L'Île-Rousse
Guardiola
Pnta Vallitoni
Marine de Davia
Curzo
Bocca Fogata
Monticello
Corbara
Capo Mirabo
Pnta di Paraso
Capo Niello
Bocca di Carbonaja
Algajola
Occiglioni
Palmento
Sta-Reparata di-Balagna
Col de Casella
Marine de St-Ambroggio
Mte S. Angelo
Pigna
Couvt de Corbara
Capo Corbino
Regino
Palasca
Col de S. Colombano
Tepina
Pnta di Spano
Baie d'Algaio
Bge de Codole
Belgodère
Praoli
St'Antonino
La Trinité
Costa
Occhiatana
Bocca di u Prunu
Pte de la Revellata
Pnta Caldano
Capo d'Occi
Lavatoggio
Aregno
Couvt de Marcasso
Cateri
S. Cesareo
Tuani
Ancn couvt
Ville-di-Paraso
Bocca Capanna
Calvi
Golfe de la Revellata
Golfe de Calvi
Lumio
Tour
St-Pierre
Col de Salvi
Avapessa
Speloncato
Bocca a la Leccia
Stellaio
Grotte des Veaux Marins
Camp militaire
St-Rainier
Murato
Bocca di a Battaglia
Nessa
Cima di Tornabue
Cima a Forrana
Fiume Secco
Muro
Pioggiola
Bocca a Croce
Anse de Recisa
N. D. de la Serra
(Montegrosso)
Lunghignano
Feliceto
Mte Tolo
Altiani
Pnta Cataraghiu
Pietra Major
Cassano
Zilia
St Pancrace
Forcini
Olmi-Cappella
Cima di u Cugnolo
Champ de Tir
Montemaggiore
St-Alban
Vallica
Baie de Nichiareto
Pnta di Cantaleti
Capu di a Veta
CALVI-STE-CATHERINE
Capo di u Tir
Cima Gazele
S. Portéo
Mausoléo
Ste-Restitude
Moncale
Calenzana
Mte Grosso
Gorges de la Tartagine
Capo a u Cavallo
Sémaphore
Bocca Serria
Capo Rutalbo
Capo Piano
Capo à e Vacche
Pnta di Sordali
Cima Gallichiccia
Fet de Melaja
Mte Terello
Mte Cintu
Pnta Radiche
Bocca di Laggiarello
Capo Mondolo
Capo Porcarello
Suare
Capo Iovo
Capo a Dente
Mte Padro
Capo Selolla
Gorges
Étg de Crovani
San Quilico
Bocca di Marsolinu
Bie de Santucce
Col de Tartagine
Réserve de Chasse
Cima di la Statoghia
Asco
Capo di a Morsetta
Mon Cantre
Argentella
Champ de Tir
Capo Ghiltepaco
Forêt de Calenzana
Mte Corona
Bocca di l'Ondella
Pont Génois
Baie de Crovani
Pieve
Capo di l'Argentella
Chaos de Bocca Rezza
Capo Ladroncello
Feravola
Amago
Pnta di Alovano
Bonifato
Réserve de faune d'Asco
Mte Martino
Capo di Vegno
Casa-Vecchia
Cirque de Bonifato
Forêt de Bonifato
Pnta Gialba
Giunte
Cima a i
Pnta Ciuttone
Bocca Bassa
PARC
Fontaine
Carozzu
Bergerie di Pinnera
Spasimata
Pnta Bonasa
Bocca di Bonasa
Réserve de Chasse
Capo a u Ceppo
Capo di u De
Golfe de Galéria
Lèva
Santa Lucia
Prezzuna
Capo Formicolaio
La Mufrella
La Caldane
Haut-Asco
Carrozzica
Capo Bianco
Pnta Jumentella
Pnta Stollo
Olmo
Marsolino
Lucca
Bies de Manica
Capo Razino
Pnta Rossa
Capo Porcolicato
Galéria
Le Fango
Crête de Chiumi
Chiornia
Pnta Scala
Capo Stranciacone
Altore
Capo a u Perdato
Capo Terri Corscia
Capo Tubani
Pnta Validori
Calca
Capo Tondo
Tuarelli
Vallée du Fango
Forêt
Capo a e Poste
Pnta Minuta
MTE CINTO
Ercu (non gardé)
Bergerie de Bicharello
Golfe de Focolara
Colombo
Mon Cantre
Capo Ovaggia
Pirio
Mon Cantre
Manso
Bies de Candela
Mte Falo
Lac Cinto
Bie de Cesta
Pnta Nera
Focolara
Capo Bugello
Cascade
Capo al Mangano
Cavallaracce
Costa
Pnta di Literniccia
Forêt du Cavicchia
Filosorma
Capo Uccello
Corscia
nta Palazzu
Bocca di Fuata
Capo di Tartavello
Capo Rosso
Bardiana
Monte-Estremo
Mte Albano
Lozzi
St-Pan
I. de Gargalo
Elbo
Ombria
Col de Palmarella
Fet de Perticato
Capo Rosso
Paglia Orba
Grotte des Anges
Poggio
Pietra-Zitamboli
Calacuccia
Golfe de Solana
Girolata
Capo Manganello
Capo di Eltro
P. de la Rocce
Ste Marie Couvt
Capo Tafonato
Trouée du Tafonato
Calasima
Albertacce
Sidossi
Scandola
Réserve Naturelle
Tour
Golfe
Salser
Bocca di Melza
Capo di a Media
Réserve de Chasse
Ometa
Ciottulu di i Mori
E Custole
Pnta Scopiccia
Casamaccioli
Capo di a Vorb
Punta Rossa
Plage de Tuara
Capo di Curzo
Col de Capronale
Capo di Guagnerola
Pnta Licciola
Pnta Muchillina
de Girolata
Col de la Croix
Capo a u Cellu
Capo Toso
Bocca a l'Arinella
Curzo
A Tossella
Bies de Radule
Cascade de Radule
Frascaja
Mon Cantre
Capo di Valandro
Pnta Scandola
Osani
Pinito
Capo a u Querceto
Onca
Col de Cocavera
Le Forcelle
Bergerie
Sega
Capo d'Osani
Capo Senino
Mte Senino
Vetriccia
Partinello
Serriera
Bocca a u Verghiolu
Capo a Candela
Pnta a la Scopa
Anse de Lignaggia
Capo Paolo
Col de Vergio
Popaghja
Valdu-Niellu
Plage de Gradelle
Plage de Caspio
Ft de Sabineto
Capo Aggitorio
Capo a u Frassello
Col de Salto
Vergio
Capo a la Ruia
Forêt
Capo Facciato
GOLFE
Pnta Bianca
Capo a la Vetta
Ft de Lindinosa
Bergeries de Colga
Pnta Artica
di Castelli
Plage de Bussaglia
Capo Ferolata
Cades d'Aitone
Aitone
Col de Stazzona
Bie d'Inseche
Bie de Ceppo
Marine de Porto
Porto
Vaita
P. de Pianella
Capo d'Ota
Col de St Pierre
Mte Tozzo
DE PORTO
Anse de Castagna
Tour
Ota
Gges de Spelunca
Évisa
Forêt
Capo di Melo
Lac de Nino
U Territore
Anse de Ficajola
Les Calanche
P. de Porto
Ft de Piana
P. de l'Onda
Zaglia
Cristinacce
Tavulella
Cimatella
Bies de Vaccaia
Capo a u Chiostro
Capo Vardiola
Vistale
A Pianetta
Cascade
Les Roches bleues
Capo d'Orto
P. de Cario
Tombalo
Chidazzo
Capezzolo
Capo a u Pruno
Bocca d'Acqua Ciarnente
Capo a Sorbi
Lac de Melo
Tour de Turghiu
Col d'Osini
Foce d'Orto
Capo a la Fica
Marignana
Col de Sevi
L'Inscinosa
Manganu
Lac de Capitello
Capo Rosso
Col de Lava
Piana
Polmonaccia
Capo S. Angelo
Capo a la Moneta
La Rinella
Capo a le Porte
Capo di u Vitullo
Capo Macendole
Renno
Cascade de Piscia a l'Onda
Chile
Lac de Creno
Mte St'Eliseo
Bocca a Soglia
Bocca di San Martino
Poggio
Cerasa
Capo a e Pantane
Bies de Bellebone
Mte Rao
Capo a la Forcella
Macinaggio
Letia
Soccia
Orto
Bie de Caracuto
Pnta a i Tuselli
Capo a le Forcelle
St-Roch
St-Martin
Établt Thermal
Poggiolo
Plage d'Arone
Balog
Capo Sorro
Guagno-les-Bains
Guagno
Pnta a i Muzzolini
Golfe de Topiti
P. de Chiuni
Revinda
Capu di Celazzu
Bocca di Sorru
Pnta di Porcilelle
Bocca di Missicelli
Malzone
P. de Fornello
Capo a la Cuma
Col de St-Antoine
Vico
Murzo
Couvent de
Bocca a Campu d'Occhiu
Capo Grosso
Pnta d'Orchino

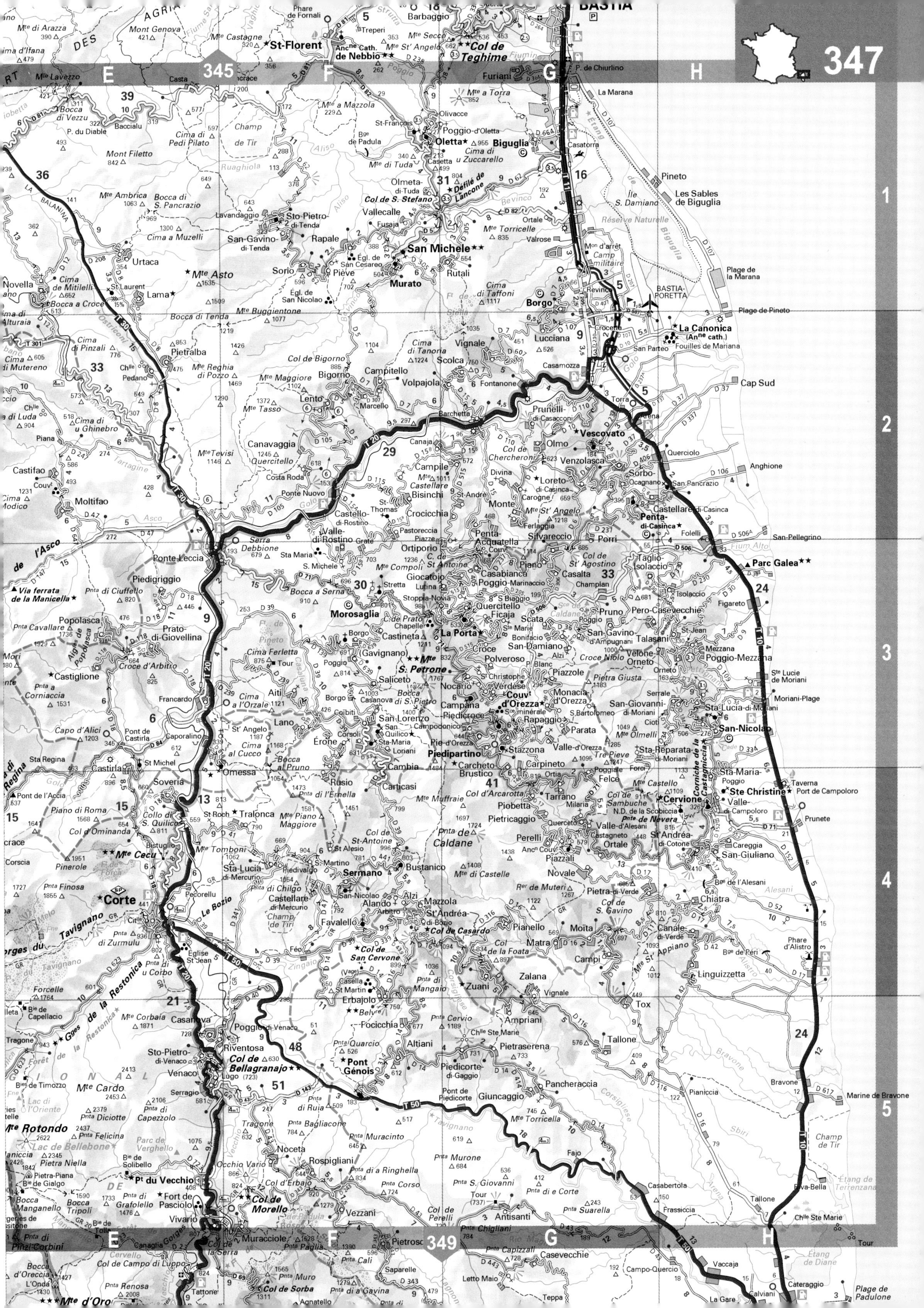

BASTIA
St-Florent
Col de Teghime
Furiani
Oletta
Biguglia
Défilé de Lancone
Col de S. Stefano
San Michele
Murato
Borgo
La Canonica
Lucciana
Vescovato
Ponte-Leccia
Morosaglia
La Porta
Penta-di-Casinca
Parc Galea
Folelli
Piedicroce
Couvt d'Orezza
Cervione
San-Nicolao
Moriani-Plage
Ste Christine
Corte
Omessa
Soveria
Sermano
Col de Casardo
Zuani
Pont Génois
Col de Bellagranajo
Venaco
Pt du Vecchio
Col de Morello
Vivario
Vezzani
Ghisonaccia
Phare d'Alistro
Linguizzetta
Tallone
Bravone
Marine de Bravone
Étang de Terrenzana
Étang de Diane
Plage de Padulone
Réserve Naturelle
Étang de Biguglia
Mte Cecu
Mte Cardo
Mte Rotondo
Mte d'Oro
Lac de Bellebone
Lac de l'Oriente
Ggbs de la Restonica
Tavignano
Golo
345
349
E
F
G
H
1
2
3
4
5

346

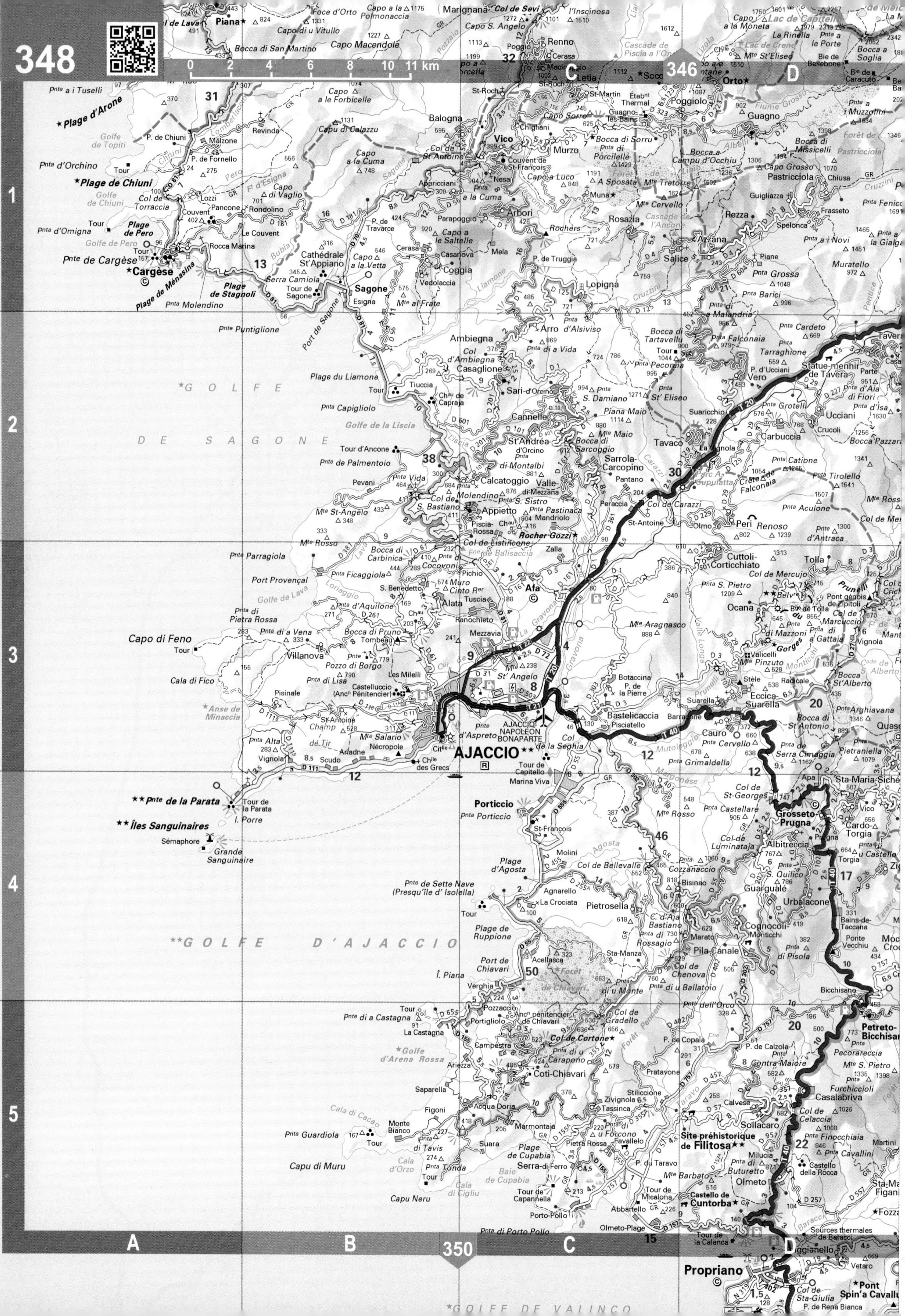

0 2 4 6 8 10 11 km
A
B
C
D
1
2
3
4
5
Piana
Capo Macendolé
Col de Sevi
Renno
Letia
Soccia
Orto
Guagno
Plage d'Arone
Golfe de Topiti
Pnta d'Orchino
Plage de Chiuni
Golfe de Chiuni
Pnta d'Omigna
Plage de Pero
Pnte de Cargèse
Cargèse
Plage de Menasina
Plage de Stagnoli
Pnta Molendino
Cathédrale St'Appiano
Sagone
Esigna
Balogna
Vico
Murzo
Arbori
Rosazia
Coggia
Lopigna
Salice
Azzana
Rezza
Pastricciola
Pnte Puntiglione
Port de Sagone
Ambiegna
Arro
Casaglione
Sari-d'Orcino
Plage du Liamone
Pnta Capigliolo
Golfe de la Liscia
GOLFE DE SAGONE
Tour d'Ancone
Pnte de Palmentoio
Cannelle
St'Andréa-d'Orcino
Calcatoggio
Sarrola-Carcopino
Tavaco
Vero
Ucciani
Carbuccia
Appietto
Col de Listincone
Rocher Gozzi
Pnte Parragiola
Port Provençal
Golfe de Lava
Afa
Alata
Cuttoli-Corticchiato
Tolla
Ocana
Capo di Feno
Villanova
Cala di Fico
Anse de Minaccia
Mezzavia
Bastelicaccia
Eccica-Suarella
AJACCIO
AJACCIO NAPOLEON BONAPARTE
Col de la Seghia
Tour de Capitello
Marina Viva
Pnte de la Parata
Îles Sanguinaires
Grande Sanguinaire
Porticcio
Pnta Porticcio
Mte Rosso
Grosseto-Prugna
Albitreccia
Plage d'Agosta
Molini
Col de Bellevalle
Pnte de Sette Nave (Presqu'île d'Isolella)
Pietrosella
Guargualé
Urbalacone
GOLFE D'AJACCIO
Plage de Ruppione
Port de Chiavari
Forêt de Chiavari
Pila-Canale
Cognocoli-Monticchi
Petreto-Bicchisano
Pnte di a Castagna
Golfe d'Arena Rossa
Col de Cortone
Coti-Chiavari
Casalabriva
Sollacaro
Site préhistorique de Filitosa
Olmeto
Pnta Guardiola
Capu di Muru
Capu Neru
Plage de Cupabia
Baie de Cupabia
Serra-di-Ferro
Porto-Pollo
Pnta di Porto Pollo
Castello de Cuntorba
Olmeto-Plage
Propriano
GOLFE DE VALINCO

350

347
351
E
F
G
H
1
2
3
4
5
Pt du Vecchio
Col de Morello
Vezzani
Rospigliani
Noceta
Antisanti
Casabertola
Fajo
Muracciole
Pietroso
Casevecchie
Campo-Quercio
Vaccaja
Cateraggio
Calviani
La Gare
Plage de Padulone
Étang de Diane
Tour
Tavignano
Fort de Matra
Thermes romains
Ville antique
Aléria
Étang de Sale
Teppe Rosse
Casabianda
Domaine de Casabianda
Centre pénitencier agricole
Réserve de Faune de Casabianda
Aghione
Teppa
Col de Sorba
Vivario
Tattone
Mte d'Oro
Vizzavona
Col de Palmente
Col de Vizzavona
La Madonuccia
Mte Calvi
Ghisoni
Défilé des Strette
Défilé de l'Inzecca
Sampolo
Pinzalone
Maison Pieraggi
Samuleto
St-Antoine
Pta di l'Oriente
Bocognano
Busso
Ghisonaccia-Gare
Ghisonaccia
Pratello
Lugo-di-Nazza
Kyrie-Eleïson
Poggio-di-Nazza
Île d'Urbino
Étang d'Urbino
Domaine de Pinia
Mte Renoso
Col de Verde
Pta di a Cappella
Aiola
Prunelli-di-Fiumorbo
Abbazia
Migliacciaro
Casamozza
Calzarello
Isolaccio-di-Fiumorbo
Traggina
Pietrapola
Serra-di-Fiumorbo
San-Gavino-di-Fiumorbo
Ania
Pinello
Piediquarcio
Mignataja
Vix
Plage de Quercioni
Étang de Palo
Bastelica
Palneca
Ciamannacce
Col de Laparo
Castastaggio
Ventiseri
Tasso
Sampolo
Cozzano
Usciolu
Chisa
Travo
Lostinchello
Basalla
Solaro
Marine de Solaro
Zicavo
Guitera-les-Bains
Frasseto
Zévaco
Corrano
Bocca di u Saltu
Marine de Scaffa Rossa
Kamiesch
Solenzara
Col de Luana
Pta Tinturaia
Mte Incudine
Bocca d'Asinao
Mte Vitullo
Pta di Boccarona
Togna
(Sari-Solenzara)
La Penna
Cala d'Oro
Azilone-Ampaza
Forciolo
Olivese
Col de Larone
Argiavara
Pta Belliche
Canella
Argiusta-Moriccio
Aig les de Bavella
Col de Bavella
Trou de la Bombe
Anse de Favone
Favone
Col de Guardia
Aullène
Col de St Eustache
Quenza
Sorbollano
Zonza
Conca
Anse de Tarco
Tarco
Serra-di-Scopamène
Zérubia
Sites de Cucuruzzu et Capula
San-Gavino-di-Carbini
Bocca di Pelza
Anse de Fautea
Bocca di a Parata
Tour
Taglio Rosso
Ste-Lucie-de-Porto-Vecchio
Pirelli
La Testa
Î. Roscana
Pinarellu
Golfe de Pinarellu
Î. de Pinarellu
Cargiaca
Loreto-di-Tallano
St-Jean-Baptiste
Zoza
Altagène
Levie
Carbini
Lecci
Poggioli
Torraccia
Capo
Ste-Lucie-de-Tallano
Olmiccia
Mela
Pta Valle Maggiore
Porto-Vecchiaccio
Cirendino
Pta Capicciola
Castellu d'Araghju
Fossi
Ribba
Gialla
Torre
San Ciprianu
Pta d'Araso
Fenaggia
Col de Mela
Vacca Morta
Foce de Mela
Pantano
Orone
Tirolo
Bisene
Chialza
Casabianca
Arbellara
PARC NATUREL RÉGIONAL DE CORSE

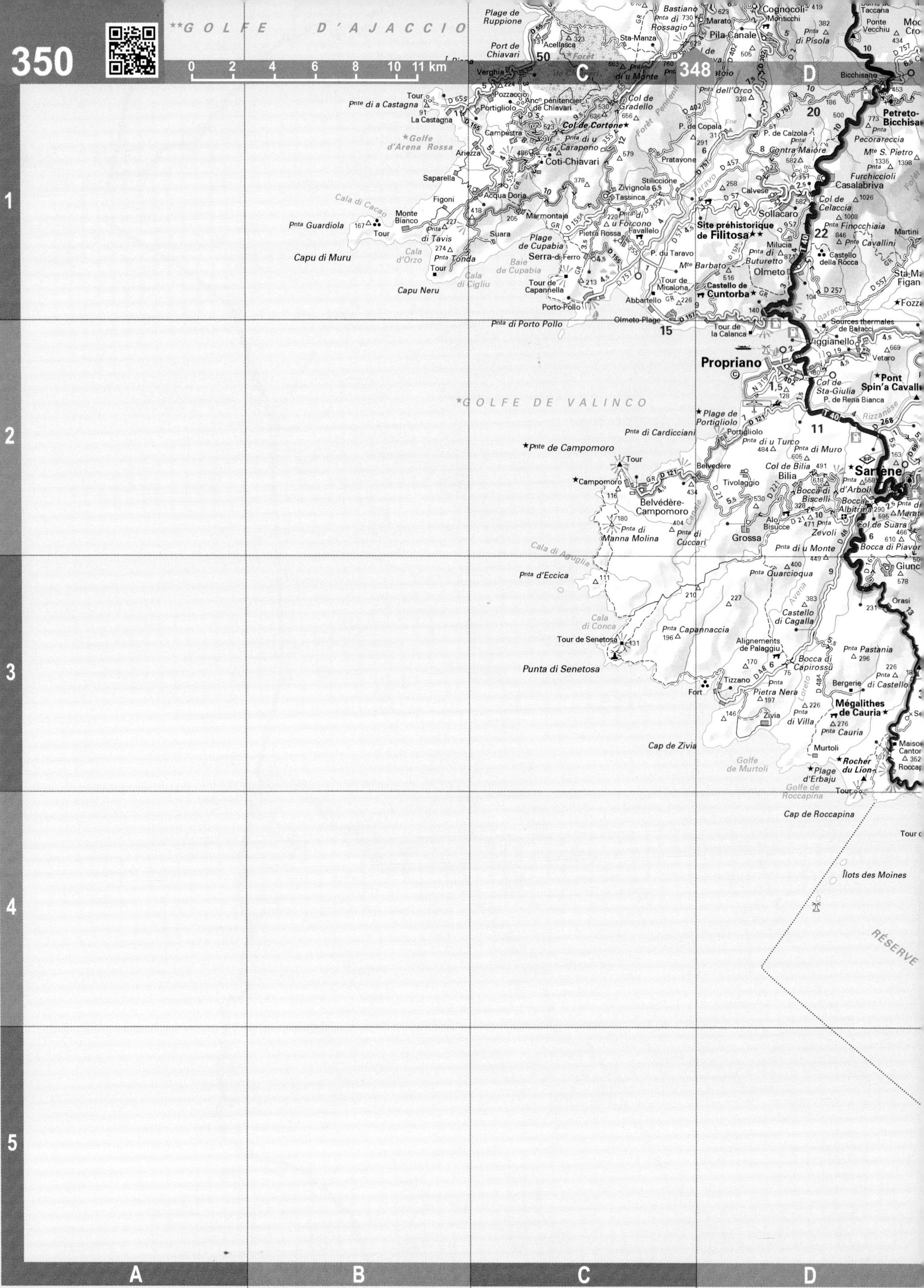
**GOLFE D'AJACCIO
0 2 4 6 8 10 11 km
348
A
B
C
D
1
2
3
4
5
Plage de Ruppione
Port de Chiavari
Bastiano
Pnta di Rossagio
Cognocoli-Monticchi
Pila-Canale
Sta-Manza
Acelasca
Verghia
Pnta di u Monte
Tour
Pnte di a Castagna
La Castagna
Pozzaccio
Ancn pénitencier de Chiavari
Portigliolo
Col de Gradello
Col de Cortone
P. de Copala
Campestra
Pnta di u Carapono
Coti-Chiavari
Ariezza
*Golfe d'Arena Rossa
Saparella
Figoni
Acqua Doria
Cala di Cacao
Monte Bianco
Pnta Guardiola
Tour
Pnta di Tavis
Marmontaja
Suara
Capu di Muru
Cala d'Orzo
Pnta Tonda
Tour
Plage de Cupabia
Serra-di-Ferro
Baie de Cupabia
Cala di Cigliu
Capu Neru
Tour de Capannella
Porto-Pollo
Pnta di Porto Pollo
Pietra Rossa
Pnta di u Forcono
Favallelo
Zivignola
Tassinca
Stiliccione
Pratavone
Forêt
P. du Taravo
Mte Barbato
Tour de Micalona
Abbartello
Olmeto-Plage
Castello de Cuntorba
Site préhistorique de Filitosa
Sollacaro
Calvese
Milucia
Pnta di Buturetto
Olmeto
Tour de la Calanca
Casalabriva
Col de Celaccia
Pnta Finocchiaia
Pnta Cavallini
Castello della Rocca
Petreto-Bicchisano
Bicchisano
Pecorareccia
Mte S. Pietro
Furchicciolo
P. de Calzola
Contra Maiore
Pnta di Pisola
Taccana
Ponte Vecchiu
Martini
Sta-Maria-Figan...
Fozza...
Sources thermales de Baracci
Viggianello
Vetaro
Propriano
Col de Sta-Giulia
P. de Rena Bianca
Pont Spin'a Cavall...
*GOLFE DE VALINCO
Plage de Portigliolo
Portigliolo
Pnta di Cardicciani
Pnte de Campomoro
Tour
Campomoro
Belvedere
Belvédère-Campomoro
Pnta di u Turco
Pnta di Muro
Col de Bilia
Bilia
Tivolaggio
Sartène
Pnta d'Arbori
Bocca di Biscelli
Bocca Albitrina
Col de Suara
Bocca di Piavor...
Alo Bisucce
Pnta di Manna Molina
Pnta di Cuccari
Grossa
Zevoli
Pnta di u Monte
Cala di Aguglia
Pnta d'Eccica
Pnta Quarcioqua
Giunc...
Orasi
Cala di Conca
Tour de Senetosa
Punta di Senetosa
Pnta Capannaccia
Castello di Cagalla
Alignements de Palaggiu
Bocca di Capirossu
Pnta Pastania
Pnta di Castello
Bergerie
Tizzano
Fort
Pnta Pietra Nera
Mégalithes de Cauria
Zivia
Pnta di Villa
Pnta Cauria
Cap de Zivia
Golfe de Murtoli
Murtoli
Plage d'Erbaju
Rocher du Lion
Golfe de Roccapina
Tour
Cap de Roccapina
Maison Cantonn...
Roccap...
Îlots des Moines
RÉSERVE
A
B
C
D

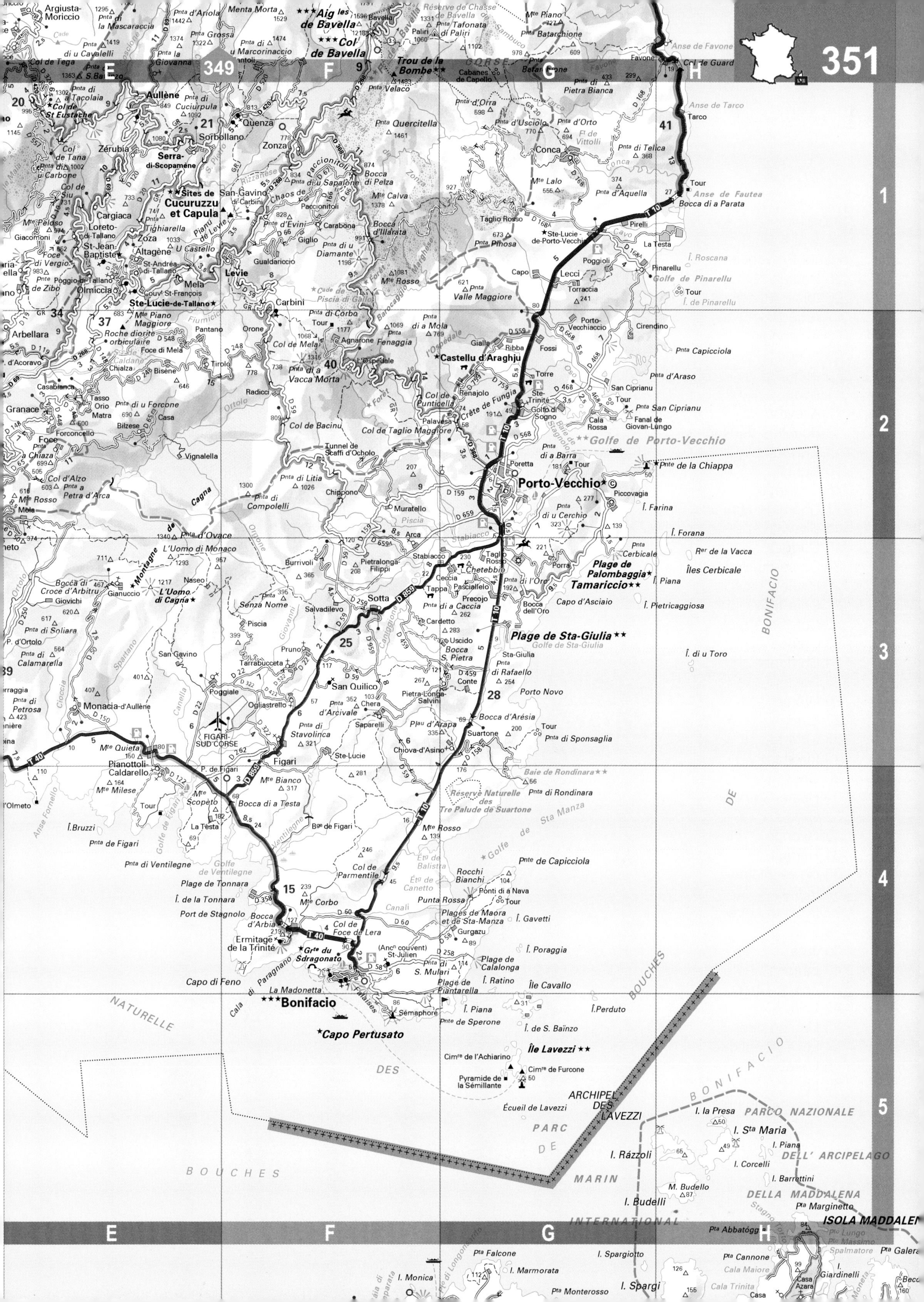

349
E
F
G
H
1
2
3
4
5
Aig les de Bavella
Col de Bavella
Trou de la Bombe
Réserve de Chasse de Bavella
Pnta di Tafonata di Paliri
Mte Piano
Pnta Batarchione
Anse de Favone
Favone
Col de Guard
Anse de Tarco
Tarco
Aullène
Col de St Eustache
Quenza
Sorbollano
Zonza
Zérubia
Serra-di-Scopamène
Pnta Quercitella
Conca
Pnta di Telica
Sites de Cucuruzzu et Capula
San-Gavino-di-Carbini
Chaos de Paccionitoli
Paccionitoli
Carabona
Bocca di Pelza
Mte Calva
Mte Lalo
Pnta d'Aquella
Anse de Fautea
Bocca di a Parata
Cargiaca
Loreto-di-Tallano
Zoza
Altagène
St-Jean-Baptiste
St-Andréa-di-Tallano
Levie
Mela
Olmiccia
Ste-Lucie-de-Tallano
Carbini
Taglio Rosso
Ste-Lucie-de-Porto-Vecchio
Pirelli
La Testa
Pnta Pinosa
Lecci
Torraccia
Capo
Pinarellu
Golfe de Pinarellu
Î. Roscana
Î. de Pinarellu
Pnta di Corbo
Mte Rosso
Valle Maggiore
Arbellara
Roche diorite orbiculaire
Foce de Mela
Pantano
Orone
Col de Mela
L'Ospédale
Fenaggia
Agnarone
Castellu d'Araghju
Gialla
Ribba
Fossi
Porto-Vecchiaccio
Cirendino
Pnta Capicciola
Pnta d'Araso
Pnta di a Vacca Morta
Chialza
Bisène
Tirolo
Radicci
Casabianca
Tasso
Orio
Matra
Granace
Pnta di u Forcone
Casa
Bilzese
Forconcello
Col de Punticella
Crête de Fungia
Renajolo
Torre
Ste-Trinité
Golfo di Sogno
San Ciprianu
Pnta San Ciprianu
Cala Rossa
Fanal de Giovan-Lungo
Col de Bacinu
Col de Taglio Maggiore
Palavesa
Golfe de Porto-Vecchio
Foce
Vignalella
Tunnel de Scaffi d'Ocholo
Poretta
Pnta di a Barra
Tour
Pnte de la Chiappa
Col d'Alzo
Pnta a Petra d'Arca
Pnta di Litia
Chipponu
Porto-Vecchio
Piccovagia
Î. Farina
Cagna
Pnta di Compolelli
Muratello
Pnta di u Cerchio
Î. Forana
Pnta d'Ovace
L'Uomo di Monaco
Montagne de Cagna
Arca
Stabiacco
Taglio Rosso
Pnta Cerbicale
Rer de la Vacca
Îles Cerbicale
Bocca di Croce d'Arbitru
Gianuccio
L'Uomo di Cagna
Giovichi
Naseo
Burrivoli
Pietralonga-Filippi
L'Chetebbio
Ceccia
Pasciallello
Tappa
Precojo
Pnta di l'Oro
Plage de Palombaggia
Tamariccio
Î. Piana
Capo d'Asciaio
Bocca dell'Oro
Î. Pietricaggiosa
Pnta Senza Nome
Salvadilevo
Sotta
Pnta di a Caccia
Cardetto
Uscido
Pnta di Soliara
Piscia
Plage de Sta-Giulia
Golfe de Sta-Giulia
BONIFACIO
P. d'Ortolo
Pnta di Calamarella
San Gavino
Pruno
Bocca S. Pietra
Sta-Giulia
Pnta di Rafaello
Î. di u Toro
Tarrabucceta
San Quilico
Conte
Porto Novo
Monacia-d'Aullène
Poggiale
Ogliastrello
Pnta d'Arcivale
Chera
Pietra-Longa-Salvini
Pnta di Petrosa
Saparelli
Plau d'Arapa
Bocca d'Arésia
Pnta di Stavolinca
Suartone
Tour
Pnta di Sponsaglia
FIGARI-SUD CORSE
Mte Quieta
Figari
Ste-Lucie
Chiova-d'Asino
Pianottoli-Caldarello
P. de Figari
Mte Milese
Mte Bianco
Baie de Rondinara
Pnta di Rondinara
Réserve Naturelle des Tre Palude de Suartone
Anse Fornello
Mte Scopeto
Bocca di a Testa
Tour
l'Olmeto
La Testa
Bge de Figari
Mte Rosso
Sta Manza
Î. Bruzzi
Pnta de Figari
Golfe de Figari
Étg de Balistra
Golfe de Sta Manza
Pnte de Capicciola
Pnta di Ventilegne
Golfe de Ventilegne
Col de Parmentile
Étg de Canetto
Rocchi Bianchi
Ponti di a Nava
Plage de Tonnara
Î. de la Tonnara
Mte Corbo
Punta Rossa
Tour
Port de Stagnolo
Bocca d'Arbia
Col de Foce de Lera
Canali
Plages de Maora et de Sta-Manza
Î. Gavetti
Gurgazu
Ermitage de la Trinité
Grte du Sdragonato
(Ancn couvent) St-Julien
Î. Poraggia
Plage de Calalonga
Pnta di S. Mulari
Capo di Feno
Cala di Paragnano
La Madonetta
Bonifacio
Falaises
Plage de Piantarella
Î. Ratino
Île Cavallo
NATURELLE
BOUCHES
Sémaphore
Î. Piana
Pnte de Sperone
Î.Perduto
Capo Pertusato
Î. de S. Baïnzo
Île Lavezzi
Cimre de l'Achiarino
Cimre de Furcone
Pyramide de la Sémillante
DES
ARCHIPEL DES LAVEZZI
Écueil de Lavezzi
BONIFACIO
PARC
I. la Presa
PARCO NAZIONALE
I. Sta Maria
DE
I. Piana
I. Rázzoli
I. Corcelli
DELL' ARCIPELAGO
I. Barrettini
BOUCHES
MARIN
M. Budello
DELLA MADDALENA
I. Budelli
Pta Marginetto
INTERNATIONAL
ISOLA MADDALENA
Pta Abbatóggia
Pta Falcone
I. Spargiotto
Pta Cannone
Cala Maiore
Spalmatore
Pta Galera
I. Marmorata
I. Giardinelli
I. Monica
Pta Monterosso
I. Spargi
Cala Trinita
Casa Azara

01 Ain
02 Aisne
03 Allier
04 Alpes-de-Haute-Provence
05 Hautes-Alpes
06 Alpes-Maritimes
07 Ardèche
08 Ardennes
09 Ariège
10 Aube
11 Aude
12 Aveyron
13 Bouches-du-Rhône
14 Calvados
15 Cantal
16 Charente
17 Charente-Maritime
18 Cher
19 Corrèze
2A Corse-du-Sud
2B Haute-Corse
21 Côte-d'Or
22 Côtes-d'Armor
23 Creuse
24 Dordogne
25 Doubs
26 Drôme
27 Eure
28 Eure-et-Loir
29 Finistère
30 Gard
31 Haute-Garonne
32 Gers
33 Gironde
34 Hérault
35 Ille-et-Vilaine
36 Indre
37 Indre-et-Loire
38 Isère
39 Jura
40 Landes
41 Loir-et-Cher
42 Loire
43 Haute-Loire
44 Loire-Atlantique
45 Loiret
46 Lot
47 Lot-et-Garonne
48 Lozère
49 Maine-et-Loire
50 Manche
51 Marne
52 Haute-Marne
53 Mayenne
54 Meurthe-et-Moselle
55 Meuse
56 Morbihan
57 Moselle
58 Nièvre
59 Nord
60 Oise
61 Orne
62 Pas-de-Calais
63 Puy-de-Dôme
64 Pyrénées-Atlantiques
65 Hautes-Pyrénées
66 Pyrénées-Orientales
67 Bas-Rhin
68 Haut-Rhin
69 Rhône
70 Haute-Saône
71 Saône-et-Loire
72 Sarthe
73 Savoie
74 Haute-Savoie
75 Ville de Paris
76 Seine-Maritime
77 Seine-et-Marne
78 Yvelines
79 Deux-Sèvres
80 Somme
81 Tarn
82 Tarn-et-Garonne
83 Var
84 Vaucluse
85 Vendée
86 Vienne
87 Haute-Vienne
88 Vosges
89 Yonne
90 Territoire-de-Belfort
91 Essonne
92 Hauts-de-Seine
93 Seine-Saint-Denis
94 Val-de-Marne
95 Val-d'Oise

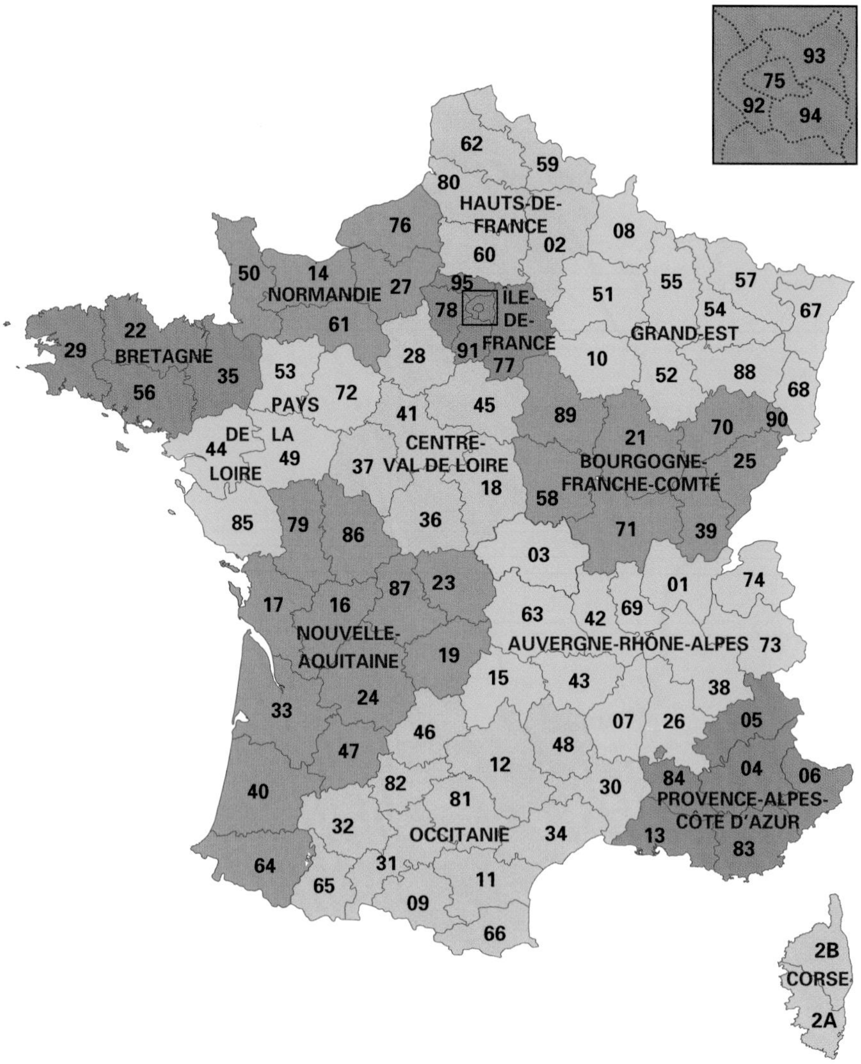

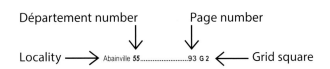

Département number — Page number

Locality → Abainville 55 ... 93 G 2 ← Grid square

A

Aast 64 ... 314 D 4
Abainville 55 ... 93 G 2
Abancourt 59 ... 14 B 3
Abancourt 60 ... 21 G 4
Abaucourt 54 ... 65 H 3
Abaucourt-lès-Souppleville 55 ... 44 C 5
Abbans-Dessous 25 ... 161 H 5
Abbans-Dessus 25 ... 161 H 5
Abbaretz 44 ... 126 D 5
Abbécourt 02 ... 24 A 5
Abbecourt 60 ... 38 A 3
Abbenans 25 ... 141 H 5
Abbeville 80 ... 11 G 3
Abbéville-la-Rivière 91 ... 87 F 5
Abbéville-lès-Conflans 54 ... 45 E 5
Abbeville-Saint-Lucien 60 ... 38 B 1
Abbévillers 25 ... 142 C 5
Abeilhan 34 ... 321 G 2
Abelcourt 70 ... 141 F 2
L'Aber-Wrac'h 29 ... 70 C 4
Abère 64 ... 314 C 3
L'Abergement-Clémenciat 01 ... 213 F 1
L'Abergement-de-Cuisery 71 ... 195 F 1
L'Abergement-de-Varey 01 ... 214 B 2
Abergement-la-Ronce 39 ... 178 D 1
Abergement-le-Grand 39 ... 179 F 2
Abergement-le-Petit 39 ... 179 F 2
Abergement-lès-Thésy 39 ... 179 H 2
Abergement-Saint-Jean 39 ... 178 D 3
L'Abergement-Sainte-Colombe 71 ... 178 A 4
Abidos 64 ... 313 H 2
Abilly 37 ... 169 H 2
Abîme *Pont de l'* 74 ... 215 G 5
Abitain 64 ... 311 H 3
Abjat-sur-Bandiat 24 ... 222 C 2
Ablain-Saint-Nazaire 62 ... 8 A 5
Ablaincourt-Pressoir 80 ... 23 F 2
Ablainzevelle 62 ... 13 G 4
Ablancourt 51 ... 62 C 3
Ableiges 95 ... 57 H 1
Les Ableuvenettes 88 ... 118 D 2
Ablis 78 ... 86 D 3
Ablon 14 ... 34 D 2
Ablon-sur-Seine 94 ... 58 C 5
Aboën 42 ... 229 H 4
Aboncourt 54 ... 94 C 4
Aboncourt 57 ... 46 B 4
Aboncourt-Gesincourt 70 ... 140 D 3
Aboncourt-sur-Seille 57 ... 66 B 4
Abondance 74 ... 198 C 4
Abondant 28 ... 56 D 4
Abos 64 ... 313 H 3
Abreschviller 57 ... 96 C 1
Abrest 03 ... 210 B 2
Les Abrets en Dauphiné 38 ... 232 C 3
Abriès 05 ... 253 F 5
Abscon 59 ... 14 C 2
L'Absie 79 ... 167 F 5
Abzac 16 ... 204 C 2
Abzac 33 ... 238 C 4
Accarias *Col* 38 ... 251 E 5
Accia *Pont de l'* 2B ... 347 E 4
Accolans 25 ... 141 H 5
Accolay 89 ... 136 C 4
Accons 07 ... 248 B 5
Accous 64 ... 331 H 3
Achain 57 ... 66 D 3
Achen 57 ... 67 H 1
Achenheim 67 ... 97 G 1
Achères 18 ... 155 F 4
Achères 78 ... 58 A 2
Achères-la-Forêt 77 ... 88 A 5
Achery 02 ... 24 B 4
Acheux-en-Amiénois 80 ... 13 E 5
Acheux-en-Vimeu 80 ... 11 F 4
Acheville 62 ... 8 C 5
Achey 70 ... 140 A 5
Achicourt 62 ... 13 G 2
Achiet-le-Grand 62 ... 13 G 4
Achiet-le-Petit 62 ... 13 G 4
Achun 58 ... 157 G 5
Achy 60 ... 21 H 5
Acigné 35 ... 104 C 3
Aclou 27 ... 35 G 5
Acon 27 ... 56 B 4
Acq 62 ... 13 F 2
Acqueville 14 ... 53 G 2
Acqueville 50 ... 28 D 3
Acquigny 27 ... 36 B 5
Acquin 62 ... 3 E 5
Acy 02 ... 40 C 3
Acy-en-Multien 60 ... 39 G 5
Acy-Romance 08 ... 42 A 1
Adaincourt 57 ... 66 C 2
Adainville 78 ... 57 F 5
Adam-lès-Passavant 25 ... 162 C 3
Adam-lès-Vercel 25 ... 162 C 4
Adamswiller 67 ... 67 H 3
Adast 65 ... 332 D 2
Adé 65 ... 314 D 5
Adelange 57 ... 66 D 2
Adelans-et-le-Val-de-Bithaine 70 ... 141 G 3
Adervielle 65 ... 333 H 4
Adilly 79 ... 168 A 5
Adinfer 62 ... 13 F 3
Adissan 34 ... 302 A 5
Les Adjots 16 ... 203 F 2
Adon 45 ... 134 D 3
Les Adrets 38 ... 233 F 5
Les Adrets-de-l'Esterel 83 ... 308 D 4
Adriers 86 ... 187 F 5
Aérocity *Parc* 07 ... 266 B 4
Afa 2A ... 348 C 3
Affieux 19 ... 224 D 3
Affléville 54 ... 45 E 4
Affoux 69 ... 212 B 4
Affracourt 54 ... 94 D 3
Affringues 62 ... 7 E 2
Agassac 31 ... 316 D 3
Agay 83 ... 329 H 1
Agde 34 ... 322 C 5
Agel 34 ... 320 D 4
Agen 47 ... 276 B 3
Agen-d'Aveyron 12 ... 280 D 1
Agencourt 21 ... 160 A 5
Agenville 80 ... 12 B 4
Agenvillers 80 ... 11 H 2
Les Ageux 60 ... 39 E 3
Ageville 52 ... 117 F 3
Agey 21 ... 159 G 3
Aghione 2B ... 349 G 1
Agincourt 54 ... 65 H 5
Agmé 47 ... 257 G 5
Agnac 47 ... 257 G 3
Agnat 43 ... 228 B 5
Agneaux 50 ... 32 A 5
Agnetz 60 ... 38 C 2
Agnez-lès-Duisans 62 ... 13 F 2
Agnicourt-et-Séchelles 02 ... 25 F 3
Agnières 62 ... 8 A 5
Agnières 80 ... 21 H 4
Agnières-en-Dévoluy 05 ... 269 F 2
Agnin 38 ... 231 F 5
Agnos 64 ... 331 H 1
Agny 62 ... 13 G 3
Agon-Coutainville 50 ... 31 F 5
Agonac 24 ... 240 C 1
Agonès 34 ... 302 C 1
Agonges 03 ... 191 H 1
Agonnay 17 ... 201 F 4
Agos-Vidalos 65 ... 332 D 2
Agris 16 ... 203 G 5
Agudelle 17 ... 219 H 4
Les Agudes 31 ... 333 H 4
Aguessac 12 ... 281 H 3
Aguilar *Château d'* 11 ... 338 C 3
Aguilcourt 02 ... 41 G 2
Aguts 81 ... 298 D 5
Agy 14 ... 32 D 3
Ahaxe-Alciette-Bascassan 64 ... 330 C 1
Ahetze 64 ... 310 C 3
Ahéville 88 ... 94 D 5
Ahuillé 53 ... 105 H 4
Ahun 23 ... 207 F 2
Ahusquy 64 ... 330 D 2
Ahuy 21 ... 160 A 2
Aibes 59 ... 15 H 3
Aibre 25 ... 142 B 4
Aïcirits 64 ... 311 G 4
Aiffres 79 ... 185 E 4
Aigaliers 30 ... 284 B 4
L'Aigle 61 ... 55 F 4
Aigle *Barrage de l'* 19 ... 243 H 1
Aiglemont 08 ... 26 D 3
Aiglepierre 39 ... 179 G 2
Aigleville 27 ... 56 D 1
Aiglun 04 ... 287 H 4
Aiglun 06 ... 309 E 1
Aignan 32 ... 295 F 3
Aignay-le-Duc 21 ... 138 C 4
Aigne 34 ... 320 C 4
Aigné 72 ... 107 G 4
Aignerville 14 ... 32 C 3
Aignes 31 ... 318 B 4
Aignes-et-Puypéroux 16 ... 221 F 4
Aigneville 80 ... 11 F 4
Aigny 51 ... 61 H 1
Aigonnay 79 ... 185 F 4
Aigoual *Mont* 48 ... 282 D 4
Aigre 16 ... 203 E 4
Aigrefeuille 31 ... 298 B 5
Aigrefeuille-d'Aunis 17 ... 200 D 1
Aigrefeuille-sur-Maine 44 ... 147 H 5
Aigremont 30 ... 283 H 5
Aigremont 52 ... 118 A 4
Aigremont 78 ... 57 H 3
Aigremont 89 ... 136 D 4
Aiguebelette-le-Lac 73 ... 233 E 2
Aiguebelle 73 ... 234 A 2
Aiguebelle 83 ... 329 E 4
Aigueblanche 73 ... 234 B 3
Aiguefonde 81 ... 319 H 2
Aigueperse 63 ... 209 H 3
Aigueperse 69 ... 194 B 5
Aigues-Juntes 09 ... 336 A 2
Aigues-Mortes 30 ... 303 G 5
Aigues-Vives 09 ... 336 D 2
Aigues-Vives 11 ... 320 A 5
Aigues-Vives 30 ... 303 G 3
Aigues-Vives 34 ... 320 D 4
Aiguèze 30 ... 284 C 2
Aiguilhe 43 ... 247 F 3
Aiguilles 05 ... 253 F 5
L'Aiguillon 09 ... 336 D 3
Aiguillon 47 ... 275 G 2
L'Aiguillon-sur-Mer 85 ... 183 E 4
L'Aiguillon-sur-Vie 85 ... 165 E 5
Aiguines 83 ... 307 G 2
Aigurande 36 ... 189 F 3
Ailefroide 05 ... 252 B 4
Ailhon 07 ... 266 B 3
Aillant-sur-Milleron 45 ... 135 E 3
Aillant-sur-Tholon 89 ... 135 H 2
Aillas 33 ... 256 D 5
Ailleux 42 ... 211 F 5
Aillevans 70 ... 141 G 4
Ailleville 10 ... 116 A 2
Aillevillers-et-Lyaumont 70 ... 119 F 5
Aillianville 52 ... 93 G 4
Aillières-Beauvoir 72 ... 84 A 4
Aillon-le-Jeune 73 ... 233 G 1
Aillon-le-Vieux 73 ... 233 G 1
Ailloncourt 70 ... 141 G 3
Ailly 27 ... 36 C 5
Ailly-le-Haut-Clocher 80 ... 11 H 4
Ailly-sur-Meuse 55 ... 64 C 4
Ailly-sur-Noye 80 ... 22 C 3
Ailly-sur-Somme 80 ... 22 B 1
Aimargues 30 ... 303 G 3
Aime-la-Plagne 73 ... 234 C 2
Ain *Source de l'* 39 ... 180 A 4
Ainac 04 ... 288 A 2
Ainay-le-Château 03 ... 173 G 5
Ainay-le-Vieil 18 ... 173 F 5
Aincille 64 ... 330 C 1
Aincourt 95 ... 57 G 1
Aincreville 55 ... 43 G 2
Aingeray 54 ... 65 G 5
Aingeville 88 ... 118 A 2
Aingoulaincourt 52 ... 93 F 3
Ainharp 64 ... 311 H 5
Ainhice-Mongelos 64 ... 311 F 5
Ainhoa 64 ... 310 D 4
Ainvelle 70 ... 141 F 2
Ainvelle 88 ... 118 B 4
Airaines 80 ... 11 H 5
Airan 14 ... 34 A 5
Aire 08 ... 41 H 1
Aire-sur-la-Lys 62 ... 7 G 2
Aire-sur-l'Adour 40 ... 294 C 3
Airel 50 ... 32 B 4
Les Aires 34 ... 301 F 5
Airion 60 ... 38 C 2
Airon-Notre-Dame 62 ... 6 B 5
Airon-Saint-Vaast 62 ... 6 B 5
Airoux 11 ... 318 D 3
Airvault 79 ... 168 B 3
Aiserey 21 ... 160 B 5
Aisey-et-Richecourt 70 ... 118 C 5
Aisey-sur-Seine 21 ... 138 B 3
Aisne 85 ... 183 G 3
Aisonville-et-Bernoville 02 ... 24 C 1
Aïssey 25 ... 162 C 3
Aisy-sous-Thil 21 ... 158 C 2
Aisy-sur-Armançon 89 ... 137 G 4
Aiti 2B ... 347 F 3
Aiton 73 ... 233 H 2
Aix 19 ... 226 B 2
Aix 59 ... 9 E 4
Aix *Ile d'* 17 ... 200 C 2
Les Aix-d'Angillon 18 ... 155 G 5
Aix-en-Diois 26 ... 268 B 2
Aix-en-Ergny 62 ... 6 D 3
Aix-en-Issart 62 ... 6 C 4
Aix-en-Othe 10 ... 114 B 2
Aix-en-Provence 13 ... 306 A 5
Aix-la-Fayette 63 ... 228 C 3
Aix-les-Bains 73 ... 233 F 1
Aix-Noulette 62 ... 8 A 5
Aixe-sur-Vienne 87 ... 205 F 5
Aizac 07 ... 266 B 2
Aizanville 52 ... 116 C 3
Aize 36 ... 171 H 1
Aizecourt-le-Bas 80 ... 23 H 1
Aizecourt-le-Haut 80 ... 23 G 1
Aizecq 16 ... 203 G 3
Aizelles 02 ... 41 E 1
Aizenay 85 ... 165 G 4
Aizier 27 ... 35 F 2
Aizy-Jouy 02 ... 40 C 2
Ajac 11 ... 337 F 2
Ajaccio 2A ... 348 B 3
Ajain 23 ... 207 F 1
Ajat 24 ... 241 E 2
Ajoncourt 57 ... 66 B 4
Ajou 27 ... 55 G 2
Ajoux 07 ... 266 C 1
Alaigne 11 ... 337 F 1
Alaincourt 02 ... 24 B 3
Alaincourt 70 ... 118 D 5
Alaincourt-la-Côte 57 ... 66 B 3
Alairac 11 ... 319 G 5
Alaise 25 ... 179 H 1
Alan 31 ... 316 D 5
Alando 2B ... 347 F 4
Alata 2A ... 348 B 3
Alba-la-Romaine 07 ... 266 D 4
Alban 81 ... 300 A 1
Albaret-le-Comtal 48 ... 245 H 5
Albaret-Sainte-Marie 48 ... 246 A 5
Albarine *Gorges de l'* 01 ... 214 C 3
L'Albaron 13 ... 304 A 4
Albas 11 ... 338 C 2
Albas 46 ... 259 G 5
Albé 67 ... 97 E 4
Albefeuille-Lagarde 82 ... 277 G 5
L'Albenc 38 ... 250 B 1
Albens 73 ... 215 F 5
Albepierre-Bredons 15 ... 245 F 3
L'Albère 66 ... 343 E 4
Albert 80 ... 13 F 5
Albert-Louppe *Pont* 29 ... 75 F 2
Albertacce 2B ... 346 D 4
Albertville 73 ... 234 A 1
Albestroff 57 ... 67 F 2
Albi 81 ... 299 F 1
Albiac 31 ... 298 C 5
Albiac 46 ... 261 E 2
Albias 82 ... 278 B 4
Albières 11 ... 338 A 3
Albiès 09 ... 336 C 5
Albiez-le-Jeune 73 ... 252 A 1
Albiez-le-Vieux 73 ... 252 A 1
Albignac 19 ... 242 D 2
Albigny 74 ... 215 G 3
Albigny-sur-Saône 69 ... 213 E 4
Albine 81 ... 320 A 2
Albiosc 04 ... 307 E 2
Albitreccia 2A ... 348 D 4
Albon 26 ... 249 E 1
Albon-d'Ardèche 07 ... 266 B 1
Alboussière 07 ... 249 E 4
Les Albres 12 ... 261 G 4
Albussac 19 ... 243 E 3
Alby-sur-Chéran 74 ... 215 F 4
Alçay-Alçabéhéty-Sunharette 64 ... 331 E 2
Aldudes 64 ... 330 A 1
Alembon 62 ... 2 D 5
Alençon 61 ... 83 G 4
Alénya 66 ... 343 F 2
Aléria 2B ... 349 H 1
Alès 30 ... 283 H 4
Alet-les-Bains 11 ... 337 G 2
Alette 62 ... 6 C 4
Aleu 09 ... 335 G 3
Alex 74 ... 215 H 3
Alexain 53 ... 106 A 2
Aleyrac 26 ... 267 F 4
Alfortville 94 ... 58 C 4
Algajola 2B ... 344 C 5
Algans 81 ... 298 D 5
Algolsheim 68 ... 121 G 3
Algrange 57 ... 45 G 3
Alièze 39 ... 196 C 1
Alignan-du-Vent 34 ... 321 H 2
Alincourt 08 ... 42 A 2
Alincourt 60 ... 37 G 4
Alincthun 62 ... 2 C 5
Alise-Sainte-Reine 21 ... 159 E 1
Alissas 07 ... 266 D 2
Alix 69 ... 212 D 4
Alixan 26 ... 249 G 4
Alizay 27 ... 36 B 3
Allain 54 ... 94 B 2
Allaines 80 ... 23 G 1
Allaines-Mervilliers 28 ... 110 D 2
Allainville 28 ... 56 C 5
Allainville 78 ... 86 D 4
Allainville-en-Beauce 45 ... 111 F 2
Allaire 56 ... 125 G 4
Allamont 54 ... 65 E 1
Allamps 54 ... 94 A 2
Allan 26 ... 267 E 4
Allanche 15 ... 245 F 1
Alland'Huy-et-Sausseuil 08 ... 42 C 1
Allarmont 88 ... 96 B 2
Allas-Bocage 17 ... 219 H 4
Allas-Champagne 17 ... 220 B 3
Allas-les-Mines 24 ... 259 F 1
Allassac 19 ... 242 B 1
Allauch 13 ... 327 E 2
Allègre 43 ... 247 E 2
Allègre *Château d'* 30 ... 284 A 3
Allègre-les-Fumades 30 ... 284 A 3
Alleins 13 ... 305 G 3
Allemagne-en-Provence 04 ... 307 E 2
Allemanche-Launay-et-Soyer 51 ... 90 B 2
Allemans 24 ... 239 G 1
Allemans-du-Dropt 47 ... 257 G 3
Allemant 02 ... 40 C 1
Allemant 51 ... 61 E 4
Allemont 38 ... 251 G 2
Allenay 80 ... 11 E 3
Allenc 48 ... 264 D 4
Allenjoie 25 ... 142 C 4
Allennes-les-Marais 59 ... 8 C 4
Allenwiller 67 ... 68 B 5
Allerey 21 ... 159 E 5
Allerey-sur-Saône 71 ... 178 A 3
Allériot 71 ... 178 A 4
Allery 80 ... 11 H 5
Alles-sur-Dordogne 24 ... 258 D 1
Les Alleuds 49 ... 149 H 3
Les Alleuds 79 ... 203 E 1
Les Alleux 08 ... 42 D 1
Alleuze 15 ... 245 H 4
Allevard 38 ... 233 G 4
Allèves 74 ... 215 G 5
Allex 26 ... 267 F 1
Alleyrac 43 ... 247 G 5
Alleyras 43 ... 246 D 5
Alleyrat 19 ... 225 H 3
Alleyrat 23 ... 207 G 3
Allez-et-Cazeneuve 47 ... 276 B 1
Alliancelles 51 ... 63 E 3
Alliat 09 ... 336 B 4
Allibaudières 10 ... 91 E 2
Allichamps 52 ... 92 C 2
Allier 65 ... 315 F 5
Allières 09 ... 335 H 2
Les Alliés 25 ... 180 D 2
Alligny-Cosne 58 ... 156 B 2
Alligny-en-Morvan 58 ... 158 C 4
Allimas *Col de l'* 38 ... 250 C 5
Allineuc 22 ... 78 A 5
Allinges 74 ... 198 B 3
Allogny 18 ... 155 E 4
Allondans 25 ... 142 B 4
Allondaz 73 ... 216 A 5
Allondrelle-la-Malmaison 54 ... 44 C 1
Allonne 60 ... 38 A 2
Allonne 79 ... 185 E 1
Allonnes 28 ... 86 C 5
Allonnes 49 ... 150 C 3
Allonnes 72 ... 107 G 5
Allons 04 ... 288 D 4
Allons 47 ... 274 D 3
Allonville 80 ... 22 C 1
Allonzier-la-Caille 74 ... 215 G 2
Allos 04 ... 288 D 2
Allos *Col d'* 04 ... 288 D 1
Allouagne 62 ... 7 H 4
Alloue 16 ... 204 B 2
Allouis 18 ... 154 D 5
Allouville-Bellefosse 76 ... 19 G 5
Les Allues 73 ... 234 C 3
Les Alluets-le-Roi 78 ... 57 H 3
Alluy 58 ... 175 G 1
Alluyes 28 ... 109 H 2
Ally 15 ... 244 B 2
Ally 43 ... 246 A 2
Almayrac 81 ... 279 G 4
Almenêches 61 ... 54 B 5
Almont-les-Junies 12 ... 261 H 4
Alos 09 ... 335 F 3
Alos 81 ... 279 E 5
Alos-Sibas-Abense 64 ... 331 F 1
Alouettes *Mont des* 85 ... 166 C 2
Aloxe-Corton 21 ... 177 H 1
Alpe-d'Huez 38 ... 251 G 2
Alpuech 12 ... 263 F 2
Alquines 62 ... 2 D 5
Alrance 12 ... 281 E 4
Alsting 57 ... 47 G 5
Altagène 2A ... 349 E 5
Alteckendorf 67 ... 68 C 4
Altenach 68 ... 143 E 3
Altenbach 68 ... 120 C 5
Altenheim 67 ... 68 B 4
Altenstadt 67 ... 69 F 1
Althen-des-Paluds 84 ... 285 G 5
Altiani 2B ... 347 F 5
Altier 48 ... 265 F 5
Altillac 19 ... 243 E 4
Altkirch 68 ... 143 F 3
Altorf 67 ... 97 F 2
Altrippe 57 ... 67 F 1
Altviller 57 ... 67 E 1
Altwiller 67 ... 67 G 2

Aluze 71 177 G 3
Alvignac 46 260 D 1
Alvimare 76 19 F 5
Alzen 09 336 A 2
Alzi 2B 347 F 4
Alzing 57 46 C 4
Alzon 30 282 C 5
Alzonne 11 319 F 4
Amage 70 141 H 2
Amagne 08 42 B 1
Amagney 25 162 B 3
Amailloux 79 168 A 4
Amance 10 91 H 5
Amance 54 66 B 5
Amance 70 141 E 2
Amancey 25 180 A 1
Amancy 74 216 A 1
Amange 39 161 E 4
Amanlis 35 104 C 4
Amanty 55 93 H 2
Amanvillers 57 45 G 5
Amanzé 71 193 H 4
Amareins 01 213 E 2
Amarens 81 279 E 5
Amathay-Vésigneux 25 180 B 1
Amayé-sur-Orne 14 33 F 5
Amayé-sur-Seulles 14 32 D 5
Amazy 58 157 F 3
Ambacourt 88 94 D 4
Ambarès-et-Lagrave 33 237 G 4
Ambax 31 316 D 3
Ambazac 87 205 H 3
Ambel 38 269 F 1
Ambenay 27 55 G 3
Ambérac 16 203 E 4
Ambérieu-en-Bugey 01 214 A 3
Ambérieux-d'Azergues 69 212 D 3
Ambérieux-en-Dombes 01 213 F 3
Ambernac 16 204 B 3
Amberre 86 168 D 4
Ambert 63 229 E 3
Ambès 33 237 G 3
Ambeyrac 12 261 F 4
Ambialet 81 299 H 1
Ambiegna 2A 348 C 2
Ambierle 42 211 F 2
Ambiévillers 70 118 D 4
Ambillou 37 151 F 2
Ambillou-Château 49 149 H 4
Ambilly 74 197 H 5
Amblaincourt 55 63 H 2
Amblainville 60 38 A 4
Amblans-et-Velotte 70 141 G 3
Ambleny 02 40 A 2
Ambléon 01 214 C 5
Ambleteuse 62 2 B 4
Ambleville 16 220 C 3
Ambleville 95 37 F 5
Amblie 14 33 F 3
Amblimont 08 27 F 4
Ambloy 41 131 F 4
Ambly-Fleury 08 42 B 1
Ambly-sur-Meuse 55 64 B 2
Amboise 37 152 C 2
Ambon 56 124 D 4
Ambonil 26 267 F 1
Ambonnay 51 61 H 1
Ambonville 52 92 D 5
Ambourville 76 35 H 1
Ambrault 36 172 B 4
Ambres 81 298 D 3
Ambricourt 62 7 F 4
Ambrief 02 40 B 3
Ambrières 51 63 E 5
Ambrières-les-Vallées 53 82 B 4
Ambrines 62 13 E 2
Ambronay 01 214 A 2
Ambrugeat 19 225 G 3
Ambrumesnil 76 20 A 2
Ambrus 47 275 F 2
Ambutrix 01 214 A 3
Amécourt 27 37 F 2
Amel-sur-l'Étang 55 44 D 4
Amelécourt 57 66 C 4
Amélie-les-Bains-Palalda 66 342 C 4
L'Amélie-sur-Mer 33 218 C 3
Amendeuix-Oneix 64 311 G 4
Amenoncourt 54 96 A 1
Amenucourt 95 37 F 5
Ames 62 7 G 3
Amettes 62 7 G 4
Ameugny 71 194 D 2
Ameuvelle 88 118 C 5
Amfreville 14 33 H 3
Amfreville 50 29 G 5
Amfreville-Saint-Amand 27 35 H 4
Amfreville-la-Mi-Voie 76 36 B 2
Amfreville-les-Champs 27 36 C 3
Amfreville-les-Champs 76 19 H 4
Amfreville-sous-les-Monts 27 36 C 3
Amfreville-sur-Iton 27 36 B 5
Amfroipret 59 15 F 2
Amiens 80 22 B 2
Amifontaine 02 41 F 1
Amigny 50 32 A 4
Amigny-Rouy 02 24 B 5
Amillis 77 60 A 4
Amilly 28 86 A 4
Amilly 45 112 C 5
Amions 42 211 G 4
Amirat 06 289 F 5
Ammerschwihr 68 121 E 2
Ammertzwiller 68 143 E 2
Amneville 14 54 B 2
Amné 72 107 F 4
Amnéville 57 45 G 4
Amoncourt 70 141 E 3
Amondans 25 162 A 5
Amont-et-Effreney 70 119 G 5
Amorots-Succos 64 311 G 4
Amou 40 293 G 4
Amphion-les-Bains 74 198 B 3
Ampiac 12 280 C 1
Ampilly-le-Sec 21 138 A 3
Ampilly-les-Bordes 21 138 B 5
Amplepuis 69 212 A 3
Amplier 62 12 D 4
Ampoigné 53 128 A 2
Amponville 77 112 A 2
Ampriani 2B 347 G 5
Ampuis 69 231 E 3
Ampus 83 307 H 4
Amuré 79 184 C 5
Amy 60 23 F 4
Anais 16 203 F 5
Anais 17 183 H 5
Anan 31 316 C 3
Ance 64 331 G 1
Anceaumeville 76 20 B 5
Anceins 61 55 E 3
Ancelle 05 269 H 2
Ancemont 55 64 B 1
Ancenis 44 148 B 2
Ancerville 55 63 G 5
Ancerville 57 66 B 1
Ancerviller 54 96 A 2
Ancey 21 159 H 3
Anchamps 08 26 D 1
Anché 37 151 E 5
Anché 86 186 B 4
Anchenoncourt-et-Chazel 70 141 E 2
Ancienville 02 40 A 4
Ancier 70 161 F 1
Ancinnes 72 83 H 4
Ancizan 65 333 G 3
Les Ancizes-Comps 63 209 E 4
Ancône 26 267 E 3
Ancourt 76 10 B 5
Ancourteville-sur-Héricourt 76 19 G 4
Ancretiéville-Saint-Victor 76 20 A 4
Ancretteville-sur-Mer 76 19 F 3
Ancteville 50 31 G 5
Anctoville 14 33 E 5
Anctoville-sur-Boscq 50 51 F 3
Ancy 69 212 C 5
Ancy-Dornot 57 65 G 1
Ancy-le-Franc 89 137 F 3
Ancy-le-Libre 89 137 F 3
Andaine *Bec d'* 50 51 F 4
Andainville 80 21 G 2
Andance 07 249 E 1
Andancette 26 249 E 1
Andard 49 149 H 1
Andé 27 36 C 4
Andechy 80 23 E 4
Andel 22 78 D 3
Andelain 02 24 B 4
Andelaroche 03 193 E 5
Andelarre 70 141 E 5
Andelarrot 70 141 E 5
Andelat 15 245 G 3
Andelnans 90 142 C 3
Andelot 52 117 F 2
Andelot-en-Montagne 39 179 H 3
Andelot-lès-Saint-Amour 39 196 A 3
Andelu 78 57 G 3
Les Andelys 27 36 D 4
Andernay 55 63 F 4
Andernos-les-Bains 33 254 C 1
Anderny 54 45 F 3
Andert-et-Condon 01 214 D 5
Andevanne 08 43 G 2
Andeville 60 38 A 4
Andigné 49 128 A 4
Andillac 81 279 E 5
Andilly 17 183 G 5
Andilly 54 65 F 5
Andilly 74 215 G 2
Andilly 95 58 B 2
Andilly-en-Bassigny 52 117 H 5
Andiran 47 275 F 4
Andlau 67 97 E 3
Andoins 64 314 C 4
Andolsheim 68 121 F 3
Andon 06 308 D 2
Andonville 45 111 E 2
Andornay 70 142 A 3
Andouillé 53 106 A 2
Andouillé-Neuville 35 80 C 5
Andouque 81 280 B 5
Andrein 64 311 H 3
Andres 62 2 D 4
Andrest 65 315 E 3
Andrésy 78 58 A 2
Andrezé 49 148 D 4
Andrezel 77 88 C 2
Andrézieux-Bouthéon 42 230 A 3
Andryes 89 157 E 1
Anduze 30 283 G 4
Anéran-Camors 65 333 H 4
Anères 65 333 H 1
Anet 28 56 D 3
Anetz 44 148 C 2
Angais 64 314 C 4
Angé 41 152 D 3
Angeac-Champagne 16 220 B 2
Angeac-Charente 16 220 D 2
Angecourt 08 27 F 4
Angeduc 16 220 D 3
Angely 89 137 E 5
Angeot 90 142 D 2
Angers 49 149 G 1
Angerville 14 34 A 4
Angerville 91 87 E 5
Angerville-Bailleul 76 19 E 4
Angerville-la-Campagne 27 56 B 2
Angerville-la-Martel 76 19 F 3
Angerville-l'Orcher 76 18 D 5
Angervilliers 91 87 F 2
Angeville 82 277 E 5
Angevillers 57 45 G 3
Angey 50 51 G 4
Angicourt 60 38 D 3
Angiens 76 19 H 2
Angirey 70 161 G 1
Angivillers 60 38 D 1
Anglade 33 237 F 1
Anglards-de-Saint-Flour 15 245 H 4
Anglards-de-Salers 15 244 C 2
Anglars 46 261 E 2
Anglars-Juillac 46 259 G 5
Anglars-Nozac 46 259 H 1
Anglars-Saint-Félix 12 261 H 5
Anglefort 01 215 E 3
Anglemont 88 95 H 4
Angles 04 288 D 5
Les Angles 30 285 E 5
Les Angles 65 333 E 1
Les Angles 66 341 G 3
Anglès 81 300 B 5
Angles 85 182 D 3
Les Angles-sur-Corrèze 19 243 E 1
Angles-sur-l'Anglin 86 170 B 5
Anglesqueville-la-Bras-Long 76 19 H 3
Anglesqueville-l'Esneval 76 18 D 4
Anglet 64 292 A 5
Angliers 17 183 G 5
Angliers 86 168 D 2
Anglure 51 90 C 2
Anglure-sous-Dun 71 194 A 5
Anglus 52 92 B 4
Angluzelles-et-Courcelles 51 61 F 5
Angoisse 24 223 F 4
Angomont 54 96 B 2
Angos 65 315 F 5
Angoulême 16 221 F 2
Angoulins 17 200 C 1
Angoumé 40 292 D 3
Angous 64 313 F 4
Angoustrine 66 341 F 4
Angoville 14 53 G 2
Angoville-au-Plain 50 32 A 2
Angoville-en-Saire 50 29 G 2
Angoville-sur-Ay 50 31 F 3
Angres 62 8 B 5
Angresse 40 292 B 3
Angrie 49 127 H 5
Anguilcourt-le-Sart 02 24 C 4
Angviller-lès-Bisping 57 67 F 4
Angy 60 38 C 3
Anhaux 64 330 B 1
Anhiers 59 9 E 5
Aniane 34 302 B 4
Aniche 59 14 B 2
Anisy 14 33 G 3
Anizy-le-Château 02 40 C 1
Anjeux 70 119 E 5
Anjony *Château d'* 15 244 C 3
Anjou 38 231 F 5
Anjouin 36 154 A 5
Anjoutey 90 142 C 2
Anla 65 334 A 2
Anlezy 58 175 F 2
Anlhiac 24 223 F 5
Annay 58 156 A 1
Annay 62 8 C 4
Annay-la-Côte 89 157 H 1
Annay-sur-Serein 89 137 E 4
Annebault 14 34 B 3
Annebecq 14 52 B 2
Annecy 74 215 G 3
Annecy-le-Vieux 74 215 G 3
Annelles 08 42 B 2
Annemasse 74 197 H 5
Annéot 89 157 H 1
Annepont 17 201 G 4
Annequin 62 8 B 4
Annesse-et-Beaulieu 24 240 B 2
Annet-sur-Marne 77 59 F 2
Anneux 59 14 A 4
Anneville-en-Saire 50 29 H 3
Annéville-la-Prairie 52 116 D 2
Anneville-sur-Mer 50 31 F 5
Anneville-sur-Scie 76 20 B 2
Anneville-sur-Seine 76 35 H 1
Anneyron 26 249 F 1
Annezay 17 201 F 2
Annezin 62 8 A 4
Annœullin 59 8 C 4
Annoire 39 178 C 2
Annois 02 24 A 4
Annoisin-Chatelans 38 214 A 5
Annoix 18 173 F 2
Annonay 07 248 D 1
Annonville 52 93 E 4
Annot 04 289 E 5
Annouville-Vilmesnil 76 19 E 4
Annoux 89 137 F 5
Annoville 50 51 F 1
Anor 59 15 H 5
Anos 64 314 B 3
Anost 71 176 B 1
Anould 88 120 B 2
Anoux 54 45 E 4
Anoye 64 314 D 3
Anquetierville 76 35 F 1
Anrosey 52 140 B 2
Ansac-sur-Vienne 16 204 C 3
Ansacq 60 38 C 3
Ansan 32 296 C 3
Ansauville 54 65 E 4
Ansauvillers 60 22 C 5
Anse 69 212 D 3
Anserville 60 38 B 4
Ansignan 66 338 A 5
Ansigny 73 215 F 4
Ansost 65 315 F 2
Ansouis 84 306 A 3
Anstaing 59 9 E 3
Antagnac 47 274 D 1
Anterrieux 15 263 G 1
Anteuil 25 163 E 2
Antezant 17 201 H 3
Anthé 47 277 E 1
Anthelupt 54 95 F 1
Anthenay 51 41 E 5
Antheny 08 26 A 2
Anthéor 83 309 E 5
Antheuil 21 159 G 5
Antheuil-Portes 60 39 F 1
Anthien 58 157 G 3
Anthon 38 213 H 5
Anthy-sur-Léman 74 198 A 3
Antibes 06 309 F 4
Antibes *Cap d'* 06 309 F 4
Antichan 65 334 A 2
Antichan-de-Frontignes 31 334 B 2
Antignac 15 226 C 5
Antignac 17 219 H 3
Antignac 31 334 A 4
Antigny 85 184 B 1
Antigny 86 187 F 2
Antigny-la-Ville 21 159 F 5
Antilly 57 45 H 5
Antilly 60 39 G 5
Antin 65 315 G 3
Les Antiques 13 304 D 2
Antisanti 2B 347 G 5
Antist 65 333 F 1
Antogny le Tillac 37 169 G 2
Antoigné 49 168 B 1
Antoigny 61 82 D 3
Antoingt 63 227 H 3
Antonaves 05 287 E 2
Antonne-et-Trigonant 24 240 D 2
Antony 92 58 B 4
Antorpe 25 161 G 4
Antraigues-sur-Volane 07 266 B 2
Antrain 35 80 C 3
Antran 86 169 G 3
Antras 09 334 D 4
Antras 32 296 A 3
Antrenas 48 264 A 4
Antugnac 11 337 G 3
Antully 71 177 E 3
Anvéville 76 19 G 4
Anville 16 202 D 5
Anvin 62 7 F 4
Any-Martin-Rieux 02 25 H 2
Anzat-le-Luguet 63 227 G 5
Anzeling 57 46 C 4
Anzême 23 189 F 5
Anzex 47 275 E 2
Anzin 59 9 G 5
Anzin-Saint-Aubin 62 13 G 2
Anzy-le-Duc 71 193 G 4
Aoste 38 232 C 2
Aougny 51 41 E 4
Aouste 08 26 A 3
Aouste-sur-Sye 26 267 G 2
Aouze 88 94 B 4
Apach 57 46 B 2
Apchat 63 227 H 5
Apchon 15 245 E 1
Apinac 42 229 G 5
Apothicairerie *Grotte de l'* 56 144 B 3
Appelle 81 299 E 5
Appenai-sous-Bellême 61 84 C 5
Appenans 25 142 A 5
Appenwihr 68 121 F 3
Appeville 50 31 H 2
Appeville-Annebault 27 35 F 3
Appietto 2A 348 C 2
Appilly 60 23 H 5
Appoigny 89 136 B 2
Apprieu 38 232 C 4
Appy 09 336 C 5
Apremont 01 196 C 5
Apremont 08 43 F 3
Apremont 60 38 D 4
Apremont 70 161 E 2
Apremont 73 233 F 3
Apremont 85 165 F 4
Apremont-la-Forêt 55 64 D 4
Apremont-sur-Allier 18 174 B 3
Aprey 52 139 F 3
Apt 84 305 H 1
Arabaux 09 336 B 2
Arâches 74 216 C 2
Araghju *Castellu d'* 2A 351 G 2
Aragnouet 65 333 F 4
Aragon 11 319 H 4
Aramits 64 331 G 1
Aramon 30 304 C 1
Aranc 01 214 B 2
Arance 64 313 H 2
Arancou 64 311 G 3
Arandas 01 214 B 4
Arandon 38 232 B 1
Araujuzon 64 313 F 3
Araules 43 247 H 3
Araux 64 313 F 3
Aravis *Col des* 74 216 B 4
Arbanats 33 255 H 2
Arbas 31 334 D 2
Arbecey 70 140 D 3
Arbellara 2A 351 E 2
Arbent 01 196 D 4
Arbéost 65 332 B 2
Arbérats-Sillègue 64 311 H 4
Arbignieu 01 214 D 5
Arbigny 01 195 F 2
Arbigny-sous-Varennes 52 140 A 2
Arbin 73 233 G 3
Arbis 33 256 B 2
Arblade-le-Bas 32 294 C 3
Arblade-le-Haut 32 294 D 3
Arbois 39 179 G 2
Arbois *Mont d'* 74 216 C 4
Arbon 31 334 C 2
Arbonne 64 310 C 3
Arbonne-la-Forêt 77 88 A 4
Arboras 34 302 A 3
Arbori 2A 348 C 1
Arbot 52 139 E 2
Arbouans 25 142 B 4
Arboucave 40 294 A 4
Arbouet-Sussaute 64 311 H 4
Arbourse 58 156 C 4
Arboussols 66 342 B 2
L'Arbresle 69 212 C 4
L'Arbret 62 13 E 3
Arbrissel 35 105 E 5
Arbus 64 314 A 3
Arbusigny 74 215 H 1
Arc 1800 73 234 D 2
Arc-en-Barrois 52 116 D 5
Arc-et-Senans 25 179 G 1
Arc-lès-Gray 70 161 E 1
Arc-sous-Cicon 25 162 C 5
Arc-sous-Montenot 25 180 A 2
Arc-sur-Tille 21 160 B 3
Arcachon 33 254 B 2
Arçais 79 184 B 4
Arcambal 46 260 B 5
Arcangues 64 310 C 3
Arçay 18 173 E 2
Arçay 86 168 C 2
Arceau 21 160 B 2
Arcenant 21 159 H 5
Arcens 07 248 A 5
Arces 17 219 E 2
Arces 89 114 A 4
Arcey 21 159 H 3
Arcey 25 142 A 4
Archail 04 288 B 3
Archamps 74 215 G 1
Archelange 39 161 E 5
Archéodrome 21 177 H 2
Arches 15 244 B 1
Arches 88 119 G 3
Archettes 88 119 G 2
Archiac 17 220 B 3
Archiane *Cirque d'* 26 268 C 1
Archignac 24 241 H 4
Archignat 03 190 B 4
Archigny 86 169 H 5
Archingeay 17 201 F 3
Archon 02 25 H 3
Arcier 25 162 A 3
Arcine 74 215 E 1
Arcinges 42 212 A 1
Arcins 33 237 F 3
Arcis-le-Ponsart 51 41 E 4
Arcis-sur-Aube 10 91 E 3
Arcizac-Adour 65 315 E 5
Arcizac-ez-Angles 65 333 E 1
Arcizans-Avant 65 332 D 2
Arcizans-Dessus 65 332 C 2
Arcomie 48 246 A 5
Arcomps 18 173 E 5
Arçon 25 180 C 2
Arcon 42 211 F 3
Arconcey 21 159 E 4
Arçonnay 72 83 G 4
Arconsat 63 210 D 4
Arconville 10 116 A 3
L'Arcouest *Pointe de* 22 73 F 2
Les Arcs 73 234 D 1
Les Arcs 83 308 A 5
Arcueil 94 58 C 4
Arcy-Sainte-Restitue 02 40 C 4
Arcy-sur-Cure 89 136 C 5
Ardelles 28 85 G 3
Ardelu 28 87 E 5
Ardenais 18 190 B 1
Ardenay-sur-Mérize 72 108 A 5
Ardengost 65 333 H 3
Ardenne *Abbaye d'* 14 33 G 4
Ardentes 36 172 A 5
Ardes 63 227 H 5
Ardeuil-et-Montfauxelles 08 42 D 3
Ardevon 50 51 G 5
Ardiège 31 334 B 1
Les Ardillats 69 212 C 1
Ardilleux 79 202 D 2
Ardillières 17 201 E 2
Ardin 79 184 C 2
Ardizas 32 297 E 3
L'Ardoise 30 285 E 4
Ardoix 07 249 E 2
Ardon 39 179 H 4
Ardon 45 133 E 3
Ardouval 76 20 C 3
Ardres 62 2 D 4
Arèches 73 234 C 1

Aregno 2B 346 C 2
Areines 41 131 G 3
Aren 64 313 G 4
Arenberg 59 9 G 5
Arengosse 40 273 F 5
Arenthon 74 216 A 1
Arès 33 254 B 1
Ares *Col d'* 66 342 B 5
Ares *Col des* 31 334 B 2
Aresches 39 179 H 2
Aressy 64 314 B 5
Arette 64 331 G 2
Arette-Pierre-Saint-Martin 64 331 G 3
Arfeuille-Châtain 23 208 B 2
Arfeuilles 03 210 D 1
Arfons 81 319 F 3
Argagnon 64 313 G 2
Arganchy 14 32 D 4
Argançon 10 116 A 2
Argancy 57 45 H 5
Argein 09 335 E 3
Argelès 65 333 F 1
Argelès-Gazost 65 332 D 2
Argelès-Plage 66 343 G 3
Argelès-sur-Mer 66 343 F 3
Argeliers 11 320 D 4
Argelliers 34 302 C 3
Argelos 40 293 H 4
Argelos 64 314 B 2
Argelouse 40 273 G 1
Argences 14 33 H 5
Argens 04 288 C 4
Argens-Minervois 11 320 C 5
Argent-sur-Sauldre 18 155 F 1
Argentan 61 54 A 4
Argentat 19 243 F 3
Argentenay 89 137 F 3
Argenteuil 95 58 B 2
Argenteuil-sur-Armançon 89 137 F 3
Argentière 74 217 E 2
L'Argentière-la-Bessée 05 252 C 5
Argentières 77 59 G 5
Argentine 73 234 A 3
Argentolles 52 116 C 2
Argenton 29 70 A 5
Argenton 47 275 E 1
Argenton-Château 79 167 H 2
Argenton-l'Église 79 168 A 1
Argenton-Notre-Dame 53 128 C 3
Argenton-sur-Creuse 36 188 C 1
Argentré 53 106 B 3
Argentré-du-Plessis 35 105 F 3
Argenvières 18 156 B 5
Argenvilliers 28 109 F 2
Argers 51 63 E 1
Arget 64 294 A 5
Argiésans 90 142 B 3
Argillières 70 140 B 4
Argilliers 30 284 C 5
Argilly 21 178 A 1
Argis 01 214 B 3
Argiusta-Moriccio 2A 349 E 4
Argœuves 80 22 B 1
Argol 29 75 F 4
Argonay 74 215 G 3
Argouges 50 80 D 2
Argoules 80 11 G 1
Argueil 76 37 E 1
Arguel 25 162 A 4
Arguel 80 21 G 2
Arguenos 31 334 C 3
Argut-Dessous 31 334 B 3
Argut-Dessus 31 334 C 3
Argy 36 171 F 2
Arhansus 64 311 G 5
Aries-Espénan 65 316 A 4
Arifat 81 299 H 3
Arignac 09 336 B 4
Arinthod 39 196 C 3
Arith 73 215 G 5
Arjuzanx 40 273 E 5
Arlanc 63 229 E 4
Arlay 39 179 E 4
Arlebosc 07 248 D 3
Arlempdes 43 247 F 5
Arles 13 304 B 4
Arles-sur-Tech 66 342 C 4
Arlet 43 246 B 3
Arleuf 58 176 B 1
Arleux 59 14 A 2
Arleux-en-Gohelle 62 8 C 5
Arlos 31 334 B 3
Armaillé 49 127 G 3
Armancourt 60 39 F 2
Armancourt 80 23 E 4
Armaucourt 54 66 B 4
Armbouts-Cappel 59 3 G 3
Armeau 89 113 G 4
Armendarits 64 311 F 4
Armenonville-les-Gâtineaux 28 86 C 3
Armenteule 65 333 H 4
Armentières 59 8 C 2
Armentières-en-Brie 77 59 H 2
Armentières-sur-Avre 27 55 G 5
Armentières-sur-Ourcq 02 40 B 5
Armentieux 32 295 F 5
Armes 58 157 F 2
Armillac 47 257 G 4
Armissan 11 321 F 5
Armistice *Clairière de l'* 60 39 G 2
Armix 01 214 C 4
Armous-et-Cau 32 295 F 5
Armoy 74 198 B 3
Arnac 15 243 H 3
Arnac-la-Poste 87 188 B 5
Arnac-Pompadour 19 223 H 5
Arnac-sur-Dourdou 12 301 E 3
Arnage 72 107 H 5
Arnancourt 52 92 C 4
Arnas 69 212 D 2
Arnaud-Guilhem 31 334 D 1
Arnave 09 336 B 4
Arnaville 54 65 G 2
Arnay-le-Duc 21 159 E 5
Arnay-sous-Vitteaux 21 159 E 2
Arnayon 26 268 A 4
Arné 65 316 A 5
Arnéguy 64 330 B 1
Arnèke 59 3 G 4
Arnicourt 08 26 A 5
Arnières-sur-Iton 27 56 B 2
Arnoncourt-sur-Apance 52 118 A 4
Arnos 64 313 H 2
Arnouville-lès-Gonesse 95 58 C 2
Arnouville-lès-Mantes 78 57 F 3
Aroffe 88 94 B 4
Aromas 39 196 B 4
Aron 53 82 B 5
Arone *Plage d'* 2A 348 A 1
Aroue 64 311 H 4
Aroz 70 140 D 4
Arpaillargues-et-Aureillac 30 284 B 5
Arpajon 91 87 G 2
Arpajon-sur-Cère 15 244 C 5
Arpavon 26 286 A 1
Arpenans 70 141 G 4
Arpenaz *Cascade d'* 74 216 C 2
Arpheuilles 18 173 F 4
Arpheuilles 36 171 E 3
Arpheuilles-Saint-Priest 03 190 D 5
Arphy 30 282 D 5
Arquenay 53 106 B 4
Arques 11 337 H 3
Arques 12 281 E 2
Les Arques 46 259 G 3
Arques 62 3 G 5
Arques-la-Bataille 76 20 B 2
Arquettes-en-Val 11 338 A 1
Arquèves 80 13 E 5
Arquian 58 156 B 1
Arrabloy 45 134 D 4
Arracourt 54 66 D 5
Arradon 56 124 B 4
Arraincourt 57 66 C 2
Arrancourt 91 87 F 5
Arrancy 02 41 E 1
Arrancy-sur-Crusne 55 44 D 2
Arrans 21 137 H 4
Arras 62 13 G 2
Arras-en-Lavedan 65 332 D 2
Arras-sur-Rhône 07 249 E 2
Arrast-Larrebieu 64 313 F 4
Arraute-Charritte 64 311 G 3
Arraye-et-Han 54 66 B 4
Arrayou-Lahitte 65 333 E 1
Arre 30 282 C 5
Arreau 65 333 H 3
Arrelles 10 115 F 4
Arrembécourt 10 91 H 2
Arrènes 23 206 C 2
Arrens *Porte d'* 65 332 B 3
Arrens-Marsous 65 332 C 2
Arrentès-de-Corcieux 88 120 A 2
Arrentières 10 92 B 5
Arrest 80 11 F 3
Arreux 08 26 C 2
Arriance 57 66 C 2
Arricau-Bordes 64 314 D 2
Arrien 64 314 C 4
Arrien-en-Bethmale 09 335 E 3
Arrigas 30 282 C 5
Arrigny 51 92 A 2
Arro 2A 348 C 2
Arrodets 65 333 G 2
Arrodets-ez-Angles 65 333 E 1
Arromanches-les-Bains 14 33 E 2
Arronnes 03 210 C 2
Arronville 95 38 A 5
Arros-de-Nay 64 314 B 5
Arros-d'Oloron 64 331 H 1
Arrosès 64 294 D 5
Arrou 28 109 G 3
Arrouède 32 316 B 3
Arrout 09 335 E 3
Arry 57 65 G 2
Arry 80 11 F 1
Ars 16 220 B 2
Ars 23 207 G 3
Ars-en-Ré 17 182 C 5
Ars-Laquenexy 57 65 H 1
Ars-les-Favets 63 209 E 1
Ars-sur-Formans 01 213 E 3
Ars-sur-Moselle 57 65 G 1
Arsac 33 237 F 4
Arsac-en-Velay 43 247 F 4
Arsague 40 293 F 4
Arsans 70 161 F 2
L'Arsenal 42 211 G 2
Arsonval 10 92 A 5
Arsure-Arsurette 39 180 A 4
Les Arsures 39 179 G 2
Arsy 60 39 E 2
Art-sur-Meurthe 54 95 E 1
Artagnan 65 315 E 3
Artaise-le-Vivier 08 27 E 5
Artaix 71 193 G 5
Artalens-Souin 65 332 D 2
Artannes-sur-Indre 37 151 H 4
Artannes-sur-Thouet 49 150 B 4
Artas 38 231 H 3
Artassenx 40 294 B 2
Artemare 01 214 D 4
Artemps 02 24 A 3
Artenay 45 110 D 4
Arthaz-Pont-Notre-Dame 74 197 H 5
Arthel 58 157 E 4
Arthémonay 26 249 G 2
Arthenac 17 220 B 3
Arthenas 39 196 B 1
Arthès 81 299 G 1
Arthez-d'Armagnac 40 294 C 1
Arthez-d'Asson 64 332 C 1
Arthez-de-Béarn 64 313 H 2
Arthezé 72 129 F 3
Arthies 95 57 G 1
Arthon 36 171 H 5
Arthon-en-Retz 44 146 D 5
Arthonnay 89 115 F 5
Arthous *Abbaye d'* 40 292 D 5
Arthun 42 211 G 5
Artigat 09 335 H 1
Artige *Prieuré de l'* 87 206 B 5
Artignosc-sur-Verdon 83 307 F 3
Artigue 31 334 B 4
Artiguedieu 32 316 A 2
Artigueloutan 64 314 C 4
Artiguelouve 64 314 A 3
Artiguemy 65 333 G 1
Artigues 09 337 E 5
Artigues 11 337 G 4
Artigues 65 333 E 1
Artigues 83 306 D 4
Artigues-Campan 65 333 F 3
Les Artigues-de-Lussac 33 238 C 4
Artigues-près-Bordeaux 33 237 G 5
Artins 41 131 E 3
Artix 09 336 A 2
Artix 46 260 C 4
Artix 64 313 H 2
Artolsheim 67 97 G 5
Artonges 02 60 D 2
Artonne 63 209 H 3
Artres 59 14 D 2
Artuby *Pont de l'* 83 307 H 2
Artzenheim 68 121 F 2
Arudy 64 332 A 1
Arue 40 274 A 4
Arvant 43 228 A 5
Arvert 17 200 C 5
Arveyres 33 238 B 5
Arvieu 12 280 D 3
Arvieux 05 271 E 1
Arvigna 09 336 C 2
Arvillard 73 233 G 3
Arville 41 109 E 4
Arville 77 112 A 3
Arvillers 80 23 E 3
Arx 40 275 E 4
Arzacq-Arraziguet 64 294 A 5
Arzal 56 125 E 5
Arzano 29 101 E 4
Arzay 38 231 H 4
L'Arzelier *Col de* 38 250 C 4
Arzembouy 58 157 E 4
Arzenc-d'Apcher 48 263 H 1
Arzenc-de-Randon 48 264 D 3
Arzens 11 319 G 5
Arzillières-Neuville 51 62 C 5
Arzon 56 124 A 4
Arzviller 57 67 H 5
Asasp 64 331 H 1
Ascain 64 310 C 4
Ascarat 64 330 B 1
Aschbach 67 69 F 2
Aschères-le-Marché 45 111 E 3
Asclier *Col de l'* 30 283 E 4
Asco 2B 346 D 3
Asco *Gorges de l'* 2B 347 E 3
Ascou 09 336 D 5
Ascou-Pailhérès 09 337 E 5
Ascoux 45 111 G 3
Ascros 06 289 G 5
Asfeld 08 41 H 1
Aslonnes 86 186 B 3
Asnan 58 157 F 3
Asnans 39 178 D 2
Asnelles 14 33 F 2
Asnières 27 35 E 4
Asnières *Ancienne Abbaye d'* 49 150 B 5
Asnières-en-Bessin 14 32 C 2
Asnières-en-Montagne 21 137 G 4
Asnières-en-Poitou 79 202 C 1
Asnières-la-Giraud 17 201 H 4
Asnières-les-Bourges 18 155 E 5
Asnières-lès-Dijon 21 160 A 2
Asnières-sous-Bois 89 157 G 1
Asnières-sur-Blour 86 204 D 1
Asnières-sur-Nouère 16 221 E 1
Asnières-sur-Oise 95 38 C 5
Asnières-sur-Saône 01 195 E 3
Asnières-sur-Seine 92 58 B 3
Asnières-sur-Vègre 72 129 F 2
Asnois 58 157 F 2
Asnois 86 203 H 2
Aspach 57 67 G 5
Aspach 68 143 F 3
Aspach-le-Bas 68 143 E 1
Aspach-Michelbach 68 143 E 1
Aspères 30 303 E 2
Asperjoc 07 266 B 2
Aspet 31 334 C 2
Aspin *Col d'* 65 333 G 3
Aspin-Aure 65 333 G 3
Aspin-en-Lavedan 65 332 D 1
Aspiran 34 302 A 5
Aspremont 05 269 E 4
Aspremont 06 291 E 5
Les Aspres 61 55 F 5
Aspres-lès-Corps 05 269 G 1
Aspres-sur-Buëch 05 269 E 4
Aspret-Sarrat 31 334 C 1
Asprières 12 261 G 4
Asque 65 333 G 2
Asques 33 237 H 4
Asques 82 277 E 5
Asquins 89 157 G 1
Assac 81 280 C 5
Assainvillers 80 23 E 5
Assais 79 168 B 4
Assas 34 302 D 3
Assat 64 314 B 4
Assay 37 169 E 1
Assé-le-Bérenger 53 106 D 3
Assé-le-Boisne 72 83 F 5
Assé-le-Riboul 72 107 G 2
Assenay 10 115 E 3
Assencières 10 91 F 5
Assenoncourt 57 67 F 4
Assérac 44 145 H 3
Assevent 59 15 H 2
Assevillers 80 23 F 2
Assier 46 261 E 3
Assieu 38 231 F 4
Assignan 34 320 D 3
Assigny 18 155 H 2
Assigny 76 10 C 5
Les Assions 07 265 H 5
Assis-sur-Serre 02 24 D 4
Asson 64 314 C 5
Asswiller 67 68 A 3
Assy 14 53 H 1
Astaffort 47 276 B 4
Astaillac 19 243 E 5
Asté 65 333 F 2
Aste-Béon 64 332 A 2
Astérix *Parc* 60 38 D 5
Astet 07 265 G 2
Astillé 53 105 H 5
Astis 64 314 B 2
Astoin 04 269 H 5
Aston 09 336 B 5
Astugue 65 333 E 1
Athée 21 160 D 4
Athée 53 105 G 5
Athée-sur-Cher 37 152 B 3
Athesans 70 141 H 4
Athie 21 137 G 5
Athie 89 158 A 1
Athienville 54 66 C 5
Athies 62 13 G 2
Athies 80 23 G 2
Athies-sous-Laon 02 24 D 5
Athis 51 61 H 1
Athis-Mons 91 58 C 5
Athis-Val de Rouvre 61 53 F 3
Athos-Aspis 64 311 H 3
Athose 25 162 C 5
Attainville 95 58 C 1
Attancourt 52 92 C 3
Les Attaques 62 2 D 3
Attenschwiller 68 143 G 3
Attiches 59 8 D 4
Attichy 60 39 H 2
Attignat 01 195 H 4
Attignat-Oncin 73 233 E 3
Attignéville 88 94 A 4
Attigny 08 42 C 1
Attigny 88 118 C 3
Attilloncourt 57 66 B 4
Attilly 02 24 A 2
Attin 62 6 C 4
Atton 54 65 G 3
Attray 45 111 F 3
Attricourt 70 160 D 1
Atur 24 240 C 2
Aubagnan 40 294 A 3
Aubagne 13 327 F 2
Aubaine 21 159 G 5
Aubais 30 303 F 3
Aubarède 65 315 G 4
Aubas 24 241 G 3
Aubazat 43 246 B 2
Aubazines 19 242 D 2
Aube 57 66 B 2
Aube 61 55 F 4
Aubéguimont 76 21 F 3
Aubenas 07 266 B 3
Aubenas-les-Alpes 04 287 E 5
Aubenasson 26 267 H 2
Aubencheul-au-Bac 59 14 B 3
Aubencheul-aux-Bois 02 14 B 5
Aubenton 02 25 H 2
Aubepierre 77 88 D 2
Aubepierre-sur-Aube 52 116 C 5
L'Aubépin 39 196 A 3
Auberchicourt 59 14 B 2
Aubercourt 80 22 D 2
Aubergenville 78 57 G 2
Aubérive 51 42 B 4
Auberive 52 139 E 3
Auberives-en-Royans 38 250 A 3
Auberives-sur-Varèze 38 231 E 4
Aubermesnil-aux-Érables 76 21 E 2
Aubermesnil-Beaumais 76 20 B 2
Aubers 59 8 B 3
Aubertans 70 162 B 1
Aubertin 64 314 A 4
Auberville 14 34 B 3
Auberville-la-Campagne 76 19 F 5
Auberville-la-Manuel 76 19 F 2
Auberville-la-Renault 76 19 E 4
Aubervilliers 93 58 C 3
Aubeterre 10 91 E 4
Aubeterre-sur-Dronne 16 239 F 1
Aubeville 16 220 D 3
Aubevoye 27 36 C 5
Aubiac 33 256 B 5
Aubiac 47 276 B 3
Aubiat 63 209 H 3
Aubie-et-Espessas 33 237 H 3
Aubière 63 227 H 1
Les Aubiers 79 167 F 2
Aubiet 32 296 C 4
Aubignan 84 285 G 4
Aubignas 07 266 D 3
Aubigné 35 80 B 5
Aubigné 79 202 D 2
Aubigné-Racan 72 130 A 4
Aubigné-sur-Layon 49 149 H 4
Aubigney 70 161 E 3
Aubignosc 04 287 G 3
Aubigny 03 174 C 5
Aubigny 14 53 H 2
Aubigny 79 168 B 4
Aubigny 80 23 H 3
Aubigny-au-Bac 59 14 B 2
Aubigny-aux-Kaisnes 02 23 H 3
Aubigny-en-Artois 62 13 F 2
Aubigny-en-Laonnois 02 41 E 1
Aubigny-en-Plaine 21 160 B 5
Aubigny-la-Ronce 21 177 F 2
Aubigny-les Clouzeaux 85 182 D 1
Aubigny-les-Pothées 08 26 B 3
Aubigny-lès-Sombernon 21 159 F 3
Aubigny-sur-Nère 18 155 E 1
Aubilly 51 41 F 4
Aubin 12 261 H 4
Aubin 64 314 A 2
Aubin-Saint-Vaast 62 6 D 5
Aubinges 18 155 G 4
Aubisque *Col d'* 64 332 B 2
Auboncourt-Vauzelles 08 26 B 5
Aubonne 25 180 C 1
Aubord 30 303 H 3
Auboué 54 45 F 5
Aubous 64 294 D 5
Aubrac 12 263 G 3
Aubres 26 285 H 1
Aubréville 55 43 G 5
Aubrives 08 17 E 4
Aubrometz 62 12 C 2
Aubry-du-Hainaut 59 9 G 5
Aubry-en-Exmes 61 54 B 4
Aubry-le-Panthou 61 54 C 3
Aubure 68 96 D 5
Aubussargues 30 284 B 5
Aubusson 23 207 G 3
Aubusson 61 53 F 4
Aubusson-d'Auvergne 63 228 D 1
Aubvillers 80 22 D 4
Auby 59 8 D 5
Aucaleuc 22 79 G 4
Aucamville 31 297 H 4
Aucamville 82 297 G 2
Aucazein 09 335 E 3
Aucelon 26 268 B 3
Aucey-la-Plaine 50 80 D 2
Auch 32 296 B 4
Auchel 62 7 H 4
Auchonvillers 80 13 F 5
Auchy-au-Bois 62 7 G 3
Auchy-la-Montagne 60 22 A 5
Auchy-lès-Hesdin 62 7 E 5
Auchy-les-Mines 62 8 B 4
Auchy-lez-Orchies 59 9 E 4
Aucun 65 332 C 2
Audaux 64 313 F 3
Audéjos 64 313 H 2
Audelange 39 161 E 5
Audeloncourt 52 117 G 3
Audembert 62 2 B 4
Audencourt 59 14 D 4
Audenge 33 254 C 2
Auderville 50 28 C 2
Audes 03 190 C 3
Audeux 25 161 G 3
Audeville 45 111 G 2
Audierne 29 99 E 2
Audignicourt 02 40 A 1
Audignies 59 15 F 2
Audignon 40 293 H 3
Audigny 02 24 D 2
Audincourt 25 142 C 5
Audincthun 62 7 E 3
Audinghen 62 2 B 4
Audon 40 293 F 2
Audouville-la-Hubert 50 29 H 5
Audrehem 62 2 D 5
Audressein 09 335 E 3
Audresselles 62 2 A 4
Audrieu 14 33 E 4
Audrix 24 241 E 5
Audruicq 62 3 E 4
Audun-le-Roman 54 45 F 3
Audun-le-Tiche 57 45 F 2
Auenheim 67 69 F 3
Auffargis 78 57 G 5
Auffay 76 20 B 4
Aufferville 77 112 B 2
Auffreville-Brasseuil 78 57 F 2
Auflance 08 27 H 4
Auga 64 314 B 2
Augan 56 103 E 5
Auge 08 26 A 2
Auge 23 190 B 5
Augé 79 185 F 3

Auge-Saint-Médard 16 ... 202 D 4
Augea 39 ... 196 A 1
Auger-Saint-Vincent 60 ... 39 F 4
Augerans 39 ... 179 E 1
Augères 23 ... 206 D 2
Augerolles 63 ... 228 D 1
Augers-en-Brie 77 ... 60 B 5
Augerville-la-Rivière 45 ... 111 H 2
Augès 04 ... 287 F 4
Augeville 52 ... 93 F 4
Augicourt 70 ... 140 C 3
Augignac 24 ... 222 C 2
Augirein 09 ... 334 D 3
Augisey 39 ... 196 B 1
Augnat 63 ... 227 H 4
Augnax 32 ... 296 C 3
Augne 87 ... 206 D 5
Augny 57 ... 65 G 1
Auguaise 61 ... 55 F 5
Augy 02 ... 40 C 3
Augy 89 ... 136 B 3
Augy-sur-Aubois 18 ... 174 A 4
Aujac 17 ... 201 H 4
Aujac 30 ... 283 G 1
Aujan-Mournède 32 ... 316 A 3
Aujargues 30 ... 303 F 2
Aujeurres 52 ... 139 F 3
Aujols 46 ... 278 B 1
Aulac *Col d'* 15 ... 244 D 2
Aulan 26 ... 286 B 2
Aulas 30 ... 282 D 5
Aulhat-Flat 63 ... 228 A 3
Aulhat-Saint-Privat 63 ... 228 A 3
Aullène 2A ... 349 E 5
Aulnat 63 ... 209 H 5
Aulnay 10 ... 91 G 3
Aulnay 17 ... 202 B 2
Aulnay 86 ... 168 D 3
Aulnay-aux-Planches 51 ... 61 G 3
Aulnay-la-Rivière 45 ... 111 H 3
Aulnay-l'Aître 51 ... 62 C 3
Aulnay-sous-Bois 93 ... 58 D 2
Aulnay-sur-Iton 27 ... 56 A 2
Aulnay-sur-Marne 51 ... 61 H 1
Aulnay-sur-Mauldre 78 ... 57 G 2
Les Aulneaux 72 ... 84 A 4
Aulnizeux 51 ... 61 F 3
Aulnois 88 ... 94 A 5
Aulnois-en-Perthois 55 ... 63 G 5
Aulnois-sous-Laon 02 ... 24 D 5
Aulnois-sous-Vertuzey 55 ... 64 D 5
Aulnois-sur-Seille 57 ... 66 B 3
Aulnoy 77 ... 59 H 3
Aulnoy-lez-Valenciennes 59 ... 14 D 2
Aulnoy-sur-Aube 52 ... 139 E 2
Aulnoye-Aymeries 59 ... 15 F 3
Aulon 23 ... 206 D 2
Aulon 31 ... 316 C 5
Aulon 65 ... 333 G 4
Aulos 09 ... 336 B 5
Ault 80 ... 10 D 3
Aulteribe *Château d'* 63 ... 210 C 5
Aulus-les-Bains 09 ... 335 H 5
Aulx-lès-Cromary 70 ... 162 A 2
Aumagne 17 ... 201 H 4
Aumale 76 ... 21 G 3
Aumâtre 80 ... 11 G 5
Aumelas 34 ... 302 B 4
Auménancourt 51 ... 41 G 2
Aumerval 62 ... 7 G 4
Aumes 34 ... 322 C 3
Aumessas 30 ... 282 C 5
Aumetz 57 ... 45 F 2
Aumeville-Lestre 50 ... 29 G 4
Aumont 39 ... 179 F 2
Aumont 80 ... 21 H 2
Aumont-Aubrac 48 ... 264 A 2
Aumont-en-Halatte 60 ... 38 D 4
Aumontzey 88 ... 120 A 2
Aumur 39 ... 178 D 1
Aunac 16 ... 203 F 4
Aunat 11 ... 337 F 5
Aunay-en-Bazois 58 ... 157 G 5
Aunay-les-Bois 61 ... 84 A 2
Aunay-sous-Auneau 28 ... 86 D 4
Aunay-sous-Crécy 28 ... 56 C 5
Aunay-sur-Odon 14 ... 53 E 1
Auneau-Bleury-Saint-Symphorien 28 ... 86 D 4
Auneuil 60 ... 37 H 2
Aunou-le-Faucon 61 ... 54 B 4
Aunou-sur-Orne 61 ... 83 H 2
Auppegard 76 ... 20 A 2
Aups 83 ... 307 G 4
Auquainville 14 ... 54 C 1
Auquemesnil 76 ... 10 D 5
Auradé 32 ... 297 E 5
Auradou 47 ... 276 D 1
Auragne 31 ... 318 A 3
Auray 56 ... 124 A 3
Aure 08 ... 42 C 3
Aurec-sur-Loire 43 ... 229 H 5
Aureil 87 ... 205 H 5
Aureilhan 40 ... 272 B 2
Aureilhan 65 ... 315 F 4
Aureille 13 ... 305 E 3
Aurel 26 ... 268 A 2
Aurel 84 ... 286 B 3
Aurelle-Verlac 12 ... 263 G 5
Aurensan 32 ... 294 C 4
Aurensan 65 ... 315 E 4
Aureville 31 ... 318 A 2
Auriac 11 ... 338 A 3
Auriac 19 ... 243 G 2
Auriac 64 ... 314 B 2
Auriac-de-Bourzac 24 ... 221 F 5
Auriac-du-Périgord 24 ... 241 F 3
Auriac-Lagast 12 ... 280 D 4
Auriac-l'Église 15 ... 245 H 1
Auriac-sur-Dropt 47 ... 257 F 3
Auriac-sur-Vendinelle 31 ... 298 D 5
Auriat 23 ... 206 C 4
Auribail 31 ... 317 H 3
Auribeau 84 ... 306 A 1
Auribeau-sur-Siagne 06 ... 309 E 4
Aurice 40 ... 293 H 2
Auriébat 65 ... 315 F 2
Aurières 63 ... 227 F 1
Aurignac 31 ... 316 D 5
Aurillac 15 ... 244 C 5
Aurimont 32 ... 296 C 5
Aurin 31 ... 298 B 5
Auriol 13 ... 327 F 2
Auriolles 07 ... 266 B 5
Auriolles 33 ... 257 E 2
Aurions-Idernes 64 ... 294 D 5
Auris 38 ... 251 G 3
Auron 06 ... 289 F 2
Aurons 13 ... 305 F 4
Auros 33 ... 256 C 4
Aurouër 03 ... 174 D 5
Auroux 48 ... 265 E 2
Aussac 81 ... 299 E 2
Aussac-Vadalle 16 ... 203 F 5
Ausseing 31 ... 335 E 1
Aussevielle 64 ... 314 A 3
Aussillon 81 ... 319 H 2
Aussois 73 ... 252 D 1
Ausson 31 ... 334 B 1
Aussonce 08 ... 42 A 3
Aussonne 31 ... 297 H 4
Aussos 32 ... 316 B 3
Aussurucq 64 ... 331 E 1
Autainville 41 ... 132 B 2
Autechaux 25 ... 162 C 2
Autechaux-Roide 25 ... 142 C 5
Les Autels 02 ... 25 H 3
Les Autels-Saint-Bazile 14 ... 54 B 2
Les Autels-Villevillon 28 ... 109 F 3
Auterive 31 ... 318 A 3
Auterive 32 ... 296 B 5
Auterive 82 ... 297 E 2
Auterrive 64 ... 311 H 3
Autet 70 ... 140 B 5
Auteuil 60 ... 38 A 3
Auteuil 78 ... 57 G 3
Autevielle-Saint-Martin-Bideren 64 ... 311 H 3
Authe 08 ... 43 E 1
Autheuil 28 ... 109 H 5
Autheuil 61 ... 84 C 2
Autheuil-Authouillet 27 ... 36 C 5
Autheuil-en-Valois 60 ... 39 H 5
Autheux 80 ... 12 C 4
Authevernes 27 ... 37 F 4
Authezat 63 ... 227 H 2
Authie 14 ... 33 G 4
Authie 80 ... 13 E 4
Authieule 80 ... 12 D 4
Les Authieux 27 ... 56 C 3
Les Authieux-du-Puits 61 ... 54 D 5
Les Authieux-Papion 14 ... 54 B 1
Authieux-Ratiéville 76 ... 20 B 5
Les Authieux-sur-Calonne 14 ... 34 D 3
Les Authieux-sur-le-Port-Saint-Ouen 76 ... 36 B 3
Authiou 58 ... 157 E 4
Authoison 70 ... 162 A 1
Authon 04 ... 287 H 2
Authon 17 ... 201 H 4
Authon 41 ... 131 F 5
Authon-du-Perche 28 ... 109 E 2
Authon-la-Plaine 91 ... 87 E 4
Authou 27 ... 35 G 4
Authuille 80 ... 13 F 5
Authume 39 ... 161 E 5
Authumes 71 ... 178 C 3
Autichamp 26 ... 267 G 2
Autignac 34 ... 321 G 2
Autigny 76 ... 19 H 3
Autigny-la-Tour 88 ... 94 A 4
Autigny-le-Grand 52 ... 92 D 3
Autigny-le-Petit 52 ... 92 D 3
Autingues 62 ... 2 D 4
Autoire 46 ... 261 E 1
Autoreille 70 ... 161 G 2
Autouillet 78 ... 57 G 3
Autrac 43 ... 227 H 5
Autrans 38 ... 250 C 2
Autrans-Méaudre-en-Vercors 38 ... 250 C 2
Autrèche 37 ... 152 C 1
Autrechêne 90 ... 142 C 3
Autrêches 60 ... 39 H 2
Autrecourt-et-Pourron 08 ... 27 F 4
Autrécourt-sur-Aire 55 ... 63 G 1
Autremencourt 02 ... 25 E 4
Autrepierre 54 ... 96 A 1
Autreppes 02 ... 25 F 1
Autretot 76 ... 19 G 4
Autreville 02 ... 24 A 5
Autreville 88 ... 94 B 3
Autréville-Saint-Lambert 55 ... 27 G 5
Autreville-sur-la-Renne 52 ... 116 C 3
Autreville-sur-Moselle 54 ... 65 G 4
Autrey 54 ... 94 D 2
Autrey 88 ... 95 H 5
Autrey-le-Vay 70 ... 141 G 5
Autrey-lès-Cerre 70 ... 141 G 4
Autrey-lès-Gray 70 ... 161 E 1
Autricourt 21 ... 116 A 4
Autruche 08 ... 43 E 1
Autruy-sur-Juine 45 ... 111 F 2
Autry 08 ... 43 E 3
Autry-Issards 03 ... 191 H 2
Autry-le-Châtel 45 ... 134 C 5
Autun 71 ... 176 D 2
Auty 82 ... 278 B 3
Auve 51 ... 62 D 1
Auvernaux 91 ... 88 A 3
Auvers 43 ... 246 B 4
Auvers 50 ... 31 H 3
Auvers-le-Hamon 72 ... 106 D 5
Auvers-Saint-Georges 91 ... 87 G 3
Auvers-sous-Montfaucon 72 ... 107 F 4
Auvers-sur-Oise 95 ... 58 B 1
Auverse 49 ... 150 D 1
Auvet-et-la-Chapelotte 70 ... 161 E 1
Auvillar 82 ... 276 D 4
Auvillars 14 ... 34 B 4
Auvillars-sur-Saône 21 ... 178 B 1
Auvillers-les-Forges 08 ... 26 A 2
Auvilliers 76 ... 21 E 3
Auvilliers-en-Gâtinais 45 ... 112 A 5
Aux-Aussat 32 ... 315 G 2
Aux Marais 60 ... 38 A 2
Auxais 50 ... 31 H 4
Auxange 39 ... 161 F 4
Auxant 21 ... 159 F 5
Auxelles-Bas 90 ... 142 B 2
Auxelles-Haut 90 ... 142 B 2
Auxerre 89 ... 136 B 3
Auxey-Duresses 21 ... 177 G 2
Auxi-le-Château 62 ... 12 B 3
Auxillac 48 ... 264 A 5
Auxon 10 ... 114 D 3
Auxon 70 ... 141 E 4
Auxon-Dessous 25 ... 161 H 3
Auxon-Dessus 25 ... 161 H 3
Auxonne 21 ... 160 D 4
Auxy 45 ... 112 A 3
Auxy 71 ... 176 D 2
Auzainvilliers 88 ... 118 B 2
Auzances 23 ... 208 C 3
Auzas 31 ... 316 D 5
Auzat 09 ... 336 A 5
Auzat-la-Combelle 63 ... 228 A 4
Auzay 85 ... 183 H 3
Auzebosc 76 ... 19 G 5
Auzécourt 55 ... 63 F 3
Auzelles 63 ... 228 C 2
Auzers 15 ... 244 C 1
Auzet 04 ... 288 B 1
Auzéville-en-Argonne 55 ... 43 G 5
Auzeville-Tolosane 31 ... 298 A 5
Auzielle 31 ... 298 B 5
Auzits 12 ... 262 B 5
Auzon 43 ... 228 B 5
Auzouer-en-Touraine 37 ... 152 B 1
Auzouville-Auberbosc 76 ... 19 F 5
Auzouville-l'Esneval 76 ... 19 H 4
Auzouville-sur-Ry 76 ... 36 C 2
Auzouville-sur-Saâne 76 ... 20 A 3
Availles-en-Châtellerault 86 ... 169 G 4
Availles-Limouzine 86 ... 204 C 1
Availles-sur-Chizé 79 ... 202 B 1
Availles-sur-Seiche 35 ... 105 E 5
Availles-Thouarsais 79 ... 168 B 3
Avajan 65 ... 333 H 4
Avallon 89 ... 158 A 1
Les Avanchers-Valmorel 73 ... 234 B 3
Avançon 05 ... 269 H 4
Avançon 08 ... 42 A 1
Avanne 25 ... 161 H 4
Avant-lès-Marcilly 10 ... 90 A 4
Avant-lès-Ramerupt 10 ... 91 F 4
Avanton 86 ... 169 E 5
Avapessa 2B ... 346 C 2
Avaray 41 ... 132 C 4
Avaugour *Chapelle d'* 22 ... 77 G 2
Avaux 08 ... 41 G 1
Aveize 69 ... 230 B 1
Aveizieux 42 ... 230 B 3
Avelanges 21 ... 139 E 5
Avelesges 80 ... 11 H 5
Avelin 59 ... 8 D 3
Aveluy 80 ... 13 F 5
Aven Armand 48 ... 282 B 3
Avenas 69 ... 212 C 1
Avenay 14 ... 33 F 5
Avenay-Val-d'Or 51 ... 61 G 1
Avène 34 ... 301 F 3
Aveney 25 ... 161 H 4
Avenheim 67 ... 68 C 5
Les Avenières Veyrins-Thuellin 38 ... 232 C 1
Avensac 32 ... 296 D 2
Avensan 33 ... 237 E 3
Aventignan 65 ... 334 A 1
Averan 65 ... 315 E 5
Averdoingt 62 ... 12 D 2
Averdon 41 ... 132 A 4
Avermes 03 ... 192 A 1
Avernes 95 ... 57 G 1
Avernes-Saint-Gourgon 61 ... 54 D 2
Avernes-sous-Exmes 61 ... 54 C 4
Avéron-Bergelle 32 ... 295 E 3
Averton 53 ... 83 E 5
Avesnelles 59 ... 15 G 4
Avesnes 62 ... 6 D 3
Avesnes-Chaussoy 80 ... 21 G 2
Avesnes-en-Bray 76 ... 37 F 1
Avesnes-en-Saosnois 72 ... 108 A 2
Avesnes-en-Val 76 ... 10 D 5
Avesnes-le-Comte 62 ... 13 E 2
Avesnes-le-Sec 59 ... 14 C 3
Avesnes-les-Aubert 59 ... 14 C 3
Avesnes-lès-Bapaume 62 ... 13 G 4
Avesnes-sur-Helpe 59 ... 15 G 4
Avessac 44 ... 125 H 4
Avessé 72 ... 106 D 5
Aveux 65 ... 334 A 2
Avezac-Prat 65 ... 333 G 1
Avezan 32 ... 296 C 1
Avèze 30 ... 282 D 5
Avèze 63 ... 226 D 2
Avezé 72 ... 108 C 2
Aviernoz 74 ... 215 H 2
Avignon 84 ... 285 F 5
Avignon-lès-Saint-Claude 39 ... 197 E 3
Avignonet 38 ... 250 D 4
Avignonet-Lauragais 31 ... 318 C 3
Avillers 54 ... 44 D 3
Avillers 88 ... 94 D 5
Avillers-Sainte-Croix 55 ... 64 D 2
Avilley 25 ... 162 B 1
Avilly-Saint-Léonard 60 ... 38 D 4
Avion 62 ... 8 B 5
Avioth 55 ... 44 B 1
Aviré 49 ... 128 A 4
Avirey-Lingey 10 ... 115 F 4
Aviron 27 ... 56 B 1
Avize 51 ... 61 G 2
Avocourt 55 ... 43 G 4
Avoine 37 ... 150 D 4
Avoine 61 ... 54 A 5
Avoise 72 ... 129 F 2
Avolsheim 67 ... 97 F 1
Avon 77 ... 88 C 4
Avon 79 ... 185 H 3
Avon-la-Pèze 10 ... 90 B 4
Avon-les-Roches 37 ... 151 F 5
Avondance 62 ... 7 E 4
Avord 18 ... 173 G 1
Avoriaz 74 ... 198 D 5
Avosnes 21 ... 159 F 2
Avot 21 ... 139 E 5
Avoudrey 25 ... 162 D 4
Avrainville 52 ... 92 D 2
Avrainville 54 ... 65 F 5
Avrainville 88 ... 94 D 4
Avrainville 91 ... 87 G 2
Avranches 50 ... 51 H 4
Avranville 88 ... 93 G 4
Avrechy 60 ... 38 C 2
Avrecourt 52 ... 117 H 5
Avrée 58 ... 175 H 4
Avregny 74 ... 215 G 2
Avremesnil 76 ... 20 A 2
Avressieux 73 ... 232 D 2
Avreuil 10 ... 114 D 4
Avricourt 54 ... 96 A 1
Avricourt 57 ... 96 A 1
Avricourt 60 ... 23 G 4
Avrieux 73 ... 252 D 1
Avrigney 70 ... 161 G 3
Avrigny 60 ... 39 E 2
Avril 54 ... 45 F 4
Avril-sur-Loire 58 ... 175 E 4
Avrillé 49 ... 149 G 1
Avrillé 85 ... 182 C 2
Avrillé-les-Ponceaux 37 ... 151 E 2
Avrilly 03 ... 193 F 4
Avrilly 27 ... 56 B 2
Avrilly 61 ... 82 B 2
Avroult 62 ... 7 E 2
Avy 17 ... 219 G 3
Awoingt 59 ... 14 B 4
Ax-les-Thermes 09 ... 336 D 5
Axat 11 ... 337 G 4
Axiat 09 ... 336 C 5
Ay-Champagne 51 ... 61 G 1
Ay-sur-Moselle 57 ... 45 H 4
Ayat-sur-Sioule 63 ... 209 F 2
Aydat 63 ... 227 G 2
Aydie 64 ... 294 D 5
Aydius 64 ... 331 H 3
Aydoilles 88 ... 119 G 2
Ayen 19 ... 241 H 1
Ayencourt 80 ... 22 D 5
Ayette 62 ... 13 G 3
Ayguade-Ceinturon 83 ... 328 C 4
Ayguatébia-Talau 66 ... 341 H 3
Ayguemorte-les-Graves 33 ... 255 G 2
Ayguesvives 31 ... 318 B 2
Ayguetinte 32 ... 295 H 2
Ayherre 64 ... 311 F 3
Ayn 73 ... 232 D 2
Aynac 46 ... 261 E 1
Les Aynans 70 ... 141 H 4
Ayrens 15 ... 244 B 4
Ayron 86 ... 168 C 5
Ayros-Arbouix 65 ... 332 D 2
Ayse 74 ... 216 A 1
Ayssènes 12 ... 281 E 4
Aytré 17 ... 200 C 1
Les Ayvelles 08 ... 26 D 3
Ayzac-Ost 65 ... 332 D 2
Ayzieu 32 ... 295 E 2
Azannes-et-Soumazannes 55 ... 44 C 4
Azans 39 ... 161 E 5
Azas 31 ... 298 B 3
Azat-Châtenet 23 ... 206 D 2
Azat-le-Ris 87 ... 187 H 4
Azay-le-Brûlé 79 ... 185 F 3
Azay-le-Ferron 36 ... 170 C 3
Azay-le-Rideau 37 ... 151 G 4
Azay-sur-Cher 37 ... 152 A 3
Azay-sur-Indre 37 ... 152 B 4
Azay-sur-Thouet 79 ... 185 E 1
Azé 41 ... 131 G 2
Azé 53 ... 128 B 2
Azé 71 ... 194 D 3
Azelot 54 ... 94 D 1
Azerables 23 ... 188 C 4
Azerailles 54 ... 95 H 2
Azerat 24 ... 241 F 2
Azérat 43 ... 228 B 5
Azereix 65 ... 315 E 5
Azet 65 ... 333 G 4
Azeville 50 ... 29 G 5
Azillanet 34 ... 320 C 4
Azille 11 ... 320 B 4
Azilone-Ampaza 2A ... 349 E 4
Azincourt 62 ... 7 E 4
Azolette 69 ... 212 B 1
Azoudange 57 ... 67 F 5
Azur 40 ... 292 B 2
Azy 18 ... 155 H 5
Azy-le-Vif 58 ... 174 D 4
Azy-sur-Marne 02 ... 60 B 2
Azzana 2A ... 348 D 1

B

Baâlon 55 ... 43 H 1
Baâlons 08 ... 26 D 5
Babaou *Col de* 83 ... 328 D 3
Babeau-Bouldoux 34 ... 320 D 2
Babœuf 60 ... 23 H 5
Le Babory-de-Blesle 43 ... 245 H 1
Baby 77 ... 89 G 4
Baccarat 54 ... 95 H 3
Baccon 45 ... 132 C 2
Bach 46 ... 278 C 1
Bachant 59 ... 15 G 3
Bachas 31 ... 316 D 4
La Bachellerie 24 ... 241 F 2
Bachivillers 60 ... 37 H 3
Bachos 31 ... 334 B 3
Bachy 59 ... 9 E 3
Bacilly 50 ... 51 G 4
Le Bacon 48 ... 264 A 1
Baconnes 51 ... 42 A 5
La Baconnière 53 ... 105 H 2
Bacouël 60 ... 22 C 5
Bacouel-sur-Selle 80 ... 22 B 2
Bacourt 57 ... 66 C 3
Bacquepuis 27 ... 36 A 5
Bacqueville 27 ... 36 D 3
Bacqueville-en-Caux 76 ... 20 A 3
Badailhac 15 ... 244 D 5
Badaroux 48 ... 264 C 4
Badecon-le-Pin 36 ... 188 D 2
Badefols-d'Ans 24 ... 241 G 1
Badefols-sur-Dordogne 24 ... 258 D 1
Baden 56 ... 124 A 4
Badens 11 ... 320 A 5
Badevel 25 ... 142 C 4
Badinières 38 ... 232 A 3
Badménil-aux-Bois 88 ... 95 G 5
Badonviller 54 ... 96 A 2
Badonvilliers 55 ... 93 H 2
Baerendorf 67 ... 67 H 3
Baerenthal 57 ... 68 C 2
La Baffe 88 ... 119 G 2
Baffie 63 ... 229 E 4
Bagard 30 ... 283 G 4
Bagargui *Col* 64 ... 330 D 2
Bagas 33 ... 256 D 3
Bagat-en-Quercy 46 ... 277 G 1
Bagatelle *Parc de* 62 ... 6 B 5
Bâgé-la-Ville 01 ... 195 F 4
Bâgé-le-Châtel 01 ... 195 F 4
Bagert 09 ... 335 F 1
Bages 11 ... 339 E 1
Bages 66 ... 343 E 3
Bagiry 31 ... 334 B 2
Bagnac-sur-Célé 46 ... 261 G 3
Bagneaux 89 ... 114 A 2
Bagneaux-sur-Loing 77 ... 112 B 2
Bagnères-de-Bigorre 65 ... 333 F 1
Bagnères-de-Luchon 31 ... 334 A 4
Bagneux 02 ... 40 B 1
Bagneux 03 ... 191 H 1
Bagneux 36 ... 153 H 5
Bagneux 49 ... 150 B 4
Bagneux 51 ... 90 C 2
Bagneux 54 ... 94 B 2
Bagneux 79 ... 168 A 1
Bagneux 92 ... 58 B 4
Bagneux-la-Fosse 10 ... 115 F 5
Bagnizeau 17 ... 202 B 4
Bagnoles 11 ... 320 A 4
Bagnoles-de-l'Orne 61 ... 82 C 2
Bagnolet 93 ... 58 C 3
Bagnols 63 ... 226 D 3
Bagnols 69 ... 212 C 4
Bagnols-en-Forêt 83 ... 308 C 4
Bagnols-les-Bains 48 ... 264 D 4
Bagnols-sur-Cèze 30 ... 284 D 3
Bagnot 21 ... 178 B 1
Baguer-Morvan 35 ... 80 A 2
Baguer-Pican 35 ... 80 B 2
Baho 66 ... 343 E 2
Bahus-Soubiran 40 ... 294 B 3
Baigneaux 28 ... 110 D 3
Baigneaux 33 ... 256 C 2
Baigneaux 41 ... 132 A 3
Baignes 70 ... 141 E 5
Baignes-Sainte-Radegonde 16 ... 220 C 4
Baigneux-les-Juifs 21 ... 138 B 5
Baignolet 28 ... 110 B 3

Baigts 40 293 G 3
Baigts-de-Béarn 64 293 F 5
Baillargues 34 303 E 4
Baillé 35 80 D 4
Bailleau-le-Pin 28 85 H 5
Bailleau-l'Évêque 28 86 A 3
Bailleau-sous-Gallardon 28 86 C 3
Baillestavy 66 342 B 3
Baillet-en-France 95 58 B 1
Bailleul 59 4 B 5
Bailleul 61 54 B 4
Le Bailleul 72 129 F 3
Bailleul 80 11 G 4
Bailleul *Château de* 76 19 E 4
Bailleul-aux-Cornailles 62 7 G 5
Bailleul-la-Vallée 27 35 E 4
Bailleul-le-Soc 60 38 D 2
Bailleul-lès-Pernes 62 7 G 4
Bailleul-Neuville 76 20 D 3
Bailleul-Sir-Berthoult 62 13 G 2
Bailleul-sur-Thérain 60 38 B 2
Bailleulmont 62 13 F 3
Bailleulval 62 13 F 3
Bailleval 60 38 D 3
Baillolet 76 20 D 3
Baillou 41 109 E 5
Bailly 60 39 G 1
Bailly 78 58 A 3
Bailly-aux-Forges 52 92 C 3
Bailly-Carrois 77 89 E 2
Bailly-en-Rivière 76 10 D 5
Bailly-le-Franc 10 92 A 3
Bailly-Romainvilliers 77 59 F 3
Bain-de-Bretagne 35 126 C 2
Baincthun 62 6 B 2
Bainghen 62 2 D 5
Bains 43 247 E 4
Bains-de-Guitera 2A 349 E 3
Bains-les-Bains 88 119 E 4
Bains-sur-Oust 35 125 H 3
Bainville-aux-Miroirs 54 95 E 3
Bainville-aux-Saules 88 118 D 2
Bainville-sur-Madon 54 94 C 2
Bairols 06 289 H 4
Bais 35 105 E 4
Bais 53 106 D 2
Baisieux 59 9 E 3
Baissey 52 139 G 3
Baives 59 16 A 5
Baix 07 267 E 2
Baixas 66 338 D 5
Baizieux 80 22 D 1
Le Baizil 51 61 E 2
Bajamont 47 276 C 2
Bajonnette 32 296 C 2
Bajus 62 7 H 5
Balacet 09 335 E 4
Baladou 46 242 C 5
Balagny-sur-Thérain 60 38 C 3
Balaguères 09 335 E 3
Balaguier d'Olt 12 261 F 4
Balaguier-sur-Rance 12 300 B 1
Balaine *Arboretum de* 03 174 D 5
Balaiseaux 39 179 E 2
Balaives-et-Butz 08 26 D 4
Balan 01 213 G 4
Balan 08 27 F 4
Balanod 39 196 A 2
Balansun 64 293 G 5
Balanzac 17 201 E 5
Balaruc-le-Vieux 34 323 E 3
Balaruc-les-Bains 34 323 E 3
Balâtre 80 23 G 4
Balazé 35 105 E 2
Balazuc 07 266 B 4
Balbigny 42 211 H 5
Balbins 38 231 H 4
Balbronn 67 97 E 1
Balcon de Merlet
Parc du 74 216 D 3
Baldenheim 67 97 F 5
Baldersheim 68 143 G 1
La Baleine 50 51 H 2
Baleines *Phare des* 17 182 C 4
Baleix 64 314 D 3
Balesmes 37 169 H 2
Balesmes-sur-Marne 52 139 G 2
Balesta 31 316 A 5
Baleyssagues 47 257 E 2
Balgau 68 121 G 4
Balham 08 41 H 1
Balignac 82 296 D 1
Balignicourt 10 91 G 3
Bâlines 27 56 A 4
Balinghem 62 2 D 4
Baliracq-Maumusson 64 294 C 5
Baliros 64 314 B 4
Balizac 33 255 H 4
Balizy 91 58 C 5
Ballainvilliers 91 58 B 5
Ballaison 74 197 H 4
Ballan-Miré 37 151 H 3
Ballancourt-sur-Essonne 91 87 H 3
Ballans 17 202 C 5
Ballay 08 42 D 2
Balledent 87 205 G 2
Ballée 53 106 C 5
Balleray 58 174 D 1
Balleroy-sur-Drôme 14 32 D 4
Ballersdorf 68 143 E 3
Balléville 88 94 B 4
Ballon 17 200 D 2
Ballon de Servance 70 142 B 1
Ballon-Saint Mars 72 107 H 3
Ballons 26 286 D 2
Ballore 71 194 A 2
Ballots 53 105 F 5
Balloy 77 89 F 4
Balma 31 298 A 4
La Balme 73 232 D 1
La Balme-de-Sillingy 74 215 F 3
La Balme-de-Thuy 74 215 H 3
La Balme-d'Épy 39 196 A 3
La Balme-les-Grottes 38 214 A 4
Balmont 74 215 G 4
Balnot-la-Grange 10 115 F 5
Balnot-sur-Laignes 10 115 G 4
Balogna 2A 348 C 1
Balot 21 137 H 3
Balsac 12 280 C 1
Balschwiller 68 143 E 2
Balsièges 48 264 C 5
Baltzenheim 68 121 G 2
Balzac 16 221 F 1
Bambecque 59 3 H 3
Bambiderstroff 57 66 D 1
Ban-de-Laveline 88 96 C 5
Ban-de-Sapt 88 96 B 4
Le Ban-Saint-Martin 57 45 H 5
Ban-sur-Meurthe-Clefcy 88 120 B 2
Banassac-Canilhac 48 264 A 5
Banat 09 336 A 4
Banca 64 330 A 1
Bancarel *Site du* 12 262 B 4
Bancigny 02 25 G 3
Bancourt 62 13 H 4
Bandol 83 327 H 4
Baneins 01 213 F 1
Baneuil 24 258 C 1
Bangor 56 144 B 4
Banhars 12 262 D 3
Banios 65 333 G 2
Banize 23 207 F 4
Bannalec 29 100 C 4
Bannans 25 180 B 2
Bannay 18 156 A 3
Bannay 51 61 E 3
Bannay 57 46 C 5
Banne 07 283 H 1
Bannegon 18 173 H 4
Bannes 46 261 E 1
Bannes 51 61 F 4
Bannes 52 117 G 5
Bannes 53 106 D 5
Banneville-la-Campagne 14 33 H 4
Bannières 81 298 C 4
Bannoncourt 55 64 C 3
Bannost 77 60 A 5
Banogne-Recouvrance 08 25 H 5
Banon 04 286 D 4
Banos 40 293 H 3
Bans 39 179 E 2
Bansat 63 228 B 4
Bantanges 71 195 G 1
Banteux 59 14 B 5
Banthelu 95 37 G 5
Bantheville 55 43 G 2
Bantigny 59 14 B 3
Bantouzelle 59 14 B 5
Bantzenheim 68 121 F 5
Banvillars 90 142 B 3
Banville 14 33 F 3
Banvou 61 53 E 5
Banyuls-dels-Aspres 66 343 E 3
Banyuls-sur-Mer 66 343 G 4
Baon 89 137 F 2
Baons-le-Comte 76 19 G 4
Baou de 4 Oures 83 328 A 4
Bapaume 62 13 G 4
Bapeaume-lès-Rouen 76 36 A 1
Bar 19 225 E 5
Bar-le-Duc 55 63 H 4
Bar-lès-Buzancy 08 43 F 1
Bar-sur-Aube 10 116 A 2
Le Bar-sur-Loup 06 309 E 2
Bar-sur-Seine 10 115 G 3
Baracé 49 128 D 4
Baracuchet *Col de* 63 229 F 3
Baraffles 62 7 H 5
Baraigne 11 318 D 4
Baraize 36 188 D 2
Baralle 62 14 A 3
Baraqueville 12 280 B 2
Barastre 62 13 H 5
Baratier 05 270 C 3
Barbachen 65 315 F 2
Barbaggio 2B 345 G 4
Barbaira 11 320 A 5
Barbaise 08 26 C 4
Barbas 54 96 A 1
Barbaste 47 275 F 3
Barbâtre 85 164 B 2
Barbazan 31 334 B 2
Barbazan-Debat 65 315 F 5
Barbazan-Dessus 65 315 F 5
Barbechat 44 148 A 3
La Barben 13 305 G 4
Barbentane 13 304 C 1
Barberaz 73 233 F 2
Barberey-aux-Moines 10 90 D 5
Barberey-Saint-Sulpice 10 90 D 5
Barberier 03 192 A 5
Barbery 14 53 G 1
Barbery 60 39 E 4
Barbeville 14 32 D 3
Barbey 77 89 E 5
Barbey-Seroux 88 120 A 2
Barbezières 16 202 D 4
Barbezieux 16 220 C 4
Barbières 26 249 H 4
Barbirey-sur-Ouche 21 159 G 4
Barbizon 77 88 B 4
Barbonne-Fayel 51 61 E 5
Barbonval 02 40 D 2
Barbonville 54 95 E 2
Barbotan-les-Thermes 32 274 D 5
Le Barboux 25 163 F 5
Barbuise 10 90 A 2
Barby 08 42 A 1
Barby 73 233 F 2
Barc 27 55 H 1
Barcaggio 2B 345 F 1
Le Barcarès 66 339 E 5
Barcelonne 26 249 G 5
Barcelonne-du-Gers 32 294 C 3
Barcelonnette 04 270 D 5
Barchain 57 67 G 5
Barchetta 2B 347 G 2
Barcillonnette 05 269 F 5
Barcugnan 32 315 H 3
Barcus 64 331 F 1
Barcy 77 59 G 1
Bard 42 229 G 2
Bard-le-Régulier 21 158 D 5
Bard-lès-Époisses 21 158 C 1
Bard-lès-Pesmes 70 161 F 3
La Barde 17 238 D 2
Bardenac 16 220 D 5
Bardiana 2B 346 B 4
Bardigues 82 276 D 5
Le Bardon 45 132 D 2
Bardos 64 292 C 5
Bardou 24 258 C 2
Bardouville 76 35 H 2
Barèges 65 333 E 3
Bareilles 65 333 H 3
Barembach 67 96 D 2
Baren 31 334 B 4
Barentin 76 20 A 5
Barenton 50 81 H 2
Barenton-Bugny 02 24 D 4
Barenton-Cel 02 24 D 4
Barenton-sur-Serre 02 24 D 4
Barésia-sur-l'Ain 39 196 D 1
Barfleur 50 29 H 2
Barfleur *Pointe de* 50 29 H 2
Bargème 83 308 B 2
Bargemon 83 308 B 3
Barges 21 160 A 4
Barges 43 265 F 1
Barges 70 140 C 2
Bargny 60 39 G 5
Barie 33 256 C 4
Les Barils 27 55 H 4
Barinque 64 314 C 2
Barisey-au-Plain 54 94 B 2
Barisey-la-Côte 54 94 B 2
Barisis 02 24 B 5
Barizey 71 177 G 4
Barjac 09 335 F 1
Barjac 30 284 B 2
Barjac 48 264 B 4
Barjols 83 307 E 4
Barjon 21 138 D 5
Barjouville 28 86 A 4
Barles 04 288 A 1
Barlest 65 314 D 5
Barleux 80 23 G 2
Barlieu 18 155 G 1
Barlin 62 8 A 4
Barly 62 13 E 3
Barly 80 12 C 3
Barmainville 28 111 E 2
Barnas 07 265 H 3
Barnave 26 268 B 2
Barnay 71 176 D 1
Barnenez *Tumulus de* 29 71 H 3
Barneville-Carteret 50 31 E 2
Barneville-la-Bertran 14 34 C 2
Barneville-sur-Seine 27 35 H 2
La Baroche-Gondouin 53 82 C 3
La Baroche-sous-Lucé 61 82 B 2
Les Baroches 54 45 F 4
Baromesnil 76 10 D 5
Baron 30 284 A 4
Baron 33 256 B 1
Baron 60 39 F 5
Baron 71 194 A 2
Baron-sur-Odon 14 33 F 5
Baronville 57 66 D 2
Barou-en-Auge 14 54 A 2
Baroville 10 116 A 2
Le Barp 33 255 E 3
La Barque 13 306 B 5
Barquet 27 55 H 1
Barr 67 97 F 3
Barracone 2A 348 D 3
Barrais-Bussolles 03 192 D 5
Barran 32 295 H 4
Barrancoueu 65 333 G 3
Les Barraques-
en-Vercors 26 250 B 4
Barras 04 287 H 3
Barraute-Camu 64 313 F 2
Barraux 38 233 F 4
La Barre 39 161 F 5
La Barre 70 162 B 2
Barre 81 300 D 3
La Barre-de-Monts 85 164 C 2
La Barre-de-Semilly 50 32 B 5
Barre-des-Cévennes 48 282 D 2
La Barre-en-Ouche 27 55 F 2
Barrême 04 288 B 5
Barret 16 220 C 3
Barret-de-Lioure 26 286 C 3
Barret-sur-Méouge 05 287 E 2
Barretaine 39 179 F 3
Barrettali 2B 345 F 2
Barriac-les-Bosquets 15 243 H 2
Barricourt 08 43 F 1
Barro 16 203 F 3
Barrou 37 170 A 3
Le Barroux 84 285 H 3
Barry 65 315 E 5
Barry 84 285 E 1
Barry-d'Islemade 82 277 G 4
Bars 24 241 F 3
Bars 32 295 G 5
Barsac 26 268 A 2
Barsac 33 256 B 3
Barsanges 19 225 F 3
Barst 57 67 F 1
Bart 25 142 B 4
Bartenheim 68 143 G 3
Barthe 65 316 A 4
Barthe *Barrage de la* 12 263 E 1
La Barthe-de-Neste 65 333 H 1
Bartherans 25 179 H 1
Les Barthes 82 277 F 4
Bartrès 65 332 D 1
Barville 27 35 E 5
Barville 61 84 A 3
Barville 76 19 G 3
Barville 88 94 A 4
Barville-en-Gâtinais 45 111 H 3
Barzan 17 219 E 3
Barzun 64 314 D 5
Barzy-en-Thiérache 02 15 F 5
Barzy-sur-Marne 02 60 D 1
Bas-en-Basset 43 229 H 5
Bas-et-Lezat 63 210 A 3
Bas-Lieu 59 15 G 4
Bas-Mauco 40 293 H 2
Bas-Rupts 88 120 B 3
Bascons 40 294 B 2
Bascous 32 295 F 2
Baslieux 54 45 E 2
Baslieux-lès-Fismes 51 41 E 3
Baslieux-
sous-Châtillon 51 41 E 5
Basly 14 33 G 3
Bassac 16 220 D 1
Bassan 34 321 G 3
Bassanne 33 256 C 4
Basse-Goulaine 44 147 H 4
Basse-Ham 57 45 H 3
Basse-Indre 44 147 F 4
Basse-Rentgen 57 45 H 2
Basse-sur-le-Rupt 88 120 A 4
La Basse-Vaivre 70 118 D 5
La Bassée 59 8 B 3
Bassemberg 67 96 D 4
Basseneville 14 34 A 4
Bassens 33 237 G 5
Bassens 73 233 F 2
Bassercles 40 293 H 5
Basses 86 168 D 1
Basseux 62 13 F 3
Bassevelle 77 60 B 2
Bassignac 15 244 B 1
Bassignac-le-Bas 19 243 E 4
Bassignac-le-Haut 19 243 G 2
Bassigney 70 141 F 2
Bassillac 24 240 D 2
Bassillon-Vauzé 64 314 D 2
Bassing 57 67 F 3
Bassoles-Aulers 02 40 B 1
Bassoncourt 52 117 H 3
Bassou 89 114 A 5
Bassoues 32 295 G 5
Bassu 51 62 D 3
Bassuet 51 62 D 4
Bassurels 48 282 D 3
Bassussarry 64 310 D 3
Bassy 74 215 E 3
Bastanès 64 313 G 3
Bastelica 2A 349 E 2
Bastelicaccia 2A 348 C 3
Bastennes 40 293 G 4
Bastia 2B 345 G 4
La Bastide 66 342 C 3
La Bastide 83 308 B 2
La Bastide-Clairence 64 311 F 3
La Bastide-de-Besplas 09 317 G 5
La Bastide-
de-Bousignac 09 336 D 2
La Bastide
de Couloumat 11 318 C 5
La Bastide-de-Lordat 09 336 C 1
La Bastide-de-Sérou 09 335 H 2
La Bastide-d'Engras 30 284 C 4
La Bastide-
des-Jourdans 84 306 B 2
La Bastide-du-Salat 09 335 E 2
La Bastide-l'Évêque 12 279 G 1
La Bastide-Pradines 12 281 G 5
La Bastide-Puylaurent 48 265 F 3
La Bastide-Solages 12 300 A 1
La Bastide-sur-l'Hers 09 336 D 3
La Bastidonne 13 327 F 3
La Bastidonne 84 306 B 3
La Bastie-d'Urfé
Château de 42 229 G 1
Le Bastit 46 260 C 2
Basville 23 208 B 4
La Bataille 79 202 D 2
Bataille *Col de la* 26 250 A 5
La Batarelle 13 327 E 2
Bataville 57 67 F 5
Bathelémont 54 66 D 5
Bathernay 26 249 G 2
La Bâthie 73 234 B 1
La Bâtie-Crémezin 26 268 D 3
La Bâtie-des-Fonds 26 268 D 4
La Bâtie-Divisin 38 232 C 3
La Bâtie-Montgascon 38 232 C 2
La Bâtie-Montsaléon 05 269 E 5
La Bâtie-Neuve 05 269 H 3
La Bâtie-Rolland 26 267 F 4
La Bâtie-Vieille 05 269 H 3
Les Bâties 70 161 G 1
Batilly 54 45 F 5
Batilly 61 53 H 4
Batilly-en-Gâtinais 45 111 H 4
Batilly-en-Puisaye 45 135 E 5
Bats 40 294 A 4
Batsère 65 333 G 1
Battenans-les-Mines 25 162 B 1
Battenans-Varin 25 163 F 3
Battenheim 68 121 E 5
Battexey 88 94 D 4
Battigny 54 94 C 3
Battrans 70 161 F 2
Batz *Île de* 29 71 G 3
Batz-sur-Mer 44 145 G 5
Batzendorf 67 68 D 4
Baubigny 21 177 G 2
Baubigny 50 28 D 5
La Bauche 73 233 E 3
Baud 56 101 H 5
Baudement 51 90 B 2
Baudemont 71 194 A 5
Baudignan 40 274 D 4
Baudignécourt 55 93 G 2
Baudinard-sur-Verdon 83 307 F 3
Baudoncourt 70 141 G 2
Baudonvilliers 55 63 F 5
Baudre 50 32 B 5
Baudrecourt 52 92 C 4
Baudrecourt 57 66 C 2
Baudreix 64 314 C 5
Baudrémont 55 64 B 4
Baudres 36 171 G 1
Baudreville 28 87 E 5
Baudreville 50 31 F 2
Baudricourt 88 94 C 5
Baudrières 71 178 A 5
Bauduen 83 307 G 2
Baugé-en-Anjou 49 129 F 5
Baugy 18 173 H 1
Baugy 60 39 F 1
Baugy 71 193 G 5
Baulay 70 140 D 2
La Baule 44 145 H 5
Baule 45 132 D 3
La Baule-Escoublac 44 145 H 5
Baulme-la-Roche 21 159 G 3
Baulne 91 87 H 3
Baulne-en-Brie 02 60 D 2
Baulny 55 43 F 3
Baulon 35 103 H 4
Baulou 09 336 A 2
La Baume 74 198 C 4
Baume *Cirque de* 39 179 F 5
La Baume-Cornillane 26 267 G 1
La Baume-de-Transit 26 285 F 1
La Baume-d'Hostun 26 249 H 3
Baume-les-Dames 25 162 C 2
Baume-les-Messieurs 39 179 F 5
Bauné 49 150 A 1
Baupte 50 31 H 3
Bauquay 14 53 E 1
Baurech 33 255 H 2
La Baussaine 35 79 H 5
Bauvin 59 8 C 4
Les Baux-de-Breteuil 27 55 H 3
Les Baux-de-Provence 13 304 D 3
Les Baux-Sainte-Croix 27 56 B 2
Bauzemont 54 66 D 5
Bauzy 41 153 G 1
Bavans 25 142 B 5
Bavay 59 15 F 2
Bavelincourt 80 22 D 1
Bavella *Col de* 2A 349 F 4
Bavent 14 33 H 4
Baverans 39 161 E 5
Bavilliers 90 142 C 3
Bavinchove 59 3 H 5
Bavincourt 62 13 E 3
Bax 31 317 G 5
Bay 08 26 A 3
Bay 70 161 F 3
Bay-sur-Aube 52 139 E 2
Bayac 24 258 C 1
Bayard *Château de* 38 233 G 4
Bayard *Col* 05 269 G 3
Bayas 33 238 C 3
Baye 29 100 C 5
Baye 51 61 E 3
Bayecourt 88 95 G 5
Bayel 10 116 B 2
Bayencourt 80 13 E 4
Bayenghem-
lès-Éperlecques 62 3 E 4
Bayenghem-
lès-Seninghem 62 7 E 2
Bayers 16 203 F 4
Bayet 03 192 A 5
Bayeux 14 33 E 3
Bayon 54 95 E 3
Bayon-sur-Gironde 33 237 G 3
Bayonne 64 292 A 5
Bayons 04 287 H 1
Bayonville 08 43 F 2
Bayonville-sur-Mad 54 65 G 2
Bayonvillers 80 23 E 2
Bazac 16 239 E 1
Bazaiges 36 188 D 2
Bazailles 54 45 E 3
Bazainville 78 57 F 4
Bazancourt 51 41 H 2
Bazancourt 60 21 F 5

Bazarnes 89 ... 136 C 4
Bazas 33 ... 256 B 5
Bazauges 17 ... 202 C 4
Bazegney 88 ... 95 E 5
Bazeilles 08 ... 27 F 4
Bazeilles-sur-Othain 55 ... 44 B 2
Bazelat 23 ... 188 D 4
Bazemont 78 ... 57 G 2
Bazens 47 ... 275 G 2
Bazentin 80 ... 13 G 5
Bazenville 14 ... 33 E 3
Bazet 65 ... 315 E 4
La Bazeuge 87 ... 187 H 5
Bazian 32 ... 295 G 4
Bazicourt 60 ... 39 E 3
Baziège 31 ... 318 B 2
Bazien 88 ... 95 H 3
Bazillac 65 ... 315 F 3
Bazincourt-sur-Epte 27 ... 37 G 3
Bazincourt-sur-Saulx 55 ... 63 G 5
Bazinghen 62 ... 2 B 4
Bazinval 76 ... 11 E 5
La Bazoche-Gouet 28 ... 109 F 3
Bazoches 58 ... 157 H 3
Bazoches-au-Houlme 61 ... 53 H 3
Bazoches-en-Dunois 28 ... 110 B 4
Bazoches-lès-Bray 77 ... 89 F 4
Bazoches-les-Gallerandes 45 ... 111 F 3
Bazoches-les-Hautes 28 ... 110 D 3
Bazoches-sur-Guyonne 78 ... 57 G 4
Bazoches-sur-Hoëne 61 ... 84 B 2
Bazoches-sur-le Betz 45 ... 113 E 3
Bazoches-sur-Vesles 02 ... 40 D 3
La Bazoge 50 ... 52 B 5
La Bazoge 72 ... 107 G 3
La Bazoge-Montpinçon 53 ... 82 B 5
Bazoges-en-Paillers 85 ... 166 B 2
Bazoges-en-Pareds 85 ... 166 D 5
Bazoilles-et-Ménil 88 ... 94 D 5
Bazoilles-sur-Meuse 88 ... 93 H 5
Bazolles 58 ... 157 F 5
Bazoncourt 57 ... 66 B 1
Bazonville 54 ... 45 F 3
La Bazoque 14 ... 32 C 4
La Bazoque 61 ... 53 E 3
Bazoques 27 ... 35 F 5
Bazordan 65 ... 316 A 5
La Bazouge-de-Chemeré 53 ... 106 C 4
La Bazouge-des-Alleux 53 ... 106 B 2
La Bazouge-du-Désert 35 ... 81 F 3
Bazougers 53 ... 106 B 4
Bazouges 53 ... 128 B 2
Bazouges-la-Pérouse 35 ... 80 C 3
Bazouges-sous-Hédé 35 ... 80 A 4
Bazouges-sur-le-Loir 72 ... 129 F 4
Bazuel 59 ... 15 E 4
Bazugues 32 ... 315 H 2
Bazus 31 ... 298 A 3
Bazus-Aure 65 ... 333 G 4
Bazus-Neste 65 ... 333 H 2
Le Béage 07 ... 265 H 1
Béal *Col du* 63 ... 229 E 1
Béalcourt 80 ... 12 C 3
Béalencourt 62 ... 7 E 5
Béard 58 ... 174 D 3
Béard-Géovreissiat 01 ... 196 C 5
Beaubec-la-Rosière 76 ... 21 E 4
Beaubery 71 ... 194 B 3
Beaubray 27 ... 55 H 2
Beaucaire 30 ... 304 B 2
Beaucaire 32 ... 295 H 2
Beaucamps-le-Jeune 80 ... 21 G 3
Beaucamps-le-Vieux 80 ... 21 G 2
Beaucamps-Ligny 59 ... 8 C 3
Beaucé 35 ... 81 F 4
Beaucens 65 ... 332 D 2
Le Beaucet 84 ... 285 H 5
Beauchalot 31 ... 334 D 1
Beauchamp 95 ... 58 B 1
Beauchamps 50 ... 51 H 3
Beauchamps 80 ... 11 E 4
Beauchamps-sur-Huillard 45 ... 112 A 5
Beaucharmoy 52 ... 118 A 4
Beauchastel 07 ... 267 E 1
Beauche 28 ... 56 A 5
Beauchemin 52 ... 117 E 5
Beauchêne 41 ... 109 F 5
Beauchêne 61 ... 52 D 5
Beauchery-Saint-Martin 77 ... 89 H 2
Beauclair 55 ... 43 G 1
Beaucoudray 50 ... 52 A 1
Beaucourt 90 ... 142 C 4
Beaucourt-en-Santerre 80 ... 23 E 3
Beaucourt-sur-l'Ancre 80 ... 13 F 5
Beaucourt-sur-l'Hallue 80 ... 22 D 1
Beaucouzé 49 ... 149 F 1
Beaucroissant 38 ... 232 B 5
Beaudéan 65 ... 333 F 2
Beaudéduit 60 ... 22 A 4
Beaudignies 59 ... 15 E 3
Beaudricourt 62 ... 12 D 3
Beaufai 61 ... 55 E 4
Beaufay 72 ... 108 A 3
Beauficel 50 ... 52 B 4
Beauficel-en-Lyons 27 ... 37 E 2
Beaufin 38 ... 269 F 1
Beaufort 31 ... 317 F 2
Beaufort 34 ... 320 C 4
Beaufort 38 ... 231 H 5
Beaufort 39 ... 196 B 1
Beaufort 59 ... 15 G 3
Beaufort 73 ... 216 C 5
Beaufort-Blavincourt 62 ... 13 E 2
Beaufort-en-Argonne 55 ... 43 G 1
Beaufort-en-Anjou 49 ... 150 A 2
Beaufort-en-Santerre 80 ... 23 E 3
Beaufort-sur-Gervanne 26 ... 267 H 1
Beaufou 85 ... 165 G 3
Beaufour 14 ... 34 B 4
Beaufremont 88 ... 94 A 5
Beaugas 47 ... 258 B 4
Beaugeay 17 ... 200 D 4
Beaugency 45 ... 132 C 3
Beaugies-sous-Bois 60 ... 23 H 4
Beaujeu 04 ... 288 B 2
Beaujeu 69 ... 212 C 1
Beaujeu-Saint-Vallier-et-Pierrejux 70 ... 161 F 1
Beaulac 33 ... 274 B 1
Beaulandais 61 ... 82 B 2
Beaulencourt 62 ... 13 H 5
Beaulieu 07 ... 284 A 1
Beaulieu 08 ... 26 A 1
Beaulieu 14 ... 52 D 2
Beaulieu 15 ... 226 C 4
Beaulieu 21 ... 138 C 3
Beaulieu 25 ... 142 C 5
Beaulieu 34 ... 303 E 3
Beaulieu 36 ... 188 B 4
Beaulieu 38 ... 250 B 1
Beaulieu 43 ... 247 F 3
Beaulieu 58 ... 157 F 4
Beaulieu 61 ... 55 G 5
Beaulieu 63 ... 228 A 4
Beaulieu-en-Argonne 55 ... 63 G 1
Beaulieu-en-Rouergue *Abbaye de* 82 ... 279 E 3
Beaulieu-les-Fontaines 60 ... 23 G 4
Beaulieu-lès-Loches 37 ... 152 C 5
Beaulieu-sous-Bressuire 79 ... 167 G 3
Beaulieu-sous-la-Roche 85 ... 165 G 5
Beaulieu-sous-Parthenay 79 ... 185 F 1
Beaulieu-sur-Dordogne 19 ... 243 E 4
Beaulieu-sur-Layon 49 ... 149 G 3
Beaulieu-sur-Loire 45 ... 155 H 1
Beaulieu-sur-Mer 06 ... 309 H 2
Beaulieu-sur-Oudon 53 ... 105 G 4
Beaulieu-sur-Sonnette 16 ... 203 H 4
Beaulon 03 ... 192 D 1
Beaumais 14 ... 54 A 2
Beaumarchés 32 ... 295 F 5
Beaumat 46 ... 260 B 3
Beaumé 02 ... 25 H 2
La Beaume 05 ... 268 D 3
Beauménil 88 ... 119 H 2
Beaumerie-Saint-Martin 62 ... 6 C 4
Beaumes-de-Venise 84 ... 285 G 3
Beaumesnil 14 ... 52 B 2
Beaumesnil 27 ... 55 G 1
Beaumettes 84 ... 305 G 1
Beaumetz 80 ... 12 B 4
Beaumetz-lès-Aire 62 ... 7 F 3
Beaumetz-lès-Cambrai 62 ... 13 H 4
Beaumetz-lès-Loges 62 ... 13 F 3
Beaumont 07 ... 265 H 4
Beaumont 19 ... 225 E 4
Beaumont 32 ... 295 G 1
Beaumont 43 ... 246 B 1
Beaumont 54 ... 65 E 4
Beaumont 63 ... 227 G 1
Beaumont 74 ... 215 G 1
Beaumont 86 ... 169 F 5
Beaumont 89 ... 136 B 2
Beaumont-de-Lomagne 82 ... 297 E 1
Beaumont-de-Pertuis 84 ... 306 C 3
Beaumont-du-Gâtinais 77 ... 112 A 3
Beaumont-du-Lac 87 ... 207 E 5
Beaumont-du-Périgord 24 ... 258 C 2
Beaumont-du-Ventoux 84 ... 285 H 3
Beaumont-en-Argonne 08 ... 27 F 5
Beaumont-en-Auge 14 ... 34 C 3
Beaumont-en-Beine 02 ... 23 H 4
Beaumont-en-Cambrésis 59 ... 14 D 4
Beaumont-en-Diois 26 ... 268 C 3
Beaumont-en-Verdunois 55 ... 44 B 4
Beaumont-en-Véron 37 ... 150 D 4
Beaumont-Hague 50 ... 28 D 2
Beaumont-Hamel 80 ... 13 F 5
Beaumont-la-Ferrière 58 ... 156 C 5
Beaumont-la-Ronce 37 ... 130 D 5
Beaumont-le-Hareng 76 ... 20 C 4
Beaumont-le-Roger 27 ... 55 G 1
Beaumont-les-Autels 28 ... 109 F 2
Beaumont-les-Nonains 60 ... 37 H 3
Beaumont-lès-Randan 63 ... 210 B 3
Beaumont-lès-Valence 26 ... 249 F 5
Beaumont-Monteux 26 ... 249 F 4
Beaumont-Pied-de-Bœuf 53 ... 106 C 5
Beaumont-Pied-de-Bœuf 72 ... 130 B 3
Beaumont-Sardolles 58 ... 175 E 3
Beaumont-sur-Dême 72 ... 130 C 4
Beaumont-sur-Grosne 71 ... 177 H 5
Beaumont-sur-Lèze 31 ... 317 H 3
Beaumont-sur-Oise 95 ... 38 B 5
Beaumont-sur-Sarthe 72 ... 107 G 2
Beaumont-sur-Vesle 51 ... 41 H 4
Beaumont-sur-Vingeanne 21 ... 160 D 1
Beaumont-Village 37 ... 152 D 5
Beaumontel 27 ... 35 G 5
Beaumotte-lès-Montbozon 70 ... 162 B 1
Beaumotte-lès-Pin 70 ... 161 G 3
Beaunay 51 ... 61 F 3
Beaune 21 ... 177 H 1
Beaune 73 ... 234 B 5
Beaune-d'Allier 03 ... 191 F 5
Beaune-la-Rolande 45 ... 111 H 4
Beaune-le-Chaud 63 ... 227 G 1
Beaune-le-Froid 63 ... 227 F 2
Beaune-les-Mines 87 ... 205 H 4
Beaune-sur-Arzon 43 ... 247 E 1
Beaunotte 21 ... 138 C 4
Beaupont 01 ... 195 H 3
Beauport *Abbaye de* 22 ... 73 F 3
Beaupouyet 24 ... 239 F 4
Beaupréau-en-Mauges 49 ... 148 D 4
Beaupuy 31 ... 298 A 4
Beaupuy 32 ... 297 E 4
Beaupuy 47 ... 257 E 4
Beaupuy 82 ... 297 F 2
Beauquesne 80 ... 12 D 5
Beaurain 59 ... 14 D 3
Beaurains 62 ... 13 G 2
Beaurains-lès-Noyon 60 ... 23 G 5
Beaurainville 62 ... 6 D 5
Beaurecueil 13 ... 306 B 5
Beauregard 01 ... 212 D 3
Beauregard 46 ... 278 D 1
Beauregard-Baret 26 ... 249 H 4
Beauregard-de-Terrasson 24 ... 241 G 2
Beauregard-et-Bassac 24 ... 240 B 4
Beauregard-l'Évêque 63 ... 210 A 5
Beauregard-Vendon 63 ... 209 H 3
Beaurepaire 38 ... 231 G 5
Beaurepaire 60 ... 38 D 3
Beaurepaire 76 ... 18 C 4
Beaurepaire 85 ... 166 C 2
Beaurepaire-en-Bresse 71 ... 178 D 5
Beaurepaire-sur-Sambre 59 ... 15 F 5
Beaurevoir 02 ... 14 C 5
Beaurières 26 ... 268 C 3
Beaurieux 02 ... 41 E 2
Beaurieux 59 ... 16 A 3
Beauronne 24 ... 239 G 3
Beausemblant 26 ... 249 E 1
Beausoleil 06 ... 309 H 5
Beaussac 24 ... 221 H 3
Beaussais-Vitré 79 ... 185 G 4
Beaussault 76 ... 21 E 4
Beausse 49 ... 148 D 3
Le Beausset 83 ... 327 H 3
Beauteville 31 ... 318 C 3
Beautheil 77 ... 59 H 4
Beautiran 33 ... 255 H 2
Beautor 02 ... 24 B 4
Beautot 76 ... 20 A 4
Beauvain 61 ... 82 D 2
Beauvais 60 ... 38 A 2
Beauvais-sur-Matha 17 ... 202 C 4
Beauvais-sur-Tescou 81 ... 298 B 1
Beauval 80 ... 12 D 4
Beauval-en-Caux 76 ... 20 A 3
Beauvallon 26 ... 249 F 5
Beauvallon 83 ... 329 F 2
Beauvau 49 ... 129 E 5
Beauvène 07 ... 248 C 5
Beauvernois 71 ... 178 D 3
Beauvezer 04 ... 288 D 3
Beauville 31 ... 318 C 2
Beauville 47 ... 276 D 2
Beauvilliers 28 ... 86 C 5
Beauvilliers 41 ... 132 A 2
Beauvilliers 89 ... 158 B 2
Beauvoir 50 ... 51 F 5
Beauvoir 60 ... 22 C 5
Beauvoir 77 ... 88 D 2
Beauvoir 89 ... 135 H 3
Beauvoir *Château de* 03 ... 192 D 3
Beauvoir-de-Marc 38 ... 231 G 3
Beauvoir-en-Lyons 76 ... 37 E 1
Beauvoir-en-Royans 38 ... 250 A 2
Beauvoir-sur-Mer 85 ... 164 C 2
Beauvoir-sur-Niort 79 ... 201 H 1
Beauvoir-sur-Sarce 10 ... 115 F 5
Beauvoir-Wavans 62 ... 12 C 3
Beauvois 62 ... 7 F 5
Beauvois-en-Cambrésis 59 ... 14 C 4
Beauvois-en-Vermandois 02 ... 23 H 2
Beauvoisin 26 ... 286 A 1
Beauvoisin 30 ... 303 H 3
Beauvoisin 39 ... 178 D 2
Beaux 43 ... 247 H 2
Beauzac 43 ... 247 H 1
Beauzée-sur-Aire 55 ... 63 H 2
Beauzelle 31 ... 297 H 4
Beauziac 47 ... 274 D 1
Bébing 57 ... 67 G 5
Beblenheim 68 ... 121 E 2
Bec-de-Mortagne 76 ... 19 E 4
Le Bec-Hellouin 27 ... 35 G 4
Le Bec-Thomas 27 ... 36 A 4
Beccas 32 ... 315 F 2
Béceleuf 79 ... 184 D 2
Béchamps 54 ... 45 E 5
Bécherel 35 ... 103 H 1
Bécheresse 16 ... 221 E 3
Béchy 57 ... 66 B 2
Bécon-les-Granits 49 ... 149 E 1
Béconne 26 ... 267 G 4
Bécordel-Bécourt 80 ... 23 E 1
Bécourt 62 ... 6 D 2
Becquigny 02 ... 14 D 5
Becquigny 80 ... 23 E 4
Bédarieux 34 ... 301 F 4
Bédarrides 84 ... 285 F 4
Beddes 18 ... 190 A 1
Bédéchan 32 ... 296 C 5
Bédée 35 ... 103 H 2
Bédeilhac-et-Aynat 09 ... 336 A 4
Bédeille 09 ... 335 F 1
Bédeille 64 ... 314 D 3
Bedenac 17 ... 238 B 2
Bédoin 84 ... 286 A 3
Bédouès 48 ... 282 D 1
Bédouès-Cocurès 48 ... 282 D 1
Bedous 64 ... 331 H 3
Béduer 46 ... 261 F 4
Beffes 18 ... 174 B 1
Beffia 39 ... 196 B 2
Beffu-et-le-Morthomme 08 ... 43 E 2
Beg-Meil 29 ... 99 H 4
Bégaar 40 ... 293 F 2
Bégadan 33 ... 218 D 5
Béganne 56 ... 125 F 4
Bégard 22 ... 72 D 4
Bègles 33 ... 255 G 1
Begnécourt 88 ... 118 D 2
Bégole 65 ... 315 G 5
Bégrolles-en-Mauges 49 ... 148 D 5
La Bégude-de-Mazenc 26 ... 267 F 4
Bègues 03 ... 209 H 1
Béguey 33 ... 256 B 3
Béguios 64 ... 311 G 4
Béhagnies 62 ... 13 G 4
Béhasque-Lapiste 64 ... 311 H 4
Béhen 80 ... 11 G 4
Béhencourt 80 ... 22 D 1
Béhéricourt 60 ... 23 H 5
Behlenheim 67 ... 68 D 5
Béhobie 64 ... 310 A 4
Behonne 55 ... 63 H 3
Béhorléguy 64 ... 330 D 1
Béhoust 78 ... 57 F 3
Behren-lès-Forbach 57 ... 47 F 5
Béhuard 49 ... 149 F 2
Beignon 56 ... 103 F 4
Beillé 72 ... 108 B 4
Beine 89 ... 136 C 3
Beine-Nauroy 51 ... 41 H 4
Beinheim 67 ... 69 G 3
Beire-le-Châtel 21 ... 160 B 2
Beire-le-Fort 21 ... 160 C 4
Beissat 23 ... 207 H 5
Bel-Air 49 ... 127 H 3
Bel-Homme *Col du* 83 ... 308 B 3
Bélâbre 36 ... 188 A 2
Belan-sur-Ource 21 ... 116 A 5
Bélarga 34 ... 302 A 5
Bélaye 46 ... 259 G 5
Belberaud 31 ... 318 B 2
Belbèse 82 ... 297 F 1
Belbeuf 76 ... 36 B 2
Belbèze-de-Lauragais 31 ... 318 A 2
Belbèze-en-Comminges 31 ... 335 E 1
Belcaire 11 ... 337 E 4
Belcastel 12 ... 280 B 1
Belcastel 81 ... 298 C 4
Belcastel *Château de* 46 ... 260 B 1
Belcastel-et-Buc 11 ... 337 H 2
Belcodène 13 ... 327 F 1
Bélesta 09 ... 336 D 3
Bélesta 66 ... 338 B 5
Bélesta-en-Lauragais 31 ... 318 D 2
Beleymas 24 ... 239 H 4
Belfahy 70 ... 142 B 1
Belfays 25 ... 163 G 3
Belflou 11 ... 318 C 4
Belfonds 61 ... 83 G 2
Belfort 90 ... 142 C 3
Belfort-du-Quercy 46 ... 278 B 2
Belfort-sur-Rebenty 11 ... 337 E 4
Belgeard 53 ... 82 B 5
Belgentier 83 ... 328 B 3
Belgodère 2B ... 344 D 5
Belhade 40 ... 273 G 1
Belhomert-Guéhouville 28 ... 85 F 3
Le Bélieu 25 ... 163 E 5
Béligneux 01 ... 213 G 4
Belin-Béliet 33 ... 255 E 4
Bélis 40 ... 273 H 4
Bellac 87 ... 205 F 2
Bellaffaire 04 ... 269 H 5
Bellagranajo *Col de* 2B ... 347 F 5
Bellaing 59 ... 9 G 5
Bellancourt 80 ... 11 H 3
Bellange 57 ... 66 D 3
Bellavilliers 61 ... 84 B 4
Le Bellay-en-Vexin 95 ... 37 G 5
Belle-Église 60 ... 38 B 4
Belle-et-Houllefort 62 ... 2 C 5
Belle-Isle 56 ... 144 B 4
Belle-Isle-en-Terre 22 ... 72 C 5
Belleau 02 ... 60 B 1
Belleau 54 ... 65 H 4
Bellebat 33 ... 256 B 2
Bellebrune 62 ... 2 C 5
Bellechassagne 19 ... 225 H 2
Bellechaume 89 ... 114 A 4
Bellecombe 39 ... 197 E 4
Bellecombe 73 ... 234 B 3
Bellecombe-en-Bauges 73 ... 215 G 5
Bellecombe-Tarendol 26 ... 286 B 1
Bellefond 21 ... 160 A 2
Bellefond 33 ... 256 C 1
Bellefonds 86 ... 186 D 1
Bellefontaine 39 ... 197 F 1
Bellefontaine 50 ... 52 B 5
Bellefontaine 88 ... 119 F 4
Bellefontaine 95 ... 38 D 5
Bellefosse 67 ... 96 D 3
Bellegarde 30 ... 304 A 3
Bellegarde 32 ... 316 B 2
Bellegarde 45 ... 111 H 5
Bellegarde-du-Razès 11 ... 337 E 1
Bellegarde-en-Diois 26 ... 268 B 4
Bellegarde-en-Forez 42 ... 230 A 2
Bellegarde-en-Marche 23 ... 207 H 3
Bellegarde-Marsal 81 ... 299 G 1
Bellegarde-Poussieu 38 ... 231 F 5
Bellegarde-Sainte-Marie 31 ... 297 F 4
Bellegarde-sur-Valserine 01 ... 215 E 1
Belleherbe 25 ... 163 E 3
Bellemagny 68 ... 142 D 2
Bellême 61 ... 84 C 4
Bellenaves 03 ... 209 G 1
Bellencombre 76 ... 20 C 4
Belleneuve 21 ... 160 C 2
Bellenglise 02 ... 24 A 1
Bellengreville 14 ... 33 H 5
Bellengreville 76 ... 10 C 5
Bellenod-sur-Seine 21 ... 138 B 4
Bellenot-sous-Pouilly 21 ... 159 E 3
Bellentre 73 ... 234 D 2
Belleray 55 ... 64 B 1
Bellerive-sur-Allier 03 ... 210 B 2
Belleroche 42 ... 212 B 1
Belleserre 81 ... 319 E 2
Bellesserre 31 ... 297 F 2
Belleu 02 ... 40 B 3
Belleuse 80 ... 22 A 4
Bellevaux 74 ... 198 B 4
Bellevesvre 71 ... 178 D 3
Bellevigny 85 ... 165 H 4
Belleville 54 ... 65 G 4
Belleville 69 ... 212 D 1
Belleville 79 ... 201 H 1
Belleville-en-Caux 76 ... 20 A 4
Belleville-sur-Bar 08 ... 43 E 1
Belleville-sur-Loire 18 ... 156 A 1
Belleville-sur-Mer 76 ... 10 B 5
Belleville-sur-Meuse 55 ... 44 B 5
Bellevue 44 ... 147 H 3
Bellevue *Grotte de* 46 ... 260 D 4
Bellevue-Coëtquidan 56 ... 103 F 4
Bellevue-la-Montagne 43 ... 247 E 1
Belley 01 ... 214 D 5
Belley 10 ... 91 E 5
Belleydoux 01 ... 196 D 5
Bellicourt 02 ... 24 A 1
La Bellière 61 ... 54 A 5
La Bellière 76 ... 21 E 5
Bellignat 01 ... 196 C 5
Belligné 44 ... 148 C 1
Bellignies 59 ... 15 F 2
La Belliole 89 ... 113 E 3
Belloc 09 ... 336 D 2
Belloc-Saint-Clamens 32 ... 315 H 2
Bellocq 64 ... 293 E 5
Bellon 16 ... 221 E 5
Bellonne 62 ... 14 A 2
Bellot 77 ... 60 B 3
Bellou 14 ... 54 C 2
Bellou-en-Houlme 61 ... 53 F 5
Bellou-le-Trichard 61 ... 108 B 2
Bellou-sur-Huisne 61 ... 84 D 4
Belloy 60 ... 37 H 1
Belloy-en-France 95 ... 58 C 1
Belloy-en-Santerre 80 ... 23 F 2
Belloy-Saint-Léonard 80 ... 11 H 5
Belloy-sur-Somme 80 ... 22 A 1
Belluire 17 ... 219 G 3
Belmesnil 76 ... 20 A 3
Belmont 25 ... 162 C 4
Belmont 32 ... 295 G 3
Belmont 38 ... 232 A 3
Belmont 39 ... 179 E 1
Belmont 52 ... 140 A 3
Belmont 67 ... 96 D 3
Belmont 70 ... 141 H 2
Belmont-Bretenoux 46 ... 243 E 5
Belmont-d'Azergues 69 ... 212 D 4
Belmont-de-la-Loire 42 ... 212 A 1
Belmont-lès-Darney 88 ... 118 C 3
Belmont-Luthézieu 01 ... 214 D 4
Belmont-Sainte-Foi 46 ... 278 C 2
Belmont-sur-Buttant 88 ... 96 A 5
Belmont-sur-Rance 12 ... 300 C 2
Belmont-sur-Vair 88 ... 94 B 5
Belmont-Tramonet 73 ... 232 D 2
Belmontet 46 ... 277 F 1
Belon 29 ... 100 C 5
Belonchamp 70 ... 142 A 1
Belpech 11 ... 318 C 5
Belrain 55 ... 64 B 4
Belrupt 88 ... 118 D 3
Belrupt-en-Verdunois 55 ... 64 B 1
Bélus 40 ... 292 D 4
Belval 08 ... 26 C 3
Belval 50 ... 51 H 1
Belval 88 ... 96 C 3
Belval-Bois-des-Dames 08 ... 43 F 1
Belval-en-Argonne 51 ... 63 F 2
Belval-sous-Châtillon 51 ... 41 F 5
Belvédère 06 ... 291 F 3
Belvédère-Campomoro 2A ... 350 C 2
Belverne 70 ... 142 A 3
Belvès 24 ... 259 E 1
Belvès-de-Castillon 33 ... 238 D 5
Belvèze 82 ... 277 F 1
Belvèze-du-Razès 11 ... 337 F 1
Belvézet 30 ... 284 B 4
Belvezet 48 ... 265 E 4
Belvianes-et-Cavirac 11 ... 337 G 4
Belvis 11 ... 337 F 4
Belvoir 25 ... 163 E 2
Belz 56 ... 123 G 3
Bémécourt 27 ... 55 H 3
Bénac 09 ... 336 A 3
Bénac 65 ... 315 E 5
Benagues 09 ... 336 B 1
Benais 37 ... 151 E 3

Bénaix 09 336 D 3
Bénaménil 54 95 H 2
Bénarville 76 19 E 4
Benassay 86 185 H 1
La Benâte 17 201 G 2
La Bénate 44 165 G 2
Benauge *Château de* 33 256 B 2
Benay 02 24 B 3
Benayes 19 224 B 3
Bendejun 06 291 F 5
Bendor *Île de* 83 327 H 4
Bendorf 68 143 F 4
Bénéjacq 64 314 C 5
Benerville-sur-Mer 14 34 B 2
Bénesse-lès-Dax 40 293 E 4
Bénesse-Maremne 40 292 B 4
Benest 16 203 H 2
Bénestroff 57 67 E 3
Bénesville 76 19 H 3
Benet 85 184 C 3
Beneuvre 21 138 D 4
Bénévent-l'Abbaye 23 206 C 2
Beney-en-Woëvre 55 65 E 2
Benfeld 67 97 G 3
Bengy-sur-Craon 18 173 H 2
Bénifontaine 62 8 B 4
Béning-lès-Saint-Avold 57 47 F 5
La Bénisson-Dieu 42 211 G 1
Bénivay-Ollon 26 285 H 1
Bennecourt 78 57 E 1
Bennetot 76 19 F 4
Benney 54 94 D 2
Bennwihr 68 121 E 2
Bénodet 29 99 H 4
Benoisey 21 137 H 5
Benoîtville 50 28 D 4
Benon 17 183 H 5
Bénonces 01 214 B 4
Bénouville 14 33 H 4
Bénouville 76 18 D 3
Benque 31 316 D 4
Benqué 65 333 G 1
Benque-Dessous-et-Dessus 31 334 A 4
Benquet 40 294 A 2
Bentayou-Sérée 64 314 D 3
Bény 01 195 H 4
Le Bény-Bocage 14 52 C 2
Bény-sur-Mer 14 33 G 3
Béon 01 214 D 4
Béon 89 113 G 5
Béost 64 332 A 2
La Bérarde 38 252 A 4
Bérat 31 317 F 3
Béraut 32 295 H 1
Berbérust-Lias 65 332 D 1
Berbezit 43 246 D 1
Berbiguières 24 259 F 1
Berc 48 264 A 1
Bercenay-en-Othe 10 114 C 2
Bercenay-le-Hayer 10 90 A 5
Berche 25 142 B 5
Berchères-la-Maingot 28 86 A 3
Berchères-les-Pierres 28 86 B 4
Berchères-sur-Vesgre 28 57 E 3
Berck-Plage 62 6 A 5
Berck 62 6 A 5
Bercloux 17 201 H 4
Berd'Huis 61 84 D 5
Berdoues 32 315 H 2
Bérelles 59 15 H 3
Bérengeville-la-Campagne 2736 A 5
Berentzwiller 68 143 G 3
Bérenx 64 293 F 5
Béréziat 01 195 G 3
Berfay 72 108 D 5
Berg 67 67 H 3
Berg-sur-Moselle 57 46 B 2
Berganty 46 260 C 5
Bergbieten 67 97 F 1
Bergerac 24 257 H 1
Bergères 10 116 A 2
Bergères-lès-Vertus 51 61 G 3
Bergères-sous-Montmirail 51 60 D 3
Bergesserin 71 194 C 3
Bergheim 68 97 E 5
Bergholtz 68 120 D 4
Bergholtzzell 68 120 D 4
Bergicourt 80 22 A 3
Bergnicourt 08 42 A 2
Bergonne 63 228 A 3
Bergouey 40 293 G 3
Bergouey 64 311 G 3
La Bergue 74 197 H 5
Bergueneuse 62 7 F 4
Bergues 59 3 G 3
Bergues-sur-Sambre 02 15 F 5
Berguette 62 7 H 3
Berhet 22 72 D 3
Bérig-Vintrange 57 67 E 2
Bérigny 50 32 C 4
Berjou 61 53 F 3
Berlaimont 59 15 F 3
Berlancourt 02 25 E 3
Berlancourt 60 23 H 4
Berlats 81 300 B 4
Berlencourt-le-Cauroy 62 12 D 2
Berles-au-Bois 62 13 F 3
Berles-Monchel 62 13 E 2
La Berlière 08 27 E 5
Berling 57 68 A 4
Berlise 02 25 H 4
Berlou 34 321 E 2
Bermerain 59 14 D 3
Berméricourt 51 41 G 2
Bermeries 59 15 F 2
Bermering 57 67 E 2
Bermesnil 80 21 F 2
Bermicourt 62 7 F 5
Bermont 90 142 C 3
Bermonville 76 19 F 4
Bernac 16 203 F 2
Bernac 81 299 E 1
Bernac-Debat 65 315 F 5
Bernac-Dessus 65 315 F 5
Bernadets 64 314 B 3
Bernadets-Debat 65 315 G 3
Bernadets-Dessus 65 315 G 5
Le Bernard 85 182 C 2
La Bernardière 85 166 A 1
Bernardswiller 67 97 F 2
Bernardvillé 67 97 E 3
Bernâtre 80 12 B 3
Bernaville 80 12 C 4
Bernay 17 201 G 2
Bernay 27 35 F 5
Bernay 72 107 F 4
Bernay-en-Brie 77 59 G 5
Bernay-en-Ponthieu 80 11 F 1
Berné 56 101 E 3
Bernécourt 54 65 E 4
Bernède 32 294 C 4
La Bernerie-en-Retz 44 146 D 5
Bernes 80 23 H 1
Bernes-sur-Oise 95 38 B 5
Bernesq 14 32 C 3
Berneuil 16 220 D 4
Berneuil 17 219 G 1
Berneuil 80 12 C 4
Berneuil 87 205 F 2
Berneuil-en-Bray 60 38 A 3
Berneuil-sur-Aisne 60 39 H 2
Berneval-le-Grand 76 10 B 5
Berneville 62 13 F 2
Bernex 74 198 C 3
Bernienville 27 56 A 1
Bernières 76 19 E 4
Bernières-d'Ailly 14 54 A 2
Bernières-le-Patry 14 52 D 3
Bernières-sur-Mer 14 33 G 3
Bernières-sur-Seine 27 36 C 4
Bernieulles 62 6 C 3
Bernin 38 233 E 5
Bernis 30 303 G 3
Bernolsheim 67 68 D 4
Bernon 10 114 D 5
Bernos-Beaulac 33 274 B 1
Bernot 02 24 C 2
Bernouil 89 136 D 2
Bernouville 27 37 F 3
Bernwiller 68 143 E 2
Berny-en-Santerre 80 23 F 2
Berny-Rivière 02 40 A 2
Bérou-la-Mulotière 28 56 A 4
Berrac 32 275 H 5
Berre-les-Alpes 06 291 F 5
Berre-l'Étang 13 326 C 1
Berriac 11 319 H 5
Berrias-et-Casteljau 07 284 A 1
Berric 56 124 D 4
Berrie 86 168 B 1
Berrien 29 76 C 2
Berrieux 02 41 F 1
Berrogain-Laruns 64 313 F 4
Berru 51 41 H 3
Berrwiller 68 120 D 5
Berry-au-Bac 02 41 F 2
Berry-Bouy 18 172 D 1
Le Bersac 05 269 E 5
Bersac-sur-Rivalier 87 206 B 2
Bersaillin 39 179 F 3
Bersée 59 8 D 4
Bersillies 59 15 H 2
Berson 33 237 G 2
Berstett 67 68 D 5
Berstheim 67 68 D 4
Bert 03 192 D 4
Bertangles 80 22 B 1
Bertaucourt-Epourdon 02 24 B 5
Berteaucourt-les-Dames 80 12 B 5
Berteaucourt-lès-Thennes 80 22 D 3
Bertheauville 76 19 F 3
Berthecourt 60 38 B 3
Berthegon 86 169 E 3
Berthelange 25 161 G 4
Berthelming 57 67 G 4
Berthen 59 4 A 5
Berthenay 37 151 G 3
Berthenicourt 02 24 B 3
Berthenonville 27 37 F 5
La Berthenoux 36 189 H 1
Berthez 33 256 C 4
Bertholène 12 281 E 1
Berthouville 27 35 F 4
Bertignat 63 228 D 2
Bertignolles 10 115 H 3
Bertincourt 62 13 H 4
Bertoncourt 08 26 B 5
Bertrambois 54 96 B 1
Bertrancourt 80 13 E 4
Bertrange 57 45 H 3
Bertre 81 298 D 5
Bertren 65 334 B 2
Bertreville 76 19 F 3
Bertreville-Saint-Ouen 76 20 A 3
Bertric-Burée 24 221 G 5
Bertrichamps 54 96 A 3
Bertricourt 02 41 G 2
Bertrimont 76 20 A 4
Bertrimoutier 88 96 C 5
Bertry 59 14 D 4
Béru 89 136 D 3
Béruges 86 186 A 1
Bérulle 10 114 B 3
Bérus 72 83 G 4
Berven 29 71 F 4
Berville 14 54 B 1
Berville 76 19 H 4
Berville 95 38 A 4
Berville-en-Roumois 27 35 H 3
Berville-la-Campagne 27 55 H 1
Berville-sur-Mer 27 34 D 2
Berville-sur-Seine 76 35 H 1
Berviller-en-Moselle 57 46 D 4
Berzé-la-Ville 71 194 D 4
Berzé-le-Châtel 71 194 D 3
Berzème 07 266 C 3
Berzieux 51 43 E 4
Berzy-le-Sec 02 40 B 3
La Besace 08 27 F 5
Besain 39 179 G 4
Besançon 25 162 A 3
Bésayes 26 249 G 4
Bescat 64 314 A 5
Bésignan 26 286 B 1
Bésingrand 64 313 H 3
Beslé 44 126 A 3
La Beslière 50 51 G 3
Beslon 50 52 A 3
Besmé 02 40 A 1
Besmont 02 25 H 2
Besnans 70 162 B 1
Besné 44 146 C 1
Besneville 50 31 F 2
Besny-et-Loizy 02 24 D 5
Bessac 16 220 D 4
Bessais-le-Fromental 18 173 H 5
Bessamorel 43 247 H 3
Bessan 34 322 C 4
Bessancourt 95 58 B 1
Bessans 73 235 F 4
Bessas 07 284 A 1
Le Bessat 42 230 C 5
Bessay 85 183 F 1
Bessay-sur-Allier 03 192 B 3
Besse 15 244 B 3
Bessé 16 203 E 3
La Besse 19 243 G 2
Besse 24 259 F 3
Besse-en-Chandesse 63 227 F 3
Besse-en-Oisans 38 251 H 3
Bessé-sur-Braye 72 131 E 2
Besse-sur-Issole 83 328 C 2
Bessède-de-Sault 11 337 F 5
Bességes 30 283 H 2
Bessenay 69 212 C 5
Bessens 82 297 G 1
Besset 09 336 D 1
Bessey 42 230 D 4
Bessey-en-Chaume 21 177 G 1
Bessey-la-Cour 21 159 F 5
Bessey-lès-Cîteaux 21 160 B 5
La Besseyre-Saint-Mary 43 246 B 4
Bessières 31 298 B 2
Bessines 79 184 D 4
Bessines-sur-Gartempe 87 205 H 2
Bessins 38 250 A 1
Besson 03 192 A 3
Bessoncourt 90 142 C 3
Bessonies 46 261 G 1
Les Bessons 48 264 A 2
Bessuéjouls 12 263 E 4
Bessy 10 90 D 2
Bessy-sur-Cure 89 136 C 5
Bestiac 09 336 C 5
Bétaille 46 242 D 5
Betaucourt 70 140 D 2
Betbèze 65 316 A 5
Betbezer-d'Armagnac 40 274 C 5
Betcave-Aguin 32 316 B 2
Betchat 09 335 E 1
Bétête 23 189 H 4
Béthancourt-en-Valois 60 39 G 3
Béthancourt-en-Vaux 02 24 A 5
Bétharram *Grottes de* 64 332 C 1
Béthelainville 55 43 H 4
Béthemont-la-Forêt 95 58 B 1
Béthencourt 59 14 D 4
Béthencourt-sur-Mer 80 11 E 4
Béthencourt-sur-Somme 80 23 G 3
Bétheniville 51 42 B 3
Bétheny 51 41 G 3
Béthincourt 55 43 H 3
Béthines 86 187 G 2
Béthisy-Saint-Martin 60 39 F 3
Béthisy-Saint-Pierre 60 39 F 3
Bethmale 09 335 E 3
Bethon 51 90 A 2
Béthon 72 83 G 4
Bethoncourt 25 142 B 4
Béthonsart 62 7 H 5
Béthonvilliers 28 109 E 2
Bethonvilliers 90 142 C 2
Béthune 62 8 A 4
Bétignicourt 10 91 G 4
Beton-Bazoches 77 60 A 5
Betoncourt-lès-Brotte 70 141 G 3
Betoncourt-les-Ménétriers 70 140 C 4
Betoncourt-Saint-Pancras 70 118 D 5
Betoncourt-sur-Mance 70 140 B 2
Bétous 32 295 E 3
Betplan 32 315 F 2
Betpouey 65 333 E 3
Betpouy 65 315 H 4
Bétracq 64 294 D 5
Betschdorf 67 69 F 2
Bettaincourt-sur-Rognon 52 93 E 5
Bettainvillers 54 45 F 4
Bettancourt-la-Ferrée 52 63 F 5
Bettancourt-la-Longue 51 63 E 3
Bettange 57 46 C 4
Bettant 01 214 A 3
Bettborn 57 67 G 4
Bettegney-Saint-Brice 88 95 E 5
Bettelainville 57 46 B 4
Bettembos 80 21 G 3
Bettencourt-Rivière 80 11 H 4
Bettencourt-Saint-Ouen 80 12 B 5
Bettendorf 68 143 F 3
Bettes 65 333 F 1
Betteville 76 19 H 5
Bettignies 59 15 G 2
Betting 57 47 E 5
Bettlach 68 143 G 4
Betton 35 104 B 2
Betton-Bettonet 73 233 H 2
Bettoncourt 88 94 D 4
Bettoncourt-le-Haut 52 93 F 4
Bettrechies 59 15 F 2
Bettviller 57 68 A 1
Bettwiller 67 67 H 3
Betz 60 39 G 5
Betz-le-Château 37 170 B 2
Beugin 62 7 H 5
Beugnâtre 62 13 H 4
Beugneux 02 40 C 4
Beugnies 59 15 H 4
Le Beugnon 79 184 D 1
Beugnon 89 114 C 4
Beugny 62 13 H 4
Beuil 06 289 G 3
Le Beulay 88 96 C 4
Beulotte-Saint-Laurent 70 119 H 5
Beure 25 162 A 4
Beurey 10 115 H 2
Beurey-Bauguay 21 159 E 4
Beurey-sur-Saulx 55 63 G 4
Beurières 63 229 E 4
Beurizot 21 159 E 3
Beurlay 17 201 E 4
Beurville 52 92 B 5
Beussent 62 6 C 3
Beuste 64 314 C 5
Beutal 25 142 A 5
Beutin 62 6 B 4
Beuvardes 02 40 C 5
Beuveille 54 44 D 2
Beuvezin 54 94 C 4
Beuvillers 14 34 C 5
Beuvillers 54 45 F 3
Beuvrages 59 9 G 5
Beuvraignes 80 23 F 4
Beuvray *Mont* 71 176 B 3
Beuvrequen 62 2 B 5
Beuvreuil 76 37 F 1
Beuvrigny 50 52 B 1
Beuvron 58 157 E 3
Beuvron-en-Auge 14 34 A 4
Beuvry 62 8 A 4
Beuvry-la-Forêt 59 9 E 4
Beux 57 66 B 2
Beuxes 86 168 D 1
Beuzec-Cap-Sizun 29 99 E 2
Beuzeville 27 34 D 3
Beuzeville-au-Plain 50 29 G 5
Beuzeville-la-Bastille 50 31 H 2
Beuzeville-la-Grenier 76 19 E 5
Beuzeville-la-Guérard 76 19 F 4
Beuzevillette 76 19 F 5
Bévenais 38 232 B 4
Beveuge 70 141 H 5
Béville-le-Comte 28 86 C 4
Bévillers 59 14 C 4
Bevons 04 287 F 3
Bévy 21 159 H 5
Bey 01 195 E 5
Bey 71 178 A 3
Bey-sur-Seille 54 66 B 4
Beychac-et-Caillau 33 237 H 5
Beychevelle 33 237 F 2
Beylongue 40 293 F 1
Beynac 87 205 G 5
Beynac-et-Cazenac 24 259 F 1
Beynat 19 242 D 3
Beynes 04 288 A 5
Beynes 78 57 G 3
Beynost 01 213 F 4
Beyrède *Col de* 65 333 G 2
Beyrède-Jumet 65 333 H 3
Beyren-lès-Sierck 57 45 H 2
Beyrie-en-Béarn 64 314 A 3
Beyrie-sur-Joyeuse 64 311 G 4
Beyries 40 293 H 4
Beyssac 19 223 H 5
Beyssac *Château de* 24 241 F 5
Beyssenac 19 223 G 4
Le Bez 81 300 A 5
Bez-et-Esparon 30 282 C 5
Bézac 09 336 B 1
Bezalles 77 60 A 5
Bézancourt 76 37 F 2
Bezange-la-Grande 54 66 C 5
Bezange-la-Petite 57 66 D 5
Bezannes 51 41 G 4
Les Bézards 45 134 D 3
Bézaudun-les-Alpes 06 309 F 1
Bézaudun-sur-Bîne 26 267 H 3
Bezaumont 54 65 G 4
Bèze 21 160 C 1
Bézenac 24 259 F 1
Bézenet 03 191 F 4
Bézéril 32 296 D 5
Béziers 34 321 G 3
Bezinghem 62 6 C 3
Bezins-Garraux 31 334 B 3
La Bezole 11 337 F 2
Bezolles 32 295 H 2
Bezons 95 58 B 2
Bezonvaux 55 44 C 5
Bezouce 30 304 A 1
Bézouotte 21 160 C 2
Bézu-la-Forêt 27 37 F 2
Bézu-le-Guéry 02 60 A 1
Bézu-Saint-Éloi 27 37 F 3
Bézu-Saint-Germain 02 40 C 5
Bézues-Bajon 32 316 B 3
Biache-Saint-Vaast 62 13 H 2
Biaches 80 23 G 1
Bians-les-Usiers 25 180 C 2
Biard 86 186 B 1
Les Biards 50 81 F 2
Biarne 39 160 D 5
Biarre 80 23 G 4
Biarritz 64 310 C 2
Biarritz-Bayonne-Anglet *Aéroport de* 64 310 C 2
Biarrotte 40 292 C 4
Biars-sur-Cère 46 243 E 5
Bias 40 272 B 3
Bias 47 258 B 5
Biaudos 40 292 B 4
Bibiche 57 46 C 3
Biblisheim 67 69 E 2
Bibost 69 212 C 5
Bichancourt 02 24 A 5
Biches 58 175 G 2
Bickenholtz 57 67 H 4
Bicqueley 54 94 B 1
Bidache 64 292 D 5
Bidarray 64 311 E 5
Bidart 64 310 C 3
Bidestroff 57 67 E 3
Biding 57 67 E 1
Bidon 07 284 C 1
Bidos 64 331 H 1
Biécourt 88 94 C 4
Biederthal 68 143 G 4
Bief 25 163 F 2
Bief-des-Maisons 39 180 A 4
Bief-du-Fourg 39 180 B 3
Biefmorin 39 179 E 2
Biefvillers-lès-Bapaume 62 13 G 4
Bielle 64 332 A 1
Bielsa *Tunnel de* 65 333 F 5
Bienassis *Château de* 22 78 D 2
Biencourt 80 11 F 5
Biencourt-sur-Orge 55 93 F 2
Bienville 60 39 F 2
Bienville-la-Petite 54 95 F 1
Bienvillers-au-Bois 62 13 F 3
Biermes 08 42 B 1
Biermont 60 23 F 5
Bierné 53 128 C 2
Bierne 59 3 G 3
Biernes 52 92 C 5
Bierre-lès-Semur 21 158 D 2
Bierry-les-Belles-Fontaines 89 137 G 5
Biert 09 335 G 3
Bierville 76 36 C 1
Biesheim 68 121 F 3
Biesles 52 117 F 3
Bietlenheim 67 69 E 4
Bieujac 33 256 C 4
Bieuxy 02 40 A 2
Bieuzy 56 101 G 4
Bieuzy-Lanvaux 56 124 A 2
Biéville 50 32 C 5
Biéville-Beuville 14 33 G 4
Biéville-en-Auge 14 34 A 5
Biéville-Quétiéville 14 34 A 5
Biéville-sur-Orne 14 33 G 4
Bièvres 02 41 E 1
Bièvres 08 27 H 5
Bièvres 91 58 B 4
Biffontaine 88 96 A 5
Biganos 33 254 C 2
Bignac 16 203 E 5
Bignan 56 102 B 5
Bignay 17 201 G 3
La Bigne 14 52 D 1
Bignicourt 08 42 B 2
Bignicourt-sur-Marne 51 62 C 5
Bignicourt-sur-Saulx 51 63 E 4
Le Bignon 44 147 H 5
Le Bignon-du-Maine 53 106 B 5
Le Bignon-Mirabeau 45 112 D 3
Bignoux 86 186 C 1
Bigny 18 173 E 4
Bigorno 2B 347 F 2
La Bigottière 53 105 H 2
Biguglia 2B 345 G 5
Bihucourt 62 13 G 4
Bilazais 79 168 B 2
Bile *Pointe du* 56 145 G 3
Bilhères 64 332 A 1
Bilia 2A 350 D 2
Bilieu 38 232 C 4
Billac 19 242 D 5
Billancelles 28 85 G 3
Billancourt 80 23 G 3
Les Billanges 87 206 C 3
Billaude *Cascade de la* 39 179 H 5
Les Billaux 33 238 B 4
Billé 35 81 E 5
Billecul 39 180 A 4
Billère 64 314 B 3
Billey 21 160 D 5
Billezois 03 210 C 1
Billiat 01 214 D 2

Billième 73 215 E 5
Billière 31 334 A 4
Billiers 56 124 D 5
Billio 56 102 C 5
Billom 63 228 B 1
Billy 03 192 B 5
Billy 14 33 H 5
Billy 41 153 G 3
Billy-Berclau 62 8 C 4
Billy-Chevannes 58 175 E 2
Billy-le-Grand 51 42 A 5
Billy-lès-Chanceaux 21 138 C 5
Billy-Montigny 62 8 C 5
Billy-sous-les-Côtes 55 64 D 2
Billy-sous-Mangiennes 55 44 C 3
Billy-sur-Aisne 02 40 B 3
Billy-sur-Oisy 58 157 E 1
Billy-sur-Ourcq 02 40 B 4
Biltzheim 68 121 E 4
Bilwisheim 67 68 D 4
Bimont 62 6 D 3
Binarville 51 43 E 4
Binas 41 132 B 2
Bindernheim 67 97 G 4
Binges 21 160 C 3
Binic 22 73 H 5
Bining 57 68 A 1
Biniville 50 29 F 5
Binos 31 334 B 3
Binson-et-Orquigny 51 41 E 5
Bio 46 260 D 1
Biol 38 232 B 3
La Biolle 73 215 F 5
Biollet 63 208 D 3
Bion 50 52 C 5
Bioncourt 57 66 B 4
Bionville 54 96 B 2
Bionville-sur-Nied 57 66 C 1
Biot 06 309 F 3
Le Biot 74 198 C 4
Bioule 82 278 B 4
Bioussac 16 203 G 2
Biozat 03 210 A 2
Birac 16 220 D 2
Birac 33 256 C 5
Birac-sur-Trec 47 257 F 5
Biran 32 295 H 3
Biras 24 240 B 1
Biriatou 64 310 B 4
Birieux 01 213 G 3
Birkenwald 67 68 B 5
Birlenbach 67 69 E 1
Biron 17 219 H 2
Biron 24 258 D 3
Biron 64 313 G 2
Bisanne *Signal de* 73 216 B 5
Biscarrosse 40 254 B 5
Biscarrosse-Plage 40 254 A 5
Bischheim 67 97 H 1
Bischholtz 67 68 C 3
Bischoffsheim 67 97 F 2
Bischtroff-sur-Sarre 67 67 G 3
Bischwihr 68 121 F 2
Bischwiller 67 69 E 4
Bisel 68 143 E 4
Bisinao 2A 348 D 4
Bisinchi 2B 347 F 2
Bislée 55 64 C 4
Bisping 57 67 F 4
Bissert 67 67 G 2
Bisseuil 51 61 H 1
Bissey-la-Côte 21 116 A 5
Bissey-la-Pierre 21 137 H 2
Bissey-sous-Cruchaud 71 177 G 5
Bissezeele 59 3 G 3
Bissières 14 34 A 5
Bissy-la-Mâconnaise 71 195 E 2
Bissy-sous-Uxelles 71 194 D 1
Bissy-sur-Fley 71 177 F 5
Bisten-en-Lorraine 57 46 D 5
Bistroff 57 67 E 2
Bitche 57 68 B 1
Bitry 58 156 B 1
Bitry 60 39 H 2
Bitschhoffen 67 68 D 3
Bitschwiller-lès-Thann 68 142 D 1
Biver 13 327 E 1
Bivès 32 296 C 2
Biviers 38 251 E 1
Biville 50 28 D 3
Biville-la-Baignarde 76 20 A 3
Biville-la-Rivière 76 20 A 3
Biville-sur-Mer 76 10 C 5
Bivilliers 61 84 C 2
Bizanet 11 320 D 5
Bizanos 64 314 B 4
Bize 52 140 A 2
Bize 65 334 A 2
Bize-Minervois 11 320 D 4
Bizeneuille 03 191 E 3
Le Bizet 59 8 C 2
Biziat 01 195 F 5
Bizonnes 38 232 B 4
Le Bizot 25 163 F 4
Les Bizots 71 176 D 4
Bizou 61 84 D 3
Bizous 65 333 H 1
Blacé 69 212 D 2
Blaceret 69 212 D 2
Blacourt 60 37 G 1
Blacqueville 76 19 H 5
Blacy 51 62 C 4
Blacy 89 137 F 5
Blaesheim 67 97 G 2
Blagnac 31 297 H 4
Blagny 08 27 G 4
Blagny-sur-Vingeanne 21 160 D 2
Blaignac 33 256 D 4
Blaignan 33 219 E 5
Blain 44 147 F 1
Blaincourt-lès-Précy 60 38 C 4
Blaincourt-sur-Aube 10 91 G 4
Blainville-Crevon 76 36 C 1
Blainville-sur-l'Eau 54 95 F 2
Blainville-sur-Mer 50 31 F 5
Blainville-sur-Orne 14 33 H 4
Blairville 62 13 F 3
Blaise 08 42 D 2
Blaise 52 92 C 5
Blaise-sous-Arzillières 51 62 C 5
Blaison-Saint-Sulpice 49 149 H 2
Blaisy 52 116 D 2
Blaisy-Bas 21 159 G 2
Blaisy-Haut 21 159 G 3
Blajan 31 316 B 4
Blajoux 48 282 C 1
Blamont 25 163 G 2
Blâmont 54 96 A 1
Blan 81 299 E 5
Le Blanc 36 187 H 1
Blanc *Lac* 68 120 C 2
Le Blanc-Mesnil 93 58 D 2
Blanc-Misseron 59 9 H 5
Blanc-Nez *Cap* 62 2 B 3
Blancafort 18 155 F 1
Blancey 21 159 E 3
Blancfossé 60 22 B 4
Blanche-Église 57 67 E 4
Blanchefontaine 25 163 F 3
Blanchefosse 08 25 H 3
Blancherupt 67 96 D 3
Blancheville 52 117 E 2
Blandainville 28 85 H 5
Blandas 30 302 A 1
Blandin 38 232 B 3
Blandouet 53 106 D 4
Blandy 77 88 C 2
Blandy 91 87 G 5
Blangermont 62 12 C 2
Blangerval 62 12 C 2
Blangy-le-Château 14 34 D 4
Blangy-sous-Poix 80 21 H 3
Blangy-sur-Bresle 76 11 F 5
Blangy-sur-Ternoise 62 7 F 5
Blangy-Tronville 80 22 C 2
Blannay 89 157 H 1
Blanot 21 158 C 5
Blanot 71 194 D 2
Blanquefort 32 296 C 4
Blanquefort 33 237 F 5
Blanquefort-
sur-Briolance 47 259 E 3
Blanzac 16 221 E 3
Blanzac 43 247 F 3
Blanzac 87 205 F 1
Blanzac-lès-Matha 17 202 B 4
Blanzaguet-
Saint-Cybard 16 221 G 4
Blanzat 63 209 G 5
Blanzay 86 186 B 5
Blanzay-sur-Boutonne 17 201 H 2
Blanzée 55 44 C 5
Blanzy 71 176 D 5
Blanzy-la-Salonnaise 08 41 H 1
Blanzy-lès-Fismes 02 40 D 3
Blargies 60 21 G 4
Blarians 25 162 B 2
Blaringhem 59 7 G 2
Blars 46 260 D 4
Blaru 78 56 D 1
Blasimon 33 256 D 2
Blaslay 86 169 E 5
Blassac 43 246 B 2
Blaudeix 23 189 H 5
Blausasc 06 291 F 5
Blauvac 84 286 A 4
Blauzac 30 284 B 5
Blavignac 48 246 A 5
Blavozy 43 247 G 3
Blay 14 32 D 3
Blaye 33 237 F 2
Blaye-les-Mines 81 279 G 5
Blaymont 47 276 D 2
Blaziert 32 296 A 1
Blécourt 52 92 D 4
Blécourt 59 14 B 3
Blégiers 04 288 B 2
Bleigny-le-Carreau 89 136 C 2
Bleine *Col de* 06 308 D 1
Blémerey 54 95 H 1
Blémerey 88 94 C 4
Blendecques 62 3 F 5
Bléneau 89 135 E 4
Blennes 77 113 E 2
Blénod-lès-Pont-
à-Mousson 54 65 G 3
Blénod-lès-Toul 54 94 B 1
Bléquin 62 6 D 2
Blérancourt 02 40 A 1
Blercourt 55 43 H 5
Bléré 37 152 C 3
Blériot-Plage 62 2 C 3
Bléruais 35 103 G 3
Blésignac 33 256 B 1
Blesle 43 227 H 5
Blesme 51 63 E 4
Blesmes 02 60 C 1
Blessac 23 207 G 3
Blessonville 52 116 D 4
Blessy 62 7 G 3
Blet 18 173 H 3
Bletterans 39 179 E 4
Bleurville 88 118 C 3
Bleury-Saint-Symphorien 28 86 C 3
Blevaincourt 88 118 A 3
Blèves 72 84 A 3
Blévy 28 85 G 2
Le Bleymard 48 265 E 5
Blicourt 60 22 A 5
Blienschwiller 67 97 E 4
Blies-Ébersing 57 47 H 5
Blies-Guersviller 57 47 H 5
Bliesbruck 57 47 H 5
Blieux 04 307 H 1
Blignicourt 10 91 H 3
Bligny 10 116 A 3
Bligny 51 41 F 4
Bligny-en-Othe 89 114 A 4
Bligny-le-Sec 21 159 G 2
Bligny-lès-Beaune 21 177 H 2
Bligny-sur-Ouche 21 159 F 5
Blincourt 60 39 E 2
Blingel 62 7 E 5
Blis-et-Born 24 241 E 2
Blismes 58 157 H 5
Blodelsheim 68 121 G 5
Blois 41 132 A 5
Blois-sur-Seille 39 179 F 4
Blomac 11 320 B 5
Blomard 03 191 G 5
Blombay 08 26 B 2
Blond 87 205 F 2
Blondefontaine 70 118 B 5
Blonville-sur-Mer 14 34 B 3
Blosseville 76 19 H 2
Blosville 50 31 H 2
Blot-l'Église 63 209 G 2
Blotzheim 68 143 G 3
Blou 49 150 C 2
Blousson-Sérian 32 315 F 2
La Bloutière 50 52 A 2
Bloye 74 215 F 4
Bluffy 74 215 H 4
Blumeray 52 92 B 4
Blussangeaux 25 142 A 5
Blussans 25 142 A 5
Blye 39 179 F 5
Blyes 01 213 H 4
Le Bô 14 53 F 2
Bobigny 93 58 D 3
Bobital 22 79 G 4
Le Bocasse 76 20 B 5
La Bocca 06 309 E 4
Bocca Bassa *Col de* 2B 346 A 3
Bocca di Vezzu 2B 345 E 5
Bocé 49 150 C 1
Bocognano 2A 349 E 2
Bocquegney 88 119 E 2
Bocquencé 61 55 E 3
Le Bodéo 22 78 A 5
Bodilis 29 71 F 5
Boé 47 276 B 3
Boëcé 61 84 B 3
Boëge 74 198 A 5
Boeil-Bezing 64 314 C 4
Le Boël 35 104 A 4
Boën-sur-Lignon 42 229 G 1
Bœrsch 67 97 E 2
Boeschepe 59 4 A 5
Boëseghem 59 7 G 2
Bœsenbiesen 67 97 G 5
Boësse 79 167 G 2
Boëssé-le-Sec 72 108 C 3
Boësses 45 112 A 3
Bœurs-en-Othe 89 114 B 3
Boffles 62 12 C 3
Boffres 07 248 D 5
Bogève 74 198 A 5
Bogny-sur-Meuse 08 26 D 2
Bogros 63 226 D 2
Bogy 07 249 E 1
Bohain-en-Vermandois 02 24 C 1
Bohal 56 125 E 2
La Bohalle 49 149 H 2
Bohars 29 75 E 2
Bohas 01 214 A 1
Boigneville 91 87 H 5
Boigny-sur-Bionne 45 111 E 5
Boinville-en-Mantois 78 57 F 2
Boinville-en-Woëvre 55 44 D 5
Boinville-le-Gaillard 78 86 D 3
Boinvilliers 78 57 F 2
Boiry-Becquerelle 62 13 G 3
Boiry-Notre-Dame 62 13 H 2
Boiry-Saint-Martin 62 13 G 3
Boiry-Sainte-Rictrude 62 13 G 3
Bois 17 219 G 3
Le Bois 73 234 B 3
Bois-Anzeray 27 55 G 2
Bois-Arnault 27 55 G 4
Bois-Aubry *Abbaye de* 37 169 G 2
Bois-Bernard 62 8 C 5
Bois-Chenu
Basilique du 88 93 H 3
Bois-Chevalier
Château de 44 165 G 2
Bois-Colombes 92 58 B 3
Bois-d'Amont 39 197 G 1
Bois-d'Arcy 78 58 A 4
Bois-d'Arcy 89 157 G 1
Bois-de-Céné 85 165 E 2
Bois-de-Champ 88 96 A 5
Bois-de-Gand 39 179 E 3
Bois-de-la-Chaize 85 164 B 1
Bois-de-la-Pierre 31 317 F 3
Bois-d'Ennebourg 76 36 C 2
Le Bois-d'Oingt 69 212 C 4
Bois Dousset
Château du 86 186 D 1
Bois-du-Four 12 281 G 2
Bois-Grenier 59 8 C 2
Bois-Guilbert 76 20 D 5
Bois-Guillaume-Bihorel 76 36 B 1
Le Bois-Hellain 27 35 E 3
Bois-Héroult 76 20 D 5
Bois-Herpin 91 87 G 5
Bois-Himont 76 19 G 5
Bois-Jérôme-Saint-Ouen 27 37 E 5
Bois-la-Ville 25 162 C 2
Bois-le-Roi 27 56 C 3
Bois-le-Roi 77 88 B 3
Bois-lès-Pargny 02 24 D 3
Bois-l'Évêque 76 36 C 2
Bois Noirs 42 210 D 4
Bois-Normand-près-Lyre 27 55 G 3
Le Bois-Plage-en-Ré 17 182 D 5
Le Bois-Robert 76 20 B 2
Bois-Sainte-Marie 71 194 A 4
Bois-Sir-Amé
Château de 18 173 F 3
Bois-Thibault *Château de* 53 82 C 3
Boisbergues 80 12 C 4
Boisbreteau 16 220 C 5
Boiscommun 45 111 H 4
Boisdinghem 62 3 E 5
Boisdon 77 60 A 5
Boisemont 27 37 E 3
Boisemont 95 57 H 1
Boisgasson 28 109 G 4
Boisgervilly 35 103 G 2
Boisjean 62 6 C 5
Le Boisle 80 11 H 1
Boisleux-au-Mont 62 13 G 3
Boisleux-Saint-Marc 62 13 G 3
Boismé 79 167 H 4
Boismont 54 44 D 3
Boismont 80 11 F 3
Boismorand 45 134 D 3
Boisney 27 35 F 5
Boisrault 80 21 G 2
Boisredon 17 219 G 5
Boisroger 50 31 F 5
Boissay 76 36 D 1
La Boisse 01 213 G 4
Boisse 24 258 B 2
Boisse-Penchot 12 261 H 4
Boisseau 41 132 A 3
Boisseaux 45 111 E 2
Boissède 31 316 C 3
Boissei-la-Lande 61 54 B 5
Boisserolles 79 201 H 1
Boisseron 34 303 F 3
Les Boisses 73 235 F 2
Boisset 15 261 H 1
Boisset 34 320 C 3
Boisset 43 229 G 5
Boisset-et-Gaujac 30 283 G 5
Boisset-lès-Montrond 42 229 H 2
Boisset-les-Prévanches 27 56 C 2
Boisset-Saint-Priest 42 229 H 3
Boissets 78 57 E 3
Boissettes 77 88 B 3
Boisseuil 87 205 H 5
Boisseuilh 24 241 G 1
Boissey 01 195 F 3
Boissey 14 54 B 1
Boissey-le-Châtel 27 35 G 3
Boissezon 81 299 H 5
Boissia 39 196 D 1
La Boissière 14 34 C 5
La Boissière 27 56 D 2
La Boissière 34 302 B 4
La Boissière 39 196 B 3
La Boissière 53 127 H 3
La Boissière
Ancienne Abbaye 49 129 H 5
La Boissière-d'Ans 24 241 E 1
La Boissière-
de-Montaigu 85 166 B 2
La Boissière-
des-Landes 85 182 D 1
La Boissière-du-Doré 44 148 B 4
La Boissière-École 78 57 F 5
La Boissière-en-Gâtine 79 185 E 1
La Boissière-sur-Èvre 49 148 C 3
Boissières 30 303 G 2
Boissières 46 259 H 4
Boissise-la-Bertrand 77 88 B 3
Boissise-le-Roi 77 88 A 3
Boissy-aux-Cailles 77 88 A 5
Boissy-en-Drouais 28 56 C 5
Boissy-Fresnoy 60 39 G 5
Boissy-la-Rivière 91 87 F 5
Boissy-l'Aillerie 95 57 H 1
Boissy-Lamberville 27 35 F 5
Boissy-le-Bois 60 37 H 4
Boissy-le-Châtel 77 60 A 4
Boissy-le-Cutté 91 87 G 3
Boissy-le-Repos 51 60 D 3
Boissy-le-Sec 91 87 F 3
Boissy-lès-Perche 28 55 H 5
Boissy-Mauvoisin 78 57 E 2
Boissy-Saint-Léger 94 58 D 4
Boissy-sans-Avoir 78 57 G 4
Boissy-sous-Saint-Yon 91 87 G 3
Boissy-sur-Damville 27 56 B 3
Boistrudan 35 104 D 4
Boisville-la-Saint-Père 28 86 C 5
Boisyvon 50 52 A 3
Boitron 61 83 H 2
Boitron 77 60 B 3
Bolandoz 25 180 A 1
Bolazec 29 76 D 2
Bolbec 76 19 E 5
Bollène 84 285 E 2
La Bollène-Vésubie 06 291 F 3
Bolleville 50 31 F 3
Bolleville 76 19 F 5
Bollezeele 59 3 G 4
La Bolline 06 289 H 3
Bollwiller 68 121 E 5
Bologne 52 117 E 2
Bolozon 01 196 B 5
Bolquère 66 341 G 4
Bolsenheim 67 97 G 3
Bombannes 33 236 B 2
Bombon 77 88 D 2
Bommes 33 255 H 4
Bommiers 36 172 B 4
Bompas 09 336 B 4
Bompas 66 339 E 5
Bomy 62 7 F 3
Bon-Encontre 47 276 B 3
Bona 58 175 E 1
Bonac-Irazein 09 335 E 4
Bonaguil *Château de* 47 259 E 4
Bonas 32 295 H 2
Bonascre *Plateau de* 09 340 D 2
Bonboillon 70 161 F 3
Boncé 28 86 B 5
Bonchamp-lès-Laval 53 106 A 3
Boncourt 02 25 F 5
Boncourt 27 56 C 1
Boncourt 28 56 D 3
Boncourt 54 45 E 5
Boncourt-le-Bois 21 160 A 5
Boncourt-sur-Meuse 55 64 C 4
Bondaroy 45 111 G 3
Bondeval 25 142 C 5
Bondigoux 31 298 A 2
Les Bondons 48 282 D 1
Bondoufle 91 87 H 2
Bondues 59 8 D 2
Bondy 93 58 D 3
Bonen 22 77 F 5
Bonette *Cime de la* 04 289 E 1
Bongheat 63 228 B 1
Le Bonhomme 68 120 C 2
Bonhomme *Col du* 88 120 C 2
Bonifacio 2A 351 F 4
Bonifato *Cirque de* 2B 346 C 3
Bonlier 60 38 A 1
Bonlieu 39 197 E 1
Bonlieu-sur-Roubion 26 267 F 3
Bonloc 64 311 E 4
Bonnac 09 318 B 5
Bonnac 15 245 H 2
Bonnac-la-Côte 87 205 H 4
Bonnal 25 141 G 5
Bonnard 89 114 A 5
Bonnat 23 189 F 4
Bonnatrait 74 198 A 3
Bonnaud 39 196 A 1
Bonnay 25 162 A 2
Bonnay 71 194 C 2
Bonnay 80 22 D 1
Bonne 74 197 H 5
Bonne-Fontaine 57 68 A 4
Bonne-Fontaine
Château de 35 80 C 3
Bonnebosq 14 34 B 4
Bonnecourt 52 117 G 5
Bonnée 45 134 A 3
Bonnefamille 38 231 H 2
Bonnefoi 61 55 F 5
Bonnefond 19 225 F 3
Bonnefont 65 315 H 4
Bonnefontaine 39 179 G 4
Bonnefontaine
Ancienne Abbaye de 08 25 H 3
Bonnegarde 40 293 G 4
Bonneil 02 60 B 1
Bonnelles 78 87 E 2
Bonnemain 35 80 A 3
Bonnemaison 14 53 E 1
Bonnemazon 65 333 G 1
Bonnencontre 21 178 B 1
Bonnes 16 239 F 1
Bonnes 86 186 D 1
Bonnesvalyn 02 40 B 5
Bonnet 55 93 G 2
Bonnétable 72 108 B 3
Bonnétage 25 163 F 4
Bonnetan 33 255 H 1
Bonneuil 16 220 C 2
Bonneuil 36 188 A 4
Bonneuil-en-France 95 58 C 2
Bonneuil-en-Valois 60 39 G 3
Bonneuil-les-Eaux 60 22 B 4
Bonneuil-Matours 86 169 G 5
Bonneuil-sur-Marne 94 58 D 4
Bonneval 28 110 A 3
Bonneval 43 247 E 1
Bonneval 73 234 B 2
Bonneval-en-Diois 26 268 D 3
Bonneval-sur-Arc 73 235 G 4
Bonnevaux 25 180 B 3
Bonnevaux 30 283 G 1
Bonnevaux 74 198 C 4
Bonnevaux-le-Prieuré 25 162 B 5
Bonneveau 41 131 E 3
Bonnevent-Velloreille 70 161 H 2
Bonneville 16 202 D 4
La Bonneville 50 31 G 2
Bonneville 74 216 A 1
Bonneville 80 12 C 5
Bonneville-Aptot 27 35 G 4
Bonneville-et-Saint-Avit-
de-Fumadières 24 239 E 5
Bonneville-la-Louvet 14 34 D 3
La Bonneville-sur-Iton 27 56 A 2
Bonneville-sur-Touques 14 34 C 3

Bonnières 60 .... 37 H 1
Bonnières 62 .... 12 C 3
Bonnières-sur-Seine 78 .... 57 E 1
Bonnieux 84 .... 305 H 2
Bonningues-lès-Ardres 62 .... 2 D 5
Bonningues-lès-Calais 62 .... 2 C 4
Bonnœil 14 .... 53 G 2
Bonnœuvre 44 .... 127 F 5
Bonnut 64 .... 293 G 5
Bonny-sur-Loire 45 .... 156 A 1
Le Bono 56 .... 124 A 3
Bonrepos 65 .... 315 H 5
Bonrepos-Riquet 31 .... 298 B 4
Bonrepos-
sur-Aussonnelle 31 .... 297 F 5
Bons-en-Chablais 74 .... 198 A 4
Bons-Tassilly 14 .... 53 H 2
Bonsecours 76 .... 36 B 2
Bonsmoulins 61 .... 55 E 5
Bonson 06 .... 291 E 4
Bonson 42 .... 229 H 3
Bonvillard 73 .... 234 A 2
Bonvillaret 73 .... 234 A 2
Bonviller 54 .... 95 F 1
Bonvillers 60 .... 22 C 5
Bonvillet 88 .... 118 C 3
Bonvouloir Tour de 61 .... 82 C 2
Bony 02 .... 24 A 1
Bonzac 33 .... 238 C 4
Bonzée-en-Woëvre 55 .... 64 D 1
Boô-Silhen 65 .... 332 D 2
Boofzheim 67 .... 97 G 4
Boos 40 .... 293 E 1
Boos 76 .... 36 B 2
Bootzheim 67 .... 97 G 5
Boqueho 22 .... 78 A 3
Boquen Abbaye de 22 .... 78 D 5
Bor-et-Bar 12 .... 279 G 3
Boran-sur-Oise 60 .... 38 C 5
Borce 64 .... 331 H 4
Borcq-sur-Airvault 79 .... 168 B 3
Bord-Saint-Georges 23 .... 190 A 5
Bordeaux 33 .... 237 G 5
Bordeaux-en-Gâtinais 45 .... 112 A 4
Bordeaux-Mérignac
Aéroport de 33 .... 237 F 5
Bordeaux-Saint-Clair 76 .... 18 D 4
Bordères 64 .... 314 C 5
Bordères-et-Lamensans 40 .... 294 B 2
Bordères-Louron 65 .... 333 H 3
Bordères-sur-l'Échez 65 .... 315 E 4
Les Bordes 36 .... 172 B 2
Les Bordes 45 .... 134 A 3
Bordes 64 .... 314 B 5
Bordes 65 .... 315 G 5
Les Bordes 71 .... 178 A 3
Les Bordes 89 .... 113 H 4
Les Bordes-Aumont 10 .... 115 E 2
Bordes-de-Rivière 31 .... 334 B 1
Les Bordes-sur-Arize 09 .... 335 H 1
Les Bordes-sur-Lez 09 .... 335 E 3
Bordezac 30 .... 283 H 2
Bords 17 .... 201 E 4
Borée 07 .... 248 A 5
Le Boréon 06 .... 291 E 2
Boresse-et-Martron 17 .... 238 D 1
Borest 60 .... 39 E 5
Borey 70 .... 141 G 4
Borgo 2B .... 347 G 2
Bormes-les-Mimosas 83 .... 328 D 4
Le Born 31 .... 298 A 1
Le Born 48 .... 264 C 4
Born-de-Champs 24 .... 258 C 2
Bornambusc 76 .... 18 D 4
Bornay 39 .... 196 B 1
Borne 07 .... 265 G 3
La Borne 18 .... 155 G 4
Borne 43 .... 247 E 3
Bornel 60 .... 38 B 4
Borny 57 .... 65 H 1
Boron 90 .... 142 D 4
Borre 59 .... 3 H 5
Borrèze 24 .... 241 H 5
Bors 16 .... 220 C 5
Bors 16 .... 221 F 5
Bort-les-Orgues 19 .... 226 C 5
Bort-l'Étang 63 .... 210 B 5
Borville 54 .... 95 F 3
Le Bosc 09 .... 336 A 3
Le Bosc 34 .... 301 H 3
Bosc-Bénard-Commin 27 .... 35 H 3
Bosc-Bérenger 76 .... 20 C 4
Bosc-Bordel 76 .... 20 D 5
Bosc-Édeline 76 .... 20 D 5
Le Bosc du Theil 27 .... 35 H 4
Bosc-Guérard-
Saint-Adrien 76 .... 20 B 5
Bosc-Hyons 76 .... 37 F 2
Bosc-le-Hard 76 .... 20 B 5
Bosc-Mesnil 76 .... 20 D 4
Le Bosc-Morel 27 .... 55 F 1
Le Bosc-Renoult 61 .... 54 D 2
Bosc-Renoult-en-Ouche 27 .... 55 G 2
Bosc-Renoult-
en-Roumois 27 .... 35 G 3
Le Bosc-Roger-
en-Roumois 27 .... 35 H 3
Bosc-Roger-sur-Buchy 76 .... 20 D 5
Boscamnant 17 .... 238 D 2
Boscherville 27 .... 35 H 3
Boscodon Abbaye de 05 .... 270 C 4
Bosdarros 64 .... 314 B 5
Bosgouet 27 .... 35 H 2
Bosguérard-
de-Marcouville 27 .... 35 H 3
Bosjean 71 .... 178 D 4
Bosmie-l'Aiguille 87 .... 223 G 1
Bosmont-sur-Serre 02 .... 25 F 3
Bosmoreau-les-Mines 23 .... 206 D 3
Bosnormand 27 .... 35 H 3
Le Bosquel 80 .... 22 B 3
Bosquentin 27 .... 37 E 2
Bosrobert 27 .... 35 G 4
Bosroger 23 .... 207 H 3
Bossancourt 10 .... 92 A 5
Bossay-sur-Claise 37 .... 170 B 4
La Bosse 25 .... 163 E 4
La Bosse 41 .... 132 A 2
La Bosse 72 .... 108 B 3
La Bosse-de-Bretagne 35 .... 104 B 5
Bossée 37 .... 152 A 5
Bosselshausen 67 .... 68 C 3
Bossendorf 67 .... 68 C 4
Bosserville 54 .... 94 D 1
Bosset 24 .... 239 G 4
Bosseval-et-Briancourt 08 .... 27 E 3
Bossey 74 .... 215 G 1
Bossieu 38 .... 231 H 4
Les Bossons 74 .... 217 E 3
Bossugan 33 .... 256 D 1
Bossus-lès-Rumigny 08 .... 26 A 2
Bost 03 .... 210 C 1
Bostens 40 .... 274 A 5
Bostz Château du 03 .... 192 A 3
Bosville 76 .... 19 G 3
Botans 90 .... 142 C 3
Botforn 29 .... 99 G 4
Botmeur 29 .... 76 A 3
Botsorhel 29 .... 72 B 5
Les Bottereaux 27 .... 55 F 3
Botticella 2B .... 345 F 1
Botz-en-Mauges 49 .... 148 D 3
Bou 45 .... 133 G 2
Bouafle 78 .... 57 H 2
Bouafles 27 .... 36 D 4
Bouan 09 .... 336 B 5
Bouaye 44 .... 147 F 4
Boubers-lès-Hesmond 62 .... 6 D 4
Boubers-sur-Canche 62 .... 12 C 2
Boubiers 60 .... 37 G 4
Bouc-Bel-Air 13 .... 327 E 1
Boucagnères 32 .... 296 B 5
Boucard Château de 18 .... 155 G 3
Boucau 64 .... 292 A 5
Boucé 03 .... 192 C 4
Boucé 61 .... 54 A 5
Boucey 50 .... 80 C 2
Le Bouchage 16 .... 203 H 2
Le Bouchage 38 .... 232 C 1
Bouchain 59 .... 14 C 2
Bouchamps-lès-Craon 53 .... 127 H 2
Le Bouchaud 03 .... 193 F 4
Le Bouchaud 39 .... 179 F 3
Bouchavesnes-Bergen 80 .... 23 G 1
Bouchemaine 49 .... 149 G 2
Boucheporn 57 .... 46 D 5
Bouchet 26 .... 285 F 2
Le Bouchet-
Mont-Charvin 74 .... 216 A 4
Bouchet Château du 36 .... 170 D 5
Bouchet Lac du 43 .... 247 E 5
Le Bouchet-
Saint-Nicolas 43 .... 247 E 5
Bouchevilliers 27 .... 37 F 2
Bouchoir 80 .... 23 E 3
Les Boucholeurs 17 .... 200 C 2
Bouchon 80 .... 12 B 5
Le Bouchon-sur-Saulx 55 .... 63 H 5
Les Bouchoux 39 .... 197 E 4
Bouchy-Saint-Genest 51 .... 60 C 5
Boucieu-le-Roi 07 .... 248 D 3
Bouclans 25 .... 162 B 3
Boucoiran-et-Nozières 30 .... 284 A 5
Bouconville 08 .... 42 D 3
Bouconville-sur-Madt 55 .... 65 E 4
Bouconville-Vauclair 02 .... 41 E 1
Bouconvillers 60 .... 37 H 5
Boucq 54 .... 65 E 5
Boudes 63 .... 227 H 4
Boudeville 76 .... 19 H 3
Boudin 73 .... 234 C 1
Boudou 82 .... 277 E 4
Boudrac 31 .... 316 A 5
Boudreville 21 .... 116 B 5
Boudy-de-Beauregard 47 .... 258 B 4
Boué 02 .... 15 F 5
Bouée 44 .... 147 E 2
Boueilh-Boueilho-
Lasque 64 .... 294 B 5
Bouelles 76 .... 21 E 4
Bouër 72 .... 108 C 4
Bouère 53 .... 128 D 2
Bouessay 53 .... 128 D 2
Bouesse 36 .... 189 E 1
Bouëx 16 .... 221 G 2
La Bouëxière 35 .... 104 D 2
Bouffémont 95 .... 58 B 1
Boufféré 85 .... 166 A 2
Bouffignereux 02 .... 41 F 2
Boufflers 80 .... 11 H 2
Bouffry 41 .... 109 F 5
Bougainville 80 .... 22 A 2
Bougarber 64 .... 314 A 2
Bougé-Chambalud 38 .... 231 F 5
Bouges-le-Château 36 .... 171 H 1
Bougey 70 .... 140 C 3
Bougival 78 .... 58 A 3
Bouglainval 28 .... 86 B 2
Bougligny 77 .... 112 B 2
Bouglon 47 .... 275 E 1
Bougneau 17 .... 219 G 2
Bougnon 70 .... 141 E 3
Bougon 79 .... 185 G 4
Bougue 40 .... 294 B 1
Bouguenais 44 .... 147 G 4
Bougy 14 .... 33 F 5
Bougy-lez-Neuville 45 .... 111 E 4
Bouhans 71 .... 178 C 4
Bouhans-et-Feurg 70 .... 161 E 1
Bouhans-lès-Lure 70 .... 141 G 3
Bouhans-
lès-Montbozon 70 .... 162 B 1
Bouhet 17 .... 201 E 1
Bouhey 21 .... 159 F 4
Bouhy 58 .... 156 C 1
Bouilh Château du 33 .... 237 H 4
Bouilh-Devant 65 .... 315 G 3
Bouilh-Péreuilh 65 .... 315 F 4
Bouilhonnac 11 .... 320 A 5
Bouillac 12 .... 261 G 4
Bouillac 24 .... 259 E 2
Bouillac 82 .... 297 F 2
La Bouilladisse 13 .... 327 F 1
Bouillancourt-en-Séry 80 .... 11 F 5
Bouillancourt-la-Bataille 80 .... 22 D 4
Bouillancy 60 .... 39 G 5
Bouilland 21 .... 159 G 5
Bouillargues 30 .... 304 A 2
La Bouille 76 .... 36 A 3
Bouillé-Courdault 85 .... 184 B 3
Bouillé-Loretz 79 .... 168 A 1
Bouillé-Ménard 49 .... 127 H 3
Bouillé-Saint-Paul 79 .... 167 H 1
La Bouillie 22 .... 79 E 2
Le Bouillon 61 .... 83 G 2
Bouillon 64 .... 294 A 5
Bouillonville 54 .... 65 E 3
Bouillouses Lac des 66 .... 341 F 3
Bouilly 10 .... 114 D 2
Bouilly 51 .... 41 F 4
Bouilly 89 .... 114 B 5
Bouilly-en-Gâtinais 45 .... 111 G 4
Bouin 62 .... 6 D 5
Bouin 79 .... 203 E 2
Bouin 85 .... 164 D 1
Bouin-Plumoison 62 .... 6 D 5
Bouisse 11 .... 338 A 2
Bouix 21 .... 138 A 2
Boujailles 25 .... 180 A 2
Boujan-sur-Libron 34 .... 321 G 3
Boujeons 25 .... 180 B 4
Boulages 10 .... 90 C 2
Boulaincourt 88 .... 94 C 4
Boulancourt 77 .... 111 H 2
Boulange 57 .... 45 F 3
Boulaur 32 .... 296 C 5
Le Boulay 37 .... 131 F 5
Le Boulay 88 .... 119 H 2
Boulay-les-Barres 45 .... 110 D 5
Boulay-les-Ifs 53 .... 83 E 4
Le Boulay-Morin 27 .... 56 B 1
Boulay-Moselle 57 .... 46 C 5
La Boulaye 71 .... 176 B 5
Boulazac-Isle-Manoire 24 .... 240 C 2
Boulbon 13 .... 304 C 1
Boulc 26 .... 268 C 2
Boule d'Amont 66 .... 342 C 3
Bouleternère 66 .... 342 C 2
Bouleurs 77 .... 59 G 3
Bouleuse 51 .... 41 F 4
Bouliac 33 .... 255 G 1
Boulieu-lès-Annonay 07 .... 248 D 1
Bouligneux 01 .... 213 F 2
Bouligney 70 .... 119 E 5
Bouligny 55 .... 45 E 4
Boulin 65 .... 315 F 4
Boullarre 60 .... 39 H 5
Le Boullay-
les-Deux-Églises 28 .... 85 H 2
Boullay-les-Troux 91 .... 58 A 5
Le Boullay-Mivoye 28 .... 56 D 5
Le Boullay-Thierry 28 .... 86 A 2
Boulleret 18 .... 156 A 2
Boulleville 27 .... 35 E 2
Bouloc 31 .... 297 H 3
Bouloc 82 .... 277 F 2
Boulogne 85 .... 166 A 3
Boulogne
Château de 07 .... 266 B 2
Boulogne-Billancourt 92 .... 58 B 3
Boulogne-la-Grasse 60 .... 23 E 5
Boulogne-sur-Gesse 31 .... 316 B 4
Boulogne-sur-Helpe 59 .... 15 G 4
Boulogne-sur-Mer 62 .... 2 B 5
Bouloire 72 .... 108 B 5
Boulon 14 .... 53 G 1
Boulot 70 .... 161 H 2
Le Boulou 66 .... 343 E 4
Boulouris 83 .... 329 H 1
La Boulouze 50 .... 52 A 5
Boult 70 .... 161 H 2
Boult-aux-Bois 08 .... 43 E 1
Boult-sur-Suippe 51 .... 41 H 2
Le Boulvé 46 .... 259 F 5
Boulzicourt 08 .... 26 D 4
Boumois Château de 49 .... 150 B 3
Boumourt 64 .... 314 A 2
Bouniagues 24 .... 257 H 2
Le Boupère 85 .... 166 D 4
Bouquehault 62 .... 2 D 4
Bouquelon 27 .... 35 E 2
Bouquemaison 80 .... 12 D 3
Bouquemont 55 .... 64 C 2
Bouquet 30 .... 284 A 3
Bouquetot 27 .... 35 G 2
Bouqueval 95 .... 58 C 1
Bouranton 10 .... 91 E 5
Bouray-sur-Juine 91 .... 87 G 3
Bourbach-le-Bas 68 .... 142 D 1
Bourbach-le-Haut 68 .... 142 D 1
La Bourbansais
Château de 35 .... 79 H 4
Bourberain 21 .... 160 C 1
Bourbévelle 70 .... 118 C 5
Bourbon-Lancy 71 .... 193 E 1
Bourbon-l'Archambault 03 .... 191 G 1
Bourbonne-les-Bains 52 .... 118 A 5
La Bourboule 63 .... 227 E 2
Bourbourg 59 .... 3 F 3
Bourbriac 22 .... 77 G 2
Bourcefranc-le-Chapus 17 .... 200 C 4
Bourcia 39 .... 196 A 4
Bourcq 08 .... 42 C 2
Bourdainville 76 .... 20 A 4
Bourdalat 40 .... 294 C 2
Bourdeau 73 .... 233 E 1
Bourdeaux 26 .... 267 H 3
Bourdeilles 24 .... 222 B 5
Le Bourdeix 24 .... 222 B 2
Bourdelles 33 .... 256 D 4
Bourdenay 10 .... 90 A 5
Le Bourdet 79 .... 184 C 5
Bourdettes 64 .... 314 B 5
Bourdic 30 .... 284 B 5
La Bourdinière-
Saint-Loup 28 .... 86 A 5
Bourdon 80 .... 22 A 1
Bourdonnay 57 .... 67 E 5
Bourdonné 78 .... 57 F 4
Bourdons-sur-Rognon 52 .... 117 F 2
Bourecq 62 .... 7 G 3
Bouresches 02 .... 60 B 1
Bouresse 86 .... 186 D 4
Bouret-sur-Canche 62 .... 12 D 2
Boureuilles 55 .... 43 F 4
Bourg 33 .... 237 G 3
Le Bourg 46 .... 261 E 2
Bourg 52 .... 139 G 3
Bourg-Achard 27 .... 35 H 3
Bourg-Archambault 86 .... 187 G 4
Bourg-Argental 42 .... 248 C 1
Bourg-Beaudouin 27 .... 36 C 2
Bourg-Blanc 29 .... 70 C 5
Bourg-Bruche 67 .... 96 C 4
Bourg-Charente 16 .... 220 C 1
Le Bourg-d'Arud 38 .... 251 H 3
Bourg-de-Bigorre 65 .... 333 G 1
Bourg-de-Péage 26 .... 249 G 3
Bourg-de-Sirod 39 .... 179 H 4
Bourg-de-Thizy 69 .... 212 A 2
Bourg-de-Visa 82 .... 277 E 2
Bourg-des-Comptes 35 .... 104 A 5
Bourg-des-Maisons 24 .... 221 H 5
Le Bourg-d'Hem 23 .... 189 F 5
Le Bourg-d'Iré 49 .... 127 H 4
Le Bourg-d'Oisans 38 .... 251 G 3
Bourg-d'Oueil 31 .... 334 A 4
Bourg-du-Bost 24 .... 239 F 1
Le Bourg-Dun 76 .... 19 H 2
Bourg-en-Bresse 01 .... 195 H 5
Bourg-et-Comin 02 .... 40 D 2
Bourg-Fidèle 08 .... 26 C 1
Bourg-la-Reine 92 .... 58 C 4
Bourg-Lastic 63 .... 226 C 2
Bourg-le-Comte 71 .... 193 F 4
Bourg-le-Roi 72 .... 83 G 5
Bourg-lès-Valence 26 .... 249 F 4
Bourg-l'Évêque 49 .... 127 H 3
Bourg-Madame 66 .... 341 F 5
Bourg-Saint-Andéol 07 .... 284 D 1
Bourg-Saint-Bernard 31 .... 298 C 5
Bourg-Saint-Christophe 01 .... 213 H 4
Le Bourg-Saint-Léonard 61 .... 54 B 4
Bourg-Saint-Maurice 73 .... 234 D 1
Bourg-Sainte-Marie 52 .... 117 H 2
Bourg-sous-Châtelet 90 .... 142 C 2
Bourgaltroff 57 .... 67 E 3
Bourganeuf 23 .... 206 D 3
Bourgbarré 35 .... 104 B 4
Bourgeauville 14 .... 34 B 3
Bourges 18 .... 173 E 1
Le Bourget 93 .... 58 C 2
Le Bourget-du-Lac 73 .... 233 E 1
Bourget-en-Huile 73 .... 233 H 3
Bourgheim 67 .... 97 F 3
Bourghelles 59 .... 9 E 3
Bourgnac 24 .... 239 G 4
Bourgneuf 17 .... 183 G 5
Bourgneuf 73 .... 233 H 2
Bourgneuf-en-Mauges 49 .... 149 E 3
Bourgneuf-en-Retz 44 .... 146 D 5
Le Bourgneuf-la-Forêt 53 .... 105 G 2
Bourgogne 51 .... 41 G 3
Bourgoin-Jallieu 38 .... 232 A 2
Bourgon 53 .... 105 F 2
La Bourgonce 88 .... 96 A 4
La Bourgonnière
Chapelle de 49 .... 148 C 2
Bourgougnague 47 .... 257 G 3
Bourguébus 14 .... 33 H 5
Bourgueil 37 .... 150 D 3
Bourguenolles 50 .... 51 H 3
Le Bourguet 83 .... 308 A 2
Bourguignon 25 .... 142 B 5
Bourguignon-
lès-Conflans 70 .... 141 E 2
Bourguignon-
lès-la-Charité 70 .... 161 H 1
Bourguignon-lès-Morey 70 .... 140 B 3
Bourguignon-sous-Coucy 02 .... 24 A 5
Bourguignon-
sous-Montbavin 02 .... 40 C 1
Bourguignons 10 .... 115 G 3
Bourgvilain 71 .... 194 C 4
Bourideys 33 .... 273 H 1
Bouriège 11 .... 337 F 2
Bourigeole 11 .... 337 F 2
Bourisp 65 .... 333 G 4
Bourlens 47 .... 259 E 5
Bourlon 62 .... 14 A 3
Bourmont 52 .... 117 H 2
Bournainville-Faverolles 27 .... 35 E 5
Bournan 37 .... 170 A 1
Bournand 86 .... 168 D 1
Bournazel 12 .... 261 H 5
Bournazel 81 .... 279 F 4
Bourneau 85 .... 184 B 1
Bournel 47 .... 258 C 3
Bourneville-Sainte-Croix 27 .... 35 F 2
Bournezeau 85 .... 166 B 5
Bourniquel 24 .... 258 C 1
Bournois 25 .... 141 H 5
Bournoncle-Saint-Pierre 43 .... 228 A 5
Bournoncles 15 .... 245 H 5
Bournonville 62 .... 6 C 2
Bournos 64 .... 314 B 2
Bourogne 90 .... 142 C 4
Bourran 47 .... 275 G 1
Bourré 41 .... 152 D 3
Bourréac 65 .... 333 E 1
Bourret 82 .... 297 F 1
Bourriot-Bergonce 40 .... 274 B 3
Bourron-Marlotte 77 .... 88 B 5
Bourrou 24 .... 240 B 3
Bourrouillan 32 .... 295 E 2
Bours 62 .... 7 G 4
Bours 65 .... 315 E 4
Boursault 51 .... 61 F 1
Boursay 41 .... 109 F 4
Bourscheid 57 .... 67 H 4
Bourseul 22 .... 79 F 3
Bourseville 80 .... 11 E 3
Boursières 70 .... 141 E 4
Boursies 59 .... 14 A 4
Boursin 62 .... 2 C 5
Boursonne 60 .... 39 H 4
Bourth 27 .... 55 G 4
Bourthes 62 .... 6 D 3
Bourtzwiller 68 .... 143 F 1
Bourville 76 .... 19 H 3
Boury-en-Vexin 60 .... 37 F 4
Bousbach 57 .... 47 F 5
Bousbecque 59 .... 4 D 5
Le Bouscat 33 .... 237 G 5
Bousies 59 .... 15 E 4
Bousignies 59 .... 9 F 5
Bousignies-sur-Roc 59 .... 16 A 2
Le Bousquet 11 .... 337 F 5
Le Bousquet-d'Orb 34 .... 301 F 3
Boussac 12 .... 280 B 2
Boussac 23 .... 190 A 4
La Boussac 35 .... 80 B 2
Boussac 46 .... 261 E 3
Boussac-Bourg 23 .... 190 A 4
Boussais 79 .... 168 A 3
Boussan 31 .... 316 D 4
Boussay 37 .... 170 B 3
Boussay 44 .... 166 B 1
Bousse 57 .... 45 H 4
Bousse 72 .... 129 G 3
Bousselange 21 .... 178 C 2
Boussenac 09 .... 335 H 3
Boussenois 21 .... 139 F 4
Boussens 31 .... 317 E 5
Bousseraucourt 70 .... 118 C 5
Boussès 47 .... 275 E 3
Bousseviller 57 .... 48 C 5
Boussey 21 .... 159 E 2
Boussicourt 80 .... 22 D 4
Boussières 25 .... 161 H 4
Boussières-
en-Cambrésis 59 .... 14 C 4
Boussières-sur-Sambre 59 .... 15 G 3
Boussois 59 .... 15 H 2
Boussy 74 .... 215 F 4
Boussy-Saint-Antoine 91 .... 58 D 5
Boust 57 .... 45 H 2
Boustroff 57 .... 66 D 2
Le Bout-d'Oye 62 .... 3 E 2
Bout-du-Lac 74 .... 215 H 4
Bout du Monde
Cirque du 21 .... 177 F 2
Bout-du-Pont-de-Larn 81 .... 319 H 2
Boutancourt 08 .... 26 D 4
Boutavent 60 .... 21 G 4
La Bouteille 02 .... 25 G 2
Bouteilles-
Saint-Sébastien 24 .... 221 G 5
Boutenac 11 .... 338 C 1
Boutenac-Touvent 17 .... 219 F 3
Boutencourt 60 .... 37 G 3
Boutervilliers 91 .... 87 F 4
Bouteville 16 .... 220 C 2
Bouthéon 42 .... 230 A 3
Boutiers-Saint-Trojan 16 .... 220 B 1
Boutigny 77 .... 59 G 2
Boutigny-sur-Essonne 91 .... 87 H 4
Boutigny-sur-Opton 28 .... 57 E 4
Boutancourt 80 .... 11 F 5
Boutteville 50 .... 32 A 2
Boutx 31 .... 334 C 3
Bouvaincourt-sur-Bresle 80 .... 11 E 4
Bouvancourt 51 .... 41 F 3
Bouvante 26 .... 250 A 4
Bouvante-le-Haut 26 .... 250 A 5
Bouvelinghem 62 .... 3 E 5
Bouvellemont 08 .... 26 D 5
Bouvent 01 .... 196 C 4
Bouverans 25 .... 180 B 3
Bouvesse-Quirieu 38 .... 214 B 5
Bouvières 26 .... 268 A 4
Bouvignies 59 .... 9 E 5

Bouvigny-Boyeffles 62 8 A 5
Bouville 28 110 A 2
Bouville 76 19 H 5
Bouville 91 87 G 4
Bouvincourt-en-Vermandois 80 23 H 2
Bouvines 59 9 E 3
Bouvresse 60 21 G 4
Bouvron 44 147 E 1
Bouvron 54 65 F 5
Boux-sous-Salmaise 21 159 F 1
Bouxières-aux-Bois 88 95 E 5
Bouxières-aux-Chênes 54 66 B 4
Bouxières-aux-Dames 54 65 H 5
Bouxières-sous-Froidmont 54 65 G 2
Bouxurulles 88 95 E 4
Bouxwiller 67 68 B 3
Bouxwiller 68 143 F 4
Bouy 51 42 A 5
Bouy-Luxembourg 10 91 F 4
Bouy-sur-Orvin 10 89 H 4
Bouyon 06 309 F 1
Le Bouyssou 46 261 F 2
Bouzais 18 173 F 5
Bouzancourt 52 92 C 5
Bouzanville 54 94 D 4
Bouze-lès-Beaune 21 177 G 1
Bouzèdes *Belvédère des* 30 283 F 1
Bouzel 63 210 A 5
Bouzemont 88 95 E 5
Bouzeron 71 177 G 3
Bouzic 24 259 G 2
Bouziès 46 260 C 5
Bouzigues 34 322 D 3
Bouzillé 49 148 C 2
Bouzin 31 316 D 5
Bouzincourt 80 13 F 5
Bouzon-Gellenave 32 295 E 3
Bouzonville 57 46 C 4
Bouzonville-aux-Bois 45 111 G 4
Bouzonville-en-Beauce 45 111 G 2
Bouzy 51 61 H 1
Bouzy-la-Forêt 45 134 A 2
Bovée-sur-Barboure 55 93 G 1
Bovel 35 103 H 4
Bovelles 80 22 A 2
Boves 80 22 C 2
Boviolles 55 93 F 1
Boyardville 17 200 B 3
Boyaval 62 7 G 4
Boyelles 62 13 G 3
Boyer 42 211 H 2
Boyer 71 195 E 1
Boyeux-Saint-Jérôme 01 214 B 2
Boynes 45 111 H 3
Boz 01 195 F 3
Bozas 07 248 D 3
Bozel 73 234 C 3
Bozouls 12 263 E 5
Brabant-en-Argonne 55 43 G 5
Brabant-le-Roi 55 63 F 3
Brabant-sur-Meuse 55 43 H 3
Brach 33 236 D 3
Brachay 52 92 D 4
Braches 80 22 D 3
Brachy 76 20 A 2
Bracieux 41 153 G 1
Bracon 39 179 H 2
Bracquemont 76 10 B 5
Bracquetuit 76 20 B 4
Bradiancourt 76 20 D 4
Braffais 50 51 H 4
Bragassargues 30 303 F 1
Bragayrac 31 317 E 2
Brageac 15 243 H 2
Bragelogne 10 115 F 5
Bragny-sur-Saône 71 178 A 2
La Brague 06 309 F 3
Brahic 07 283 H 1
Braillans 25 162 A 3
Brailly-Cornehotte 80 11 H 2
Brain 21 159 E 1
Brain-sur-Allonnes 49 150 D 3
Brain-sur-l'Authion 49 149 H 2
Brain-sur-Longuenée 49 128 A 5
Brain-sur-Vilaine 35 126 A 3
Brainans 39 179 F 3
Braine 02 40 C 3
Brains 44 147 F 4
Brains-sur-Gée 72 107 F 4
Brains-sur-les-Marches 53 105 E 5
Brainville 50 31 G 5
Brainville 54 65 E 1
Brainville-sur-Meuse 52 117 H 2
Braisnes-sur-Aronde 60 39 F 1
Braize 03 173 G 5
Bralleville 54 94 D 4
Bram 11 319 F 5
Bramabiau *Abîme du* 30 282 C 4
Bramans 73 253 E 1
Brametot 76 19 H 3
Bramevaque 65 334 A 2
Bran 17 220 B 5
Branceilles 19 242 D 4
Branches 89 136 A 2
Brancion 71 195 E 2
Brancourt-en-Laonnois 02 40 C 1
Brancourt-le-Grand 02 24 B 1
Brandérion 56 123 G 2
Brandeville 55 43 H 2
Brandivy 56 124 A 2
Brando 2B 345 G 3
Brandon 71 194 C 4
Brandonnet 12 279 G 1
Brandonvillers 51 91 H 2
Branféré *Parc zoologique de* 56 125 E 4
Branges 02 40 C 4
Branges 71 178 B 5
Brangues 38 232 C 1
Brannay 89 113 F 2
Branne 25 162 D 2
Branne 33 256 C 1
Brannens 33 256 C 4
Branoux-les-Taillades 30 283 G 3
Brans 39 161 E 4
Bransat 03 192 A 4
Branscourt 51 41 F 3
Bransles 77 112 C 3
Brantes 84 286 B 3
Brantigny 88 95 E 4
Brantôme-en-Périgord 24 222 C 5
Branville 14 34 B 3
Branville-Hague 50 28 D 3
Braquis 55 44 D 5
Bras 83 307 E 5
Bras-d'Asse 04 287 H 5
Bras-sur-Meuse 55 44 B 5
Brasc 12 280 D 5
Brasles 02 60 C 1
Braslou 37 169 F 2
Brasparts 29 76 A 3
Brassac 09 336 A 3
Brassac 81 300 A 4
Brassac 82 277 E 3
Brassac-les-Mines 63 228 A 4
Brasseitte 55 64 C 4
Brassempouy 40 293 G 4
Brasseuse 60 39 E 4
Brassy 58 158 A 4
Brassy 80 22 A 3
Bratte 54 65 H 4
Braucourt 52 92 B 2
Braud-et-Saint-Louis 33 237 F 1
Braus *Col de* 06 291 F 4
Brauvilliers 55 92 D 2
Braux 04 289 E 4
Braux 08 26 D 2
Braux 10 91 H 3
Braux 21 159 E 2
Braux-le-Châtel 52 116 C 3
Braux-Saint-Remy 51 63 E 1
Braux-Sainte-Cohière 51 43 E 5
Bravone 2B 347 H 5
Brax 31 297 G 4
Brax 47 275 H 3
Bray 27 35 H 5
Bray 71 194 D 2
Bray-Dunes 59 3 H 1
Bray-en-Val 45 134 A 3
Bray-et-Lû 95 37 F 5
Bray-la-Campagne 14 33 H 5
Bray-lès-Mareuil 80 11 G 4
Bray-Saint-Christophe 02 24 A 3
Bray-sur-Seine 77 89 F 4
Bray-sur-Somme 80 23 E 1
Braye 02 40 B 2
Braye-en-Laonnois 02 40 D 2
Braye-en-Thiérache 02 25 F 3
Braye-sous-Faye 37 169 F 2
Braye-sur-Maulne 37 130 A 5
Brazey-en-Morvan 21 158 D 5
Brazey-en-Plaine 21 160 C 5
Bréal-sous-Montfort 35 103 H 3
Bréal-sous-Vitré 35 105 F 3
Bréançon 95 37 H 5
Bréau 77 88 D 2
Bréau-et-Salagosse 30 282 D 5
Bréauté 76 19 E 4
Bréban 51 91 G 2
Brebières 62 14 A 2
Brebotte 90 142 D 3
Brécé 35 104 C 3
Brecé 53 82 A 4
Brécey 50 52 A 4
Brech 56 124 A 2
Brechainville 88 93 G 4
Bréchamps 28 57 E 5
Bréchaumont 68 142 D 2
Brèche au Diable 14 53 H 2
Brèches 37 130 B 5
Breconchaux 25 162 B 2
Brectouville 50 52 B 1
Brécy 02 40 C 5
Brécy 18 155 G 5
Brécy-Brières 08 42 D 3
La Brède 33 255 G 2
Brée 53 106 B 3
La Brée-les-Bains 17 200 A 2
Bréel 61 53 G 3
Brégnier-Cordon 01 232 C 1
Brégy 60 59 G 1
Bréhain 57 66 D 3
Bréhain-la-Ville 54 45 E 2
Bréhal 50 51 G 2
Bréhan 56 102 B 3
Bréhand 22 78 C 4
Bréhat *Île de* 22 73 G 2
Bréhec-en-Plouha 22 73 G 3
Bréhémont 37 151 F 3
Breidenbach 57 48 C 5
Breil 49 150 D 1
Le Breil-sur-Mérize 72 108 B 4
Breil-sur-Roya 06 291 G 3
La Breille-les-Pins 49 150 D 3
Breilly 80 22 B 1
Breistroff-la-Grande 57 45 H 2
Breitenau 67 96 D 4
Breitenbach 67 96 D 4
Breitenbach-Haut-Rhin 68 120 C 3
Brélès 29 70 B 5
Brélidy 22 73 E 4
Brem-sur-Mer 85 165 E 5
Bréménil 54 96 B 2
Brêmes 62 2 D 4
Bremmelbach 67 69 E 1
Brémoncourt 54 95 E 3
Bremondans 25 162 C 3
Brémontier-Merval 76 37 E 1
Brémoy 14 52 D 1
Brémur-et-Vaurois 21 138 B 3
Bren 26 249 F 2
Brenac 11 337 F 3
Brenas 34 301 G 4
Brenat 63 228 A 3
Brénaz 01 214 D 3
Brenelle 02 40 C 2
Brengues 46 261 E 4
Brennes 52 139 G 3
Brennilis 29 76 B 3
Brénod 01 214 C 2
Brenon 83 308 B 2
Brenouille 60 38 D 3
Brenoux 48 264 C 5
Brens 01 214 D 5
Brens 81 298 D 1
Brenthonne 74 198 A 4
Breny 02 40 B 4
La Bréole 04 270 A 4
Brères 25 179 G 1
Bréry 39 179 E 4
Bresdon 17 202 C 4
Les Bréseux 25 163 G 3
Bresilley 70 161 F 3
Bresle 80 22 D 1
Bresles 60 38 B 2
Bresnay 03 192 A 3
Bresolettes 61 84 C 2
La Bresse 88 120 B 4
Bresse-sur-Grosne 71 194 D 1
Bressey-sur-Tille 21 160 B 3
Bressieux 38 232 A 5
Bressolles 01 213 G 4
Bressolles 03 192 A 2
Bressols 82 277 H 5
Bresson 38 251 E 2
Bressoncourt 52 93 F 3
Bressuire 79 167 G 3
Brest 29 75 E 2
Brestot 27 35 G 3
Bretagne 36 171 H 2
Bretagne 90 142 D 3
Bretagne-d'Armagnac 32 295 F 1
Bretagne-de-Marsan 40 294 A 1
Bretagnolles 27 56 D 2
Breteau 45 135 E 4
Breteil 35 103 H 2
Bretenière 21 160 B 4
La Bretenière 25 162 B 2
La Bretenière 39 161 F 5
Bretenières 39 179 E 2
Bretenoux 46 243 E 5
Breteuil 60 22 B 5
Breteuil *Château de* 78 57 H 5
Breteuil-sur-Iton 27 55 H 3
Brethel 61 55 F 5
Brethenay 52 117 E 3
Le Brethon 03 191 E 2
Bretigney 25 142 A 5
Bretigney-Notre-Dame 25 162 C 3
Bretignolles 79 167 F 3
Brétignolles *Château de* 37 151 E 5
Brétignolles-le-Moulin 53 82 C 3
Bretignolles-sur-Mer 85 165 E 5
Bretigny 21 160 B 2
Brétigny 27 35 G 4
Brétigny 60 23 H 5
Brétigny-sur-Orge 91 87 H 2
Bretoncelles 61 85 E 4
La Bretonnière-La Claye 85 183 E 2
Bretonvillers 25 163 E 4
Brette 26 268 A 3
Brette-les-Pins 72 108 A 5
Bretten 68 142 D 2
Brettes 16 203 E 3
Bretteville 50 29 F 3
Bretteville-du-Grand-Caux 76 19 E 4
Bretteville-le-Rabet 14 53 H 1
Bretteville-l'Orgueilleuse 14 33 F 4
Bretteville-Saint-Laurent 76 19 H 3
Bretteville-sur-Ay 50 31 F 3
Bretteville-sur-Dives 14 54 A 1
Bretteville-sur-Laize 14 53 G 1
Bretteville-sur-Odon 14 33 G 4
Brettnach 57 46 C 4
Bretx 31 297 G 3
Breuches 70 141 G 2
Breuchotte 70 141 H 2
Breugnon 58 157 E 2
Le Breuil 03 210 D 1
Breuil 51 41 E 3
Le Breuil 51 60 D 2
Le Breuil 69 212 C 4
Le Breuil 71 177 E 4
Breuil 80 23 G 3
Breuil-Barret 85 167 F 5
Le Breuil-Bernard 79 167 G 5
Breuil-Bois-Robert 78 57 F 2
Breuil-Chaussée 79 167 G 3
Le Breuil-en-Auge 14 34 C 4
Le Breuil-en-Bessin 14 32 C 3
Breuil-la-Réorte 17 201 F 2
Breuil-le-Sec 60 38 D 2
Breuil-le-Vert 60 38 C 3
Breuil-Magné 17 200 D 3
Breuil-Mingot *Château du* 86 186 C 1
Le Breuil-sous-Argenton 79 167 H 2
Le Breuil-sur-Couze 63 228 A 4
Breuil-sur-Marne 52 92 D 3
Breuilaufa 87 205 F 2
Breuilh 24 240 C 3
Breuillet 17 218 C 1
Breuillet 91 87 G 2
Breuilpont 27 56 D 2
Breurey-lès-Faverney 70 141 E 3
Breuschwickersheim 67 97 G 1
Breuvannes 52 117 H 3
Breuvery-sur-Coole 51 62 A 3
Breuville 50 29 E 4
Breux 55 44 B 1
Breux-Jouy 91 87 G 2
Breux-sur-Avre 27 56 B 4
Brévainville 41 109 H 5
Bréval 78 57 E 2
Brévands 50 32 A 2
Brevans 39 161 E 5
Le Brévedent 14 34 D 4
Brèves 58 157 F 2
Les Bréviaires 78 57 G 5
Bréviandes 10 115 E 2
La Brévière 14 54 C 2
Bréville 14 33 H 4
Bréville 16 202 C 5
Bréville-sur-Mer 50 51 F 2
Brévillers 62 11 H 1
Brévillers 80 12 D 3
Brevilliers 70 142 B 3
Brévilly 08 27 G 4
Brévonnes 10 91 G 5
Bréxent-Énocq 62 6 B 4
Brey-et-Maison-du-Bois 25 180 C 4
Brézal *Moulin de* 29 71 F 5
Brézé 49 150 C 5
Brézellec *Pointe de* 29 98 D 2
Bréziers 05 270 A 5
Brézilhac 11 319 F 5
Brézins 38 232 A 5
Brézolles 28 56 A 5
Brezons 15 245 E 4
Le Brézouard 68 96 C 5
Briançon 05 252 D 4
Briançonnet 06 308 C 1
Brianny 21 158 D 2
Briant 71 193 H 4
Briantes 36 189 G 2
Briare 45 134 D 5
Briarres-sur-Essonne 45 111 H 2
Brias 62 7 G 5
Briastre 59 14 D 4
Briatexte 81 298 D 3
Briaucourt 52 117 E 2
Briaucourt 70 141 F 2
Bricon 52 116 C 4
Briconville 28 86 A 3
Bricot-la-Ville 51 60 D 5
Bricquebec-en-Cotentin 50 29 E 5
Bricquebosq 50 28 D 4
Bricqueville 14 32 C 3
Bricqueville-la-Blouette 50 51 G 1
Bricqueville-sur-Mer 50 51 F 2
Bricy 45 110 D 5
Brides-les-Bains 73 234 C 3
La Bridoire 73 232 D 3
Bridoire *Château de* 24 257 H 1
Bridoré 37 170 C 1
Brie 02 24 C 5
Brie 09 318 A 5
Brie 16 221 F 1
Brie 35 104 C 5
Brie 79 168 C 2
Brie 80 23 G 2
Brie-Comte-Robert 77 59 E 5
Brié-et-Angonnes 38 251 E 2
Brie-sous-Archiac 17 220 B 3
Brie-sous-Barbezieux 16 220 D 4
Brie-sous-Chalais 16 220 D 5
Brie-sous-Matha 17 202 C 5
Brie-sous-Mortagne 17 219 F 3
Briec 29 100 A 2
Briel-sur-Barse 10 115 G 2
Brielles 35 105 F 4
Brienne 71 195 F 1
Brienne-la-Vieille 10 91 H 4
Brienne-le-Château 10 91 H 4
Brienne-sur-Aisne 08 41 G 2
Briennon 42 211 G 1
Brienon-sur-Armançon 89 114 A 5
Brières-les-Scellés 91 87 F 4
Brieuil-sur-Chizé 79 202 B 1
Brieulles-sur-Bar 08 43 E 1
Brieulles-sur-Meuse 55 43 G 2
Brieux 61 54 A 3
Briey 54 45 F 4
Briffons 63 226 D 1
Brignac 34 302 A 4
Brignac 56 103 E 2
Brignac 87 206 B 4
Brignac-la-Plaine 19 241 H 2
Brignais 69 231 E 1
Brignancourt 95 37 H 5
Brigné 49 149 H 4
Brignemont 31 297 E 3
Brignogan-Plages 29 71 E 3
Brignoles 83 328 B 1
Brignon 30 284 A 5
Le Brignon 43 247 F 5
Brignoud 38 251 F 1
La Brigue 06 291 H 2
Brigueil-le-Chantre 86 187 H 3
Brigueuil 16 204 D 3
Briis-sous-Forges 91 87 F 2
Brillac 16 204 D 2
La Brillanne 04 287 F 5
Brillecourt 10 91 G 3
Brillevast 50 29 G 3
Brillon 59 9 F 5
Brillon-en-Barrois 55 63 G 4
Brimeux 62 6 C 4
Brimont 51 41 G 3
Brin-sur-Seille 54 66 B 4
Brinay 18 154 C 5
Brinay 58 175 G 2
Brinckheim 68 143 G 3
Brindas 69 230 D 1
Bringolo 22 73 F 5
Brinon-sur-Beuvron 58 157 E 4
Brinon-sur-Sauldre 18 154 D 1
Briod 39 179 F 5
Briollay 49 128 C 5
Brion 01 214 C 1
Brion 36 171 H 2
Brion 38 232 A 5
Brion 48 263 H 2
Brion 49 150 B 2
Brion 71 176 C 3
Brion 86 186 C 4
Brion 89 113 H 5
Brion *Pont de* 38 250 D 5
Brion-près-Thouet 79 168 B 1
Brion-sur-Ource 21 116 A 5
La Brionne 23 206 D 1
Brionne 27 35 G 4
Briord 01 214 B 5
Briosne-lès-Sables 72 108 A 3
Briot 60 21 H 4
Briou 41 132 B 3
Brioude 43 246 B 1
Brioux-sur-Boutonne 79 202 C 1
Briouze 61 53 G 5
Briquemesnil-Floxicourt 80 22 A 2
Briquenay 08 43 E 2
Briscous 64 292 B 5
Brison 73 215 E 5
Brison-Saint-Innocent 73 215 E 5
Brissac 34 302 C 1
Brissac *Château de* 49 149 H 3
Brissac-Quincé 49 149 H 3
Brissarthe 49 128 D 4
Brissay-Choigny 02 24 B 3
Brissy-Hamégicourt 02 24 B 3
Brive-la-Gaillarde 19 242 B 2
Brives 36 172 B 4
Brives-Charensac 43 247 F 3
Brives-sur-Charente 17 219 H 1
Brivezac 19 243 E 4
Brix 50 29 E 4
Brixey-aux-Chanoines 55 94 A 3
Brizambourg 17 201 H 5
Brizay 37 169 F 1
Brizeaux 55 63 G 1
Brizon 74 216 B 2
Le Broc 06 291 E 5
Broc 49 129 H 5
Le Broc 63 228 A 3
Brocas 40 273 H 4
Brochon 21 160 A 4
Brocottes 14 34 A 4
Brocourt 80 21 G 2
Brocourt-en-Argonne 55 43 G 5
Broglie 27 55 F 1
Brognard 25 142 C 4
Brognon 08 26 A 1
Brognon 21 160 B 2
Broin 21 178 B 1
Broindon 21 160 A 4
Broissia 39 196 B 3
Brombos 60 21 G 4
Bromeilles 45 112 A 3
Brommat 12 262 D 1
Bromont-Lamothe 63 209 E 5
Bron 69 231 F 1
Broncourt 52 140 B 3
Bronvaux 57 45 G 5
Broons 22 79 F 5
Broons-sur-Vilaine 35 104 D 3
La Broque 67 96 D 2
Broquiers 60 21 G 4
Broquiès 12 281 E 5
Brossac 16 220 D 5
Brossainc 07 230 D 5
Brossay 49 150 A 5
La Brosse-Montceaux 77 89 E 5
Brosses 89 157 G 1
Brosville 27 36 B 5
Brotonne *Pont de* 76 35 G 1
Brotte-lès-Luxeuil 70 141 G 3
Brotte-lès-Ray 70 140 B 5
Brottes 52 117 E 3
Brou 01 195 H 5
Brou 28 109 G 2
Brou-sur-Chantereine 77 59 E 3
Brouage 17 200 C 4
Brouains 50 52 B 4
Broualan 35 80 B 3
Brouay 14 33 F 4
Brouchaud 24 241 E 2
Brouchy 80 23 H 4
Brouck 57 46 C 5
Brouckerque 59 3 F 3
Brouderdorff 57 67 H 5
Broué 28 57 E 4
Brouennes 55 27 H 5
Le Brouilh-Monbert 32 295 H 4
Brouilla 66 343 E 3
Brouillet 51 41 E 4
Brouis *Col de* 06 291 G 4

Brouqueyran 33 256 C 4
La Brousse 17 202 B 4
Brousse 23 208 C 3
Brousse 63 228 B 2
Brousse 81 299 F 3
Brousse-le-Château 12 280 D 5
Brousses-et-Villaret 11 319 G 3
Brousseval 52 92 C 3
Broussey-en-Blois 55 93 G 1
Broussey-en-Woëvre 55 64 D 4
Broussy-le-Grand 51 61 F 4
Broussy-le-Petit 51 61 F 4
Broût-Vernet 03 210 A 1
Brouthières 52 93 F 4
Brouvelieures 88 95 H 5
Brouville 54 95 H 2
Brouviller 57 67 H 4
Brouy 91 87 G 5
Brouzet-lès-Alès 30 284 A 3
Brouzet-lès-Quissac 30 303 E 2
Les Brouzils 85 166 A 2
Brovès 83 308 B 3
Broxeele 59 3 G 4
Broye 71 176 D 3
Broye-les-Loups-et-Verfontaine 70 160 D 1
Broye-lès-Pesmes 70 161 E 3
Broyes 51 61 E 4
Broyes 60 22 D 5
Broze 81 298 D 1
Brû 88 95 H 4
Bruailles 71 195 H 1
Bruay-la-Buissière 62 7 H 4
Bruay-sur-l'Escaut 59 9 G 5
Bruc-sur-Aff 35 125 H 2
Brucamps 80 12 B 5
Bruch 47 275 G 3
Brucheville 50 32 A 2
Brucourt 14 34 A 4
Brue-Auriac 83 307 E 5
Bruebach 68 143 F 2
Brueil-en-Vexin 78 57 G 1
Bruère-Allichamps 18 173 E 4
La Bruère-sur-Loir 72 130 B 4
La Bruffière 85 166 B 1
Brugairolles 11 337 F 1
Le Brugeron 63 228 D 1
Bruges 33 237 F 5
Bruges 64 332 B 1
Brugheas 03 210 B 2
Brugnac 47 257 H 5
Brugnens 32 296 C 2
Brugny-Vaudancourt 51 61 F 1
La Bruguière 30 284 B 4
Bruguières 31 297 H 3
Bruille-lez-Marchiennes 59 9 E 5
Bruille-Saint-Amand 59 9 G 4
Bruis 05 268 C 4
Brûlain 79 185 E 5
Les Brulais 35 103 G 5
Brulange 57 66 D 2
La Brûlatte 53 105 G 3
Bruley 54 65 F 5
Brullemail 61 54 D 5
Brullioles 69 212 C 5
Brûlon 72 107 E 5
Brumath 67 68 D 4
Brumetz 02 40 A 5
Brunehamel 02 25 H 3
Brunelles 28 85 E 5
Les Brunels 11 319 E 3
Brunembert 62 2 D 5
Brunémont 59 14 A 2
Brunet 04 307 E 1
Bruniquel 82 278 C 5
Brunissard 05 253 E 5
Brunoy 91 58 D 5
Brunstatt-Didenheim 68 143 F 2
Brunville 76 10 C 5
Brunvillers-la-Motte 60 22 D 5
Le Brusc 83 327 H 5
Brusque 12 301 E 3
Le Brusquet 04 288 B 3
Brussey 70 161 G 3
Brussieu 69 230 C 1
Brusson 51 62 D 4
Brusvily 22 79 G 4
Brutelles 80 11 E 3
Bruville 54 65 F 1
Brux 86 186 A 5
La Bruyère 70 141 H 2
Bruyères 88 95 H 5
Bruyères-et-Montbérault 02 40 D 1
Bruyères-le-Châtel 91 87 G 2
Bruyères-sur-Fère 02 40 C 4
Bruyères-sur-Oise 95 38 C 5
Bruys 02 40 D 3
Bruz 35 104 A 4
Bry 59 15 E 2
Bry-sur-Marne 94 58 D 3
Bû 28 57 E 4
Le Bû-sur-Rouvres 14 53 H 1
Buais-les-Monts 50 81 G 2
Buanes 40 294 A 3
Bubertré 61 84 C 2
Bubry 56 101 G 4
Buc 78 58 A 4
Buc 90 142 B 3
Bucamps 60 38 C 1
Bucéels 14 33 E 4
Bucey-en-Othe 10 114 C 2
Bucey-lès-Gy 70 161 G 2
Bucey-lès-Traves 70 140 D 4
Buchelay 78 57 F 2
Buchères 10 115 E 2
Buchey 52 92 C 5
Buchy 57 66 B 2
Buchy 76 20 D 5
Bucilly 02 25 G 2
Bucquoy 62 13 F 4
Bucy-le-Long 02 40 B 2
Bucy-le-Roi 45 111 E 4
Bucy-lès-Cerny 02 24 C 5
Bucy-lès-Pierrepont 02 25 F 4
Bucy-Saint-Liphard 45 110 C 5
Budelière 23 190 C 5
Buding 57 46 B 3
Budling 57 46 B 3
Budos 33 255 H 4
Bué 18 155 H 3
Bueil 27 56 D 2
Bueil-en-Touraine 37 130 C 5
Buellas 01 195 G 5
Le Buet 74 217 E 2
Buethwiller 68 143 E 2
Buffard 25 179 G 1
Buffières 71 194 C 3
Buffignécourt 70 140 D 2
Buffon 21 137 G 4
Bugarach 11 337 H 4
Bugard 65 315 G 5
Bugeat 19 225 F 2
Bugnein 64 313 F 3
Bugnicourt 59 14 B 2
Bugnières 52 116 D 5
Bugny 25 180 C 1
Le Bugue 24 241 E 5
Buhl 67 69 F 2
Buhl 68 120 D 4
Buhl-Lorraine 57 67 H 5
Buhy 95 37 F 4
Buicourt 60 37 G 1
Buigny-l'Abbé 80 11 H 3
Buigny-lès-Gamaches 80 11 E 4
Buigny-Saint-Maclou 80 11 G 3
Buire 02 25 G 1
Buire-au-Bois 62 12 B 3
Buire-Courcelles 80 23 H 1
Buire-le-Sec 62 6 C 5
Buire-sur-l'Ancre 80 23 E 1
Buironfosse 02 25 E 1
Le Buis 87 205 G 2
Buis-les-Baronnies 26 286 A 2
Buis-sur-Damville 27 56 B 3
Buissard 05 269 H 2
La Buisse 38 232 C 5
La Buissière 38 233 F 4
Le Buisson 48 264 A 3
Le Buisson 51 62 D 4
Buisson 84 285 G 2
Le Buisson-de-Cadouin 24 258 D 1
Buissoncourt 54 66 B 5
Buissy 62 14 A 3
Bujaleuf 87 206 C 5
Bulainville 55 63 H 1
Bulan 65 333 G 2
Bulat-Pestivien 22 77 F 2
Bulcy 58 156 B 4
Buléon 56 102 B 4
Bulgnéville 88 118 B 2
Bulhon 63 210 B 4
Bullainville 28 110 B 3
Bulle 25 180 B 2
Bullecourt 62 13 H 3
Bulles 60 38 C 1
Bulligny 54 94 B 2
Bullion 78 87 E 2
Bullou 28 109 H 2
Bully 14 33 G 5
Bully 42 211 G 4
Bully 69 212 C 4
Bully 76 20 D 3
Bully-les-Mines 62 8 A 4
Bulson 08 27 E 4
Bult 88 95 G 5
Bun 65 332 C 2
Buncey 21 138 A 2
Buneville 62 12 D 2
Buno-Bonnevaux 91 87 H 5
Bunodière *Hêtre de la* 76 37 E 1
Bunus 64 311 G 5
Bunzac 16 221 G 1
Buoux 84 305 H 2
Burbach 67 67 H 3
La Burbanche 01 214 C 4
Burbure 62 7 H 3
Burcin 38 232 B 4
Burcy 14 52 D 3
Burcy 77 112 A 2
Burdignes 42 248 C 1
Burdignin 74 198 A 5
Bure 55 93 F 3
Bure 57 45 F 2
Buré 61 84 A 3
Bure-les-Templiers 21 138 D 3
Burelles 02 25 F 3
Bures 54 66 D 5
Bures 61 84 A 2
Bures-en-Bray 76 20 C 3
Bures-les-Monts 14 52 C 2
Bures-sur-Dives 14 33 H 4
Bures-sur-Yvette 91 58 A 5
Le Buret 53 106 B 5
Burey 27 56 A 2
Burey-en-Vaux 55 93 H 2
Burey-la-Côte 55 94 A 3
Burg 65 315 G 5
Burgalays 31 334 B 3
Burgaronne 64 311 H 3
Le Burgaud 31 297 F 2
Burgille 25 161 G 3
Burgnac 87 223 G 1
Burgy 71 195 E 3
Burie 17 201 H 5
Buriville 54 95 H 2
Burlats 81 299 H 4
Burlioncourt 57 66 D 3
Burnand 71 194 C 1
Burnevillers 25 163 H 2
Burnhaupt-le-Bas 68 143 E 2
Burnhaupt-le-Haut 68 143 E 2
Buron 63 228 A 2
Buros 64 314 B 3
Burosse-Mendousse 64 294 C 5
Burret 09 336 A 3
Bursard 61 83 H 3
Burthecourt-aux-Chênes 54 95 E 1
Burtoncourt 57 46 B 4
Bury 60 38 C 3
Burzet 07 266 A 2
Burzy 71 194 C 1
Bus 62 13 H 5
Bus-la-Mésière 80 23 E 4
Bus-lès-Artois 80 13 E 4
Bus-Saint-Rémy 27 37 F 5
Busca-Maniban *Château de* 32 295 G 1
Buschwiller 68 143 H 3
Busigny 59 14 D 5
Busloup 41 131 H 2
Busnes 62 7 H 3
Busque 81 299 E 3
Bussac 24 240 B 1
Bussac-Forêt 17 237 H 1
Bussac-sur-Charente 17 201 G 5
Bussaglia *Plage de* 2A 346 B 5
Bussang 88 120 B 5
Bussang *Col de* 88 120 B 5
Le Busseau 79 184 C 1
Busseau-sur-Creuse 23 207 F 2
Busseaut 21 138 B 3
Busséol 63 228 A 1
Busserolles 24 222 C 1
Busserotte-et-Montenaille 21 139 E 4
Busset 03 210 C 2
Bussiares 02 60 A 1
La Bussière 45 134 D 4
La Bussière 86 187 F 1
Bussière-Badil 24 222 B 2
Bussière-Boffy 87 204 D 2
Bussière-Dunoise 23 189 E 5
Bussière-Galant 87 223 F 2
Bussière-Nouvelle 23 208 B 3
Bussière-Poitevine 87 187 G 5
Bussière-Saint-Georges 23 189 H 3
La Bussière-sur-Ouche 21 159 G 4
Bussières 21 138 D 4
Bussières 42 212 A 5
Bussières 63 208 D 2
Bussières 70 161 H 2
Bussières 71 194 D 4
Bussières 77 60 A 2
Bussières 89 158 B 2
Bussières-et-Pruns 63 210 A 3
Busson 52 93 F 5
Bussu 80 23 G 1
Bussunarits-Sarrasquette 64 330 C 1
Bussurel 70 142 B 4
Bussus-Bussuel 80 11 H 3
Bussy 18 173 G 3
Bussy 60 23 G 5
Bussy-Albieux 42 211 G 5
Bussy-en-Othe 89 114 A 4
Bussy-la-Côte 55 63 G 3
Bussy-la-Pesle 21 159 G 2
Bussy-la-Pesle 58 157 E 4
Bussy-le-Château 51 62 C 1
Bussy-le-Grand 21 138 A 5
Bussy-le-Repos 51 63 E 2
Bussy-le-Repos 89 113 F 4
Bussy-lès-Daours 80 22 C 1
Bussy-lès-Poix 80 21 H 2
Bussy-Lettrée 51 62 A 4
Bussy-Rabutin *Château de* 21 138 A 5
Bussy-Saint-Georges 77 59 E 3
Bussy-Saint-Martin 77 59 E 3
Bust 67 68 A 3
Bustanico 2B 347 F 4
Bustince-Iriberry 64 330 C 1
Buswiller 67 68 C 3
Busy 25 161 H 4
Butgnéville 55 64 D 1
Buthiers 70 162 A 2
Buthiers 77 111 H 2
Butot 76 20 A 5
Butot-Vénesville 76 19 F 2
Butry-sur-Oise 95 58 B 1
Butteaux 89 114 C 5
Butten 67 68 A 2
Buverchy 80 23 G 3
Buvilly 39 179 F 3
La Buxerette 36 189 F 2
Buxerolles 21 138 D 3
Buxerolles 86 186 C 1
Buxerulles 55 64 D 3
Buxeuil 10 115 G 4
Buxeuil 36 153 H 5
Buxeuil 86 169 H 2
Buxières-d'Aillac 36 189 E 1
Buxières-lès-Clefmont 52 117 G 3
Buxières-les-Mines 03 191 G 3
Buxières-lès-Villiers 52 116 D 3
Buxières-sous-les-Côtes 55 64 D 3
Buxières-sous-Montaigut 63 209 F 1
Buxières-sur-Arce 10 115 H 3
Buxy 71 177 G 5
Buysscheure 59 3 G 4
Buzan 09 335 E 3
Buzançais 36 171 F 3
Buzancy 02 40 B 3
Buzancy 08 43 F 2
Buzeins 12 281 G 1
Buzet-sur-Baïse 47 275 F 2
Buzet-sur-Tarn 31 298 B 3
Buziet 64 314 A 5
Buzignargues 34 303 E 3
Buzon 65 315 F 2
Buzy 55 44 D 5
Buzy 64 314 A 5
By 25 179 H 1
Byans-sur-Doubs 25 161 G 5

C

Cabanac 65 315 G 4
Cabanac-Cazaux 31 334 C 2
Cabanac-et-Villagrains 33 255 G 3
Cabanac-Séguenville 31 297 E 2
La Cabanasse 66 341 G 4
Cabanès 12 279 H 3
Cabanès 81 299 E 3
Les Cabanes-de-Fitou 11 339 E 3
Le Cabanial 31 318 D 2
Les Cabannes 09 336 B 5
Cabannes 13 305 E 1
Les Cabannes 81 279 F 4
Cabara 33 256 C 1
Cabariot 17 201 E 3
Cabas-Loumassès 32 316 B 3
Cabasse 83 328 C 1
Cabasson 83 328 D 4
Le Cabellou 29 100 A 4
Cabestany 66 343 F 2
Cabidos 64 294 A 5
Cabourg 14 34 A 3
Cabre *Col de* 05 268 D 4
Cabrerets 46 260 C 5
Cabrerolles 34 301 F 5
Cabrespine 11 320 A 3
Cabrières 30 304 A 1
Cabrières 34 301 H 5
Cabrières-d'Aigues 84 306 A 2
Cabrières-d'Avignon 84 305 F 1
Cabriès 13 326 D 1
Cabris 06 308 D 3
Cachan 94 58 C 4
Cachen 40 274 A 4
Cachy 80 22 D 2
Cadalen 81 299 E 2
Cadarache *Barrage de* 13 306 C 3
Cadarcet 09 336 A 2
Cadarsac 33 238 B 5
Cadaujac 33 255 G 1
Cadéac 65 333 G 3
Cadeilhan 32 296 C 2
Cadeilhan-Trachère 65 333 G 4
Cadeillan 32 316 D 2
Cademène 25 162 A 5
Caden 56 125 F 4
Les Cadeneaux 13 326 D 1
Cadenet 84 305 H 3
Caderousse 84 285 E 4
La Cadière-d'Azur 83 327 H 4
La Cadière-et-Cambo 30 302 D 1
Cadillac 33 256 B 3
Cadillac-en-Fronsadais 33 237 H 4
Cadillon 64 294 D 5
Cadix 81 280 C 5
Cadolive 13 327 F 1
Cadouin 24 258 D 1
Cadours 31 297 E 3
Cadrieu 46 261 E 5
Caen 14 33 G 4
Caëstre 59 4 A 5
Caffiers 62 2 C 4
Cagnac-les-Mines 81 279 G 5
Cagnano 2B 345 G 2
Cagnes-sur-Mer 06 309 G 3
Cagnicourt 62 13 H 3
Cagnoncles 59 14 C 3
Cagnotte 40 292 D 4
Cagny 14 33 H 5
Cagny 80 22 C 2
Cahagnes 14 32 D 5
Cahagnolles 14 32 D 4
Cahaignes 27 37 E 4
Cahan 61 53 F 3
Caharet 65 315 G 5
Cahon 80 11 F 3
Cahors 46 260 B 5
Cahus 46 243 E 5
Cahuzac 11 318 D 5
Cahuzac 47 258 B 3
Cahuzac 81 319 F 2
Cahuzac-sur-Adour 32 295 E 4
Cahuzac-sur-Vère 81 279 E 5
Caignac 31 318 C 4
Le Cailar 30 303 G 4
Cailhau 11 337 F 1
Cailhavel 11 319 F 5
Cailla 11 337 G 4
Caillac 46 259 H 5
Caillavet 32 295 H 3
Caille 06 308 C 2
Caille *Ponts de la* 74 215 G 2
La Caillère 85 183 H 1
Cailleville 76 19 G 2
Caillouël-Crépigny 02 23 H 5
Caillouet-Orgeville 27 56 C 1
Cailloux-sur-Fontaines 69 213 E 4
Cailly 76 20 C 5
Cailly-sur-Eure 27 36 C 5
La Caine 14 53 F 1
Cairanne 84 285 F 2
Le Caire 04 269 G 5
Cairon 14 33 F 4
Caisnes 60 39 H 1
Caissargues 30 303 H 2
Caix 80 23 E 2
Caixas 66 342 D 3
Caixon 65 315 E 2
Cajarc 46 261 E 5
Cala Rossa 2A 351 G 2
Calacuccia 2B 346 D 4
Calais 62 2 C 3
Calamane 46 259 H 4
Calan 56 101 E 5
Calanhel 22 77 E 2
Calas 13 326 D 1
Calavanté 65 315 F 5
Calcatoggio 2A 348 C 2
Calce 66 338 C 5
Caldégas 66 341 F 4
Calenzana 2B 346 C 2
Calès 24 258 D 1
Calès 46 260 B 1
Calignac 47 275 G 4
Caligny 61 53 E 3
Callac 22 77 E 3
Callac 56 124 D 2
Callas 83 308 B 4
Callen 40 273 H 1
Callengeville 76 21 E 2
Calleville 27 35 G 4
Calleville-les-Deux-Églises 76 20 A 4
Callian 32 295 G 4
Callian 83 308 C 3
Calmeilles 66 342 D 3
Calmels-et-le-Viala 12 300 C 1
La Calmette 30 303 G 1
Calmont 12 280 C 2
Calmont 31 318 B 4
Calmoutier 70 141 F 4
Caloire 42 230 A 4
Calonges 47 275 F 1
Calonne-Ricouart 62 7 H 4
Calonne-sur-la-Lys 62 8 A 3
Calorguen 22 79 G 4
La Calotterie 62 6 B 4
Caluire-et-Cuire 69 213 E 5
Calvaire des Dunes 50 28 D 3
Calvi 2B 346 B 2
Calviac 46 243 F 5
Calviac-en-Périgord 24 259 H 1
Calvignac 46 260 D 5
Calvinet 15 262 B 2
Calvisson 30 303 G 2
Calzan 09 336 C 2
Camalès 65 315 E 3
Camarade 09 335 G 1
Camarès 12 300 D 2
Camaret-sur-Aigues 84 285 F 3
Camaret-sur-Mer 29 74 D 3
Camarsac 33 255 H 1
Cambayrac 46 259 G 5
La Cambe 14 32 B 2
Cambernard 31 317 F 2
Cambernon 50 31 H 5
Cambes 33 255 H 2
Cambes 46 261 F 3
Cambes 47 257 F 3
Cambes-en-Plaine 14 33 G 4
Cambia 2B 347 F 4
Cambiac 31 318 C 2
Cambieure 11 337 F 1
Camblain-Châtelain 62 7 H 4
Camblain-l'Abbé 62 8 A 5
Camblanes-et-Meynac 33 255 G 1
Cambligneul 62 8 A 5
Cambo-les-Bains 64 310 D 4
Cambon 81 299 G 1
Cambon-et-Salvergues 34 300 D 4
Cambon-lès-Lavaur 81 298 D 5
Camboulazet 12 280 C 3
Camboulit 46 261 F 4
Cambounès 81 300 A 5
Cambounet-sur-le-Sor 81 299 F 5
Le Cambout 22 102 C 3
Cambrai 59 14 B 3
Cambremer 14 34 B 5
Cambrin 62 8 B 4
Cambron 80 11 G 3
Cambronne-lès-Clermont 60 38 C 3
Cambronne-lès-Ribécourt 60 39 G 1
Camburat 46 261 F 3
Came 64 292 D 5
Camélas 66 342 D 2
Camelin 02 40 A 1
Camembert 61 54 C 3
Cametours 50 31 H 5
Camiac-et-Saint-Denis 33 256 B 1
Camiers 62 6 B 3
Camiran 33 256 D 3
Camjac 12 280 B 3
Camlez 22 72 D 3
Les Cammazes 81 319 F 3
Camoël 56 125 E 5
Camon 09 337 E 2
Camon 80 22 C 2
Camors 56 101 H 5
Camou-Cihigue 64 331 E 1
Camou-Mixe-Suhast 64 311 H 4
Camous 65 333 H 3
Le Camp-du-Castellet 83 327 G 3
Campagna-de-Sault 11 337 E 5
Campagnac 12 263 H 5
Campagnac 81 279 E 5

Campagnac-les-Quercy 24 .259 G 2
Campagnan 34 ... 302 A 5
Campagne 24 ... 241 E 5
Campagne 34 ... 303 E 2
Campagne 40 ... 293 H 1
Campagne 60 ... 23 G 4
Campagne-d'Armagnac 32 .295 E 1
Campagne-lès-Boulonnais 62 .. 6 D 3
Campagne-lès-Guînes 62 ... 2 D 4
Campagne-lès-Hesdin 62 ... 6 C 5
Campagne-lès-Wardrecques 62 ... 3 G 5
Campagne-sur-Arize 09 ... 335 H 1
Campagne-sur-Aude 11 ... 337 G 3
Campagnolles 14 ... 52 C 2
Campan 65 ... 333 F 2
Campana 2B ... 347 G 3
Campandré-Valcongrain 14 ... 53 E 1
Camparan 65 ... 333 G 4
Campbon 44 ... 146 D 1
Campeaux 14 ... 52 C 2
Campeaux 60 ... 21 G 5
Campel 35 ... 103 G 5
Campénéac 56 ... 103 E 4
Campes 81 ... 279 F 4
Campestre-et-Luc 30 ... 301 H 1
Campet-et-Lamolère 40 ... 293 H 1
Camphin-en-Carembault 59 ... 8 C 4
Camphin-en-Pévèle 59 ... 9 E 3
Campi 2B ... 347 G 4
Campigneulles-les-Grandes 62 ... 6 B 5
Campigneulles-les-Petites 62 .. 6 B 4
Campigny 14 ... 32 D 3
Campigny 27 ... 35 F 3
Campile 2B ... 347 G 2
Campistrous 65 ... 315 H 5
Campitello 2B ... 347 F 2
Camplong 34 ... 301 F 4
Camplong-d'Aude 11 ... 338 B 1
Campneuseville 76 ... 21 F 2
Campo 2A ... 348 D 3
Campoloro Port de 2B ... 347 H 4
Campôme 66 ... 342 A 2
Campouriez 12 ... 262 D 2
Campoussy 66 ... 342 B 2
Campremy 60 ... 22 C 5
Camprond 50 ... 31 H 5
Camps 19 ... 243 F 4
Camps-en-Amiénois 80 ... 21 H 2
Camps-la-Source 83 ... 328 B 1
Camps-sur-l'Agly 11 ... 338 A 4
Camps-sur-l'Isle 33 ... 238 D 4
Campsas 82 ... 297 H 1
Campsegret 24 ... 240 B 5
Campuac 12 ... 262 D 4
Campugnan 33 ... 237 G 2
Campuzan 65 ... 315 H 4
Camurac 11 ... 336 D 5
Can Parterre 66 ... 342 C 4
Canadel Col du 83 ... 329 E 4
Canadel-sur-Mer 83 ... 329 E 4
Canaille Cap 13 ... 327 F 4
Canale-di-Verde 2B ... 347 H 4
Canals 82 ... 297 G 2
Canaples 80 ... 12 C 5
Canappeville 27 ... 36 B 5
Canapville 14 ... 34 C 3
Canapville 61 ... 54 D 2
Canari 2B ... 345 F 2
Canaules-et-Argentières 30 ... 283 H 5
Canavaggia 2B ... 347 F 2
Canaveilles 66 ... 341 H 3
Cancale 35 ... 50 D 4
Canchy 14 ... 32 C 2
Canchy 80 ... 11 G 2
Cancon 47 ... 258 B 4
Candas 80 ... 12 C 4
Candé 49 ... 127 G 5
Candé-sur-Beuvron 41 ... 153 E 1
Candes-Saint-Martin 37 ... 150 D 4
Candillargues 34 ... 303 F 4
Candor 60 ... 23 G 5
Candresse 40 ... 293 E 3
Canehan 76 ... 10 D 5
Canéjan 33 ... 255 F 1
Canens 31 ... 317 H 5
Canenx-et-Réaut 40 ... 273 H 5
Canet 11 ... 320 D 5
Canet 34 ... 302 A 5
Canet-de-Salars 12 ... 281 E 3
Canet-en-Roussillon 66 ... 343 F 2
Canet-Plage 66 ... 343 F 2
Canettemont 62 ... 12 D 2
Cangey 37 ... 152 C 2
Caniac-du-Causse 46 ... 260 C 3
Canigou Pic du 66 ... 342 B 3
Canihuel 22 ... 77 G 4
Canilhac 48 ... 263 H 5
Canisy 50 ... 32 A 5
Canlers 62 ... 7 E 4
Canly 60 ... 39 E 2
Cannectancourt 60 ... 23 G 5
Cannelle 2A ... 348 C 2
Cannelle 2B ... 345 F 1
Cannes 06 ... 309 F 4
Cannes-Écluse 77 ... 89 E 5
Cannes-et-Clairan 30 ... 303 F 1
Cannessières 80 ... 11 G 5
Le Cannet 06 ... 309 F 4
Cannet 32 ... 294 D 4
Le Cannet-des-Maures 83 ... 328 D 1
Canny-sur-Matz 60 ... 23 F 5
Canny-sur-Thérain 60 ... 21 F 5
Canohès 66 ... 343 E 2
Canon 14 ... 34 A 5
Le Canon 33 ... 254 B 2
La Canonica 2B ... 347 H 2
La Canonica Ancienne Cathédrale de 2B ... 347 H 2
La Canourgue 48 ... 264 A 5
Canouville 76 ... 19 F 2
Cantaing-sur-Escaut 59 ... 14 B 4
Cantaous 65 ... 333 H 1
Cantaron 06 ... 309 H 2
Canté 09 ... 318 A 4
Cantebonne 54 ... 45 F 2
Canteleu 76 ... 36 A 2
Canteleux 62 ... 12 D 3
Canteloup 14 ... 34 A 5
Canteloup 50 ... 29 G 3
Cantenac 33 ... 237 F 3
Cantenay-Épinard 49 ... 128 C 5
Cantiers 27 ... 37 E 4
Cantigny 80 ... 22 D 4
Cantillac 24 ... 222 B 4
Cantin 59 ... 14 A 2
Cantobre 12 ... 282 B 5
Cantoin 12 ... 263 F 1
Cantois 33 ... 256 B 2
Canville-la-Rocque 50 ... 31 F 2
Canville-les-Deux-Églises 76 .19 H 3
Cany-Barville 76 ... 19 F 3
Caorches-Saint-Nicolas 27 ... 35 F 5
Caouënnec-Lanvézéac 22 ... 72 D 3
Caours 80 ... 11 G 3
Cap Corse 2B ... 345 G 1
Cap-Coz 29 ... 100 A 4
Le Cap-d'Agde 34 ... 322 C 5
Cap-d'Ail 06 ... 309 H 5
Cap-de-l'Homy-Plage 40 ... 272 A 4
Cap-de-Long Barrage de 65 ... 333 F 4
Cap Ferrat 06 ... 309 H 2
Cap-Ferret 33 ... 254 A 3
Cap-Martin 06 ... 309 H 5
Cap Sizun Réserve du 29 ... 98 D 2
Capbis 64 ... 332 B 1
Capbreton 40 ... 292 A 3
Capdenac 46 ... 261 G 4
Capdenac-Gare 12 ... 261 G 4
Capdrot 24 ... 259 E 2
La Capelle 02 ... 25 F 1
La Capelle 48 ... 282 B 1
Capelle 59 ... 14 D 3
La Capelle-Balaguier 12 ... 261 F 5
La Capelle-Bleys 12 ... 279 H 2
La Capelle-Bonance 12 ... 263 G 5
La Capelle-et-Masmolène 30 ... 284 C 4
Capelle-Fermont 62 ... 13 F 2
La Capelle-lès-Boulogne 62 ... 2 B 5
Capelle-les-Grands 27 ... 55 E 1
Capelle-lès-Hesdin 62 ... 11 H 1
Capendu 11 ... 320 B 5
Capens 31 ... 317 G 3
Capestang 34 ... 321 E 4
Capian 33 ... 256 B 2
Capinghem 59 ... 8 C 2
Caplong 33 ... 257 E 1
Capoulet-et-Junac 09 ... 336 B 5
Cappel 57 ... 67 F 1
Cappelle-Brouck 59 ... 3 F 3
Cappelle-en-Pévèle 59 ... 9 E 4
Cappelle-la-Grande 59 ... 3 G 2
Cappy 80 ... 23 F 1
La Capte 83 ... 328 C 5
Captieux 33 ... 274 B 2
Capula Castello de 2A ... 349 F 5
Capvern 65 ... 333 G 1
Capvern-les-Bains 65 ... 333 G 1
Carabès Col de 05 ... 268 D 4
Caradeuc Château de 35 ... 103 H 1
Caragoudes 31 ... 318 C 2
Caraman 31 ... 298 C 5
Caramany 66 ... 338 B 5
Carantec 29 ... 71 H 3
Carantilly 50 ... 32 A 5
Carayac 46 ... 261 E 4
Carbay 49 ... 127 F 3
Carbes 81 ... 299 F 4
Carbini 2A ... 351 F 2
Carbon-Blanc 33 ... 237 G 5
Carbonne 31 ... 317 G 4
Carbuccia 2A ... 348 D 2
Carcagny 14 ... 33 E 4
Carcanières 09 ... 337 F 5
Carcans 33 ... 236 C 3
Carcans-Plage 33 ... 236 B 2
Carcarès-Sainte-Croix 40 ... 293 G 1
Carcassonne 11 ... 319 H 5
Carcen-Ponson 40 ... 293 F 1
Carcès 83 ... 307 G 5
Carcheto-Brustico 2B ... 347 G 3
Cardaillac 46 ... 261 F 3
Cardan 33 ... 255 H 2
Cardeilhac 31 ... 316 B 5
Cardesse 64 ... 313 H 4
Cardet 30 ... 283 H 5
Cardo-Torgia 2A ... 348 D 4
Cardonnette 80 ... 22 C 1
Le Cardonnois 80 ... 22 D 5
Cardonville 14 ... 32 B 2
Cardroc 35 ... 103 H 1
Careil 44 ... 145 H 4
Carelles 53 ... 81 H 4
Carency 62 ... 8 A 5
Carennac 46 ... 242 D 5
Carentan-les-Marais 50 ... 32 A 3
Carentoir 56 ... 125 G 2
Cargèse 2A ... 348 A 1
Cargiaca 2A ... 349 E 5
Carhaix-Plouguer 29 ... 76 D 4
Carignan 08 ... 27 G 4
Carignan-de-Bordeaux 33 ... 255 G 1
Carisey 89 ... 114 C 5
Carla-Bayle 09 ... 335 H 1
Carla-de-Roquefort 09 ... 336 C 3
Le Carlaret 09 ... 336 C 1
Carlat 15 ... 244 D 5
Carlencas-et-Levas 34 ... 301 G 4
Carlepont 60 ... 39 H 1
Carling 57 ... 47 E 5
Carlipa 11 ... 319 F 4
Carlucet 24 ... 241 H 4
Carlucet 46 ... 260 C 2
Carlus 81 ... 299 F 1
Carlux 24 ... 241 H 5
Carly 62 ... 6 B 2
Carmaux 81 ... 279 G 5
Carnac 56 ... 123 H 4
Carnac-Plage 56 ... 123 H 4
Carnac-Rouffiac 46 ... 277 G 1
Carnas 30 ... 303 E 2
La Carneille 61 ... 53 F 4
Carnet 50 ... 80 D 2
Carnetin 77 ... 59 E 3
Carneville 50 ... 29 F 2
Carnières 59 ... 14 C 4
Carnin 59 ... 8 C 4
Carniol 04 ... 286 D 5
Carnoët 22 ... 76 D 3
Carnon-Plage 34 ... 303 E 5
Carnoules 83 ... 328 C 2
Carnoux-en-Provence 13 ... 327 F 3
Carnoy 80 ... 23 F 1
Caro 56 ... 103 E 5
Caro 64 ... 330 C 1
Carolles 50 ... 51 F 4
Caromb 84 ... 285 H 4
Carpentras 84 ... 285 G 4
Carpineto 2B ... 347 G 4
Carpiquet 14 ... 33 F 4
Carquebut 50 ... 31 H 2
Carquefou 44 ... 147 H 3
Carqueiranne 83 ... 328 B 5
La Carquois 22 ... 79 E 1
Carrépuis 80 ... 23 F 4
Carrère 64 ... 314 C 2
Carresse 64 ... 293 E 5
Carri Col de 26 ... 250 B 4
Carrières-sous-Bois 78 ... 58 A 2
Carrières-sous-Poissy 78 ... 58 A 2
Carrières-sur-Seine 78 ... 58 B 3
Carro 13 ... 325 H 4
Carros 06 ... 309 G 2
Carrouges 61 ... 83 E 2
Les Carroz-d'Arâches 74 ... 216 C 2
Carry-le-Rouet 13 ... 326 C 2
Cars 33 ... 237 F 2
Les Cars 87 ... 223 F 1
Les Cars Ruines gallo-romaines 19 ... 225 F 2
Carsac-Aillac 24 ... 259 G 1
Carsac-de-Gurson 24 ... 239 E 4
Carsan 30 ... 284 D 2
Carsix 27 ... 35 G 5
Carspach 68 ... 143 E 3
Cartelègue 33 ... 237 G 2
Carteret 50 ... 31 E 2
Carticasi 2B ... 347 F 4
Cartignies 59 ... 15 G 4
Cartigny 80 ... 23 H 1
Cartigny-l'Épinay 14 ... 32 B 3
Carves 24 ... 259 F 1
Carville 14 ... 52 C 2
Carville-la-Folletière 76 ... 19 H 5
Carville-Pot-de-Fer 76 ... 19 G 3
Carvin 62 ... 8 C 4
Cas Château de 82 ... 278 D 3
Casabianca 2B ... 347 G 3
Casaglione 2A ... 348 C 2
Casalabriva 2A ... 348 D 5
Casalta 2B ... 347 G 3
Casamaccioli 2B ... 346 D 4
Casamozza 2B ... 347 G 2
Casanova 2B ... 347 E 5
Casardo Col de 2B ... 347 F 4
Casatorra 2B ... 345 G 5
Cascastel-des-Corbières 11 ... 338 C 2
Casefabre 66 ... 342 C 3
Caseneuve 84 ... 306 A 1
Cases-de-Pène 66 ... 338 C 5
Casevecchie 2B ... 349 G 1
Cassaber 64 ... 293 E 5
Cassagnabère-Tournas 31 .. 316 C 5
Cassagnas 48 ... 283 E 2
La Cassagne 24 ... 241 H 3
Cassagne 31 ... 335 E 1
Cassagnes 46 ... 259 F 4
Cassagnes 66 ... 338 B 5
Cassagnes-Bégonhès 12 ... 280 C 3
Cassagnoles 30 ... 283 H 5
Cassagnoles 34 ... 320 B 3
La Cassaigne 11 ... 319 E 5
Cassaigne 32 ... 295 H 1
Cassaignes 11 ... 337 G 3
Cassaniouze 15 ... 262 B 2
Cassano 2B ... 346 C 2
Cassel 59 ... 3 H 5
Cassen 40 ... 293 F 2
Casseneuil 47 ... 258 B 5
Les Cassés 11 ... 318 D 3
Casset Cascade du 05 ... 252 A 5
Casseuil 33 ... 256 C 3
Cassignas 47 ... 276 C 2
La Cassine 08 ... 27 E 5
Cassis 13 ... 327 F 3
Casson 44 ... 147 G 2
Cassuéjouls 12 ... 263 F 2
Cast 29 ... 75 H 5
Castagnac 31 ... 317 H 5
Castagnède 31 ... 335 E 2
Castagnède 64 ... 311 H 3
Castagniers 06 ... 291 E 5
Castaignos-Souslens 40 ... 293 H 4
Castandet 40 ... 294 B 2
Castanet 12 ... 279 H 2
Castanet 81 ... 279 F 5
Castanet 82 ... 279 F 2
Castanet-le-Haut 34 ... 301 E 4
Castanet-Tolosan 31 ... 318 A 2
Castans 11 ... 320 A 3
Casteide-Cami 64 ... 314 A 2
Casteide-Candau 64 ... 293 H 5
Casteide-Doat 64 ... 315 E 3
Casteil 66 ... 342 A 4
Castel-Sarrazin 40 ... 293 F 4
Castel Vendon Rocher du 50 ... 28 D 2
Castelbajac 65 ... 315 H 5
Castelbiague 31 ... 334 D 2
Castelbouc Château de 48 .. 282 C 1
Castelculier 47 ... 276 C 3
Le Castelet 09 ... 336 C 5
Castelferrus 82 ... 277 F 5
Castelfranc 46 ... 259 G 5
Castelgaillard 31 ... 316 D 3
Castelginest 31 ... 297 H 4
Casteljaloux 47 ... 275 E 1
Casteljau 07 ... 284 A 1
Castella 47 ... 276 C 2
Castellane 04 ... 308 A 1
Castellar 06 ... 291 G 5
Le Castellard-Mélan 04 ... 287 H 2
Castellare-di-Casinca 2B ... 347 G 2
Castellare-di-Mercurio 2B ... 347 F 4
Le Castellet 04 ... 287 G 5
Le Castellet 83 ... 327 H 3
Castellet 84 ... 306 A 1
Castellet-les-Sausses 04 ... 289 E 4
Castelli Pointe du 44 ... 145 G 4
Castello 2B ... 345 F 2
Castello-di-Rostino 2B ... 347 F 3
Castelmary 12 ... 279 H 3
Castelmaurou 31 ... 298 A 4
Castelmayran 82 ... 277 E 5
Castelmoron-d'Albret 33 ... 256 D 2
Castelmoron-sur-Lot 47 ... 275 H 1
Castelnau-Barbarens 32 ... 296 C 5
Castelnau-Bretenoux Château de 46 ... 243 E 5
Castelnau-Chalosse 40 ... 293 F 3
Castelnau-d'Anglès 32 ... 295 G 4
Castelnau-d'Arbieu 32 ... 296 C 1
Castelnau-d'Aude 11 ... 320 B 5
Castelnau-d'Auzan-Labarrère 32 ... 275 E 5
Castelnau-de-Brassac 81 ... 300 A 4
Castelnau-de-Guers 34 ... 322 C 3
Castelnau-de-Lévis 81 ... 299 F 1
Castelnau-de-Mandailles 12 ... 263 F 4
Castelnau-de-Médoc 33 ... 237 E 3
Castelnau-de-Montmiral 81 ... 298 D 1
Castelnau-d'Estrétefonds 31 ... 297 H 3
Castelnau-Durban 09 ... 335 H 2
Castelnau-le-Lez 34 ... 302 D 4
Castelnau-Magnoac 65 ... 316 A 4
Castelnau-Montratier 46 ... 277 H 2
Castelnau-Pégayrols 12 ... 281 F 4
Castelnau-Picampeau 31 ... 317 E 4
Castelnau-Rivière-Basse 65 ... 295 E 5
Castelnau-sur-Gupie 47 ... 257 E 4
Castelnau-sur-l'Auvignon 32 ... 275 H 5
Castelnau-Tursan 40 ... 294 B 4
Castelnau-Valence 30 ... 284 A 5
Castelnaud-de-Gratecambe 47 ... 258 C 4
Castelnaud-la-Chapelle 24 .. 259 F 1
Castelnaudary 11 ... 319 E 4
Castelnavet 32 ... 295 F 4
Castelner 40 ... 293 H 5
Castelnou 66 ... 342 D 3
Castelpers 12 ... 280 B 4
Castelreng 11 ... 337 F 2
Castels 24 ... 241 F 5
Castelsagrat 82 ... 277 E 3
Castelsarrasin 82 ... 277 F 5
Castelvieilh 65 ... 315 F 4
Castelviel 33 ... 256 C 2
Castennec Site de 56 ... 101 H 4
Le Castéra 31 ... 297 F 4
Castéra-Bouzet 82 ... 276 D 5
Castéra-Lanusse 65 ... 315 G 5
Castéra-Lectourois 32 ... 276 B 5
Castéra-Lou 65 ... 315 F 3
Castéra-Loubix 64 ... 314 D 3
Castéra-Verduzan 32 ... 295 H 2
Castéra-Vignoles 31 ... 316 C 4
Castéras 09 ... 335 H 1
Casterets 65 ... 316 B 4
Castéron 32 ... 296 D 1
Castet 64 ... 332 A 1
Castet-Arrouy 32 ... 276 C 5
Castetbon 64 ... 313 F 2
Castétis 64 ... 313 G 2
Castetnau-Camblong 64 ... 313 F 3
Castetner 64 ... 313 G 2
Castetpugon 64 ... 294 C 5
Castets 40 ... 292 D 1
Castets-en-Dorthe 33 ... 256 C 4
Castex 09 ... 317 G 5
Castex 32 ... 315 G 3
Castex-d'Armagnac 32 ... 294 D 1
Casties-Labrande 31 ... 317 E 4
Castifao 2B ... 347 E 2
Castiglione 2B ... 347 E 3
Castillon 06 ... 291 G 5
Castillon 14 ... 32 D 4
Castillon 64 ... 313 H 2
Castillon 64 ... 314 D 2
Castillon 65 ... 333 F 1
Castillon Barrage de 04 ... 308 B 1
Castillon Col de 06 ... 291 G 5
Castillon-de-Castets 33 ... 256 C 4
Castillon-de-Larboust 31 ... 334 A 4
Castillon-de-Saint-Martory 31 ... 334 D 1
Castillon-Debats 32 ... 295 G 3
Castillon-du-Gard 30 ... 284 D 5
Castillon-en-Auge 14 ... 54 B 1
Castillon-en-Couserans 09 .. 335 E 3
Castillon-la-Bataille 33 ... 238 D 5
Castillon-Massas 32 ... 296 A 3
Castillon-Savès 32 ... 297 E 5
Castillonnès 47 ... 258 B 3
Castilly 14 ... 32 B 3
Castin 32 ... 296 A 3
Castineta 2B ... 347 F 3
Castirla 2B ... 347 E 4
Castres 02 ... 24 A 3
Castres 81 ... 299 G 5
Castres-Gironde 33 ... 255 H 2
Castries 34 ... 303 E 4
Le Cateau-Cambrésis 59 ... 14 D 4
Le Catelet 02 ... 14 B 5
Le Catelier 76 ... 20 B 3
Catenay 76 ... 36 C 1
Catenoy 60 ... 38 D 2
Cateri 2B ... 346 C 2
Cathervielle 31 ... 334 A 4
Catheux 60 ... 22 A 4
Catigny 60 ... 23 G 4
Catillon-Fumechon 60 ... 38 C 1
Catillon-sur-Sambre 59 ... 15 E 5
Catllar 66 ... 342 A 2
Les Catons 73 ... 233 E 1
Catonvielle 32 ... 297 E 4
Cattenières 59 ... 14 C 4
Cattenom 57 ... 45 H 2
Catteville 50 ... 31 F 2
Catus 46 ... 259 H 4
Catz 50 ... 32 A 3
Caubeyres 47 ... 275 F 2
Caubiac 31 ... 297 F 3
Caubios-Loos 64 ... 314 B 2
Caubon-Saint-Sauveur 47 ... 257 F 3
Caubous 31 ... 334 A 4
Caubous 65 ... 316 A 4
Caucalières 81 ... 299 H 5
La Cauchie 62 ... 13 F 3
Cauchy-à-la-Tour 62 ... 7 H 4
Caucourt 62 ... 7 H 5
Caudan 56 ... 101 E 5
Caudebec-en-Caux 76 ... 35 G 1
Caudebec-lès-Elbeuf 76 ... 36 A 3
Caudebronde 11 ... 319 H 3
Caudecoste 47 ... 276 C 4
Caudéran 33 ... 237 F 5
Caudeval 11 ... 337 E 1
Caudiès-de-Conflent 66 ... 341 G 3
Caudiès-de-Fenouillèdes 66 ... 337 H 4
Caudon-de-Vitrac 24 ... 259 G 1
Caudos 33 ... 254 C 3
Caudrot 33 ... 256 C 3
Caudry 59 ... 14 C 4
Cauffry 60 ... 38 D 3
Caugé 27 ... 56 A 1
Caujac 31 ... 318 A 4
Caulaincourt 02 ... 23 H 2
Le Caule-Sainte-Beuve 76 ... 21 E 3
Caulières 80 ... 21 G 3
Caullery 59 ... 14 C 4
Caulnes 22 ... 103 F 1
La Caume Panorama de 13 ... 304 D 3
Caumont 02 ... 24 A 5
Caumont 09 ... 335 F 2
Caumont 27 ... 35 H 2
Caumont 32 ... 294 D 3
Caumont 33 ... 256 D 2
Caumont 62 ... 12 B 2
Caumont 82 ... 277 E 5
Caumont Château de 32 ... 297 E 5
Caumont-l'Éventé 14 ... 32 D 5
Caumont-sur-Durance 84 ... 305 E 1
Caumont-sur-Garonne 47 ... 257 F 5
Caumont-sur-Orne 14 ... 53 F 2
Cauna 40 ... 293 H 2
Caunay 79 ... 185 H 5
Cauneille 40 ... 292 D 5
Caunes-Minervois 11 ... 320 A 4
La Caunette 34 ... 320 C 3
Caunette-sur-Lauquet 11 ... 337 H 2
Caunettes-en-Val 11 ... 338 B 2
Caupenne 40 ... 293 G 3
Caupenne-d'Armagnac 32 .. 294 D 2
La Caure 51 ... 61 E 2
Caurel 22 ... 77 H 5
Caurel 51 ... 41 H 3
Cauria Mégalithes de 2A ... 350 D 3
Cauro 2A ... 348 D 3

Cauroir 59 14 C 3
Cauroy 08 42 B 3
Cauroy-lès-Hermonville 51 41 F 3
Le Causé 82 297 E 2
Cause-de-Clérans 24 240 C 5
Caussade 82 278 B 3
Caussade-Rivière 65 295 E 5
Causse-Bégon 30 282 B 4
Causse-de-la-Selle 34 302 B 2
Causse Noir
Corniche du 12 282 A 3
Caussens 32 295 H 1
Causses-et-Veyran 34 321 F 2
Caussidières 31 318 B 3
Caussiniojouls 34 301 F 5
Caussols 06 309 E 2
Caussou 09 336 C 5
Cauterets 65 332 D 3
Cauverville-en-Roumois 27 35 F 3
Cauvicourt 14 53 H 1
Cauvignac 33 256 C 5
Cauvigny 60 38 B 3
Cauville 14 53 E 2
Cauville-sur-Mer 76 18 C 5
La Cauvinière Haras 14 54 D 1
Caux 34 321 H 2
Caux-et-Sauzens 11 319 G 5
Cauzac 47 276 D 2
Cavagnac 46 242 C 4
Cavaillon 84 305 F 2
Cavalaire-sur-Mer 83 329 F 3
La Cavalerie 12 281 H 5
Cavalière 83 329 E 4
Cavaliers Falaise des 83 307 H 2
Cavan 22 72 D 4
Cavanac 11 319 H 5
Cavarc 47 258 B 2
Caveirac 30 303 G 2
Caves 11 339 E 3
Cavignac 33 237 H 3
Cavigny 50 32 B 4
Cavillargues 30 284 C 4
Cavillon 80 22 A 1
Cavron-Saint-Martin 62 6 D 5
Caychax 09 336 C 5
Cayeux-en-Santerre 80 23 E 2
Cayeux-sur-Mer 80 11 E 2
Le Cayla Musée 81 279 E 5
Le Caylar 34 301 H 2
Caylus 82 278 D 3
La Cayolle Col de 06 289 E 1
Cayrac 82 278 B 4
Cayres 43 247 E 5
Cayriech 82 278 C 3
Le Cayrol 12 263 E 4
Cayrols 15 261 H 1
Cazac 31 316 D 3
Cazalis 33 274 A 1
Cazalis 40 293 H 4
Cazalrenoux 11 319 E 5
Cazals 46 259 G 3
Cazals 82 278 D 4
Cazals-des-Baylès 09 337 E 1
Cazaril-Laspènes 31 334 A 4
Cazaril-Tambourès 31 316 A 5
Cazarilh 65 334 A 3
Cazats 33 256 B 5
Cazaubon 32 294 D 1
Cazaugitat 33 256 D 2
Cazaunous 31 334 C 2
Cazaux 09 336 A 2
Cazaux 33 254 B 4
Cazaux-d'Anglès 32 295 G 4
Cazaux-Debat 65 333 H 3
Cazaux-Fréchet 65 333 H 4
Cazaux-Layrisse 31 334 B 4
Cazaux-Savès 32 297 E 5
Cazaux-Villecomtal 32 315 F 2
Cazavet 09 335 E 2
La Caze Château de 48 282 B 1
Cazeaux-de-Larboust 31 334 A 4
Cazedarnes 34 321 E 3
Cazenave-Serres-
et-Allens 09 336 B 4
Cazeneuve 32 295 F 1
Cazeneuve-Montaut 31 316 D 5
Cazères 31 317 F 5
Cazères-sur-l'Adour 40 294 B 2
Cazes-Mondenard 82 277 G 3
Cazevieille 34 302 C 3
Cazideroque 47 277 E 1
Cazilhac 11 319 H 5
Cazilhac 34 302 C 1
Cazilhac Château de 34 301 F 3
Cazillac 46 242 C 4
Cazoulès 24 242 B 5
Cazouls-d'Hérault 34 322 C 3
Cazouls-lès-Béziers 34 321 F 3
Ceaucé 61 82 B 3
Ceaulmont 36 188 D 2
Céaux 50 51 G 5
Céaux-d'Allègre 43 247 E 2
Ceaux-en-Couhé 86 186 B 4
Ceaux-en-Loudun 86 169 E 1
Cébazan 34 321 E 3
Cébazat 63 209 H 5
Ceccia
Site préhistorique 2A 351 G 3
Ceffia 39 196 B 4
Ceffonds 52 92 B 3
Ceignac 12 280 C 2
Ceignes 01 214 B 1
Ceilhes-et-Rocozels 34 301 F 2
Ceillac 05 271 E 2
Ceilloux 63 228 C 2
Ceintrey 54 94 D 2
La Celette 18 190 C 1
La Celle 03 191 E 5
La Celle 18 173 F 4
Cellé 41 131 E 2
La Celle 63 208 C 5
La Celle 83 328 B 1
La Celle-Condé 18 172 D 4
La Celle-Dunoise 23 189 E 4
La Celle-en-Morvan 71 176 C 2
La Celle-Guenand 37 170 B 2
La Celle-les-Bordes 78 87 E 2
Celle-Lévescault 86 186 A 3
La Celle-Saint-Avant 37 169 H 1
La Celle-Saint-Cloud 78 58 A 3
La Celle-Saint-Cyr 89 113 G 5
La Celle-
sous-Chantemerle 51 90 B 2
La Celle-sous-Gouzon 23 207 H 1
La Celle-
sous-Montmirail 02 60 C 3
La Celle-sur-Loire 58 156 A 2
La Celle-sur-Morin 77 59 G 4
La Celle-sur-Nièvre 58 156 C 4
La Celle-sur-Seine 77 88 C 4
Cellefrouin 16 203 H 4
Celles 09 336 B 3
Celles 15 245 G 3
Celles 17 220 B 2
Celles 24 239 H 1
Celles 34 301 H 4
Celles-en-Bassigny 52 117 H 5
Celles-lès-Condé 02 60 D 1
Celles-sur-Aisne 02 40 C 2
Celles-sur-Belle 79 185 F 5
Celles-sur-Durolle 63 210 D 4
Celles-sur-Ource 10 115 G 4
Celles-sur-Plaine 88 96 B 3
La Cellette 23 189 G 3
La Cellette 63 209 E 2
Cellettes 16 203 F 4
Cellettes 41 153 F 1
Le Cellier 44 148 A 3
Cellier-du-Luc 07 265 F 2
Celliers 73 234 B 3
Cellieu 42 230 C 3
Cellule 63 209 H 3
Celon 36 188 C 2
Celony 13 306 A 5
Celoux 15 246 A 2
Celsoy 52 139 H 2
Cély 77 88 A 4
Cemboing 70 140 C 2
Cempuis 60 21 H 4
Cénac 33 255 H 1
Cénac-et-Saint-Julien 24 259 G 1
Cenans 70 162 B 1
Cendras 30 283 H 3
Le Cendre 63 227 H 1
Cendrecourt 70 140 D 2
Cendrey 25 162 B 2
Cendrieux 24 240 D 4
Cénevières 46 260 D 5
Cenne-Monestiés 11 319 F 4
Cenomes 12 301 E 2
Cenon 33 237 G 5
Cenon-sur-Vienne 86 169 G 4
Censeau 39 180 A 3
Censerey 21 158 D 4
Censy 89 137 F 4
Les Cent-Acres 76 20 B 3
Centeilles Chapelle de 34 320 B 4
Centrès 12 280 B 3
Centuri 2B 345 F 1
Centuri-Port 2B 345 F 1
Cenves 69 194 D 5
Cépet 31 297 H 3
Cépie 11 337 G 1
Cepoy 45 112 C 4
Céran 32 296 B 2
Cérans-Foulletourte 72 129 H 2
Cerbère 66 343 H 4
Cerbois 18 172 C 1
Cercié 69 212 D 1
Cercier 74 215 F 2
Cercles 24 221 H 5
Cercottes 45 110 D 5
Cercoux 17 238 C 2
Le Cercueil 61 83 G 2
Cercy-la-Tour 58 175 G 3
Cerdon 01 214 B 2
Cerdon 45 134 A 5
Cerdon Grottes du 01 214 B 1
Cère 40 273 H 5
Cère Pas de 15 244 D 4
Céré-la-Ronde 37 152 D 4
Cerelles 37 151 H 1
Cérences 50 51 G 2
Céreste 04 306 B 1
Céret 66 342 D 4
Cerfontaine 59 15 H 2
Le Cergne 42 212 A 1
Cergy 95 58 A 1
Cergy-Pontoise
Ville nouvelle 95 58 A 1
Cérilly 03 191 E 1
Cérilly 21 138 A 2
Cérilly 89 114 A 3
Cerisé 61 83 G 4
Cerisières 52 92 D 5
Cerisiers 89 113 H 3
Cerisy 80 23 E 2
Cerisy-Belle-Étoile 61 53 E 3
Cerisy-Buleux 80 11 F 5
Cerisy-la-Forêt 50 32 C 4
Cerisy-la-Salle 50 51 H 1
Cerizay 79 167 F 3
Cérizols 09 335 E 1
Cerizy 02 24 B 3
La Cerlangue 76 35 E 1
La Cerleau 08 26 A 2
Cernans 39 179 H 2
Cernay 14 54 D 1
Cernay 28 85 H 4
Cernay 68 143 E 1
Cernay 86 169 E 3
Cernay-en-Dormois 51 42 D 4
Cernay-la-Ville 78 57 H 5
Cernay-l'Église 25 163 G 3
Cernay-lès-Reims 51 41 H 4
Cerneux 77 60 B 5
Cernex 74 215 F 2
Cerniébaud 39 180 B 4
Cernion 08 26 B 3
Cernon 39 196 C 3
Cernon 51 62 A 3
Cernoy 60 38 D 2
Cernoy-en-Berry 45 155 G 1
Cernusson 49 149 G 4
Cerny 91 87 H 3
Cerny-en-Laonnois 02 40 D 2
Cerny-lès-Bucy 02 24 D 5
Céron 71 193 F 5
Cérons 33 256 B 3
Cerqueux 14 54 D 1
Les Cerqueux 49 167 F 1
Les Cerqueux-
sous-Passavant 49 149 G 5
Cerre-lès-Noroy 70 141 G 4
Cers 34 321 H 4
Cersay 79 167 H 1
Cerseuil 02 40 C 3
Cersot 71 177 F 5
Certémery 39 179 G 2
Certilleux 88 94 A 5
Certines 01 213 H 1
Cervens 74 198 A 4
Cervières 05 252 D 5
Cervières 42 211 E 5
Cerville 54 66 B 5
Cervione 2B 347 H 4
Cervon 58 157 G 4
Cerzat 43 246 C 2
Cesancey 39 196 B 1
Césarches 73 216 A 5
Césarville-Dossainville 45 111 G 2
Cescau 09 335 E 3
Cescau 64 314 A 2
Cesny-aux-Vignes 14 34 A 5
Cesny-Bois-Halbout 14 53 G 1
Cessac 33 256 C 2
Cessales 31 318 C 2
Cesse 55 43 G 1
Cesseins 01 213 E 2
Cessenon-sur-Orb 34 321 F 2
Cessens 73 215 E 5
Cesseras 34 320 C 4
Cesset 03 192 A 5
Cesseville 27 36 A 4
Cessey 25 161 H 5
Cessey-sur-Tille 21 160 C 3
Cessières 02 24 C 5
Cessieu 38 232 A 2
Cesson 22 78 B 3
Cesson 77 88 B 2
Cesson-Sévigné 35 104 B 3
Cessoy-en-Montois 77 89 F 3
Cessy 01 197 F 4
Cessy-les-Bois 58 156 C 3
Cestas 33 255 F 1
Cestayrols 81 279 F 5
Ceton 61 108 D 2
Cette-Eygun 64 331 H 4
Céüze 05 269 F 4
Cevins 73 234 B 2
Ceyras 34 302 A 4
Ceyrat 63 227 G 1
Ceyreste 13 327 G 3
Ceyroux 23 206 D 2
Ceyssac 43 247 F 4
Ceyssat 63 227 F 1
Ceyzériat 01 214 A 1
Ceyzérieu 01 214 D 4
Cézac 33 237 H 3
Cézac 46 277 H 1
Cezais 85 184 B 1
Cézan 32 296 A 2
Cezay 42 211 F 5
Cézens 15 245 F 4
Cézia 39 196 C 3
Cézy 89 113 G 5
Chaalis Abbaye de 60 39 E 5
Chabanais 16 204 C 4
La Chabanne 03 211 E 3
La Chabasse Église de 63 228 D 1
Chabestan 05 269 E 4
Chabeuil 26 249 G 5
Chablis 89 136 D 3
Chabons 38 232 B 4
La Chabossière 44 147 F 4
La Chabotterie
Château de 85 165 H 2
Chabottes 05 269 H 2
Chabournay 86 169 E 5
Chabrac 16 204 C 4
Chabreloche 63 210 D 4
Chabrières 04 288 A 4
Chabrignac 19 223 H 5
Chabrillan 26 267 F 2
Chabris 36 153 H 4
Chacé 49 150 B 4
Chacenay 10 115 H 3
Chacrise 02 40 B 3
Chadeleuf 63 227 H 3
Chadenac 17 219 H 3
Chadenet 48 264 D 4
Chadrac 43 247 F 3
Chadron 43 247 F 4
Chadurie 16 221 F 3
Le Chaffal 26 249 H 5
Le Chaffaut-
Saint-Jurson 04 287 H 4
Chaffois 25 180 C 2
Chagey 70 142 B 3
Chagnolet 17 183 F 5
Chagnon 42 230 C 3
Chagny 08 26 D 5
Chagny 71 177 G 2
Chahaignes 72 130 C 3
Chahains 61 83 F 2
Chaignay 21 160 A 1
Chaignes 27 56 D 1
Chail 79 185 G 5
Chaillac 36 188 B 3
Chaillac-sur-Vienne 87 204 D 4
Chailland 53 105 H 2
Chaillé-les-Marais 85 183 G 3
Chaillé-
sous-les-Ormeaux 85 182 D 1
Chailles 41 153 E 1
Chaillevette 17 200 C 5
Chaillevois 02 40 C 1
Chailley 89 114 B 4
Chaillol 05 269 H 2
Chaillon 55 64 D 3
Chailloué 61 54 C 5
Chailly-en-Bière 77 88 B 4
Chailly-en-Brie 77 60 A 4
Chailly-en-Gâtinais 45 112 A 5
Chailly-lès-Ennery 57 45 H 5
Chailly-sur-Armançon 21 159 E 4
Chainaz-les-Frasses 74 215 F 5
Chaînée-des-Coupis 39 178 D 2
Chaingy 45 133 E 2
Chaintré 71 194 D 5
Chaintreaux 77 112 C 2
Chaintrix-Bierges 51 61 H 3
La Chaise 10 92 A 4
La Chaise-Baudouin 50 51 H 4
La Chaise-Dieu 43 228 D 5
Chaise-Dieu-du-Theil 27 55 G 4
Chaix 85 183 H 3
La Chaize-Giraud 85 165 E 5
La Chaize-le-Vicomte 85 166 A 5
Chalabre 11 337 E 2
Chalagnac 24 240 C 3
Chalain Lac de 39 179 G 5
Chalain-d'Uzore 42 229 G 1
Chalain-le-Comtal 42 229 H 2
Chalaines 55 93 H 1
Chalais 16 239 E 1
Chalais 24 223 E 3
Chalais 36 188 A 2
Chalais 86 168 D 2
Chalam Crêt de 01 197 E 5
Chalamont 01 213 H 3
Chalampé 68 121 G 5
Chalancey 52 139 F 4
Chalancon 26 268 B 4
Chalandray 86 168 C 5
Chalandrey 50 52 A 5
Chalandry 02 24 D 4
Chalandry-Elaire 08 26 D 3
Le Chalange 61 84 A 2
Le Chalard 87 223 F 3
Chalautre-la-Grande 77 89 H 3
Chalautre-la-Petite 77 89 G 3
Chalautre-la-Reposte 77 89 E 3
Chalaux 58 158 A 3
La Chaldette 48 263 G 2
Chaleins 01 213 E 2
Chalencon 07 248 C 5
Chalencon Château de 43 247 G 1
Les Chalesmes 39 180 A 5
Châlette-sur-Loing 45 112 C 5
Chalette-sur-Voire 10 91 G 4
Chaley 01 214 B 3
Chalèze 25 162 A 3
Chalezeule 25 162 A 3
Chaliers 15 246 A 4
Chalifert 77 59 F 3
Chaligny 54 94 C 1
Chalinargues 15 245 F 2
Chalindrey 52 139 H 2
Chalivoy-Milon 18 173 H 3
Challain-la-Potherie 49 127 G 4
Challans 85 165 E 3
Challement 58 157 F 3
Challerange 08 42 D 3
Challes 72 108 A 5
Challes-la-Montagne 01 214 B 1
Challes-les-Eaux 73 233 F 2
Challet 28 86 A 2
Challex 01 197 F 5
Challignac 16 220 D 4
Challonges 74 215 E 2
Challuy 58 174 C 2
Chalmaison 77 89 G 3
Chalmazel-
Jeansagnière 42 229 F 1
Chalmessin 52 139 E 4
Chalmoux 71 193 E 1
Chalo-Saint-Mars 91 87 F 4
Le Chalon 26 249 G 2
Chalon 38 231 F 4
Chalon-sur-Saône 71 177 H 4
Chalonnes-
sous-le-Lude 49 129 H 5
Chalonnes-sur-Loire 49 149 E 2
Chalons 17 200 D 5
Châlons-du-Maine 53 106 B 2
Châlons-en-Champagne 51 62 B 2
Châlons-sur-Vesle 51 41 F 3
Châlonvillars 70 142 B 3
Chalou-Moulineux 91 87 E 4
La Chalp 05 271 E 1
Chaltrait 51 61 F 2
Chalus 63 228 A 4
Châlus 87 223 E 2
Chalusset Château de 87 223 H 1
Chalvignac 15 243 H 1
Chalvraines 52 117 G 2
Chamadelle 33 238 D 3
Chamagne 88 95 E 3
Chamagnieu 38 231 H 1
Chamalières 63 209 G 5
Chamalières-sur-Loire 43 247 G 2
Chamaloc 26 268 B 1
Chamant 60 39 E 4
Chamarande 91 87 G 3
Chamarandes 52 117 E 3
Chamaret 26 267 F 5
La Chamba 42 229 E 1
Chambain 21 138 D 3
Chambeire 21 160 C 3
Chambellay 49 128 B 4
Chambéon 42 229 H 1
Chambérat 03 190 B 3
Chamberaud 23 207 F 2
Chamberet 19 224 D 3
Chambéria 39 196 B 2
Chambéry 73 233 F 2
Chambéry-le-Vieux 73 233 F 2
Chambeugle 89 135 F 2
Chambezon 43 228 A 5
Chambilly 71 193 G 5
Chamblac 27 55 F 2
Chamblanc 21 178 B 1
Chamblay 39 179 F 1
Chambles 42 230 A 4
Chamblet 03 191 E 4
Chambley-Bussières 54 65 F 1
Chambly 60 38 B 5
Chambœuf 21 159 H 4
Chambœuf 42 230 A 2
Chambois 61 54 B 4
Chambolle-Musigny 21 160 A 4
Le Chambon 07 266 A 1
Chambon 17 201 E 1
Chambon 18 173 E 4
Chambon 30 283 G 2
Chambon 37 170 A 3
Chambon Barrage du 38 251 H 3
Chambon Lac 63 227 F 3
Chambon Lac de 36 188 D 3
Le Chambon-
Feugerolles 42 230 A 4
Chambon-la-Forêt 45 111 G 4
Chambon-le-Château 48 264 D 1
Chambon-Sainte-Croix 23 189 E 4
Chambon-sur-Cisse 41 152 D 1
Chambon-sur-Dolore 63 228 D 3
Chambon-sur-Lac 63 227 F 3
Le Chambon-
sur-Lignon 43 248 A 3
Chambon-sur-Voueize 23 208 B 1
Chambonas 07 265 H 5
Chambonchard 23 208 C 1
La Chambonie 42 229 E 1
Chamborand 23 206 C 1
Chambord 27 55 F 3
Chambord 41 132 C 5
Chamboret 87 205 F 3
Chamborigaud 30 283 G 2
Chambornay-
lès-Bellevaux 70 162 A 2
Chambornay-lès-Pin 70 161 H 2
Chambors 60 37 G 4
Chambost-Allières 69 212 B 3
Chambost-
Longessaigne 69 212 B 5
La Chambotte 73 215 E 5
Chamboulive 19 224 D 4
Chambourcy 78 58 A 3
Chambourg-sur-Indre 37 152 B 5
Chambray 27 56 A 3
Chambray 27 56 C 1
Chambray-lès-Tours 37 151 H 3
La Chambre 73 234 A 4
Chambrecy 51 41 F 4
Les Chambres 50 51 G 4
Chambretaud 85 166 D 2
Chambrey 57 66 C 4
Chambroncourt 52 93 F 4
Chambroutet 79 167 G 3
Chambry 02 24 D 5
Chambry 77 59 G 2
Chaméane 63 228 B 3
Chamelet 69 212 C 3
Chameroy 52 139 F 2
Chamery 51 41 G 5
Chamesey 25 163 E 3
Chamesol 25 163 G 2
Chamesson 21 138 A 3
Chameyrat 19 242 D 1
Chamigny 77 60 A 2
Chamilly 71 177 G 3
Chammes 53 106 C 4
Chamole 39 179 G 3
Chamonix-Mont-Blanc 74 217 E 3
Chamouillac 17 219 H 5
Chamouille 02 40 D 1
Chamouilley 52 92 D 2
Chamousset 73 233 H 2
Chamoux 89 157 G 2
Chamoux-sur-Gelon 73 233 H 2
Chamoy 10 114 D 3

Champ de Bataille *Château du* 27 .... 35 H5
Le Champ-de-la-Pierre 61 .... 83 E2
Champ-d'Oiseau 21 .... 137 H5
Champ-Dolent 27 .... 56 A2
Champ-Dolent *Menhir de* 35 .. 80 B2
Champ-du-Boult 14 .... 52 B3
Champ du Feu 67 .... 96 D3
Champ-Haut 61 .... 54 D4
Champ-Laurent 73 .... 233 H3
Champ-le-Duc 88 .... 119 H2
Le Champ-près-Froges 38 .. 233 F5
Le Champ-Saint-Père 85 .... 182 D2
Champ-sur-Barse 10 .... 115 G2
Champ-sur-Drac 38 .... 250 D3
Le Champ-sur-Layon 49 .... 149 G3
Champagnac 15 .... 226 B5
Champagnac 17 .... 219 H4
Champagnac-de-Belair 24 .. 222 C5
Champagnac-la-Noaille 19 .. 243 F1
Champagnac-la-Prune 19 .... 243 F2
Champagnac-la-Rivière 87 .. 223 E1
Champagnac-le-Vieux 43 .... 228 C5
Champagnat 23 .... 207 H3
Champagnat 71 .... 196 A2
Champagnat-le-Jeune 63 .... 228 B4
Champagne 07 .... 249 E1
Champagne 17 .... 201 E4
Champagne 28 .... 57 E4
Champagné 72 .... 108 A4
Champagne-au-Mont-d'Or 69 .... 213 E5
Champagne-en-Valromey 01 .... 214 D3
Champagne-et-Fontaine 24 .... 221 G4
Champagné-le-Sec 86 .... 203 F1
Champagné-les-Marais 85 .. 183 F3
Champagne-Mouton 16 .... 203 H3
Champagné-Saint-Hilaire 86 .... 186 B4
Champagne-sur-Loue 39 .... 179 G1
Champagne-sur-Oise 95 .... 38 B5
Champagne-sur-Seine 77 .... 88 C4
Champagne-sur-Vingeanne 21 .... 160 D1
Champagne-Vigny 16 .... 221 E3
Champagneux 73 .... 232 D2
Champagney 25 .... 161 H3
Champagney 39 .... 161 E3
Champagney 70 .... 142 A2
Champagnier 38 .... 250 D2
Champagnole 39 .... 179 H4
Champagnolles 17 .... 219 G3
Champagny 21 .... 159 G1
Champagny 39 .... 179 H2
Champagny-en-Vanoise 73 .... 234 D3
Champagny-sous-Uxelles 71 .... 194 D1
Champallement 58 .... 157 E4
Champanges 74 .... 198 B3
Champaubert 51 .... 61 E3
Champcella 05 .... 270 C1
Champcenest 77 .... 60 B5
Champcerie 61 .... 53 H4
Champcervon 50 .... 51 G3
Champcevinel 24 .... 240 C2
Champcevrais 89 .... 135 E4
Champcey 50 .... 51 G4
Champclause 43 .... 247 H4
Champcourt 52 .... 92 C5
Champcueil 91 .... 88 A3
Champdeniers-Saint-Denis 79 .... 185 E2
Champdeuil 77 .... 88 C2
Champdieu 42 .... 229 G2
Champdivers 39 .... 178 D1
Champdolent 17 .... 201 E3
Champdor-Corcelles 01 .... 214 C2
Champdôtre 21 .... 160 C4
Champdray 88 .... 120 A2
Champeau-en-Morvan 21 .... 158 B4
Champeaux 35 .... 105 E2
Champeaux 50 .... 51 F4
Les Champeaux 61 .... 54 C3
Champeaux 77 .... 88 C2
Champeaux 79 .... 185 E2
Champeaux-et-la-Chapelle-Pommier 24 .... 222 B4
Champeaux-sur-Sarthe 61 .... 84 B2
Champeix 63 .... 227 H2
Champenard 27 .... 36 C5
La Champenoise 36 .... 172 A2
Champenoux 54 .... 66 B5
Champéon 53 .... 82 C4
Champétières 63 .... 228 D3
Champey 70 .... 142 A3
Champey-sur-Moselle 54 .... 65 G2
Champfleur 72 .... 83 G4
Champfleury 10 .... 90 D2
Champfleury 51 .... 41 G4
Champforgeuil 71 .... 177 H3
Champfrémont 53 .... 83 F4
Champfromier 01 .... 197 E5
Champgenéteux 53 .... 82 D5
Champguyon 51 .... 60 D4
Champhol 28 .... 86 B3
Champien 80 .... 23 F4
Champier 38 .... 232 A4
Champigné 49 .... 128 C4
Champignelles 89 .... 135 F3
Champigneul-Champagne 51 .... 61 H2
Champigneul-sur-Vence 08 .... 26 C4
Champigneulle 08 .... 43 F2
Champigneulles 54 .... 65 H5
Champigneulles-en-Bassigny 52 .... 117 H3
Champignol-lez-Mondeville 10 .... 116 A3
Champignolles 21 .... 177 F1
Champignolles 27 .... 55 G2
Champigny 51 .... 41 G3
Champigny 89 .... 89 F5
Champigny-en-Beauce 41 .... 132 A4
Champigny-la-Futelaye 27 .... 56 C3
Champigny-le-Sec 86 .... 168 D5
Champigny-lès-Langres 52 . 117 F5
Champigny-sous-Varennes 52 .... 140 A2
Champigny-sur-Aube 10 .... 91 E2
Champigny-sur-Marne 94 .... 58 D4
Champigny-sur-Veude 37 .... 169 E1
Champillet 36 .... 189 H2
Champillon 51 .... 61 G1
Champis 07 .... 249 E4
Champlan 91 .... 58 B5
Champlat-et-Boujacourt 51 .... 41 F5
Champlay 89 .... 113 H5
Champlecy 71 .... 193 H3
Champlemy 58 .... 156 D4
Champlieu 71 .... 194 D1
Champlieu *Ruines gallo-romaines de* 60 .... 39 F3
Champlin 08 .... 26 A2
Champlin 58 .... 157 E4
Champlitte-et-le-Prélot 70 .... 140 A4
Champlitte-la-Ville 70 .... 140 A5
Champlive 25 .... 162 B3
Champlon 55 .... 64 D1
Champlost 89 .... 114 B4
Champmillon 16 .... 221 E2
Champmotteux 91 .... 87 H5
Champnétery 87 .... 206 C5
Champneuville 55 .... 44 B5
Champniers 16 .... 221 F1
Champniers 86 .... 186 B5
Champniers-et-Reilhac 24 .... 222 C1
Champoléon 05 .... 270 A1
Champoly 42 .... 211 E4
Champosoult 61 .... 54 C3
Champougny 55 .... 94 A2
Champoulet 45 .... 135 E4
Champoux 25 .... 162 A2
Champrenault 21 .... 159 F2
Champrepus 50 .... 51 H3
Champrond 72 .... 108 D4
Champrond-en-Gâtine 28 .... 85 F4
Champrond-en-Perchet 28 .... 85 E5
Champrosay 91 .... 58 C5
Champrougier 39 .... 179 E3
Champs 02 .... 40 A1
Champs 61 .... 84 C2
Champs 63 .... 209 H2
Champs *Col des* 06 .... 289 E2
Les Champs-de-Losque 50 .... 32 A4
Les Champs-Géraux 22 .... 79 H4
Champs-Romain 24 .... 222 D3
Champs-sur-Marne 77 .... 59 E3
Champs-sur-Tarentaine 15 .. 226 C5
Champs-sur-Yonne 89 .... 136 B4
Champsac 87 .... 223 E1
Champsanglard 23 .... 189 F5
Champsecret 61 .... 82 B2
Champseru 28 .... 86 C3
Champsevraine 52 .... 140 A3
Champtercier 04 .... 287 H3
Champtocé-sur-Loire 49 .... 149 E2
Champtoceaux 49 .... 148 B2
Champtonnay 70 .... 161 F2
Champvallon 89 .... 113 G5
Champvans 39 .... 160 D5
Champvans 70 .... 161 E2
Champvans-les-Baume 25 .. 162 C2
Champvans-les-Moulins 25 . 161 H3
Champvert 58 .... 175 F3
Champvoisy 51 .... 40 D5
Champvoux 58 .... 156 B5
Chamrousse 38 .... 251 F2
Chamvres 89 .... 113 G5
Chanac 48 .... 264 B5
Chanac-les-Mines 19 .... 243 E1
Chanaleilles 43 .... 264 C1
Chanas 38 .... 231 E5
Chanat-la-Mouteyre 63 .... 209 G5
Chanay 01 .... 214 D2
Chanaz 73 .... 215 E4
Chançay 37 .... 152 B2
Chancé 35 .... 104 D4
Chanceaux 21 .... 159 G1
Chanceaux-près-Loches 37 .... 152 B5
Chanceaux-sur-Choisille 37 .... 151 H1
Chancelade 24 .... 240 C2
Chancenay 52 .... 63 F5
Chancey 70 .... 161 F3
Chancia 39 .... 196 C4
Chandai 61 .... 55 G4
Chandolas 07 .... 284 A1
Chandon 42 .... 211 H1
Chanéac 07 .... 248 A5
Chaneins 01 .... 213 E2
Chânes 71 .... 194 D5
Le Change 24 .... 240 D2
Changé 53 .... 105 H3
Change 71 .... 177 F2
Changé 72 .... 107 H5
Changey 52 .... 117 F5
Changis-sur-Marne 77 .... 59 H2
Changy 42 .... 211 F1
Changy 51 .... 62 D4
Changy-Tourny 71 .... 193 H3
Chaniat 43 .... 228 C5
Chaniaux 48 .... 265 F3
Chaniers 17 .... 219 G1
Channay 21 .... 137 H2
Channay-sur-Lathan 37 .... 151 E1
Channes 10 .... 115 F5
Chanonat 63 .... 227 H1
Chanos-Curson 26 .... 249 F3
Chanousse 05 .... 286 D1
Chanoy 52 .... 117 F5
Chanoz-Châtenay 01 .... 213 F1
Chanteau 45 .... 111 E5
Chantecoq 45 .... 112 D4
Chantecorps 79 .... 185 G2
Chanteheux 54 .... 95 G1
Chanteix 19 .... 242 C1
Chantelle 03 .... 191 H5
Chanteloup 27 .... 56 A3
Chanteloup 35 .... 104 B4
Chanteloup 50 .... 51 G2
Chanteloup 79 .... 167 G4
Chanteloup *Pagode de* 37 .... 152 B2
Chanteloup-en-Brie 77 .... 59 F3
Chanteloup-les-Bois 49 .... 149 F5
Chanteloup-les-Vignes 78 .... 57 H2
Chantelouve 38 .... 251 F4
Chantemerle 05 .... 252 C4
Chantemerle 51 .... 90 A2
Chantemerle-les-Blés 26 .... 249 F2
Chantemerle-lès-Grignan 26 .... 267 F5
Chantemerle-sur-la-Soie 17 .... 201 G3
Chantemesle 95 .... 57 F1
Chantenay-Saint-Imbert 58 . 174 C5
Chantenay-Villedieu 72 .... 107 E5
Chantepie 35 .... 104 B3
Chantérac 24 .... 239 H2
Chanterelle 15 .... 227 E5
Chantes 70 .... 140 D4
Chantesse 38 .... 250 B1
Chanteuges 43 .... 246 C3
Chantillac 16 .... 220 B5
Chantilly 60 .... 38 D4
Chantôme 36 .... 188 D3
Chantonnay 85 .... 166 C5
Chantraine 88 .... 119 F2
Chantraines 52 .... 117 E2
Chantrans 25 .... 180 B1
Chantrigné 53 .... 82 B4
Chanturgue *Plateau de* 63 .. 209 H5
Chanu 61 .... 53 E4
Chanville 57 .... 66 C1
Chanzeaux 49 .... 149 F3
Chaon 41 .... 133 H5
Chaouilley 54 .... 94 C3
Chaource 10 .... 115 E4
Chaourse 02 .... 25 G4
Chapaize 71 .... 194 D1
Chapareillan 38 .... 233 F3
Chaparon 74 .... 215 H4
Chapdes-Beaufort 63 .... 209 F4
Chapdeuil 24 .... 221 H5
Chapeau 03 .... 192 C2
Chapeauroux 48 .... 265 E1
Chapeiry 74 .... 215 F4
Chapelaine 51 .... 91 H2
La Chapelaude 03 .... 190 C3
La Chapelle 03 .... 210 C2
La Chapelle 08 .... 27 F3
La Chapelle 16 .... 203 E4
La Chapelle 19 .... 225 H4
La Chapelle 73 .... 234 A4
La Chapelle-Achard 85 .... 182 B1
La Chapelle-Agnon 63 .... 228 D2
La Chapelle-Anthenaise 53 . 106 A3
La Chapelle-au-Mans 71 .... 193 F1
La Chapelle-au-Moine 61 .... 53 E4
La Chapelle-au-Riboul 53 .... 82 C5
La Chapelle-Aubareil 24 .... 241 G4
La Chapelle-aux-Bois 88 .... 119 F4
La Chapelle-aux-Brocs 19 .... 242 C2
La Chapelle-aux-Chasses 03 .... 175 F5
La Chapelle-aux-Choux 72 .. 130 A5
La Chapelle-aux-Filtzméens 35 .... 80 A4
La Chapelle-aux-Lys 85 .... 184 C1
La Chapelle-aux-Naux 37 .... 151 F3
La Chapelle-aux-Saints 19 .. 242 D4
La Chapelle-Baloue 23 .... 188 D4
La Chapelle-Basse-Mer 44 .. 148 A3
La Chapelle-Bâton 17 .... 201 H2
La Chapelle-Bâton 79 .... 185 E2
La Chapelle-Bâton 86 .... 203 H1
La Chapelle-Bayvel 27 .... 35 E3
La Chapelle-Bertin 43 .... 246 D2
La Chapelle-Bertrand 79 .... 185 G1
La Chapelle-Biche 61 .... 53 E4
La Chapelle-Blanche 22 .... 103 G1
La Chapelle-Blanche 73 .... 233 G3
La Chapelle-Blanche-Saint-Martin 37 .... 170 A1
La Chapelle-Bouëxic 35 .... 103 H5
La Chapelle-Caro 56 .... 102 D5
La Chapelle-Cécelin 50 .... 52 A3
La Chapelle-Chaussée 35 .... 80 A5
La Chapelle-Craonnaise 53 . 105 G5
La Chapelle-d'Abondance 74 .... 198 D4
La Chapelle-d'Alagnon 15 .... 245 F3
La Chapelle-d'Aligné 72 .... 129 E3
La Chapelle-d'Andaine 61 .... 82 C2
La Chapelle-d'Angillon 18 .... 155 E3
La Chapelle-d'Armentières 59 .. 8 C2
La Chapelle-d'Aunainville 28 . 86 D4
La Chapelle-d'Aurec 43 .... 229 H5
La Chapelle-de-Bragny 71 .. 194 D1
La Chapelle-de-Brain 35 .... 126 A3
La Chapelle-de-Guinchay 71 194 D5
La Chapelle-de-la-Tour 38 .... 232 B2
La Chapelle-de-Mardore 69 .... 212 A2
La Chapelle-de-Surieu 38 .... 231 F4
Chapelle-des-Bois 25 .... 197 G1
La Chapelle-des-Fougeretz 35 .... 104 A2
La Chapelle-des-Marais 44 . 146 B1
La Chapelle-des-Pots 17 .... 201 G5
La Chapelle-devant-Bruyères 88 .... 120 A2
Chapelle-d'Huin 25 .... 180 B2
La Chapelle-du-Bard 38 .... 233 G4
La Chapelle-du-Bois 72 .... 108 C2
La Chapelle-du-Bois-des-Faulx 27 .... 36 B5
La Chapelle-du-Bourgay 76 .... 20 B2
La Chapelle-du-Châtelard 01 213 G2
La Chapelle-du-Chêne 85 .... 129 E2
La Chapelle-du-Fest 50 .... 32 C5
La Chapelle-du-Genêt 49 .... 148 C4
La Chapelle-du-Lou-du-Lac 35 .... 103 H1
La Chapelle-du-Mont-de-France 71 .... 194 C3
La Chapelle-du-Mont-du-Chat 73 .... 233 E1
La Chapelle-du-Noyer 28 .... 109 H4
La Chapelle-en-Juger 50 .... 32 A5
La Chapelle-en-Lafaye 42 .... 229 G4
La Chapelle-en-Serval 60 .... 38 D5
La Chapelle-en-Valgaudémar 05 .... 251 H5
La Chapelle-en-Vercors 26 .. 250 B4
La Chapelle-en-Vexin 95 .... 37 F5
La Chapelle-Enchérie 41 .... 131 H3
La Chapelle-Engerbold 14 .... 53 E2
La Chapelle-Erbrée 35 .... 105 F3
La Chapelle-Faucher 24 .... 222 C5
La Chapelle-Felcourt 51 .... 62 D1
La Chapelle-Forainvilliers 28 .. 57 E5
La Chapelle-Fortin 28 .... 55 H5
La Chapelle-Gaceline 56 .... 125 G2
La Chapelle-Gaudin 79 .... 167 H2
La Chapelle-Gaugain 72 .... 130 D3
La Chapelle-Gauthier 27 .... 55 E2
La Chapelle-Gauthier 77 .... 88 D3
La Chapelle-Geneste 43 .... 228 D5
La Chapelle-Glain 44 .... 127 F4
La Chapelle-Gonaguet 24 .... 240 B1
La Chapelle-Grésignac 24 .... 221 G4
Chapelle-Guillaume 28 .... 109 E3
La Chapelle-Hareng 27 .... 35 E5
La Chapelle-Haute-Grue 14 .... 54 C2
La Chapelle-Hermier 85 .... 165 F5
La Chapelle-Heulin 44 .... 148 A4
La Chapelle-Hugon 18 .... 174 A3
La Chapelle-Hullin 49 .... 127 G3
La Chapelle-Huon 72 .... 131 E2
La Chapelle-Iger 77 .... 59 H5
La Chapelle-Janson 35 .... 81 F4
La Chapelle-la-Reine 77 .... 88 A5
La Chapelle-Largeau 79 .... 167 E2
La Chapelle-Lasson 51 .... 90 C2
La Chapelle-Launay 44 .... 146 D2
La Chapelle-Laurent 15 .... 246 A2
La Chapelle-lès-Luxeuil 70 .. 141 G2
La Chapelle-Marcousse 63 . 227 H4
La Chapelle-Montabourlet 24 .... 221 H4
La Chapelle-Montbrandeix 87 .... 222 D2
La Chapelle-Monthodon 02 .... 60 D1
La Chapelle-Montligeon 61 .... 84 C3
La Chapelle-Montlinard 18 .. 156 B5
La Chapelle-Montmartin 41 . 153 H4
La Chapelle-Montmoreau 24 .... 222 B4
La Chapelle-Montreuil 86 .... 186 A2
Chapelle-Morthemer 86 .... 186 D2
La Chapelle-Moulière 86 .... 186 D1
La Chapelle-Moutils 77 .... 60 B4
La Chapelle-Naude 71 .... 195 H1
La Chapelle-Neuve 22 .... 77 E2
La Chapelle-Neuve 56 .... 101 H5
La Chapelle-Onzerain 45 .... 110 B4
La Chapelle-Orthemale 36 .. 171 F4
La Chapelle-Palluau 85 .... 165 G3
La Chapelle-Péchaud 24 .... 259 F1
La Chapelle-Pouilloux 79 .... 203 E1
La Chapelle-près-Sées 61 .... 83 H2
La Chapelle-Rablais 77 .... 88 D3
La Chapelle-Rainsouin 53 .... 106 B3
La Chapelle-Rambaud 74 .... 215 H1
La Chapelle-Réanville 27 .... 36 D5
La Chapelle-Rousselin 49 .... 149 E4
Chapelle-Royale 28 .... 109 F3
La Chapelle-Saint-André 58 156 D2
La Chapelle-Saint-Aubert 35 .... 81 E5
La Chapelle-Saint-Aubin 72 .... 107 G4
La Chapelle-Saint-Étienne 79 .... 167 F5
La Chapelle-Saint-Florent 49 .... 148 C3
La Chapelle-Saint-Fray 72 .. 107 G3
La Chapelle-Saint-Géraud 19 .... 243 F4
La Chapelle-Saint-Jean 24 .. 241 G2
La Chapelle-Saint-Laud 49 .. 129 E5
La Chapelle-Saint-Laurent 79 .... 167 G4
La Chapelle-Saint-Laurian 36 .... 172 A1
La Chapelle-Saint-Luc 10 .... 90 D5
La Chapelle-Saint-Martial 23 .... 207 F3
La Chapelle-Saint-Martin 73 .... 232 D1
La Chapelle-Saint-Martin-en-Plaine 41 .... 132 B4
La Chapelle-Saint-Maurice 74 .... 215 G5
La Chapelle-Saint-Mesmin 45 .... 133 E2
La Chapelle-Saint-Ouen 76 .... 36 D1
La Chapelle-Saint-Quillain 70 .... 161 G1
La Chapelle-Saint-Rémy 72 .... 108 B3
La Chapelle-Saint-Sauveur 44 .... 148 D1
La Chapelle-Saint-Sauveur 71 .... 178 C3
La Chapelle-Saint-Sépulcre 45 .... 112 D4
La Chapelle-Saint-Sulpice 77 . 89 F3
La Chapelle-Saint-Ursin 18 . 173 E1
La Chapelle-Souëf 61 .... 84 C5
La Chapelle-sous-Brancion 71 .... 195 E2
La Chapelle-sous-Dun 71 .... 194 A5
La Chapelle-sous-Orbais 51 .... 61 E2
La Chapelle-sous-Uchon 71 .... 176 C3
Chapelle-Spinasse 19 .... 225 F5
La Chapelle-sur-Aveyron 45 .... 135 E2
La Chapelle-sur-Chézy 02 .... 60 B2
La Chapelle-sur-Coise 69 .... 230 C2
La Chapelle-sur-Crécy 77 .... 59 G3
La Chapelle-sur-Dun 76 .... 19 H2
La Chapelle-sur-Erdre 44 .... 147 G3
La Chapelle-sur-Furieuse 39 .... 179 G1
La Chapelle-sur-Loire 37 .... 151 E4
La Chapelle-sur-Oreuse 89 .... 89 G5
La Chapelle-sur-Oudon 49 .. 128 A4
La Chapelle-sur-Usson 63 .. 228 B4
La Chapelle-sur-Vire 50 .... 52 B1
La Chapelle-Taillefert 23 .... 207 E2
La Chapelle-Thècle 71 .... 195 G1
La Chapelle-Thémer 85 .... 183 G1
La Chapelle-Thireuil 79 .... 184 D1
La Chapelle-Thouarault 35 .. 103 H2
La Chapelle-Urée 50 .... 52 A5
Chapelle-Vallon 10 .... 90 D4
La Chapelle-Vaupelteigne 89 .... 136 C2
La Chapelle-Vendômoise 41 .... 131 H4
La Chapelle-Vicomtesse 41 .... 109 F5
La Chapelle-Viel 61 .... 55 F5
La Chapelle-Villars 42 .... 230 D3
Chapelle-Viviers 86 .... 187 E2
Chapelle-Voland 39 .... 178 D4
La Chapelle-Yvon 14 .... 54 D1
Les Chapelles 53 .... 82 D3
Les Chapelles 73 .... 234 D2
Les Chapelles-Bourbon 77 .... 59 F4
Chapelon 45 .... 112 B4
La Chapelotte 18 .... 155 G3
Chapet 78 .... 57 H2
Les Chapieux 73 .... 216 D5
Chapois 39 .... 179 H3
Chaponnay 69 .... 231 F2
Chaponost 69 .... 230 D1
Chaponost *Arches de* 69 .... 231 E1
Chappes 03 .... 191 F4
Chappes 08 .... 26 A5
Chappes 10 .... 115 F3
Chappes 63 .... 210 A4
Chaptelat 87 .... 205 G4
Chaptuzat 63 .... 209 H3
Charade 63 .... 227 G1
Charancieu 38 .... 232 C3
Charancin 01 .... 214 C3
Charantonnay 38 .... 231 G3
Charavines 38 .... 232 C4
Charbogne 08 .... 42 C1
Charbonnat 71 .... 176 B4
Charbonnier-les-Mines 63 .... 228 A4
Charbonnières 28 .... 109 E2
Charbonnières 71 .... 195 E3
Charbonnières-les-Bains 69 .... 212 D5
Charbonnières-les-Sapins 25 .... 162 B4
Charbonnières-les-Varennes 63 .... 209 G4
Charbonnières-les-Vieilles 63 .... 209 G3
Charbuy 89 .... 136 A3
La Charce 26 .... 268 C4
Charcé-Saint-Ellier-sur-Aubance 49 .... 149 H3
Charcenne 70 .... 161 G2
Charchigné 53 .... 82 C4
Charchilla 39 .... 196 D2
Charcier 39 .... 179 G5
Chard 23 .... 208 C4
Chardeny 08 .... 42 C2
Chardes 17 .... 219 H5
Chardogne 55 .... 63 G3
Chardonnay 71 .... 195 E2
Chareil-Cintrat 03 .... 192 A5

Charencey 21 159 F 2
Charency 39 180 A 4
Charency-Vezin 54 44 C 2
Charens 26 268 C 4
Charensat 63 208 D 3
Charentay 69 212 D 2
Charentenay 70 140 C 5
Charentenay 89 136 B 5
Charentilly 37 151 H 1
Charenton 58 156 B 4
Charenton-du-Cher 18 173 G 5
Charenton-le-Pont 94 58 C 4
Charentonnay 18 156 A 5
Charette 38 214 A 5
Charette-Varennes 71 178 C 2
Charey 54 65 F 2
Charézier 39 196 D 1
Chargé 37 152 C 2
Chargey-lès-Gray 70 161 E 1
Chargey-lès-Port 70 140 D 3
Chariez 70 141 E 4
Charigny 21 158 D 2
La Charité-sur-Loire 58 156 B 5
Charix 01 196 D 5
Charlas 31 316 B 5
Charleval 13 305 G 3
Charleval 27 36 D 2
Charleville 51 61 E 4
Charleville-Mézières 08 26 D 3
Charleville-sous-Bois 57 46 B 5
Charlieu 42 211 H 1
Charly 18 173 H 3
Charly 69 231 E 2
Charly-Oradour 57 45 H 5
Charly-sur-Marne 02 60 B 2
Charmant 16 221 F 3
Charmauvillers 25 163 G 3
Charmé 16 203 F 3
La Charme 39 179 E 3
Le Charme 45 135 F 3
La Charmée 71 177 G 5
Charmeil 03 210 B 1
Le Charmel 02 40 D 5
Charmensac 15 245 H 2
Charmentray 77 59 F 2
Charmes 02 24 B 4
Charmes 03 210 A 2
Charmes 21 160 C 2
Charmes 52 117 F 5
Charmes 88 95 E 4
Charmes-en-l'Angle 52 92 D 4
Charmes-la-Côte 54 94 A 1
Charmes-la-Grande 52 92 C 4
Charmes-Saint-Valbert 70 140 B 3
Charmes-sur-l'Herbasse 26 249 G 2
Charmes-sur-Rhône 07 249 E 5
Charmette Col de la 38 232 D 5
Les Charmettes 73 233 F 2
Charmoille 25 163 F 3
Charmoille 70 141 E 4
Charmoilles 52 117 F 5
Charmois 54 95 F 2
Charmois 90 142 C 3
Charmois-devant-Bruyères 88 119 G 2
Charmois-l'Orgueilleux 88 119 E 3
Charmont 51 63 E 3
Charmont 95 37 G 5
Charmont-en-Beauce 45 111 F 2
Charmont-sous-Barbuise 10 91 E 4
Les Charmontois 51 63 F 2
Charmoy 10 90 A 4
Charmoy 52 140 A 2
Charmoy 71 176 D 4
Charmoy 89 113 H 5
Charnas 07 231 E 5
Charnat 63 210 B 3
Charnay 25 161 H 5
Charnay 69 212 D 4
Charnay-lès-Chalon 71 178 B 2
Charnay-lès-Mâcon 71 195 E 4
Charnècles 38 232 C 5
Charnizay 37 170 B 3
Charnod 39 196 B 4
Charnois 08 17 F 4
Charnoz-sur-Ain 01 213 H 4
Charny 21 159 E 3
Charny 77 59 F 2
Charny-Orée-de-Puisaye 89 135 F 2
Charny-le-Bachot 10 90 D 2
Charny-sur-Meuse 55 44 B 5
Charolles 71 194 A 3
Charols 26 267 G 3
Charonville 28 109 H 2
Chârost 18 172 C 2
Charousse 74 216 C 3
Charpentry 55 43 F 3
Charpey 26 249 G 4
Charpont 28 56 D 5
Charquemont 25 163 G 3
Charrais 86 168 D 5
Charraix 43 246 C 4
Charras 16 221 H 3
Charray 28 109 H 5
Charre 64 313 F 3
Charrecey 71 177 F 3
Charrey-sur-Saône 21 160 B 5
Charrey-sur-Seine 21 115 H 5
Charrin 58 175 F 4
Charritte-de-Bas 64 313 F 3
Charron 17 183 F 4
Charron 23 208 C 2
Charroux 03 209 H 1
Charroux 86 203 H 1
Chars 95 37 H 5
Charsonville 45 110 B 5
Chartainvilliers 28 86 B 3
Chartèves 02 60 C 1
La Chartre-sur-le-Loir 72 130 C 4
Chartrené 49 150 B 1
Chartres 28 86 A 4
Chartres-de-Bretagne 35 104 B 3
Chartrettes 77 88 B 3
Chartrier-Ferrière 19 242 B 3
Chartronges 77 60 B 4
Chartuzac 17 219 H 5
Charvieu-Chavagneux 38 213 H 5
Charvonnex 74 215 G 2
Chas 63 228 A 1
Chaserey 10 115 E 5
Chasnais 85 183 E 2
Chasnans 25 162 C 5
Chasnay 58 156 C 4
Chasné-sur-Illet 35 80 C 5
Chaspinhac 43 247 F 3
Chaspuzac 43 247 E 3
La Chassagne 39 179 E 3
Chassagne 63 227 H 4
Chassagne-Montrachet 21 177 G 2
Chassagne-Saint-Denis 25 162 A 5
Chassagnes 07 265 H 5
Chassagnes 43 246 C 2
Chassagny 69 230 D 2
Chassaignes 24 239 F 1
Chassal 39 196 D 3
Chassant 28 85 F 5
Chassé 72 83 H 4
Chasse-sur-Rhône 38 231 E 2
Chasseguey 50 52 B 5
Chasselas 71 194 D 5
Chasselay 38 250 A 1
Chasselay 69 213 E 4
Chassemy 02 40 C 2
Chassenard 03 193 F 3
Chasseneuil 36 188 C 1
Chasseneuil-du-Poitou 86 186 C 1
Chasseneuil-sur-Bonnieure 16 203 H 5
Chassenon 16 204 D 4
Chasseradès 48 265 F 4
Chassey 21 159 E 1
Chassey-Beaupré 55 93 G 3
Chassey-le-Camp 71 177 G 3
Chassey-lès-Montbozon 70 141 G 5
Chassey-lès-Scey 70 140 D 4
Chassezac Belvédère du 48 265 F 5
Chassiecq 16 203 H 3
Chassiers 07 266 A 4
Chassieu 69 213 F 5
Chassignelles 89 137 G 3
Chassignieu 38 232 B 3
Chassignolles 36 189 G 2
Chassignolles 43 228 C 5
Chassigny 52 139 H 3
Chassigny-sous-Dun 71 194 A 5
Chassillé 72 107 E 4
Chassiron Phare de 17 200 A 2
Chassors 16 220 C 1
Chassy 18 174 A 1
Chassy 71 193 G 1
Chassy 89 135 H 2
Le Chastang 19 242 D 2
Chastang Barrage du 19 243 F 2
Chastanier 48 265 E 2
Chasteaux 19 242 B 3
Chastel 43 246 B 3
Chastel-Arnaud 26 268 A 2
Chastel-Nouvel 48 264 C 4
Chastel-sur-Murat 15 245 F 3
Chastellux-sur-Cure 89 157 H 2
Chastenay 89 136 A 4
Chasteuil 04 308 A 1
Chastreix 63 227 E 3
La Châtaigneraie 85 167 E 5
Chatain 86 203 H 2
Châtaincourt 28 56 C 5
Châtas 88 96 C 4
Château 71 194 C 3
Château-Arnoux-Saint-Auban 04 287 G 3
Château-Bas 13 305 G 3
Château-Bernard 38 250 C 4
Château-Bréhain 57 66 C 3
Château-Chalon 39 179 F 4
Château-Chervix 87 223 H 2
Château-Chinon 58 176 A 1
Le Château-d'Almenêches 61 54 B 5
Château-des-Prés 39 197 E 2
Le Château-d'Oléron 17 200 B 4
Château-d'Olonne 85 182 A 1
Château-du-Loir 72 130 B 4
Château-Farine 25 161 H 4
Château-Gaillard 01 214 A 3
Château Gaillard 27 36 D 4
Château-Gaillard 28 111 E 3
Château-Garnier 86 186 C 5
Château-Gombert 13 327 E 2
Château-Gontier 53 128 B 2
Château-Guibert 85 183 E 1
Château-Guillaume 36 188 A 3
Château-la-Vallière 37 151 F 1
Château-l'Abbaye 59 9 G 4
Château-Lambert 70 120 A 5
Château-Landon 77 112 B 3
Château-Larcher 86 186 B 3
Château-l'Évêque 24 240 C 1
Château-l'Hermitage 72 130 A 3
Château-Porcien 08 42 A 1
Château-Queyras 05 271 E 1
Château-Regnault 08 26 D 2
Château-Renard 45 112 D 5
Château-Renault 37 131 F 5
Château-Rouge 57 46 D 4
Château-Salins 57 66 C 4
Château-sur-Allier 03 174 B 4
Château-sur-Cher 63 208 C 2
Château-sur-Epte 27 37 F 4
Château-Thébaud 44 147 H 5
Château-Thierry 02 60 C 1
Château-Verdun 09 336 B 5
Château-Ville-Vieille 05 271 E 1
Château-Voué 57 66 D 3
Châteaubernard 16 220 B 1
Châteaubleau 77 89 E 2
Châteaubourg 07 249 E 4
Châteaubourg 35 104 D 3
Châteaubriant 44 127 E 3
Châteaudouble 26 249 G 5
Châteaudouble 83 308 A 4
Châteaudun 28 109 H 4
Châteaufort 04 287 G 1
Châteaufort 78 58 A 5
Châteaugay 63 209 H 5
Châteaugiron 35 104 C 3
Châteaulin 29 75 H 5
Châteaumeillant 18 190 A 2
Châteauneuf 21 159 F 4
Châteauneuf 39 161 F 4
Châteauneuf 42 230 D 3
Châteauneuf 71 194 A 5
Châteauneuf 73 233 H 2
Châteauneuf 85 164 D 2
Châteauneuf-de-Bordette 26 285 H 1
Châteauneuf-de-Chabre 05 287 F 1
Châteauneuf-de-Gadagne 84 305 E 1
Châteauneuf-de-Galaure 26 249 F 1
Châteauneuf-de-Randon 48 264 D 3
Châteauneuf-de-Vernoux 07 248 D 5
Châteauneuf-d'Entraunes 06 289 F 3
Châteauneuf-d'Ille-et-Vilaine 35 79 H 3
Châteauneuf-d'Oze 05 269 F 4
Châteauneuf-du-Faou 29 76 B 5
Châteauneuf-du-Pape 84 285 F 4
Châteauneuf-du-Rhône 26 267 E 4
Châteauneuf-en-Thymerais 28 85 H 2
Châteauneuf-Grasse 06 309 E 3
Châteauneuf-la-Forêt 87 224 C 1
Châteauneuf-le-Rouge 13 306 B 5
Châteauneuf-les-Bains 63 209 F 3
Châteauneuf-les-Martigues 13 326 C 2
Châteauneuf-lès-Moustiers 04 307 H 1
Châteauneuf-Miravail 04 287 E 3
Châteauneuf-sur-Charente 16 220 D 2
Châteauneuf-sur-Cher 18 173 E 3
Châteauneuf-sur-Isère 26 249 F 4
Châteauneuf-sur-Loire 45 133 H 2
Châteauneuf-sur-Sarthe 49 128 D 4
Châteauneuf-Val-de-Bargis 58 156 C 4
Châteauneuf-Val-Saint-Donat 04 287 G 3
Châteauneuf-Villevieille 06 291 F 5
Châteauponsac 87 205 H 1
Châteauredon 04 288 A 4
Châteaurenard 13 304 D 1
Châteaurenaud 71 178 C 5
Châteauroux 36 171 H 4
Châteauroux-les-Alpes 05 270 C 2
Châteauvert 83 307 F 5
Châteauvieux 05 269 G 4
Châteauvieux 41 153 E 4
Châteauvieux 83 308 B 2
Châteauvieux-les-Fossés 25 162 B 5
Châteauvilain 38 232 A 3
Châteauvillain 52 116 C 4
Le Châtel 73 234 A 5
Châtel 74 198 D 4
Châtel-Censoir 89 157 F 1
Chatel-Chéhéry 08 43 F 3
Châtel-de-Joux 39 196 D 2
Châtel-de-Neuvre 03 192 A 3
Châtel-Gérard 89 137 F 5
Châtel-Guyon 63 209 G 4
Châtel-Montagne 03 210 D 2
Châtel-Moron 71 177 F 4
Châtel-Saint-Germain 57 65 G 1
Châtel-sur-Moselle 88 95 F 4
Châtelaillon-Plage 17 200 C 2
Châtelain 53 128 C 2
La Châtelaine 39 179 G 3
Châtelais 49 127 H 3
Châtelard 23 208 C 3
Châtelard 38 251 G 3
Le Châtelard 73 233 G 1
Châtelaudren 22 73 G 5
Chatelay 39 179 F 1
Châtelblanc 25 180 B 5
Châteldon 63 210 C 3
Le Châtelet 18 190 A 1
Châtelet Pont du 04 271 E 3
Le Châtelet-en-Brie 77 88 C 3
Le Châtelet-sur-Retourne 08 42 A 2
Le Châtelet-sur-Sormonne 08 26 B 2
Les Châtelets 28 56 A 5
Le Chateley 39 179 E 3
Le Châtelier 51 63 F 2
Châtellenot 21 159 E 4
Châtellerault 86 169 G 4
Le Châtellier 35 81 E 3
Le Châtellier 61 53 E 5
Les Châtelliers-Châteaumur 85 167 E 3
Les Châtelliers-Notre-Dame 28 85 G 5
Châtelneuf 39 179 H 5
Châtelneuf 42 229 G 2
Chateloy 03 191 E 2
Châtelperron 03 192 D 3
Châtelraould-Saint-Louvent 51 62 C 5
Châtelus 03 211 E 1
Châtelus 38 250 B 3
Châtelus 42 230 B 2
Châtelus-le-Marcheix 23 206 C 3
Châtelus-Malvaleix 23 189 G 5
Châtenay 01 213 H 2
Châtenay 28 86 D 5
Châtenay 38 231 H 5
Châtenay 71 194 A 5
Châtenay-en-France 95 58 D 1
Chatenay-Mâcheron 52 139 H 2
Châtenay-Malabry 92 58 B 4
Châtenay-sur-Seine 77 89 E 4
Chatenay-Vaudin 52 139 H 2
Chatenet 17 220 B 5
Le Châtenet-en-Dognon 87 206 B 4
Châteney 70 141 G 3
Châtenois 39 161 E 5
Châtenois 67 97 E 4
Châtenois 70 141 G 3
Châtenois 88 94 B 5
Châtenois-les-Forges 90 142 C 4
Châtenoy 45 134 A 2
Châtenoy 77 112 B 2
Châtenoy-en-Bresse 71 177 H 4
Châtenoy-le-Royal 71 177 H 4
Châtignac 16 220 D 5
Chatignonville 91 87 E 3
Châtillon 03 191 H 3
Châtillon 39 179 G 5
Châtillon 69 212 D 4
Châtillon 86 186 A 4
Châtillon 92 58 B 4
Châtillon Crêt de 74 215 G 4
Châtillon-Coligny 45 135 E 3
Châtillon-en-Bazois 58 175 G 1
Châtillon-en-Diois 26 268 C 2
Châtillon-en-Dunois 28 109 G 3
Châtillon-en-Michaille 01 214 D 1
Châtillon-en-Vendelais 35 105 F 2
Châtillon-Guyotte 25 162 B 2
Châtillon-la-Borde 77 88 C 3
Châtillon-la-Palud 01 213 H 3
Châtillon-le-Duc 25 161 H 3
Châtillon-le-Roi 45 111 F 3
Châtillon-lès-Sons 02 24 D 3
Châtillon-Saint-Jean 26 249 H 3
Châtillon-sous-les-Côtes 55 44 C 5
Châtillon-sur-Bar 08 43 E 1
Châtillon-sur-Broué 51 92 A 2
Châtillon-sur-Chalaronne 01 213 F 1
Châtillon-sur-Cher 41 153 F 4
Châtillon-sur-Cluses 74 216 C 1
Châtillon-sur-Colmont 53 82 A 5
Châtillon-sur-Indre 36 170 D 2
Châtillon-sur-Lison 25 161 H 5
Châtillon-sur-Loire 45 134 D 5
Châtillon-sur-Marne 51 41 E 5
Châtillon-sur-Morin 51 60 D 5
Châtillon-sur-Oise 02 24 C 3
Châtillon-sur-Saône 88 118 B 5
Châtillon-sur-Seine 21 138 A 2
Châtillon-sur-Thouet 79 168 A 5
Châtin 58 175 H 1
Chatoillenot 52 139 G 4
Châtonnay 38 231 H 3
Chatonnay 39 196 B 3
Chatonrupt 52 92 D 3
Chatou 78 58 A 3
La Châtre 36 189 G 1
La Châtre-Langlin 36 188 B 3
Châtres 10 90 C 3
Châtres 24 241 G 2
Châtres 77 59 F 5
Châtres-la-Forêt 53 106 C 3
Châtres-sur-Cher 41 154 A 4
Châtrices 51 63 F 1
Chattancourt 55 43 H 4
Chatte 38 250 A 2
Chatuzange-le-Goubet 26 249 G 4
Chaucenne 25 161 H 3
Chauchailles 48 263 H 1
Chauché 85 166 A 3
Le Chauchet 23 208 B 2
Chauchigny 10 90 D 4
Chauconin 77 59 F 2
Chauconin-Neufmontiers 77 59 F 2
Chaucre 17 200 A 2
Chaudanne Barrage de 04 308 B 1
Chaudardes 02 41 E 2
Chaudebonne 26 268 A 4
Chaudefonds-sur-Layon 49 149 F 3
Chaudefontaine 25 162 B 2
Chaudefontaine 51 43 E 5
Chaudenay 52 139 H 2
Chaudenay 71 177 G 2
Chaudenay-la-Ville 21 159 F 5
Chaudenay-le-Château 21 159 F 5
Chaudeney-sur-Moselle 54 94 B 1
Chaudes-Aigues 15 263 G 1
Chaudeyrac 48 265 E 3
Chaudeyrolles 43 247 H 4
La Chaudière 26 268 A 3
Chaudière Col de la 26 267 H 3
Chaudon 28 57 E 5
Chaudon-Norante 04 288 B 5
Chaudrey 10 91 F 3
Chaudron-en-Mauges 49 148 D 3
Chaudun 02 40 B 3
Chauffailles 71 194 A 5
Chauffayer 05 269 G 1
Chauffecourt 88 94 D 4
Chauffour-lès-Bailly 10 115 G 2
Chauffour-lès-Étréchy 91 87 F 3
Chauffour-sur-Vell 19 242 C 4
Chauffours 28 85 H 4
Chauffourt 52 117 G 5
Chauffry 77 60 A 4
Chaufour-lès-Bonnières 78 56 D 1
Chaufour-Notre-Dame 72 107 G 4
Chaugey 21 178 C 1
Chaulgnes 58 156 C 5
Chaulhac 48 246 A 5
Chaulieu 50 52 C 4
La Chaulme 63 229 F 4
Chaulnes 80 23 F 2
Chaum 31 334 B 3
Chaumard 58 158 A 5
La Chaume 21 138 C 2
La Chaume 85 182 A 1
Chaume-et-Courchamp 21 139 G 5
Chaume-lès-Baigneux 21 138 B 5
Chaumeil 19 225 E 4
Chaumercenne 70 161 F 3
Chaumeré 35 104 D 4
Chaumergy 39 179 E 3
Chaumes-en-Brie 77 59 F 5
Chaumesnil 10 91 H 4
Chaumont 18 173 H 4
Chaumont 39 197 E 3
Chaumont 52 117 E 3
Chaumont 61 54 D 3
Chaumont 74 215 F 2
Chaumont 89 89 E 5
Chaumont Château de 71 194 B 2
Chaumont-d'Anjou 49 129 E 5
Chaumont-devant-Damvillers 55 44 B 4
Chaumont-en-Vexin 60 37 G 4
Chaumont-la-Ville 52 117 H 3
Chaumont-le-Bois 21 115 H 5
Chaumont-le-Bourg 63 229 E 4
Chaumont-Porcien 08 26 A 4
Chaumont-sur-Aire 55 63 H 2
Chaumont-sur-Loire 41 152 D 1
Chaumont-sur-Tharonne 41 133 F 5
Chaumontel 95 38 C 5
Chaumot 58 157 G 4
Chaumot 89 113 F 4
Chaumousey 88 119 E 2
Chaumoux-Marcilly 18 155 H 5
Chaumussay 37 170 A 3
La Chaumusse 39 197 E 1
Chaumuzy 51 41 F 5
Chaunac 17 220 B 5
Chaunay 86 186 A 5
Chauny 02 24 A 5
Chauray 79 185 E 4
Chauriat 63 228 A 1
Chausey Îles 50 50 D 2
La Chaussade 23 207 H 3
La Chaussaire 49 148 B 4
Chaussan 69 230 D 2
La Chaussée 76 20 B 2
La Chaussée 86 168 D 3
La Chaussée-d'Ivry 28 56 D 3
La Chaussée-Saint-Victor 41 132 A 5
La Chaussée-sur-Marne 51 62 C 3
La Chaussée-Tirancourt 80 22 A 1
Chaussenac 15 243 H 2
Chaussenans 39 179 G 3
Chausseterre 42 211 E 4
Chaussin 39 178 D 2
Chaussoy-Epagny 80 22 C 3
Chaussy 45 111 E 3
Chaussy 95 37 F 5
Le Chautay 18 174 B 2
Chauvac 26 286 C 1
Chauvé 44 146 D 4
Chauve d'Aspremont Mont 06 291 E 5
Chauvency-le-Château 55 27 H 5
Chauvency-Saint-Hubert 55 27 H 5
Chauvigné 35 80 D 4
Chauvigny 86 187 E 1
Chauvigny-du-Perche 41 109 F 5
Chauvincourt 27 37 F 3
Chauvirey-le-Châtel 70 140 B 2
Chauvirey-le-Vieil 70 140 B 3
Chauvoncourt 55 64 C 3
Chauvry 95 58 B 1
Chaux 21 159 H 5
La Chaux 25 180 D 1
La Chaux 61 83 E 2
La Chaux 71 178 C 3
Chaux 90 142 B 2
Chaux-Champagny 39 179 H 2
Chaux-des-Crotenay 39 180 A 5
Chaux-des-Prés 39 197 E 2
La Chaux-du-Dombief 39 197 E 1

La Chaux-en-Bresse **39** 179 E3
Chaux-la-Lotière **70** 161 H2
Chaux-lès-Clerval **25** 162 D2
Chaux-lès-Passavant **25** 162 C3
Chaux-lès-Port **70** 140 D3
Chaux-Neuve **25** 180 B5
Chauzon **07** 266 B5
Chavagnac **15** 245 F2
Chavagnac **24** 241 H3
Chavagne **35** 104 A3
Chavagnes **49** 149 H3
Chavagnes-en-Paillers **85** 166 A2
Chavagnes-les-Redoux **85** 166 D4
Chavagneux-Montbertand **38** 231 H1
Chavaignes **49** 150 C1
Chavanac **19** 225 G2
Chavanat **23** 207 F3
Chavanatte **90** 142 D3
Chavanay **42** 231 E4
Chavanges **10** 91 H3
Chavaniac-Lafayette **43** 246 D2
Chavannaz **74** 215 F2
Chavanne **39** 179 E5
Chavanne **70** 142 A4
La Chavanne **73** 233 G3
Chavannes **18** 173 E3
Chavannes **26** 249 F3
Les Chavannes-en-Maurienne **73** 234 A4
Chavannes-les-Grands **90** 142 D3
Chavannes-sur-l'Étang **68** 142 D3
Chavannes-sur-Reyssouze **01** 195 F3
Chavannes-sur-Suran **01** 196 B5
Chavanod **74** 215 F4
Chavanoz **38** 213 H5
Les Chavants **74** 216 D3
Chavaroux **63** 210 A5
La Chavatte **80** 23 F3
Chaveignes **37** 169 F1
Chavelot **88** 95 F5
Chavenat **16** 221 F4
Chavenay **78** 57 H3
Chavençon **60** 37 H4
Chavenon **03** 191 F3
Chavéria **39** 196 C2
Chaveroche **19** 225 H3
Chaveyriat **01** 195 G5
Chavignol **18** 155 H3
Chavignon **02** 40 C1
Chavigny **02** 40 B2
Chavigny **54** 94 D1
Chavigny *Château de* **37** 150 D5
Chavigny-Bailleul **27** 56 B3
Chaville **92** 58 B4
Chavin **36** 188 D2
Chavoire **74** 215 G3
Chavonne **02** 40 D2
Chavornay **01** 214 D4
Chavot-Courcourt **51** 61 F1
Chavoy **50** 51 H4
Chavroches **03** 192 C4
Le Chay **17** 219 E1
Chay **25** 179 G1
Chazay-d'Azergues **69** 212 D4
La Chaze-de-Peyre **48** 264 A2
Chazé-Henry **49** 127 G3
Chazé-sur-Argos **49** 127 H4
Chazeaux **07** 266 A3
Le Chazelet **05** 252 A3
Chazelet **36** 188 C2
Chazelles **15** 246 B3
Chazelles **16** 221 G2
Chazelles **39** 196 A3
Chazelles **43** 246 C4
Chazelles-sur-Albe **54** 96 A1
Chazelles-sur-Lavieu **42** 229 G3
Chazelles-sur-Lyon **42** 230 B2
Chazelot **25** 162 C1
Chazemais **03** 190 C3
Chazeuil **21** 139 G5
Chazeuil **58** 157 E4
Chazey-Bons **01** 214 D5
Chazey-sur-Ain **01** 213 H4
Chazilly **21** 159 F5
Chazot **25** 163 E2
Chazoy **25** 161 G3
La Chebuette **44** 147 H3
Chécy **45** 133 F2
Chedde **74** 216 D3
Chédigny **37** 152 C4
Chef-Boutonne **79** 202 D1
Chef-du-Pont **50** 31 H2
Chef-Haut **88** 94 C4
Cheffes **49** 128 C5
Cheffois **85** 167 E5
Cheffreville-Tonnencourt **14** 54 C1
Le Chefresne **50** 52 A2
Chéhéry **08** 27 E4
Cheignieu-la-Balme **01** 214 C4
Cheillé **37** 151 F4
Cheilly-lès-Maranges **71** 177 F3
Chein-Dessus **31** 334 D2
Cheissoux **87** 206 C5
Le Cheix **63** 209 H3
Le Cheix **63** 227 G3
Cheix-en-Retz **44** 147 E4
Chélan **32** 316 A3
Chelers **62** 7 H5
Chélieu **38** 232 B3
Chelle-Debat **65** 315 G4
Chelle-Spou **65** 333 G1
Chelles **60** 39 H3
Chelles **77** 59 E3
Chelun **35** 127 F2
Chemaudin **25** 161 H4
Chemault **45** 111 H4
Chemazé **53** 128 A3
Chemellier **49** 149 H3
Chemenot **39** 179 E3
Chéméré **44** 146 D5
Chémeré-le-Roi **53** 106 C5
Chémery **41** 153 F3
Chémery **57** 66 D2
Chémery-Chéhéry **08** 27 E5
Chémery-les-Deux **57** 46 C3
Chemilla **39** 196 C3
Chemillé-en-Anjou **49** 149 F4
Chemillé-sur-Dême **37** 130 D4
Chemillé-sur-Indrois **37** 152 D5
Chemilli **61** 84 B4
Chemilly **03** 192 A2
Chemilly **70** 140 D4
Chemilly-sur-Serein **89** 136 D3
Chemilly-sur-Yonne **89** 136 B2
Chemin **39** 178 C2
Le Chemin **51** 63 F1
Chemin-d'Aisey **21** 138 A3
Cheminas **07** 249 E2
Cheminon **51** 63 F4
Cheminot **57** 65 H2
Chemiré-en-Charnie **72** 107 E4
Chemiré-le-Gaudin **72** 107 F5
Chemiré-sur-Sarthe **49** 128 D3
Chemy **59** 8 C4
Chenac-Saint-Seurin-d'Uzet **17** 219 E3
Chenailler-Mascheix **19** 243 E3
La Chenalotte **25** 163 F5
Chénas **69** 194 D5
Chenaud **24** 239 E1
Chenay **51** 41 F3
Chenay **72** 83 H3
Chenay **79** 185 G4
Chenay-le-Châtel **71** 193 F5
Le Chêne **10** 91 E2
Chêne-Arnoult **89** 135 F2
Chêne-Bernard **39** 179 E2
Chêne-Chenu **28** 85 H2
Chêne-en-Semine **74** 215 E2
Chêne-Sec **39** 178 D3
Chenebier **70** 142 B3
Chenecey-Buillon **25** 161 H5
Cheneché **86** 169 E4
Chênedollé **14** 52 D3
Chênedouit **61** 53 G4
Chênehutte-les-Tuffeaux **49** 150 B3
Chênelette **69** 212 B1
Chénérailles **23** 207 H2
Chenereilles **42** 229 G4
Chenereilles **43** 248 A2
Chénerilles **04** 287 H4
Chenevelles **86** 169 H5
Chenevières **54** 95 G2
Chenevrey-et-Morogne **70** 161 F3
Chênex **74** 215 F1
Cheney **89** 137 E2
Chenicourt **54** 66 B3
Chenières **54** 45 E2
Chéniers **23** 189 F4
Cheniers **51** 62 A3
Chenillé-Champteussé **49** 128 B4
Chenillé-Changé **49** 128 B4
Cheniménil **88** 119 G2
Chennebrun **27** 55 G5
Chennegy **10** 114 C2
Chennevières **55** 93 F1
Chennevières-lès-Louvres **95** 58 D1
Chennevières-sur-Marne **94** 58 D4
Chenois **57** 66 C2
Chenoise **77** 89 F2
Chenommet **16** 203 G3
Chenon **16** 203 G3
Chenonceau *Château de* **37** 152 C3
Chenonceaux **37** 152 C3
Chenou **77** 112 B3
Chenôve **21** 160 A3
Chenôves **71** 177 G5
Chens-sur-Léman **74** 197 H4
Chenu **72** 130 B5
Cheny **89** 114 A5
Chepniers **17** 238 B1
Chepoix **60** 22 C5
La Cheppe **51** 62 C1
Cheppes-la-Prairie **51** 62 B3
Cheppy **55** 43 G4
Cheptainville **91** 87 G3
Chepy **51** 62 B3
Chépy **80** 11 F4
Chérac **17** 219 H1
Chérancé **53** 127 H2
Chérancé **72** 83 H5
Chéraute **64** 313 F4
Chéray **17** 200 A3
Cherbonnières **17** 202 B3
Cherbourg-en-Cotentin **50** 29 E3
Chérence **95** 57 F1
Chérencé-le-Héron **50** 52 A3
Chérencé-le-Roussel **50** 52 B4
Chéreng **59** 9 E3
Les Chères **69** 212 D4
Chérêt **02** 40 D1
Chériennes **62** 12 B2
Cherier **42** 211 F3
Chérigné **79** 202 C1
Les Chéris **50** 51 H5
Chérisay **72** 83 G5
Chérisey **57** 65 H2
Cherisy **28** 56 D4
Chérisy **62** 13 H3
Chérizet **71** 194 C2
Chermignac **17** 219 F1
Chermisey **88** 93 H4
Chermizy-Ailles **02** 41 E1
Chéronnac **87** 204 D5
Chéronvilliers **27** 55 G4
Chéroy **89** 113 E2
Cherré **49** 128 C4
Cherré **72** 108 C3
Cherreau **72** 108 C2
Cherrueix **35** 51 E5
Cherval **24** 221 G4
Cherveix-Cubas **24** 241 F1
Cherves **86** 168 C5
Cherves-Châtelars **16** 204 B5
Cherves-de-Cognac **16** 202 B5
Chervettes **17** 201 F2
Cherveux **79** 185 E3
Chervey **10** 115 H3
Cherville **51** 61 H1
Chervinges **69** 212 D3
Chéry **18** 154 C5
Chéry-Chartreuve **02** 40 D4
Chéry-lès-Pouilly **02** 24 D4
Chéry-lès-Rozoy **02** 25 G3
Chesley **10** 115 E5
Le Chesnay **78** 58 A3
Le Chesne **08** 42 D1
Le Chesne **27** 56 A3
Chesnel **16** 202 B5
Chesnois-Auboncourt **08** 26 C5
Chesny **57** 65 H1
Chessenaz **74** 215 E2
Chessy **69** 212 C4
Chessy **77** 59 F3
Chessy-les-Prés **10** 114 C4
Chéu **89** 114 B5
Cheuge **21** 160 D2
Cheust **65** 333 E1
Cheux **14** 33 F4
Chevagnes **03** 192 C1
Chevagny-les-Chevrières **71** 194 D4
Chevagny-sur-Guye **71** 194 B2
Chevaigné **35** 104 B2
Chevaigné-du-Maine **53** 82 D4
Le Chevain **72** 83 G4
Cheval-Blanc **84** 305 F2
La Chevalerie **17** 200 B4
Chevaline **74** 215 H5
La Chevallerais **44** 147 G1
Le Chevalon **38** 232 D5
Chevanceaux **17** 220 C5
Chevannay **21** 159 F2
Chevannes **21** 159 H5
Chevannes **45** 112 D3
Chevannes **89** 136 A3
Chevannes **91** 88 A3
Chevannes-Changy **58** 157 E4
Chevennes **02** 25 E2
Chevenon **58** 174 D3
Chevenoz **74** 198 C3
Cheverny **41** 153 F1
Cheveuges **08** 27 E4
Chevières **08** 43 E3
Chevigney **70** 161 E3
Chevigney-lès-Vercel **25** 162 C4
Chevigney-sur-l'Ognon **25** 161 G3
Chevigny **39** 161 E4
Chevigny-en-Valière **21** 178 A2
Chevigny-Saint-Sauveur **21** 160 B3
Chevillard **01** 214 C1
Chevillé **72** 107 E5
Chevillon **52** 92 D2
Chevillon **89** 135 G2
Chevillon-sur-Huillard **45** 112 B5
La Chevillotte **25** 162 B4
Chevilly **45** 110 D4
Chevilly-Larue **94** 58 C4
Chevinay **69** 212 C5
Chevincourt **60** 39 F1
Cheviré-le-Rouge **49** 129 F5
Chevrainvilliers **77** 112 B2
Chèvre *Cap de la* **29** 75 E5
Chevreaux **39** 196 A2
Chevregny **02** 40 D1
Chèvremont **90** 142 C3
La Chèvrerie **16** 203 F2
Chèvrerie *Vallon de la* **74** 198 B5
Chevresis-les-Dames **02** 24 C3
Chevresis-Monceau **02** 24 D3
Chevreuse **78** 58 A5
Chèvreville **50** 52 B5
Chèvreville **60** 39 G5
Chevrier **74** 215 E1
Chevrières **38** 250 A2
Chevrières **42** 230 B2
Chevrières **60** 39 E3
Chevroches **58** 157 F2
La Chevrolière **44** 147 G5
Chevrotaine **39** 179 H5
Chevroux **01** 195 F3
Chevroz **25** 161 H2
Chevru **77** 60 A4
Chevry **01** 197 F4
Chevry **39** 196 D3
Chevry **50** 52 A1
Chevry-Cossigny **77** 59 E5
Chevry-en-Sereine **77** 112 D2
Chevry-sous-le-Bignon **45** 112 D3
Chey **79** 185 G4
Cheylade **15** 245 E2
Le Cheylard **07** 248 B5
Cheylard-l'Évêque **48** 265 E3
Le Cheylas **38** 233 F4
Cheyssieu **38** 231 E4
Chezal-Benoît **18** 172 C4
La Chèze **22** 102 C2
Chèze **65** 332 D3
Chézeaux **52** 140 B2
Chezelle **03** 191 H5
Chezelles **36** 171 G3
Chezelles **37** 169 F1
Chézeneuve **38** 231 H2
Chézery-Forens **01** 197 E5
Chézy **03** 192 B1
Chézy-en-Orxois **02** 40 A5
Chézy-sur-Marne **02** 60 B2
Chiappa *Pointe de la* **2A** 351 G2
Chiatra **2B** 347 H4
Chiché **79** 167 H4
Chicheboville **14** 33 H5
Chichée **89** 136 D3
Chichery **89** 136 B2
Chichey **51** 61 E5
Chichilianne **38** 268 C1
Chicourt **57** 66 C3
Chiddes **58** 176 A3
Chiddes **71** 194 B3
Chidrac **63** 227 H3
Chierry **02** 60 C1
Chieulles **57** 45 H5
Chigné **49** 129 H5
Chignin **73** 233 F2
La Chignolle **16** 203 F5
Chigny **02** 25 E1
Chigny-les-Roses **51** 41 G5
Chigy **89** 113 H2
Chilhac **43** 246 B2
Chillac **16** 220 D5
Chille **39** 179 E5
Chilleurs-aux-Bois **45** 111 F4
Le Chillou **79** 168 B4
Chilly **08** 26 B2
Chilly **74** 215 F2
Chilly **80** 23 F3
Chilly-le-Vignoble **39** 179 E5
Chilly-Mazarin **91** 58 C5
Chilly-sur-Salins **39** 179 H2
Chimilin **38** 232 C2
Le Chinaillon **74** 216 B2
Chindrieux **73** 215 E4
Chinon **37** 151 E5
Chinon *Centre de production nucléaire* **37** 150 D4
Chioula *Col de* **09** 336 D5
Chipilly **80** 23 E1
Chirac **16** 204 C4
Chirac **48** 264 A4
Chirac-Bellevue **19** 226 B4
Chirassimont **42** 212 A4
Chirat-l'Église **03** 191 G5
Chiré-en-Montreuil **86** 186 A1
Chirens **38** 232 C4
Chirmont **80** 22 C4
Chirols **07** 266 A2
Chiroubles **69** 212 D1
Chiry-Ourscamp **60** 23 G5
Chis **65** 315 F4
Chisa **2B** 349 F3
Chissay-en-Touraine **41** 152 D3
Chisseaux **37** 152 C3
Chisséria **39** 196 C3
Chissey-en-Morvan **71** 158 C5
Chissey-lès-Mâcon **71** 194 D2
Chissey-sur-Loue **39** 179 F1
Chitenay **41** 153 E1
Chitray **36** 188 B1
Chitry **89** 136 C3
Chitry-les-Mines **58** 157 G4
Chiuni *Plage de* **2A** 348 A1
Chives **17** 202 D3
Chivres **21** 178 B2
Chivres-en-Laonnois **02** 25 F4
Chivres-Val **02** 40 C2
Chivy-lès-Étouvelles **02** 40 D1
Chizé **79** 202 B1
Chocques **62** 7 H3
Choignes **52** 117 E3
Choilley **52** 139 G4
Choisel **78** 57 H5
Choiseul **52** 117 H4
Choisey **39** 178 D1
Choisies **59** 15 H3
Choisy **74** 215 G2
Choisy-au-Bac **60** 39 G2
Choisy-en-Brie **77** 60 A4
Choisy-la-Victoire **60** 39 E2
Choisy-le-Roi **94** 58 C4
Cholet **49** 166 D1
Cholonge **38** 251 E3
Choloy-Ménillot **54** 94 A1
Chomelix **43** 247 E1
Chomérac **07** 266 D2
La Chomette **43** 246 C1
Chonas-l'Amballan **38** 231 E4
Chonville **55** 64 C5
Chooz **08** 17 E4
Choqueuse-les-Bénards **60** 22 A4
Choranche **38** 250 B3
Chorey-lès-Beaume **21** 177 H1
Chorges **05** 270 A3
Chouain **14** 33 E4
Chouday **36** 172 C3
Choue **41** 109 E5
Chougny **58** 175 H1
Chouilly **51** 61 G1
Chouppes **86** 168 D4
Chourgnac **24** 241 F1
Choussy **41** 153 E3
Chouvigny **03** 209 G2
Chouvigny *Gorges de* **63** 209 G2
Choux **39** 196 D4
Les Choux **45** 134 C3
Chouy **02** 40 A4
Chouzé-sur-Loire **37** 150 D4
Chouzelot **25** 161 H5
Chouzy-sur-Cisse **41** 152 D1
Choye **70** 161 G2
Chozeau **38** 231 H1
Chuelles **45** 112 D5
Chuffilly-Roche **08** 42 C1
Chuignes **80** 23 F2
Chuignolles **80** 23 F2
Chuisnes **28** 85 G4
Chusclan **30** 285 E3
Chuyer **42** 230 D4
Chuzelles **38** 231 F2
Ciadoux **31** 316 C4
Ciamannacce **2A** 349 E3
Cians *Gorges du* **06** 289 G5
Ciboure **64** 310 B3
Cideville **76** 19 H5
Ciel **71** 178 A3
Cier-de-Luchon **31** 334 B4
Cier-de-Rivière **31** 334 B1
Cierges **02** 40 D5
Cierges-sous-Montfaucon **55** 43 G3
Cierp-Gaud **31** 334 B3
Cierrey **27** 56 C1
Cierzac **17** 220 B2
Cieurac **46** 278 B1
Cieutat **65** 333 F1
Cieux **87** 205 F3
Ciez **58** 156 C2
Cigné **53** 82 B4
Cigogné **37** 152 B4
Cilly **02** 25 F3
Cinais **37** 150 D5
Cindré **03** 192 C4
Cinq-Chemins **74** 198 A3
Cinq-Mars-la-Pile **37** 151 G3
Cinquétral **39** 197 E3
Cinqueux **60** 38 D3
Cintegabelle **31** 318 A4
Cintheaux **14** 53 H1
Cintray **27** 55 H4
Cintray **28** 86 A4
Cintré **35** 103 H3
Cintrey **70** 140 B3
La Ciotat **13** 327 F4
Cipières **06** 309 E1
Ciral **61** 83 E3
Ciran **37** 170 B1
Circourt **88** 95 E5
Circourt-sur-Mouzon **88** 94 A5
Ciré-d'Aunis **17** 200 D2
Cirès **31** 334 A4
Cires-lès-Mello **60** 38 C4
Cirey **21** 177 F2
Cirey **70** 162 A2
Cirey-lès-Mareilles **52** 117 F2
Cirey-lès-Pontailler **21** 160 C3
Cirey-sur-Blaise **52** 92 C5
Cirey-sur-Vezouze **54** 96 B1
Cirfontaines-en-Azois **52** 116 C3
Cirfontaines-en-Ornois **52** 93 F3
Cirières **79** 167 F3
Ciron **36** 188 A1
Cirque *Belvédère du* **05** 271 G1
Ciry-le-Noble **71** 194 A1
Ciry-Salsogne **02** 40 C2
Cisai-Saint-Aubin **61** 54 D4
Cisery **89** 158 B1
Cissac-Médoc **33** 237 E1
Cissé **86** 169 E5
Cisternes-la-Forêt **63** 209 E5
Cistrières **43** 228 D5
Cîteaux *Abbaye de* **21** 160 B5
Citerne **80** 11 G5
Citers **70** 141 G3
Citey **70** 161 G1
Citou **11** 320 A3
Citry **77** 60 A2
Civaux **86** 187 E3
Civens **42** 212 A5
Civières **27** 37 E5
Civrac-de-Blaye **33** 237 H2
Civrac-en-Médoc **33** 218 D5
Civrac-sur-Dordogne **33** 256 D1
Civray **18** 172 D2
Civray **86** 203 G1
Civray-de-Touraine **37** 152 C3
Civray-sur-Esves **37** 169 H1
Civrieux **01** 213 E3
Civrieux-d'Azergues **69** 212 D4
Civry **28** 110 A4
Civry-en-Montagne **21** 159 F3
Civry-la-Forêt **78** 57 E3
Civry-sur-Serein **89** 137 E5
Cizancourt **80** 23 G2
Cizay-la-Madeleine **49** 150 B4
Cize **01** 196 B5
Cize **39** 179 H4
Cizely **58** 175 E2
Cizos **65** 316 A4
Clacy-et-Thierret **02** 24 D5
Cladech **24** 259 F1
Claira **66** 339 E5
Clairac **47** 275 G1
Clairavaux **23** 207 G5
Clairefontaine-en-Yvelines **78** 87 E2
Clairefougère **61** 52 D3
Clairegoutte **70** 142 A3
Clairfayts **59** 16 A4
Clairfontaine **02** 25 G1

Clairmarais 62 ... 3 F 5
Clairoix 60 ... 39 F 2
Clairvaux 10 ... 116 B 3
Clairvaux-d'Aveyron 12 ... 262 B 5
Clairvaux-les-Lacs 39 ... 196 D 1
Clairvivre 24 ... 223 H 5
Clairy-Saulchoix 80 ... 22 B 2
Clais 76 ... 20 D 3
Claix 16 ... 221 E 3
Claix 38 ... 250 D 2
Clam 17 ... 219 H 3
Clamanges 51 ... 61 H 3
Clamart 92 ... 58 B 4
Clamecy 02 ... 40 B 2
Clamecy 58 ... 157 F 2
Clamensane 04 ... 287 H 1
Clamerey 21 ... 159 E 2
Clamouse *Grotte de* 34 ... 302 B 3
Clans 06 ... 289 H 4
Clans 70 ... 141 E 4
Clansayes 26 ... 285 E 1
Le Claon 55 ... 43 F 5
Claouey 33 ... 254 B 1
Le Clapier 12 ... 301 F 2
Clapiers 34 ... 302 D 4
La Claquette 67 ... 96 D 3
Clara 66 ... 342 B 3
Clarac 31 ... 334 B 1
Clarac 65 ... 315 G 5
Claracq 64 ... 294 B 5
Clarafond 74 ... 215 E 2
Clarbec 14 ... 34 C 4
Clarens 65 ... 315 H 5
Clarensac 30 ... 303 G 2
Claret 04 ... 269 G 5
Claret 34 ... 302 D 2
Clarques 62 ... 7 F 2
La Clarté 22 ... 72 C 2
Clary 59 ... 14 C 5
Classun 40 ... 294 B 3
Clastres 02 ... 24 A 3
Clasville 76 ... 19 F 3
Le Clat 11 ... 337 F 5
Claudon 88 ... 118 C 4
Les Claux 05 ... 270 D 3
Le Claux 15 ... 245 E 2
Clavans-
en-Haut-Oisans 38 ... 251 H 3
Clavé 79 ... 185 F 2
Claveisolles 69 ... 212 B 2
Clavette 17 ... 200 D 1
Claveyson 26 ... 249 F 2
Clavières 15 ... 246 A 4
Claviers 83 ... 308 B 4
Claville 27 ... 56 A 1
Claville-Motteville 76 ... 20 B 5
Clavy-Warby 08 ... 26 C 3
La Claye 85 ... 183 E 2
Claye-Souilly 77 ... 59 E 2
Clayes 35 ... 104 A 2
Les Clayes-sous-Bois 78 ... 57 H 4
La Clayette 71 ... 194 A 5
Clayeures 54 ... 95 F 3
Clazay 79 ... 167 G 4
Clécy 14 ... 53 F 2
Cléden-Cap-Sizun 29 ... 98 D 2
Cléden-Poher 29 ... 76 C 4
Cléder 29 ... 71 F 3
Clèdes 40 ... 294 B 4
Cleebourg 67 ... 69 E 1
Clefmont 52 ... 117 G 3
Clefs-Val-d'Anjou 49 ... 129 G 5
Les Clefs 74 ... 216 A 4
Cléguer 56 ... 101 E 5
Cléguérec 56 ... 101 H 2
Clelles 38 ... 250 D 5
Clémencey 21 ... 159 H 4
Clémensat 63 ... 227 H 3
Clémery 54 ... 65 H 3
Clémont 18 ... 133 H 5
Clénay 21 ... 160 B 2
Clenleu 62 ... 6 C 4
Cléon 76 ... 36 A 3
Cléon-d'Andran 26 ... 267 F 3
Cleppé 42 ... 211 H 5
Clérac 17 ... 238 C 2
Cléré-du-Bois 36 ... 170 C 3
Cléré-les-Pins 37 ... 151 F 2
Cléré-sur-Layon 49 ... 149 H 5
Clères 76 ... 20 B 5
Clérey 10 ... 115 F 2
Clérey-la-Côte 88 ... 94 A 3
Clérey-sur-Brenon 54 ... 94 D 2
Clergoux 19 ... 243 F 1
Clérieux 26 ... 249 F 3
Les Clérimois 89 ... 113 H 2
Le Clerjus 88 ... 119 F 4
Clerlande 63 ... 209 H 4
Clermain 71 ... 194 C 4
Clermont 09 ... 335 G 2
Clermont 40 ... 293 E 4
Clermont 60 ... 38 C 2
Clermont 74 ... 215 E 3
Clermont
Abbaye de 53 ... 105 G 3
Clermont-Créans 72 ... 129 G 4
Clermont-
de-Beauregard 24 ... 240 B 4
Clermont-Dessous 47 ... 275 G 2
Clermont-d'Excideuil 24 ... 223 F 5
Clermont-en-Argonne 55 ... 43 G 5
Clermont-en-Auge 14 ... 34 B 4
Clermont-Ferrand 63 ... 209 H 5
Clermont-le-Fort 31 ... 317 H 2
Clermont-les-Fermes 02 ... 25 F 4
Clermont-l'Hérault 34 ... 302 A 4
Clermont-Pouyguillès 32 ... 316 A 2
Clermont-Savès 32 ... 297 E 4
Clermont-Soubiran 47 ... 276 D 3
Clermont-sur-Lauquet 11 ... 337 H 2
Cléron 25 ... 162 A 5
Clerques 62 ... 2 D 5
Clerval 25 ... 162 D 2
Cléry 21 ... 161 E 3
Cléry 73 ... 234 A 1
Cléry-en-Vexin 95 ... 37 G 5
Cléry-le-Grand 55 ... 43 G 2
Cléry-le-Petit 55 ... 43 G 2
Cléry-Saint-André 45 ... 132 D 3
Cléry-sur-Somme 80 ... 23 G 1
Clesles 51 ... 90 C 3
Clessé 71 ... 195 E 3
Clessé 79 ... 167 H 5
Clessy 71 ... 193 G 2
Cléty 62 ... 7 F 2
Cleurie 88 ... 119 H 3
Cleuville 76 ... 19 F 4
Cléville 14 ... 34 A 5
Cléville 76 ... 19 F 5
Clévilliers 28 ... 86 A 3
Cleyrac 33 ... 256 D 2
Cleyzieu 01 ... 214 B 3
Clézentaine 88 ... 95 G 3
Clichy 92 ... 58 C 3
Clichy-sous-Bois 93 ... 58 D 3
Climbach 67 ... 69 E 1
Le Climont 67 ... 96 D 4
Clinchamp 52 ... 117 G 2
Clinchamps-sur-Orne 14 ... 33 G 5
Clion 17 ... 219 H 3
Clion 36 ... 170 D 2
Le Clion-sur-Mer 44 ... 146 C 5
Cliousclat 26 ... 267 F 2
Cliponville 76 ... 19 G 4
Cliron 08 ... 26 C 2
Clis 44 ... 145 G 4
La Clisse 17 ... 201 F 5
Clisson 44 ... 148 A 5
Clitourps 50 ... 29 G 3
Clohars-Carnoët 29 ... 100 C 5
Clohars-Fouesnant 29 ... 99 H 4
Le Cloître-Pleyben 29 ... 76 B 4
Le Cloître-
Saint-Thégonnec 29 ... 76 B 2
Clomot 21 ... 159 E 4
Clonas-sur-Varèze 38 ... 231 E 4
Clos *Futaie des* 72 ... 130 C 3
Clos-Fontaine 77 ... 89 E 2
La Clotte 17 ... 238 C 2
Clouange 57 ... 45 G 4
Cloué 86 ... 186 A 3
Les Clouzeaux 85 ... 165 G 5
Cloyes-sur-le-Loir 28 ... 109 G 5
Cloyes-sur-Marne 51 ... 62 D 5
Clucy 39 ... 179 H 2
Clugnat 23 ... 189 H 4
Cluis 36 ... 189 E 2
Clumanc 04 ... 288 B 4
Cluny 71 ... 194 D 3
La Clusaz 74 ... 216 A 3
La Cluse 01 ... 214 C 1
La Cluse 05 ... 269 F 2
La Cluse-et-Mijoux 25 ... 180 D 2
Les Cluses 66 ... 343 E 4
Cluses 74 ... 216 C 1
Clussais-la-Pommeraie 79 ... 203 E 1
Clux 71 ... 178 B 2
Coadout 22 ... 73 E 5
Coaraze 06 ... 291 F 4
Coarraze 64 ... 314 C 5
Coat-Méal 29 ... 70 C 5
Coatascorn 22 ... 73 E 4
Coatfrec *Château de* 22 ... 72 C 3
Coatréven 22 ... 72 D 3
Cobonne 26 ... 267 G 1
Cobrieux 59 ... 9 E 3
Cocalière *Grotte de la* 30 ... 283 H 2
La Cochère 61 ... 54 C 4
Cocherel 27 ... 56 C 1
Cocherel 77 ... 59 H 1
Cocheren 57 ... 47 F 5
Coclois 10 ... 91 F 3
Cocquerel 80 ... 11 H 4
Cocumont 47 ... 256 D 5
Codalet 66 ... 342 A 3
Codognan 30 ... 303 G 3
Codolet 30 ... 285 E 3
Coëmont 72 ... 130 B 4
Coësmes 35 ... 104 D 5
Coëtlogon 22 ... 102 C 2
Coëtmieux 22 ... 78 C 3
Coëtquidan-Saint-Cyr
Camp de 56 ... 103 F 4
Cœuilly 94 ... 58 D 4
Cœuvres-et-Valsery 02 ... 40 A 3
Coëx 85 ... 165 E 4
Coggia 2A ... 348 B 1
Coglès 35 ... 80 D 3
Cogna 39 ... 196 D 1
Cognac 16 ... 220 B 1
Cognac-la-Forêt 87 ... 205 E 5
Cognat-Lyonne 03 ... 210 A 2
Cogners 72 ... 130 D 2
Cognet 38 ... 251 E 5
Cognières 70 ... 162 C 1
Cognin 73 ... 233 E 2
Cognin-les-Gorges 38 ... 250 B 2
Cognocoli-Monticchi 2A ... 348 D 4
Cogny 18 ... 173 G 3
Cogny 69 ... 212 C 3
Cogolin 83 ... 329 F 3
Cohade 43 ... 228 B 5
Cohan 02 ... 40 D 4
Cohennoz 73 ... 216 B 5
Cohiniac 22 ... 78 A 3
Cohons 52 ... 139 G 3
Coiffy-le-Bas 52 ... 118 A 5
Coiffy-le-Haut 52 ... 118 A 5
Coigneux 80 ... 13 E 4
Coignières 78 ... 57 H 4
Coigny 50 ... 31 H 2
Coimères 33 ... 256 B 4
Coin-lès-Cuvry 57 ... 65 H 1
Coin-sur-Seille 57 ... 65 H 2
Coinces 45 ... 110 C 5
Coinches 88 ... 96 C 5
Coincourt 54 ... 66 D 5
Coincy 02 ... 40 C 5
Coincy 57 ... 66 B 1
Coings 36 ... 171 H 3
Coingt 02 ... 25 G 3
Coirac 33 ... 256 C 2
Coise 69 ... 230 B 2
Coise-Saint-Jean-
Pied-Gauthier 73 ... 233 G 2
Coiserette 39 ... 197 E 4
Coisevaux 70 ... 142 B 3
Coisia 39 ... 196 C 4
Coisy 80 ... 22 C 1
Coivert 17 ... 201 H 2
Coivrel 60 ... 22 D 5
Coizard-Joches 51 ... 61 F 3
Colayrac-Saint-Cirq 47 ... 275 H 3
Colembert 62 ... 2 C 5
Coligny 01 ... 196 A 3
Coligny 51 ... 61 G 3
Colincamps 80 ... 13 F 4
Collan 89 ... 136 D 2
La Collancelle 58 ... 157 G 5
Collandres 15 ... 244 D 1
Collandres-Quincarnon 27 ... 55 H 1
Collanges 63 ... 228 A 4
Collat 43 ... 246 D 1
La Colle-sur-Loup 06 ... 309 F 2
Collégien 77 ... 59 E 3
Collemiers 89 ... 113 F 3
Colleret 59 ... 15 H 2
Le Collet 88 ... 120 C 3
Le Collet-d'Allevard 38 ... 233 G 4
Le Collet-de-Dèze 48 ... 283 F 2
Colletot 27 ... 35 F 3
Colleville 76 ... 19 E 3
Colleville-Montgomery 14 ... 33 H 3
Colleville-sur-Mer 14 ... 32 D 2
Collias 30 ... 284 C 5
Colligis-Crandelain 02 ... 40 D 1
Colligny 57 ... 66 B 1
Colline-Beaumont 62 ... 11 F 1
Collinée 22 ... 78 D 5
Collioure 66 ... 343 G 4
Collobrières 83 ... 328 D 3
Collonge-en-Charollais 71 ... 194 C 1
Collonge-la-Madeleine 71 ... 177 E 2
Collonges 01 ... 215 E 1
Collonges-au-Mont-d'Or 69 ... 213 E 5
Collonges-la-Rouge 19 ... 242 C 3
Collonges-lès-Bévy 21 ... 159 H 5
Collonges-
lès-Premières 21 ... 160 C 4
Collonges-sous-Salève 74 ... 215 G 1
Collongues 06 ... 289 F 5
Collongues 65 ... 315 F 4
Collorec 29 ... 76 B 4
Collorgues 30 ... 284 A 5
Colmar 68 ... 121 E 3
Colmars 04 ... 288 D 2
Colmen 57 ... 46 C 3
Colméry 58 ... 156 D 3
Colmesnil-Manneville 76 ... 20 A 2
Colmey 54 ... 44 C 2
Colmier-le-Bas 52 ... 138 D 3
Colmier-le-Haut 52 ... 138 D 3
Colognac 30 ... 283 F 5
Cologne 32 ... 297 E 3
Colomars 06 ... 309 G 2
Colombe 38 ... 232 B 4
La Colombe 41 ... 132 B 2
La Colombe 50 ... 52 A 2
Colombé-la-Fosse 10 ... 92 B 5
Colombé-le-Sec 10 ... 116 B 2
Colombe-lès-Bithaine 70 ... 141 G 3
Colombe-lès-Vesoul 70 ... 141 F 4
Colombelles 14 ... 33 H 4
Colombes 92 ... 58 B 2
Colombey-les-Belles 54 ... 94 B 2
Colombey-lès-Choiseul 52 ... 117 H 3
Colombey-
les-Deux-Églises 52 ... 116 C 2
Colombier 03 ... 191 E 5
Colombier 21 ... 159 F 5
Colombier 24 ... 257 H 1
Colombier 42 ... 230 D 5
Colombier 70 ... 141 F 4
Colombier-Châtelot 25 ... 142 A 5
Colombier-en-Brionnais 71 ... 194 A 4
Colombier-Fontaine 25 ... 142 B 5
Colombier-le-Cardinal 07 ... 249 E 1
Colombier-le-Jeune 07 ... 248 D 4
Colombier-le-Vieux 07 ... 248 D 3
Colombier-Saugnieu 69 ... 231 G 1
Colombière *Col de la* 74 ... 216 B 2
Colombières 14 ... 32 C 3
Colombières-sur-Orb 34 ... 301 E 5
Colombiers 17 ... 219 G 2
Colombiers 18 ... 173 F 5
Colombiers 34 ... 321 F 4
Colombiers 61 ... 83 G 3
Colombiers 86 ... 169 F 4
Colombiers-du-Plessis 53 ... 81 H 4
Colombiers-sur-Seulles 14 ... 33 F 3
Colombiès 12 ... 280 B 1
Colombotte 70 ... 141 F 4
Colomby 50 ... 29 F 5
Colomby-Anguerny 14 ... 33 G 3
Colomby de Gex *Mont* 01 ... 197 F 4
Colomby-sur-Thaon 14 ... 33 G 3
Colomiers 31 ... 297 H 4
Colomieu 01 ... 214 C 5
Colonard-Corubert 61 ... 84 C 4
Colondannes 23 ... 188 D 5
Colonfay 02 ... 25 E 2
Colonne 39 ... 179 E 3
Colonzelle 26 ... 267 F 5
Colpo 56 ... 102 A 5
Colroy-la-Grande 88 ... 96 C 4
Colroy-la-Roche 67 ... 96 D 3
Coltainville 28 ... 86 B 3
Coltines 15 ... 245 G 3
Coly 24 ... 241 G 3
Combaillaux 34 ... 302 C 4
Combas 30 ... 303 F 2
La Combe-de-Lancey 38 ... 251 F 1
La Combe des Eparres 38 ... 232 A 3
Combe Laval 26 ... 249 H 4
Combeaufontaine 70 ... 140 C 3
Combefa 81 ... 279 G 5
La Combelle 63 ... 228 A 4
Comberanche-
et-Épeluche 24 ... 239 G 1
Comberjon 70 ... 141 F 4
Comberouger 82 ... 297 F 2
Combéroumal
Prieuré de 12 ... 281 G 3
Combertault 21 ... 177 H 2
Les Combes 25 ... 163 E 5
Combes 34 ... 301 F 5
Combiers 16 ... 221 H 3
Comblanchien 21 ... 159 H 5
Combles 80 ... 13 H 5
Combles-en-Barrois 55 ... 63 G 4
Comblessac 35 ... 103 G 5
Combleux 45 ... 133 F 2
Comblot 61 ... 84 C 3
Combloux 74 ... 216 C 3
Combon 27 ... 35 H 5
Combourg 35 ... 80 A 3
Combourtillé 35 ... 81 E 5
Combovin 26 ... 249 G 5
Combrailles 63 ... 208 D 5
Combrand 79 ... 167 F 3
Combray 14 ... 53 F 2
Combre 42 ... 212 A 2
Combrée 49 ... 127 G 3
Combres 28 ... 85 F 5
Combres-sous-les-Côtes 55 ... 64 D 1
Combressol 19 ... 225 G 4
Combret 12 ... 300 B 2
Combreux 45 ... 111 H 5
Combrimont 88 ... 96 C 5
Combrit 29 ... 99 G 4
Combronde 63 ... 209 H 3
Combs-la-Ville 77 ... 58 D 5
La Comelle 71 ... 176 B 3
Comiac 46 ... 243 F 5
Comigne 11 ... 320 B 5
Comines 59 ... 4 C 5
Commana 29 ... 76 A 2
Commarin 21 ... 159 F 4
Commeaux 61 ... 54 A 4
Commelle 38 ... 231 H 4
Commelle-Vernay 42 ... 211 G 3
Commenailles 39 ... 178 D 4
Commenchon 02 ... 24 A 4
Commensacq 40 ... 273 E 2
Commentry 03 ... 191 E 5
Commeny 95 ... 37 G 5
Commequiers 85 ... 165 E 4
Commer 53 ... 106 B 2
Commercy 55 ... 64 D 5
Commerveil 72 ... 84 A 5
Commes 14 ... 32 D 2
Commissey 89 ... 137 F 2
Communailles-
en-Montagne 39 ... 180 A 3
Communay 69 ... 231 E 2
Compaing *Pas de* 15 ... 245 E 4
Compains 63 ... 227 F 4
Compainville 76 ... 21 E 4
Compans 77 ... 59 E 2
Le Compas 23 ... 208 C 3
Compertrix 51 ... 62 A 2
Compeyre 12 ... 281 H 3
Compiègne 60 ... 39 F 2
Compigny 89 ... 89 G 5
Compolibat 12 ... 279 H 1
La Compôte 73 ... 233 H 1
Comprégnac 12 ... 281 G 4
Compreignac 87 ... 205 H 3
Comps 26 ... 267 H 4
Comps 30 ... 304 B 2
Comps 33 ... 237 G 3
Comps-la-Grand-Ville 12 ... 280 D 3
Comps-sur-Artuby 83 ... 308 A 2
La Comté 62 ... 7 H 5
Comus 11 ... 336 D 4
Conan 41 ... 132 A 3
Conand 01 ... 214 B 4
Conat 66 ... 342 A 3
Conca 2A ... 349 G 5
Concarneau 29 ... 100 A 4
Concevreux 02 ... 41 E 2
Concèze 19 ... 223 H 5
Conches-en-Ouche 27 ... 56 A 2
Conches-sur-Gondoire 77 ... 59 F 3
Conchez-de-Béarn 64 ... 294 C 5
Conchil-le-Temple 62 ... 6 B 5
Conchy-les-Pots 60 ... 23 F 5
Conchy-sur-Canche 62 ... 12 C 2
Les Concluses 30 ... 284 B 3
Concorès 46 ... 259 H 3
Concoret 56 ... 103 F 3
Concots 46 ... 278 C 1
Concoules 30 ... 283 G 1
Concourson-sur-Layon 49 ... 149 H 5
Concremiers 36 ... 187 H 1
Concressault 18 ... 155 G 1
Concriers 41 ... 132 B 3
Condac 16 ... 203 F 2
Condal 71 ... 195 H 2
Condamine 01 ... 214 C 1
Condamine 39 ... 178 D 5
La Condamine-
Châtelard 04 ... 271 E 4
Condat 15 ... 227 E 5
Condat 46 ... 242 C 4
Condat-en-Combraille 63 ... 208 C 5
Condat-
lès-Montboissier 63 ... 228 C 3
Condat-sur-Ganaveix 19 ... 224 C 4
Condat-sur-Trincou 24 ... 222 C 5
Condat-sur-Vézère 24 ... 241 G 3
Condat-sur-Vienne 87 ... 205 G 5
Condé 36 ... 172 B 3
Condé-en-Barrois 55 ... 63 H 3
Condé-en-Brie 02 ... 60 D 1
Condé-Folie 80 ... 11 H 4
Condé-lès-Autry 08 ... 43 E 3
Condé-lès-Herpy 08 ... 41 H 1
Condé-Northen 57 ... 46 C 5
Condé-Sainte-Libiaire 77 ... 59 F 3
Condé-sur-Aisne 02 ... 40 C 2
Condé-sur-Ifs 14 ... 54 A 1
Condé-sur-Iton 27 ... 56 A 3
Condé-sur-l'Escaut 59 ... 9 H 4
Condé-sur-Marne 51 ... 61 H 1
Condé-en-Normandie 14 ... 53 F 3
Condé-sur-Risle 27 ... 35 F 3
Condé-sur-Sarthe 61 ... 83 G 4
Condé-sur-Seulles 14 ... 33 E 4
Condé-sur-Suippe 02 ... 41 F 2
Condé-sur-Vesgre 78 ... 57 F 4
Condé-sur-Vire 50 ... 32 B 5
Condeau 61 ... 85 E 4
Condécourt 95 ... 57 H 1
Condeissiat 01 ... 213 G 1
Condéon 16 ... 220 C 4
Condes 39 ... 196 C 4
Condes 52 ... 117 E 3
Condette 62 ... 6 B 2
Condezaygues 47 ... 258 D 5
Condillac 26 ... 267 E 3
Condom 32 ... 275 G 5
Condom-d'Aubrac 12 ... 263 F 3
Condorcet 26 ... 268 A 5
Condren 02 ... 24 B 5
Condrieu 69 ... 231 E 4
Conflandey 70 ... 141 E 3
Conflans-en-Jarnisy 54 ... 45 E 5
Conflans-
Sainte-Honorine 78 ... 58 A 2
Conflans-sur-Anille 72 ... 108 D 5
Conflans-sur-Lanterne 70 ... 141 F 2
Conflans-sur-Loing 45 ... 112 C 5
Conflans-sur-Seine 51 ... 90 B 2
Confolens 16 ... 204 C 3
Confolens *Cascade de* 38 ... 251 G 4
Confolent-Port-Dieu 19 ... 226 C 3
Confort 01 ... 215 E 1
Confort-Meilars 29 ... 99 E 2
Confracourt 70 ... 140 C 4
Confrançon 01 ... 195 G 5
Congé-sur-Orne 72 ... 107 H 2
Congénies 30 ... 303 F 2
Congerville 91 ... 87 E 4
Congerville-Thionville 91 ... 87 E 4
Congis-sur-Thérouanne 77 ... 59 G 1
Congrier 53 ... 127 G 2
Congy 51 ... 61 F 3
Conie-Molitard 28 ... 110 A 3
Conilhac-Corbières 11 ... 320 C 5
Conilhac-
de-la-Montagne 11 ... 337 G 3
Conjux 73 ... 215 E 5
Conlie 72 ... 107 F 3
Conliège 39 ... 179 F 5
Connac 12 ... 280 D 5
Connangles 43 ... 246 D 1
Connantray-Vaurefroy 51 ... 61 G 4
Connantre 51 ... 61 F 5
Connaux 30 ... 284 D 4
Conne-de-Labarde 24 ... 258 B 1
Connelles 27 ... 36 C 4
Connerré 72 ... 108 B 4
Connezac 24 ... 222 B 3
Connigis 02 ... 60 C 1
Conquereuil 44 ... 126 B 4
Conque-en-Rouergue 12 ... 262 B 4
Conques-sur-Orbiel 11 ... 319 H 4
Le Conquet 29 ... 74 C 2
Conqueyrac 30 ... 302 D 1
Cons-la-Grandville 54 ... 44 D 2
Cons-Sainte-Colombe 74 ... 216 A 5
Consac 17 ... 219 G 4
Conségudes 06 ... 309 F 1
Consenvoye 55 ... 43 H 3
Consigny 52 ... 117 G 2
Consolation *Cirque de* 25 ... 163 E 4
Consolation-
Maisonnettes 25 ... 163 E 4
Contalmaison 80 ... 13 G 5
Contamine-Sarzin 74 ... 215 F 2
Contamine-sur-Arve 74 ... 216 A 1

Les Contamines-Montjoie 74 216 D 4
Contault 51 63 E 2
Contay 80 13 E 5
Conte 39 180 A 4
Contes 06 291 F 5
Contes 62 6 D 5
Contescourt 02 24 A 3
Contest 53 82 B 5
Conteville 14 33 H 5
Conteville 27 35 E 2
Conteville 60 22 A 4
Conteville 76 21 F 4
Conteville 80 12 B 3
Conteville-en-Ternois 62 7 G 5
Conteville-lès-Boulogne 62 2 B 5
Conthil 57 66 D 3
Contigné 49 128 C 3
Contigny 03 192 A 4
Contilly 72 84 A 4
Continvoir 37 151 E 2
Contis-Plage 40 272 A 4
Contoire 80 22 D 4
Contrazy 09 335 G 2
Contré 17 202 B 2
Contre 80 22 A 3
Contréglise 70 140 D 2
Contremoulins 76 19 E 3
Contres 18 173 F 3
Contres 41 153 F 2
Contreuve 08 42 C 2
Contrevoz 01 214 C 5
Contrexéville 88 118 B 2
Contrières 50 51 G 1
Contrisson 55 63 F 3
Conty 80 22 A 3
Contz-les-Bains 57 46 B 2
Conzieu 01 214 C 5
Coole 51 62 B 4
Coolus 51 62 B 2
La Copechagnière 85 166 A 3
Copponex 74 215 G 2
Coq *Col du* 38 233 E 5
Coquainvilliers 14 34 C 4
Coquelles 62 2 C 3
La Coquille 24 223 E 3
Corancez 28 86 B 5
Corancy 58 176 A 1
Coray 29 100 B 2
Corbara 2B 344 C 5
Corbarieu 82 297 H 1
Corbas 69 231 F 1
Corbehem 62 14 A 2
Corbeil 51 91 G 2
Corbeil-Cerf 60 38 A 3
Corbeil-Essonnes 91 88 A 2
Corbeilles 45 112 A 4
Corbel 73 233 E 4
Corbelin 38 232 C 2
Corbenay 70 119 F 5
Corbeny 02 41 F 1
Corbère 66 342 C 2
Corbère-Abères 64 314 D 2
Corbère-les-Cabanes 66 342 D 2
Corberon 21 178 A 1
Corbès 30 283 G 4
Corbie 80 22 D 2
Le Corbier 73 252 A 1
La Corbière 70 141 H 2
Corbières 04 306 C 2
Corbières 11 337 E 2
Corbigny 58 157 G 4
Corbon 14 34 A 5
Corbon 61 84 C 4
Corbonod 01 215 E 3
Corbreuse 91 87 E 3
Corcelle-Mieslot 25 162 B 2
Corcelles 01 214 C 2
Corcelles 58 174 B 2
Corcelles 70 142 A 4
Corcelles-en-Beaujolais 69 212 D 1
Corcelles-Ferrières 25 161 G 4
Corcelles-les-Arts 21 177 G 2
Corcelles-lès-Cîteaux 21 160 B 5
Corcelles-les-Monts 21 159 H 3
Corcieux 88 120 B 2
Corcondray 25 161 G 4
Corconne 30 303 E 1
Corcoué-sur-Logne 44 165 G 1
Corcy 02 40 A 4
Cordéac 38 251 E 5
Cordebugle 14 34 D 5
Cordelle 42 211 G 3
Cordemais 44 147 E 3
Cordes-sur-Ciel 81 279 F 4
Cordes-Tolosannes 82 277 F 5
Cordesse 71 176 D 1
Cordey 14 53 H 3
Cordieux 01 213 G 4
Cordiron 25 161 G 3
Cordon 74 216 C 3
Cordonnet 70 161 H 2
Coren 15 245 H 3
Corenc 38 251 E 1
Corent 63 227 H 2
Corfélix 51 61 E 3
Corgengoux 21 178 A 2
Corgenon 01 195 G 5
Corgirnon 52 139 H 2
Corgnac-sur-l'Isle 24 223 E 5
Corgoloin 21 177 H 1
Corignac 17 237 H 1
Corlay 22 77 H 4
Corlée 52 139 G 2
Corlier 01 214 B 2
Cormainville 28 110 B 3
Cormaranche-en-Bugey 01 214 C 3
Cormatin 71 194 D 2
Corme-Écluse 17 219 E 1
Corme-Royal 17 201 E 5
Cormeilles 27 34 D 4
Cormeilles 60 22 B 4
Cormeilles-en-Parisis 95 58 B 2
Cormeilles-en-Vexin 95 37 H 5
Cormelles-le-Royal 14 33 G 5
Le Cormenier 79 184 D 5
Cormenon 41 109 E 5
Cormeray 41 153 F 1
Cormeray 50 80 D 2
Cormery 37 152 A 4
Cormes 72 108 D 3
Cormet de Roselend 73 216 D 5
Cormicy 51 41 F 2
Le Cormier 27 56 C 2
Cormolain 14 32 C 5
Cormont 62 6 B 3
Cormontreuil 51 41 G 4
Cormoranche-sur-Saône 01 195 E 5
Cormost 10 115 E 3
Cormot-le-Grand 21 177 F 2
Cormoyeux 51 41 F 5
Cormoz 01 195 H 3
Corn 46 261 E 3
Cornac 46 243 E 5
Cornant 89 113 F 3
Cornas 07 249 F 4
Cornay 08 43 F 3
Corné 49 149 H 1
Cornebarrieu 31 297 H 4
Corneilhan 34 321 G 3
Corneilla-de-Conflent 66 342 A 3
Corneilla-del-Vercol 66 343 F 2
Corneilla-la-Rivière 66 342 D 2
Corneillan 32 294 C 4
Corneuil 27 56 B 3
Corneville-la-Fouquetière 27 55 G 1
Corneville-sur-Risle 27 35 F 3
Cornier 74 215 H 1
Cornièville 55 64 D 5
Cornil 19 242 D 2
Cornillac 26 268 B 5
Cornille 24 240 D 1
Cornillé 35 105 E 3
Cornillé-les-Caves 49 150 A 1
Cornillon 30 284 C 2
Cornillon-Confoux 13 305 F 5
Cornillon-en-Trièves 38 250 D 5
Cornillon-sur-l'Oule 26 268 B 5
Cornimont 88 120 A 4
Cornod 39 196 B 4
Cornot 70 140 C 4
La Cornuaille 49 148 D 1
Cornus 12 301 G 1
Cornusse 18 173 H 2
Cornusson *Château de* 82 279 E 3
Corny 27 36 D 3
Corny-Machéroménil 08 26 B 5
Corny-sur-Moselle 57 65 G 2
Coron 49 149 F 5
Corong *Gorges du* 22 77 E 3
Corpe 85 183 F 2
Corpeau 21 177 G 2
Corpoyer-la-Chapelle 21 159 F 1
Corps 38 251 F 5
Corps-Nuds 35 104 B 4
Corquilleroy 45 112 B 4
Corquoy 18 172 D 3
Corrano 2A 349 E 3
Corravillers 70 119 H 5
Corre 70 118 C 5
Corrençon-en-Vercors 38 250 C 3
Correns 83 307 F 5
Corrèze 19 225 E 5
Corribert 51 61 E 2
Corrobert 51 60 D 2
Corrombles 21 158 C 1
Corronsac 31 318 A 2
Corroy 51 61 F 5
Corsaint 21 158 C 1
Corsavy 66 342 C 4
Corscia 2B 346 D 4
Corsen *Pointe de* 29 74 C 2
Corsept 44 146 C 3
Corseul 22 79 F 3
Cortambert 71 194 D 2
Corte 2B 347 E 4
Cortevaix 71 194 C 2
Cortone *Col de* 2A 348 C 5
Cortrat 45 134 D 2
Les Corvées-les-Yys 28 85 G 5
Corveissiat 01 196 B 5
Corvol-d'Embernard 58 157 E 4
Corvol-l'Orgueilleux 58 157 E 2
Corzé 49 128 D 5
Cos 09 336 A 2
Cosges 39 178 D 4
Coslédaà-Lube-Boast 64 314 C 2
Cosmes 53 105 H 5
Cosnac 19 242 C 3
Cosne-d'Allier 03 191 F 3
Cosne-sur-Loire 58 156 A 2
Cosnes-et-Romain 54 44 D 1
Cosqueville 50 29 G 2
Cossaye 58 175 E 5
Cossé-d'Anjou 49 149 F 5
Cossé-en-Champagne 53 106 D 5
Cossé-le-Vivien 53 105 H 5
Cossesseville 14 53 F 2
Cosswiller 67 97 E 1
Costa 2B 346 D 2
Costaros 43 247 F 5
Les Costes 05 269 G 1
Les Costes-Gozon 12 281 E 5
La Côte 70 141 H 3
Cote 304 55 43 H 4
La Côte-d'Aime 73 234 D 2
La Côte-d'Arbroz 74 198 C 5
La Côte-en-Couzan 42 211 E 5
La Côte-Saint-André 38 232 A 4
Le Coteau 42 211 G 3
Côtebrune 25 162 C 3
Les Côtes-d'Arey 38 231 F 4
Les Côtes-de-Corps 38 251 F 5
Coti-Chiavari 2A 348 C 5
Cotignac 83 307 G 5
La Cotinière 17 200 A 3
Cottance 42 212 A 5
Cottenchy 80 22 C 3
Cottévrard 76 20 C 4
Cottier 25 161 G 4
Cottun 14 32 D 3
Cou *Col de* 74 198 A 4
La Couarde 79 185 G 4
La Couarde-sur-Mer 17 182 D 5
Couargues 18 156 A 4
Coubert 77 59 E 5
Coubeyrac 33 257 E 1
Coubisou 12 263 E 4
Coubjours 24 241 G 1
Coublanc 52 139 H 4
Coublanc 71 212 A 1
Coublevie 38 232 C 5
Coublucq 64 294 B 5
Coubon 43 247 F 4
La Coubre *Phare de* 17 218 B 1
Coubron 93 58 D 3
Couches 71 177 F 3
Couchey 21 160 A 4
La Coucourde 26 267 E 2
Coucouron 07 265 G 1
Coucy 08 42 B 1
Coucy-la-Ville 02 40 B 1
Coucy-le-Château-Auffrique 02 40 B 1
Coucy-lès-Eppes 02 25 E 5
Couddes 41 153 F 3
Coudehard 61 54 C 3
Coudekerque-Branche 59 3 G 2
Coudekerque-Village 59 3 G 2
Coudes 63 228 A 2
Coudeville-sur-Mer 50 51 F 2
Le Coudon 83 328 B 4
Coudons 11 337 F 4
Coudoux 13 305 G 5
Coudray 27 37 E 3
Le Coudray 28 86 B 4
Le Coudray 44 126 A 5
Coudray 45 111 H 2
Coudray 53 128 B 3
Coudray-au-Perche 28 109 E 2
Le Coudray-Macouard 49 150 B 4
Le Coudray-Montceaux 91 88 A 2
Coudray-Rabut 14 34 C 3
Le Coudray-Saint-Germer 60 37 G 2
Coudray-Salbart *Château de* 79 184 D 3
Le Coudray-sur-Thelle 60 38 A 3
La Coudre 79 167 G 2
Les Coudreaux 77 59 E 3
Coudreceau 28 85 E 5
Coudrecieux 72 108 C 5
Coudres 27 56 C 3
Coudroy 45 134 B 2
Coudun 60 39 F 1
Coudures 40 294 A 3
Coueilles 31 316 D 3
Couëlan *Château de* 22 103 F 1
Couëron 44 147 F 4
Couesmes 37 130 B 5
Couesmes-en-Froulay 53 82 A 3
Couesque *Barrage de* 12 262 D 2
Les Couets 44 147 G 4
Couffé 44 148 A 2
Couffoulens 11 337 G 1
Couffy 41 153 F 4
Couffy-sur-Sarsonne 19 226 B 2
Couflens 09 335 F 5
Coufouleux 81 298 C 2
Cougnac *Grottes de* 46 259 H 2
Couhé 86 186 A 4
Couilly-Pont-aux-Dames 77 59 G 3
Couin 62 13 E 4
Couiza 11 337 G 3
Couladère 31 317 F 5
Coulaines 72 107 H 4
Coulandon 03 192 A 2
Coulangeron 89 136 A 4
Coulanges 03 193 E 2
Coulanges 41 152 D 1
Coulanges-la-Vineuse 89 136 B 4
Coulanges-lès-Nevers 58 174 C 2
Coulanges-sur-Yonne 89 157 F 1
Coulans-sur-Gée 72 107 F 4
Coulans-sur-Lizon 25 180 A 1
Coulaures 24 241 E 1
Couledoux 31 334 C 3
Couleuvre 03 174 A 5
Coulevon 70 141 F 4
Coulgens 16 203 G 5
Coulimer 61 84 B 3
Coullemelle 80 22 C 4
Coullemont 62 13 E 3
Coullons 45 134 B 5
Coulmer 61 54 D 4
Coulmier-le-Sec 21 138 A 3
Coulmiers 45 110 C 5
Coulobres 34 321 G 2
Coulogne 62 2 D 3
Couloisy 60 39 H 2
Coulombiers 72 83 G 5
Coulombiers 86 186 A 2
Coulombs 14 33 F 3
Coulombs 28 57 E 5
Coulombs-en-Valois 77 60 A 1
Coulomby 62 6 D 2
Coulommes 77 59 G 3
Coulommes-et-Marqueny 08 42 C 1
Coulommes-la-Montagne 51 41 F 4
Coulommiers 77 59 H 4
Coulommiers-la-Tour 41 131 H 3
Coulon 79 184 C 4
Coulonces 14 52 C 3
Coulonces 61 54 B 3
La Coulonche 61 53 F 5
Coulongé 72 130 A 4
Coulonge-sur-Charente 17 201 F 4
Coulonges 16 203 E 4
Coulonges 17 219 H 2
Coulonges 27 56 B 3
Coulonges 86 188 A 3
Coulonges-Cohan 02 40 D 4
Coulonges-les-Sablons 61 85 E 4
Coulonges-sur-l'Autize 79 184 C 2
Coulonges-sur-Sarthe 61 84 A 3
Coulonges-Thouarsais 79 167 H 2
Coulonvillers 80 11 H 3
Couloumé-Mondebat 32 295 F 4
Coulounieix-Chamiers 24 240 C 2
Coulours 89 114 A 3
Couloutre 58 156 C 2
Coulouvray-Boisbenâtre 50 52 A 3
Coulvain 14 52 D 1
Coulx 47 257 H 5
Coume 57 46 D 5
Counozouls 11 337 G 5
Coupelle-Neuve 62 7 E 4
Coupelle-Vieille 62 7 E 4
Coupesarte 14 54 B 1
Coupetz 51 62 B 3
Coupéville 51 62 D 2
Coupiac 12 300 B 1
Coupray 52 116 C 5
Coupru 02 60 B 1
Couptrain 53 82 D 3
Coupvray 77 59 F 3
Couquèques 33 219 E 5
Cour-Cheverny 41 153 F 1
Cour-et-Buis 38 231 G 4
Cour-l'Évêque 52 116 C 5
La Cour-Marigny 45 134 C 2
Cour-Maugis-sur-Maugis 61 84 D 4
Cour-Saint-Maurice 25 163 F 3
Cour-sur-Loire 41 132 B 5
Courances 91 88 A 4
Courant 17 201 G 2
Courban 21 116 B 5
La Courbe 61 53 H 4
Courbehaye 28 110 B 3
Courbépine 27 35 F 5
Courbes 02 24 C 4
Courbesseaux 54 66 C 5
Courbette 39 196 B 1
Courbeveille 53 105 H 4
Courbevoie 92 58 B 3
Courbiac 47 277 E 1
Courbillac 16 202 C 5
Courboin 02 60 C 2
Courbons 04 288 A 3
Courbouzon 39 179 E 5
Courbouzon 41 132 C 4
Courboyer *Manoir de* 61 84 C 4
Courçais 03 190 B 3
Courçay 37 152 B 4
Courceaux 89 89 G 4
Courcebœufs 72 107 H 3
Courcelette 80 13 G 5
Courcelle 91 58 A 5
Courcelles 17 201 H 3
Courcelles 25 161 H 5
Courcelles 45 111 H 4
Courcelles 54 94 C 4
Courcelles 58 157 E 2
Courcelles 90 142 D 4
Courcelles-au-Bois 80 13 F 4
Courcelles-Chaussy 57 66 B 1
Courcelles-de-Touraine 37 151 E 1
Courcelles-en-Barrois 55 64 C 4
Courcelles-en-Bassée 77 89 E 4
Courcelles-en-Montagne 52 139 F 2
Courcelles-Epayelles 60 23 E 5
Courcelles-Frémoy 21 158 C 2
Courcelles-la-Forêt 72 129 G 3
Courcelles-le-Comte 62 13 G 4
Courcelles-lès-Gisors 60 37 F 4
Courcelles-lès-Lens 62 8 D 5
Courcelles-lès-Montbard 21 137 H 5
Courcelles-lès-Montbéliard 25 142 B 4
Courcelles-lès-Semur 21 158 D 2
Courcelles-Sapicourt 51 41 F 4
Courcelles-sous-Châtenois 88 94 B 4
Courcelles-sous-Moyencourt 80 22 A 3
Courcelles-sous-Thoix 80 22 A 4
Courcelles-sur-Aire 55 63 H 2
Courcelles-sur-Aujon 52 139 E 2
Courcelles-sur-Blaise 52 92 C 4
Courcelles-sur-Nied 57 66 B 1
Courcelles-sur-Seine 27 36 D 5
Courcelles-sur-Vesle 02 40 D 3
Courcelles-sur-Viosne 95 57 H 1
Courcelles-sur-Voire 10 91 H 3
Courcelles-Val-d'Esnoms 52 139 F 4
Courcemain 51 90 C 2
Courcemont 72 108 A 3
Courcerac 17 202 B 4
Courcerault 61 84 C 4
Courceroy 10 89 H 3
Courchamp 21 139 H 5
Courchamp 77 89 G 2
Courchamps 02 40 A 5
Courchamps 49 150 B 4
Courchapon 25 161 G 3
Courchaton 70 141 H 5
Courchelettes 59 8 D 5
Courchevel 73 234 C 4
Courcité 53 83 E 5
Courcival 72 108 A 2
Courcôme 16 203 F 3
Courçon 17 183 H 5
Courcoué 37 169 F 1
Courcouronnes 91 87 H 2
Courcoury 17 219 G 1
Courcuire 70 161 G 2
Courcy 14 54 A 2
Courcy 50 31 G 5
Courcy 51 41 G 3
Courcy-aux-Loges 45 111 G 4
Courdemanche 27 56 C 4
Courdemanche 72 130 C 3
Courdemanges 51 62 C 5
Courdimanche 95 57 H 1
Courdimanche-sur-Essonne 91 87 H 4
Couret 31 334 C 2
Courgains 72 83 H 5
Courgeac 16 221 E 4
Courgenard 72 108 D 3
Courgenay 89 90 A 5
Courgent 78 57 F 3
Courgeon 61 84 C 3
Courgeoût 61 84 B 3
Courgis 89 136 C 3
Courgivaux 51 60 C 5
Courgoul 63 227 G 3
Courjeonnet 51 61 F 3
Courlac 16 221 E 5
Courlandon 51 41 E 3
Courlans 39 179 E 5
Courlaoux 39 179 E 5
Courlay 79 167 G 4
Courlay-sur-Mer 17 218 C 1
Courléon 49 150 D 2
Courlon 21 139 E 4
Courlon-sur-Yonne 89 89 F 5
Courmangoux 01 196 A 4
Courmas 51 41 F 4
Courmelles 02 40 B 3
Courmemin 41 153 G 2
Courménil 61 54 C 4
Courmes 06 309 E 2
Courmont 02 40 D 5
Courmont 70 142 A 3
Cournanel 11 337 G 2
La Courneuve 93 58 C 2
Courniou 34 320 C 2
Cournols 63 227 G 2
Cournon 56 125 G 3
Cournon-d'Auvergne 63 227 H 1
Cournonsec 34 302 C 5
Cournonterral 34 302 C 5
La Couronne 13 325 H 4
La Couronne 16 221 E 2
Courouvre 55 64 B 3
Courpalay 77 59 G 5
Courpiac 33 256 C 1
Courpière 63 228 C 1
Courpignac 17 219 H 5
Courquetaine 77 59 F 5
Courrensan 32 295 G 2
Courrières 62 8 C 4
Courris 81 299 H 1
Courry 30 283 H 2
Cours 46 260 B 4
Cours 47 276 B 1
Le Cours 56 124 D 2
Cours 58 156 B 2
Cours 69 212 A 2
Cours 79 185 E 2
Cours-de-Monségur 33 257 E 3
Cours-de-Pile 24 258 B 1
Cours-les-Bains 33 274 D 1
Cours-les-Barres 18 174 B 2
Coursac 24 240 B 2
Coursan 11 321 F 5
Coursan-en-Othe 10 114 C 4
Coursegoules 06 309 F 1
Courset 62 6 C 2
Courseulles-sur-Mer 14 33 F 3
Courson 14 52 B 3
Courson *Château de* 91 87 F 2
Courson-les-Carrières 89 136 A 5
Courson-Monteloup 91 87 F 2
Courtacon 77 60 B 5
Courtagnon 51 41 F 5
Courtalain 28 109 G 4
Courtangis *Château de* 72 108 D 3
Courtanvaux *Château de* 72 131 E 2
Courtaoult 10 114 C 4
Courtauly 11 337 E 2
Courtavon 68 143 E 5
Courtefontaine 25 163 G 2
Courtefontaine 39 161 G 5
Courteilles 27 56 A 5
Courteix 19 226 B 2
Courtelevant 90 142 D 4

Courtemanche 80 22 D4
Courtemaux 45 112 D4
Courtémont 51 43 E5
Courtemont-Varennes 02 60 D1
Courtempierre 45 112 B4
Courtenay 38 214 A5
Courtenay 45 113 E4
Courtenot 10 115 F3
Courteranges 10 115 F2
Courteron 10 115 G4
Courtes 01 195 G2
Courtesoult-et-Gatey 70 140 A4
Courtetain-et-Salans 25 162 D3
La Courtète 11 337 E1
Courteuil 60 38 D4
Courthézon 84 285 F4
Courthiézy 51 60 D1
Courties 32 295 F5
Courtieux 60 39 H2
Courtillers 72 129 E3
Courtils 50 51 G5
La Courtine 23 225 H1
Courtisols 51 62 C2
Courtivron 21 139 E5
Courtoin 89 113 E3
Courtois-sur-Yonne 89 113 G2
Courtomer 61 84 A2
Courtomer 77 59 G5
Courtonne-la-Meurdrac 14 34 D5
Courtonne-les-Deux-Églises 14 34 D5
Courtrizy-et-Fussigny 02 41 E1
Courtry 77 59 E2
Courvaudon 14 53 E1
Courvières 25 180 A3
Courville 51 41 E3
Courville-sur-Eure 28 85 H4
Courzieu 69 230 C1
Cousance 39 196 A2
Cousances-au-Bois 55 64 C5
Cousances-les-Forges 55 92 D2
Cousolre 59 16 A3
Coussa 09 336 B2
Coussac-Bonneval 87 223 H3
Coussan 65 315 F4
Coussay 86 168 D3
Coussay-les-Bois 86 170 A4
Coussegrey 10 114 D5
Coussergues 12 281 F1
Coussey 88 94 A4
Coust 18 173 G5
Coustaussa 11 337 G3
Coustellet 84 305 F1
Coustouge 11 338 C2
Coustouges 66 342 C5
Coutances 50 31 G5
Coutansouze 03 209 G1
Coutarnoux 89 137 E5
Coutençon 77 89 E3
Coutens 09 336 D1
Couterne 61 82 C3
Couternon 21 160 B3
Couteuges 43 246 C2
Coutevroult 77 59 G3
Couthenans 70 142 B3
Couthures-sur-Garonne 47 257 E4
Coutiches 59 9 E4
Coutières 79 185 G2
Coutouvre 42 211 H2
Coutras 33 238 C3
Couture 16 203 G3
La Couture 62 8 A3
La Couture 85 183 E1
La Couture-Boussey 27 56 D3
Couture-d'Argenson 79 202 D3
Couture-sur-Loir 41 130 D3
Couturelle 62 13 E3
Coutures 24 221 G5
Coutures 33 256 D3
Coutures 49 149 H2
Coutures 57 66 C4
Coutures 82 297 E1
Couvains 50 32 B4
Couvains 61 55 F3
La Couvertoirade 12 301 H1
Couvertpuis 55 93 F2
Couvignon 10 116 A2
Couville 50 29 E4
Couvonges 55 63 G4
Couvrelles 02 40 C3
Couvron-et-Aumencourt 02 24 C4
Couvrot 51 62 C4
Coux 07 266 D2
Coux 17 219 H5
Coux et Bigaroque-Mouzens 24 259 E1
Couy 18 173 H1
La Couyère 35 104 C5
Couzan *Château de* 42 229 F1
Couze-et-Saint-Front 24 258 C1
Couzeix 87 205 G4
Couziers 37 150 D5
Couzon 03 191 H1
Couzon-au-Mont-d'Or 69 213 E4
Couzou 46 260 C2
Cox 31 297 E3
Coye-la-Forêt 60 38 D5
Coyecques 62 7 F3
Coyolles 02 39 H4
Coyrière 39 197 E4
Coyron 39 196 D2
Coyviller 54 95 E1
Cozes 17 219 E2
Cozzano 2A 349 F3
Crac'h 56 124 A4
Craches 78 86 D2
Crachier 38 231 H3
Crain 89 157 F1
Craincourt 57 66 B3
Craintilleux 42 230 A2
Crainvilliers 88 118 B3
Cramaille 02 40 C4
Cramans 39 179 G1
Cramant 51 61 G2
Cramchaban 17 184 B5
Craménil 61 53 G4
Cramoisy 60 38 C4
Cramont 80 12 B4
Crampagna 09 336 B2
Cran-Gevrier 74 215 G3
Crancey 10 90 A3
Crançot 39 179 F5
Crandelles 15 244 B4
Crannes-en-Champagne 72 107 F5
Crans 01 213 H3
Crans 39 180 A4
Cransac 12 261 H4
Crantenoy 54 95 E3
Cranves-Sales 74 197 H5
Craon 53 127 H2
Craon 86 168 C4
Craonne 02 41 E2
Craonnelle 02 41 E2
Crapeaumesnil 60 23 F4
Craponne 69 230 D1
Craponne-sur-Arzon 43 229 F5
Cras 38 250 B1
Cras 46 260 B4
Cras-sur-Reyssouze 01 195 G4
Crastatt 67 68 B5
Crastes 32 296 C3
Crasville 27 36 B4
Crasville 50 29 G4
Crasville-la-Mallet 76 19 G3
Crasville-la-Rocquefort 76 19 H3
La Crau 83 328 B4
Cravanche 90 142 C3
Cravans 17 219 F2
Cravant 45 132 C3
Cravant 89 136 C4
Cravant-les-Côteaux 37 151 F5
Cravencères 32 295 E3
Cravent 78 57 E2
Crayssac 46 259 H4
Craywick 59 3 F3
Craz 01 214 D2
Crazannes 17 201 F4
Cré 72 129 F4
Créac'h *Phare de* 29 74 A1
Créances 50 31 F4
Créancey 21 159 F4
Créancey 52 116 C4
Crécey-sur-Tille 21 139 F5
La Crèche 79 185 E4
Crêches-sur-Saône 71 195 E5
Créchets 65 334 A2
Créchy 03 192 B5
Crécy-au-Mont 02 40 B1
Crécy-Couvé 28 56 C5
Crécy-en-Ponthieu 80 11 G2
Crécy-la-Chapelle 77 59 G3
Crécy-sur-Serre 02 24 D4
Crédin 56 102 B3
Crégols 46 260 D5
Crégy-lès-Meaux 77 59 G2
Créhange 57 66 D1
Créhen 22 79 F3
Creil 60 38 D4
Creissan 34 321 E3
Creissels 12 281 H4
Crémarest 62 6 C2
Cremeaux 42 211 F4
Crémery 80 23 F3
Crémieu 38 231 H1
Crempigny-Bonneguête 74 215 E3
Cremps 46 278 C1
Crenans 39 196 D2
Crenay 52 117 E4
Creney-près-Troyes 10 91 E5
Crennes-sur-Fraubée 53 82 D4
Creno *Lac de* 2A 346 D5
Créon 33 255 H1
Créon-d'Armagnac 40 274 C5
Créot 71 177 F2
Crépand 21 137 H5
Crépey 54 94 C2
Crépieux-la-Pape 69 213 F5
Crépion 55 44 B4
Crépol 26 249 G2
Crépon 14 33 F3
Crépy 02 24 C5
Crépy 62 7 F4
Crépy-en-Valois 60 39 G4
Créquy 62 7 E4
Le Crès 34 303 E4
Cresancey 70 161 F2
Crésantignes 10 114 D3
Les Cresnays 50 52 A4
Crespian 30 303 F1
Crespières 78 57 H3
Crespin 12 279 H3
Crespin 59 9 H5
Crespin 81 279 H5
Crespinet 81 299 G1
Crespy-le-Neuf 10 91 H4
Cressac-Saint-Genis 16 221 E4
Cressanges 03 191 H3
Cressat 23 207 G1
La Cresse 12 281 H3
Cressé 17 202 C4
Cressely 78 58 A5
Cressensac 46 242 B4
Cresserons 14 33 G3
Cresseveuille 14 34 B4
Cressia 39 196 B2
Cressin-Rochefort 01 214 D5
La Cressonnière 14 54 D1
Cressonsacq 60 38 D1
Cressy 76 20 B3
Cressy-Omencourt 80 23 G4
Cressy-sur-Somme 71 175 H5
Crest 26 267 G2
Le Crest 63 227 H1
Crest-Voland 73 216 B4
Creste 63 227 G3
Le Crestet 07 248 D4
Crestet 84 285 H2
Crestot 27 36 A4
Créteil 94 58 D4
Créton 27 56 B3
Cretteville 50 31 H2
Creuë 55 64 D2
Creully 14 33 F3
La Creuse 70 141 G4
Creuse 80 22 A2
Le Creusot 71 177 E4
Creutzwald 57 46 D4
Creuzier-le-Neuf 03 210 B1
Creuzier-le-Vieux 03 210 B1
Crevans-et-la-Chapelle-lès-Granges 70 142 A4
Crevant 36 189 G3
Crevant-Laveine 63 210 B4
Crévéchamps 54 95 E2
Crèvecœur-en-Auge 14 34 B5
Crèvecœur-en-Brie 77 59 G4
Crèvecœur-le-Grand 60 22 A5
Crèvecœur-le-Petit 60 22 D5
Crèvecœur-sur-l'Escaut 59 14 B4
Creveney 70 141 F3
Crévic 54 95 F1
Crévin 35 104 B5
Crévoux 05 270 D3
Creys-Mépieu 38 214 B5
Creyssac 24 222 B5
Creysse 24 240 B5
Creysse 46 242 C5
Creysseilles 07 266 C2
Creyssensac-et-Pissot 24 240 C3
Crézançay-sur-Cher 18 173 E4
Crézancy 02 60 C1
Crézancy-en-Sancerre 18 155 H3
Crézières 79 202 D2
Crézilles 54 94 B2
Cricquebœuf 14 34 C2
Cricqueville-en-Auge 14 34 A4
Cricqueville-en-Bessin 14 32 C2
Criel-sur-Mer 76 10 C4
Crillat 39 196 D1
Crillon 60 37 H1
Crillon-le-Brave 84 285 H3
Crimolois 21 160 B3
Crion 54 95 G1
La Crique 76 20 B4
Criquebeuf-en-Caux 76 18 D3
Criquebeuf-la-Campagne 27 36 A4
Criquebeuf-sur-Seine 27 36 B3
Criquetot-le-Mauconduit 76 19 F3
Criquetot-l'Esneval 76 18 D4
Criquetot-sur-Longueville 76 20 B3
Criquetot-sur-Ouville 76 19 H4
Criquiers 76 21 F4
Crisenoy 77 88 C2
Crisolles 60 23 H5
Crissay-sur-Manse 37 151 G5
Crissé 72 107 F3
Crissey 39 179 E1
Crissey 71 177 H4
Cristinacce 2A 346 C5
Cristot 14 33 E4
Criteuil-la-Magdeleine 16 220 C3
Critot 76 20 C5
Croce 2B 347 G3
Crochte 59 3 G3
Crocicchia 2B 347 G2
Crocq 23 208 B4
Le Crocq 60 22 B5
Crocy 14 54 A3
Crœttwiller 67 69 F2
Croignon 33 255 H1
Croisances 43 246 D5
Croisette 62 12 C2
La Croisette 74 215 G1
Le Croisic 44 145 G4
La Croisière 23 205 H1
La Croisille 27 56 A2
La Croisille-sur-Briance 87 224 C2
Croisilles 14 53 F1
Croisilles 28 57 E5
Croisilles 61 54 C4
Croisilles 62 13 H3
Croismare 54 95 G1
Croissanville 14 34 A5
Croissy-Beaubourg 77 59 E3
Croissy-sur-Celle 60 22 B4
Croissy-sur-Seine 78 58 A3
Le Croisty 56 101 E2
Croisy 18 173 H2
Croisy-sur-Andelle 76 36 D1
Croisy-sur-Eure 27 56 C1
Croix 59 9 E2
Croix 90 142 D5
Croix *Col de la* 2A 346 A4
Croix *Plateau de la* 74 216 D4
La Croix-aux-Bois 08 43 E2
La Croix-aux-Mines 88 96 C5
La Croix-Avranchin 50 80 D2
La Croix-Blanche 47 276 C2
La Croix-Blanche 71 194 D4
Croix-Caluyau 59 15 E4
Croix-Chapeau 17 200 D1
La Croix-Comtesse 17 201 H2
Croix-de-Bauzon *Col de la* 07 265 H3
La Croix-de-Berny 92 58 C4
La Croix-de-Fer *Col de* 73 251 H1
La Croix-de-la-Rochette 73 233 G3
Croix-de-l'Homme-Mort *Col de la* 42 229 F3
Croix-de-Vie 85 164 D4
Croix-du-Bac 59 8 B2
La Croix-du-Perche 28 109 F2
La Croix-en-Brie 77 89 E2
La Croix-en-Champagne 51 62 D1
Croix-en-Ternois 62 7 F5
La Croix-en-Touraine 37 152 C3
Croix-Fonsomme 02 24 B1
La Croix-Fry *Col de* 74 216 A3
Croix-Haute *Col de la* 26 268 D2
La Croix-Helléan 56 102 D4
Croix-Mare 76 19 H5
Croix-Moligneaux 80 23 H2
Croix-Morand ou de Diane *Col de la* 63 227 F2
Croix-Rampau 69 213 E4
La Croix-Saint-Leufroy 27 36 C5
Croix-Saint-Robert *Col de la* 63 227 F3
Croix Saint-Thomas 21 158 D3
Croix-Sainte 13 325 G3
La Croix-sur-Gartempe 87 205 E1
La Croix-sur-Ourcq 02 40 B5
La Croix-sur-Roudoule 06 289 F4
La Croix-Valmer 83 329 F3
Croixanvec 56 102 A2
Croixdalle 76 20 D2
La Croixille 53 105 G2
Croixrault 80 21 H3
Croizet-sur-Gand 42 211 H4
Crolles 38 233 F5
Crollon 50 80 D2
Cromac 87 188 B4
Cromary 70 162 A2
Cronat 71 175 G5
Cronce 43 246 B3
La Cropte 53 106 C5
Cropus 76 20 B3
Cros 30 283 F5
Le Cros 34 301 H2
Cros 63 226 D4
Cros-de-Cagnes 06 309 G3
Cros-de-Géorand 07 265 H1
Cros-de-Montvert 15 243 G3
Cros-de-Ronesque 15 244 D5
Crosey-le-Grand 25 162 D2
Crosey-le-Petit 25 162 D2
Crosmières 72 129 F3
Crosne 91 58 D5
Crossac 44 146 C1
Crosses 18 173 G2
Crosville-la-Vieille 27 36 A5
Crosville-sur-Douve 50 31 G2
Crosville-sur-Scie 76 20 B2
Crotelles 37 152 A1
Crotenay 39 179 G4
Croth 27 56 D3
Le Crotoy 80 11 F2
Crots 05 270 C3
Crottes-en-Pithiverais 45 111 F3
Crottet 01 195 E5
Le Crouais 35 103 F1
Crouay 14 32 D3
La Croupte 14 54 D1
Crouseilles 64 294 D5
Croutelle 86 186 B2
Les Croûtes 10 114 C5
Croutoy 60 39 H2
Crouttes 61 54 C2
Crouttes-sur-Marne 02 60 A2
Crouy 02 40 B2
Crouy 80 22 A1
Crouy-en-Thelle 60 38 C4
Crouy-sur-Cosson 41 132 C5
Crouy-sur-Ourcq 77 59 H1
Le Crouzet 25 180 B4
Crouzet-Migette 25 180 A2
La Crouzille 63 209 E1
La Crouzille 87 205 H3
Crouzilles 37 151 F5
Crozant 23 188 D4
Croze 23 207 G5
Crozes-Hermitage 26 249 F3
Crozet 01 197 F4
Le Crozet 42 211 E1
Les Crozets 39 196 D2
Crozon 29 75 E4
Crozon-sur-Vauvre 36 189 F2
Cruas 07 267 E3
Crucey 28 56 A5
Crucheray 41 131 G4
Cruéjouls 12 263 F5
Cruet 73 233 G3
Crugey 21 159 F5
Crugny 51 41 E4
Cruguel 56 102 C5
Cruis 04 287 F4
Crulai 61 55 F5
Crupies 26 267 H4
Crupilly 02 25 E1
Cruscades 11 320 D5
Cruseilles 74 215 G2
Crusnes 54 45 F2
Crussol *Château de* 07 249 F4
Cruviers-Lascours 30 284 A5
Crux-la-Ville 58 157 F5
Cruzille 71 195 E2
Cruzilles-lès-Mépillat 01 195 E5
Cruzy 34 321 E3
Cruzy-le-Châtel 89 137 G2
Cry 89 137 G4
Cubelles 43 246 D4
Cubières 48 265 E5
Cubières-sur-Cinoble 11 338 A4
Cubiérettes 48 265 E5
Cubjac 24 241 E1
Cublac 19 241 H2
Cublize 69 212 B3
Cubnezais 33 237 H3
Cubrial 25 162 C1
Cubry 25 162 D1
Cubry-lès-Faverney 70 141 E2
Cubry-lès-Soing 70 140 D4
Cubzac-les-Ponts 33 237 H4
Cucharmoy 77 89 F2
Cucheron *Col du* 38 233 E4
Cuchery 51 41 F5
Cucq 62 6 B4
Cucugnan 11 338 B4
Cucuron 84 306 A2
Cucuruzzu *Castellu de* 2A 349 F5
Cudos 33 274 B1
Cudot 89 113 F5
Cuébris 06 289 G5
Cuélas 32 315 H3
Cuers 83 328 B3
Cuffies 02 40 B2
Cuffy 18 174 B2
Cugand 85 148 A5
Cuges-les-Pins 13 327 G3
Cugnaux 31 297 H5
Cugney 70 161 F2
Cugny 02 24 A4
Cugny-lès-Crouttes 02 40 C4
Cuguen 35 80 B3
Cuguron 31 334 A1
Cuhon 86 168 D4
Cuignières 60 38 D2
Cuigy-en-Bray 60 37 G2
Cuillé 53 105 F4
Cuinchy 62 8 B4
Cuincy 59 8 D5
Le Cuing 31 316 B5
Cuinzier 42 212 A1
Cuirieux 02 25 E4
Cuiry-Housse 02 40 C3
Cuiry-lès-Chaudardes 02 41 E2
Cuiry-lès-Iviers 02 25 H3
Cuis 51 61 G2
Cuise-la-Motte 60 39 H2
Cuiseaux 71 196 A2
Cuiserey 21 160 C2
Cuisery 71 195 F1
Cuisia 39 196 A1
Cuisiat 01 196 A4
Cuisles 51 41 E5
Cuissai 61 83 G3
Cuissy-et-Geny 02 41 E2
Cuisy 55 43 G3
Cuisy 77 59 F1
Cuisy-en-Almont 02 40 A2
La Cula 42 230 C3
Culan 18 190 B2
Culètre 21 159 F5
Culey 55 63 H4
Culey-le-Patry 14 53 F2
Culhat 63 210 A4
Culin 38 232 A3
Culles-les-Roches 71 177 F5
Cully 14 33 F3
Culmont 52 139 H2
Culoison 10 91 E5
Culoz 01 214 D4
Cult 70 161 F3
Cultures 48 264 B5
Cumières 51 61 F1
Cumières-le-Mort-Homme 55 43 H4
Cumiès 11 318 D4
Cumont 82 296 D1
Cunac 81 299 G1
Cunault 49 150 B3
Cuncy-lès-Varzy 58 157 E3
Cunèges 24 257 G1
Cunel 55 43 G2
Cunelières 90 142 D3
Cunfin 10 116 A4
Cunlhat 63 228 C2
Cuntorba *Castello de* 2A 348 D5
Cuon 49 150 B1
Cuperly 51 62 B1
Cuq 47 276 C4
Cuq 81 299 F4
Cuq-Toulza 81 298 D5
Cuqueron 64 313 H3
Curac 16 239 E1
Curan 12 281 F3
Curbans 04 269 G5
Curbigny 71 194 A4
Curçay-sur-Dive 86 168 C1
Curchy 80 23 F3
Curciat-Dongalon 01 195 G2
Curcy-sur-Orne 14 53 F1
Curdin 71 193 F1
La Cure 39 197 F2
Curebourse *Col de* 15 244 D4
Curel 04 286 D3
Curel 52 92 D3
Curemonte 19 242 D4
Cures 72 107 F3
Curey 50 80 D2
Curgies 59 15 E2

Curgy 71 ... 176 D 2
Curienne 73 ... 233 F 2
Curières 12 ... 263 F 3
Curis-au-Mont-d'Or 69 ... 213 E 4
Curley 21 ... 159 H 4
Curlu 80 ... 23 F 1
Curmont 52 ... 92 C 5
Curnier 26 ... 268 A 5
Cursan 33 ... 256 B 1
Curtafond 01 ... 195 G 5
Curtil-Saint-Seine 21 ... 159 H 1
Curtil-sous-Buffières 71 ... 194 C 3
Curtil-sous-Burnand 71 ... 194 C 1
Curtil-Vergy 21 ... 159 H 5
Le Curtillard 38 ... 233 G 5
Curtin 38 ... 232 B 1
Curvalle 81 ... 300 A 1
Curzay-sur-Vonne 86 ... 185 H 2
Curzon 85 ... 183 E 2
Cusance 25 ... 162 D 2
Cuse-et-Adrisans 25 ... 162 C 1
Cusey 52 ... 139 G 4
Cussac 15 ... 245 F 4
Cussac 87 ... 222 D 1
Cussac-Fort-Médoc 33 ... 237 F 2
Cussac-sur-Loire 43 ... 247 F 4
Cussangy 10 ... 115 E 4
Cussay 37 ... 170 A 1
Cusset 03 ... 210 B 1
Cussey-les-Forges 21 ... 139 E 4
Cussey-sur-Lison 25 ... 161 H 5
Cussey-sur-l'Ognon 25 ... 161 H 2
Cussy 14 ... 32 D 3
Cussy-en-Morvan 71 ... 176 C 1
Cussy-la-Colonne 21 ... 177 F 1
Cussy-le-Châtel 21 ... 159 F 5
Cussy-les-Forges 89 ... 158 A 1
Custines 54 ... 65 H 4
Cusy 74 ... 215 F 5
Cusy 89 ... 137 F 3
Cutry 02 ... 40 A 3
Cutry 54 ... 44 D 2
Cuts 60 ... 39 H 1
Cutting 57 ... 67 F 3
Cuttoli-Corticchiato 2A ... 348 D 3
Cuttura 39 ... 196 D 3
Cuvat 74 ... 215 G 2
Cuve 70 ... 119 E 5
Cuvergnon 60 ... 39 H 5
Cuverville 14 ... 33 H 4
Cuverville 27 ... 36 D 3
Cuverville 76 ... 18 D 4
Cuverville-sur-Yères 76 ... 10 D 5
Cuvéry *Col de* 01 ... 214 D 1
Cuves 50 ... 52 A 4
Cuves 52 ... 117 G 3
Cuvier 39 ... 180 A 3
Cuvillers 59 ... 14 B 3
Cuvilly 60 ... 23 E 5
Cuvry 57 ... 65 H 1
Cuxac-Cabardès 11 ... 319 G 3
Cuxac-d'Aude 11 ... 321 E 5
Cuy 60 ... 23 G 5
Cuy 89 ... 113 G 2
Cuy-Saint-Fiacre 76 ... 37 F 1
Cuzac 46 ... 261 G 4
Cuzals *Musée de* 46 ... 260 D 4
Cuzance 46 ... 242 B 4
Cuzieu 01 ... 214 D 4
Cuzieu 42 ... 230 A 2
Cuzion 36 ... 188 D 3
Cuzorn 47 ... 259 E 4
Cuzy 71 ... 176 B 4
Cys-la-Commune 02 ... 40 D 2
Cysoing 59 ... 9 E 3

D

Dabisse 04 ... 287 G 5
Dabo 57 ... 68 A 5
Dabo *Rocher de* 57 ... 68 A 5
Dachstein 67 ... 97 F 1
Dadonville 45 ... 111 G 3
Daglan 24 ... 259 G 2
Dagneux 01 ... 213 G 4
Dagny 77 ... 60 A 5
Dagny-Lambercy 02 ... 25 G 3
Dagonville 55 ... 64 B 4
La Daguenière 49 ... 149 H 2
Dahlenheim 67 ... 97 F 1
Daignac 33 ... 256 B 1
Daigny 08 ... 27 F 3
Daillancourt 52 ... 92 C 5
Daillecourt 52 ... 117 G 3
Dainville 62 ... 13 F 2
Dainville-Bertheléville 55 ... 93 G 3
Daix 21 ... 160 A 3
Dalem 57 ... 46 D 4
Dalhain 57 ... 66 D 3
Dalhunden 67 ... 69 F 4
Dallet 63 ... 210 A 5
Dallon 02 ... 24 A 2
Dalou 09 ... 336 B 2
Dalstein 57 ... 46 B 3
Daluis 06 ... 289 F 4
Damas-aux-Bois 88 ... 95 F 3
Damas-et-Bettegney 88 ... 119 E 2
Damazan 47 ... 275 F 2
Dambach 67 ... 68 C 1
Dambach-la-Ville 67 ... 97 E 4
Dambelin 25 ... 163 E 2
Dambenois 25 ... 142 C 4
Dambenoît-lès-Colombe 70 ... 141 G 3
Damblain 88 ... 117 H 3
Damblainville 14 ... 54 A 2
Dambron 28 ... 110 D 3
Dame-Marie 27 ... 56 A 4
Dame-Marie 61 ... 84 C 5
Dame-Marie-les-Bois 37 ... 152 C 1
Damelevières 54 ... 95 F 2
Daméraucourt 60 ... 21 H 4
Damerey 71 ... 178 A 3
Damery 51 ... 61 F 1
Damery 80 ... 23 F 3
Damgan 56 ... 124 D 5
Damiatte 81 ... 299 E 4
Damigny 61 ... 83 G 3
Damloup 55 ... 44 C 5
Dammard 02 ... 40 A 5
Dammarie 28 ... 86 A 5
Dammarie-en-Puisaye 45 ... 135 E 5
Dammarie-les-Lys 77 ... 88 B 3
Dammarie-sur-Loing 45 ... 135 E 3
Dammarie-sur-Saulx 55 ... 93 E 2
Dammartin-en-Goële 77 ... 59 E 1
Dammartin-en-Serve 78 ... 57 E 3
Dammartin-les-Templiers 25 ... 162 B 3
Dammartin-Marpain 39 ... 161 E 3
Dammartin-sur-Meuse 52 ... 117 H 4
Dammartin-sur-Tigeaux 77 ... 59 G 4
Damousies 59 ... 15 H 3
Damouzy 08 ... 26 D 2
Damparis 39 ... 178 D 1
Dampierre 10 ... 91 G 2
Dampierre 14 ... 52 C 1
Dampierre 39 ... 161 G 5
Dampierre 52 ... 117 G 5
Dampierre-au-Temple 51 ... 62 B 1
Dampierre-en-Bray 76 ... 37 F 1
Dampierre-en-Bresse 71 ... 178 C 3
Dampierre-en-Burly 45 ... 134 B 3
Dampierre-en-Crot 18 ... 155 G 2
Dampierre-en-Graçay 18 ... 154 B 5
Dampierre-en-Montagne 21 ... 159 E 2
Dampierre-en-Yvelines 78 ... 57 H 5
Dampierre-et-Flée 21 ... 160 D 1
Dampierre-le-Château 51 ... 63 E 1
Dampierre-les-Bois 25 ... 142 C 4
Dampierre-lès-Conflans 70 ... 141 F 2
Dampierre-Saint-Nicolas 76 ... 20 C 2
Dampierre-sous-Bouhy 58 ... 156 C 1
Dampierre-sous-Brou 28 ... 109 G 2
Dampierre-sur-Avre 28 ... 56 B 4
Dampierre-sur-Blévy 28 ... 85 G 2
Dampierre-sur-Boutonne 17 ... 201 H 2
Dampierre-sur-le-Doubs 25 ... 142 B 5
Dampierre-sur-Linotte 70 ... 141 F 5
Dampierre-sur-Loire 49 ... 150 C 4
Dampierre-sur-Moivre 51 ... 62 C 3
Dampierre-sur-Salon 70 ... 140 B 5
Dampjoux 25 ... 163 F 2
Dampleux 02 ... 40 A 4
Dampmart 77 ... 59 F 3
Dampniat 19 ... 242 C 2
Damprichard 25 ... 163 G 3
Les Damps 27 ... 36 B 3
Dampsmesnil 27 ... 37 F 5
Dampvalley-lès-Colombe 70 ... 141 F 4
Dampvalley-Saint-Pancras 70 ... 119 E 5
Dampvitoux 54 ... 65 E 2
Damrémont 52 ... 117 H 5
Damville 27 ... 56 A 3
Damvillers 55 ... 44 B 3
Damvix 85 ... 184 B 4
Dancé 42 ... 211 G 4
Dancé 61 ... 84 D 5
Dancevoir 52 ... 116 C 5
Dancharia 64 ... 310 C 4
Dancourt 76 ... 21 E 2
Dancourt-Popincourt 80 ... 23 F 4
Dancy 28 ... 110 A 3
Danestal 14 ... 34 B 3
Dangé-Saint-Romain 86 ... 169 H 2
Dangeau 28 ... 109 H 2
Dangers 28 ... 85 H 3
Dangeul 72 ... 107 H 2
Dangolsheim 67 ... 97 F 1
Dangu 27 ... 37 F 4
Dangy 50 ... 52 A 1
Danizy 02 ... 24 B 4
Danjoutin 90 ... 142 C 3
Danne-et-Quatre-Vents 57 ... 68 A 4
Dannelbourg 57 ... 68 A 4
Dannemarie 25 ... 142 C 5
Dannemarie 68 ... 143 E 3
Dannemarie 78 ... 57 E 4
Dannemarie-sur-Crète 25 ... 161 G 4
Dannemoine 89 ... 137 E 2
Dannemois 91 ... 88 A 4
Dannes 62 ... 6 B 3
Dannevoux 55 ... 43 H 3
Danvou-la-Ferrière 14 ... 53 E 2
Danzé 41 ... 131 G 2
Daon 53 ... 128 B 3
Daoulas 29 ... 75 G 3
Daoulas *Gorges du* 22 ... 77 G 5
Daours 80 ... 22 D 2
Darazac 19 ... 243 G 2
Darbonnay 39 ... 179 F 3
Darbres 07 ... 266 C 3
Darcey 21 ... 138 B 5
Dardenac 33 ... 256 B 1
Dardenay 52 ... 139 G 4
Dardez 27 ... 56 B 1
Dardilly 69 ... 213 E 5
Dareizé 69 ... 212 B 4
Dargies 60 ... 21 H 4
Dargilan *Grotte de* 48 ... 282 B 3
Dargnies 80 ... 11 E 4
Dargoire 42 ... 230 D 3
Darmannes 52 ... 117 E 2
Darmont 55 ... 44 D 5
Darnac 87 ... 187 G 5
Darnétal 76 ... 36 B 2
Darnets 19 ... 225 G 4
Darney 88 ... 118 C 3
Darney-aux-Chênes 88 ... 94 B 5
Darnieulles 88 ... 119 F 2
Darois 21 ... 159 H 2
Darvault 77 ... 112 C 2
Darvoy 45 ... 133 G 2
Dasle 25 ... 142 C 4
Daubensand 67 ... 97 H 3
Daubeuf-la-Campagne 27 ... 36 A 4
Daubeuf-près-Vatteville 27 ... 36 C 4
Daubeuf-Serville 76 ... 19 E 4
Daubèze 33 ... 256 C 2
Dauendorf 67 ... 68 D 3
Daumazan-sur-Arize 09 ... 335 G 1
Daumeray 49 ... 128 D 4
Dauphin 04 ... 306 C 1
Dausse 47 ... 276 D 1
Daux 31 ... 297 G 4
Dauzat-sur-Vodable 63 ... 227 H 4
Davayat 63 ... 209 H 4
Davayé 71 ... 194 D 4
Davejean 11 ... 338 B 3
Davenescourt 80 ... 23 E 4
Davézieux 07 ... 248 D 1
Davignac 19 ... 225 G 4
Davrey 10 ... 114 D 4
Davron 78 ... 57 H 3
Dax 40 ... 292 D 3
Deauville 14 ... 34 B 2
Deaux 30 ... 283 H 4
Débats-Rivière-d'Orpra 42 ... 211 F 5
Decazeville 12 ... 261 H 4
Dechy 59 ... 8 D 5
Décines-Charpieu 69 ... 213 F 5
Decize 58 ... 175 E 4
Dédeling 57 ... 66 D 3
La Défense 92 ... 58 B 3
Dégagnac 46 ... 259 H 3
Degré 72 ... 107 G 4
Dehault 72 ... 108 C 2
Dehéries 59 ... 14 C 5
Dehlingen 67 ... 67 H 2
Deinvillers 88 ... 95 G 3
Delain 70 ... 140 B 5
Delettes 62 ... 7 F 3
Delincourt 60 ... 37 G 4
Delle 90 ... 142 D 4
Delme 57 ... 66 B 3
Delouze 55 ... 93 G 2
Le Déluge 60 ... 38 A 3
Delut 55 ... 44 B 3
Deluz 25 ... 162 B 3
Demandolx 04 ... 308 B 1
Demange-aux-Eaux 55 ... 93 G 2
Demangevelle 70 ... 118 C 5
Demi-Quartier 74 ... 216 C 3
La Demie 70 ... 141 F 5
Demigny 71 ... 177 H 2
Demoiselle Coiffée 05 ... 271 E 1
Demoiselles *Grotte des* 34 ... 302 C 1
Demoiselles Coiffées 05 ... 269 H 4
Démouville 14 ... 33 H 4
Dému 32 ... 295 F 3
Démuin 80 ... 22 D 2
Denain 59 ... 14 C 2
Dénat 81 ... 299 G 2
Denazé 53 ... 128 A 2
Dénecourt *Tour* 77 ... 88 C 4
Denée 49 ... 149 G 2
Dénestanville 76 ... 20 B 3
Deneuille-lès-Chantelle 03 ... 191 H 5
Deneuille-les-Mines 03 ... 191 E 4
Deneuvre 54 ... 95 H 3
Denèvre 70 ... 140 B 5
Dénezé-sous-Doué 49 ... 150 A 4
Dénezé-sous-le-Lude 49 ... 150 D 1
Denezières 39 ... 196 D 1
Denguin 64 ... 314 A 3
Denicé 69 ... 212 D 3
Denier 62 ... 13 E 2
Denipaire 88 ... 96 B 4
Dennebrœucq 62 ... 7 E 3
Dennemont 78 ... 57 F 1
Denneville 50 ... 31 F 2
Dennevy 71 ... 177 F 3
Denney 90 ... 142 C 2
Denone *Château de* 63 ... 210 A 2
Denonville 28 ... 86 D 4
Denting 57 ... 46 C 5
Déols 36 ... 171 H 4
Der-Chantecoq *Lac du* 51 ... 92 A 2
Derbamont 88 ... 95 E 5
Dercé 86 ... 169 E 2
Derchigny 76 ... 10 C 5
Dercy 02 ... 24 D 4
Dernacueillette 11 ... 338 B 3
Dernancourt 80 ... 23 E 1
Derval 44 ... 126 C 4
Désaignes 07 ... 248 C 4
Désandans 25 ... 142 A 4
Descartes 37 ... 169 H 2
Le Deschaux 39 ... 179 E 2
Le Désert 14 ... 52 D 2
Le Désert 38 ... 251 G 5
Désertines 03 ... 190 D 4
Désertines 53 ... 81 H 3
Les Déserts 73 ... 233 F 1
Déservillers 25 ... 180 A 1
Desges 43 ... 246 C 4
Desingy 74 ... 215 E 2
Desmonts 45 ... 112 A 2
Desnes 39 ... 179 E 4
Desseling 57 ... 67 F 4
Dessenheim 68 ... 121 F 4
Dessia 39 ... 196 B 3
Destord 88 ... 95 H 5
La Destrousse 13 ... 327 F 2
Destry 57 ... 66 D 2
Desvres 62 ... 6 C 2
Détain-et-Bruant 21 ... 159 G 5
Détrier 73 ... 233 G 3
Le Détroit 14 ... 53 G 3
Les Détroits 48 ... 282 A 2
Dettey 71 ... 176 C 4
Dettwiller 67 ... 68 B 4
Deuil-la-Barre 95 ... 58 C 2
Deuillet 02 ... 24 B 4
Deûlémont 59 ... 4 C 5
Les Deux-Alpes 38 ... 251 H 3
Deux Amants *Côte des* 27 ... 36 C 3
Deux-Chaises 03 ... 191 G 4
Deux-Évailles 53 ... 106 B 2
Les Deux-Fays 39 ... 179 E 3
Deux-Jumeaux 14 ... 32 C 2
Deux-Verges 15 ... 263 G 1
Les Deux-Villes 08 ... 27 H 4
Deuxnouds-aux-Bois 55 ... 64 D 2
Deuxnouds-devant-Beauzée 55 ... 63 H 1
Deuxville 54 ... 95 F 1
Devay 58 ... 175 F 4
Devecey 25 ... 161 H 3
Devesset 07 ... 248 B 3
Devèze 65 ... 316 A 4
Devèze *Grotte de la* 34 ... 320 C 2
Deviat 16 ... 221 E 4
Dévillac 47 ... 258 D 3
Deville 08 ... 26 D 1
Déville-lès-Rouen 76 ... 36 A 1
La Devinière *Musée* 37 ... 150 D 5
Devise 80 ... 23 H 2
Devrouze 71 ... 178 B 4
Deycimont 88 ... 119 H 2
Deyme 31 ... 318 A 2
Deyvillers 88 ... 119 G 2
Le Dézert 50 ... 32 A 4
Dezize-lès-Maranges 71 ... 177 F 3
Dhuisy 77 ... 60 A 1
Dhuizel 02 ... 40 D 2
Dhuizon 41 ... 132 D 5
Diable *Roche du* 88 ... 120 B 3
Diable *Roches du* 29 ... 100 D 4
Diancey 21 ... 158 D 5
Diane-Capelle 57 ... 67 G 5
Diant 77 ... 113 E 2
Diarville 54 ... 94 D 4
Le Diben 29 ... 71 H 3
Diconne 71 ... 178 B 4
Dicy 89 ... 113 E 5
Didenheim 68 ... 143 F 2
Die 26 ... 268 B 1
Diebling 57 ... 47 F 5
Diebolsheim 67 ... 97 G 4
Diedendorf 67 ... 67 G 3
Dieffenbach-au-Val 67 ... 97 E 4
Dieffenbach-lès-Wœrth 67 ... 69 E 2
Dieffenthal 67 ... 97 E 4
Diefmatten 68 ... 143 E 2
Dielette 50 ... 28 C 4
Dième 69 ... 212 B 3
Diemeringen 67 ... 67 H 2
Diémoz 38 ... 231 G 2
Diénay 21 ... 160 A 1
Dienne 15 ... 245 E 2
Dienné 86 ... 186 D 3
Diennes-Aubigny 58 ... 175 F 3
Dienville 10 ... 91 H 5
Dieppe 76 ... 10 B 5
Dieppe-sous-Douaumont 55 ... 44 C 5
Dieppedalle-Croisset 76 ... 36 A 2
Dierre 37 ... 152 B 3
Dierrey-Saint-Julien 10 ... 90 C 5
Dierrey-Saint-Pierre 10 ... 90 C 5
Diesen 57 ... 46 D 5
Dietwiller 68 ... 143 G 2
Dieudonné 60 ... 38 B 4
Dieue-sur-Meuse 55 ... 64 B 1
Dieulefit 26 ... 267 G 4
Dieulivol 33 ... 257 E 2
Dieulouard 54 ... 65 G 4
Dieupentale 82 ... 297 G 2
Dieuze 57 ... 67 E 4
Diéval 62 ... 7 H 5
Diffembach-lès-Hellimer 57 ... 67 F 2
Diges 89 ... 136 A 4
Digna 39 ... 196 A 2
Dignac 16 ... 221 G 3
La Digne-d'Amont 11 ... 337 F 2
La Digne-d'Aval 11 ... 337 F 2
Digne-les-Bains 04 ... 288 A 3
Dignonville 88 ... 95 G 5
Digny 28 ... 85 G 3
Digoin 71 ... 193 F 2
Digoine *Château de* 71 ... 193 H 2
Digosville 50 ... 29 F 3
Digulleville 50 ... 28 C 2
Dijon 21 ... 160 A 3
Dilo 89 ... 114 A 4
Dimancheville 45 ... 111 H 2
Dimbsthal 67 ... 68 B 5
Dimechaux 59 ... 15 H 3
Dimont 59 ... 15 H 3
Dinan 22 ... 79 G 4
Dinan *Pointe de* 29 ... 75 E 4
Dinard 35 ... 50 B 5
Dinéault 29 ... 75 G 4
Dingé 35 ... 80 B 4
Dingsheim 67 ... 68 D 5
Dingy-en-Vuache 74 ... 215 F 1
Dingy-Saint-Clair 74 ... 215 H 3
Dinozé 88 ... 119 G 2
Dinsac 87 ... 187 H 5
Dinsheim 67 ... 97 E 1
Dinteville 52 ... 116 B 4
Dio-et-Valquières 34 ... 301 G 4
Dionay 38 ... 249 H 1
Dions 30 ... 303 G 1
Diors 36 ... 172 A 4
Diou 03 ... 193 E 2
Diou 36 ... 172 B 1
Dirac 16 ... 221 F 2
Dirinon 29 ... 75 G 2
Dirol 58 ... 157 G 3
Disneyland Paris 77 ... 59 F 3
Dissais 85 ... 183 F 1
Dissangis 89 ... 137 E 5
Dissay 86 ... 169 F 5
Dissay-sous-Courcillon 72 ... 130 C 4
Dissé-sous-Ballon 72 ... 108 A 2
Dissé-sous-le-Lude 72 ... 129 H 5
Distré 49 ... 150 B 4
Distroff 57 ... 45 H 3
Diusse 64 ... 294 C 5
Divajeu 26 ... 267 G 2
Dives 60 ... 23 G 5
Dives-sur-Mer 14 ... 34 A 3
Divion 62 ... 7 H 4
Divonne-les-Bains 01 ... 197 G 3
Dixmont 89 ... 113 H 4
Dizimieu 38 ... 232 A 1
Dizy 51 ... 61 G 1
Dizy-le-Gros 02 ... 25 G 4
Doazit 40 ... 293 H 3
Doazon 64 ... 313 H 2
Docelles 88 ... 119 H 2
Doëlan 29 ... 100 C 5
Dœuil-sur-le-Mignon 17 ... 201 G 1
Dognen 64 ... 313 G 4
Dogneville 88 ... 95 F 5
Dohem 62 ... 7 F 2
Dohis 02 ... 25 H 3
Doignies 59 ... 14 A 4
Doingt 80 ... 23 G 1
Doissat 24 ... 259 F 2
Doissin 38 ... 232 B 3
Doix-lès-Fontaines 85 ... 184 B 3
Doizieux 42 ... 230 C 4
Dol-de-Bretagne 35 ... 80 A 2
Dolaincourt 88 ... 94 B 4
Dolancourt 10 ... 92 A 5
Dolcourt 54 ... 94 C 3
Dole 39 ... 161 E 5
Dolignon 02 ... 25 G 3
Dolleren 68 ... 142 C 1
Dollon 72 ... 108 C 4
Dollot 89 ... 113 E 2
Dolmayrac 47 ... 276 B 1
Dolo 22 ... 79 E 4
Dolomieu 38 ... 232 B 2
Dolus-d'Oléron 17 ... 200 B 3
Dolus-le-Sec 37 ... 152 B 5
Dolving 57 ... 67 G 4
Dom-le-Mesnil 08 ... 27 E 4
Domagné 35 ... 104 D 3
Domaize 63 ... 228 C 1
Domalain 35 ... 105 E 4
Domancy 74 ... 216 C 3
Domarin 38 ... 231 H 2
Domart-en-Ponthieu 80 ... 12 B 5
Domart-sur-la-Luce 80 ... 22 D 2
Domats 89 ... 113 E 3
Domazan 30 ... 304 B 1
Dombasle-devant-Darney 88 ... 118 D 3
Dombasle-en-Argonne 55 ... 43 H 5
Dombasle-en-Xaintois 88 ... 94 C 5
Dombasle-sur-Meurthe 54 ... 95 E 1
Domblain 52 ... 92 C 3
Domblans 39 ... 179 F 4
Dombras 55 ... 44 B 3
Dombrot-le-Sec 88 ... 118 B 2
Dombrot-sur-Vair 88 ... 94 B 5
Domecy-sur-Cure 89 ... 157 H 2
Domecy-sur-le-Vault 89 ... 157 H 1
Doméliers 60 ... 22 A 5
Domène 38 ... 251 E 1
Domérat 03 ... 190 C 4
Domesmont 80 ... 12 B 4
Domessargues 30 ... 283 H 5
Domessin 73 ... 232 D 2
Domèvre-en-Haye 54 ... 65 F 4
Domèvre-sous-Montfort 88 ... 94 C 5
Domèvre-sur-Avière 88 ... 119 F 2
Domèvre-sur-Durbion 88 ... 95 F 5
Domèvre-sur-Vezouze 54 ... 96 A 2
Domeyrat 43 ... 246 C 1
Domeyrot 23 ... 189 H 5
Domezain-Berraute 64 ... 311 H 4
Domfaing 88 ... 96 A 5
Domfessel 67 ... 67 H 2
Domfront 60 ... 22 D 5
Domfront-en-Poiraie 61 ... 82 B 2
Domfront-en-Champagne 72 ... 107 G 3
Domgermain 54 ... 94 A 1
La Dominelais 35 ... 126 C 3
Domino 17 ... 200 A 3
Dominois 80 ... 11 G 1
Domjean 50 ... 52 B 1
Domjevin 54 ... 95 H 1
Domjulien 88 ... 94 C 5
Domléger 80 ... 12 B 4
Domloup 35 ... 104 C 3
Dommarie-Eulmont 54 ... 94 C 3

Dommarien 52 139 G 4
Dommartemont 54 65 H 5
Dommartin 01 195 F 4
Dommartin 25 180 C 2
Dommartin 58 175 H 1
Dommartin 69 212 D 5
Dommartin 80 22 C 3
Dommartin-aux-Bois 88 119 E 2
Dommartin-Dampierre 51 43 E 5
Dommartin-la-Chaussée 54 65 F 2
Dommartin-la-Montagne 55 64 D 2
Dommartin-le-Coq 10 91 G 3
Dommartin-le-Franc 52 92 C 4
Dommartin-le-Saint-Père 52 92 C 4
Dommartin-lès-Cuiseaux 71 195 H 2
Dommartin-lès-Remiremont 88 119 H 4
Dommartin-lès-Toul 54 94 B 1
Dommartin-lès-Vallois 88 118 D 2
Dommartin-Lettrée 51 62 A 4
Dommartin-sous-Amance 54 66 B 5
Dommartin-sous-Hans 51 43 E 5
Dommartin-sur-Vraine 88 94 B 4
Dommartin-Varimont 51 63 E 2
Dommary-Baroncourt 55 44 D 4
Domme 24 259 G 1
Dommery 08 26 B 4
Dommiers 02 40 A 3
Domnom-lès-Dieuze 57 67 F 3
Domont 95 58 C 1
Dompaire 88 119 E 2
Dompcevrin 55 64 C 3
Dompierre 60 22 D 5
Dompierre 61 53 E 5
Dompierre 88 95 G 5
Dompierre-aux-Bois 55 64 D 2
Dompierre-Becquincourt 80 23 F 1
Dompierre-du-Chemin 35 81 F 5
Dompierre-en-Morvan 21 158 C 2
Dompierre-les-Églises 87 188 A 5
Dompierre-les-Ormes 71 194 B 4
Dompierre-les-Tilleuls 25 180 B 3
Dompierre-sous-Sanvignes 71 176 C 5
Dompierre-sur-Authie 80 11 H 1
Dompierre-sur-Besbre 03 192 D 2
Dompierre-sur-Chalaronne 01 213 F 1
Dompierre-sur-Charente 17 219 H 1
Dompierre-sur-Helpe 59 15 G 4
Dompierre-sur-Héry 58 157 F 4
Dompierre-sur-Mer 17 183 G 5
Dompierre-sur-Mont 39 196 C 1
Dompierre-sur-Nièvre 58 156 D 4
Dompierre-sur-Veyle 01 213 H 2
Dompierre-sur-Yon 85 165 H 4
Dompnac 07 265 H 4
Domprel 25 162 D 4
Dompremy 51 62 D 4
Domprix 54 45 E 3
Domps 87 224 D 2
Domptail 88 95 G 3
Domptail-en-l'Air 54 95 E 2
Domptin 02 60 B 1
Domqueur 80 12 B 4
Domremy-aux-Bois 55 64 B 5
Domremy-en-Ornois 52 93 E 4
Domremy-la-Canne 55 44 D 4
Domrémy-la-Pucelle 88 93 H 3
Domsure 01 195 H 3
Domvallier 88 94 D 5
Domvast 80 11 H 2
Don 59 8 C 3
Donazac 11 337 F 1
Donchery 08 27 E 4
Doncières 88 95 H 3
Doncourt-aux-Templiers 55 64 D 1
Doncourt-lès-Conflans 54 45 F 4
Doncourt-lès-Longuyon 54 44 D 2
Doncourt-sur-Meuse 52 117 H 3
Dondas 47 276 D 2
Donges 44 146 C 2
Donjeux 52 93 E 4
Donjeux 57 66 C 3
Le Donjon 03 193 E 4
Donnay 14 53 G 2
Donnazac 81 279 F 5
Donnelay 57 67 E 4
Donnemain-Saint-Mamès 28 110 A 3
Donnemarie 52 117 G 3
Donnemarie-Dontilly 77 89 F 3
Donnement 10 91 G 3
Donnenheim 67 68 D 4
Donnery 45 133 G 2
Donneville 31 318 A 2
Donnezac 33 237 H 1
Donon *Col du* 67 96 C 2
Dontreix 23 208 C 3
Dontrien 51 42 B 4
Donville-les-Bains 50 51 F 2
Donzac 33 256 B 3
Donzac 82 276 D 4
Donzacq 40 293 F 3
Le Donzeil 23 207 F 3
Donzenac 19 242 B 1
Donzère 26 267 E 5
Donzy 58 156 C 3
Donzy-le-National 71 194 C 3
Donzy-le-Pertuis 71 194 D 3
Donzy-le-Pré 58 156 C 3
Doranges 63 228 D 4
Dorans 90 142 C 3
Dorat 63 210 C 4
Le Dorat 87 187 H 5
Dorceau 61 84 D 4
Dordives 45 112 C 3
Dore-l'Église 63 229 E 5
La Dorée 53 81 G 3
Dorengt 02 24 D 1
Dorignies 59 8 D 5
Dorlisheim 67 97 F 2
Dormans 51 60 D 1
Dormelles 77 88 D 5
La Dornac 24 241 H 3
Dornas 07 248 B 5
Dornecy 58 157 F 2
Dornes 58 175 E 5
Dornot 57 65 G 1
Dorres 66 341 E 4
Dortan 01 196 C 4
Dosches 10 91 F 5
Dosnon 10 91 F 2
Dossenheim-Kochersberg 67 68 C 5
Dossenheim-sur-Zinsel 67 68 B 4
Douadic 36 170 C 5
Douai 59 8 D 5
Douains 27 56 D 1
Douarnenez 29 99 F 2
Douaumont 55 44 B 5
Doubs 25 180 C 2
Doucelles 72 107 H 2
Douchapt 24 239 H 1
Douchy 02 23 H 3
Douchy-Montcorbon 45 113 E 5
Douchy-lès-Ayette 62 13 F 3
Douchy-les-Mines 59 14 C 2
Doucier 39 179 G 5
Doucy 73 234 B 3
Doucy-en-Bauges 73 233 H 1
Doudeauville 62 6 C 3
Doudeauville 76 21 F 5
Doudeauville-en-Vexin 27 37 E 3
Doudelainville 80 11 G 4
Doudeville 76 19 H 3
Doudrac 47 258 C 3
Doue 77 60 A 3
Doué-la-Fontaine 49 150 A 4
Douelle 46 259 H 5
Le Douhet 17 201 G 5
Douillet 72 83 F 5
Douilly 80 23 H 3
Doulaincourt 52 93 E 5
Doulaize 25 179 H 1
Doulcon 55 43 G 2
Doulevant-le-Château 52 92 C 4
Doulevant-le-Petit 52 92 C 3
Doulezon 33 256 D 1
Le Doulieu 59 8 A 2
Doullens 80 12 D 4
Doumely-Bégny 08 26 A 4
Doumy 64 314 B 2
Dounoux 88 119 F 3
Les Dourbes 04 288 B 4
Dourbies 30 282 C 4
Dourdain 35 104 D 2
Dourdan 91 87 E 3
Dourges 62 8 C 5
Dourgne 81 319 F 2
Douriez 62 11 G 1
Dourlers 59 15 G 3
Le Dourn 81 280 C 5
Dournazac 87 223 E 2
Dournon 39 179 H 2
Dours 65 315 F 4
Doussard 74 215 H 5
Doussay 86 169 E 3
Douvaine 74 197 H 4
Douville 24 240 B 4
Douville-en-Auge 14 34 B 3
Douville-sur-Andelle 27 36 C 3
Douvrend 76 20 C 2
Douvres 01 214 A 3
Douvres-la-Délivrande 14 33 G 3
Douvrin 62 8 B 4
Doux 08 42 B 1
Doux 79 168 C 4
Douy 28 109 H 4
Douy-la-Ramée 77 59 G 1
Douzains 47 257 H 3
Douzat 16 221 E 1
La Douze 24 240 D 3
Douzens 11 320 B 5
Douzies 59 15 G 2
Douzillac 24 239 H 3
Douzy 08 27 F 4
Doville 50 31 G 2
Doye 39 180 A 4
La Doye 39 197 F 2
Doyet 03 191 E 4
Dozulé 14 34 A 4
Dracé 69 212 D 1
Draché 37 169 H 1
Drachenbronn 67 69 E 1
Dracy 89 135 H 3
Dracy-le-Fort 71 177 G 4
Dracy-lès-Couches 71 177 F 3
Dracy-Saint-Loup 71 176 D 1
Dragey 50 51 G 4
Draguignan 83 308 A 4
Draillant 74 198 A 4
Drain 49 148 B 2
Draix 04 288 B 3
Draize 08 26 A 4
Drambon 21 160 D 3
Dramelay 39 196 B 3
Le Dramont 83 329 H 1
Drancy 93 58 D 2
Drap 06 309 H 2
Dravegny 02 40 D 4
Draveil 91 58 C 5
Drée 21 159 G 3
Drée *Château de* 71 194 A 4
Drefféac 44 146 D 1
Drémil-Lafage 31 298 B 5
Le Drennec 29 70 D 5
Dreslincourt 60 39 G 1
Dreuil-Hamel 80 11 H 5
Dreuil-lès-Amiens 80 22 B 1
Dreuil-lès-Molliens 80 22 A 2
Dreuilhe 09 336 D 3
Dreux 28 56 D 4
Drevant 18 173 F 5
Dricourt 08 42 C 2
Driencourt 80 23 H 1
Drignac 15 244 B 2
Drincham 59 3 G 3
Drocourt 62 8 C 5
Drocourt 78 57 G 1
Droisy 27 56 B 4
Droisy 74 215 E 3
Droitaumont 54 45 F 5
Droitfontaine 25 163 F 3
Droiturier 03 192 D 5
Droizy 02 40 B 3
Drom 01 196 A 5
Dromesnil 80 21 G 2
Drosay 76 19 G 3
Drosnay 51 92 A 2
Droué 41 109 F 4
Droue-sur-Drouette 28 86 C 2
Drouges 35 105 E 5
Drouilly 51 62 C 4
Droupt-Saint-Basle 10 90 D 3
Droupt-Sainte-Marie 10 90 C 3
Drouville 54 66 C 5
Drouvin-le-Marais 62 8 A 4
Droux 87 205 G 1
Droyes 52 92 A 3
Drubec 14 34 C 4
Drucat 80 11 G 3
Drucourt 27 35 E 5
Drudas 31 297 F 3
Druelle 12 280 C 1
Drugeac 15 244 B 2
Druillat 01 214 A 2
Drulhe 12 261 G 5
Drulingen 67 67 H 3
Drumettaz-Clarafond 73 233 F 1
Drusenheim 67 69 F 4
Druval 14 34 B 4
Druy-Parigny 58 175 E 3
Druye 37 151 G 3
Druyes-les-Belles-Fontaines 89 157 E 1
Dry 45 132 D 3
Duault 22 77 E 3
Ducey-les-Chéris 50 51 H 5
Duclair 76 35 H 1
Ducy-Sainte-Marguerite 14 33 E 4
Duerne 69 230 C 1
Duesme 21 138 B 4
Duffort 32 315 H 3
Dugny 93 58 C 2
Dugny-sur-Meuse 55 64 B 1
Duhort-Bachen 40 294 B 3
Duilhac-sous-Peyrepertuse 11 338 B 4
Duingt 74 215 H 4
Duisans 62 13 F 2
Dullin 73 232 D 2
Dumes 40 293 H 3
Dun 09 336 C 2
Dun-le-Palestel 23 189 E 4
Dun-le-Poëlier 36 153 H 5
Dun-les-Places 58 158 A 4
Dun-sur-Auron 18 173 G 3
Dun-sur-Grandry 58 175 H 1
Dun-sur-Meuse 55 43 G 2
Duneau 72 108 B 4
Dunes 82 276 C 4
Dunet 36 188 B 3
Dung 25 142 B 4
Dunière-sur-Eyrieux 07 266 D 1
Dunières 43 248 B 1
Dunkerque 59 3 G 2
Duntzenheim 67 68 C 5
Duppigheim 67 97 G 2
Duran 32 296 A 4
Durance 47 275 E 3
Duranus 06 291 E 4
Duranville 27 35 E 5
Duras 47 257 F 2
Duravel 46 259 F 4
Durban 32 296 A 5
Durban-Corbières 11 338 D 2
Durban-sur-Arize 09 335 H 2
Durbans 46 260 D 3
Durbelière *Château de la* 79 167 F 2
Durcet 61 53 F 4
Durdat-Larequille 03 191 E 5
Dureil 72 129 F 2
Durenque 12 280 D 4
Durette 69 212 C 1
Durfort 09 318 A 5
Durfort 81 319 F 2
Durfort-et-Saint-Martin-de-Sossenac 30 283 G 5
Durfort-Lacapelette 82 277 F 3
Durlinsdorf 68 143 F 4
Durmenach 68 143 F 4
Durmignat 63 209 F 1
Durnes 25 162 B 5
Durningen 67 68 C 5
Durrenbach 67 69 E 2
Durrenentzen 68 121 F 2
Durstel 67 67 H 3
Durtal 49 129 E 4
Durtol 63 209 G 5
Dury 02 23 H 3
Dury 62 14 A 3
Dury 80 22 B 2
Dussac 24 223 F 5
Duttlenheim 67 97 F 2
Duvy 60 39 G 4
Duzey 55 44 D 3
Dyé 89 136 D 2
Dyo 71 194 A 4

E

Eancé 35 127 F 2
Eaubonne 95 58 B 2
Eaucourt-sur-Somme 80 11 H 4
Eaunes 31 317 H 3
Eaux-Bonnes 64 332 A 2
Eaux-Chaudes 64 332 A 2
Eaux-Puiseaux 10 114 C 3
Eauze 32 295 F 1
Ébange 57 45 G 3
Ébaty 21 177 G 2
Ebaupinaye *Château d'* 79 167 H 1
Ebblinghem 59 3 G 5
Ébéon 17 201 H 4
Eberbach-Seltz 67 69 G 2
Eberbach-Wœrth 67 68 D 2
Ebersheim 67 97 F 4
Ebersmunster 67 97 F 4
Ébersviller 57 46 B 4
Éblange 57 46 C 4
Ébouleau 02 25 F 4
Ébréon 16 203 E 3
Ébreuil 03 209 H 2
L'Écaille 08 41 H 2
Écaillon 59 9 E 5
Écajeul 14 54 A 1
Ecalgrain *Baie d'* 50 28 C 2
Écalles-Alix 76 19 H 5
Écaquelon 27 35 G 3
Écardenville-la-Campagne 27 35 H 5
Écardenville-sur-Eure 27 36 C 5
Écausseville 50 29 G 5
Écauville 27 36 A 5
Eccica-Suarella 2A 348 D 3
Eccles 59 15 H 3
Échalas 69 230 D 3
Échallat 16 220 D 1
Échallon 01 196 D 5
Échalot 21 138 D 5
Échalou 61 53 F 4
Échandelys 63 228 C 3
Échannay 21 159 F 3
Écharcon 91 87 H 2
Les Écharmeaux 69 212 B 1
Échassières 03 209 F 1
Échauffour 61 54 D 4
Échavanne 70 142 B 3
Échay 25 179 H 1
Échebrune 17 219 H 2
L'Échelle 08 26 B 2
L'Échelle-Saint-Aurin 80 23 E 4
Les Échelles 73 232 D 4
Échemines 10 90 C 4
Échemiré 49 129 F 5
Échenans 25 142 B 4
Échenans-sous-Mont-Vaudois 70 142 B 3
Échenay 52 93 F 3
Échenevex 01 197 F 4
Échenon 21 160 C 5
Échenoz-la-Méline 70 141 E 4
Échenoz-le-Sec 70 141 E 5
Échery 68 96 D 5
Les Échets 01 213 F 4
Échevanne 70 161 F 2
Échevannes 21 160 B 1
Échevannes 25 162 B 5
Échevis 26 250 B 3
Échevronne 21 159 H 5
Échigey 21 160 B 4
Échillais 17 200 D 4
Échilleuses 45 112 A 3
Echinghen 62 6 B 2
Échiré 79 185 E 3
Échirolles 38 250 D 2
Échouboulains 77 88 D 4
Échourgnac 24 239 F 2
Eckartswiller 67 68 B 4
Eckbolsheim 67 97 G 1
Eckmühl *Phare d'* 29 99 F 5
Eckwersheim 67 68 D 5
Éclaibes 59 15 G 3
Éclaires 51 63 F 1
Éclance 10 92 A 5
Éclans 39 161 E 5
Eclaron 52 92 B 2
Éclassan 07 249 E 2
Écleux 39 179 G 1
Éclimeux 62 7 F 5
Eclose 38 232 A 3
Écluse *Défilé de l'* 74 215 E 1
Éclusier-Vaux 80 23 F 1
Écluzelles 28 56 D 5
Écly 08 26 A 5
Écoche 42 212 A 1
Écoivres 62 12 C 2
École 73 233 H 1
École-Valentin 25 161 H 3
Écollemont 51 92 A 2
Écoman 41 132 A 2
Écommoy 72 130 A 2
Écomusée de Haute-Alsace 68 121 E 5
Écoquenéauville 50 31 H 2
Écorcei 61 55 F 5
Les Écorces 25 163 G 3
Écorches 61 54 B 3
Écordal 08 26 C 5
Écorpain 72 108 C 5
Écos 27 37 E 5
Écot 25 142 B 5
Ecot-la-Combe 52 117 F 2
Écotay-l'Olme 42 229 G 2
Écots 14 54 B 1
Écouché 61 54 A 4
Écouen 95 58 C 1
Écouflant 49 149 G 1
Écouis 27 36 D 3
Écoust-Saint-Quentin 62 14 A 3
Écoust-Saint-Mein 62 13 H 3
Écouves *Forêt d'* 61 83 G 2
Écouviez 55 44 B 1
L'Écouvotte 25 162 B 2
Écoyeux 17 201 H 5
Ecquedecques 62 7 H 3
Ecques 62 7 F 2
Ecquetot 27 36 A 5
Ecquevilly 78 57 H 2
Écrainville 76 18 D 4
Écrammeville 14 32 C 2
Les Écrennes 77 88 D 3
Écretteville-lès-Baons 76 19 G 4
Écretteville-sur-Mer 76 19 E 3
Écriennes 51 62 D 5
Écrille 39 196 C 2
Écromagny 70 141 H 2
Écrosnes 28 86 C 3
Écrouves 54 94 B 1
Ectot-l'Auber 76 20 A 4
Ectot-lès-Baons 76 19 H 4
Écublé 28 85 H 2
Écueil 51 41 G 4
Écueillé 36 171 E 1
Écuélin 59 15 G 3
Écuelle 70 140 A 5
Écuelles 71 178 A 2
Écuelles 77 88 C 5
Écuillé 49 128 C 5
Écuires 62 6 C 4
Écuisses 71 177 F 4
Éculleville 50 28 D 2
Écully 69 213 E 5
Écuras 16 222 B 1
Écurat 17 201 F 5
Écurcey 25 142 B 5
Écurey-en-Verdunois 55 44 B 3
Écurie 62 13 G 2
Écury-le-Repos 51 61 G 4
Écury-sur-Coole 51 62 A 3
Écutigny 21 177 F 1
Écuvilly 60 23 G 4
Edern 29 100 A 2
Édon 16 221 G 3
Les Éduts 17 202 C 3
Eecke 59 4 A 5
Effiat 63 210 A 2
Effincourt 52 93 E 3
Effry 02 25 G 1
Égat 66 341 F 4
Égleny 89 135 H 3
Égletons 19 225 F 5
Égligny 77 89 F 4
Eglingen 68 143 E 2
L'Église-aux-Bois 19 225 E 2
Église-Neuve-de-Vergt 24 240 C 3
Église-Neuve-d'Issac 24 239 H 4
Égliseneuve-d'Entraigues 63 227 F 5
Égliseneuve-des-Liards 63 228 B 3
Égliseneuve-près-Billom 63 228 B 1
Les Églises d'Argenteuil 17 201 H 3
Églisolles 63 229 F 4
Les Églisottes-et-Chalaures 33 238 D 3
Égly 91 87 G 2
Égreville 77 112 D 3
Égriselles-le-Bocage 89 113 F 3
Égry 45 111 H 4
Éguelshardt 57 68 B 1
Eguenigue 90 142 C 2
L'Éguille 17 218 D 1
Éguilles 13 305 H 5
Éguilly 21 159 E 3
Éguilly-sous-Bois 10 115 H 3
Éguisheim 68 121 E 3
Éguzon 36 188 D 3
Éguzon *Barrage d'* 36 188 D 3
Éhuns 70 141 G 2
Eichhoffen 67 97 F 3
Eincheville 57 66 D 2
Einvaux 54 95 F 2
Einville-au-Jard 54 95 F 1
Eix 55 44 C 5
Élan 08 26 D 4
Élancourt 78 57 H 4
Elbach 68 142 D 3
Elbeuf 76 36 A 3
Elbeuf-en-Bray 76 37 F 1
Elbeuf-sur-Andelle 76 36 D 1
Élencourt 60 21 H 4
Élesmes 59 15 H 2
Életot 76 19 E 3
Éleu-Dit-Leauwette 62 8 B 5
Élincourt 59 14 C 5
Élincourt-Sainte-Marguerite 60 39 F 1
Élisabethville 78 57 G 2
Élise-Daucourt 51 63 E 1
Elizaberry 64 310 D 3
Ellecourt 76 21 F 3

Elliant 29 ... 100 A 3
Ellon 14 ... 33 E 4
Elne 66 ... 343 F 3
Elnes 62 ... 7 E 2
Éloie 90 ... 142 C 2
Éloise 74 ... 215 E 1
Éloyes 88 ... 119 H 3
Elsenheim 67 ... 121 F 2
Elvange 57 ... 66 D 1
Elven 56 ... 124 D 3
Elzange 57 ... 45 H 3
Émagny 25 ... 161 G 3
Émalleville 27 ... 36 B 5
Émancé 78 ... 86 C 2
Émanville 27 ... 55 H 1
Émanville 76 ... 20 A 5
Emberménil 54 ... 95 H 1
Embourie 16 ... 203 E 2
Embres-et-Castelmaure 11 . 338 D 3
Embreville 80 ... 11 E 4
Embrun 05 ... 270 C 3
Embry 62 ... 6 D 4
Émerainville 77 ... 59 E 4
Émerchicourt 59 ... 14 B 2
Émeringes 69 ... 194 D 5
Éméville 60 ... 39 H 3
Émiéville 14 ... 33 H 5
Emlingen 68 ... 143 F 3
Emmerin 59 ... 8 C 3
Émondeville 50 ... 29 G 5
Empeaux 31 ... 297 F 5
Empurany 07 ... 248 D 4
Empuré 16 ... 203 E 3
Empury 58 ... 157 H 3
Encausse 32 ... 297 E 3
Encausse-les-Thermes 31 .. 334 C 2
Enchanet *Barrage d'* 15 ... 243 H 3
Enchastrayes 04 ... 271 E 5
Enchenberg 57 ... 68 A 1
L'Enclave-
de-la-Martinière 79 ... 185 G 4
Encourtiech 09 ... 335 F 3
Encrenaz *Col de l'* 74 ... 198 C 5
Endoufielle 32 ... 297 E 5
Énencourt-le-Sec 60 ... 37 H 3
Énencourt-Léage 60 ... 37 G 3
Enfer *Gouffre d'* 42 ... 230 B 4
Enfer *Portes d'* 86 ... 187 G 4
Enfonvelle 52 ... 118 B 5
Engarran *Château de l'* 34 .. 302 D 5
Engayrac 47 ... 276 D 2
Engayresque *Col d'* 12 ... 281 G 2
Engente 10 ... 92 B 5
Engenthal 67 ... 68 A 5
Engenville 45 ... 111 G 2
Enghien-les-Bains 95 ... 58 C 2
Engins 38 ... 250 D 2
Englancourt 02 ... 25 E 1
Englebelmer 80 ... 13 F 5
Englefontaine 59 ... 15 E 3
Englesqueville-en-Auge 14 ... 34 C 3
Englesqueville-la-Percée 14 .. 32 C 2
Englos 59 ... 8 C 2
Engomer 09 ... 335 E 3
Engraviès 09 ... 336 C 2
Enguinegatte 62 ... 7 F 3
Engwiller 67 ... 68 C 3
Ennemain 80 ... 23 G 2
Ennery 57 ... 45 H 4
Ennery 95 ... 58 A 1
Ennetières-en-Weppes 59 ... 8 C 2
Ennevelin 59 ... 8 D 3
Ennezat 63 ... 210 A 4
Ennordres 18 ... 155 E 2
Enquin-les-Mines 62 ... 7 F 3
Enquin-sur-Baillons 62 ... 6 C 3
Ens 65 ... 333 G 4
Ensérune *Oppidum d'* 34 ... 321 F 5
Ensigné 79 ... 202 C 2
Ensisheim 68 ... 121 E 5
Ensuès-la-Redonne 13 ... 326 C 2
Entrages 04 ... 288 A 4
Entraigues 38 ... 251 F 4
Entraigues 63 ... 210 A 4
Entraigues-
sur-la-Sorgue 84 ... 285 G 5
Entrains-sur-Nohain 58 ... 156 D 2
Entrammes 53 ... 106 A 4
Entrange 57 ... 45 G 2
Entraunes 06 ... 289 E 2
Entraygues-sur-Truyère 12 .. 262 D 3
Entre-deux-Eaux 88 ... 96 B 5
Entre-deux-Guiers 38 ... 232 D 4
Entre-deux-Monts 39 ... 180 A 5
Entrecasteaux 83 ... 307 G 5
Entrechaux 84 ... 285 H 2
Entremont 74 ... 216 A 3
Entremont-le-Vieux 73 ... 233 E 3
Entrepierres 04 ... 287 G 2
Entressen 13 ... 305 E 4
Entrevaux 04 ... 289 F 5
Entrevennes 04 ... 287 G 5
Entrevernes 74 ... 215 H 4
Entzheim 67 ... 97 G 1
Enval 63 ... 209 G 4
Enveitg 66 ... 341 E 4
Envermeu 76 ... 20 C 2
Envronville 76 ... 19 G 4
Eoulx 04 ... 308 B 1
Éourres 05 ... 287 E 2
Eoux 31 ... 316 D 4
Épagne 10 ... 91 G 4
Épagne-Epagnette 80 ... 11 G 4
Épagny 02 ... 40 A 1
Épagny 21 ... 160 A 1
Épagny-Metz-Tessy 74 ... 215 G 3
Épaignes 27 ... 35 E 3
Épaney 14 ... 53 H 2
Épannes 79 ... 184 C 5
Éparcy 02 ... 25 G 2
Les Éparges 55 ... 64 D 1
Épargnes 17 ... 219 E 3
Les Éparres 38 ... 232 A 3
Epau *Abbaye de l'* 72 ... 107 H 5
Épaumesnil 80 ... 11 G 5
Épaux-Bézu 02 ... 40 B 5
Épeautrolles 28 ... 85 H 5
Épécamps 80 ... 12 B 4
Épégard 27 ... 35 H 4
Épehy 80 ... 14 A 5
Épeigné-les-Bois 37 ... 152 C 4
Épeigné-sur-Dême 37 ... 130 D 4
Épénancourt 80 ... 23 G 2
Épenède 16 ... 204 B 2
Épenouse 25 ... 162 C 4
Épenoy 25 ... 162 C 5
Épense 51 ... 63 E 2
Épercieux-Saint-Paul 42 ... 211 H 5
Éperlecques 62 ... 3 E 4
Épernay 51 ... 61 G 1
Épernay-sous-Gevrey 21 ... 160 A 4
Épernon 28 ... 86 C 2
Éperrais 61 ... 84 B 4
Épersy 73 ... 215 F 5
Épertully 71 ... 177 F 2
Épervans 71 ... 177 H 4
Les Epesses 85 ... 166 D 3
Épeugney 25 ... 162 A 5
Epfig 67 ... 97 F 4
Épiais 41 ... 132 A 3
Épiais-lès-Louvres 95 ... 58 D 1
Épiais-Rhus 95 ... 38 A 5
Épieds 02 ... 40 C 5
Épieds 27 ... 56 D 2
Épieds 49 ... 150 C 5
Épieds-en-Beauce 45 ... 110 B 5
Épierre 73 ... 234 A 3
Épiez-sur-Chiers 54 ... 44 C 2
Épiez-sur-Meuse 55 ... 93 H 2
Épinac 71 ... 177 E 2
Épinal 88 ... 119 F 2
Épinant 52 ... 117 G 4
Épinay 27 ... 55 F 2
Épinay-Champlâtreux 95 ... 58 C 1
L'Épinay-le-Comte 61 ... 81 H 3
Épinay-sous-Sénart 91 ... 58 D 5
Épinay-sur-Duclair 76 ... 35 H 1
Épinay-sur-Odon 14 ... 33 E 5
Épinay-sur-Orge 91 ... 58 C 5
Épinay-sur-Seine 93 ... 58 C 2
L'Épine 05 ... 268 D 5
L'Épine 51 ... 62 B 2
L'Épine 85 ... 164 B 1
Épine *Col de l'* 73 ... 233 E 2
L'Épine-aux-Bois 02 ... 60 C 3
Épineau-les-Voves 89 ... 113 H 5
Épineu-le-Chevreuil 72 ... 107 E 4
Épineuil 89 ... 137 E 2
Épineuil-le-Fleuriel 18 ... 190 D 2
Épineuse 60 ... 38 D 2
Épineux-le-Seguin 53 ... 106 D 5
Epiniac 35 ... 80 B 2
Épinonville 55 ... 43 G 3
Épinouze 26 ... 231 F 5
Épinoy 62 ... 14 B 3
Épire 49 ... 149 F 2
Épiry 58 ... 157 G 5
Épisy 77 ... 88 C 5
Épizon 52 ... 93 F 4
Éplessier 80 ... 21 H 3
Éply 54 ... 65 H 3
Époisses 21 ... 158 C 1
Épône 78 ... 57 G 2
Épothémont 10 ... 92 A 4
Épouville 76 ... 18 C 5
Époye 51 ... 42 A 3
Eppe-Sauvage 59 ... 16 A 4
Eppes 02 ... 25 E 5
Eppeville 80 ... 23 H 3
Epping 57 ... 48 B 5
Épretot 76 ... 18 D 5
Épreville 76 ... 19 E 4
Épreville-en-Lieuvin 27 ... 35 F 4
Épreville-en-Roumois 27 ... 35 G 3
Épreville-
près-le-Neubourg 27 ... 35 H 5
Épron 14 ... 33 G 4
Eps 62 ... 7 F 4
Épuisay 41 ... 131 F 2
Équancourt 80 ... 14 A 5
Équemauville 14 ... 34 C 2
Équennes-Éramecourt 80 ... 21 H 3
Équeurdreville-
Hainneville 50 ... 29 E 3
Équevilley 70 ... 141 F 3
Équevillon 39 ... 179 H 4
Équihen-Plage 62 ... 6 A 2
Équilly 50 ... 51 G 3
Équirre 62 ... 7 F 4
Éragny 95 ... 58 A 1
Éragny-sur-Epte 60 ... 37 G 3
Eraines 14 ... 53 H 2
Éramecourt 80 ... 21 H 4
Éraville 16 ... 220 D 2
Erbajolo 2B ... 347 F 5
Erbalunga 2B ... 345 G 3
Erbéviller-sur-Amezule 54 ... 66 C 5
Erbray 44 ... 127 E 4
Erbrée 35 ... 105 F 3
Ercé 09 ... 335 G 4
Ercé-en-Lamée 35 ... 126 D 2
Ercé-près-Liffré 35 ... 80 C 5
Erceville 45 ... 111 F 2
Erches 80 ... 23 E 4
Ercheu 80 ... 23 G 4
Erchin 59 ... 14 B 2
Erching 57 ... 48 B 5
Erckartswiller 67 ... 68 B 3
Ercourt 80 ... 11 F 4
Ercuis 60 ... 38 B 4
Erdeven 56 ... 123 G 3
Erdre-en-Anjou 49 ... 128 A 5
Éréac 22 ... 103 E 1
Ergersheim 67 ... 97 F 1
Ergnies 80 ... 12 B 4
Ergny 62 ... 6 D 3
Ergué-Gabéric 29 ... 99 H 3
Érigné 49 ... 149 G 2
Érin 62 ... 7 F 5
Éringes 21 ... 138 A 5
Eringhem 59 ... 3 G 3
Ériseul 52 ... 139 E 2
Érize-la-Brûlée 55 ... 63 H 3
Érize-la-Grande 55 ... 63 H 2
Érize-la-Petite 55 ... 63 H 2
Érize-Saint-Dizier 55 ... 63 H 3
Erlon 02 ... 25 E 3
Erloy 02 ... 25 E 1
Ermenonville 60 ... 39 E 5
Ermenonville-la-Grande 28 ... 86 A 5
Ermenonville-la-Petite 28 ... 85 H 5
Ermenouville 76 ... 19 H 3
Ermitage-
du-Frère-Joseph 88 ... 120 B 5
Ermont 95 ... 58 B 2
Ernecourt 55 ... 64 B 5
Ernée 53 ... 81 G 5
Ernemont-Boutavent 60 ... 21 G 5
Ernemont-la-Villette 76 ... 37 F 1
Ernemont-sur-Buchy 76 ... 36 D 1
Ernes 14 ... 54 A 1
Ernestviller 57 ... 67 G 1
Ernolsheim-Bruche 67 ... 97 F 1
Ernolsheim-lès-Saverne 67 ... 68 B 4
Erny-Saint-Julien 62 ... 7 F 3
Érôme 26 ... 249 E 2
Érondelle 80 ... 11 G 4
Érone 2B ... 347 F 3
Éroudeville 50 ... 29 G 5
Erp 09 ... 335 F 3
Erquery 60 ... 38 D 2
Erquières 62 ... 12 B 2
Erquinghem-le-Sec 59 ... 8 C 3
Erquinghem-Lys 59 ... 8 B 2
Erquinvillers 60 ... 38 D 1
Erquy 22 ... 78 D 2
Err 66 ... 341 F 5
Erre 59 ... 9 F 5
Errevet 70 ... 142 B 2
Errouville 54 ... 45 F 2
Ersa 2B ... 345 F 1
Erstein 67 ... 97 G 3
Erstroff 57 ... 67 E 2
Ervauville 45 ... 113 E 4
Ervillers 62 ... 13 G 4
Ervy-le-Châtel 10 ... 114 C 4
Esbareich 65 ... 334 A 3
Esbarres 21 ... 160 C 5
Esbly 77 ... 59 F 3
Esboz-Brest 70 ... 141 G 2
Escala 65 ... 333 H 1
Escalans 40 ... 274 D 5
Les Escaldes 66 ... 341 F 4
L'Escale 04 ... 287 G 4
Escales 11 ... 320 C 5
Escalette *Pas de l'* 34 ... 301 H 2
Escalles 62 ... 2 B 3
Escalquens 31 ... 318 A 2
Escames 60 ... 21 G 5
Escamps 46 ... 278 C 1
Escamps 89 ... 136 A 4
Escandolières 12 ... 262 B 5
Escanecrabe 31 ... 316 C 4
Escardes 51 ... 60 C 5
L'Escarène 06 ... 291 F 5
Escarmain 59 ... 14 D 3
Escaro 66 ... 342 A 3
Escassefort 47 ... 257 F 4
Escatalens 82 ... 277 G 5
Escaudain 59 ... 14 C 2
Escaudes 33 ... 274 B 1
Escaudœuvres 59 ... 14 B 3
Escaufourt 59 ... 14 D 5
Escaunets 65 ... 314 D 3
Escautpont 59 ... 9 G 5
Escazeaux 82 ... 297 E 2
Eschau 67 ... 97 G 2
Eschbach 67 ... 68 D 3
Eschbach-au-Val 68 ... 120 D 3
Eschbourg 67 ... 68 A 3
Eschêne-Autrage 90 ... 142 C 3
Eschentzwiller 68 ... 143 G 2
Escherange 57 ... 45 G 2
Esches 60 ... 38 A 4
Eschwiller 67 ... 67 H 3
Esclagne 09 ... 336 D 2
Esclainvillers 80 ... 22 C 4
Esclanèdes 48 ... 264 B 5
Esclangon 04 ... 288 A 2
Esclassan-Labastide 32 ... 316 A 2
Esclauzels 46 ... 260 C 5
Esclavelles 76 ... 20 D 4
Esclavolles-Lurey 51 ... 90 A 2
Escles 88 ... 118 D 3
Escles-Saint-Pierre 60 ... 21 G 3
Esclimont 28 ... 86 D 3
Esclottes 47 ... 257 E 2
Escobecques 59 ... 8 C 2
Escœuilles 62 ... 2 D 5
Escoire 24 ... 240 D 2
Escolives-
Sainte-Camille 89 ... 136 B 4
Escombres-
et-le-Chesnois 08 ... 27 G 4
Esconac 33 ... 255 G 2
Escondeaux 65 ... 315 F 3
Esconnets 65 ... 333 G 1
Escorailles 15 ... 244 B 2
Escornebœuf 32 ... 296 D 4
Escorpain 28 ... 56 B 5
Escos 64 ... 311 H 3
Escosse 09 ... 336 A 1
Escot 64 ... 331 H 2
Escots 65 ... 333 G 1
Escou 64 ... 331 H 1
Escoubès 64 ... 314 C 2
Escoubès-Pouts 65 ... 333 E 1
Escoublère *Manoir de l'* 53 .. 128 C 3
Escoulis 31 ... 335 E 1
Escouloubre 11 ... 337 F 5
Escource 40 ... 272 D 3
Escoussans 33 ... 256 B 2
Escoussens 81 ... 319 G 2
Escout 64 ... 331 H 1
Escoutoux 63 ... 210 C 5
Escoville 14 ... 33 H 4
Escragnolles 06 ... 308 D 2
Escrennes 45 ... 111 G 3
Escrignelles 45 ... 134 D 4
Escrinet *Col de l'* 07 ... 266 C 2
Escroux 81 ... 300 B 3
Escueillens 11 ... 337 E 1
Escurès 64 ... 314 D 2
Escures-sur-Favières 14 ... 54 A 1
Escurolles 03 ... 210 A 1
Ésery 74 ... 215 H 1
Eslettes 76 ... 20 A 5
Esley 88 ... 118 C 2
Eslourenties-Daban 64 ... 314 D 4
Esmans 77 ... 88 D 5
Esmery-Hallon 80 ... 23 H 4
Esmoulières 70 ... 119 H 5
Esmoulins 70 ... 161 E 2
Esnandes 17 ... 183 F 5
Esnans 25 ... 162 C 2
Esnes 59 ... 14 C 4
Esnes-en-Argonne 55 ... 43 H 4
Esnoms-au-Val 52 ... 139 F 4
Esnon 89 ... 114 A 5
Esnouveaux 52 ... 117 F 3
Espagnac 19 ... 243 E 1
Espagnac-
Sainte-Eulalie 46 ... 261 E 4
Espagnols *Pointe des* 29 ... 75 E 3
Espalais 82 ... 276 D 4
Espalem 43 ... 246 A 1
Espalion 12 ... 263 E 4
Espaly-Saint-Marcel 43 ... 247 F 3
Espanès 31 ... 318 A 2
Espaon 32 ... 316 D 3
Esparron 05 ... 269 F 4
Esparron 31 ... 316 C 4
Esparron 83 ... 306 D 4
Esparron-de-Verdon 04 ... 307 E 2
Esparron-la-Bâtie 04 ... 287 H 1
Esparros 65 ... 333 G 2
Esparsac 82 ... 297 E 1
Espartignac 19 ... 224 C 4
Espas 32 ... 295 E 2
Espaubourg 60 ... 37 G 2
Espèche 65 ... 333 G 1
Espéchède 64 ... 314 C 3
Espédaillac 46 ... 260 D 3
Espelette 64 ... 310 D 4
Espeluche 26 ... 267 F 4
Espenel 26 ... 268 A 2
Espérausses 81 ... 300 A 4
Espéraza 11 ... 337 G 3
Esperce 31 ... 317 H 4
Espère 46 ... 259 H 4
L'Espérou 30 ... 282 C 4
Espès-Undurein 64 ... 313 F 4
Espeyrac 12 ... 262 C 3
Espeyroux 46 ... 261 E 2
Espezel 11 ... 337 E 4
Espieilh 65 ... 333 G 1
Espiens 47 ... 275 G 3
Espiet 33 ... 256 B 1
Espinas 82 ... 279 E 3
Espinasse 15 ... 245 G 5
Espinasse 63 ... 209 E 3
Espinasse-Vozelle 03 ... 210 A 2
Espinasses 05 ... 270 A 4
Espinchal 63 ... 227 F 5
Espinouse 04 ... 287 H 4
Espins 14 ... 53 G 1
Espira-de-Conflent 66 ... 342 B 3
Espira-de-l'Agly 66 ... 338 D 5
Espirat 63 ... 228 B 1
Espiute 64 ... 311 H 4
Esplantas-Vazeilles 43 ... 246 C 5
Esplas 09 ... 318 A 5
Esplas-de-Sérou 09 ... 335 H 3
Espoey 64 ... 314 C 4
Espondeilhan 34 ... 321 G 2
Esprels 70 ... 141 G 5
Esquay-Notre-Dame 14 ... 33 F 5
Esquay-sur-Seulles 14 ... 33 E 3
Esquéhéries 02 ... 25 E 1
Esquelbecq 59 ... 3 G 4
Esquennoy 60 ... 22 B 4
Esquerchin 59 ... 8 D 5
Esquerdes 62 ... 7 F 2
Esquibien 29 ... 98 D 2
Esquièze-Sère 65 ... 333 E 3
Esquillon *Pointe de l'* 06 ... 309 E 5
Esquiule 64 ... 331 G 1
Essalois *Château d'* 42 ... 230 A 4
Les Essards 16 ... 239 E 1
Les Essards 17 ... 201 F 5
Les Essards 37 ... 151 E 3
Les Essards-
Taignevaux 39 ... 178 D 2
Essarois 21 ... 138 C 3
Essars 62 ... 8 A 3
Les Essarts 27 ... 56 A 3
Les Essarts 41 ... 131 E 4
Les Essarts 76 ... 36 A 3
Les Essarts en Bocage 85 .. 166 B 4
Les Essarts-le-Roi 78 ... 57 G 5
Les Essarts-le-Vicomte 51 ... 60 D 5
Les Essarts-
lès-Sézanne 51 ... 60 D 4
Les Essarts-Varimpré 76 ... 21 E 2
Essavilly 39 ... 180 A 4
Essay 61 ... 83 H 2
Esse 16 ... 204 C 2
Essé 35 ... 104 D 5
Essegney 88 ... 95 E 4
Les Esseintes 33 ... 256 D 3
Essert 89 ... 136 D 5
Essert 90 ... 142 B 3
Essert-Romand 74 ... 198 C 5
Essertaux 80 ... 22 B 3
Essertenne 71 ... 177 F 4
Essertenne-et-Cecey 70 ... 160 D 2
Essertines-
en-Châtelneuf 42 ... 229 G 2
Essertines-en-Donzy 42 ... 212 A 5
Esserts-Blay 73 ... 234 B 1
Esserts-Salève 74 ... 215 H 1
Esserval-Combe 39 ... 180 A 3
Esserval-Tartre 39 ... 180 A 3
Essey 21 ... 159 E 4
Essey-et-Maizerais 54 ... 65 E 3
Essey-la-Côte 54 ... 95 F 3
Essey-les-Eaux 52 ... 117 G 4
Essey-lès-Nancy 54 ... 65 H 5
Essey-les-Ponts 52 ... 116 C 4
Essia 39 ... 196 B 1
Essigny-le-Grand 02 ... 24 B 3
Essigny-le-Petit 02 ... 24 B 2
Essises 02 ... 60 C 2
Essômes-sur-Marne 02 ... 60 B 1
Esson 14 ... 53 F 2
Essoyes 10 ... 115 H 4
Essuiles 60 ... 38 B 1
Les Estables 43 ... 247 H 5
Estables 48 ... 264 C 3
Establet 26 ... 268 B 4
Estadens 31 ... 334 D 2
Estagel 66 ... 338 C 5
Estaing 12 ... 262 D 4
Estaing 65 ... 332 C 3
Estaires 59 ... 8 B 2
Estal 46 ... 243 E 5
Estampes 32 ... 315 G 3
Estampures 65 ... 315 G 3
Estancarbon 31 ... 334 C 1
Estandeuil 63 ... 228 B 1
Estang 32 ... 294 D 1
L'Estaque 13 ... 326 D 2
Estarvielle 65 ... 333 H 4
Estavar 66 ... 341 F 4
Esteil 63 ... 228 B 4
Estenc 06 ... 289 E 2
Esténos 31 ... 334 B 3
Estensan 65 ... 333 G 4
Estérençuby 64 ... 330 C 1
Esternay 51 ... 60 D 4
Esterre 65 ... 333 E 3
Estevelles 62 ... 8 C 4
Esteville 76 ... 20 C 5
Estézargues 30 ... 304 B 1
Estialescq 64 ... 313 H 4
Estibeaux 40 ... 293 F 4
Estigarde 40 ... 274 C 5
Estillac 47 ... 276 B 3
Estipouy 32 ... 295 H 5
Estirac 65 ... 295 E 5
Estissac 10 ... 114 C 2
Estivals 19 ... 242 B 4
Estivareilles 03 ... 190 D 3
Estivareilles 42 ... 229 G 4
Estivaux 19 ... 242 B 1
Estoher 66 ... 342 B 3
Estos 64 ... 331 H 1
Estoublon 04 ... 288 A 5
Estouches 91 ... 87 F 5
Estourmel 59 ... 14 C 4
Estouteville-Écalles 76 ... 20 C 5
Estouy 45 ... 111 H 3
Estrablin 38 ... 231 F 3
Estramiac 32 ... 296 D 2
Estrebay 08 ... 26 A 2
Estrébœuf 80 ... 11 F 3
L'Estréchure 30 ... 283 E 4
Estrée 62 ... 6 C 4
Estrée-Blanche 62 ... 7 G 3
Estrée-Cauchy 62 ... 8 A 5
Estrée-Wamin 62 ... 12 D 2
Estréelles 62 ... 6 C 4
Estrées 02 ... 24 B 1
Estrées 59 ... 14 A 2
Estrées-Deniécourt 80 ... 23 F 2
Estrées-en-Chaussée 80 ... 23 H 2
Estrées-la-Campagne 14 ... 53 H 1
Estrées-lès-Crécy 80 ... 11 H 2
Estrées-Saint-Denis 60 ... 39 E 2
Estrées-sur-Noye 80 ... 22 C 3
Estrennes 88 ... 94 C 5

Estreux 59 ... 9 H 5
Estrun 59 ... 14 C 3
Estry 14 ... 52 D 2
Esves-le-Moutier 37 ... 170 B 1
Esvres 37 ... 152 A 4
Eswars 59 ... 14 B 3
Étable 73 ... 233 H 3
Étables 07 ... 249 E 3
Étables-sur-Mer 22 ... 73 H 4
Étagnac 16 ... 204 D 4
Étaimpuis 76 ... 20 B 4
Étain 55 ... 44 D 5
Étaing 62 ... 13 H 2
Étainhus 76 ... 18 D 5
Étais 21 ... 137 H 4
Étais-la-Sauvin 89 ... 156 D 1
Étalans 25 ... 162 C 4
Étalante 21 ... 138 C 4
Étalle 08 ... 26 B 2
Étalleville 76 ... 19 H 3
Étalon 80 ... 23 F 3
Étalondes 76 ... 10 D 4
Étampes 91 ... 87 F 4
Étampes-sur-Marne 02 ... 60 C 1
L'Étang-Bertrand 50 ... 29 E 5
L'Étang-la-Ville 78 ... 58 A 3
Étang-sur-Arroux 71 ... 176 C 3
L'Étang-Vergy 21 ... 159 H 5
Les Étangs 57 ... 46 B 5
Étaples 62 ... 6 B 4
Étaule 89 ... 158 A 1
Étaules 17 ... 200 C 5
Étaules 21 ... 159 H 2
Étauliers 33 ... 237 G 1
Étaves-et-Bocquiaux 02 ... 24 C 1
Étavigny 60 ... 39 G 5
Etcharry 64 ... 311 H 4
Etchebar 64 ... 331 E 2
Eteaux 74 ... 215 H 1
Eteignières 08 ... 26 B 2
Eteimbes 68 ... 142 D 2
Étel 56 ... 123 G 3
Ételfay 80 ... 23 E 4
L'Etelon 03 ... 190 D 1
Étercy 74 ... 215 F 3
Éternoz 25 ... 180 A 1
Éterpigny 62 ... 13 H 3
Éterpigny 80 ... 23 G 2
Éterville 14 ... 33 G 5
Étevaux 21 ... 160 C 3
Eth 59 ... 15 E 2
Étienville 50 ... 31 G 2
Étigny 89 ... 113 G 3
Les Étilleux 28 ... 108 D 2
Étinehem 80 ... 23 E 1
Étiolles 91 ... 88 A 2
Étival 39 ... 196 D 2
Étival-Clairefontaine 88 ... 96 A 4
Étival-lès-le-Mans 72 ... 107 G 5
Étivey 89 ... 137 F 4
Étobon 70 ... 142 A 3
Étoges 51 ... 61 F 3
L'Étoile 39 ... 179 E 4
L'Étoile 80 ... 12 B 5
Étoile-Saint-Cyrice 05 ... 286 D 1
Étoile-sur-Rhône 26 ... 267 F 1
Éton 55 ... 44 D 4
Étormay 21 ... 138 B 5
Étouars 24 ... 222 B 2
Étourvy 10 ... 115 E 5
Étoutteville 76 ... 19 G 4
Étouvans 25 ... 142 B 5
Étouvelles 02 ... 40 D 1
Étouvy 14 ... 52 C 2
Étouy 60 ... 38 C 2
Étrabonne 25 ... 161 G 4
Étrappe 25 ... 142 A 5
L'Étrat 42 ... 230 B 3
Étray 25 ... 162 C 5
Étraye 55 ... 44 B 3
Étréaupont 02 ... 25 F 1
Étrechet 36 ... 172 A 4
Étréchy 18 ... 155 H 5
Étréchy 51 ... 61 G 3
Étréchy 91 ... 87 G 3
Étréham 14 ... 32 D 3
Étreillers 02 ... 24 A 2
Étréjust 80 ... 11 H 5
Étrelles 35 ... 105 E 3
Étrelles-et-la-Montbleuse 70 ... 161 G 1
Étrelles-sur-Aube 10 ... 90 C 2
Étrembières 74 ... 197 H 5
Étrépagny 27 ... 37 E 3
Étrepigney 39 ... 161 F 5
Étrépigny 08 ... 26 D 4
Étrépilly 02 ... 60 B 1
Étrépilly 77 ... 59 G 1
Étrepy 51 ... 63 E 4
Étretat 76 ... 18 C 3
Étreux 02 ... 15 E 5
Étreval 54 ... 94 C 3
Étréville 27 ... 35 F 2
Étrez 01 ... 195 H 4
Étriac 16 ... 220 D 3
Étriché 49 ... 128 D 4
Étricourt-Manancourt 80 ... 13 H 5
Étrigny 71 ... 195 E 1
Étrochey 21 ... 138 A 2
Étrœungt 59 ... 15 G 5
Étroitefontaine 70 ... 141 H 5
Étroussat 03 ... 192 A 5
Étrun 62 ... 13 F 2
Etsaut 64 ... 331 H 4
Ettendorf 67 ... 68 C 3
Etting 57 ... 67 H 1
Étueffont 90 ... 142 C 2
Étupes 25 ... 142 C 4
Éturqueraye 27 ... 35 G 2
Étusson 79 ... 167 G 1
Étuz 70 ... 161 H 2
Etzling 57 ... 47 F 5
Eu 76 ... 10 D 4
Euffigneix 52 ... 116 D 3
Eugénie-les-Bains 40 ... 294 B 3
Euilly-et-Lombut 08 ... 27 G 4
Eulmont 54 ... 65 H 5
Eup 31 ... 334 B 3
Eurre 26 ... 267 G 1
Eurville-Bienville 52 ... 92 D 2
Eus 66 ... 342 B 2
Euvezin 54 ... 65 E 3
Euville 55 ... 64 D 5
Euvy 51 ... 61 G 5
Euzet 30 ... 284 A 4
Évaillé 72 ... 130 D 2
Évans 39 ... 161 G 4
Évaux-et-Ménil 88 ... 95 E 4
Évaux-les-Bains 23 ... 208 C 1
Ève 60 ... 59 E 1
Évecquemont 78 ... 57 H 1
Évenos 83 ... 327 H 4
Évergnicourt 02 ... 41 G 2
Everly 77 ... 89 G 3
Évette-Salbert 90 ... 142 B 2
Éveux 69 ... 212 D 5
Évian-les-Bains 74 ... 198 B 3
Évigny 08 ... 26 D 3
Évillers 25 ... 180 B 1
Évin-Malmaison 62 ... 8 D 5
Évires 74 ... 215 H 2
Évisa 2A ... 346 C 5
Évosges 01 ... 214 B 3
Évran 22 ... 79 H 5
Évrange 57 ... 45 H 1
Évrecy 14 ... 33 F 5
Èvres 55 ... 63 G 1
Évreux 27 ... 56 B 1
Évricourt 60 ... 23 G 5
Évriguet 56 ... 102 D 3
Évron 53 ... 106 C 3
Évry 89 ... 113 G 2
Évry 91 ... 87 H 2
Évry-Grégy-sur-Yerres 77 ... 59 E 5
Excenevex 74 ... 198 A 3
Excideuil 24 ... 223 F 5
Exermont 08 ... 43 F 3
Exideuil 16 ... 204 C 4
Exincourt 25 ... 142 C 4
Exireuil 79 ... 185 F 3
Exmes 61 ... 54 C 4
Exoudun 79 ... 185 G 4
Expiremont 17 ... 220 B 5
Expo Faune Lorraine 88 ... 120 B 3
Eybens 38 ... 251 E 2
Eybouleuf 87 ... 206 B 5
Eyburie 19 ... 224 C 4
Eycheil 09 ... 335 F 3
Eydoche 38 ... 232 A 4
Eygalayes 26 ... 286 D 2
Eygalières 13 ... 305 E 2
Eygaliers 26 ... 286 A 2
Eygliers 05 ... 270 D 2
Eygluy-Escoulin 26 ... 267 H 1
Eyguians 05 ... 287 E 1
Eyguières 13 ... 305 E 3
Eygurande 19 ... 226 C 2
Eygurande-Gardedeuil 24 ... 239 E 3
Eyharce 64 ... 311 E 5
Eyjeaux 87 ... 205 H 5
Eyliac 24 ... 240 D 2
Eymet 24 ... 257 G 3
Eymeux 26 ... 249 H 3
Eymouthiers 16 ... 222 B 2
Eymoutiers 87 ... 224 D 1
Eyne 66 ... 341 G 4
Eyne 2600 66 ... 341 G 4
Eynesse 33 ... 257 E 1
Eyragues 13 ... 304 D 2
Eyrans 33 ... 237 G 2
Eyrein 19 ... 225 F 5
Eyrenville 24 ... 258 B 2
Eyres-Moncube 40 ... 293 H 3
Eyrignac Jardins d' 24 ... 241 H 5
Eyroles 26 ... 268 A 5
Eysines 33 ... 237 F 5
Eysson 25 ... 162 D 4
Eysus 64 ... 331 H 1
Eyvirat 24 ... 222 C 5
Eywiller 67 ... 67 H 3
Eyzahut 26 ... 267 G 4
Eyzerac 24 ... 223 E 5
Les Eyzies-de-Tayac 24 ... 241 E 5
Eyzin-Pinet 38 ... 231 G 3
Ézanville 95 ... 58 C 1
Èze 06 ... 309 H 2
Ézy-sur-Eure 27 ... 56 D 3

F

Fa 11 ... 337 G 3
Fabas 09 ... 335 F 1
Fabas 31 ... 316 D 4
Fabas 82 ... 297 H 2
Fabras 07 ... 266 A 3
Fabrègues 34 ... 302 C 5
Fabrezan 11 ... 338 C 1
Faches-Thumesnil 59 ... 8 D 3
Fâchin 58 ... 176 A 2
Facture 33 ... 254 C 2
Fades Viaduc des 63 ... 209 E 3
Fage Gouffre de la 19 ... 242 B 3
La Fage-Montivernoux 48 ... 263 H 2
La Fage-Saint-Julien 48 ... 264 A 1
Fageole Col de la 15 ... 245 H 3
Le Faget 31 ... 298 D 5
Faget-Abbatial 32 ... 316 B 2
Fagnières 51 ... 62 A 2
Fagnon 08 ... 26 C 3
Fahy-lès-Autrey 70 ... 160 D 1
Failly 57 ... 45 H 5
Faimbe 25 ... 142 A 5
Fain-lès-Montbard 21 ... 137 H 5
Fain-lès-Moutiers 21 ... 137 G 5
Fains 27 ... 56 D 2
Fains-la-Folie 28 ... 110 C 2
Fains-les-Sources 55 ... 63 G 4
Fains-Véel 55 ... 63 G 4
Faissault 08 ... 26 B 5
Fajac-en-Val 11 ... 338 A 1
Fajac-la-Relenque 11 ... 318 C 4
Fajoles 46 ... 259 H 1
La Fajolle 11 ... 337 E 5
Fajolles 82 ... 277 E 5
Falaise 08 ... 42 D 2
Falaise 14 ... 53 H 2
La Falaise 78 ... 57 G 2
Falck 57 ... 46 D 4
Faleyras 33 ... 256 B 1
Falga 31 ... 318 D 2
Le Falgoux 15 ... 244 D 2
Falgueyrat 24 ... 257 H 2
Falicon 06 ... 309 H 2
Falkwiller 68 ... 143 E 2
Fallencourt 76 ... 21 E 2
Fallerans 25 ... 162 C 5
Falleron 85 ... 165 F 2
Falletans 39 ... 161 E 5
Fallières 88 ... 119 G 4
Fallon 70 ... 141 H 5
La Faloise 80 ... 22 C 4
Fals 47 ... 276 B 4
Falvy 80 ... 23 G 2
Famars 59 ... 14 D 2
Famechon 62 ... 13 E 4
Famechon 80 ... 22 A 3
Fameck 57 ... 45 G 4
Familly 14 ... 54 D 2
Fampoux 62 ... 13 H 2
Fanget Col du 04 ... 288 B 1
Fanjeaux 11 ... 319 E 5
Fanlac 24 ... 241 F 3
Le Faou 29 ... 75 G 3
Le Faouët 22 ... 73 F 4
Le Faouët 56 ... 100 D 3
Faramans 01 ... 213 G 4
Faramans 38 ... 231 H 4
Farbus 62 ... 8 B 5
Farceaux 27 ... 37 E 3
Farcheville Château de 91 ... 87 G 4
La Fare-en-Champsaur 05 ... 269 G 2
La Fare-les-Oliviers 13 ... 305 G 5
Farébersviller 57 ... 47 F 5
Fareins 01 ... 213 E 2
Faremoutiers 77 ... 59 H 4
Farges 01 ... 197 E 5
Les Farges 24 ... 241 G 3
Farges-Allichamps 18 ... 173 E 4
Farges-en-Septaine 18 ... 173 G 1
Farges-lès-Chalon 71 ... 177 H 3
Farges-lès-Mâcon 71 ... 195 E 2
Fargniers 02 ... 24 B 4
Fargues 33 ... 256 B 4
Fargues 40 ... 294 A 3
Fargues 46 ... 277 G 1
Fargues-Saint-Hilaire 33 ... 255 H 1
Fargues-sur-Ourbise 47 ... 275 E 2
Farincourt 52 ... 140 B 4
Farinole 2B ... 345 F 4
La Farlède 83 ... 328 B 4
Farnay 42 ... 230 C 3
Faron Mont 83 ... 328 A 4
Faronville 45 ... 111 F 2
Farrou 12 ... 279 F 1
Farschviller 57 ... 67 F 1
Fatines 72 ... 108 A 4
Fatouville-Grestain 27 ... 34 D 2
Le Fau 15 ... 244 D 3
Fau-de-Peyre 48 ... 264 A 2
Fauch 81 ... 299 G 2
Faucigny 74 ... 216 A 1
La Faucille Col de 01 ... 197 F 3
Faucogney-et-la-Mer 70 ... 141 H 2
Faucompierre 88 ... 119 H 2
Faucon 84 ... 285 H 2
Faucon-de-Barcelonnette 04 ... 270 D 5
Faucon-du-Caire 04 ... 269 H 5
Fauconcourt 88 ... 95 G 4
Faucoucourt 02 ... 40 C 1
Faudoas 82 ... 297 E 2
Le Fauga 31 ... 317 G 3
Faugères 07 ... 265 H 5
Faugères 34 ... 301 G 5
Fauguernon 14 ... 34 D 4
Fauguerolles 47 ... 257 F 5
Fauillet 47 ... 257 F 5
Le Faulq 14 ... 34 D 4
Faulquemont 57 ... 66 D 1
Faulx 54 ... 65 H 4
Faumont 59 ... 8 D 4
Fauquembergues 62 ... 7 E 3
La Faurie 05 ... 269 E 3
Faurilles 24 ... 258 C 2
Fauroux 82 ... 277 E 2
Faussergues 81 ... 280 C 5
La Faute-sur-Mer 85 ... 183 E 4
Fauverney 21 ... 160 B 4
Fauville 27 ... 56 B 1
Fauville-en-Caux 76 ... 19 F 4
Faux 08 ... 26 B 5
Faux 24 ... 258 B 1
Faux de Verzy 51 ... 41 H 5
Faux-Fresnay 51 ... 61 G 5
Faux-la-Montagne 23 ... 225 F 1
Faux-Mazuras 23 ... 206 D 4
Faux-Vésigneul 51 ... 62 B 4
Faux-Villecerf 10 ... 90 B 5
Favalello 2B ... 347 F 4
Favars 19 ... 242 D 1
La Favède 30 ... 283 G 3
Faveraye-Mâchelles 49 ... 149 G 4
Faverdines 18 ... 190 C 1
Faverelles 45 ... 135 E 5
Faverges-Seythenex 74 ... 216 A 5
Faverges-de-la-Tour 38 ... 232 C 2
Faverney 70 ... 141 E 3
Faverois 90 ... 142 D 4
Faverolles 02 ... 40 A 4
Faverolles 15 ... 245 H 5
Faverolles 28 ... 57 E 5
Faverolles 36 ... 153 F 5
Faverolles 52 ... 117 E 5
Faverolles 61 ... 53 G 5
Faverolles 80 ... 23 E 4
Faverolles-et-Coëmy 51 ... 41 E 4
Faverolles-la-Campagne 27 ... 55 H 1
Faverolles-lès-Lucey 21 ... 138 D 2
Faverolles-les-Mares 27 ... 35 E 5
Faverolles-sur-Cher 41 ... 152 D 3
La Favière 39 ... 180 A 4
La Favière 83 ... 329 E 4
La Favière Plage de 83 ... 329 E 4
Favières 28 ... 85 H 3
Favières 54 ... 94 B 3
Favières 77 ... 59 F 4
Favières 80 ... 11 F 2
Favone 2A ... 349 H 4
Favresse 51 ... 62 D 4
Favreuil 62 ... 13 G 4
Favrieux 78 ... 57 F 2
Le Favril 27 ... 35 F 4
Le Favril 28 ... 85 G 3
Le Favril 59 ... 15 F 4
Fay 61 ... 55 E 5
Le Fay 71 ... 178 D 5
Fay 72 ... 107 G 4
Fay 80 ... 23 F 2
Fay-aux-Loges 45 ... 111 F 5
Fay-de-Bretagne 44 ... 147 F 1
Fay-en-Montagne 39 ... 179 G 4
Fay-le-Clos 26 ... 249 F 1
Fay-les-Étangs 60 ... 37 H 4
Fay-lès-Marcilly 10 ... 90 A 4
Fay-lès-Nemours 77 ... 112 B 2
Le Fay-Saint-Quentin 60 ... 38 B 2
Fay-sur-Lignon 43 ... 248 A 4
Faycelles 46 ... 261 F 4
La Faye 16 ... 203 F 2
Faye 41 ... 131 H 3
La Faye Pas de 06 ... 308 D 2
Faye-d'Anjou 49 ... 149 G 3
Faye-la-Vineuse 37 ... 169 F 2
Faye-l'Abbesse 79 ... 167 H 3
Faye-sur-Ardin 79 ... 184 D 3
Le Fayel 60 ... 39 E 2
Fayence 83 ... 308 C 3
Fayet 02 ... 24 A 2
Fayet 12 ... 301 E 2
Le Fayet 74 ... 216 D 3
Fayet-le-Château 63 ... 228 B 1
Fayet-Ronaye 63 ... 228 C 4
Fayl-Billot 52 ... 140 A 3
Faymont 70 ... 142 A 3
Faymoreau 85 ... 184 C 1
Fayrac 24 ... 259 F 1
Fays 52 ... 92 D 3
Fays 88 ... 119 H 2
Fays-la-Chapelle 10 ... 114 D 3
Fayssac 81 ... 299 E 1
Féas 64 ... 331 G 1
Febvin-Palfart 62 ... 7 G 3
Fécamp 76 ... 19 E 3
Féchain 59 ... 14 B 2
Fêche-l'Église 90 ... 142 D 4
La Féclaz 73 ... 233 F 1
Fécocourt 54 ... 94 C 4
Fédry 70 ... 140 C 4
Fegersheim 67 ... 97 G 2
Fégréac 44 ... 125 H 4
Feigères 74 ... 215 G 1
Feigneux 60 ... 39 G 4
Feignies 59 ... 15 G 2
Feillens 01 ... 195 E 4
Feings 41 ... 153 E 2
Feings 61 ... 84 C 2
Feins 35 ... 80 B 4
Feins-en-Gâtinais 45 ... 135 E 4
Feissons-sur-Isère 73 ... 234 B 2
Feissons-sur-Salins 73 ... 234 C 3
Le Fel 12 ... 262 C 3
Fel 61 ... 54 B 4
Felce 2B ... 347 G 4
Feldbach 68 ... 143 F 4
Feldkirch 68 ... 121 E 5
Feliceto 2B ... 346 C 2
Félines 07 ... 231 E 5
Félines 43 ... 247 E 1
Félines-Minervois 34 ... 320 B 4
Félines-sur-Rimandoule 26 ... 267 G 3
Félines-Termenès 11 ... 338 B 2
Felleries 59 ... 15 H 4
Fellering 68 ... 120 B 5
Felletin 23 ... 207 G 4
Felluns 66 ... 338 A 5
Felon 90 ... 142 D 2
Felzins 46 ... 261 G 3
Fenain 59 ... 9 F 5
Fénay 21 ... 160 A 4
Fendeille 11 ... 319 E 4
Fénery 79 ... 167 H 5
Fénétrange 57 ... 67 G 3
Feneu 49 ... 128 C 5
Féneyrols 82 ... 279 E 4
Féniers 23 ... 225 G 1
Féniers Abbaye de 15 ... 227 E 5
Fenioux 17 ... 201 G 4
Fenioux 79 ... 184 D 2
Fenneviller 54 ... 96 A 2
Fénols 81 ... 299 E 2
Le Fenouiller 85 ... 164 D 4
Fenouillet 31 ... 297 H 4
Fenouillet 66 ... 337 H 5
Fenouillet Sommet du 83 ... 328 B 4
Fenouillet-du-Razès 11 ... 337 E 1
Fépin 08 ... 17 E 5
Fer à Cheval Cirque du 74 ... 217 E 1
Ferayola 2B ... 346 B 3
Fercé 44 ... 127 E 2
Fercé-sur-Sarthe 72 ... 129 G 2
Ferdrupt 88 ... 119 H 5
La Fère 02 ... 24 B 4
Fère Château de 02 ... 40 C 4
Fère-Champenoise 51 ... 61 G 4
Fère-en-Tardenois 02 ... 40 C 4
Fèrebrianges 51 ... 61 F 3
La Férée 08 ... 26 A 3
Férel 56 ... 125 E 5
Ferfay 62 ... 7 G 4
Féricy 77 ... 88 C 4
Férin 59 ... 14 A 2
Fermanville 50 ... 29 F 2
Ferme de Navarin Monument de la 51 ... 42 C 4
La Fermeté 58 ... 174 D 2
Ferney-Voltaire 01 ... 197 G 4
Fernoël 63 ... 208 B 5
Férolles 45 ... 133 G 3
Férolles-Attilly 77 ... 59 E 5
Féron 59 ... 15 H 5
Ferques 62 ... 2 C 4
Ferrals-les-Corbières 11 ... 338 C 1
Ferrals-les-Montagnes 34 ... 320 B 3
Ferran 11 ... 337 F 1
Ferrassières 26 ... 286 C 3
Le Ferré 35 ... 81 E 3
Ferrensac 47 ... 258 B 3
Ferrère 65 ... 334 A 3
Les Ferres 06 ... 309 F 1
Ferrette 68 ... 143 F 4
Ferreux 10 ... 90 A 4
La Ferrière 22 ... 102 C 2
La Ferrière 37 ... 131 E 5
La Ferrière 38 ... 233 G 5
La Ferrière 85 ... 166 A 4
La Ferrière-Airoux 86 ... 186 C 4
La Ferrière-au-Doyen 14 ... 52 D 1
La Ferrière-au-Doyen 61 ... 55 E 5
La Ferrière-aux-Étangs 61 ... 53 F 5
La Ferrière-Béchet 61 ... 83 G 2
La Ferrière-Bochard 61 ... 83 F 4
La Ferrière-de-Flée 49 ... 128 A 3
La Ferrière-Duval 14 ... 53 E 2
La Ferrière-en-Parthenay 79 ... 168 B 5
Ferrière-et-Lafolie 52 ... 92 D 4
La Ferrière-Harang 14 ... 52 C 1
Ferrière-la-Grande 59 ... 15 H 2
Ferrière-la-Petite 59 ... 15 H 3
Ferrière-Larçon 37 ... 170 B 2
Ferrière-sur-Beaulieu 37 ... 152 C 5
La Ferrière-sur-Risle 27 ... 55 G 2
Ferrières 17 ... 183 H 5
Ferrières 50 ... 81 G 2
Ferrières 54 ... 95 E 2
Ferrières 60 ... 22 D 5
Ferrières 65 ... 332 B 2
Ferrières 74 ... 215 G 3
Ferrières 80 ... 22 B 2
Ferrières 81 ... 300 A 4
Ferrières-en-Bray 76 ... 37 F 1
Ferrières-en-Brie 77 ... 59 E 4
Ferrières-en-Gâtinais 45 ... 112 C 4
Ferrières-Haut-Clocher 27 ... 56 A 1
Ferrières-la-Verrerie 61 ... 54 D 5
Ferrières-le-Lac 25 ... 163 G 3
Ferrières-les-Bois 25 ... 161 G 4
Ferrières-lès-Ray 70 ... 140 C 5
Ferrières-lès-Scey 70 ... 140 D 4
Ferrières-les-Verreries 34 ... 302 C 1
Ferrières-Poussarou 34 ... 320 D 2
Ferrières-Saint-Hilaire 27 ... 55 F 1
Ferrières-Saint-Mary 15 ... 245 G 2
Ferrières-sur-Ariège 09 ... 336 B 3
Ferrières-sur-Sichon 03 ... 210 D 3
Ferrussac 43 ... 246 B 3
Fertans 25 ... 180 A 1
La Ferté 39 ... 179 F 2
La Ferté-Alais 91 ... 87 H 3
La Ferté-Beauharnais 41 ... 154 A 1
La Ferté-Bernard 72 ... 108 C 2
La Ferté-Chevresis 02 ... 24 D 3
La Ferté-en-Ouche 61 ... 55 E 3
La Ferté-Gaucher 77 ... 60 B 4
La Ferté-Hauterive 03 ... 192 A 3
La Ferté-Imbault 41 ... 154 B 3
La Ferté-Loupière 89 ... 135 G 2
La Ferté-Macé 61 ... 82 D 2
La Ferté-Milon 02 ... 39 H 5
La Ferté-Saint-Aubin 45 ... 133 F 4
La Ferté-Saint-Cyr 41 ... 132 D 4
La Ferté-Saint-Samson 76 ... 21 E 5
La Ferté-sous-Jouarre 77 ... 60 A 2

La Ferté-sur-Chiers 08 ... 27 H 5
La Ferté-Vidame 28 ... 85 E 2
La Ferté-Villeneuil 28 ... 109 H 5
Fertrève 58 ... 175 F 2
Fervaches 50 ... 52 B 1
Fervaques 14 ... 54 D 1
Fescamps 80 ... 23 E 4
Fesches-le-Châtel 25 ... 142 C 4
Fesmy-le-Sart 02 ... 15 E 5
Fesques 76 ... 21 E 3
Fessanvilliers-
Mattanvilliers 28 ... 56 A 5
Fessenheim 68 ... 121 G 4
Fessenheim-le-Bas 67 ... 68 C 5
Fessevillers 25 ... 163 G 3
Les Fessey 70 ... 141 H 2
Fessy 74 ... 198 A 4
Festalemps 24 ... 239 F 1
Festes-et-Saint-André 11 ... 337 F 3
Festieux 02 ... 41 E 1
Festigny 51 ... 61 E 1
Festigny 89 ... 157 F 1
Festre Col du 05 ... 269 F 2
Festubert 62 ... 8 B 3
Le Fête 21 ... 159 E 5
Féternes 74 ... 198 B 3
Fétigny 39 ... 196 C 2
Feucherolles 78 ... 57 H 3
Feuchy 62 ... 13 G 2
Feugarolles 47 ... 275 G 3
Feugères 50 ... 31 H 4
Feuges 10 ... 91 E 4
Feuguerolles 27 ... 36 A 5
Feuguerolles-sur-Orne 14 ... 33 G 5
Feuguerolles-sur-Seulles 14 ... 33 E 5
Feuilla 11 ... 338 D 3
Feuillade 16 ... 221 H 2
La Feuillade 24 ... 241 H 3
La Feuillée 29 ... 76 B 3
Feuillères 80 ... 23 F 1
La Feuillie 50 ... 31 G 4
La Feuillie 76 ... 37 E 1
Feule 25 ... 163 F 2
Feuquières 60 ... 21 G 4
Feuquières-en-Vimeu 80 ... 11 E 4
Feurs 42 ... 229 H 1
Feusines 36 ... 189 H 2
Feux 18 ... 156 A 4
Fèves 57 ... 45 G 5
Féy 57 ... 65 G 2
Fey-en-Haye 54 ... 65 F 3
Feyt 19 ... 226 C 1
Feytiat 87 ... 205 H 5
Feyzin 69 ... 231 E 1
Fiac 81 ... 298 D 3
Ficaja 2B ... 347 G 3
Ficajola 2A ... 346 A 5
Ficheux 62 ... 13 G 3
Fichous-Riumayou 64 ... 294 A 5
Le Fidelaire 27 ... 55 H 2
Le Fied 39 ... 179 G 4
Le Fief-Sauvin 49 ... 148 C 4
Fieffes 80 ... 12 C 5
Fiefs 62 ... 7 G 4
Fiennes 62 ... 2 C 4
Fienvillers 80 ... 12 C 4
Fier Gorges du 74 ... 215 F 3
Fierville-la-Campagne 14 ... 53 H 1
Fierville-les-Mines 50 ... 29 E 5
Fierville-les-Parcs 14 ... 34 C 4
Le Fieu 33 ... 238 D 3
Fieulaine 02 ... 24 C 2
Fieux 47 ... 275 G 4
Figanières 83 ... 308 A 4
Figareto 2B ... 347 H 3
Figari 2A ... 351 F 3
Figarol 31 ... 334 D 1
Figeac 46 ... 261 F 3
Fignévelle 88 ... 118 B 4
Fignières 80 ... 23 E 4
Filain 02 ... 40 D 1
Filain 70 ... 141 F 5
Filitosa (Station
Préhistorique de) 2A ... 348 D 5
Fillé 72 ... 129 H 2
Fillières 54 ... 45 E 3
Fillièvres 62 ... 12 B 2
Fillinges 74 ... 198 A 5
Fillols 66 ... 342 A 3
Filstroff 57 ... 46 C 3
Fiménil 88 ... 119 H 2
Findrol 74 ... 215 H 1
Finestret 66 ... 342 B 3
Finhan 82 ... 297 G 1
Finiels Col de 48 ... 265 E 5
Les Fins 25 ... 163 E 5
Fins 80 ... 14 A 5
Fiquefleur-Équainville 27 ... 34 D 2
Firbeix 24 ... 223 E 2
Firfol 14 ... 34 D 5
Firmi 12 ... 262 B 4
Firminy 42 ... 230 A 5
Fislis 68 ... 143 G 4
Fismes 51 ... 40 D 3
Fitignieu 01 ... 214 D 3
Fitilieu 38 ... 232 C 2
Fitou 11 ... 339 E 3
Fitz-James 60 ... 38 C 2
Fix-Saint-Geneys 43 ... 246 D 2
Fixem 57 ... 45 H 2
Fixin 21 ... 160 A 4
Flabas 55 ... 44 B 4
Flacé-lès-Mâcon 71 ... 195 E 4
Flacey 21 ... 160 B 2
Flacey 28 ... 109 H 3
Flacey-en-Bresse 71 ... 196 A 1
La Flachère 38 ... 233 F 4
Flachères 38 ... 232 A 3
Flacourt 78 ... 57 F 2
Flacy 89 ... 114 A 2
Flagey 25 ... 180 A 1
Flagey 52 ... 139 G 3
Flagey-Echézeaux 21 ... 160 A 5
Flagey-lès-Auxonne 21 ... 160 D 5
Flagey-Rigney 25 ... 162 B 1
Flagnac 12 ... 261 H 3
Flagy 70 ... 141 F 3
Flagy 71 ... 194 C 2
Flagy 77 ... 88 D 5
Flaignes-Havys 08 ... 26 B 2
Flaine 74 ... 216 C 2
Flainval 54 ... 95 F 1
Flamanville 50 ... 28 C 4
Flamanville 76 ... 19 H 4
Flamarens 32 ... 276 C 5
La Flamengrie 02 ... 15 G 5
La Flamengrie 59 ... 15 F 2
Flamets-Frétils 76 ... 21 E 3
Flammerans 21 ... 160 D 4
Flammerécourt 52 ... 92 D 4
Flancourt-Catelon 27 ... 35 G 3
Flancourt-Crescy-
en-Roumois 27 ... 35 H 3
Flangebouche 25 ... 162 D 4
Flaran Abbaye de 32 ... 295 H 1
Flassan 84 ... 286 A 4
Flassans-sur-Issole 83 ... 328 C 1
Flassigny 55 ... 44 B 2
Flastroff 57 ... 46 C 3
Flaucourt 80 ... 23 G 1
Flaugeac 24 ... 257 H 2
Flaujac-Gare 46 ... 260 D 2
Flaujac-Poujols 46 ... 278 B 1
Flaujagues 33 ... 257 E 1
Flaumont-Waudrechies 59 ... 15 G 4
Flaux 30 ... 284 C 5
Flavacourt 60 ... 37 G 3
Flaviac 07 ... 266 D 2
Flavignac 87 ... 223 F 1
Flavignerot 21 ... 159 H 3
Flavigny 18 ... 173 H 2
Flavigny 51 ... 61 G 2
Flavigny-le-Grand-
et-Beaurain 02 ... 24 D 2
Flavigny-sur-Moselle 54 ... 94 D 2
Flavigny-sur-Ozerain 21 ... 159 E 1
Flavin 12 ... 280 D 2
Flavy-le-Martel 02 ... 24 A 4
Flavy-le-Meldeux 60 ... 23 H 4
Flaxieu 01 ... 214 D 4
Flaxlanden 68 ... 143 F 2
Flayat 23 ... 208 B 5
Flayosc 83 ... 308 A 5
Fléac 16 ... 221 E 1
Fléac-sur-Seugne 17 ... 219 G 3
La Flèche 72 ... 129 G 4
Fléchères Château de 01 ... 212 D 2
Fléchin 62 ... 7 F 3
Fléchy 60 ... 22 B 4
Fleckenstein Château de 67 ... 68 D 1
Flée 21 ... 158 D 2
Flée 72 ... 130 C 3
Fleigneux 08 ... 27 F 3
Fleisheim 57 ... 67 H 4
Le Fleix 24 ... 239 F 5
Fleix 86 ... 187 F 2
Fléré-la-Rivière 36 ... 170 C 2
Flers 61 ... 53 E 4
Flers 62 ... 12 C 2
Flers 80 ... 13 G 5
Flers-en-Escrebieux 59 ... 8 D 5
Flers-sur-Noye 80 ... 22 B 3
Flesquières 59 ... 14 A 4
Flesselles 80 ... 12 C 5
Flétrange 57 ... 66 D 1
Flêtre 59 ... 4 A 5
Fléty 58 ... 176 A 4
Fleurac 16 ... 220 D 1
Fleurac 24 ... 241 E 4
Fleurance 32 ... 296 B 2
Fleurat 23 ... 189 E 5
Fleurbaix 62 ... 8 B 2
Fleuré 61 ... 54 A 5
Fleuré 86 ... 186 D 2
Fleurey 25 ... 163 F 2
Fleurey-lès-Faverney 70 ... 141 E 3
Fleurey-lès-Lavoncourt 70 ... 140 C 4
Fleurey-lès-Saint-Loup 70 ... 119 E 5
Fleurey-sur-Ouche 21 ... 159 H 3
Fleurie 69 ... 212 D 1
Fleuriel 03 ... 191 H 5
Fleurieu-sur-Saône 69 ... 213 E 4
Fleurieux-sur-l'Arbresle 69 ... 212 D 4
Fleurigné 35 ... 81 F 4
Fleurigny 89 ... 89 G 5
Fleurines 60 ... 39 E 4
Fleurville 71 ... 195 E 3
Fleury 02 ... 40 A 4
Fleury 11 ... 321 F 5
Fleury 50 ... 51 H 3
Fleury 57 ... 65 H 1
Fleury 60 ... 37 H 4
Fleury 62 ... 7 F 5
Fleury 80 ... 22 A 3
Fleury-
devant-Douaumont 55 ... 44 B 5
Fleury-en-Bière 77 ... 88 A 4
Fleury-la-Forêt 27 ... 37 E 2
Fleury-la-Montagne 71 ... 211 H 1
Fleury-la-Rivière 51 ... 41 F 5
Fleury-la-Vallée 89 ... 136 A 2
Fleury-les-Aubrais 45 ... 111 E 5
Fleury-Mérogis 91 ... 87 H 2
Fleury-sur-Aire 55 ... 63 G 1
Fleury-sur-Andelle 27 ... 36 D 2
Fleury-sur-Loire 58 ... 174 D 4
Fleury-sur-Orne 14 ... 33 G 5
Flévieu 01 ... 214 B 5
Fléville 08 ... 43 F 3
Fléville-devant-Nancy 54 ... 94 D 1
Fléville-Lixières 54 ... 45 E 4
Flévy 57 ... 45 H 4
Flexanville 78 ... 57 F 3
Flexbourg 67 ... 97 E 1
Fley 71 ... 177 F 5
Fleys 89 ... 136 D 3
Flez-Cuzy 58 ... 157 F 3
Fligny 08 ... 26 A 2
Flin 54 ... 95 H 2
Flines-lès-Mortagne 59 ... 9 G 4
Flines-lez-Raches 59 ... 9 E 5
Flins-Neuve-Église 78 ... 57 E 3
Flins-sur-Seine 78 ... 57 G 2
Flipou 27 ... 36 C 3
Flirey 54 ... 65 E 3
Flixecourt 80 ... 12 B 5
Flize 08 ... 26 D 4
La Flocellière 85 ... 166 D 3
Flocourt 57 ... 66 C 2
Flocques 76 ... 10 D 4
Flogny-la-Chapelle 89 ... 114 C 5
Floing 08 ... 27 E 3
Floirac 17 ... 219 F 3
Floirac 33 ... 237 G 5
Floirac 46 ... 242 C 5
Florac Trois Rivières 48 ... 282 D 1
Florange 57 ... 45 G 3
Florémont 88 ... 95 E 4
Florensac 34 ... 322 C 4
Florent-en-Argonne 51 ... 43 F 5
Florentia 39 ... 196 A 3
Florentin 81 ... 299 E 1
Florentin-la-Capelle 12 ... 262 D 3
Floressas 46 ... 259 F 5
Florimont 90 ... 142 D 4
Florimont-Gaumier 24 ... 259 G 2
Floringhem 62 ... 7 G 4
Flornoy 52 ... 92 C 3
La Flotte 17 ... 183 E 5
Flottemanville 50 ... 29 F 5
Flottemanville-Hague 50 ... 28 D 3
Floudès 33 ... 256 D 4
Floure 11 ... 320 A 5
Flourens 31 ... 298 A 5
Floursies 59 ... 15 G 3
Floyon 59 ... 15 G 5
Flumet 73 ... 216 B 4
Fluquières 02 ... 24 A 3
Fluy 80 ... 22 A 2
Foameix 55 ... 44 D 4
Foce 2A ... 351 E 2
Focicchia 2B ... 347 F 5
Foëcy 18 ... 154 C 5
Le Fœil 22 ... 78 A 4
Foisches 08 ... 17 E 4
Foissac 12 ... 261 F 4
Foissac 30 ... 284 A 4
Foissiat 01 ... 195 H 3
Foissy 21 ... 159 F 5
Foissy-lès-Vézelay 89 ... 157 G 2
Foissy-sur-Vanne 89 ... 113 H 2
Foix 09 ... 336 B 3
Folcarde 31 ... 318 C 3
Folelli 2B ... 347 H 3
Folembray 02 ... 40 B 1
Folgensbourg 68 ... 143 G 3
Le Folgoët 29 ... 71 E 4
La Folie 14 ... 32 C 3
Folies 80 ... 23 E 3
Folkling 57 ... 47 F 5
Follainville-Dennemont 78 ... 57 F 1
Folles 87 ... 206 B 2
La Folletière 76 ... 19 H 5
La Folletière Château de 27 ... 56 D 2
La Folletière-Abenon 14 ... 55 E 2
Folleville 27 ... 35 E 5
Folleville 80 ... 22 C 4
Folligny 50 ... 51 G 3
Folpersviller 57 ... 47 H 5
Folschviller 57 ... 66 D 1
Fomerey 88 ... 119 E 2
Fomperron 79 ... 185 G 2
Fonbeauzard 31 ... 298 A 4
Foncegrive 21 ... 139 F 5
Fonches-Fonchette 80 ... 23 F 3
Foncine-le-Bas 39 ... 180 A 5
Foncine-le-Haut 39 ... 180 A 5
Foncquevillers 62 ... 13 F 4
Fond-de-France 38 ... 233 G 5
Fondamente 12 ... 301 F 1
Fondettes 37 ... 151 H 2
Fondremand 70 ... 162 A 1
Fongalop 24 ... 259 E 2
Fongrave 47 ... 275 H 1
Fongueusemare 76 ... 18 D 4
Fonroque 24 ... 257 H 2
Fons 07 ... 266 B 3
Fons 30 ... 303 G 1
Fons 46 ... 261 F 3
Fons-sur-Lussan 30 ... 284 B 3
Fonsomme 02 ... 24 B 1
Fonsorbes 31 ... 297 G 5
Font-Romeu-Odeillo-Via 66 ... 341 F 4
Fontain 25 ... 162 A 4
Fontaine 10 ... 116 A 2
Fontaine 38 ... 250 D 1
Fontaine 90 ... 142 D 2
Fontaine-au-Bois 59 ... 15 E 4
Fontaine-au-Pire 59 ... 14 C 4
Fontaine-Bellenger 27 ... 36 C 4
Fontaine-Bonneleau 60 ... 22 A 4
Fontaine-Chaalis 60 ... 39 E 5
Fontaine-Chalendray 17 ... 202 C 3
Fontaine-Couverte 53 ... 105 F 5
Fontaine-Daniel 53 ... 82 A 5
Fontaine-de-Vaucluse 84 ... 305 F 1
Fontaine-Denis-Nuisy 51 ... 90 B 2
Fontaine-en-Bray 76 ... 20 D 4
Fontaine-en-Dormois 51 ... 42 D 4
Fontaine-Étoupefour 14 ... 33 F 5
Fontaine-Fourches 77 ... 89 H 4
Fontaine-Française 21 ... 160 D 1
Fontaine-Guérard
Abbaye de 27 ... 36 C 3
Fontaine-Guérin 49 ... 150 B 1
Fontaine-Henry 14 ... 33 F 3
Fontaine-Heudebourg 27 ... 36 C 5
Fontaine-la-Gaillarde 89 ... 113 G 2
Fontaine-la-Guyon 28 ... 85 H 3
Fontaine-la-Louvet 27 ... 35 E 5
Fontaine-la-Mallet 76 ... 18 C 5
Fontaine-la-Rivière 91 ... 87 F 5
Fontaine-la-Soret 27 ... 35 G 5
Fontaine-l'Abbé 27 ... 35 G 5
Fontaine-Lavaganne 60 ... 21 H 5
Fontaine-le-Bourg 76 ... 20 B 5
Fontaine-le-Comte 86 ... 186 B 2
Fontaine-le-Dun 76 ... 19 H 2
Fontaine-le-Pin 14 ... 53 H 2
Fontaine-le-Port 77 ... 88 C 3
Fontaine-le-Puits 73 ... 234 B 3
Fontaine-le-Sec 80 ... 11 G 5
Fontaine-les-Bassets 61 ... 54 B 3
Fontaine-lès-Boulans 62 ... 7 F 4
Fontaine-lès-Cappy 80 ... 23 F 2
Fontaine-lès-Clercs 02 ... 24 A 3
Fontaine-lès-Clerval 25 ... 162 D 1
Fontaine-les-Coteaux 41 ... 131 E 3
Fontaine-lès-Croisilles 62 ... 13 H 3
Fontaine-lès-Dijon 21 ... 160 A 3
Fontaine-les-Grès 10 ... 90 C 4
Fontaine-lès-Hermans 62 ... 7 G 4
Fontaine-lès-Luxeuil 70 ... 141 G 2
Fontaine-les-Ribouts 28 ... 56 C 5
Fontaine-lès-Vervins 02 ... 25 F 2
Fontaine-l'Étalon 62 ... 12 B 2
Fontaine-Luyères 10 ... 91 E 4
Fontaine-Mâcon 10 ... 89 H 3
Fontaine-Notre-Dame 02 ... 24 C 2
Fontaine-Notre-Dame 59 ... 14 B 4
Fontaine-Raoul 41 ... 109 G 5
Fontaine-Saint-Lucien 60 ... 38 A 1
La Fontaine-
Saint-Martin 72 ... 129 H 3
Fontaine-Simon 28 ... 85 F 3
Fontaine-sous-Jouy 27 ... 56 C 1
Fontaine-
sous-Montaiguillon 77 ... 89 H 2
Fontaine-sous-Montdidier 80 ... 22 D 4
Fontaine-sous-Préaux 76 ... 36 B 1
Fontaine-sur-Ay 51 ... 61 G 1
Fontaine-sur-Coole 51 ... 62 B 4
Fontaine-sur-Maye 80 ... 11 H 2
Fontaine-sur-Somme 80 ... 11 H 4
Fontaine-Uterte 02 ... 24 B 1
Fontainebleau 77 ... 88 B 4
Fontainebrux 39 ... 178 D 5
Fontaines 71 ... 177 G 3
Fontaines 85 ... 183 H 3
Fontaines 89 ... 135 H 4
Fontaines-d'Ozillac 17 ... 219 H 4
Fontaines-en-Duesmois 21 ... 138 A 4
Fontaines-en-Sologne 41 ... 153 G 1
Fontaines-les-Sèches 21 ... 137 H 4
Fontaines-Saint-Clair 55 ... 43 H 2
Fontaines-Saint-Martin 69 ... 213 E 4
Fontaines Salées
Fouilles des 89 ... 157 H 2
Fontaines-sur-Marne 52 ... 92 D 2
Fontaines-sur-Saône 69 ... 213 E 4
Les Fontainettes 60 ... 37 H 2
Fontains 77 ... 89 E 3
Fontan 06 ... 291 H 3
Fontanès 30 ... 303 F 2
Fontanès 34 ... 302 D 2
Fontanes 42 ... 230 B 3
Fontanes 46 ... 278 B 2
Fontanes 48 ... 265 E 1
Fontanès-de-Sault 11 ... 337 F 5
Fontanes-du-Causse 46 ... 260 C 3
Fontanges 15 ... 244 C 3
Fontangy 21 ... 158 D 3
Fontanières 23 ... 208 C 2
Fontanil-Cornillon 38 ... 250 D 1
Fontannes 43 ... 246 B 1
Fontans 48 ... 264 B 2
Fontarèches 30 ... 284 C 4
Fontcaude Abbaye de 34 ... 321 F 3
Fontclaireau 16 ... 203 F 4
Fontcouverte 11 ... 320 C 5
Fontcouverte 17 ... 201 G 5
Fontcouverte-
la-Toussuire 73 ... 252 A 1
Fontdouce Abbaye de 17 ... 201 H 5
La Fontelaye 76 ... 20 A 4
Fontenai-les-Louvets 61 ... 83 F 3
Fontenai-sur-Orne 61 ... 54 A 4
Fontenailles 77 ... 88 D 2
Fontenailles 89 ... 136 A 5
Fontenay 27 ... 37 E 4
Fontenay 36 ... 171 H 1
Fontenay 50 ... 52 B 5
Fontenay 71 ... 194 A 2
Fontenay 76 ... 18 C 5
Fontenay 88 ... 95 G 5
Fontenay Abbaye de 21 ... 137 H 5
Fontenay-aux-Roses 92 ... 58 B 4
Fontenay-de-Bossery 10 ... 89 H 4
Fontenay-en-Parisis 95 ... 58 D 1
Fontenay-le-Comte 85 ... 184 B 2
Fontenay-le-Fleury 78 ... 58 A 4
Fontenay-le-Marmion 14 ... 33 G 5
Fontenay-le-Pesnel 14 ... 33 E 4
Fontenay-le-Vicomte 91 ... 87 H 3
Fontenay-lès-Briis 91 ... 87 F 2
Fontenay-Mauvoisin 78 ... 57 F 2
Fontenay-près-Chablis 89 ... 136 D 2
Fontenay-près-Vézelay 89 ... 157 G 2
Fontenay-Saint-Père 78 ... 57 F 1
Fontenay-sous-Bois 94 ... 58 D 3
Fontenay-
sous-Fouronnes 89 ... 136 B 5
Fontenay-sur-Conie 28 ... 110 C 3
Fontenay-sur-Eure 28 ... 86 A 4
Fontenay-sur-Loing 45 ... 112 C 4
Fontenay-sur-Mer 50 ... 29 G 4
Fontenay-sur-Vègre 72 ... 107 E 5
Fontenay-Torcy 60 ... 21 G 5
Fontenay-Trésigny 77 ... 59 G 5
Fontenelle 02 ... 15 G 5
Fontenelle 21 ... 160 D 1
La Fontenelle 35 ... 80 C 3
La Fontenelle 41 ... 109 F 4
Fontenelle 90 ... 142 C 3
Fontenelle Château de 04 ... 287 H 4
Fontenelle-en-Brie 02 ... 60 C 2
Fontenelle-Montby 25 ... 162 C 1
Les Fontenelles 25 ... 163 F 4
Fontenelles Abbaye des 85 ... 165 G 5
Fontenermont 14 ... 52 A 3
Fontenet 17 ... 201 H 4
Fontenille 16 ... 203 F 4
Fontenille 79 ... 202 D 1
Fontenilles 31 ... 297 F 5
Les Fontenis 70 ... 162 A 1
Fontenois-la-Ville 70 ... 118 D 5
Fontenois-
lès-Montbozon 70 ... 162 B 1
Fontenotte 25 ... 162 C 2
Fontenouilles 89 ... 135 F 2
Fontenoy 02 ... 40 A 2
Fontenoy 89 ... 135 H 5
Fontenoy-la-Joûte 54 ... 95 H 3
Fontenoy-le-Château 88 ... 119 E 4
Fontenoy-sur-Moselle 54 ... 65 G 5
Fontenu 39 ... 179 G 5
Fonteny 39 ... 179 H 2
Fonteny 57 ... 66 C 3
Fonters-du-Razès 11 ... 318 D 5
Fontès 34 ... 301 H 5
Fontet 33 ... 256 D 4
Fontette 10 ... 116 A 4
Fontevraud-l'Abbaye 49 ... 150 C 5
Fontfreide 63 ... 227 G 2
Fontfroide Abbaye de 11 ... 338 D 1
Fontgombault 36 ... 170 B 5
Fontguenand 36 ... 153 G 4
Fontienne 04 ... 287 E 4
Fontiers-Cabardès 11 ... 319 G 3
Fontiès-d'Aude 11 ... 320 A 4
Fontjoncouse 11 ... 338 C 2
Fontoy 57 ... 45 F 3
Fontpédrouse 66 ... 341 G 4
Fontrabiouse 66 ... 341 G 2
Fontrailles 65 ... 315 H 3
Fontvannes 10 ... 90 C 5
Fontvieille 13 ... 304 C 3
Forbach 57 ... 47 F 5
Força Réal Ermitage de 66 ... 338 C 5
Forcalqueiret 83 ... 328 B 2
Forcalquier 04 ... 287 E 5
La Force 11 ... 319 F 5
La Force 24 ... 239 G 5
Forcé 53 ... 106 A 4
Forcelles-Saint-Gorgon 54 ... 94 D 3
Forcelles-sous-Gugney 54 ... 94 C 4
Forceville 80 ... 13 E 5
Forceville-en-Vimeu 80 ... 11 G 5
Forcey 52 ... 117 F 3
Forciolo 2A ... 349 E 4
La Forclaz 74 ... 198 C 3
Forclaz Col de la 74 ... 215 H 4
Forest-en-Cambrésis 59 ... 15 E 4
Forest-l'Abbaye 80 ... 11 G 2
La Forest-Landerneau 29 ... 75 G 2
Forest-Montiers 80 ... 11 F 2
Forest-Saint-Julien 05 ... 269 H 2
Forest-sur-Marque 59 ... 9 E 2
Foreste 02 ... 23 H 3
La Forestière 51 ... 60 D 5
Forestière Aven de la 30 ... 284 B 1
La Forêt 33 ... 237 F 5
La Forêt-Auvray 61 ... 53 G 3
La Forêt-de-Tessé 16 ... 203 E 2
La Forêt-du-Parc 27 ... 56 C 2
La Forêt-du-Temple 23 ... 189 F 3
La Forêt-Fouesnant 29 ... 100 A 4
Forêt-la-Folie 27 ... 37 E 4
La Forêt-le-Roi 91 ... 87 F 3
La Forêt-Sainte-Croix 91 ... 87 G 4
La Forêt-sur-Sèvre 79 ... 167 F 4
Forfry 77 ... 59 F 1
La Forge 88 ... 119 H 3
Forges 17 ... 201 E 1
Forgès 19 ... 243 E 2
Les Forges 23 ... 207 H 1
Forges 49 ... 150 A 4
Les Forges 56 ... 102 C 3
Forges 61 ... 83 G 3
Forges 77 ... 88 D 4
Les Forges 79 ... 185 H 2
Les Forges 88 ... 119 F 2

Les Forges-de-Paimpont 35 ... 103 F 4
Forges-la-Forêt 35 ... 127 F 2
Forges-les-Bains 91 ... 87 F 2
Forges-les-Eaux 76 ... 21 E 5
Forges-sur-Meuse 55 ... 43 H 3
Forgevieille 23 ... 188 D 4
Forgues 31 ... 317 E 2
La Forie 63 ... 229 E 2
Forléans 21 ... 158 C 1
Formentin 14 ... 34 C 4
Formerie 60 ... 21 F 4
Formigny 14 ... 32 C 2
Formiguères 66 ... 341 G 3
Fornex 09 ... 317 G 5
Fors 79 ... 185 E 5
Forstfeld 67 ... 69 G 3
Forstheim 67 ... 68 D 2
Fort-Bloqué 56 ... 123 E 2
Fort-du-Plasne 39 ... 180 A 5
Fort-Louis 67 ... 69 G 3
Fort-Mahon-Plage 80 ... 11 E 1
Fort-Mardyck 59 ... 3 G 2
Fort-Médoc 33 ... 237 F 2
Fort-Moville 27 ... 35 E 3
Fortan 41 ... 131 F 2
Fortel-en-Artois 62 ... 12 C 3
La Forteresse 38 ... 232 B 5
Fortschwihr 68 ... 121 F 2
Fos 31 ... 334 C 4
Fos 34 ... 301 G 5
Fos-sur-Mer 13 ... 325 G 3
Le Fossat 09 ... 317 H 5
Fossé 08 ... 43 F 1
Fossé 41 ... 132 A 5
Fosse 66 ... 338 A 5
Le Fossé 76 ... 21 E 5
La Fosse *Hameau troglodytique de* 49 ... 150 A 4
La Fosse Arthour 50 ... 52 D 5
La Fosse-Corduan 10 ... 90 A 4
La Fosse-de-Tigné 49 ... 149 H 4
Fossemagne 24 ... 241 E 3
Fossemanant 80 ... 22 B 3
Les Fosses 79 ... 202 B 1
Fosses 95 ... 58 D 1
Fossès-et-Baleyssac 33 ... 257 E 3
La Fossette 83 ... 329 E 4
Fosseuse 60 ... 38 B 4
Fosseux 62 ... 13 E 3
Fossieux 57 ... 66 B 3
Fossoy 02 ... 60 C 1
Fou *Gorges de la* 66 ... 342 C 4
Foucarmont 76 ... 21 E 2
Foucart 76 ... 19 F 5
Foucarville 50 ... 29 H 5
Foucaucourt-en-Santerre 80 ... 23 F 2
Foucaucourt-Hors-Nesle 80 ... 11 F 5
Foucaucourt-sur-Thabas 55 ... 63 G 1
Fouchécourt 70 ... 140 D 2
Fouchécourt 88 ... 118 B 4
Foucherans 25 ... 162 B 4
Foucherans 39 ... 160 D 5
Fouchères 10 ... 115 F 3
Fouchères 89 ... 113 F 3
Fouchères-aux-Bois 55 ... 63 H 5
Foucherolles 45 ... 113 E 4
Fouchy 67 ... 96 D 4
Foucrainville 27 ... 56 C 2
Fouday 67 ... 96 D 3
Fouencamps 80 ... 22 C 2
Fouesnant 29 ... 99 H 4
Foufflin-Ricametz 62 ... 12 D 2
Foug 54 ... 94 A 1
Fougaron 31 ... 334 D 2
Fougax-et-Barrineuf 09 ... 336 D 4
Fougeré 49 ... 129 F 5
Fougeré 85 ... 166 A 5
Fougères 35 ... 81 F 4
Fougères-sur-Bièvre 41 ... 153 E 2
Les Fougerêts 56 ... 125 G 3
Fougerolles 36 ... 189 F 2
Fougerolles 70 ... 119 F 5
Fougerolles-du-Plessis 53 ... 81 G 3
Fougueyrolles 24 ... 239 F 5
La Fouillade 12 ... 279 F 3
Fouilleuse 60 ... 38 D 2
Fouillouse 05 ... 269 G 4
La Fouillouse 42 ... 230 A 3
Le Fouilloux 17 ... 238 C 2
Fouillouze 04 ... 271 E 3
Fouilloy 60 ... 21 G 3
Fouilloy 80 ... 22 D 2
Fouju 77 ... 88 C 2
Foulain 52 ... 117 E 4
Foulangues 60 ... 38 C 4
Foulayronnes 47 ... 276 B 2
Foulbec 27 ... 35 E 2
Foulcrey 57 ... 96 A 1
Fouleix 24 ... 240 C 4
Foulenay 39 ... 179 E 3
Fouligny 57 ... 66 C 1
Foulognes 14 ... 32 D 5
Foulzy 08 ... 26 A 2
Fouquebrune 16 ... 221 F 3
Fouquenies 60 ... 38 A 1
Fouquereuil 62 ... 8 A 4
Fouquerolles 60 ... 38 B 1
Fouquescourt 80 ... 23 F 3
Fouqueure 16 ... 203 E 4
Fouqueville 27 ... 36 A 4
Fouquières-lès-Béthune 62 ... 8 A 4
Fouquières-lès-Lens 62 ... 8 C 5
Four 38 ... 231 H 2
Fouras 17 ... 200 C 3
Fourbanne 25 ... 162 C 2
Fourcatier-et-Maison-Neuve 25 ... 180 C 4
Fourcès 32 ... 275 F 5
Fourchambault 58 ... 174 B 2
Fourchaud *Château de* 03 ... 192 A 3
Fourches 14 ... 54 A 3
Fourcigny 80 ... 21 G 3
Fourdrain 02 ... 24 C 5
Fourdrinoy 80 ... 22 A 1
Fourg 25 ... 161 G 5
Fourges 27 ... 37 F 5
Les Fourgs 25 ... 180 D 3
Fourilles 03 ... 191 H 5
Fourmagnac 46 ... 261 F 3
Fourmetot 27 ... 35 F 2
Fourmies 59 ... 15 H 5
Fournaudin 89 ... 114 A 3
Fourneaux 23 ... 207 G 3
Fourneaux 42 ... 212 A 3
Fourneaux 45 ... 133 E 2
Fourneaux 50 ... 52 B 1
Fourneaux 73 ... 252 D 1
Fourneaux-le-Val 14 ... 53 H 3
Fournels 48 ... 263 H 1
Fournès 30 ... 304 B 1
Fournes-Cabardès 11 ... 319 H 3
Fournes-en-Weppes 59 ... 8 C 3
Le Fournet 14 ... 34 B 4
Fournet-Blancheroche 25 ... 163 G 4
Fournets-Luisans 25 ... 163 E 5
Fourneville 14 ... 34 C 2
Fournival 60 ... 38 C 1
Fournols 63 ... 228 D 3
Fournoulès 15 ... 261 H 3
Fouronnes 89 ... 136 B 5
Fourques 30 ... 304 B 3
Fourques 66 ... 342 D 3
Fourques-sur-Garonne 47 ... 257 E 5
Fourqueux 78 ... 58 A 3
Fourquevaux 31 ... 318 B 2
Fours 33 ... 237 F 2
Fours 58 ... 175 G 4
Fours-en-Vexin 27 ... 37 E 4
Fourtou 11 ... 337 H 3
Foussais-Payré 85 ... 184 C 2
Foussemagne 90 ... 142 D 3
Le Fousseret 31 ... 317 E 4
Foussignac 16 ... 220 D 1
Foussignargues 30 ... 283 H 2
Fouvent-le-Bas 70 ... 140 B 4
Fouvent-le-Haut 70 ... 140 B 4
La Foux 83 ... 329 F 2
La Foux-d'Allos 04 ... 288 D 1
Fouzilhon 34 ... 321 G 2
Foville 57 ... 66 B 3
Fox-Amphoux 83 ... 307 F 4
La Foye-Monjault 79 ... 184 D 5
Fozières 34 ... 301 H 3
Fozzano 2A ... 349 E 5
Fragnes-La Loyère 71 ... 177 H 3
Frahier-et-Chatebier 70 ... 142 B 3
Fraignot-et-Vesvrotte 21 ... 138 D 4
Fraillicourt 08 ... 25 H 4
Fraimbois 54 ... 95 G 2
Frain 88 ... 118 B 3
Frais 90 ... 142 D 3
Frais-Marais 59 ... 8 D 5
Fraisans 39 ... 161 G 5
Fraisnes-en-Saintois 54 ... 94 C 4
Fraisse 24 ... 239 G 5
Fraisse-Cabardès 11 ... 319 G 4
Fraissé-des-Corbières 11 ... 338 D 3
Fraisse-sur-Agout 34 ... 300 C 5
Fraisses 42 ... 230 A 5
Fraissines 81 ... 300 A 1
Fraissinet-de-Fourques 48 ... 282 C 3
Fraissinet-de-Lozère 48 ... 283 E 1
Fraize 88 ... 120 B 2
Fralignes 10 ... 115 G 3
La Framboisière 28 ... 85 F 2
Frambouhans 25 ... 163 F 3
Framecourt 62 ... 12 D 2
Framerville-Rainecourt 80 ... 23 E 2
Framicourt 80 ... 11 F 5
Framont 70 ... 140 A 5
Frampas 52 ... 92 B 3
Francalmont 70 ... 141 F 2
Francaltroff 57 ... 67 E 2
Francardo 2B ... 347 E 3
Francarville 31 ... 298 C 5
Francastel 60 ... 22 A 5
Françay 41 ... 131 H 5
Francazal 31 ... 335 E 2
Francescas 47 ... 275 G 4
Francheleins 01 ... 213 E 2
Franchesse 03 ... 191 G 1
Francheval 08 ... 27 F 3
Franchevelle 70 ... 141 H 3
La Francheville 08 ... 26 D 3
Francheville 21 ... 159 H 1
Francheville 27 ... 55 H 4
Francheville 39 ... 179 E 3
Francheville 51 ... 62 C 3
Francheville 54 ... 65 F 5
Francheville 61 ... 54 A 5
Francheville 69 ... 231 E 1
Francières 60 ... 39 E 2
Francières 80 ... 11 H 4
Francillon 36 ... 171 G 2
Francillon-sur-Roubion 26 ... 267 H 3
Francilly-Selency 02 ... 24 A 2
Francin 73 ... 233 G 3
Franclens 74 ... 215 E 2
François 79 ... 185 E 3
Francon 31 ... 317 E 4
Franconville 54 ... 95 F 2
Franconville 95 ... 58 B 2
Francoulès 46 ... 260 B 4
Francourt 70 ... 140 B 4
Francourville 28 ... 86 C 4
Francs 33 ... 238 D 4
Francueil 37 ... 152 C 3
Franey 25 ... 161 G 3
Frangy 74 ... 215 F 2
Frangy-en-Bresse 71 ... 178 D 4
Franken 68 ... 143 F 3
Franleu 80 ... 11 F 3
Franois 25 ... 161 H 4
Franquevielle 31 ... 334 A 1
Franqueville 02 ... 25 E 2
Franqueville 27 ... 35 G 4
Franqueville 80 ... 12 B 4
Franqueville-Saint-Pierre 76 ... 36 B 2
La Franqui 11 ... 339 E 3
Frans 01 ... 213 E 3
Fransart 80 ... 23 F 3
Fransèches 23 ... 207 F 3
Fransu 80 ... 12 B 4
Fransures 80 ... 22 B 4
Franvillers 80 ... 22 D 1
Franxault 21 ... 178 C 1
Frapelle 88 ... 96 C 4
Fraquelfing 57 ... 96 B 1
Fraroz 39 ... 180 A 4
Frasnay-Reugny 58 ... 175 F 2
Frasne 25 ... 180 B 3
Frasne-le-Château 70 ... 161 H 1
Frasne-les-Meulières 39 ... 161 E 4
La Frasnée 39 ... 196 D 1
Le Frasnois 39 ... 179 H 5
Frasnoy 59 ... 15 E 2
La Frasse 74 ... 216 C 1
Frasseto 2A ... 349 E 3
Frauenberg 57 ... 47 H 5
Frausseilles 81 ... 279 E 5
Fravaux 10 ... 116 A 2
Le Fraysse 81 ... 299 H 1
Frayssinet 46 ... 260 B 3
Frayssinet-le-Gélat 46 ... 259 F 4
Frayssinhes 46 ... 243 F 5
Frazé 28 ... 109 G 2
Fréauville 76 ... 20 D 2
Frebécourt 88 ... 93 H 4
Frébuans 39 ... 179 E 5
Le Frêche 40 ... 294 C 1
Fréchède 65 ... 315 G 3
Fréchencourt 80 ... 22 C 1
Fréchendets 65 ... 333 G 1
Le Fréchet 31 ... 316 D 5
Fréchet-Aure 65 ... 333 H 3
Le Fréchou 47 ... 275 G 4
Fréchou-Fréchet 65 ... 315 F 5
Frécourt 52 ... 117 G 5
Frédéric-Fontaine 70 ... 142 A 3
La Frédière 17 ... 201 G 4
Frédille 36 ... 171 F 2
Frégimont 47 ... 275 H 2
Frégouville 32 ... 297 E 5
Fréhel 22 ... 79 E 2
Fréhel *Cap* 22 ... 79 E 1
Freigné 49 ... 127 G 5
Freissinières 05 ... 270 C 1
La Freissinouse 05 ... 269 G 4
Freistroff 57 ... 46 C 4
Freix-Anglards 15 ... 244 B 4
Fréjairolles 81 ... 299 G 1
Fréjeville 81 ... 299 F 5
Fréjus 83 ... 329 G 1
Fréjus *Parc zoologique* 83 ... 308 C 5
Fréjus *Tunnel du* 73 ... 252 D 1
Fréland 68 ... 120 D 2
Frelinghien 59 ... 4 C 5
Frémainville 95 ... 57 G 1
Frémécourt 95 ... 37 H 5
Frémenil 54 ... 95 H 2
Frémeréville-sous-les-Côtes 55 ... 64 D 4
Frémery 57 ... 66 C 3
Frémestroff 57 ... 67 E 1
Frémicourt 62 ... 13 H 4
Fremifontaine 88 ... 95 H 5
Frémontiers 80 ... 22 A 3
Frémonville 54 ... 96 A 1
La Frénaye 76 ... 35 F 1
Frencq 62 ... 6 B 3
Frêne *Col du* 73 ... 233 G 2
Frenelle-la-Grande 88 ... 94 D 4
Frenelle-la-Petite 88 ... 94 C 4
Frênes 61 ... 53 E 4
Freneuse 76 ... 36 B 3
Freneuse 78 ... 57 E 1
Freneuse-sur-Risle 27 ... 35 G 4
Freney 73 ... 252 C 1
Le Freney-d'Oisans 38 ... 251 H 3
Fréniches 60 ... 23 H 4
Frénois 21 ... 159 H 1
Frénois 88 ... 118 D 2
Frénouse *Musée de la* 53 ... 105 H 5
Frénouville 14 ... 33 H 5
Frépillon 95 ... 58 B 1
Fresles 76 ... 20 D 3
La Fresnaie-Fayel 61 ... 54 C 3
La Fresnais 35 ... 50 D 5
Fresnay 10 ... 92 B 5
Fresnay-en-Retz 44 ... 165 E 1
Fresnay-le-Comte 28 ... 86 A 5
Fresnay-le-Gilmert 28 ... 86 A 3
Fresnay-le-Long 76 ... 20 B 4
Fresnay-le-Samson 61 ... 54 C 3
Fresnay-l'Évêque 28 ... 110 D 2
Fresnay-sur-Sarthe 72 ... 83 G 5
La Fresnaye-au-Sauvage 61 ... 53 H 4
La Fresnaye-sur-Chédouet 72 ... 83 H 4
Le Fresne 27 ... 56 A 2
Le Fresne 51 ... 62 D 2
Le Fresne-Camilly 14 ... 33 F 3
Fresne-Cauverville 27 ... 35 E 4
Fresné-la-Mère 14 ... 54 A 2
Fresne-l'Archevêque 27 ... 36 D 3
Fresne-le-Plan 76 ... 36 C 2
Fresne-Léguillon 60 ... 37 H 4
Le Fresne-Poret 50 ... 52 C 4
Fresne-Saint-Mamès 70 ... 140 C 5
Le Fresne-sur-Loire 44 ... 148 D 2
Fresneaux-Montchevreuil 60 ... 37 H 3
Fresnes 02 ... 24 B 5
Fresnes 21 ... 138 A 5
Fresnes 41 ... 153 F 2
Fresnes 89 ... 137 E 3
Fresnes 94 ... 58 C 4
Fresnes-au-Mont 55 ... 64 B 3
Fresnes-en-Saulnois 57 ... 66 C 4
Fresnes-en-Tardenois 02 ... 40 D 5
Fresnes-en-Woëvre 55 ... 64 D 1
Fresnes-lès-Montauban 62 ... 13 H 2
Fresnes-lès-Reims 51 ... 41 H 3
Fresnes-Mazancourt 80 ... 23 G 2
Fresnes-sur-Apance 52 ... 118 B 5
Fresnes-sur-Escaut 59 ... 9 H 5
Fresnes-sur-Marne 77 ... 59 F 2
Fresnes-Tilloloy 80 ... 11 G 5
Fresneville 80 ... 21 G 2
Fresney 27 ... 56 C 2
Fresney-le-Puceux 14 ... 53 G 1
Fresney-le-Vieux 14 ... 53 G 1
Fresnicourt-le-Dolmen 62 ... 8 A 5
Fresnières 60 ... 23 F 5
Fresnois-la-Montagne 54 ... 44 D 2
Fresnoy 62 ... 7 E 5
Fresnoy-Andainville 80 ... 11 G 5
Fresnoy-au-Val 80 ... 22 A 2
Fresnoy-en-Bassigny 52 ... 118 A 4
Fresnoy-en-Chaussée 80 ... 23 E 3
Fresnoy-en-Gohelle 62 ... 8 C 5
Fresnoy-en-Thelle 60 ... 38 B 4
Fresnoy-Folny 76 ... 20 D 2
Fresnoy-la-Rivière 60 ... 39 G 3
Fresnoy-le-Château 10 ... 115 F 2
Fresnoy-le-Grand 02 ... 24 B 1
Fresnoy-le-Luat 60 ... 39 F 4
Fresnoy-lès-Roye 80 ... 23 F 3
Frespech 47 ... 276 D 2
Fresquiennes 76 ... 20 A 5
Fressac 30 ... 283 F 5
Fressain 59 ... 14 B 2
Fressancourt 02 ... 24 C 4
Fresse 70 ... 142 A 1
Fresse-sur-Moselle 88 ... 120 A 5
Fresselines 23 ... 189 E 4
Fressenneville 80 ... 11 E 4
Fressies 59 ... 14 B 3
Fressin 62 ... 7 E 4
Fressines 79 ... 185 E 4
Le Frestoy-Vaux 60 ... 23 E 5
Fresville 50 ... 29 G 5
Le Fret 29 ... 75 E 3
Fréterive 73 ... 233 H 2
Fréteval 41 ... 131 H 2
Fréthun 62 ... 2 C 3
Fretigney-et-Velloreille 70 ... 161 H 1
Frétigny 28 ... 85 F 4
Fretin 59 ... 8 D 3
Frétoy 77 ... 60 A 5
Frétoy-le-Château 60 ... 23 G 4
La Frette 38 ... 232 A 4
La Frette 71 ... 178 A 5
La Frette-sur-Seine 95 ... 58 B 2
Frettecuisse 80 ... 11 G 5
Frettemeule 80 ... 11 F 4
Frettemolle 80 ... 21 G 3
Fretterans 71 ... 178 C 2
Frettes 70 ... 140 A 4
Le Fréty 08 ... 26 A 3
Freulleville 76 ... 20 C 2
Frévent 62 ... 12 C 2
Fréville 76 ... 19 H 5
Fréville 88 ... 93 H 5
Fréville-du-Gâtinais 45 ... 112 A 4
Frévillers 62 ... 7 H 5
Frévin-Capelle 62 ... 13 F 2
Freybouse 57 ... 67 E 2
Freycenet-la-Cuche 43 ... 247 H 5
Freycenet-la-Tour 43 ... 247 G 5
Freychenet 09 ... 336 C 3
Freyming-Merlebach 57 ... 47 E 5
Freyssenet 07 ... 266 C 2
Friaize 28 ... 85 G 4
Friardel 14 ... 54 D 1
Friaucourt 80 ... 11 E 3
Friauville 54 ... 45 E 5
Fribourg 57 ... 67 F 4
Fricamps 80 ... 21 H 2
Frichemesnil 76 ... 20 B 5
Fricourt 80 ... 13 F 5
Fridefont 15 ... 245 H 5
Friedolsheim 67 ... 68 C 5
Frières-Faillouël 02 ... 24 A 4
Friesen 68 ... 143 E 3
Friesenheim 67 ... 97 G 4
Frignicourt 51 ... 62 C 5
Le Friolais 25 ... 163 F 3
Frise 80 ... 23 F 1
Friville-Escarbotin 80 ... 11 E 3
Frizon 88 ... 95 F 5
Froberville 76 ... 18 D 3
Frocourt 60 ... 38 A 2
Frœningen 68 ... 143 F 2
Frœschwiller 67 ... 68 D 2
Froges 38 ... 233 F 5
Frohen-le-Grand 80 ... 12 C 3
Frohen-le-Petit 80 ... 12 C 3
Frohmuhl 67 ... 68 A 2
Froideconche 70 ... 141 G 2
Froidefontaine 39 ... 180 B 4
Froidefontaine 90 ... 142 C 4
Froidestrées 02 ... 25 F 1
Froideterre 70 ... 141 H 3
Froidevaux 25 ... 163 F 3
Froideville 39 ... 179 E 3
Froidfond 85 ... 165 F 2
Froidmont-Cohartille 02 ... 25 E 4
Froidos 55 ... 63 G 1
Froissy 60 ... 22 B 5
Frôlois 21 ... 159 F 1
Frolois 54 ... 94 D 2
Fromelennes 08 ... 17 F 4
Fromelles 59 ... 8 B 3
Fromental 87 ... 205 H 1
Fromentières 51 ... 61 E 3
Fromentières 53 ... 128 B 2
Fromentine 85 ... 164 C 2
Fromentine *Pont de* 85 ... 164 C 2
Froméréville-les-Vallons 55 ... 43 H 4
Fromezey 55 ... 44 C 5
Fromont 77 ... 112 A 2
Fromy 08 ... 27 H 5
Froncles-Buxières 52 ... 93 E 5
Fronsac 31 ... 334 B 3
Fronsac 33 ... 238 B 5
Frontenac 33 ... 256 C 2
Frontenac 46 ... 261 F 4
Frontenard 71 ... 178 B 2
Frontenas 69 ... 212 C 3
Frontenaud 71 ... 195 H 1
Frontenay 39 ... 179 F 4
Frontenay-Rohan-Rohan 79 ... 184 D 5
Frontenay-sur-Dive 86 ... 168 C 3
Frontenex 73 ... 234 A 1
Frontignan 34 ... 323 E 3
Frontignan-de-Comminges 31 ... 334 B 2
Frontignan-Plage 34 ... 323 E 3
Frontignan-Savès 31 ... 316 D 3
Fronton 31 ... 297 H 2
Frontonas 38 ... 231 H 1
Fronville 52 ... 93 E 4
Frossay 44 ... 146 D 3
Frotey-lès-Lure 70 ... 141 H 4
Frotey-lès-Vesoul 70 ... 141 F 4
Frouard 54 ... 65 H 5
Frouville 95 ... 38 A 5
Frouzins 31 ... 317 H 2
Froville 54 ... 95 E 3
Froyelles 80 ... 11 H 2
Frozes 86 ... 168 D 5
Frucourt 80 ... 11 G 4
Frugères-les-Mines 43 ... 228 A 5
Fruges 62 ... 7 E 4
Frugières-le-Pin 43 ... 246 C 1
Fruncé 28 ... 85 H 4
Fry 76 ... 37 E 1
Fuans 25 ... 163 E 5
Fublaines 77 ... 59 G 2
Le Fugeret 04 ... 288 D 4
Le Fuilet 49 ... 148 C 3
Fuilla 66 ... 342 A 3
Fuissé 71 ... 194 D 5
Fuligny 10 ... 92 A 5
Fulleren 68 ... 143 E 3
Fultot 76 ... 19 H 3
Fulvy 89 ... 137 F 3
Fumay 08 ... 17 E 5
Fumel 47 ... 259 E 5
Fumichon 14 ... 34 D 4
Furchhausen 67 ... 68 B 4
Furdenheim 67 ... 97 F 1
Fures 38 ... 232 B 5
Furiani 2B ... 345 G 4
Furmeyer 05 ... 269 F 4
Fussey 21 ... 159 H 5
Fussy 18 ... 155 E 5
La Fuste 04 ... 306 D 2
Fustérouau 32 ... 295 E 3
Fustignac 31 ... 317 E 4
Futeau 55 ... 43 F 5
Futuroscope 86 ... 169 F 5
Fuveau 13 ... 327 F 1
Fyé 72 ... 83 G 5
Fyé 89 ... 136 D 3

G

Gaas 40 ... 292 D 4
Gabarnac 33 ... 256 B 3
Gabarret 40 ... 274 D 5
Gabas 64 ... 332 A 3
Gabaston 64 ... 314 C 3
Gabat 64 ... 311 G 4
Gabian 34 ... 321 G 2
Gabillou 24 ... 241 F 2
Gabre 09 ... 335 H 1
Gabriac 12 ... 263 E 5
Gabriac 48 ... 283 E 3
Gabrias 48 ... 264 B 4
Gacé 61 ... 54 D 4
La Gacilly 56 ... 125 G 2
Gâcogne 58 ... 157 H 4
Gadancourt 95 ... 57 G 1
Gadencourt 27 ... 56 D 2
Gaël 35 ... 103 F 2
Gageac-et-Rouillac 24 ... 257 G 1
Gages-le-Haut 12 ... 281 E 1
Gagnac-sur-Cère 46 ... 243 E 5
Gagnac-sur-Garonne 31 ... 297 H 3
Gagnières 30 ... 283 H 2
Gagny 93 ... 58 D 3

A B C D E F G H I J K L M N O P Q R S T U V W X Y Z

Gahard 35 ... 80 C 5
Gailhan 30 ... 303 E 2
Gaillac 81 ... 298 D 1
Gaillac-d'Aveyron 12 ... 281 F 1
Gaillac-Toulza 31 ... 318 A 4
Gaillagos 65 ... 332 C 2
Gaillan-en-Médoc 33 ... 218 D 5
Gaillard 74 ... 197 H 5
Gaillardbois-Cressenville 27 ... 36 D 3
La Gaillarde 76 ... 19 H 2
Gaillefontaine 76 ... 21 F 4
Gaillères 40 ... 274 A 5
Gaillon 27 ... 36 C 5
Gaillon-sur-Montcient 78 ... 57 G 1
Gainneville 76 ... 34 D 1
Gaja-et-Villedieu 11 ... 337 G 1
Gaja-la-Selve 11 ... 318 D 5
Gajac 33 ... 256 C 5
Gajan 09 ... 335 F 2
Gajan 30 ... 303 G 1
Gajoubert 87 ... 204 D 2
Galametz 62 ... 12 B 2
Galamus *Gorges de* 11 ... 338 A 4
Galan 65 ... 315 H 5
Galapian 47 ... 275 G 2
Galargues 34 ... 303 E 3
La Galère 06 ... 309 E 5
Galéria 2B ... 346 A 3
Galey 09 ... 334 D 3
Galez 65 ... 315 H 5
Galfingue 68 ... 143 E 2
Galgan 12 ... 261 G 5
Galgon 33 ... 238 B 4
Galiax 32 ... 295 E 4
Galibier *Col du* 05 ... 252 B 3
Galié 31 ... 334 B 2
Galinagues 11 ... 337 E 4
Gallardon 28 ... 86 C 3
Gallargues-le-Montueux 30 ... 303 F 3
Gallerande *Château de* 72 ... 129 G 4
Le Gallet 60 ... 22 A 5
Galluis 78 ... 57 G 4
Gamaches 80 ... 11 E 5
Gamaches-en-Vexin 27 ... 37 F 4
Gamarde-les-Bains 40 ... 293 F 3
Gamarthe 64 ... 311 F 5
Gambais 78 ... 57 F 4
Gambaiseuil 78 ... 57 F 4
Gambsheim 67 ... 69 F 5
Gan 64 ... 314 B 4
Ganac 09 ... 336 A 3
Ganagobie 04 ... 287 F 4
Ganagobie *Prieuré de* 04 ... 287 F 5
Gancourt-Saint-Étienne 76 ... 21 F 5
Gandelain 61 ... 83 F 3
Gandelu 02 ... 40 A 5
Gandrange 57 ... 45 G 4
Ganges 34 ... 302 C 1
Gannat 03 ... 209 H 2
Gannay-sur-Loire 03 ... 175 F 5
Gannes 60 ... 22 C 5
Les Gannes 63 ... 226 C 2
Gans 33 ... 256 C 5
Ganties 31 ... 334 C 1
Ganzeville 76 ... 19 E 3
Gap 05 ... 269 H 3
Gapennes 80 ... 11 H 2
Gâprée 61 ... 84 A 2
Garabit *Viaduc de* 15 ... 245 H 4
Garac 31 ... 297 F 4
Garancières 78 ... 57 F 4
Garancières-en-Beauce 28 ... 87 E 4
Garancières-en-Drouais 28 ... 56 C 5
Garanou 09 ... 336 C 5
Garat 16 ... 221 G 2
Garcelles-Secqueville 14 ... 33 H 5
Garche 57 ... 45 H 3
Garches 92 ... 58 B 3
Garchizy 58 ... 174 C 1
Garchy 58 ... 156 B 4
Gardanne 13 ... 327 E 1
La Garde 04 ... 308 B 1
La Garde 38 ... 251 G 3
La Garde 48 ... 246 A 5
La Garde 83 ... 328 B 4
La Garde-Adhémar 26 ... 285 E 1
La Garde-Freinet 83 ... 329 E 2
La Garde-Guérin 48 ... 265 F 5
Gardefort 18 ... 155 H 4
Gardegan-et-Tourtirac 33 ... 238 D 5
Gardères 65 ... 314 D 4
Les Gardes 49 ... 149 E 5
Gardes-le-Pontaroux 16 ... 221 G 3
Gardie 11 ... 337 G 1
Gardonne 24 ... 257 G 1
Gardouch 31 ... 318 B 3
Garein 40 ... 273 G 4
Garencières 27 ... 56 C 2
La Garenne-Colombes 92 ... 58 B 3
Garennes-sur-Eure 27 ... 56 D 3
Garentreville 77 ... 112 A 2
Garéoult 83 ... 328 B 2
La Garette 79 ... 184 C 4
Gargan *Mont* 87 ... 224 C 2
Garganvillar 82 ... 277 F 5
Gargas 31 ... 298 A 3
Gargas 84 ... 305 H 1
Gargenville 78 ... 57 G 2
Garges-lès-Gonesse 95 ... 58 C 2
Gargilesse-Dampierre 36 ... 188 D 2
Garidech 31 ... 298 A 3
Gariès 82 ... 297 E 2
Garigny 18 ... 174 A 1
Garin 31 ... 334 A 4
Garindein 64 ... 311 H 5
Garlan 29 ... 72 A 4
Garlède-Mondebat 64 ... 294 B 5
Garlin 64 ... 294 C 5
Le Garn 30 ... 284 C 2
La Garnache 85 ... 165 E 2
Garnat-sur-Engièvre 03 ... 192 D 1
Garnay 28 ... 56 C 5
Garnerans 01 ... 195 E 5
Garnetot 14 ... 54 B 2
La Garonne 83 ... 328 B 5
Garons 30 ... 304 A 2
Garos 64 ... 294 A 5
Garravet 32 ... 316 D 3
Garrebourg 57 ... 68 A 5
Garrevaques 81 ... 319 E 2
Garrey 40 ... 293 F 3
Le Garric 81 ... 279 G 5
Garrigues 34 ... 303 E 2
Garrigues 81 ... 298 C 4
Garrigues-Sainte-Eulalie 30 ... 284 B 5
Garris 64 ... 311 G 4
Garrosse 40 ... 273 E 5
Gars 06 ... 308 D 1
Gartempe 23 ... 206 D 1
Gas 28 ... 86 C 2
Gaschney 68 ... 120 C 3
Gasny 27 ... 57 E 1
Gasques 82 ... 276 D 3
Gassin 83 ... 329 F 3
Le Gast 14 ... 52 B 3
Gastes 40 ... 272 C 1
Gastines 53 ... 105 F 5
Gastins 77 ... 89 E 2
Gasville-Oisème 28 ... 86 B 3
Gâtelles 28 ... 85 H 3
Gatey 39 ... 178 D 2
Gathemo 50 ... 52 B 4
Gatteville-le-Phare 50 ... 29 H 2
Gattières 06 ... 309 G 2
Gatuzières 48 ... 282 C 3
Gaubertin 45 ... 111 H 3
La Gaubretière 85 ... 166 C 2
Gauchin-Légal 62 ... 7 H 5
Gauchin-Verloingt 62 ... 7 G 5
Gauchy 02 ... 24 A 2
Gauciel 27 ... 56 C 1
La Gaudaine 28 ... 85 E 5
La Gaude 06 ... 309 G 2
Gaudechart 60 ... 21 H 5
Gaudent 65 ... 334 A 2
Gaudiempré 62 ... 13 E 3
Gaudiès 09 ... 318 C 5
Gaudonville 32 ... 296 D 1
Gaudreville-la-Rivière 27 ... 56 A 2
Gaugeac 24 ... 258 D 3
Gaujac 30 ... 284 D 4
Gaujac 32 ... 316 D 2
Gaujac 47 ... 257 E 4
Gaujacq 40 ... 293 G 4
Gaujan 32 ... 316 C 3
Le-Gault-du-Perche 41 ... 109 F 4
Le Gault-Saint-Denis 28 ... 110 A 2
Le Gault-Soigny 51 ... 60 D 4
Gauré 31 ... 298 B 4
Gauriac 33 ... 237 G 3
Gauriaguet 33 ... 237 H 3
Gaussan 65 ... 316 A 5
Gausson 22 ... 78 B 5
Les Gautherets 71 ... 194 A 1
Gauville 61 ... 55 F 3
Gauville 80 ... 21 G 3
Gauville-la-Campagne 27 ... 56 B 1
Gavarnie 65 ... 332 D 5
Gavarnie-Gèdre 65 ... 333 E 4
Gavarnie *Port de* 65 ... 332 D 5
Gavarret-sur-Aulouste 32 ... 296 B 3
Gavaudun 47 ... 258 D 4
Gavet 38 ... 251 F 3
Gavignano 2B ... 347 F 3
Gavisse 57 ... 45 H 2
La Gavotte 13 ... 326 D 2
Gavray 50 ... 51 H 2
Le Gâvre 44 ... 126 B 5
Gavrelle 62 ... 13 H 2
Gâvres 56 ... 123 F 3
Gavrinis *Cairn de* 56 ... 124 A 4
Gavrus 14 ... 33 F 5
Gayan 65 ... 315 E 4
Gaye 51 ... 61 F 5
Gayon 64 ... 314 C 2
Gazaupouy 32 ... 275 H 5
Gazave 65 ... 333 H 2
Gazax-et-Baccarisse 32 ... 295 F 4
Gazeran 78 ... 86 D 2
Gazinet 33 ... 255 E 1
Gazost 65 ... 333 E 2
Geaune 40 ... 294 B 4
Geay 17 ... 201 F 4
Geay 79 ... 167 H 3
Gée 49 ... 150 A 1
Gée-Rivière 32 ... 294 C 3
Geffosses 50 ... 31 F 4
Géfosse-Fontenay 14 ... 32 B 2
Gehée 36 ... 171 F 1
Geishouse 68 ... 120 C 5
Geispitzen 68 ... 143 G 2
Geispolsheim 67 ... 97 G 2
Geiswasser 68 ... 121 G 4
Geiswiller 67 ... 68 C 4
Gélacourt 54 ... 95 H 2
Gélannes 10 ... 90 B 3
Gélaucourt 54 ... 94 C 3
Gellainville 28 ... 86 B 4
Gellenoncourt 54 ... 66 C 5
Gelles 63 ... 209 E 5
Gellin 25 ... 180 C 4
Gelos 64 ... 314 B 4
Geloux 40 ... 273 G 5
Gelucourt 57 ... 67 E 4
Gelvécourt-et-Adompt 88 ... 118 D 2
Gémages 61 ... 84 C 5
Gemaingoutte 88 ... 96 C 5
Gembrie 65 ... 334 A 2
Gemeaux 21 ... 160 B 1
Gémenos 13 ... 327 F 2
Gémigny 45 ... 110 C 5
Gémil 31 ... 298 B 3
Gemmelaincourt 88 ... 94 C 5
Gémonval 25 ... 142 A 4
Gémonville 54 ... 94 B 4
Gémozac 17 ... 219 F 2
Genac-Bignac 16 ... 203 E 5
Genainville 95 ... 37 F 5
Genas 69 ... 231 G 1
Génat 09 ... 336 A 4
Genay 21 ... 158 C 1
Genay 69 ... 213 E 4
Gençay 86 ... 186 C 4
Gendreville 88 ... 118 A 2
Gendrey 39 ... 161 F 4
Gené 49 ... 128 A 4
Génébrières 82 ... 278 B 5
Genech 59 ... 9 E 3
Génelard 71 ... 193 H 1
Générac 30 ... 303 H 3
Générac 33 ... 237 G 2
Générargues 30 ... 283 G 4
Générest 65 ... 334 A 2
Generville 11 ... 318 D 5
Geneslay 61 ... 82 C 3
Le Genest 53 ... 105 H 3
Genestelle 07 ... 266 B 2
Geneston 44 ... 147 H 5
La Genête 71 ... 195 F 1
La Genétouze 17 ... 238 D 1
La Génétouze 85 ... 165 G 4
Genêts 50 ... 51 G 4
Les Genettes 61 ... 55 F 5
Geneuille 25 ... 161 H 3
La Genevraie 61 ... 54 D 5
La Genevraye 77 ... 88 C 5
Genevreuille 70 ... 141 G 4
Genevrey 70 ... 141 G 3
Genevrières 52 ... 140 A 3
La Genevroye 52 ... 92 D 5
Geney 25 ... 142 A 5
La Geneytouse 87 ... 206 B 5
Génicourt 95 ... 58 A 1
Génicourt-sous-Condé 55 ... 63 G 3
Génicourt-sur-Meuse 55 ... 64 B 2
Genilac 42 ... 230 C 3
Genillé 37 ... 152 C 5
Genin *Lac* 01 ... 196 D 5
Génis 24 ... 223 G 5
Génissac 33 ... 238 B 5
Génissiat *Barrage de* 01 ... 215 E 2
Génissieux 26 ... 249 G 3
Genlis 21 ... 160 C 4
Gennes 25 ... 162 A 3
Gennes 49 ... 150 A 3
Gennes-Ivergny 62 ... 12 B 2
Gennes-sur-Glaize 53 ... 128 C 2
Gennes-sur-Seiche 35 ... 105 F 4
Genneteil 49 ... 129 H 5
Gennetines 03 ... 192 B 1
Genneton 79 ... 167 H 1
Genneville 14 ... 34 D 2
Gennevilliers 92 ... 58 B 2
Genod 39 ... 196 B 4
Génois *Pont* 2B ... 346 D 3
Génois *Pont* 2B ... 347 F 5
Génolhac 30 ... 283 G 1
Génos 31 ... 334 B 2
Génos 65 ... 333 H 4
Genouillac 16 ... 204 B 4
Genouillac 23 ... 189 G 4
Genouillé 17 ... 201 F 2
Genouillé 86 ... 203 G 2
Genouilleux 01 ... 213 E 1
Genouilly 18 ... 154 A 5
Genouilly 71 ... 177 F 5
Genrupt 52 ... 118 A 5
Gensac 33 ... 257 E 1
Gensac 65 ... 315 E 2
Gensac 82 ... 297 E 1
Gensac-de-Boulogne 31 ... 316 B 4
Gensac-la-Pallue 16 ... 220 C 1
Gensac-sur-Garonne 31 ... 317 F 5
Genté 16 ... 220 B 2
Gentelles 80 ... 22 D 2
Gentilly 94 ... 58 C 4
Gentioux 23 ... 207 F 5
Genvry 60 ... 23 G 5
Georfans 70 ... 141 H 5
Géovreisset 01 ... 196 C 5
Ger 50 ... 52 D 5
Ger 64 ... 314 D 4
Ger 65 ... 332 D 1
Geraise 39 ... 179 H 2
Gérardmer 88 ... 120 B 3
Géraudot 10 ... 91 F 5
Gérauvilliers 55 ... 93 H 2
Gerbaix 73 ... 232 D 2
Gerbamont 88 ... 120 A 4
Gerbécourt 57 ... 66 C 3
Gerbécourt-et-Haplemont 54 ... 94 D 3
Gerbépal 88 ... 120 B 2
Gerberoy 60 ... 37 G 1
Gerbéviller 54 ... 95 G 2
Gerbier de Jonc *Mont* 07 ... 266 A 1
Gercourt-et-Drillancourt 55 ... 43 H 3
Gercy 02 ... 25 F 2
Gerde 65 ... 333 F 1
Gerderest 64 ... 314 C 2
Gère-Bélesten 64 ... 332 A 2
Gergny 02 ... 25 F 1
Gergovie *Plateau de* 63 ... 227 H 1
Gergueil 21 ... 159 H 4
Gergy 71 ... 178 A 3
Gerland 21 ... 160 A 5
Germ 65 ... 333 H 4
Germagnat 01 ... 196 B 4
Germagny 71 ... 177 F 5
Germaine 02 ... 23 H 3
Germaine 51 ... 41 G 5
Germaines 52 ... 139 E 3
Germainville 28 ... 56 D 4
Germainvilliers 52 ... 117 H 3
Germay 52 ... 93 F 4
Germéfontaine 25 ... 162 D 3
Germenay 58 ... 157 F 4
Germignac 17 ... 220 B 2
Germigney 39 ... 179 F 1
Germigney 70 ... 161 E 2
Germignonville 28 ... 110 C 3
Germigny 51 ... 41 F 4
Germigny 89 ... 114 C 5
Germigny-des-Prés 45 ... 133 H 2
Germigny-l'Évêque 77 ... 59 G 2
Germigny-l'Exempt 18 ... 174 A 3
Germigny-sous-Coulombs 77 ... 60 A 1
Germigny-sur-Loire 58 ... 174 B 1
Germinon 51 ... 61 H 3
Germiny 54 ... 94 C 2
Germisay 52 ... 93 F 4
Germolles *Château de* 71 ... 177 G 4
Germolles-sur-Grosne 71 ... 194 C 5
Germond-Rouvre 79 ... 185 E 3
Germondans 25 ... 162 B 2
Germont 08 ... 43 E 1
Germonville 54 ... 94 D 3
Germs-sur-l'Oussouet 65 ... 333 E 1
Gernelle 08 ... 27 E 3
Gernicourt 02 ... 41 F 2
Géronce 64 ... 313 G 4
Gerponville 76 ... 19 F 3
Gerrots 14 ... 34 B 4
Gerstheim 67 ... 97 G 3
Gertwiller 67 ... 97 F 3
Geruge 39 ... 179 E 5
Gervans 26 ... 249 E 3
Gerville 76 ... 18 D 4
Gerville-la-Forêt 50 ... 31 G 3
Géry 55 ... 63 H 4
Gerzat 63 ... 209 H 5
Gesnes 53 ... 106 B 3
Gesnes-en-Argonne 55 ... 43 G 3
Gesnes-le-Gandelin 72 ... 83 G 5
Gespunsart 08 ... 27 E 2
Gestas 64 ... 313 F 3
Gesté 49 ... 148 C 4
Gestel 56 ... 100 D 5
Gestiès 09 ... 336 A 5
Gesvres 53 ... 83 E 4
Gesvres-le-Chapitre 77 ... 59 G 1
Gétigné 44 ... 148 B 5
Les Gets 74 ... 198 C 5
Geu 65 ... 332 D 2
Geudertheim 67 ... 69 E 4
Géus-d'Arzacq 64 ... 294 A 5
Geüs-d'Oloron 64 ... 313 G 4
Gévezé 35 ... 80 A 5
Gevigney-et-Mercey 70 ... 140 D 2
Gevingey 39 ... 179 E 5
Gevresin 25 ... 180 A 2
Gevrey-Chambertin 21 ... 160 A 4
Gevrolles 21 ... 116 B 5
Gevry 39 ... 178 D 1
Gex 01 ... 197 F 4
Geyssans 26 ... 249 G 2
Gez 65 ... 332 D 2
Gez-ez-Angles 65 ... 333 E 1
Gézaincourt 80 ... 12 D 4
Gezier-et-Fontenelay 70 ... 161 H 2
Gézoncourt 54 ... 65 G 4
Ghisonaccia 2B ... 349 G 2
Ghisoni 2B ... 349 F 1
Ghissignies 59 ... 15 E 3
Ghyvelde 59 ... 3 H 2
Giat 63 ... 208 C 5
Gibeaumeix 54 ... 94 A 2
Gibel 31 ... 318 B 4
Gibercourt 02 ... 24 B 3
Giberville 14 ... 33 H 4
Gibles 71 ... 194 A 4
Gibourne 17 ... 202 B 3
Gibret 40 ... 293 F 3
Le Gicq 17 ... 202 C 3
Gidy 45 ... 110 D 5
Giel-Courteilles 61 ... 53 H 4
Gien 45 ... 134 C 4
Gien-sur-Cure 58 ... 158 B 5
Giens 83 ... 328 C 5
Gières 38 ... 251 E 1
La Giettaz 73 ... 216 B 4
Giéville 50 ... 52 B 1
Gièvres 41 ... 153 H 4
Giey-sur-Aujon 52 ... 116 D 5
Giez 74 ... 215 H 5
Gif-sur-Yvette 91 ... 58 A 5
Giffaumont-Champaubert 51 ... 92 B 2
Gigean 34 ... 323 E 3
Gignac 34 ... 302 B 4
Gignac 46 ... 242 B 4
Gignac 84 ... 306 A 1
Gignac-la-Nerthe 13 ... 326 C 1
Gignat 63 ... 228 A 4
Gignéville 88 ... 118 B 3
Gigney 88 ... 95 E 5
Gigny 39 ... 196 B 2
Gigny 89 ... 137 G 3
Gigny-Bussy 51 ... 91 H 2
Gigny-sur-Saône 71 ... 178 A 5
Gigondas 84 ... 285 G 3
Gigors 04 ... 269 H 5
Gigors-et-Lozeron 26 ... 267 H 1
Gigouzac 46 ... 260 B 4
Gijounet 81 ... 300 B 3
Gildwiller 68 ... 143 E 2
Gilette 06 ... 291 E 5
Gilhac-et-Bruzac 07 ... 249 E 5
Gilhoc-sur-Ormèze 07 ... 248 D 4
Gillancourt 52 ... 116 C 3
Gillaumé 52 ... 93 F 3
Gilles 28 ... 57 E 3
Gilley 25 ... 162 D 5
Gilley 52 ... 140 A 4
Gillois 39 ... 180 A 4
Gillonnay 38 ... 232 A 4
Gilly-lès-Cîteaux 21 ... 160 A 5
Gilly-sur-Isère 73 ... 234 A 1
Gilly-sur-Loire 71 ... 193 E 2
Gilocourt 60 ... 39 G 3
Gimat 82 ... 297 E 2
Gimbrède 32 ... 276 C 5
Gimbrett 67 ... 68 D 5
Gimeaux 63 ... 209 H 4
Gimécourt 55 ... 64 B 4
Gimel-les-Cascades 19 ... 243 E 1
Gimeux 16 ... 220 B 2
La Gimond 42 ... 230 B 3
Gimont 32 ... 296 D 4
Gimouille 58 ... 174 B 2
Ginai 61 ... 54 C 4
Ginals 82 ... 279 E 3
Ginasservis 83 ... 306 D 3
Ginchy 80 ... 13 G 5
Gincla 11 ... 337 H 5
Gincrey 55 ... 44 C 4
Gindou 46 ... 259 G 3
Ginestas 11 ... 320 D 4
Ginestet 24 ... 239 H 5
Gingsheim 67 ... 68 C 4
Ginoles 11 ... 337 F 4
Ginouillac 46 ... 260 B 2
Gintrac 46 ... 242 D 5
Giocatojo 2B ... 347 G 3
Gionges 51 ... 61 G 2
Giou-de-Mamou 15 ... 244 C 5
Gioux 23 ... 207 G 5
Gipcy 03 ... 191 G 2
Girac 46 ... 243 E 5
Girancourt 88 ... 119 E 2
Giraumont 54 ... 45 F 5
Giraumont 60 ... 39 F 1
Girauvoisin 55 ... 64 D 4
Gircourt-lès-Viéville 88 ... 94 D 4
Girecourt-sur-Durbion 88 ... 95 G 5
Girefontaine 70 ... 118 D 5
Giremoutiers 77 ... 59 H 3
Girgols 15 ... 244 C 4
Giriviller 54 ... 95 F 3
Girmont 88 ... 95 F 5
Girmont-Val-d'Ajol 88 ... 119 G 4
Girolles 45 ... 112 C 4
Girolles 89 ... 157 H 1
Giromagny 90 ... 142 B 2
Giron 01 ... 196 D 5
Gironcourt-sur-Vraine 88 ... 94 B 5
Gironde-sur-Dropt 33 ... 256 C 3
Girondelle 08 ... 26 B 2
Gironville 77 ... 112 A 3
Gironville-et-Neuville 28 ... 86 A 2
Gironville-sous-les-Côtes 55 ... 64 D 4
Gironville-sur-Essonne 91 ... 87 H 5
Le Girouard 85 ... 182 C 1
Giroussens 81 ... 298 C 3
Giroux 36 ... 172 B 1
Girovilles-sous-Montfort 88 ... 94 C 5
Giry 58 ... 157 E 4
Gisay-la-Coudre 27 ... 55 F 2
Giscaro 32 ... 296 D 4
Giscos 33 ... 274 C 2
Gisors 27 ... 37 G 3
Gissac 12 ... 301 E 2
Gissey-le-Vieil 21 ... 159 E 3
Gissey-sous-Flavigny 21 ... 159 F 1
Gissey-sur-Ouche 21 ... 159 G 4
Gisy-les-Nobles 89 ... 113 F 2
Giuncaggio 2B ... 347 G 5
Giuncheto 2A ... 350 D 3
Givardon 18 ... 173 H 4
Givarlais 03 ... 190 D 3
Givenchy-en-Gohelle 62 ... 8 B 5
Givenchy-le-Noble 62 ... 13 E 2
Givenchy-lès-la-Bassée 62 ... 8 B 4
Giverny 27 ... 57 E 1
Giverville 27 ... 35 F 4
Givet 08 ... 17 F 4
Givonne 08 ... 27 F 3
Givors 69 ... 231 E 2
Givraines 45 ... 111 H 3
Givrand 85 ... 164 D 5
Givrauval 55 ... 93 F 1
Le Givre 85 ... 182 D 2
Givrezac 17 ... 219 G 3
Givron 08 ... 26 A 4
Givry 08 ... 42 C 1
Givry 71 ... 177 G 4
Givry 89 ... 157 H 1
Givry-en-Argonne 51 ... 63 E 2
Givry-lès-Loisy 51 ... 61 F 3
Givrycourt 57 ... 67 F 2
Gizaucourt 51 ... 63 E 1
Gizay 86 ... 186 C 3
Gizeux 37 ... 151 E 2

Gizia 39 196 A 2
Gizy 02 25 E 5
La Glacerie 50 29 E 3
Glacière *Grotte de la* 25 162 C 3
Glageon 59 15 H 5
Glaignes 60 39 F 4
Glainans 25 163 E 2
Glaine-Montaigut 63 228 B 1
Glaire 08 27 E 3
Le Glaizil 05 269 G 1
Glamondans 25 162 C 3
Gland 02 60 C 1
Gland 89 137 G 3
Glandage 26 268 D 2
Glandon 87 223 G 4
Glandon *Col du* 73 251 H 1
Glanes 46 243 E 5
Glanges 87 224 B 2
Glannes 51 62 C 5
Glanon 21 178 B 1
Glanville 14 34 B 3
Glatens 82 296 D 1
Glatigny 50 31 F 3
Glatigny 57 46 B 5
Glatigny 60 37 H 1
Glay 25 142 C 5
Gleizé 69 212 D 3
Glénac 56 125 G 3
Glénat 15 243 H 5
Glénay 79 168 A 3
Glénic 23 189 G 5
Glennes 02 41 E 3
Glénouze 86 168 C 2
Glère 25 163 H 2
Glicourt 76 10 C 5
Glisolles 27 56 A 2
Glisy 80 22 C 2
Glomel 22 77 E 5
Glonville 54 95 H 3
Glorianes 66 342 C 3
Glos 14 34 D 5
Glos-la-Ferrière 61 55 F 3
Glos-sur-Risle 27 35 G 3
Gluges 46 242 C 5
Gluiras 07 266 C 1
Glun 07 249 E 4
Glux-en-Glenne 58 176 B 2
Goas 82 297 E 2
La Godefroy 50 51 H 4
Godenvillers 60 22 D 5
Goderville 76 19 E 4
Godewaersvelde 59 4 A 5
Godisson 61 54 C 5
La Godivelle 63 227 F 5
Godoncourt 88 118 B 4
Gœrlingen 67 67 H 4
Gœrsdorf 67 69 E 2
Goès 64 331 H 1
Goetzenbruck 57 68 B 2
Gœulzin 59 14 A 2
Gogney 54 96 A 1
Gognies-Chaussée 59 15 G 2
La Gohannière 50 51 H 4
Gohier 49 149 H 2
Gohory 28 109 H 3
Goin 57 65 H 2
Goincourt 60 38 A 2
Golancourt 60 23 H 4
Golbey 88 119 F 2
Goldbach 68 120 C 5
Golfe-Juan 06 309 F 4
Golfech 82 276 D 4
Golinhac 12 262 D 3
Golleville 50 29 F 5
Gombergean 41 131 G 5
Gomelange 57 46 C 4
Gomené 22 102 D 2
Gomer 64 314 C 4
Gometz-la-Ville 91 58 A 5
Gometz-le-Châtel 91 58 A 5
Gomiécourt 62 13 G 4
Gommecourt 62 13 F 4
Gommecourt 78 57 E 1
Gommegnies 59 15 F 2
Gommenec'h 22 73 F 4
Gommersdorf 68 143 E 3
Gommerville 28 87 E 5
Gommerville 76 18 D 5
Gomméville 21 115 H 5
Gomont 08 41 H 1
Gonaincourt 52 117 H 2
Goncelin 38 233 F 5
Goncourt 52 117 H 2
Gond-Pontouvre 16 221 F 1
Gondecourt 59 8 C 3
Gondenans-les-Moulins 25 162 C 1
Gondenans-Montby 25 162 D 1
Gondeville 16 220 C 1
Gondrecourt-Aix 54 45 E 4
Gondrecourt-le-Château 55 93 G 3
Gondreville 45 112 B 4
Gondreville 54 65 F 5
Gondreville 60 39 G 4
Gondrexange 57 67 G 5
Gondrexon 54 95 H 1
Gondrin 32 295 G 1
Les Gonds 17 219 G 1
Gonesse 95 58 D 2
Gonez 65 315 F 4
Gonfaron 83 328 D 2
Gonfreville 50 31 H 3
Gonfreville-Caillot 76 19 E 4
Gonfreville-l'Orcher 76 34 C 1
La Gonfrière 61 55 E 3
Gonnehem 62 7 H 3
Gonnelieu 59 14 B 5
Gonnetot 76 19 H 3
Gonneville-Le Theil 50 29 F 3
Gonneville-en-Auge 14 33 H 3
Gonneville-la-Mallet 76 18 C 4
Gonneville-sur-Honfleur 14 34 D 2
Gonneville-sur-Mer 14 34 A 3
Gonneville-sur-Scie 76 20 B 3
Gonsans 25 162 C 4
Gontaud-de-Nogaret 47 257 F 5
La Gonterie-
Boulouneix 24 222 B 5
Gonvillars 70 142 A 4
Gonzeville 76 19 H 3
Goos 40 293 F 3
Gorbio 06 291 G 5
Gorcy 54 44 D 1
Gordes 84 305 G 1
Gorenflos 80 12 B 4
Gorges 44 148 A 5
Gorges 50 31 G 3
Gorges 80 12 C 4
La Gorgue 59 8 A 2
Gorhey 88 119 E 2
Gorniac 33 256 C 2
Gorniès 34 302 B 1
Gorre 87 223 E 1
Gorrevod 01 195 F 3
Gorron 53 81 H 4
Gorses 46 261 F 1
Gorze 57 65 G 1
Gosnay 62 7 H 4
Gosné 35 80 D 5
Gosselming 57 67 G 4
Gotein-Libarrenx 64 331 E 1
Gottenhouse 67 68 B 5
Gottesheim 67 68 C 4
Gouaix 77 89 G 3
Goualade 33 274 C 1
Gouarec 22 77 G 5
Gouaux 65 333 H 4
Gouaux-de-Larboust 31 334 A 4
Gouaux-de-Luchon 31 334 B 4
Gouberville 50 29 G 2
Gouchaupre 76 10 C 5
Goudargues 30 284 C 3
Goudelancourt-
lès-Berrieux 02 41 F 1
Goudelancourt-
lès-Pierrepont 02 25 F 4
Goudelin 22 73 F 5
Goudet 43 247 F 5
Goudex 31 317 E 3
Goudon 65 315 G 4
Goudourville 82 276 D 4
Gouesnach 29 99 H 4
La Gouesnière 35 50 D 5
Gouesnou 29 70 C 5
Gouex 86 187 E 4
Gouézec 29 76 A 5
Gougenheim 67 68 C 5
Gouhelans 25 162 C 1
Gouhenans 70 141 H 4
Gouillons 28 86 D 5
Gouise 03 192 B 3
Goujounac 46 259 G 4
La Goulafrière 27 55 E 2
Goulaine *Château de* 44 147 H 4
Goulet 61 54 A 4
Goulien 29 98 D 2
Goulier 09 336 A 5
Goulles 19 243 G 4
Les Goulles 21 138 D 2
Gouloux 58 158 B 4
Goult 84 305 G 1
Goulven 29 71 E 4
Goumois 25 163 H 3
Goupillières 14 53 F 1
Goupillières 27 35 G 5
Goupillières 76 20 A 5
Goupillières 78 57 G 3
Gouraincourt 55 44 D 4
Le Gouray 22 78 D 5
Gourbera 40 292 D 2
Gourbesville 50 29 G 5
Gourbit 09 336 A 4
Gourchelles 60 21 G 3
Gourdan-Polignan 31 334 A 1
Gourdièges 15 245 F 5
Gourdon 06 309 E 2
Gourdon 07 266 B 2
Gourdon 46 259 H 2
Gourdon 71 194 B 1
Gourdon-Murat 19 225 E 3
Gourette 64 332 B 2
Gourfaleur 50 32 B 5
Gourfouran *Gouffre de* 05 270 C 1
Gourgançon 51 61 G 5
Gourgé 79 168 B 5
Gourgeon 70 140 C 3
Gourgue 65 333 G 1
Gourhel 56 103 E 4
Gourin 56 76 C 5
Gourlizon 29 99 G 2
Gournay 36 189 E 1
Gournay 76 34 C 1
Gournay 79 202 D 1
Gournay-en-Bray 76 37 F 1
Gournay-le-Guérin 27 55 G 5
Gournay-sur-Aronde 60 39 E 1
Gournay-sur-Marne 93 58 D 3
Les Gours 16 202 D 3
Gours 33 238 D 4
Gourvieille 11 318 C 4
Gourville 16 202 D 5
Gourvillette 17 202 C 4
Goury 50 28 C 2
Gourzon 52 92 D 2
Goussaincourt 55 94 A 3
Goussainville 28 57 E 4
Goussainville 95 58 D 1
Goussancourt 02 40 D 5
Gousse 40 293 F 2
Goussonville 78 57 G 2
Goustranville 14 34 A 4
La Goutelle 63 209 E 5
Goutevernisse 31 317 F 5
Goutrens 12 262 B 5
Gouts 40 293 F 2
Gouts 82 277 E 1
Gouts-Rossignol 24 221 G 4
Gouttières 27 55 G 1
Gouttières 63 209 E 2
Goutz 32 296 C 2
Gouvernes 77 59 E 3
Gouves 62 13 F 2
Gouvets 50 52 B 2
Gouvieux 60 38 C 4
Gouville 27 56 A 3
Gouville-sur-Mer 50 31 F 5
Gouvix 14 53 G 1
Goux 32 295 E 4
Goux 39 179 E 1
Goux-lès-Dambelin 25 163 E 2
Goux-les-Usiers 25 180 C 1
Goux-sous-Landet 25 161 H 5
Gouy 02 14 B 5
Gouy 76 36 B 3
Gouy-en-Artois 62 13 F 3
Gouy-en-Ternois 62 12 D 2
Gouy-les-Groseillers 60 22 B 4
Gouy-l'Hôpital 80 21 H 2
Gouy-Saint-André 62 6 D 5
Gouy-Servins 62 8 A 5
Gouy-sous-Bellonne 62 14 A 2
Gouzangrez 95 37 H 5
Gouze 64 313 G 2
Gouzeaucourt 59 14 A 5
Gouzens 31 317 F 5
Gouzon 23 207 H 1
Gouzougnat 23 207 H 1
Goven 35 104 A 4
Goviller 54 94 C 3
Goxwiller 67 97 F 3
Goyencourt 80 23 F 3
Goyrans 31 317 H 2
Grabels 34 302 D 4
Graçay 18 154 A 5
Grâce-Uzel 22 102 B 1
Grâces 22 73 E 5
Gradignan 33 255 F 1
Graffigny-Chemin 52 117 H 2
Gragnague 31 298 B 4
Graignes 50 32 A 3
Grailhen 65 333 H 4
Graimbouville 76 18 D 5
Graincourt-
lès-Havrincourt 62 14 A 4
Grainville 27 36 D 3
Grainville-la-Teinturière 76 19 F 3
Grainville-Langannerie 14 53 H 1
Grainville-sur-Odon 14 33 F 5
Grainville-sur-Ry 76 36 C 1
Grainville-Ymauville 76 19 E 4
Le Grais 61 53 G 5
Graissac 12 263 E 2
Graissessac 34 301 F 4
Graix 42 230 C 5
Le Grallet 17 218 C 1
Gramat 46 260 D 2
Gramazie 11 337 F 1
Grambois 84 306 B 2
Grammond 42 230 B 3
Grammont 70 141 H 5
Gramond 12 280 B 2
Gramont 82 296 C 1
Granace 2A 351 E 2
Grancey-le-Château 21 139 E 4
Grancey-sur-Ource 21 116 A 4
Granchain 27 55 G 1
Grand 88 93 G 4
Le Grand-Abergement 01 214 D 2
Grand-Auverné 44 127 E 5
Grand-Ballon 68 120 C 5
Grand Bois ou de la République
Col du 42 230 C 5
Le Grand-Bornand 74 216 A 3
Le Grand-Bourg 23 206 C 1
Grand-Bourgtheroulde 27 35 H 3
Grand-Brassac 24 239 H 1
Grand-Camp 27 55 E 1
Grand-Camp 76 19 F 5
Grand-Castang 24 240 C 5
Le Grand-Celland 50 52 A 5
Grand-Champ 56 124 B 2
Grand-Charmont 25 142 C 4
Grand-Châtel 39 196 D 3
La Grand-Combe 30 283 G 3
Grand-Corent 01 196 B 5
Grand-Couronne 76 36 A 3
La Grand-Croix 42 230 C 3
Grand-Failly 54 44 C 2
Grand-Fayt 59 15 F 4
Grand Fenestrez 01 214 D 4
Grand-Fort-Philippe 59 3 E 2
Grand-Fougeray 35 126 B 3
Grand-Laviers 80 11 G 3
Le Grand-Lemps 38 232 B 4
Le Grand-Lucé 72 130 C 2
Le Grand-Madieu 16 203 H 3
Grand Phare 85 164 A 4
Le Grand Piquey 33 254 B 2
Le Grand-Pressigny 37 170 A 3
Grand-Puch
Château du 33 238 B 5
Le Grand-Quevilly 76 36 A 2
Grand-Rozoy 02 40 B 4
Grand-Rullecourt 62 13 E 3
Le Grand-Serre 26 249 G 1
Grand Taureau 25 180 D 2
Grand-Vabre 12 262 B 3
Le Grand-Valtin 88 120 B 3
Grand-Verly 02 24 D 1
Le Grand-Village-Plage 17 200 B 4
Grandcamp-Maisy 14 32 B 2
Grandchamp 08 26 B 4
Grandchamp 52 139 H 3
Grandchamp 72 83 H 5
Grandchamp 78 57 E 5
Grandchamp 89 135 G 3
Grandchamp-
des-Fontaines 44 147 G 2
Grandchamp-le-Château 14 34 B 5
Grand'Combe-Châteleu 25 181 E 1
Grand'Combe-des-Bois 25 163 G 4
Grandcourt 76 11 E 5
Grandcourt 80 13 F 5
Grande Chartreuse
Couvent de la 38 233 E 5
La Grande-Fosse 88 96 C 4
La Grande-Motte 34 303 F 5
La Grande-Paroisse 77 88 D 4
La Grande-Résie 70 161 E 3
Grande-Rivière 39 197 E 1
Grande-Synthe 59 3 F 2
La Grande-Verrière 71 176 B 2
Grandecourt 70 140 C 4
Les Grandes-Armoises 08 27 E 5
Les Grandes-Chapelles 10 90 D 3
Les Grandes-Dalles 76 19 F 2
Les Grandes-Loges 51 62 A 1
Les Grandes-Rivières 17 183 G 5
Les Grandes-Ventes 76 20 C 3
Grandeyrolles 63 227 G 3
Grandfontaine 25 161 H 4
Grandfontaine 67 96 C 2
Grandfontaine-
sur-Creuse 25 162 D 4
Grandfresnoy 60 39 E 2
Grandham 08 43 E 3
Grandjean 17 201 G 4
Grand'Landes 85 165 F 3
Grandlup-et-Fay 02 25 E 4
Grandmesnil 14 54 B 2
Grandmesnil 54 94 A 1
Grandouet 14 34 B 5
Grandpré 08 43 E 3
Grandpuits 77 88 D 2
Grandrieu 48 264 D 1
Grandrieux 02 25 H 3
Grandrif 63 229 E 3
Grandris 69 212 B 2
Grandrû 60 23 H 5
Grandrupt 88 96 C 4
Grandrupt-de-Bains 88 118 D 3
Les Grands-Chézeaux 87 188 B 4
Grandsaigne 19 225 E 4
Grandval 63 228 D 2
Grandval *Barrage de* 15 245 H 5
Grandvals 48 263 G 2
Grandvaux 71 194 A 2
Grandvelle-
et-le-Perrenot 70 161 H 1
Grandvillars 90 142 D 4
La Grandville 08 26 D 3
Grandville 10 91 F 2
Grandvillers 88 95 H 5
Grandvillers-aux-Bois 60 39 E 2
Grandvilliers 27 56 A 4
Grandvilliers 60 21 H 4
Grane 26 267 F 2
Granès 11 337 G 3
La Grange 25 163 E 3
Grange-de-Vaivre 39 179 G 1
Grange-le-Bocage 89 89 H 5
Grangent *Barrage de* 42 230 A 4
Grangermont 45 111 H 3
Granges 01 196 B 5
Les Granges 10 115 E 4
Granges 71 177 G 4
Granges-Aumontzey 88 120 A 2
Les Granges *Château* 58 156 B 3
Granges-d'Ans 24 241 F 2
Granges-de-Vienney 25 162 B 4
Les Granges-Gontardes 26 267 E 5
Granges-la-Ville 70 142 A 4
Granges-le-Bourg 70 142 A 4
Les Granges-le-Roi 91 87 E 3
Granges-l'Église 25 180 C 2
Granges-
les-Beaumont 26 249 G 3
Granges-Maillot 25 180 B 1
Granges-Narboz 25 180 C 2
Granges-Sainte-Marie 25 180 C 3
Granges-sur-Aube 51 90 C 2
Granges-sur-Baume 39 179 F 4
Granges-sur-Lot 47 275 H 1
Les Grangettes 25 180 C 3
Grangues 14 34 A 3
Granier 73 234 C 2
Granier *Col du* 73 233 F 3
Granieu 38 232 C 2
Granon *Col de* 05 252 C 4
Grans 13 305 F 4
Granville 50 51 F 3
Granzay-Gript 79 184 D 5
Gras 07 266 C 5
Les Gras 25 181 E 1
Gras *Plateau des* 07 284 C 1
Grassac 16 221 H 2
Grasse 06 309 E 3
Grassendorf 67 68 C 3
Grateloup-
Saint-Gayrand 47 257 G 5
Gratens 31 317 F 4
Gratentour 31 297 H 3
Gratibus 80 22 D 4
Gratot 50 31 G 5
Gratreuil 51 42 D 4
Grattepanche 80 22 B 3
Le Gratteris 25 162 B 4
Grattery 70 141 E 4
Le Grau-d'Agde 34 322 C 5
Grau de Maury 66 338 B 4
Le Grau-du-Roi 30 303 F 5
Graufthal 67 68 A 3
Les Graulges 24 221 H 3
Graulhet 81 299 E 3
Grauves 51 61 G 2
Graval 76 21 E 3
La Grave 05 252 A 3
La Grave 06 291 F 5
Grave *Pointe de* 33 218 C 2
Gravelines 59 3 E 2
La Gravelle 53 105 G 3
Gravelotte 57 65 G 1
La Graverie 14 52 C 2
Graveron-Sémerville 27 36 A 5
Graves-Saint-Amant 16 220 D 2
Graveson 13 304 C 2
Gravières 07 265 H 5
Gravigny 27 56 B 1
Gravon 77 89 F 4
Gray 70 161 E 1
Gray-la-Ville 70 161 E 1
Grayan-et-l'Hôpital 33 218 C 4
Graye-et-Charnay 39 196 B 2
Graye-sur-Mer 14 33 F 3
Grayssas 47 276 D 3
Grazac 31 318 A 4
Grazac 43 247 H 2
Grazac 81 298 B 2
Grazay 53 82 C 5
Gréalou 46 261 E 4
Gréasque 13 327 F 1
Grébault-Mesnil 80 11 F 4
Grécourt 80 23 G 3
Gredisans 39 161 E 5
La Grée-Penvins 56 124 C 5
La Grée-Saint-Laurent 56 102 D 4
Gréez-sur-Roc 72 108 D 3
Greffeil 11 337 H 1
Grèges 76 10 B 5
Grégy-sur-Yerres 77 59 E 5
Grémecey 57 66 C 4
Grémévillers 60 21 H 5
Gremilly 55 44 C 4
Grémonville 76 19 H 4
Grenade 31 297 G 3
Grenade-sur-l'Adour 40 294 A 2
Grenant 52 139 H 3
Grenant-lès-Sombernon 21 159 G 4
Grenay 38 231 G 1
Grenay 62 8 B 4
Grendelbruch 67 97 E 2
Greneville-en-Beauce 45 111 F 3
Grenier-Montgon 43 245 H 1
Gréning 57 67 F 2
Grenoble 38 250 D 1
Grenois 58 157 F 3
Grentheville 14 33 H 5
Grentzingen 68 143 F 3
Greny 76 10 C 5
Gréolières 06 309 E 1
Gréolières-les-Neiges 06 309 E 1
Gréoux-les-Bains 04 306 D 2
Grépiac 31 318 A 3
Le Grès 31 297 F 3
Grésigny-Sainte-Reine 21 138 A 5
Gresin 73 232 D 2
La Gresle 42 212 A 2
Gresse-en-Vercors 38 250 C 5
Gressey 78 57 E 3
Gresswiller 67 97 E 2
Gressy 77 59 E 2
Grésy-sur-Aix 73 215 F 5
Grésy-sur-Isère 73 233 H 2
Gretz-Armainvilliers 77 59 F 4
Greucourt 70 140 C 5
Greuville 76 19 H 2
Greux 88 93 H 3
La Grève-sur-Mignon 17 184 B 5
Les Grèves 22 78 C 3
Gréville-Hague 50 28 D 2
Grévillers 62 13 G 4
Grevilly 71 195 E 2
Grez 60 21 H 4
Le Grez 72 107 E 2
Grez-en-Bouère 53 128 C 2
Grez-Neuville 49 128 B 5
Grez-sur-Loing 77 88 B 5
Grézac 17 219 E 2
Grézels 46 259 F 5
Grèzes 24 241 H 3
Grèzes 43 246 C 5
Grèzes 46 261 E 3
Grèzes 48 264 B 4
Grézet-Cavagnan 47 275 E 1
Grézian 65 333 G 4
Grézieu-la-Varenne 69 212 D 5
Grézieu-le-Marché 69 230 B 2
Grézieux-le-Fromental 42 229 H 2
Grézillac 33 256 C 1
Grézillé 49 149 H 3
Grézolles 42 211 F 4
Gricourt 02 24 A 2
Grièges 01 195 E 5

La Grière 85 182 D 3
Gries 67 69 E 4
Griesbach 67 68 D 2
Griesbach-au-Val 68 120 D 3
Griesbach-le-Bastberg 67 68 B 3
Griesheim-près-Molsheim 67 97 F 2
Griesheim-sur-Souffel 67 68 D 5
Grignan 26 267 F 5
Grigneuseville 76 20 B 4
Grignols 24 240 B 3
Grignols 33 274 D 1
Grignon 21 137 H 5
Grignon 73 234 A 1
Grignoncourt 88 118 B 5
Grigny 62 7 E 5
Grigny 69 231 E 2
Grigny 91 58 C 5
La Grigonnais 44 126 C 5
Grillemont Château de 37 170 A 1
Grillon 84 267 F 5
Grilly 01 197 G 4
Grimaucourt-en-Woëvre 55 44 C 5
Grimaucourt-près-Sampigny 55 64 C 4
Grimaud 83 329 F 2
La Grimaudière 86 168 C 4
Grimault 89 137 E 4
Grimbosq 14 53 F 1
Grimesnil 50 51 H 1
Grimone 26 268 D 2
Grimone Col de 26 268 D 2
Grimonviller 54 94 C 4
Grincourt-lès-Pas 62 13 E 4
Grindorff-Bizing 57 46 C 2
Gripp 65 333 F 3
La Gripperie-Saint-Symphorien 17 200 D 5
Gripport 54 95 E 3
Gris-Nez Cap 62 2 A 4
Griscourt 54 65 G 4
Griselles 21 137 H 2
Griselles 45 112 C 4
Grisolles 02 40 B 5
Grisolles 82 297 G 2
Grisy 14 54 A 1
Grisy-les-Plâtres 95 38 A 5
Grisy-Suisnes 77 59 E 5
Grisy-sur-Seine 77 89 G 4
La Grive 38 231 H 2
Grives 24 259 F 2
Grivesnes 80 22 D 4
Grivillers 80 23 E 4
Grivy-Loisy 08 42 C 2
Groffliers 62 6 B 5
La Groise 59 15 E 5
Groises 18 155 H 4
Groissiat 01 196 C 5
Groisy 74 215 G 2
Groix 56 123 E 3
Groléjac 24 259 H 1
Gron 18 155 H 5
Gron 89 113 G 3
Gronard 02 25 F 3
Le Gros Cerveau 83 327 H 4
Gros-Chastang 19 243 F 2
Gros-Réderching 57 67 H 1
Grosbliederstroff 57 47 G 5
Grosbois 25 162 C 2
Grosbois Château de 94 58 D 5
Grosbois-en-Montagne 21 159 F 3
Grosbois-lès-Tichey 21 178 C 1
Grosbreuil 85 182 B 1
Les Groseillers 79 185 E 2
Groslay 95 58 C 2
Groslée 01 232 C 1
Groslée-Saint-Benoit 01 232 C 1
Grosley-sur-Risle 27 55 H 1
Grosmagny 90 142 C 2
Grosne 90 142 D 3
Grospierres 07 284 A 1
Grosrouvre 78 57 F 4
Grosrouvres 54 65 E 4
Grossa 2A 350 D 2
Grosseto-Prugna 2A 348 D 4
Grossœuvre 27 56 B 2
Grossouvre 18 174 A 3
Grostenquin 57 67 E 2
Grosville 50 28 D 4
Le Grouanec 29 70 D 4
Grouches-Luchuel 80 12 D 3
Grougis 02 24 C 1
Grouin Pointe du 35 50 D 4
La Groulais Château de 44 147 F 1
La Groutte 18 173 F 5
Grozon 39 179 F 2
Gruchet-le-Valasse 76 19 E 5
Gruchet-Saint-Siméon 76 19 H 2
Grues 85 183 E 3
Gruey-lès-Surance 88 118 D 4
Gruffy 74 215 G 5
Grugé-l'Hopital 49 127 G 3
Grugies 02 24 A 3
Grugny 76 20 B 5
Gruissan 11 339 F 1
Gruissan-Plage 11 339 F 1
Grumesnil 76 21 F 5
Grun-Bordas 24 240 B 3
Grundviller 57 67 G 1
Gruny 80 23 F 3
Grury 71 176 A 5
Gruson 59 9 E 3
Grusse 39 196 B 1
Grussenheim 68 121 F 2
Grust 65 332 D 3
Gruyères 08 26 C 3
Le Gua 17 200 D 5
Le Gua 38 250 D 3
Guagno 2A 348 D 1
Guagno-les-Bains 2A 348 C 1
Guainville 28 57 E 2
Guarbecque 62 7 H 3
Guargualé 2A 348 D 4
Guchan 65 333 G 4
Guchen 65 333 G 4
Gudas 09 336 B 2
Gudmont 52 93 E 5
Le Gué-d'Alleré 17 183 H 5
Le Gué-de-la-Chaîne 61 84 B 4
Le Gué-de-Longroi 28 86 C 3
Le Gué-de-Velluire 85 183 H 3
Gué-d'Hossus 08 26 C 1
Le Gué-du-Loir 41 131 F 3
Le Gué-Lian 72 107 G 2
Guebenhouse 57 67 F 1
Gueberschwihr 68 121 E 3
Guébestroff 57 67 E 4
Guéblange-lès-Dieuze 57 67 E 4
Guébling 57 67 E 3
Guebwiller 68 120 D 5
Guécélard 72 129 H 2
Le Guédéniau 49 150 C 1
Guégon 56 102 C 4
Guéhébert 50 51 H 1
Guéhenno 56 102 C 5
Gueltas 56 102 B 2
Guémappe 62 13 H 3
Guémar 68 97 E 5
Guémené-Penfao 44 126 A 4
Guémené-sur-Scorff 56 101 F 2
Guémicourt 80 21 F 3
Guemps 62 2 D 3
Guénange 57 45 H 4
Guengat 29 99 G 2
Guénin 56 101 H 4
Guénouvry 44 126 B 4
Guenroc 22 79 G 5
Guenrouet 44 125 H 5
Guentrange 57 45 G 3
Guenviller 57 47 E 5
Guêprei 61 54 B 3
Guer 56 103 F 5
Guérande 44 145 H 4
Guérard 77 59 G 4
Guerbigny 80 23 E 4
La Guerche 37 170 A 3
La Guerche-de-Bretagne 35 105 E 5
La Guerche-sur-l'Aubois 18 174 A 2
Guercheville 77 112 A 2
Guerchy 89 136 A 2
Guéreins 01 213 E 1
Guéret 23 207 E 1
Guerfand 71 178 A 4
Guérigny 58 174 C 1
Guérin 47 257 E 5
La Guérinière 85 164 B 1
Guerlédan Lac de 22 77 H 5
Guerlesquin 29 72 B 5
Guermange 57 67 F 4
Guermantes 77 59 E 3
Guern 56 101 G 3
Guernanville 27 55 H 3
Guernes 78 57 F 1
Le Guerno 56 125 E 4
Guerny 27 37 F 4
Guéron 14 33 E 3
La Guéroulde 27 55 H 4
Guerpont 55 63 H 4
Guerquesalles 61 54 C 2
Les Guerreaux 71 193 F 2
Guerstling 57 46 D 3
Guerting 57 46 D 5
Guerville 76 11 E 5
Guerville 78 57 F 2
Guéry Col de 63 227 F 2
Gueschart 80 11 H 2
Guesnain 59 8 D 5
Guesnes 86 168 D 2
Guessling-Hémering 57 66 D 1
Guéthary 64 310 C 3
Gueudecourt 80 13 G 5
Gueugnon 71 193 G 1
Gueures 76 20 A 2
Gueutteville 76 20 A 4
Gueutteville-les-Grès 76 19 G 2
Gueux 51 41 F 4
Guevenatten 68 142 D 2
Guewenheim 68 142 D 1
Gueynard 33 237 H 3
Gueytes-et-Labastide 11 337 E 2
Gueyze 47 275 E 4
Gugnécourt 88 95 H 5
Gugney 54 94 C 4
Gugney-aux-Aulx 88 95 E 5
Guibermesnil 80 21 G 2
Guibeville 91 87 G 2
Guichainville 27 56 B 2
Guiche 64 292 C 5
La Guiche 71 194 B 2
Guichen 35 104 A 4
Guiclan 29 71 G 5
Guidel 56 100 D 5
Guidon du Bouquet 30 284 A 3
La Guierche 72 107 H 3
Guignecourt 60 38 A 1
Guignemicourt 80 22 B 2
Guignen 35 103 H 5
Guignes 77 88 C 2
Guigneville 45 111 G 2
Guigneville-sur-Essonne 91 87 H 3
Guignicourt 02 41 G 2
Guignicourt-sur-Vence 08 26 C 4
La Guignière 37 151 H 2
Guignonville 45 111 F 3
Guigny 62 11 H 1
Guilberville 50 52 C 1
Le Guildo 22 50 A 5
Guiler-sur-Goyen 29 99 F 2
Guilers 29 75 E 2
Guilherand-Granges 07 249 F 4
Guillac 33 256 C 1
Guillac 56 102 D 5
Guillaucourt 80 23 E 2
Guillaumes 06 289 F 3
Guillemont 80 13 G 5
La Guillermie 03 210 D 3
Guillerval 91 87 F 5
Guillestre 05 270 D 2
Guilleville 28 110 D 2
Guilliers 56 102 D 3
Guilligomarc'h 29 101 E 4
Guillon 89 158 B 1
Guillon-les-Bains 25 162 C 2
Guillonville 28 110 C 4
Guillos 33 255 G 4
Guilly 36 171 H 1
Guilly 45 133 H 3
Guilmécourt 76 10 C 5
Guilvinec 29 99 F 5
Guimaëc 29 72 A 4
Guimiliau 29 71 G 5
Guimps 16 220 C 4
Guinarthe-Parenties 64 311 H 3
Guincourt 08 26 C 5
Guindrecourt-aux-Ormes 52 92 D 3
Guindrecourt-sur-Blaise 52 92 C 5
Guinecourt 62 12 C 2
Guînes 62 2 C 4
Guingamp 22 73 E 5
Guinglange 57 66 C 1
Guinkirchen 57 46 C 4
Guinzeling 57 67 F 3
Guipavas 29 75 F 2
Guipel 35 80 B 5
Guipronvel 29 70 C 5
Guipry-Messac 35 126 A 2
Guipy 58 157 F 4
Guirlange 57 46 C 4
Guiry-en-Vexin 95 37 G 5
Guiscard 60 23 H 4
Guiscriff 56 100 C 2
Guise 02 24 D 1
Guiseniers 27 37 E 4
Le Guislain 50 52 A 1
Guissény 29 70 D 4
Guisy 62 6 D 5
Guitalens 81 299 E 4
Guitera-les-Bains 2A 349 E 3
Guitinières 17 219 G 4
Guitrancourt 78 57 G 1
Guîtres 33 238 C 3
Guitry 27 37 E 4
Guitté 22 103 G 1
Guivry 02 23 H 4
Guizancourt 80 21 H 3
Guizengeard 16 220 D 5
Guizerix 65 315 H 4
Gujan-Mestras 33 254 C 2
Gumbrechtshoffen 67 68 D 2
Gumery 10 89 H 4
Gumiane 26 268 A 4
Gumières 42 229 G 3
Gumond 19 243 F 2
Gundershoffen 67 68 D 2
Gundolsheim 68 121 E 4
Gungwiller 67 67 H 3
Gunsbach 68 120 D 3
Gunstett 67 69 E 2
Guntzviller 57 67 H 5
Guny 02 40 A 1
Guran 31 334 B 3
Gurat 16 221 G 4
Gurcy-le-Châtel 77 89 E 3
Gurgy 89 136 B 2
Gurgy-la-Ville 21 138 D 2
Gurgy-le-Château 21 138 D 2
Gurmençon 64 331 H 1
Gurs 64 313 G 4
Gurunhuel 22 72 D 5
Gury 60 23 F 5
Gussainville 55 44 D 5
Gussignies 59 15 F 2
Guyancourt 78 58 A 4
Guyans-Durnes 25 162 B 5
Guyans-Vennes 25 163 E 4
Guyencourt 02 41 F 2
Guyencourt-Saulcourt 80 14 A 5
Guyencourt-sur-Noye 80 22 C 3
La Guyonnière 85 166 A 2
Guyonvelle 52 140 B 2
Guzargues 34 303 E 3
Guzet-Neige 09 335 G 5
Gy 70 161 G 2
Gy-en-Sologne 41 153 G 3
Gy-les-Nonains 45 112 D 5
Gy-l'Évêque 89 136 B 4
Gye 54 94 B 1
Gyé-sur-Seine 10 115 G 4

H

Habarcq 62 13 F 2
Habas 40 293 E 4
Habère-Lullin 74 198 B 4
Habère-Poche 74 198 B 4
L'Habit 27 56 D 3
L'Habitarelle 48 264 D 3
L'Habitarelle 48 265 F 5
Hablainville 54 95 H 2
Habloville 61 53 H 4
Habonville 54 45 F 5
Haboudange 57 66 D 3
Habsheim 68 143 G 1
Hachan 65 315 H 4
Hâcourt 52 117 H 2
Hacqueville 27 37 E 3
Hadancourt-le-Haut-Clocher 60 37 G 5
Hadigny-les-Verrières 88 95 F 4
Hadol 88 119 G 3
Hadonville-lès-Lachaussée 55 65 E 1
Haegen 67 68 B 5
Hagécourt 88 94 D 5
Hagedet 65 295 E 5
Hagen 57 45 H 1
Hagenbach 68 143 E 2
Hagenthal-le-Bas 68 143 G 4
Hagenthal-le-Haut 68 143 G 4
Haget 32 315 F 2
Hagetaubin 64 293 H 5
Hagetmau 40 293 H 4
Hagéville 54 65 F 2
Hagnéville-et-Roncourt 88 94 A 5
Hagnicourt 08 26 C 5
Hagondange 57 45 H 4
La Hague Usine atomique de 50 28 C 2
Haguenau 67 69 E 3
La Haie-Fouassière 44 147 H 4
La Haie-Longue 49 149 F 3
La Haie-Traversaine 53 82 B 4
Les Haies 69 231 E 3
Haigneville 54 95 E 3
Haillainville 88 95 F 4
Le Haillan 33 237 F 5
Hailles 80 22 C 3
Haillicourt 62 7 H 4
Haimps 17 202 C 4
Haims 86 187 G 2
Hainvillers 60 23 E 5
Haironville 55 63 G 5
Haisnes 62 8 B 4
Haleine 61 82 C 3
Halinghen 62 6 B 3
Hallencourt 80 11 G 5
Hallennes-lez-Haubourdin 59 8 C 3
Hallering 57 46 D 5
Les Halles 69 230 B 1
Halles-sous-les-Côtes 55 43 G 1
Hallignicourt 52 63 E 5
Hallines 62 7 F 2
Halling-lès-Boulay 57 46 C 5
Hallivillers 80 22 B 4
La Hallotière 76 36 D 1
Halloville 54 96 A 2
Halloy 60 21 H 4
Halloy 62 12 D 4
Halloy-lès-Pernois 80 12 C 5
Hallu 80 23 F 3
Halluin 59 4 D 5
Halsou 64 310 D 3
Halstroff 57 46 C 2
Le Ham 14 34 A 4
Le Ham 50 29 G 5
Le Ham 53 82 D 4
Ham 80 23 H 3
Ham Roches de 50 52 B 1
Ham-en-Artois 62 7 H 3
Ham-les-Moines 08 26 C 2
Ham-sous-Varsberg 57 46 D 5
Ham-sur-Meuse 08 17 E 4
Hamars 14 53 F 1
Hambach 57 67 G 1
Hambers 53 106 C 2
Hamblain-les-Prés 62 13 H 2
Hambye 50 51 H 2
Hambye Abbaye de 50 51 H 2
Hameau-de-la-Mer 50 29 E 2
Hamel 59 14 A 2
Le Hamel 60 21 H 4
Le Hamel 80 22 D 2
Hamelet 80 22 D 1
Hamelin 50 81 F 2
Hamelincourt 62 13 G 3
Hames-Boucres 62 2 C 4
Hammeville 54 94 C 2
Hamonville 54 65 E 4
Hampigny 10 91 H 3
Hampont 57 66 D 4
Han-devant-Pierrepont 54 44 D 3
Han-lès-Juvigny 55 43 H 1
Han-sur-Meuse 55 64 C 4
Han-sur-Nied 57 66 C 2
Hanau Étang de 57 68 C 1
Hanc 79 203 E 2
Hanches 28 86 C 2
Hancourt 80 23 H 1
Handschuheim 67 97 F 1
Hangard 80 22 D 2
Hangenbieten 67 97 G 1
Hangest-en-Santerre 80 23 E 3
Hangest-sur-Somme 80 22 A 1
Hangviller 57 68 A 4
Hannaches 60 37 G 1
Hannapes 02 24 D 1
Hannappes 08 25 H 2
Hannescamps 62 13 F 4
Hannocourt 57 66 C 3
Hannogne-Saint-Martin 08 27 E 4
Hannogne-Saint-Rémy 08 25 H 5
Hannonville-sous-les-Côtes 55 64 D 2
Hannonville-Suzémont 54 65 E 1
Le Hanouard 76 19 G 3
Hans 51 42 D 5
Hantay 59 8 B 3
Hantz Col du 88 96 C 3
Hanvec 29 75 H 3
Hanviller 57 48 C 5
Hanvoile 60 37 G 1
Haplincourt 62 13 H 4
Happencourt 02 24 A 3
Happonvilliers 28 85 G 5
Harambels 64 311 G 5
Haramont 02 39 H 3
Haraucourt 08 27 F 4
Haraucourt 54 95 E 1
Haraucourt-sur-Seille 57 66 D 4
Haraumont 55 43 H 2
Haravesnes 62 12 B 2
Haravilliers 95 38 A 5
Harbonnières 80 23 E 2
Harbouey 54 96 A 1
Harcanville 76 19 G 3
Harchéchamp 88 94 A 4
Harcigny 02 25 G 3
Harcourt 27 35 G 5
Harcy 08 26 C 2
Hardancourt 88 95 G 4
Hardanges 53 82 C 5
Hardecourt-aux-Bois 80 23 F 1
Hardelot-Plage 62 6 A 2
Hardencourt-Cocherel 27 56 C 1
Hardifort 59 3 H 4
Hardinghen 62 2 C 5
Hardinvast 50 29 E 3
Hardivillers 60 22 C 5
Hardivillers-en-Vexin 60 37 H 3
La Hardoye 08 25 H 4
Hardricourt 78 57 G 1
La Harengère 27 36 A 4
Haréville 88 118 C 2
Harfleur 76 34 C 1
Hargarten-aux-Mines 57 46 D 4
Hargeville 78 57 F 3
Hargeville-sur-Chée 55 63 H 3
Hargicourt 02 24 A 1
Hargicourt 80 22 D 4
Hargnies 08 17 E 5
Hargnies 59 15 G 2
Haricourt 27 37 E 5
Harly 02 24 B 2
Harméville 52 93 F 3
Harmonville 88 94 B 3
La Harmoye 22 77 H 4
Harnes 62 8 C 4
Harol 88 119 E 2
Haroué 54 94 D 3
Harponville 80 13 E 5
Harprich 57 66 D 2
Harquency 27 37 E 4
Harreberg 57 67 H 5
Harréville-les-Chanteurs 52 93 H 5
Harricourt 08 43 F 1
Harricourt 52 92 C 5
Harsault 88 119 E 3
Harskirchen 67 67 G 2
Hartennes-et-Taux 02 40 B 3
Hartmannswiller 68 120 D 5
Hartzviller 57 67 H 5
Harville 55 65 E 1
Hary 02 25 F 3
Haselbourg 57 68 A 5
Hasnon 59 9 F 5
Hasparren 64 311 E 3
Haspelschiedt 57 48 C 5
Haspres 59 14 C 3
Hastingues 40 292 D 5
Hatrize 54 45 F 5
Hatten 67 69 F 2
Hattencourt 80 23 F 3
Hattenville 76 19 F 4
Hattigny 57 96 B 1
Hattmatt 67 68 B 4
Hattonchâtel 55 64 D 2
Hattonville 55 64 D 2
Hattstatt 68 121 E 3
Hauban 65 333 F 1
Haubourdin 59 8 C 3
Hauconcourt 57 45 H 4
Haucourt 60 37 H 1
Haucourt 62 13 H 3
Haucourt 76 21 F 4
Haucourt-en-Cambrésis 59 14 C 4
Haucourt-la-Rigole 55 44 D 4
Haucourt-Moulaine 54 45 E 2
Haudainville 55 64 B 1
Haudiomont 55 64 C 1
Haudivillers 60 38 B 1
Haudonville 54 95 G 2
Haudrecy 08 26 C 3
Haudricourt 76 21 F 3
Haulchin 59 14 D 2
Haulies 32 296 B 5
Haulmé 08 26 D 2
Haumont-lès-Lachaussée 55 65 E 2
Haumont-près-Samogneux 55 44 B 4
Hauriet 40 293 G 3
Hausgauen 68 143 F 3
Haussez 76 21 F 5
Haussignémont 51 63 E 4
Haussimont 51 61 H 4
Haussonville 54 95 E 2
Haussy 59 14 D 3
Haut-Asco 2B 346 C 3
Haut-Barr Château du 67 68 B 4
Haut-Clocher 57 67 G 4
Le Haut-Corlay 22 77 H 4
Haut-de-Bosdarros 64 314 B 5

Le Haut-du-Them 70 ... 142 B 1
Haut-Kœnigsbourg Château du 67 ... 97 E 5
Haut-Lieu 59 ... 15 G 4
Haut-Loquin 62 ... 2 D 5
Haut-Maînil 62 ... 12 B 2
Haut-Mauco 40 ... 293 H 2
Le Haut Planet Balcon 78 ... 57 F 5
Hautaget 65 ... 333 H 1
Hautbos 60 ... 21 G 5
Haute-Avesnes 62 ... 13 F 2
La Haute-Beaume 05 ... 268 D 3
La Haute-Chapelle 61 ... 82 B 2
Haute-Epine 60 ... 21 H 5
Haute-Goulaine 44 ... 147 H 4
Haute-Isle 95 ... 57 F 1
Haute-Kontz 57 ... 46 B 2
La Haute-Maison 77 ... 59 H 3
Haute Provence Observatoire de 04 ... 287 E 5
Haute-Rivoire 69 ... 230 B 1
Haute-Vigneulles 57 ... 66 D 1
Hautecloque 62 ... 12 D 2
Hautecombe Abbaye de 73 ... 215 E 5
Hautecôte 62 ... 12 C 2
Hautecour 39 ... 196 D 1
Hautecour 73 ... 234 C 3
Hautecourt-lès-Broville 55 ... 44 C 5
Hautecourt-Romanèche 01 ... 214 B 1
Hautefage 19 ... 243 F 3
Hautefage-la-Tour 47 ... 276 C 1
Hautefaye 24 ... 221 H 3
Hautefeuille 77 ... 59 G 4
Hautefond 71 ... 193 H 3
Hautefontaine 60 ... 39 H 2
Hautefort 24 ... 241 F 1
Hauteluce 73 ... 216 C 5
Hautepierre-le-Châtelet 25 ... 180 C 1
Hauterive 03 ... 210 B 2
Hauterive 61 ... 83 H 3
Hauterive 89 ... 114 A 5
Hauterive-la-Fresse 25 ... 180 D 1
Hauterives 26 ... 249 G 1
Hauteroche 21 ... 159 F 1
Hautes-Duyes 04 ... 287 H 2
Les Hautes-Rivières 08 ... 27 E 1
Hautesvignes 47 ... 257 G 5
Hautevelle 70 ... 141 F 2
Hautevesnes 02 ... 40 A 5
Hauteville 02 ... 24 C 2
Hauteville 08 ... 26 A 5
Hauteville 51 ... 63 E 5
Hauteville 62 ... 13 E 2
Hauteville 73 ... 233 H 2
La Hauteville 78 ... 57 E 5
Hauteville-Gondon 73 ... 234 D 1
Hauteville-la-Guichard 50 ... 31 H 5
Hauteville-lès-Dijon 21 ... 160 A 2
Hauteville-Lompnes 01 ... 214 C 3
Hauteville-sur-Fier 74 ... 215 F 3
Hauteville-sur-Mer 50 ... 51 F 1
L'Hautil 78 ... 57 H 2
Haution 02 ... 25 F 2
Hautmont 59 ... 15 G 3
Hautmougey 88 ... 119 E 4
Hautot-l'Auvray 76 ... 19 G 3
Hautot-le-Vatois 76 ... 19 G 4
Hautot-Saint-Sulpice 76 ... 19 G 4
Hautot-sur-Mer 76 ... 20 A 2
Hautot-sur-Seine 76 ... 36 A 2
Hautteville-Bocage 50 ... 29 F 5
Hautvillers 51 ... 61 F 1
Hautvillers-Ouville 80 ... 11 G 3
Hauville 27 ... 35 G 2
Hauviné 08 ... 42 B 3
Haux 33 ... 255 H 2
Haux 64 ... 331 F 2
Havange 57 ... 45 F 3
Havelu 28 ... 57 E 4
Haveluy 59 ... 9 F 5
Havernas 80 ... 12 C 5
Haverskerque 59 ... 7 H 2
Le Havre 76 ... 34 C 1
Le Havre-Antifer Port pétrolier 76 ... 18 C 4
Havrincourt 62 ... 14 A 4
Havys 08 ... 26 B 2
L'Haÿ-les-Roses 94 ... 58 C 4
Hayange 57 ... 45 G 3
Haybes 08 ... 17 E 5
La Haye 76 ... 36 D 1
La Haye 88 ... 119 E 3
La Haye-Aubrée 27 ... 35 G 2
La Haye-Bellefond 50 ... 52 A 1
La Haye-de-Calleville 27 ... 35 G 4
La Haye-de-Routot 27 ... 35 G 2
La Haye-d'Ectot 50 ... 28 D 5
La Haye-du-Puits 50 ... 31 F 3
La Haye-du-Theil 27 ... 35 H 4
La Haye-le-Comte 27 ... 36 B 4
La Haye-Malherbe 27 ... 36 A 4
La Haye-Pesnel 50 ... 51 G 3
La Haye-Saint-Sylvestre 27 ... 55 F 2
Les Hayes 41 ... 131 E 4
Hayes 57 ... 46 B 5
Haynecourt 59 ... 14 B 3
Les Hays 39 ... 178 D 2
Hazebrouck 59 ... 3 H 5
Hazembourg 57 ... 67 F 2
Héas 65 ... 333 E 5
Le Heaulme 95 ... 37 H 5
Héauville 50 ... 28 D 3
Hébécourt 27 ... 37 F 3
Hébécourt 80 ... 22 B 3
Hébécrevon 50 ... 32 A 5
Héberville 76 ... 19 H 3
Hébuterne 62 ... 13 F 4
Hèches 65 ... 333 H 2
Hecken 68 ... 143 E 2
Hecmanville 27 ... 35 F 4
Hécourt 27 ... 56 D 2
Hécourt 60 ... 37 G 1
Hecq 59 ... 15 E 3
Hectomare 27 ... 36 A 4
Hédauville 80 ... 13 E 5
Hédé-Bazouges 35 ... 80 A 5
Hédouville 95 ... 38 B 5
Hegeney 67 ... 68 D 2
Hégenheim 68 ... 143 H 3
Heidolsheim 67 ... 97 F 5
Heidwiller 68 ... 143 F 2
Heiligenberg 67 ... 97 E 2
Heiligenstein 67 ... 97 F 3
Heillecourt 54 ... 94 D 1
Heilles 60 ... 38 B 3
Heilly 80 ... 22 D 1
Heiltz-le-Hutier 51 ... 63 E 5
Heiltz-le-Maurupt 51 ... 63 E 4
Heiltz-l'Évêque 51 ... 62 D 4
Heimersdorf 68 ... 143 F 3
Heimsbrunn 68 ... 143 E 2
Heining-lès-Bouzonville 57 ... 46 D 3
Heippes 55 ... 63 H 1
Heiteren 68 ... 121 G 4
Heiwiller 68 ... 143 F 3
Hélesmes 59 ... 9 F 5
Hélette 64 ... 311 F 4
Helfaut 62 ... 7 F 2
Helfrantzkirch 68 ... 143 G 3
Helléan 56 ... 102 D 4
Hellemmes-Lille 59 ... 8 D 2
Hellenvilliers 27 ... 56 B 4
Hellering-lès-Fénétrange 57 ... 67 G 4
Helleville 50 ... 28 D 4
Hellimer 57 ... 67 F 2
Héloup 61 ... 83 G 4
Helstroff 57 ... 46 C 5
Hem 59 ... 9 E 2
Hem-Hardinval 80 ... 12 C 4
Hem-Lenglet 59 ... 14 B 3
Hem-Monacu 80 ... 23 F 1
Hémevez 50 ... 29 F 5
Hémévillers 60 ... 39 E 1
Hémilly 57 ... 66 C 1
Héming 57 ... 67 G 5
Hémonstoir 22 ... 102 A 2
Hénaménil 54 ... 66 D 5
Hénanbihen 22 ... 79 E 2
Hénansal 22 ... 79 E 3
Hendaye 64 ... 310 A 3
Hendecourt-lès-Cagnicourt 62 ... 13 H 3
Hendecourt-lès-Ransart 62 ... 13 G 3
Hénencourt 80 ... 13 E 5
Henflingen 68 ... 143 F 3
Hengoat 22 ... 73 E 3
Hengwiller 67 ... 68 B 5
Hénin-Beaumont 62 ... 8 C 5
Hénin-sur-Cojeul 62 ... 13 G 3
Héninel 62 ... 13 G 3
Hennebont 56 ... 101 F 5
Hennecourt 88 ... 119 E 2
Hennemont 55 ... 64 D 1
Henneveux 62 ... 2 C 5
Hennezel 88 ... 118 D 3
Hennezis 27 ... 36 D 4
Hénon 22 ... 78 C 4
Hénonville 60 ... 38 A 4
Hénouville 76 ... 36 A 1
Henrichemont 18 ... 155 F 3
Henridorff 57 ... 68 A 4
Henriville 57 ... 67 F 1
Hénu 62 ... 13 E 4
Henvic 29 ... 71 H 4
Hérange 57 ... 67 H 4
L'Herbaudière 85 ... 164 B 1
Herbault 41 ... 131 H 5
Herbeauvilliers 77 ... 112 A 2
Herbécourt 80 ... 23 F 1
Herbelles 62 ... 7 F 2
L'Herbergement 85 ... 165 H 2
Herbeuval 08 ... 27 H 4
Herbeuville 55 ... 64 D 2
Herbeville 78 ... 57 G 3
Herbéviller 54 ... 95 H 2
Herbeys 38 ... 251 E 2
Les Herbiers 85 ... 166 C 3
Herbignac 44 ... 146 B 1
Herbinghen 62 ... 2 D 5
Herbisse 10 ... 91 E 2
Herbitzheim 67 ... 67 G 1
Herblay 95 ... 58 A 2
Herbsheim 67 ... 97 G 4
Hercé 53 ... 81 H 4
Herchies 60 ... 37 H 1
La Hérelle 60 ... 22 C 5
Hérenguerville 50 ... 51 G 1
Hérépian 34 ... 301 F 5
Hères 65 ... 295 E 5
Hergnies 59 ... 9 G 4
Hergugney 88 ... 94 D 4
Héric 44 ... 147 G 1
Héricourt 62 ... 12 C 2
Héricourt 70 ... 142 B 3
Héricourt-en-Caux 76 ... 19 G 4
Héricourt-sur-Thérain 60 ... 21 G 5
Héricy 77 ... 88 C 4
La Hérie 02 ... 25 G 2
Le Hérie-la-Viéville 02 ... 24 D 2
Hériménil 54 ... 95 F 2
Hérimoncourt 25 ... 142 C 5
Hérin 59 ... 9 G 5
Hérissart 80 ... 12 D 5
Hérisson 03 ... 191 E 2
Hérisson Cascades du 39 ... 179 H 5
Herleville 80 ... 23 F 2
La Herlière 62 ... 13 E 3
Herlies 59 ... 8 B 3
Herlin-le-Sec 62 ... 7 G 5
Herlincourt 62 ... 12 C 2
Herly 62 ... 6 D 3
Herly 80 ... 23 G 3
L'Herm 09 ... 336 B 3
Herm 40 ... 292 D 2
L'Herm Château de 24 ... 241 E 3
Hermanville 76 ... 20 A 2
Hermanville-sur-Mer 14 ... 33 G 3
Les Hermaux 48 ... 263 H 4
Hermaville 62 ... 13 F 2
Hermé 77 ... 89 G 3
Hermelange 57 ... 67 G 5
Hermelinghen 62 ... 2 C 5
L'Hermenault 85 ... 183 H 2
Herment 63 ... 226 D 1
Hermeray 78 ... 86 C 2
Hermerswiller 67 ... 69 F 2
Hermes 60 ... 38 B 3
Hermeville 76 ... 18 D 5
Herméville-en-Woëvre 55 ... 44 C 5
Hermies 62 ... 14 A 4
Hermillon 73 ... 234 A 5
Hermin 62 ... 7 H 5
L'Hermitage 35 ... 104 A 2
L'Hermitage-Lorge 22 ... 78 A 5
Les Hermites 37 ... 131 E 4
L'Hermitière 61 ... 84 C 5
Hermival-les-Vaux 14 ... 34 D 5
Hermonville 51 ... 41 F 3
Hernicourt 62 ... 7 G 5
Herny 57 ... 66 C 2
Le Héron 76 ... 36 D 1
Héronchelles 76 ... 36 D 1
Hérouville 95 ... 38 A 5
Hérouville-Saint-Clair 14 ... 33 G 4
Hérouvillette 14 ... 33 H 4
Herpelmont 88 ... 119 H 2
La Herpinière Moulin 49 ... 150 C 4
Herpont 51 ... 62 D 1
Herpy-l'Arlésienne 08 ... 41 H 1
Herqueville 27 ... 36 C 4
Herqueville 50 ... 28 C 2
Herran 31 ... 334 D 2
Herré 40 ... 274 D 5
Herrère 64 ... 331 H 1
Herrin 59 ... 8 C 3
Herrlisheim 67 ... 69 F 4
Herrlisheim-près-Colmar 68 ... 121 E 3
Herry 18 ... 156 A 4
Hersbach 67 ... 96 D 2
Herserange 54 ... 45 E 1
Hersin-Coupigny 62 ... 8 A 4
Hertzing 57 ... 67 G 5
Hervelinghen 62 ... 2 B 4
Hervilly 80 ... 23 H 1
Héry 58 ... 157 F 4
Héry 89 ... 136 B 2
Héry-sur-Alby 74 ... 215 F 5
Herzeele 59 ... 3 H 4
Hesbécourt 80 ... 23 H 1
Hescamps-Saint-Clair 80 ... 21 G 3
Hesdigneul-lès-Béthune 62 ... 8 A 4
Hesdigneul-lès-Boulogne 62 ... 6 B 2
Hesdin 62 ... 7 E 5
Hesdin-l'Abbé 62 ... 6 B 2
Hésingue 68 ... 143 H 3
Hesmond 62 ... 6 D 4
Hesse 57 ... 67 G 5
Hessenheim 67 ... 97 F 5
Hestroff 57 ... 46 C 4
Hestrud 59 ... 16 A 3
Hestrus 62 ... 7 G 4
Hétomesnil 60 ... 22 A 5
Hettange-Grande 57 ... 45 G 2
Hettenschlag 68 ... 121 F 3
Heubécourt-Haricourt 27 ... 37 E 5
Heuchin 62 ... 7 F 4
Heucourt-Croquoison 80 ... 11 G 5
Heudebouville 27 ... 36 C 4
Heudicourt 27 ... 37 F 3
Heudicourt 80 ... 14 A 5
Heudicourt-sous-les-Côtes 55 ... 64 D 3
Heudreville-en-Lieuvin 27 ... 35 E 4
Heudreville-sur-Eure 27 ... 36 B 5
Heugas 40 ... 292 D 3
Heugleville-sur-Scie 76 ... 20 B 3
Heugnes 36 ... 171 F 2
Heugon 61 ... 54 D 3
Heugueville-sur-Sienne 50 ... 31 G 5
Heuilley-Cotton 52 ... 139 G 3
Heuilley-le-Grand 52 ... 139 H 3
Heuilley-sur-Saône 21 ... 160 D 3
Heuland 14 ... 34 B 3
Heume-l'Église 63 ... 227 E 1
La Heunière 27 ... 56 D 1
Heuqueville 27 ... 36 C 3
Heuqueville 76 ... 18 C 5
Heuringhem 62 ... 7 F 2
Heurteauville 76 ... 35 H 2
Heurtevent 14 ... 54 C 2
Heussé 50 ... 81 H 3
Heutrégiville 51 ... 42 A 3
Heuzecourt 80 ... 12 C 4
Hévilliers 55 ... 93 F 2
Heyrieux 38 ... 231 G 2
Hézecques 62 ... 7 F 4
Le Hézo 56 ... 124 C 4
Hibarette 65 ... 315 E 5
Hières-sur-Amby 38 ... 214 A 5
Hierges 08 ... 17 E 4
Hiermont 80 ... 12 B 3
Hiers-Brouage 17 ... 200 C 4
Hiersac 16 ... 221 E 1
Hiesse 16 ... 204 B 2
Hiesville 50 ... 32 A 2
Hiéville 14 ... 54 B 1
Higuères-Souye 64 ... 314 C 3
Hiis 65 ... 315 F 5
Hilbesheim 57 ... 67 H 4
Hillion 22 ... 78 C 3
Hilsenheim 67 ... 97 G 4
Hilsprich 57 ... 67 F 1
Hinacourt 02 ... 24 B 3
Hinckange 57 ... 46 C 5
Hindisheim 67 ... 97 G 2
Hindlingen 68 ... 143 E 3
Hinges 62 ... 8 A 3
Le Hinglé 22 ... 79 G 4
Hinsbourg 67 ... 68 A 2
Hinsingen 67 ... 67 G 2
Hinx 40 ... 293 E 3
Hipsheim 67 ... 97 G 2
Hirel 35 ... 50 D 5
Hirmentaz 74 ... 198 B 4
Hirschland 67 ... 67 H 3
Hirsingue 68 ... 143 F 3
Hirson 02 ... 25 G 1
Hirtzbach 68 ... 143 E 3
Hirtzfelden 68 ... 121 F 4
His 31 ... 335 E 1
Hitte 65 ... 315 F 5
Hoc Pointe du 14 ... 32 C 2
Hochfelden 67 ... 68 C 4
Hochstatt 68 ... 143 F 2
Hochstett 67 ... 68 D 4
Hocquigny 50 ... 51 G 3
Hocquincourt 80 ... 11 G 4
Hocquinghen 62 ... 2 D 5
Hodenc-en-Bray 60 ... 37 H 1
Hodenc-l'Évêque 60 ... 38 A 3
Hodeng-au-Bosc 76 ... 21 F 2
Hodeng-Hodenger 76 ... 37 E 1
Hodent 95 ... 37 G 5
Hœdic 56 ... 144 D 4
Hœnheim 67 ... 69 E 5
Hœrdt 67 ... 69 E 5
Hoéville 54 ... 66 C 5
Hoffen 67 ... 69 F 2
Les Hogues 27 ... 36 D 2
La Hoguette 14 ... 53 H 3
Hohatzenheim 67 ... 68 D 4
Hohengœft 67 ... 68 C 5
Hohfrankenheim 67 ... 68 C 4
Hohneck 68 ... 120 C 3
Hohrod 68 ... 120 C 3
Hohrodberg 68 ... 120 C 3
Le Hohwald 67 ... 97 E 3
Hohwiller 67 ... 69 F 2
Holacourt 57 ... 66 C 2
Holling 57 ... 46 C 4
Holnon 02 ... 24 A 2
Holque 59 ... 3 F 4
Holtzheim 67 ... 97 G 1
Holtzwihr 68 ... 121 F 2
Holving 57 ... 67 G 1
Hombleux 80 ... 23 G 3
Homblières 02 ... 24 B 2
Hombourg 68 ... 143 G 1
Hombourg-Budange 57 ... 46 B 4
Hombourg-Haut 57 ... 47 E 5
L'Hôme-Chamondot 61 ... 84 D 2
Homécourt 54 ... 45 F 4
Hommarting 57 ... 67 H 4
L'Homme-d'Armes 26 ... 267 E 3
Hommert 57 ... 67 H 5
Hommes 37 ... 151 E 2
Le Hommet-d'Arthenay 50 ... 32 A 4
Homps 11 ... 320 C 4
Homps 32 ... 296 D 2
Hon-Hergies 59 ... 15 F 2
Hondainville 60 ... 38 B 3
Hondeghem 59 ... 3 H 5
Hondevilliers 77 ... 60 B 3
Hondouville 27 ... 36 B 5
Hondschoote 59 ... 3 H 2
Honfleur 14 ... 34 C 2
Honguemare-Guenouville 27 ... 35 H 2
Honnechy 59 ... 14 D 5
Honnecourt-sur-Escaut 59 ... 14 B 5
L'Honor-de-Cos 82 ... 277 H 4
Honskirch 57 ... 67 G 2
Hontanx 40 ... 294 C 2
L'Hôpital 22 ... 78 C 4
L'Hôpital 48 ... 283 E 1
L'Hôpital 57 ... 47 E 5
Hôpital-Camfrout 29 ... 75 G 3
L'Hôpital-d'Orion 64 ... 313 F 2
L'Hôpital-du-Grosbois 25 ... 162 B 4
L'Hôpital-le-Grand 42 ... 229 H 2
L'Hôpital-le-Mercier 71 ... 193 G 3
L'Hôpital-Saint-Blaise 64 ... 313 F 4
L'Hôpital-Saint-Lieffroy 25 ... 162 D 2
L'Hôpital-sous-Rochefort 42 ... 211 F 5
L'Hôpital-sur-Rhins 42 ... 211 H 3
Les Hôpitaux-Neufs 25 ... 180 D 4
Les Hôpitaux-Vieux 25 ... 180 D 3
Horbourg 68 ... 121 E 3
Hordain 59 ... 14 C 2
La Horgne 08 ... 26 D 4
Horgues 65 ... 315 E 5
L'Horme 42 ... 230 C 3
Hornaing 59 ... 9 F 5
Hornoy 80 ... 21 H 2
Le Horps 53 ... 82 C 4
Horsarrieu 40 ... 293 H 3
Hortes 52 ... 140 A 2
Horville-en-Ornois 55 ... 93 G 3
L'Hosmes 27 ... 56 A 4
Hospice de France 31 ... 334 B 5
L'Hospitalet 04 ... 287 E 4
L'Hospitalet 46 ... 260 C 1
L'Hospitalet-du-Larzac 12 ... 282 A 5
L'Hospitalet-près-l'Andorre 09 ... 340 D 3
Hossegor 40 ... 292 A 3
Hosta 64 ... 330 D 1
Hoste 57 ... 67 F 1
Hostens 33 ... 255 F 4
Hostias 01 ... 214 C 4
Hostun 26 ... 249 H 3
L'Hôtellerie 14 ... 35 E 5
L'Hôtellerie-de-Flée 49 ... 128 A 3
Hotonnes 01 ... 214 D 2
Hotot-en-Auge 14 ... 34 A 4
Hottot-les-Bagues 14 ... 33 E 4
Hottviller 57 ... 68 A 1
La Houblonnière 14 ... 34 B 5
Les Houches 74 ... 216 D 3
Houchin 62 ... 8 A 4
Houdain 62 ... 7 H 4
Houdain-lez-Bavay 59 ... 15 F 2
Houdan 78 ... 57 E 4
Houdancourt 60 ... 39 E 3
Houdelaincourt 55 ... 93 G 2
Houdelaucourt-sur-Othain 55 ... 44 D 4
Houdelmont 54 ... 94 C 2
Houdemont 54 ... 94 D 1
Houdetot 76 ... 19 H 2
Houdilcourt 08 ... 41 H 2
Houdreville 54 ... 94 D 2
Houécourt 88 ... 94 B 5
Houeillès 47 ... 274 D 3
Houesville 50 ... 31 H 2
Houetteville 27 ... 36 B 5
Houéville 88 ... 94 A 4
Houeydets 65 ... 315 H 5
Le Houga 32 ... 294 C 2
Houilles 78 ... 58 B 2
Houlbec-Cocherel 27 ... 56 D 1
Houlbec-près-le-Gros-Theil 27 ... 35 H 4
Houldizy 08 ... 26 D 2
Houlette 16 ... 202 C 5
Houlgate 14 ... 34 A 3
Houlle 62 ... 3 F 5
Le Houlme 76 ... 36 A 1
L'Houmeau 17 ... 183 F 5
Hounoux 11 ... 337 E 1
Houplin-Ancoisne 59 ... 8 C 3
Houplines 59 ... 8 C 2
Houppeville 76 ... 36 B 1
Houquetot 76 ... 19 E 5
Hourc 65 ... 315 F 4
Le Hourdel 80 ... 11 E 2
Hourges 51 ... 41 E 3
Hours 64 ... 314 C 4
Hourtin 33 ... 236 C 1
Hourtin-Plage 33 ... 236 B 1
Hourtous Roc des 48 ... 282 A 2
Houry 02 ... 25 F 3
Houssay 41 ... 131 F 3
Houssay 53 ... 106 A 5
La Houssaye 27 ... 55 H 2
La Houssaye-Béranger 76 ... 20 B 4
La Houssaye-en-Brie 77 ... 59 G 4
Le Housseau 53 ... 82 C 3
Houssen 68 ... 121 E 2
Housseras 88 ... 95 H 4
Housset 02 ... 25 E 3
Housséville 54 ... 94 D 3
La Houssière 88 ... 120 A 2
La Houssoye 60 ... 37 H 3
Houtaud 25 ... 180 C 2
Houtkerque 59 ... 4 A 4
Houtteville 50 ... 31 H 2
Houville-en-Vexin 27 ... 36 D 3
Houville-la-Branche 28 ... 86 C 4
Houvin-Houvigneul 62 ... 12 D 2
Houx 28 ... 86 B 2
Hoymille 59 ... 3 H 3
Huanne-Montmartin 25 ... 162 C 1
Hubersent 62 ... 6 B 3
Hubert-Folie 14 ... 33 G 5
Huberville 50 ... 29 F 4
Huby-Saint-Leu 62 ... 7 E 5
Huchenneville 80 ... 11 G 4
Huclier 62 ... 7 G 5
Hucqueliers 62 ... 6 D 3
Hudimesnil 50 ... 51 G 2
Hudiviller 54 ... 95 F 1
Huelgoat 29 ... 76 C 3
Huest 27 ... 56 B 1
Huêtre 45 ... 110 D 4
Huez 38 ... 251 G 2
Hugier 70 ... 161 F 3
Hugleville-en-Caux 76 ... 20 A 4
Huillé 49 ... 129 E 4
Huilliécourt 52 ... 117 H 2
Huilly-sur-Seille 71 ... 195 G 1
Huiron 51 ... 62 C 5
Huismes 37 ... 151 E 4
Huisnes-sur-Mer 50 ... 51 G 5
D'Huison-Longueville 91 ... 87 H 4
Huisseau-en-Beauce 41 ... 131 G 4
Huisseau-sur-Cosson 41 ... 132 B 5
Huisseau-sur-Mauves 45 ... 132 D 2
L'Huisserie 53 ... 106 A 4

Hulluch 62 ... 8 B 4
Hultehouse 57 ... 68 A 5
Humbauville 51 ... 62 B 5
Humbécourt 52 ... 92 C 2
Humbercamps 62 ... 13 E 3
Humbercourt 80 ... 13 E 3
Humbert 62 ... 6 D 4
Humberville 52 ... 93 F 5
Humbligny 18 ... 155 G 4
La Hume 33 ... 254 B 2
Humerœuille 62 ... 7 F 5
Humes 52 ... 117 F 5
Humières 62 ... 7 F 5
Hunaudaye
 Château de la 22 ... 79 E 3
Hunawihr 68 ... 121 E 2
Hundling 57 ... 47 G 5
Hundsbach 68 ... 143 F 3
Huningue 68 ... 143 H 3
Hunspach 67 ... 69 F 2
Hunting 57 ... 46 B 2
Huos 31 ... 334 B 1
Huparlac 12 ... 263 E 2
Huppain 14 ... 32 D 2
Huppy 80 ... 11 G 4
Hurbache 88 ... 96 B 4
Hure 33 ... 256 D 4
Hurecourt 70 ... 118 D 5
Hures-la-Parade 48 ... 282 B 2
Huriel 03 ... 190 C 4
Hurigny 71 ... 195 E 4
Hurtières 38 ... 233 F 5
Hurtigheim 67 ... 97 F 1
Husseren-les-Châteaux 68 ... 121 E 3
Husseren-Wesserling 68 ... 120 C 5
Hussigny-Godbrange 54 ... 45 E 2
Husson 50 ... 81 H 2
La Hutte 72 ... 83 G 5
Huttendorf 67 ... 68 D 3
Huttenheim 67 ... 97 G 3
Hyds 03 ... 191 F 5
Hyémondans 25 ... 163 E 2
Hyencourt-le-Grand 80 ... 23 F 2
Hyenville 50 ... 51 G 1
Hyères 83 ... 328 C 4
Hyères-Plage 83 ... 328 C 5
Hyet 70 ... 162 A 1
Hyèvre-Magny 25 ... 162 D 2
Hyèvre-Paroisse 25 ... 162 D 2
Hymont 88 ... 94 D 5

I

Ibarrolle 64 ... 311 G 5
Ibarron 64 ... 310 C 4
Ibigny 57 ... 96 A 1
Ibos 65 ... 315 E 4
Ichtratzheim 67 ... 97 G 2
Ichy 77 ... 112 A 2
Idaux-Mendy 64 ... 331 E 1
Idrac-Respaillès 32 ... 296 A 5
Idron 64 ... 314 B 4
Ids-Saint-Roch 18 ... 172 D 5
If *Château d'* 13 ... 326 D 3
Iffendic 35 ... 103 G 2
Les Iffs 35 ... 80 A 5
Ifs 14 ... 33 G 5
Les Ifs 76 ... 19 E 4
Igé 61 ... 84 B 5
Igé 71 ... 194 D 3
Ignaucourt 80 ... 22 D 2
Ignaux 09 ... 336 D 5
Igney 54 ... 96 A 1
Igney 88 ... 95 F 5
Ignol 18 ... 174 A 2
Igny 70 ... 161 G 1
Igny 91 ... 58 B 4
Igny-Comblizy 51 ... 61 E 1
Igon 64 ... 314 C 5
Igornay 71 ... 176 D 1
Igoville 27 ... 36 B 3
Iguerande 71 ... 193 G 5
Iholdy 64 ... 311 F 5
Ilay 39 ... 179 H 5
Ile-aux-Moines 56 ... 124 B 4
L'Ile-Bouchard 37 ... 151 F 5
Ile-d'Aix 17 ... 200 C 2
Ile-d'Arz 56 ... 124 B 4
Ile-de-Batz 29 ... 71 G 3
Ile-de-Bréhat 22 ... 73 G 2
Ile-de-Sein 29 ... 98 B 2
L'Ile-d'Elle 85 ... 183 G 4
Ile-d'Houat 56 ... 144 D 3
L'Ile-d'Olonne 85 ... 182 A 1
L'Île-d'Yeu 85 ... 164 A 4
Ile-Molène 29 ... 74 B 2
L'Ile-Rousse 2B ... 344 C 5
L'Ile-Saint-Denis 93 ... 58 C 2
Ile-Tudy 29 ... 99 G 4
Ilhan 65 ... 333 H 3
Ilharre 64 ... 311 G 3
Ilhat 09 ... 336 C 3
Les Ilhes 11 ... 319 H 3
Ilhet 65 ... 333 H 2
Ilheu 65 ... 334 B 2
Illange 57 ... 45 H 3
Illartein 09 ... 335 E 3
Las Illas 66 ... 342 D 5
Illats 33 ... 255 H 3
Ille-sur-Têt 66 ... 342 C 2
Illeville-sur-Montfort 27 ... 35 G 3
Illfurth 68 ... 143 F 2
Illhaeusern 68 ... 97 F 5
Illiat 01 ... 213 E 1
Illier-et-Laramade 09 ... 336 A 5
Illiers-Combray 28 ... 85 H 5
Illiers-l'Évêque 27 ... 56 C 4
Illies 59 ... 8 B 3
Illifaut 22 ... 103 E 2
Illkirch-Graffenstaden 67 ... 97 G 1
Illois 76 ... 21 F 3
Illoud 52 ... 117 H 2
Illy 08 ... 27 F 3
Illzach 68 ... 143 F 1
Ilonse 06 ... 289 H 4
Imbleville 76 ... 20 A 4
Imbsheim 67 ... 68 B 4
Imécourt 08 ... 43 F 2
Imling 57 ... 67 G 5
Immonville 54 ... 45 E 4
Imphy 58 ... 174 D 3
Imsthal *Étang d'* 67 ... 68 A 3
Inaumont 08 ... 26 A 5
Incarville 27 ... 36 B 4
Incheville 76 ... 11 E 4
Inchy 59 ... 14 D 4
Inchy-en-Artois 62 ... 14 A 3
Incourt 62 ... 7 E 5
Indevillers 25 ... 163 H 2
Indre 44 ... 147 F 4
Ineuil 18 ... 172 D 4
Les Infournas 05 ... 269 H 2
Infreville 27 ... 35 H 3
Ingenheim 67 ... 68 C 4
Ingersheim 68 ... 121 E 2
Inghem 62 ... 7 F 2
Inglange 57 ... 46 B 3
Ingolsheim 67 ... 69 F 1
Ingouville 76 ... 19 G 2
Ingrandes 36 ... 187 G 1
Ingrandes 86 ... 169 G 3
Ingrandes-de-Touraine 37 ... 151 E 3
Ingrandes-Le Fresne-
 sur-Loire 49 ... 148 D 2
Ingrannes 45 ... 111 G 5
Ingré 45 ... 133 E 2
Inguiniel 56 ... 101 F 3
Ingwiller 67 ... 68 B 3
Injoux-Génissiat 01 ... 215 E 2
Innenheim 67 ... 97 F 2
Innimond 01 ... 214 C 5
Inor 55 ... 27 G 5
Insming 57 ... 67 F 2
Insviller 57 ... 67 F 3
Intraville 76 ... 10 C 5
Intres 07 ... 248 B 4
Intréville 28 ... 87 E 5
Intville-la-Guétard 45 ... 111 G 2
Inval-Boiron 80 ... 21 G 2
Inxent 62 ... 6 C 3
Inzinzac-Lochrist 56 ... 101 F 5
Ippécourt 55 ... 63 H 1
Ippling 57 ... 47 G 5
Irai 61 ... 55 G 5
Irais 79 ... 168 B 3
Irancy 89 ... 136 C 4
Iré-le-Sec 55 ... 44 B 2
Iré-les-Prés 55 ... 44 B 2
Irigny 69 ... 231 E 1
Irissarry 64 ... 311 F 5
Irles 80 ... 13 G 4
Irmstett 67 ... 97 F 1
Irodouër 35 ... 103 H 1
Iron 02 ... 24 D 1
Irouléguy 64 ... 330 B 1
Irreville 27 ... 36 B 5
Irvillac 29 ... 75 G 3
Is-en-Bassigny 52 ... 117 G 4
Is-sur-Tille 21 ... 160 B 1
Isbergues 62 ... 7 H 2
Isches 88 ... 118 B 4
Isdes 45 ... 133 H 4
Isenay 58 ... 175 G 3
Iseran *Col de l'* 73 ... 235 F 3
Isigny-le-Buat 50 ... 52 A 5
Isigny-sur-Mer 14 ... 32 B 3
Island 89 ... 157 H 1
Isle 87 ... 205 G 5
L'Isle-Adam 95 ... 38 B 5
L'Isle-Arné 32 ... 296 C 4
Isle-Aubigny 10 ... 91 F 3
Isle-Aumont 10 ... 115 E 2
L'Isle-Bouzon 32 ... 296 C 1
Isle-Briand *Haras de l'* 49 ... 128 B 4
L'Isle-d'Abeau 38 ... 231 H 2
L'Isle-d'Abeau
 Ville nouvelle 38 ... 231 H 2
L'Isle-de-Noé 32 ... 295 H 5
L'Isle-d'Espagnac 16 ... 221 F 1
L'Isle-en-Dodon 31 ... 316 D 3
Isle-et-Bardais 03 ... 173 H 5
L'Isle-Jourdain 32 ... 297 F 4
L'Isle-Jourdain 86 ... 187 E 5
Isle-Saint-Georges 33 ... 255 G 2
Isle-Savary
 Château d' 36 ... 170 D 2
L'Isle-sur-la-Sorgue 84 ... 305 F 1
L'Isle-sur-le-Doubs 25 ... 142 A 5
Isle-sur-Marne 51 ... 62 D 5
L'Isle-sur-Serein 89 ... 137 E 5
Les Isles-Bardel 14 ... 53 G 3
Isles-les-Meldeuses 77 ... 59 H 2
Isles-lès-Villenoy 77 ... 59 F 3
Isles-sur-Suippe 51 ... 41 H 2
Les Islettes 55 ... 43 F 5
Isneauville 76 ... 36 B 1
Isola 06 ... 289 G 2
Isola 2000 06 ... 289 H 2
Isolaccio-di-Fiumorbo 2B ... 349 F 2
Isômes 52 ... 139 G 4
Ispagnac 48 ... 282 C 1
Ispe 40 ... 254 B 5
Ispoure 64 ... 330 C 1
Isques 62 ... 6 B 2
Issac 24 ... 239 H 4
Les Issambres 83 ... 329 G 1
Issamoulenc 07 ... 266 C 1
Issancourt-et-Rumel 08 ... 27 E 3
Issanlas 07 ... 265 G 2
Issans 25 ... 142 B 4
Les Issards 09 ... 336 C 1
Issarlès 07 ... 265 G 1
Issé 44 ... 126 D 4
Isse 51 ... 61 H 1
Issel 11 ... 319 E 3
Issendolus 46 ... 260 D 2
Issenhausen 67 ... 68 C 3
Issenheim 68 ... 120 D 5
Issepts 46 ... 261 F 3
Isserpent 03 ... 210 D 1
Isserteaux 63 ... 228 B 2
Issigeac 24 ... 258 B 2
Issirac 30 ... 284 C 2
Issoire 63 ... 228 A 3
Issolud *Puy d'* 46 ... 242 D 4
Issoncourt 55 ... 63 H 2
Issor 64 ... 331 G 2
Issou 78 ... 57 G 2
Issoudun 36 ... 172 B 2
Issoudun-Létrieix 23 ... 207 G 2
Issus 31 ... 318 A 3
Issy-les-Moulineaux 92 ... 58 B 4
Issy-l'Évêque 71 ... 176 A 5
Istres 13 ... 305 E 5
Les Istres-et-Bury 51 ... 61 H 2
Isturits 64 ... 311 F 4
Itancourt 02 ... 24 B 3
Iteuil 86 ... 186 B 2
Ithorots-Olhaïby 64 ... 311 H 4
Ittenheim 67 ... 97 G 1
Ittersviller 67 ... 97 E 3
Itteville 91 ... 87 H 3
Itxassou 64 ... 310 D 4
Itzac 81 ... 279 E 5
Ivergny 62 ... 12 D 3
Iverny 77 ... 59 F 2
Iviers 02 ... 25 H 3
Iville 27 ... 35 H 5
Ivors 60 ... 39 H 4
Ivory 39 ... 179 H 2
Ivoy-le-Pré 18 ... 155 F 3
Ivrey 39 ... 179 H 1
Ivry *Obélisque d'* 27 ... 56 D 2
Ivry-en-Montagne 21 ... 177 F 1
Ivry-la-Bataille 27 ... 56 D 3
Ivry-le-Temple 60 ... 37 H 4
Ivry-sur-Seine 94 ... 58 C 4
Iwuy 59 ... 14 C 3
Izaourt 65 ... 334 B 2
Izaut-de-l'Hôtel 31 ... 334 C 2
Izaux 65 ... 333 H 1
Izé 53 ... 106 D 2
Izeaux 38 ... 232 B 5
Izel-lès-Équerchin 62 ... 8 C 5
Izel-lès-Hameaux 62 ... 13 E 2
Izenave 01 ... 214 B 2
Izernore 01 ... 196 C 5
Izeron 38 ... 250 B 2
Izeste 64 ... 332 A 1
Izeure 21 ... 160 B 5
Izier 21 ... 160 B 3
Izieu 01 ... 232 C 1
Izoard *Col d'* 05 ... 253 E 5
Izon 33 ... 237 H 5
Izon-la-Bruisse 26 ... 286 D 2
Izotges 32 ... 295 E 4
Izy 45 ... 111 F 3

J

Jablines 77 ... 59 F 2
Jabreilles-les-Bordes 87 ... 206 B 3
Jabrun 15 ... 263 G 1
Jacob-Bellecombette 73 ... 233 F 2
Jacou 34 ... 302 D 4
Jacque 65 ... 315 F 3
Jagny-sous-Bois 95 ... 58 D 1
Jaignes 77 ... 59 H 2
Jaillans 26 ... 249 H 3
La Jaille-Yvon 49 ... 128 B 3
Jaillon 54 ... 65 F 5
Jailly 58 ... 175 E 1
Jailly-les-Moulins 21 ... 159 F 1
Jainvillotte 88 ... 94 A 5
Jalesches 23 ... 189 H 5
Jaleyrac 15 ... 244 B 1
Jaligny-sur-Besbre 03 ... 192 C 4
Jallais 49 ... 148 D 4
Jallanges 21 ... 178 B 2
Jallans 28 ... 110 A 4
Jallaucourt 57 ... 66 B 4
Jallerange 25 ... 161 F 3
Jalognes 18 ... 155 H 4
Jalogny 71 ... 194 C 3
Jâlons 51 ... 61 H 1
La Jalousie 14 ... 33 G 5
Jambles 71 ... 177 G 4
Jambville 78 ... 57 G 1
Jaméricourt 60 ... 37 G 3
Jametz 55 ... 44 B 2
Jameyzieu 38 ... 231 H 1
Janailhac 87 ... 223 G 2
Janaillat 23 ... 206 D 2
Jancigny 21 ... 160 D 2
Jandun 08 ... 26 C 4
Janneyrias 38 ... 213 G 5
Jans 44 ... 126 C 4
Jansac 26 ... 268 B 3
Janville 14 ... 34 A 4
Janville 28 ... 110 D 2
Janville 60 ... 39 G 1
Janville-sur-Juine 91 ... 87 G 3
Janvilliers 51 ... 60 D 3
Janvry 51 ... 41 F 4
Janvry 91 ... 58 A 5
Janzé 35 ... 104 C 4
Jarcieu 38 ... 231 F 5
La Jard 17 ... 219 G 1
Jard-sur-Mer 85 ... 182 C 2
Le Jardin 19 ... 225 F 5
Jardin 38 ... 231 F 3
Jardres 86 ... 186 D 1
Jargeau 45 ... 133 G 2
Jarjayes 05 ... 269 H 4
Jarménil 88 ... 119 G 3
Jarnac 16 ... 220 C 1
Jarnac-Champagne 17 ... 219 H 2
Jarnages 23 ... 207 G 1
La Jarne 17 ... 200 C 1
Jarnioux 69 ... 212 C 3
Jarnosse 42 ... 211 H 2
Jarny 54 ... 45 F 5
Jarret 65 ... 333 E 1
La Jarrie 17 ... 200 D 1
Jarrie 38 ... 251 E 2
La Jarrie-Audouin 17 ... 201 H 2
Jarrier 73 ... 234 A 5
Jars 18 ... 155 G 2
Jarsy 73 ... 233 H 1
Jarville-la-Malgrange 54 ... 94 D 1
Jarzé Villages 49 ... 129 E 5
Jas 42 ... 230 A 1
Jasney 70 ... 118 D 5
Jassans-Riottier 01 ... 213 E 3
Jasseines 10 ... 91 G 3
Jasseron 01 ... 196 A 5
Jasses 64 ... 313 G 3
Jatxou 64 ... 310 D 3
Jau *Col de* 11 ... 341 H 2
Jau-Dignac-et-Loirac 33 ... 218 D 4
Jaucourt 10 ... 116 A 2
La Jaudonnière 85 ... 166 D 5
Jaudrais 28 ... 85 G 2
Jaujac 07 ... 266 A 3
Jauldes 16 ... 203 G 5
Jaulges 89 ... 114 C 5
Jaulgonne 02 ... 60 C 1
Jaulnay 37 ... 169 F 2
Jaulnes 77 ... 89 G 4
Jaulny 54 ... 65 F 2
Jaulzy 60 ... 39 H 2
Jaunac 07 ... 248 B 5
Jaunay-Clan 86 ... 169 F 5
Jaures 24 ... 240 B 3
Jausiers 04 ... 271 E 5
Jaux 60 ... 39 F 2
Jauzé 72 ... 108 A 2
Javaugues 43 ... 246 C 1
Javené 35 ... 81 E 5
Javerdat 87 ... 205 E 3
Javerlhac-et-la-Chapelle-
 Saint-Robert 24 ... 222 B 3
Javernant 10 ... 114 D 3
La Javie 04 ... 288 B 2
Javols 48 ... 264 B 2
Javrezac 16 ... 220 B 1
Javron 53 ... 82 D 4
Jax 43 ... 246 D 2
Jaxu 64 ... 311 F 5
Jayac 24 ... 241 H 4
Jayat 01 ... 195 G 3
Jazeneuil 86 ... 185 H 3
Jazennes 17 ... 219 G 2
Jeancourt 02 ... 24 A 1
Jeandelaincourt 54 ... 65 H 4
Jeandelize 54 ... 45 E 5
Jeanménil 88 ... 95 H 4
Jeansagnière 42 ... 229 E 1
Jeantes 02 ... 25 G 3
Jebsheim 68 ... 121 F 2
Jegun 32 ... 296 A 3
La Jemaye 24 ... 239 F 2
Jenlain 59 ... 15 E 2
Jenzat 03 ... 209 H 1
Jésonville 88 ... 118 D 3
Jessains 10 ... 91 H 5
Jetterswiller 67 ... 68 B 5
Jettingen 68 ... 143 G 3
Jeu-les-Bois 36 ... 172 A 5
Jeu-Maloches 36 ... 171 F 1
Jeufosse 78 ... 57 E 1
Jeugny 10 ... 114 D 3
Jeumont 59 ... 15 H 2
Jeurre 39 ... 196 D 3
Jeux-lès-Bard 21 ... 158 C 1
Jeuxey 88 ... 119 G 2
Jevoncourt 54 ... 94 D 3
Jezainville 54 ... 65 G 3
Jézeau 65 ... 333 H 3
Joannas 07 ... 266 A 4
Job 63 ... 229 E 2
Jobourg 50 ... 28 C 2
Jobourg *Nez de* 50 ... 28 C 2
Joch 66 ... 342 B 3
Jœuf 54 ... 45 G 4
Joganville 50 ... 29 G 5
Joigny 89 ... 113 H 5
Joigny-sur-Meuse 08 ... 26 D 2
Joinville 52 ... 92 D 3
Joinville-le-Pont 94 ... 58 D 4
Joiselle 51 ... 60 C 4
Jolimetz 59 ... 15 E 3
Jolivet 54 ... 95 G 1
Jonage 69 ... 213 G 5
Joncels 34 ... 301 G 3
La Jonchère 85 ... 182 D 2
La Jonchère-
 Saint-Maurice 87 ... 206 B 3
Jonchères 26 ... 268 B 3
Joncherey 90 ... 142 D 4
Jonchery 52 ... 116 D 3
Jonchery-sur-Suippe 51 ... 42 B 5
Jonchery-sur-Vesle 51 ... 41 E 3
Joncourt 02 ... 24 B 1
Joncreuil 10 ... 92 A 3
Joncy 71 ... 194 C 1
Jongieux 73 ... 215 E 5
Jonquerets-de-Livet 27 ... 55 F 1
Jonquerettes 84 ... 285 G 5
Jonquery 51 ... 41 E 5
Jonquières 11 ... 338 C 2
Jonquières 34 ... 302 A 4
Jonquières 60 ... 39 F 2
Jonquières 81 ... 299 F 4
Jonquières 84 ... 285 F 4
Jonquières-
 Saint-Vincent 30 ... 304 B 2
Jons 69 ... 213 G 5
Jonval 08 ... 26 D 5
Jonvelle 70 ... 118 C 5
Jonville-en-Woëvre 55 ... 65 E 1
Jonzac 17 ... 219 H 4
Jonzier-Épagny 74 ... 215 F 2
Jonzieux 42 ... 230 B 5
Joppécourt 54 ... 45 E 3
Jorquenay 52 ... 117 F 5
Jort 14 ... 54 A 2
Jorxey 88 ... 95 E 5
Josat 43 ... 246 D 2
Josnes 41 ... 132 C 3
Josse 40 ... 292 C 4
Josselin 56 ... 102 C 4
Jossigny 77 ... 59 F 3
Jou-sous-Monjou 15 ... 244 D 5
Jouac 87 ... 188 A 4
Jouaignes 02 ... 40 C 3
Jouancy 89 ... 137 E 4
Jouarre 77 ... 60 A 2
Jouars-Pontchartrain 78 ... 57 H 4
Jouaville 54 ... 45 F 5
Joucas 84 ... 305 G 1
Joucou 11 ... 337 F 4
Joudes 71 ... 196 A 2
Joudreville 54 ... 45 E 4
Joué-du-Bois 61 ... 83 E 2
Joué-du-Plain 61 ... 54 A 5
Joué-en-Charnie 72 ... 107 E 4
Joué-Étiau 49 ... 149 F 4
Joué-l'Abbé 72 ... 107 H 3
Joué-lès-Tours 37 ... 151 H 3
Joué-sur-Erdre 44 ... 147 H 1
Jouet-sur-l'Aubois 18 ... 174 B 1
Jouey 21 ... 159 E 5
Jougne 25 ... 180 D 4
Jouhe 39 ... 161 E 5
Jouhet 86 ... 187 F 2
Jouillat 23 ... 189 G 5
Jouques 13 ... 306 B 4
Jouqueviel 81 ... 279 G 3
Jourgnac 87 ... 223 G 1
Journans 01 ... 214 A 1
Journet 86 ... 187 G 3
Journiac 24 ... 240 D 4
Journy 62 ... 2 D 5
Jours-en-Vaux 21 ... 177 F 1
Jours-lès-Baigneux 21 ... 138 B 5
Joursac 15 ... 245 G 2
Joussé 86 ... 186 C 5
Jouvençon 71 ... 195 G 1
La Jouvente 35 ... 50 C 5
Joux 69 ... 212 B 4
Joux *Château de* 25 ... 180 C 2
Joux *Forêt de la* 39 ... 180 A 3
Joux-la-Ville 89 ... 136 D 5
Joux Plane *Col de la* 74 ... 216 D 1
Joux Verte *Col de la* 74 ... 198 D 5
Jouy 28 ... 86 B 3
Jouy 89 ... 112 D 3
Jouy-aux-Arches 57 ... 65 G 1
Jouy-en-Argonne 55 ... 43 H 5
Jouy-en-Josas 78 ... 58 B 4
Jouy-en-Pithiverais 45 ... 111 F 3
Jouy-le-Châtel 77 ... 60 A 5
Jouy-le-Moutier 95 ... 58 A 1
Jouy-le-Potier 45 ... 133 E 3
Jouy-lès-Reims 51 ... 41 F 4
Jouy-Mauvoisin 78 ... 57 F 2
Jouy-sous-les-Côtes 55 ... 64 D 5
Jouy-sous-Thelle 60 ... 37 H 3
Jouy-sur-Eure 27 ... 56 C 1
Jouy-sur-Morin 77 ... 60 B 4
Joyeuse 07 ... 266 A 5
Joyeux 01 ... 213 G 3
Joze 63 ... 210 A 4
Jozerand 63 ... 209 H 3
Jû-Belloc 32 ... 295 E 5
Juan-les-Pins 06 ... 309 F 4
Juaye-Mondaye 14 ... 33 E 4
Jubainville 88 ... 94 A 3
La Jubaudière 49 ... 148 D 4
Jubécourt 55 ... 43 G 5
Jublains 53 ... 106 C 2
Le Juch 29 ... 99 G 2
Jugazan 33 ... 256 C 1
Jugeals-Nazareth 19 ... 242 C 3
Jugon-les-Lacs 22 ... 79 E 4
Jugy 71 ... 195 E 1
Juicq 17 ... 201 G 4
Juif 71 ... 178 B 5
Juignac 16 ... 221 F 5
Juigné-des-Moutiers 44 ... 127 F 4
Juigné-sur-Loire 49 ... 149 G 2
Juigné-sur-Sarthe 72 ... 129 E 2
Juignettes 27 ... 55 F 3

Juillac 19 223 H 5
Juillac 32 295 F 5
Juillac 33 257 E 1
Juillac-le-Coq 16 220 B 2
Juillaguet 16 221 F 4
Juillan 65 315 E 5
Juillé 16 203 F 3
Juillé 72 107 G 2
Juillé 79 202 C 1
Juillenay 21 158 C 3
Juilles 32 296 D 4
Juilley 50 51 H 5
Juilly 21 158 D 1
Juilly 77 59 E 1
Jujols 66 341 H 3
Jujurieux 01 214 B 2
Julianges 48 246 A 5
Juliénas 69 194 D 5
Julienne 16 220 C 1
Julienrupt 88 119 H 3
Jullianges 43 247 E 1
Jullié 69 194 D 5
Jullouville 50 51 F 3
Jully 89 137 G 3
Jully-lès-Buxy 71 177 G 5
Jully-sur-Sarce 10 115 F 3
Julos 65 333 E 1
Julvécourt 55 43 H 5
Jumeauville 78 57 G 3
Jumeaux 63 228 B 4
Les Jumeaux 79 168 B 4
Jumel 80 22 C 3
Jumelles 27 56 B 2
Jumelles 49 150 B 2
La Jumellière 49 149 F 3
Jumencourt 02 40 B 1
Jumièges 76 35 H 2
Jumigny 02 41 E 2
Jumilhac-le-Grand 24 223 F 3
Junas 30 303 F 3
Junay 89 137 E 2
Juncalas 65 333 E 1
Jungholtz 68 120 D 5
Junhac 15 262 C 2
Les Junies 46 259 G 4
Juniville 08 42 B 2
Jupilles 72 130 B 3
Jurançon 64 314 B 4
Juranville 45 112 A 4
Juré 42 211 F 4
Jurignac 16 220 D 3
Jurques 14 52 D 1
Jurvielle 31 334 A 4
Jury 57 65 H 1
Juscorps 79 185 E 5
Jusix 47 257 E 4
Jussac 15 244 B 4
Jussarupt 88 120 A 2
Jussas 17 238 B 1
Jussecourt-Minecourt 51 63 E 4
Jussey 70 140 C 2
Jussy 02 24 A 4
Jussy 57 65 G 1
Jussy 74 215 G 2
Jussy 89 136 B 4
Jussy-Champagne 18 173 G 2
Jussy-le-Chaudrier 18 156 A 5
Justian 32 295 G 2
Justine-Herbigny 08 26 A 5
Justiniac 09 318 A 5
Jutigny 77 89 F 3
Juvaincourt 88 94 C 4
Juvancourt 10 116 B 3
Juvanzé 10 91 H 5
Juvardeil 49 128 C 4
Juvelize 57 66 D 4
Juvignac 34 302 D 4
Juvigné 53 105 G 2
Juvignies 60 38 A 1
Juvigny 02 40 B 2
Juvigny 51 62 A 1
Juvigny 74 197 H 5
Juvigny-en-Perthois 55 93 E 2
Juvigny-le-Tertre 50 52 B 5
Juvigny-sous-Andaine 61 82 C 2
Juvigny-sur-Loison 55 44 B 2
Juvigny-sur-Orne 61 54 B 4
Juvigny-sur-Seulles 14 33 E 4
Juville 57 66 B 3
Juvinas 07 266 A 2
Juvincourt-et-Damary 02 41 F 2
Juvisy-sur-Orge 91 58 C 5
Juvrecourt 54 66 D 5
Juxue 64 311 G 5
Juzanvigny 10 91 H 4
Juzennecourt 52 116 C 2
Juzes 31 318 C 2
Juzet-de-Luchon 31 334 B 4
Juzet-d'Izaut 31 334 C 2
Juziers 78 57 G 2

K

Kalhausen 57 67 H 1
Kaltenhouse 67 69 E 3
Kanfen 57 45 G 2
Kappelen 68 143 G 3
Kappelkinger 57 67 F 2
Les Karellis 73 252 B 1
Katzenthal 68 121 E 2
Kauffenheim 67 69 F 3
Kaysersberg Vignoble 68 120 D 2
Kédange-sur-Canner 57 46 B 4
Keffenach 67 69 E 2
Kembs 68 143 G 2
Kembs-Loéchlé 68 143 H 2
Kemplich 57 46 B 3
Kerazan *Manoir de* 29 99 G 4
Kerbach 57 47 F 5
Kerbors 22 73 E 2
Kerdéniel *Pointe de* 29 75 F 3
Kerdévot *Chapelle de* 29 100 A 3
Kerfany-les-Pins 29 100 B 5
Kerfons *Chapelle de* 22 72 C 3
Kerfot 22 73 F 3
Kerfourn 56 102 A 3
Kergloff 29 76 D 4
Kergonadeac'h *Château de* 29 71 F 4
Kergrist 56 101 H 2
Kergrist *Château de* 22 72 C 4
Kergrist-Moëlou 22 77 F 4
Kergroadès *Château de* 29 70 B 5
Kerguehennec *Château de* 56 102 B 5
Kerien 22 77 G 3
Kérity 29 99 F 5
Kerjean *Château de* 29 71 F 4
Kerlaz 29 99 G 2
Kerling-lès-Sierck 57 46 B 2
Kerlouan 29 70 D 3
Kermaria 56 102 A 5
Kermaria *Chapelle* 22 73 G 4
Kermaria-Sulard 22 72 D 3
Kermoroc'h 22 73 E 4
Kernascléden 56 101 F 3
Kernével 29 100 B 3
Kernilis 29 70 D 4
Kernouës 29 70 D 4
Kérouzéré *Château de* 29 71 G 3
Kerpape 56 123 F 2
Kerpert 22 77 G 3
Kerprich-aux-Bois 57 67 G 4
Kersaint 29 70 B 4
Kersaint-Plabennec 29 70 D 5
Kertzfeld 67 97 F 3
Kervignac 56 123 G 2
Keskastel 67 67 G 2
Kesseldorf 67 69 G 2
Kienheim 67 68 C 5
Kientzheim 68 121 E 2
Kientzville 67 97 F 4
Kiffis 68 143 G 5
Killem 59 3 H 3
Kilstett 67 69 E 5
Kindwiller 67 68 C 3
Kingersheim 68 143 F 1
Kintzheim 67 97 E 5
Kirchberg 68 142 C 1
Kirchheim 67 97 F 1
Kirrberg 67 67 G 3
Kirrwiller 67 68 C 3
Kirsch-lès-Sierck 57 46 B 2
Kirschnaumen 57 46 B 2
Kirviller 57 67 G 2
Klang 57 46 B 3
Kleinfrankenheim 67 68 C 5
Kleingœft 67 68 B 5
Klingenthal 67 97 E 2
Knœringue 68 143 G 3
Knœrsheim 67 68 B 5
Knutange 57 45 G 3
Koeking 57 45 H 2
Kœnigsmacker 57 45 H 2
Kœstlach 68 143 F 4
Kœtzingue 68 143 G 2
Kœur-la-Grande 55 64 C 4
Kœur-la-Petite 55 64 C 4
Kogenheim 67 97 F 4
Kolbsheim 67 97 F 1
Krautergersheim 67 97 F 2
Krautwiller 67 68 D 4
Le Kremlin-Bicêtre 94 58 C 4
Kreuzweg *Col du* 67 96 D 3
Kriegsheim 67 68 D 4
Kruth 68 120 B 4
Kuhlendorf 67 69 F 2
Kunheim 68 121 F 3
Kuntzig 57 45 H 3
Kurtzenhouse 67 69 E 4
Kuttolsheim 67 68 C 5
Kutzenhausen 67 69 E 2

L

Laà-Mondrans 64 313 G 2
Laas 32 315 G 2
Laas 45 111 G 3
Laàs 64 313 F 3
Labalme 01 214 B 1
Labarde 33 237 F 3
Labaroche 68 120 D 2
Labarrère 32 275 E 5
Labarthe 32 316 B 2
Labarthe 82 277 H 3
Labarthe *Moulin de* 33 256 D 1
Labarthe-Bleys 81 279 E 4
Labarthe-Inard 31 334 D 1
Labarthe-Rivière 31 334 B 1
Labarthe-sur-Lèze 31 317 H 2
Labarthète 32 294 D 4
Labassère 65 333 E 1
Labastide 65 333 H 2
Labastide-Beauvoir 31 318 B 2
Labastide-Castel-Amouroux 47 275 E 1
Labastide-Cézéracq 64 313 H 3
Labastide-Chalosse 40 293 H 4
Labastide-Clermont 31 317 F 3
Labastide-d'Anjou 11 318 D 3
Labastide-d'Armagnac 40 274 B 5
Labastide-de-Lévis 81 299 E 1
Labastide-de-Penne 82 278 C 2
Labastide-de-Virac 07 284 B 1
Labastide-Dénat 81 299 G 2
Labastide-du-Haut-Mont 46 261 G 1
Labastide-du-Temple 82 277 G 4
Labastide-du-Vert 46 259 G 4
Labastide-en-Val 11 338 A 1
Labastide-Esparbairenque 11 319 H 3
Labastide-Gabausse 81 279 G 5
Labastide-Marnhac 46 277 H 1
Labastide-Monréjeau 64 314 A 2
Labastide-Murat 46 260 C 3
Labastide-Paumès 31 316 D 3
Labastide-Rouairoux 81 320 B 2
Labastide-Saint-Georges 81 298 D 3
Labastide-Saint-Pierre 82 297 H 1
Labastide-Saint-Sernin 31 298 A 3
Labastide-Savès 32 297 E 5
Labastide-sur-Bésorgues 07 266 A 2
Labastide-Villefranche 64 311 G 3
Labastidette 31 317 G 2
Labathude 46 261 F 2
Labatie-d'Andaure 07 248 C 4
Labatmale 64 314 C 5
Labatut 09 318 A 4
Labatut 40 293 E 5
Labatut 64 315 E 2
Labatut-Rivière 65 295 E 5
Labbeville 95 38 A 5
Labeaume 07 266 A 5
Labécède-Lauragais 11 319 E 3
Labège 31 298 A 5
Labégude 07 266 B 3
Labéjan 32 296 A 5
Labenne 40 292 A 4
Labenne-Océan 40 292 A 4
Labergement-du-Navois 25 180 A 1
Labergement-Foigney 21 160 C 4
Labergement-lès-Auxonne 21 160 D 5
Labergement-lès-Seurre 21 178 B 2
Labergement-Sainte-Marie 25 180 C 4
Laberlière 60 23 F 5
Labescau 33 256 C 5
Labesserette 15 262 C 2
Labessette 63 226 C 4
Labessière-Candeil 81 299 E 2
Labets-Biscay 64 311 G 3
Labeuville 55 65 E 1
Labeuvrière 62 7 H 4
Labeyrie 64 293 H 5
Lablachère 07 266 A 5
Laboissière-en-Santerre 80 23 E 4
Laboissière-en-Thelle 60 38 A 3
Laboissière-Saint-Martin 80 21 G 2
Laborde 65 333 G 2
Laborel 26 286 D 1
Labosse 60 37 H 3
Labouheyre 40 273 E 2
Labouiche *Rivière souterraine de* 09 336 B 2
Laboulbène 81 299 G 4
Laboule 07 265 H 3
Labouquerie 24 258 D 2
Labouret *Col du* 04 288 B 2
Labourgade 82 297 F 1
Labourse 62 8 A 4
Laboutarie 81 299 F 3
Labretonie 47 257 G 5
Labrihe 32 296 D 3
Labrit 40 273 H 4
Labroquère 31 334 A 2
Labrosse 45 111 H 2
Labrousse 15 262 C 1
Labroye 62 11 H 1
Labruguière 81 299 G 5
Labruyère 21 178 B 1
Labruyère 60 38 D 3
Labruyère-Dorsa 31 318 A 3
Labry 54 45 F 5
Labuissière 62 7 H 4
Laburgade 46 278 B 1
Lac-des-Rouges-Truites 39 197 F 1
Le Lac-d'Issarlès 07 265 H 1
Lacabarède 81 320 B 2
Lacadée 64 293 H 5
Lacajunte 40 294 A 4
Lacalm 12 263 F 2
Lacam-d'Ourcet 46 261 F 1
Lacanau 33 236 C 4
Lacanau-de-Mios 33 254 D 2
Lacanau-Océan 33 236 B 3
Lacanche 21 177 F 1
Lacapelle-Barrès 15 245 E 5
Lacapelle-Biron 47 258 D 3
Lacapelle-Cabanac 46 259 F 5
Lacapelle-del-Fraisse 15 262 C 1
Lacapelle-Livron 82 278 D 2
Lacapelle-Marival 46 261 E 2
Lacapelle-Pinet 81 280 B 4
Lacapelle-Ségalar 81 279 F 4
Lacapelle-Viescamp 15 243 H 5
Lacarre 64 330 C 1
Lacarry-Arhan-Charritte-de-Haut 64 331 E 2
Lacassagne 65 315 F 3
Lacaugne 31 317 G 4
Lacaune 81 300 C 3
Lacaussade 47 258 D 4
Lacave 09 335 E 2
Lacave 46 260 C 1
Lacaze 81 300 A 3
Lacelle 19 225 E 2
Lacenas 69 212 D 3
Lacépède 47 275 H 1
Lachaise 16 220 C 3
Lachalade 55 43 F 4
Lachambre 57 67 E 1
Lachamp 48 264 B 3
Lachamp-Raphaël 07 266 A 1
Lachapelle 47 257 F 4
Lachapelle 54 96 A 3
Lachapelle 80 21 H 3
Lachapelle 82 276 D 5
Lachapelle-aux-Pots 60 37 H 2
Lachapelle-Auzac 46 242 B 5
Lachapelle-en-Blaisy 52 116 C 2
Lachapelle-Graillouse 07 265 G 1
Lachapelle-Saint-Pierre 60 38 B 4
Lachapelle-sous-Aubenas 07 266 B 4
Lachapelle-sous-Chanéac 07 248 A 4
Lachapelle-sous-Chaux 90 142 B 2
Lachapelle-sous-Gerberoy 60 37 G 1
Lachapelle-sous-Rougemont 90 142 D 2
Lachassagne 69 212 D 3
Lachau 26 286 D 2
Lachaussée 55 65 E 2
Lachaussée-du-Bois-d'Écu 60 22 B 5
Lachaux 63 210 C 3
Lachelle 60 39 F 2
Lachy 51 61 E 4
Lacollonge 90 142 C 2
Lacombe 11 319 G 3
Lacommande 64 314 A 4
Lacoste 34 302 A 4
Lacoste 84 305 G 2
Lacougotte-Cadoul 81 298 D 4
Lacour 82 277 E 2
Lacour-d'Arcenay 21 158 C 3
Lacourt 09 335 F 3
Lacourt-Saint-Pierre 82 277 G 5
Lacq 64 313 H 2
Lacquy 40 274 B 5
Lacrabe 40 293 H 4
Lacres 62 6 C 3
Lacroisille 81 298 D 5
Lacroix-Barrez 12 262 D 1
Lacroix-Falgarde 31 317 H 2
Lacroix-Saint-Ouen 60 39 F 3
Lacroix-sur-Meuse 55 64 C 2
Lacropte 24 240 D 4
Lacrost 71 195 F 1
Lacrouzette 81 299 H 4
Lacs 36 189 G 1
Ladapeyre 23 189 H 5
Ladaux 33 256 B 2
Ladern-sur-Lauquet 11 337 H 1
Ladevèze-Rivière 32 295 E 5
Ladevèze-Ville 32 295 E 5
Ladignac-le-Long 87 223 F 2
Ladignac-sur-Rondelles 19 243 E 1
Ladinhac 15 262 C 2
Ladirat 46 261 F 1
Ladiville 16 220 D 3
Ladoix 21 177 H 1
Ladoix-Serrigny 21 177 H 1
Ladon 45 112 A 5
Lados 33 256 C 5
Ladoye-sur-Seille 39 179 F 4
Laduz 89 136 A 2
Lafage 11 318 D 5
Lafage-sur-Sombre 19 243 G 1
Lafare 84 285 G 3
Lafarre 07 248 C 3
Lafarre 43 265 G 1
Lafat 23 188 D 4
Lafauche 52 93 G 5
Laféline 03 191 H 4
Laferté-sur-Amance 52 140 B 2
Laferté-sur-Aube 52 116 B 3
Lafeuillade-en-Vézie 15 262 C 1
Laffaux 02 40 C 2
Laffite-Toupière 31 316 D 5
Laffrey 38 251 E 3
Lafite Rothschild *Château de* 33 237 E 1
Lafitole 65 315 E 2
Lafitte 82 277 F 5
Lafitte-sur-Lot 47 275 H 1
Lafitte-Vigordane 31 317 F 4
Lafosse 33 237 G 3
Lafox 47 276 C 3
Lafrançaise 82 277 G 4
Lafraye 60 38 B 1
Lafresnoye 80 21 G 2
Lafrimbolle 57 96 B 1
Lagamas 34 302 A 4
Lagarde 09 336 D 2
Lagarde 31 318 C 3
Lagarde 32 275 H 5
Lagarde 57 67 E 5
Lagarde 65 315 E 4
Lagarde d'Apt 84 286 C 5
Lagarde-Enval 19 243 E 2
Lagarde-Hachan 32 316 A 3
Lagarde-Paréol 84 285 F 2
Lagarde-sur-le-Né 16 220 C 3
Lagardelle 46 259 F 5
Lagardelle-sur-Lèze 31 317 H 3
Lagardère 32 295 H 2
Lagardiolle 81 319 F 2
Lagarrigue 47 275 G 2
Lagarrigue 81 299 G 5
Lagatjar *Alignements de* 29 74 D 3
Lageon 79 168 A 4
Lagery 51 41 E 4
Lagesse 10 115 E 4
Laghet 06 309 H 2
Lagleygeolle 19 242 D 3
Laglorieuse 40 294 B 1
Lagnes 84 305 F 1
Lagney 54 65 F 5
Lagnicourt-Marcel 62 13 H 4
Lagnieu 01 214 A 4
Lagny 60 23 G 5
Lagny-le-Sec 60 59 F 1
Lagny-sur-Marne 77 59 E 3
Lagor 64 313 H 3
Lagorce 07 266 B 5
Lagorce 33 238 C 3
Lagord 17 183 F 5
Lagos 64 314 C 5
Lagrâce-Dieu 31 317 H 3
Lagrand 05 287 E 1
Lagrange 40 274 C 5
Lagrange 65 333 H 1
Lagrange 90 142 D 2
Lagrasse 11 338 B 1
Lagraulas 32 295 G 3
Lagraulet-du-Gers 32 295 G 1
Lagraulet-Saint-Nicolas 31 297 F 2
Lagraulière 19 224 C 5
Lagrave 81 299 E 1
Lagruère 47 275 F 1
Laguenne 19 242 D 1
Laguépie 82 279 F 4
Laguian-Mazous 32 315 G 2
Laguinge-Restoue 64 331 F 2
Laguiole 12 263 F 3
Lagupie 47 257 E 4
Lahage 31 317 E 2
Laharie 40 272 D 4
Laharmand 52 116 D 3
Lahas 32 296 D 5
Lahaye-Saint-Romain 80 21 H 4
Lahaymeix 55 64 B 3
Lahayville 55 65 E 3
Laheycourt 55 63 F 2
Lahitère 31 335 F 1
Lahitte 32 296 B 4
Lahitte 65 333 G 1
Lahitte-Toupière 65 315 E 2
Lahonce 64 292 B 5
Lahontan 64 293 E 5
Lahosse 40 293 F 3
Lahourcade 64 313 H 3
Lahoussoye 80 22 D 1
Laifour 08 26 D 1
La Laigne 17 184 B 5
Laigné 53 128 A 2
Laigné-en-Belin 72 130 A 2
Laignelet 35 81 F 4
Laignes 21 137 H 2
Laigneville 60 38 C 3
Laigny 02 25 F 2
Laillé 35 104 A 4
Lailly 89 114 A 2
Lailly-en-Val 45 132 D 3
Laimont 55 63 G 3
Lain 89 135 H 5
Laines-aux-Bois 10 114 D 2
Lains 39 196 B 3
Lainsecq 89 156 D 1
Lainville-en-Vexin 78 57 G 1
Laire 25 142 B 4
Laires 62 7 F 3
Lairière 11 338 A 2
Lairoux 85 183 E 2
Laissac-Sévérac-l'Eglise 12 281 F 1
Laissaud 73 233 G 3
Laissey 25 162 B 3
Laître-sous-Amance 54 66 B 5
Laives 71 177 H 5
Laix 54 45 E 2
Laiz 01 195 E 5
Laizé 71 195 E 3
Laize-la-Ville 14 33 G 5
Laizy 71 176 C 3
Lajo 48 264 B 1
Lajoux 39 197 F 3
Lalacelle 61 83 E 3
Lalande 89 135 H 4
Lalande-de-Pomerol 33 238 C 4
Lalande-en-Son 60 37 G 2
Lalandelle 60 37 G 2
Lalandusse 47 257 H 3
Lalanne 32 296 B 2
Lalanne 65 316 A 4
Lalanne-Arqué 32 316 B 3
Lalanne-Trie 65 315 H 4
Lalaye 67 96 D 4
Lalbarède 81 299 E 4
Lalbenque 46 278 B 1
Laleu 61 84 A 2
Laleu 80 11 H 5
Lalevade-d'Ardèche 07 266 A 3
Lalheue 71 177 H 5
Lalinde 24 258 C 1
Lalizolle 03 209 G 1
Lallaing 59 9 E 5
Lalleu 35 126 D 2
Lalley 38 268 D 1
Lalobbe 08 26 A 4
Lalœuf 54 94 C 3
Lalongue 64 314 C 2
Lalonquette 64 294 B 5
Laloubère 65 315 E 5
Lalouret-Laffiteau 31 316 B 5
Lalouvesc 07 248 C 2
Laluque 40 293 E 1

Lama 2B 345 E 5
Lamadeleine-Val-des-Anges 90 142 C 1
Lamagdelaine 46 260 B 5
Lamagistère 82 276 D 4
Lamaguère 32 316 B 2
Lamaids 03 190 B 5
Lamairé 79 168 B 4
Lamalou-les-Bains 34 301 F 5
Lamancine 52 116 D 2
Lamanère 66 342 B 5
Lamanon 13 305 F 3
Lamarche 88 118 A 3
Lamarche-en-Woëvre 55 65 E 3
Lamarche-sur-Saône 21 160 D 3
Lamargelle 21 159 H 1
Lamargelle-aux-Bois 52 139 E 4
Lamaronde 80 21 H 3
Lamarque 33 237 F 2
Lamarque-Pontacq 65 314 D 5
Lamarque-Rustaing 65 315 G 4
Lamasquère 31 317 G 2
Lamastre 07 248 C 4
Lamath 54 95 F 2
Lamativie 46 243 F 5
Lamayou 64 315 E 3
Lamazère 32 295 H 5
Lamazière-Basse 19 225 G 5
Lamazière-Haute 19 226 B 2
Lambach 57 68 A 1
Lambader 29 71 G 4
Lamballe 22 78 D 3
Lambersart 59 8 D 2
Lambert 04 288 A 2
Lamberville 50 32 C 5
Lamberville 76 20 A 3
Lambesc 13 305 G 4
Lamblore 28 85 E 2
Lambres 62 7 G 3
Lambres-lez-Douai 59 8 D 5
Lambrey 70 140 D 3
Lambruisse 04 288 C 4
Laméac 65 315 G 3
Lamécourt 60 38 D 2
Lamelouze 30 283 G 3
Lamenay-sur-Loire 58 175 F 4
Lamérac 16 220 C 4
Lametz 08 26 D 5
Lamillarié 81 299 F 2
Lammerville 76 20 A 3
Lamnay 72 108 D 3
Lamongerie 19 224 C 3
Lamontélarié 81 300 B 4
Lamontgie 63 228 B 4
Lamontjoie 47 275 H 4
Lamonzie-Montastruc 24 240 B 5
Lamonzie-Saint-Martin 24 257 G 1
Lamorlaye 60 38 C 5
Lamorville 55 64 C 3
Lamothe 40 293 H 2
Lamothe 43 246 B 1
Lamothe-Capdeville 82 277 H 4
Lamothe-Cassel 46 260 B 3
Lamothe-Cumont 82 296 D 1
Lamothe-en-Blaisy 52 116 C 2
Lamothe-Fénelon 46 259 H 1
Lamothe-Goas 32 296 A 2
Lamothe-Landerron 33 257 E 4
Lamothe-Montravel 24 238 D 5
Lamotte-Beuvron 41 133 F 5
Lamotte-Brebière 80 22 C 2
Lamotte-Buleux 80 11 G 2
Lamotte-du-Rhône 84 284 D 2
Lamotte-Warfusée 80 23 E 2
Lamouilly 55 27 H 5
Lamoura 39 197 F 3
Lampaul 29 74 A 1
Lampaul-Guimiliau 29 71 G 5
Lampaul-Plouarzel 29 70 A 5
Lampaul-Ploudalmézeau 29 70 B 4
Lampertheim 67 68 D 5
Lampertsloch 67 69 E 2
Lamure-sur-Azergues 69 212 B 2
Lanans 25 162 D 3
Lanarce 07 265 G 2
Lanarvily 29 70 D 4
Lanas 07 266 B 4
Lancé 41 131 G 4
Lanchères 80 11 E 3
Lanches-Saint-Hilaire 80 12 B 4
Lanchy 02 23 H 2
Lancié 69 212 D 1
Lancieux 22 50 B 5
Lancôme 41 131 H 5
Lançon 08 43 E 3
Lançon 65 333 H 3
Lançon-Provence 13 305 F 4
Lancrans 01 215 E 1
Landal *Château de* 35 80 B 2
Landange 57 67 G 5
Landas 59 9 F 4
Landaul 56 123 H 2
Landaville 88 94 A 5
Landavran 35 105 E 2
La Lande-Chasles 49 150 C 1
La Lande-d'Airou 50 51 H 3
La Lande-de-Fronsac 33 237 H 4
La Lande-de-Goult 61 83 F 2
La Lande-de-Lougé 61 53 H 5
La Lande-Patry 61 53 E 4
La Lande-Saint-Léger 27 34 D 3
La Lande-Saint-Siméon 61 53 F 3
La Lande-sur-Drôme 14 32 C 5
La Lande-sur-Eure 61 85 E 2
La Lande-Vaumont 14 52 C 4
Landéan 35 81 F 4
Landebaëron 22 73 E 4
Landébia 22 79 E 3
La Landec 22 79 F 4
Landécourt 54 95 F 2
Landéda 29 70 C 4
Landéhen 22 78 D 4
Landeleau 29 76 C 4
Landelles 28 85 G 3
Landelles-et-Coupigny 14 52 B 2
Landemont 49 148 B 3
Landepéreuse 27 55 F 1
Landerneau 29 75 G 2
Landeronde 85 165 G 5
Landerrouat 33 257 E 2
Landerrouet-sur-Ségur 33 256 D 3
Landersheim 67 68 C 5
Landes 17 201 G 3
Les Landes-Genusson 85 166 B 2
Landes-le-Gaulois 41 131 H 5
Landes-sur-Ajon 14 33 E 5
Landes-Vieilles-et-Neuves 76 21 F 3
Landévant 56 123 H 2
Landévennec 29 75 G 3
Landévieille 85 165 E 5
Landéville 52 93 F 4
Landeyrat 15 245 F 1
Landifay-et-Bertaignemont 02 24 D 2
Landigou 61 53 F 4
Le Landin 27 35 H 2
Landiras 33 255 H 3
Landisacq 61 53 E 4
Landivisiau 29 71 F 5
Landivy 53 81 G 3
Landogne 63 208 D 4
Landonvillers 57 46 B 5
Landorthe 31 334 C 1
Landos 43 265 F 1
Landouge 87 205 G 5
Landouzy-la-Cour 02 25 G 2
Landouzy-la-Ville 02 25 G 2
Landrais 17 201 E 2
Le Landreau 44 148 A 4
Landrecies 59 15 E 4
Landrecourt 55 64 B 1
Landrellec 22 72 C 2
Landremont 54 65 H 4
Landres 54 45 E 3
Landres-et-Saint-Georges 08 43 F 2
Landresse 25 162 D 3
Landrethun-le-Nord 62 2 C 4
Landrethun-lès-Ardres 62 2 D 4
Landrévarzec 29 99 H 2
Landreville 10 115 H 4
Landrichamps 08 17 F 4
Landricourt 02 40 B 1
Landricourt 51 92 B 2
Landroff 57 66 D 2
Landry 73 234 D 2
Landser 68 143 G 2
Landudal 29 100 A 2
Landudec 29 99 F 3
Landujan 35 103 H 1
Landunvez 29 70 B 4
Lanéria 39 196 A 3
Lanespède 65 315 G 5
Lanessan *Château de* 33 237 E 2
Lanester 56 123 F 2
Lanet 11 338 A 3
Laneuvelle 52 118 A 5
Laneuvelotte 54 66 B 5
Laneuveville-aux-Bois 54 95 H 1
Laneuveville-derrière-Foug 54 65 E 5
Laneuveville-devant-Bayon 54 95 E 3
Laneuveville-devant-Nancy 54 94 D 1
Laneuveville-en-Saulnois 57 66 C 3
Laneuveville-lès-Lorquin 57 67 G 5
Laneuville-à-Bayard 52 92 D 2
Laneuville-à-Rémy 52 92 C 3
Laneuville-au-Bois 52 93 G 4
Laneuville-au-Pont 52 63 E 5
Laneuville-au-Roi 52 116 C 3
Laneuville-au-Rupt 55 64 D 5
Laneuville-sur-Meuse 55 43 G 1
Laneuvilleroy 60 38 D 1
Lanfains 22 78 A 4
Lanfroicourt 54 66 B 4
Langan 35 80 A 5
Langast 22 78 C 5
Langatte 57 67 G 4
Langé 36 171 F 1
Langeac 43 246 C 3
Langeais 37 151 F 3
Langensoultzbach 67 68 D 2
Langeron 58 174 B 4
Langesse 45 134 C 3
Langey 28 109 G 4
Langlade 30 303 G 2
Langley 88 95 E 4
Langoat 22 72 D 3
Langoëlan 56 101 F 2
Langogne 48 265 F 2
Langoiran 33 255 H 2
Langolen 29 100 A 2
Langon 33 256 B 4
Langon 35 126 A 3
Langon 41 154 A 4
Le Langon 85 183 G 3
Langonnet 56 100 D 2
Langonnet *Abbaye de* 56 101 E 2
Langouet 35 80 A 5
Langourla 22 78 D 5
Langres 52 139 G 2
Langrolay-sur-Rance 22 79 H 3
Langrune-sur-Mer 14 33 G 3
Languédias 22 79 F 4
Languenan 22 79 G 3
Langueux 22 78 B 3
Languevoisin-Quiquery 80 23 G 3
Languidic 56 101 G 5
Languidou *Chapelle de* 29 99 F 4
Languimberg 57 67 F 4
Languivoa *Chapelle de* 29 99 F 4
Langy 03 192 C 5
Lanhélin 35 80 A 3
Lanhères 55 44 D 5
Lanhouarneau 29 71 E 4
Lanildut 29 70 A 5
Laning 57 67 E 1
Laniscat 22 77 G 5
Laniscourt 02 24 C 5
Lanleff 22 73 F 4
Lanloup 22 73 G 3
Lanmérin 22 72 D 3
Lanmeur 29 72 A 4
Lanmodez 22 73 F 2
Lann-Bihoué 56 123 F 2
Lanne 65 315 E 5
Lanne-en-Barétous 64 331 F 2
Lanne-Soubiran 32 294 D 3
Lannéanou 29 76 C 2
Lannebert 22 73 F 4
Lannecaube 64 314 C 2
Lannédern 29 76 B 4
Lannemaignan 32 294 C 1
Lannemezan 65 333 H 1
Lannepax 32 295 G 2
Lanneplaà 64 313 F 2
Lanneray 28 109 H 4
Lannes 47 275 F 5
Lannes 52 117 F 5
Lanneuffret 29 71 E 5
Lannilis 29 70 C 4
Lannion 22 72 C 3
Lannoy 59 9 E 2
Lannoy-Cuillère 60 21 F 4
Lannux 32 294 C 4
Lano 2B 347 F 3
Lanobre 15 226 C 4
Lanouaille 24 223 F 5
Lanouée 56 102 C 4
Lanoux 09 335 H 1
Lanquais 24 258 C 1
Lanques-sur-Rognon 52 117 F 3
Lanquetot 76 19 F 5
Lanrelas 22 103 E 1
Lanrigan 35 80 B 4
Lanrivain 22 77 G 3
Lanrivoaré 29 70 B 5
Lanrodec 22 77 H 2
Lans 71 177 H 4
Lans-en-Vercors 38 250 C 2
Lansac 33 237 G 3
Lansac 65 315 F 5
Lansac 66 338 B 5
Lansargues 34 303 F 4
Lanslebourg-Mont-Cenis 73 235 E 5
Lanslevillard 73 235 F 5
Lanta 31 298 B 5
Lantabat 64 311 G 5
Lantages 10 115 F 4
Lantan 18 173 G 3
Lantéfontaine 54 45 F 4
Lantenay 01 214 C 2
Lantenay 21 159 H 3
Lantenne-Vertière 25 161 G 4
Lantenot 70 141 H 3
La Lanterne-et-les-Armonts 70 141 H 2
Lanteuil 19 242 C 3
Lanthenans 25 163 E 2
Lanthes 21 178 C 1
Lantheuil 14 33 F 3
Lantic 22 73 G 5
Lantignié 69 212 C 1
Lantillac 56 102 B 4
Lantilly 21 158 D 1
Lanton 33 254 C 2
Lantosque 06 291 F 3
Lantriac 43 247 G 4
Lanty 58 175 H 4
Lanty-sur-Aube 52 116 B 4
Lanuéjols 30 282 B 4
Lanuéjols 48 264 D 5
Lanuéjouls 12 261 G 5
Lanvallay 22 79 G 4
Lanvaudan 56 101 F 4
Lanvellec 22 72 B 4
Lanvénégen 56 100 D 3
Lanvéoc 29 75 E 3
Lanvézéac 22 72 D 3
Lanvollon 22 73 G 4
Lanzac 46 242 B 5
Laon 02 24 D 5
Laons 28 56 B 5
Laouzas *Barrage de* 81 300 C 4
Lapalisse 03 192 D 5
Lapalud 84 284 D 1
Lapan 18 172 D 3
Lapanouse 12 281 G 1
Lapanouse-de-Cernon 12 281 H 5
Laparade 47 275 H 1
Laparrouquial 81 279 F 4
Lapège 09 336 A 4
Lapenche 82 278 C 3
Lapenne 09 336 C 1
Lapenty 50 81 G 2
Laperche 47 257 G 4
Laperrière-sur-Saône 21 160 D 5
Lapeyre 65 315 H 3
Lapeyrère 31 317 G 5
Lapeyrouse 01 213 F 3
Lapeyrouse 63 191 F 5
Lapeyrouse-Fossat 31 298 A 4
Lapeyrouse-Mornay 26 231 G 5
Lapeyrugue 15 262 C 2
Lapleau 19 243 G 1
Laplume 47 275 H 4
Lapoutroie 68 120 D 2
Lapouyade 33 238 B 3
Lappion 02 25 G 5
Laprade 11 319 G 2
Laprade 16 239 F 1
Lapradelle 11 337 G 4
Laprugne 03 211 E 3
Laps 63 228 A 2
Lapte 43 248 A 2
Lapugnoy 62 7 H 4
Laquenexy 57 66 B 1
Laqueuille 63 227 E 2
Laragne-Montéglin 05 287 F 1
Larajasse 69 230 C 2
Laramière 46 279 E 1
Laran 65 316 A 5
Larbey 40 293 G 3
Larbont 09 335 H 2
Larbroye 60 23 G 5
Larcan 31 316 C 5
Larcat 09 336 B 5
Larçay 37 152 A 3
Larceveau-Arros-Cibits 64 311 G 5
Larchamp 53 81 G 4
Larchamp 61 53 E 5
Larchant 77 112 B 2
Larche 04 271 F 4
Larche 19 241 H 3
Larche *Col de* 04 271 F 4
Le Larderet 39 179 H 3
Lardier-et-Valença 05 269 G 5
Lardiers 04 287 E 4
Le Lardin-Saint-Lazare 24 241 G 3
Lardy 91 87 G 3
Larée 32 295 E 1
Laréole 31 297 E 3
Largeasse 79 167 G 5
Largentière 07 266 A 4
Largillay-Marsonnay 39 196 C 1
Largitzen 68 143 E 3
Largny-sur-Automne 02 39 H 4
Largoët *Forteresse de* 56 124 D 3
Larians-et-Munans 70 162 B 1
Larivière 90 142 D 2
Larivière-sur-Apance 52 118 A 4
Larmor-Baden 56 124 A 4
Larmor-Plage 56 123 F 2
Larnage 26 249 F 3
Larnagol 46 260 D 5
Larnas 07 266 D 5
Larnat 09 336 B 5
Larnaud 39 179 E 5
Larnod 25 161 H 4
Laroche-près-Feyt 19 226 C 1
Laroche-Saint-Cydroine 89 113 H 5
Larochemillay 58 176 A 3
Larodde 63 226 C 3
Laroin 64 314 A 4
Larone *Col de* 2A 349 G 4
Laronxe 54 95 G 2
Laroque 33 256 B 2
Laroque 34 302 C 1
Laroque-de-Fa 11 338 B 3
Laroque-des-Albères 66 343 F 4
Laroque-des-Arcs 46 260 B 5
Laroque-d'Olmes 09 336 D 3
Laroque-Timbaut 47 276 C 2
Laroquebrou 15 243 H 4
Laroquevieille 15 244 C 4
Larouillies 59 15 G 5
Larra 31 297 G 3
Larrau 64 331 E 3
Larrazet 82 297 F 1
Larré 56 124 D 3
Larré 61 83 H 3
Larressingle 32 295 G 1
Larressore 64 310 D 3
Larret 29 70 B 5
Larret 70 140 A 4
Larreule 64 314 A 2
Larreule 65 315 E 2
Larrey 21 137 H 2
Larribar-Sorhapuru 64 311 H 4
Larringes 74 198 B 3
Larrivière-Saint-Savin 40 294 A 2
Larrivoire 39 196 D 4
Larroque 31 316 B 5
Larroque 65 316 A 4
Larroque 81 278 D 5
Larroque-Engalin 32 275 H 5
Larroque-Saint-Sernin 32 296 A 2
Larroque-sur-l'Osse 32 275 F 5
Larroque-Toirac 46 261 F 4
Lartigue 32 296 C 5
Lartigue 33 274 C 2
Laruns 64 332 A 2
Laruscade 33 238 B 2
Larzac 24 259 E 2
Larzicourt 51 62 D 5
Lasalle 30 283 F 5
Lasbordes 11 319 E 4
Lascabanes 46 277 H 1
Lascaux 19 223 H 5
Lascaux *Grotte de* 24 241 G 3
Lascazères 65 295 E 5
Lascelle 15 244 D 4
Laschamps-de-Chavanat 23 207 E 1
Lasclaveries 64 314 B 2
Lasfaillades 81 300 A 5
Lasgraisses 81 299 E 2
Laslades 65 315 F 5
Lassales 65 316 A 5
Lassay-les-Châteaux 53 82 C 3
Lassay-sur-Croisne 41 153 G 3
Lasse 49 150 C 1
Lasse 64 330 B 1
Lasserade 32 295 E 4
Lasséran 32 296 A 5
Lasserre 09 335 F 1
Lasserre 31 297 F 4
Lasserre 47 275 G 4
Lasserre 64 294 D 5
Lasserre-de-Prouille 11 319 F 5
Lasseube 64 314 A 4
Lasseube-Propre 32 296 B 5
Lasseubetat 64 314 A 5
Lassicourt 10 91 H 4
Lassigny 60 23 F 5
Lasson 14 33 F 4
Lasson 89 114 C 4
Lassouts 12 263 F 5
Lassur 09 336 C 5
Lassy 14 53 E 2
Lassy 35 103 H 4
Lassy 95 38 D 5
Lastelle 50 31 G 3
Lastic 15 246 A 3
Lastic 63 226 D 1
Lastioulles *Barrage de* 15 226 D 5
Lastours 11 319 H 4
Lataule 60 39 E 1
Le Latet 39 179 H 3
La Latette 39 180 A 4
Lathuile 74 215 H 5
Lathus 86 187 G 4
Latillé 86 185 H 1
Latilly 02 40 B 5
Latoue 31 316 C 5
Latouille-Lentillac 46 261 F 1
Latour 31 317 G 5
Latour-Bas-Elne 66 343 F 3
Latour-de-Carol 66 341 E 4
Latour-de-France 66 338 B 5
Latour-en-Woëvre 55 65 E 1
Latrape 31 317 G 5
Latrecey 52 116 C 5
Latresne 33 255 G 1
Latrille 40 294 C 4
Latronche 19 243 H 1
Latronquière 46 261 G 1
Lattainville 60 37 G 4
La Latte *Fort* 22 50 A 4
Lattes 34 302 D 5
Lattre-Saint-Quentin 62 13 E 2
Lau-Balagnas 65 332 D 2
Laubach 67 68 D 3
Laubert 48 264 D 4
Les Laubies 48 264 B 2
Laubressel 10 91 F 5
Laubrières 53 105 F 5
La Lauch *Lac de* 68 120 C 4
Laucourt 80 23 F 4
Laudrefang 57 66 D 1
Laudun-l'Ardoise 30 284 D 4
Laugnac 47 276 B 2
Laujuzan 32 294 D 2
Laulne 50 31 G 3
Laumesfeld 57 46 C 3
Launac 31 297 F 3
Launaguet 31 298 A 4
Launay 27 35 G 5
Launay-Villiers 53 105 G 3
Launois-sur-Vence 08 26 C 4
Launoy 02 40 B 4
Launstroff 57 46 C 2
La Laupie 26 267 F 3
Laurabuc 11 319 E 5
Laurac 11 319 E 5
Laurac-en-Vivarais 07 266 A 4
Lauraët 32 295 G 1
Lauraguel 11 337 F 1
Laure-Minervois 11 320 A 4
Laurède 40 293 G 2
Laurenan 22 102 D 1
Laurens 34 301 G 5
Lauresses 46 261 G 2
Lauret 34 302 D 2
Lauret 40 294 B 5
Laurie 15 245 H 1
Laurière 24 240 D 1
Laurière 87 206 B 2
Lauris 84 305 H 3
Lauroux 34 301 G 3
Laussac 12 263 E 1
Laussonne 43 247 G 4
Laussou 47 258 D 4
Lautaret *Col du* 05 252 B 3
Lautenbach 68 120 D 4
Lautenbachzell 68 120 D 4
Lauterbourg 67 69 H 1
Lauthiers 86 187 E 1
Lautignac 31 317 E 3
Lautrec 81 299 F 3
Lauw 68 142 D 1
Lauwin-Planque 59 8 D 5
Laux-Montaux 26 286 C 1
Lauzach 56 124 D 4
Lauzerte 82 277 F 2
Lauzerville 31 298 B 5
Lauzès 46 260 C 4
Le Lauzet-Ubaye 04 270 B 5

Lauzières 17 183 F5
Lauzun 47 257 H3
Lava *Col de* 2A 346 A5
Lava *Golfe de* 2A 348 B3
Lavacquerie 60 22 A4
Laval 38 251 F1
Laval 53 106 A3
Laval *Chalets de* 05 252 C3
Laval-Atger 48 264 D1
Laval-d'Aix 26 268 B2
Laval-d'Aurelle 07 265 G4
Laval-de-Cère 46 243 F5
Laval-du-Tarn 48 282 B1
Laval-en-Brie 77 89 E4
Laval-en-Laonnois 02 40 D1
Laval-le-Prieuré 25 163 E4
Laval-Morency 08 26 B2
Laval-Pradel 30 283 H3
Laval-Roquecezière 12 300 B2
Laval-Saint-Roman 30 284 C2
Laval-sur-Doulon 43 228 C5
Laval-sur-Luzège 19 243 G1
Laval-sur-Tourbe 51 42 D5
Laval-sur-Vologne 88 119 H2
Lavalade 24 258 D2
Lavaldens 38 251 F4
Lavalette 11 319 G5
Lavalette 31 298 B4
Lavalette 34 301 G4
Lavalette *Barrage de* 43 247 H2
Lavallée 55 64 B4
Le Lavancher 74 217 E2
Lavancia-Epercy 39 196 C4
Le Lavandou 83 329 E4
Lavangeot 39 161 F5
Lavannes 51 41 H3
Lavans-lès-Dole 39 161 F5
Lavans-lès-Saint-Claude 39 196 D3
Lavans-Quingey 25 161 H5
Lavans-sur-Valouse 39 196 C4
Lavans-Vuillafans 25 162 B5
Lavaqueresse 02 25 E1
Lavardac 47 275 F3
Lavardens 32 296 A3
Lavardin 41 131 F3
Lavardin 72 107 G4
Lavaré 72 108 C4
Lavars 38 250 D5
Lavasina 2B 345 G3
Lavastrie 15 245 G5
Lavatoggio 2B 346 C2
Lavau 10 91 E5
Lavau 89 135 F5
Lavau-sur-Loire 44 146 D3
Lavaudieu 43 246 C1
Lavaufranche 23 190 A4
Lavault-de-Frétoy 58 176 A1
Lavault-Sainte-Anne 03 190 D4
Les Lavaults 89 158 B3
Lavaur 24 259 E3
Lavaur 81 298 D3
Lavaurette 82 278 C3
Lavausseau 86 185 H1
Lavaveix-les-Mines 23 207 G2
Lavazan 33 256 C5
Laveissenet 15 245 F3
Laveissière 15 245 E3
Lavelanet 09 336 D3
Lavelanet-
de-Comminges 31 317 F4
Laveline-
devant-Bruyères 88 120 A2
Laveline-du-Houx 88 119 H2
Lavenay 72 130 D3
Laventie 62 8 B2
Lavéra 13 325 G4
Laveraët 32 295 G5
Lavercantière 46 259 H3
Laverdines 18 173 H1
Lavergne 46 260 D1
Lavergne 47 257 G3
Lavernat 72 130 B4
Lavernay 25 161 G3
Lavernhe 12 281 G2
Lavernose-Lacasse 31 317 G3
Lavernoy 52 117 H5
Laverrière 60 21 H4
Laversine 02 40 A3
Laversines 60 38 B2
Lavérune 34 302 D5
Laveyron 26 249 E1
Laveyrune 07 265 F3
Laveyssière 24 239 H5
Lavieu 42 229 G3
Laviéville 80 22 D1
Lavigerie 15 245 E2
Lavignac 87 223 F1
Lavignéville 55 64 D3
Lavigney 70 140 C3
Lavignolle 33 255 E3
Lavigny 39 179 F4
Lavillatte 07 265 G2
Laville-aux-Bois 52 117 E3
Lavilledieu 07 266 C4
Lavilleneuve 52 117 G4
Lavilleneuve-au-Roi 52 116 C3
Lavilleneuve-
aux-Fresnes 52 116 B2
Lavilletertre 60 37 H4
Lavincourt 55 63 G5
Laviolle 07 266 B1
Laviron 25 163 E3
Lavit-de-Lomagne 82 296 D1
Lavoine 03 210 D3
Lavoncourt 70 140 C4
Lavours 01 214 D4
Lavoûte-Chilhac 43 246 B2
Lavoûte-sur-Loire 43 247 F3
Lavoux 86 186 D1
Lavoye 55 63 G1
Lawarde-Mauger-l'Hortoy 80 22 B4
Laxou 54 65 H5
Lay 42 211 H3
Lay-Lamidou 64 313 G4
Lay-Saint-Christophe 54 65 H5
Lay-Saint-Remy 54 94 A1
Laye 05 269 G4
Laymont 32 317 E3
Layrac 47 276 B4
Layrac-sur-Tarn 31 298 A2
Layrisse 65 315 E5
Lays-sur-le-Doubs 71 178 C2
Laz 29 76 B5
Lazenay 18 172 C1
Lazer 05 287 F1
Léalvillers 80 13 E5
Léaupartie 14 34 B4
Léaz 01 215 E1
Lebetain 90 142 D4
Lebeuville 54 95 E3
Lebiez 62 6 D4
Leboulin 32 296 B4
Lebreil 46 277 F1
Lebucquière 62 13 H4
Lécaude 14 34 B5
Lecci 2A 349 G5
Lecelles 59 9 F4
Lecey 52 139 H2
Lechâtelet 21 178 B1
Léchelle 62 13 H5
Léchelle 77 89 G2
La Léchère 73 234 B2
Les Lèches 24 239 G4
Lechiagat 29 99 F5
Lécluse 59 14 A2
Lécourt 52 117 H4
Lécousse 35 81 E4
Lecques 30 303 F2
Les Lecques 83 327 G4
Lect 39 196 C3
Lectoure 32 296 B1
Lecumberry 64 330 C1
Lécussan 31 316 A5
Lédas-et-Penthiès 81 280 B4
le Lédat 47 258 B5
Lédenon 30 304 A1
Lédergues 12 280 C4
Lederzeele 59 3 G4
Ledeux 64 313 H4
Lédignan 30 283 H5
Ledinghem 62 6 D2
Ledringhem 59 3 G4
Lée 64 314 B4
Leers 59 9 E2
Lées-Athas 64 331 H3
Lefaux 62 6 B3
Leffard 14 53 G2
Leffincourt 08 42 C2
Leffond 70 139 H4
Leffonds 52 117 E5
Leffrinckoucke 59 3 G2
Leforest 62 8 D5
Lège 31 334 B3
Legé 44 165 G2
Lège-Cap-Ferret 33 254 B1
Légéville-et-Bonfays 88 118 D2
Léglantiers 60 38 D1
Légna 39 196 C3
Légny 69 212 C4
Léguevin 31 297 G5
Léguillac-de-Cercles 24 221 H5
Léguillac-de-l'Auche 24 240 B2
Lehaucourt 02 24 B1
Léhélec *Château de* 56 125 F4
Léhon 22 79 G4
Leigné-les-Bois 86 169 H4
Leigné-sur-Usseau 86 169 G3
Leignes-sur-Fontaine 86 187 F2
Leigneux 42 229 G1
Leimbach 68 142 D1
Leintrey 54 95 H1
Leiterswiller 67 69 F2
Lélex 01 197 E4
Lelin-Lapujolle 32 294 D3
Lelling 57 67 E1
Lemainville 54 94 D2
Lembach 67 69 E1
Lemberg 57 68 B1
Lembeye 64 314 D2
Lembras 24 239 H5
Lemé 02 25 E2
Lème 64 294 B5
Leménil-Mitry 54 95 E3
Lémeré 37 169 E1
Lemmecourt 88 94 A5
Lemmes 55 43 H5
Lemoncourt 57 66 B3
Lempaut 81 299 F5
Lempdes 63 209 H5
Lempdes-sur-Allagnon 43 228 A5
Lempire 02 24 A1
Lempire-aux-Bois 55 43 H5
Lemps 07 249 E3
Lemps 26 286 B1
Lempty 63 210 A5
Lempzours 24 222 D5
Lemud 57 66 B1
Lemuy 39 179 H2
Lénault 14 53 E2
Lenax 03 193 E4
Lencloître 86 169 E4
Lencouacq 40 274 A4
Lendresse 64 313 G2
Lengelsheim 57 48 C5
Lengronne 50 51 G2
Lenharrée 51 61 H4
Léning 57 67 E2
Lénizeul 52 117 H4
Lennon 29 76 A5
Lenoncourt 54 95 E1
Lens 62 8 B5
Lens-Lestang 26 231 G5
Lent 01 213 H1
Lent 39 180 A4
Lentigny 42 211 G3
Lentillac-Lauzès 46 260 C4
Lentillac-Saint-Blaise 46 261 G4
Lentillères 07 266 A3
Lentilles 10 92 A3
Lentilly 69 212 D5
Lentiol 38 231 G5
Lento 2B 347 F2
Léobard 46 259 H2
Léogeats 33 255 H4
Léognan 33 255 F2
Léojac 82 277 H5
Léon 40 292 B1
Léoncel 26 249 H5
Léotoing 43 228 A5
Léouville 45 111 F2
Léoville 17 220 B4
Lépanges-sur-Vologne 88 119 H2
Lépaud 23 190 B5
Lépin-le-Lac 73 233 E2
Lépinas 23 207 F2
Lépine 62 6 B5
Lépron-les-Vallées 08 26 B3
Lepuix 90 142 B1
Lepuix-Neuf 90 143 E4
Léran 09 336 D2
Lercoul 09 336 A5
Léré 18 156 A2
Léren 64 292 D5
Lérigneux 42 229 F2
Lerm-et-Musset 33 274 C1
Lerné 37 150 D5
Lérouville 55 64 C4
Lerrain 88 118 D2
Léry 21 138 D5
Léry 27 36 B3
Lerzy 02 25 F1
Lesbœufs 80 13 H5
Lesbois 53 81 H3
Lescar 64 314 A3
Leschaux 74 215 G5
Leschelle 02 25 E1
Lescheraines 73 215 G5
Leschères 39 197 E2
Leschères-
sur-le-Blaiseron 52 92 D5
Lescherolles 77 60 B4
Lescheroux 01 195 G3
Lesches 77 59 F3
Lesches-en-Diois 26 268 C3
Lesconil 29 99 G5
Lescouët-Gouarec 22 77 F5
Lescouët-Jugon 22 79 E4
Lescousse 09 336 A1
Lescout 81 299 F5
Lescun 64 331 G4
Lescuns 31 317 E5
Lescure 09 335 G2
Lescure-d'Albigeois 81 299 F1
Lescure-Jaoul 12 279 G3
Lescurry 65 315 F3
Lesdain 59 14 B4
Lesdins 02 24 B2
Lesges 02 40 C3
Lesgor 40 293 F1
Lésigny 77 59 E4
Lésigny 86 170 A3
Le Leslay 22 78 A4
Lesme 71 192 D1
Lesménils 54 65 G3
Lesmont 10 91 G4
Lesneven 29 71 E4
Lesparre-Médoc 33 218 D5
Lesparrou 09 336 D3
Lespéron 07 265 F2
Lesperon 40 272 C5
Lespesses 62 7 G3
Lespielle 64 314 D2
Lespignan 34 321 G4
Lespinasse 31 297 H3
Lespinasse *Château de* 43 246 A1
Lespinassière 11 320 A3
Lespinoy 62 6 D5
Lespiteau 31 334 C1
Lesponne 65 333 F2
Lespouey 65 315 F5
Lespourcy 64 314 D3
Lespugue 31 316 B5
Lesquerde 66 338 A4
Lesquielles-
Saint-Germain 02 24 D1
Lesquin 59 8 D3
Lessac 16 204 C2
Lessard-en-Bresse 71 178 B4
Lessard-et-le-Chêne 14 54 C1
Lessard-le-National 71 177 H3
Lessay 50 31 G3
Lesse 57 66 C2
Lesseux 88 96 C4
Lesson 85 184 C3
Lessy 57 65 G1
Lestanville 76 20 A3
Lestards 19 225 E3
Lestelle-Bétharram 64 314 C5
Lestelle-
de-Saint-Martory 31 334 D1
Lesterps 16 204 D3
Lestiac-sur-Garonne 33 255 H2
Lestiou 41 132 C4
Lestrade-et-Thouels 12 280 D5
Lestre 50 29 G4
Lestrem 62 8 A2
Létanne 08 27 G5
Léthuin 28 86 D5
Letia 2A 348 C1
Létra 69 212 C3
Létricourt 54 66 B3
Letteguives 27 36 C2
Lettret 05 269 G4
Leubringhen 62 2 B4
Leuc 11 337 H1
Leucamp 15 262 C2
Leucate 11 339 E3
Leucate-Plage 11 339 F3
Leuchey 52 139 F3
Leudeville 91 87 H2
Leudon-en-Brie 77 60 B4
Leuglay 21 138 C2
Leugny 86 169 H3
Leugny 89 136 A4
Leugny *Château de* 37 152 B3
Leuhan 29 100 B2
Leuilly-sous-Coucy 02 40 B1
Leulinghem 62 3 F5
Leulinghen-Bernes 62 2 B4
Leurville 52 93 F5
Leury 02 40 B2
Leutenheim 67 69 F3
Leuville-sur-Orge 91 87 G2
Leuvrigny 51 61 E1
Le Leuy 40 293 H2
Leuze 02 25 H2
La Levade 30 283 G2
Levainville 28 86 C3
Leval 59 15 F3
Leval 90 142 D2
Levallois-Perret 92 58 B3
Levant *Île du* 83 329 E5
Levaré 53 81 H4
Levécourt 52 117 H3
Levens 06 291 E4
Levergies 02 24 B1
Levernois 21 177 H2
Lèves 28 86 A3
Les Lèves-
et-Thoumeyragues 33 257 F1
Levesville-la-Chenard 28 86 D5
Levet 18 173 E3
Levie 2A 349 F5
Levier 25 180 B2
Lévignac 31 297 G4
Lévignac-de-Guyenne 47 257 F3
Lévignacq 40 272 C4
Lévignen 60 39 G4
Lévigny 10 92 A5
Levis 89 135 H5
Lévis-Saint-Nom 78 57 H5
Levoncourt 55 64 B4
Levoncourt 68 143 E5
Levroux 36 171 G2
Lewarde 59 14 B2
Lexos 82 279 E4
Lexy 54 44 D1
Ley 57 66 D5
Leychert 09 336 C3
Leydé *Pointe de* 29 75 F5
Leyme 46 261 E1
Leymen 68 143 G4
Leyment 01 214 A3
Leynes 71 194 D5
Leynhac 15 261 H2
Leyr 54 66 B4
Leyrat 23 190 A4
Leyrieu 38 213 H5
Leyritz-Moncassin 47 275 E1
Leyssard 01 214 B1
Leyvaux 15 245 G1
Leyviller 57 67 F1
Lez 31 334 B3
Lez-Fontaine 59 15 H3
Lézan 30 283 G5
Lézardrieux 22 73 F3
Lézat 39 197 E2
Lézat-sur-Lèze 09 317 H5
Lezay 79 185 H5
Lezennes 59 8 D3
Lezéville 52 93 F3
Lezey 57 66 D4
Lézignac-Durand 16 204 C5
Lézignan 65 333 E1
Lézignan-Corbières 11 320 C5
Lézignan-la-Cèbe 34 322 C3
Lézigné 49 129 E4
Lézigneux 42 229 G3
Lézinnes 89 137 F3
Lezoux 63 210 B5
Lhéraule 60 37 H1
Lherm 31 317 G2
Lherm 46 259 G4
Lhéry 51 41 E4
Lhez 65 315 F5
Lhommaizé 86 186 D3
Lhomme 72 130 C3
Lhôpital 01 214 D2
Lhor 57 67 F3
Lhospitalet 46 277 H1
Lhoumois 79 168 B5
Lhuis 01 214 C5
Lhuître 10 91 F2
Lhuys 02 40 D3
Liac 65 315 F2
Liancourt 60 38 D3
Liancourt-Fosse 80 23 F3
Liancourt-Saint-Pierre 60 37 H4
Liart 08 26 A3
Lias 32 297 F5
Lias-d'Armagnac 32 294 D1
Liausson 34 301 H4
Libaros 65 315 H4
Libération *Croix de la* 71 176 D2
Libercourt 62 8 C4
Libermont 60 23 G4
Libourne 33 238 B5
Librecy 08 26 B3
Licey-sur-Vingeanne 21 160 D1
Lichans-Sunhar 64 331 F2
Lichères 16 203 F4
Lichères-
près-Aigremont 89 136 D4
Lichères-sur-Yonne 89 157 F1
Lichos 64 313 F3
Lichtenberg 67 68 B2
Licourt 80 23 G2
Licq-Athérey 64 331 E2
Licques 62 2 D5
Licy-Clignon 02 40 B5
Lidrezing 57 67 E3
Liebenswiller 68 143 G4
Liebsdorf 68 143 F4
Liebvillers 25 163 F2
Liederschiedt 57 48 C5
Lieffrans 70 140 D5
Le Liège 37 152 C4
Liéhon 57 65 H2
Liencourt 62 13 E2
Lieoux 31 316 C5
Liépvre 68 96 D5
Liéramont 80 14 A5
Liercourt 80 11 H4
Lières 62 7 G3
Liergues 69 212 D3
Liernais 21 158 C4
Liernolles 03 193 E3
Lierval 02 40 D1
Lierville 60 37 G4
Lies 65 333 F1
Liesle 25 179 G1
Liesse-Notre-Dame 02 25 E5
Liessies 59 15 H4
Liesville-sur-Douve 50 31 H2
Liettres 62 7 G3
Lieu-Saint-Amand 59 14 C2
Lieuche 06 289 G4
Lieucourt 70 161 F2
Lieudieu 38 231 H4
Lieurac 09 336 C2
Lieuran-Cabrières 34 301 H5
Lieuran-lès-Béziers 34 321 G3
Lieurey 27 35 E4
Lieuron 35 103 H5
Lieury 14 54 B1
Lieusaint 50 29 F5
Lieusaint 77 88 A2
Lieutadès 15 263 F1
Lieuvillers 60 38 D1
Liévans 70 141 G4
Liévin 62 8 B5
Lièvremont 25 180 D1
Liez 02 24 B4
Liez 85 184 B3
Liézey 88 120 A3
Liffol-le-Grand 88 93 H5
Liffol-le-Petit 52 93 G5
Liffré 35 104 C2
Ligardes 32 275 H5
Ligescourt 80 11 G1
Liget *Chartreuse du* 37 152 D5
Liginiac 19 226 B4
Liglet 86 187 H2
Lignac 36 188 A3
Lignairolles 11 337 E1
Lignan-de-Bazas 33 256 B5
Lignan-de-Bordeaux 33 255 H1
Lignan-sur-Orb 34 321 F3
Lignareix 19 225 H2
Ligné 16 203 E4
Ligné 44 148 A2
Lignères 61 54 D4
Lignereuil 62 13 E2
Lignerolles 03 190 D5
Lignerolles 21 138 D2
Lignerolles 27 56 C3
Lignerolles 36 189 H2
Lignerolles 61 84 C2
Lignéville 88 118 C2
Ligneyrac 19 242 C3
Lignières 10 114 D5
Lignières 18 172 D5
Lignières 41 131 H2
Lignières 80 23 E4
Lignières-Châtelain 80 21 G3
Lignières-de-Touraine 37 151 F3
Lignières-en-Vimeu 80 11 F5
Lignières-la-Carelle 72 83 H4
Lignières-Orgères 53 83 E2
Lignières-Sonneville 16 220 C3
Lignières-sur-Aire 55 64 B4
Lignol 56 101 F3
Lignol-le-Château 10 116 B2
Lignon 51 91 H2
Lignorelles 89 136 C2
Lignou 61 53 G5
Ligny-en-Barrois 55 93 F1
Ligny-en-Brionnais 71 193 H5
Ligny-en-Cambrésis 59 14 C4
Ligny-le-Châtel 89 136 C2
Ligny-le-Ribault 45 133 E4
Ligny-lès-Aire 62 7 G3

A B C D E F G H I J K L M N O P Q R S T U V W X Y Z

Ligny-Saint-Flochel 62 ..... 7 G 5
Ligny-sur-Canche 62 ..... 12 C 2
Ligny-Thilloy 62 ..... 13 G 4
Ligré 37 ..... 151 E 5
Ligron 72 ..... 129 G 3
Ligsdorf 68 ..... 143 F 4
Ligueil 37 ..... 170 A 1
Ligueux 24 ..... 240 D 1
Ligueux 33 ..... 257 F 1
Ligugé 86 ..... 186 B 2
Lihons 80 ..... 23 F 2
Lihus 60 ..... 22 A 5
Les Lilas 93 ..... 58 C 3
Lilhac 31 ..... 316 C 4
Lilignod 01 ..... 214 D 3
Lille 59 ..... 8 D 2
Lillebonne 76 ..... 35 F 1
Lillemer 35 ..... 80 A 2
Lillers 62 ..... 7 H 3
Lilly 27 ..... 37 E 2
Limalonges 79 ..... 203 F 1
Limans 04 ..... 287 E 5
Limanton 58 ..... 175 G 2
Limas 69 ..... 212 D 3
Limay 78 ..... 57 F 2
Limbrassac 09 ..... 336 D 2
Limé 02 ..... 40 D 3
Limeil-Brévannes 94 ..... 58 D 4
Limendous 64 ..... 314 C 4
Limeray 37 ..... 152 C 2
Limersheim 67 ..... 97 G 2
Limerzel 56 ..... 125 E 4
Limésy 76 ..... 20 A 5
Limetz-Villez 78 ..... 57 E 1
Limeuil 24 ..... 240 D 5
Limeux 18 ..... 172 C 1
Limeux 80 ..... 11 G 4
Limey-Remenauville 54 ..... 65 F 3
Limeyrat 24 ..... 241 E 2
Limoges 87 ..... 205 G 5
Limoges-Fourches 77 ..... 88 B 2
Limogne-en-Quercy 46 ..... 278 D 1
Limoise 03 ..... 174 B 5
Limon 58 ..... 175 E 2
Limonest 69 ..... 213 E 4
Limons 63 ..... 210 B 3
Limont-Fontaine 59 ..... 15 G 3
Limony 07 ..... 231 E 5
Limours-en-Hurepoix 91 ..... 87 F 2
Limousis 11 ..... 319 H 4
Limoux 11 ..... 337 G 2
La Limouzinière 44 ..... 165 G 1
La Limouzinière 85 ..... 166 A 5
Limpiville 76 ..... 19 E 4
Linac 46 ..... 261 G 3
Linard 23 ..... 189 F 4
Linards 87 ..... 224 C 1
Linars 16 ..... 221 E 1
Linas 91 ..... 87 G 2
Linay 08 ..... 27 H 4
Linazay 86 ..... 203 F 1
Lincel 04 ..... 306 C 1
Lincheux-Hallivillers 80 ..... 21 H 2
Lindebeuf 76 ..... 19 H 4
Le Lindois 16 ..... 222 B 1
Lindre-Basse 57 ..... 67 E 4
Lindre-Haute 57 ..... 67 E 4
Lindry 89 ..... 136 A 3
Linexert 70 ..... 141 H 3
Lingé 36 ..... 170 C 4
Lingeard 50 ..... 52 B 4
Lingèvres 14 ..... 33 E 4
Linghem 62 ..... 7 G 3
Lingolsheim 67 ..... 97 G 1
Lingreville 50 ..... 51 F 1
Linguizzetta 2B ..... 347 H 4
Linières-Bouton 49 ..... 150 D 1
Liniers 86 ..... 186 D 1
Liniez 36 ..... 171 H 2
Linsdorf 68 ..... 143 G 4
Linselles 59 ..... 4 D 5
Linthal 68 ..... 120 C 4
Linthelles 51 ..... 61 F 5
Linthes 51 ..... 61 F 4
Lintot 76 ..... 19 F 5
Lintot-les-Bois 76 ..... 20 B 3
Linxe 40 ..... 272 B 5
Liny-devant-Dun 55 ..... 43 H 2
Linzeux 62 ..... 12 C 2
Liocourt 57 ..... 66 B 3
Liomer 80 ..... 21 G 2
Le Lion-d'Angers 49 ..... 128 B 4
Lion-devant-Dun 55 ..... 43 H 2
Lion-en-Beauce 45 ..... 111 E 3
Lion-en-Sullias 45 ..... 134 B 4
Lion-sur-Mer 14 ..... 33 G 3
Liorac-sur-Louyre 24 ..... 240 B 5
Le Lioran 15 ..... 245 E 3
Liouc 30 ..... 303 E 1
Le Liouquet 13 ..... 327 G 4
Liourdres 19 ..... 243 E 5
Liouville 55 ..... 64 D 4
Lioux 84 ..... 286 B 5
Lioux-les-Monges 23 ..... 208 C 3
Liposthey 40 ..... 273 E 1
Lipsheim 67 ..... 97 G 2
Lirac 30 ..... 285 E 4
Liré 49 ..... 148 B 2
Lirey 10 ..... 114 D 3
Lironcourt 88 ..... 118 B 4
Lironville 54 ..... 65 F 3
Liry 08 ..... 42 D 3
Lisbourg 62 ..... 7 F 4
Liscia *Golfe de la* 2A ..... 348 B 2
Lisieux 14 ..... 34 C 5
Lisle 24 ..... 240 B 1
Lisle 41 ..... 131 H 2
Lisle-en-Barrois 55 ..... 63 G 2
Lisle-en-Rigault 55 ..... 63 G 4
Lisle-sur-Tarn 81 ..... 298 C 2
Lislet 02 ..... 25 G 4
Lison 14 ..... 32 B 3
Lison *Source du* 25 ..... 180 A 2
Lisores 14 ..... 54 C 2
Lisors 27 ..... 36 D 3
Lissac 09 ..... 318 A 4
Lissac 43 ..... 247 E 2
Lissac-et-Mouret 46 ..... 261 F 3
Lissac-sur-Couze 19 ..... 242 B 3
Lissay-Lochy 18 ..... 173 E 2
Lisse 47 ..... 275 F 4
Lisse-en-
Champagne 51 ..... 62 D 3
Lisses 91 ..... 87 H 2
Lisseuil 63 ..... 209 F 2
Lissey 55 ..... 44 B 3
Lissieu 69 ..... 212 D 4
Lissy 77 ..... 88 B 2
Listrac-de-Durèze 33 ..... 257 E 1
Listrac-Médoc 33 ..... 237 E 3
Lit-et-Mixe 40 ..... 272 B 4
Lithaire 50 ..... 31 G 3
Litteau 14 ..... 32 C 4
Littenheim 67 ..... 68 C 4
Littry 14 ..... 32 C 4
Litz 60 ..... 38 C 2
Livaie 61 ..... 83 F 3
Livarot-Pays-d'Auge 14 ..... 54 C 1
Liverdun 54 ..... 65 G 5
Liverdy-en-Brie 77 ..... 59 F 5
Livernon 46 ..... 261 E 3
Livers-Cazelles 81 ..... 279 F 5
Livet 53 ..... 106 C 3
Livet-en-Saosnois 72 ..... 83 H 4
Livet-et-Gavet 38 ..... 251 F 2
Livet-sur-Authou 27 ..... 35 F 4
Livilliers 95 ..... 58 A 1
Livinhac-le-Haut 12 ..... 261 H 4
La Livinière 34 ..... 320 B 4
Livré-la-Touche 53 ..... 105 G 5
Livré-sur-Changeon 35 ..... 104 D 2
Livron 64 ..... 314 D 4
Livron-sur-Drôme 26 ..... 267 F 1
Livry 14 ..... 32 D 5
Livry 58 ..... 174 B 4
Livry-Gargan 93 ..... 58 D 2
Livry-Louvercy 51 ..... 42 A 5
Livry-sur-Seine 77 ..... 88 B 3
Lixhausen 67 ..... 68 C 4
Lixheim 57 ..... 67 H 4
Lixières 54 ..... 65 H 3
Lixing-lès-Rouhling 57 ..... 47 G 5
Lixing-lès-Saint-Avold 57 ..... 67 E 1
Lixy 89 ..... 113 E 2
Lizac 82 ..... 277 F 4
Lizant 86 ..... 203 G 2
Lizeray 36 ..... 172 A 2
Lizières 23 ..... 206 C 1
Lizine 25 ..... 180 A 1
Lizines 77 ..... 89 F 3
Lizio 56 ..... 102 C 5
Lizos 65 ..... 315 F 4
Lizy 02 ..... 40 C 1
Lizy-sur-Ourcq 77 ..... 59 H 1
La Llagonne 66 ..... 341 G 4
Llauro 66 ..... 342 D 3
Llo 66 ..... 341 F 4
Llous 66 ..... 341 F 5
Llupia 66 ..... 342 D 2
Lobsann 67 ..... 69 E 2
Loc-Brévalaire 29 ..... 70 D 4
Loc Dieu *Ancienne*
Abbaye de 12 ..... 279 E 1
Loc-Eguiner 29 ..... 71 F 5
Loc-Eguiner-
Saint-Thégonnec 29 ..... 76 A 2
Loc-Envel 22 ..... 72 C 5
Locarn 22 ..... 77 E 4
Loché 71 ..... 194 D 5
Loché-sur-Indrois 37 ..... 170 D 1
Loches 37 ..... 152 C 5
Loches-sur-Ource 10 ..... 115 H 4
Le Locheur 14 ..... 33 F 5
Lochieu 01 ..... 214 D 3
Lochwiller 67 ..... 68 B 5
Locmalo 56 ..... 101 G 2
Locmaria 22 ..... 72 C 5
Locmaria 56 ..... 144 C 4
Locmaria *Chapelle de* 29 ..... 70 D 5
Locmaria-Berrien 29 ..... 76 C 3
Locmaria-Grand-Champ 56 . 124 B 2
Locmaria-Plouzané 29 ..... 74 D 2
Locmariaquer 56 ..... 124 A 4
Locmélar 29 ..... 75 H 2
Locminé 56 ..... 102 A 5
Locmiquélic 56 ..... 123 F 2
Locoal-Mendon 56 ..... 123 H 3
Locon 62 ..... 8 A 3
Loconville 60 ..... 37 H 4
Locqueltas 56 ..... 124 B 2
Locquémeau 22 ..... 72 B 3
Locquénolé 29 ..... 71 H 4
Locquignol 59 ..... 15 F 3
Locquirec 29 ..... 72 B 3
Locronan 29 ..... 99 G 2
Loctudy 29 ..... 99 G 5
Locunolé 29 ..... 100 D 4
Loddes 03 ..... 193 E 5
Lodes 31 ..... 316 B 5
Lodève 34 ..... 301 H 3
Lods 25 ..... 180 B 1
Lœuilley 70 ..... 160 D 1
Lœuilly 80 ..... 22 B 3
Loëx 74 ..... 197 H 5
Loffre 59 ..... 9 E 5
La Loge 62 ..... 7 E 5
La Loge-aux-Chèvres 10 ..... 91 G 5
La Loge des Gardes 03 ..... 211 E 3
Loge-Fougereuse 85 ..... 184 C 1
La Loge-Pomblin 10 ..... 114 D 4
Logelbach 68 ..... 121 E 3
Logelheim 68 ..... 121 F 3
Les Loges 14 ..... 52 D 1
Les Loges 52 ..... 139 H 3
Les Loges 72 ..... 108 C 5
Les Loges 76 ..... 18 D 4
Les Loges-en-Josas 78 ..... 58 A 4
Les Loges-Marchis 50 ..... 81 F 2
Les Loges-Margueron 10 ..... 115 E 4
Les Loges-Saulces 14 ..... 53 G 3
Les Loges-sur-Brécey 50 ..... 52 A 4
Le Logis-du-Pin 06 ..... 308 B 2
Le Logis-Neuf 01 ..... 195 G 5
Le Logis-Neuf 13 ..... 327 E 2
Lognes 77 ..... 59 E 3
Logny-Bogny 08 ..... 26 B 3
Logny-lès-Aubenton 02 ..... 25 H 2
Logny-lès-Chaumont 08 ..... 25 H 4
Logonna-Daoulas 29 ..... 75 G 3
Logrian-Florian 30 ..... 303 E 1
Logron 28 ..... 109 H 3
Loguivy-de-la-Mer 22 ..... 73 F 2
Loguivy-Plougras 22 ..... 72 C 5
Lohéac 35 ..... 103 H 5
Lohitzun-Oyhercq 64 ..... 311 H 5
Lohr 67 ..... 68 A 3
Lohuec 22 ..... 76 D 2
Loigné-sur-Mayenne 53 ..... 128 B 2
Loigny-la-Bataille 28 ..... 110 C 3
Loiré 49 ..... 127 H 4
Loire-les-Marais 17 ..... 200 D 2
Loiré-sur-Nie 17 ..... 202 B 3
Loire-sur-Rhône 69 ..... 231 E 3
Loiron-Ruillé 53 ..... 105 G 4
Loisail 61 ..... 84 C 3
Loisey-Culey 55 ..... 63 H 4
Loisia 39 ..... 196 B 2
Loisieux 73 ..... 232 D 1
Loisin 74 ..... 197 H 4
Loison 55 ..... 44 D 4
Loison-sous-Lens 62 ..... 8 C 5
Loison-sur-Créquoise 62 ..... 6 D 5
Loisy 54 ..... 65 G 3
Loisy 71 ..... 195 F 1
Loisy-en-Brie 51 ..... 61 F 3
Loisy-sur-Marne 51 ..... 62 C 4
Loivre 51 ..... 41 G 3
Loix 17 ..... 182 D 5
Loizé 79 ..... 202 D 1
Lolif 50 ..... 51 G 4
Lolme 24 ..... 258 D 2
Lombard 25 ..... 161 G 5
Lombard 39 ..... 179 E 4
Lombers 81 ..... 299 F 2
Lombez 32 ..... 316 D 2
Lombia 64 ..... 314 D 3
Lombray 02 ..... 39 H 1
Lombrès 65 ..... 334 A 1
Lombreuil 45 ..... 112 B 5
Lombron 72 ..... 108 A 4
Lomener 56 ..... 123 E 2
Lomme 59 ..... 8 C 2
Lommerange 57 ..... 45 F 3
Lommoye 78 ..... 57 E 2
Lomné 65 ..... 333 G 2
Lomont 70 ..... 142 A 3
Lomont-sur-Crête 25 ..... 162 D 2
Lompnas 01 ..... 214 B 5
Lompnieu 01 ..... 214 D 3
Lompret 59 ..... 8 C 2
Lonçon 64 ..... 314 A 2
La Londe 76 ..... 36 A 3
La Londe-les-Maures 83 ..... 328 D 4
Londigny 16 ..... 203 F 2
Londinières 76 ..... 20 D 2
Long 80 ..... 11 H 4
Longages 31 ..... 317 G 3
Longaulnay 35 ..... 79 H 5
Longavesnes 80 ..... 23 H 1
Longchamp 21 ..... 160 C 4
Longchamp 52 ..... 117 G 3
Longchamp 73 ..... 234 A 4
Longchamp 88 ..... 95 G 5
Longchamp-
sous-Châtenois 88 ..... 94 B 5
Longchamp-sur-Aujon 10 ..... 116 B 3
Longchamps 02 ..... 24 D 1
Longchamps 27 ..... 37 F 3
Longchamps-sur-Aire 55 ..... 64 B 3
Longchaumois 39 ..... 197 E 2
Longcochon 39 ..... 180 A 4
Longeau 52 ..... 139 G 3
Longeault 21 ..... 160 C 4
Longeaux 55 ..... 93 F 1
Longechaux 25 ..... 162 D 4
Longechenal 38 ..... 232 A 4
Longecourt-en-Plaine 21 ..... 160 B 4
Longecourt-lès-Culêtre 21 ..... 159 F 5
Longefoy 73 ..... 234 C 2
Longemaison 25 ..... 162 D 5
Longemer 88 ..... 120 B 3
Longepierre 71 ..... 178 C 2
Le Longeron 49 ..... 166 C 1
Longes 69 ..... 230 D 3
Longessaigne 69 ..... 212 B 5
Longevelle 70 ..... 141 H 4
Longevelle-lès-Russey 25 ..... 163 E 3
Longevelle-sur-Doubs 25 ..... 142 A 5
Longèves 17 ..... 183 G 5
Longèves 85 ..... 183 H 2
La Longeville 25 ..... 180 D 1
Longeville 25 ..... 180 B 1
Longeville-en-Barrois 55 ..... 63 H 4
Longeville-lès-Metz 57 ..... 65 G 1
Longeville-lès-Saint-Avold 57 . 46 D 5
Longeville-sur-la-Laines 52 ..... 92 A 3
Longeville-sur-Mer 85 ..... 182 C 2
Longeville-sur-Mogne 10 ..... 115 E 3
Longevilles-Mont-d'Or 25 ..... 180 C 4
Longfossé 62 ..... 6 C 2
La Longine 70 ..... 119 H 5
Longjumeau 91 ..... 58 B 5
Longlaville 54 ..... 45 E 1
Longmesnil 76 ..... 21 E 5
Longnes 72 ..... 107 F 4
Longnes 78 ..... 57 E 2
Longny-au-Perche 61 ..... 84 D 3
Longperrier 77 ..... 59 E 1
Longpont 02 ..... 40 A 4
Longpont-sur-Orge 91 ..... 87 G 2
Longpré-le-Sec 10 ..... 115 H 2
Longpré-les-Corps-Saints 80 . 11 H 4
Longraye 14 ..... 33 E 4
Longré 16 ..... 203 E 3
Longroy 76 ..... 11 E 5
Longsols 10 ..... 91 F 4
Longué 49 ..... 150 B 2
Longueau 80 ..... 22 C 2
Longuefuye 53 ..... 128 C 2
Longueil 76 ..... 20 A 2
Longueil-Annel 60 ..... 39 G 1
Longueil-Sainte-Marie 60 ..... 39 F 3
Longuenesse 62 ..... 3 F 5
Longuenoë 61 ..... 83 F 3
Longuerue 76 ..... 20 C 5
Longues 63 ..... 228 A 2
Longues-sur-Mer 14 ..... 33 E 2
Longuesse 95 ..... 57 H 1
Longueval 80 ..... 13 G 5
Longueval-Barbonval 02 ..... 40 D 3
Longueville 14 ..... 32 C 2
Longueville 47 ..... 257 F 5
Longueville 50 ..... 51 F 2
La Longueville 59 ..... 15 G 2
Longueville 62 ..... 2 D 5
Longueville 77 ..... 89 F 3
Longueville-sur-Aube 10 ..... 90 C 2
Longueville-sur-Scie 76 ..... 20 B 3
Longuevillette 80 ..... 12 C 4
Longuyon 54 ..... 44 C 2
Longvic 21 ..... 160 A 3
Longvillers 14 ..... 53 E 1
Longvillers 80 ..... 12 B 4
Longvilliers 62 ..... 6 B 3
Longvilliers 78 ..... 87 E 2
Longwé 08 ..... 43 E 2
Longwy 54 ..... 45 E 1
Longwy-sur-le-Doubs 39 ..... 178 D 2
Lonlay-l'Abbaye 61 ..... 52 D 5
Lonlay-le-Tesson 61 ..... 53 G 5
Lonnes 16 ..... 203 F 3
Lonny 08 ..... 26 C 2
Lonrai 61 ..... 83 G 3
Lons 64 ..... 314 A 3
Lons-le-Saunier 39 ..... 179 E 5
Lonzac 17 ..... 219 H 2
Le Lonzac 19 ..... 224 D 4
Looberghe 59 ..... 3 F 3
Loon-Plage 59 ..... 3 F 2
Loos 59 ..... 8 C 3
Loos-en-Gohelle 62 ..... 8 B 4
Looze 89 ..... 113 H 5
Lopérec 29 ..... 75 H 4
Loperhet 29 ..... 75 G 2
Lopigna 2A ..... 348 C 1
Loqueffret 29 ..... 76 B 3
Lor 02 ..... 41 G 1
Loray 25 ..... 162 D 4
Lorcières 15 ..... 246 A 4
Lorcy 45 ..... 112 A 4
Lordat 09 ..... 336 C 5
Loré 61 ..... 82 B 3
Lorentzen 67 ..... 67 H 2
Loreto-di-Casinca 2B ..... 347 G 2
Loreto-di-Tallano 2A ..... 349 E 5
Lorette 42 ..... 230 C 3
Le Loreur 50 ..... 51 G 2
Loreux 41 ..... 154 A 2
Le Lorey 50 ..... 31 H 5
Lorey 54 ..... 95 E 2
Lorges 41 ..... 132 B 3
Lorgies 62 ..... 8 B 3
Lorgues 83 ..... 307 H 5
La Lorie *Château de* 49 ..... 128 A 4
Lorient 56 ..... 123 F 2
Loriges 03 ..... 192 B 5
Lorignac 17 ..... 219 F 3
Lorigné 79 ..... 203 E 1
Loriol-du-Comtat 84 ..... 285 G 4
Loriol-sur-Drôme 26 ..... 267 E 1
Lorlanges 43 ..... 228 A 5
Lorleau 27 ..... 37 E 2
Lormaison 60 ..... 38 A 4
Lormaye 28 ..... 57 E 5
Lormes 58 ..... 157 H 4
Lormont 33 ..... 237 G 5
Lornay 74 ..... 215 E 3
Loromontzey 54 ..... 95 F 3
Le Loroux 35 ..... 81 G 4
Le Loroux-Bottereau 44 ..... 148 A 4
Lorp-Sentaraille 09 ..... 335 F 2
Lorquin 57 ..... 67 G 5
Lorrez-le-Bocage 77 ..... 112 D 2
Lorris 45 ..... 134 B 2
Lorry-lès-Metz 57 ..... 45 G 5
Lorry-Mardigny 57 ..... 65 G 2
Lortet 65 ..... 333 H 2
Loscouët-sur-Meu 22 ..... 103 F 2
Losne 21 ..... 160 C 5
Losse 40 ..... 274 C 4
Lostanges 19 ..... 242 D 3
Lostroff 57 ..... 67 F 3
Lothey 29 ..... 75 H 5
Lottinghen 62 ..... 6 D 2
Le Lou-du-Lac 35 ..... 103 H 2
Louailles 72 ..... 129 E 3
Louan 77 ..... 89 H 2
Louannec 22 ..... 72 D 2
Louans 37 ..... 152 A 5
Louargat 22 ..... 72 D 5
Louâtre 02 ..... 40 A 4
Loubajac 65 ..... 332 D 1
Loubaresse 07 ..... 265 G 3
Loubaresse 15 ..... 246 A 5
Loubaut 09 ..... 317 G 5
Loubédat 32 ..... 295 E 3
Loubejac 24 ..... 259 F 4
Loubens 09 ..... 336 A 2
Loubens 33 ..... 256 D 3
Loubens-Lauragais 31 ..... 298 C 5
Loubers 81 ..... 279 E 5
Loubersan 32 ..... 316 A 2
Loubès-Bernac 47 ..... 257 G 2
Loubeyrat 63 ..... 209 G 4
Loubieng 64 ..... 313 G 2
La Loubière 12 ..... 280 D 1
Loubières 09 ..... 336 B 2
Loubigné 79 ..... 202 D 2
Loubillé 79 ..... 202 D 2
Loublande 79 ..... 167 E 2
Loubressac 46 ..... 243 E 5
Loucé 61 ..... 54 A 5
Loucelles 14 ..... 33 E 4
Louchats 33 ..... 255 G 4
Louches 62 ..... 2 D 4
Louchy-Montfand 03 ..... 192 A 4
Loucrup 65 ..... 333 E 1
Loudéac 22 ..... 102 B 2
Loudenvielle 65 ..... 333 H 4
Loudervielle 65 ..... 333 H 4
Loudes 43 ..... 247 E 3
Loudet 31 ..... 316 A 5
Loudrefing 57 ..... 67 F 3
Loudun 86 ..... 168 D 2
Loué 72 ..... 107 E 4
La Loue *Source de* 25 ..... 180 C 1
Louens 33 ..... 237 F 4
Louer 40 ..... 293 F 2
Louerre 49 ..... 150 A 3
Louesme 21 ..... 138 C 2
Louesme 89 ..... 135 G 3
Louestault 37 ..... 130 D 5
Loueuse 60 ..... 21 G 5
Louey 65 ..... 315 E 5
Lougé-sur-Maire 61 ..... 53 H 5
Lougratte 47 ..... 258 B 4
Lougres 25 ..... 142 B 5
Louhans-Châteaurenaud 71 . 178 C 5
Louhossoa 64 ..... 311 E 4
Louignac 19 ..... 241 G 1
Louin 79 ..... 168 B 4
Louisfert 44 ..... 126 D 4
Louit 65 ..... 315 F 4
Loulans-Verchamp 70 ..... 162 B 1
Loulay 17 ..... 201 H 2
Loulle 39 ..... 179 H 4
La Loupe 28 ..... 85 F 3
Loupeigne 02 ..... 40 C 4
Loupershouse 57 ..... 67 F 1
Loupes 33 ..... 255 H 1
Loupfougères 53 ..... 82 D 5
Loupia 11 ..... 337 F 2
Loupiac 12 ..... 261 F 4
Loupiac 15 ..... 244 B 3
Loupiac 33 ..... 256 B 3
Loupiac 46 ..... 260 B 1
Loupiac 81 ..... 298 C 2
Loupiac-de-la-Réole 33 ..... 256 D 4
Loupian 34 ..... 322 D 3
Louplande 72 ..... 107 G 5
Loupmont 55 ..... 64 D 3
Louppy-le-Château 55 ..... 63 G 3
Louppy-sur-Chée 55 ..... 63 G 3
Louppy-sur-Loison 55 ..... 44 B 2
Loups du Gévaudan
Parc des 48 ..... 264 A 3
La Louptière-Thénard 10 ..... 89 H 4
Lourches 59 ..... 14 C 2
Lourde 31 ..... 334 B 2
Lourdes 65 ..... 332 D 1
Lourdios-Ichère 64 ..... 331 G 2
Lourdoueix-Saint-Michel 36 . 189 E 3
Lourdoueix-Saint-Pierre 23 . 189 F 3
Lourenties 64 ..... 314 C 4
Loures-Barousse 65 ..... 334 B 2
Louresse-Rochemenier 49 .. 150 A 4
Lourmais 35 ..... 80 B 3
Lourmarin 84 ..... 305 H 2
Lournand 71 ..... 194 D 3
Lourouer-Saint-Laurent 36 .. 189 G 1
Le Louroux 37 ..... 152 A 5
Le Louroux-Béconnais 49 ... 148 D 1
Louroux-Bourbonnais 03 ..... 191 F 2
Louroux-de-Beaune 03 ..... 191 F 5
Louroux-de-Bouble 03 ..... 191 G 5
Louroux-Hodement 03 ..... 191 E 3
Lourquen 40 ..... 293 G 3
Lourties-Monbrun 32 ..... 316 A 2
Loury 45 ..... 111 F 5
Louslitges 32 ..... 295 F 4
Loussous-Débat 32 ..... 295 E 4
Loutehel 35 ..... 103 G 4

Loutremange 57 ..... 46 C 5
Loutzviller 57 ..... 48 C 5
Louvagny 14 ..... 54 A 2
Louvaines 49 ..... 128 A 4
Louvatange 39 ..... 161 F 4
Louveciennes 78 ..... 58 A 3
Louvemont 52 ..... 92 C 2
Louvemont-Côte-du-Poivre 55 ..... 44 B 5
Louvencourt 80 ..... 13 E 4
Louvenne 39 ..... 196 B 3
Louvergny 08 ..... 26 D 5
Louverné 53 ..... 106 A 3
Le Louverot 39 ..... 179 F 4
Louversey 27 ..... 55 H 2
Louvetot 76 ..... 19 G 5
Louvie-Juzon 64 ..... 332 A 1
Louvie-Soubiron 64 ..... 332 A 2
La Louvière-Lauragais 11 ..... 318 C 4
Louvières 14 ..... 32 C 2
Louvières 52 ..... 117 F 4
Louvières-en-Auge 61 ..... 54 B 3
Louviers 27 ..... 36 B 4
Louvigné 53 ..... 106 B 4
Louvigné-de-Bais 35 ..... 104 D 4
Louvigné-du-Désert 35 ..... 81 F 3
Louvignies-Bavay 59 ..... 15 F 2
Louvignies-Quesnoy 59 ..... 15 E 3
Louvigny 14 ..... 33 G 4
Louvigny 57 ..... 65 H 2
Louvigny 64 ..... 294 A 5
Louvigny 72 ..... 83 H 5
Louvil 59 ..... 9 E 3
Louville-la-Chenard 28 ..... 86 D 5
Louvilliers-en-Drouais 28 ..... 56 C 5
Louvilliers-lès-Perche 28 ..... 85 F 2
Louvois 51 ..... 41 H 5
Louvrechy 80 ..... 22 C 3
Louvres 95 ..... 58 D 1
Louvroil 59 ..... 15 G 2
Louye 27 ..... 56 C 4
Louzac 16 ..... 219 H 1
Louze 52 ..... 92 A 4
Louzes 72 ..... 84 A 4
Louzignac 17 ..... 202 C 4
Louzouer 45 ..... 112 D 4
Louzy 79 ..... 168 B 1
Lovagny 74 ..... 215 F 3
Loxéville 55 ..... 64 B 5
Loyat 56 ..... 103 E 4
La Loye 39 ..... 179 E 1
Loye-sur-Arnon 18 ..... 190 B 1
Loyettes 01 ..... 213 H 5
Lozanne 69 ..... 212 D 4
Lozari 2B ..... 344 D 5
Lozay 17 ..... 201 G 2
Loze 82 ..... 278 D 2
Lozère *Mont* 48 ..... 265 E 5
Lozinghem 62 ..... 7 H 4
Lozon 50 ..... 31 H 4
Lozzi 2B ..... 346 D 4
Luant 36 ..... 171 G 5
Le Luart 72 ..... 108 C 4
Lubbon 40 ..... 274 D 4
Lubécourt 57 ..... 66 C 3
Lubersac 19 ..... 223 H 4
Lubey 54 ..... 45 E 4
Lubilhac 43 ..... 246 A 1
Lubine 88 ..... 96 C 4
Lublé 37 ..... 151 E 1
Lubret-Saint-Luc 65 ..... 315 G 4
Luby-Betmont 65 ..... 315 G 4
Luc 48 ..... 265 F 3
Luc 65 ..... 315 F 5
Le Luc 83 ..... 328 D 1
Luc-Armau 64 ..... 314 D 2
Luc-en-Diois 26 ..... 268 B 3
Luc-la-Primaube 12 ..... 280 C 2
Luc-sur-Aude 11 ..... 337 G 3
Luc-sur-Mer 14 ..... 33 G 3
Luc-sur-Orbieu 11 ..... 320 C 5
Lucarré 64 ..... 314 D 2
Luçay-le-Libre 36 ..... 172 A 1
Luçay-le-Mâle 36 ..... 153 F 5
Lucbardez-et-Bargues 40 ..... 274 A 5
Lucciana 2B ..... 347 G 2
Lucé 28 ..... 86 A 4
Lucé 61 ..... 82 B 2
Lucé-sous-Ballon 72 ..... 107 H 2
Luceau 72 ..... 130 B 4
Lucelle 68 ..... 143 F 5
Lucenay 69 ..... 212 D 4
Lucenay-le-Duc 21 ..... 138 A 5
Lucenay-lès-Aix 58 ..... 175 F 5
Lucenay-l'Évêque 71 ..... 176 C 1
Lucéram 06 ..... 291 F 4
Lucerne *Abbaye de la* 50 ..... 51 G 3
La Lucerne-d'Outremer 50 ..... 51 G 3
Lucey 21 ..... 138 D 2
Lucey 54 ..... 65 E 5
Lucey 73 ..... 215 E 5
Lucgarier 64 ..... 314 C 5
Luchapt 86 ..... 204 D 1
Luchat 17 ..... 219 F 1
Luché-Pringé 72 ..... 129 H 4
Luché-sur-Brioux 79 ..... 202 D 1
Luché-Thouarsais 79 ..... 167 H 3
Lucheux 80 ..... 12 D 3
Luchy 60 ..... 22 A 5
Lucinges 74 ..... 197 H 5
Lucmau 33 ..... 274 B 1
Luçon 85 ..... 183 F 2
Lucq-de-Béarn 64 ..... 313 G 4
Lucquy 08 ..... 26 B 5
Les Lucs-sur-Boulogne 85 ..... 165 H 3
Lucy 51 ..... 61 F 2
Lucy 57 ..... 66 C 2
Lucy 76 ..... 20 D 3
Lucy-le-Bocage 02 ..... 60 B 1
Lucy-le-Bois 89 ..... 157 H 1
Lucy-sur-Cure 89 ..... 136 C 5
Lucy-sur-Yonne 89 ..... 157 F 1
Le Lude 72 ..... 129 H 4
Ludes 51 ..... 41 G 5
Ludesse 63 ..... 227 H 2
Ludiès 09 ..... 336 C 1
Ludon-Médoc 33 ..... 237 G 4
Ludres 54 ..... 94 D 1
Lüe 40 ..... 272 D 2
Lué-en-Baugeois 49 ..... 150 A 1
Luemschwiller 68 ..... 143 F 2
Luère *Col de la* 69 ..... 212 D 5
Lugagnac 46 ..... 278 D 1
Lugagnan 65 ..... 332 D 1
Lugaignac 33 ..... 256 C 1
Lugan 12 ..... 261 H 5
Lugan 81 ..... 298 C 3
Lugarde 15 ..... 245 E 1
Lugasson 33 ..... 256 C 1
Luglon 40 ..... 273 F 4
Lugny 02 ..... 25 E 3
Lugny 71 ..... 195 E 2
Lugny-Bourbonnais 18 ..... 173 H 3
Lugny-Champagne 18 ..... 155 H 5
Lugny-lès-Charolles 71 ..... 193 H 3
Lugo-di-Nazza 2B ..... 349 G 1
Lugon-et-l'Île-du-Carnay 33 ..... 238 B 4
Lugos 33 ..... 254 D 4
Lugrin 74 ..... 198 C 3
Lugy 62 ..... 7 F 4
Le Luhier 25 ..... 163 E 4
Luigné 49 ..... 149 H 3
Luigny 28 ..... 109 F 2
Luisans 25 ..... 163 E 5
Luisant 28 ..... 86 A 4
Luisetaines 77 ..... 89 F 3
Luitré 35 ..... 81 F 5
Lullin 74 ..... 198 B 4
Lully 74 ..... 198 A 4
Lumbin 38 ..... 233 F 5
Lumbres 62 ..... 7 E 2
Lumeau 28 ..... 110 D 3
Lumes 08 ..... 26 D 3
Luméville-en-Ornois 55 ..... 93 G 3
Lumigny 77 ..... 59 G 4
Lumio 2B ..... 346 C 2
Lunac 12 ..... 279 G 3
Lunan 46 ..... 261 G 3
Lunaret *Zoo de* 34 ..... 302 D 4
Lunas 24 ..... 239 G 5
Lunas 34 ..... 301 G 3
Lunax 31 ..... 316 B 3
Lunay 41 ..... 131 F 3
Luneau 03 ..... 193 F 4
Lunegarde 46 ..... 260 D 2
Lunel 34 ..... 303 F 4
Lunel-Viel 34 ..... 303 F 4
Luneray 76 ..... 19 H 2
Lunery 18 ..... 172 D 3
Lunéville 54 ..... 95 F 1
Le Luot 50 ..... 51 H 4
Lupcourt 54 ..... 94 D 1
Lupé 42 ..... 230 D 5
Lupersat 23 ..... 208 B 3
Lupiac 32 ..... 295 F 3
Luplanté 28 ..... 86 A 5
Luppé-Violles 32 ..... 294 D 3
Luppy 57 ..... 66 B 2
Lupsault 16 ..... 202 D 3
Lupstein 67 ..... 68 C 4
Luquet 65 ..... 314 D 4
Lurais 36 ..... 170 B 5
Luray 28 ..... 56 D 5
Lurbe-Saint-Christau 64 ..... 331 H 2
Lurcy 01 ..... 213 E 2
Lurcy-le-Bourg 58 ..... 157 E 5
Lurcy-Lévis 03 ..... 174 A 5
Luré 42 ..... 211 F 4
Lure 70 ..... 141 H 3
Lureuil 36 ..... 170 C 5
Luri 2B ..... 345 G 2
Luriecq 42 ..... 229 G 4
Lurs 04 ..... 287 F 5
Lury-sur-Arnon 18 ..... 154 C 5
Lus-la-Croix-Haute 26 ..... 268 D 2
Lusanger 44 ..... 126 C 4
Lusans 25 ..... 162 B 2
Luscan 31 ..... 334 B 2
Lusignac 24 ..... 221 G 5
Lusignan 86 ..... 186 A 3
Lusignan-Petit 47 ..... 275 H 2
Lusigny 03 ..... 192 C 1
Lusigny-sur-Barse 10 ..... 115 F 2
Lusigny-sur-Ouche 21 ..... 177 F 1
Lussac 16 ..... 203 H 4
Lussac 17 ..... 219 H 3
Lussac 33 ..... 238 D 4
Lussac-les-Châteaux 86 ..... 187 E 3
Lussac-les-Églises 87 ..... 188 A 4
Lussagnet 40 ..... 294 C 2
Lussagnet-Lusson 64 ..... 314 C 2
Lussan 30 ..... 284 B 3
Lussan 32 ..... 296 C 4
Lussan-Adeilhac 31 ..... 316 D 4
Lussant 17 ..... 201 E 3
Lussas 07 ..... 266 C 3
Lussas-et-Nontronneau 24 ..... 222 B 3
Lussat 23 ..... 208 B 1
Lussat 63 ..... 210 A 5
Lussault-sur-Loire 37 ..... 152 B 2
Lusse 88 ..... 96 C 4
Lusseray 79 ..... 202 C 1
Lustar 65 ..... 315 G 4
Lustrac *Moulin de* 47 ..... 258 D 5
Luthenay-Uxeloup 58 ..... 174 D 3
Luthézieu 01 ..... 214 D 3
Lutilhous 65 ..... 333 G 1
Luttange 57 ..... 46 B 4
Luttenbach-près-Munster 68 ..... 120 C 3
Lutter 68 ..... 143 G 4
Lutterbach 68 ..... 143 F 1
Lutz-en-Dunois 28 ..... 110 A 4
Lutzelbourg 57 ..... 68 A 4
Lutzelhouse 67 ..... 96 D 2
Luvigny 88 ..... 96 C 2
Lux 21 ..... 160 B 1
Lux 31 ..... 318 C 2
Lux 71 ..... 177 H 4
Luxé 16 ..... 203 F 4
Luxe-Sumberraute 64 ..... 311 G 4
Luxémont-et-Villotte 51 ..... 62 D 5
Luxeuil-les-Bains 70 ..... 141 G 2
Luxey 40 ..... 273 H 2
Luxiol 25 ..... 162 C 2
Luyères 10 ..... 91 F 4
Luynes 13 ..... 306 A 5
Luynes 37 ..... 151 G 2
Luz-Ardiden 65 ..... 332 D 3
Luz-Saint-Sauveur 65 ..... 333 E 3
Luzancy 77 ..... 60 A 2
Luzarches 95 ..... 38 C 5
Luzay 79 ..... 168 A 2
Luzé 37 ..... 169 F 1
Luze 70 ..... 142 B 3
Luzech 46 ..... 259 G 5
Luzenac 09 ..... 336 C 5
Luzeret 36 ..... 188 B 2
La Luzerne 50 ..... 32 B 4
Luzillat 63 ..... 210 B 3
Luzillé 37 ..... 152 C 4
Luzinay 38 ..... 231 F 2
Luzoir 02 ..... 25 F 1
Luzy 58 ..... 176 A 4
Luzy-Saint-Martin 55 ..... 27 G 5
Luzy-sur-Marne 52 ..... 117 E 4
Ly-Fontaine 02 ..... 24 B 3
Lyas 07 ..... 266 D 1
Lyaud 74 ..... 198 B 3
Lye 36 ..... 153 F 4
Lynde 59 ..... 7 G 2
Lyoffans 70 ..... 142 A 3
Lyon 69 ..... 213 E 5
Lyon-Saint-Exupéry *Aéroport de* 69 ..... 231 G 1
Lyons-la-Forêt 27 ..... 36 D 2
Lys 58 ..... 157 F 3
Lys 64 ..... 314 B 5
Lys-Chantilly 60 ..... 38 C 5
Lys-lez-Lannoy 59 ..... 9 E 2
Lys-Saint-Georges 36 ..... 189 F 1

M

Maast-et-Violaine 02 ..... 40 C 3
Maâtz 52 ..... 139 H 4
Mably 42 ..... 211 G 2
Macau 33 ..... 237 F 3
Macaye 64 ..... 311 E 4
Macé 61 ..... 54 C 5
Macey 10 ..... 90 C 5
Macey 50 ..... 80 D 2
Machault 08 ..... 42 B 2
Machault 77 ..... 88 C 4
Maché 85 ..... 165 F 4
Machecoul-Saint-Même 44 ..... 165 E 1
Mâchecourt 02 ..... 25 F 4
Machemont 60 ..... 39 G 1
Macheren 57 ..... 67 E 1
Machézal 42 ..... 212 A 4
Machiel 80 ..... 11 G 1
Machilly 74 ..... 197 H 4
La Machine 58 ..... 175 E 3
Machine *Col de la* 26 ..... 250 A 4
Machy 10 ..... 114 D 3
Machy 80 ..... 11 G 1
Macinaggio 2B ..... 345 G 1
Mackenheim 67 ..... 97 G 5
Mackwiller 67 ..... 67 H 2
Maclas 42 ..... 230 D 5
Maclaunay 51 ..... 60 D 3
Macogny 02 ..... 40 A 5
Mâcon 71 ..... 195 E 4
Maconcourt 52 ..... 93 E 4
Maconcourt 88 ..... 94 B 4
Maconge 21 ..... 159 F 4
Macornay 39 ..... 179 E 5
Mâcot-la-Plagne 73 ..... 234 D 2
Macqueville 17 ..... 202 C 5
Macquigny 02 ..... 24 C 2
Madaillan 47 ..... 276 B 2
Madecourt 88 ..... 94 D 5
Madegney 88 ..... 95 E 5
La Madelaine-sous-Montreuil 62 ..... 6 C 4
La Madeleine 44 ..... 147 H 3
La Madeleine 54 ..... 95 E 1
La Madeleine 59 ..... 8 D 2
Madeleine *Col de la* 73 ..... 234 A 3
Madeleine *Grotte de la* 07 ..... 284 C 1
La Madeleine-Bouvet 61 ..... 85 E 3
La Madeleine-de-Nonancourt 27 ..... 56 B 4
La Madeleine-sur-Loing 77 ..... 112 B 2
La Madeleine-Villefrouin 41 ..... 132 B 3
Madeloc *Tour* 66 ..... 343 G 4
Madic 15 ..... 226 C 5
Madière 09 ..... 336 A 1
Madières 34 ..... 302 B 2
Madirac 33 ..... 255 H 1
Madiran 65 ..... 294 D 5
Madone de Fenestre 06 ..... 291 F 2
Madonne-et-Lamerey 88 ..... 119 E 2
La Madrague 83 ..... 327 G 4
La Madrague-de-la-Ville 13 ..... 326 D 2
La Madrague-de-Montredon 13 ..... 326 D 3
Madranges 19 ..... 224 D 4
Madré 53 ..... 82 D 3
Madriat 63 ..... 227 H 4
Maël-Carhaix 22 ..... 77 E 4
Maël-Pestivien 22 ..... 77 F 3
Maennolsheim 67 ..... 68 B 5
Maffliers 95 ..... 58 C 1
Maffrécourt 51 ..... 43 E 5
Magagnosc 06 ..... 309 E 3
Magalas 34 ..... 321 G 2
La Magdeleine 16 ..... 203 E 2
La Magdeleine *Chapelle de* 44 ..... 126 B 5
La Magdeleine-sur-Tarn 31 ..... 298 A 2
Le Mage 61 ..... 84 D 3
Magenta 51 ..... 61 G 1
Les Mages 30 ..... 283 H 2
Magescq 40 ..... 292 C 2
Magland 74 ..... 216 C 2
Magnac-Bourg 87 ..... 224 B 2
Magnac-Laval 87 ..... 188 A 5
Magnac-Lavalette-Villars 16 ..... 221 F 3
Magnac-sur-Touvre 16 ..... 221 F 1
Magnan 32 ..... 294 D 2
Magnant 10 ..... 115 G 3
Magnanville 78 ..... 57 F 2
Magnas 32 ..... 296 C 1
Magnat-l'Étrange 23 ..... 207 H 5
Magné 79 ..... 184 D 4
Magné 86 ..... 186 C 4
Magnet 03 ..... 192 C 5
Magneux 51 ..... 41 E 3
Magneux 52 ..... 92 C 3
Magneux-Haute-Rive 42 ..... 229 H 1
Magneville 50 ..... 29 F 5
Magnicourt 10 ..... 91 G 3
Magnicourt-en-Comte 62 ..... 7 H 5
Magnicourt-sur-Canche 62 ..... 12 D 2
Magnien 21 ..... 159 E 5
Magnières 54 ..... 95 G 3
Magnieu 01 ..... 214 D 5
Les Magnils-Reigniers 85 ..... 183 E 2
Magnivray 70 ..... 141 H 2
Magnoncourt 70 ..... 119 E 5
Le Magnoray 70 ..... 141 E 5
Magny 28 ..... 85 H 5
Le Magny 36 ..... 189 G 2
Magny 68 ..... 142 D 3
Les Magny 70 ..... 141 H 5
Le Magny 88 ..... 118 D 4
Magny 89 ..... 158 A 1
Magny-Châtelard 25 ..... 162 C 4
Magny-Cours 58 ..... 174 C 3
Magny-Danigon 70 ..... 142 A 2
Magny-en-Bessin 14 ..... 33 E 3
Magny-en-Vexin 95 ..... 37 G 5
Magny-Fouchard 10 ..... 115 H 2
Magny-Jobert 70 ..... 142 A 3
Magny-la-Campagne 14 ..... 54 A 1
Magny-la-Fosse 02 ..... 24 A 1
Magny-la-Ville 21 ..... 158 D 1
Magny-Lambert 21 ..... 138 B 4
Magny-le-Désert 61 ..... 82 D 2
Magny-le-Freule 14 ..... 34 A 5
Magny-le-Hongre 77 ..... 59 F 3
Magny-lès-Aubigny 21 ..... 160 B 5
Magny-les-Hameaux 78 ..... 58 A 4
Magny-lès-Jussey 70 ..... 140 D 2
Magny-lès-Villers 21 ..... 159 H 5
Magny-Lormes 58 ..... 157 G 3
Magny-Montarlot 21 ..... 160 D 4
Magny-Saint-Médard 21 ..... 160 C 2
Magny-sur-Tille 21 ..... 160 B 3
Magny-Vernois 70 ..... 141 H 4
Magny-Village 78 ..... 58 A 4
Magoar 22 ..... 77 G 3
Magrie 11 ..... 337 G 2
Magrin 81 ..... 298 D 5
Magstatt-le-Bas 68 ..... 143 G 2
Magstatt-le-Haut 68 ..... 143 G 3
Maguelone 34 ..... 302 D 5
Mahalon 29 ..... 99 E 2
Mahéru 61 ..... 55 E 5
Maîche 25 ..... 163 G 3
Maidières 54 ..... 65 G 3
Maignaut-Tauzia 32 ..... 295 H 1
Maigné 72 ..... 107 F 5
Maignelay-Montigny 60 ..... 22 D 5
Mailhac 11 ..... 320 D 4
Mailhac-sur-Benaize 87 ..... 188 B 4
Mailhoc 81 ..... 279 G 5
Mailholas 31 ..... 317 G 4
Maillane 13 ..... 304 C 2
Maillas 40 ..... 274 B 2
Maillat 01 ..... 214 B 1
Maillé 37 ..... 169 G 1
Maillé 85 ..... 184 B 4
Maillé 86 ..... 168 D 5
Maillé *Château de* 29 ..... 71 F 4
Maillebois 28 ..... 85 G 2
La Mailleraye-sur-Seine 76 ..... 35 G 1
Maillères 40 ..... 273 H 4
Mailleroncourt-Charette 70 ..... 141 F 3
Mailleroncourt-Saint-Pancras 70 ..... 118 D 5
Maillet 03 ..... 190 D 3
Maillet 36 ..... 189 E 2
Mailley-et-Chazelot 70 ..... 141 E 5
Maillezais 85 ..... 184 B 3
Maillot 89 ..... 113 G 3
Mailly 71 ..... 193 G 5
Mailly-Champagne 51 ..... 41 H 5
Mailly-la-Ville 89 ..... 136 C 5
Mailly-le-Camp 10 ..... 61 H 5
Mailly-le-Château 89 ..... 136 B 5
Mailly-Maillet 80 ..... 13 F 5
Mailly-Raineval 80 ..... 22 D 3
Mailly-sur-Seille 54 ..... 65 H 3
Les Maillys 21 ..... 160 C 5
Maimbeville 60 ..... 38 D 2
Mainbresson 08 ..... 25 H 3
Mainbressy 08 ..... 25 H 4
Maincourt-sur-Yvette 78 ..... 57 H 5
Maincy 77 ..... 88 B 3
Maine-de-Boixe 16 ..... 203 F 4
Mainfonds 16 ..... 221 E 3
Maing 59 ..... 14 D 2
Mainneville 27 ..... 37 F 2
Mainsat 23 ..... 208 B 2
Maintenay 62 ..... 6 C 5
Maintenon 28 ..... 86 B 2
Mainterne 28 ..... 56 B 5
Mainville 54 ..... 45 E 4
Mainvillers 57 ..... 66 D 2
Mainvilliers 28 ..... 86 A 4
Mainvilliers 45 ..... 87 G 5
Mainxe 16 ..... 220 C 2
Mainzac 16 ..... 221 H 3
Mairé 86 ..... 170 A 3
Mairé-Levescault 79 ..... 203 E 1
Mairieux 59 ..... 15 H 2
Mairy 08 ..... 27 F 4
Mairy-Mainville 54 ..... 45 E 4
Mairy-sur-Marne 51 ..... 62 B 3
Maisdon-sur-Sèvre 44 ..... 148 A 5
Maisey-le-Duc 21 ..... 138 B 2
Maisières-Notre-Dame 25 ..... 162 A 5
Maisnières 80 ..... 11 F 4
Le Maisnil 59 ..... 8 C 3
Maisnil 62 ..... 12 D 2
Maisnil-lès-Ruitz 62 ..... 8 A 4
Maisod 39 ..... 196 C 2
Maison-des-Champs 10 ..... 115 H 2
La Maison-Dieu 58 ..... 157 G 2
Maison-du-Roy 05 ..... 270 D 2
Maison-Feyne 23 ..... 189 E 4
Maison-Jeannette 24 ..... 240 B 4
Maison-Maugis 61 ..... 84 D 4
Maison-Neuve 07 ..... 284 A 1
Maison-Neuve 16 ..... 221 G 2
Maison-Ponthieu 80 ..... 12 B 3
Maison-Roland 80 ..... 11 H 3
Maison-Rouge 77 ..... 89 F 2
Maisoncelle 62 ..... 7 E 4
Maisoncelle-et-Villers 08 ..... 27 E 5
Maisoncelle-Saint-Pierre 60 ..... 38 A 1
Maisoncelle-Tuilerie 60 ..... 22 B 5
Maisoncelles 52 ..... 117 G 3
Maisoncelles 72 ..... 108 C 5
Maisoncelles-du-Maine 53 ..... 106 A 5
Maisoncelles-en-Brie 77 ..... 59 H 3
Maisoncelles-en-Gâtinais 77 ..... 112 B 3
Maisoncelles-la-Jourdan 14 ..... 52 C 3
Maisoncelles-Pelvey 14 ..... 53 E 1
Maisoncelles-sur-Ajon 14 ..... 53 F 1
Maisonnais 18 ..... 190 A 1
Maisonnais 79 ..... 202 D 1
Maisonnais-sur-Tardoire 87 ..... 222 C 1
Maisonneuve 86 ..... 168 C 5
Maisonnisses 23 ..... 207 E 2
Maisons 11 ..... 338 B 3
Maisons 14 ..... 32 D 3
Maisons 28 ..... 86 D 4
Maisons-Alfort 94 ..... 58 C 4
Les Maisons Blanches 79 ..... 203 F 1
Maisons-du-Bois 25 ..... 180 D 1
Maisons-en-Champagne 51 ..... 62 C 4
Maisons-Laffitte 78 ..... 58 A 2
Maisons-lès-Chaource 10 ..... 115 E 4
Maisons-lès-Soulaines 10 ..... 92 B 5
Maisonsgoutte 67 ..... 96 D 4
Maisontiers 79 ..... 168 A 4
Maisse 91 ..... 87 H 4
Maissemy 02 ..... 24 A 2
Maixe 54 ..... 95 F 1
Maizeray 55 ..... 64 D 1
Maizeroy 57 ..... 66 B 1
Maizery 57 ..... 66 B 1
Maizet 14 ..... 33 F 5
Maizey 55 ..... 64 C 3
Maizicourt 80 ..... 12 B 3
Maizière 58 ..... 156 B 4
Maizières 14 ..... 53 H 1
Maizières 52 ..... 92 D 3
Maizières 54 ..... 94 C 2
Maizières 62 ..... 13 E 2
Maizières 70 ..... 161 H 1
Maizières-la-Grande-Paroisse 10 ..... 90 B 3
Maizières-lès-Brienne 10 ..... 91 H 4
Maizières-lès-Metz 57 ..... 45 H 4
Maizières-les-Vic 57 ..... 67 E 5
Maizières-sur-Amance 52 ..... 140 A 2
Maizilly 42 ..... 211 H 1
Maizy 02 ..... 41 E 2
Majastres 04 ..... 288 B 5
Malabat 32 ..... 315 F 2
La Malachère 70 ..... 162 A 1
Malafretaz 01 ..... 195 G 4
Mâlain 21 ..... 159 G 3
Malaincourt 88 ..... 118 A 2
Malaincourt-sur-Meuse 52 ..... 117 H 2
Malakoff 92 ..... 58 B 4

Malancourt 55 ... 43 G 4
Malancourt-la-Montagne 57 ... 45 G 5
Malandry 08 ... 27 G 5
Malange 39 ... 161 F 4
Malans 25 ... 180 A 1
Malans 70 ... 161 E 3
Malansac 56 ... 125 F 3
Malarce-sur-la-Thines 07 ... 265 H 5
Malataverne 26 ... 267 E 4
Malaucène 84 ... 285 H 3
Malaucourt-sur-Seille 57 ... 66 B 4
Malaumont 55 ... 64 C 5
Malaunay 76 ... 36 A 1
Malause 82 ... 277 E 4
Malaussanne 64 ... 294 A 5
Malaussène 06 ... 289 H 5
Malauzat 63 ... 209 G 5
Malaville 16 ... 220 D 3
Malavillers 54 ... 45 E 3
Malay 71 ... 194 D 1
Malay-le-Grand 89 ... 113 G 3
Malay-le-Petit 89 ... 113 H 3
Malbo 15 ... 245 E 4
Malbosc 07 ... 283 H 1
Malbouhans 70 ... 142 A 2
Malbouzon 48 ... 263 H 2
Malbrans 25 ... 162 A 5
Malbuisson 25 ... 180 C 3
Mâle 61 ... 108 D 2
Malegoude 09 ... 336 D 1
Malemort 19 ... 242 C 2
Malemort-du-Comtat 84 ... 285 H 5
La Malène 48 ... 282 B 2
Malepeyre *Sabot de* 48 ... 282 A 1
Malesherbes 45 ... 87 H 5
Malestroit 56 ... 125 E 2
Malétable 61 ... 84 D 2
Maleville 12 ... 279 G 1
Malfalco *Anse de* 2B ... 345 E 4
Malguénac 56 ... 101 H 2
Malherbe-sur-Ajon 14 ... 33 F 5
La Malhoure 22 ... 78 D 4
Malicornay 36 ... 188 D 1
Malicorne 03 ... 191 E 5
Malicorne 89 ... 135 F 3
Malicorne-sur-Sarthe 72 ... 129 G 2
Maligny 21 ... 177 E 1
Maligny 89 ... 136 C 2
Malijai 04 ... 287 G 4
Malincourt 59 ... 14 C 5
Malintrat 63 ... 209 H 5
Malissard 26 ... 249 F 5
Malle *Château de* 33 ... 256 B 4
Mallefougasse 04 ... 287 F 4
Malleloy 54 ... 65 H 4
Mallemoisson 04 ... 287 H 4
Mallemort 13 ... 305 G 3
Malléon 09 ... 336 C 2
Malleret 23 ... 226 B 1
Malleret-Boussac 23 ... 189 H 4
Mallerey 39 ... 179 E 5
Mallet *Belvédère de* 15 ... 245 H 5
Malleval 42 ... 230 D 4
Malleval-en-Vercors 38 ... 250 B 2
Malleville-les-Grès 76 ... 19 F 2
Malleville-sur-le-Bec 27 ... 35 G 4
Mallièvre 85 ... 166 D 2
Malling 57 ... 45 H 2
Malloué 14 ... 52 C 2
La Malmaison 02 ... 41 G 1
Malmerspach 68 ... 120 C 5
Malmy 51 ... 43 E 4
Malnoue 77 ... 59 E 3
Malo-les-Bains 59 ... 3 G 2
Malons-et-Elze 30 ... 265 G 5
Malouy 27 ... 35 E 5
Malpart 80 ... 22 D 4
Malpas 25 ... 180 C 3
Malras 11 ... 337 F 2
Malrevers 43 ... 247 G 3
Malromé *Château de* 33 ... 256 B 3
Malroy 57 ... 45 H 5
Maltat 71 ... 175 H 5
Maltot 14 ... 33 G 5
Malval 23 ... 189 F 4
Malval *Col de* 69 ... 212 C 5
Malvalette 43 ... 229 H 5
Malves-en-Minervois 11 ... 320 A 4
Malvezie 31 ... 334 B 2
Malvières 43 ... 229 E 5
Malviès 11 ... 337 G 1
Malville 44 ... 147 E 2
Malvillers 70 ... 140 C 3
Malzéville 54 ... 65 H 5
Le Malzieu-Forain 48 ... 264 B 1
Le Malzieu-Ville 48 ... 264 B 1
Malzy 02 ... 25 E 1
Mambouhans 25 ... 163 E 2
Mamers 72 ... 84 A 5
Mametz 62 ... 7 G 2
Mametz 80 ... 13 G 5
Mamey 54 ... 65 F 3
Mamirolle 25 ... 162 B 4
Manas 26 ... 267 G 3
Manas-Bastanous 32 ... 315 H 3
Manaurie 24 ... 241 E 4
Mance 54 ... 45 F 4
La Mancelière 28 ... 56 A 5
La Mancellière 50 ... 52 A 5
La Mancellière-sur-Vire 50 ... 32 B 5
Mancenans 25 ... 162 D 1
Mancenans-Lizerne 25 ... 163 F 3
Mancey 71 ... 195 E 1
Manchecourt 45 ... 111 H 2
Manciet 32 ... 295 E 2
Mancieulles 54 ... 45 F 4
Mancioux 31 ... 316 D 5
Mancy 51 ... 61 F 2
Mandacou 24 ... 258 B 2
Mandagout 30 ... 282 D 5
Mandailles-Saint-Julien 15 ... 244 D 3
Mandelieu-la-Napoule 06 ... 309 E 4
Manderen 57 ... 46 B 2
Mandeure 25 ... 142 B 5
Mandeville 27 ... 36 A 4
Mandeville-en-Bessin 14 ... 32 C 3
Mandray 88 ... 96 B 5
Mandres 27 ... 55 H 4
Mandres-
aux-Quatre-Tours 54 ... 65 E 4
Mandres-en-Barrois 55 ... 93 F 3
Mandres-la-Côte 52 ... 117 F 4
Mandres-les-Roses 94 ... 58 D 5
Mandres-sur-Vair 88 ... 118 B 2
Mandrevillars 70 ... 142 B 3
Manduel 30 ... 304 A 2
Mane 04 ... 287 E 5
Mane 31 ... 334 D 1
Manéglise 76 ... 18 D 5
Manéhouville 76 ... 20 B 2
Manent-Montané 32 ... 316 B 3
Manerbe 14 ... 34 C 4
Mangiennes 55 ... 44 C 3
Manglieu 63 ... 228 B 2
Mangonville 54 ... 95 E 3
Manhac 12 ... 280 C 2
Manheulles 55 ... 64 D 1
Manhoué 57 ... 66 B 4
Manicamp 02 ... 24 A 5
Manicourt 80 ... 23 G 3
Manigod 74 ... 216 A 4
Manin 62 ... 13 E 2
Maninghem 62 ... 6 D 3
Maninghen-Henne 62 ... 2 B 5
Maniquerville 76 ... 18 D 4
Manlay 21 ... 158 D 5
Manneville-ès-Plains 76 ... 19 G 2
Manneville-la-Goupil 76 ... 18 D 5
Manneville-la-Pipard 14 ... 34 C 3
Manneville-la-Raoult 27 ... 34 D 2
Manneville-sur-Risle 27 ... 35 F 2
Mannevillette 76 ... 18 C 5
Mano 40 ... 255 F 5
Le Manoir 14 ... 33 E 3
Le Manoir 27 ... 36 B 3
Manois 52 ... 93 F 5
Manom 57 ... 45 H 3
Manoncourt-en-Vermois 54 ... 95 E 1
Manoncourt-en-Woëvre 54 ... 65 F 4
Manoncourt-sur-Seille 54 ... 65 H 3
Manonville 54 ... 65 F 4
Manonviller 54 ... 95 H 1
Manosque 04 ... 306 C 1
Manot 16 ... 204 C 3
Manou 28 ... 85 F 3
Manre 08 ... 42 D 3
Le Mans 72 ... 107 H 4
Mansac 19 ... 241 H 2
Mansan 65 ... 315 F 3
Mansat-la-Courrière 23 ... 207 E 3
Manse *Col de* 05 ... 269 H 3
Mansempuy 32 ... 296 C 3
Mansencôme 32 ... 295 H 1
Manses 09 ... 336 C 1
Mansigné 72 ... 129 H 3
Mansle 16 ... 203 F 4
Manso 2B ... 346 B 4
Mansonville 82 ... 276 D 5
Manspach 68 ... 143 E 3
Mant 40 ... 294 A 4
Mantaille *Château de* 26 ... 249 F 1
Mantallot 22 ... 72 D 3
Mantenay-Montlin 01 ... 195 G 3
Mantes-la-Jolie 78 ... 57 F 2
Mantes-la-Ville 78 ... 57 F 2
Mantet 66 ... 341 H 4
Manteyer 05 ... 269 G 4
Manthelan 37 ... 152 A 5
Manthelon 27 ... 56 A 2
Manthes 26 ... 231 G 5
Mantilly 61 ... 82 A 2
Mantoche 70 ... 161 E 2
Mantry 39 ... 179 E 4
Manvieux 14 ... 33 E 2
Many 57 ... 66 C 2
Manzac-sur-Vern 24 ... 240 B 3
Manzat 63 ... 209 F 3
Manziat 01 ... 195 F 4
Maquens 11 ... 319 H 5
Marac 52 ... 117 E 5
Marainville-sur-Madon 88 ... 94 D 4
Marainviller 54 ... 95 G 1
Le Marais *Château* 91 ... 87 F 2
Le Marais-la-Chapelle 14 ... 54 A 3
Marais-Vernier 27 ... 35 E 2
Marambat 32 ... 295 G 2
Marandeuil 21 ... 160 C 3
Marange-Silvange 57 ... 45 G 5
Marange-Zondrange 57 ... 66 C 1
Marangea 39 ... 196 C 2
Marans 17 ... 183 G 4
Marans 49 ... 128 A 4
Maransin 33 ... 238 B 3
Marant 62 ... 6 C 4
Maranville 52 ... 116 C 3
Maranwez 08 ... 26 A 3
Marast 70 ... 141 G 5
Marat 63 ... 228 D 2
Marat-la-Grande 55 ... 63 H 3
Marault 52 ... 116 D 2
Maraussan 34 ... 321 F 3
Maravat 32 ... 296 C 3
Maray 41 ... 154 A 4
Maraye-en-Othe 10 ... 114 C 3
Marbache 54 ... 65 G 4
Marbaix 59 ... 15 F 4
Marbeuf 27 ... 36 A 5
Marbéville 52 ... 92 D 5
Marbotte 55 ... 64 D 4
Marboué 28 ... 109 H 3
Marboz 01 ... 195 H 4
Marby 08 ... 26 B 2
Marc-la-Tour 19 ... 243 E 2
Marçais 18 ... 173 E 5
Marçay 37 ... 151 E 5
Marçay 86 ... 186 B 3
Marcé 49 ... 129 E 5
Marcé-sur-Esves 37 ... 169 H 1
Marcei 61 ... 54 B 5
Marcelcave 80 ... 22 D 2
Marcellaz 74 ... 216 A 1
Marcellaz-Albanais 74 ... 215 F 4
Marcellois 21 ... 159 F 3
Marcellus 47 ... 257 E 5
Marcenais 33 ... 238 B 3
Marcenat 03 ... 192 B 5
Marcenat 15 ... 245 F 1
Marcenay 21 ... 137 H 2
Marcenod 42 ... 230 B 2
Marcevol 66 ... 342 B 2
Marcey-les-Grèves 50 ... 51 G 4
Marchainville 61 ... 85 E 2
Marchais 02 ... 25 E 5
Marchais-Beton 89 ... 135 F 3
Marchais-en-Brie 02 ... 60 C 3
Marchal 15 ... 226 D 4
Marchamp 01 ... 214 C 5
Marchampt 69 ... 212 C 1
Marchastel 15 ... 245 E 1
Marchastel 48 ... 263 H 3
Marchaux 25 ... 162 A 3
La Marche 58 ... 156 B 5
Marché-Allouarde 80 ... 23 G 3
Marchélepot 80 ... 23 G 2
Marchemaisons 61 ... 84 A 3
Marchémoret 77 ... 59 F 1
Marchenoir 41 ... 132 B 3
Marcheprime 33 ... 254 D 2
Marches 26 ... 249 H 4
Les Marches 73 ... 233 F 3
Marcheseuil 21 ... 158 D 5
Marchésieux 50 ... 31 H 4
Marchéville 28 ... 85 H 5
Marcheville 80 ... 11 H 2
Marchéville-en-Woëvre 55 ... 64 D 1
Marchezais 28 ... 57 E 4
Marchiennes 59 ... 9 E 5
Marchon 01 ... 196 C 4
Marciac 32 ... 295 F 5
Marcieu 38 ... 250 D 4
Marcieux 73 ... 232 D 2
Marcigny 71 ... 193 G 5
Marcigny-sous-Thil 21 ... 158 D 2
Marcilhac-sur-Célé 46 ... 260 D 4
Marcillac 33 ... 237 G 1
Marcillac-la-Croisille 19 ... 243 F 1
Marcillac-la-Croze 19 ... 242 D 4
Marcillac-Lanville 16 ... 203 E 4
Marcillac-Saint-Quentin 24 ... 241 G 4
Marcillac-Vallon 12 ... 262 C 5
Marcillat 63 ... 209 G 2
Marcillat-en-Combraille 03 ... 208 D 1
Marcillé-la-Ville 53 ... 82 C 5
Marcillé-Raoul 35 ... 80 C 4
Marcillé-Robert 35 ... 104 D 5
Marcilloles 38 ... 231 H 5
Marcilly 50 ... 51 H 5
Marcilly 77 ... 59 G 1
Marcilly-d'Azergues 69 ... 212 D 4
Marcilly-en-Bassigny 52 ... 117 H 5
Marcilly-en-Beauce 41 ... 131 G 3
Marcilly-en-Gault 41 ... 154 A 2
Marcilly-en-Villette 45 ... 133 F 3
Marcilly-et-Dracy 21 ... 159 E 2
Marcilly-la-Campagne 27 ... 56 B 3
Marcilly-la-Gueurce 71 ... 194 A 3
Marcilly-le-Châtel 42 ... 229 G 1
Marcilly-le-Hayer 10 ... 90 A 5
Marcilly-lès-Buxy 71 ... 177 F 5
Marcilly-Ogny 21 ... 158 D 4
Marcilly-sur-Eure 27 ... 56 C 3
Marcilly-sur-Maulne 37 ... 130 A 5
Marcilly-sur-Seine 51 ... 90 B 2
Marcilly-sur-Tille 21 ... 160 B 1
Marcilly-sur-Vienne 37 ... 169 G 1
Marck 62 ... 2 D 3
Marckolsheim 67 ... 121 F 2
Marclopt 42 ... 229 H 2
Marcoing 59 ... 14 B 4
Marcolès 15 ... 262 B 1
Marcollin 38 ... 231 G 5
Marcols-les-Eaux 07 ... 266 B 1
Marçon 72 ... 130 C 4
Marconnay *Château de* 86 ... 185 H 2
Marconne 62 ... 7 E 5
Marconnelle 62 ... 6 D 5
Marcorignan 11 ... 321 E 5
Marcoule 30 ... 285 E 3
Marcoussis 91 ... 87 G 2
Marcoux 04 ... 288 A 3
Marcoux 42 ... 229 G 1
Marcq 08 ... 43 F 3
Marcq 78 ... 57 G 3
Marcq-en-Barœul 59 ... 8 D 2
Marcq-en-Ostrevant 59 ... 14 B 2
Marcy 02 ... 24 B 2
Marcy 58 ... 157 E 3
Marcy 69 ... 212 D 4
Marcy-l'Étoile 69 ... 212 D 5
Marcy-sous-Marle 02 ... 25 E 3
Mardeuil 51 ... 61 F 1
Mardié 45 ... 133 G 2
Mardilly 61 ... 54 D 3
Mardor 52 ... 139 F 2
Mardore 69 ... 212 A 2
Mardyck 59 ... 3 F 2
La Mare-d'Ovillers 60 ... 38 B 4
Mareau-aux-Bois 45 ... 111 G 4
Mareau-aux-Prés 45 ... 133 E 2
Marèges *Barrage de* 19 ... 226 B 5
Mareil-en-Champagne 72 ... 107 E 5
Mareil-en-France 95 ... 58 C 1
Mareil-le-Guyon 78 ... 57 G 4
Mareil-Marly 78 ... 58 A 3
Mareil-sur-Loir 72 ... 129 G 4
Mareil-sur-Mauldre 78 ... 57 G 3
Mareilles 52 ... 117 F 2
Marenla 62 ... 6 C 4
Marennes 17 ... 200 C 4
Marennes 69 ... 231 F 2
Maresché 72 ... 107 G 2
Maresches 59 ... 15 E 2
Maresquel-Ecquemicourt 62 ... 6 D 5
Marest 62 ... 7 G 4
Marest-Dampcourt 02 ... 24 A 5
Marest-sur-Matz 60 ... 39 F 1
Marestaing 32 ... 297 E 5
Marestmontiers 80 ... 22 D 4
Maresville 62 ... 6 B 4
Les Marêts 77 ... 60 B 5
Maretz 59 ... 14 C 5
Mareugheol 63 ... 227 H 4
Mareuil 16 ... 202 C 5
Mareuil 24 ... 221 H 4
Mareuil-Caubert 80 ... 11 G 4
Mareuil-en-Brie 51 ... 61 E 2
Mareuil-en-Dôle 02 ... 40 D 4
Mareuil-la-Motte 60 ... 39 F 1
Mareuil-le-Port 51 ... 61 E 1
Mareuil-lès-Meaux 77 ... 59 G 2
Mareuil-sur-Arnon 18 ... 172 C 3
Mareuil-sur-Ay 51 ... 61 G 1
Mareuil-sur-Cher 41 ... 153 E 4
Mareuil-sur-Lay 85 ... 183 E 1
Mareuil-sur-Ourcq 60 ... 39 H 5
Marey 88 ... 118 B 3
Marey-lès-Fussey 21 ... 159 H 5
Marey-sur-Tille 21 ... 139 E 5
Marfaux 51 ... 41 F 5
Marfontaine 02 ... 25 E 3
Margaux 33 ... 237 F 3
Margencel 74 ... 198 A 3
Margency 95 ... 58 B 2
Margerides 19 ... 226 B 4
Margerie-Chantagret 42 ... 229 G 3
Margerie-Hancourt 51 ... 91 H 2
Margès 26 ... 249 G 2
Margilley 70 ... 140 A 5
Margival 02 ... 40 B 2
Le Margnès 81 ... 300 B 4
Margny 08 ... 27 H 4
Margny 51 ... 60 D 2
Margny-aux-Cerises 60 ... 23 G 4
Margny-lès-Compiègne 60 ... 39 F 2
Margny-sur-Matz 60 ... 39 F 1
Margon 28 ... 85 E 5
Margon 34 ... 321 H 2
Margouët-Meymes 32 ... 295 F 3
Margueray 50 ... 52 A 2
Marguerittes 30 ... 304 A 2
Margueron 33 ... 257 F 1
Marguestau 32 ... 295 E 1
Margut 08 ... 27 H 5
Mariac 07 ... 248 B 5
Mariaud 04 ... 288 C 1
Maricourt 80 ... 23 F 1
Marie 06 ... 289 H 4
Marienthal 67 ... 69 E 4
Marieulles 57 ... 65 G 2
Marieux 80 ... 12 D 4
Marigna-sur-Valouse 39 ... 196 B 3
Marignac 17 ... 219 H 3
Marignac 31 ... 334 B 3
Marignac 82 ... 296 D 2
Marignac-en-Diois 26 ... 268 A 1
Marignac-Lasclares 31 ... 317 F 4
Marignac-Laspeyres 31 ... 317 E 5
Marignana 2A ... 346 C 5
Marignane 13 ... 326 C 1
Marigné 49 ... 128 C 3
Marigné-Laillé 72 ... 130 B 3
Marigné-Peuton 53 ... 128 A 2
Marignier 74 ... 216 B 1
Marignieu 01 ... 214 D 5
Marigny 03 ... 191 H 1
Marigny 39 ... 179 G 5
Marigny 51 ... 61 F 5
Marigny 71 ... 177 E 5
Marigny 79 ... 185 E 5
Marigny-Brizay 86 ... 169 F 4
Marigny-Chemereau 86 ... 186 A 3
Marigny-en-Orxois 02 ... 60 A 1
Marigny-le-Cahouët 21 ... 159 E 1
Marigny-le-Châtel 10 ... 90 B 4
Marigny-le-Lozon 50 ... 32 A 5
Marigny-l'Église 58 ... 158 A 3
Marigny-lès-Reullée 21 ... 178 A 1
Marigny-les-Usages 45 ... 111 E 5
Marigny-Marmande 37 ... 169 G 2
Marigny-Saint-Marcel 74 ... 215 F 4
Marigny-sur-Yonne 58 ... 157 G 4
Marillac-le-Franc 16 ... 221 H 1
Le Marillais 49 ... 148 C 2
Marillet 85 ... 184 C 1
Marimbault 33 ... 256 B 5
Marimont-lès-Bénestroff 57 ... 67 E 3
Marin 74 ... 198 B 3
Marines 95 ... 37 H 5
Les Marines-de-Cogolin 83 ... 329 F 2
Maringes 42 ... 230 A 2
Maringues 63 ... 210 A 4
Mariol 03 ... 210 C 3
Marions 33 ... 274 C 1
Marissel 60 ... 38 A 2
Marizy-Saint-Mard 02 ... 40 A 5
Marizy-Sainte-Geneviève 02 ... 40 A 5
Le Markstein 68 ... 120 C 4
Marle 02 ... 25 E 3
Marlemont 08 ... 26 A 3
Marlenheim 67 ... 97 F 1
Marlens 74 ... 216 A 5
Marlers 80 ... 21 G 3
Marles-en-Brie 77 ... 59 G 5
Marles-les-Mines 62 ... 7 H 4
Marles-sur-Canche 62 ... 6 C 4
Marlhes 42 ... 248 B 1
Marliac 31 ... 318 A 5
Marliens 21 ... 160 B 4
Marlieux 01 ... 213 G 2
Marlioz 74 ... 215 F 2
Marly 57 ... 65 H 1
Marly 59 ... 9 G 5
Marly-Gomont 02 ... 25 E 1
Marly-la-Ville 95 ... 58 D 1
Marly-le-Roi 78 ... 58 A 3
Marly-sous-Issy 71 ... 176 A 5
Marly-sur-Arroux 71 ... 193 H 1
Marmagne 18 ... 172 D 1
Marmagne 21 ... 137 H 5
Marmagne 71 ... 176 D 3
Marmande 47 ... 257 E 4
Marmanhac 15 ... 244 C 4
Marmeaux 89 ... 137 F 5
Marmesse 52 ... 116 C 4
Marminiac 46 ... 259 G 3
Marmont-Pachas 47 ... 276 B 4
Marmouillé 61 ... 54 C 5
Marmoutier 67 ... 68 B 5
Marnac 24 ... 259 E 1
Marnand 69 ... 212 A 2
Marnans 38 ... 231 H 5
Marnaves 81 ... 279 E 4
Marnay 70 ... 161 G 3
Marnay 71 ... 178 A 5
Marnay 86 ... 186 B 3
Marnay-sur-Marne 52 ... 117 E 4
Marnay-sur-Seine 10 ... 90 A 3
Marnaz 74 ... 216 B 1
La Marne 44 ... 165 F 1
Marne-la-Vallée 11 ... 59 E 3
Marnefer 61 ... 55 F 3
Marnes 79 ... 168 C 3
Marnes-la-Coquette 92 ... 58 B 3
Marnézia 39 ... 196 C 1
Marnhagues-et-Latour 12 ... 301 F 2
Marnoz 39 ... 179 G 2
Marœuil 62 ... 13 F 2
Maroilles 59 ... 15 F 4
La Marolle-en-Sologne 41 ... 133 E 5
Marolles 14 ... 34 D 5
Marolles 41 ... 132 A 5
Marolles 51 ... 62 D 5
Marolles 60 ... 39 H 5
Marolles-en-Beauce 91 ... 87 G 5
Marolles-en-Brie 77 ... 60 A 4
Marolles-en-Brie 94 ... 58 D 5
Marolles-en-Hurepoix 91 ... 87 G 2
Marolles-lès-Bailly 10 ... 115 G 2
Marolles-les-Braults 72 ... 108 A 2
Marolles-les-Buis 28 ... 85 E 5
Marolles-
lès-Saint-Calais 72 ... 108 D 5
Marolles-sous-Lignières 10 ... 114 D 5
Marolles-sur-Seine 77 ... 89 E 4
Marollette 72 ... 84 A 4
Marols 42 ... 229 G 4
Maromme 76 ... 36 A 1
Mâron 36 ... 172 A 4
Maron 54 ... 94 C 1
Maroncourt 88 ... 94 D 5
Maroué 22 ... 78 D 4
Maroutière
Château de la 53 ... 128 B 2
Marpain 39 ... 161 E 3
Marpaps 40 ... 293 G 4
Marpent 59 ... 15 H 2
Marpiré 35 ... 104 D 2
Marquaix 80 ... 23 H 1
Marquay 24 ... 241 F 5
Marquay 62 ... 7 G 5
Marquefave 31 ... 317 G 4
Marquéglise 60 ... 39 F 1
Marquein 11 ... 318 C 4
Marquenterre *Parc du* 80 ... 11 E 1
Marquerie 65 ... 315 F 4
Marques 76 ... 21 F 3
Marquette-en-Ostrevant 59 ... 14 B 2
Marquette-lez-Lille 59 ... 8 D 2
Marquigny 08 ... 26 D 5
Marquillies 59 ... 8 C 3
Marquion 62 ... 14 A 3
Marquise 62 ... 2 B 4
Marquivillers 80 ... 23 E 4
Marquixanes 66 ... 342 B 2
Marray 37 ... 130 D 5
La Marre 39 ... 179 F 4
Marre 55 ... 43 H 4
Mars 07 ... 248 A 4
Les Mars 23 ... 208 C 3
Mars 30 ... 282 D 5
Mars 42 ... 212 A 1
Mars-la-Tour 54 ... 65 F 1

Mars-sous-Bourcq 08 ... 42 C 2
Mars-sur-Allier 58 ... 174 B 3
Marsa 11 ... 337 F 4
Marsac 16 ... 221 E 1
Marsac 23 ... 206 C 2
Marsac 65 ... 315 E 3
Marsac 82 ... 296 D 1
Marsac-en-Livradois 63 ... 229 E 4
Marsac-sur-Don 44 ... 126 C 4
Marsac-sur-l'Isle 24 ... 240 C 2
Marsainvilliers 45 ... 111 G 2
Marsais 17 ... 201 G 1
Marsais-
Sainte-Radégonde 85 ... 183 H 1
Marsal 57 ... 66 D 4
Marsal 81 ... 299 G 1
Marsalès 24 ... 258 D 2
Marsan 32 ... 296 C 4
Marsaneix 24 ... 240 D 3
Marsangis 51 ... 90 C 2
Marsangy 89 ... 113 G 3
Marsannay-la-Côte 21 ... 160 A 3
Marsannay-le-Bois 21 ... 160 B 2
Marsanne 26 ... 267 F 3
Marsas 33 ... 237 H 3
Marsas 65 ... 333 G 1
Marsat 63 ... 209 H 4
Marsaz 26 ... 249 F 2
Marseillan 32 ... 315 G 2
Marseillan 34 ... 322 C 4
Marseillan 65 ... 315 F 4
Marseillan-Plage 34 ... 322 D 5
Marseille 13 ... 326 D 3
Marseille-en-Beauvaisis 60 ... 21 H 5
Marseille-lès-Aubigny 18 ... 174 B 1
Marseillette 11 ... 320 A 5
Marsillargues 34 ... 303 G 4
Marsilly 17 ... 183 F 5
Marsilly 57 ... 66 B 1
Marsinval 78 ... 57 H 2
Marsolan 32 ... 296 A 1
Marson 51 ... 62 C 2
Marson-sur-Barboure 55 ... 93 G 1
Marsonnas 01 ... 195 G 4
Marsoulas 31 ... 335 E 1
Marsous 65 ... 332 C 2
Marspich 57 ... 45 G 3
Marssac-sur-Tarn 81 ... 299 E 1
Martagny 27 ... 37 F 2
Martailly-lès-Brancion 71 ... 195 E 2
Martainneville 80 ... 11 F 4
Martainville 14 ... 53 G 2
Martainville 27 ... 35 E 3
Martainville-Épreville 76 ... 36 C 1
Martaizé 86 ... 168 C 3
Martel 46 ... 242 C 5
Marthemont 54 ... 94 C 2
Marthille 57 ... 66 D 3
Marthod 73 ... 216 A 5
Marthon 16 ... 221 H 2
Martiel 12 ... 279 E 1
Martigna 39 ... 196 D 3
Martignac 46 ... 259 F 4
Martignargues 30 ... 284 A 5
Martignas-sur-Jalle 33 ... 237 E 5
Martignat 01 ... 196 C 5
Martigné-Briand 49 ... 149 H 4
Martigné-Ferchaud 35 ... 127 E 2
Martigné-sur-Mayenne 53 ... 106 A 2
Martigny 02 ... 25 H 2
Martigny 50 ... 52 A 5
Martigny 76 ... 20 B 2
Martigny-Courpierre 02 ... 40 D 1
Martigny-le-Comte 71 ... 194 A 2
Martigny-les-Bains 88 ... 118 B 3
Martigny-les-Gerbonvaux 88 ... 94 A 3
Martigny-sur-l'Ante 14 ... 53 H 2
Martigues 13 ... 325 H 3
Martillac 33 ... 255 G 2
Martimpré Col de 88 ... 120 B 3
Martin-Église 76 ... 10 B 5
Martincourt 54 ... 65 F 4
Martincourt 60 ... 37 H 1
Martincourt-sur-Meuse 55 ... 27 G 5
Le Martinet 30 ... 283 H 2
Martinet 85 ... 165 F 5
Martinpuich 62 ... 13 G 5
Martinvast 50 ... 29 E 3
Martinvelle 88 ... 118 C 4
Martisserre 31 ... 316 D 3
Martizay 36 ... 170 C 4
Martot 27 ... 36 A 3
Martragny 14 ... 33 E 3
La Martre 83 ... 308 B 2
Martres 33 ... 256 C 2
Les Martres-d'Artière 63 ... 210 A 5
Martres-de-Rivière 31 ... 334 B 1
Les Martres-de-Veyre 63 ... 227 H 1
Martres-sur-Morge 63 ... 210 A 4
Martres-Tolosane 31 ... 317 E 5
Martrin 12 ... 300 B 1
Martrois 21 ... 159 E 3
La Martyre 29 ... 75 H 2
Les Martys 11 ... 319 G 3
Maruéjols-lès-Gardon 30 ... 283 H 5
Marval 87 ... 222 D 2
Marvaux-Vieux 08 ... 42 D 3
Marvejols 48 ... 264 A 4
Marvelise 25 ... 142 A 4
Marville 55 ... 44 B 2
Marville-les-Bois 28 ... 85 H 2
Marville-Moutiers-Brûlé 28 ... 56 D 5
Mary 71 ... 194 B 1
Mary-sur-Marne 77 ... 59 H 1
Marzal Aven de 07 ... 284 C 1
Marzan 56 ... 125 F 5
Marzens 81 ... 298 D 4
Marzy 58 ... 174 C 2
Le Mas 06 ... 308 D 1
Mas-Blanc-des-Alpilles 13 ... 304 C 2
Mas-Cabardès 11 ... 319 H 3
Mas Camargues 48 ... 283 F 1
Le Mas-d'Agenais 47 ... 257 F 5
Le Mas-d'Artige 23 ... 225 H 1
Mas-d'Auvignon 32 ... 296 A 1
Le Mas-d'Azil 09 ... 335 H 1
Mas-d'Azil Grotte du 09 ... 335 H 1
Mas-de-Londres 34 ... 302 C 2
Le Mas-de-Tence 43 ... 248 B 3
Mas-des-Cours 11 ... 337 H 1
Mas-d'Orcières 48 ... 265 E 5
Mas-Grenier 82 ... 297 G 1
Mas-Saint-Chély 48 ... 282 B 2
Mas-Saintes-Puelles 11 ... 318 D 4
Le Mas-Soubeyran 30 ... 283 G 4
Mas-Thibert 13 ... 304 C 5
Masbaraud-Mérignat 23 ... 206 D 3
Mascaraàs-Haron 64 ... 294 C 5
Mascaras 32 ... 295 G 5
Mascaras 65 ... 315 F 5
Mascarville 31 ... 298 C 5
Masclat 46 ... 259 H 1
Masevaux-Niederbruck 68 ... 142 D 1
Maslacq 64 ... 313 G 2
Masléon 87 ... 224 C 1
Maslives 41 ... 132 B 5
Masmejan 48 ... 283 E 1
Le Masnau-
Massuguiès 81 ... 300 A 3
Masnières 59 ... 14 B 4
Masny 59 ... 9 E 5
Los Masos 66 ... 342 B 3
Masparraute 64 ... 311 G 3
Maspie-Lalonquère-
Juillacq 64 ... 314 D 2
Masquières 47 ... 277 E 1
Massabrac 31 ... 317 H 5
Massac 11 ... 338 B 3
Massac 17 ... 202 C 4
Massac-Séran 81 ... 298 D 4
Massaguel 81 ... 319 F 2
Massais 79 ... 167 H 1
Massals 81 ... 300 A 2
Massanes 30 ... 283 H 5
Massangis 89 ... 137 E 5
Massat 09 ... 335 H 3
Massay 18 ... 154 B 5
Le Massegros 48 ... 281 H 2
Masseilles 33 ... 256 D 5
Massels 47 ... 276 D 2
Massérac 44 ... 126 A 4
Masseret 19 ... 224 B 3
Masseube 32 ... 316 A 2
Massiac 15 ... 246 A 1
Massieu 38 ... 232 C 4
Massieux 01 ... 213 E 4
Massiges 51 ... 42 D 4
Massignac 16 ... 204 C 5
Massignieu-de-Rives 01 ... 214 D 5
Massillargues-Attuech 30 ... 283 G 5
Massilly 71 ... 194 D 2
Massingy 21 ... 116 A 5
Massingy 74 ... 215 F 4
Massingy-lès-Semur 21 ... 158 D 1
Massingy-lès-Vitteaux 21 ... 159 F 2
Massognes 86 ... 168 C 4
Massoins 06 ... 289 H 5
Massongy 74 ... 198 A 4
Massoulès 47 ... 276 D 1
Massugas 33 ... 257 E 1
Massy 71 ... 194 C 2
Massy 76 ... 20 D 4
Massy 91 ... 58 B 5
Mastaing 59 ... 14 C 2
Matafelon-Granges 01 ... 196 C 5
Les Matelles 34 ... 302 D 3
Matemale 66 ... 341 G 3
Matha 17 ... 202 B 4
Mathaux 10 ... 91 H 4
Mathay 25 ... 142 B 5
Mathenay 39 ... 179 F 2
Les Mathes 17 ... 200 C 5
Mathieu 14 ... 33 G 3
Mathons 52 ... 92 D 4
Mathonville 76 ... 20 D 5
Matignicourt-Goncourt 51 ... 62 D 5
Matignon 22 ... 50 A 5
Matigny 80 ... 23 H 3
Matougues 51 ... 62 A 2
Matour 71 ... 194 B 4
Matra 2B ... 347 G 4
Matringhem 62 ... 7 F 3
Mattaincourt 88 ... 94 D 5
Mattexey 54 ... 95 G 3
Matton-et-Clémency 08 ... 27 G 4
Mattstall 67 ... 68 D 1
Matzenheim 67 ... 97 G 3
Maubec 38 ... 232 A 2
Maubec 82 ... 296 D 2
Maubec 84 ... 305 F 1
Maubert-Fontaine 08 ... 26 B 2
Maubeuge 59 ... 15 G 2
Maubourguet 65 ... 315 E 2
Maubuisson 33 ... 236 B 3
Mauchamps 91 ... 87 G 3
Maucomble 76 ... 20 C 4
Maucor 64 ... 314 B 3
Maucourt 60 ... 23 H 4
Maucourt 80 ... 23 F 3
Maucourt-sur-Orne 55 ... 44 C 4
Maudétour-en-Vexin 95 ... 37 G 5
Mauguio 34 ... 303 E 4
Maulain 52 ... 117 H 4
Maulais 79 ... 168 B 2
Maulan 55 ... 63 H 5
Maulay 86 ... 169 E 2
Maulde 59 ... 9 G 4
Maule 78 ... 57 G 3
Mauléon 79 ... 167 E 2
Mauléon-Barousse 65 ... 334 A 3
Mauléon-d'Armagnac 32 ... 294 D 1
Mauléon-Licharre 64 ... 311 H 5
Maulers 60 ... 22 A 5
Maulette 78 ... 57 E 4
Maulévrier 49 ... 167 E 1
Maulévrier-
Sainte-Gertrude 76 ... 19 G 5
Maulichères 32 ... 294 D 3
Maumusson 44 ... 148 C 1
Maumusson 82 ... 296 D 1
Maumusson-Laguian 32 ... 294 D 4
Mauny 76 ... 35 H 2
Maupas 10 ... 115 E 3
Le Maupas 21 ... 158 D 4
Maupas 32 ... 294 D 2
Maupas Château de 18 ... 155 G 4
Mauperthuis 77 ... 59 H 4
Maupertuis 50 ... 52 A 1
Maupertus-sur-Mer 50 ... 29 F 3
Mauprévoir 86 ... 204 B 1
Mauquenchy 76 ... 20 D 5
Mauran 31 ... 317 E 5
Maure 64 ... 314 D 3
Maure Col de 04 ... 288 B 1
Maure-de-Bretagne 35 ... 103 G 5
Maurecourt 78 ... 58 A 2
Mauregard 77 ... 59 E 1
Mauregny-en-Haye 02 ... 41 E 1
Maureilhan 34 ... 321 F 3
Maureillas-las-Illas 66 ... 343 E 4
Mauremont 31 ... 318 B 2
Maurens 24 ... 239 H 5
Maurens 31 ... 318 C 2
Maurens 32 ... 296 D 5
Maurens-Scopont 81 ... 298 C 5
Maurepas 78 ... 57 H 4
Maurepas 80 ... 23 F 1
Mauressac 31 ... 317 H 4
Mauressargues 30 ... 283 H 5
Maureville 31 ... 298 C 5
Mauriac 15 ... 244 B 2
Mauriac 33 ... 256 D 2
Mauries 40 ... 294 B 4
Maurin 04 ... 271 F 3
Maurin 34 ... 302 D 5
Maurines 15 ... 245 H 5
Mauris 59 ... 14 D 5
Mauron 56 ... 103 E 3
Mauroux 32 ... 296 C 1
Mauroux 46 ... 259 E 5
Maurrin 40 ... 294 B 2
Maurs 15 ... 261 H 2
Maurupt-le-Montois 51 ... 63 E 4
Maury 66 ... 338 B 4
Maury Barrage de 12 ... 262 D 3
Mausoléo 2B ... 346 D 2
Maussac 19 ... 225 G 4
Maussane-les-Alpilles 13 ... 304 D 3
Maussans 70 ... 162 B 1
Mausson Château de 53 ... 81 G 3
Mautes 23 ... 208 B 4
Mauvages 55 ... 93 G 2
Mauvaisin 31 ... 318 A 3
Mauves 07 ... 249 E 3
Mauves-sur-Huisne 61 ... 84 C 4
Mauves-sur-Loire 44 ... 148 A 3
Mauvezin 31 ... 316 D 3
Mauvezin 32 ... 296 D 3
Mauvezin 65 ... 333 G 1
Mauvezin-d'Armagnac 40 ... 274 C 5
Mauvezin-de-Prat 09 ... 335 E 2
Mauvezin-
de-Sainte-Croix 09 ... 335 G 1
Mauvezin-sur-Gupie 47 ... 257 E 4
Mauvières 36 ... 187 H 2
Mauvilly 21 ... 138 B 4
Maux 58 ... 175 H 1
Mauzac 31 ... 317 G 3
Mauzac-et-Saint-Meyme-
de-Rozens 24 ... 240 D 5
Mauzé-sur-le-Mignon 79 ... 184 C 5
Mauzé-Thouarsais 79 ... 168 A 2
Mauzens-et-Miremont 24 ... 241 E 4
Mauzun 63 ... 228 B 1
Mavaleix 24 ... 223 E 3
Maves 41 ... 132 A 4
Mavilly-Mandelot 21 ... 177 G 1
La Maxe 57 ... 45 H 5
Maxent 35 ... 103 G 4
Maxéville 54 ... 65 H 5
Maxey-sur-Meuse 88 ... 94 A 3
Maxey-sur-Vaise 55 ... 93 H 2
Maxilly-sur-Léman 74 ... 198 C 3
Maxilly-sur-Saône 21 ... 160 D 3
Maxou 46 ... 260 B 4
Maxstadt 57 ... 67 E 1
May-en-Multien 77 ... 59 H 1
Le May-sur-Èvre 49 ... 148 D 5
May-sur-Orne 14 ... 33 G 5
Mayac 24 ... 241 E 1
Mayenne 53 ... 82 B 5
Mayet 72 ... 130 A 3
Le Mayet-de-Montagne 03 ... 210 D 2
Le Mayet-d'École 03 ... 210 A 1
Maylis 40 ... 293 G 3
Maynal 39 ... 196 A 1
Les Mayons 83 ... 328 D 2
Mayot 02 ... 24 B 4
Mayrac 46 ... 242 C 5
Mayran 12 ... 280 B 1
La Mayrand 63 ... 227 G 4
Mayrègne 31 ... 334 A 4
Mayres 07 ... 248 D 4
Mayres 07 ... 265 H 3
Mayres 63 ... 228 D 5
Mayres-Savel 38 ... 250 D 5
Mayreste Belvédère de 04 ... 307 H 2
Mayreville 11 ... 318 D 5
Mayrinhac-Lentour 46 ... 261 E 1
Mayronnes 11 ... 338 A 2
Maysel 60 ... 38 C 4
Mazamet 81 ... 319 H 2
Mazan 84 ... 285 H 4
Mazan-l'Abbaye 07 ... 265 H 2
Mazangé 41 ... 131 F 3
Mazaugues 83 ... 328 A 2
Mazaye 63 ... 209 F 5
Mazé-Milon 49 ... 150 A 1
Le Mazeau 85 ... 184 C 4
Mazeirat 23 ... 207 F 1
Mazeley 88 ... 95 E 5
Mazerat-Aurouze 43 ... 246 C 2
Mazeray 17 ... 201 G 4
Mazères 09 ... 318 B 4
Mazères 33 ... 256 B 4
Mazères Église de 65 ... 295 E 5
Mazères-de-Neste 65 ... 334 A 1
Mazères-Lezons 64 ... 314 B 4
Mazères-sur-Salat 31 ... 335 E 1
Mazerier 03 ... 209 H 2
Mazerny 08 ... 26 C 5
Mazerolles 16 ... 222 B 1
Mazerolles 17 ... 219 G 3
Mazerolles 40 ... 294 A 1
Mazerolles 64 ... 314 A 2
Mazerolles 65 ... 315 G 3
Mazerolles 86 ... 187 E 3
Mazerolles-du-Razès 11 ... 337 F 1
Mazerolles-le-Salin 25 ... 161 G 4
Mazerulles 54 ... 66 B 5
Mazet-Saint-Voy 43 ... 248 A 3
Mazeuil 86 ... 168 D 4
Mazeyrat-d'Allier 43 ... 246 C 3
Mazeyrolles 24 ... 259 E 3
La Mazière-
aux-Bons-Hommes 23 ... 208 C 4
Mazières 16 ... 204 B 5
Mazières-de-Touraine 37 ... 151 F 2
Mazières-en-Gâtine 79 ... 185 E 2
Mazières-en-Mauges 49 ... 167 E 1
Mazières-Naresse 47 ... 258 C 3
Mazières-sur-Béronne 79 ... 185 F 5
Mazille 71 ... 194 C 3
Mazingarbe 62 ... 8 A 4
Mazinghem 62 ... 7 G 3
Mazinghien 59 ... 15 E 5
Mazion 33 ... 237 G 2
Mazirat 03 ... 190 C 5
Mazirot 88 ... 94 D 4
Le Mazis 80 ... 21 G 2
Mazoires 63 ... 227 G 5
Mazouau 65 ... 333 H 2
Mazuby 11 ... 337 E 4
Les Mazures 08 ... 26 C 1
Mazzola 2B ... 347 F 4
Méailles 04 ... 288 D 4
Méallet 15 ... 244 B 1
Méasnes 23 ... 189 E 3
Meaucé 28 ... 85 F 3
La Meauffe 50 ... 32 B 4
La Méaugon 22 ... 78 B 3
Meaulne 03 ... 190 D 1
Méaulte 80 ... 23 E 1
Méautis 50 ... 31 H 3
Meaux 77 ... 59 G 2
Meaux-la-Montagne 69 ... 212 B 2
Meauzac 82 ... 277 G 4
Mecé 35 ... 81 E 5
Mechmont 46 ... 260 B 4
Mécleuves 57 ... 65 H 1
Mecquignies 59 ... 15 F 2
Mécrin 55 ... 64 C 4
Mécringes 51 ... 60 C 3
Médan 78 ... 57 H 2
Médavy 61 ... 54 B 5
La Mède 13 ... 325 H 4
Medeyrolles 63 ... 229 E 4
Médière 25 ... 142 A 5
Médillac 16 ... 239 E 1
Médis 17 ... 218 D 1
Médonnet Chapelle du 74 ... 216 C 3
Médonville 88 ... 118 A 2
Médous Grotte de 65 ... 333 F 2
Médréac 35 ... 103 G 1
Le Mée 28 ... 110 A 5
Mée 53 ... 128 A 2
Le Mée-sur-Seine 77 ... 88 B 3
Les Mées 04 ... 287 G 4
Mées 40 ... 292 D 3
Les Mées 72 ... 83 H 5
Mégange 57 ... 46 C 4
Megève 74 ... 216 C 4
Mégevette 74 ... 198 B 5
Mégrit 22 ... 79 F 5
Méharicourt 80 ... 23 F 3
Méharin 64 ... 311 F 4
Méhers 41 ... 153 F 3
Méhoncourt 54 ... 95 F 2
Méhoudin 61 ... 82 D 3
Mehun-sur-Yèvre 18 ... 154 D 5
La Meignanne 49 ... 149 F 1
Meigné 49 ... 150 A 4
Meigné-le-Vicomte 49 ... 151 E 1
Meigneux 77 ... 89 E 3
Meigneux 80 ... 21 H 3
Meilhac 87 ... 223 G 1
Meilhan 32 ... 316 B 2
Meilhan 40 ... 293 G 1
Meilhan-sur-Garonne 47 ... 256 D 4
Meilhards 19 ... 224 C 3
Meilhaud 63 ... 227 H 3
Meillac 35 ... 80 A 3
Meillant 18 ... 173 F 4
Meillard 03 ... 192 A 4
Le Meillard 80 ... 12 C 4
La Meilleraie-Tillay 85 ... 166 D 4
Meilleray 77 ... 60 C 4
La Meilleraye-
de-Bretagne 44 ... 127 E 5
Meillerie 74 ... 198 C 2
Meillers 03 ... 191 H 2
Meillier-Fontaine 08 ... 26 D 2
Meillon 64 ... 314 B 4
Meillonnas 01 ... 196 A 5
Meilly-sur-Rouvres 21 ... 159 F 4
Meisenthal 57 ... 68 A 2
Meistratzheim 67 ... 97 F 2
Le Meix 21 ... 138 D 5
Le Meix-Saint-Epoing 51 ... 60 D 5
Le Meix-Tiercelin 51 ... 62 B 5
Méjanes 13 ... 304 A 5
Méjannes-le-Clap 30 ... 284 B 2
Méjannes-lès-Alès 30 ... 283 H 4
Mela 2A ... 349 E 5
Mélagues 12 ... 301 E 3
Mélamare 76 ... 19 E 5
Melan 04 ... 287 H 2
Melay 49 ... 149 F 4
Melay 52 ... 118 B 5
Melay 71 ... 193 G 5
Le Mêle-sur-Sarthe 61 ... 84 A 3
Mélecey 70 ... 141 H 5
Melesse 35 ... 104 B 2
Melgven 29 ... 100 B 4
Mélicocq 60 ... 39 F 1
Mélicourt 27 ... 55 E 2
Méligny-le-Grand 55 ... 93 G 1
Méligny-le-Petit 55 ... 93 G 1
Melin 70 ... 140 C 3
Melincourt 70 ... 118 D 5
Mélisey 70 ... 142 A 2
Mélisey 89 ... 115 E 5
Meljac 12 ... 280 C 4
Mellac 29 ... 100 D 4
Mellé 35 ... 81 F 3
Melle 79 ... 185 G 5
Mellecey 71 ... 177 G 4
Melleran 79 ... 203 E 1
Melleray 72 ... 108 D 3
Melleray Abbaye de 44 ... 127 E 5
Melleray-la-Vallée 53 ... 82 B 3
Melleroy 45 ... 135 E 2
Melles 31 ... 334 C 4
Melleville 76 ... 11 E 5
Mellionnec 22 ... 77 F 5
Mello 60 ... 38 C 4
Meloisey 21 ... 177 G 1
Melrand 56 ... 101 G 4
Melsheim 67 ... 68 C 4
Melun 77 ... 88 B 3
Melve 04 ... 287 G 1
Melz-sur-Seine 77 ... 89 H 3
Membrey 70 ... 140 B 5
La Membrolle-
sur-Choisille 37 ... 151 H 2
La Membrolle-
sur-Longuenée 49 ... 128 B 5
Membrolles 41 ... 110 A 5
Ménéril 88 ... 95 G 5
Memmelshoffen 67 ... 69 E 2
Le Mémont 25 ... 163 F 4
Mémorial Canadien 62 ... 8 B 5
Menades 89 ... 157 H 2
Ménarmont 88 ... 95 H 3
Menars 41 ... 132 B 5
Menat 63 ... 209 F 2
Menaucourt 55 ... 93 F 1
Mencas 62 ... 7 E 3
Menchhoffen 67 ... 68 C 3
Mende 48 ... 264 C 4
Mendionde 64 ... 311 E 4
Menditte 64 ... 331 E 1
Mendive 64 ... 330 C 1
Ménéac 56 ... 102 D 2
Menée Col de 38 ... 268 D 1
Ménerbes 84 ... 305 G 2
Ménerval 76 ... 21 F 5
Ménerville 78 ... 57 E 2
Menesble 21 ... 138 D 3
Méneslies 80 ... 11 E 4
Ménesplet 24 ... 239 E 4
Ménesqueville 27 ... 36 D 2
Ménessaire 21 ... 158 B 5
Menestreau 58 ... 156 D 2
Ménestreau-en-Villette 45 ... 133 F 4
Menet 15 ... 244 D 1
Menetou-Couture 18 ... 174 A 1
Menetou-Râtel 18 ... 155 H 3
Menetou-Salon 18 ... 155 F 4
Menetou-sur-Nahon 36 ... 153 H 4
Ménétréol-
sous-Sancerre 18 ... 156 A 3
Ménétréol-sur-Sauldre 18 ... 155 E 2
Ménétréols-sous-Vatan 36 ... 172 A 2
Ménetreuil 71 ... 195 G 1
Ménétreux-le-Pitois 21 ... 138 A 5
Ménétrol 63 ... 209 H 4
Ménétru-le-Vignoble 39 ... 179 F 4
Ménétrux-en-Joux 39 ... 179 G 5
Ménévillers 60 ... 39 E 1
Ménez-Bré 22 ... 72 D 5
Ménez-Hom 29 ... 75 G 4

Ménez-Meur *Domaine de* 29 .... 75 H 3
Menglon 26 .... 268 C 2
Ménigoute 79 .... 185 G 2
Ménil 53 .... 128 B 3
Le Ménil 88 .... 120 A 5
Ménil-Annelles 08 .... 42 B 1
Ménil-aux-Bois 55 .... 64 C 4
Le Ménil-Bérard 61 .... 55 E 5
Le Ménil-Broût 61 .... 83 H 3
Le Ménil-Ciboult 61 .... 52 D 4
Le Ménil-de-Briouze 61 .... 53 G 5
Ménil-de-Senones 88 .... 96 B 3
Ménil-en-Xaintois 88 .... 94 C 5
Ménil-Erreux 61 .... 83 H 3
Ménil-Froger 61 .... 54 D 4
Ménil-Glaise 61 .... 53 H 4
Ménil-Gondouin 61 .... 53 G 4
Le Ménil-Guyon 61 .... 84 A 2
Ménil-Hermei 61 .... 53 G 3
Ménil-Hubert-en-Exmes 61 .... 54 C 3
Ménil-Hubert-sur-Orne 61 .... 53 G 3
Ménil-Jean 61 .... 53 H 4
Ménil-la-Horgne 55 .... 64 C 5
Ménil-la-Tour 54 .... 65 F 5
Ménil-Lépinois 08 .... 42 A 2
Le Ménil-Scelleur 61 .... 83 F 2
Ménil-sur-Belvitte 88 .... 95 H 3
Ménil-sur-Saulx 55 .... 63 H 5
Le Ménil-Vicomte 61 .... 54 D 4
Ménil-Vin 61 .... 53 G 3
Ménilles 27 .... 56 D 1
Ménillot 54 .... 94 A 1
La Ménitré 49 .... 150 A 2
Mennecy 91 .... 87 H 2
Mennessis 02 .... 24 A 4
Mennetou-sur-Cher 41 .... 154 A 4
Menneval 27 .... 35 F 5
Menneville 02 .... 41 G 2
Menneville 62 .... 6 C 2
Mennevret 02 .... 24 D 1
Mennouveaux 52 .... 117 G 3
Ménoire 19 .... 242 D 3
Menomblet 85 .... 167 E 4
Menoncourt 90 .... 142 C 2
Ménonval 76 .... 21 E 3
Menotey 39 .... 161 E 5
Menou 58 .... 156 D 3
Menouville 95 .... 38 A 5
Le Menoux 36 .... 188 D 2
Menoux 70 .... 141 E 2
Mens 38 .... 251 E 5
Mensignac 24 .... 240 B 1
Menskirch 57 .... 46 B 3
Mentheville 76 .... 19 E 4
Menthon-Saint-Bernard 74 .... 215 H 4
Menthonnex-en-Bornes 74 .... 215 G 2
Menthonnex-sous-Clermont 74 .... 215 F 3
Mentières 15 .... 245 H 3
Menton 06 .... 291 G 5
Mentque-Nortbécourt 62 .... 3 E 5
Menucourt 95 .... 57 H 1
Les Menuires 73 .... 234 C 5
Les Menus 61 .... 85 E 3
Menville 31 .... 297 G 4
Méobecq 36 .... 171 F 5
Méolans 04 .... 270 C 5
Méolans-Revel 04 .... 270 C 5
Méon 49 .... 150 D 1
Méounes-lès-Montrieux 83 .... 328 A 2
Mépieu 38 .... 214 B 5
Mer 41 .... 132 C 4
Mer de Sable *La* 60 .... 39 E 5
Méracq 64 .... 294 B 5
Méral 53 .... 105 G 5
Méras 09 .... 317 G 5
Mercatel 62 .... 13 G 3
Mercenac 09 .... 335 E 2
Merceuil 21 .... 177 H 2
Mercey 21 .... 159 E 5
Mercey 27 .... 56 D 1
Mercey-le-Grand 25 .... 161 F 4
Mercey-sur-Saône 70 .... 140 B 5
Mercin-et-Vaux 02 .... 40 B 2
Merck-Saint-Liévin 62 .... 7 E 3
Merckeghem 59 .... 3 F 4
Mercœur 19 .... 243 F 4
Mercœur 43 .... 246 A 2
Mercuer 07 .... 266 B 3
Mercuès 46 .... 259 H 5
Mercurey 71 .... 177 G 3
Mercurol-Veaunes 26 .... 249 F 3
Mercury 73 .... 234 A 1
Mercus-Garrabet 09 .... 336 B 4
Mercy 03 .... 192 C 3
Mercy 89 .... 114 A 4
Mercy-le-Bas 54 .... 45 E 3
Mercy-le-Haut 54 .... 45 E 3
Merdrignac 22 .... 102 D 1
Méré 78 .... 57 G 4
Méré 89 .... 136 D 2
Méreau 18 .... 154 C 5
Méréaucourt 80 .... 21 H 3
Méréglise 28 .... 85 G 5
Mérélessart 80 .... 11 G 5
Mérens 32 .... 296 A 3
Mérens-les-Vals 09 .... 341 E 2
Mérenvielle 31 .... 297 F 4
Méreuil 05 .... 269 E 5
Méréville 54 .... 94 D 1
Méréville 91 .... 87 F 5
Merey 27 .... 56 D 2
Mérey-sous-Montrond 25 .... 162 A 4
Mérey-Vieilley 25 .... 162 A 2
Merfy 51 .... 41 F 3
Mergey 10 .... 90 D 4
Meria 2B .... 345 G 2
Mérial 11 .... 337 E 5
Méribel 73 .... 234 C 4
Méribel-Mottaret 73 .... 234 C 4
Méricourt 62 .... 8 B 5
Méricourt 78 .... 57 F 1
Méricourt-en-Vimeu 80 .... 21 H 2
Méricourt-l'Abbé 80 .... 22 D 1
Méricourt-sur-Somme 80 .... 23 E 1
Mériel 95 .... 58 B 1
Mérifons 34 .... 301 G 4
Mérignac 16 .... 220 D 1
Mérignac 17 .... 220 B 5
Mérignac 33 .... 237 F 5
Mérignas 33 .... 256 D 1
Mérignat 01 .... 214 B 2
Mérignies 59 .... 8 D 4
Mérigny 36 .... 187 G 1
Mérigon 09 .... 335 F 1
Mérilheu 65 .... 333 F 1
Mérillac 22 .... 103 E 1
Mérinchal 23 .... 208 C 4
Mérindol 84 .... 305 G 3
Mérindol-les-Oliviers 26 .... 285 H 2
Mérinville 45 .... 112 D 4
Le Mériot 10 .... 89 H 3
Méritein 64 .... 313 G 3
Merkwiller-Pechelbronn 67 .... 69 E 2
Merlande *Prieuré de* 24 .... 240 B 1
Merlas 38 .... 232 D 4
La Merlatière 85 .... 166 A 4
Merlaut 51 .... 62 D 4
Merle *Tours de* 19 .... 243 G 3
Merle-Leignec 42 .... 229 G 5
Merléac 22 .... 78 A 5
Le Merlerault 61 .... 54 D 5
Merles 82 .... 277 E 4
Merles-sur-Loison 55 .... 44 C 3
Merlette 05 .... 270 A 2
Merlevenez 56 .... 123 G 2
Merlieux-et-Fouquerolles 02 .... 40 C 1
Merlimont 62 .... 6 B 4
Merlimont-Plage 62 .... 6 A 4
Merlines 19 .... 226 C 2
Mernel 35 .... 103 H 5
Mérobert 91 .... 87 E 4
Méron 49 .... 150 B 5
Mérona 39 .... 196 C 1
Mérouville 28 .... 86 D 5
Meroux 90 .... 142 C 3
Merpins 16 .... 220 B 1
Merrey 52 .... 117 H 4
Merrey-sur-Arce 10 .... 115 G 3
Merri 61 .... 54 A 3
Merris 59 .... 4 A 5
Merry-la-Vallée 89 .... 135 H 3
Merry-Sec 89 .... 136 A 4
Merry-sur-Yonne 89 .... 136 C 5
Mers-les-Bains 80 .... 10 D 4
Mers-sur-Indre 36 .... 189 F 1
Merschweiller 57 .... 46 B 2
Mersuay 70 .... 141 E 2
Merten 57 .... 46 D 4
Mertrud 52 .... 92 C 4
Mertzen 68 .... 143 E 3
Mertzwiller 67 .... 68 D 3
Méru 60 .... 38 A 4
Merval 02 .... 41 E 3
Mervans 71 .... 178 B 4
Mervent 85 .... 184 B 2
Merviel 09 .... 336 C 2
Mervilla 31 .... 318 A 2
Merville 31 .... 297 G 3
Merville 59 .... 8 A 2
Merville-Franceville-Plage 14 .... 33 H 3
Merviller 54 .... 96 A 2
Merxheim 68 .... 121 E 5
Méry 73 .... 233 F 1
Méry-Corbon 14 .... 34 A 5
Méry-ès-Bois 18 .... 155 E 3
Méry-la-Bataille 60 .... 23 E 5
Méry-Prémecy 51 .... 41 F 4
Méry-sur-Cher 18 .... 154 B 4
Méry-sur-Marne 77 .... 60 A 2
Méry-sur-Oise 95 .... 58 B 1
Méry-sur-Seine 10 .... 90 C 3
Le Merzer 22 .... 73 F 5
Mésandans 25 .... 162 C 1
Mésanger 44 .... 148 B 1
Mésangueville 76 .... 21 E 5
Mesbrecourt-Richecourt 02 .... 24 C 4
Meschers-sur-Gironde 17 .... 218 D 2
Mescla *Balcons de la* 04 .... 307 H 2
Mescoules 24 .... 257 H 2
Le Mesge 80 .... 22 A 1
Mesgrigny 10 .... 90 C 3
Mésigny 74 .... 215 F 2
Meslan 56 .... 101 E 3
Mesland 41 .... 152 D 1
Meslay 14 .... 53 G 2
Meslay 41 .... 131 G 3
Meslay *Grange de* 37 .... 152 A 2
Meslay-du-Maine 53 .... 106 B 5
Meslay-le-Grenet 28 .... 86 A 5
Meslay-le-Vidame 28 .... 110 A 2
Meslières 25 .... 142 C 5
Meslin 22 .... 78 C 4
Mesmay 25 .... 179 G 1
Mesmont 08 .... 26 B 5
Mesmont 21 .... 159 G 3
Mesnac 16 .... 202 B 5
Mesnard-la-Barotière 85 .... 166 C 3
Mesnay 39 .... 179 G 2
Les Mesneux 51 .... 41 G 4
La Mesnière 61 .... 84 B 3
Mesnières-en-Bray 76 .... 20 D 3
Le Mesnil 50 .... 31 E 2
Le Mesnil-Adelée 50 .... 52 B 4
Le Mesnil-Amand 50 .... 51 H 2
Le Mesnil-Amelot 77 .... 59 E 1
Le Mesnil-Amey 50 .... 32 A 5
Le Mesnil-Angot 50 .... 32 A 4
Le Mesnil-au-Grain 14 .... 53 E 1
Le Mesnil-au-Val 50 .... 29 F 3
Le Mesnil-Aubert 50 .... 51 G 2
Le Mesnil-Aubry 95 .... 58 C 1
Le Mesnil-Auzouf 14 .... 52 D 1
Le Mesnil-Bacley 14 .... 54 C 1
Le Mesnil-Benoist 14 .... 52 B 3
Le Mesnil-Bœufs 50 .... 52 A 5
Le Mesnil-Bonant 50 .... 51 H 2
Mesnil-Bruntel 80 .... 23 G 2
Le Mesnil-Caussois 14 .... 52 B 3
Mesnil-Clinchamps 14 .... 52 B 3
Le Mesnil-Conteville 60 .... 22 A 4
Mesnil-Domqueur 80 .... 12 B 4
Le Mesnil-Drey 50 .... 51 G 3
Le Mesnil-Durand 14 .... 54 C 1
Le Mesnil-Durdent 76 .... 19 G 2
Mesnil-en-Arrouaise 80 .... 13 H 5
Le Mesnil-en-Thelle 60 .... 38 B 5
Le Mesnil-en-Vallée 49 .... 148 D 2
Le Mesnil-Esnard 76 .... 36 B 2
Le Mesnil-Eudes 14 .... 34 C 5
Mesnil-Eudin 80 .... 21 F 2
Le Mesnil-Eury 50 .... 32 A 4
Mesnil-Follemprise 76 .... 20 C 3
Le Mesnil-Fuguet 27 .... 56 B 1
Le Mesnil-Garnier 50 .... 51 H 2
Le Mesnil-Germain 14 .... 54 C 1
Le Mesnil-Gilbert 50 .... 52 B 4
Le Mesnil-Guillaume 14 .... 34 D 5
Le Mesnil-Hardray 27 .... 56 A 2
Le Mesnil-Herman 50 .... 52 A 1
Le Mesnil-Hue 50 .... 51 H 2
Le Mesnil-Jourdain 27 .... 36 B 5
Mesnil-la-Comtesse 10 .... 91 E 3
Le Mesnil-le-Roi 78 .... 58 A 2
Mesnil-Lettre 10 .... 91 F 3
Le Mesnil-Lieubray 76 .... 37 E 1
Mesnil-Martinsart 80 .... 13 F 5
Le Mesnil-Mauger 14 .... 34 B 5
Mesnil-Mauger 76 .... 21 E 4
Le Mesnil-Opac 50 .... 52 B 1
Le Mesnil-Ozenne 50 .... 51 H 5
Mesnil-Panneville 76 .... 19 H 5
Le Mesnil-Patry 14 .... 33 F 4
Le Mesnil-Rainfray 50 .... 52 B 5
Mesnil-Raoul 76 .... 36 C 2
Le Mesnil-Raoult 50 .... 52 B 1
Le Mesnil-Réaume 76 .... 10 D 5
Le Mesnil-Robert 14 .... 52 C 3
Le Mesnil-Rogues 50 .... 51 G 2
Mesnil-Rousset 27 .... 55 F 3
Le Mesnil-Rouxelin 50 .... 32 B 4
Le Mesnil-Saint-Denis 78 .... 57 H 4
Le Mesnil-Saint-Firmin 60 .... 22 C 5
Mesnil-Saint-Georges 80 .... 23 E 4
Mesnil-Saint-Laurent 02 .... 24 B 2
Mesnil-Saint-Loup 10 .... 90 B 5
Mesnil-Saint-Nicaise 80 .... 23 G 3
Mesnil-Saint-Père 10 .... 115 G 2
Mesnil-Sellières 10 .... 91 F 5
Le Mesnil-Simon 14 .... 34 B 5
Le Mesnil-Simon 28 .... 57 E 3
Le Mesnil-sous-Jumièges 76 .... 35 H 2
Mesnil-sous-les-Côtes 55 .... 64 C 1
Mesnil-sous-Vienne 27 .... 37 F 2
Le Mesnil-sur-Blangy 14 .... 34 D 3
Le Mesnil-sur-Bulles 60 .... 38 C 1
Mesnil-sur-l'Estrée 27 .... 56 C 4
Le Mesnil-sur-Oger 51 .... 61 G 2
Le Mesnil-Thébault 50 .... 52 A 5
Le Mesnil-Théribus 60 .... 37 H 3
Le Mesnil-Thomas 28 .... 85 G 2
Le Mesnil-Tôve 50 .... 52 B 4
Mesnil-Val 76 .... 10 D 4
Le Mesnil-Véneron 50 .... 32 A 4
Mesnil-Verclives 27 .... 36 D 3
Le Mesnil-Vigot 50 .... 31 H 4
Le Mesnil-Villeman 50 .... 51 H 2
Le Mesnil-Villement 14 .... 53 G 3
Le Mesnilbus 50 .... 31 H 4
Le Mesnillard 50 .... 52 B 5
Mesnois 39 .... 196 C 1
Les Mesnuls 78 .... 57 G 4
Mespaul 29 .... 71 G 4
Mesplède 64 .... 293 G 5
Mesples 03 .... 190 B 3
Mespuits 91 .... 87 G 5
Mesquer 44 .... 145 H 3
Messac 17 .... 220 B 5
Messac 35 .... 126 B 2
Messais 86 .... 168 C 3
Messanges 21 .... 159 H 5
Messanges 40 .... 292 B 2
Messas 45 .... 132 C 3
Messé 79 .... 186 A 5
Messei 61 .... 53 F 4
Messein 54 .... 94 D 1
Messeix 63 .... 226 C 2
Messemé 86 .... 168 D 1
Messery 74 .... 197 H 3
Messeux 16 .... 203 G 2
Messey-sur-Grosne 71 .... 177 G 5
Messia-sur-Sorne 39 .... 179 E 5
Messigny-et-Vantoux 21 .... 160 A 2
Messilhac *Château de* 15 .... 244 D 5
Messimy 69 .... 230 D 1
Messimy-sur-Saône 01 .... 213 E 2
Messincourt 08 .... 27 G 4
Messon 10 .... 114 C 2
Messy 77 .... 59 E 2
Mesterrieux 33 .... 256 D 3
Mestes 19 .... 226 B 3
Mesves-sur-Loire 58 .... 156 B 4
Mesvres 71 .... 176 C 3
Métabief 25 .... 180 C 4
Les Métairies 16 .... 220 C 1
Métairies-Saint-Quirin 57 .... 96 B 1
Méteren 59 .... 4 A 5
Méthamis 84 .... 286 A 5
Métigny 80 .... 11 H 5
Metting 57 .... 68 A 4
Mettray 37 .... 151 H 2
Metz 57 .... 65 H 1
Metz-en-Couture 62 .... 14 A 5
Metz-le-Comte 58 .... 157 G 2
Metz-Robert 10 .... 115 E 4
Metz-Tessy 74 .... 215 G 3
Metzeral 68 .... 120 C 4
Metzeresche 57 .... 46 B 4
Metzervisse 57 .... 45 H 3
Metzing 57 .... 47 F 5
Meucon 56 .... 124 B 3
Meudon 92 .... 58 B 4
Meuilley 21 .... 159 H 5
Meulan 78 .... 57 H 1
Meulers 76 .... 20 C 2
Meulin 71 .... 194 B 4
Meulles 14 .... 54 D 2
Meulson 21 .... 138 B 4
Meunet-Planches 36 .... 172 B 4
Meunet-sur-Vatan 36 .... 172 A 1
Meung-sur-Loire 45 .... 132 D 3
Meurcé 72 .... 107 H 2
Meurchin 62 .... 8 C 4
Meurcourt 70 .... 141 F 3
La Meurdraquière 50 .... 51 G 3
Meures 52 .... 116 D 2
Meurival 02 .... 41 E 3
Meursac 17 .... 219 E 1
Meursanges 21 .... 178 A 2
Meursault 21 .... 177 G 2
Meurville 10 .... 116 A 2
Meuse 52 .... 117 H 4
Meusnes 41 .... 153 F 4
Meussia 39 .... 196 D 2
Meuvaines 14 .... 33 F 3
Meuvy 52 .... 117 H 3
Meux 17 .... 220 B 4
Le Meux 60 .... 39 F 2
Meuzac 87 .... 224 B 3
Mévoisins 28 .... 86 B 3
Mévouillon 26 .... 286 C 2
Meximieux 01 .... 213 H 4
Mexy 54 .... 45 E 1
Mey 57 .... 45 H 5
Meyenheim 68 .... 121 E 4
Meylan 38 .... 251 E 1
Meylan 47 .... 275 E 4
Meymac 19 .... 225 G 3
Meynes 30 .... 304 B 1
Meyrals 24 .... 241 F 5
Meyrand *Col de* 07 .... 265 H 3
Meyrannes 30 .... 283 H 2
Meyrargues 13 .... 306 B 4
Meyras 07 .... 266 A 2
Meyreuil 13 .... 306 A 5
Meyriat 01 .... 214 A 1
Meyrié 38 .... 232 A 2
Meyrieu-les-Étangs 38 .... 231 H 3
Meyrieux-Trouet 73 .... 233 E 1
Meyrignac-l'Église 19 .... 225 E 5
Meyronne 46 .... 242 C 5
Meyronnes 04 .... 271 E 4
Meyrueis 48 .... 282 B 3
Meys 69 .... 230 B 1
Meyssac 19 .... 242 D 3
Meysse 07 .... 267 E 3
Meyssiez 38 .... 231 G 3
Meythet 74 .... 215 G 3
La Meyze 87 .... 223 G 2
Meyzieu 69 .... 213 G 5
Mézangers 53 .... 106 C 2
Mèze 34 .... 322 D 3
Mézel 04 .... 288 A 4
Mezel 63 .... 228 A 1
Mézenc *Mont* 43 .... 247 H 5
Mézens 81 .... 298 B 3
Mézeray 72 .... 129 G 2
Mézères 43 .... 247 G 2
Mézériat 01 .... 195 G 5
Mézerolles 80 .... 12 C 3
Mézerville 11 .... 318 C 4
Mézidon 14 .... 34 A 5
La Mézière 35 .... 104 A 2
Mézières-au-Perche 28 .... 109 H 2
Mézières-en-Brenne 36 .... 170 D 4
Mézières-en-Drouais 28 .... 56 D 5
Mézières-en-Gâtinais 45 .... 112 A 4
Mézières-en-Santerre 80 .... 22 D 3
Mézières-en-Vexin 27 .... 37 E 5
Mézières-lez-Cléry 45 .... 133 E 3
Mézières-sous-Lavardin 72 .... 107 G 3
Mézières-sur-Couesnon 35 .... 80 D 5
Mézières-sur-Issoire 87 .... 205 E 2
Mézières-sur-Oise 02 .... 24 B 3
Mézières-sur-Ponthouin 72 .... 108 A 2
Mézières-sur-Seine 78 .... 57 G 2
Mézilhac 07 .... 266 B 1
Mézilles 89 .... 135 G 4
Mézin 47 .... 275 F 4
Méziré 90 .... 142 C 4
Mézos 40 .... 272 C 4
Mézy-Moulins 02 .... 60 C 1
Mézy-sur-Seine 78 .... 57 G 2
Mezzavia 2A .... 348 C 3
Mhère 58 .... 157 H 4
Mialet 24 .... 223 E 3
Mialet 30 .... 283 G 4
Mialos 64 .... 294 B 5
Miannay 80 .... 11 F 3
Michaugues 58 .... 157 F 4
Michelbach 68 .... 143 E 1
Michelbach-le-Bas 68 .... 143 G 3
Michelbach-le-Haut 68 .... 143 G 3
Michery 89 .... 89 F 5
Midi de Bigorre *Pic du* 65 .... 333 F 3
Midrevaux 88 .... 93 H 4
Mièges 39 .... 180 A 4
Miel *Maison du* 63 .... 209 G 4
Miélan 32 .... 315 G 2
Miellin 70 .... 142 B 1
Miermaigne 28 .... 109 F 2
Miers 46 .... 260 D 1
Miéry 39 .... 179 F 3
Mietesheim 67 .... 68 D 3
Mieussy 74 .... 216 B 1
Mieuxcé 61 .... 83 G 4
Mifaget 64 .... 332 B 1
Migé 89 .... 136 B 4
Migennes 89 .... 114 A 5
Miglos 09 .... 336 B 5
Mignafans 70 .... 141 H 5
Mignaloux-Beauvoir 86 .... 186 C 2
Mignavillers 70 .... 141 H 5
Migné 36 .... 171 E 5
Migné-Auxances 86 .... 186 B 1
Mignères 45 .... 112 B 4
Mignerette 45 .... 112 B 4
Mignéville 54 .... 96 A 2
Mignières 28 .... 86 A 5
Mignovillard 39 .... 180 B 3
Migny 36 .... 172 C 2
Migré 17 .... 201 G 2
Migron 17 .... 201 H 5
Mijanès 09 .... 337 E 5
Mijoux 01 .... 197 F 3
La Milesse 72 .... 107 G 4
Milhac 46 .... 259 H 1
Milhac-d'Auberoche 24 .... 241 E 3
Milhac-de-Nontron 24 .... 222 D 4
Milhaguet 87 .... 222 D 2
Milhars 81 .... 279 E 4
Milhas 31 .... 334 C 2
Milhaud 30 .... 303 H 2
Milhavet 81 .... 279 F 5
Milizac 29 .... 70 C 5
Millac 86 .... 204 C 1
Millam 59 .... 3 F 4
Millançay 41 .... 153 H 2
Millas 66 .... 342 D 2
Millau 12 .... 281 H 4
Millay 58 .... 176 A 3
Millebosc 76 .... 11 E 5
Millemont 78 .... 57 F 4
Millencourt 80 .... 13 F 5
Millencourt-en-Ponthieu 80 .... 11 H 3
Millery 21 .... 158 D 1
Millery 54 .... 65 H 4
Millery 69 .... 231 E 2
Les Milles 13 .... 305 H 5
Millevaches 19 .... 225 G 2
Millières 50 .... 31 G 4
Millières 52 .... 117 G 3
Millonfosse 59 .... 9 F 5
Milly 50 .... 52 B 5
Milly 89 .... 136 C 3
Milly-la-Forêt 91 .... 88 A 4
Milly-Lamartine 71 .... 194 D 4
Milly-sur-Bradon 55 .... 43 H 2
Milly-sur-Thérain 60 .... 37 H 1
Milon-la-Chapelle 78 .... 58 A 5
Mimbaste 40 .... 293 E 4
Mimet 13 .... 327 E 1
Mimeure 21 .... 159 E 5
Mimizan 40 .... 272 B 2
Mimizan-Plage 40 .... 272 B 2
Minard *Pointe de* 22 .... 73 G 3
Minaucourt-le-Mesnil-lès-Hurlus 51 .... 42 D 4
Mindin 44 .... 146 C 3
Minerve 34 .... 320 C 3
Mingot 65 .... 315 F 3
Mingoval 62 .... 7 H 5
Miniac-Morvan 35 .... 79 H 3
Miniac-sous-Bécherel 35 .... 103 H 1
Minier *Col du* 30 .... 282 C 4
Les Minières 27 .... 56 B 3
Le Minihic-sur-Rance 35 .... 50 C 5
Minihy-Tréguier 22 .... 73 E 3
Minorville 54 .... 65 F 4
Minot 21 .... 138 D 4
Minversheim 67 .... 68 D 4
Minzac 24 .... 239 E 4
Minzier 74 .... 215 F 2
Miolans *Château de* 73 .... 233 H 2
Miolles 81 .... 300 A 1
Miomo 2B .... 345 G 4
Mionnay 01 .... 213 F 4
Mions 69 .... 231 F 1
Mios 33 .... 254 D 3
Miossens-Lanusse 64 .... 314 B 2
Mirabeau 04 .... 287 H 4
Mirabeau 84 .... 306 C 3
Mirabel 07 .... 266 C 3
Mirabel 82 .... 277 H 4
Mirabel *Parc d'attractions* 63 .... 209 H 4
Mirabel-aux-Baronnies 26 .... 285 H 1
Mirabel-et-Blacons 26 .... 267 H 2
Miradoux 32 .... 276 C 5
Miramar 06 .... 309 E 5
Miramas 13 .... 305 E 5
Mirambeau 17 .... 219 G 4

Mirambeau 31 ... 316 D 3
Miramont-d'Astarac 32 ... 296 A 5
Miramont-de-Comminges 31 ... 334 C 1
Miramont-de-Guyenne 47 ... 257 G 3
Miramont-de-Quercy 82 ... 277 F 3
Miramont-Latour 32 ... 296 B 3
Miramont-Sensacq 40 ... 294 B 4
Mirande 32 ... 295 H 5
Mirandol-Bourgnounac 81 ... 279 G 4
Mirannes 32 ... 295 H 4
Miraumont 80 ... 13 G 4
Miraval-Cabardès 11 ... 319 H 3
Mirbel 52 ... 92 D 5
Miré 49 ... 128 D 3
Mirebeau 86 ... 168 D 4
Mirebeau-sur-Bèze 21 ... 160 C 2
Mirebel 39 ... 179 G 5
Mirecourt 88 ... 94 D 5
Mirefleurs 63 ... 228 A 1
Miremont 31 ... 317 H 3
Miremont 63 ... 209 E 4
Mirepeisset 11 ... 320 D 4
Mirepeix 64 ... 314 C 5
Mirepoix 09 ... 336 D 1
Mirepoix 32 ... 296 B 3
Mirepoix-sur-Tarn 31 ... 298 B 2
Mireval 34 ... 323 F 3
Mireval-Lauragais 11 ... 319 E 4
Miribel 01 ... 213 F 5
Miribel 26 ... 249 H 1
Miribel-Lanchâtre 38 ... 250 D 4
Miribel-les-Échelles 38 ... 232 D 4
Mirmande 26 ... 267 F 2
Le Miroir 71 ... 196 A 2
Miromesnil Château de 76 ... 20 B 2
Mirvaux 80 ... 12 D 5
Mirville 76 ... 19 E 5
Miscon 26 ... 268 C 3
Miserey 27 ... 56 C 1
Miserey-Salines 25 ... 161 H 3
Misérieux 01 ... 213 E 3
Misery 80 ... 23 G 2
Mison 04 ... 287 F 2
Missé 79 ... 168 A 2
Missècle 81 ... 299 E 3
Missègre 11 ... 337 H 2
Missery 21 ... 158 D 3
Missillac 44 ... 125 G 5
Missiriac 56 ... 103 E 5
Misson 40 ... 293 E 4
Missy 14 ... 33 F 5
Missy-aux-Bois 02 ... 40 A 3
Missy-lès-Pierrepont 02 ... 25 E 4
Missy-sur-Aisne 02 ... 40 C 2
Misy-sur-Yonne 77 ... 89 E 5
Mitry-le-Neuf 77 ... 59 E 2
Mitry-Mory 77 ... 59 E 2
Mitschdorf 67 ... 69 E 2
Mittainville 78 ... 57 F 5
Mittainvilliers-Vérigny 28 ... 85 H 3
Mittelbergheim 67 ... 97 F 3
Mittelbronn 57 ... 68 A 4
Mittelhausbergen 67 ... 97 G 1
Mittelhausen 67 ... 68 D 5
Mittelschaeffolsheim 67 ... 68 D 5
Mittelwihr 68 ... 121 E 2
Mittersheim 57 ... 67 F 3
Mittlach 68 ... 120 C 4
Mittois 14 ... 54 B 1
Mitzach 68 ... 120 C 5
Mizérieux 42 ... 211 H 5
Mizoën 38 ... 251 H 3
Mobecq 50 ... 31 G 3
Moca-Croce 2A ... 349 E 4
Modane 73 ... 252 D 1
Modène 84 ... 285 H 4
Moëlan-sur-Mer 29 ... 100 C 5
Les Moëres 59 ... 3 H 2
Mœrnach 68 ... 143 F 4
Moëslains 52 ... 92 C 2
Mœurs-Verdey 51 ... 61 E 5
Mœuvres 59 ... 14 A 4
Moëze 17 ... 200 D 3
Moffans-et-Vacheresse 70 ... 141 H 4
La Mogère Château de 34 ... 303 E 4
Mogeville 55 ... 44 C 4
Mognard 73 ... 215 F 5
Mogneneins 01 ... 213 E 1
Mognéville 55 ... 63 F 4
Mogneville 60 ... 38 D 3
Mogues 08 ... 27 H 4
Mohon 56 ... 102 D 3
Moidieu-Détourbe 38 ... 231 G 3
Moidrey 50 ... 80 C 2
Moigné 35 ... 104 A 3
Moigny-sur-École 91 ... 88 A 4
Moimay 70 ... 141 G 5
Moineville 54 ... 45 F 5
Moings 17 ... 220 B 3
Moingt 42 ... 229 G 2
Moinville-la-Jeulin 28 ... 86 C 4
Moirans 38 ... 232 C 5
Moirans-en-Montagne 39 ... 196 D 3
Moirax 47 ... 276 B 3
Moiré 69 ... 212 C 3
Moiremont 51 ... 43 E 5
Moirey 55 ... 44 B 4
Moiron 39 ... 179 E 5
Moiry 08 ... 27 H 5
Moisdon-la-Rivière 44 ... 127 E 4
Moisenay 77 ... 88 C 2
Moislains 80 ... 23 G 1
Moissac 82 ... 277 F 4
Moissac-Bellevue 83 ... 307 G 3
Moissac-Vallée-Française 48 ... 283 E 3
Moissannes 87 ... 206 C 4
Moissat 63 ... 210 B 5
Moisselles 95 ... 58 C 1
Moissey 39 ... 161 E 4
Moissieu-sur-Dolon 38 ... 231 G 4
Moisson 78 ... 57 F 1
Moissy-Cramayel 77 ... 88 B 2
Moissy-Moulinot 58 ... 157 G 3
Moisville 27 ... 56 B 3
Moisy 41 ... 132 A 2
Moïta 2B ... 347 G 4
Les Moitiers-d'Allonne 50 ... 28 D 5
Les Moitiers-en-Bauptois 50 ... 31 G 2
Moitron 21 ... 138 C 4
Moitron-sur-Sarthe 72 ... 107 G 2
Moivre 51 ... 62 D 2
Moivrons 54 ... 65 H 4
Molac 56 ... 125 E 3
Molagnies 76 ... 37 F 1
Molain 02 ... 14 D 5
Molain 39 ... 179 G 3
Molamboz 39 ... 179 F 2
Molandier 11 ... 318 C 5
Molas 31 ... 316 C 3
Molay 39 ... 178 D 1
Molay 70 ... 140 B 3
Môlay 89 ... 137 E 4
Le Molay-Littry 14 ... 32 C 3
La Môle 83 ... 329 E 3
Moléans 28 ... 110 A 3
Molèdes 15 ... 245 G 1
Molène Île 29 ... 74 B 2
Molère 65 ... 333 G 1
Molesme 21 ... 115 G 5
Molesmes 89 ... 136 A 5
Molezon 48 ... 282 D 3
Moliens 60 ... 21 G 4
Molières 24 ... 258 D 1
Molières 46 ... 261 F 1
Molières 82 ... 277 H 3
Les Molières 91 ... 58 A 5
Molières-Cavaillac 30 ... 282 D 5
Molières-Glandaz 26 ... 268 B 2
Molières-sur-Cèze 30 ... 283 H 2
Moliets-et-Maa 40 ... 292 B 1
Moliets-Plage 40 ... 292 B 1
Molinchart 02 ... 24 C 5
Molines-en-Queyras 05 ... 271 E 1
Molinet 03 ... 193 F 3
Molineuf 41 ... 131 H 5
Molinges 39 ... 196 D 3
Molinghem 62 ... 7 G 3
Molinons 89 ... 114 A 2
Molinot 21 ... 177 F 1
Molins-sur-Aube 10 ... 91 G 4
Molitg-les-Bains 66 ... 342 A 2
Mollans 70 ... 141 G 4
Mollans-sur-Ouvèze 26 ... 285 H 2
Mollard Col du 73 ... 252 A 1
Mollau 68 ... 120 B 5
Mollégès 13 ... 305 E 2
Molles 03 ... 210 C 2
Les Mollettes 73 ... 233 G 3
Molleville 11 ... 318 D 4
Molliens-au-Bois 80 ... 22 C 1
Molliens-Dreuil 80 ... 21 H 2
La Mollière 80 ... 11 E 2
Mollkirch 67 ... 97 E 2
Molompize 15 ... 245 H 1
Molosmes 89 ... 137 E 2
Moloy 21 ... 159 H 1
Molphey 21 ... 158 C 3
Molpré 39 ... 180 A 4
Molring 57 ... 67 F 3
Molsheim 67 ... 97 F 1
Moltifao 2B ... 347 E 2
Les Molunes 39 ... 197 E 3
Momas 64 ... 314 A 2
Mombrier 33 ... 237 G 3
Momères 65 ... 315 E 5
Momerstroff 57 ... 46 C 5
Mommenheim 67 ... 68 D 4
Momuy 40 ... 293 H 4
Momy 64 ... 314 D 3
Mon Idée 08 ... 26 A 2
Monacia-d'Aullène 2A ... 351 E 3
Monacia-d'Orezza 2B ... 347 G 3
Monampteuil 02 ... 40 D 1
Monassut-Audiracq 64 ... 314 C 2
Le Monastère 12 ... 280 D 1
Le Monastier 48 ... 264 A 4
Le Monastier-sur-Gazeille 43 ... 247 G 5
Monay 39 ... 179 F 3
Monbadon 33 ... 238 D 4
Monbahus 47 ... 257 H 4
Monbalen 47 ... 276 C 2
Monbardon 32 ... 316 B 3
Monbazillac 24 ... 257 H 1
Monbéqui 82 ... 297 G 1
Monblanc 32 ... 317 E 2
Monbos 24 ... 257 G 2
Monbouan Château de 35 ... 104 D 4
Monbrun 32 ... 297 E 4
Moncale 2B ... 346 C 2
Moncassin 32 ... 316 A 2
Moncaup 31 ... 334 B 2
Moncaup 64 ... 314 D 2
Moncaut 47 ... 275 H 3
Moncayolle-Larrory-Mendibieu 64 ... 313 F 4
Moncé-en-Belin 72 ... 130 A 2
Moncé-en-Saosnois 72 ... 84 A 5
Monceau-le-Neuf-et-Faucouzy 02 ... 24 D 3
Monceau-le-Waast 02 ... 25 E 5
Monceau-lès-Leups 02 ... 24 C 4
Monceau-Saint-Waast 59 ... 15 G 3
Monceau-sur-Oise 02 ... 25 E 1
Les Monceaux 14 ... 34 C 5
Monceaux 60 ... 38 D 3
Monceaux-au-Perche 61 ... 84 D 3
Monceaux-en-Bessin 14 ... 33 E 3
Monceaux-l'Abbaye 60 ... 21 G 4
Monceaux-le-Comte 58 ... 157 G 3
Monceaux-sur-Dordogne 19 ... 243 E 3
Moncel-lès-Lunéville 54 ... 95 G 1
Moncel-sur-Seille 54 ... 66 C 4
Moncel-sur-Vair 88 ... 94 A 4
La Moncelle 08 ... 27 F 4
Moncetz-l'Abbaye 51 ... 62 D 5
Moncetz-Longevas 51 ... 62 B 2
Moncey 25 ... 162 A 2
Monchaux 80 ... 11 E 1
Monchaux-Soreng 76 ... 11 E 5
Monchaux-sur-Écaillon 59 ... 14 D 2
Moncheaux 59 ... 8 D 4
Moncheaux-lès-Frévent 62 ... 12 D 2
Monchecourt 59 ... 14 B 2
Monchel-sur-Canche 62 ... 12 C 2
Moncheux 57 ... 66 B 3
Monchiet 62 ... 13 F 3
Monchy-au-Bois 62 ... 13 F 3
Monchy-Breton 62 ... 7 H 5
Monchy-Cayeux 62 ... 7 F 5
Monchy-Humières 60 ... 39 F 1
Monchy-Lagache 80 ... 23 H 2
Monchy-le-Preux 62 ... 13 H 2
Monchy-Saint-Éloi 60 ... 38 D 3
Monchy-sur-Eu 76 ... 10 D 4
Moncla 64 ... 294 C 5
Monclar 32 ... 294 D 1
Monclar 47 ... 257 H 5
Monclar-de-Quercy 82 ... 278 C 5
Monclar-sur-Losse 32 ... 295 H 5
Moncley 25 ... 161 H 3
Moncontour 22 ... 78 C 4
Moncontour 86 ... 168 C 3
Moncorneil-Grazan 32 ... 316 B 2
Moncourt 57 ... 66 D 5
Moncoutant 79 ... 167 F 4
Moncrabeau 47 ... 275 G 5
Moncy 61 ... 53 E 3
Mondavezan 31 ... 317 E 5
Mondelange 57 ... 45 H 4
Mondement-Montgivroux 51 ... 61 E 4
Mondescourt 60 ... 23 H 5
Mondevert 35 ... 105 F 3
Mondeville 14 ... 33 H 4
Mondeville 91 ... 87 H 3
Mondicourt 62 ... 13 E 4
Mondigny 08 ... 26 C 3
Mondilhan 31 ... 316 B 4
Mondion 86 ... 169 G 2
Mondon 25 ... 162 C 1
Mondonville 31 ... 297 G 4
Mondonville-Saint-Jean 28 ... 86 D 5
Mondorff 57 ... 45 H 1
Mondoubleau 41 ... 109 E 5
Mondouzil 31 ... 298 A 4
Mondragon 84 ... 285 E 2
Mondrainville 14 ... 33 F 5
Mondrecourt 55 ... 63 H 1
Mondrepuis 02 ... 25 G 1
Mondreville 77 ... 112 B 3
Mondreville 78 ... 57 E 3
Monein 64 ... 313 H 3
Monès 31 ... 317 E 3
Monesple 09 ... 336 A 1
Monestier 03 ... 191 H 5
Monestier 07 ... 248 C 2
Monestier 24 ... 257 G 1
Le Monestier 63 ... 228 D 3
Monestier-d'Ambel 38 ... 269 F 1
Monestier-de-Clermont 38 ... 250 D 4
Le Monestier-du-Percy 38 ... 268 D 1
Monestier-Merlines 19 ... 226 C 2
Monestier-Port-Dieu 19 ... 226 C 4
Monestiés 81 ... 279 G 4
Monestrol 31 ... 318 B 4
Monétay-sur-Allier 03 ... 192 A 4
Monétay-sur-Loire 03 ... 193 E 3
Monéteau 89 ... 136 B 2
Monêtier-Allemont 05 ... 269 F 5
Le Monêtier-les-Bains 05 ... 252 C 3
Monfaucon 24 ... 239 F 5
Monfaucon 65 ... 315 F 2
Monferran-Plavès 32 ... 316 B 2
Monferran-Savès 32 ... 297 E 5
Monflanquin 47 ... 258 C 4
Monfort 32 ... 296 D 2
Monfréville 14 ... 32 B 3
Mongaillard 47 ... 275 F 3
Mongausy 32 ... 316 C 2
Mongauzy 33 ... 256 D 4
Monget 40 ... 294 A 5
La Mongie 65 ... 333 F 3
Monguilhem 32 ... 294 C 1
Monheurt 47 ... 275 G 1
Monhoudou 72 ... 84 A 5
Monieux 84 ... 286 B 4
Monistrol-d'Allier 43 ... 246 D 4
Monistrol-sur-Loire 43 ... 247 H 1
Monlaur-Bernet 32 ... 316 A 3
Monléon-Magnoac 65 ... 316 A 4
Monlet 43 ... 247 E 2
Monlezun 32 ... 315 G 2
Monlezun-d'Armagnac 32 ... 294 D 2
Monlong 65 ... 315 H 5
Monmadalès 24 ... 258 B 1
Monmarvès 24 ... 258 B 2
Monnai 61 ... 55 E 3
Monnaie 37 ... 152 A 1
Monneren 57 ... 46 B 3
La Monnerie-le-Montel 63 ... 210 D 4
Monnerville 91 ... 87 F 5
Monnes 02 ... 40 A 5
Monnet-la-Ville 39 ... 179 G 4
Monnetay 39 ... 196 B 2
Monnetier-Mornex 74 ... 197 H 5
Monneville 60 ... 37 H 4
Monnières 39 ... 160 D 5
Monnières 44 ... 148 A 5
Monoblet 30 ... 283 F 5
Monpardiac 32 ... 315 G 2
Monpazier 24 ... 258 D 2
Monpezat 64 ... 294 D 5
Monplaisant 24 ... 259 E 1
Monprimblanc 33 ... 256 B 3
Mons 16 ... 202 D 4
Mons 17 ... 202 B 5
Mons 30 ... 283 H 4
Mons 31 ... 298 B 4
Mons 34 ... 301 E 5
Mons 63 ... 210 B 3
Mons 83 ... 308 C 3
Mons-Boubert 80 ... 11 F 3
Mons-en-Barœul 59 ... 8 D 2
Mons-en-Chaussée 80 ... 23 H 2
Mons-en-Laonnois 02 ... 40 D 1
Mons-en-Montois 77 ... 89 F 3
Mons-en-Pévèle 59 ... 8 D 4
Monsac 24 ... 258 C 1
Monsaguel 24 ... 258 B 2
Monsec 24 ... 222 B 4
Monségur 33 ... 257 E 3
Monségur 40 ... 293 H 4
Monségur 47 ... 258 D 5
Monségur 64 ... 315 E 2
La Monselie 15 ... 226 C 5
Monsempron-Libos 47 ... 259 E 5
Monsireigne 85 ... 166 D 4
Monsols 69 ... 194 C 5
Monsteroux-Milieu 38 ... 231 F 4
Monsures 80 ... 22 B 4
Monswiller 67 ... 68 B 4
Mont 64 ... 313 H 2
Mont 65 ... 333 H 4
Mont 71 ... 193 E 1
Le Mont 88 ... 96 B 3
Mont Signal de 71 ... 193 E 1
Mont-Bernanchon 62 ... 8 A 3
Mont-Bertrand 14 ... 52 C 1
Mont Blanc Tunnel du 74 ... 217 E 3
Mont-Bonvillers 54 ... 45 E 3
Le Mont-Caume 83 ... 328 A 4
Mont-Cauvaire 76 ... 20 B 5
Mont-Cenis Col du 73 ... 235 F 5
Mont-Cindre 69 ... 213 E 5
Mont-d'Astarac 32 ... 316 A 4
Mont-Dauphin 05 ... 270 D 2
Mont-de-Galié 31 ... 334 B 2
Mont-de-Lans 38 ... 251 H 3
Mont-de-Laval 25 ... 163 E 4
Mont-de-l'If 76 ... 19 H 5
Mont-de-Marrast 32 ... 315 H 3
Mont-de-Marsan 40 ... 294 A 1
Mont-de-Vougney 25 ... 163 F 3
Mont des Cats 59 ... 4 A 5
Mont-devant-Sassey 55 ... 43 G 2
Le Mont-Dieu 08 ... 27 E 5
Mont-Disse 64 ... 294 D 5
Mont-Dol 35 ... 80 A 2
Le Mont-Dore 63 ... 227 E 3
Mont-d'Origny 02 ... 24 C 2
Mont du Chat 73 ... 233 E 1
Mont-et-Marré 58 ... 175 G 1
Mont-Laurent 08 ... 42 B 1
Mont-le-Franois 70 ... 140 A 5
Mont-le-Vernois 70 ... 141 E 4
Mont-le-Vignoble 54 ... 94 B 1
Mont-lès-Lamarche 88 ... 118 B 4
Mont-lès-Neufchâteau 88 ... 93 H 4
Mont-lès-Seurre 71 ... 178 B 2
Mont-l'Étroit 54 ... 94 A 3
Mont-l'Évêque 60 ... 39 E 4
Mont-Louis 66 ... 341 G 4
Mont Noir 59 ... 4 A 5
Mont-Notre-Dame 02 ... 40 D 3
Mont-Ormel 61 ... 54 C 3
Mont-près-Chambord 41 ... 153 F 1
Mont-Roc 81 ... 299 H 2
Mont Roland Sanctuaire du 39 ... 161 E 5
Mont-Rond Sommet du 01 ... 197 F 3
Le Mont-Saint-Adrien 60 ... 37 H 2
Mont-Saint-Aignan 76 ... 36 B 1
Mont-Saint-Éloi 62 ... 8 A 5
Mont-Saint-Jean 02 ... 25 H 3
Mont-Saint-Jean 21 ... 158 D 3
Mont-Saint-Jean 72 ... 107 F 2
Mont-Saint-Léger 70 ... 140 C 4
Mont-Saint-Martin 02 ... 40 D 3
Mont-Saint-Martin 08 ... 42 D 3
Mont-Saint-Martin 38 ... 232 D 5
Mont-Saint-Martin 54 ... 45 E 1
Le Mont-Saint-Michel 50 ... 51 F 5
Mont-Saint-Père 02 ... 60 C 1
Mont-Saint-Remy 08 ... 42 B 2
Mont-Saint-Sulpice 89 ... 114 A 5
Mont-Saint-Vincent 71 ... 194 B 1
Mont-Saxonnex 74 ... 216 B 2
Mont-sous-Vaudrey 39 ... 179 F 1
Mont-sur-Courville 51 ... 41 E 4
Mont-sur-Meurthe 54 ... 95 F 2
Mont-sur-Monnet 39 ... 179 G 4
Mont Thou 69 ... 213 E 4
Mont-Villers 55 ... 64 C 1
Montabard 61 ... 54 A 3
Montabès Puy de 12 ... 262 D 3
Montabon 72 ... 130 B 4
Montabot 50 ... 52 A 2
Montacher-Villegardin 89 ... 113 E 3
Montadet 32 ... 316 D 2
Montady 34 ... 321 F 5
Montagagne 09 ... 335 H 3
Montagna-le-Reconduit 39 ... 196 A 2
Montagna-le-Templier 39 ... 196 B 4
Montagnac 04 ... 307 F 2
Montagnac 30 ... 303 F 1
Montagnac 34 ... 322 C 3
Montagnac-d'Auberoche 24 ... 241 E 2
Montagnac-la-Crempse 24 ... 240 B 4
Montagnac-sur-Auvignon 47 ... 275 H 3
Montagnac-sur-Lède 47 ... 258 D 4
Montagnat 01 ... 213 H 1
Montagne 33 ... 238 C 5
Montagne 38 ... 249 H 2
La Montagne 44 ... 147 F 4
La Montagne 70 ... 119 H 5
Montagne de Dun 71 ... 194 A 5
Montagne-Fayel 80 ... 11 H 5
Montagney 25 ... 162 C 1
Montagney 70 ... 161 F 3
Montagnieu 01 ... 214 B 5
Montagnieu 38 ... 232 B 3
Montagnol 12 ... 301 E 2
Montagnole 73 ... 233 F 2
Montagny 42 ... 211 H 2
Montagny 69 ... 231 E 2
Montagny 73 ... 234 C 3
Montagny-en-Vexin 60 ... 37 G 4
Montagny-lès-Beaune 21 ... 177 H 2
Montagny-lès-Buxy 71 ... 177 G 5
Montagny-les-Lanches 74 ... 215 G 4
Montagny-lès-Seurre 21 ... 178 C 1
Montagny-près-Louhans 71 ... 178 C 5
Montagny-Sainte-Félicité 60 ... 39 F 5
Montagny-sur-Grosne 71 ... 194 C 4
Montagoudin 33 ... 256 D 3
Montagrier 24 ... 239 H 1
Montagudet 82 ... 277 F 2
Montagut 64 ... 294 A 5
Montaignac-Saint-Hippolyte 19 ... 225 F 5
Montaigu 02 ... 41 F 1
Montaigu 39 ... 179 E 5
Montaigu 85 ... 166 A 1
Montaigu Butte de 53 ... 106 C 2
Montaigu-de-Quercy 82 ... 277 E 1
Montaigu-la-Brisette 50 ... 29 G 4
Montaigu-le-Blin 03 ... 192 C 5
Montaigu-les-Bois 50 ... 51 H 2
Montaiguët-en-Forez 03 ... 193 E 5
Montaigut 63 ... 209 E 1
Montaigut-le-Blanc 23 ... 206 D 2
Montaigut-le-Blanc 63 ... 227 H 3
Montaigut-sur-Save 31 ... 297 G 4
Montaillé 72 ... 108 C 5
Montailleur 73 ... 233 H 1
Montaillou 09 ... 336 D 5
Montaimont 73 ... 234 A 4
Montain 39 ... 179 E 4
Montaïn 82 ... 297 F 1
Montainville 28 ... 110 B 2
Montainville 78 ... 57 G 3
Montal Château de 46 ... 261 E 1
Montalba-d'Amélie 66 ... 342 D 4
Montalba-le-Château 66 ... 342 C 2
Montalembert 79 ... 203 F 1
Montalet-le-Bois 78 ... 57 G 1
Montalieu-Vercieu 38 ... 214 B 5
Montalivet-les-Bains 33 ... 218 B 4
Montalzat 82 ... 278 B 3
Montamat 32 ... 316 D 2
Montambert 58 ... 175 G 4
Montamel 46 ... 260 B 3
Montamisé 86 ... 186 C 1
Montamy 14 ... 52 D 1
Montanay 69 ... 213 E 4
Montanceix 24 ... 240 B 2
Montancy 25 ... 163 H 2
Montandon 25 ... 163 G 2
Montanel 50 ... 80 D 3
Montaner 64 ... 315 E 3
Montanges 01 ... 214 D 1
Montangon 10 ... 91 G 4
Montans 81 ... 298 D 2
Montapas 58 ... 175 F 1
Montarcher 42 ... 229 G 4
Montardit 09 ... 335 F 1
Montardon 64 ... 314 B 3
Montaren-et-Saint-Médiers 30 ... 284 B 5
Montargis 45 ... 112 C 5
Montarlot 77 ... 88 D 5
Montarlot-lès-Champlitte 70 ... 140 A 4
Montarlot-lès-Rioz 70 ... 161 H 2
Montarnaud 34 ... 302 C 4
Montaron 58 ... 175 G 3
Montastruc 47 ... 257 H 5
Montastruc 65 ... 315 H 5
Montastruc 82 ... 277 G 4
Montastruc-de-Salies 31 ... 334 D 2
Montastruc-la-Conseillère 31 ... 298 B 3
Montastruc-Savès 31 ... 317 E 3
Le Montat 46 ... 278 B 1
Montataire 60 ... 38 C 4

Montauban 82 277 H 5
Montauban-de-Bretagne 35 103 G 2
Montauban-de-Luchon 31 334 B 4
Montauban-de-Picardie 80 13 G 5
Montauban-sur-l'Ouvèze 26 286 C 2
Montaud 34 303 E 3
Montaud 38 250 C 1
Montaudin 53 81 G 4
Montaulieu 26 286 A 1
Montaulin 10 115 E 2
Montaure 27 36 B 4
Montauriol 11 318 D 4
Montauriol 47 258 B 3
Montauriol 66 342 D 3
Montauriol 81 280 B 4
Montauroux 83 308 D 3
Montaut 09 318 B 5
Montaut 24 258 B 2
Montaut 31 317 G 3
Montaut 32 315 H 3
Montaut 40 293 H 3
Montaut 47 258 C 3
Montaut 64 314 C 5
Montaut-les-Créneaux 32 296 B 3
Montautour 35 105 F 2
Montauville 54 65 G 3
Montay 59 14 D 4
Montayral 47 259 E 5
Montazeau 24 239 E 5
Montazels 11 337 G 3
Montbard 21 137 H 5
Montbarla 82 277 F 3
Montbarrey 39 179 F 1
Montbarrois 45 111 H 4
Montbartier 82 297 G 1
Montbavin 02 40 C 1
Montbazens 12 261 H 5
Montbazin 34 302 C 5
Montbazon 37 151 H 4
Montbel 09 337 E 3
Montbel 48 265 E 4
Montbéliard 25 142 B 4
Montbéliardot 25 163 E 4
Montbellet 71 195 E 2
Montbenoît 25 180 D 1
Montberaud 31 317 F 5
Montbernard 31 316 C 4
Montberon 31 298 A 3
Montbert 44 147 H 5
Montberthault 21 158 B 1
Montbertrand 38 231 H 1
Montbeton 82 277 G 5
Montbeugny 03 192 C 2
Montbizot 72 107 H 3
Montblainville 55 43 F 4
Montblanc 04 289 E 5
Montblanc 34 321 H 3
Montboillon 70 161 H 2
Montboissier 28 110 A 2
Montbolo 66 342 C 4
Montbonnot-Saint-Martin 38 251 E 1
Montboucher 23 206 D 3
Montboucher-sur-Jabron 26 267 E 4
Montboudif 15 227 E 5
Montbouton 90 142 C 5
Montbouy 45 134 D 2
Montboyer 16 221 E 5
Montbozon 70 162 B 1
Montbrand 05 268 D 3
Montbras 55 94 A 2
Montbray 50 52 B 2
Montbré 51 41 G 4
Montbrehain 02 24 B 1
Montbrison 26 267 G 5
Montbrison 42 229 G 2
Montbron 16 221 H 1
Montbronn 57 68 A 1
Montbrun 46 261 E 5
Montbrun 48 282 C 1
Montbrun Château de 87 223 E 2
Montbrun-Bocage 31 335 G 1
Montbrun-des-Corbières 11 320 C 5
Montbrun-Lauragais 31 318 A 2
Montbrun-les-Bains 26 286 C 3
Montcabrier 46 259 F 4
Montcabrier 81 298 C 4
Montcaret 24 239 E 5
Montcarra 38 232 B 2
Montcavrel 62 6 C 4
Montceau 38 232 A 2
Montceau-et-Écharnant 21 177 F 1
Montceau-les-Mines 71 176 D 5
Montceaux 01 213 E 2
Montceaux-les-Meaux 77 59 H 2
Montceaux-lès-Provins 77 60 C 5
Montceaux-lès-Vaudes 10 115 E 3
Montceaux-l'Étoile 71 193 G 4
Montceaux-Ragny 71 195 E 1
Montcel 63 209 G 3
Le Montcel 73 215 F 5
Montcenis 71 176 D 4
Montcet 01 195 G 5
Montcey 70 141 F 4
Montchaboud 38 251 E 2
Montchal 42 212 A 5
Montchâlons 02 41 E 1
Montchamp 14 52 D 2
Montchamp 15 246 A 3
Montchanin 71 177 E 4
Montcharvot 52 118 A 5
Montchaton 50 51 G 1
Montchaude 16 220 C 4
Montchauvet 14 52 D 2
Montchauvet 78 57 F 3
Montchauvrot 39 179 E 3
Montchavin 73 234 D 2
Montchenot 51 41 G 5
Montchenu 26 249 G 1
Montcheutin 08 43 E 3
Montchevrel 61 84 A 2
Montchevrier 36 189 E 3
Montclar 04 270 B 5
Montclar 11 337 G 1
Montclar 12 300 B 1
Montclar-de-Comminges 31 317 E 5
Montclar-Lauragais 31 318 C 3
Montclar-sur-Gervanne 26 267 H 1
Montclard 43 246 C 1
Montcléra 46 259 G 3
Montclus 05 268 D 5
Montclus 30 284 B 2
Montcombroux-les-Mines 03 192 D 4
Montcony 71 178 C 5
Montcorbon 45 113 E 5
Montcornet 02 25 G 4
Montcornet 08 26 C 2
Montcourt 70 118 C 5
Montcourt-Fromonville 77 88 B 5
Montcoy 71 178 A 4
Montcresson 45 134 D 2
Montcuit 50 31 H 5
Montcuq-en-Quercy-Blanc 46 277 G 1
Montcusel 39 196 C 3
Montcy-Notre-Dame 08 26 D 3
Montdardier 30 302 B 1
Montdauphin 77 60 C 3
Montdidier 57 67 F 2
Montdidier 80 22 D 4
Montdoré 70 118 D 5
Montdoumerc 46 278 B 2
Montdragon 81 299 F 3
Montdurausse 81 298 A 1
Monte 2B 347 G 2
Monte Cecu 2B 347 E 4
Monte d'Oro 2A 349 E 1
Monteaux 41 152 D 1
Montebourg 50 29 G 4
Montech 82 297 G 1
Montech Pente d'eau de 82 277 G 5
Montécheroux 25 163 G 2
Montegrosso 2B 346 C 2
Montégut 32 296 B 4
Montégut 40 294 C 1
Montégut 65 334 A 1
Montégut-Arros 32 315 F 3
Montégut-Bourjac 31 317 E 4
Montégut-en-Couserans 09 335 F 2
Montégut-Lauragais 31 318 D 2
Montégut-Plantaurel 09 336 A 1
Montégut-Savès 32 317 E 2
Monteignet-sur-l'Andelot 03 210 A 2
Le Monteil 15 244 C 1
Le Monteil 43 247 F 3
Le Monteil-au-Vicomte 23 207 F 4
Monteille 14 34 B 5
Monteils 12 279 F 2
Monteils 30 284 A 4
Monteils 82 278 C 3
Montel-de-Gelat 63 208 D 4
Montéléger 26 249 F 5
Montélier 26 249 G 4
Montélimar 26 267 E 4
Le Montellier 01 213 G 3
Montels 09 336 A 2
Montels 34 321 E 4
Montels 81 298 D 1
Montemaggiore 2B 346 C 2
Montembœuf 16 204 B 5
Montenach 57 46 B 2
Montenay 53 81 H 5
Montendre 17 219 H 5
Montendry 73 233 H 2
Montenescourt 62 13 F 2
Monteneuf 56 103 F 5
Montenils 77 60 C 3
Montenois 25 142 A 4
Montenoison 58 157 E 4
Montenoy 54 65 H 4
Montépilloy 60 39 E 4
Monteplain 39 161 F 4
Montépreux 51 61 H 5
Monterblanc 56 124 C 2
Montereau 45 134 B 2
Montereau-Fault-Yonne 77 88 D 4
Montereau-sur-le-Jard 77 88 B 2
Monterfil 35 103 H 3
Montérolier 76 20 D 4
Monterrein 56 103 E 5
Montertelot 56 102 D 5
Montescot 66 343 F 3
Montescourt-Lizerolles 02 24 A 3
Montespan 31 334 D 1
Montesquieu 34 301 G 5
Montesquieu 47 275 H 3
Montesquieu 82 277 F 3
Montesquieu-Avantès 09 335 F 2
Montesquieu-des-Albères 66 343 E 4
Montesquieu-Guittaut 31 316 C 3
Montesquieu-Lauragais 31 318 B 3
Montesquieu-Volvestre 31 317 G 5
Montesquiou 32 295 G 5
Montessaux 70 141 H 3
Montesson 52 140 B 2
Montesson 78 58 A 3
Montestruc-sur-Gers 32 296 B 2
Montestrucq 64 313 F 2
Le Montet 03 191 G 3
Montet-et-Bouxal 46 261 F 2
Monteton 47 257 F 3
Montets Col des 74 217 E 2
Monteux 84 285 G 4
Montévrain 77 59 F 3
Monteynard 38 250 D 4
Montézic 12 262 D 2
Montfa 09 335 G 1
Montfa 81 299 G 4
Montfalcon 38 249 H 1
Montfarville 50 29 H 3
Montfaucon 02 60 C 2
Montfaucon 25 162 A 4
Montfaucon 30 285 E 4
Montfaucon 46 260 C 2
Montfaucon-d'Argonne 55 43 G 3
Montfaucon-en-Velay 43 248 A 2
Montfaucon-montigné 49 148 B 5
Montfavet 84 304 D 1
Montfermeil 93 58 D 3
Montfermier 82 277 H 3
Montfermy 63 209 E 4
Montferney 25 162 C 1
Montferrand 11 318 D 3
Montferrand 63 209 H 5
Montferrand-du-Périgord 24 258 D 2
Montferrand-la-Fare 26 286 C 1
Montferrand-le-Château 25 161 H 4
Montferrat 38 232 C 3
Montferrat 83 308 A 4
Montferrer 66 342 C 5
Montferrier 09 336 C 3
Montferrier-sur-Lez 34 302 D 4
Montfey 10 114 C 4
Montfiquet 14 32 C 4
Montfleur 39 196 B 4
Montflours 53 106 A 2
Montflovin 25 180 D 1
Montfort 04 287 G 4
Montfort 24 259 G 1
Montfort 25 179 H 1
Montfort 49 150 A 4
Montfort 64 313 F 3
Montfort-en-Chalosse 40 293 F 3
Montfort-l'Amaury 78 57 G 4
Montfort-le-Gesnois 72 108 A 4
Montfort-sur-Argens 83 307 F 5
Montfort-sur-Boulzane 11 337 H 5
Montfort-sur-Meu 35 103 H 2
Montfort-sur-Risle 27 35 G 3
Montfranc 12 300 B 2
Montfrin 30 304 B 1
Montfroc 26 286 D 3
Montfuron 04 306 C 1
Montgaillard 09 336 B 3
Montgaillard 11 338 B 3
Montgaillard 40 294 A 3
Montgaillard 65 333 F 1
Montgaillard 81 298 B 1
Montgaillard 82 296 D 1
Montgaillard-de-Salies 31 334 D 2
Montgaillard-Lauragais 31 318 C 2
Montgaillard-sur-Save 31 316 C 4
Montgardin 05 270 A 3
Montgardon 50 31 F 3
Montgaroult 61 54 A 4
Montgauch 09 335 E 2
Montgaudry 61 84 A 4
Montgazin 31 317 G 4
Montgé-en-Goële 77 59 F 1
Montgeard 31 318 B 3
Montgellafrey 73 234 A 4
Montgenèvre 05 252 D 4
Montgenost 51 90 A 2
Montgeoffroy Château de 49 150 A 1
Montgérain 60 38 D 1
Montgermont 35 104 B 2
Montgeron 91 58 D 5
Montgeroult 95 57 H 1
Montgesoye 25 162 B 5
Montgesty 46 259 G 4
Montgey 81 318 D 2
Montgibaud 19 224 B 3
Montgilbert 73 234 A 2
Montgirod 73 234 C 2
Montgiscard 31 318 B 2
Montgivray 36 189 G 1
Montgobert 02 40 A 3
Montgon 08 42 D 1
Montgothier 50 52 A 5
Montgradail 11 337 E 1
Montgras 31 317 E 2
Montgreleix 15 227 F 5
Montgru-Saint-Hilaire 02 40 B 4
Montguers 26 286 C 2
Montgueux 10 90 D 5
Montguillon 49 128 B 3
Montguyon 17 238 C 1
Les Monthairons 55 64 B 2
Montharville 28 109 H 3
Monthault 35 81 F 2
Monthaut 11 337 F 1
Monthelie 21 177 G 2
Monthelon 51 61 F 2
Monthelon 71 176 C 2
Monthenault 02 40 D 1
Montheries 52 116 C 3
Montherlant 60 38 A 3
Monthermé 08 26 D 1
Monthiers 02 40 B 5
Monthieux 01 213 F 3
Monthion 73 234 A 1
Monthodon 37 131 E 4
Monthoiron 86 169 H 5
Monthois 08 42 D 3
Montholier 39 179 F 2
Monthou-sur-Bièvre 41 153 E 1
Monthou-sur-Cher 41 153 E 3
Monthuchon 50 31 G 5
Monthurel 02 60 D 1
Monthureux-le-Sec 88 118 C 2
Monthureux-sur-Saône 88 118 C 4
Monthyon 77 59 F 1
Monti 06 291 G 5
Monticello 2B 344 C 5
Montier-en-Der 52 92 B 3
Montier-en-l'Isle 10 116 A 2
Montiéramey 10 115 F 2
Montierchaume 36 171 H 3
Montiers 60 38 D 1
Montiers-sur-Saulx 55 93 E 2
Monties 32 316 B 3
Montignac 24 241 F 3
Montignac 33 256 B 2
Montignac 65 315 F 5
Montignac-Charente 16 203 F 5
Montignac-de-Lauzun 47 257 H 4
Montignac-le-Coq 16 221 F 5
Montignac-Toupinerie 47 257 G 4
Montignargues 30 303 G 1
Montigné 16 202 D 5
Montigné 79 185 F 5
Montigné-le-Brillant 53 105 H 4
Montigné-lès-Rairies 49 129 F 5
Montigné-sur-Moine 49 148 B 5
Montigny 14 53 F 1
Montigny 18 155 G 4
Montigny 45 111 F 3
Montigny 50 52 A 5
Montigny 54 96 A 2
Montigny 72 83 H 3
Montigny 76 36 A 1
Montigny 79 167 F 4
Montigny-aux-Amognes 58 174 D 1
Montigny-devant-Sassey 55 43 G 1
Montigny-en-Arrouaise 02 24 C 1
Montigny-en-Cambrésis 59 14 C 4
Montigny-en-Gohelle 62 8 C 5
Montigny-en-Morvan 58 157 H 5
Montigny-en-Ostrevant 59 9 E 5
Montigny-la-Resle 89 136 C 2
Montigny-l'Allier 02 39 H 5
Montigny-le-Bretonneux 78 57 H 4
Montigny-le-Chartif 28 85 G 5
Montigny-le-Franc 02 25 F 4
Montigny-le-Gannelon 28 109 H 5
Montigny-le-Guesdier 77 89 G 4
Montigny-le-Roi 52 117 G 4
Montigny-Lencoup 77 89 E 4
Montigny-Lengrain 02 39 H 2
Montigny-lès-Arsures 39 179 G 2
Montigny-lès-Cherlieu 70 140 C 2
Montigny-lès-Condé 02 60 D 2
Montigny-lès-Cormeilles 95 58 B 2
Montigny-les-Jongleurs 80 12 B 3
Montigny-lès-Metz 57 65 H 1
Montigny-les-Monts 10 114 D 3
Montigny-lès-Vaucouleurs 55 93 H 2
Montigny-lès-Vesoul 70 141 E 4
Montigny-Montfort 21 137 H 5
Montigny-Saint-Barthélemy 21 158 C 2
Montigny-sous-Marle 02 25 E 3
Montigny-sur-Armançon 21 158 D 2
Montigny-sur-Aube 21 116 B 5
Montigny-sur-Avre 28 56 A 5
Montigny-sur-Canne 58 175 G 3
Montigny-sur-Chiers 54 44 D 2
Montigny-sur-Crécy 02 24 D 4
Montigny-sur-l'Ain 39 179 G 4
Montigny-sur-l'Hallue 80 22 D 1
Montigny-sur-Loing 77 88 C 5
Montigny-sur-Meuse 08 17 E 5
Montigny-sur-Vence 08 26 C 4
Montigny-sur-Vesle 51 41 E 3
Montigny-sur-Vingeanne 21 139 H 5
Montilliers 49 149 G 4
Montillot 89 157 G 1
Montilly 03 192 A 1
Montilly-sur-Noireau 61 53 E 3
Montils 17 219 H 1
Les Montils 41 153 E 1
Montipouret 36 189 F 1
Montirat 11 320 A 5
Montirat 81 279 G 3
Montireau 28 85 F 4
Montiron 32 296 D 5
Montivernage 25 162 D 2
Montivilliers 76 18 C 5
Montjardin 11 337 E 2
Montjaux 12 281 F 4
Montjavoult 60 37 G 4
Montjay 05 286 D 1
Montjay 71 178 C 4
Montjay-la-Tour 77 59 E 3
Montjean 16 203 F 2
Montjean 53 105 G 4
Montjean-sur-Loire 49 149 E 2
Montjézieu 48 264 A 5
Montjoi 11 338 A 2
Montjoi 82 276 D 3
Montjoie 63 209 E 1
Montjoie-en-Couserans 09 335 F 2
Montjoie-le-Château 25 163 G 2
Montjoie-Saint-Martin 50 81 E 2
Montjoire 31 298 A 3
Montjouvent 39 196 C 2
Montjoux 26 267 H 4
Montjoyer 26 267 F 5
Montjustin 04 306 B 1
Montjustin-et-Velotte 70 141 G 4
Montlandon 28 85 F 4
Montlandon 52 139 H 2
Montlaur 11 338 B 1
Montlaur 12 300 D 1
Montlaur 31 318 B 2
Montlaur-en-Diois 26 268 B 3
Montlaux 04 287 F 4
Montlauzun 46 277 G 2
Montlay-en-Auxois 21 158 C 3
Montlebon 25 181 E 1
Montlegun 11 319 H 5
Montlevicq 36 189 H 2
Montlevon 02 60 D 2
Montlhéry 91 87 G 2
Montliard 45 111 H 4
Montlieu-la-Garde 17 238 B 1
Montlignon 95 58 B 1
Montliot-et-Courcelles 21 138 A 2
Montlivault 41 132 B 5
Montlognon 60 39 E 5
Montloué 02 25 G 4
Montlouet 28 86 C 3
Montlouis 18 172 D 4
Montlouis-sur-Loire 37 152 A 2
Montluçon 03 190 D 4
Montluel 01 213 G 4
Montmachoux 77 89 E 5
Montmacq 60 39 G 1
Montmagny 95 58 C 2
Montmahoux 25 180 A 1
Montmain 21 178 A 1
Montmain 76 36 C 2
Montmajour Abbaye de 13 304 C 3
Montmalin 39 179 F 2
Montmançon 21 160 D 2
Montmarault 03 191 G 4
Montmarlon 39 179 H 3
Montmarquet 80 21 G 3
Montmartin 60 39 E 1
Montmartin-en-Graignes 50 32 A 3
Montmartin-le-Haut 10 115 H 2
Montmartin-sur-Mer 50 51 F 1
Montmaur 05 269 F 3
Montmaur 11 318 D 3
Montmaur-en-Diois 26 268 B 2
Montmaurin 31 316 B 5
Montmédy 55 44 B 1
Montmeillant 08 26 A 4
Montmelard 71 194 B 4
Montmelas-Saint-Sorlin 69 212 C 3
Montmélian 73 233 G 3
Montmerle-sur-Saône 01 212 D 2
Montmerrei 61 54 B 5
Montmeyan 83 307 F 3
Montmeyran 26 267 G 1
Montmin 74 215 H 4
Montmirail 51 60 D 3
Montmirail 72 108 D 3
Montmiral 26 249 H 2
Montmirat 30 303 F 1
Montmirat Col de 48 264 C 5
Montmirey-la-Ville 39 161 E 4
Montmirey-le-Château 39 161 E 4
Montmoreau-Saint-Cybard 16 221 E 4
Montmorency 95 58 C 2
Montmorency-Beaufort 10 91 H 3
Montmorillon 86 187 F 3
Montmorin 05 268 C 5
Montmorin 63 228 B 1
Montmorot 39 179 E 5
Montmort 51 61 F 2
Montmort 71 176 B 5
Montmotier 88 118 D 4
Montmoyen 21 138 C 3
Montmuran Château de 35 80 A 5
Montmurat 15 261 H 3
Montner 66 338 C 5
Montoillot 21 159 F 4
Montoir-de-Bretagne 44 146 C 2
Montoire-sur-le-Loir 41 131 F 3
Montois-la-Montagne 57 45 G 5
Montoison 26 267 F 1
Montoldre 03 192 B 4
Montolieu 11 319 G 4
Montolivet 77 60 C 3
Montonvillers 80 22 B 1
Montord 03 192 A 5
Montory 64 331 F 2
Montot 21 160 C 5
Montot 70 140 A 5
Montot-sur-Rognon 52 93 F 5
Montouliers 34 320 D 4
Montoulieu 09 336 B 3
Montoulieu 34 302 C 1
Montoulieu-Saint-Bernard 31 316 D 5
Montournais 85 167 E 4
Montours 35 81 E 3
Montourtier 53 106 B 2
Montoussé 65 333 H 1
Montoussin 31 317 E 4
Montoy-Flanville 57 66 B 1
Montpascal 73 234 A 5
Montpellier 34 302 D 4
Montpellier-de-Médillan 17 219 F 2
Montpellier-la-Paillade 34 302 D 4
Montpellier-le-Vieux Chaos de 12 282 A 4
Montpensier 63 210 A 2
Montperreux 25 180 C 3

Montpeyroux 12 ... 263 F 3
Montpeyroux 24 ... 239 E 5
Montpeyroux 34 ... 302 A 3
Montpeyroux 63 ... 228 A 2
Montpezat 04 ... 307 F 2
Montpezat 30 ... 303 F 2
Montpézat 32 ... 317 E 3
Montpezat-d'Agenais 47 ... 275 H 1
Montpezat-de-Quercy 82 ... 278 B 2
Montpezat-sous-Bauzon 07 ... 266 A 2
Montpinchon 50 ... 51 H 1
Montpinçon 14 ... 54 B 2
Montpinier 81 ... 299 G 4
Montpitol 31 ... 298 B 3
Montplonne 55 ... 63 H 5
Montpollin 49 ... 129 F 5
Montpon-Ménestérol 24 ... 239 F 4
Montpont-en-Bresse 71 ... 195 G 1
Montpothier 10 ... 89 H 2
Montpouillan 47 ... 257 E 5
Montpoupon *Château de* 37 ... 152 D 4
Montrabé 31 ... 298 A 4
Montrabot 50 ... 32 C 5
Montracol 01 ... 195 G 5
Montravers 79 ... 167 E 3
Montréal 07 ... 266 A 4
Montréal 11 ... 319 F 5
Montréal 32 ... 275 F 5
Montréal 89 ... 158 B 1
Montréal *Château de* 24 ... 239 H 4
Montréal-la-Cluse 01 ... 196 C 5
Montréal-les-Sources 26 ... 268 A 5
Montrécourt 59 ... 14 D 3
Montredon 11 ... 319 H 5
Montredon 46 ... 261 H 3
Montredon-des-Corbières 11 ... 321 E 5
Montredon-Labessonnié 81 ... 299 H 3
Montregard 43 ... 248 B 2
Montréjeau 31 ... 334 A 1
Montrelais 44 ... 148 D 2
Montrelet 80 ... 12 C 4
Montrem 24 ... 240 B 2
Montrésor 37 ... 152 D 5
Montret 71 ... 178 B 5
Montreuil 28 ... 56 D 4
Montreuil 53 ... 82 C 4
Montreuil 62 ... 6 C 4
Montreuil 85 ... 183 H 3
Montreuil 93 ... 58 D 3
Montreuil-au-Houlme 61 ... 53 H 5
Montreuil-aux-Lions 02 ... 60 A 1
Montreuil-Bellay 49 ... 150 B 5
Montreuil-Bonnin 86 ... 186 A 2
Montreuil-des-Landes 35 ... 81 E 5
Montreuil-en-Auge 14 ... 34 B 4
Montreuil-en-Caux 76 ... 20 B 4
Montreuil-en-Touraine 37 ... 152 B 1
Montreuil-Juigné 49 ... 149 G 1
Montreuil-la-Cambe 61 ... 54 B 3
Montreuil-l'Argillé 27 ... 55 E 2
Montreuil-le-Chétif 72 ... 107 F 2
Montreuil-le-Gast 35 ... 80 B 5
Montreuil-le-Henri 72 ... 130 D 2
Montreuil-sous-Pérouse 35 ... 105 E 2
Montreuil-sur-Barse 10 ... 115 F 2
Montreuil-sur-Blaise 52 ... 92 C 3
Montreuil-sur-Brêche 60 ... 38 B 1
Montreuil-sur-Epte 95 ... 37 F 5
Montreuil-sur-Ille 35 ... 80 B 5
Montreuil-sur-Loir 49 ... 128 D 5
Montreuil-sur-Lozon 50 ... 32 A 4
Montreuil-sur-Maine 49 ... 128 B 4
Montreuil-sur-Thérain 60 ... 38 B 2
Montreuil-sur-Thonnance 52 ... 93 E 3
Montreuillon 58 ... 157 H 5
Montreux 54 ... 96 A 2
Montreux-Château 90 ... 142 D 3
Montreux-Jeune 68 ... 142 D 3
Montreux-Vieux 68 ... 142 D 3
Montrevault-sur-Èvre 49 ... 148 C 3
Montrevel 38 ... 232 B 3
Montrevel 39 ... 196 B 3
Montrevel-en-Bresse 01 ... 195 G 4
Montrichard-Val-de-Cher 41 ... 152 D 3
Montricher-Albanne 73 ... 252 B 1
Montricoux 82 ... 278 C 4
Montrieux-en-Sologne 41 ... 153 H 1
Montrigaud 26 ... 249 H 1
Montriond 74 ... 198 C 5
Montriond *Lac de* 74 ... 198 D 5
Montroc-le-Planet 74 ... 217 E 2
Montrodat 48 ... 264 B 4
Montrol-Sénard 87 ... 205 E 3
Montrollet 16 ... 205 E 3
Montromant 69 ... 230 C 1
Montrond 05 ... 269 E 5
Montrond 39 ... 179 G 4
Montrond 73 ... 252 A 1
Montrond-le-Château 25 ... 162 A 5
Montrond-les-Bains 42 ... 230 A 2
Montrosier 81 ... 279 E 4
Montrottier 69 ... 212 B 5
Montroty 76 ... 37 F 2
Montrouge 92 ... 58 C 4
Montrouveau 41 ... 131 E 4
Montroy 17 ... 200 D 1
Montrozier 12 ... 281 E 1
Montry 77 ... 59 F 3
Monts 37 ... 151 H 4
Monts 60 ... 37 H 4
Monts-de-Vaux 39 ... 179 G 3
les Monts d'Olmes 09 ... 336 C 4
Monts-en-Bessin 14 ... 33 E 5
Monts-en-Ternois 62 ... 12 D 2
Monts-sur-Guesnes 86 ... 169 E 2
Montsalès 12 ... 261 F 5
Montsalier 04 ... 286 D 4
Montsalvy 15 ... 262 C 2
Montsaon 52 ... 116 D 3
Montsapey 73 ... 234 A 2
Montsauche-les-Settons 58 ... 158 B 4
Montsaugeon 52 ... 139 G 4
Montsaunès 31 ... 334 D 1
Montsec 55 ... 65 E 3
Montsecret 61 ... 53 E 3
Montségur 09 ... 336 D 4
Montségur-sur-Lauzon 26 ... 285 F 1
Montselgues 07 ... 265 G 4
Montséret 11 ... 338 D 1
Montsérié 65 ... 333 H 2
Montseron 09 ... 335 G 2
Montseugny 70 ... 161 E 2
Montseveroux 38 ... 231 F 4
Montsoreau 49 ... 150 C 4
Montsoué 40 ... 294 A 3
Montsoult 95 ... 58 C 1
Montsûrs 53 ... 106 B 3
Montsurvent 50 ... 31 G 5
Montsuzain 10 ... 91 E 4
Montureux-et-Prantigny 70 ... 161 F 1
Montureux-lès-Baulay 70 ... 140 D 2
Montursin 25 ... 163 H 2
Montusclat 43 ... 247 H 4
Montussaint 25 ... 162 C 1
Montussan 33 ... 237 H 5
Montvalen 81 ... 298 B 2
Montvalent 46 ... 242 C 5
Montvalezan 73 ... 235 E 1
Montvendre 26 ... 249 G 5
Montverdun 42 ... 229 G 1
Montvernier 73 ... 234 A 5
Montvert 15 ... 243 G 4
Montvicq 03 ... 191 E 4
Montviette 14 ... 54 B 1
Montville 76 ... 20 B 5
Montviron 50 ... 51 G 4
Montzéville 55 ... 43 H 4
Monviel 47 ... 257 H 4
Monze 11 ... 338 A 1
Moon-sur-Elle 50 ... 32 B 4
Moosch 68 ... 120 C 5
Mooslargue 68 ... 143 E 4
Moraches 58 ... 157 F 4
Moragne 17 ... 201 E 3
Morains 51 ... 61 G 4
Morainville 28 ... 86 D 4
Morainville-Jouveaux 27 ... 35 E 4
Morainvilliers 78 ... 57 H 2
Morancé 69 ... 212 D 4
Morancez 28 ... 86 A 4
Morancourt 52 ... 92 C 4
Morand 37 ... 131 G 5
Morangis 51 ... 61 F 2
Morangis 91 ... 58 C 5
Morangles 60 ... 38 B 4
Morannes-sur-Sarthe 49 ... 128 D 3
Moranville 55 ... 44 C 5
Moras 38 ... 231 H 1
Moras-en-Valloire 26 ... 231 G 5
Morbecque 59 ... 7 H 2
Morbier 39 ... 197 F 1
Morcenx 40 ... 273 E 4
Morchain 80 ... 23 G 3
Morchamps 25 ... 162 C 1
Morchies 62 ... 13 H 4
Morcourt 02 ... 24 B 2
Morcourt 80 ... 23 E 2
Mordelles 35 ... 104 A 3
Moréac 56 ... 102 A 4
Morée 41 ... 131 H 2
Moreilles 85 ... 183 F 3
Morello *Col de* 2B ... 347 F 5
Morelmaison 88 ... 94 B 5
Morembert 10 ... 91 F 3
Moréno *Col de la* 63 ... 227 G 1
Morestel 38 ... 232 B 1
Moret-Loing-et-Orvanne 77 ... 88 C 5
Morêtel-de-Mailles 38 ... 233 G 4
Morette 38 ... 232 B 5
Moreuil 80 ... 22 D 3
Morey 54 ... 65 H 4
Morey 70 ... 140 B 3
Morey 71 ... 177 F 4
Morey-Saint-Denis 21 ... 160 A 4
Morez 39 ... 197 F 1
Morfontaine 54 ... 45 E 2
Morganx 40 ... 293 H 4
Morgat 29 ... 75 E 4
Morgemoulin 55 ... 44 C 4
Morgny 27 ... 37 E 2
Morgny-en-Thiérache 02 ... 25 G 3
Morgny-la-Pommeraye 76 ... 36 C 1
Morhange 57 ... 66 D 3
Moriani-Plage 2B ... 347 H 3
Moriat 63 ... 228 A 4
Morienne 76 ... 21 F 3
Morienval 60 ... 39 G 3
Morières-lès-Avignon 84 ... 285 F 5
Moriers 28 ... 110 A 2
Morieux 22 ... 78 C 3
Moriez 04 ... 288 C 5
Morigny 50 ... 52 B 2
Morigny-Champigny 91 ... 87 G 4
Morillon 74 ... 216 C 1
Morimond *Abbaye de* 52 ... 118 A 4
Moringhem 62 ... 3 E 5
Moriond 73 ... 234 D 4
Morionvilliers 52 ... 93 G 4
Morisel 80 ... 22 D 3
Moriville 88 ... 95 F 4
Moriviller 54 ... 95 F 3
Morizécourt 88 ... 118 B 3
Morizès 33 ... 256 C 3
Morlaàs 64 ... 314 C 3
Morlac 18 ... 173 E 5
Morlaincourt 55 ... 93 F 1
Morlaix 29 ... 71 H 4
Morlancourt 80 ... 23 E 1
Morlanne 64 ... 293 H 5
Morlet 71 ... 177 E 2
Morley 55 ... 93 E 2
Morlhon-le-Haut 12 ... 279 G 2
Morlincourt 60 ... 23 H 5
Mormaison 85 ... 165 H 2
Mormant 77 ... 88 D 2
Mormant-sur-Vernisson 45 ... 112 C 5
Mormès 32 ... 294 D 2
Mormoiron 84 ... 286 A 4
Mornac 16 ... 221 G 1
Mornac-sur-Seudre 17 ... 218 D 1
Mornand-en-Forez 42 ... 229 H 1
Mornans 26 ... 267 H 3
Mornant 69 ... 230 D 2
Mornas 84 ... 285 E 3
Mornay 21 ... 139 H 5
Mornay 71 ... 194 A 2
Mornay-Berry 18 ... 174 A 1
Mornay-sur-Allier 18 ... 174 B 4
Moroges 71 ... 177 G 4
Morogues 18 ... 155 G 4
Morosaglia 2B ... 347 F 3
Morre 25 ... 162 A 4
Morsain 02 ... 40 A 2
Morsains 51 ... 60 D 4
Morsalines 50 ... 29 G 4
Morsan 27 ... 35 F 4
Morsang-sur-Orge 91 ... 58 C 5
Morsang-sur-Seine 91 ... 88 A 2
Morsbach 57 ... 47 F 5
Morsbronn-les-Bains 67 ... 68 D 2
Morschwiller 67 ... 68 D 3
Morschwiller-le-Bas 68 ... 143 F 1
Morsiglia 2B ... 345 F 1
Le Mort-Homme 55 ... 43 H 4
Mortagne 88 ... 96 A 5
Mortagne-au-Perche 61 ... 84 C 3
Mortagne-du-Nord 59 ... 9 G 4
Mortagne-sur-Gironde 17 ... 219 E 3
Mortagne-sur-Sèvre 85 ... 166 D 1
Mortain-Bocage 50 ... 52 C 5
Mortcerf 77 ... 59 G 4
La Morte 38 ... 251 F 3
Morteau 25 ... 163 E 5
Morteaux-Couliboeuf 14 ... 54 A 2
Mortefontaine 02 ... 39 H 3
Mortefontaine 60 ... 39 E 5
Mortefontaine-en-Thelle 60 ... 38 B 4
Mortemart 87 ... 205 E 2
Mortemer 60 ... 23 E 5
Mortemer 76 ... 21 E 3
Mortemer *Abbaye de* 27 ... 37 E 2
Morterolles-sur-Semme 87 ... 205 H 1
Mortery 77 ... 89 G 2
Morthemer 86 ... 186 D 3
Morthomiers 18 ... 172 D 1
Mortiers 02 ... 24 D 4
Mortiers 17 ... 220 B 4
Morton 86 ... 150 C 5
Mortrée 61 ... 54 B 5
Mortroux 23 ... 189 F 4
Mortzwiller 68 ... 142 D 2
Morval 39 ... 196 B 3
Morval 62 ... 13 H 5
Morvillars 90 ... 142 C 4
Morville 50 ... 29 F 5
Morville 88 ... 118 A 2
Morville-en-Beauce 45 ... 111 G 2
Morville-lès-Vic 57 ... 66 D 4
Morville-sur-Andelle 76 ... 36 D 1
Morville-sur-Nied 57 ... 66 C 2
Morville-sur-Seille 54 ... 65 H 3
Morvillers 60 ... 21 G 5
Morvillers-Saint-Saturnin 80 ... 21 G 3
Morvilliers 10 ... 92 A 4
Morvilliers 28 ... 55 H 5
Mory 62 ... 13 G 4
Mory-Montcrux 60 ... 22 C 5
Morzine 74 ... 198 C 5
Mosles 14 ... 32 D 3
Moslins 51 ... 61 F 2
Mosnac 16 ... 220 D 2
Mosnac 17 ... 219 G 3
Mosnay 36 ... 188 D 1
Mosnes 37 ... 152 C 2
Mosset 66 ... 342 A 2
Mosson 21 ... 116 A 5
Mostuéjouls 12 ... 282 A 3
Motey-Besuche 70 ... 161 F 3
Motey-sur-Saône 70 ... 140 B 5
La Mothe-Achard 85 ... 165 F 5
La Mothe-Saint-Héray 79 ... 185 G 4
Mothern 67 ... 69 G 2
Motreff 29 ... 76 D 5
La Motte 22 ... 102 B 1
La Motte 83 ... 308 B 5
La Motte-au-Bois 59 ... 7 H 2
La Motte-Chalancon 26 ... 268 B 4
La Motte-d'Aigues 84 ... 306 A 2
La Motte-d'Aveillans 38 ... 251 E 4
La Motte-de-Galaure 26 ... 249 F 2
La Motte-du-Caire 04 ... 287 G 1
La Motte-en-Bauges 73 ... 233 G 1
La Motte-en-Champsaur 05 ... 269 G 1
La Motte-Fanjas 26 ... 250 A 3
La Motte-Feuilly 36 ... 189 H 2
La Motte-Fouquet 61 ... 82 D 2
La Motte-Saint-Jean 71 ... 193 F 2
La Motte-Saint-Martin 38 ... 250 D 4
La Motte-Servolex 73 ... 233 E 2
La Motte-Ternant 21 ... 158 D 3
La Motte-Tilly 10 ... 89 H 3
Mottereau 28 ... 109 G 2
Motteville 76 ... 19 H 4
Mottier 38 ... 232 A 4
Motz 73 ... 215 E 3
Mouacourt 54 ... 66 D 5
Mouais 44 ... 126 C 3
Mouans-Sartoux 06 ... 309 E 3
Mouaville 54 ... 45 E 5
Mouazé 35 ... 80 B 5
Mouchamps 85 ... 166 C 4
Mouchan 32 ... 295 G 1
Mouchard 39 ... 179 G 1
La Mouche 50 ... 51 H 3
Mouchès 32 ... 295 H 5
Mouchin 59 ... 9 F 4
Mouchy-le-Châtel 60 ... 38 B 3
Moudeyres 43 ... 247 H 4
Mouen 14 ... 33 F 5
Mouettes 27 ... 56 D 3
Mouffy 89 ... 136 B 4
Mouflaines 27 ... 37 E 4
Mouflers 80 ... 12 B 5
Mouflières 80 ... 11 F 5
Mougins 06 ... 309 E 4
Mougon 79 ... 185 F 4
Mouguerre 64 ... 292 A 5
Mouhers 36 ... 189 E 2
Mouhet 36 ... 188 C 4
Mouhous 64 ... 294 C 5
Mouillac 33 ... 238 B 4
Mouillac 82 ... 278 C 2
La Mouille 39 ... 197 F 2
Mouilleron 52 ... 139 F 4
Mouilleron-Saint-Germain 85 ... 166 D 5
Mouilleron-le-Captif 85 ... 165 H 4
Mouilly 55 ... 64 C 2
Moulainville 55 ... 44 C 5
Moularès 81 ... 279 H 4
Moulay 53 ... 82 B 5
Moulayrès 81 ... 299 E 3
Moulédous 65 ... 315 G 5
Moulès 13 ... 304 C 4
Moulès-et-Baucels 34 ... 302 C 1
Mouleydier 24 ... 240 B 5
Moulézan 30 ... 303 F 1
Moulhard 28 ... 109 F 2
Moulicent 61 ... 84 D 2
Moulidars 16 ... 220 D 1
Mouliets-et-Villemartin 33 ... 256 D 1
Moulihierne 49 ... 150 C 1
Moulin *Château du* 41 ... 153 G 3
Moulin-Chabaud 01 ... 214 B 1
Le Moulin-des-Ponts 01 ... 196 A 4
Moulin-Mage 81 ... 300 D 3
Moulin-Neuf 09 ... 337 E 1
Moulin-Neuf 24 ... 239 E 4
Moulin-Neuf *Petit Musée auvergnat* 63 ... 227 G 3
Moulin-sous-Touvent 60 ... 39 H 1
Moulineaux 76 ... 36 A 3
Moulines 14 ... 53 G 1
Moulines 50 ... 81 G 2
Moulinet 06 ... 291 G 3
Moulinet 47 ... 258 B 4
Le Moulinet-sur-Solin 45 ... 134 C 2
Moulins 02 ... 41 E 2
Moulins 03 ... 192 A 2
Moulins 35 ... 104 D 4
Moulins 79 ... 167 E 2
Moulins-en-Tonnerrois 89 ... 137 E 4
Moulins-Engilbert 58 ... 175 H 2
Moulins-la-Marche 61 ... 55 E 5
Moulins-le-Carbonnel 72 ... 83 F 4
Moulins-lès-Metz 57 ... 65 G 1
Moulins-Saint-Hubert 55 ... 27 G 5
Moulins-sur-Céphons 36 ... 171 G 2
Moulins-sur-Orne 61 ... 54 A 4
Moulins-sur-Ouanne 89 ... 135 H 4
Moulins-sur-Yèvre 18 ... 173 F 1
Moulis 09 ... 335 F 3
Moulis-en-Médoc 33 ... 237 E 3
Moulismes 86 ... 187 F 4
Moulle 62 ... 3 F 5
Le Moulleau 33 ... 254 B 2
Moulon 33 ... 238 B 5
Moulon 45 ... 112 B 4
Moulot 58 ... 157 E 2
Moulotte 55 ... 65 E 1
Moult 14 ... 33 H 5
Moumoulous 65 ... 315 G 3
Moumour 64 ... 313 G 4
Mounes-Prohencoux 12 ... 300 D 3
Mourède 32 ... 295 G 2
Mourens 33 ... 256 C 3
Mourenx 64 ... 313 H 3
Mouret 12 ... 262 C 4
Moureuille 63 ... 209 F 1
Mourèze 34 ... 301 H 4
Mouriès 13 ... 304 D 3
Mouriez 62 ... 11 H 1
Le Mourillon 83 ... 328 A 4
Mourioux-Vieilleville 23 ... 206 C 2
Mourjou 15 ... 262 B 2
Mourmelon-le-Grand 51 ... 42 B 5
Mourmelon-le-Petit 51 ... 42 A 5
Mournans-Charbonny 39 ... 180 A 4
Mouron 08 ... 43 E 3
Mouron-sur-Yonne 58 ... 157 G 5
Mouroux 77 ... 59 H 4
Mours 95 ... 38 B 5
Mours-Saint-Eusèbe 26 ... 249 G 3
Le Mourtis 31 ... 334 C 3
Mourvilles-Basses 31 ... 318 C 2
Mourvilles-Hautes 31 ... 318 D 3
Mouscardès 40 ... 293 F 4
Moussac 30 ... 284 A 5
Moussac 86 ... 187 E 5
Moussages 15 ... 244 C 1
Moussan 11 ... 321 E 5
Moussé 35 ... 105 E 5
Les Mousseaux 78 ... 57 G 4
Mousseaux-lès-Bray 77 ... 89 F 4
Mousseaux-Neuville 27 ... 56 C 3
Mousseaux-sur-Seine 78 ... 57 F 1
Moussey 10 ... 115 E 2
Moussey 57 ... 67 E 5
Moussey 88 ... 96 B 3
Les Moussières 39 ... 197 E 4
Mousson 54 ... 65 G 3
Moussonvilliers 61 ... 84 D 2
Moussoulens 11 ... 319 G 4
Moussy 51 ... 61 F 1
Moussy 58 ... 157 E 5
Moussy 95 ... 37 H 5
Moussy-le-Neuf 77 ... 59 E 1
Moussy-le-Vieux 77 ... 59 E 1
Moussy-Verneuil 02 ... 40 D 2
Moustajon 31 ... 334 A 4
Mousterlin 29 ... 99 H 4
Moustéru 22 ... 73 E 5
Moustey 40 ... 273 F 1
Le Moustier 24 ... 241 F 4
Moustier 47 ... 257 G 3
Moustier-en-Fagne 59 ... 16 A 4
Moustier-Ventadour 19 ... 225 G 5
Moustiers-Sainte-Marie 04 ... 307 G 1
Le Moustoir 22 ... 76 D 4
Moustoir-Ac 56 ... 102 A 5
Moustoir-Remungol 56 ... 102 A 3
La Moutade 63 ... 209 H 3
Moutaine 39 ... 179 H 2
Moutardon 16 ... 203 G 2
Le Moutaret 38 ... 233 G 4
Moutchic 33 ... 236 B 3
Mouterhouse 57 ... 68 B 2
Mouterre-Silly 86 ... 168 C 2
Mouterre-sur-Blourde 86 ... 204 D 1
Mouthe 25 ... 180 B 4
Le Moutherot 25 ... 161 F 4
Mouthier-en-Bresse 71 ... 178 D 3
Mouthier-Haute-Pierre 25 ... 180 C 1
Mouthiers-sur-Boëme 16 ... 221 E 3
Mouthoumet 11 ... 338 A 3
Moutier-d'Ahun 23 ... 207 G 2
Moutier-Malcard 23 ... 189 G 4
Moutier-Rozeille 23 ... 207 H 4
Moutiers 28 ... 86 D 5
Moutiers 35 ... 105 E 4
Moutiers 54 ... 45 F 4
Moûtiers 73 ... 234 C 3
Moutiers-au-Perche 61 ... 85 E 3
Les Moutiers-en-Auge 14 ... 54 B 2
Les Moutiers-en-Cinglais 14 ... 53 G 1
Moutiers-en-Puisaye 89 ... 135 G 5
Les Moutiers-en-Retz 44 ... 146 D 5
Les Moutiers-Hubert 14 ... 54 D 2
Moutiers-les-Mauxfaits 85 ... 182 D 2
Moutiers-Saint-Jean 21 ... 137 G 5
Moutiers-sous-Argenton 79 ... 167 H 2
Moutiers-sous-Chantemerle 79 ... 167 F 5
Moutiers-sur-le-Lay 85 ... 183 F 1
Mouton 16 ... 203 F 4
Mouton Rothschild *Château de* 33 ... 237 E 1
Moutonne 39 ... 196 B 2
La Moutonne 83 ... 328 B 4
Moutonneau 16 ... 203 F 4
Moutoux 39 ... 179 H 4
Moutrot 54 ... 94 B 1
Mouvaux 59 ... 8 D 2
Moux 11 ... 320 B 5
Moux-en-Morvan 58 ... 158 C 5
Mouxy 73 ... 233 F 1
Mouy 60 ... 38 C 3
Mouy-sur-Seine 77 ... 89 F 4
Mouzay 37 ... 170 B 1
Mouzay 55 ... 43 H 1
Mouzeil 44 ... 148 A 1
Mouzens 24 ... 259 E 1
Mouzens 81 ... 298 D 5
Mouzeuil-Saint-Martin 85 ... 183 G 2
Mouzieys-Panens 81 ... 279 E 4
Mouzieys-Teulet 81 ... 299 G 2
Mouzillon 44 ... 148 A 5
Mouzon 08 ... 27 G 4
Mouzon 16 ... 204 B 5
Moval 90 ... 142 C 3
Moy-de-l'Aisne 02 ... 24 B 3
Moyaux 14 ... 34 D 4
Moydans 05 ... 268 C 5
Moye 74 ... 215 E 4
Moyemont 88 ... 95 G 4
Moyen 54 ... 95 G 3
Moyencourt 80 ... 23 G 4
Moyencourt-lès-Poix 80 ... 22 A 3
Moyenmoutier 88 ... 96 B 3
Moyenneville 60 ... 39 E 1
Moyenneville 62 ... 13 G 3
Moyenneville 80 ... 11 G 4
Moyenvic 57 ... 66 D 4
Moyeuvre-Grande 57 ... 45 G 4
Moyeuvre-Petite 57 ... 45 G 4
Moyon Villages 50 ... 52 A 1

Moyrazès 12 280 C1
Moyvillers 60 39 E2
Mozac 63 209 H4
Mozé-sur-Louet 49 149 G2
Muchedent 76 20 B3
Mudaison 34 303 E4
Muel 35 103 F2
Muespach 68 143 G4
Muespach-le-Haut 68 143 G4
Mugron 40 293 G2
Muhlbach-sur-Bruche 67 96 D2
Muhlbach-sur-Munster 68 120 C3
Muides-sur-Loire 41 132 C4
Muidorge 60 38 A1
Muids 27 36 C4
Muille-Villette 80 23 H3
Muirancourt 60 23 H4
Muizon 51 41 F3
Les Mujouls 06 289 F5
La Mulatière 69 231 E1
Mulcent 78 57 F3
Mulcey 57 67 E4
Mulhausen 67 68 C3
Mulhouse 68 143 F1
Mulsanne 72 130 A2
Mulsans 41 132 B4
Mun 65 315 G4
Munchhausen 67 69 G2
Munchhouse 68 121 F5
Muncq-Nieurlet 62 3 E4
Mundolsheim 67 68 D5
Muneville-le-Bingard 50 31 G5
Muneville-sur-Mer 50 51 G2
Le Mung 17 201 F4
Munster 57 67 F3
Munster 68 120 D3
Muntzenheim 68 121 F2
Munwiller 68 121 E4
Mur-de-Barrez 12 262 D1
Mur-de-Bretagne 22 77 H5
Mur-de-Sologne 41 153 G2
Muracciole 2B 349 F1
Murasson 12 300 C3
Murat 03 191 F3
Murat 15 245 F3
Murat-le-Quaire 63 227 E2
Murat-sur-Vèbre 81 300 D4
Murato 2B 345 F5
La Muraz 74 215 H1
Murbach 68 120 D4
La Mure 04 288 C4
La Mure 38 251 E4
Mureaumont 60 21 G5
Les Mureaux 78 57 H2
Mureils 26 249 F1
Mûres 74 215 G4
Muret 31 317 H2
Le Muret 40 255 E5
Muret-et-Crouttes 02 40 C3
Muret-le-Château 12 262 D5
La Murette 38 232 C4
Murianette 38 251 E1
Murinais 38 250 A1
Murles 34 302 C4
Murlin 58 156 C5
Muro 2B 346 C2
Murol 63 227 F3
Murols 12 262 D2
Muron 17 201 E2
Murs 36 170 D3
Murs 84 286 A5
Mûrs-Erigné 49 149 G2
Murs-et-Gélignieux 01 232 D1
Murtin-et-Bogny 08 26 C2
Murvaux 55 43 H2
Murviel-lès-Béziers 34 321 F2
Murviel-lès-Montpellier 34 302 C4
Murville 54 45 E3
Murzo 2A 348 C1
Mus 30 303 G3
Muscourt 02 41 E2
Musculdy 64 331 E1
Musièges 74 215 F2
Musigny 21 159 E5
Musseau 52 139 F4
Mussey 55 63 G3
Mussey-sur-Marne 52 93 E4
Mussidan 24 239 G3
Mussig 67 97 F5
Mussy-la-Fosse 21 159 E1
Mussy-sous-Dun 71 194 A5
Mussy-sur-Seine 10 115 H5
Mutigney 39 161 E3
Mutigny 51 61 G1
Mutrécy 14 53 G1
Muttersholtz 67 97 F4
Mutzenhouse 67 68 C4
Mutzig 67 97 F2
Le Muy 83 308 B5
Muzeray 55 44 D3
Muzillac 56 124 D5
Muzy 27 56 C4
Myans 73 233 F3
Myennes 58 156 A2
Myon 25 179 H1

N

Nabas 64 313 F3
Nabinaud 16 239 F1
Nabirat 24 259 H2
Nabringhen 62 2 C5
Nachamps 17 201 G2
Nadaillac 24 241 H4
Nadaillac-de-Rouge 46 260 B1
Nades 03 209 G1
Nadillac 46 260 B4
Naftel 50 52 A5
Nagel-Séez-Mesnil 27 55 H2
Nages 81 300 C4
Nages-et-Solorgues 30 303 G2
Nahuja 66 341 F5
Nailhac 24 241 F1
Naillat 23 188 D5
Nailloux 31 318 B3
Nailly 89 113 F2
Naintré 86 169 G4
Nainville-les-Roches 91 88 A3
Naisey 25 162 B4
Naives-devant-Bar 55 63 H3
Naives-en-Blois 55 93 G1
Naix-aux-Forges 55 93 F1
Naizin 56 102 A4
Najac 12 279 F3
Nalliers 85 183 G2
Nalliers 86 187 F1
Nalzen 09 336 C3
Nambsheim 68 121 G4
Nampcel 60 39 H1
Nampcelles-la-Cour 02 25 G3
Nampont-Saint-Martin 80 11 G1
Namps-au-Mont 80 22 A3
Namps-au-Val 80 22 A3
Nampteuil-sous-Muret 02 40 C3
Nampty 80 22 B3
Nan-Sous-Thil 21 158 D2
Nanc-lès-Saint-Amour 39 196 A3
Nançay 18 154 D3
Nance 39 178 D4
Nances 73 233 E2
Nanclars 16 203 F4
Nançois-le-Grand 55 64 B5
Nançois-sur-Ornain 55 64 B5
Nancras 17 201 E5
Nancray 25 162 B3
Nancray-sur-Rimarde 45 111 H4
Nancuise 39 196 B2
Nancy 54 65 H5
Nancy-sur-Cluses 74 216 C2
Nandax 42 211 H2
Nandy 77 88 A2
Nangeville 45 87 H5
Nangis 77 89 E2
Nangy 74 197 H5
Nannay 58 156 C4
Nans 25 162 C1
Les Nans 39 179 H4
Nans-les-Pins 83 327 H2
Nans-sous-Sainte-Anne 25 180 A1
Nant 12 282 A5
Nant-le-Grand 55 63 H5
Nant-le-Petit 55 63 H5
Nanteau-sur-Essonne 77 87 H5
Nanteau-sur-Lunain 77 112 C2
Nanterre 92 58 B3
Nantes 44 147 G4
Nantes-en-Ratier 38 251 E4
Nanteuil 79 185 F3
Nanteuil-Auriac-de-Bourzac 24 221 G5
Nanteuil-en-Vallée 16 203 G3
Nanteuil-la-Forêt 51 41 F5
Nanteuil-la-Fosse 02 40 C2
Nanteuil-le-Haudouin 60 39 F5
Nanteuil-lès-Meaux 77 59 G2
Nanteuil-Notre-Dame 02 40 C4
Nanteuil-sur-Aisne 08 42 A1
Nanteuil-sur-Marne 77 60 A2
Nantey 39 196 A3
Nantheuil 24 223 E4
Nanthiat 24 223 E4
Nantiat 87 205 G3
Nantillé 17 201 H4
Nantillois 55 43 G3
Nantilly 70 161 E1
Nantoin 38 232 A4
Nantois 55 93 F1
Nanton 71 195 E1
Nantouard 70 161 F1
Nantouillet 77 59 E2
Nantoux 21 177 G1
Nantua 01 214 C1
Naours 80 12 C5
La Napoule 06 309 E4
Napt 01 196 B5
Narbéfontaine 57 46 C5
Narbief 25 163 F4
Narbonne 11 321 E5
Narbonne-Plage 11 321 G5
Narcastet 64 314 B4
Narcy 52 92 D2
Narcy 58 156 B4
Nargis 45 112 C3
Narnhac 15 245 E5
Narp 64 313 F3
Narrosse 40 293 E3
La Nartelle 83 329 G2
Narthoux 81 279 F4
Nasbinals 48 263 G3
Nassandres 27 35 G5
Nassiet 40 293 G5
Nassigny 03 190 D2
Nastringues 24 239 E5
Nattages 01 214 D5
Natzwiller 67 96 D3
Naucelle 12 280 B3
Naucelles 15 244 B4
Naujac-sur-Mer 33 236 C1
Naujan-et-Postiac 33 256 C1
Naurouze *Seuil de* 11 318 D3
Nauroy 02 24 A1
Naussac 12 261 G4
Naussac-Fontanes 48 265 F2
Naussac *Barrage de* 48 265 F2
Naussannes 24 258 C2
Nauvay 72 108 A2
Nauviale 12 262 B4
Nauzan 17 218 C1
Navacelles 30 284 A3
Navacelles *Cirque de* 34 302 A1
Navailles-Angos 64 314 B2
Navarosse 40 254 B5
Navarrenx 64 313 G3
Naveil 41 131 G3
Navenne 70 141 F4
Naves 03 209 H1
Naves 07 283 H1
Naves 19 242 D1
Naves 59 14 C3
Naves 73 234 B2
Navès 81 299 G5
Nâves-Parmelan 74 215 H3
Navilly 71 178 B2
Nay 50 31 H3
Nay 64 314 C5
Nayemont-les-Fosses 88 96 B4
Le Nayrac 12 262 D3
Nazelles-Négron 37 152 B2
Néac 33 238 C4
Néant-sur-Yvel 56 103 E4
Neau 53 106 C3
Neaufles-Auvergny 27 55 G3
Neaufles-Saint-Martin 27 37 F3
Neauphe-sous-Essai 61 83 H2
Neauphe-sur-Dive 61 54 B3
Neauphle-le-Château 78 57 H4
Neauphle-le-Vieux 78 57 G4
Neauphlette 78 57 E2
Neaux 42 211 H3
Nébian 34 302 A4
Nébias 11 337 F3
Nébing 57 67 F3
Nébouzat 63 227 F1
Nécy 61 54 A3
Nedde 87 225 E1
Nédon 62 7 G4
Nédonchel 62 7 G4
Neewiller-près-Lauterbourg 67 69 G2
Neffes 05 269 G4
Neffiès 34 301 H5
Néfiach 66 342 C2
Nègrepelisse 82 278 B4
Négreville 50 29 F4
Négron 37 152 B2
Négrondes 24 222 D5
Néhou 50 29 F5
Nehwiller 67 68 D2
Nelling 57 67 F2
Nemours 77 112 B2
Nempont-Saint-Firmin 62 6 B5
Nénigan 31 316 B3
Nenon 39 161 E5
Néons-sur-Creuse 36 170 B5
Néoules 83 328 B2
Néoux 23 207 H4
Nepvant 55 27 H5
Nérac 47 275 G3
Nerbis 40 293 G2
Nercillac 16 220 C1
Néré 17 202 C3
Néret 36 189 H2
Nérigean 33 238 B5
Nérignac 86 187 E5
Néris-les-Bains 03 190 D5
Nermier 39 196 C2
Nernier 74 197 H3
Néron 28 86 B2
Néronde 42 212 A5
Néronde-sur-Dore 63 210 C5
Nérondes 18 173 H2
Ners 30 283 H5
Nersac 16 221 E2
Nervieux 42 211 H5
Nerville-la-Forêt 95 58 B1
Néry 60 39 F3
Neschers 63 227 H2
Nescus 09 335 H2
Nesle 80 23 G3
Nesle-et-Massoult 21 137 H3
Nesle-Hodeng 76 21 E4
Nesle-la-Reposte 51 90 A2
Nesle-le-Repons 51 61 E1
Nesle-l'Hôpital 80 11 F5
Nesle-Normandeuse 76 11 F5
Nesles 62 6 B2
Nesles 77 59 G5
Nesles-la-Montagne 02 60 C1
Nesles-la-Vallée 95 38 B5
Neslette 80 11 F5
Nesmy 85 182 D1
Nesploy 45 111 H5
Nespouls 19 242 B3
Nessa 2B 346 C2
Nestier 65 334 A1
Nettancourt 55 63 F3
Netzenbach 67 96 D2
Neublans 39 178 C2
Neubois 67 97 E4
Le Neubourg 27 35 H5
Neuchâtel-Urtière 25 163 F2
Neuf-Berquin 59 8 A2
Neuf-Brisach 68 121 F3
Neuf-Église 63 209 F2
Neuf-Marché 76 37 F2
Neuf-Mesnil 59 15 G2
Neufbosc 76 20 D4
Le Neufbourg 50 52 C5
Neufchâteau 88 94 A4
Neufchâtel-en-Bray 76 20 D3
Neufchâtel-en-Saosnois 72 83 H4
Neufchâtel-Hardelot 62 6 B3
Neufchâtel-sur-Aisne 02 41 G2
Neufchef 57 45 G3
Neufchelles 60 39 H5
Neuffons 33 256 D3
Neuffontaines 58 157 G3
Neufgrange 57 67 G1
Neuflieux 02 24 A5
Neuflize 08 42 A2
Neufmaison 08 26 B3
Neufmaisons 54 96 A3
Neufmanil 08 26 D2
Neufmesnil 50 31 G2
Neufmoulin 80 11 H3
Neufmoulins 57 67 G5
Neufmoutiers-en-Brie 77 59 F4
Le Neufour 55 43 F5
Neufvillage 57 67 E2
Neufvy-sur-Aronde 60 39 E1
Neugartheim 67 68 C5
Neugartheim-Ittlenheim 67 68 C5
Neuhaeusel 67 69 G3
Neuil 37 151 G5
Neuilh 65 333 E1
Neuillac 17 219 H3
Neuillay-les-Bois 36 171 F4
Neuillé 49 150 C3
Neuillé-le-Lierre 37 152 B1
Neuillé-Pont-Pierre 37 151 G1
Neuilly 27 56 D2
Neuilly 58 157 F4
Neuilly 89 136 A2
Neuilly-en-Donjon 03 193 F4
Neuilly-en-Dun 18 173 H4
Neuilly-en-Sancerre 18 155 G3
Neuilly-en-Thelle 60 38 B4
Neuilly-en-Vexin 95 37 H5
Neuilly-la-Forêt 14 32 B3
Neuilly-le-Bisson 61 83 H3
Neuilly-le-Brignon 37 170 A2
Neuilly-le-Dien 80 12 B3
Neuilly-le-Malherbe 14 33 F5
Neuilly-le-Réal 03 192 B3
Neuilly-le-Vendin 53 82 D3
Neuilly-lès-Dijon 21 160 B3
Neuilly-l'Évêque 52 117 G5
Neuilly-l'Hôpital 80 11 G3
Neuilly-Plaisance 93 58 D3
Neuilly-Saint-Front 02 40 A5
Neuilly-sous-Clermont 60 38 C3
Neuilly-sur-Eure 61 85 E3
Neuilly-sur-Marne 93 58 D3
Neuilly-sur-Seine 92 58 B3
Neuilly-sur-Suize 52 117 E4
Neulette 62 7 F5
Neulise 42 211 H4
Neulles 17 219 H3
Neulliac 56 101 H2
Neung-sur-Beuvron 41 154 A1
Neunhoffen 67 68 C1
Neunkirchen-lès-Bouzonville 57 46 C3
Neure 03 174 B5
Neurey-en-Vaux 70 141 F3
Neurey-lès-la-Demie 70 141 F5
Neussargues-Moissac 15 245 G3
Neuve-Chapelle 62 8 B3
Neuve-Eglise 67 97 E4
La Neuve-Grange 27 37 E2
La Neuve-Lyre 27 55 G2
Neuve-Maison 02 25 G1
Neuvecelle 74 198 C3
Neuvéglise 15 245 G5
Neuvelle-lès-Champlitte 70 140 A5
Neuvelle-lès-Cromary 70 162 A2
Neuvelle-lès-Grancey 21 139 E4
Neuvelle-lès-la-Charité 70 140 D5
La Neuvelle-lès-Lure 70 141 H3
La Neuvelle-lès-Scey 70 140 D3
Neuvelle-lès-Voisey 52 140 C2
Neuves-Maisons 54 94 D1
La Neuveville-devant-Lépanges 88 119 H2
La Neuveville-sous-Châtenois 88 94 B5
La Neuveville-sous-Montfort 88 118 C2
Neuvic 19 225 H5
Neuvic 24 239 H3
Neuvic-Entier 87 224 C1
Neuvicq 17 238 C1
Neuvicq-le-Château 17 202 C5
Neuvillalais 72 107 F3
Neuville 03 191 F3
Neuville 19 243 E3
La Neuville 59 8 D4
Neuville 63 228 B1
La Neuville-à-Maire 08 27 E5
Neuville-au-Bois 80 11 G5
Neuville-au-Cornet 62 12 D2
Neuville-au-Plain 50 29 G5
La Neuville-au-Pont 51 43 E5
Neuville-aux-Bois 45 111 F4
La Neuville-aux-Bois 51 63 E2
La Neuville-aux-Joûtes 08 25 H1
La Neuville-aux-Larris 51 41 F5
La Neuville-aux-Tourneurs 08 26 A2
Neuville-Bosc 60 37 H4
La Neuville-Bosmont 02 25 F4
Neuville-Bourjonval 62 14 A5
La Neuville-Chant-d'Oisel 76 36 C2
Neuville-Coppegueule 80 21 G2
La Neuville-d'Aumont 60 38 A3
Neuville-Day 08 42 D1
Neuville-de-Poitou 86 169 E5
La Neuville-du-Bosc 27 35 H4
Neuville-en-Avesnois 59 15 E3
Neuville-en-Beaumont 50 31 F2
La Neuville-en-Beine 02 24 A4
Neuville-en-Ferrain 59 5 E5
La Neuville-en-Hez 60 38 C2
La Neuville-en-Tourne-à-Fuy 08 42 B3
Neuville-en-Verdunois 55 63 H2
Neuville-Ferrières 76 20 D4
La Neuville-Garnier 60 38 A3
La Neuville-Housset 02 25 E3
La Neuville-lès-Bray 80 23 E1
Neuville-les-Dames 01 213 F1
Neuville-lès-Decize 58 174 D4
Neuville-lès-Dieppe 76 10 B5
La Neuville-lès-Dorengt 02 24 D1
Neuville-lès-Lœuilly 80 22 B3
Neuville-lès-This 08 26 C3
Neuville-lès-Vaucouleurs 55 93 H2
La Neuville-lès-Wasigny 08 26 A4
Neuville-lez-Beaulieu 08 26 A2
Neuville-près-Sées 61 54 C5
Neuville-Saint-Amand 02 24 B2
La Neuville-Saint-Pierre 60 38 B1
Neuville-Saint-Rémy 59 14 B3
Neuville-Saint-Vaast 62 8 B5
La Neuville-Sire-Bernard 80 22 D3
Neuville-sous-Arzillières 51 62 D5
Neuville-sous-Montreuil 62 6 C4
Neuville-sur-Ailette 02 41 E1
Neuville-sur-Ain 01 214 A2
Neuville-sur-Authou 27 35 F4
Neuville-sur-Brenne 37 131 F5
Neuville-sur-Escaut 59 14 C2
La Neuville-sur-Essonne 45 111 H3
Neuville-sur-Margival 02 40 B1
Neuville-sur-Oise 95 58 A1
Neuville-sur-Ornain 55 63 G3
La Neuville-sur-Oudeuil 60 21 H5
La Neuville-sur-Ressons 60 23 F5
Neuville-sur-Saône 69 213 E4
Neuville-sur-Sarthe 72 107 H4
Neuville-sur-Seine 10 115 G4
Neuville-sur-Touques 61 54 D3
Neuville-sur-Vanne 10 114 B2
La Neuville-Vault 60 37 H1
Neuville-Vitasse 62 13 G3
Neuviller-la-Roche 67 96 D3
Neuviller-lès-Badonviller 54 96 A2
Neuviller-sur-Moselle 54 95 E3
Neuvillers-sur-Fave 88 96 C5
Neuvillette 02 24 C2
La Neuvillette 51 41 G3
Neuvillette 80 12 D3
Neuvillette-en-Charnie 72 107 E3
Neuvilley 39 179 F2
Neuvilly 59 14 D4
Neuvilly-en-Argonne 55 43 G4
Neuvireuil 62 8 C5
Neuvizy 08 26 C4
Neuvy 03 192 A2
Neuvy 41 153 G1
Neuvy 51 60 C4
Neuvy-au-Houlme 61 53 H3
Neuvy-Bouin 79 167 G5
Neuvy-deux-Clochers 18 155 G4
Neuvy-en-Beauce 28 110 D2
Neuvy-en-Champagne 72 107 F4
Neuvy-en-Dunois 28 110 B2
Neuvy-en-Mauges 49 149 E3
Neuvy-en-Sullias 45 133 H3
Neuvy-Grandchamp 71 193 F1
Neuvy-le-Barrois 18 174 B3
Neuvy-le-Roi 37 130 D5
Neuvy-Pailloux 36 172 A3
Neuvy-Saint-Sépulchre 36 189 F1
Neuvy-Sautour 89 114 C4
Neuvy-sur-Barangeon 18 154 D3
Neuvy-sur-Loire 58 156 A1
Neuwiller 68 143 H4
Neuwiller-lès-Saverne 67 68 B3
Neuzy 71 193 G2
Névache 05 252 C3
Nevers 58 174 C2
Névez 29 100 B5
Névian 11 320 D5
Néville 76 19 G2
Néville-sur-Mer 50 29 G2
Nevoy 45 134 C4
Nevy-lès-Dole 39 179 E1
Nevy-sur-Seille 39 179 F4
Nexon 87 223 G1
Ney 39 179 H4
Neydens 74 215 G1
Neyrac-les-Bains 07 266 A3
Les Neyrolles 01 214 C1
Neyron 01 213 F5
Nézel 78 57 G2
Nézignan-l'Évêque 34 321 H3
Niafles 53 127 H2
Niaux 09 336 B4
Niaux *Grotte de* 09 336 B4
Nibas 80 11 E3
Nibelle 45 111 H4
Nibles 04 287 G1
Nice 06 309 H2
Nicey 21 137 H2
Nicey-sur-Aire 55 64 B3
Nicole 47 275 G1
Nicorps 50 51 G1
Nideck *Château et Cascade du* 67 96 D1
Niderhoff 57 96 B1
Niderviller 57 67 H5

Niederbronn-les-Bains 67 68 D 2
Niederbruck 68 142 C 1
Niederentzen 68 121 E 4
Niederhaslach 67 97 E 2
Niederhausbergen 67 68 D 5
Niederhergheim 68 121 F 4
Niederlarg 68 143 E 4
Niederlauterbach 67 69 G 1
Niedermodern 67 68 D 3
Niedermorschwihr 68 120 D 2
Niedernai 67 97 F 2
Niederrœdern 67 69 G 2
Niederschaeffolsheim 67 68 D 4
Niederseebach 67 69 F 2
Niedersoultzbach 67 68 B 3
Niedersteinbach 67 68 D 1
Niederstinzel 57 67 G 3
Niedervisse 57 46 D 5
Nielles-lès-Ardres 62 2 D 4
Nielles-lès-Bléquin 62 7 E 2
Nielles-lès-Calais 62 2 C 3
Le Nieppe 59 3 G 5
Nieppe 59 8 B 2
Niergnies 59 14 B 4
Nieudan 15 243 H 4
Nieuil 16 203 H 4
Nieuil-l'Espoir 86 186 C 2
Nieul 87 205 G 4
Nieul-le-Dolent 85 182 C 1
Nieul-le-Virouil 17 219 G 4
Nieul-lès-Saintes 17 201 F 5
Nieul-sur-l'Autise 85 184 C 3
Nieul-sur-Mer 17 183 F 5
Nieulle-sur-Seudre 17 200 D 5
Nieurlet 59 3 F 5
Niévroz 01 213 G 4
Niffer 68 143 H 2
Niherne 36 171 G 4
Nijon 52 117 H 2
Nilvange 57 45 G 3
Nîmes 30 303 H 2
Ninville 52 117 G 3
Niort 79 184 D 4
Niort-de-Sault 11 337 E 4
Niort-la-Fontaine 53 82 B 3
Niozelles 04 287 F 5
Nissan-lez-Enserune 34 321 F 4
Nistos 65 334 A 2
Nitry 89 136 D 4
Nitting 57 67 G 5
Nivelle 59 9 G 4
Nivillac 56 125 F 5
Nivillers 60 38 A 2
Nivolas-Vermelle 38 232 A 2
Nivollet-Montgriffon 01 214 B 3
Nixéville 55 43 H 5
Le Nizan 33 256 B 5
Nizan-Gesse 31 316 B 5
Nizas 32 317 E 2
Nizas 34 321 H 2
Nizerolles 03 210 D 2
Nizon 29 100 B 4
Nizy-le-Comte 02 25 G 5
Noailhac 12 262 B 4
Noailhac 19 242 C 3
Noailhac 81 299 H 5
Noaillac 33 256 D 4
Noaillan 33 255 H 4
Noailles 19 242 B 3
Noailles 60 38 B 3
Noailles 81 279 F 5
Noailly 42 211 G 1
Noalhac 48 263 H 1
Noalhat 63 210 B 4
Noards 27 35 E 4
Nocario 2B 347 G 3
Nocé 61 84 C 4
Noceta 2B 347 F 5
Nochize 71 193 H 3
La Nocle-Maulaix 58 175 H 4
Nod-sur-Seine 21 138 A 3
Nods 25 162 C 5
Noé 31 317 G 3
Noé 89 113 H 3
Noé-les-Mallets 10 115 H 3
La Noë-Blanche 35 126 B 2
La Noë-Poulain 27 35 E 3
Noël-Cerneux 25 163 F 5
Noëllet 49 127 G 4
Noërs 54 44 C 2
Les Noës 42 211 E 2
Les Noës-près-Troyes 10 90 D 5
Nœux-lès-Auxi 62 12 C 3
Nœux-les-Mines 62 8 A 4
Nogaret 31 318 D 2
Nogaro 32 295 E 3
Nogent 52 117 F 4
Nogent-en-Othe 10 114 C 3
Nogent-l'Abbesse 51 41 H 4
Nogent-l'Artaud 02 60 B 2
Nogent-le-Bernard 72 108 B 2
Nogent-le-Phaye 28 86 B 4
Nogent-le-Roi 28 57 E 5
Nogent-le-Rotrou 28 84 D 5
Nogent-le-Sec 27 56 A 2
Nogent-lès-Montbard 21 137 H 5
Nogent-sur-Aube 10 91 F 3
Nogent-sur-Eure 28 86 A 4
Nogent-sur-Loir 72 130 B 4
Nogent-sur-Marne 94 58 D 3
Nogent-sur-Oise 60 38 D 3
Nogent-sur-Seine 10 89 H 3
Nogent-sur-Vernisson 45 134 D 2
Nogentel 02 60 C 1
Nogna 39 196 C 1
Noguères 64 313 H 3
Nohan 08 27 E 1
Nohanent 63 209 G 5
Nohant-en-Goût 18 173 G 1
Nohant-en-Graçay 18 154 A 5
Nohant-Vic 36 189 G 1
Nohèdes 66 341 H 3
Nohic 82 298 A 1
Noidan 21 158 D 3
Noidans-le-Ferroux 70 140 D 5
Noidans-lès-Vesoul 70 141 E 4
Noidant-Chatenoy 52 139 G 3
Noidant-le-Rocheux 52 139 G 2
Noilhan 32 296 D 5
Nointel 60 38 D 2
Nointel 95 38 B 5
Nointot 76 19 E 5
Noir *Lac* 68 120 C 2
Noircourt 02 25 G 4
Noirefontaine 25 163 F 2
Noirémont 60 22 B 5
Noirétable 42 211 E 5
Noirlac *Abbaye de* 18 173 F 5
Noirlieu 51 63 E 2
Noirlieu 79 167 H 2
Noirmoutier-en-l'Île 85 164 B 1
Noiron 70 161 F 2
Noiron-sous-Gevrey 21 160 B 4
Noiron-sur-Bèze 21 160 C 2
Noiron-sur-Seine 21 115 H 5
Noironte 25 161 G 3
Noirpalu 50 51 H 3
Noirterre 79 167 H 3
Noirval 08 43 E 1
Noiseau 94 58 D 4
Noisiel 77 59 E 3
Noisseville 57 45 H 5
Noisy-le-Grand 93 58 D 3
Noisy-le-Roi 78 58 A 3
Noisy-le-Sec 93 58 D 3
Noisy-Rudignon 77 88 D 5
Noisy-sur-École 77 88 A 5
Noisy-sur-Oise 95 38 C 5
Noizay 37 152 B 2
Noizé 79 168 B 3
Nojals-et-Clotte 24 258 C 2
Nojeon-en-Vexin 27 37 E 3
Nolay 21 177 F 2
Nolay 58 156 D 5
Nolléval 76 37 E 1
Nollieux 42 211 G 5
Nomain 59 9 E 4
Nomdieu 47 275 H 4
Nomécourt 52 92 D 3
Nomeny 54 65 H 3
Nomexy 88 95 F 5
Nommay 25 142 C 4
Nompatelize 88 96 A 4
Nonac 16 221 E 4
Nonancourt 27 56 B 4
Nonant 14 33 E 3
Nonant-le-Pin 61 54 C 5
Nonards 19 243 E 4
Nonaville 16 220 D 3
Noncourt-
sur-le-Rongeant 52 93 E 4
Nonette-Orsonnette 63 228 A 4
Nonglard 74 215 F 3
Nonhigny 54 96 A 2
Nonières 07 248 C 5
Les Nonières 26 268 C 1
Nonsard 55 65 E 3
Nontron 24 222 C 3
Nonville 77 112 C 2
Nonville 88 118 C 3
Nonvilliers-Grandhoux 28 85 G 5
Nonza 2B 345 F 3
Nonzeville 88 95 H 5
Noordpeene 59 3 G 4
Nordausques 62 3 E 4
Nordheim 67 68 C 5
Nordhouse 67 97 G 2
Nore *Pic de* 11 320 A 3
Noreuil 62 13 H 4
Norges-la-Ville 21 160 A 2
La Norma 73 252 D 1
Normandel 61 55 G 5
Normandie *Pont de* 14 34 D 2
Normanville 27 56 B 1
Normanville 76 19 F 4
Normée 51 61 G 4
Normier 21 159 E 3
Norolles 14 34 C 4
Noron-la-Poterie 14 32 D 4
Noron-l'Abbaye 14 53 H 2
Noroy 60 38 D 2
Noroy-le-Bourg 70 141 G 4
Noroy-lès-Jussey 70 140 C 2
Noroy-sur-Ourcq 02 40 A 4
Norrent-Fontes 62 7 G 3
Norrey-en-Auge 14 54 B 2
Norrey-en-Bessin 14 33 F 4
Norrois 51 62 D 5
Norroy 88 118 B 2
Norroy-le-Sec 54 45 E 4
Norroy-le-Veneur 57 45 G 5
Norroy-lès-Pont-
à-Mousson 54 65 G 3
Nort-Leulinghem 62 3 E 5
Nort-sur-Erdre 44 147 H 1
Nortkerque 62 3 E 4
Norville 76 35 F 1
La Norville 91 87 G 2
Nossage-
et-Bénévent 05 287 E 1
Nossoncourt 88 95 H 3
Nostang 56 123 G 2
Noth 23 188 D 5
Nothalten 67 97 E 4
Notre-Dame-d'Aiguebelle
Abbaye de 26 267 F 5
Notre-Dame-
d'Aliermont 76 20 C 2
Notre-Dame-d'Allençon 49 149 H 3
Notre-Dame-d'Aurès 12 281 E 3
Notre-Dame d'Ay
Sanctuaire de 07 248 D 2
Notre-Dame-
de-Bellecombe 73 216 B 4
Notre-Dame-
de-Bliquetuit 76 35 G 1
Notre-Dame-de-Boisset 42 211 H 3
Notre-Dame-
de-Bondeville 76 36 A 1
Notre-Dame-
de-Briançon 73 234 B 2
Notre-Dame de Buglose 40 293 E 2
Notre-Dame-de-Cenilly 50 51 H 1
Notre-Dame de Clausis 05 271 F 2
Notre-Dame-
de-Commiers 38 250 D 3
Notre-Dame-de-Courson 14 54 D 1
Notre-Dame-de-Fresnay 14 54 B 2
Notre-Dame-
de-Garaison 65 316 A 5
Notre-Dame-de-Grace 44 126 A 5
Notre-Dame-
de-Gravenchon 76 35 F 1
Notre-Dame de Kérinec
Chapelle 29 99 F 2
Notre-Dame-de-la-Cour 22 73 G 5
Notre-Dame de
la Gorge 74 216 D 4
Notre-Dame-de-la-Grainetière
Abbaye de 85 166 C 3
Notre-Dame-de-la-Mer
Chapelle 78 57 E 1
Notre-Dame-
de-la-Rouvière 30 283 E 5
Notre-Dame-
de-la-Salette 38 251 G 5
Notre Dame de la Serra
Belvédère de 2B 346 B 2
Notre-Dame-de-l'Aillant 71 176 B 1
Notre-Dame-de-Laus 05 269 H 4
Notre-Dame-
de-l'Espérance 22 73 H 4
Notre-Dame-de-l'Isle 27 36 D 5
Notre-Dame-de-Livaye 14 34 B 5
Notre-Dame-de-Livoye 50 52 A 4
Notre-Dame-
de-Londres 34 302 C 2
Notre-Dame-de-Lorette 62 8 A 5
Notre-Dame de l'Ormeau
Chapelle 83 308 C 3
Notre-Dame-de-l'Osier 38 250 B 1
Notre-Dame de Lure
Monastère de 04 287 E 3
Notre-Dame-
de-Mésage 38 251 E 3
Notre-Dame-de-Montplacé
Chapelle 49 129 F 5
Notre-Dame-de-Monts 85 164 C 3
Notre-Dame-de-Piétat
Chapelle de 64 314 B 5
Notre-Dame-de-Riez 85 164 D 4
Notre-Dame-
de-Sanilhac 24 240 C 3
Notre-Dame-de-Timadeuc
Abbaye de 56 102 B 3
Notre-Dame-de-Tréminou
Chapelle 29 99 F 4
Notre-Dame-de-Tronoën 29 99 F 4
Notre-Dame de Valvert
Chapelle de 04 288 D 5
Notre-Dame-de-Vaulx 38 251 E 4
Notre-Dame de Vie
Ermitage 06 309 E 4
Notre-Dame-d'Elle 50 32 C 5
Notre-Dame-d'Épine 27 35 F 4
Notre-Dame-des-Anges
Prieuré 83 328 D 2
Notre-Dame-des-Dombes
Abbaye de 01 213 G 2
Notre-Dame des Fontaines
Chapelle 06 291 H 2
Notre-Dame-
des-Landes 44 147 F 2
Notre-Dame-
des-Millières 73 234 A 1
Notre-Dame-des-Misères
Chapelle de 82 278 B 4
Notre-Dame-d'Estrées 14 34 B 5
Notre-Dame-d'Igny
Abbaye 51 41 E 4
Notre-Dame-d'Oé 37 151 H 2
Notre-Dame-d'Or 86 168 C 4
Notre-Dame-du-Bec 76 18 C 5
Notre-Dame-du-Crann
Chapelle 29 76 C 5
Notre-Dame-du-Cruet 73 234 A 4
Notre-Dame-du-Groseau
Chapelle 84 285 H 3
Notre-Dame-du-Guildo 22 50 A 5
Notre-Dame-du-Hamel 27 55 E 3
Notre-Dame du Haut
Chapelle 22 78 C 5
Notre-Dame-du-Mai
Chapelle 83 327 H 5
Notre-Dame-du-Parc 76 20 B 3
Notre-Dame-du-Pé 72 129 E 3
Notre-Dame-du-Pré 73 234 C 2
Notre-Dame-du-Rocher 61 53 G 4
Notre-Dame-du-Touchet 50 81 G 2
Nottonville 28 110 B 3
La Nouaille 23 207 G 5
Nouaillé-Maupertuis 86 186 C 2
Nouainville 50 29 E 3
Nouan-le-Fuzelier 41 154 B 1
Nouan-sur-Loire 41 132 C 4
Nouans 72 107 H 2
Nouans-les-Fontaines 37 153 E 5
Nouart 08 43 F 1
Nouâtre 37 169 G 1
La Nouaye 35 103 H 2
La Noue 17 200 A 1
La Noue 51 60 D 4
Noueilles 31 318 A 3
Nougaroulet 32 296 C 3
Nouhant 23 190 B 5
Nouic 87 205 E 2
Nouilhan 65 315 E 2
Les Nouillers 17 201 F 3
Nouillonpont 55 44 D 3
Nouilly 57 45 H 5
Noulens 32 295 F 2
Nourard-le-Franc 60 38 C 1
Nourray 41 131 G 4
Nousse 40 293 F 3
Nousseviller-lès-Bitche 57 48 B 5
Nousseviller-Saint-Nabor 57 47 G 5
Nousty 64 314 C 4
Nouvelle-Église 62 3 E 3
Nouvion-en-Ponthieu 80 11 G 2
Le Nouvion-en-Thiérache 02 15 F 5
Nouvion-et-Catillon 02 24 C 4
Nouvion-le-Comte 02 24 C 4
Nouvion-le-Vineux 02 40 D 1
Nouvion-sur-Meuse 08 26 D 4
Nouvoitou 35 104 C 4
Nouvron-Vingré 02 40 A 2
Nouzerines 23 189 H 4
Nouzerolles 23 189 E 4
Nouziers 23 189 G 3
Nouzilly 37 152 A 1
Nouzonville 08 26 D 2
Novacelles 63 228 D 4
Novalaise 73 233 E 2
Novale 2B 347 G 4
Novéant-sur-Moselle 57 65 G 2
Novel 74 198 D 3
Novella 2B 345 E 5
Noves 13 304 D 1
Noviant-aux-Prés 54 65 F 4
Novillard 90 142 D 3
Novillars 25 162 A 3
Novillers 60 38 B 4
Novion-Porcien 08 26 B 5
Novy-Chevrières 08 26 B 5
Noyal 22 78 D 4
Noyal-Châtillon-
sur-Seiche 35 104 B 3
Noyal-Muzillac 56 125 E 4
Noyal-Pontivy 56 102 A 3
Noyal-sous-Bazouges 35 80 B 3
Noyal-sur-Brutz 44 127 E 3
Noyal-sur-Vilaine 35 104 C 3
Noyales 02 24 C 2
Noyalo 56 124 C 4
Noyant 49 150 D 1
Noyant-d'Allier 03 191 H 3
Noyant-de-Touraine 37 151 G 5
Noyant-et-Aconin 02 40 B 3
Noyant-la-Gravoyère 49 127 H 3
Noyant-la-Plaine 49 149 H 3
Noyarey 38 250 D 1
Noyelle-Vion 62 13 E 2
Noyelles-en-Chaussée 80 11 H 2
Noyelles-Godault 62 8 C 5
Noyelles-lès-Humières 62 7 F 5
Noyelles-lès-Seclin 59 8 D 3
Noyelles-lès-Vermelles 62 8 A 4
Noyelles-sous-Bellonne 62 14 A 2
Noyelles-sous-Lens 62 8 B 5
Noyelles-sur-Escaut 59 14 B 4
Noyelles-sur-Mer 80 11 F 2
Noyelles-sur-Sambre 59 15 F 4
Noyelles-sur-Selle 59 14 C 2
Noyellette 62 13 F 2
Noyen-sur-Sarthe 72 129 F 2
Noyen-sur-Seine 77 89 G 4
Le Noyer 05 269 G 2
Le Noyer 14 34 D 2
Le Noyer 18 155 G 3
Le Noyer 73 233 G 1
Noyer *Col du* 05 269 G 2
Le Noyer-en-Ouche 27 55 G 1
Noyers 27 37 F 4
Noyers 45 134 B 2
Noyers 52 117 G 4
Noyers 89 137 E 4
Noyers-Missy 14 33 F 5
Noyers-le-Val 55 63 F 3
Noyers-Pont-Maugis 08 27 F 4
Noyers-Saint-Martin 60 22 B 5
Noyers-sur-Cher 41 153 F 4
Noyers-sur-Jabron 04 287 F 3
Noyon 60 23 H 5
Nozay 10 91 E 3
Nozay 44 126 C 5
Nozay 91 58 B 5
Nozeroy 39 180 A 4
Nozières 07 248 C 3
Nozières 18 173 E 5
Nuaillé 49 149 E 5
Nuaillé-d'Aunis 17 183 H 5
Nuaillé-sur-Boutonne 17 201 H 2
Nuars 58 157 G 2
Nubécourt 55 63 H 1
Nuces 12 262 C 5
Nucourt 95 37 G 5
Nueil-les-Aubiers 79 167 F 2
Nueil-sous-Faye 86 169 E 2
Nueil-sur-Argent 79 167 F 2
Nueil-sur-Layon 49 149 H 5
Nuelles 69 212 C 4
Nuillé-le-Jalais 72 108 B 4
Nuillé-sur-Ouette 53 106 B 4
Nuillé-sur-Vicoin 53 105 H 4
Nuisement-sur-Coole 51 62 A 3
Nuits 89 137 G 4
Nuits-Saint-Georges 21 160 A 5
Nullemont 76 21 F 3
Nully 52 92 B 4
Nuncq 62 12 C 2
Nuret-le-Ferron 36 171 F 5
Nurieux-Volognat 01 214 B 1
Nurlu 80 14 A 5
Nuzéjouls 46 259 H 4
Nyer 66 341 H 3
Nyoiseau 49 127 H 3
Nyons 26 285 H 1

O

O *Château d'* 61 54 B 5
Obenheim 67 97 G 3
Oberbronn 67 68 C 2
Oberbruck 68 142 C 1
Oberdorf 68 143 F 3
Oberdorf-Spachbach 67 69 E 2
Oberdorff 57 46 D 4
Oberentzen 68 121 E 4
Obergailbach 57 47 H 5
Oberhaslach 67 97 E 1
Oberhausbergen 67 97 G 1
Oberhergheim 68 121 E 4
Oberhoffen-
lès-Wissembourg 67 69 F 1
Oberhoffen-sur-Moder 67 69 E 4
Oberkutzenhausen 67 69 E 2
Oberlarg 68 143 F 5
Oberlauterbach 67 69 G 2
Obermodern 67 68 C 3
Obermorschwihr 68 121 E 3
Obermorschwiller 68 143 F 2
Obernai 67 97 F 2
Oberrœdern 67 69 F 2
Obersaasheim 68 121 G 4
Oberschaeffolsheim 67 97 G 1
Obersoultzbach 67 68 B 3
Obersteigen 67 68 A 5
Obersteinbach 67 68 D 1
Oberstinzel 57 67 G 4
Obervisse 57 46 D 5
Obies 59 15 F 2
Objat 19 241 H 1
Oblinghem 62 8 A 3
Obrechies 59 15 H 3
Obreck 57 66 D 3
Obsonville 77 112 A 2
Obterre 36 170 C 3
Obtrée 21 115 H 5
Ocana 2A 348 D 3
Occagnes 61 54 A 4
Occey 52 139 G 5
Occhiatana 2B 346 D 2
Occoches 80 12 C 4
Ochancourt 80 11 F 3
Oches 08 43 F 1
Ochey 54 94 B 2
Ochiaz 01 214 D 1
Ochtezeele 59 3 G 4
Ocquerre 77 59 H 1
Ocqueville 76 19 G 3
Octeville 50 29 E 3
Octeville-l'Avenel 50 29 G 4
Octeville-sur-Mer 76 18 C 5
Octon 34 301 H 4
Odars 31 298 B 5
Odeillo 66 341 F 4
Odenas 69 212 D 2
Oderen 68 120 B 5
Odival 52 117 F 4
Odomez 59 9 G 4
Odos 65 315 E 5
Odratzheim 67 97 F 1
Oeillon *Crêt de l'* 42 230 D 4
Oëlleville 88 94 C 4
Oermingen 67 67 H 2
Œting 57 47 F 5
Oëtre *Roche d'* 61 53 G 3
Œuf-en-Ternois 62 7 F 5
Œuilly 02 41 E 2
Œuilly 51 61 E 1
Œutrange 57 45 G 2
Oëy 55 93 F 1
Oeyregave 40 292 D 5
Oeyreluy 40 292 D 3
Offekerque 62 3 E 3
Offemont 90 142 C 2
Offendorf 67 69 F 4
Offignies 80 21 G 3
Offin 62 6 D 4
Offlanges 39 161 E 4
Offoy 60 22 A 4
Offoy 80 23 H 3
Offranville 76 20 A 2
Offrethun 62 2 B 5
Offroicourt 88 94 C 5
Offwiller 67 68 C 2
Ogenne-Camptort 64 313 G 3
Oger 51 61 G 2
Ogeu-les-Bains 64 314 A 4
Ogéviller 54 95 H 2
Ogliastro 2B 345 F 2
Ognes 02 24 A 5
Ognes 51 61 F 5

Ognes 60 39 F 5
Ognéville 54 94 C 3
Ognolles 60 23 G 4
Ognon 60 39 E 4
Ogy 57 66 B 1
Ohain 59 16 A 5
Oherville 76 19 G 3
Ohis 02 25 G 1
Ohlungen 67 68 D 3
Ohnenheim 67 97 F 5
L'Oie 85 166 B 3
Oigney 70 140 C 3
Oignies 62 8 C 4
Oigny 21 138 C 5
Oigny 41 109 E 4
Oigny-en-Valois 02 40 A 4
Oingt 69 212 C 3
Oinville-Saint-Liphard 28 111 E 2
Oinville-sous-Auneau 28 86 C 3
Oinville-sur-Montcient 78 57 G 1
Oiron 79 168 B 2
Oiry 51 61 G 1
Oiselay-et-Grachaux 70 161 H 2
Oisemont 80 11 G 5
Oisilly 21 160 D 2
Oisly 41 153 E 2
Oison 45 111 E 3
Oisseau 53 82 A 4
Oisseau-le-Petit 72 83 G 5
Oissel 76 36 B 3
Oissery 77 59 F 1
Oissy 80 22 A 1
Oisy 02 15 E 5
Oisy 58 157 E 1
Oisy 59 9 G 5
Oisy-le-Verger 62 14 A 3
Oizé 72 129 H 3
Oizon 18 155 F 2
OK Corral
Parc d'attractions 13 327 G 3
Olargues 34 300 D 5
Olby 63 227 F 1
Olcani 2B 345 F 2
Oléac-Debat 65 315 F 4
Oléac-Dessus 65 315 F 5
Olemps 12 280 C 1
Olendon 14 53 H 2
Oléron *Île d'* 17 200 B 4
Oléron *Viaduc d'* 17 200 C 4
Oletta 2B 345 F 5
Olette 66 341 H 3
Olhain *Château d'* 62 8 A 5
Olivese 2A 349 E 4
Olivet 45 133 E 2
Olivet 53 105 H 3
Olizy 08 42 D 2
Olizy 51 41 E 5
Olizy-sur-Chiers 55 27 H 5
Ollainville 88 94 A 5
Ollainville 91 87 G 2
Ollans 25 162 B 1
Ollé 28 85 H 4
Ollencourt 60 39 H 1
Olley 54 45 E 5
Ollezy 02 24 A 3
Ollières 55 44 D 3
Les Ollières 74 215 H 2
Ollières 83 306 D 5
Les Ollières-sur-Eyrieux 07 266 D 1
Olliergues 63 228 D 1
Ollioules 83 327 H 4
Olloix 63 227 G 2
Les Olmes 69 212 C 4
Olmet 63 228 D 1
Olmet-et-Villecun 34 301 H 3
Olmeta-di-Capocorso 2B 345 F 3
Olmeta-di-Tuda 2B 345 F 5
Olmeto 2A 348 D 5
Olmi-Cappella 2B 346 D 2
Olmiccia 2A 349 E 5
Olmo 2B 347 G 2
Olonne-sur-Mer 85 182 A 1
Olonzac 34 320 C 4
Oloron-Sainte-Marie 64 331 H 1
Ols-et-Rinhodes 12 261 F 5
Oltingue 68 143 G 4
Olwisheim 67 68 D 5
Omaha Beach 14 32 D 2
Omblèze 26 250 A 5
Omécourt 60 21 G 5
Omelmont 54 94 D 2
Les Omergues 04 286 D 3
Omerville 95 37 F 5
Omessa 2B 347 F 4
Omet 33 256 B 3
Omex 65 332 D 1
Omey 51 62 C 3
Omicourt 08 27 E 4
Omiécourt 80 23 F 3
Omissy 02 24 B 2
Omméel 61 54 C 4
Ommeray 57 67 E 5
Ommoy 61 54 A 3
Omont 08 26 D 5
Omonville 76 20 A 3
Omonville-la-Petite 50 28 C 2
Omonville-la-Rogue 50 28 D 2
Omps 15 243 H 5
Oms 66 342 D 3
Onans 25 142 A 4
Onard 40 293 F 2
Onay 70 161 F 2
Oncieu 01 214 B 3
Oncourt 88 95 F 5
Oncy-sur-École 91 88 A 4
Ondefontaine 14 53 E 1
Ondes 31 297 G 3
Ondres 40 292 A 4
Ondreville-sur-Essonne 45 111 H 2
Onesse-Laharie 40 272 C 4
Onet-le-Château 12 280 D 1
Oneux 80 11 H 3
Ongles 04 287 E 4
Onglières 39 180 A 3
Onival 80 10 D 3
Onjon 10 91 F 4
Onlay 58 176 A 2
Onnaing 59 9 H 5
Onnion 74 198 B 5
Onoz 39 196 C 2
Ons-en-Bray 60 37 H 2
Ontex 73 215 E 5
Onville 54 65 F 2
Onvillers 80 23 E 5
Onzain 41 152 D 1
Oô 31 334 A 4
Oost-Cappel 59 4 A 3
Opio 06 309 E 3
Opme 63 227 H 1
Opoul-Périllos 66 338 D 4
Oppède 84 305 G 2
Oppède-le-Vieux 84 305 F 2
Oppedette 04 286 D 5
Oppenans 70 141 G 4
Oppy 62 13 H 2
Optevoz 38 214 A 5
Or *Mont d'* 25 180 C 4
Oraàs 64 311 H 3
Oradour 15 245 F 5
Oradour 16 202 D 4
Oradour-Fanais 16 204 D 2
Oradour-Saint-Genest 87 187 H 5
Oradour-sur-Glane 87 205 F 4
Oradour-sur-Vayres 87 222 D 1
Orain 21 139 H 5
Orainville 02 41 G 2
Oraison 04 287 G 5
Orange 84 285 F 3
Orbagna 39 196 B 1
Orbais-l'Abbaye 51 61 E 2
Orban 81 299 F 2
Orbec 14 55 E 1
Orbeil 63 228 A 3
Orbessan 32 296 B 5
Orbey 68 120 D 2
Orbigny 37 152 D 4
Orbigny-au-Mont 52 139 H 2
Orbigny-au-Val 52 139 H 2
Orbois 14 33 E 5
L'Orbrie 85 184 B 2
Orçay 41 154 C 4
Orcemont 78 86 D 2
Orcenais 18 173 E 5
Orcet 63 227 H 1
Orcevaux 52 139 G 3
Orchaise 41 131 H 5
Orchamps 39 161 F 5
Orchamps-Vennes 25 163 E 5
Orches 86 169 E 3
Orchies 59 9 E 4
Orcier 74 198 B 4
Orcières 05 270 A 2
Orcinas 26 267 H 4
Orcines 63 209 G 5
Orcival 63 227 F 1
Orconte 51 62 D 5
Ordan-Larroque 32 296 A 3
Ordiarp 64 331 E 1
Ordizan 65 333 F 1
Ordonnac 33 219 E 5
Ordonnaz 01 214 C 4
Ore 31 334 B 2
Orègue 64 311 G 3
Oreilla 66 341 H 3
Orelle 73 252 C 1
Oresmaux 80 22 B 3
Orezza *Couvent d'* 2B 347 G 3
Organ 65 316 A 4
Orgeans 25 163 F 3
Orgedeuil 16 221 H 1
Orgeix 09 341 E 2
Orgelet 39 196 C 2
Orgères 35 104 B 4
Orgères 61 54 D 4
Orgères-en-Beauce 28 110 C 3
Orgères-la-Roche 53 83 E 2
Orgerus 78 57 F 3
Orges 52 116 C 3
Orgeux 21 160 B 2
Orgeval 02 41 E 1
Orgeval 78 57 H 2
Orgibet 09 334 D 3
Orglandes 50 29 F 5
Orgnac *Aven d'* 07 284 B 1
Orgnac-l'Aven 07 284 B 2
Orgnac-sur-Vézère 19 224 B 5
Orgon 13 305 F 2
Orgueil 82 297 H 1
Oricourt 70 141 G 4
Orient *Forêt d'* 10 91 G 5
Orieux 65 315 G 5
Orignac 65 333 F 1
Origne 33 255 G 4
Origné 53 106 A 5
Orignolles 17 238 C 1
Origny 21 138 B 4
Origny-en-Thiérache 02 25 G 1
Origny-le-Butin 61 84 B 4
Origny-le-Roux 61 84 A 5
Origny-le-Sec 10 90 B 3
Origny-Sainte-Benoite 02 24 C 2
Orin 64 313 G 4
Orincles 65 333 E 1
Oriocourt 57 66 C 3
Oriol-en-Royans 26 250 A 4
Oriolles 16 220 C 5
Orion 64 313 F 2
Oris-en-Rattier 38 251 F 4
Orist 40 292 C 4
Orival 16 239 E 1
Orival 76 36 A 3
Orival 80 21 G 3
Orléans 45 133 E 2
Orléat 63 210 B 4
Orlix 65 315 F 5
Orliac 24 259 F 2
Orliac-de-Bar 19 224 D 5
Orliaguet 24 241 H 5
Orliénas 69 230 D 1
Orlu 09 341 E 2
Orlu 28 87 E 5
Orly 94 58 C 4
Orly-sur-Morin 77 60 A 3
Ormancey 52 117 E 5
Ormeaux 77 59 H 5
Ormenans 70 162 B 1
Ormersviller 57 48 B 5
Ormes 10 91 E 2
Ormes 27 56 A 1
Ormes 45 110 D 5
Ormes 51 41 G 4
Ormes 71 195 F 1
Les Ormes 86 169 H 2
Les Ormes 89 135 H 2
Ormes-et-Ville 54 94 D 3
Les Ormes-sur-Voulzie 77 89 F 3
Ormesson 77 112 B 2
Ormesson-sur-Marne 94 58 D 4
Ormoiche 70 141 F 2
Ormoy 28 86 A 2
Ormoy 70 118 C 5
Ormoy 89 114 A 5
Ormoy 91 88 A 2
Ormoy-la-Rivière 91 87 F 4
Ormoy-le-Davien 60 39 G 4
Ormoy-lès-Sexfontaines 52 116 D 2
Ormoy-sur-Aube 52 116 B 4
Ormoy-Villers 60 39 F 4
Ornacieux 38 231 H 4
Ornaisons 11 320 D 5
Ornans 25 162 B 5
Ornel 55 44 D 4
Ornes 55 44 C 4
Ornex 01 197 G 4
Ornézan 32 296 B 5
Orniac 46 260 C 4
Ornolac-Ussat-
les-Bains 09 336 B 4
Ornon 38 251 F 3
Ornon *Col d'* 38 251 F 3
Orny 57 65 H 2
Oroër 60 38 A 1
Oroix 65 314 D 4
Oron 57 66 C 3
Oroux 79 168 B 5
Orphin 78 86 D 2
Orpierre 05 287 E 1
Orquevaux 52 93 F 5
Les Orres 05 270 C 4
Orret 21 138 C 5
Orriule 64 313 F 2
Orrouer 28 85 H 4
Orrouy 60 39 G 3
Orry-la-Ville 60 38 D 5
Ors 59 15 E 4
Orsan 30 284 D 3
Orsanco 64 311 G 4
Orsans 11 319 E 5
Orsans 25 162 C 3
Orsay 91 58 B 5
Orschwihr 68 120 D 4
Orschwiller 67 97 E 5
Orsennes 36 189 E 3
Orsinval 59 15 E 2
Orsonnette 63 228 A 4
Orsonville 78 86 D 3
Ortaffa 66 343 F 3
Ortale 2B 347 G 4
Orthevielle 40 292 D 5
Orthez 64 293 G 5
Orthoux-Sérignac-
Quilhan 30 303 E 1
Ortillon 10 91 F 3
Ortiporio 2B 347 G 3
Orto 2A 348 D 1
Orval-sur-Sienne 88 95 G 4
Orus 09 336 A 5
Orval 18 173 F 5
Orval 50 51 G 1
Orvault 44 147 G 3
Orvaux 27 56 A 2
Orve 25 163 E 2
Orveau 91 87 G 4
Orveau-Bellesauve 45 111 H 2
Orville 21 139 F 5
Orville 36 154 A 5
Orville 45 111 H 2
Orville 61 54 D 3
Orville 62 12 D 4
Orvillers-Sorel 60 23 E 5
Orvilliers 78 57 F 3
Orvilliers-Saint-Julien 10 90 C 4
Orx 40 292 B 4
Os-Marsillon 64 313 H 2
Osani 2A 346 A 4
Osches 55 63 H 1
Osenbach 68 120 D 4
Oslon 71 177 H 4
Osly-Courtil 02 40 A 2
Osmanville 14 32 B 2
Osmery 18 173 G 3
Osmets 65 315 G 4
Osmoy 18 173 F 1
Osmoy 78 57 F 3
Osmoy-Saint-Valery 76 20 C 3
Osne-le-Val 52 93 E 3
Osnes 08 27 G 4
Osny 95 58 A 1
L'Ospédale 2A 351 F 2
Osquich *Col d'* 64 311 G 5
Ossages 40 293 F 5
Ossas-Suhare 64 331 E 1
Osse 25 162 B 3
Ossé 35 104 D 3
Osse-en-Aspe 64 331 H 3
Osséja 66 341 F 5
Osselle *Grottes d'* 25 161 G 5
Osselle-Routelle 25 161 G 5
Ossen 65 332 D 1
Ossenx 64 313 F 3
Osserain-Rivareyte 64 311 H 4
Ossès 64 311 E 5
Ossey-les-Trois-Maisons 10 90 B 4
Ossun 65 314 D 5
Ossun-ez-Angles 65 333 E 1
Ostabat-Asme 64 311 G 5
Ostel 02 40 D 2
Ostheim 68 121 E 2
Osthoffen 67 97 F 1
Osthouse 67 97 G 3
Ostreville 62 7 G 5
Ostricourt 59 8 D 4
Ostwald 67 97 H 1
Ota 2A 346 B 5
Othe 54 44 B 2
Othis 77 59 E 1
Ottange 57 45 F 2
Ottersthal 67 68 B 4
Otterswiller 67 68 B 4
Ottmarsheim 68 143 G 1
Ottonville 57 46 C 4
Ottrott 67 97 E 2
Ottwiller 67 68 A 3
Ouagne 58 157 E 2
Ouainville 76 19 F 3
Ouanne 89 136 A 4
Ouarville 28 86 D 5
Les Oubeaux 14 32 B 3
Ouchamps 41 153 E 2
Ouches 42 211 G 3
Oucques 41 132 A 3
Oudalle 76 34 D 1
Oudan 58 156 D 3
Oudeuil 60 21 H 5
Oudezeele 59 3 H 4
Oudincourt 52 116 D 2
Oudon 44 148 A 2
Oudrenne 57 46 B 3
Oudry 71 193 H 1
Oueilloux 65 315 F 5
Ouerre 28 56 D 5
Ouessant *Île d'* 29 74 A 1
Ouézy 14 34 A 5
Ouffières 14 53 F 1
Ouge 70 140 B 2
Ouges 21 160 A 4
Ougney 39 161 F 4
Ougney-Douvot 25 162 C 2
Ougny 58 175 G 1
Ouhans 25 180 C 1
Ouides 43 247 E 5
Ouillat *Col de l'* 66 343 F 4
Ouillon 64 314 C 3
Ouilly-du-Houley 14 34 D 5
Ouilly-le-Tesson 14 53 H 1
Ouilly-le-Vicomte 14 34 C 4
Ouistreham 14 33 H 3
Oulches 36 188 B 1
Oulches-la-Vallée-Foulon 02 41 E 2
Oulchy-la-Ville 02 40 B 4
Oulchy-le-Château 02 40 B 4
Oulins 28 56 D 3
Oulles 38 251 F 3
Oullins 69 231 E 1
Oulmes 85 184 C 3
Oulon 58 157 E 5
Ounans 39 179 F 1
Oupia 34 320 C 4
Our 39 161 F 5
Ourcel-Maison 60 22 B 5
Ourches 26 267 G 1
Ourches-sur-Meuse 55 94 A 1
Ourde 65 334 A 3
Ourdis-Cotdoussan 65 333 E 2
Ourdon 65 333 E 2
Ourouër 58 174 D 1
Ourouer-les-Bourdelins 18 173 H 3
Ouroux 69 194 C 5
Ouroux-en-Morvan 58 158 A 5
Ouroux-sous-le-Bois-
Sainte-Marie 71 194 A 4
Ouroux-sur-Saône 71 178 A 5
Oursbelille 65 315 E 4
Ourscamps *Abbaye d'* 60 39 G 1
Les Oursinières 83 328 B 5
Ourtigas *Col de l'* 34 301 E 4
Ourton 62 7 H 4
Ourville-en-Caux 76 19 F 3
Ousse 64 314 C 4
Ousse-Suzan 40 273 F 5
Oussières 39 179 E 2
Ousson-sur-Loire 45 134 D 5
Oussoy-en-Gâtinais 45 134 C 2
Oust 09 335 G 4
Oust-Marest 80 10 D 4
Ousté 65 333 E 1
Outarville 45 111 E 2
Outines 51 92 A 2
Outreau 62 6 A 2
Outrebois 80 12 C 3
Outremécourt 52 118 A 2
Outrepont 51 62 D 4
Outriaz 01 214 C 2
Outtersteene 59 4 A 5
Ouvans 25 162 D 3
Ouve-Wirquin 62 7 E 2
Ouveillan 11 321 E 4
Ouville 50 51 H 1
Ouville-la-Bien-Tournée 14 54 A 1
Ouville-la-Rivière 76 20 A 2
Ouville-l'Abbaye 76 19 H 4
Ouvrouer-
les-Champs 45 133 H 3
Ouzilly 86 169 F 4
Ouzilly-Vignolles 86 168 C 3
Ouzouer-
des-Champs 45 134 C 2
Ouzouer-le-Doyen 41 109 H 5
Ouzouer-le-Marché 41 132 C 2
Ouzouer-
sous-Bellegarde 45 112 A 5
Ouzouer-sur-Loire 45 134 B 3
Ouzouer-sur-Trézée 45 134 D 4
Ouzous 65 332 D 2
Ovanches 70 140 D 4
Ovillers-la-Boisselle 80 13 F 5
Oxelaëre 59 3 H 5
Oxocelhaya et Isturits
Grottes d' 64 311 F 4
Oyé 71 193 H 4
Oye-et-Pallet 25 180 C 3
Oye-Plage 62 3 E 3
Oyes 51 61 E 4
Oyeu 38 232 B 4
Oyonnax 01 196 C 5
Oyré 86 169 H 3
Oyrières 70 140 A 5
Oysonville 28 87 E 4
Oytier-Saint-Oblas 38 231 G 2
Oz 38 251 G 2
Ozan 01 195 F 3
Oze 05 269 E 4
Ozenay 71 195 E 2
Ozenx 64 313 F 2
Ozerailles 54 45 E 4
Ozeville 50 29 G 4
Ozières 52 117 G 2
Ozillac 17 219 H 4
Ozoir-la-Ferrière 77 59 E 4
Ozoir-le-Breuil 28 110 A 5
Ozolles 71 194 A 4
Ozon 07 249 E 2
Ozon 65 315 G 5
Ozouer-le-Repos 77 88 D 2
Ozouer-le-Voulgis 77 59 F 5
Ozourt 40 293 F 3

P

Paars 02 40 D 3
Pabu 22 73 E 5
La Pacaudière 42 211 F 1
Pacé 35 104 A 2
Pacé 61 83 F 3
Pact 38 231 G 5
Pacy-sur-Armançon 89 137 F 3
Pacy-sur-Eure 27 56 D 1
Padern 11 338 B 4
Padiès 81 280 B 5
Padirac 46 260 D 1
Padirac *Gouffre de* 46 260 D 1
Padoux 88 95 G 5
Pageas 87 223 E 1
Pagney 39 161 F 3
Pagney-derrière-Barine 54 65 F 5
Pagnoz 39 179 G 2
Pagny-la-Blanche-Côte 55 94 A 2
Pagny-la-Ville 21 178 B 1
Pagny-le-Château 21 178 B 1
Pagny-lès-Goin 57 65 H 2
Pagny-sur-Meuse 55 94 A 1
Pagny-sur-Moselle 54 65 G 2
Pagolle 64 311 H 5
Pailhac 65 333 H 3
Pailharès 07 248 C 3
Pailhères *Port de* 09 337 E 5
Pailherols 15 244 D 5
Pailhès 09 335 H 1
Pailhès 34 321 G 2
Paillart 60 22 C 4
Paillé 17 202 B 3
Paillencourt 59 14 B 3
Paillet 33 255 H 2
Pailloles 47 258 B 5
Le Pailly 52 139 H 3
Pailly 89 89 G 5
Paimbœuf 44 146 D 3
Paimpol 22 73 F 3
Paimpont 35 103 F 3
Pain de Sucre 14 53 F 2
Painblanc 21 159 F 5
Pair-et-Grandrupt 88 96 B 5
Pairis 68 120 C 2
Paissy 02 41 E 2
Paisy-Cosdon 10 114 B 2
Paizay-le-Chapt 79 202 C 2
Paizay-le-Sec 86 187 F 1
Paizay-le-Tort 79 202 C 1
Paizay-Naudouin 16 203 E 2
Pajay 38 231 H 5
le Pal *Parc d'attractions*
et animalier 03 192 D 2
Paladru 38 232 C 3

Palagaccio 2B ... 345 G 4
Palaggiu
Alignements de 2A ... 350 D 3
Palairac 11 ... 338 B 3
Le Palais 56 ... 144 B 4
Le Palais-sur-Vienne 87 ... 205 H 4
Palaiseau 91 ... 58 B 5
Palaiseul 52 ... 139 H 3
Palaja 11 ... 319 H 5
Palaminy 31 ... 317 E 5
Palante 70 ... 142 A 3
Palantine 25 ... 161 H 5
Palasca 2B ... 344 D 5
Palau-de-Cerdagne 66 ... 341 F 5
Palau-del-Vidre 66 ... 343 F 3
Palavas-les-Flots 34 ... 303 E 5
Palazinges 19 ... 242 D 2
Paley 77 ... 112 D 2
Paleyrac 24 ... 259 E 1
Palhers 48 ... 264 A 4
Palinges 71 ... 193 H 2
Pâlis 10 ... 90 B 5
Palise 25 ... 162 A 2
Palisse 19 ... 225 H 4
Palladuc 63 ... 210 D 4
Pallanne 32 ... 295 G 5
Palleau 71 ... 178 A 2
Pallegney 88 ... 95 F 5
Le Pallet 44 ... 148 A 5
Palleville 81 ... 319 E 2
La Pallice 17 ... 200 B 1
La Pallu 53 ... 82 D 3
Palluau 85 ... 165 G 3
Palluau-sur-Indre 36 ... 171 E 2
Palluaud 16 ... 221 F 5
Pallud 73 ... 234 A 1
Palluel 62 ... 14 A 2
Palmas d'Aveyron 12 ... 281 F 1
La Palme 11 ... 339 E 3
La Palmyre 17 ... 218 B 1
Palneca 2A ... 349 F 3
Palogneux 42 ... 229 F 1
Palombaggia *Plage de* 2A ... 351 G 3
La Palud-sur-Verdon 04 ... 307 H 2
Paluden 29 ... 70 C 4
Paluel 76 ... 19 F 2
Pamfou 77 ... 88 D 4
Pamiers 09 ... 336 B 1
Pampelonne 81 ... 279 H 4
Pamplie 79 ... 184 D 2
Pamproux 79 ... 185 G 3
Panassac 32 ... 316 A 3
Panazol 87 ... 205 H 5
Pancé 35 ... 104 B 5
Pancheraccia 2B ... 347 G 5
Pancy-Courtecon 02 ... 40 D 1
Pandrignes 19 ... 243 E 2
Pange 57 ... 66 B 1
Panges 21 ... 159 G 2
Panilleuse 27 ... 37 E 5
Panissage 38 ... 232 B 3
Panissières 42 ... 212 A 5
Panjas 32 ... 294 D 2
Panlatte 27 ... 56 A 4
Pannecé 44 ... 148 B 1
Pannecières 45 ... 87 F 5
Pannes 45 ... 112 B 4
Pannes 54 ... 65 E 3
Pannesière-Chaumard
Barrage de 58 ... 157 H 5
Pannessières 39 ... 179 F 5
Panon 72 ... 84 A 5
Panossas 38 ... 231 H 1
La Panouse 48 ... 264 D 2
Pansey 52 ... 93 F 3
Pantin 93 ... 58 C 3
Panzoult 37 ... 151 F 5
Papleux 02 ... 15 G 5
La Pâquelais 44 ... 147 F 2
Paradou 13 ... 304 C 3
Paramé 35 ... 50 C 5
Parassy 18 ... 155 F 4
Parata 2B ... 347 G 3
Parata *Pointe de la* 2A ... 348 B 4
Paray-Douaville 78 ... 86 D 4
Paray-le-Frésil 03 ... 192 C 1
Paray-le-Monial 71 ... 193 G 3
Paray-sous-Briailles 03 ... 192 B 5
Paray-Vieille-Poste 91 ... 58 C 5
Paraza 11 ... 320 D 4
Parbayse 64 ... 313 H 3
Parc-d'Anxtot 76 ... 19 E 5
Parçay-les-Pins 49 ... 150 D 2
Parçay-Meslay 37 ... 152 A 2
Parçay-sur-Vienne 37 ... 151 G 5
Parcé 35 ... 81 E 5
Parcé-sur-Sarthe 72 ... 129 F 2
Parcey 39 ... 179 E 1
Parcieux 01 ... 213 E 4
Parcoul-Chenaud 24 ... 239 E 2
Le Parcq 62 ... 7 E 5
Parcy-et-Tigny 02 ... 40 B 4
Pardailhan 34 ... 320 D 2
Pardaillan 47 ... 257 F 3
Pardies 64 ... 313 H 3
Pardies-Piétat 64 ... 314 B 5
Pardines 63 ... 227 H 3
Paréac 65 ... 333 E 1
Pareid 55 ... 64 D 1
Parempuyre 33 ... 237 F 4
Parennes 72 ... 107 E 3
Parent 63 ... 228 A 2
Parentignat 63 ... 228 A 3
Parentis-en-Born 40 ... 272 D 1
Parenty 62 ... 6 C 3
Parey-Saint-Césaire 54 ... 94 C 2
Parey-sous-Montfort 88 ... 94 C 5
Parfondeval 02 ... 25 H 3
Parfondeval 61 ... 84 B 3
Parfondru 02 ... 41 E 1
Parfondrupt 55 ... 44 D 5
Parfouru-l'Éclin 14 ... 32 D 5
Parfouru-sur-Odon 14 ... 33 E 5
Pargnan 02 ... 41 E 2
Pargny 80 ... 23 G 3
Pargny-Filain 02 ... 40 D 1
Pargny-la-Dhuys 02 ... 60 D 2
Pargny-les-Bois 02 ... 24 D 3
Pargny-lès-Reims 51 ... 41 F 4
Pargny-Resson 08 ... 42 B 1
Pargny-sous-Mureau 88 ... 93 H 4
Pargny-sur-Saulx 51 ... 63 E 4
Pargues 10 ... 115 F 4
Parignargues 30 ... 303 G 1
Parigné 35 ... 81 F 3
Parigné-le-Pôlin 72 ... 129 H 2
Parigné-l'Évêque 72 ... 108 A 5
Parigné-sur-Braye 53 ... 82 B 5
Parigny 42 ... 211 G 3
Parigny 50 ... 81 G 2
Parigny-la-Rose 58 ... 157 E 3
Parigny-les-Vaux 58 ... 174 C 1
Pariou *Puy de* 63 ... 209 G 5
Paris 75 ... 58 C 3
Paris-Charles-de-Gaulle
Aéroport 95 ... 58 D 1
Paris-l'Hôpital 71 ... 177 F 2
Paris-Orly *Aéroport de* 91 ... 58 C 5
Parisot 81 ... 298 D 2
Parisot 82 ... 279 E 2
Parlan 15 ... 261 G 1
Parleboscq 40 ... 274 D 5
Parly 89 ... 135 H 3
Parmain 95 ... 38 B 5
Parmilieu 38 ... 214 A 4
Parnac 36 ... 188 C 3
Parnac 46 ... 259 H 5
Parnans 26 ... 249 H 2
Parnay 18 ... 173 G 3
Parnay 49 ... 150 C 4
Parné-sur-Roc 53 ... 106 A 4
Parnes 60 ... 37 F 4
Parnot 52 ... 117 H 4
Les Paroches 55 ... 64 C 3
Parois 55 ... 43 G 5
Paron 89 ... 113 F 3
Paroy 25 ... 179 H 1
Paroy 77 ... 89 F 3
Paroy-en-Othe 89 ... 114 A 4
Paroy-sur-Saulx 52 ... 93 E 3
Paroy-sur-Tholon 89 ... 113 H 5
Parpeçay 36 ... 153 H 4
Parpeville 02 ... 24 C 3
Parranquet 47 ... 258 D 3
Parroy 54 ... 66 D 5
Pars-lès-Chavanges 10 ... 91 H 3
Pars-lès-Romilly 10 ... 90 B 3
Parsac 33 ... 238 D 5
Parsac-Rimondeix 23 ... 207 G 1
Parthenay 79 ... 168 A 5
Parthenay-de-Bretagne 35 ... 104 A 2
Partinello 2A ... 346 B 4
Parux 54 ... 96 B 2
Parves-et-Nattages 01 ... 214 D 5
Parville 27 ... 56 B 1
Parvillers-le-Quesnoy 80 ... 23 F 3
Parzac 16 ... 203 H 3
Les Pas 50 ... 51 G 5
Le Pas 53 ... 82 A 3
Pas-de-Jeu 79 ... 168 C 2
Pas de la Graille 04 ... 287 F 3
Pas de l'Echelle 74 ... 197 G 5
Pas de l'Ours 11 ... 336 D 4
Pas-des-Lanciers 13 ... 326 C 1
Pas-en-Artois 62 ... 13 E 4
Le Pas-Saint-l'Homer 61 ... 85 E 3
Pasciolo *Fort de* 2B ... 347 E 5
Pasilly 89 ... 137 F 4
Paslières 63 ... 210 C 4
Pasly 02 ... 40 B 2
Pasques 21 ... 159 H 2
Le Pasquier 39 ... 179 H 3
Passa 66 ... 343 E 3
Le Passage 38 ... 232 C 3
Le Passage 47 ... 276 B 3
Passais 61 ... 82 A 2
Passavant 25 ... 162 C 3
Passavant-en-Argonne 51 ... 63 F 1
Passavant-la-Rochère 70 ... 118 C 4
Passavant-sur-Layon 49 ... 149 H 5
Passay 44 ... 147 G 5
Passel 60 ... 23 G 5
Passenans 39 ... 179 F 4
Passin 01 ... 214 D 3
Passins 38 ... 232 B 1
Passirac 16 ... 220 D 5
Passonfontaine 25 ... 162 D 5
Passy 71 ... 194 C 2
Passy 74 ... 216 C 3
Passy 89 ... 113 G 3
Passy-en-Valois 02 ... 40 A 5
Passy-Grigny 51 ... 41 E 5
Passy-sur-Marne 02 ... 60 D 1
Passy-sur-Seine 77 ... 89 G 4
Pastricciola 2A ... 348 D 1
Patay 45 ... 110 C 4
Patornay 39 ... 196 D 1
Patrimonio 2B ... 345 F 4
Pau 64 ... 314 B 5
Paucourt 45 ... 112 C 4
Paudy 36 ... 172 B 1
Paugnat 63 ... 209 G 4
Pauilhac 32 ... 296 B 1
Pauillac 33 ... 237 E 1
Paule 22 ... 77 E 4
Paulhac 15 ... 245 F 4
Paulhac 31 ... 298 A 3
Paulhac 43 ... 246 B 1
Paulhac-en-Margeride 48 ... 246 B 5
Paulhaguet 43 ... 246 C 2
Paulhan 34 ... 302 A 5
Paulhe 12 ... 281 H 3
Paulhenc 15 ... 245 F 5
Paulhiac 47 ... 258 D 4
Pauliac *Puy de* 19 ... 242 D 2
Pauligne 11 ... 337 F 1
Paulin 24 ... 241 H 4
La Pauline 83 ... 328 B 4
Paulinet 81 ... 300 A 2
Paulmy 37 ... 170 A 2
Paulnay 36 ... 170 D 3
Paulx 44 ... 165 F 1
Paunat 24 ... 240 D 5
Pause *Col de* 09 ... 335 F 5
Paussac-et-Saint-Vivien 24 ... 222 B 5
Pautaines-Augeville 52 ... 93 F 4
Pauvres 08 ... 42 B 2
Pavant 02 ... 60 B 2
Pavezin 42 ... 230 D 4
Pavie 32 ... 296 B 4
Pavillon *Col du* 69 ... 212 A 2
Le Pavillon-Sainte-Julie 10 ... 90 C 4
Les Pavillons-sous-Bois 93 ... 58 D 3
Pavilly 76 ... 20 A 5
Pavin *Lac* 63 ... 227 F 3
Payns 10 ... 90 D 4
Payra-sur-l'Hers 11 ... 318 D 4
Payrac 46 ... 260 B 1
Payré 86 ... 186 A 4
Payrignac 46 ... 259 H 2
Payrin-Augmontel 81 ... 319 H 2
Payros-Cazautets 40 ... 294 B 4
Payroux 86 ... 186 C 5
Payssous 31 ... 334 B 2
Payzac 07 ... 265 H 5
Payzac 24 ... 223 G 5
Pazayac 24 ... 241 H 3
Paziols 11 ... 338 C 4
Pazy 58 ... 157 G 4
Le Péage 38 ... 231 G 2
Le Péage-de-Roussillon 38 ... 231 E 5
Péas 51 ... 61 E 4
Peaugres 07 ... 249 E 1
Péaule 56 ... 125 E 4
Péault 85 ... 183 E 2
Pébées 32 ... 317 E 2
Pébrac 43 ... 246 C 4
Pech 09 ... 336 B 5
Pech-Luna 11 ... 318 D 5
Pech Merle *Grotte du* 46 ... 260 C 4
Péchabou 31 ... 318 A 2
Pécharic-et-le-Py 11 ... 318 D 5
Péchaudier 81 ... 299 E 5
Pechbonnieu 31 ... 298 A 3
Pechbusque 31 ... 298 A 5
Le Pêchereau 36 ... 188 D 1
Pécorade 40 ... 294 B 4
Le Pecq 78 ... 58 A 3
Pecquencourt 59 ... 9 E 5
Pecqueuse 91 ... 87 F 2
Pécy 77 ... 59 H 5
Pédernec 22 ... 72 D 5
Pégairolles-de-Buèges 34 ... 302 B 2
Pégairolles-
de-l'Escalette 34 ... 301 H 2
Pégomas 06 ... 309 E 4
Le Pègue 26 ... 267 G 5
Péguilhan 31 ... 316 C 4
Peigney 52 ... 139 G 2
Peillac 56 ... 125 G 3
Peille 06 ... 291 G 5
Peillon 06 ... 291 F 5
Peillonnex 74 ... 216 A 1
Peintre 39 ... 161 E 4
Les Peintures 33 ... 238 D 3
Peipin 04 ... 287 G 3
Peïra-Cava 06 ... 291 F 4
Peisey-Nancroix 73 ... 234 D 2
Pel-et-Der 10 ... 91 G 4
Pélissanne 13 ... 305 F 4
Pellafol 38 ... 269 F 1
Pelleautier 05 ... 269 G 4
Pellefigue 32 ... 316 C 2
Pellegrue 33 ... 257 E 2
Pelleport 31 ... 297 F 3
Pellerey 21 ... 159 G 1
Le Pellerin 44 ... 147 F 4
La Pellerine 49 ... 150 D 1
La Pellerine 53 ... 81 G 5
Pellevoisin 36 ... 171 F 2
Pellouailles-les-Vignes 49 ... 149 H 1
Pelonne 26 ... 268 B 5
Pelouse 48 ... 264 D 4
Pelousey 25 ... 161 H 3
Peltre 57 ... 65 H 1
Pélussin 42 ... 230 D 4
Pelves 62 ... 13 H 2
Pelvoux 05 ... 252 C 5
Pelvoux *Belvédère du* 05 ... 252 C 5
Pen-Guen 22 ... 50 A 5
Pen-Lan *Pointe de* 56 ... 124 D 5
Penchard 77 ... 59 G 2
Pencran 29 ... 75 G 2
Pendé 80 ... 11 E 3
Pendu *Col du* 07 ... 265 G 3
Pénestin 56 ... 124 D 5
Penguily 22 ... 78 D 4
Penhir *Pointe de* 29 ... 74 D 4
Penhors 29 ... 99 E 3
Penin 62 ... 13 E 2
Penly 76 ... 10 C 5
Penmarch 29 ... 99 F 5
Pennautier 11 ... 319 H 5
La Penne 06 ... 289 G 5
Penne 81 ... 278 D 4
Penne-d'Agenais 47 ... 276 D 1
La Penne-
sur-Huveaune 13 ... 327 F 3
La Penne-sur-l'Ouvèze 26 ... 286 A 2
Pennedepie 14 ... 34 C 2
Pennes-le-Sec 26 ... 268 A 3
Les Pennes-Mirabeau 13 ... 326 D 1
Pennesières 70 ... 162 A 1
Penol 38 ... 231 H 4
Pensol 87 ... 222 D 2
Penta-Acquatella 2B ... 347 G 2
Penta-di-Casinca 2B ... 347 G 2
Penthièvre 56 ... 123 H 4
Pentrez-Plage 29 ... 75 F 4
Penvénan 22 ... 72 D 2
Penvins *Pointe de* 56 ... 124 C 5
Péone 06 ... 289 F 3
Pépieux 11 ... 320 C 4
Pérassay 36 ... 189 H 3
Peray 72 ... 108 A 2
Perceneige 89 ... 89 H 5
Percey 89 ... 114 C 5
Percey-le-Grand 70 ... 139 H 5
Percey-le-Pautel 52 ... 139 G 3
Percey-
sous-Montormentier 52 ... 139 G 5
Le Perchay 95 ... 37 H 5
La Perche 18 ... 190 D 1
Perchède 32 ... 294 D 2
Le Percy 38 ... 268 D 1
Percy-en-Auge 14 ... 54 A 1
Percy-en-Normandie 50 ... 52 A 2
Perdreauville 78 ... 57 F 2
Perdrix *Crêt de la* 42 ... 230 C 5
Péré 17 ... 201 E 1
Péré 65 ... 333 G 1
Péréandre *Roche* 07 ... 248 D 1
Péreille 09 ... 336 C 3
Perelli 2B ... 347 G 4
Pérenchies 59 ... 8 C 2
Péret 34 ... 301 H 5
Péret-Bel-Air 19 ... 225 F 4
Péreuil 16 ... 220 D 3
Péreyres 07 ... 266 A 1
Pergain-Taillac 32 ... 276 B 4
Peri 2A ... 348 D 2
Le Périer 38 ... 251 F 4
Périers 50 ... 31 G 4
Périers-en-Auge 14 ... 34 A 3
Périers-sur-le-Dan 14 ... 33 G 3
Pérignac 16 ... 221 E 4
Pérignac 17 ... 219 H 2
Pérignat-lès-Sarliève 63 ... 227 H 1
Pérignat-sur-Allier 63 ... 228 A 1
Périgné 79 ... 202 C 1
Périgneux 42 ... 229 H 4
Périgny 03 ... 192 C 5
Périgny 14 ... 53 E 2
Périgny 17 ... 200 C 1
Périgny 41 ... 131 H 4
Périgny 94 ... 58 D 5
Périgny-la-Rose 10 ... 90 A 3
Périgueux 24 ... 240 C 2
Périllos 66 ... 338 D 3
Périssac 33 ... 238 B 3
Perles 02 ... 40 D 3
Perles-et-Castelet 09 ... 336 C 5
Pern 46 ... 277 H 1
Pernand-Vergelesses 21 ... 177 H 1
Pernant 02 ... 40 A 2
Pernay 37 ... 151 G 2
La Pernelle 50 ... 29 G 3
Pernes 62 ... 7 G 4
Pernes-lès-Boulogne 62 ... 2 B 5
Pernes-les-Fontaines 84 ... 285 H 5
Pernois 80 ... 12 C 5
Pero *Plage de* 2A ... 348 A 1
Pero-Casevecchie 2B ... 347 G 3
Pérols 34 ... 303 E 5
Pérols-sur-Vézère 19 ... 225 F 3
Péron 01 ... 197 E 5
Péronnas 01 ... 213 H 1
Péronne 71 ... 195 E 3
Péronne 80 ... 23 G 1
Péronne-en-Mélantois 59 ... 9 E 3
Péronville 28 ... 110 B 4
Pérouges 01 ... 213 H 4
La Pérouille 36 ... 171 F 5
Pérouse 90 ... 142 C 3
Pérouse *Rocher de la* 89 ... 158 A 3
Péroy-les-Gombries 60 ... 39 F 5
Perpezac-le-Blanc 19 ... 241 H 2
Perpezac-le-Noir 19 ... 224 C 5
Perpezat 63 ... 227 E 1
Perpignan 66 ... 343 F 2
Les Perques 50 ... 29 E 5
Perquie 40 ... 294 C 1
Perrancey-
les-Vieux-Moulins 52 ... 139 G 2
Le Perray-en-Yvelines 78 ... 57 G 5
Perrecy-les-Forges 71 ... 193 H 1
La Perrena 39 ... 180 A 5
Le Perréon 69 ... 212 C 2
Perret 22 ... 77 G 5
Perreuil 71 ... 177 F 4
Perreuse 89 ... 156 C 1
Perreux 42 ... 211 H 2
Perreux 89 ... 135 G 2
Le Perreux-sur-Marne 94 ... 58 D 3
Perrex 01 ... 195 F 5
Perrier 63 ... 227 H 3
Le Perrier 85 ... 164 D 3
La Perrière 61 ... 84 B 4
La Perrière 73 ... 234 C 3
Perrières 14 ... 54 A 2
Perriers-en-Beauficel 50 ... 52 B 4
Perriers-la-Campagne 27 ... 35 G 5
Perriers-sur-Andelle 27 ... 36 D 2
Perrignier 74 ... 198 A 4
Perrigny 39 ... 179 F 5
Perrigny 89 ... 136 B 3
Perrigny-lès-Dijon 21 ... 160 A 4
Perrigny-sur-Armançon 89 ... 137 G 4
Perrigny-sur-l'Ognon 21 ... 160 D 3
Perrigny-sur-Loire 71 ... 193 E 2
Perrogney 52 ... 139 F 2
Le Perron 50 ... 32 C 5
Perros-Guirec 22 ... 72 C 2
Perrou 61 ... 82 B 2
Perrouse 70 ... 162 A 2
Perroy 58 ... 156 C 2
Perruel 27 ... 36 D 2
Perrusse 52 ... 117 G 3
Perrusson 37 ... 170 C 1
Pers 15 ... 243 H 5
Pers 79 ... 185 H 5
Pers-en-Gâtinais 45 ... 112 D 3
Pers-Jussy 74 ... 215 H 1
Persac 86 ... 187 E 4
Persan 95 ... 38 B 5
Perse *Église de* 12 ... 263 E 4
Persquen 56 ... 101 G 3
Pertain 80 ... 23 G 3
Perthes 08 ... 42 A 1
Perthes 52 ... 63 E 5
Perthes 77 ... 88 A 3
Perthes-lès-Brienne 10 ... 91 H 4
Pertheville-Ners 14 ... 54 A 3
Le Perthus 66 ... 343 E 4
Le Pertre 35 ... 105 G 4
Le Pertuis 43 ... 247 G 3
Pertuis 84 ... 306 A 3
Pertuis *Col du* 63 ... 210 D 5
Le Pertuiset 42 ... 230 A 4
Perty *Col de* 26 ... 286 C 1
La Péruse 16 ... 204 B 4
La Pérusse 04 ... 287 H 3
Pervenchères 61 ... 84 B 4
Perville 82 ... 276 D 3
Pescadoires 46 ... 259 F 5
Peschadoires 63 ... 210 C 5
Le Pescher 19 ... 242 D 3
Péseux 25 ... 163 F 2
Peseux 39 ... 178 D 1
Peslières 63 ... 228 C 4
Pesmes 70 ... 161 E 3
Pessac 33 ... 255 F 1
Pessac-sur-Dordogne 33 ... 257 E 1
Pessan 32 ... 296 B 4
Pessans 25 ... 161 H 5
Pessat-Villeneuve 63 ... 209 H 4
La Pesse 39 ... 197 E 4
Pessines 17 ... 201 F 5
Pessoulens 32 ... 296 D 2
Pesteils *Château de* 15 ... 244 D 5
Petersbach 67 ... 68 A 3
Le Petit-Abergement 01 ... 214 C 2
Petit-Appeville 76 ... 10 A 5
Petit-Auverné 44 ... 127 F 4
Petit Ballon 68 ... 120 C 4
Petit-Bersac 24 ... 239 F 1
Le Petit-Bornand-
les-Glières 74 ... 216 A 2
Le Petit-Celland 50 ... 52 A 4
Petit-Cœur 73 ... 234 B 2
Petit-Couronne 76 ... 36 A 2
Petit-Croix 90 ... 142 D 3
Le Petit Drumont 88 ... 120 B 5
Petit-Ébersviller 57 ... 67 E 1
Petit-Failly 54 ... 44 C 2
Petit-Fayt 59 ... 15 F 4
Petit-Fort-Philippe 59 ... 3 E 2
Le Petit-Fougeray 35 ... 104 B 5
Petit-Landau 68 ... 143 H 1
Petit-Mars 44 ... 147 H 2
Le Petit-Mercey 39 ... 161 G 4
Petit-Mesnil 10 ... 91 H 5
Petit Minou *Pointe du* 29 ... 74 D 3
Petit-Noir 39 ... 178 D 2
Petit-Palais-
et-Cornemps 33 ... 238 D 4
Le Petit-Pressigny 37 ... 170 B 3
Le Petit-Quevilly 76 ... 36 A 2
Petit-Réderching 57 ... 68 A 1
Petit Saint-Bernard
Col du 73 ... 217 E 5
Petit-Tenquin 57 ... 67 F 2
Petit-Verly 02 ... 24 C 1
Petit-Xivry 54 ... 44 C 2
La Petite-Boissière 79 ... 167 E 3
Petite-Chaux 25 ... 180 B 5
Petite-Forêt 59 ... 9 G 5
La Petite-Fosse 88 ... 96 C 4
La Petite-Marche 03 ... 208 D 1
La Petite-Pierre 67 ... 68 A 3
La Petite-Raon 88 ... 96 B 3
Petite-Rosselle 57 ... 47 F 4
Petite-Synthe 59 ... 3 G 2
La Petite-Verrière 71 ... 176 C 1
Petitefontaine 90 ... 142 D 2
Les Petites-Armoises 08 ... 43 E 1
Les Petites-Dalles 76 ... 19 F 2
Les Petites-Loges 51 ... 42 A 5
Petitmagny 90 ... 142 C 2
Petitmont 54 ... 96 B 1
Les Petits-Robins 26 ... 267 E 1
Petiville 14 ... 33 H 4

Petiville 76 ... 35 F 1
Petosse 85 ... 183 H 2
Petreto-Bicchisano 2A ... 348 D 5
Pettoncourt 57 ... 66 C 4
Pettonville 54 ... 95 H 2
Peujard 33 ... 237 H 3
Peumerit 29 ... 99 F 3
Peumerit-Quintin 22 ... 77 F 3
Peuplingues 62 ... 2 C 3
Peuton 53 ... 128 A 2
Peuvillers 55 ... 44 B 3
Peux-et-Couffouleux 12 ... 300 D 3
Pévange 57 ... 66 D 3
Pévy 51 ... 41 F 3
Pexiora 11 ... 319 E 4
Pexonne 54 ... 96 A 2
Pey 40 ... 292 C 4
Peymeinade 06 ... 308 D 3
Peynier 13 ... 327 G 1
Peypin 13 ... 327 F 1
Peypin-d'Aigues 84 ... 306 B 2
Peyrabout 23 ... 207 E 2
La Peyrade 34 ... 323 E 3
Le Peyrat 09 ... 336 D 3
Peyrat-de-Bellac 87 ... 205 F 1
Peyrat-la-Nonière 23 ... 207 H 2
Peyrat-le-Château 87 ... 206 D 5
La Peyratte 79 ... 168 B 5
Peyraube 65 ... 315 G 5
Peyraud 07 ... 231 E 5
Peyre 40 ... 293 H 5
Peyre-Haute *Table d'orientation de* 05 ... 270 D 2
Peyrecave 32 ... 276 D 5
Peyrefitte-du-Razès 11 ... 337 E 2
Peyrefitte-sur-l'Hers 11 ... 318 D 5
Peyregoux 81 ... 299 G 4
Peyrehorade 40 ... 292 D 5
Peyreleau 12 ... 282 A 3
Peyrelevade 19 ... 225 G 1
Peyrelongue-Abos 64 ... 314 D 2
Peyremale 30 ... 283 H 2
Peyrens 11 ... 319 E 3
Peyrepertuse *Château de* 11 ... 338 B 4
Peyresourde 65 ... 333 H 4
Peyresourde *Col de* 31 ... 333 H 4
Peyrestortes 66 ... 338 D 5
Peyret-Saint-André 65 ... 316 A 4
Peyriac-de-Mer 11 ... 339 E 1
Peyriac-Minervois 11 ... 320 B 4
Peyriat 01 ... 214 B 1
Peyrière 47 ... 257 G 4
Peyrieu 01 ... 232 D 1
Peyrignac 24 ... 241 G 2
Peyriguère 65 ... 315 G 4
Peyrilhac 87 ... 205 F 3
Peyrillac-et-Millac 24 ... 241 H 5
Peyrilles 46 ... 259 H 3
Peyrins 26 ... 249 G 3
Peyrissac 19 ... 224 D 3
Peyrissas 31 ... 316 D 4
Peyro-Clabado *Rocher* 81 ... 299 H 4
Peyrol *Pas de* 15 ... 244 D 3
Peyrole 81 ... 298 D 2
Peyrolles 11 ... 337 H 3
Peyrolles 30 ... 283 F 4
Peyrolles-en-Provence 13 ... 306 B 4
Peyroules 04 ... 308 B 1
Peyrouse 65 ... 332 D 1
Peyrouzet 31 ... 316 D 5
Peyruis 04 ... 287 G 4
Peyrun 65 ... 315 F 3
Peyrus 26 ... 249 H 5
Peyrusse 15 ... 245 G 2
Peyrusse-Grande 32 ... 295 G 5
Peyrusse-le-Roc 12 ... 261 G 5
Peyrusse-Massas 32 ... 296 A 3
Peyrusse-Vieille 32 ... 295 F 4
Peyssies 31 ... 317 F 4
Peyzac-le-Moustier 24 ... 241 F 4
Peyzieux-sur-Saône 01 ... 213 E 1
Pézarches 77 ... 59 H 4
Pezé-le-Robert 72 ... 107 F 2
Pézenas 34 ... 322 C 3
Pézènes-les-Mines 34 ... 301 G 5
Pezens 11 ... 319 G 4
Pézilla-de-Conflent 66 ... 338 A 5
Pézilla-la-Rivière 66 ... 342 D 2
Pezou 41 ... 131 H 2
Pezuls 24 ... 240 D 5
Pézy 28 ... 86 B 5
Pfaffenheim 68 ... 121 E 4
Pfaffenhoffen 67 ... 68 C 3
Pfalzweyer 67 ... 68 A 4
Pfastatt 68 ... 143 F 1
Pfetterhouse 68 ... 143 E 4
Pfettisheim 67 ... 68 D 5
Pfulgriesheim 67 ... 68 D 5
Phaffans 90 ... 142 C 2
Phalempin 59 ... 8 D 4
Phalsbourg 57 ... 68 A 4
Philippsbourg 57 ... 68 C 1
Philondenx 40 ... 294 A 5
Phlin 54 ... 66 B 3
Pia 66 ... 339 E 5
Piacé 72 ... 107 G 2
Le Pian-Médoc 33 ... 237 F 4
Le Pian-sur-Garonne 33 ... 256 B 3
Piana 2A ... 346 A 5
Pianella *Pont de* 2A ... 346 B 5
Pianello 2B ... 347 G 4
Piano 2B ... 347 G 3
Pianottoli-Caldarello 2A ... 351 E 3
Les Piards 39 ... 197 E 2
La Piarre 05 ... 268 D 4
Piau-Engaly 65 ... 333 F 4
Piazzali 2B ... 347 G 4
Piazzole 2B ... 347 G 3
Piblange 57 ... 46 B 4
Pibrac 31 ... 297 G 4
Picarreau 39 ... 179 G 4
Picarrou 31 ... 318 B 4
Picauville 50 ... 31 H 2
Pichanges 21 ... 160 B 1
Picherande 63 ... 227 E 4
Picquigny 80 ... 22 A 1
Pie-d'Orezza 2B ... 347 G 3
Pied-de-Borne 48 ... 265 G 5
Pied-la-Viste *Table d'orientation de* 05 ... 270 D 2
Piedicorte-di-Gaggio 2B ... 347 G 5
Piedicroce 2B ... 347 G 3
Piedigriggio 2B ... 347 E 3
Piedipartino 2B ... 347 G 3
Piégon 26 ... 285 H 1
Piégros-la-Clastre 26 ... 267 H 2
Piégut 04 ... 269 H 4
Piégut-Pluviers 24 ... 222 C 2
Piémanson *Plage de* 13 ... 325 F 4
Piencourt 27 ... 35 E 5
Piennes 54 ... 45 E 4
Piennes 80 ... 23 E 5
Piépape 52 ... 139 G 3
Pierlas 06 ... 289 G 4
La Pierre 38 ... 233 F 5
Pierre-Bénite 69 ... 231 E 1
Pierre-Buffière 87 ... 223 H 1
Pierre-Carrée *Col de la* 74 ... 216 C 2
Pierre-Châtel 38 ... 251 E 4
La Pierre Couverte *Dolmen de* 49 ... 129 G 5
Pierre d'Avenon 83 ... 329 E 4
Pierre-de-Bresse 71 ... 178 C 3
Pierre Frite *Menhir de* 49 ... 127 F 3
Pierre-Gourde *Château de* 07 ... 249 E 5
Pierre-la-Treiche 54 ... 94 B 1
Pierre-Levée 77 ... 59 H 3
Pierre-Morains 51 ... 61 G 3
Pierre-Percée 54 ... 96 B 2
Pierre-Perthuis 89 ... 157 H 2
La Pierre Plantée 48 ... 264 D 4
Pierre-Plantée *Col de la* 48 ... 264 D 3
Pierre-qui-Vire *Abbaye de la* 89 ... 158 B 3
Pierreclos *Château de* 71 ... 194 D 4
Pierrecourt 70 ... 140 A 4
Pierrecourt 76 ... 21 F 2
Pierrefaites 52 ... 140 B 2
Pierrefeu 06 ... 309 F 1
Pierrefeu-du-Var 83 ... 328 C 3
Pierrefiche 12 ... 263 G 5
Pierrefiche 48 ... 265 E 2
Pierrefiques 76 ... 18 D 4
Pierrefitte 19 ... 224 C 4
Pierrefitte 23 ... 207 H 1
Pierrefitte 79 ... 168 A 3
Pierrefitte 88 ... 118 D 2
Pierrefitte-en-Auge 14 ... 34 C 3
Pierrefitte-en-Beauvaisis 60 ... 37 H 1
Pierrefitte-en-Cinglais 14 ... 53 G 2
Pierrefitte-ès-Bois 45 ... 155 H 1
Pierrefitte-Nestalas 65 ... 332 D 2
Pierrefitte-sur-Aire 55 ... 64 B 3
Pierrefitte-sur-Loire 03 ... 193 E 2
Pierrefitte-sur-Sauldre 41 ... 154 C 1
Pierrefitte-sur-Seine 93 ... 58 C 2
Pierrefonds 60 ... 39 G 3
Pierrefontaine-lès-Blamont 25 ... 163 G 2
Pierrefontaine-les-Varans 25 ... 163 E 4
Pierrefontaines 52 ... 139 F 3
Pierrefort 15 ... 245 F 5
Pierregot 80 ... 12 D 5
Pierrelatte 26 ... 285 E 1
Pierrelaye 95 ... 58 A 1
Pierrelongue 26 ... 286 A 2
Pierremande 02 ... 24 A 5
Pierremont 62 ... 7 F 5
Pierrepont 02 ... 25 E 4
Pierrepont 14 ... 53 G 2
Pierrepont 54 ... 44 D 2
Pierrepont-sur-Avre 80 ... 22 D 4
Pierrepont-sur-l'Arentèle 88 ... 95 H 5
Pierrerue 04 ... 287 F 5
Pierrerue 34 ... 321 E 2
Pierres 14 ... 52 D 3
Pierres 28 ... 86 B 2
Pierreval 76 ... 20 C 5
Pierrevert 04 ... 306 C 2
Pierreville 50 ... 28 D 5
Pierreville 54 ... 94 D 2
Pierrevillers 57 ... 45 G 4
Pierric 44 ... 126 B 3
Pierry 51 ... 61 F 1
Pietra-di-Verde 2B ... 347 G 4
Pietracorbara 2B ... 345 G 3
Pietralba 2B ... 347 E 2
Pietranera 2B ... 345 G 4
Pietraserena 2B ... 347 G 5
Pietricaggio 2B ... 347 G 4
Pietrosella 2A ... 348 C 4
Pietroso 2B ... 349 F 1
Piets-Plasence-Moustrou 64 ... 294 A 5
Pieusse 11 ... 337 G 1
Les Pieux 50 ... 28 D 4
Piève 2B ... 345 F 5
Piffonds 89 ... 113 F 4
Le Pigeon 46 ... 242 B 5
Pigeonnier *Col du* 67 ... 69 E 1
Pigerolles 23 ... 207 G 5
Pigna 2B ... 344 C 5
Pignan 34 ... 302 C 5
Pignans 83 ... 328 C 2
Pignicourt 02 ... 41 G 2
Pignols 63 ... 228 A 2
Pigny 18 ... 155 F 5
Pihem 62 ... 7 F 2
Pihen-lès-Guînes 62 ... 2 C 4
Pila-Canale 2A ... 348 D 4
Pilat *Mont* 42 ... 230 C 4
Pilat-Plage 33 ... 254 B 3
Le Pilhon 26 ... 268 D 3
Pillac 16 ... 221 F 5
Pillemoine 39 ... 179 H 5
Les Pilles 26 ... 285 H 1
Pillon 55 ... 44 C 3
Pimbo 40 ... 294 B 5
Pimelles 89 ... 137 G 2
Pimorin 39 ... 196 B 2
Pimprez 60 ... 39 G 1
Le Pin 03 ... 193 F 3
Le Pin 14 ... 34 D 4
Le Pin 17 ... 220 B 5
Le Pin 30 ... 284 C 4
Le Pin 38 ... 232 C 3
Le Pin 39 ... 179 E 5
Le Pin 44 ... 127 F 5
Pin 70 ... 161 G 3
Le Pin 77 ... 59 E 3
Le Pin 79 ... 167 F 3
Le Pin 82 ... 277 E 5
Pin *Haras du* 61 ... 54 C 4
Le Pin-au-Haras 61 ... 54 C 4
Pin-Balma 31 ... 298 A 4
Le Pin-en-Mauges 49 ... 148 D 4
Le Pin-la-Garenne 61 ... 84 B 4
Pin-Moriès 48 ... 264 A 5
Le Pin-Murelet 31 ... 317 E 3
Pinarellu 2A ... 349 G 5
Pinas 65 ... 333 H 1
Pinay 42 ... 211 H 4
Pincé 72 ... 128 D 3
Pinçon *Mont* 14 ... 53 E 1
Pindères 47 ... 274 D 2
Pindray 86 ... 187 F 2
Les Pineaux 85 ... 183 F 1
Pinel-Hauterive 47 ... 258 B 5
Pinet 34 ... 322 C 4
Pineuilh 33 ... 257 F 1
Piney 10 ... 91 G 4
Pino 2B ... 345 F 2
Pinols 43 ... 246 B 3
Pinon 02 ... 40 C 1
Les Pins 16 ... 203 H 5
Pins-Justaret 31 ... 317 H 2
Pinsac 46 ... 260 B 1
Pinsaguel 31 ... 317 H 2
Pinsot 38 ... 233 G 4
Pintac 65 ... 315 E 4
Pinterville 27 ... 36 B 4
Pintheville 55 ... 64 D 1
Les Pinthières 28 ... 57 E 5
Piobetta 2B ... 347 G 4
Pioggiola 2B ... 346 D 2
Piolenc 84 ... 285 E 3
Pionnat 23 ... 207 F 1
Pionsat 63 ... 208 D 2
Pioussay 79 ... 203 E 2
Pipriac 35 ... 126 A 2
Piquecos 82 ... 277 H 4
Pirajoux 01 ... 196 A 3
Piré-sur-Seiche 35 ... 104 D 4
Pirey 25 ... 161 H 3
Piriac-sur-Mer 44 ... 145 G 3
Pirmil 72 ... 107 F 5
Pirou 50 ... 31 F 4
Pis 32 ... 296 C 2
Pisany 17 ... 219 E 1
Piscop 95 ... 58 C 1
Piseux 27 ... 56 A 4
Pisieu 38 ... 231 G 4
Pisse *Cascade de la* 38 ... 251 H 3
Pisseleu 60 ... 38 A 1
Pisseleux 02 ... 39 H 4
Pisseloup 52 ... 140 B 2
La Pisseure 70 ... 141 F 2
Pissos 40 ... 273 F 1
Pissotte 85 ... 184 B 2
Pissy 80 ... 22 A 2
Pissy-Pôville 76 ... 36 A 1
Pisy 89 ... 158 B 1
Pitgam 59 ... 3 G 3
Pithiviers 45 ... 111 G 3
Pithiviers-le-Vieil 45 ... 111 G 3
Pithon 02 ... 23 H 3
Pîtres 27 ... 36 C 3
Pittefaux 62 ... 2 B 5
Pizançon 26 ... 249 G 3
Pizay 01 ... 213 G 4
Pizieux 72 ... 84 A 5
Le Pizou 24 ... 239 E 4
Le Pla 09 ... 337 F 5
Pla-d'Adet 65 ... 333 G 4
Plabennec 29 ... 70 D 5
Placé 53 ... 82 A 5
Les Places 27 ... 35 E 5
La Placette *Col de* 38 ... 232 D 5
Placey 25 ... 161 G 3
Plachy-Buyon 80 ... 22 B 2
Placy 14 ... 53 G 1
Placy-Montaigu 50 ... 52 C 1
Le Plagnal 07 ... 265 G 2
Plagne 01 ... 196 D 5
Plagne 31 ... 317 E 5
La Plagne 73 ... 234 D 2
Plagnole 31 ... 317 E 3
Plagny 58 ... 174 C 2
Plaigne 11 ... 318 C 5
Plailly 60 ... 39 E 5
Plaimbois-du-Miroir 25 ... 163 E 4
Plaimbois-Vennes 25 ... 163 E 4
Plaimpied-Givaudins 18 ... 173 F 2
La Plaine 49 ... 167 F 1
Plaine 67 ... 96 C 3
Plaine-de-Walsch 57 ... 67 H 5
Plaine-Haute 22 ... 78 A 3
Plaine-Joux 74 ... 216 D 2
La Plaine-sur-Mer 44 ... 146 B 4
Plainemont 70 ... 141 F 2
Plaines-Saint-Lange 10 ... 115 H 5
Plainfaing 88 ... 120 C 2
Plainoiseau 39 ... 179 E 4
Plainpalais *Col de* 73 ... 233 F 1
Les Plains-et-Grands-Essarts 25 ... 163 G 2
Plaintel 22 ... 78 B 4
Plainval 60 ... 38 C 1
Plainville 27 ... 35 E 5
Plainville 60 ... 22 D 5
Plaisance 12 ... 300 A 1
Plaisance 24 ... 258 B 2
Plaisance 32 ... 295 E 4
Plaisance 34 ... 301 E 4
Plaisance 86 ... 187 F 4
Plaisance-du-Touch 31 ... 297 G 5
Plaisia 39 ... 196 C 1
Plaisians 26 ... 286 B 2
Plaisir 78 ... 57 H 4
Plaisir Fontaine *Grotte de* 25 ... 162 B 5
Plaissan 34 ... 302 A 5
Plaizac 16 ... 202 D 5
Plampinet 05 ... 252 D 3
Le Plan 31 ... 317 F 5
Plan 38 ... 232 B 5
Plan-d'Aups 83 ... 327 G 2
Plan-de-Baix 26 ... 267 H 1
Plan-de-Campagne 13 ... 326 D 1
Plan-de-Cuques 13 ... 327 E 2
Le Plan-de-Grasse 06 ... 309 E 3
Le Plan-de-la-Tour 83 ... 329 F 2
Plan-d'Orgon 13 ... 305 E 2
Plan-du-Var 06 ... 291 E 5
Planaise 73 ... 233 G 3
Planay 21 ... 137 H 3
Planay 73 ... 234 D 3
La Planche 44 ... 165 H 1
Plancher-Bas 70 ... 142 B 2
Plancher-les-Mines 70 ... 142 B 1
Plancherine 73 ... 234 A 1
Les Planches 27 ... 36 B 5
Planches 61 ... 54 D 5
Les Planches-en-Montagne 39 ... 180 A 5
Les Planches-près-Arbois 39 ... 179 G 3
Planchez 58 ... 158 A 5
Plancoët 22 ... 79 F 3
Plancy-l'Abbaye 10 ... 90 D 2
La Planée 25 ... 180 C 3
Planès 66 ... 341 G 4
Planèzes 66 ... 338 B 5
Planfoy 42 ... 230 B 5
Planguenoual 22 ... 78 C 3
Planioles 46 ... 261 F 3
Le Planois 71 ... 178 D 4
Le Planquay 27 ... 35 E 5
Planquery 14 ... 32 D 4
Planques 62 ... 7 E 4
Las Planques *Église de* 81 ... 279 H 4
Planrupt 52 ... 92 B 3
Les Plans 30 ... 284 A 3
Les Plans 34 ... 301 G 3
Le Plantay 01 ... 213 G 2
Les Plantiers 30 ... 283 E 4
Le Plantis 61 ... 84 A 2
Planty 10 ... 114 A 2
Planzolles 07 ... 265 H 5
Plappeville 57 ... 45 G 5
Plascassier 06 ... 309 E 3
Plasne 39 ... 179 F 3
Plasnes 27 ... 35 F 5
Plassac 17 ... 219 G 3
Plassac 33 ... 237 F 2
Plassac-Rouffiac 16 ... 221 E 3
Plassay 17 ... 201 F 4
Plateau-d'Assy 74 ... 216 D 3
Plats 07 ... 249 E 4
Plaudren 56 ... 124 C 2
Plauzat 63 ... 227 H 2
Plavilla 11 ... 336 D 1
Plazac 24 ... 241 F 4
Pleaux 15 ... 243 H 3
Pléboulle 22 ... 79 E 2
Pléchâtel 35 ... 104 A 5
Plédéliac 22 ... 79 E 4
Plédran 22 ... 78 B 4
Pléguien 22 ... 73 G 4
Pléhédel 22 ... 73 F 4
Pleine-Fougères 35 ... 80 C 2
Pleine-Selve 02 ... 24 C 3
Pleine-Selve 33 ... 219 G 5
Pleine-Sève 76 ... 19 G 2
Pleines-Œuvres 14 ... 52 B 2
Plélan-le-Grand 35 ... 103 G 4
Plélan-le-Petit 22 ... 79 F 4
Plélauff 22 ... 77 G 5
Plélo 22 ... 73 G 5
Plémet 22 ... 102 C 2
Plémy 22 ... 78 C 5
Plénée-Jugon 22 ... 79 E 5
Pléneuf *Pointe de* 22 ... 78 D 2
Pléneuf-Val-André 22 ... 78 D 2
Plénise 39 ... 180 A 3
Plénisette 39 ... 180 A 3
Plerguer 35 ... 80 A 2
Plérin 22 ... 78 B 3
Plerneuf 22 ... 78 A 3
Plescop 56 ... 124 B 3
Plesder 35 ... 79 H 4
Plésidy 22 ... 77 G 2
Pleslin 22 ... 79 G 3
Plesnois 57 ... 45 G 5
Plesnoy 52 ... 117 G 5
Plessala 22 ... 78 C 5
Plessé 44 ... 126 A 5
Plessier-de-Roye 60 ... 23 F 5
Le Plessier-Huleu 02 ... 40 B 4
Le Plessier-Rozainvillers 80 ... 22 D 3
Le Plessier-sur-Bulles 60 ... 38 C 1
Le Plessier-sur-Saint-Just 60 ... 38 D 1
Le Plessis-aux-Bois 77 ... 59 F 2
Plessis-Barbuise 10 ... 90 A 2
Le Plessis-Belleville 60 ... 59 F 1
Le Plessis-Bouchard 95 ... 58 B 2
Le Plessis Bourré *Château* 49 ... 128 C 5
Le Plessis-Brion 60 ... 39 G 1
Le Plessis-Chenet 91 ... 88 A 2
Le Plessis-Dorin 41 ... 109 E 4
Plessis-du-Mée 89 ... 89 G 5
Le Plessis-Feu-Aussoux 77 ... 59 H 5
Le Plessis-Gassot 95 ... 58 C 1
Le Plessis-Grammoire 49 ... 149 H 1
Le Plessis-Grimoult 14 ... 53 E 2
Le Plessis-Grohan 27 ... 56 B 2
Le Plessis-Hébert 27 ... 56 D 2
Le Plessis-Josso *Château* 56 ... 124 D 4
Le Plessis-Lastelle 50 ... 31 G 3
Le Plessis-l'Échelle 41 ... 132 B 3
Le Plessis-l'Évêque 77 ... 59 F 1
Le Plessis-Luzarches 95 ... 38 D 5
Le Plessis-Macé 49 ... 128 B 5
Le Plessis-Pâté 91 ... 87 H 2
Le Plessis-Patte-d'Oie 60 ... 23 H 4
Le Plessis-Picard 77 ... 88 B 2
Le Plessis-Placy 77 ... 59 H 1
Le Plessis-Robinson 92 ... 58 B 4
Plessis-Saint-Benoist 91 ... 87 E 4
Plessis-Saint-Jean 89 ... 89 G 5
Le Plessis-Sainte-Opportune 27 ... 55 H 1
Le Plessis-Trévise 94 ... 58 D 4
Plessix-Balisson 22 ... 79 G 3
Plestan 22 ... 78 D 4
Plestin-les-Grèves 22 ... 72 B 4
Pleubian 22 ... 73 F 2
Pleucadeuc 56 ... 125 E 2
Pleudaniel 22 ... 73 E 3
Pleudihen-sur-Rance 22 ... 79 H 3
Pleugriffet 56 ... 102 B 4
Pleugueneuc 35 ... 79 H 4
Pleumartin 86 ... 170 A 5
Pleumeleuc 35 ... 103 H 2
Pleumeur-Bodou 22 ... 72 C 2
Pleumeur-Gautier 22 ... 73 E 2
Pleure 39 ... 178 D 2
Pleurs 51 ... 61 F 5
Pleurtuit 35 ... 50 B 5
Pleuven 29 ... 99 H 4
Pleuvezain 88 ... 94 B 4
Pleuville 16 ... 204 B 2
Pléven 22 ... 79 E 3
Plévenon 22 ... 79 E 1
Plévin 22 ... 76 D 5
Pleyben 29 ... 76 A 4
Pleyber-Christ 29 ... 71 H 5
Le Pleyney 38 ... 233 G 5
Pliboux 79 ... 203 F 1
Plichancourt 51 ... 62 D 4
Plieux 32 ... 296 C 1
Plivot 51 ... 61 G 1
Ploaré 29 ... 99 F 2
Plobannalec-Lesconil 29 ... 99 G 5
Plobsheim 67 ... 97 H 2
Ploemel 56 ... 123 H 3
Ploemeur 56 ... 123 F 2
Ploërdut 56 ... 101 F 2
Ploeren 56 ... 124 B 3
Ploërmel 56 ... 102 D 4
Ploeuc-L'Hermitage 22 ... 78 B 5
Ploéven 29 ... 75 G 5
Ploëzal 22 ... 73 E 3
Plogastel-Saint-Germain 29 ... 99 F 3
Plogoff 29 ... 98 D 2
Plogonnec 29 ... 99 G 2
Ploisy 02 ... 40 B 3
Plomb 50 ... 51 H 4
Plombières-les-Bains 88 ... 119 G 4
Plombières-lès-Dijon 21 ... 160 A 3
Plomelin 29 ... 99 G 3
Plomeur 29 ... 99 F 4
Plomion 02 ... 25 G 2
Plomodiern 29 ... 75 G 5
Plonéis 29 ... 99 G 2
Plonéour-Lanvern 29 ... 99 F 4
Plonévez-du-Faou 29 ... 76 B 4
Plonévez-Porzay 29 ... 75 G 5
Plorec-sur-Arguenon 22 ... 79 E 3
Plottes 71 ... 195 E 2
Plou 18 ... 172 C 1
Plouagat 22 ... 73 F 5
Plouaret 22 ... 72 C 4
Plouarzel 29 ... 74 C 2
Plouasne 22 ... 103 H 1
Plouay 56 ... 101 E 4
Ploubalay 22 ... 50 B 5

Ploubazlanec 22 ..... 73 F 2
Ploubezre 22 ..... 72 C 3
Ploudalmézeau 29 ..... 70 B 4
Ploudaniel 29 ..... 71 E 5
Ploudiry 29 ..... 75 H 2
Plouëc-du-Trieux 22 ..... 73 E 4
Plouédern 29 ..... 71 E 5
Plouégat-Guérand 29 ..... 72 A 4
Plouégat-Moysan 29 ..... 72 B 5
Plouénan 29 ..... 71 G 4
Plouër-sur-Rance 22 ..... 79 H 3
Plouescat 29 ..... 71 F 3
Plouézec 22 ..... 73 G 3
Plouezoc'h 29 ..... 71 H 4
Ploufragan 22 ..... 78 B 3
Plougar 29 ..... 71 F 4
Plougasnou 29 ..... 72 A 3
Plougastel-Daoulas 29 ..... 75 F 2
Plougonvelin 29 ..... 74 C 3
Plougonven 29 ..... 72 A 5
Plougonver 22 ..... 77 F 2
Plougoulm 29 ..... 71 G 3
Plougoumelen 56 ..... 124 A 3
Plougourvest 29 ..... 71 F 5
Plougras 22 ..... 72 B 5
Plougrescant 22 ..... 73 E 2
Plouguenast 22 ..... 78 B 5
Plouguerneau 29 ..... 70 C 4
Plouguernével 22 ..... 77 F 5
Plouguiel 22 ..... 73 E 2
Plouguin 29 ..... 70 C 5
Plouha 22 ..... 73 G 4
Plouharnel 56 ..... 123 H 4
Plouhinec 29 ..... 99 E 2
Plouhinec 56 ..... 123 G 3
Plouider 29 ..... 71 E 4
Plouigneau 29 ..... 72 A 5
Plouisy 22 ..... 73 E 5
Ploulec'h 22 ..... 72 C 3
Ploumagoar 22 ..... 73 E 5
Ploumanach 22 ..... 72 C 2
Ploumilliau 22 ..... 72 C 4
Ploumoguer 29 ..... 74 D 2
Plounéour-Ménez 29 ..... 76 B 2
Plounéour-Trez 29 ..... 71 E 3
Plounérin 22 ..... 72 B 5
Plounéventer 29 ..... 71 E 5
Plounévez-Lochrist 29 ..... 71 E 4
Plounévez-Moëdec 22 ..... 72 C 5
Plounévez-Quintin 22 ..... 77 F 4
Plounévézel 29 ..... 76 D 4
Plourac'h 22 ..... 76 D 2
Plouray 56 ..... 101 E 2
Plourhan 22 ..... 73 G 4
Plourin 29 ..... 70 B 5
Plourin-lès-Morlaix 29 ..... 72 A 5
Plourivo 22 ..... 73 F 3
Plouvain 62 ..... 13 H 2
Plouvara 22 ..... 78 A 3
Plouvien 29 ..... 70 D 5
Plouvorn 29 ..... 71 G 4
Plouyé 29 ..... 76 C 3
Plouzané 29 ..... 74 D 2
Plouzélambre 22 ..... 72 B 4
Plouzévédé 29 ..... 71 F 4
Plovan 29 ..... 99 F 3
Ployart-et-Vaurseine 02 ..... 41 E 1
Le Ployron 60 ..... 23 E 5
Plozévet 29 ..... 99 E 3
Pludual 22 ..... 73 G 4
Pluduno 22 ..... 79 F 3
Plufur 22 ..... 72 B 4
Pluguffan 29 ..... 99 G 3
Pluherlin 56 ..... 125 E 3
Plumaudan 22 ..... 79 G 5
Plumaugat 22 ..... 103 F 1
Plumelec 56 ..... 102 C 5
Pluméliau 56 ..... 101 H 4
Plumelin 56 ..... 102 A 5
Plumergat 56 ..... 124 A 2
Plumetot 14 ..... 33 G 3
Plumieux 22 ..... 102 C 2
Plumont 39 ..... 161 F 5
Pluneret 56 ..... 124 A 3
Plurien 22 ..... 79 E 2
Plusquellec 22 ..... 77 E 3
Plussulien 22 ..... 77 H 4
Pluvault 21 ..... 160 C 4
Pluvet 21 ..... 160 C 4
Pluvigner 56 ..... 124 A 2
Pluzunet 22 ..... 72 D 4
Pocancy 51 ..... 61 H 2
Pocé-les-Bois 35 ..... 105 E 3
Pocé-sur-Cisse 37 ..... 152 C 2
Podensac 33 ..... 255 H 3
Le Poët 05 ..... 287 F 1
Le Poët-Célard 26 ..... 267 H 3
Le Poët-en-Percip 26 ..... 286 B 2
Le Poët-Laval 26 ..... 267 G 4
Le Poët-Sigillat 26 ..... 286 A 1
Pœuilly 80 ..... 23 H 2
Poey-de-Lescar 64 ..... 314 A 3
Poey-d'Oloron 64 ..... 313 G 4
Poëzat 03 ..... 210 A 2
Poggio-di-Nazza 2B ..... 349 G 2
Poggio-di-Venaco 2B ..... 347 F 5
Poggio-d'Oletta 2B ..... 345 G 5
Poggio-Marinaccio 2B ..... 347 G 3
Poggio-Mezzana 2B ..... 347 H 3
Poggiolo 2A ..... 348 D 1
Pogny 51 ..... 62 B 3
Poids-de-Fiole 39 ..... 196 C 1
Poigny 77 ..... 89 G 3
Poigny-la-Forêt 78 ..... 57 F 5
Le Poil 04 ..... 288 A 5
Poil 58 ..... 176 B 3
Poilcourt-Sydney 08 ..... 41 H 2
Poilhes 34 ..... 321 F 4
Poillé-sur-Vègre 72 ..... 106 D 5
Poilley 35 ..... 81 E 3
Poilley 50 ..... 51 H 5
Poilly 51 ..... 41 F 4
Poilly-lez-Gien 45 ..... 134 C 4
Poilly-sur-Serein 89 ..... 136 D 3
Poilly-sur-Tholon 89 ..... 136 A 2
Poinchy 89 ..... 136 C 3
Poinçon-lès-Larrey 21 ..... 137 H 2
Le Poinçonnet 36 ..... 171 H 4
Poincy 77 ..... 59 G 2
Poinsenot 52 ..... 139 E 4
Poinson-lès-Fayl 52 ..... 140 A 3
Poinson-lès-Grancey 52 ..... 139 E 4
Poinson-lès-Nogent 52 ..... 117 F 4
Point Sublime 04 ..... 307 H 2
Point-Sublime 48 ..... 282 A 2
Pointel 61 ..... 53 G 5
Pointis-de-Rivière 31 ..... 334 B 1
Pointis-Inard 31 ..... 334 C 1
Pointre 39 ..... 161 E 4
Pointvillers 25 ..... 161 H 5
Poinville 28 ..... 111 E 3
Le Poiré-sur-Velluire 85 ..... 183 H 3
Le Poiré-sur-Vie 85 ..... 165 G 4
Poiroux 85 ..... 182 C 2
Poisat 38 ..... 251 E 2
Poiseul 52 ..... 117 G 5
Poiseul-la-Grange 21 ..... 138 C 5
Poiseul-la-Ville-
et-Laperrière 21 ..... 138 B 5
Poiseul-lès-Saulx 21 ..... 139 E 5
Poiseux 58 ..... 156 D 5
Poisieux 18 ..... 172 C 1
Le Poislay 41 ..... 109 F 4
Poisoux 39 ..... 196 A 3
Poisson 71 ..... 193 H 4
Poissons 52 ..... 93 E 4
Poissy 78 ..... 58 A 2
Poisvilliers 28 ..... 86 A 3
Poisy 74 ..... 215 G 3
La Poitevinière 49 ..... 148 D 4
Poitiers 86 ..... 186 B 1
Poivres 10 ..... 62 A 5
Poix 51 ..... 62 C 2
Poix-de-Picardie 80 ..... 21 H 3
Poix-du-Nord 59 ..... 15 E 3
Poix-Terron 08 ..... 26 C 4
Le Poizat-Lalleyriat 01 ..... 214 D 1
Pol *Chapelle* 29 ..... 71 E 3
Polaincourt-
et-Clairefontaine 70 ..... 118 D 5
Polastron 31 ..... 317 E 4
Polastron 32 ..... 296 D 5
Poleymieux-
au-Mont-d'Or 69 ..... 213 E 4
Poliénas 38 ..... 250 B 1
Polignac 17 ..... 238 B 1
Polignac 43 ..... 247 F 3
Poligné 35 ..... 104 B 5
Poligny 05 ..... 269 G 2
Poligny 10 ..... 115 G 3
Poligny 39 ..... 179 F 3
Poligny 77 ..... 112 C 2
Polincove 62 ..... 3 E 4
Polisot 10 ..... 115 G 4
Polisy 10 ..... 115 G 4
Pollestres 66 ..... 343 E 2
Polliat 01 ..... 195 G 5
Pollieu 01 ..... 214 D 5
Pollionnay 69 ..... 212 D 5
Polminhac 15 ..... 244 D 5
Polveroso 2B ..... 347 G 3
Pomacle 51 ..... 41 H 3
La Pomarède 11 ..... 319 E 3
Pomarède 46 ..... 259 F 4
Pomarez 40 ..... 293 F 4
Pomas 11 ..... 337 G 1
Pomay *Château de* 03 ..... 192 B 1
Pomayrols 12 ..... 263 G 5
Pomerol 33 ..... 238 C 4
Pomérols 34 ..... 322 C 4
Pomeys 69 ..... 230 B 2
Pommard 21 ..... 177 G 1
Pommera 62 ..... 12 D 4
La Pommeraie-
sur-Sèvre 85 ..... 167 E 3
La Pommeraye 14 ..... 53 F 2
La Pommeraye 49 ..... 149 E 2
Pommeret 22 ..... 78 C 3
Pommereuil 59 ..... 15 E 4
Pommereux 76 ..... 21 F 5
Pommeréval 76 ..... 20 C 3
Pommérieux 53 ..... 128 A 2
Pommérieux 57 ..... 65 H 2
Pommerit-Jaudy 22 ..... 73 E 3
Pommerit-le-Vicomte 22 ..... 73 F 4
Pommerol 26 ..... 268 C 5
Pommeuse 77 ..... 59 H 4
Pommevic 82 ..... 276 D 4
Pommier 62 ..... 13 F 3
Pommier-
de-Beaurepaire 38 ..... 231 H 4
Pommiers 02 ..... 40 B 2
Pommiers 30 ..... 302 B 1
Pommiers 36 ..... 189 E 2
Pommiers 42 ..... 211 G 5
Pommiers 69 ..... 212 D 3
Pommiers-la-Placette 38 ..... 232 D 5
Pommiers-Moulons 17 ..... 220 B 5
Pomoy 70 ..... 141 G 4
Pompaire 79 ..... 185 F 1
Pompéjac 33 ..... 256 B 5
Pompertuzat 31 ..... 318 A 2
Pompey 54 ..... 65 H 4
Pompiac 32 ..... 317 E 2
Le Pompidou 48 ..... 282 D 3
Pompierre 88 ..... 94 A 5
Pompierre-sur-Doubs 25 ..... 162 D 1
Pompiey 47 ..... 275 F 3
Pompignac 33 ..... 237 H 5
Pompignan 30 ..... 302 D 1
Pompignan 82 ..... 297 G 2
Pompogne 47 ..... 274 D 2
Pomponne 77 ..... 59 E 3
Pomport 24 ..... 257 H 1
Pomps 64 ..... 293 H 5
Pomy 11 ..... 337 F 2
Poncé-sur-le-Loir 72 ..... 130 D 3
Poncey-lès-Athée 21 ..... 160 D 4
Poncey-sur-l'Ignon 21 ..... 159 G 1
Le Ponchel 62 ..... 12 B 3
Ponches-Estruval 80 ..... 11 H 1
Ponchon 60 ..... 38 B 3
Poncin 01 ..... 214 A 2
Poncins 42 ..... 229 H 1
Pondaurat 33 ..... 256 C 4
Le Pondy 18 ..... 173 G 4
Ponet-et-Saint-Auban 26 ..... 268 A 1
Ponlat-Taillebourg 31 ..... 334 B 1
Pons 12 ..... 262 C 2
Pons 17 ..... 219 G 2
Ponsampère 32 ..... 315 H 2
Ponsan-Soubiran 32 ..... 316 A 3
Ponsas 26 ..... 249 E 2
Ponson-Debat-Pouts 64 ..... 314 D 3
Ponson-Dessus 64 ..... 314 D 3
Ponsonnas 38 ..... 251 E 5
Pont 21 ..... 160 C 4
Pont-à-Bucy 02 ..... 24 C 4
Pont-à-la-Planche 87 ..... 205 E 4
Pont-à-Marcq 59 ..... 8 D 4
Pont-à-Mousson 54 ..... 65 G 3
Pont-à-Vendin 62 ..... 8 C 4
Pont-Arcy 02 ..... 40 D 2
Pont-Audemer 27 ..... 35 E 2
Pont-Authou 27 ..... 35 G 4
Pont-aux-Moines 45 ..... 133 G 2
Pont-Aven 29 ..... 100 B 5
Pont-Bellanger 14 ..... 52 B 2
Pont-Calleck *Château*
et Forêt de 56 ..... 101 E 3
Pont-Château 44 ..... 146 C 1
Le Pont-Chrétien-
Chabenet 36 ..... 188 C 1
Pont-Croix 29 ..... 99 E 2
Pont-d'Ain 01 ..... 214 A 2
Pont-d'Arc 07 ..... 284 B 1
Le Pont-d'Ardres 62 ..... 2 D 3
Pont-de-Barret 26 ..... 267 G 3
Le Pont-de-Beauvoisin 38 ..... 232 D 3
Le Pont-de-Beauvoisin 73 ..... 232 D 3
Pont-de-Braye 72 ..... 130 D 3
Pont-de-Briques 62 ..... 6 B 2
Pont-de-Buis-
lès-Quimerch 29 ..... 75 H 4
Pont-de-Chazey-Villieu 01 ..... 213 H 4
Pont-de-Chéruy 38 ..... 213 H 5
Le Pont-de-Claix 38 ..... 250 D 2
Pont-de-Crau 13 ..... 304 B 4
Pont-de-Dore 63 ..... 210 C 5
Pont de Gau (Parc
ornithologique du) 13 ..... 324 B 3
Pont-de-la-Chaux 39 ..... 179 H 5
Pont-de-la-Maye 33 ..... 255 G 1
Pont-de-Labeaume 07 ..... 266 A 3
Pont-de-l'Arche 27 ..... 36 B 3
Pont-de-Larn 81 ..... 319 H 2
Pont-de-l'Étoile 13 ..... 327 F 2
Pont-de-l'Isère 26 ..... 249 F 4
Pont-de-Lunel 34 ..... 303 G 3
Pont-de-Menat 63 ..... 209 F 2
Pont-de-Metz 80 ..... 22 B 2
Le Pont-de-Montvert 48 ..... 283 E 1
Pont-de-Pany 21 ..... 159 G 3
Le Pont-de-Planches 70 ..... 140 D 5
Pont-de-Poitte 39 ..... 196 C 1
Pont-de-Roide 25 ..... 163 F 2
Pont-de-Ruan 37 ..... 151 G 4
Pont-de-Salars 12 ..... 281 E 2
Pont-de-Vaux 01 ..... 195 F 3
Pont-de-Veyle 01 ..... 195 E 5
Pont-des-Pierres 01 ..... 215 E 1
Pont-d'Espagne 65 ..... 332 C 4
Pont-d'Hérault 30 ..... 283 E 5
Pont-d'Héry 39 ..... 179 H 3
Pont-d'Ouche 21 ..... 159 G 5
Pont-d'Ouilly 14 ..... 53 G 3
Pont-du-Bois 70 ..... 118 D 4
Pont-du-Casse 47 ..... 276 B 2
Pont-du-Château 63 ..... 210 A 5
Pont-du-Châtel 29 ..... 71 E 4
Pont du Diable
Gorges du 74 ..... 198 C 4
Pont du Dognon 87 ..... 206 B 4
Pont-du-Fossé 05 ..... 270 A 2
Pont du Gard 30 ..... 304 A 1
Pont-du-Loup 06 ..... 309 E 2
Pont-du-Navoy 39 ..... 179 G 4
Pont-en-Royans 38 ..... 250 A 3
Pont-et-Massène 21 ..... 158 D 1
Pont-Évêque 38 ..... 231 F 3
Pont-Farcy 14 ..... 52 B 2
Pont-Hébert 50 ..... 32 A 4
Pont-James 44 ..... 165 G 1
Pont-la-Ville 52 ..... 116 C 3
Pont-l'Abbé 29 ..... 99 G 4
Pont-l'Abbé 50 ..... 31 G 2
Pont-l'Abbé-d'Arnoult 17 ..... 201 E 4
Pont-lès-Bonfays 88 ..... 118 D 2
Pont-les-Moulins 25 ..... 162 C 2
Pont-l'Évêque 14 ..... 34 C 3
Pont-l'Évêque 60 ..... 23 G 5
Pont-Melvez 22 ..... 77 F 2
Pont-Noyelles 80 ..... 22 C 1
Pont-Péan 35 ..... 104 B 4
Pont-Réan 35 ..... 104 A 4
Pont-Remy 80 ..... 11 H 4
Pont-Royal 13 ..... 305 G 3
Pont-Saint-Esprit 30 ..... 284 D 2
Pont-Saint-Mard 02 ..... 40 B 1
Pont-Saint-Martin 44 ..... 147 G 5
Pont-Saint-Pierre 27 ..... 36 C 3
Pont-Saint-Vincent 54 ..... 94 D 1
Pont-Sainte-Marie 10 ..... 91 E 5
Pont-Sainte-Maxence 60 ..... 39 E 3
Pont-Salomon 43 ..... 230 A 5
Pont-Scorff 56 ..... 101 E 5
Pont-sur-l'Ognon 70 ..... 141 G 5
Pont-sur-Madon 88 ..... 94 D 4
Pont-sur-Meuse 55 ..... 64 C 4
Pont-sur-Sambre 59 ..... 15 G 3
Pont-sur-Seine 10 ..... 90 A 3
Pont-sur-Vanne 89 ..... 113 H 3
Pont-sur-Yonne 89 ..... 89 F 5
Pont-Trambouze 69 ..... 212 A 2
Pontacq 64 ..... 314 D 5
Pontaillac 17 ..... 218 C 1
Pontailler-sur-Saône 21 ..... 160 D 3
Pontaix 26 ..... 268 A 1
Pontamafrey 73 ..... 234 A 5
Pontanevaux 71 ..... 195 E 5
Pontarion 23 ..... 207 E 3
Pontarlier 25 ..... 180 C 2
Pontarmé 60 ..... 38 D 5
Pontaubault 50 ..... 51 H 5
Pontaubert 89 ..... 157 H 1
Pontault-Combault 77 ..... 59 E 4
Pontaumur 63 ..... 208 D 4
Pontavert 02 ..... 41 F 2
Pontcarré 77 ..... 59 E 4
Pontcey 70 ..... 140 D 4
Pontchardon 61 ..... 54 D 2
Pontcharra 38 ..... 233 G 4
Pontcharra-
sur-Turdine 69 ..... 212 B 4
Pontcharraud 23 ..... 207 H 4
Pontchartrain 78 ..... 57 H 4
Pontcirq 46 ..... 259 G 4
Ponte-Leccia 2B ..... 347 E 3
Ponte Nuovo 2B ..... 347 F 2
Pontécoulant 14 ..... 53 E 3
Ponteilla 66 ..... 343 E 2
Ponteils-et-Brésis 30 ..... 283 G 1
Pontempeyrat 43 ..... 229 F 5
Pontenx-les-Forges 40 ..... 272 C 2
Le Pontet 33 ..... 237 G 2
Le Pontet 73 ..... 233 H 3
Le Pontet 84 ..... 285 F 5
Les Pontets 25 ..... 180 B 4
Pontevès 83 ..... 307 F 4
Ponteyraud 24 ..... 239 F 2
Pontfaverger-
Moronvilliers 51 ..... 42 A 3
Pontgibaud 63 ..... 209 F 5
Pontgouin 28 ..... 85 G 3
Ponthévrard 78 ..... 87 E 3
Ponthierry 77 ..... 88 A 3
Ponthion 51 ..... 62 D 4
Ponthoile 80 ..... 11 F 2
Le Ponthou 29 ..... 72 B 5
Ponthoux 39 ..... 196 D 3
Pontiacq-Viellepinte 64 ..... 314 D 3
Pontigné 49 ..... 129 G 5
Pontigny 89 ..... 136 C 2
Pontis 04 ..... 270 B 4
Pontivy 56 ..... 101 H 3
Pontlevoy 41 ..... 153 E 2
Pontlieue 72 ..... 107 H 5
Pontmain 53 ..... 81 G 3
Pontoise 95 ..... 58 A 1
Pontoise-lès-Noyon 60 ..... 23 H 5
Pontonx-sur-l'Adour 40 ..... 293 E 2
Pontorson 50 ..... 80 C 2
Pontours 24 ..... 258 C 1
Pontoux 71 ..... 178 B 2
Pontoy 57 ..... 66 B 2
Pontpierre 57 ..... 66 D 1
Pontpoint 60 ..... 39 E 3
Pontrieux 22 ..... 73 E 4
Pontru 02 ..... 24 A 1
Pontruet 02 ..... 24 A 1
Ponts 50 ..... 51 H 4
Les Ponts-de-Cé 49 ..... 149 G 2
Ponts-et-Marais 76 ..... 10 D 4
Les Ponts-Neufs 22 ..... 78 C 3
Pontvallain 72 ..... 130 A 3
Popian 34 ..... 302 A 4
Popolasca 2B ..... 347 E 3
Porcaro 56 ..... 103 F 5
Porcelette 57 ..... 46 D 5
Porchères 33 ..... 238 D 3
Porcheresse 16 ..... 221 E 4
La Porcherie 87 ..... 224 C 3
Porcheux 60 ..... 37 H 3
Porcheville 78 ..... 57 G 2
Porcieu-Amblagnieu 38 ..... 214 B 4
Pordic 22 ..... 73 H 5
Le Porge 33 ..... 236 C 5
Pornic 44 ..... 146 C 5
Pornichet 44 ..... 145 H 5
Porquéricourt 60 ..... 23 G 5
Porquerolles *Île de* 83 ..... 328 C 5
Porri 2B ..... 347 G 3
Pors-Even 22 ..... 73 F 2
Porsmilin 29 ..... 74 D 2
Porspoder 29 ..... 70 A 5
Port 01 ..... 214 C 1
Le Port 09 ..... 335 H 4
Port *Col de* 09 ..... 336 A 3
Port-à-Binson 51 ..... 61 E 1
Port-Bail 50 ..... 31 E 2
Port-Barcarès 66 ..... 339 E 4
Port-Blanc 22 ..... 72 D 2
Port-Brillet 53 ..... 105 G 3
Port-Camargue 30 ..... 303 F 5
Port-Coton *Aiguilles de* 56 ..... 144 B 4
Port-Cros *Île de* 83 ..... 329 E 5
Port-d'Atelier 70 ..... 140 D 3
Port-de-Bouc 13 ..... 325 G 3
Port-de-Carhaix 29 ..... 76 D 4
Port-de-Gagnac 46 ..... 243 E 5
Port-de-Groslée 01 ..... 232 C 1
Port-de-la-Meule 85 ..... 164 A 4
Port-de-Lanne 40 ..... 292 C 4
Port-de-Miramar 83 ..... 328 D 4
Port-de-Piles 86 ..... 169 H 2
Port-d'Envaux 17 ..... 201 F 4
Port-des-Barques 17 ..... 200 C 3
Port-Donnant 56 ..... 144 B 4
Port-du-Salut
Trappe du 53 ..... 106 A 4
Port-en-Bessin 14 ..... 32 D 2
Port-Goulphar 56 ..... 144 B 4
Port-Grimaud 83 ..... 329 F 2
Port-Haliguen 56 ..... 123 H 5
Port-Jérôme 76 ..... 35 F 1
Port-Joinville 85 ..... 164 A 4
Port-la-Nouvelle 11 ..... 339 F 2
Port-Launay 29 ..... 75 H 4
Port-Lauragais 31 ..... 318 C 3
Port-le-Grand 80 ..... 11 G 3
Port-Lesney 39 ..... 179 G 1
Port-Leucate 11 ..... 339 F 4
Port-Louis 56 ..... 123 F 2
Port-Manech 29 ..... 100 B 5
Port-Maria 56 ..... 144 C 4
Le Port-Marly 78 ..... 58 A 3
Port-Miou 13 ..... 327 F 3
Port-Mort 27 ..... 36 D 5
Port-Navalo 56 ..... 124 A 4
Port Royal des Champs
Abbaye de 78 ..... 57 H 4
Port-Saint-Louis-
du-Rhône 13 ..... 325 F 4
Port-Saint-Père 44 ..... 147 F 5
Port-Sainte-Foy-
et-Ponchapt 24 ..... 257 F 1
Port-Sainte-Marie 47 ..... 275 G 2
Port-sur-Saône 70 ..... 141 E 4
Port-sur-Seille 54 ..... 65 H 3
Port-Vendres 66 ..... 343 G 4
Port-Villez 78 ..... 57 E 1
Porta 66 ..... 341 E 4
La Porta 2B ..... 347 G 3
Porte *Col de* 38 ..... 233 E 5
Porte-Joie 27 ..... 36 C 4
Porté-Puymorens 66 ..... 341 E 3
Le Portel 62 ..... 6 A 2
Portel *Sommet de* 09 ..... 335 H 3
Portel-des-Corbières 11 ..... 338 D 2
Portes 27 ..... 56 A 1
Portes 30 ..... 283 G 2
Portes *Calvaire de* 01 ..... 214 B 4
Portes *Chartreuse de* 01 ..... 214 B 4
Les Portes-en-Ré 17 ..... 182 C 4
Portes-en-Valdaine 26 ..... 267 F 4
Portes-lès-Valence 26 ..... 249 F 5
Portet 64 ..... 294 C 5
Portet-d'Aspet 31 ..... 334 D 3
Portet d'Aspet *Col de* 31 ..... 334 D 3
Portet-de-Luchon 31 ..... 334 A 4
Portet-sur-Garonne 31 ..... 297 H 5
Portets 33 ..... 255 H 2
Porticcio 2A ..... 348 C 4
Porticciolo *Marine de* 2B ..... 345 G 2
Portieux 88 ..... 95 E 4
Portiragnes 34 ..... 321 H 4
Portiragnes-Plage 34 ..... 321 H 4
Portivy 56 ..... 123 G 5
Porto 2A ..... 346 B 5
Porto-Pollo 2A ..... 348 C 5
Porto-Vecchio 2A ..... 351 G 2
Ports 37 ..... 169 G 1
Portsall 29 ..... 70 B 4
Posanges 21 ..... 159 E 2
Poses 27 ..... 36 C 3
Possesse 51 ..... 63 E 3
La Possonnière 49 ..... 149 F 2
La Possonnière *Manoir* 41 ..... 130 D 3
La Postolle 89 ..... 113 H 2
Postroff 57 ..... 67 H 3
Potangis 51 ..... 90 A 2
Potelières 30 ..... 284 A 3
Potelle 59 ..... 15 E 3
La Poterie 22 ..... 78 D 3
La Poterie-au-Perche 61 ..... 84 D 2
La Poterie-Cap-d'Antifer 76 ..... 18 C 4
La Poterie-Mathieu 27 ..... 35 E 4
Pothières 21 ..... 115 H 5
Potigny 14 ..... 53 H 2
Potte 80 ..... 23 G 3
Pouan-les-Vallées 10 ..... 90 D 3
Pouançay 86 ..... 168 B 1
Pouancé 49 ..... 127 F 3
Pouant 86 ..... 169 E 2
Poubeau 31 ..... 334 A 4
Poucharramet 31 ..... 317 F 3
Pouchergues 65 ..... 333 H 4
Poudenas 47 ..... 275 F 4
Poudenx 40 ..... 293 H 4
Poudis 81 ..... 299 E 5
Poudrey *Gouffre de* 25 ..... 162 B 4
Poueyferré 65 ..... 332 D 1

La Pouëze 49 ... 128 A 5
Pouffonds 79 ... 185 G 5
La Pouge 23 ... 207 F 3
Le Pouget 34 ... 302 A 5
Pougnadoires
Cirque de 48 ... 282 B 1
Pougnadoresse 30 ... 284 C 4
Pougné 16 ... 203 G 3
Pougne-Hérisson 79 ... 167 H 5
Pougny 01 ... 215 F 1
Pougny 58 ... 156 B 3
Pougues-les-Eaux 58 ... 174 C 1
Pougy 10 ... 91 G 4
Pouillac 17 ... 238 B 1
Pouillat 01 ... 196 B 4
Pouillé 41 ... 153 E 3
Pouillé 85 ... 183 H 2
Pouillé 86 ... 186 D 2
Pouillé-les-Côteaux 44 ... 148 B 1
Pouillenay 21 ... 159 E 1
Pouilley-Français 25 ... 161 G 4
Pouilley-les-Vignes 25 ... 161 H 3
Pouillon 40 ... 293 E 4
Pouillon 51 ... 41 F 3
Pouilloux 71 ... 194 A 1
Pouilly 57 ... 65 H 1
Pouilly 60 ... 38 A 4
Pouilly-en-Auxois 21 ... 159 F 4
Pouilly-en-Bassigny 52 ... 117 H 4
Pouilly-le-Fort 77 ... 88 B 2
Pouilly-le-Monial 69 ... 212 D 3
Pouilly-lès-Feurs 42 ... 211 H 5
Pouilly-les-Nonains 42 ... 211 F 2
Pouilly-sous-Charlieu 42 ... 211 G 1
Pouilly-sur-Loire 58 ... 156 A 4
Pouilly-sur-Meuse 55 ... 27 G 5
Pouilly-sur-Saône 21 ... 178 B 1
Pouilly-sur-Serre 02 ... 24 D 4
Pouilly-sur-Vingeanne 21 ... 139 H 5
Le Poujol-sur-Orb 34 ... 301 F 5
Poujols 34 ... 301 H 3
Poul-Fétan 56 ... 101 G 4
Poulaines 36 ... 153 H 5
Poulains Pointe des 56 ... 144 B 3
Poulainville 80 ... 22 C 1
Poulan-Pouzols 81 ... 299 F 2
Poulangy 52 ... 117 E 4
Poulay 53 ... 82 C 4
Pouldavid 29 ... 99 F 2
Pouldergat 29 ... 99 F 2
Pouldouran 22 ... 73 E 3
Pouldreuzic 29 ... 99 F 3
Le Pouldu 29 ... 123 E 2
Poule-les-Écharmeaux 69 ... 212 B 1
Pouliacq 64 ... 294 B 5
Les Poulières 88 ... 120 A 2
Pouligney 25 ... 162 B 2
Pouligny-Notre-Dame 36 ... 189 G 2
Pouligny-Saint-Martin 36 ... 189 G 2
Pouligny-Saint-Pierre 36 ... 170 C 5
Le Pouliguen 44 ... 145 H 5
Poullan-sur-Mer 29 ... 99 E 2
Poullaouen 29 ... 76 C 3
Poullignac 16 ... 220 D 4
Poulx 30 ... 303 H 1
Poumarous 65 ... 315 F 5
Poupas 82 ... 276 D 5
Poupry 28 ... 110 D 4
Pouques-Lormes 58 ... 157 H 3
Pourcharesses 48 ... 265 F 5
Pourchères 07 ... 266 C 2
Pourcieux 83 ... 306 D 5
Pourcy 51 ... 41 F 5
Pourlans 71 ... 178 C 2
Pournoy-la-Chétive 57 ... 65 H 2
Pournoy-la-Grasse 57 ... 65 H 2
Pourrain 89 ... 136 A 3
Pourrières 83 ... 306 C 5
Poursac 16 ... 203 G 3
Poursay-Garnaud 17 ... 201 H 3
Poursiugues-Boucoue 64 ... 294 B 5
Pourtalet Col du 64 ... 332 A 4
Pouru-aux-Bois 08 ... 27 G 3
Pouru-Saint-Remy 08 ... 27 G 4
Pourville-sur-Mer 76 ... 10 A 5
Poussan 34 ... 323 E 3
Poussanges 23 ... 207 H 5
Poussay 88 ... 94 D 4
Pousseaux 58 ... 157 F 1
Poussignac 47 ... 275 E 1
Poussy-la-Campagne 14 ... 33 H 5
Pousthomy 12 ... 300 B 2
Le Pout 33 ... 255 H 1
Pouvrai 61 ... 84 B 5
Pouxeux 88 ... 119 G 3
Pouy 65 ... 316 A 4
Pouy-de-Touges 31 ... 317 E 3
Pouy-Loubrin 32 ... 316 B 2
Pouy-Roquelaure 32 ... 275 H 5
Pouy-sur-Vannes 10 ... 90 A 5
Pouyastruc 65 ... 315 F 4
Pouydesseaux 40 ... 274 A 5
Pouydraguin 32 ... 295 E 4
Pouylebon 32 ... 295 G 5
Pouzac 65 ... 333 F 1
Le Pouzat 07 ... 248 B 4
Pouzauges 85 ... 166 D 4
Pouzay 37 ... 169 G 1
Pouze 31 ... 318 A 2
Pouzilhac 30 ... 284 D 4
Le Pouzin 07 ... 267 E 1
Pouzioux 86 ... 187 E 2
Pouzol 63 ... 209 G 2
Pouzolles 34 ... 321 G 2
Pouzols 34 ... 302 A 4
Pouzols-Minervois 11 ... 320 D 4
Pouzy-Mésangy 03 ... 174 B 5
Poyanne 40 ... 293 F 2
Poyans 70 ... 160 D 1
Poyartin 40 ... 293 F 3
Poyols 26 ... 268 B 3
Pozières 80 ... 13 G 5
Pra Loup 04 ... 270 D 5
Le Pradal 34 ... 301 F 4
Les Pradeaux 63 ... 228 A 3
Pradeaux Col des 63 ... 229 E 3
Pradel Col du 11 ... 336 D 5
Pradelle 26 ... 268 A 3
Pradelles 43 ... 265 F 1
Pradelles 59 ... 4 A 5
Pradelles-Cabardès 11 ... 320 A 3
Pradelles-en-Val 11 ... 338 A 1
Pradère-les-Bourguets 31 ... 297 F 4
Prades 07 ... 266 A 3
Prades 09 ... 336 D 5
Prades 43 ... 246 D 4
Prades 48 ... 282 C 1
Prades 66 ... 342 A 3
Prades 81 ... 299 E 4
Prades-d'Aubrac 12 ... 263 G 4
Prades-de-Salars 12 ... 281 E 2
Prades-le-Lez 34 ... 302 D 3
Prades-sur-Vernazobre 34 ... 321 E 2
Le Pradet 83 ... 328 B 4
Pradettes 09 ... 336 C 2
Pradières 09 ... 336 B 3
Pradiers 15 ... 245 F 1
Pradinas 12 ... 279 H 3
Pradines 19 ... 225 E 3
Pradines 42 ... 211 H 3
Pradines 46 ... 259 H 5
Pradons 07 ... 266 B 5
Prads 04 ... 288 C 2
Prafrance
Bambouseraie de 30 ... 283 G 4
Pragnères Centrale de 65 ... 333 E 4
Prahecq 79 ... 185 E 5
Prailles 79 ... 185 F 4
Pralognan-la-Vanoise 73 ... 234 D 4
Prâlon 21 ... 159 G 3
Pralong 42 ... 229 G 2
Pramousquier 83 ... 329 E 4
Pramouton 05 ... 270 C 4
Prangey 52 ... 139 G 3
Pranles 07 ... 266 C 1
Pranzac 16 ... 221 G 1
Prapoutel-les-Sept-Laux 38 ... 251 F 1
Le Prarion 74 ... 216 D 3
Praslay 52 ... 139 F 3
Praslin 10 ... 115 F 4
Prasville 28 ... 110 C 2
Prat 22 ... 72 D 4
Prat-Bonrepaux 09 ... 335 E 2
Prat de Bouc 15 ... 245 E 3
Prato-di-Giovellina 2B ... 347 E 3
Prats-de-Carlux 24 ... 241 H 5
Prats-de-Mollo-
la-Preste 66 ... 342 B 5
Prats-de-Sournia 66 ... 338 A 5
Prats-du-Périgord 24 ... 259 F 2
Pratviel 81 ... 298 D 4
Pratz 39 ... 196 D 3
Pratz 52 ... 116 C 2
Prauthoy 52 ... 139 G 4
Pray 41 ... 131 H 4
Praye 54 ... 94 D 3
Prayet Col du 38 ... 268 D 1
Prayols 09 ... 336 B 3
Prayssac 46 ... 259 G 5
Prayssas 47 ... 275 H 2
La Praz 73 ... 252 C 1
Le Praz 73 ... 234 C 3
Praz-Coutant 74 ... 216 D 3
Les Praz-de-Chamonix 74 ... 217 E 3
Praz-sur-Arly 74 ... 216 C 4
Le Pré-d'Auge 14 ... 34 C 5
Pré de Madame Carle 05 ... 252 B 4
Pré-en-Pail-
Saint-Samson 53 ... 83 E 3
Pré-Saint-Évroult 28 ... 110 A 3
Le Pré-Saint-Gervais 93 ... 58 C 3
Pré-Saint-Martin 28 ... 110 A 2
Préaux 07 ... 248 D 2
Les Préaux 27 ... 35 E 3
Préaux 36 ... 171 E 2
Préaux 53 ... 106 C 5
Préaux 76 ... 36 C 1
Préaux 77 ... 112 D 2
Préaux-Bocage 14 ... 53 F 1
Préaux-du-Perche 61 ... 84 D 5
Préaux-Saint-Sébastien 14 ... 54 D 2
Prébois 38 ... 268 D 1
Précey 50 ... 51 G 5
Préchac 32 ... 296 B 2
Préchac 33 ... 255 H 5
Préchac 65 ... 332 D 2
Préchac-sur-Adour 32 ... 295 E 4
Préchacq-Josbaig 64 ... 313 G 4
Préchacq-les-Bains 40 ... 293 F 2
Préchacq-Navarrenx 64 ... 313 G 4
Précieux 42 ... 229 H 2
Précigné 72 ... 129 E 3
Précilhon 64 ... 331 H 1
Précorbin 50 ... 32 C 5
Précy 18 ... 174 A 1
Précy-le-Sec 89 ... 136 D 5
Précy-Notre-Dame 10 ... 91 G 4
Précy-Saint-Martin 10 ... 91 G 4
Précy-sous-Thil 21 ... 158 D 2
Précy-sur-Marne 77 ... 59 F 2
Précy-sur-Oise 60 ... 38 C 4
Précy-sur-Vrin 89 ... 113 G 5
Prédefin 62 ... 7 F 4
Préfailles 44 ... 146 B 4
Préfontaines 45 ... 112 B 3
Prégilbert 89 ... 136 C 5
Préguillac 17 ... 219 G 1
Préhy 89 ... 136 C 3
Preignac 33 ... 256 B 3
Preignan 32 ... 296 B 3
Preigney 70 ... 140 C 3
Preixan 11 ... 337 G 1
Prélenfrey 38 ... 250 D 3
Prelles 05 ... 252 C 5
Prémanon 39 ... 197 F 2
Premeaux-Prissey 21 ... 159 H 5
Prémery 58 ... 156 D 5
Prémesques 59 ... 8 C 2
Prémeyzel 01 ... 232 D 1
Prémian 34 ... 300 D 5
Premières 21 ... 160 C 4
Prémierfait 10 ... 90 D 3
Prémilhat 03 ... 190 C 4
Prémillieu 01 ... 214 C 4
Prémont 02 ... 14 C 5
Prémontré 02 ... 24 C 5
Prendeignes 46 ... 261 G 2
Préneron 32 ... 295 G 3
La Prénessaye 22 ... 102 C 1
Prenois 21 ... 159 H 2
Prénouvellon 41 ... 110 B 5
Prénovel 39 ... 197 E 2
Prény 54 ... 65 G 2
Préporché 58 ... 175 H 3
Prépotin 61 ... 84 C 2
Les Prés 26 ... 268 D 4
Présailles 43 ... 247 G 5
Préseau 59 ... 15 E 2
Présentevillers 25 ... 142 B 4
Préserville 31 ... 298 B 5
Présilly 39 ... 196 C 1
Présilly 74 ... 215 G 1
Presle 70 ... 141 F 5
Presle 73 ... 233 G 3
Presles 14 ... 52 D 3
Presles 38 ... 250 B 3
Presles 95 ... 38 B 5
Presles-en-Brie 77 ... 59 F 5
Presles-et-Boves 02 ... 40 D 2
Presles-et-Thierny 02 ... 40 D 1
Presly 18 ... 155 E 2
Presnoy 45 ... 112 A 5
Presque Grotte de 46 ... 261 E 1
Pressac 86 ... 204 B 1
Pressagny-l'Orgueilleux 27 ... 36 D 5
Pressiat 01 ... 196 A 4
Pressignac 16 ... 204 C 5
Pressignac-Vicq 24 ... 240 C 5
Pressigny 52 ... 140 B 3
Pressigny 79 ... 168 B 4
Pressigny-les-Pins 45 ... 134 D 2
Pressins 38 ... 232 C 3
Pressy 62 ... 7 G 4
Pressy-sous-Dondin 71 ... 194 B 2
La Preste 66 ... 342 A 5
La Prétière 25 ... 142 A 5
Pretin 39 ... 179 G 2
Prétot-Sainte-Suzanne 50 ... 31 G 2
Prétot-Vicquemare 76 ... 19 H 3
Prêtreville 14 ... 54 D 1
Préty 71 ... 195 F 2
Pretz-en-Argonne 55 ... 63 G 2
Preuilly 18 ... 172 D 1
Preuilly Abbaye de 77 ... 89 E 4
Preuilly-la-Ville 36 ... 170 B 5
Preuilly-sur-Claise 37 ... 170 B 3
Preures 62 ... 6 C 3
Preuschdorf 67 ... 69 E 2
Preuseville 76 ... 21 E 2
Preutin-Higny 54 ... 45 E 3
Preux-au-Bois 59 ... 15 E 4
Preux-au-Sart 59 ... 15 E 2
Préval 72 ... 108 C 2
Prévelles 72 ... 108 B 3
Prévenchères 48 ... 265 F 4
Préveranges 18 ... 190 A 3
Prévessin-Moëns 01 ... 197 G 4
La Prévière 49 ... 127 F 3
Prévillers 60 ... 21 H 5
Prévinquières 12 ... 279 H 1
Prévocourt 57 ... 66 C 3
Prey 27 ... 56 C 2
Prey 88 ... 119 H 2
Preyssac-d'Excideuil 24 ... 223 F 5
Prez 08 ... 26 A 2
Prez-sous-Lafauche 52 ... 93 G 5
Prez-sur-Marne 52 ... 92 D 2
Priaires 79 ... 201 G 1
Priay 01 ... 214 A 2
Priez 02 ... 40 B 5
Prignac 17 ... 202 B 4
Prignac-en-Médoc 33 ... 218 D 5
Prignac-et-Marcamps 33 ... 237 G 3
Prigonrieux 24 ... 239 G 5
Primarette 38 ... 231 G 4
Primat 08 ... 42 D 2
La Primaube 12 ... 280 D 2
Primel-Trégastel 29 ... 72 A 3
Primelin 29 ... 98 D 2
Primelles 18 ... 172 D 3
Prin-Deyrançon 79 ... 184 C 5
Prinçay 86 ... 169 E 2
Princé 35 ... 105 F 2
Pringé 72 ... 129 H 4
Pringy 51 ... 62 C 4
Pringy 74 ... 215 G 3
Pringy 77 ... 88 A 3
Prinquiau 44 ... 146 D 2
Prinsuéjols 48 ... 263 H 3
Printzheim 67 ... 68 C 4
Prisces 02 ... 25 F 3
Prisches 59 ... 15 F 4
Prissac 36 ... 188 B 2
Prissé 71 ... 194 D 4
Prissé-la-Charrière 79 ... 201 H 1
Pritz 53 ... 106 A 3
Privas 07 ... 266 D 2
Privezac 12 ... 279 H 1
Prix-lès-Mézières 08 ... 26 D 3
Priziac 56 ... 101 E 2
Prizy 71 ... 193 H 4
La Proiselière-et-Langle 70 ... 141 H 2
Proissans 24 ... 241 G 5
Proisy 02 ... 25 E 1
Proix 02 ... 24 D 1
Projan 32 ... 294 C 4
Promilhanes 46 ... 279 E 1
Prompsat 63 ... 209 H 4
Prondines 63 ... 226 D 1
Pronleroy 60 ... 38 D 1
Pronville 62 ... 14 A 3
Propiac 26 ... 286 A 2
Propières 69 ... 212 B 1
Propriano 2A ... 350 D 2
Prosnes 51 ... 42 A 4
Prouais 28 ... 57 E 5
Prouilly 51 ... 41 F 3
Proumeyssac
Gouffre de 24 ... 241 E 5
Proupiary 31 ... 316 D 5
Proussy 14 ... 53 F 2
Prouvais 02 ... 41 G 1
Prouville 80 ... 12 B 4
Prouvy 59 ... 14 D 2
Prouzel 80 ... 22 B 2
Provemont 27 ... 37 F 3
Provenchère 25 ... 163 E 3
Provenchère 70 ... 141 E 3
Provenchères-
lès-Darney 88 ... 118 C 3
Provenchères-et-Colroy 88 ... 96 C 4
Provenchères-sur-Marne 52 ... 92 D 5
Provenchères-
sur-Meuse 52 ... 117 H 4
Provency 89 ... 158 A 1
Proverville 10 ... 116 A 2
Proveysieux 38 ... 250 D 1
Proville 59 ... 14 B 4
Provin 59 ... 8 C 4
Provins 77 ... 89 G 2
Proviseux-et-Plesnoy 02 ... 41 G 1
Proyart 80 ... 23 E 2
Prudemanche 28 ... 56 B 5
Prudhomat 46 ... 243 E 5
Prugnanes 66 ... 338 A 4
Prugny 10 ... 114 D 2
Pruillé 49 ... 128 B 5
Pruillé-le-Chétif 72 ... 107 G 5
Pruillé-l'Éguillé 72 ... 130 B 2
Pruines 12 ... 262 C 4
Prunay 51 ... 41 H 4
Prunay-Belleville 10 ... 90 B 5
Prunay-Cassereau 41 ... 131 F 4
Prunay-en-Yvelines 78 ... 86 D 3
Prunay-le-Gillon 28 ... 86 C 5
Prunay-le-Temple 78 ... 57 F 3
Prunay-sur-Essonne 91 ... 87 H 5
Prunelli-di-Casacconi 2B ... 347 G 2
Prunelli-di-Fiumorbo 2B ... 349 G 2
Prunet 07 ... 266 A 3
Prunet 15 ... 262 C 1
Prunet 31 ... 298 C 5
Prunet-et-Belpuig 66 ... 342 C 3
Prunete 2B ... 347 H 4
Prunières 05 ... 270 A 3
Prunières 38 ... 251 E 5
Prunières 48 ... 264 B 1
Pruniers 36 ... 172 C 4
Pruniers 49 ... 149 G 1
Pruniers-en-Sologne 41 ... 153 H 3
Pruno 2B ... 347 G 3
Prunoy 89 ... 135 G 2
Prusly-sur-Ource 21 ... 138 B 2
Prusy 10 ... 114 D 5
Pruzilly 71 ... 194 D 5
Puberg 67 ... 68 A 2
Publier 74 ... 198 B 3
Puceul 44 ... 126 C 5
Le Puch 09 ... 337 F 5
Puch-d'Agenais 47 ... 275 F 1
Puchay 27 ... 37 E 3
Puchevillers 80 ... 12 D 5
Le Puech 34 ... 301 H 4
Puéchabon 34 ... 302 B 3
Puéchoursi 81 ... 318 D 2
Puechredon 30 ... 303 F 1
Puellemontier 52 ... 92 A 3
Puessans 25 ... 162 C 1
Puget 84 ... 305 G 2
Puget-Rostang 06 ... 289 G 4
Puget-sur-Argens 83 ... 308 C 5
Puget-Théniers 06 ... 289 F 5
Puget-Ville 83 ... 328 C 2
Pugey 25 ... 161 H 4
Pugieu 01 ... 214 C 4
Puginier 11 ... 318 D 3
Pugnac 33 ... 237 G 3
Pugny 79 ... 167 G 4
Pugny-Chatenod 73 ... 233 F 1
Puichéric 11 ... 320 B 5
Le Puid 88 ... 96 C 3
Puigmal 66 ... 341 G 5
Puihardy 79 ... 184 D 2
Puilacher 34 ... 302 A 5
Puilaurens 11 ... 337 G 5
Puilboreau 17 ... 183 F 5
Puilly-et-Charbeaux 08 ... 27 H 4
Puimichel 04 ... 287 G 5
Puimisson 34 ... 321 G 2
Puimoisson 04 ... 307 F 1
La Puisaye 28 ... 85 F 2
Puiseaux 45 ... 112 A 2
Puiselet-le-Marais 91 ... 87 G 4
Puisenval 76 ... 21 E 2
Le Puiset 28 ... 110 D 2
Le Puiset-Doré 49 ... 148 C 4
Puiseux 08 ... 26 C 5
Puiseux 28 ... 86 A 2
Puiseux-en-Bray 60 ... 37 G 2
Puiseux-en-France 95 ... 58 D 1
Puiseux-en-Retz 02 ... 40 A 3
Puiseux-le-Hauberger 60 ... 38 B 4
Puiseux-Pontoise 95 ... 57 H 1
Puisieulx 51 ... 41 H 4
Puisieux 62 ... 13 F 4
Puisieux 77 ... 59 G 1
Puisieux-et-Clanlieu 02 ... 24 D 2
Puissalicon 34 ... 321 G 2
Puisseguin 33 ... 238 D 5
Puisserguier 34 ... 321 E 3
Puits 21 ... 138 A 3
Le Puits-des-Mèzes 52 ... 117 F 3
Puits-et-Nuisement 10 ... 115 H 2
Puits-la-Vallée 60 ... 22 B 5
Puivert 11 ... 337 E 3
Pujaudran 32 ... 297 F 5
Pujaut 30 ... 285 E 5
Pujo 65 ... 315 E 3
Pujo-le-Plan 40 ... 294 B 1
Les Pujols 09 ... 336 C 1
Pujols 33 ... 256 D 1
Pujols 47 ... 276 C 1
Pujols-sur-Ciron 33 ... 255 H 4
Le Puley 71 ... 177 F 5
Puligny-Montrachet 21 ... 177 G 2
Pullay 27 ... 55 H 4
Pulligny 54 ... 94 D 2
Pulney 54 ... 94 C 4
Pulnoy 54 ... 66 B 5
Pulvérières 63 ... 209 F 4
Pulversheim 68 ... 121 E 5
Punchy 80 ... 23 F 3
Punerot 88 ... 94 A 3
Puntous 65 ... 316 A 4
Puntous de Laguian 32 ... 315 G 2
Pupillin 39 ... 179 G 3
Pure 08 ... 27 G 4
Purgerot 70 ... 140 D 3
Pusey 70 ... 141 E 4
Pusignan 69 ... 213 G 5
Pussay 91 ... 87 E 5
Pussigny 37 ... 169 G 2
Pussy 73 ... 234 B 2
Pusy-et-Épenoux 70 ... 141 E 4
Putanges-le-Lac 61 ... 53 H 4
Puteaux 92 ... 58 B 3
Putot-en-Auge 14 ... 34 A 4
Putot-en-Bessin 14 ... 33 F 4
Puttelange-aux-Lacs 57 ... 67 F 1
Puttelange-lès-Thionville 57 ... 45 H 1
Puttigny 57 ... 66 D 3
Puxe 54 ... 45 E 5
Puxieux 54 ... 65 F 1
Le Puy 25 ... 162 B 2
Le Puy 33 ... 257 E 3
Puy Crapaud 85 ... 167 E 4
Puy-d'Arnac 19 ... 242 D 4
Puy de Dôme 63 ... 209 G 5
Puy-de-Serre 85 ... 184 C 1
Puy du Fou Château du 85 ... 166 D 2
Puy-du-Lac 17 ... 201 F 3
Le Puy-en-Velay 43 ... 247 F 3
Puy-Guillaume 63 ... 210 C 3
Puy-l'Évêque 46 ... 259 F 4
Puy-Malsignat 23 ... 207 H 3
Le Puy-Notre-Dame 49 ... 150 A 5
Puy-Saint-André 05 ... 252 C 4
Le Puy-Saint-Bonnet 49 ... 166 D 1
Puy-Saint-Eusèbe 05 ... 270 B 3
Puy-Saint-Gulmier 63 ... 208 D 5
Puy-Saint-Martin 26 ... 267 G 3
Puy-Saint-Pierre 05 ... 252 D 4
Puy-Saint-Vincent 05 ... 252 C 5
Le Puy-
Sainte-Réparade 13 ... 306 A 3
Puy-Sanières 05 ... 270 C 3
Puybarban 33 ... 256 D 4
Puybegon 81 ... 298 D 2
Puybrun 46 ... 242 D 5
Puycalvel 81 ... 299 F 4
Puycasquier 32 ... 296 C 3
Puycelsi 81 ... 278 D 5
Puycornet 82 ... 277 H 3
Puydaniel 31 ... 317 H 4
Puydarrieux 65 ... 315 H 4
Puydrouard 17 ... 201 E 1
La Puye 86 ... 187 F 1
Puygaillard-
de-Lomagne 82 ... 276 D 5
Puygaillard-de-Quercy 82 ... 278 C 5
Puygiron 26 ... 267 F 4
Puygouzon 81 ... 299 F 1
Puygros 73 ... 233 G 2
Puyguilhem 24 ... 257 G 2
Puyguilhem
Château de 24 ... 222 C 4
Puyjourdes 46 ... 279 E 1
Puylagarde 82 ... 279 E 2
Puylaroque 82 ... 278 C 2
Puylaurens 81 ... 299 E 5
Puylausic 32 ... 316 D 2

Puyloubier 13 ..... 306 C 5
Puymangou 24 ..... 239 E 2
Puymartin *Château de* 24 ..... 241 F 5
Puymaurin 31 ..... 316 C 3
Puyméras 84 ..... 285 H 2
Puymiclan 47 ..... 257 G 4
Puymirol 47 ..... 276 C 3
Puymorens *Col de* 66 ..... 340 D 3
Puymoyen 16 ..... 221 F 2
Puynormand 33 ..... 238 D 4
Puyol-Cazalet 40 ..... 294 B 4
Puyoô 64 ..... 293 E 5
Puyravault 17 ..... 201 E 1
Puyravault 85 ..... 183 F 3
Puyréaux 16 ..... 203 F 4
Puyrenier 24 ..... 221 H 4
Puyricard 13 ..... 306 A 4
Puyrolland 17 ..... 201 G 2
Puys 76 ..... 10 B 5
Puységur 32 ..... 296 B 3
Puysségur 31 ..... 297 E 3
Puysserampion 47 ..... 257 G 3
Puyvalador 66 ..... 341 G 2
Puyvert 84 ..... 305 H 2
Puzeaux 80 ..... 23 F 3
Puzieux 57 ..... 66 B 3
Puzieux 88 ..... 94 D 4
Py 66 ..... 342 A 4
Pyla-sur-Mer 33 ..... 254 B 2
La Pyle 27 ..... 35 H 4
Pyrénées 2000 66 ..... 341 F 4
Pys 80 ..... 13 G 4

Q

Quaëdypre 59 ..... 3 H 3
Quaix-en-Chartreuse 38 ..... 250 D 1
Quantilly 18 ..... 155 F 4
Quarante 34 ..... 321 E 3
Quarouble 59 ..... 9 H 5
Quarré-les-Tombes 89 ..... 158 A 3
La Quarte 70 ..... 140 B 3
Le Quartier 63 ..... 209 E 2
Quasquara 2A ..... 349 E 3
Quatre-Champs 08 ..... 42 D 1
Les Quatre Chemins 85 ..... 183 F 2
Quatre-Routes-d'Albussac 19 ..... 242 D 3
Les Quatre-Routes-du-Lot 46 ..... 242 C 4
Quatre Vios *Col des* 07 ..... 266 B 1
Quatremare 27 ..... 36 B 4
Quatzenheim 67 ..... 68 C 5
Quéant 62 ..... 13 H 3
Queaux 86 ..... 187 E 4
Québriac 35 ..... 80 A 4
Quédillac 35 ..... 103 F 1
Queige 73 ..... 216 B 5
Quelaines-Saint-Gault 53 ..... 105 H 5
Les Quelles 67 ..... 96 C 3
Quelmes 62 ..... 3 E 5
Quelneuc 56 ..... 125 H 2
Quéménéven 29 ..... 75 H 5
Quemigny-Poisot 21 ..... 159 H 4
Quemigny-sur-Seine 21 ..... 138 B 4
Quemper-Guézennec 22 ..... 73 F 3
Quemperven 22 ..... 72 D 3
Quend 80 ..... 11 F 1
Quend-Plage-les-Pins 80 ..... 11 E 1
Quenne 89 ..... 136 C 3
Quenoche 70 ..... 162 A 1
Quenza 2A ..... 349 F 5
Quercamps 62 ..... 3 E 5
Querciolo 2B ..... 347 H 2
Quercitello 2B ..... 347 G 3
Quérénaing 59 ..... 14 D 2
Quéribus *Château de* 11 ..... 338 B 4
Quérigut 09 ..... 341 G 2
Quernes 62 ..... 7 G 3
Quéroy *Grottes du* 16 ..... 221 G 2
Querqueville 50 ..... 29 E 2
Querré 49 ..... 128 C 4
Querrien 29 ..... 100 D 4
Querrieu 80 ..... 22 C 1
Quers 70 ..... 141 G 3
Quesmy 60 ..... 23 H 4
Quesnay-Guesnon 14 ..... 32 D 4
Le Quesne 80 ..... 21 G 2
Le Quesnel 80 ..... 23 E 3
Le Quesnel-Aubry 60 ..... 38 C 1
Le Quesnoy 59 ..... 15 E 3
Le Quesnoy 80 ..... 23 E 3
Le Quesnoy-en-Artois 62 ..... 12 B 2
Quesnoy-le-Montant 80 ..... 11 F 3
Quesnoy-sur-Airaines 80 ..... 11 H 5
Quesnoy-sur-Deûle 59 ..... 4 C 5
Quesques 62 ..... 6 D 2
Quessigny 27 ..... 56 C 2
Quessoy 22 ..... 78 C 4
Quessy 02 ..... 24 B 4
Questembert 56 ..... 125 E 3
Questrecques 62 ..... 6 C 2
Quet-en-Beaumont 38 ..... 251 F 5
Quetigny 21 ..... 160 B 3
Quettehou 50 ..... 29 G 3
Quettetot 50 ..... 29 E 4
Quetteville 14 ..... 34 D 3
Quettreville-sur-Sienne 50 ..... 51 G 1
Queudes 51 ..... 61 E 5
La Queue-en-Brie 94 ..... 58 D 4
La Queue-les-Yvelines 78 ..... 57 G 4
Queuille 63 ..... 209 F 3
Quevauvillers 80 ..... 22 A 2
Quéven 56 ..... 101 E 5
Quévert 22 ..... 79 G 4
Quevillon 76 ..... 36 A 2
Quevilloncourt 54 ..... 94 D 3
Quévreville-la-Poterie 76 ..... 36 B 3
Queyrac 33 ..... 218 D 4
Queyrières 43 ..... 247 H 3
Queyssac 24 ..... 240 B 5
Queyssac-les-Vignes 19 ..... 242 D 4
Quézac 15 ..... 261 H 2
Quézac 48 ..... 282 C 1
Quiberon 56 ..... 123 H 5
Quiberville 76 ..... 20 A 2
Quibou 50 ..... 32 A 5
Quié 09 ..... 336 B 4
Quiers 77 ..... 88 D 2
Quiers-sur-Bézonde 45 ..... 111 H 5
Quiéry-la-Motte 62 ..... 8 C 5
Quierzy 02 ..... 24 A 5
Quiestède 62 ..... 7 G 2
Quiévelon 59 ..... 15 H 3
Quiévrechain 59 ..... 9 H 5
Quièvrecourt 76 ..... 20 D 3
Quiévy 59 ..... 14 D 4
Quilen 62 ..... 6 D 4
Quilinen *Calvaire de* 29 ..... 99 H 2
Quillan 11 ..... 337 F 4
Quillane *Col de* 66 ..... 341 G 3
Quillebeuf-sur-Seine 27 ..... 35 F 1
Le Quillio 22 ..... 102 A 1
Quilly 08 ..... 42 C 2
Quilly 44 ..... 146 D 1
Quily 56 ..... 102 D 5
Quimerch 29 ..... 75 H 4
Quimiac 44 ..... 145 G 3
Quimper 29 ..... 99 H 3
Quimperlé 29 ..... 100 D 4
Quincampoix 76 ..... 36 B 1
Quincampoix-Fleuzy 60 ..... 21 G 3
Quinçay 86 ..... 186 B 1
Quincerot 21 ..... 137 G 5
Quincerot 89 ..... 115 E 5
Quincey 10 ..... 90 A 3
Quincey 21 ..... 160 A 5
Quincey 70 ..... 141 F 4
Quincié-en-Beaujolais 69 ..... 212 C 1
Quincieu 38 ..... 250 B 1
Quincieux 69 ..... 213 E 4
Quincy 18 ..... 154 C 5
Quincy-Basse 02 ..... 40 B 1
Quincy-Landzécourt 55 ..... 43 H 1
Quincy-le-Vicomte 21 ..... 137 G 5
Quincy-sous-le-Mont 02 ..... 40 D 3
Quincy-sous-Sénart 91 ..... 58 D 5
Quincy-Voisins 77 ..... 59 G 3
Quinéville 50 ..... 29 G 4
Quingey 25 ..... 161 H 5
Quinquempoix 60 ..... 22 C 5
Quins 12 ..... 280 B 3
Quinsac 24 ..... 222 C 4
Quinsac 33 ..... 255 G 1
Quinsac 87 ..... 223 G 4
Quinson 04 ..... 307 F 3
Quinssaines 03 ..... 190 C 4
Quint-Fonsegrives 31 ..... 298 A 5
Quintal 74 ..... 215 G 4
La Quinte 72 ..... 107 G 4
Quintenas 07 ..... 248 D 2
Quintenic 22 ..... 79 E 3
Quintigny 39 ..... 179 E 4
Quintillan 11 ..... 338 C 3
Quintin 22 ..... 78 A 4
Le Quiou 22 ..... 79 H 5
Quirbajou 11 ..... 337 F 4
Quiry-le-Sec 80 ..... 22 C 4
Quissac 30 ..... 303 E 1
Quissac 46 ..... 260 D 3
Quistinic 56 ..... 101 G 4
Quittebeuf 27 ..... 36 A 5
Quitteur 70 ..... 140 B 5
Quivières 80 ..... 23 H 2
Quœux-Haut-Maînil 62 ..... 12 B 2

R

Rabastens 81 ..... 298 C 2
Rabastens-de-Bigorre 65 ..... 315 F 3
Rabat-les-Trois-Seigneurs 09 ..... 336 A 4
La Rabatelière 85 ..... 166 A 3
Rablay-sur-Layon 49 ..... 149 G 3
Rabodanges 61 ..... 53 G 3
Rabodanges *Barrage de* 61 ..... 53 G 4
Le Rabot 41 ..... 133 F 5
Rabou 05 ..... 269 G 3
Rabouillet 66 ..... 337 H 5
Racécourt 88 ..... 94 D 5
Rachecourt-sur-Marne 52 ..... 92 D 3
Rachecourt-Suzémont 52 ..... 92 C 3
Raches 59 ..... 8 D 5
Racines 10 ..... 114 C 4
La Racineuse 71 ..... 178 B 3
Racou-Plage 66 ..... 343 G 3
Racquinghem 62 ..... 7 G 2
Racrange 57 ..... 67 E 3
Raddon-et-Chapendu 70 ..... 141 H 2
Radenac 56 ..... 102 B 4
Radepont 27 ..... 36 C 3
Radinghem 62 ..... 7 E 3
Radinghem-en-Weppes 59 ..... 8 C 3
Radon 61 ..... 83 G 3
Radonvilliers 10 ..... 91 H 4
Radule *Bergeries de* 2B ..... 346 C 4
Raedersdorf 68 ..... 143 G 4
Raedersheim 68 ..... 121 E 5
Raffetot 76 ..... 19 F 5
Rageade 15 ..... 246 A 3
Raguenès-Plage 29 ..... 100 B 5
Rahart 41 ..... 131 G 2
Rahay 72 ..... 108 D 5
Rahling 57 ..... 67 H 2
Rahon 25 ..... 163 E 2
Rahon 39 ..... 178 D 1
Rai 61 ..... 55 F 4
Raids 50 ..... 31 H 4
Raillencourt-Sainte-Olle 59 ..... 14 B 3
Railleu 66 ..... 341 G 3
Raillicourt 08 ..... 26 C 4
Raillimont 02 ..... 25 H 4
Raimbeaucourt 59 ..... 8 D 4
Rainans 39 ..... 161 E 5
Raincheval 80 ..... 12 D 5
Raincourt 70 ..... 140 C 2
Le Raincy 93 ..... 58 D 3
Rainfreville 76 ..... 20 A 3
Rainneville 80 ..... 22 C 1
Rainsars 59 ..... 15 H 5
Rainville 88 ..... 94 B 4
Rainvillers 60 ..... 37 H 2
Les Rairies 49 ..... 129 F 4
Raismes 59 ..... 9 G 5
Raissac 09 ..... 336 C 3
Raissac-d'Aude 11 ..... 320 D 5
Raissac-sur-Lampy 11 ..... 319 F 4
Raix 16 ..... 203 F 3
Raizeux 78 ..... 86 C 2
Ramasse 01 ..... 196 A 5
Ramatuelle 83 ..... 329 G 3
Ramaz *Col de la* 74 ..... 198 B 5
Rambaud 05 ..... 269 H 3
Rambervillers 88 ..... 95 H 4
Rambluzin-et-Benoite-Vaux 55 ..... 64 B 2
Rambouillet 78 ..... 86 D 2
Rambucourt 55 ..... 65 E 4
Ramburelles 80 ..... 11 F 5
Rambures 80 ..... 11 F 5
Ramecourt 62 ..... 7 G 5
Ramecourt 88 ..... 94 D 5
Ramerupt 10 ..... 91 F 3
Ramicourt 02 ..... 24 B 1
Ramillies 59 ..... 14 B 3
Rammersmatt 68 ..... 142 D 1
Ramonchamp 88 ..... 120 A 5
Ramonville-Saint-Agne 31 ..... 298 A 5
Ramoulu 45 ..... 111 G 2
Ramous 64 ..... 293 F 5
Ramousies 59 ..... 15 H 4
Ramouzens 32 ..... 295 F 2
Rampan 50 ..... 32 A 4
Rampieux 24 ..... 258 D 2
Rampillon 77 ..... 89 E 3
Rampont 55 ..... 43 H 5
Rampoux 46 ..... 259 H 3
Rancé 01 ..... 213 E 3
Rancenay 25 ..... 161 H 4
Rancennes 08 ..... 17 E 4
Rances 10 ..... 91 H 3
Ranchal 69 ..... 212 B 1
Ranchette 39 ..... 196 D 3
Ranchicourt 62 ..... 7 H 5
Ranchot 39 ..... 161 F 5
Ranchy 14 ..... 32 D 3
Rancogne 16 ..... 221 H 1
Rançon 76 ..... 19 G 5
Rancon 87 ..... 205 G 1
Rançonnières 52 ..... 117 H 5
Rancoudray 50 ..... 52 C 5
Rancourt 80 ..... 13 H 5
Rancourt 88 ..... 118 D 2
Rancourt-sur-Ornain 55 ..... 63 F 3
Rancy 71 ..... 195 G 1
Randan 63 ..... 210 B 3
Randanne 63 ..... 227 F 1
Randens 73 ..... 234 A 2
Randevillers 25 ..... 162 D 3
Randonnai 61 ..... 55 F 5
Rânes 61 ..... 53 H 5
Rang 25 ..... 142 A 5
Rang-du-Fliers 62 ..... 6 B 5
Rangecourt 52 ..... 117 G 4
Rangen 67 ..... 68 C 5
Ranguevaux 57 ..... 45 G 4
Rannée 35 ..... 105 E 5
Ranrupt 67 ..... 96 D 3
Rans 39 ..... 161 F 5
Ransart 62 ..... 13 F 3
Ranspach 68 ..... 120 C 5
Ranspach-le-Bas 68 ..... 143 G 3
Ranspach-le-Haut 68 ..... 143 G 3
Rantechaux 25 ..... 162 C 5
Rantigny 60 ..... 38 D 3
Ranton 86 ..... 168 C 2
Rantzwiller 68 ..... 143 G 2
Ranville 14 ..... 33 H 4
Ranville-Breuillaud 16 ..... 202 D 4
Ranzevelle 70 ..... 118 C 5
Ranzières 55 ..... 64 C 2
Raon-aux-Bois 88 ..... 119 G 3
Raon-lès-Leau 54 ..... 96 C 2
Raon-l'Étape 88 ..... 96 A 3
Raon-sur-Plaine 88 ..... 96 C 2
Rapaggio 2B ..... 347 G 3
Rapale 2B ..... 345 F 5
Rapey 88 ..... 95 E 4
Raphèle-les-Arles 13 ..... 304 C 4
Rapilly 14 ..... 53 G 3
Rapsécourt 51 ..... 63 E 1
Raray 60 ..... 39 F 4
Rarécourt 55 ..... 43 G 5
Rasiguères 66 ..... 338 B 5
Raslay 86 ..... 150 C 5
Rasteau 84 ..... 285 G 2
Le Rat 19 ..... 225 F 1
Ratenelle 71 ..... 195 F 2
Ratières 26 ..... 249 F 2
Ratilly *Château de* 89 ..... 156 C 1
Ratte 71 ..... 178 C 5
Ratzwiller 67 ..... 68 A 2
Raucoules 43 ..... 248 A 2
Raucourt 54 ..... 65 H 3
Raucourt-au-Bois 59 ..... 15 E 3
Raucourt-et-Flaba 08 ..... 27 F 5
Raulecourt 55 ..... 65 E 4
Raulhac 15 ..... 244 D 5
Rauret 43 ..... 265 E 1
Rauville-la-Bigot 50 ..... 29 E 4
Rauville-la-Place 50 ..... 31 G 2
Rauwiller 67 ..... 67 H 4
Rauzan 33 ..... 256 C 1
Raveau 58 ..... 156 B 5
Ravel 63 ..... 210 B 5
Ravel 69 ..... 230 D 2
Ravel-et-Ferriers 26 ..... 268 C 2
Ravenel 60 ..... 38 D 1
Ravennefontaines 52 ..... 117 H 4
Ravenoville 50 ..... 29 H 5
Raves 88 ..... 96 C 5
Raviège *Lac de la* 81 ..... 300 B 5
Ravières 89 ..... 137 G 4
Ravigny 53 ..... 83 F 3
Raville 57 ..... 66 C 1
Raville-sur-Sânon 54 ..... 95 F 1
Ravilloles 39 ..... 196 D 3
La Ravoire 73 ..... 233 F 2
Ray-sur-Saône 70 ..... 140 C 5
Raye-sur-Authie 62 ..... 11 H 1
Rayet 47 ..... 258 C 3
Raymond 18 ..... 173 G 2
Raynans 25 ..... 142 B 4
Rayol-Canadel-sur-Mer 83 ..... 329 E 4
Rayssac 81 ..... 299 H 2
Raz *Pointe du* 29 ..... 98 C 2
Razac-de-Saussignac 24 ..... 257 F 1
Razac-d'Eymet 24 ..... 257 H 2
Razac-sur-l'Isle 24 ..... 240 B 2
Raze 70 ..... 140 D 5
Razecueillé 31 ..... 334 C 3
Razengues 32 ..... 297 E 4
Razès 87 ..... 205 H 3
Razimet 47 ..... 275 F 1
Razines 37 ..... 169 F 2
Ré *Île de* 17 ..... 182 D 5
Réal 66 ..... 341 G 2
Réalcamp 76 ..... 21 F 2
Réallon 05 ..... 270 B 3
Réalmont 81 ..... 299 G 3
Réalville 82 ..... 278 B 4
Réans 32 ..... 295 E 1
Réau 77 ..... 88 B 2
Réau (Ancienne Abbaye de la) 86 ..... 204 B 1
Réaumont 38 ..... 232 C 4
Réaumur 85 ..... 167 E 4
Réaup 47 ..... 275 E 4
Réauville 26 ..... 267 F 5
Réaux-sur-Trèfle 17 ..... 220 B 3
Les Réaux *Château* 37 ..... 150 D 4
Rebais 77 ..... 60 A 3
Rebecques 62 ..... 7 G 2
Rébénacq 64 ..... 314 A 5
Rebergues 62 ..... 2 D 5
Rebets 76 ..... 36 D 1
Rebeuville 88 ..... 94 A 4
Rebigue 31 ..... 318 A 2
Rebouc 65 ..... 333 H 2
Rebouillon 83 ..... 308 A 4
Rebourguil 12 ..... 300 C 1
Rebourseaux 89 ..... 114 B 5
Reboursin 36 ..... 172 A 1
Rebréchien 45 ..... 111 F 5
Rebreuve-Ranchicourt 62 ..... 7 H 5
Rebreuve-sur-Canche 62 ..... 12 D 2
Rebreuviette 62 ..... 12 D 3
Recanoz 39 ..... 179 E 3
Recey-sur-Ource 21 ..... 138 D 3
Réchésy 90 ..... 143 E 4
Réchicourt 55 ..... 44 D 3
Réchicourt-la-Petite 54 ..... 66 D 5
Réchicourt-le-Château 57 ..... 67 F 5
Récicourt 55 ..... 43 G 5
Réclainville 28 ..... 86 C 5
Reclesne 71 ..... 176 C 1
Reclinghem 62 ..... 7 F 3
Réclonville 54 ..... 95 H 2
Recloses 77 ..... 88 B 5
Recologne 25 ..... 161 G 3
Recologne 70 ..... 140 C 5
Recologne-lès-Rioz 70 ..... 161 H 1
Recoubeau-Jansac 26 ..... 268 B 2
Recoules-d'Aubrac 48 ..... 263 G 2
Recoules-de-Fumas 48 ..... 264 B 3
Recoules-Prévinquières 12 ..... 281 G 1
Récourt 52 ..... 117 G 5
Récourt 62 ..... 14 A 3
Récourt-le-Creux 55 ..... 64 B 2
La Recousse 62 ..... 3 E 4
Recouvrance 90 ..... 142 D 3
Le Recoux 48 ..... 281 H 1
Recques-sur-Course 62 ..... 6 C 4
Recques-sur-Hem 62 ..... 3 E 4
Recquignies 59 ..... 15 H 2
Le Reculey 14 ..... 52 C 2
Reculfoz 25 ..... 180 B 4
Recurt 65 ..... 315 H 5
Recy 51 ..... 62 A 2
Rédange 57 ..... 45 F 2
Rédené 29 ..... 100 D 5
Réderis *Cap* 66 ..... 343 G 4
Redessan 30 ..... 304 A 2
Réding 57 ..... 67 H 4
Redon 35 ..... 125 G 4
La Redorte 11 ..... 320 B 4
Redortiers 04 ..... 286 D 4
Réez-Fosse-Martin 60 ..... 39 G 5
Reffannes 79 ..... 185 F 2
Reffroy 55 ..... 93 G 1
Reffuveille 50 ..... 52 A 5
Refranche 25 ..... 180 A 1
Régades 31 ..... 334 C 2
Régat 09 ..... 336 D 2
Regnauville 62 ..... 11 H 1
Regnévelle 88 ..... 118 C 4
Regnéville-sur-Mer 50 ..... 51 F 1
Regnéville-sur-Meuse 55 ..... 44 D 4
Regney 88 ..... 95 E 5
Régnié-Durette 69 ..... 212 D 1
Regnière-Écluse 80 ..... 11 G 1
Regniowez 08 ..... 26 B 1
Regny 02 ..... 24 C 2
Régny 42 ..... 211 H 3
La Regrippière 44 ..... 148 B 4
Réguiny 56 ..... 102 B 4
Réguisheim 68 ..... 121 E 5
Régusse 83 ..... 307 F 3
Rehaincourt 88 ..... 95 F 4
Rehainviller 54 ..... 95 F 2
Rehaupal 88 ..... 119 H 2
Reherrey 54 ..... 95 H 2
Réhon 54 ..... 45 E 1
Reichsfeld 67 ..... 97 E 3
Reichshoffen 67 ..... 68 D 2
Reichstett 67 ..... 69 E 5
Reignac 16 ..... 220 C 4
Reignac 33 ..... 237 G 1
Reignac-sur-Indre 37 ..... 152 B 4
Reignat 63 ..... 228 B 1
Reigneville-Bocage 50 ..... 29 F 5
Reignier-Ésery 74 ..... 215 H 1
Reigny 18 ..... 190 B 2
Reilhac 15 ..... 244 B 4
Reilhac 43 ..... 246 C 3
Reilhac 46 ..... 260 D 2
Reilhaguet 46 ..... 260 B 2
Reilhanette 26 ..... 286 C 3
Reillanne 04 ..... 306 B 1
Reillon 54 ..... 95 H 1
Reilly 60 ..... 37 G 4
Reimerswiller 67 ..... 69 E 2
Reims 51 ..... 41 G 4
Reims-la-Brûlée 51 ..... 62 D 4
Reine Jeanne *Pont de la* 04 ..... 287 G 2
Reinhardsmunster 67 ..... 68 A 5
Reiningue 68 ..... 143 E 1
Reipertswiller 67 ..... 68 B 2
Reithouse 39 ..... 196 B 1
Reitwiller 67 ..... 68 D 5
Réjaumont 32 ..... 296 A 2
Réjaumont 65 ..... 315 H 5
Rejet-de-Beaulieu 59 ..... 15 E 5
Relanges 88 ..... 118 C 3
Relans 39 ..... 179 E 4
Le Relecq-Kerhuon 29 ..... 75 F 2
Relevant 01 ..... 213 F 2
Rely 62 ..... 7 G 3
Remaisnil 80 ..... 12 C 3
Rémalard-en-Perche 61 ..... 84 D 4
Remaucourt 02 ..... 24 B 2
Remaucourt 08 ..... 25 H 5
La Remaudière 44 ..... 148 B 4
Remaugies 80 ..... 23 E 5
Remauville 77 ..... 112 C 2
Rembercourt-aux-Pots 55 ..... 63 H 2
Rembercourt-sur-Mad 54 ..... 65 F 2
Rémécourt 60 ..... 38 D 2
Remelange 57 ..... 45 G 3
Rémelfang 57 ..... 46 C 4
Rémelfing 57 ..... 47 G 5
Rémeling 57 ..... 46 C 2
Remennecourt 55 ..... 63 F 3
Remenoville 54 ..... 95 F 3
Rémérangles 60 ..... 38 B 2
Réméréville 54 ..... 66 C 5
Rémering 57 ..... 46 D 4
Rémering-lès-Puttelange 57 ..... 67 F 1
Remicourt 51 ..... 63 E 2
Remicourt 88 ..... 94 C 5
Remiencourt 80 ..... 22 C 3
Remies 02 ..... 24 C 4
La Remigeasse 17 ..... 200 B 3
Remigny 02 ..... 24 B 4
Remigny 71 ..... 177 G 3
Rémilly 57 ..... 66 B 2
Rémilly 58 ..... 175 H 4
Remilly-Aillicourt 08 ..... 27 F 4
Remilly-en-Montagne 21 ..... 159 G 3
Remilly-les-Pothées 08 ..... 26 C 3
Remilly-sur-Lozon 50 ..... 32 A 4
Remilly-sur-Tille 21 ..... 160 B 3
Remilly-Wirquin 62 ..... 7 F 2
Réminiac 56 ..... 103 F 5
Remiremont 88 ..... 119 G 4
Remoiville 55 ..... 44 B 2
Remollon 05 ..... 269 H 4
Remomeix 88 ..... 96 B 5
Remoncourt 54 ..... 67 E 5
Remoncourt 88 ..... 94 C 5
Rémondans-Vaivre 25 ..... 163 F 2
Rémonville 08 ..... 43 F 2
Remoray-Boujeons 25 ..... 180 C 4
Remouillé 44 ..... 166 A 1
Remoulins 30 ..... 304 B 1
Removille 88 ..... 94 B 4
Rempnat 87 ..... 225 E 1
La Remuée 76 ..... 35 E 1
Remungol 56 ..... 102 A 4
Rémuzat 26 ..... 268 B 5
Rémy 60 ..... 39 E 2
Rémy 62 ..... 13 H 3
Renac 35 ..... 125 H 3

Renage 38 232 B 5
Renaison 42 211 F 2
La Renaissance 17 200 D 3
Renansart 02 24 C 3
Renaucourt 70 140 C 4
La Renaudie 63 229 E 1
La Renaudière 49 148 C 5
Renauvoid 88 119 F 2
Renay 41 131 H 2
Renazé 53 127 G 2
Rencurel 38 250 B 2
René 72 83 H 5
Renédale 25 180 C 1
Renescure 59 3 G 5
Renève 21 160 D 2
Réning 57 67 F 2
Rennemoulin 78 58 A 3
Rennepont 52 116 B 3
Rennes 35 104 B 3
Rennes-en-Grenouilles 53 82 C 3
Rennes-le-Château 11 337 G 3
Rennes-les-Bains 11 337 H 3
Rennes-sur-Loue 25 179 G 1
Renneval 02 25 G 3
Renneville 08 25 H 4
Renneville 27 36 C 2
Renneville 31 318 C 3
Renno 2A 346 C 5
Le Renouard 61 54 B 2
Rentières 63 227 H 4
Renty 62 7 E 3
Renung 40 294 B 3
Renwez 08 26 C 2
La Réole 33 256 D 3
La Réorthe 85 183 G 1
Réotier 05 270 D 2
Repaix 54 96 A 1
La Répara-Auriples 26 267 G 3
Réparsac 16 220 C 1
Repel 88 94 C 4
Repentigny 14 34 B 4
Replonges 01 195 E 4
Le Reposoir 74 216 B 2
Les Repôts 39 178 D 5
Reppe 90 142 D 2
Requeil 72 129 H 3
Réquista 12 280 C 5
Résenlieu 61 54 D 4
La Résie-Saint-Martin 70 161 E 3
Résigny 02 25 H 3
Resson 55 63 H 4
Ressons-l'Abbaye 60 38 A 3
Ressons-le-Long 02 40 A 2
Ressons-sur-Matz 60 39 F 1
Les Ressuintes 28 85 E 2
Restigné 37 151 E 4
Restinclières 34 303 E 3
Restonica *Gorges de la* 2B 347 E 5
Le Retail 79 184 D 1
Rétaud 17 219 F 1
Reterre 23 208 C 2
Rethel 08 42 A 1
Retheuil 02 39 H 3
Rethondes 60 39 G 2
Rethonvillers 80 23 G 3
Réthoville 50 29 G 2
Retiers 35 104 D 5
Retjons 40 274 B 4
Retonfey 57 46 B 5
Rétonval 76 21 E 2
Retournac 43 247 G 2
Retournemer *Lac de* 88 120 B 3
Retschwiller 67 69 E 2
Rettel 57 46 B 2
Rety 62 2 C 5
Retzwiller 68 142 D 3
Reugney 25 180 B 1
Reugny 03 190 D 3
Reugny 37 152 B 1
Reuil 51 61 E 1
Reuil-en-Brie 77 60 A 2
Reuil-sur-Brêche 60 38 B 1
Reuilly 27 56 C 1
Reuilly 36 172 C 1
Reuilly-Sauvigny 02 60 D 1
Reulle-Vergy 21 159 H 4
Reumont 59 14 D 4
La Réunion 47 275 E 2
Reutenbourg 67 68 B 5
Reuves 51 61 F 4
Reuville 76 19 H 3
Reux 14 34 C 3
Revard *Mont* 73 233 F 1
Réveillon 51 60 C 4
Réveillon 61 84 C 3
Revel 31 319 E 2
Revel 38 251 F 1
Revel-Tourdan 38 231 G 4
Revelles 80 22 A 2
Revémont 54 44 D 2
Revens 30 282 A 4
Reventin-Vaugris 38 231 E 4
Revercourt 28 56 B 5
Revest-des-Brousses 04 287 E 5
Revest-du-Bion 04 286 C 4
Le Revest-les-Eaux 83 328 A 4
Revest-les-Roches 06 289 H 5
Revest-Saint-Martin 04 287 F 4
La Revêtizon 79 184 D 5
Reviers 14 33 F 3
Revigny 39 179 F 5
Revigny-sur-Ornain 55 63 F 3
Réville 50 29 H 3
Réville-aux-Bois 55 44 B 3
Révillon 02 41 E 2
Revin 08 26 C 1
Revollat *Croix de* 38 251 F 1
Revonnas 01 214 A 1
Rexingen 67 67 H 3
Rexpoëde 59 3 H 3
Reyersviller 57 68 B 1
Reygade 19 243 E 4
Reynel 52 93 F 5
Reynès 66 342 D 4
Reynier 04 287 H 1
Reyniès 82 297 H 1
Reyrevignes 46 261 E 3
Reyrieux 01 213 E 3
Les Reys-de-Saulce 26 267 E 2
Reyssouze 01 195 F 3
Reyvroz 74 198 B 3
Rezay 18 172 D 5
Rezé 44 147 G 4
Rézentières 15 245 H 3
Rezonville 57 65 F 1
Rezza 2A 348 D 1
Rhèges 10 90 D 2
Le Rheu 35 104 A 3
Le Rhien 70 142 A 2
Rhinau 67 97 H 4
Rhodes 57 67 F 4
Rhodon 41 132 A 3
Rhodon 78 58 A 5
Rhuis 60 39 E 3
Ri 61 54 A 4
Ria-Sirach 66 342 A 3
Riaillé 44 127 E 5
Le Rialet 81 300 A 5
Rians 18 155 G 5
Rians 83 306 C 4
Riantec 56 123 F 2
Riau *Château du* 03 192 A 1
Riaucourt 52 117 E 2
Riaville 55 64 D 1
Ribagnac 24 257 H 1
Ribarrouy 64 294 C 5
Ribaute 11 338 B 1
Ribaute-les-Tavernes 30 283 H 5
Le Ribay 53 82 C 4
Ribeaucourt 55 93 F 2
Ribeaucourt 80 12 B 4
Ribeauville 02 25 H 2
Ribeauvillé 68 97 E 5
Ribécourt 60 39 G 1
Ribécourt-la-Tour 59 14 A 4
Ribemont 02 24 C 3
Ribemont-sur-Ancre 80 22 D 1
Ribennes 48 264 B 3
Ribérac 24 239 G 1
Ribes 07 266 A 5
Ribeyret 05 268 C 5
Ribiers 05 287 F 2
Ribouisse 11 318 D 5
Riboux 83 327 H 2
La Ricamarie 42 230 B 4
Ricarville 76 19 F 4
Ricarville-du-Val 76 20 C 3
Ricaud 11 318 D 3
Ricaud 65 315 G 5
Les Riceys 10 115 G 5
La Richardais 35 50 C 5
Richardménil 54 94 D 1
Richarville 91 87 E 4
La Riche 37 151 H 2
Riche 57 66 D 3
Richebourg 52 116 D 4
Richebourg 62 8 B 3
Richebourg 78 57 F 4
Richecourt 55 65 E 3
Richelieu 37 169 E 1
Richeling 57 67 G 1
Richemont 16 220 B 1
Richemont 57 45 H 4
Richemont 76 21 F 3
Richemont *Col de* 01 214 D 2
Richerenches 84 285 F 1
Richet 40 273 F 1
Richeval 57 96 A 1
Richeville 27 37 E 4
Richtolsheim 67 97 G 5
Richwiller 68 143 F 1
Ricourt 32 315 F 2
Ricquebourg 60 23 F 5
Riec-sur-Belon 29 100 C 5
Riedheim 67 68 C 3
Riedisheim 68 143 F 1
Riedseltz 67 69 F 1
Riedwihr 68 121 F 2
Riel-les-Eaux 21 116 A 5
Riencourt 80 22 A 1
Riencourt-lès-Bapaume 62 13 H 4
Riencourt-lès-Cagnicourt 62 13 H 3
Riervescemont 90 142 C 1
Riespach 68 143 F 4
Rieucazé 31 334 C 1
Rieucros 09 336 C 1
Rieulay 59 9 E 5
Rieumajou 31 318 C 3
Rieumes 31 317 F 3
Rieupeyroux 12 279 H 2
Rieussec 34 320 C 3
Rieutort-de-Randon 48 264 C 3
Rieux 31 317 G 4
Rieux 51 60 C 3
Rieux 56 125 G 4
Rieux 60 38 D 3
Rieux 62 7 H 3
Rieux 76 11 E 5
Rieux-de-Pelleport 09 336 B 2
Rieux-en-Cambrésis 59 14 C 3
Rieux-en-Val 11 338 A 1
Rieux-Minervois 11 320 B 4
Riez 04 307 F 1
Rigarda 66 342 B 2
Rigaud 06 289 G 4
Rignac 12 279 H 1
Rignac 46 260 D 1
Rignat 01 214 A 1
Rignaucourt 55 63 H 2
Rigné 79 168 A 2
Rigney 25 162 B 2
Rignieux-le-Franc 01 213 H 3
Rignosot 25 162 B 2
Rignovelle 70 141 H 2
Rigny 70 161 F 1
Rigny-la-Nonneuse 10 90 B 4
Rigny-la-Salle 55 94 A 1
Rigny-le-Ferron 10 114 A 2
Rigny-Saint-Martin 55 94 A 1
Rigny-sur-Arroux 71 193 G 2
Rigny-Ussé 37 151 E 4
Riguepeu 32 295 H 4
Rilhac-Lastours 87 223 F 2
Rilhac-Rancon 87 205 H 4
Rilhac-Treignac 19 224 D 3
Rilhac-Xaintrie 19 243 H 2
Rillans 25 162 C 1
Rillé 37 151 E 2
Rillieux-la-Pape 69 213 F 5
Rilly-la-Montagne 51 41 G 5
Rilly-Sainte-Syre 10 90 D 4
Rilly-sur-Aisne 08 42 C 1
Rilly-sur-Loire 41 152 D 2
Rilly-sur-Vienne 37 169 G 1
Rimaucourt 52 93 F 5
Rimbach-
près-Guebwiller 68 120 D 5
Rimbach-
près-Masevaux 68 142 C 1
Rimbachzell 68 120 D 5
Rimbez-et-Baudiets 40 274 D 4
Rimboval 62 6 D 4
Rimeize 48 264 B 2
Rimling 57 48 B 5
Rimogne 08 26 C 2
Rimon-et-Savel 26 268 A 2
Rimondeix 23 189 H 5
Rimons 33 256 D 2
Rimont 09 335 G 2
Rimou 35 80 C 4
Rimplas 06 289 H 3
Rimsdorf 67 67 H 2
Ringeldorf 67 68 C 3
Ringendorf 67 68 C 3
Rinxent 62 2 B 4
Riocaud 33 257 F 1
Riolan *Clue du* 06 289 G 5
Riolas 31 316 D 3
Riols 34 320 C 2
Le Riols 81 279 E 3
Riom 63 209 H 4
Riom-ès-Montagnes 15 244 D 1
Rioms 26 286 C 2
Rion-des-Landes 40 273 E 5
Rions 33 255 H 2
Riorges 42 211 G 2
Riotord 43 248 B 1
Rioupéroux 38 251 F 2
Rioupes *Col de* 05 269 F 2
Rioux 17 219 F 2
Rioux-Martin 16 238 D 1
Rioz 70 162 A 1
Ripaille *Domaine de* 74 198 B 3
Riquet *Obélisque de* 11 318 D 3
Riquewihr 68 121 E 2
Ris 63 210 C 3
Ris 65 333 H 3
Ris-Orangis 91 58 C 5
Riscle 32 294 D 4
Risoul 05 270 D 2
Risoul 1850 05 270 D 2
Ristolas 05 271 F 1
Ristz *Château du* 03 192 A 3
Rittershoffen 67 69 F 2
Ritzing 57 46 C 2
Riunoguès 66 343 E 4
Riupeyrous 64 314 C 2
Riva-Bella 14 33 H 3
Rivarennes 36 188 B 1
Rivarennes 37 151 F 4
Rivas 42 230 A 2
Rivau *Château du* 37 151 E 5
Rive-de-Gier 42 230 D 3
Rivecourt 60 39 F 3
Rivedoux-Plage 17 200 B 1
Rivehaute 64 313 F 3
Rivel 11 337 E 3
Riventosa 2B 347 F 5
Rivèrenert 09 335 G 3
Riverie 69 230 C 2
Rivery 80 22 C 2
Les Rives 34 301 G 2
Rives 38 232 C 5
Rives 47 258 C 3
Rivesaltes 66 338 D 5
Le Rivier 38 232 B 4
La Rivière 33 238 B 4
Rivière 37 151 E 5
La Rivière 38 250 C 1
Rivière 62 13 F 3
La Rivière-de-Corps 10 90 D 5
La Rivière-Drugeon 25 180 B 3
La Rivière-Enverse 74 216 C 1
Rivière-les-Fosses 52 139 G 4
Rivière-Saas-et-Gourby 40 292 D 3
La Rivière-Saint-Sauveur 14 34 D 2
Rivière-sur-Tarn 12 281 H 3
La Rivière-Thibouville 27 35 G 5
Rivières 16 203 G 5
Rivières 30 284 A 2
Rivières 81 299 E 1
Les Rivières-Henruel 51 62 C 5
Rivières-le-Bois 52 139 H 3
Riville 76 19 F 3
Rivolet 69 212 C 3
Rix 39 180 A 4
Rix 58 157 E 2
Rixheim 68 143 G 1
La Rixouse 39 197 E 2
Rizaucourt 52 92 C 5
Roaillan 33 256 B 4
Roaix 84 285 G 2
Roanne 42 211 G 2
Roannes-Saint-Mary 15 262 B 1
Robécourt 88 118 A 3
Robecq 62 7 H 3
Robehomme 14 34 A 4
Robersart 59 15 E 4
Robert-Espagne 55 63 G 4
Robert-le-Diable
Château de 76 36 A 3
Robert-Magny 52 92 B 3
Robertot 76 19 G 3
Roberval 60 39 E 3
Robiac-Rochessadoule 30 283 H 2
Robien *Château* 22 78 A 4
Robin *Mont* 50 52 A 2
La Robine-sur-Galabre 04 288 A 2
Robion 04 308 A 1
Robion 84 305 F 1
Le Roc 46 260 B 1
Le Roc-Saint-André 56 102 D 5
Rocamadour 46 260 C 1
Rocbaron 83 328 B 2
Rocé 41 131 H 3
Roche 38 231 H 2
Roche 41 132 B 3
Roche 42 229 F 2
La Roche aux Fées 35 104 D 5
Roche-Béranger 38 251 F 2
La Roche-Bernard 56 125 F 5
La Roche-Blanche 44 148 C 1
La Roche-Blanche 63 227 H 1
La Roche-Canilhac 15 263 G 2
La Roche-Canillac 19 243 F 2
La Roche-Chalais 24 238 D 2
Roche-Charles 63 227 G 4
La Roche-Clermault 37 151 E 5
La Roche Courbon
Château de 17 201 E 4
Roche-d'Agoux 63 208 D 2
La Roche-de-Glun 26 249 F 4
La Roche-de-Rame 05 270 C 1
La Roche-Derrien 22 73 E 3
La Roche-des-Arnauds 05 269 G 3
Roche du Prêtre 25 163 E 4
La Roche-en-Brenil 21 158 C 2
Roche-en-Régnier 43 247 F 1
Roche-et-Raucourt 70 140 B 4
La Roche-Guyon 95 57 F 1
La Roche-Jagu
Château de 22 73 E 3
La Roche-la-Molière 42 230 A 4
La Roche-l'Abeille 87 223 G 2
Roche-le-Peyroux 19 226 B 4
Roche-lès-Clerval 25 162 D 2
Roche-lez-Beaupré 25 162 A 3
La Roche-Mabile 61 83 F 3
La Roche-Maurice 29 71 E 5
La Roche-Noire 63 228 A 1
La Roche-Posay 86 170 A 4
La Roche-qui-Boit
Barrage de 50 51 H 5
La Roche-Racan
Château 37 130 C 5
La Roche-Rigault 86 168 D 2
Roche-Saint-Secret-
Béconne 26 267 G 4
La Roche-sur-Foron 74 215 H 1
La Roche-sur-Grane 26 267 F 2
La Roche-sur-le-Buis 26 286 B 2
Roche-sur-Linotte-
et-Sorans-les-Cordiers 70 162 B 1
La Roche-sur-Yon 85 165 H 5
La Roche-Vanneau 21 159 E 1
La Roche-Vineuse 71 194 D 4
Rochebaudin 26 267 G 3
La Rochebeaucourt-
et-Argentine 24 221 G 3
Rochebloine 07 248 C 3
Rochebonne
Château de 07 248 B 4
Rochebrune 05 269 H 4
Rochebrune 26 286 A 1
Rochebrune
Château de 16 204 D 4
Rochechinard 26 250 A 3
Rochechouart 87 204 D 5
Rochecolombe 07 266 B 4
Rochecorbon 37 152 A 2
Rochefort 17 200 D 3
Rochefort 21 138 B 3
Rochefort 73 232 D 2
Rochefort *Rocher de* 42 211 F 3
Rochefort-du-Gard 30 285 E 5
Rochefort-en-Terre 56 125 F 3
Rochefort-en-Valdaine 26 267 F 4
Rochefort-en-Yvelines 78 87 E 2
Rochefort-Montagne 63 227 E 1
Rochefort-Samson 26 249 H 4
Rochefort-sur-la-Côte 52 117 E 2
Rochefort-sur-Loire 49 149 F 2
Rochefort-sur-Nenon 39 161 E 5
La Rochefoucauld 16 221 H 1
Rochefourchat 26 268 A 3
La Rochegiron 04 286 D 4
Rochegude 26 285 F 2
Rochegude 30 284 A 2
Rochejean 25 180 C 4
La Rochelambert
Château de 43 247 E 3
La Rochelle 17 200 C 1
La Rochelle 70 140 B 3
La Rochelle-Normande 50 51 G 4
Rochemaure 07 267 E 3
La Rochénard 79 184 C 5
Rochepaule 07 248 B 3
La Rochepot 21 177 G 2
Rocher 07 266 A 4
Rocher-Portail
Château du 35 80 D 3
Le Rochereau 86 168 D 5
Les Rochers-Sévigné
Château 35 105 F 3
Roches 23 189 G 5
Roches Blanches
Panorama des 83 329 E 2
Les Roches-
de-Condrieu 38 231 E 4
Roches-lès-Blamont 25 142 C 5
Les Roches-l'Évêque 41 131 F 3
Roches-Prémarie-
Andillé 86 186 C 2
Roches-sur-Marne 52 92 D 2
Roches-sur-Rognon 52 93 E 5
Rocheservière 85 165 G 2
Rochessauve 07 266 D 2
Rochesson 88 120 A 4
Rochetaillée 42 230 B 4
Rochetaillée 52 139 F 2
Rochetaillée-sur-Saône 69 213 E 4
Rochetoirin 38 232 B 2
Rochetrejoux 85 166 C 4
La Rochette 04 289 F 5
La Rochette 05 269 H 3
La Rochette 07 248 A 5
La Rochette 16 203 G 5
La Rochette 23 207 G 3
La Rochette 73 233 G 3
La Rochette 77 88 B 3
La Rochette-du-Buis 26 286 B 2
Rocheville 06 309 E 4
Rocheville 50 29 E 4
Rochonvillers 57 45 G 2
Rochy-Condé 60 38 B 2
Rocles 03 191 G 3
Rocles 07 266 A 4
Rocles 48 265 E 2
Roclincourt 62 13 G 2
Rocourt 88 118 A 3
Rocourt-Saint-Martin 02 40 B 5
Rocquancourt 14 33 G 5
La Rocque 14 53 E 2
Rocquefort 76 19 G 4
Rocquemont 60 39 F 4
Rocquemont 76 20 C 5
Rocquencourt 60 22 C 4
Rocquencourt 78 58 A 3
Rocques 14 34 C 4
Rocquigny 02 15 H 5
Rocquigny 08 26 A 4
Rocquigny 62 13 H 5
Rocroi 08 26 B 1
Rodalbe 57 67 E 3
Rodelinghem 62 2 D 4
Rodelle 12 262 D 5
Rodemack 57 45 H 2
Roderen 68 142 D 1
La Roderie 44 147 F 4
Rodern 68 97 E 5
Rodès 66 342 C 2
Rodez 12 280 D 1
Rodilhan 30 304 A 2
Rodome 11 337 F 5
La Roë 53 105 F 5
Roëllecourt 62 7 G 5
Rœschwoog 67 69 G 3
Rœulx 59 14 C 2
Rœux 62 13 H 2
Roézé-sur-Sarthe 72 129 H 2
Roffey 89 137 E 2
Roffiac 15 245 G 3
Rogalle 09 335 F 3
Rogécourt 02 24 C 4
Rogerville 76 34 D 1
Rogéville 54 65 F 4
Roggenhouse 68 121 F 5
Rogliano 2B 345 G 1
Rogna 39 196 D 4
Rognac 13 305 G 5
Rognaix 73 234 B 2
Rognes 13 305 H 3
Rognon 25 162 C 1
Rognonas 13 304 D 1
Rogny 02 25 E 3
Rogny-les-Sept-Écluses 89 135 E 4
Rogues 30 302 B 1
Rogy 80 22 B 4
Rohaire 28 55 H 5
Rohan 56 102 B 3
Rohr 67 68 C 5
Rohrbach-lès-Bitche 57 68 A 1
Rohrwiller 67 69 F 4
Roiffé 86 150 C 5
Roiffieux 07 248 D 1
Roiglise 80 23 F 4
Roilly 21 158 D 2
Roinville 28 86 C 4
Roinville 91 87 F 3
Roinvilliers 91 87 G 5
Roisel 80 23 H 1
Les Roises 55 93 H 3

Roisey 42 ... 230 D 4
Roissard 38 ... 250 D 5
Roissy-en-Brie 77 ... 59 E 4
Roissy-en-France 95 ... 58 D 2
Roiville 61 ... 54 C 3
Roizy 08 ... 41 H 2
Rolampont 52 ... 117 F 5
Rolbing 57 ... 48 C 4
Rollainville 88 ... 94 A 4
Rollancourt 62 ... 7 E 5
Rolland 33 ... 238 D 3
Rolleboise 78 ... 57 E 1
Rolleville 76 ... 18 C 5
Rollot 80 ... 23 E 5
Rom 79 ... 186 A 4
Romagnat 63 ... 227 H 1
La Romagne 08 ... 26 A 4
Romagne 33 ... 256 C 1
Romagné 35 ... 81 E 4
La Romagne 49 ... 166 C 1
Romagne 86 ... 186 B 5
Romagne-sous-les-Côtes 55 ... 44 B 4
Romagne-sous-Montfaucon 55 ... 43 G 3
Romagnieu 38 ... 232 D 2
Romagny 68 ... 142 D 3
Romagny-Fontenay 50 ... 52 B 5
Romagny-sous-Rougemont 90 ... 142 C 2
Romain 25 ... 162 C 1
Romain 39 ... 161 F 4
Romain 51 ... 41 E 3
Romain 54 ... 95 E 2
Romain-aux-Bois 88 ... 118 A 3
Romain-sur-Meuse 52 ... 117 H 2
Romaines 10 ... 91 F 3
Romainville 93 ... 58 C 3
Roman 27 ... 56 A 3
Romanèche 01 ... 196 B 5
Romanèche-Thorins 71 ... 212 D 1
Romange 39 ... 161 E 5
Romans 01 ... 213 F 1
Romans 79 ... 185 F 4
Romans-sur-Isère 26 ... 249 G 3
Romanswiller 67 ... 68 B 5
Romazières 17 ... 202 C 3
Romazy 35 ... 80 C 4
Rombach-le-Franc 68 ... 96 D 4
Rombas 57 ... 45 G 4
Rombies-et-Marchipont 59 ... 9 H 5
Rombly 62 ... 7 G 3
Romegoux 17 ... 201 E 4
Romelfing 57 ... 67 G 3
Romenay 71 ... 195 G 2
Romeny-sur-Marne 02 ... 60 B 2
Romeries 59 ... 14 D 3
Romery 02 ... 25 E 2
Romery 51 ... 41 F 5
Romescamps 60 ... 21 G 4
Romestaing 47 ... 256 D 5
Romette 05 ... 269 H 3
Romeyer 26 ... 268 B 1
La Romieu 32 ... 275 H 5
Romigny 51 ... 41 E 5
Romiguières 34 ... 301 G 2
Romillé 35 ... 103 H 2
Romilly 41 ... 109 F 5
Romilly-la-Puthenaye 27 ... 55 H 1
Romilly-sur-Aigre 28 ... 109 H 5
Romilly-sur-Andelle 27 ... 36 C 3
Romilly-sur-Seine 10 ... 90 B 3
Romont 88 ... 95 G 4
Romorantin-Lanthenay 41 ... 153 H 3
Rompon 07 ... 267 E 1
Rônai 61 ... 54 A 3
Ronce-les-Bains 17 ... 200 C 5
Roncenay 10 ... 114 D 2
Le Roncenay-Authenay 27 ... 56 A 3
Roncey 50 ... 51 H 1
Ronchamp 70 ... 142 A 2
Ronchaux 25 ... 179 H 1
Ronchères 02 ... 40 D 5
Ronchères 89 ... 135 G 4
Roncherolles-en-Bray 76 ... 20 D 5
Roncherolles-sur-le-Vivier 76 ... 36 B 1
Ronchin 59 ... 8 D 3
Ronchois 76 ... 21 F 3
Roncourt 57 ... 45 G 5
Roncourt 88 ... 118 A 2
Roncq 59 ... 4 D 5
La Ronde 17 ... 184 B 4
La Ronde 79 ... 167 F 4
La Ronde-Haye 50 ... 31 G 5
Rondefontaine 25 ... 180 B 4
Ronel 81 ... 299 G 2
Ronfeugerai 61 ... 53 F 4
Rongères 03 ... 192 B 5
Ronnet 03 ... 209 E 1
Ronno 69 ... 212 B 3
Ronquerolles 95 ... 38 B 5
Ronsenac 16 ... 221 F 4
Ronssoy 80 ... 24 A 1
Rontalon 69 ... 230 D 1
Ronthon 50 ... 51 G 4
Rontignon 64 ... 314 B 4
Ronvaux 55 ... 64 C 1
Roôcourt-la-Côte 52 ... 117 E 2
Roost-Warendin 59 ... 8 D 5
Roppe 90 ... 142 C 2
Roppenheim 67 ... 69 G 3
Roppentzwiller 68 ... 143 F 4
Roppeviller 57 ... 48 C 5
La Roque-Alric 84 ... 285 H 3
La Roque-Baignard 14 ... 34 B 4
La Roque-d'Anthéron 13 ... 305 H 3
La Roque-Esclapon 83 ... 308 B 2
La Roque-Gageac 24 ... 259 G 1
La Roque-Sainte-Marguerite 12 ... 282 A 4
La Roque-sur-Cèze 30 ... 284 C 3
La Roque-sur-Pernes 84 ... 285 H 5
Roquebillière 06 ... 291 F 3
Roquebrun 34 ... 321 E 2
Roquebrune 32 ... 295 G 3
Roquebrune 33 ... 256 D 3
Roquebrune-Cap-Martin 06 ... 291 G 5
Roquebrune-sur-Argens 83 ... 308 C 5
La Roquebrussanne 83 ... 328 A 2
Roquecor 82 ... 277 E 1
Roquecourbe 81 ... 299 G 4
Roquecourbe-Minervois 11 ... 320 B 5
Roquedols *Château de* 48 ... 282 C 3
Roquedur 30 ... 282 D 5
Roquefère 11 ... 319 H 3
Roquefeuil 11 ... 337 E 4
Roquefixade 09 ... 336 C 3
Roquefort 32 ... 296 B 3
Roquefort 40 ... 274 A 4
Roquefort 47 ... 276 B 3
Roquefort-de-Sault 11 ... 337 G 5
Roquefort-des-Corbières 11 ... 339 E 2
Roquefort-la-Bédoule 13 ... 327 F 3
Roquefort-les-Cascades 09 ... 336 C 3
Roquefort-les-Pins 06 ... 309 F 3
Roquefort-sur-Garonne 31 ... 317 E 5
Roquefort-sur-Soulzon 12 ... 281 G 5
Roquelaure 32 ... 296 B 3
Roquelaure *Château de* 12 ... 263 F 5
Roquelaure-Saint-Aubin 32 ... 297 E 4
Roquemaure 30 ... 285 E 4
Roquemaure 81 ... 298 B 2
Roquepine 32 ... 296 A 1
Roqueredonde 34 ... 301 G 2
Roques 31 ... 317 H 2
Roques 32 ... 295 G 2
Roqueserière 31 ... 298 B 3
Roquessels 34 ... 301 G 5
Roquesteron 06 ... 289 G 5
Roquestéron-Grasse 06 ... 289 G 5
Roquetaillade 11 ... 337 G 2
Roquetaillade *Château de* 33 ... 256 B 4
Roquetoire 62 ... 7 G 2
La Roquette 27 ... 36 D 4
La Roquette-sur-Siagne 06 ... 309 E 4
La Roquette-sur-Var 06 ... 291 E 5
Roquettes 31 ... 317 H 2
Roquevaire 13 ... 327 F 2
Roquevidal 81 ... 298 D 4
Roquiague 64 ... 331 F 1
La Roquille 33 ... 257 F 1
Rorbach-lès-Dieuze 57 ... 67 F 4
Rorschwihr 68 ... 97 E 5
Rorthais 79 ... 167 F 2
Les Rosaires 22 ... 73 H 5
Rosanbo *Château de* 22 ... 72 B 4
Rosans 05 ... 268 C 5
Rosay 39 ... 196 B 2
Rosay 76 ... 20 C 4
Rosay 78 ... 57 F 3
Rosay-sur-Lieure 27 ... 36 D 2
Rosazia 2A ... 348 C 1
Rosbruck 57 ... 47 F 5
Roscanvel 29 ... 75 E 3
Roscoff 29 ... 71 G 3
Rosel 14 ... 33 F 4
Roselend *Barrage de* 73 ... 216 C 5
Roselier *Pointe du* 22 ... 73 H 5
Rosenau 68 ... 143 H 2
Rosendaël 59 ... 3 G 2
Rosenwiller 67 ... 97 E 2
Roset-Fluans 25 ... 161 G 4
Rosey 70 ... 141 E 5
Rosey 71 ... 177 G 4
Rosheim 67 ... 97 F 2
La Rosière 70 ... 119 H 5
La Rosière-1850 73 ... 235 E 1
Rosières 07 ... 266 A 5
Rosières 18 ... 172 D 2
Rosières 43 ... 247 G 2
Rosières 60 ... 39 F 4
Rosières 81 ... 279 G 5
Rosières-aux-Salines 54 ... 95 E 1
Rosières-devant-Bar 55 ... 63 H 3
Rosières-en-Blois 55 ... 93 G 2
Rosières-en-Haye 54 ... 65 G 4
Rosières-en-Santerre 80 ... 23 E 2
Rosières-près-Troyes 10 ... 115 E 2
Rosières-sur-Barbèche 25 ... 163 E 2
Rosières-sur-Mance 70 ... 140 C 2
Rosiers-de-Juillac 19 ... 241 H 1
Rosiers-d'Égletons 19 ... 225 F 5
Les Rosiers-sur-Loire 49 ... 150 A 3
Rosis 34 ... 301 E 4
Rosnay 36 ... 170 D 5
Rosnay 51 ... 41 F 4
Rosnay 85 ... 183 E 1
Rosnay-l'Hôpital 10 ... 91 H 3
Rosnes 55 ... 63 H 3
Rosnoën 29 ... 75 G 4
Rosny-sous-Bois 93 ... 58 D 3
Rosny-sur-Seine 78 ... 57 F 2
Rosoy 60 ... 38 D 3
Rosoy 89 ... 113 G 3
Rosoy-en-Multien 60 ... 39 H 5
Rosoy-sur-Amance 52 ... 140 A 2
Rospez 22 ... 72 D 3
Rospigliani 2B ... 347 F 5
Rosporden 29 ... 100 B 3
Rossay 86 ... 168 D 2
Rosselange 57 ... 45 G 4
Rossfeld 67 ... 97 G 4
Rossillon 01 ... 214 C 4
Rosteig 67 ... 68 A 2
Rostrenen 22 ... 77 F 5
Rosult 59 ... 9 F 4
Rosureux 25 ... 163 F 3
Rotalier 39 ... 196 B 1
Rotangy 60 ... 22 A 5
Rothau 67 ... 96 D 3
Rothbach 67 ... 68 C 2
Rothéneuf 35 ... 50 C 4
Rotherens 73 ... 233 G 3
La Rothière 10 ... 91 H 5
Rothois 60 ... 21 H 5
Rothonay 39 ... 196 B 2
Les Rotours 61 ... 53 H 4
Rots 14 ... 33 F 4
Rott 67 ... 69 E 1
Rottelsheim 67 ... 68 D 4
Rottier 26 ... 268 B 4
Rou-Marson 49 ... 150 B 4
Rouairoux 81 ... 320 B 2
Rouans 44 ... 147 E 4
La Rouaudière 53 ... 127 F 2
Roubaix 59 ... 9 E 2
Roubia 11 ... 320 D 5
Roubion 06 ... 289 H 3
Roucamps 14 ... 53 E 1
Roucourt 59 ... 14 A 2
Roucy 02 ... 41 E 2
Roudouallec 56 ... 100 C 2
Rouécourt 52 ... 92 D 5
Rouède 31 ... 334 D 2
Rouellé 61 ... 82 A 2
Rouelles 52 ... 139 E 3
Rouelles 76 ... 34 C 1
Rouen 76 ... 36 B 2
Rouessé-Fontaine 72 ... 83 G 5
Rouessé-Vassé 72 ... 107 E 3
Rouet 34 ... 302 C 2
Rouez 72 ... 107 E 3
Rouffach 68 ... 121 E 4
Rouffange 39 ... 161 F 4
Rouffiac 15 ... 243 G 4
Rouffiac 16 ... 239 E 1
Rouffiac 17 ... 219 H 1
Rouffiac 81 ... 299 F 1
Rouffiac-d'Aude 11 ... 337 G 1
Rouffiac-des-Corbières 11 ... 338 B 4
Rouffiac-Tolosan 31 ... 298 A 4
Rouffignac 17 ... 219 H 5
Rouffignac 24 ... 241 E 3
Rouffignac *Grotte de* 24 ... 241 E 4
Rouffignac-de-Sigoulès 24 ... 257 H 1
Rouffigny 50 ... 51 H 3
Rouffilhac 46 ... 259 H 1
Rouffillac 24 ... 241 H 5
Rouffy 51 ... 61 H 2
Rougé 44 ... 126 D 2
La Rouge 61 ... 84 D 5
Rouge-Perriers 27 ... 35 H 5
Rougefay 62 ... 12 C 2
Rougegoutte 90 ... 142 C 2
Rougemont 21 ... 137 G 4
Rougemont 25 ... 162 C 1
Rougemont-le-Château 90 ... 142 C 2
Rougemontiers 27 ... 35 G 2
Rougemontot 25 ... 162 B 2
Rougeou 41 ... 153 G 3
Rougeries 02 ... 25 E 3
Les Rouges-Eaux 88 ... 96 A 5
Le Rouget-Pers 15 ... 261 H 1
Rouget *Cascade du* 74 ... 216 D 2
Rougeux 52 ... 140 A 2
Rougiers 83 ... 327 H 1
Rougiville 88 ... 96 A 5
Rougnac 16 ... 221 G 3
Rougnat 23 ... 208 C 2
Rougon 04 ... 307 H 2
Rouhe 25 ... 161 H 5
Rouhling 57 ... 47 G 5
Rouillac 16 ... 202 D 5
Rouillac 22 ... 79 E 5
Rouillas-Bas 63 ... 227 G 2
Rouillé 86 ... 185 H 3
Rouillon 72 ... 107 G 4
Rouilly 77 ... 89 G 2
Rouilly-Sacey 10 ... 91 F 5
Rouilly-Saint-Loup 10 ... 115 E 2
Roujan 34 ... 321 H 2
Roulans 25 ... 162 B 3
Le Roulier 88 ... 119 H 2
Roullée 72 ... 84 A 3
Roullens 11 ... 319 G 4
Roullet 16 ... 221 E 2
Roullours 14 ... 52 C 3
Roumagne 47 ... 257 G 3
Roumare 76 ... 36 A 1
Roumazières 16 ... 204 B 4
Roumazières-Loubert 16 ... 204 B 4
Roumégoux 15 ... 261 H 1
Roumégoux 81 ... 299 G 2
Roumengoux 09 ... 336 D 1
Roumens 31 ... 318 D 2
Roumoules 04 ... 307 F 1
Rountzenheim 67 ... 69 F 3
Roupeldange 57 ... 46 C 4
Rouperroux 61 ... 83 F 2
Rouperroux-le-Coquet 72 ... 108 B 2
Roupy 02 ... 24 A 3
La Rouquette 12 ... 279 F 2
Roure 06 ... 289 H 3
Le Rouret 06 ... 309 E 3
Rousies 59 ... 15 H 2
Roussac 87 ... 205 G 2
Roussas 26 ... 267 E 5
Roussay 49 ... 148 C 5
Roussayrolles 81 ... 279 E 4
Rousseloy 60 ... 38 C 3
Roussennac 12 ... 261 H 5
Roussent 62 ... 6 C 5
Les Rousses 39 ... 197 F 2
Rousses 48 ... 282 D 3
Rousset 05 ... 270 A 4
Rousset 13 ... 306 B 5
Le Rousset 71 ... 194 B 1
Rousset *Col de* 26 ... 250 B 5
Rousset-les-Vignes 26 ... 267 G 5
Le Rousset-Marizy 71 ... 194 B 1
La Roussière 27 ... 55 F 2
Roussieux 26 ... 286 C 1
Roussillon 38 ... 231 E 5
Roussillon 84 ... 305 G 1
Roussillon-en-Morvan 71 ... 176 B 1
Roussines 16 ... 222 B 1
Roussines 36 ... 188 B 3
Rousson 30 ... 283 H 3
Rousson 89 ... 113 G 4
Roussy-le-Village 57 ... 45 H 2
Routelle 25 ... 161 G 4
Routes 76 ... 19 G 3
Routier 11 ... 337 F 1
Routot 27 ... 35 G 2
Rouvenac 11 ... 337 F 3
Rouves 54 ... 65 H 3
La Rouvière 30 ... 303 G 1
Rouvignies 59 ... 14 D 2
Rouville 60 ... 39 G 4
Rouville 76 ... 19 E 5
Rouvillers 60 ... 39 E 2
Rouvray 21 ... 158 B 2
Rouvray 27 ... 56 C 1
Rouvray 89 ... 136 C 2
Rouvray-Catillon 76 ... 21 E 5
Rouvray-Saint-Denis 28 ... 111 E 2
Rouvray-Saint-Florentin 28 ... 110 B 2
Rouvray-Sainte-Croix 45 ... 110 C 4
Rouvre 79 ... 185 E 3
Rouvrel 80 ... 22 C 3
Rouvres 14 ... 53 H 1
Rouvres 28 ... 56 D 3
Rouvres 77 ... 59 F 1
Rouvres-en-Multien 60 ... 39 H 5
Rouvres-en-Plaine 21 ... 160 B 4
Rouvres-en-Woëvre 55 ... 44 D 5
Rouvres-en-Xaintois 88 ... 94 C 5
Rouvres-la-Chétive 88 ... 94 A 5
Rouvres-les-Bois 36 ... 171 H 1
Rouvres-les-Vignes 10 ... 116 B 2
Rouvres-Saint-Jean 45 ... 87 G 5
Rouvres-sous-Meilly 21 ... 159 F 4
Rouvres-sur-Aube 52 ... 139 E 2
Rouvrois-sur-Meuse 55 ... 64 C 3
Rouvrois-sur-Othain 55 ... 44 D 3
Rouvroy 02 ... 24 B 2
Rouvroy 62 ... 8 C 5
Rouvroy-en-Santerre 80 ... 23 E 3
Rouvroy-les-Merles 60 ... 22 C 4
Rouvroy-Ripont 51 ... 42 D 4
Rouvroy-sur-Audry 08 ... 26 B 3
Rouvroy-sur-Marne 52 ... 93 E 4
Rouvroy-sur-Serre 02 ... 25 H 3
Le Roux 07 ... 265 H 2
Rouxeville 50 ... 32 C 5
La Rouxière 44 ... 148 C 1
Rouxmesnil-Bouteilles 76 ... 10 B 5
Rouy 58 ... 175 F 1
Rouy-le-Grand 80 ... 23 G 3
Rouy-le-Petit 80 ... 23 G 3
Rouze 09 ... 337 F 5
Rouzède 16 ... 222 B 1
Rouziers 15 ... 261 H 1
Rouziers-de-Touraine 37 ... 151 H 1
Le Rove 13 ... 326 C 2
Roville-aux-Chênes 88 ... 95 G 4
Roville-devant-Bayon 54 ... 95 E 3
Rovon 38 ... 250 B 1
Roy-Boissy 60 ... 21 H 5
Royan 17 ... 218 C 2
Royas 38 ... 231 G 3
Royat 63 ... 227 G 1
Royaucourt 60 ... 22 D 5
Royaucourt-et-Chailvet 02 ... 40 C 1
Royaumeix 54 ... 65 F 4
Royaumont *Abbaye de* 95 ... 38 C 5
Roybon 38 ... 250 A 1
Roye 70 ... 141 H 4
Roye 80 ... 23 F 4
Roye-sur-Matz 60 ... 23 F 5
Royer 71 ... 195 E 1
Royère-de-Vassivière 23 ... 207 E 5
Royères 87 ... 206 B 4
Roynac 26 ... 267 F 3
Royon 62 ... 6 D 4
Royville 76 ... 20 A 3
Roz-Landrieux 35 ... 80 A 2
Roz-sur-Couesnon 35 ... 51 F 5
Rozay-en-Brie 77 ... 59 G 5
Le Rozel 50 ... 28 D 4
Rozelieures 54 ... 95 F 3
Rozérieulles 57 ... 65 G 1
Rozerotte 88 ... 94 D 5
Rozès 32 ... 295 H 2
Rozet-Saint-Albin 02 ... 40 B 4
Le Rozier 48 ... 282 A 3
Rozier-Côtes-d'Aurec 42 ... 229 H 5
Rozier-en-Donzy 42 ... 212 A 5
Rozières 52 ... 92 B 4
Rozières-en-Beauce 45 ... 110 C 5
Rozières-sur-Crise 02 ... 40 B 3
Rozières-sur-Mouzon 88 ... 118 A 3
Roziers-Saint-Georges 87 ... 224 C 1
Rozoy-Bellevalle 02 ... 60 C 2
Rozoy-le-Vieil 45 ... 112 D 3
Rozoy-sur-Serre 02 ... 25 H 4
Ruages 58 ... 157 G 3
Ruan 45 ... 111 E 3
Ruan-sur-Egvonne 41 ... 109 G 4
Ruaudin 72 ... 107 H 5
Ruaux 88 ... 119 F 4
Rubécourt-et-Lamécourt 08 ... 27 F 4
Rubelles 77 ... 88 B 2
Rubempré 80 ... 12 D 5
Rubercy 14 ... 32 C 3
Rubescourt 80 ... 22 D 5
Rubigny 08 ... 25 H 4
Rubrouck 59 ... 3 G 4
Ruca 22 ... 79 E 2
Ruch 33 ... 256 D 1
Rucqueville 14 ... 33 E 3
Rudeau-Ladosse 24 ... 222 B 4
Rudelle 46 ... 261 E 2
Rue 80 ... 11 F 1
La Rue-Saint-Pierre 60 ... 38 B 2
La Rue-Saint-Pierre 76 ... 20 C 5
Ruederbach 68 ... 143 F 3
Rueil-la-Gadelière 28 ... 56 A 5
Rueil-Malmaison 92 ... 58 B 3
Ruelisheim 68 ... 143 F 1
Ruelle-sur-Touvre 16 ... 221 F 1
Les Rues-des-Vignes 59 ... 14 B 4
Ruesnes 59 ... 15 E 2
Rueyres 46 ... 261 E 2
Ruffec 16 ... 203 F 2
Ruffec 36 ... 188 A 1
Ruffey-le-Château 25 ... 161 G 3
Ruffey-lès-Beaune 21 ... 177 H 1
Ruffey-lès-Echirey 21 ... 160 A 2
Ruffey-sur-Seille 39 ... 179 E 4
Ruffiac 47 ... 274 D 1
Ruffiac 56 ... 125 F 2
Ruffieu 01 ... 214 D 2
Ruffieux 73 ... 215 E 4
Ruffigné 44 ... 126 D 3
Rugles 27 ... 55 G 3
Rugney 88 ... 95 E 4
Rugny 89 ... 137 F 2
Rugy 57 ... 45 H 5
Ruhans 70 ... 162 A 1
Ruillé-en-Champagne 72 ... 107 F 4
Ruillé-Froid-Fonds 53 ... 106 A 5
Ruillé-le-Gravelais 53 ... 105 G 4
Ruillé-sur-Loir 72 ... 130 D 3
Ruisseauville 62 ... 7 E 4
Ruitz 62 ... 8 A 4
Rullac-Saint-Cirq 12 ... 280 C 4
Rully 14 ... 52 D 3
Rully 60 ... 39 F 4
Rully 71 ... 177 G 3
Rumaisnil 80 ... 22 A 3
Rumaucourt 62 ... 14 A 3
Rumegies 59 ... 9 F 4
Rumengol 29 ... 75 H 3
Rumersheim 67 ... 68 D 5
Rumersheim-le-Haut 68 ... 121 F 5
Rumesnil 14 ... 34 B 4
Rumigny 08 ... 26 A 2
Rumigny 80 ... 22 B 3
Rumilly 62 ... 6 D 3
Rumilly 74 ... 215 F 4
Rumilly-en-Cambrésis 59 ... 14 B 4
Rumilly-lès-Vaudes 10 ... 115 F 3
Ruminghem 62 ... 3 E 4
Rumont 55 ... 63 H 3
Rumont 77 ... 112 A 2
Runan 22 ... 73 E 4
Rungis 94 ... 58 C 4
Ruoms 07 ... 266 B 5
Rupéreux 77 ... 89 G 2
Ruppes 88 ... 94 A 3
Rupt 52 ... 92 D 4
Rupt-aux-Nonains 55 ... 63 G 5
Rupt-devant-Saint-Mihiel 55 ... 64 B 3
Rupt-en-Woëvre 55 ... 64 C 2
Rupt-sur-Moselle 88 ... 119 H 5
Rupt-sur-Othain 55 ... 44 C 2
Rupt-sur-Saône 70 ... 140 D 4
Rurange-lès-Thionville 57 ... 45 H 4
Rurey 25 ... 162 A 5
Rusio 2B ... 347 F 4
Russ 67 ... 96 D 2
Russange 57 ... 45 F 2
Le Russey 25 ... 163 F 4
Russy 14 ... 32 D 2
Russy-Bémont 60 ... 39 G 4
Rustenhart 68 ... 121 F 4
Rustiques 11 ... 320 A 5
Rustrel 84 ... 306 A 1
Rustroff 57 ... 46 B 2
Rutali 2B ... 345 G 5
Ruvigny 10 ... 91 E 5
Ruy 38 ... 232 A 2
Ruyaulcourt 62 ... 14 A 4
Ruynes-en-Margeride 15 ... 246 A 4
Ry 76 ... 36 D 1
Rye 39 ... 178 D 3
Ryes 14 ... 33 E 3

S

Saâcy-sur-Marne 77 ... 60 A 2
Saales 67 ... 96 C 4
Saales *Col de* 67 ... 96 C 4
Saâne-Saint-Just 76 ... 20 A 3
Saasenheim 67 ... 97 G 5
Sabadel-Latronquière 46 ... 261 G 2
Sabadel-Lauzès 46 ... 260 C 4
Sabaillan 32 ... 316 C 2
Sabalos 65 ... 315 F 4
Sabarat 09 ... 335 H 1
Sabarros 65 ... 315 H 4

Sabazan 32 ... 295 E 3
Sablé-sur-Sarthe 72 ... 129 E 2
Les Sables-d'Olonne 85 ... 182 A 2
Sables-d'Or-les-Pins 22 ... 79 E 2
Sablet 84 ... 285 G 3
Les Sablettes 83 ... 328 A 5
Sablières 07 ... 265 H 4
Sablonceaux 17 ... 219 E 1
Sablonnières 77 ... 60 B 3
Sablons 33 ... 238 C 3
Sablons 38 ... 231 E 5
Sablons-sur-Huisne 61 ... 85 E 4
Sabonnères 31 ... 317 E 2
La Sabotterie 08 ... 26 D 5
Sabran 30 ... 284 C 3
Sabres 40 ... 273 F 3
Saccourvielle 31 ... 334 A 4
Sacé 53 ... 106 A 2
Sacey 50 ... 80 D 2
Saché 37 ... 151 G 4
Sachin 62 ... 7 G 4
Sachy 08 ... 27 G 4
Sacierges-Saint-Martin 36 ... 188 B 2
Saclas 91 ... 87 F 5
Saclay 91 ... 58 B 5
Saconin-et-Breuil 02 ... 40 A 3
Sacoué 65 ... 334 A 2
Le Sacq 27 ... 56 A 3
Sacquenay 21 ... 139 G 5
Sacquenville 27 ... 56 A 1
Sacy 51 ... 41 G 4
Sacy 89 ... 136 D 4
Sacy-le-Grand 60 ... 38 D 3
Sacy-le-Petit 60 ... 39 E 3
Sadeillan 32 ... 315 H 3
Sadillac 24 ... 257 H 2
Sadirac 33 ... 255 H 1
Sadournin 65 ... 315 H 4
Sadroc 19 ... 242 C 1
Saessolsheim 67 ... 68 C 5
Saffais 54 ... 95 E 2
Saffloz 39 ... 179 H 5
Saffré 44 ... 147 G 1
Saffres 21 ... 159 F 2
Sagelat 24 ... 259 E 1
Sagnat 23 ... 188 D 5
Sagnes-et-Goudoulet 07 ... 266 A 1
Sagone 2A ... 348 B 1
Sagonne 18 ... 173 H 3
Sagy 71 ... 196 A 1
Sagy 95 ... 57 H 1
Sahorre 66 ... 342 A 3
Sahune 26 ... 268 A 5
Sahurs 76 ... 36 A 2
Sai 61 ... 54 B 4
Saignes 15 ... 226 C 5
Saignes 46 ... 261 E 1
Saigneville 80 ... 11 F 3
Saignon 84 ... 306 A 1
Saiguède 31 ... 297 F 5
Sail-les-Bains 42 ... 193 E 5
Sail-sous-Couzan 42 ... 229 F 1
Sailhan 65 ... 333 G 4
Saillac 19 ... 242 C 4
Saillac 46 ... 278 D 1
Saillagouse 66 ... 341 F 4
Saillans 26 ... 267 H 2
Saillans 33 ... 238 B 4
Saillant 63 ... 229 F 4
Saillat-sur-Vienne 87 ... 204 D 4
Saillé 44 ... 145 H 4
Saillenard 71 ... 178 D 5
Sailly 08 ... 27 G 4
Sailly 52 ... 93 E 3
Sailly 71 ... 194 C 2
Sailly 78 ... 57 G 1
Sailly-Achâtel 57 ... 66 B 3
Sailly-au-Bois 62 ... 13 F 4
Sailly-en-Ostrevent 62 ... 13 H 2
Sailly-Flibeaucourt 80 ... 11 G 2
Sailly-Labourse 62 ... 8 A 4
Sailly-Laurette 80 ... 23 E 1
Sailly-le-Sec 80 ... 22 D 1
Sailly-lez-Cambrai 59 ... 14 B 3
Sailly-lez-Lannoy 59 ... 9 E 2
Sailly-Saillisel 80 ... 13 H 5
Sailly-sur-la-Lys 62 ... 8 B 2
Sain-Bel 69 ... 212 C 5
Saincaize-Meauce 58 ... 174 B 3
Sainghin-en-Mélantois 59 ... 9 E 3
Sainghin-en-Weppes 59 ... 8 C 3
Sainneville 76 ... 18 D 5
Sainpuits 89 ... 156 D 1
Sains 35 ... 80 C 2
Sains-du-Nord 59 ... 15 H 4
Sains-en-Amiénois 80 ... 22 C 2
Sains-en-Gohelle 62 ... 8 A 4
Sains-lès-Fressin 62 ... 7 E 4
Sains-lès-Marquion 62 ... 14 A 3
Sains-lès-Pernes 62 ... 7 G 4
Sains-Morainvillers 60 ... 22 D 5
Sains-Richaumont 02 ... 25 E 2
Le Saint 56 ... 100 D 2
Saint-Aaron 22 ... 78 D 3
Saint-Abit 64 ... 314 B 5
Saint-Abraham 56 ... 102 D 5
Saint-Acheul 80 ... 12 C 3
Saint-Adjutory 16 ... 203 H 5
Saint-Adrien 22 ... 77 G 2
Saint-Adrien *Roches de* 76 ... 36 B 2
Saint-Affrique 12 ... 300 D 1
Saint-Affrique-les-Montagnes 81 ... 299 G 5
Saint-Agathon 22 ... 73 F 5
Saint-Agil 41 ... 109 E 4
Saint-Agnan 02 ... 60 D 1
Saint-Agnan 58 ... 158 B 3
Saint-Agnan 71 ... 193 F 2
Saint-Agnan 81 ... 298 C 4
Saint-Agnan 89 ... 89 E 5
Saint-Agnan-de-Cernières 27 ... 55 E 2
Saint-Agnan-en-Vercors 26 ... 250 B 4
Saint-Agnan-le-Malherbe 14 ... 53 E 1
Saint-Agnan-sur-Erre 61 ... 84 D 5
Saint-Agnan-sur-Sarthe 61 ... 84 B 2
Saint-Agnant 17 ... 200 D 4
Saint-Agnant-de-Versillat 23 ... 188 C 5
Saint-Agnant-près-Crocq 23 ... 208 B 5
Saint-Agnant-sous-les-Côtes 55 ... 64 D 4
Saint-Agne 24 ... 258 B 1
Saint-Agnet 40 ... 294 C 4
Saint-Agnin-sur-Bion 38 ... 231 H 3
Saint-Agoulin 63 ... 209 H 2
Saint-Agrève 07 ... 248 B 4
Saint-Aignan 08 ... 27 E 4
Saint-Aignan 33 ... 238 B 4
Saint-Aignan 41 ... 153 E 4
Saint-Aignan 56 ... 77 H 5
Saint-Aignan 72 ... 108 A 2
Saint-Aignan 82 ... 277 F 5
Saint-Aignan-de-Couptrain 53 ... 82 D 3
Saint-Aignan-de-Cramesnil 14 ... 33 H 5
Saint-Aignan-des-Gués 45 ... 134 A 2
Saint-Aignan-des-Noyers 18 ... 173 H 4
Saint-Aignan-Grandlieu 44 ... 147 G 5
Saint-Aignan-le-Jaillard 45 ... 134 B 4
Saint-Aignan-sur-Roë 53 ... 127 G 2
Saint-Aignan-sur-Ry 76 ... 36 D 1
Saint-Aigny 36 ... 187 H 1
Saint-Aigulin 17 ... 238 D 2
Saint-Ail 54 ... 45 F 5
Saint-Albain 71 ... 195 E 3
Saint-Alban 01 ... 214 B 1
Saint-Alban 22 ... 78 D 2
Saint-Alban 31 ... 297 H 4
Saint-Alban-Auriolles 07 ... 266 A 5
Saint-Alban-d'Ay 07 ... 248 D 2
Saint-Alban-d'Hurtières 73 ... 234 A 3
Saint-Alban-de-Montbel 73 ... 233 E 2
Saint-Alban-de-Roche 38 ... 231 H 2
Saint-Alban-des-Villards 73 ... 233 H 5
Saint-Alban-du-Rhône 38 ... 231 E 4
Saint-Alban-en-Montagne 07 ... 265 F 2
Saint-Alban-les-Eaux 42 ... 211 F 3
Saint-Alban-Leysse 73 ... 233 F 2
Saint-Alban-sur-Limagnole 48 ... 264 B 1
Saint-Albin-de-Vaulserre 38 ... 232 D 3
Saint-Alexandre 30 ... 284 D 2
Saint-Algis 02 ... 25 E 1
Saint-Allouestre 56 ... 102 B 4
Saint-Alpinien 23 ... 207 H 3
Saint-Alyre-d'Arlanc 63 ... 228 D 5
Saint-Alyre-ès-Montagne 63 ... 227 G 5
Saint-Amadou 09 ... 336 C 1
Saint-Amancet 81 ... 319 F 2
Saint-Amand 23 ... 207 H 3
Saint-Amand 50 ... 52 C 1
Saint-Amand 62 ... 13 E 4
Saint-Amand-de-Belvès 24 ... 259 E 2
Saint-Amand-de-Coly 24 ... 241 G 3
Saint-Amand-de-Vergt 24 ... 240 C 4
Saint-Amand-des-Hautes-Terres 27 ... 36 A 4
Saint-Amand-en-Puisaye 58 ... 156 B 1
Saint-Amand-Jartoudeix 23 ... 206 C 4
Saint-Amand-le-Petit 87 ... 206 D 5
Saint-Amand-les-Eaux 59 ... 9 F 4
Saint-Amand-Longpré 41 ... 131 G 4
Saint-Amand-Magnazeix 87 ... 205 H 1
Saint-Amand-Montrond 18 ... 173 F 5
Saint-Amand-sur-Fion 51 ... 62 C 3
Saint-Amand-sur-Ornain 55 ... 93 F 1
Saint-Amand-sur-Sèvre 79 ... 167 E 3
Saint-Amandin 15 ... 227 E 5
Saint-Amans 09 ... 336 A 1
Saint-Amans 11 ... 318 D 5
Saint-Amans 48 ... 264 C 3
Saint-Amans-de-Pellagal 82 ... 277 F 3
Saint-Amans-des-Cots 12 ... 262 D 2
Saint-Amans-du-Pech 82 ... 276 D 2
Saint-Amans-Soult 81 ... 320 A 2
Saint-Amans-Valtoret 81 ... 320 A 2
Saint-Amant-de-Boixe 16 ... 203 F 5
Saint-Amant-de-Bonnieure 16 ... 203 G 4
Saint-Amant-de-Graves 16 ... 220 D 2
Saint-Amant-de-Montmoreau 16 ... 221 F 4
Saint-Amant-de-Nouère 16 ... 203 E 5
Saint-Amant-Roche-Savine 63 ... 228 D 3
Saint-Amant-Tallende 63 ... 227 H 2
Saint-Amarin 68 ... 120 C 5
Saint-Ambreuil 71 ... 177 H 5
Saint-Ambroix 18 ... 172 C 3
Saint-Ambroix 30 ... 284 A 2
Saint-Amé 88 ... 119 H 4
Saint-Amour 39 ... 196 A 3
Saint-Amour-Bellevue 71 ... 194 D 5
Saint-Anastaise 63 ... 227 G 4
Saint-Andelain 58 ... 156 A 3
Saint-Andéol 26 ... 268 A 1
Saint-Andéol 38 ... 250 C 4
Saint-Andéol-de-Berg 07 ... 266 C 4
Saint-Andéol-de-Clerguemort 48 ... 283 F 2
Saint-Andéol-de-Fourchades 07 ... 266 A 1
Saint-Andéol-de-Vals 07 ... 266 B 2
Saint-Andéol-le-Château 69 ... 230 D 2
Saint-Andeux 21 ... 158 B 2
Saint-Andiol 13 ... 305 E 2
Saint-Andoche 70 ... 140 B 4
Saint-André 16 ... 219 H 1
Saint-André 31 ... 316 D 4
Saint-André 32 ... 296 D 5
Saint-André 66 ... 343 F 3
Saint-André 73 ... 252 C 1
Saint-André 81 ... 300 A 1
Saint-André *Chapelle* 46 ... 259 G 3
Saint-André-Capcèze 48 ... 265 G 5
Saint-André-d'Allas 24 ... 241 F 5
Saint-André-d'Apchon 42 ... 211 F 2
Saint-André-de-Bagé 01 ... 195 F 4
Saint-André-de-Boëge 74 ... 198 A 5
Saint-André-de-Bohon 50 ... 32 A 3
Saint-André-de-Briouze 61 ... 53 G 4
Saint-André-de-Buèges 34 ... 302 B 2
Saint-André-de-Chalencon 43 ... 247 G 1
Saint-André-de-Corcy 01 ... 213 F 3
Saint-André-de-Cruzières 07 ... 284 A 1
Saint-André-de-Cubzac 33 ... 237 H 4
Saint-André-de-Double 24 ... 239 G 2
Saint-André-de-la-Marche 49 ... 148 C 5
Saint-André-de-la-Roche 06 ... 309 H 2
Saint-André-de-Lancize 48 ... 283 F 2
Saint-André-de-l'Épine 50 ... 32 B 4
Saint-André-de-l'Eure 27 ... 56 C 3
Saint-André-de-Lidon 17 ... 219 F 2
Saint-André-de-Majencoules 30 ... 282 D 5
Saint-André-de-Messei 61 ... 53 F 5
Saint-André-de-Najac 12 ... 279 F 3
Saint-André-de-Roquelongue 11 ... 338 D 1
Saint-André-de-Roquepertuis 30 ... 284 C 2
Saint-André-de-Rosans 05 ... 268 C 5
Saint-André-de-Sangonis 34 ... 302 A 4
Saint-André-de-Seignanx 40 ... 292 B 4
Saint-André-de-Valborgne 30 ... 283 E 3
Saint-André-de-Vézines 12 ... 282 A 3
Saint-André-d'Embrun 05 ... 270 C 3
Saint-André-des-Eaux 22 ... 79 H 5
Saint-André-des-Eaux 44 ... 146 B 2
Saint-André-d'Hébertot 14 ... 34 D 3
Saint-André-d'Huiriat 01 ... 195 F 5
Saint-André-d'Olérargues 30 ... 284 C 3
Saint-André-du-Bois 33 ... 256 C 3
Saint-André-en-Barrois 55 ... 63 H 1
Saint-André-en-Bresse 71 ... 178 B 5
Saint-André-en-Morvan 58 ... 157 H 2
Saint-André-en-Royans 38 ... 250 A 3
Saint-André-en-Terre-Plaine 89 ... 158 B 1
Saint-André-en-Vivarais 07 ... 248 B 3
Saint-André-et-Appelles 33 ... 257 F 1
Saint-André-Farivillers 60 ... 22 B 5
Saint-André-Goule-d'Oie 85 ... 166 B 3
Saint-André-la-Côte 69 ... 230 C 2
Saint-André-Lachamp 07 ... 265 H 4
Saint-André-le-Bouchoux 01 ... 213 G 1
Saint-André-le-Coq 63 ... 210 A 3
Saint-André-le-Désert 71 ... 194 C 2
Saint-André-le-Gaz 38 ... 232 C 2
Saint-André-le-Puy 42 ... 230 A 2
Saint-André-les-Alpes 04 ... 288 C 5
Saint-André-les-Vergers 10 ... 90 D 5
Saint-André-lez-Lille 59 ... 8 D 2
Saint-André-sur-Cailly 76 ... 20 C 5
Saint-André-sur-Orne 14 ... 33 G 5
Saint-André-sur-Sèvre 79 ... 167 F 4
Saint-André-sur-Vieux-Jonc 01 ... 213 G 1
Saint-André-Treize-Voies 85 ... 165 H 2
Saint-André-Val-de-Fier 74 ... 215 E 3
Saint-Androny 33 ... 237 F 1
Saint-Ange-et-Torçay 28 ... 56 B 5
Saint-Ange-le-Viel 77 ... 112 D 2
Saint-Angeau 16 ... 203 G 4
Saint-Angel 03 ... 191 E 4
Saint-Angel 19 ... 225 H 3
Saint-Angel 63 ... 209 F 3
Saint-Anthème 63 ... 229 F 3
Saint-Anthot 21 ... 159 F 3
Saint-Antoine 05 ... 252 C 5
Saint-Antoine 13 ... 326 D 2
Saint-Antoine 15 ... 262 B 2
Saint-Antoine 25 ... 180 C 3
Saint-Antoine 29 ... 71 H 4
Saint-Antoine 32 ... 276 D 5
Saint-Antoine 33 ... 237 H 3
Saint-Antoine-Cumond 24 ... 239 F 1
Saint-Antoine-d'Auberoche 24 ... 241 E 2
Saint-Antoine-de-Breuilh 24 ... 257 E 1
Saint-Antoine-de-Ficalba 47 ... 276 C 1
Saint-Antoine-du-Queyret 33 ... 256 D 1
Saint-Antoine-du-Rocher 37 ... 151 H 1
Saint-Antoine-la-Forêt 76 ... 19 E 5
Saint-Antoine-l'Abbaye 38 ... 249 H 2
Saint-Antoine-sur-l'Isle 33 ... 239 E 3
Saint-Antonin 06 ... 289 G 5
Saint-Antonin 32 ... 296 C 3
Saint-Antonin-de-Lacalm 81 ... 299 G 3
Saint-Antonin-de-Sommaire 27 ... 55 F 3
Saint-Antonin-du-Var 83 ... 307 H 5
Saint-Antonin-Noble-Val 82 ... 278 D 3
Saint-Antonin-sur-Bayon 13 ... 306 B 5
Saint-Aoustrille 36 ... 172 B 2
Saint-Août 36 ... 172 B 5
Saint-Apollinaire 05 ... 270 B 3
Saint-Apollinaire 21 ... 160 B 3
Saint-Apollinaire-de-Rias 07 ... 248 D 5
Saint-Appolinaire 69 ... 212 B 3
Saint-Appolinard 38 ... 250 A 2
Saint-Appolinard 42 ... 230 D 5
Saint-Aquilin 24 ... 239 H 2
Saint-Aquilin-d'Augerons 27 ... 55 E 2
Saint-Aquilin-de-Corbion 61 ... 55 E 5
Saint-Aquilin-de-Pacy 27 ... 56 D 1
Saint-Araille 31 ... 317 E 3
Saint-Arailles 32 ... 295 H 4
Saint-Arcons-d'Allier 43 ... 246 C 3
Saint-Arcons-de-Barges 43 ... 265 F 1
Saint-Arey 38 ... 251 E 5
Saint-Armel 35 ... 104 B 4
Saint-Armel 56 ... 124 C 4
Saint-Armou 64 ... 314 B 2
Saint-Arnac 66 ... 338 A 5
Saint-Arnoult 14 ... 34 B 3
Saint-Arnoult 41 ... 131 F 4
Saint-Arnoult 60 ... 21 G 5
Saint-Arnoult 76 ... 35 G 1
Saint-Arnoult-des-Bois 28 ... 85 H 3
Saint-Arnoult-en-Yvelines 78 ... 87 E 2
Saint-Arroman 32 ... 316 A 2
Saint-Arroman 65 ... 333 H 2
Saint-Arroumex 82 ... 277 E 5
Saint-Astier 24 ... 239 H 2
Saint-Astier 47 ... 257 F 2
Saint-Auban 04 ... 287 G 4
Saint-Auban 06 ... 308 C 1
Saint-Auban-d'Oze 05 ... 269 F 4
Saint-Auban-sur-l'Ouvèze 26 ... 286 B 1
Saint-Aubert 59 ... 14 C 3
Saint-Aubert-sur-Orne 61 ... 53 G 4
Saint-Aubin 02 ... 40 A 1
Saint-Aubin 10 ... 90 A 3
Saint-Aubin 21 ... 177 G 2
Saint-Aubin 36 ... 172 B 3
Saint-Aubin 39 ... 178 C 1
Saint-Aubin 40 ... 293 G 3
Saint-Aubin 47 ... 258 D 5
Saint-Aubin 59 ... 15 G 3
Saint-Aubin 62 ... 6 B 4
Saint-Aubin 91 ... 58 A 5
Saint-Aubin-Celloville 76 ... 36 B 2
Saint-Aubin-Château-Neuf 89 ... 135 H 3
Saint-Aubin-d'Appenai 61 ... 84 A 3
Saint-Aubin-d'Arquenay 14 ... 33 H 3
Saint-Aubin-d'Aubigné 35 ... 80 B 5
Saint-Aubin-de-Baubigné 79 ... 167 F 2
Saint-Aubin-de-Blaye 33 ... 237 G 1
Saint-Aubin-de-Bonneval 61 ... 54 D 2
Saint-Aubin-de-Branne 33 ... 256 C 1
Saint-Aubin-de-Cadelech 24 ... 257 H 2
Saint-Aubin-de-Courteraie 61 ... 84 B 2
Saint-Aubin-de-Crétot 76 ... 19 F 5
Saint-Aubin-de-Lanquais 24 ... 258 B 1
Saint-Aubin-de-Locquenay 72 ... 83 G 5
Saint-Aubin-de-Luigné 49 ... 149 F 3
Saint-Aubin-de-Médoc 33 ... 237 F 5
Saint-Aubin-de-Nabirat 24 ... 259 G 2
Saint-Aubin-de-Scellon 27 ... 35 E 4
Saint-Aubin-de-Terregatte 50 ... 81 E 2
Saint-Aubin-d'Écrosville 27 ... 36 A 5
Saint-Aubin-des-Bois 14 ... 52 A 3
Saint-Aubin-des-Bois 28 ... 86 A 3
Saint-Aubin-des-Châteaux 44 ... 126 D 3
Saint-Aubin-des-Chaumes 58 ... 157 G 2
Saint-Aubin-des-Coudrais 72 ... 108 C 3
Saint-Aubin-des-Grois 61 ... 84 C 5
Saint-Aubin-des-Hayes 27 ... 55 G 1
Saint-Aubin-des-Landes 35 ... 105 E 3
Saint-Aubin-des-Ormeaux 85 ... 166 C 1
Saint-Aubin-des-Préaux 50 ... 51 F 3
Saint-Aubin-du-Cormier 35 ... 80 D 5
Saint-Aubin-du-Désert 53 ... 83 E 5
Saint-Aubin-du-Pavail 35 ... 104 C 4
Saint-Aubin-du-Perron 50 ... 31 H 4
Saint-Aubin-du-Plain 79 ... 167 G 2
Saint-Aubin-du-Thenney 27 ... 55 E 1
Saint-Aubin-en-Bray 60 ... 37 G 2
Saint-Aubin-en-Charollais 71 ... 193 H 2
Saint-Aubin-Épinay 76 ... 36 B 2
Saint-Aubin-Fosse-Louvain 53 ... 81 H 3
Saint-Aubin-la-Plaine 85 ... 183 G 2
Saint-Aubin-le-Cauf 76 ... 20 B 2
Saint-Aubin-le-Cloud 79 ... 167 H 5
Saint-Aubin-le-Dépeint 37 ... 130 B 5
Saint-Aubin-le-Guichard 27 ... 55 G 1
Saint-Aubin-le-Monial 03 ... 191 G 2
Saint-Aubin-le-Vertueux 27 ... 55 F 1
Saint-Aubin-Lébizay 14 ... 34 B 4
Saint-Aubin-lès-Elbeuf 76 ... 36 A 3
Saint-Aubin-les-Forges 58 ... 156 C 5
Saint-Aubin-Montenoy 80 ... 21 H 2
Saint-Aubin-Rivière 80 ... 21 G 2
Saint-Aubin-Routot 76 ... 34 D 1
Saint-Aubin-sous-Erquery 60 ... 38 D 2
Saint-Aubin-sur-Aire 55 ... 64 C 5
Saint-Aubin-sur-Algot 14 ... 34 B 5
Saint-Aubin-sur-Gaillon 27 ... 36 C 5
Saint-Aubin-sur-Loire 71 ... 193 E 2
Saint-Aubin-sur-Mer 14 ... 33 G 3
Saint-Aubin-sur-Mer 76 ... 19 H 2
Saint-Aubin-sur-Quillebeuf 27 ... 35 F 1
Saint-Aubin-sur-Scie 76 ... 20 B 2
Saint-Aubin-sur-Yonne 89 ... 113 G 5
Saint-Augustin 03 ... 174 B 4
Saint-Augustin 17 ... 218 C 1
Saint-Augustin 19 ... 225 E 4
Saint-Augustin 77 ... 59 H 4
Saint-Augustin-des-Bois 49 ... 149 E 1
Saint-Aulaire 19 ... 241 H 1
Saint-Aulais-la-Chapelle 16 ... 220 D 4
Saint-Aulaye-Puymangou 24 ... 239 E 2
Saint-Aunès 34 ... 303 E 4
Saint-Aunix-Lengros 32 ... 295 E 5
Saint-Aupre 38 ... 232 D 4
Saint-Austremoine 43 ... 246 B 3
Saint-Auvent 87 ... 205 E 5
Saint-Avaugourd-des-Landes 85 ... 182 C 1
Saint-Avé 56 ... 124 C 3
Saint-Aventin 31 ... 334 A 4
Saint-Avertin 37 ... 152 A 3
Saint-Avit 16 ... 239 E 1
Saint-Avit 26 ... 249 F 2
Saint-Avit 40 ... 273 H 5
Saint-Avit 41 ... 109 E 4
Saint-Avit 47 ... 257 F 4
Saint-Avit 47 ... 258 D 4
Saint-Avit 63 ... 208 C 4
Saint-Avit 81 ... 319 F 2
Saint-Avit-de-Soulège 33 ... 257 E 1
Saint-Avit-de-Tardes 23 ... 207 H 4
Saint-Avit-de-Vialard 24 ... 240 D 5
Saint-Avit-Frandat 32 ... 276 B 5
Saint-Avit-le-Pauvre 23 ... 207 F 3
Saint-Avit-les-Guespières 28 ... 109 H 2
Saint-Avit-Rivière 24 ... 258 D 2
Saint-Avit-Saint-Nazaire 33 ... 239 F 5
Saint-Avit-Sénieur 24 ... 258 D 1
Saint-Avold 57 ... 67 E 1
Saint-Avre 73 ... 234 A 4
Saint-Ay 45 ... 132 D 2
Saint-Aybert 59 ... 9 H 4
Saint-Aygulf 83 ... 329 G 1
Saint-Babel 63 ... 228 A 2
Saint Baldoph 73 ... 233 F 2
Saint-Bandry 02 ... 40 A 2
Saint-Baraing 39 ... 178 D 2
Saint-Barbant 87 ... 204 D 1
Saint-Bard 23 ... 208 B 4
Saint-Bardoux 26 ... 249 F 3
Saint-Barnabé 22 ... 102 B 2
Saint-Barthélemy 38 ... 231 G 5
Saint-Barthélemy 40 ... 292 B 5
Saint-Barthélemy 50 ... 52 C 5
Saint-Barthélemy 56 ... 101 H 4
Saint-Barthélemy 70 ... 142 A 2
Saint-Barthélemy 77 ... 60 B 4
Saint-Barthélemy-d'Agenais 47 ... 257 G 4
Saint-Barthélemy-d'Anjou 49 ... 149 G 1
Saint-Barthélemy-de-Bellegarde 24 ... 239 F 3
Saint-Barthélemy-de-Bussière 24 ... 222 C 2
Saint-Barthélemy-de-Séchilienne 38 ... 251 E 3
Saint-Barthélemy-de-Vals 26 ... 249 F 2
Saint-Barthélemy-Grozon 07 ... 248 D 4
Saint-Barthélemy-le-Meil 07 ... 248 C 5
Saint-Barthélemy-le-Plain 07 ... 249 E 3
Saint-Barthélemy-Lestra 42 ... 230 A 1
Saint-Basile 07 ... 248 C 4
Saint-Baslemont 88 ... 118 C 2
Saint-Baudel 18 ... 172 D 4
Saint-Baudelle 53 ... 82 B 5
Saint-Baudille-de-la-Tour 38 ... 214 A 5
Saint-Baudille-et-Pipet 38 ... 269 E 1

Saint-Bauld 37 ..... 152 A 5
Saint-Baussant 54 ..... 65 E 3
Saint-Bauzeil 09 ..... 336 B 1
Saint-Bauzély 30 ..... 303 G 1
Saint-Bauzile 07 ..... 266 D 2
Saint-Bauzile 48 ..... 264 C 5
Saint-Bauzille-de-la-Sylve 34 ..... 302 B 4
Saint-Bauzille-de-Montmel 34 ..... 303 E 3
Saint-Bauzille-de-Putois 34 . 302 C 1
Saint-Bazile 87 ..... 222 D 1
Saint-Bazile-de-la-Roche 19 ..... 243 F 2
Saint-Bazile-de-Meyssac 19 ..... 242 D 3
Saint-Béat 31 ..... 334 B 3
Saint-Beaulize 12 ..... 301 F 1
Saint-Beauzeil 82 ..... 276 D 1
Saint-Beauzély 12 ..... 281 G 3
Saint-Beauzile 81 ..... 279 E 5
Saint-Beauzire 43 ..... 246 A 1
Saint-Beauzire 63 ..... 209 H 5
Saint-Bénézet 30 ..... 283 H 5
Saint-Bénigne 01 ..... 195 F 3
Saint-Benin 59 ..... 14 D 5
Saint-Benin-d'Azy 58 ..... 175 E 2
Saint-Benin-des-Bois 58 ..... 157 E 5
Saint-Benoist-sur-Mer 85 .... 182 D 3
Saint-Benoist-sur-Vanne 10 ..... 114 B 2
Saint-Benoît 04 ..... 289 E 5
Saint-Benoît 11 ..... 337 F 2
Saint-Benoît 28 ..... 109 F 4
Saint-Benoît 86 ..... 186 B 2
Saint-Benoît-de-Carmaux 81 ..... 279 G 5
Saint-Benoît-des-Ombres 27 .. 35 F 4
Saint-Benoît-des-Ondes 35 ..... 50 D 5
Saint-Benoît-d'Hébertot 14 ..... 34 D 3
Saint-Benoît-du-Sault 36 ..... 188 B 3
Saint-Benoit-en-Diois 26 ..... 268 A 2
Saint-Benoît-en-Woëvre 55 ..... 65 E 2
Saint-Benoît-la-Chipotte 88 ..... 95 H 4
Saint-Benoît-la-Forêt 37 ..... 151 E 4
Saint-Benoît-sur-Loire 45 .... 134 A 3
Saint-Benoît-sur-Seine 10 ..... 90 D 4
Saint-Bérain 43 ..... 246 D 4
Saint-Berain-sous-Sanvignes 71 ..... 176 D 5
Saint-Bérain-sur-Dheune 71 ..... 177 F 3
Saint-Bernard 01 ..... 212 D 3
Saint-Bernard 21 ..... 160 A 5
Saint-Bernard 38 ..... 233 F 5
Saint-Bernard 57 ..... 46 B 4
Saint-Bernard 68 ..... 143 E 2
Saint-Béron 73 ..... 232 D 3
Saint-Berthevin 53 ..... 105 H 3
Saint-Berthevin-la-Tannière 53 ..... 81 G 4
Saint-Bertrand-de-Comminges 31 ..... 334 A 2
Saint-Biez-en-Belin 72 ..... 130 A 2
Saint-Bihy 22 ..... 77 H 3
Saint-Blaise 06 ..... 291 E 5
Saint-Blaise 74 ..... 215 G 2
Saint-Blaise *Fouilles de* 13 .. 325 G 3
Saint-Blaise-du-Buis 38 ..... 232 C 4
Saint-Blaise-la-Roche 67 ..... 96 C 3
Saint-Blancard 32 ..... 316 B 3
Saint-Blimont 80 ..... 11 E 3
Saint-Blin 52 ..... 93 G 5
Saint-Boès 64 ..... 293 F 5
Saint-Bohaire 41 ..... 132 A 5
Saint-Boil 71 ..... 177 G 5
Saint-Boingt 54 ..... 95 F 3
Saint-Bois 01 ..... 232 C 1
Saint-Bomer 28 ..... 109 E 2
Saint-Bômer-les-Forges 61 ..... 53 E 5
Saint-Bon 51 ..... 60 C 5
Saint-Bon-Tarentaise 73 ..... 234 C 3
Saint-Bonnet 16 ..... 220 D 3
Saint-Bonnet *Signal de* 69 ... 212 C 2
Saint-Bonnet-Avalouze 19 ... 243 E 1
Saint-Bonnet-Briance 87 ..... 224 B 1
Saint-Bonnet-de-Bellac 87 .. 205 E 1
Saint-Bonnet-de-Chavagne 38 ..... 250 A 2
Saint-Bonnet-de-Chirac 48 .. 264 A 4
Saint-Bonnet-de-Condat 15 . 245 E 1
Saint-Bonnet-de-Cray 71 ..... 193 H 5
Saint-Bonnet-de-Four 03 ..... 191 F 4
Saint-Bonnet-de-Joux 71 ..... 194 B 2
Saint-Bonnet-de-Montauroux 48 ..... 265 E 1
Saint-Bonnet-de-Mure 69 .... 231 G 1
Saint-Bonnet-de-Rochefort 03 ..... 209 H 1
Saint-Bonnet-de-Salendrinque 30 ..... 283 F 5
Saint-Bonnet-de-Salers 15 .. 244 C 2
Saint-Bonnet-de-Valclérieux 26 ..... 249 H 1
Saint-Bonnet-de-Vieille-Vigne 71 ..... 193 H 2
Saint-Bonnet-des-Bruyères 69 ..... 194 B 5
Saint-Bonnet-des-Quarts 42 ..... 211 E 1
Saint-Bonnet-du-Gard 30 .... 304 A 1
Saint-Bonnet-Elvert 19 ..... 243 E 2
Saint-Bonnet-en-Bresse 71 . 178 B 3
Saint-Bonnet-en-Champsaur 05 ..... 269 G 2
Saint-Bonnet-la-Rivière 19 .. 241 H 1
Saint-Bonnet-le-Bourg 63 .... 228 D 4
Saint-Bonnet-le-Chastel 63 . 228 D 4
Saint-Bonnet-le-Château 42 ..... 229 G 4
Saint-Bonnet-le-Courreau 42 ..... 229 F 2
Saint-Bonnet-le-Froid 43 ..... 248 B 2
Saint-Bonnet-le-Troncy 69 ... 212 B 2
Saint-Bonnet-l'Enfantier 19 . 242 B 1
Saint-Bonnet-lès-Allier 63 .... 228 A 1
Saint-Bonnet-les-Oules 42 .. 230 A 3
Saint-Bonnet-les-Tours-de-Merle 19 ..... 243 G 3
Saint-Bonnet-près-Bort 19 ... 226 B 3
Saint-Bonnet-près-Orcival 63 ..... 227 F 1
Saint-Bonnet-près-Riom 63 ..... 209 H 4
Saint-Bonnet-sur-Gironde 17 ..... 219 F 5
Saint-Bonnet-Tronçais 03 .... 190 D 1
Saint-Bonnot 58 ..... 156 D 4
Saint-Bouize 18 ..... 156 A 4
Saint-Brancher 89 ..... 158 A 2
Saint-Branchs 37 ..... 152 A 4
Saint-Brandan 22 ..... 78 A 4
Saint-Brès 30 ..... 284 A 2
Saint-Brès 32 ..... 296 C 2
Saint-Brès 34 ..... 303 E 4
Saint-Bresson 30 ..... 302 B 1
Saint-Bresson 70 ..... 119 G 5
Saint-Bressou 46 ..... 261 F 2
Saint-Brevin-les-Pins 44 ..... 146 C 3
Saint-Brevin-l'Océan 44 ..... 146 C 3
Saint-Briac-sur-Mer 35 ..... 50 B 5
Saint-Brice 16 ..... 220 B 1
Saint-Brice 33 ..... 256 C 2
Saint-Brice 50 ..... 51 H 4
Saint-Brice 53 ..... 128 D 2
Saint-Brice 61 ..... 82 B 2
Saint-Brice 77 ..... 89 G 2
Saint-Brice-Courcelles 51 ..... 41 G 3
Saint-Brice-de-Landelles 50 ... 81 F 2
Saint-Brice-en-Coglès 35 ..... 80 D 3
Saint-Brice-sous-Forêt 95 ..... 58 C 2
Saint-Brice-sous-Rânes 61 .... 53 H 5
Saint-Brice-sur-Vienne 87 ... 205 E 4
Saint-Brieuc 22 ..... 78 B 3
Saint-Brieuc-de-Mauron 56 . 103 E 3
Saint-Brieuc-des-Iffs 35 ..... 80 A 5
Saint-Bris-des-Bois 17 ..... 201 H 5
Saint-Bris-le-Vineux 89 ..... 136 C 3
Saint-Brisson 58 ..... 158 B 4
Saint-Brisson-sur-Loire 45 .. 134 C 5
Saint-Broing 70 ..... 161 F 1
Saint-Broing-les-Moines 21 . 138 D 4
Saint-Broingt-le-Bois 52 ..... 139 H 3
Saint-Broingt-les-Fosses 52 ..... 139 G 3
Saint-Broladre 35 ..... 51 E 5
Saint-Bueil 38 ..... 232 D 3
Saint-Cado 56 ..... 123 G 3
Saint-Calais 72 ..... 108 D 5
Saint-Calais-du-Désert 53 ..... 83 E 3
Saint-Calez-en-Saosnois 72 .. 84 A 5
Saint-Cannat 13 ..... 305 H 4
Saint-Caprais 03 ..... 191 E 2
Saint-Caprais 18 ..... 172 D 2
Saint-Caprais 32 ..... 296 C 5
Saint-Caprais 46 ..... 259 F 3
Saint-Caprais-de-Blaye 33 .. 219 G 5
Saint-Caprais-de-Bordeaux 33 ..... 255 H 1
Saint-Caprais-de-Lerm 47 ... 276 C 3
Saint-Capraise-de-Lalinde 24 ..... 258 B 1
Saint-Capraise-d'Eymet 24 . 257 H 2
Saint-Caradec 22 ..... 102 A 1
Saint-Caradec-Trégomel 56 ..... 101 E 3
Saint-Carné 22 ..... 79 G 4
Saint-Carreuc 22 ..... 78 B 4
Saint-Cassien 24 ..... 258 D 2
Saint-Cassien 38 ..... 232 C 5
Saint-Cassien 86 ..... 168 D 2
Saint-Cassin 73 ..... 233 F 2
Saint-Cast-le-Guildo 22 ..... 50 A 5
Saint-Castin 64 ..... 314 B 3
Saint-Célerin 72 ..... 108 B 3
Saint-Céneré 53 ..... 106 B 3
Saint-Céneri-le-Gérei 61 ..... 83 F 4
Saint-Céols 18 ..... 155 G 4
Saint-Céré 46 ..... 261 E 1
Saint-Cergues 74 ..... 197 H 5
Saint-Cernin 15 ..... 244 B 3
Saint-Cernin 46 ..... 260 C 4
Saint-Cernin-de-Labarde 24 ..... 258 B 1
Saint-Cernin-de-Larche 19 .. 241 H 3
Saint-Cernin-de-l'Herm 24 ... 259 E 3
Saint-Cernin-de-Reilhac 24 ..... 241 E 4
Saint-Césaire 17 ..... 201 H 5
Saint-Césaire 30 ..... 303 H 2
Saint-Césaire-de-Gauzignan 30 ..... 284 A 5
Saint-Cézaire *Grottes de* 06 ..... 308 D 3
Saint-Cézaire-sur-Siagne 06 ..... 308 D 3
Saint-Cézert 31 ..... 297 G 3
Saint-Chabrais 23 ..... 207 H 1
Saint-Chaffrey 05 ..... 252 C 4
Saint-Chamant 15 ..... 244 C 3
Saint-Chamant 19 ..... 243 E 3
Saint-Chamarand 46 ..... 260 B 3
Saint-Chamas 13 ..... 305 F 5
Saint-Chamassy 24 ..... 241 E 5
Saint-Chamond 42 ..... 230 C 4
Saint-Champ 01 ..... 214 D 5
Saint-Chaptes 30 ..... 284 A 5
Saint-Charles 54 ..... 45 E 1
Saint-Charles-de-Percy 14 ..... 52 D 2
Saint-Charles-la-Forêt 53 .... 106 B 5
Saint-Chartier 36 ..... 189 G 1
Saint-Chartres 86 ..... 168 C 3
Saint-Chef 38 ..... 232 A 2
Saint-Chels 46 ..... 260 D 4
Saint-Chély-d'Apcher 48 ..... 264 A 1
Saint-Chély-d'Aubrac 12 ..... 263 F 4
Saint-Chély-du-Tarn 48 ..... 282 B 1
Saint-Chéron 51 ..... 62 C 5
Saint-Chéron 91 ..... 87 F 3
Saint-Chéron-des-Champs 28 ..... 86 A 2
Saint-Chinian 34 ..... 321 E 3
Saint-Christ-Briost 80 ..... 23 G 2
Saint-Christau 64 ..... 331 H 2
Saint-Christaud 31 ..... 317 F 5
Saint-Christaud 32 ..... 295 G 3
Saint-Christo-en-Jarez 42 ... 230 C 3
Saint-Christol 07 ..... 248 B 5
Saint-Christol 34 ..... 303 F 3
Saint-Christol 84 ..... 286 C 4
Saint-Christol-de-Rodières 30 ..... 284 C 2
Saint-Christol-lès-Alès 30 ..... 283 H 4
Saint-Christoly-de-Blaye 33 ..... 237 G 2
Saint-Christoly-Médoc 33 .... 219 E 5
Saint-Christophe 03 ..... 210 C 1
Saint-Christophe 16 ..... 239 E 1
Saint-Christophe 17 ..... 200 D 1
Saint-Christophe 23 ..... 207 E 2
Saint-Christophe 28 ..... 110 A 3
Saint-Christophe 69 ..... 194 C 5
Saint-Christophe 81 ..... 279 F 3
Saint-Christophe 86 ..... 169 F 3
Saint-Christophe-à-Berry 02 ... 40 A 2
Saint-Christophe-d'Allier 43 ..... 265 E 1
Saint-Christophe-de-Chaulieu 61 ..... 52 D 4
Saint-Christophe-de-Double 33 ..... 238 D 3
Saint-Christophe-de-Valains 35 ..... 80 D 4
Saint-Christophe-des-Bardes 33 ..... 238 C 5
Saint-Christophe-des-Bois 35 ..... 105 E 2
Saint-Christophe-Dodinicourt 10 ..... 91 H 4
Saint-Christophe-du-Bois 49 ..... 166 D 1
Saint-Christophe-du-Foc 50 ... 28 D 4
Saint-Christophe-du-Jambet 72 ..... 107 G 2
Saint-Christophe-du-Ligneron 85 ..... 165 E 3
Saint-Christophe-du-Luat 53 ..... 106 C 3
Saint-Christophe-en-Bazelle 36 ..... 153 H 5
Saint-Christophe-en-Boucherie 36 ..... 172 C 5
Saint-Christophe-en-Bresse 71 ..... 178 A 4
Saint-Christophe-en-Brionnais 71 ..... 193 H 5
Saint-Christophe-en-Champagne 72 ..... 107 E 5
Saint-Christophe-en-Oisans 38 ..... 251 H 4
Saint-Christophe-et-le-Laris 26 ..... 249 G 1
Saint-Christophe-la-Couperie 49 ..... 148 B 3
Saint-Christophe-la-Grotte 73 ..... 233 E 3
Saint-Christophe-le-Chaudry 18 ..... 190 B 1
Saint-Christophe-le-Jajolet 61 ..... 54 B 5
Saint-Christophe-les-Gorges 15 ..... 243 H 3
Saint-Christophe-sur-Avre 27 . 55 H 5
Saint-Christophe-sur-Condé 27 ..... 35 F 3
Saint-Christophe-sur-Dolaison 43 ..... 247 E 4
Saint-Christophe-sur-Guiers 38 ..... 233 E 4
Saint-Christophe-sur-le-Nais 37 ..... 130 C 5
Saint-Christophe-sur-Roc 79 ..... 185 E 3
Saint-Christophe-Vallon 12 .. 262 B 5
Saint-Cibard 33 ..... 238 D 4
Saint-Cierge-la-Serre 07 ..... 266 D 1
Saint-Cierge-sous-le-Cheylard 07 ..... 248 B 5
Saint-Ciergues 52 ..... 139 G 2
Saint-Ciers-Champagne 17 . 220 B 4
Saint-Ciers-d'Abzac 33 ..... 238 B 3
Saint-Ciers-de-Canesse 33 . 237 G 3
Saint-Ciers-du-Taillon 17 ..... 219 F 4
Saint-Ciers-sur-Bonnieure 16 ..... 203 G 4
Saint-Ciers-sur-Gironde 33 . 219 G 5
Saint-Cirgue 81 ..... 299 H 1
Saint-Cirgues 43 ..... 246 B 2
Saint-Cirgues 46 ..... 261 G 2
Saint-Cirgues-de-Jordanne 15 ..... 244 D 4
Saint-Cirgues-de-Malbert 15 ..... 244 B 3
Saint-Cirgues-de-Prades 07 ..... 266 A 3
Saint-Cirgues-en-Montagne 07 ..... 265 H 2
Saint-Cirgues-la-Loutre 19 .. 243 G 3
Saint-Cirgues-sur-Couze 63 ..... 227 H 3
Saint-Cirice 82 ..... 276 D 4
Saint-Cirq 24 ..... 241 E 5
Saint-Cirq 82 ..... 278 C 4
Saint-Cirq-Lapopie 46 ..... 260 C 5
Saint-Cirq-Madelon 46 ..... 259 H 1
Saint-Cirq-Souillaguet 46 ..... 260 B 2
Saint-Civran 36 ..... 188 B 2
Saint-Clair 07 ..... 248 D 1
Saint-Clair 46 ..... 259 H 2
Saint-Clair 82 ..... 277 E 3
Saint-Clair 83 ..... 329 E 4
Saint-Clair 86 ..... 168 C 3
Saint-Clair-d'Arcey 27 ..... 55 F 1
Saint-Clair-de-Halouze 61 ..... 53 E 5
Saint-Clair-de-la-Tour 38 ... 232 B 2
Saint-Clair-du-Rhône 38 ..... 231 E 4
Saint-Clair-sur-Epte 95 ..... 37 F 4
Saint-Clair-sur-Galaure 38 .. 249 H 1
Saint-Clair-sur-l'Elle 50 ..... 32 B 4
Saint-Clair-sur-les-Monts 76 .. 19 H 5
Saint-Clar 32 ..... 296 C 1
Saint-Clar-de-Rivière 31 ..... 317 G 2
Saint-Claud 16 ..... 203 H 4
Saint-Claude 39 ..... 197 E 3
Saint-Claude-de-Diray 41 ..... 132 B 5
Saint-Clément 02 ..... 25 G 3
Saint-Clément 03 ..... 210 D 2
Saint-Clément 07 ..... 248 A 4
Saint-Clément 15 ..... 244 D 4
Saint-Clément 19 ..... 224 D 5
Saint-Clément 30 ..... 303 E 2
Saint-Clément 50 ..... 52 C 5
Saint-Clément 54 ..... 95 G 2
Saint-Clément 89 ..... 113 G 2
Saint-Clément-à-Arnes 08 ..... 42 B 3
Saint-Clément-de-la-Place 49 ..... 149 F 1
Saint-Clément-de-Régnat 63 ..... 210 A 3
Saint-Clément-de-Rivière 34 ..... 302 D 4
Saint-Clément-de-Valorgue 63 ..... 229 F 3
Saint-Clément-de-Vers 69 ... 194 B 5
Saint-Clément-des-Baleines 17 ..... 182 C 5
Saint-Clément-des-Levées 49 ..... 150 B 3
Saint-Clément-les-Places 69 ..... 212 B 5
Saint-Clément-sur-Durance 05 ..... 270 C 2
Saint-Clément-sur-Guye 71 . 194 C 1
Saint-Clément-sur-Valsonne 69 ..... 212 B 4
Saint-Clémentin 79 ..... 167 G 2
Saint-Clet 22 ..... 73 E 4
Saint-Cloud 92 ..... 58 B 3
Saint-Cloud-en-Dunois 28 ... 110 A 4
Saint-Colomb-de-Lauzun 47 ..... 257 H 3
Saint-Colomban 44 ..... 165 G 1
Saint-Colomban-des-Villards 73 ..... 233 H 5
Saint-Côme 33 ..... 256 C 5
Saint-Côme *Chapelle de* 29 ... 75 G 5
Saint-Côme-de-Fresné 14 ..... 33 E 2
Saint-Côme-d'Olt 12 ..... 263 F 4
Saint-Côme-du-Mont 50 ..... 31 H 2
Saint-Côme-et-Maruéjols 30 ..... 303 G 2
Saint-Congard 56 ..... 125 F 2
Saint-Connan 22 ..... 77 H 3
Saint-Connec 22 ..... 102 A 1
Saint-Constant-Fournoulès 15 ..... 261 H 3
Saint-Contest 14 ..... 33 G 4
Saint-Corneille 72 ..... 108 A 4
Saint-Cornier-des-Landes 61 ..... 52 D 4
Saint-Cosme 68 ..... 142 D 2
Saint-Cosme-en-Vairais 72 ... 84 B 5
Saint-Couat-d'Aude 11 ..... 320 B 5
Saint-Couat-du-Razès 11 .... 337 F 2
Saint-Coulitz 29 ..... 75 H 5
Saint-Coulomb 35 ..... 50 C 4
Saint-Coutant 16 ..... 203 H 3
Saint-Coutant 79 ..... 185 H 5
Saint-Coutant-le-Grand 17 .. 201 F 3
Saint-Créac 32 ..... 296 C 1
Saint-Créac 65 ..... 333 E 1
Saint-Crépin 05 ..... 270 D 1
Saint-Crépin 17 ..... 201 F 2
Saint-Crépin-aux-Bois 60 ..... 39 G 2
Saint-Crépin-d'Auberoche 24 ..... 240 D 3
Saint-Crépin-de-Richemont 24 ..... 222 B 4
Saint-Crépin-et-Carlucet 24 . 241 G 4
Saint-Crépin-Ibouvillers 60 ..... 38 A 4
Saint-Crespin 14 ..... 34 B 5
Saint-Crespin 76 ..... 20 B 3
Saint-Crespin-sur-Moine 49 148 B 5
Saint-Cricq 32 ..... 297 E 3
Saint-Cricq-Chalosse 40 ..... 293 G 4
Saint-Cricq-du-Gave 40 ..... 293 E 5
Saint-Cricq-Villeneuve 40 .... 294 B 1
Saint-Cybardeaux 16 ..... 202 D 5
Saint-Cybranet 24 ..... 259 G 1
Saint-Cyprien 19 ..... 241 H 1
Saint-Cyprien 24 ..... 241 F 5
Saint-Cyprien 42 ..... 230 A 3
Saint-Cyprien 46 ..... 277 G 2
Saint-Cyprien 66 ..... 343 F 3
Saint-Cyprien-Plage 66 ..... 343 F 2
Saint-Cyprien-sur-Dourdou 12 ..... 262 B 4
Saint-Cyr 07 ..... 249 E 1
Saint-Cyr 39 ..... 179 G 2
Saint-Cyr 50 ..... 29 F 4
Saint-Cyr 71 ..... 177 H 5
Saint-Cyr 86 ..... 169 F 5
Saint-Cyr 87 ..... 205 E 5
Saint-Cyr *Mont* 46 ..... 260 B 5
Saint-Cyr-au-Mont-d'Or 69 .. 213 E 5
Saint-Cyr-de-Favières 42 .... 211 G 3
Saint-Cyr-de-Salerne 27 ..... 35 G 4
Saint-Cyr-de-Valorges 42 .... 212 A 4
Saint-Cyr-des-Gâts 85 ..... 183 H 1
Saint-Cyr-du-Bailleul 50 ..... 82 A 2
Saint-Cyr-du-Doret 17 ..... 183 H 5
Saint-Cyr-du-Gault 41 ..... 131 G 5
Saint-Cyr-du-Ronceray 14 ..... 54 D 1
Saint-Cyr-en-Arthies 95 ..... 57 F 1
Saint-Cyr-en-Bourg 49 ..... 150 C 4
Saint-Cyr-en-Pail 53 ..... 83 E 4
Saint-Cyr-en-Retz 44 ..... 165 E 1
Saint-Cyr-en-Talmondais 85 ..... 183 E 2
Saint-Cyr-en-Val 45 ..... 133 F 3
Saint-Cyr-la-Campagne 27 ..... 36 A 4
Saint-Cyr-la-Lande 79 ..... 168 B 1
Saint-Cyr-la-Rivière 91 ..... 87 F 5
Saint-Cyr-la-Roche 19 ..... 241 H 1
Saint-Cyr-la-Rosière 61 ..... 84 C 5
Saint-Cyr-le-Chatoux 69 ..... 212 C 2
Saint-Cyr-le-Gravelais 53 .... 105 G 4
Saint-Cyr-l'École 78 ..... 58 A 4
Saint-Cyr-les-Champagnes 24 ..... 223 H 5
Saint-Cyr-les-Colons 89 ..... 136 C 3
Saint-Cyr-les-Vignes 42 ..... 230 A 1
Saint-Cyr-sous-Dourdan 91 ..... 87 F 2
Saint-Cyr-sur-le-Rhône 69 .. 231 E 3
Saint-Cyr-sur-Loire 37 ..... 151 H 2
Saint-Cyr-sur-Menthon 01 ... 195 F 5
Saint-Cyr-sur-Mer 83 ..... 327 G 4
Saint-Cyr-sur-Morin 77 ..... 60 A 3
Saint-Cyran-du-Jambot 36 .. 170 D 2
Saint-Dalmas-de-Tende 06 .. 291 H 2
Saint-Dalmas-le-Selvage 06 ..... 289 F 1
Saint-Dalmas-Valdeblore 06 ..... 291 E 2
Saint-Daunès 46 ..... 277 G 1
Saint-Denis 11 ..... 319 G 3
Saint-Denis 30 ..... 284 A 2
Saint-Denis 79 ..... 185 E 2
Saint-Denis 93 ..... 58 C 2
Saint-Denis-Catus 46 ..... 259 H 4
Saint-Denis-Combarnazat 63 ..... 210 A 3
Saint-Denis-d'Aclon 76 ..... 20 A 2
Saint-Denis-d'Anjou 53 ..... 128 D 3
Saint-Denis-d'Augerons 27 .... 55 E 2
Saint-Denis-d'Authou 28 ..... 85 F 5
Saint-Denis-de-Cabanne 42 ..... 211 H 1
Saint-Denis-de-Gastines 53 ... 81 H 4
Saint-Denis-de-Jouhet 36 .... 189 F 2
Saint-Denis-de-l'Hôtel 45 .... 133 G 2
Saint-Denis-de-Mailloc 14 ..... 34 D 5
Saint-Denis-de-Méré 14 ..... 53 F 3
Saint-Denis-de-Palin 18 ..... 173 F 3
Saint-Denis-de-Pile 33 ..... 238 C 4
Saint-Denis-de-Vaux 71 ..... 177 G 4
Saint-Denis-de-Villenette 61 ... 82 B 3
Saint-Denis-des-Coudrais 72 ..... 108 B 3
Saint-Denis-des-Monts 27 ..... 35 H 4
Saint-Denis-des-Murs 87 ..... 206 C 5
Saint-Denis-des-Puits 28 ..... 85 G 4
Saint-Denis-d'Oléron 17 ..... 200 A 2
Saint-Denis-d'Orques 72 ..... 106 D 4
Saint-Denis-du-Béhélan 27 .... 56 A 3
Saint-Denis-du-Maine 53 ..... 106 B 5
Saint-Denis-du-Payré 85 ..... 183 E 3
Saint-Denis-du-Pin 17 ..... 201 H 3
Saint-Denis du Tertre *Chapelle* 72 ..... 108 A 4
Saint-Denis-en-Bugey 01 ..... 214 A 3
Saint-Denis-en-Margeride 48 ..... 264 C 2
Saint-Denis-en-Val 45 ..... 133 F 2
Saint-Denis-la-Chevasse 85 ..... 166 A 3
Saint-Denis-le-Ferment 27 ..... 37 F 3
Saint-Denis-le-Gast 50 ..... 51 H 2
Saint-Denis-le-Thiboult 76 ..... 36 D 1
Saint-Denis-le-Vêtu 50 ..... 51 G 1
Saint-Denis-lès-Bourg 01 ..... 195 H 5
Saint-Denis-lès-Martel 46 ..... 242 C 5
Saint-Denis-les-Ponts 28 ..... 109 H 4
Saint-Denis-lès-Rebais 77 ..... 60 A 3
Saint-Denis-lès-Sens 89 ..... 113 G 2
Saint-Denis-Maisoncelles 14 .. 52 C 1
Saint-Denis-sur-Coise 42 ..... 230 B 2
Saint-Denis-sur-Huisne 61 ..... 84 B 3
Saint-Denis-sur-Loire 41 ..... 132 B 5
Saint-Denis-sur-Ouanne 89 . 135 G 3
Saint-Denis-sur-Sarthon 61 ... 83 F 3
Saint-Denis-sur-Scie 76 ..... 20 B 4

Saint-Deniscourt *60*....21 G 5
Saint-Denœux *62*....6 D 4
Saint-Denoual *22*....79 E 3
Saint-Derrien *29*....71 F 5
Saint-Désert *71*....177 G 4
Saint-Désir *14*....34 C 5
Saint-Désirat *07*....249 E 1
Saint-Désiré *03*....190 B 2
Saint-Dézery *19*....226 B 3
Saint-Dézéry *30*....284 A 5
Saint-Didier *21*....158 C 3
Saint-Didier *35*....104 D 3
Saint-Didier *39*....179 E 5
Saint-Didier *58*....157 F 3
Saint-Didier *84*....285 H 5
Saint-Didier-au-Mont-d'Or *69*....213 E 5
Saint-Didier-d'Allier *43*....246 D 4
Saint-Didier-d'Aussiat *01*....195 G 4
Saint-Didier-de-Bizonnes *38*....232 A 3
Saint-Didier-de-Formans *01*....213 E 3
Saint-Didier-de-la-Tour *38*....232 B 2
Saint-Didier-des-Bois *27*....36 A 4
Saint-Didier-en-Bresse *71*....178 B 3
Saint-Didier-en-Brionnais *71*....193 H 4
Saint-Didier-en-Donjon *03*....193 E 3
Saint-Didier-en-Velay *43*....248 A 1
Saint-Didier-la-Forêt *03*....192 B 5
Saint-Didier-sous-Aubenas *07*....266 B 3
Saint-Didier-sous-Écouves *61*....83 F 2
Saint-Didier-sous-Riverie *69*....230 C 2
Saint-Didier-sur-Arroux *71*....176 B 4
Saint-Didier-sur-Beaujeu *69*....212 C 1
Saint-Didier-sur-Chalaronne *01*....213 E 1
Saint-Didier-sur-Doulon *43*....246 C 1
Saint-Didier-sur-Rochefort *42*....211 E 5
Saint-Dié-des-Vosges *88*....96 B 5
Saint-Dier-d'Auvergne *63*....228 C 1
Saint-Diéry *63*....227 G 3
Saint-Dionisy *30*....303 G 2
Saint-Disdier *05*....269 F 1
Saint-Divy *29*....75 F 2
Saint-Dizant-du-Bois *17*....219 G 4
Saint-Dizant-du-Gua *17*....219 F 4
Saint-Dizier *52*....63 F 5
Saint-Dizier-en-Diois *26*....268 C 4
Saint-Dizier-la-Tour *23*....207 G 1
Saint-Dizier-les-Domaines *23*....189 G 4
Saint-Dizier-l'Évêque *90*....142 D 5
Saint-Dizier-Leyrenne *23*....206 D 3
Saint-Dolay *56*....125 G 5
Saint-Domet *23*....207 H 2
Saint-Domineuc *35*....80 A 4
Saint-Donan *22*....78 A 3
Saint-Donat *63*....227 E 4
Saint-Donat *Église de 04*....287 G 4
Saint-Donat-sur-l'Herbasse *26*....249 G 2
Saint-Dos *64*....292 D 5
Saint-Doulchard *18*....173 E 1
Saint-Drézéry *34*....303 E 3
Saint-Dyé-sur-Loire *41*....132 B 4
Saint-Eble *43*....246 C 3
Saint-Ébremond-de-Bonfossé *50*....32 A 5
Saint-Edmond *71*....193 H 5
Saint-Égrève *38*....250 D 1
Saint-Élier *27*....56 A 2
Saint-Éliph *28*....85 F 4
Saint-Élix *32*....316 C 2
Saint-Élix-le-Château *31*....317 F 4
Saint-Élix-Séglan *31*....316 D 5
Saint-Élix-Theux *32*....316 A 2
Saint-Ellier *49*....149 H 3
Saint-Ellier-du-Maine *53*....81 G 4
Saint-Ellier-les-Bois *61*....83 F 3
Saint-Éloi *01*....213 H 3
Saint-Éloi *22*....72 D 4
Saint-Éloi *23*....207 E 2
Saint-Éloi *58*....174 C 2
Saint-Éloi-de-Fourques *27*....35 H 4
Saint-Eloy *29*....75 H 3
Saint-Éloy-d'Allier *03*....190 B 3
Saint-Éloy-de-Gy *18*....155 E 5
Saint-Éloy-la-Glacière *63*....228 C 3
Saint-Éloy-les-Mines *63*....209 F 1
Saint-Éloy-les-Tuileries *19*....223 H 4
Saint-Éman *28*....85 G 5
Saint-Émiland *71*....177 E 3
Saint-Émilien-de-Blain *44*....147 F 1
Saint-Émilion *33*....238 C 5
Saint-Ennemond *03*....175 E 5
Saint-Épain *37*....151 G 5
Saint-Epvre *57*....66 C 2
Saint-Erblon *35*....104 B 4
Saint-Erblon *53*....127 G 2
Saint-Erme-Outre-et-Ramecourt *02*....41 F 1
Saint-Escobille *91*....87 E 4
Saint-Esteben *64*....311 F 4
Saint-Estèphe *16*....221 E 2
Saint-Estèphe *24*....222 C 2
Saint-Estèphe *33*....237 E 1
Saint-Estève *66*....343 E 2
Saint-Estève *84*....286 A 3
Saint-Estève-Janson *13*....305 H 3
Saint-Étienne *42*....230 B 4
Saint-Étienne-à-Arnes *08*....42 B 3
Saint-Étienne-au-Mont *62*....6 B 2
Saint-Étienne-au-Temple *51*....62 B 1
Saint-Étienne-aux-Clos *19*....226 C 3
Saint-Étienne-Cantalès *15*....243 H 5
Saint-Étienne-Cantalès *Barrage de 15*....243 H 5
Saint-Étienne-d'Albagnan *34*....300 D 5
Saint-Étienne-de-Baïgorry *64*....330 B 1
Saint-Étienne-de-Boulogne *07*....266 C 2
Saint-Étienne-de-Brillouet *85*....183 G 2
Saint-Étienne-de-Carlat *15*....244 D 5
Saint-Étienne-de-Chigny *37*....151 G 3
Saint-Étienne-de-Chomeil *15*....226 D 5
Saint-Étienne-de-Crossey *38*....232 D 4
Saint-Étienne-de-Cuines *73*....234 A 4
Saint-Étienne-de-Fontbellon *07*....266 B 3
Saint-Étienne-de-Fougères *47*....258 B 5
Saint-Étienne-de-Fursac *23*....206 B 1
Saint-Étienne-de-Gourgas *34*....301 H 3
Saint-Étienne-de-Lisse *33*....238 C 5
Saint-Étienne-de-l'Olm *30*....284 A 4
Saint-Étienne-de-Lugdarès *07*....265 G 3
Saint-Étienne-de-Maurs *15*....261 H 2
Saint-Étienne-de-Mer-Morte *44*....165 F 2
Saint-Étienne-de-Montluc *44*....147 F 3
Saint-Étienne-de-Puycorbier *24*....239 G 3
Saint-Étienne-de-Saint-Geoirs *38*....232 A 5
Saint-Étienne-de-Serre *07*....266 C 1
Saint-Étienne-de-Tinée *06*....289 F 1
Saint-Étienne-de-Tulmont *82*....278 B 5
Saint-Étienne-de-Valoux *07*....249 E 1
Saint-Étienne-de-Vicq *03*....210 C 1
Saint-Étienne-de-Villeréal *47*....258 C 3
Saint-Étienne-des-Champs *63*....208 D 5
Saint-Étienne-des-Guérets *41*....131 G 5
Saint-Étienne-des-Oullières *69*....212 D 2
Saint-Étienne-des-Sorts *30*....285 E 3
Saint-Étienne-d'Orthe *40*....292 C 4
Saint-Étienne-du-Bois *01*....196 A 4
Saint-Étienne-du-Bois *85*....165 G 3
Saint-Étienne-du-Grès *13*....304 C 2
Saint-Étienne-du-Gué-de-l'Isle *22*....102 C 2
Saint-Étienne-du-Rouvray *76*....36 B 2
Saint-Étienne-du-Valdonnez *48*....264 C 5
Saint-Étienne-du-Vauvray *27*....36 C 4
Saint-Étienne-du-Vigan *43*....265 F 1
Saint-Étienne-en-Bresse *71*....178 A 5
Saint-Étienne-en-Coglès *35*....81 E 4
Saint-Étienne-en-Dévoluy *05*....269 F 2
Saint-Étienne-Estréchoux *34*....301 F 4
Saint-Étienne-la-Cigogne *79*....201 H 1
Saint-Étienne-la-Geneste *19*....226 B 4
Saint-Étienne-la-Thillaye *14*....34 C 3
Saint-Étienne-la-Varenne *69*....212 C 2
Saint-Étienne-l'Allier *27*....35 F 3
Saint-Étienne-Lardeyrol *43*....247 G 3
Saint-Étienne-le-Laus *05*....269 H 4
Saint-Étienne-le-Molard *42*....229 G 1
Saint-Étienne-les-Orgues *04*....287 E 4
Saint-Étienne-lès-Remiremont *88*....119 H 4
Saint-Étienne-Roilaye *60*....39 H 3
Saint-Étienne-sous-Bailleul *27*....36 D 5
Saint-Étienne-sous-Barbuise *10*....91 E 3
Saint-Étienne-sur-Blesle *43*....245 H 1
Saint-Étienne-sur-Chalaronne *01*....213 E 1
Saint-Étienne-sur-Reyssouze *01*....195 F 3
Saint-Étienne-sur-Suippe *51*....41 H 2
Saint-Étienne-sur-Usson *63*....228 B 3
Saint-Étienne-Vallée-Française *48*....283 F 3
Saint-Eugène *02*....60 C 1
Saint-Eugène *17*....220 B 3
Saint-Eugène *71*....176 C 5
Saint-Eulien *51*....63 E 5
Saint-Euphraise-et-Clairizet *51*....41 F 4
Saint-Euphrône *21*....158 D 1
Saint-Eusèbe *71*....177 E 5
Saint-Eusèbe *74*....215 F 3
Saint-Eusèbe-en-Champsaur *05*....269 G 1
Saint-Eustache *74*....215 G 4
Saint Eustache *Col de 2A*....349 E 5
Saint-Eustache-la-Forêt *76*....19 E 5
Saint-Eutrope *16*....221 E 4
Saint-Eutrope-de-Born *47*....258 C 4
Saint-Évarzec *29*....99 H 3
Saint-Evroult-de-Montfort *61*....54 D 4
Saint-Evroult-Notre-Dame-du-Bois *61*....55 E 4
Saint-Exupéry *33*....256 C 3
Saint-Exupéry-les-Roches *19*....226 B 3
Saint-Fargeau *89*....135 F 5
Saint-Fargeau-Ponthierry *77*....88 A 3
Saint-Fargeol *03*....208 D 1
Saint-Faust *64*....314 A 4
Saint-Félicien *07*....248 D 3
Saint-Féliu-d'Amont *66*....342 D 2
Saint-Féliu-d'Avall *66*....342 D 2
Saint-Félix *03*....192 C 5
Saint-Félix *16*....220 D 5
Saint-Félix *17*....201 G 2
Saint-Félix *46*....261 G 3
Saint-Félix *60*....38 B 3
Saint-Félix *74*....215 F 4
Saint-Félix-de-Bourdeilles *24*....222 B 4
Saint-Félix-de-Foncaude *33*....256 C 3
Saint-Félix-de-l'Héras *34*....301 G 2
Saint-Félix-de-Lodez *34*....302 A 4
Saint-Félix-de-Lunel *12*....262 C 4
Saint-Félix-de-Montceau *Ancienne Abbaye de 34*....323 E 3
Saint-Félix-de-Pallières *30*....283 G 5
Saint-Félix-de-Reillac-et-Mortemart *24*....241 E 4
Saint-Félix-de-Rieutord *09*....336 B 2
Saint-Félix-de-Sorgues *12*....301 E 1
Saint-Félix-de-Tournegat *09*....336 C 1
Saint-Félix-de-Villadeix *24*....240 C 5
Saint-Félix-Lauragais *31*....318 D 2
Saint-Fergeux *08*....25 H 5
Saint-Ferjeux *70*....141 H 5
Saint-Ferme *33*....257 E 2
Saint-Ferréol *31*....316 C 3
Saint-Ferréol *31*....319 E 2
Saint-Ferréol *74*....216 A 5
Saint-Ferréol-d'Auroure *43*....230 A 5
Saint-Ferréol-des-Côtes *63*....228 D 3
Saint-Ferréol-Trente-Pas *26*....268 A 5
Saint-Ferriol *11*....337 G 4
Saint-Fiacre *22*....77 H 2
Saint-Fiacre *56*....100 D 3
Saint-Fiacre *77*....59 G 2
Saint-Fiacre-sur-Maine *44*....147 H 5
Saint-Fiel *23*....207 E 1
Saint-Firmin *05*....269 G 1
Saint-Firmin *54*....94 D 3
Saint-Firmin *58*....175 E 1
Saint-Firmin *71*....177 E 3
Saint-Firmin-des-Bois *45*....112 D 5
Saint-Firmin-des-Prés *41*....131 H 2
Saint-Firmin-sur-Loire *45*....134 D 5
Saint-Flavy *10*....90 B 4
Saint-Florent *45*....134 B 4
Saint-Florent *79*....184 D 4
Saint-Florent *2B*....345 F 4
Saint-Florent-des-Bois *85*....183 E 1
Saint-Florent-le-Vieil *49*....148 C 2
Saint-Florent-sur-Auzonnet *30*....283 H 2
Saint-Florent-sur-Cher *18*....172 D 2
Saint-Florentin *36*....171 H 1
Saint-Florentin *89*....114 B 5
Saint-Floret *63*....227 H 3
Saint-Floris *62*....7 H 2
Saint-Flour *15*....245 H 4
Saint-Flour *63*....228 C 1
Saint-Flour-de-Mercoire *48*....265 F 2
Saint-Flovier *37*....170 C 2
Saint-Floxel *50*....29 G 4
Saint-Folquin *62*....3 E 3
Saint-Fons *69*....231 E 1
Saint-Forgeot *71*....176 D 2
Saint-Forget *78*....57 H 5
Saint-Forgeux *69*....212 B 4
Saint-Forgeux-Lespinasse *42*....211 F 1
Saint-Fort *53*....128 B 3
Saint-Fort-sur-Gironde *17*....219 F 3
Saint-Fort-sur-le-Né *16*....220 B 2
Saint-Fortunat-sur-Eyrieux *07*....266 D 1
Saint-Fraigne *16*....203 E 3
Saint-Fraimbault *61*....82 A 3
Saint-Fraimbault-de-Prières *53*....82 B 4
Saint-Frajou *31*....316 D 3
Saint-Franc *73*....232 D 3
Saint-Franchy *58*....157 E 5
Saint-François-de-Sales *73*....233 G 1
Saint-François-Lacroix *57*....46 C 3
Saint-François-Longchamp *73*....234 A 4
Saint-Frégant *29*....70 D 4
Saint-Fréjoux *19*....226 B 3
Saint-Frézal-d'Albuges *48*....265 E 4
Saint-Frézal-de-Ventalon *48*....283 F 2
Saint-Frichoux *11*....320 A 4
Saint-Frion *23*....207 H 4
Saint-Fromond *50*....32 B 4
Saint-Front *16*....203 G 4
Saint-Front *43*....247 H 4
Saint-Front-d'Alemps *24*....222 D 5
Saint-Front-de-Pradoux *24*....239 G 3
Saint-Front-la-Rivière *24*....222 C 4
Saint-Front-sur-Lémance *47*....259 E 4
Saint-Front-sur-Nizonne *24*....222 B 4
Saint-Froult *17*....200 C 3
Saint-Fulgent *85*....166 B 3
Saint-Fulgent-des-Ormes *61*....84 B 5
Saint-Fuscien *80*....22 C 2
Saint-Gabriel *Chapelle 13*....304 C 2
Saint-Gabriel-Brécy *14*....33 F 3
Saint-Gal *48*....264 B 3
Saint-Gal-sur-Sioule *63*....209 G 2
Saint-Galmier *42*....230 A 2
Saint-Gand *70*....140 C 5
Saint-Ganton *35*....126 A 3
Saint-Gatien-des-Bois *14*....34 C 2
Saint-Gaudens *31*....334 C 1
Saint-Gaudent *86*....203 G 1
Saint-Gaudéric *11*....337 E 1
Saint-Gault *53*....105 H 5
Saint-Gaultier *36*....188 C 1
Saint-Gauzens *81*....298 D 3
Saint-Gayrand *47*....275 G 1
Saint-Gein *40*....294 B 2
Saint-Gelais *79*....185 E 3
Saint-Gelven *22*....77 G 5
Saint-Gély-du-Fesc *34*....302 D 3
Saint-Génard *79*....202 D 1
Saint-Gence *87*....205 F 4
Saint-Généroux *79*....168 B 3
Saint-Genès-Champanelle *63*....227 G 1
Saint-Genès-Champespe *63*....227 E 4
Saint-Genès-de-Blaye *33*....237 F 2
Saint-Genès-de-Castillon *33*....238 D 5
Saint-Genès-de-Fronsac *33*....238 B 3
Saint-Genès-de-Lombaud *33*....255 H 1
Saint-Genès-du-Retz *63*....210 A 2
Saint-Genès-la-Tourette *63*....228 C 3
Saint-Genest *03*....190 D 5
Saint-Genest *88*....95 G 4
Saint-Genest-d'Ambière *86*....169 F 4
Saint-Genest-de-Beauzon *07*....265 H 5
Saint-Genest-de-Contest *81*....299 F 3
Saint-Genest-Lachamp *07*....266 B 1
Saint-Genest-Lerpt *42*....230 A 4
Saint-Genest-Malifaux *42*....230 B 5
Saint-Genest-sur-Roselle *87*....224 B 1
Saint-Geneys-près-Saint-Paulien *43*....247 E 2
Saint-Gengoulph *02*....40 A 5
Saint-Gengoux-de-Scissé *71*....194 D 2
Saint-Gengoux-le-National *71*....194 D 1
Saint-Geniès *24*....241 G 4
Saint-Geniès-Bellevue *31*....298 A 4
Saint-Geniès-de-Comolas *30*....285 E 4
Saint-Geniès-de-Fontedit *34*....321 G 2
Saint-Geniès-de-Malgoirès *30*....303 G 1
Saint-Geniès-de-Varensal *34*....301 E 4
Saint-Geniès-des-Mourgues *34*....303 E 3
Saint-Geniez *04*....287 G 2
Saint Geniez-d'Olt-et-d'Aubrac *12*....263 G 5
Saint-Geniez-ô-Merle *19*....243 G 3
Saint-Genis *05*....269 E 5
Saint-Genis *38*....251 E 5
Saint-Genis-de-Blanzac *16*....221 E 4
Saint-Genis-de-Saintonge *17*....219 G 3
Saint-Génis-des-Fontaines *66*....343 F 3
Saint-Genis-d'Hiersac *16*....203 E 5
Saint-Genis-du-Bois *33*....256 C 2
Saint-Genis-l'Argentière *69*....230 C 1
Saint-Genis-Laval *69*....231 E 1
Saint-Genis-les-Ollières *69*....212 D 5
Saint-Genis-Pouilly *01*....197 F 5
Saint-Genis-sur-Menthon *01*....195 F 4
Saint-Genix-sur-Guiers *73*....232 C 2
Saint-Genou *36*....171 E 3
Saint-Genouph *37*....151 H 2
Saint-Geoire-en-Valdaine *38*....232 D 3
Saint-Geoirs *38*....232 A 5
Saint-Georges *15*....245 H 4
Saint-Georges *16*....203 G 3
Saint-Georges *32*....296 D 3
Saint-Georges *33*....238 C 5
Saint-Georges *47*....259 E 5
Saint-Georges *57*....67 G 5
Saint-Georges *62*....7 E 5
Saint-Georges *82*....278 C 3
Saint-Georges *Gorges de 11*....337 G 5
Saint-Georges-Armont *25*....163 E 2
Saint-Georges-Blancaneix *24*....239 G 5
Saint-Georges-Buttavent *53*....82 A 5
Saint-Georges-d'Annebecq *61*....53 H 5
Saint-Georges-d'Aunay *14*....53 E 1
Saint-Georges-d'Aurac *43*....246 C 2
Saint-Georges-d'Hurtières *73*....234 A 3
Saint-Georges-de-Baroille *42*....211 H 4
Saint-Georges-de-Bohon *50*....31 H 3
Saint-Georges-de-Chesné *35*....81 E 5
Saint-Georges-de-Commiers *38*....250 D 3
Saint-Georges-de-Cubillac *17*....219 H 3
Saint-Georges-de-Didonne *17*....218 D 2
Saint-Georges-de-Gréhaigne *35*....80 C 2
Saint-Georges-de-la-Couée *72*....130 D 2
Saint-Georges-de-la-Rivière *50*....31 E 2
Saint-Georges-de-Lévéjac *48*....282 A 2
Saint-Georges-de-Livoye *50*....52 A 4
Saint-Georges-de-Longuepierre *17*....202 B 2
Saint-Georges-de-Luzençon *12*....281 G 4
Saint-Georges-de-Mons *63*....209 F 4
Saint-Georges-de-Montaigu *85*....166 A 2
Saint-Georges-de-Montclard *24*....240 B 5
Saint-Georges-de-Noisné *79*....185 F 2
Saint-Georges-de-Pointindoux *85*....165 F 5
Saint-Georges-de-Poisieux *18*....173 F 5
Saint-Georges-de-Reintembault *35*....81 E 2
Saint-Georges-de-Reneins *69*....212 D 2
Saint-Georges-de-Rex *79*....184 C 4
Saint-Georges-de-Rouelley *50*....82 A 2
Saint-Georges-d'Elle *50*....32 C 4
Saint-Georges-des-Agoûts *17*....219 F 4
Saint-Georges-des-Coteaux *17*....201 F 5
Saint-Georges-des-Gardes *49*....149 E 5
Saint-Georges-des-Groseillers *61*....53 E 4
Saint-Georges-des-Sept-Voies *49*....150 A 3
Saint-Georges-d'Espéranche *38*....231 G 2
Saint-Georges-d'Oléron *17*....200 A 3
Saint-Georges-d'Orques *34*....302 C 4
Saint-Georges-du-Bois *17*....201 F 1
Saint-Georges-du-Bois *49*....150 A 1
Saint-Georges-du-Bois *72*....107 G 5
Saint-Georges-du-Mesnil *27*....35 F 4
Saint-Georges-du-Rosay *72*....108 B 2
Saint-Georges-du-Vièvre *27*....35 F 4
Saint-Georges-en-Auge *14*....54 B 1
Saint-Georges-en-Couzan *42*....229 F 1
Saint-Georges-Haute-Ville *42*....229 H 3
Saint-Georges-la-Pouge *23*....207 F 3
Saint-Georges-Lagricol *43*....247 F 1
Saint-Georges-le-Fléchard *53*....106 B 4
Saint-Georges-le-Gaultier *72*....83 F 5
Saint-Georges-lès-Baillargeaux *86*....169 F 5
Saint-Georges-les-Bains *07*....249 E 5
Saint-Georges-les-Landes *87*....188 B 4
Saint-Georges-Montcocq *50*....32 B 5
Saint-Georges-Motel *27*....56 D 4
Saint-Georges-Nigremont *23*....207 H 5
Saint-Georges-sur-Allier *63*....228 A 1
Saint-Georges-sur-Arnon *36*....172 C 2
Saint-Georges-sur-Baulche *89*....136 B 3
Saint-Georges-sur-Cher *41*....152 D 3
Saint-Georges-sur-Erve *53*....106 D 2
Saint-Georges-sur-Eure *28*....85 H 4
Saint-Georges-sur-Fontaine *76*....20 B 5
Saint-Georges-sur-la-Prée *18*....154 B 4
Saint-Georges-sur-l'Aa *59*....3 F 3
Saint-Georges-sur-Layon *49*....149 H 4
Saint-Georges-sur-Loire *49*....149 E 2

Saint-Georges-sur-Moulon 18 ... 155 E 5
Saint-Georges-sur-Renon 01 ... 213 G 1
Saint-Geours-d'Auribat 40 ... 293 F 2
Saint-Geours-de-Maremne 40 ... 292 C 3
Saint-Gérand 56 ... 102 A 2
Saint-Gérand-de-Vaux 03 ... 192 B 4
Saint-Gérand-le-Puy 03 ... 192 C 5
Saint-Géraud 47 ... 257 E 3
Saint-Géraud-de-Corps 24 ... 239 F 4
Saint-Géréon 44 ... 148 B 2
Saint-Germain 07 ... 266 C 4
Saint-Germain 10 ... 114 D 2
Saint-Germain 54 ... 95 E 3
Saint-Germain 70 ... 141 H 3
Saint-Germain 86 ... 187 G 2
Saint-Germain *Ermitage de* 74 ... 215 H 4
Saint-Germain-au-Mont-d'Or 69 ... 213 E 4
Saint-Germain-Beaupré 23 ... 188 D 4
Saint-Germain-Chassenay 58 ... 175 E 4
Saint-Germain-d'Anxure 53 ... 106 A 2
Saint-Germain-d'Arcé 72 ... 130 A 5
Saint-Germain-d'Aunay 61 ... 54 D 2
Saint-Germain-de-Belvès 24 ... 259 F 1
Saint-Germain-de-Calberte 48 ... 283 E 3
Saint-Germain-de-Clairefeuille 61 ... 54 C 5
Saint-Germain-de-Confolens 16 ... 204 C 2
Saint-Germain-de-Coulamer 53 ... 83 E 5
Saint-Germain-de-Fresney 27 ... 56 C 2
Saint-Germain-de-Grave 33 ... 256 B 3
Saint-Germain-de-Joux 01 ... 196 D 5
Saint-Germain-de-la-Coudre 61 ... 84 C 5
Saint-Germain-de-la-Grange 78 ... 57 H 3
Saint-Germain-de-la-Rivière 33 ... 238 B 4
Saint-Germain-de-Livet 14 ... 34 C 5
Saint-Germain-de-Longue-Chaume 79 ... 167 H 5
Saint-Germain-de-Lusignan 17 ... 219 H 4
Saint-Germain-de-Marencennes 17 ... 201 F 2
Saint-Germain-de-Martigny 61 ... 84 B 2
Saint-Germain-de-Modéon 21 ... 158 B 2
Saint-Germain-de-Montbron 16 ... 221 H 2
Saint-Germain-de-Montgommery 14 ... 54 C 2
Saint-Germain-de-Pasquier 27 ... 36 A 4
Saint-Germain-de-Prinçay 85 ... 166 C 4
Saint-Germain-de-Salles 03 ... 210 A 1
Saint-Germain-de-Tallevende-la-Lande-Vaumont 14 ... 52 C 3
Saint-Germain-de-Tournebut 50 ... 29 G 4
Saint-Germain-de-Varreville 50 ... 29 H 5
Saint-Germain-de-Vibrac 17 ... 220 B 4
Saint-Germain-d'Ectot 14 ... 32 D 5
Saint-Germain-d'Elle 50 ... 32 C 5
Saint-Germain-des-Angles 27 ... 36 B 5
Saint-Germain-des-Bois 18 ... 173 F 3
Saint-Germain-des-Bois 58 ... 157 F 3
Saint-Germain-des-Champs 89 ... 158 A 2
Saint-Germain-des-Essourts 76 ... 36 C 1
Saint-Germain-des-Fossés 03 ... 210 B 1
Saint-Germain-des-Grois 61 ... 85 E 4
Saint-Germain-des-Prés 24 ... 223 E 5
Saint-Germain-des-Prés 45 ... 112 D 5
Saint-Germain-des-Prés 49 ... 149 E 2
Saint-Germain-des-Prés 81 ... 299 F 5
Saint-Germain-des-Vaux 50 ... 28 C 2
Saint-Germain-d'Esteuil 33 ... 219 E 5
Saint-Germain-d'Étables 76 ... 20 B 2
Saint-Germain-du-Bel-Air 46 ... 260 B 3
Saint-Germain-du-Bois 71 ... 178 C 4
Saint-Germain-du-Corbéis 61 ... 83 G 4
Saint-Germain-du-Crioult 14 ... 53 E 3
Saint-Germain-du-Pert 14 ... 32 B 2
Saint-Germain-du-Pinel 35 ... 105 F 4
Saint-Germain-du-Plain 71 ... 178 A 5
Saint-Germain-du-Puch 33 ... 238 B 5
Saint-Germain-du-Puy 18 ... 173 F 1
Saint-Germain-du-Salembre 24 ... 239 H 2
Saint-Germain-du-Seudre 17 ... 219 F 3
Saint-Germain-du-Teil 48 ... 263 H 5
Saint-Germain-du-Val 72 ... 129 G 4
Saint-Germain-en-Brionnais 71 ... 194 A 4
Saint-Germain-en-Coglès 35 ... 81 E 4
Saint-Germain-en-Laye 78 ... 58 A 3
Saint-Germain-en-Montagne 39 ... 179 H 4
Saint-Germain-et-Mons 24 ... 258 B 1
Saint-Germain-la-Blanche-Herbe 14 ... 33 G 4
Saint-Germain-la-Campagne 27 ... 55 E 1
Saint-Germain-la-Chambotte 73 ... 215 E 5
Saint-Germain-la-Gâtine 28 ... 86 A 3
Saint-Germain-la-Montagne 42 ... 212 A 1
Saint-Germain-la-Poterie 60 ... 37 H 2
Saint-Germain-la-Ville 51 ... 62 B 3
Saint-Germain-l'Aiguiller 85 ... 166 D 5
Saint-Germain-Langot 14 ... 53 G 2
Saint-Germain-Laprade 43 ... 247 G 3
Saint-Germain-Laval 42 ... 211 G 5
Saint-Germain-Laval 77 ... 89 E 4
Saint-Germain-Lavolps 19 ... 225 H 2
Saint-Germain-Laxis 77 ... 88 B 2
Saint-Germain-le-Châtelet 90 ... 142 C 2
Saint-Germain-le-Fouilloux 53 ... 105 H 3
Saint-Germain-le-Gaillard 28 ... 85 H 4
Saint-Germain-le-Gaillard 50 ... 28 D 4
Saint-Germain-le-Guillaume 53 ... 105 H 2
Saint-Germain-le-Rocheux 21 ... 138 B 3
Saint-Germain-le-Vasson 14 ... 53 G 1
Saint-Germain-le-Vieux 61 ... 84 A 2
Saint-Germain-Lembron 63 ... 228 A 4
Saint-Germain-lès-Arlay 39 ... 179 E 4
Saint-Germain-lès-Arpajon 91 ... 87 G 2
Saint-Germain-les-Belles 87 ... 224 B 2
Saint-Germain-lès-Buxy 71 ... 177 G 5
Saint-Germain-lès-Corbeil 91 ... 88 A 2
Saint-Germain-les-Paroisses 01 ... 214 C 5
Saint-Germain-lès-Senailly 21 ... 137 G 5
Saint-Germain-les-Vergnes 19 ... 242 C 1
Saint-Germain-Lespinasse 42 ... 211 F 2
Saint-Germain-l'Herm 63 ... 228 C 4
Saint-Germain-près-Herment 63 ... 226 D 1
Saint-Germain-sous-Cailly 76 ... 20 C 5
Saint-Germain-sous-Doue 77 ... 60 A 3
Saint-Germain-sur-Avre 27 ... 56 C 4
Saint-Germain-sur-Ay-Plage 50 ... 31 F 3
Saint-Germain-sur-Bresle 80 ... 21 F 2
Saint-Germain-sur-Eaulne 76 ... 21 E 3
Saint-Germain-sur-École 77 ... 88 A 3
Saint-Germain-sur-Ille 35 ... 80 B 5
Saint-Germain-Nuelles 69 ... 212 C 4
Saint-Germain-sur-Meuse 55 ... 93 H 1
Saint-Germain-sur-Moine 49 ... 148 B 5
Saint-Germain-sur-Morin 77 ... 59 G 3
Saint-Germain-sur-Renon 01 ... 213 G 2
Saint-Germain-sur-Rhône 74 ... 215 E 2
Saint-Germain-sur-Sarthe 72 ... 83 G 5
Saint-Germain-sur-Sèves 50 ... 31 H 3
Saint-Germain-sur-Vienne 37 ... 150 D 4
Saint-Germain-Village 27 ... 35 E 3
Saint-Germainmont 08 ... 41 H 1
Saint-Germé 32 ... 294 D 3
Saint-Germer-de-Fly 60 ... 37 G 2
Saint-Germier 31 ... 318 C 2
Saint-Germier 32 ... 297 E 4
Saint-Germier 79 ... 185 G 3
Saint-Germier 81 ... 299 G 4
Saint-Géron 43 ... 228 A 5
Saint-Gérons 15 ... 243 H 5
Saint-Gervais 16 ... 203 G 3
Saint-Gervais 30 ... 284 D 3
Saint-Gervais 33 ... 237 H 3
Saint-Gervais 38 ... 250 B 1
Saint-Gervais 85 ... 164 D 2
Saint-Gervais 95 ... 37 G 5
Saint-Gervais-d'Auvergne 63 ... 209 E 3
Saint-Gervais-de-Vic 72 ... 131 E 2
Saint-Gervais-des-Sablons 61 ... 54 B 2
Saint-Gervais-du-Perron 61 ... 83 H 2
Saint-Gervais-en-Belin 72 ... 130 A 2
Saint-Gervais-en-Vallière 71 ... 178 A 2
Saint-Gervais-la-Forêt 41 ... 132 A 5
Saint-Gervais-les-Bains 74 ... 216 D 3
Saint-Gervais-les-Trois-Clochers 86 ... 169 F 3
Saint-Gervais-sous-Meymont 63 ... 228 D 1
Saint-Gervais-sur-Couches 71 ... 177 F 2
Saint-Gervais-sur-Mare 34 ... 301 E 4
Saint-Gervais-sur-Roubion 26 ... 267 F 3
Saint-Gervasy 30 ... 304 A 1
Saint-Gervazy 63 ... 228 A 4
Saint-Géry 24 ... 239 G 4
Saint-Géry 46 ... 260 C 5
Saint-Géry *Château de* 81 ... 298 C 2
Saint-Geyrac 24 ... 241 E 3
Saint-Gibrien 51 ... 62 A 2
Saint-Gildas 22 ... 77 H 3
Saint-Gildas *Pointe de* 44 ... 146 B 4
Saint-Gildas-de-Rhuys 56 ... 124 B 5
Saint-Gildas-des-Bois 44 ... 125 H 5
Saint-Gilles 30 ... 304 A 4
Saint-Gilles 35 ... 104 A 2
Saint-Gilles 36 ... 188 C 3
Saint-Gilles 50 ... 32 A 5
Saint-Gilles 51 ... 40 D 3
Saint-Gilles 71 ... 177 F 3
Saint-Gilles-Croix-de-Vie 85 ... 164 D 4
Saint-Gilles-de-Crétot 76 ... 19 F 5
Saint-Gilles-de-la-Neuville 76 ... 19 E 5
Saint-Gilles-des-Marais 61 ... 82 A 2
Saint-Gilles-du-Mené 22 ... 102 C 1
Saint-Gilles-les-Bois 22 ... 73 F 4
Saint-Gilles-les-Forêts 87 ... 224 C 2
Saint-Gilles-Pligeaux 22 ... 77 H 3
Saint-Gilles-Vieux-Marché 22 ... 77 H 5
Saint-Gineis-en-Coiron 07 ... 266 C 3
Saint-Gingolph 74 ... 198 D 3
Saint-Girod 73 ... 215 F 5
Saint-Girons 09 ... 335 F 2
Saint-Girons-d'Aiguevives 33 ... 237 G 2
Saint-Girons-en-Béarn 64 ... 293 F 5
Saint-Girons-Plage 40 ... 272 A 5
Saint-Gladie-Arrive-Munein 64 ... 311 H 4
Saint-Glen 22 ... 78 D 5
Saint-Goazec 29 ... 76 B 5
Saint-Gobain 02 ... 24 B 5
Saint-Gobert 02 ... 25 E 3
Saint-Goin 64 ... 313 G 4
Saint-Gondon 45 ... 134 B 4
Saint-Gondran 35 ... 80 A 5
Saint-Gonéry *Chapelle* 22 ... 73 E 2
Saint-Gonlay 35 ... 103 G 3
Saint-Gonnery 56 ... 102 A 2
Saint-Gor 40 ... 274 B 4
Saint-Gorgon 56 ... 125 F 4
Saint-Gorgon 88 ... 95 H 4
Saint-Gorgon-Main 25 ... 180 C 1
Saint-Gouéno 22 ... 102 C 1
Saint-Gourgon 41 ... 131 G 4
Saint-Gourson 16 ... 203 G 3
Saint-Goussaud 23 ... 206 C 2
Saint-Gratien 80 ... 22 C 1
Saint-Gratien 95 ... 58 B 2
Saint-Gratien-Savigny 58 ... 175 G 3
Saint-Gravé 56 ... 125 F 3
Saint-Grégoire 35 ... 104 B 2
Saint-Grégoire 81 ... 299 G 1
Saint-Grégoire-d'Ardennes 17 ... 219 H 3
Saint-Grégoire-du-Vièvre 27 ... 35 F 4
Saint-Griède 32 ... 294 D 3
Saint-Groux 16 ... 203 F 4
Saint-Guen 22 ... 102 A 1
Saint-Guénolé 29 ... 99 F 5
Saint-Guilhem-le-Désert 34 ... 302 B 3
Saint-Guillaume 38 ... 250 C 4
Saint-Guinoux 35 ... 80 A 2
Saint-Guiraud 34 ... 302 A 4
Saint-Guyomard 56 ... 124 D 2
Saint-Haon 43 ... 265 E 1
Saint-Haon-le-Châtel 42 ... 211 F 2
Saint-Haon-le-Vieux 42 ... 211 F 2
Saint-Héand 42 ... 230 B 3
Saint-Hélen 22 ... 79 H 4
Saint-Hélier 21 ... 159 F 2
Saint-Hellier 76 ... 20 B 3
Saint-Herblain 44 ... 147 F 4
Saint-Herblon 44 ... 148 C 2
Saint-Herbot 29 ... 76 B 3
Saint-Hérent 63 ... 227 H 4
Saint-Hernin 29 ... 76 C 5
Saint-Hervé 22 ... 78 A 5
Saint-Hilaire 03 ... 191 G 2
Saint-Hilaire 11 ... 337 H 1
Saint-Hilaire 16 ... 220 C 4
Saint-Hilaire 25 ... 162 B 2
Saint-Hilaire 31 ... 317 G 3
Saint-Hilaire 38 ... 233 F 5
Saint-Hilaire 43 ... 228 B 5
Saint-Hilaire 46 ... 261 G 2
Saint-Hilaire 63 ... 208 D 2
Saint-Hilaire 91 ... 87 F 4
Saint-Hilaire-au-Temple 51 ... 62 B 1
Saint-Hilaire-Bonneval 87 ... 223 H 1
Saint-Hilaire-Cottes 62 ... 7 G 3
Saint-Hilaire-Cusson-la-Valmitte 42 ... 229 G 5
Saint-Hilaire-de-Beauvoir 34 ... 303 E 3
Saint-Hilaire-de-Brens 38 ... 232 A 1
Saint-Hilaire-de-Brethmas 30 ... 283 H 4
Saint-Hilaire-de-Briouze 61 ... 53 G 4
Saint-Hilaire-de-Chaléons 44 ... 147 E 5
Saint-Hilaire-de-Clisson 44 ... 166 A 1
Saint-Hilaire-de-Court 18 ... 154 B 5
Saint-Hilaire-de-Gondilly 18 ... 174 A 1
Saint-Hilaire-de-la-Côte 38 ... 232 A 4
Saint-Hilaire-de-la-Noaille 33 ... 256 D 3
Saint-Hilaire-de-Lavit 48 ... 283 F 2
Saint-Hilaire-de-Loulay 85 ... 166 A 1
Saint-Hilaire-de-Lusignan 47 ... 275 H 3
Saint-Hilaire-de-Riez 85 ... 164 D 4
Saint-Hilaire-de-Villefranche 17 ... 201 G 4
Saint-Hilaire-de-Voust 85 ... 184 C 1
Saint-Hilaire-des-Landes 35 ... 80 D 4
Saint-Hilaire-des-Loges 85 ... 184 C 2
Saint-Hilaire-d'Estissac 24 ... 239 H 4
Saint-Hilaire-d'Ozilhan 30 ... 284 D 5
Saint-Hilaire-du-Bois 17 ... 219 H 4
Saint-Hilaire-du-Bois 33 ... 256 D 2
Saint-Hilaire-du-Bois 49 ... 149 G 5
Saint-Hilaire-du-Bois 85 ... 166 D 5
Saint-Hilaire-du-Harcouët 50 ... 81 F 2
Saint-Hilaire-du-Maine 53 ... 105 G 2
Saint-Hilaire-du-Rosier 38 ... 250 A 2
Saint-Hilaire-en-Lignières 18 ... 172 D 5
Saint-Hilaire-en-Morvan 58 ... 176 A 1
Saint-Hilaire-en-Woëvre 55 ... 64 D 1
Saint-Hilaire-Foissac 19 ... 225 G 5
Saint-Hilaire-Fontaine 58 ... 175 G 4
Saint-Hilaire-la-Croix 63 ... 209 G 2
Saint-Hilaire-la-Forêt 85 ... 182 C 2
Saint-Hilaire-la-Gérard 61 ... 83 G 2
Saint-Hilaire-la-Gravelle 41 ... 109 G 5
Saint-Hilaire-la-Palud 79 ... 184 B 5
Saint-Hilaire-la-Plaine 23 ... 207 F 2
Saint-Hilaire-la-Treille 87 ... 188 B 5
Saint-Hilaire-le-Château 23 ... 207 E 3
Saint-Hilaire-le-Châtel 61 ... 84 B 2
Saint-Hilaire-le-Grand 51 ... 42 B 4
Saint-Hilaire-le-Lierru 72 ... 108 B 3
Saint-Hilaire-le-Petit 51 ... 42 B 3
Saint-Hilaire-le-Vouhis 85 ... 166 B 5
Saint-Hilaire-les-Andrésis 45 ... 113 E 4
Saint-Hilaire-les-Courbes 19 ... 225 E 2
Saint-Hilaire-les-Monges 63 ... 208 D 5
Saint-Hilaire-les-Places 87 ... 223 G 2
Saint-Hilaire-lez-Cambrai 59 ... 14 C 3
Saint-Hilaire-Luc 19 ... 225 H 5
Saint-Hilaire-Petitville 50 ... 32 A 3
Saint-Hilaire-Peyroux 19 ... 242 C 2
Saint-Hilaire-Saint-Florent 49 ... 150 B 4
Saint-Hilaire-Saint-Mesmin 45 ... 133 E 2
Saint-Hilaire-sous-Charlieu 42 ... 211 H 1
Saint-Hilaire-sous-Romilly 10 ... 90 B 3
Saint-Hilaire-sur-Benaize 36 ... 187 H 2
Saint-Hilaire-sur-Erre 61 ... 84 D 5
Saint-Hilaire-sur-Helpe 59 ... 15 G 4
Saint-Hilaire-sur-Puiseaux 45 ... 134 C 2
Saint-Hilaire-sur-Risle 61 ... 55 E 4
Saint-Hilaire-sur-Yerre 28 ... 109 H 4
Saint-Hilaire-Taurieux 19 ... 243 E 3
Saint-Hilarion 78 ... 86 C 2
Saint-Hilliers 77 ... 89 G 2
Saint-Hippolyte 12 ... 262 D 2
Saint-Hippolyte 15 ... 245 E 2
Saint-Hippolyte 17 ... 201 E 3
Saint-Hippolyte 25 ... 163 G 2
Saint-Hippolyte 33 ... 238 C 5
Saint-Hippolyte 37 ... 170 C 1
Saint-Hippolyte 63 ... 209 G 4
Saint-Hippolyte 66 ... 339 E 5
Saint-Hippolyte 68 ... 97 E 5
Saint-Hippolyte-de-Caton 30 ... 284 A 4
Saint-Hippolyte-de-Montaigu 30 ... 284 C 5
Saint-Hippolyte-du-Fort 30 ... 283 F 5
Saint-Hippolyte-le-Graveyron 84 ... 285 H 3
Saint-Honorat *Île* 06 ... 309 F 5
Saint-Honoré 38 ... 251 E 4
Saint-Honoré 76 ... 20 B 3
Saint-Honoré-les-Bains 58 ... 175 H 3
Saint-Hostien 43 ... 247 G 3
Saint-Hubert 57 ... 46 B 4
Saint-Hubert 78 ... 57 G 5
Saint-Huruge 71 ... 194 C 1
Saint-Hymer 14 ... 34 C 4
Saint-Hymetière 39 ... 196 C 3
Saint-Igeaux 22 ... 77 G 4
Saint-Igest 12 ... 261 G 5
Saint-Ignan 31 ... 316 B 5
Saint-Ignat 63 ... 210 A 4
Saint-Igneuc 22 ... 79 E 4
Saint-Igny-de-Roche 71 ... 212 A 1
Saint-Igny-de-Vers 69 ... 194 B 5
Saint-Illide 15 ... 244 B 3
Saint-Illiers-la-Ville 78 ... 57 E 2
Saint-Illiers-le-Bois 78 ... 57 E 2
Saint-Ilpize 43 ... 246 B 2
Saint-Imoges 51 ... 41 G 5
Saint-Inglevert 62 ... 2 C 4
Saint-Isidore 06 ... 309 G 2
Saint-Isle 53 ... 105 H 3
Saint-Ismier 38 ... 251 E 1
Saint-Izaire 12 ... 281 E 5
Saint-Jacques 04 ... 288 B 5
Saint-Jacques 06 ... 309 E 3
Saint-Jacques-d'Aliermont 76 ... 20 C 2
Saint-Jacques-d'Ambur 63 ... 209 E 4
Saint-Jacques-d'Atticieux 07 ... 230 D 5
Saint-Jacques-de-la-Lande 35 ... 104 B 3
Saint-Jacques-de-Néhou 50 ... 29 E 5
Saint-Jacques-de-Thouars 79 ... 168 A 2
Saint-Jacques-des-Arrêts 69 ... 194 C 5
Saint-Jacques-des-Blats 15 ... 245 E 3
Saint-Jacques-des-Guérets 41 ... 131 E 3
Saint-Jacques-en-Valgodemard 05 ... 269 G 1
Saint-Jacques-sur-Darnétal 76 ... 36 C 2
Saint-Jacut-de-la-Mer 22 ... 50 A 5
Saint-Jacut-du-Mené 22 ... 78 D 5
Saint-Jacut-les-Pins 56 ... 125 G 3
Saint-Jal 19 ... 224 C 5
Saint-James 50 ... 81 E 2
Saint-Jammes 64 ... 314 C 3
Saint-Jans-Cappel 59 ... 4 A 5
Saint-Jean 06 ... 309 E 4
Saint-Jean 31 ... 298 A 4
Saint-Jean *Chapelle* 27 ... 36 D 2
Saint-Jean *Chapelle* 29 ... 75 F 2
Saint-Jean *Col* 04 ... 270 B 5
Saint Jean *Église* 2B ... 347 E 4
Saint-Jean-aux-Amognes 58 ... 174 D 2
Saint-Jean-aux-Bois 08 ... 26 A 3
Saint-Jean-aux-Bois 60 ... 39 G 3
Saint-Jean-Balanant 29 ... 70 D 5
Saint-Jean-Baptiste *Chapelle de* 2A ... 349 E 5
Saint-Jean-Bonnefonds 42 ... 230 B 4
Saint-Jean-Brévelay 56 ... 102 B 5
Saint-Jean-Cap-Ferrat 06 ... 309 H 2
Saint-Jean-Chambre 07 ... 248 C 5
Saint-Jean-d'Abbetot 76 ... 35 E 1
Saint-Jean-d'Aigues-Vives 09 ... 336 D 3
Saint-Jean-d'Alcapiès 12 ... 301 E 1
Saint-Jean-d'Angély 17 ... 201 H 3
Saint-Jean-d'Angle 17 ... 200 D 4
Saint-Jean-d'Ardières 69 ... 212 D 1
Saint-Jean-d'Arves 73 ... 252 A 1
Saint-Jean-d'Arvey 73 ... 233 F 2
Saint-Jean-d'Assé 72 ... 107 G 3
Saint-Jean-d'Ataux 24 ... 239 H 2
Saint-Jean-d'Aubrigoux 43 ... 229 E 5
Saint-Jean-d'Aulps 74 ... 198 C 4
Saint-Jean-d'Avelanne 38 ... 232 D 3
Saint-Jean-de-Barrou 11 ... 338 D 3
Saint-Jean-de-Bassel 57 ... 67 G 4
Saint-Jean-de-Beauregard 91 ... 58 A 5
Saint-Jean-de-Belleville 73 ... 234 B 3
Saint-Jean-de-Beugné 85 ... 183 G 2
Saint-Jean-de-Blaignac 33 ... 256 C 1
Saint-Jean-de-Bœuf 21 ... 159 G 4
Saint-Jean-de-Boiseau 44 ... 147 F 4
Saint-Jean-de-Bonneval 10 ... 114 D 3
Saint-Jean-de-Bournay 38 ... 231 H 3
Saint-Jean-de-Braye 45 ... 133 F 2
Saint-Jean-de-Buèges 34 ... 302 B 2
Saint-Jean-de-Ceyrargues 30 ... 284 A 4
Saint-Jean-de-Chevelu 73 ... 233 E 1
Saint-Jean-de-Côle 24 ... 222 D 4
Saint-Jean-de-Corcoué 44 ... 165 G 1
Saint-Jean-de-Cornies 34 ... 303 E 3
Saint-Jean-de-Couz 73 ... 233 E 3
Saint-Jean-de-Crieulon 30 ... 283 G 5
Saint-Jean-de-Cuculles 34 ... 302 D 3
Saint-Jean-de-Daye 50 ... 32 A 3
Saint-Jean-de-Duras 47 ... 257 G 2
Saint-Jean-de-Folleville 76 ... 35 E 1
Saint-Jean-de-Fos 34 ... 302 B 3
Saint-Jean-de-Gonville 01 ... 197 F 5
Saint-Jean-de-la-Blaquière 34 ... 301 H 3
Saint-Jean-de-la-Croix 49 ... 149 G 2
Saint-Jean-de-la-Forêt 61 ... 84 C 4
Saint-Jean-de-la-Haize 50 ... 51 H 4
Saint-Jean-de-la-Léqueraye 27 ... 35 F 4
Saint-Jean-de-la-Motte 72 ... 129 H 3
Saint-Jean-de-la-Neuville 76 ... 19 E 5
Saint-Jean-de-la-Porte 73 ... 233 G 2
Saint-Jean-de-la-Rivière 50 ... 31 E 2
Saint-Jean-de-la-Ruelle 45 ... 133 E 2
Saint-Jean-de-Laur 46 ... 261 E 5
Saint-Jean-de-Lier 40 ... 293 F 2
Saint-Jean-de-Linières 49 ... 149 F 1
Saint-Jean-de-Liversay 17 ... 183 H 4
Saint-Jean-de-Livet 14 ... 34 C 5
Saint-Jean-de-Losne 21 ... 160 C 5
Saint-Jean-de-Luz 64 ... 310 B 3
Saint-Jean-de-Marcel 81 ... 279 H 5
Saint-Jean-de-Marsacq 40 ... 292 C 4
Saint-Jean-de-Maruéjols-et-Avéjan 30 ... 284 A 2
Saint-Jean-de-Maurienne 73 ... 234 A 5

Saint-Jean-de-Minervois 34 ..... 320 D 3
Saint-Jean-de-Moirans 38 ..... 232 C 5
Saint-Jean-de-Monts 85 ..... 164 C 3
Saint-Jean-de-Muzols 07 ..... 249 E 3
Saint-Jean-de-Nay 43 ..... 246 D 3
Saint-Jean-de-Niost 01 ..... 213 H 4
Saint-Jean-de-Paracol 11 ..... 337 F 3
Saint-Jean-de-Pourcharesse 07 ..... 265 H 5
Saint-Jean-de-Rebervilliers 28 ..... 85 H 2
Saint-Jean-de-Rives 81 ..... 298 C 3
Saint-Jean-de-Sauves 86 ..... 168 D 3
Saint-Jean-de-Savigny 50 ..... 32 B 4
Saint-Jean-de-Serres 30 ..... 283 H 5
Saint-Jean-de-Sixt 74 ..... 216 A 3
Saint-Jean-de-Soudain 38 ..... 232 B 2
Saint-Jean-de-Tholome 74 ..... 216 A 1
Saint-Jean-de-Thouars 79 ..... 168 A 2
Saint-Jean-de-Thurac 47 ..... 276 C 3
Saint-Jean-de-Thurigneux 01 ..... 213 E 3
Saint-Jean-de-Touslas 69 ..... 230 D 2
Saint-Jean-de-Trézy 71 ..... 177 F 3
Saint-Jean-de-Valériscle 30 ..... 283 H 2
Saint-Jean-de-Vals 81 ..... 299 G 4
Saint-Jean-de-Vaulx 38 ..... 251 E 3
Saint-Jean-de-Vaux 71 ..... 177 G 4
Saint-Jean-de-Védas 34 ..... 302 D 5
Saint-Jean-de-Verges 09 ..... 336 B 2
Saint-Jean-Delnous 12 ..... 280 C 5
Saint-Jean-des-Baisants 50 ..... 32 C 5
Saint-Jean-des-Bois 61 ..... 52 D 4
Saint-Jean-des-Champs 50 ..... 51 G 3
Saint-Jean-des-Échelles 72 ..... 108 D 3
Saint-Jean-des-Essartiers 14 ..... 52 D 1
Saint-Jean-des-Mauvrets 49 ..... 149 H 2
Saint-Jean-des-Ollières 63 ..... 228 B 2
Saint-Jean-des-Vignes 69 ..... 212 D 4
Saint-Jean-d'Estissac 24 ..... 239 H 4
Saint-Jean-d'Étreux 39 ..... 196 A 3
Saint-Jean-devant-Possesse 51 ..... 63 E 3
Saint-Jean-d'Eyraud 24 ..... 239 H 4
Saint-Jean-d'Hérans 38 ..... 251 E 5
Saint-Jean-d'Heurs 63 ..... 210 B 5
Saint-Jean-d'Illac 33 ..... 255 E 1
Saint-Jean-d'Ormont 88 ..... 96 B 4
Saint-Jean-du-Bois 72 ..... 129 G 2
Saint-Jean-du-Bouzet 82 ..... 276 D 5
Saint-Jean-du-Bruel 12 ..... 282 B 5
Saint-Jean-du-Cardonnay 76 ..... 36 A 1
Saint-Jean-du-Castillonnais 09 ..... 334 D 3
Saint-Jean-du-Corail 50 ..... 52 C 5
Saint-Jean-du-Corail-des-Bois 50 ..... 52 A 4
Saint-Jean-du-Doigt 29 ..... 72 A 3
Saint-Jean-du-Falga 09 ..... 336 B 1
Saint-Jean-du-Gard 30 ..... 283 F 4
Saint-Jean-du-Marché 88 ..... 119 H 2
Saint-Jean-du-Pin 30 ..... 283 G 4
Saint-Jean-du-Thenney 27 ..... 55 E 1
Saint-Jean-en-Royans 26 ..... 250 A 3
Saint-Jean-en-Val 63 ..... 228 B 3
Saint-Jean-et-Saint-Paul 12 ..... 301 E 1
Saint-Jean-Froidmentel 41 ..... 109 H 5
Saint-Jean-Kerdaniel 22 ..... 73 F 5
Saint-Jean-Kourtzerode 57 ..... 67 H 4
Saint-Jean-la-Bussière 69 ..... 212 A 3
Saint-Jean-la-Fouillouse 48 ..... 264 D 2
Saint-Jean-la-Poterie 56 ..... 125 G 4
Saint-Jean-la-Rivière 06 ..... 291 E 4
Saint-Jean-la-Vêtre 42 ..... 211 E 5
Saint-Jean-Lachalm 43 ..... 247 E 4
Saint-Jean-Lagineste 46 ..... 261 E 1
Saint-Jean-Lasseille 66 ..... 343 E 3
Saint-Jean-le-Blanc 14 ..... 53 E 2
Saint-Jean-le-Blanc 45 ..... 133 F 2
Saint-Jean-le-Centenier 07 ..... 266 C 3
Saint-Jean-le-Comtal 32 ..... 296 A 5
Saint-Jean-le-Priche 71 ..... 195 E 4
Saint-Jean-le-Thomas 50 ..... 51 F 4
Saint-Jean-le-Vieux 01 ..... 214 A 2
Saint-Jean-le-Vieux 38 ..... 251 F 1
Saint-Jean-le-Vieux 64 ..... 330 C 1
Saint-Jean-lès-Buzy 55 ..... 44 D 5
Saint-Jean-les-Deux-Jumeaux 77 ..... 59 H 2
Saint-Jean-lès-Longuyon 54 ..... 44 B 2
Saint-Jean-Lespinasse 46 ..... 261 E 1
Saint-Jean-Lherm 31 ..... 298 B 3
Saint-Jean-Ligoure 87 ..... 223 H 1
Saint-Jean-Mirabel 46 ..... 261 G 3
Saint-Jean-Pied-de-Port 64 ..... 330 C 1
Saint-Jean-Pierre-Fixte 28 ..... 85 E 5
Saint-Jean-Pla-de-Corts 66 ..... 343 E 4
Saint-Jean-Poudge 64 ..... 294 C 5
Saint-Jean-Poutge 32 ..... 295 H 3
Saint-Jean-Rohrbach 57 ..... 67 F 1
Saint-Jean-Roure 07 ..... 248 B 4
Saint-Jean-Saint-Germain 37 ..... 170 C 1
Saint-Jean-Saint-Gervais 63 ..... 228 B 4
Saint-Jean-Saint-Maurice-sur-Loire 42 ..... 211 G 3
Saint-Jean-Saint-Nicolas 05 ..... 270 A 2
Saint-Jean-Saverne 67 ..... 68 B 4
Saint-Jean-Soleymieux 42 ..... 229 G 3
Saint-Jean-sur-Couesnon 35 ..... 80 D 5
Saint-Jean-sur-Erve 53 ..... 106 C 4
Saint-Jean-sur-Mayenne 53 ..... 106 A 3
Saint-Jean-sur-Moivre 51 ..... 62 C 2
Saint-Jean-sur-Reyssouze 01 ..... 195 G 3
Saint-Jean-sur-Tourbe 51 ..... 42 D 5
Saint-Jean-sur-Veyle 01 ..... 195 F 5
Saint-Jean-sur-Vilaine 35 ..... 104 D 3
Saint-Jean-Trolimon 29 ..... 99 F 4
Saint-Jeannet 04 ..... 287 H 5
Saint-Jeannet 06 ..... 309 F 2
Saint-Jeanvrin 18 ..... 190 A 1
Saint-Jeoire 74 ..... 216 B 1
Saint-Jeoire-Prieuré 73 ..... 233 F 2
Saint-Jeure-d'Andaure 07 ..... 248 B 3
Saint-Jeure-d'Ay 07 ..... 248 D 2
Saint-Jeures 43 ..... 247 H 3
Saint-Joachim 44 ..... 146 B 2
Saint-Jodard 42 ..... 211 H 4
Saint-Joire 55 ..... 93 F 2
Saint-Jores 50 ..... 31 G 3
Saint-Jorioz 74 ..... 215 G 4
Saint-Jory 31 ..... 297 H 3
Saint-Jory-de-Chalais 24 ..... 222 D 3
Saint-Jory-las-Bloux 24 ..... 223 E 5
Saint-Joseph 42 ..... 230 D 3
Saint-Joseph 50 ..... 29 F 4
Saint-Joseph-de-Rivière 38 ..... 232 D 4
Saint-Joseph-des-Bancs 07 ..... 266 B 2
Saint-Josse 62 ..... 6 B 4
Saint-Jouan-de-l'Isle 22 ..... 103 F 1
Saint-Jouan-des-Guérets 35 ..... 50 C 5
Saint-Jouin 14 ..... 34 B 4
Saint-Jouin-Bruneval 76 ..... 18 C 4
Saint-Jouin-de-Blavou 61 ..... 84 B 4
Saint-Jouin-de-Marnes 79 ..... 168 B 3
Saint-Jouin-de-Milly 79 ..... 167 F 4
Saint-Jouvent 87 ..... 205 G 3
Saint-Juan 25 ..... 162 C 3
Saint-Judoce 22 ..... 79 H 5
Saint-Juéry 12 ..... 300 C 1
Saint-Juéry 48 ..... 263 H 1
Saint-Juéry 81 ..... 299 G 1
Saint-Juire-Champgillon 85 ..... 183 G 1
Saint-Julia 31 ..... 318 D 2
Saint-Julia-de-Bec 11 ..... 337 G 4
Saint-Julien 21 ..... 160 B 2
Saint-Julien 22 ..... 78 B 3
Saint-Julien 34 ..... 301 E 5
Saint-Julien 39 ..... 196 B 3
Saint-Julien 56 ..... 123 H 5
Saint-Julien 69 ..... 212 D 2
Saint-Julien 70 ..... 140 B 3
Saint-Julien 88 ..... 118 B 4
Saint-Julien-aux-Bois 19 ..... 243 G 3
Saint-Julien-Beychevelle 33 ..... 237 F 2
Saint-Julien-Boutières 07 ..... 248 B 4
Saint-Julien-Chapteuil 43 ..... 247 G 4
Saint-Julien-d'Ance 43 ..... 247 F 1
Saint-Julien-d'Armagnac 40 ..... 274 C 5
Saint-Julien-d'Arpaon 48 ..... 282 D 2
Saint-Julien-d'Asse 04 ..... 287 H 5
Saint-Julien-de-Bourdeilles 24 ..... 222 B 5
Saint-Julien-de-Briola 11 ..... 319 E 5
Saint-Julien-de-Cassagnas 30 ..... 284 A 3
Saint-Julien-de-Chédon 41 ..... 152 D 3
Saint-Julien-de-Civry 71 ..... 193 H 4
Saint-Julien-de-Concelles 44 ..... 148 A 3
Saint-Julien-de-Coppel 63 ..... 228 A 1
Saint-Julien-de-Crempse 24 ..... 239 H 4
Saint-Julien-de-Gras-Capou 09 ..... 336 D 2
Saint-Julien-de-Jonzy 71 ..... 193 H 5
Saint-Julien-de-Jordanne 15 ..... 244 D 3
Saint-Julien-de-la-Liègue 27 ..... 36 C 5
Saint-Julien-de-la-Nef 30 ..... 283 E 5
Saint-Julien-de-Lampon 24 ..... 259 H 1
Saint-Julien-de-l'Escap 17 ..... 201 H 3
Saint-Julien-de-l'Herms 38 ..... 231 G 4
Saint-Julien-de-Mailloc 14 ..... 34 D 5
Saint-Julien-de-Peyrolas 30 ..... 284 D 2
Saint-Julien-de-Raz 38 ..... 232 D 5
Saint-Julien-de-Toursac 15 ..... 261 H 2
Saint-Julien-de-Vouvantes 44 ..... 127 F 4
Saint-Julien-des-Chazes 43 ..... 246 D 3
Saint-Julien-des-Landes 85 ..... 165 F 5
Saint-Julien-des-Points 48 ..... 283 G 2
Saint-Julien-d'Eymet 24 ..... 257 H 2
Saint-Julien-d'Oddes 42 ..... 211 G 4
Saint-Julien-du-Gua 07 ..... 266 B 1
Saint-Julien-du-Pinet 43 ..... 247 G 2
Saint-Julien-du-Puy 81 ..... 299 F 3
Saint-Julien-du-Sault 89 ..... 113 G 4
Saint-Julien-du-Serre 07 ..... 266 B 3
Saint-Julien-du-Terroux 53 ..... 82 C 3
Saint-Julien-du-Tournel 48 ..... 264 D 5
Saint-Julien-du-Verdon 04 ..... 288 D 5
Saint-Julien-en-Beauchêne 05 ..... 269 E 3
Saint-Julien-en-Born 40 ..... 272 B 4
Saint-Julien-en-Champsaur 05 ..... 269 H 2
Saint-Julien-en-Genevois 74 ..... 215 G 1
Saint-Julien-en-Jarez 42 ..... 230 C 4
Saint-Julien-en-Quint 26 ..... 250 A 5
Saint-Julien-en-Saint-Alban 07 ..... 266 D 2
Saint-Julien-en-Vercors 26 ..... 250 B 3
Saint-Julien-Gaulène 81 ..... 280 B 5
Saint-Julien-la-Geneste 63 ..... 209 E 2
Saint-Julien-la-Genête 23 ..... 208 C 1
Saint-Julien-la-Vêtre 42 ..... 211 E 5
Saint-Julien-Labrousse 07 ..... 248 C 5
Saint-Julien-l'Ars 86 ..... 186 D 2
Saint-Julien-le-Châtel 23 ..... 207 H 2
Saint-Julien-le-Faucon 14 ..... 54 B 1
Saint-Julien-le-Montagnier 83 ..... 307 E 3
Saint-Julien-le-Pèlerin 19 ..... 243 G 4
Saint-Julien-le-Petit 87 ..... 206 D 5
Saint-Julien-le-Roux 07 ..... 248 D 5
Saint-Julien-le-Vendômois 19 ..... 223 H 4
Saint-Julien-lès-Gorze 54 ..... 65 F 2
Saint-Julien-lès-Metz 57 ..... 45 H 5
Saint-Julien-lès-Montbéliard 25 ..... 142 B 4
Saint-Julien-les-Rosiers 30 ..... 283 H 3
Saint-Julien-lès-Russey 25 ..... 163 F 4
Saint-Julien-les-Villas 10 ..... 91 E 5
Saint-Julien-Maumont 19 ..... 242 D 4
Saint-Julien-Molhesabate 43 ..... 248 B 2
Saint-Julien-Molin-Molette 42 ..... 230 D 5
Saint-Julien-Mont-Denis 73 ..... 234 B 5
Saint-Julien-près-Bort 19 ..... 226 B 4
Saint-Julien-Puy-Lavèze 63 ..... 226 D 2
Saint-Julien-sous-les-Côtes 55 ..... 64 D 4
Saint-Julien-sur-Bibost 69 ..... 212 C 5
Saint-Julien-sur-Calonne 14 ..... 34 C 3
Saint-Julien-sur-Cher 41 ..... 153 H 4
Saint-Julien-sur-Dheune 71 ..... 177 F 4
Saint-Julien-sur-Garonne 31 ..... 317 F 5
Saint-Julien-sur-Reyssouze 01 ..... 195 G 3
Saint-Julien-sur-Sarthe 61 ..... 84 A 3
Saint-Julien-sur-Veyle 01 ..... 195 F 5
Saint-Julien-Vocance 07 ..... 248 C 2
Saint-Junien 87 ..... 205 E 4
Saint-Junien-la-Bregère 23 ..... 206 D 4
Saint-Junien-les-Combes 87 ..... 205 F 2
Saint-Jure 57 ..... 65 H 3
Saint-Jurs 04 ..... 307 G 1
Saint-Just 01 ..... 195 H 5
Saint-Just 15 ..... 246 A 5
Saint-Just 18 ..... 173 F 2
Saint-Just 24 ..... 221 H 5
Saint-Just 27 ..... 36 D 5
Saint-Just 34 ..... 303 F 4
Saint-Just 35 ..... 126 A 2
Saint-Just 63 ..... 229 E 4
Saint-Just-Chaleyssin 38 ..... 231 G 2
Saint-Just-d'Ardèche 07 ..... 284 D 2
Saint-Just-d'Avray 69 ..... 212 B 3
Saint-Just-de-Bélengard 11 ..... 337 E 1
Saint-Just-de-Claix 38 ..... 250 A 3
Saint-Just-en-Bas 42 ..... 229 F 1
Saint-Just-en-Brie 77 ..... 89 E 2
Saint-Just-en-Chaussée 60 ..... 38 C 1
Saint-Just-en-Chevalet 42 ..... 211 E 4
Saint-Just-et-le-Bézu 11 ..... 337 G 4
Saint-Just-et-Vacquières 30 ..... 284 A 4
Saint-Just-Ibarre 64 ..... 330 D 1
Saint-Just-la-Pendue 42 ..... 212 A 4
Saint-Just-le-Martel 87 ..... 205 H 4
Saint-Just-Luzac 17 ..... 200 D 5
Saint-Just-Malmont 43 ..... 230 A 5
Saint-Just-près-Brioude 43 ..... 246 B 1
Saint-Just-Saint-Rambert 42 ..... 230 A 3
Saint-Just-Sauvage 51 ..... 90 B 2
Saint-Just-sur-Dive 49 ..... 150 B 5
Saint-Just-sur-Viaur 12 ..... 280 B 4
Saint-Justin 32 ..... 315 F 2
Saint-Justin 40 ..... 274 B 5
Saint-Juvat 22 ..... 79 G 5
Saint-Juvin 08 ..... 43 F 3
Saint-Lactencin 36 ..... 171 F 3
Saint-Lager 69 ..... 212 D 1
Saint-Lager-Bressac 07 ..... 267 E 2
Saint-Lamain 39 ..... 179 F 4
Saint-Lambert 14 ..... 53 F 2
Saint-Lambert 78 ..... 57 H 5
Saint-Lambert-des-Levées 49 ..... 150 B 3
Saint-Lambert-du-Lattay 49 ..... 149 F 3
Saint-Lambert-et-Mont-de-Jeux 08 ..... 42 C 1
Saint-Lambert-la-Potherie 49 ..... 149 F 1
Saint-Lambert-sur-Dive 61 ..... 54 B 3
Saint-Langis-lès-Mortagne 61 ..... 84 B 3
Saint-Lanne 65 ..... 294 D 4
Saint-Laon 86 ..... 168 C 2
Saint-Lary 09 ..... 334 D 3
Saint-Lary 32 ..... 296 A 3
Saint-Lary-Boujean 31 ..... 316 C 5
Saint-Lary-Soulan 65 ..... 333 G 4
Saint-Lattier 38 ..... 249 H 3
Saint-Launeuc 22 ..... 103 E 1
Saint-Laure 63 ..... 210 A 4
Saint-Laurent 08 ..... 26 D 3
Saint-Laurent 18 ..... 154 D 4
Saint-Laurent 22 ..... 73 E 4
Saint-Laurent 23 ..... 207 F 1
Saint-Laurent 31 ..... 316 C 4
Saint-Laurent 47 ..... 275 G 2
Saint-Laurent 74 ..... 216 A 2
Saint-Laurent-Blangy 62 ..... 13 G 2
Saint-Laurent-Bretagne 64 ..... 314 C 3
Saint-Laurent-Chabreuges 43 ..... 246 B 1
Saint-Laurent-d'Agny 69 ..... 230 D 2
Saint-Laurent-d'Aigouze 30 ..... 303 G 4
Saint-Laurent-d'Andenay 71 ..... 177 E 4
Saint-Laurent-d'Arce 33 ..... 237 H 3
Saint-Laurent-de-Belzagot 16 ..... 221 E 4
Saint-Laurent-de-Brèvedent 76 ..... 18 D 5
Saint-Laurent-de-Carnols 30 ..... 284 C 3
Saint-Laurent-de-Cerdans 66 ..... 342 C 5
Saint-Laurent-de-Céris 16 ..... 203 H 3
Saint-Laurent-de-Chamousset 69 ..... 230 B 1
Saint-Laurent-de-Cognac 16 ..... 219 H 1
Saint-Laurent-de-Condel 14 ..... 53 G 1
Saint-Laurent-de-Cuves 50 ..... 52 A 4
Saint-Laurent-de-Gosse 40 ..... 292 C 5
Saint-Laurent-de-Jourdes 86 ..... 186 D 3
Saint-Laurent-de-la-Barrière 17 ..... 201 F 2
Saint-Laurent-de-la-Cabrerisse 11 ..... 338 C 1
Saint-Laurent-de-la-Côte 73 ..... 234 B 3
Saint-Laurent-de-la-Mer 22 ..... 73 H 5
Saint-Laurent-de-la-Plaine 49 ..... 149 E 3
Saint-Laurent-de-la-Prée 17 ..... 200 D 3
Saint-Laurent-de-la-Salanque 66 ..... 339 E 5
Saint-Laurent-de-la-Salle 85 ..... 183 H 1
Saint-Laurent-de-Lévézou 12 ..... 281 G 3
Saint-Laurent-de-Lin 37 ..... 151 E 1
Saint-Laurent-de-Mure 69 ..... 231 G 1
Saint-Laurent-de-Muret 48 ..... 264 A 3
Saint-Laurent-de-Neste 65 ..... 334 A 1
Saint-Laurent-de-Terregatte 50 ..... 81 E 2
Saint-Laurent-de-Trèves 48 ..... 282 D 2
Saint-Laurent-de-Vaux 69 ..... 230 D 1
Saint-Laurent-de-Veyrès 48 ..... 263 H 2
Saint-Laurent-des-Arbres 30 ..... 285 E 4
Saint-Laurent-des-Autels 49 ..... 148 B 3
Saint-Laurent-des-Bâtons 24 ..... 240 C 4
Saint-Laurent-des-Bois 27 ..... 56 C 3
Saint-Laurent-des-Bois 41 ..... 132 B 2
Saint-Laurent-des-Combes 16 ..... 221 E 5
Saint-Laurent-des-Combes 33 ..... 238 C 5
Saint-Laurent-des-Hommes 24 ..... 239 F 3
Saint-Laurent-des-Mortiers 53 ..... 128 C 3
Saint-Laurent-des-Vignes 24 ..... 257 H 1
Saint-Laurent-d'Oingt 69 ..... 212 C 3
Saint-Laurent-d'Olt 12 ..... 263 H 5
Saint-Laurent-d'Onay 26 ..... 249 G 2
Saint-Laurent-du-Bois 33 ..... 256 C 3
Saint-Laurent-du-Cros 05 ..... 269 H 2
Saint-Laurent-du-Mont 14 ..... 34 B 5
Saint-Laurent-du-Mottay 49 ..... 148 D 2
Saint-Laurent-du-Pape 07 ..... 267 E 1
Saint-Laurent-du-Plan 33 ..... 256 C 3
Saint-Laurent-du-Pont 38 ..... 232 D 4
Saint-Laurent-du-Tencement 27 ..... 55 E 3
Saint-Laurent-du-Var 06 ..... 309 G 3
Saint-Laurent-du-Verdon 04 ..... 307 F 3
Saint-Laurent-en-Beaumont 38 ..... 251 F 5
Saint-Laurent-en-Brionnais 71 ..... 194 A 5
Saint-Laurent-en-Caux 76 ..... 19 H 3
Saint-Laurent-en-Gâtines 37 ..... 131 E 5
Saint-Laurent-en-Grandvaux 39 ..... 197 E 1
Saint-Laurent-en-Royans 26 ..... 250 A 3
Saint-Laurent-la-Conche 42 ..... 229 H 1
Saint-Laurent-la-Gâtine 28 ..... 57 E 5
Saint-Laurent-la-Roche 39 ..... 196 B 1
Saint-Laurent-la-Vallée 24 ..... 259 F 2
Saint-Laurent-la-Vernède 30 ..... 284 C 4
Saint-Laurent-l'Abbaye 58 ..... 156 B 3
Saint-Laurent-le-Minier 30 ..... 302 B 1
Saint-Laurent-les-Bains 07 ..... 265 G 3
Saint-Laurent-les-Églises 87 ..... 206 B 3
Saint-Laurent-les-Tours 46 ..... 243 E 5
Saint-Laurent-Lolmie 46 ..... 277 G 2
Saint-Laurent-Médoc 33 ..... 237 E 2
Saint-Laurent-Nouan 41 ..... 132 C 4
Saint-Laurent-Rochefort 42 ..... 211 F 5
Saint-Laurent-sous-Coiron 07 ..... 266 C 3
Saint-Laurent-sur-Gorre 87 ..... 205 E 5
Saint-Laurent-sur-Manoire 24 ..... 240 D 2
Saint-Laurent-sur-Mer 14 ..... 32 C 2
Saint-Laurent-sur-Othain 55 ..... 44 C 3
Saint-Laurent-sur-Oust 56 ..... 125 F 2
Saint-Laurent-sur-Saône 01 ..... 195 E 4
Saint-Laurent-sur-Sèvre 85 ..... 166 D 2
Saint-Laurs 79 ..... 184 C 2
Saint-Léger 06 ..... 289 F 4
Saint-Léger 16 ..... 221 E 4
Saint-Léger 17 ..... 219 G 2
Saint-Léger 47 ..... 275 G 2
Saint-Léger 50 ..... 51 G 3
Saint-Léger 53 ..... 106 C 3
Saint-Léger 62 ..... 13 G 3
Saint-Léger 73 ..... 234 A 3
Saint-Léger 77 ..... 60 A 3
Saint-Léger *Pont de* 06 ..... 289 F 4
Saint-Léger-aux-Bois 60 ..... 39 G 1
Saint-Léger-aux-Bois 76 ..... 21 E 2
Saint-Léger-Bridereix 23 ..... 188 D 5
Saint-Léger-de-Balson 33 ..... 255 G 5
Saint-Léger-de-Fougeret 58 ..... 176 A 1
Saint-Léger-de-la-Martinière 79 ..... 185 G 5
Saint-Léger-de-Montbrillais 86 ..... 168 C 1
Saint-Léger-de-Montbrun 79 ..... 168 B 2
Saint-Léger-de-Peyre 48 ..... 264 A 4
Saint-Léger-de-Rôtes 27 ..... 35 F 5
Saint-Léger-des-Aubées 28 ..... 86 C 4
Saint-Léger-des-Bois 49 ..... 149 F 1
Saint-Léger-des-Prés 35 ..... 80 B 4
Saint-Léger-des-Vignes 58 ..... 175 E 4
Saint-Léger-du-Bois 71 ..... 177 E 1
Saint-Léger-du-Bourg-Denis 76 ..... 36 B 2
Saint-Léger-du-Gennetey 27 ..... 35 G 3
Saint-Léger-du-Malzieu 48 ..... 246 A 5
Saint-Léger-du-Ventoux 84 ..... 286 A 2
Saint-Léger-Dubosq 14 ..... 34 A 4
Saint-Léger-en-Bray 60 ..... 37 H 2
Saint-Léger-en-Yvelines 78 ..... 57 G 5
Saint-Léger-la-Montagne 87 ..... 206 B 3
Saint-Léger-le-Guérétois 23 ..... 207 E 1
Saint-Léger-le-Petit 18 ..... 156 B 5
Saint-Léger-lès-Authie 80 ..... 13 E 4
Saint-Léger-lès-Domart 80 ..... 12 B 5
Saint-Léger-les-Mélèzes 05 ..... 269 H 2
Saint-Léger lès-Paray 71 ..... 193 G 2
Saint-Léger-les-Vignes 44 ..... 147 F 5
Saint-Léger-Magnazeix 87 ..... 188 A 5
Saint-Léger-près-Troyes 10 ..... 115 E 2
Saint-Léger-sous-Beuvray 71 ..... 176 B 3
Saint-Léger-sous-Brienne 10 ..... 91 H 4
Saint-Léger-sous-Cholet 49 ..... 148 D 5
Saint-Léger-sous-la-Bussière 71 ..... 194 C 4
Saint-Léger-sous-Margerie 10 ..... 91 H 3
Saint-Léger-sur-Bonneville 14 ..... 34 D 3
Saint-Léger-sur-Bresle 80 ..... 21 F 2
Saint-Léger-sur-Dheune 71 ..... 177 F 3
Saint-Léger-sur-Roanne 42 ..... 211 G 2
Saint-Léger-sur-Sarthe 61 ..... 84 A 3
Saint-Léger-sur-Vouzance 03 ..... 193 F 3
Saint-Léger-Triey 21 ..... 160 D 3
Saint-Léger-Vauban 89 ..... 158 B 2
Saint-Léomer 86 ..... 187 G 3
Saint-Léon 03 ..... 192 D 3
Saint-Léon 31 ..... 318 A 3
Saint-Léon 33 ..... 256 B 1
Saint-Léon 47 ..... 275 F 2
Saint-Léon-d'Issigeac 24 ..... 258 C 2
Saint-Léon-sur-l'Isle 24 ..... 239 H 3
Saint-Léon-sur-Vézère 24 ..... 241 F 4
Saint-Léonard 32 ..... 296 C 2
Saint-Léonard 51 ..... 41 H 4
Saint-Léonard 62 ..... 6 B 2
Saint-Léonard 76 ..... 18 D 3
Saint-Léonard 88 ..... 96 B 5
Saint-Léonard-de-Noblat 87 ..... 206 B 5
Saint-Léonard-des-Bois 72 ..... 83 F 4
Saint-Léonard-des-Parcs 61 ..... 54 D 5
Saint-Léonard-en-Beauce 41 ..... 132 B 3
Saint-Léons 12 ..... 281 G 3
Saint-Léopardin-d'Augy 03 ..... 174 C 5
Saint-Léry 56 ..... 103 F 3

Saint-Leu-d'Esserent 60.........38 C 4
Saint-Leu-la-Forêt 95............58 B 1
Saint-Lézer 65.........315 E 3
Saint-Lézin 49.........149 E 4
Saint-Lieux-Lafenasse 81....299 G 3
Saint-Lieux-lès-Lavaur 81...298 C 3
Saint-Liguaire 79.........184 D 4
Saint-Lin 79.........185 F 2
Saint-Lions 04.........288 B 4
Saint-Lizier 09.........335 F 2
Saint-Lizier-du-Planté 32.....317 E 3
Saint-Lô 50.........32 B 5
Saint-Lô-d'Ourville 50.........31 F 2
Saint-Lon-les-Mines 40.......292 D 4
Saint-Longis 72.........84 A 5
Saint-Lormel 22.........79 F 3
Saint-Lothain 39.........179 F 3
Saint-Loube 32.........317 E 2
Saint-Loubert 33.........256 C 4
Saint-Loubès 33.........237 H 5
Saint-Loubouer 40.........294 A 3
Saint-Louet-sur-Seulles 14.....33 E 5
Saint-Louet-sur-Vire 50.........52 B 1
Saint-Louis 57.........67 H 5
Saint-Louis 68.........143 H 3
Saint-Louis-
de-Montferrand 33.........237 G 4
Saint-Louis-en-l'Isle 24........239 G 3
Saint-Louis-et-Parahou 11...337 H 4
Saint-Louis-lès-Bitche 57.......68 A 2
Saint-Loup 03.........192 B 4
Saint-Loup 17.........201 G 3
Saint-Loup 23.........207 H 1
Saint-Loup 39.........178 C 1
Saint-Loup 50.........51 H 5
Saint-Loup 51.........61 F 4
Saint-Loup 58.........156 B 2
Saint-Loup 69.........212 B 4
Saint-Loup 82.........276 D 4
Saint-Loup *Pic* 34.........302 D 3
Saint-Loup-Cammas 31........298 A 4
Saint-Loup-de-Buffigny 10.......90 A 4
Saint-Loup-de-Fribois 14........34 B 5
Saint-Loup-de-Gonois 45.....112 D 4
Saint-Loup-de-Naud 77..........89 F 3
Saint-Loup-
de-Varennes 71.........177 H 5
Saint-Loup-
des-Chaumes 18.........173 E 4
Saint-Loup-des-Vignes 45....111 H 4
Saint-Loup-d'Ordon 89.........113 F 4
Saint-Loup-du-Dorat 53.......128 D 2
Saint-Loup-du-Gast 53..........82 B 4
Saint-Loup-
en-Champagne 08.........41 H 1
Saint-Loup-
en-Comminges 31.........316 A 4
Saint-Loup-Géanges 71.......177 H 2
Saint-Loup-Hors 14.........33 E 3
Saint-Loup-Lamairé 79........168 B 4
Saint-Loup-Nantouard 70.....161 F 2
Saint-Loup-sur-Aujon 52......139 E 2
Saint-Loup-sur-Cher 41.......154 A 4
Saint-Loup-
sur-Semouse 70.........119 E 5
Saint-Loup-Terrier 08.........26 C 5
Saint-Loyer-des-Champs 61..54 B 5
Saint-Lubin-de-Cravant 28......56 B 5
Saint-Lubin-de-la-Haye 28......57 E 4
Saint-Lubin-
des-Joncherets 28.........56 B 4
Saint-Lubin-
en-Vergonnois 41.........131 H 5
Saint-Luc 27.........56 C 2
Saint-Lucien 28.........57 E 5
Saint-Lucien 76.........36 D 1
Saint-Lumier-
en-Champagne 51.........62 D 4
Saint-Lumier-
la-Populeuse 51.........63 E 4
Saint-Lumine-
de-Clisson 44.........148 A 5
Saint-Lumine-
de-Coutais 44.........147 F 5
Saint-Lunaire 35.........50 B 5
Saint-Luperce 28.........85 H 4
Saint-Lupicin 39.........196 D 3
Saint-Lupien 10.........90 B 5
Saint-Lyé 10.........90 D 5
Saint-Lyé-la-Forêt 45.........111 E 4
Saint-Lyphard 44.........146 B 1
Saint-Lys 31.........317 F 2
Saint-Macaire 33.........256 B 4
Saint-Macaire-du-Bois 49.....150 A 5
Saint-Macaire-
en-Mauges 49.........148 C 5
Saint-Maclou 27.........35 E 2
Saint-Maclou-
de-Folleville 76.........20 B 4
Saint-Maclou-la-Brière 76......19 E 4
Saint-Macoux 86.........203 F 1
Saint-Maden 22.........79 G 5
Saint-Magne 33.........255 F 4
Saint-Magne-
de-Castillon 33.........238 D 5
Saint-Maigner 63.........208 D 2
Saint-Maigrin 17.........220 B 4
Saint-Maime 04.........306 D 1
Saint-Maime-
de-Péreyrol 24.........240 B 4
Saint-Maixant 23.........207 H 3
Saint-Maixant 33.........256 B 3
Saint-Maixent 72.........108 C 4
Saint-Maixent-
de-Beugné 79.........184 C 2
Saint-Maixent-l'École 79......185 F 3
Saint-Maixent-sur-Vie 85.......165 E 4
Saint-Maixme-Hauterive 28.....85 G 2
Saint-Malo 35.........50 C 5
Saint-Malo-de-Beignon 56.....103 F 4
Saint-Malo-de-Guersac 44..146 C 2
Saint-Malo-de-la-Lande 50.....31 F 5
Saint-Malo-de-Phily 35........104 A 5
Saint-Malo-
des-Trois-Fontaines 56.......102 D 3
Saint-Malô-du-Bois 85.........166 D 2
Saint-Malo-en-Donziois 58...156 D 3
Saint-Malon-sur-Mel 35.......103 G 3
Saint-Mamert 38.........231 F 4
Saint-Mamert 69.........194 C 5
Saint-Mamert-du-Gard 30...303 G 1
Saint-Mamet 31.........334 B 5
Saint-Mamet-la-Salvetat 15.261 H 1
Saint-Mammès 77.........88 C 4
Saint-Mandé 94.........58 C 3
Saint Mandé-
sur-Brédoire 17.........202 B 2
Saint-Mandrier-sur-Mer 83..328 A 5
Saint-Manvieu-Bocage 14......52 B 3
Saint-Manvieu-Norrey 14.........33 F 4
Saint-Marc 15.........245 H 5
Saint-Marc 44.........146 B 3
Saint-Marc-à-Frongier 23.....207 G 4
Saint-Marc-à-Loubaud 23.....207 F 5
Saint-Marc-du-Cor 41.........109 E 5
Saint-Marc-Jaumegarde 13.306 B 5
Saint-Marc-la-Lande 79.......185 E 2
Saint-Marc-le-Blanc 35.........80 D 4
Saint-Marc-sur-Couesnon 35.80 D 5
Saint-Marc-sur-Seine 21.......138 B 4
Saint-Marcan 35.........51 E 5
Saint-Marceau 08.........26 D 3
Saint-Marceau 72.........107 G 2
Saint-Marcel 08.........26 C 3
Saint-Marcel 27.........36 D 5
Saint-Marcel 36.........188 C 1
Saint-Marcel 54.........65 F 1
Saint-Marcel 56.........125 E 2
Saint-Marcel 70.........140 C 2
Saint-Marcel 71.........177 H 4
Saint-Marcel 73.........234 C 2
Saint-Marcel 81.........279 F 4
Saint-Marcel-
Bel-Accueil 38.........231 H 1
Saint-Marcel-d'Ardèche 07..284 D 1
Saint-Marcel-
de-Careiret 30.........284 C 3
Saint-Marcel-de-Félines 42.211 H 4
Saint-Marcel-
du-Périgord 24.........240 C 5
Saint-Marcel-d'Urfé 42.........211 F 4
Saint-Marcel-
en-Dombes 01.........213 F 3
Saint-Marcel-
en-Marcillat 03.........208 D 1
Saint-Marcel-en-Murat 03....191 G 4
Saint-Marcel-l'Éclairé 69.....212 B 4
Saint-Marcel-
lès-Annonay 07.........248 D 1
Saint-Marcel-lès-Sauzet 26.267 E 3
Saint-Marcel-
lès-Valence 26.........249 F 4
Saint-Marcel-Paulel 31.........298 B 4
Saint-Marcel-sur-Aude 11.....321 E 5
Saint-Marcelin-de-Cray 71..194 C 1
Saint-Marcellin 38.........250 A 2
Saint-Marcellin-de-Vars 05..270 D 2
Saint-Marcellin-
en-Forez 42.........229 H 3
Saint-Marcellin-
lès-Vaison 84.........285 H 2
Saint-Marcet 31.........316 C 5
Saint-Marcory 24.........259 E 2
Saint-Marcouf 14.........32 C 3
Saint-Marcouf 50.........29 G 5
Saint-Mard 02.........40 D 2
Saint-Mard 17.........201 F 2
Saint-Mard 54.........95 E 2
Saint-Mard 77.........59 E 1
Saint-Mard 80.........23 F 4
Saint-Mard-de-Réno 61.........84 C 3
Saint-Mard-de-Vaux 71.......177 G 4
Saint-Mard-lès-Rouffy 51.......61 H 2
Saint-Mard-sur-Auve 51.........62 D 1
Saint-Mard-sur-le-Mont 51.....63 E 2
Saint-Mards 76.........20 A 3
Saint-Mards-de-Blacarville 27 35 E 2
Saint-Mards-de-Fresne 27.......55 E 1
Saint-Mards-en-Othe 10.......114 C 3
Saint-Marien 23.........190 A 3
Saint-Mariens 33.........237 H 2
Saint-Mars-de-Coutais 44...147 F 5
Saint-Mars-de-Locquenay 72 108 B 5
Saint-Mars-d'Égrenne 61.......82 A 2
Saint-Mars-d'Outillé 72.......130 B 2
Saint-Mars-du-Désert 44......147 H 2
Saint-Mars-du-Désert 53........83 E 5
Saint-Mars-en-Brie 77.........60 B 4
Saint-Mars-la-Brière 72.......108 A 4
Saint-Mars-la-Jaille 44.........127 F 5
Saint-Mars-la-Réorthe 85....166 D 3
Saint-Mars-sous-Ballon 72..107 H 3
Saint-Mars-sur-Colmont 53.....82 A 4
Saint-Mars-sur-la-Futaie 53....81 G 3
Saint-Marsal 66.........342 C 3
Saint-Marsault 79.........167 F 4
Saint-Martial 07.........248 A 5
Saint-Martial 15.........245 G 5
Saint-Martial 16.........221 E 5
Saint-Martial 17.........201 H 2
Saint-Martial 30.........283 E 5
Saint-Martial 33.........256 C 3
Saint-Martial-d'Albarède 24.223 F 5
Saint-Martial-d'Artenset 24.239 F 4
Saint-Martial-de-Gimel 19...243 E 1
Saint-Martial-
de-Mirambeau 17.........219 G 4
Saint-Martial-de-Nabirat 24.259 G 2
Saint-Martial-de-Valette 24..222 C 3
Saint-Martial-
de-Vitaterne 17.........219 H 4
Saint-Martial-
Entraygues 19.........243 F 3
Saint-Martial-le-Mont 23......207 G 2
Saint-Martial-le-Vieux 23......225 H 2
Saint-Martial-sur-Isop 87......204 D 1
Saint-Martial-sur-Né 17.......220 B 2
Saint-Martial-Viveyrol 24......221 G 5
Saint-Martin 32.........295 H 5
Saint-Martin 50.........51 F 2
Saint-Martin 54.........95 H 1
Saint-Martin 65.........315 E 5
Saint-Martin 66.........338 A 5
Saint-Martin 67.........96 D 4
Saint Martin *Casella* 2B.........347 F 4
Saint-Martin-au-Bosc 76.........21 F 2
Saint-Martin-aux-Arbres 76......19 H 4
Saint-Martin-aux-Bois 60........38 D 1
Saint-Martin-
aux-Buneaux 76.........19 F 2
Saint-Martin-aux-Champs 51.62 C 3
Saint-Martin-
aux-Chartrains 14.........34 C 3
Saint-Martin-
Belle-Roche 71.........195 E 3
Saint-Martin-Bellevue 74......215 G 3
Saint-Martin-Boulogne 62.........2 B 5
Saint-Martin-Cantalès 15......243 H 3
Saint-Martin-Château 23......207 E 5
Saint-Martin-Chennetron 77...89 H 2
Saint-Martin-Choquel 62.........6 D 2
Saint-Martin-d'Abbat 45.......133 H 2
Saint-Martin-d'Ablois 51.........61 F 1
Saint-Martin-d'Août 26.........249 G 1
Saint-Martin-d'Arberoue 64.311 F 4
Saint-Martin-d'Arc 73.........252 B 1
Saint-Martin-d'Arcé 49.........129 F 5
Saint-Martin-d'Ardèche 07...284 D 2
Saint-Martin-
d'Armagnac 32.........294 D 3
Saint-Martin-d'Arrossa 64.....311 E 5
Saint-Martin-d'Ary 17.........238 C 1
Saint-Martin-d'Aubigny 50......31 H 4
Saint-Martin-d'Audouville 50..29 G 4
Saint-Martin-d'Auxigny 18....155 E 5
Saint-Martin-d'Auxy 71.........177 F 5
Saint-Martin-de-Bavel 01......214 D 4
Saint-Martin-
de-Beauville 47.........276 D 3
Saint-Martin-
de-Belleville 73.........234 B 4
Saint-Martin-
de-Bernegoue 79.........185 E 5
Saint-Martin-de-Bienfaite 14..54 D 1
Saint-Martin-de-Blagny 14......32 C 3
Saint-Martin-de-Bonfossé 50.32 A 5
Saint-Martin-
de-Boscherville 76.........36 A 2
Saint-Martin-de-Bossenay 10.90 B 4
Saint-Martin-
de-Boubaux 48.........283 F 3
Saint-Martin-
de-Bréthencourt 78.........87 E 3
Saint-Martin-de-Brômes 04.307 E 2
Saint-Martin-de-Caralp 09...336 A 2
Saint-Martin-
de-Castillon 84.........306 A 1
Saint-Martin-de-Cenilly 50......51 H 1
Saint-Martin-de-Clelles 38...250 D 5
Saint-Martin-
de-Commune 71.........177 E 3
Saint-Martin-de-Connée 53.107 E 2
Saint-Martin-de-Cornas 69..230 D 2
Saint-Martin-de-Coux 17......238 D 2
Saint-Martin-de-Crau 13.......304 D 4
Saint-Martin-de-Curton 47....274 D 1
Saint-Martin-de-Fenollar
Chapelle de 66.........343 E 4
Saint-Martin-de-Fontenay 14..33 G 5
Saint-Martin-
de-Fraigneau 85.........184 B 3
Saint-Martin-de-Fresnay 14....54 B 2
Saint-Martin-
de-Fressengeas 24.........222 D 4
Saint-Martin-
de-Fugères 43.........247 F 5
Saint-Martin-de-Goyne 32.....275 H 5
Saint-Martin-de-Gurson 24..239 E 4
Saint-Martin-de-Hinx 40.......292 C 4
Saint-Martin-de-Juillers 17..202 B 3
Saint-Martin-de-Jussac 87..205 E 4
Saint-Martin-
de-la-Brasque 84.........306 B 2
Saint-Martin-de-la-Cluze 38 250 D 4
Saint-Martin-
de-la-Coudre 17.........201 G 2
Saint-Martin-de-la-Lieue 14....34 C 5
Saint-Martin-de-la-Mer 21.....158 C 4
Saint-Martin-de-la-Place 49.150 B 3
Saint-Martin-de-la-Porte 73.252 B 1
Saint-Martin-de-Lamps 36.....171 G 2
Saint-Martin-de-Landelles 50.81 F 2
Saint-Martin-
de-Lansuscle 48.........283 E 3
Saint-Martin-de-l'Arçon 34..301 E 5
Saint-Martin-de-Laye 33.......238 C 3
Saint-Martin-de-Lenne 12.....263 G 5
Saint-Martin-de-Lerm 33.......256 D 3
Saint-Martin-de-Lixy 71.........211 H 1
Saint-Martin-de-Londres 34.302 C 2
Saint-Martin-de-Mâcon 79....168 B 1
Saint-Martin-de-Mailloc 14.....34 D 5
Saint-Martin-de-Mieux 14........53 H 3
Saint-Martin-de-Nigelles 28....86 B 2
Saint-Martin-de-Pallières 83.306 D 4
Saint-Martin-
de-Peille *Église* 06.........291 G 5
Saint-Martin-
de-Queyrières 05.........252 C 5
Saint-Martin-de-Ré 17.........182 D 5
Saint-Martin-de-Ribérac 24.239 G 1
Saint-Martin-
de-Saint-Maixent 79.........185 F 3
Saint-Martin-
de-Salencey 71.........194 B 2
Saint-Martin-de-Sallen 14.......53 F 2
Saint-Martin-de-Sanzay 79..168 A 1
Saint-Martin-
de-Seignanx 40.........292 B 5
Saint-Martin-de-Sescas 33..256 C 3
Saint-Martin-
de-Tallevende 14.........52 C 3
Saint-Martin-
de-Valamas 07.........248 B 5
Saint-Martin-
de-Valgalgues 30.........283 H 3
Saint-Martin-de-Varreville 50..29 H 5
Saint-Martin-
de-Vaulserre 38.........232 D 3
Saint-Martin-de-Vers 46.......260 C 4
Saint-Martin-de-Villeréal 47.258 D 3
Saint-Martin-
de-Villereglan 11.........337 G 1
Saint-Martin-d'Écublei 61.......55 G 4
Saint-Martin-
d'Entraigues 79.........202 D 1
Saint-Martin-
d'Entraunes 06.........289 E 3
Saint-Martin-des-Besaces 14.52 C 1
Saint-Martin-des-Bois 41.....131 E 4
Saint-Martin-
des-Champs 18.........156 A 5
Saint-Martin-des-Champs 29.71 H 4
Saint-Martin-des-Champs 50.51 H 5
Saint-Martin-des-Champs 77.60 B 4
Saint-Martin-des-Champs 78.57 F 3
Saint-Martin-
des-Champs 89.........135 F 4
Saint-Martin-
des-Combes 24.........240 B 4
Saint-Martin-
des-Entrées 14.........33 E 3
Saint-Martin-
des-Fontaines 85.........183 H 1
Saint-Martin-des-Lais 03.....175 G 5
Saint-Martin-des-Landes 61...83 E 2
Saint-Martin-des-Monts 72..108 C 3
Saint-Martin-des-Noyers 85 166 B 4
Saint-Martin-des-Olmes 63.229 E 3
Saint-Martin-des-Pézerits 61.55 E 5
Saint-Martin-des-Plains 63.228 A 4
Saint-Martin-des-Prés 22.......78 A 5
Saint-Martin-des-Puits 11....338 B 2
Saint-Martin-des-Tilleuls 85.166 C 2
Saint-Martin-d'Estréaux 42..211 E 1
Saint-Martin-
d'Hardinghem 62.........7 E 3
Saint-Martin-d'Hères 38......251 E 1
Saint-Martin-d'Heuille 58.....174 D 1
Saint-Martin-d'Ollières 63....228 B 4
Saint-Martin-Don 14.........52 C 2
Saint-Martin-d'Oney 40.......273 G 5
Saint-Martin-d'Ordon 89......113 F 4
Saint-Martin-d'Oydes 09......318 A 5
Saint-Martin-du-Bec 76.........18 C 5
Saint-Martin-du-Bois 33.......238 B 3
Saint-Martin-du-Bois 49.......128 B 4
Saint-Martin-du-Boschet 77....60 C 4
Saint-Martin-du-Canigou
Abbaye de 66.........342 A 4
Saint-Martin-du-Clocher 16.203 F 2
Saint-Martin-
du-Fouilloux 49.........149 F 2
Saint-Martin-
du-Fouilloux 79.........185 G 1
Saint-Martin-du-Frêne 01....214 C 1
Saint-Martin-du-Lac 71........193 G 5
Saint-Martin-du-Limet 53.....127 H 2
Saint-Martin-du-Manoir 76......18 D 5
Saint-Martin-
du-Mesnil-Oury 14.........54 C 1
Saint-Martin-du-Mont 01......214 A 1
Saint-Martin-du-Mont 21......159 G 2
Saint-Martin-du-Mont 71......195 H 1
Saint-Martin-du-Puy 33.......256 D 2
Saint-Martin-du-Puy 58.......157 H 3
Saint-Martin-du-Tartre 71.....194 C 1
Saint-Martin-du-Tertre 89....113 G 2
Saint-Martin-du-Tertre 95.......38 C 5
Saint-Martin-du-Tilleul 27.......35 F 5
Saint-Martin-du-Touch 31.....297 H 5
Saint-Martin-du-Var 06.........291 E 5
Saint-Martin-
du-Vieux-Bellême 61.........84 B 4
Saint-Martin-du-Vivier 76........36 B 1
Saint-Martin-d'Uriage 38......251 E 2
Saint-Martin-en-Bière 77........88 A 4
Saint-Martin-en-Bresse 71..178 A 4
Saint-Martin-
en-Campagne 76.........10 C 5
Saint-Martin-
en-Coailleux 42.........230 C 4
Saint-Martin-
en-Gâtinois 71.........178 A 2
Saint-Martin-en-Haut 69......230 C 1
Saint-Martin-en-Vercors 26.250 B 3
Saint-Martin-Gimois 32.........296 C 5
Saint-Martin-
la-Campagne 27.........56 A 1
Saint-Martin-la-Garenne 78....57 F 1
Saint-Martin-la-Méanne 19..243 F 2
Saint-Martin-la-Patrouille 71 194 C 1
Saint-Martin-la-Plaine 42.....230 C 3
Saint-Martin-la-Sauveté 42..211 F 5
Saint-Martin-Labouval 46.....260 D 5
Saint-Martin-
Lacaussade 33.........237 F 2
Saint-Martin-Laguépie 81....279 F 4
Saint-Martin-l'Aiguillon 61......83 E 2
Saint-Martin-Lalande 11.......319 E 4
Saint-Martin-l'Ars 86.........186 D 5
Saint-Martin-Lars-
en-Sainte-Hermine 85......183 G 1
Saint-Martin-l'Astier 24.......239 G 3
Saint-Martin-le-Beau 37.......152 B 3
Saint-Martin-le-Bouillant 50....52 A 3
Saint-Martin-le-Châtel 01.....195 G 4
Saint-Martin-le-Colonel 26...250 A 4
Saint-Martin-le-Gaillard 76......10 D 5
Saint-Martin-le-Gréard 50.......29 E 4
Saint-Martin-le-Hébert 50.......29 E 4
Saint-Martin-le-Mault 87......188 A 4
Saint-Martin-le-Nœud 60........38 A 2
Saint-Martin-le-Pin 24.........222 B 3
Saint-Martin-le-Redon 46.....259 E 4
Saint-Martin-
le-Supérieur 07.........266 D 3
Saint-Martin-le-Vieil 11........319 F 4
Saint-Martin-le-Vieux 87......223 F 1
Saint-Martin-le-Vinoux 38....250 D 1
Saint-Martin-les-Eaux 04.....306 C 1
Saint-Martin-
lès-Langres 52.........139 G 2
Saint-Martin-lès-Melle 79.....185 F 5
Saint-Martin-lès-Seyne 04...270 A 5
Saint-Martin-
lez-Tatinghem 62.........3 F 5
Saint-Martin-Lestra 42.........230 A 1
Saint-Martin-l'Heureux 51.......42 B 4
Saint-Martin-l'Hortier 76.........20 D 3
Saint-Martin-l'Inférieur 07....266 D 3
Saint-Martin-Longueau 60.......39 E 3
Saint-Martin-Lys 11.........337 G 4
Saint-Martin-Osmonville 76.....20 C 4
Saint-Martin-Petit 47.........257 E 4
Saint-Martin-Rivière 02.........14 D 5
Saint-Martin-Saint-Firmin 27..35 F 3
Saint-Martin-
Sainte-Catherine 23.........206 C 3
Saint-Martin-Sepert 19........224 B 4
Saint-Martin-
sous-Montaigu 71.........177 G 4
Saint-Martin-
sous-Vigouroux 15.........245 E 5
Saint-Martin-
sur-Armançon 89.........137 F 2
Saint-Martin-sur-Arve 74......216 C 3
Saint-Martin-sur-Cojeul 62......13 G 3
Saint-Martin-
sur-Ecaillon 59.........14 D 3
Saint-Martin-
sur-la-Chambre 73.........234 A 4
Saint-Martin-
sur-la-Renne 52.........116 C 3
Saint-Martin-sur-le-Pré 51.......62 A 2
Saint-Martin-sur-Nohain 58.156 B 3
Saint-Martin-sur-Ocre 45......134 C 4
Saint-Martin-sur-Ocre 89......135 H 3
Saint-Martin-sur-Oreuse 89....89 G 5
Saint-Martin-
sur-Ouanne 89.........135 F 2
Saint-Martin-sur-Oust 56......125 F 3
Saint-Martin-Terressus 87.....206 B 4
Saint-Martin-Valmeroux 15..244 B 3
Saint-Martin-Vésubie 06.......291 E 2
Saint-Martinien 03.........190 C 4
Saint-Martory 31.........334 D 1
Saint-Mary 16.........203 H 5
Saint-Mary-le-Plain 15.........245 H 2
Saint-Masmes 51.........42 A 3
Saint-Mathieu 87.........222 C 1
Saint-Mathieu *Pointe de* 29.....74 C 3
Saint-Mathieu-
de-Tréviers 34.........302 D 3
Saint-Mathurin 85.........182 B 1
Saint-Mathurin-
Léobazel 19.........243 F 4
Saint-Mathurin-sur-Loire 49.150 A 2
Saint-Matré 46.........277 F 1
Saint-Maudan 22.........102 B 2
Saint-Maudez 22.........79 F 4
Saint-Maugan 35.........103 G 2
Saint-Maulvis 80.........11 G 5
Saint-Maur 18.........190 A 1
Saint-Maur 32.........315 H 2
Saint-Maur 36.........171 G 4
Saint-Maur 39.........196 C 1
Saint-Maur 60.........21 H 5
Saint-Maur-de-Glanfeuil
Abbaye de 49.........150 A 2
Saint-Maur-des-Bois 50.........52 A 3
Saint-Maur-des-Fossés 94......58 D 4
Saint-Maur-sur-le-Loir 28.....110 A 3
Saint-Maurice 52.........139 H 2
Saint-Maurice 58.........175 F 1
Saint-Maurice 63.........228 A 2
Saint-Maurice 67.........97 E 4
Saint-Maurice 94.........58 C 4
Saint-Maurice-
aux-Forges 54.........96 A 2
Saint-Maurice-
aux-Riches-Hommes 89.....89 H 5

Saint-Maurice-Colombier 25 ... 142 A 5
Saint-Maurice-Crillat 39 ... 197 E 1
Saint-Maurice-d'Ardèche 07 ... 266 B 4
Saint-Maurice-de-Beynost 01 ... 213 F 4
Saint-Maurice-de-Cazevieille 30 ... 284 A 5
Saint-Maurice-de-Gourdans 01 ... 213 H 5
Saint-Maurice-de-Laurençanne 17 ... 219 H 5
Saint-Maurice-de-Lestapel 47 ... 258 B 4
Saint-Maurice-de-Lignon 43 ... 247 H 1
Saint-Maurice-de-Rémens 01 ... 214 A 3
Saint-Maurice-de-Rotherens 73 ... 232 D 2
Saint-Maurice-de-Satonnay 71 ... 195 E 3
Saint-Maurice-de-Tavernole 17 ... 219 H 3
Saint-Maurice-de-Ventalon 48 ... 283 F 1
Saint-Maurice-des-Champs 71 ... 194 C 1
Saint-Maurice-des-Lions 16 204 C 3
Saint-Maurice-des-Noues 85 ... 184 B 1
Saint-Maurice-d'Ételan 76 ... 35 F 1
Saint-Maurice-d'Ibie 07 ... 266 C 4
Saint-Maurice-du-Désert 61 ... 82 D 2
Saint-Maurice-en-Chalencon 07 ... 248 D 5
Saint-Maurice-en-Cotentin 50 ... 28 D 5
Saint-Maurice-en-Gourgois 42 ... 229 H 4
Saint-Maurice-en-Quercy 46 ... 261 F 2
Saint-Maurice-en-Rivière 71 ... 178 A 3
Saint-Maurice-en-Trièves 38 ... 268 D 1
Saint-Maurice-en-Valgodemard 05 ... 269 G 1
Saint-Maurice-la-Clouère 86 ... 186 C 4
Saint-Maurice-Etusson 79 ... 167 G 1
Saint-Maurice-la-Souterraine 23 ... 206 B 1
Saint-Maurice-le-Girard 85 ... 167 E 5
Saint-Maurice-le-Vieil 89 ... 135 H 3
Saint-Maurice-les-Brousses 87 ... 223 G 1
Saint-Maurice-lès-Charencey 61 ... 55 G 5
Saint-Maurice-lès-Châteauneuf 71 ... 193 H 5
Saint-Maurice-lès-Couches 71 ... 177 F 3
Saint-Maurice-l'Exil 38 ... 231 E 4
Saint-Maurice-Montcouronne 91 ... 87 F 2
Saint-Maurice-Navacelles 34 ... 302 A 2
Saint-Maurice-près-Crocq 23 ... 208 B 4
Saint-Maurice-près-Pionsat 63 ... 208 D 2
Saint-Maurice-Saint-Germain 28 ... 85 F 3
Saint-Maurice-sous-les-Côtes 55 ... 64 D 2
Saint-Maurice-sur-Adour 40 ... 294 A 2
Saint-Maurice-sur-Aveyron 45 ... 135 E 2
Saint-Maurice-sur-Dargoire 69 ... 230 D 2
Saint-Maurice-sur-Eygues 26 ... 285 G 1
Saint-Maurice-sur-Fessard 45 ... 112 B 5
Saint-Maurice-sur-Huisne 61 ... 84 D 4
Saint-Maurice-sur-Mortagne 88 ... 95 G 4
Saint-Maurice-sur-Moselle 88 ... 120 A 5
Saint-Maurice-sur-Vingeanne 21 ... 139 H 5
Saint-Maurice-Thizouaille 89 ... 135 H 2
Saint-Maurin 47 ... 276 D 3
Saint-Max 54 ... 65 H 5
Saint-Maxent 80 ... 11 F 4
Saint-Maximin 30 ... 284 C 5
Saint-Maximin 38 ... 233 G 4
Saint-Maximin 60 ... 38 D 4
Saint-Maximin-la-Sainte-Baume 83 ... 327 H 1
Saint-Maxire 79 ... 184 D 3
Saint-May 26 ... 268 A 5
Saint-Mayeux 22 ... 77 H 5
Saint-Méard 87 ... 224 C 2
Saint-Méard-de-Drône 24 ... 239 H 1
Saint-Méard-de-Gurçon 24 ... 239 F 5
Saint-Médard 16 ... 220 C 3
Saint-Médard 17 ... 220 B 4
Saint-Médard 23 ... 207 G 2
Saint-Médard 31 ... 334 D 1
Saint-Médard 32 ... 316 A 2
Saint-Médard 36 ... 170 D 2
Saint-Médard 40 ... 294 A 1
Saint-Médard 46 ... 259 G 4
Saint-Médard 57 ... 66 D 4
Saint-Médard 64 ... 293 H 5
Saint-Médard 79 ... 185 F 5
Saint-Médard-d'Aunis 17 ... 200 D 1
Saint-Médard-de-Guizières 33 ... 238 D 4
Saint-Médard-de-Mussidan 24 ... 239 G 3
Saint-Médard-de-Presque 46 ... 261 E 1
Saint-Médard-des-Prés 85 ... 184 B 2
Saint-Médard-d'Excideuil 24 ... 223 F 5
Saint-Médard-d'Eyrans 33 ... 255 G 2
Saint-Médard-en-Forez 42 ... 230 B 2
Saint-Médard-en-Jalles 33 ... 237 F 5
Saint-Médard-Nicourby 46 ... 261 F 2
Saint-Médard-sur-Ille 35 ... 80 B 5
Saint-Méen 29 ... 71 E 4
Saint-Méen-le-Grand 35 ... 103 F 2
Saint-Melaine 35 ... 104 D 3
Saint-Melaine-sur-Aubance 49 ... 149 G 2
Saint-Mélany 07 ... 265 H 4
Saint-Méloir-des-Bois 22 ... 79 F 4
Saint-Méloir-des-Ondes 35 ... 50 C 5
Saint-Même-le-Tenu 44 ... 165 E 1
Saint-Même-les-Carrières 16 ... 220 C 2
Saint-Memmie 51 ... 62 B 2
Saint-Menge 88 ... 94 C 5
Saint-Menges 08 ... 27 E 3
Saint-Menoux 03 ... 191 H 1
Saint-Merd-de-Lapleau 19 ... 243 G 1
Saint-Merd-la-Breuille 23 ... 226 B 1
Saint-Merd-les-Oussines 19 ... 225 F 2
Saint-Méry 77 ... 88 C 2
Saint-Meslin-du-Bosc 27 ... 35 H 4
Saint-Mesmes 77 ... 59 E 2
Saint-Mesmin 10 ... 90 C 4
Saint-Mesmin 21 ... 159 F 3
Saint-Mesmin 24 ... 223 G 5
Saint-Mesmin 85 ... 167 E 4
Saint-Mexant 19 ... 242 C 1
Saint-Mézard 32 ... 275 H 5
Saint-M'Hervé 35 ... 105 F 2
Saint-M'Hervon 35 ... 103 G 1
Saint-Micaud 71 ... 177 F 5
Saint-Michel 02 ... 25 H 1
Saint-Michel 09 ... 336 A 1
Saint-Michel 16 ... 221 E 2
Saint-Michel 31 ... 317 F 5
Saint-Michel 32 ... 315 H 2
Saint-Michel 34 ... 301 H 2
Saint-Michel 45 ... 111 H 4
Saint-Michel 52 ... 139 G 3
Saint-Michel 64 ... 330 C 1
Saint-Michel 82 ... 277 E 5
Saint-Michel-Chef-Chef 44 ... 146 C 4
Saint-Michel-d'Aurance 07 ... 248 C 5
Saint-Michel-de-Bannières 46 ... 242 D 4
Saint-Michel-de-Boulogne 07 ... 266 B 2
Saint-Michel-de-Castelnau 33 ... 274 C 2
Saint-Michel-de-Chabrillanoux 07 ... 266 D 1
Saint-Michel-de-Chaillol 05 ... 269 H 2
Saint-Michel-de-Chavaignes 72 ... 108 C 4
Saint-Michel-de-Cuxa *Abbaye de* 66 ... 342 A 3
Saint-Michel-de-Dèze 48 ... 283 F 2
Saint-Michel-de-Double 24 ... 239 G 3
Saint-Michel-de-Feins 53 ... 128 C 3
Saint-Michel-de-Frigolet *Abbaye* 13 ... 304 C 1
Saint-Michel-de-Fronsac 33 ... 238 B 4
Saint-Michel-de-la-Pierre 50 ... 31 H 4
Saint-Michel-de-la-Roë 53 ... 105 F 5
Saint-Michel-de-Lanès 11 ... 318 C 4
Saint-Michel-de-Lapujade 33 ... 257 E 3
Saint-Michel-de-Livet 14 ... 54 C 1
Saint-Michel-de-Llotes 66 ... 342 C 2
Saint-Michel-de-Maurienne 73 ... 252 B 1
Saint-Michel-de-Montaigne 24 ... 238 D 5
Saint-Michel-de-Montjoie 50 ... 52 B 4
Saint-Michel-de-Mourcairol *Château de* 34 ... 301 F 5
Saint-Michel-de-Plélan 22 ... 79 F 4
Saint-Michel-de-Rieufret 33 ... 255 H 3
Saint-Michel-de-Rivière 24 ... 238 D 2
Saint-Michel-de-Saint-Geoirs 38 ... 232 A 5
Saint-Michel-de-Vax 81 ... 278 D 4
Saint-Michel-de-Veisse 23 ... 207 G 3
Saint-Michel-de-Villadeix 24 ... 240 C 4
Saint-Michel-de-Volangis 18 ... 155 F 5
Saint-Michel-des-Andaines 61 ... 82 C 2
Saint-Michel-des-Loups 50 ... 51 F 4
Saint-Michel-d'Euzet 30 ... 284 C 3
Saint-Michel-d'Halescourt 76 ... 21 F 5
Saint-Michel-en-Beaumont 38 ... 251 F 5
Saint-Michel-en-Brenne 36 ... 170 D 4
Saint-Michel-en-Grève 22 ... 72 B 3
Saint-Michel-en-l'Herm 85 ... 183 E 3
Saint-Michel-Escalus 40 ... 292 C 1
Saint-Michel-et-Chanveaux 49 ... 127 G 4
Saint-Michel-Labadié 81 ... 280 C 5
Saint-Michel-le-Cloucq 85 ... 184 B 2
Saint-Michel-l'Écluse-et-Léparon 24 ... 239 E 2
Saint-Michel-les-Portes 38 ... 250 C 5
Saint-Michel-l'Observatoire 04 ... 306 C 1
Saint-Michel-Loubéjou 46 ... 243 E 5
Saint-Michel-Mont-Mercure 85 ... 166 D 3
Saint-Michel-Peyresq 04 ... 288 D 4
Saint-Michel-sous-Bois 62 ... 6 D 4
Saint-Michel-sur-Loire 37 ... 151 F 3
Saint-Michel-sur-Meurthe 88 ... 96 B 4
Saint-Michel-sur-Orge 91 ... 87 G 2
Saint-Michel-sur-Rhône 42 ... 231 E 4
Saint-Michel-sur-Savasse 26 ... 249 H 2
Saint-Michel-sur-Ternoise 62 ... 7 G 5
Saint-Michel-Tubœuf 61 ... 55 G 4
Saint-Mihiel 55 ... 64 C 3
Saint-Mitre-les-Remparts 13 ... 325 G 3
Saint-Molf 44 ... 145 H 3
Saint-Momelin 59 ... 3 F 5
Saint-Mont 32 ... 294 D 4
Saint-Montan 07 ... 266 D 5
Saint-Moré 89 ... 136 D 5
Saint-Moreil 23 ... 206 D 5
Saint-Morel 08 ... 42 D 3
Saint-Morillon 33 ... 255 G 3
Saint-Mury-Monteymond 38 ... 251 F 1
Saint-Myon 63 ... 209 H 3
Saint-Nabor 67 ... 97 E 3
Saint-Nabord 88 ... 119 G 3
Saint-Nabord-sur-Aube 10 ... 91 F 3
Saint-Nauphary 82 ... 297 H 1
Saint-Nazaire 30 ... 284 D 3
Saint-Nazaire 33 ... 239 G 5
Saint-Nazaire 44 ... 146 B 3
Saint-Nazaire 66 ... 343 F 2
Saint-Nazaire *Pont de* 44 ... 146 C 2
Saint-Nazaire *Site de* 19 ... 226 B 4
Saint-Nazaire-d'Aude 11 ... 320 D 5
Saint-Nazaire-de-Ladarez 34 ... 321 F 2
Saint-Nazaire-de-Pézan 34 ... 303 F 4
Saint-Nazaire-de-Valentane 82 ... 277 E 3
Saint-Nazaire-des-Gardies 30 ... 283 G 5
Saint-Nazaire-en-Royans 26 ... 250 A 3
Saint-Nazaire-le-Désert 26 ... 268 A 3
Saint-Nazaire-les-Eymes 38 ... 251 E 1
Saint-Nazaire-sur-Charente 17 ... 200 C 3
Saint-Nectaire 63 ... 227 G 2
Saint-Nexans 24 ... 258 B 1
Saint-Nic 29 ... 75 G 4
Saint-Nicodème 22 ... 77 F 3
Saint-Nicodème *Chapelle* 56 ... 101 H 4
Saint-Nicolas 62 ... 13 G 2
Saint-Nicolas *Cascade* 68 ... 120 B 5
Saint-Nicolas *Chapelle* 56 ... 101 E 3
Saint-Nicolas-aux-Bois 02 ... 24 C 5
Saint-Nicolas-aux-Bois *Abbaye de* 02 ... 24 C 5
Saint-Nicolas-Courbefy 87 ... 223 F 2
Saint-Nicolas-d'Aliermont 76 ... 20 C 2
Saint-Nicolas-d'Attez 27 ... 55 H 4
Saint-Nicolas-de-Bliquetuit 76 ... 35 G 1
Saint-Nicolas-de-Bourgueil 37 ... 150 D 3
Saint-Nicolas-de-Brem 85 ... 165 E 5
Saint-Nicolas-de-la-Balerme 47 ... 276 C 4
Saint-Nicolas-de-la-Grave 82 ... 277 E 4
Saint-Nicolas-de-la-Haie 76 ... 19 F 5
Saint-Nicolas-de-la-Taille 76 ... 35 E 1
Saint-Nicolas-de-Macherin 38 ... 232 C 4
Saint-Nicolas-de-Pierrepont 50 ... 31 F 2
Saint-Nicolas-de-Port 54 ... 95 E 1
Saint-Nicolas-de-Redon 44 ... 125 H 4
Saint-Nicolas-de-Sommaire 61 ... 55 F 4
Saint-Nicolas-de-Véroce 74 ... 216 D 4
Saint-Nicolas-des-Biefs 03 ... 211 E 2
Saint-Nicolas-des-Bois 50 ... 52 A 4
Saint-Nicolas-des-Bois 61 ... 83 G 3
Saint-Nicolas-des-Eaux 56 ... 101 H 4
Saint-Nicolas-des-Laitiers 61 ... 55 E 3
Saint-Nicolas-des-Motets 37 ... 131 G 5
Saint-Nicolas-du-Bosc 27 ... 35 H 4
Saint-Nicolas-du-Bosc-l'Abbé 27 ... 55 F 1
Saint-Nicolas-du-Pélem 22 ... 77 G 4
Saint-Nicolas-du-Tertre 56 ... 125 G 2
Saint-Nicolas-en-Forêt 57 ... 45 G 3
Saint-Nicolas-la-Chapelle 10 ... 89 H 3
Saint-Nicolas-la-Chapelle 73 ... 216 B 4
Saint-Nicolas-lès-Cîteaux 21 ... 160 A 5
Saint-Nizier-d'Azergues 69 ... 212 B 2
Saint-Nizier-de-Fornas 42 ... 229 G 4
Saint-Nizier-du-Moucherotte 38 ... 250 D 2
Saint-Nizier-le-Bouchoux 01 ... 195 G 2
Saint-Nizier-le-Désert 01 ... 213 G 2
Saint-Nizier-sous-Charlieu 42 ... 211 H 1
Saint-Nizier-sur-Arroux 71 ... 176 C 4
Saint-Nolff 56 ... 124 C 3
Saint-Nom-la-Bretèche 78 ... 57 H 3
Saint-Offenge-Dessous 73 ... 215 F 5
Saint-Offenge-Dessus 73 ... 215 F 5
Saint-Omer 14 ... 53 F 2
Saint-Omer 44 ... 147 E 1
Saint-Omer 62 ... 3 F 5
Saint-Omer-Capelle 62 ... 3 E 3
Saint-Omer-en-Chaussée 60 ... 37 H 1
Saint-Ondras 38 ... 232 C 3
Saint-Onen-la-Chapelle 35 ... 103 F 2
Saint-Oradoux-de-Chirouze 23 ... 226 B 1
Saint-Oradoux-près-Crocq 23 ... 208 B 4
Saint-Orens 32 ... 296 D 3
Saint-Orens-de-Gameville 31 ... 298 A 5
Saint-Orens-Pouy-Petit 32 ... 295 H 1
Saint-Ost 32 ... 316 A 3
Saint-Osvin 50 ... 51 H 4
Saint-Ouen 41 ... 131 G 3
Saint-Ouen 80 ... 12 B 5
Saint-Ouen 93 ... 58 C 3
Saint-Ouen-d'Aunis 17 ... 183 G 5
Saint-Ouen-de-la-Cour 61 ... 84 C 4
Saint-Ouen-de-Mimbré 72 ... 83 G 5
Saint-Ouen-de-Pontcheuil 27 ... 36 A 4
Saint-Ouen-de-Sécherouvre 61 ... 84 B 2
Saint-Ouen-de-Thouberville 27 ... 35 H 2
Saint-Ouen-des-Alleux 35 ... 80 D 4
Saint-Ouen-des-Besaces 14 ... 52 C 1
Saint-Ouen-des-Champs 27 ... 35 F 2
Saint-Ouën-des-Toits 53 ... 105 H 3
Saint-Ouën-des-Vallons 53 ... 106 B 2
Saint-Ouen-Domprot 51 ... 91 G 2
Saint-Ouen-du-Breuil 76 ... 20 A 4
Saint-Ouen-du-Mesnil-Oger 14 ... 34 A 5
Saint-Ouen-du-Tilleul 27 ... 36 A 3
Saint-Ouen-en-Belin 72 ... 130 A 3
Saint-Ouen-en-Brie 77 ... 88 D 2
Saint-Ouen-en-Champagne 72 ... 107 E 5
Saint-Ouen-la-Rouërie 35 ... 80 D 3
Saint-Ouen-la-Thène 17 ... 202 C 4
Saint-Ouen-l'Aumône 95 ... 58 A 1
Saint-Ouen-le-Brisoult 61 ... 82 D 3
Saint-Ouen-le-Houx 14 ... 54 C 2
Saint-Ouen-le-Mauger 76 ... 20 A 3
Saint-Ouen-le-Pin 14 ... 34 B 5
Saint-Ouen-lès-Parey 88 ... 118 A 2
Saint-Ouen-les-Vignes 37 ... 152 C 2
Saint-Ouen-Marchefroy 28 ... 57 E 3
Saint-Ouen-sous-Bailly 76 ... 10 C 5
Saint-Ouen-sur-Gartempe 87 ... 205 F 1
Saint-Ouen-sur-Iton 61 ... 55 G 4
Saint-Ouen-sur-Loire 58 ... 174 D 3
Saint-Ouen-sur-Maire 61 ... 53 H 5
Saint-Ouen-sur-Morin 77 ... 60 A 3
Saint-Oulph 10 ... 90 C 3
Saint-Ours 63 ... 209 F 5
Saint-Ours 73 ... 215 F 5
Saint-Outrille 18 ... 154 A 5
Saint-Oyen 73 ... 234 B 3
Saint-Oyen-Montbellet 71 ... 195 E 2
Saint-Pabu 29 ... 70 C 4
Saint-Paër 27 ... 37 F 3
Saint-Paër 76 ... 35 H 1
Saint-Pair 14 ... 33 H 4
Saint-Pair-du-Mont 14 ... 34 B 5
Saint-Pair-sur-Mer 50 ... 51 F 3
Saint-Pal-de-Chalencon 43 ... 229 F 5
Saint-Pal-de-Mons 43 ... 248 A 1
Saint-Pal-de-Senouire 43 ... 246 D 1
Saint-Palais 03 ... 190 A 3
Saint-Palais 18 ... 155 E 4
Saint-Palais 33 ... 219 G 5
Saint-Palais 64 ... 311 G 4
Saint-Palais-de-Négrignac 17 ... 238 C 1
Saint-Palais-de-Phiolin 17 ... 219 G 3
Saint-Palais-du-Né 16 ... 220 B 3
Saint-Palais-sur-Mer 17 ... 218 C 1
Saint-Pancrace 04 ... 306 C 2
Saint-Pancrace 06 ... 309 G 2
Saint-Pancrace 24 ... 222 C 4
Saint-Pancrace 73 ... 234 A 5
Saint-Pancrace 2B ... 346 D 4
Saint-Pancrasse 38 ... 233 E 5
Saint-Pancré 54 ... 44 D 1
Saint-Pandelon 40 ... 292 D 3
Saint-Pantaléon 46 ... 277 G 1
Saint-Pantaléon 71 ... 176 D 2
Saint-Pantaléon 84 ... 305 G 1
Saint-Pantaléon-de-Lapleau 19 ... 225 H 5
Saint-Pantaléon-de-Larche 19 ... 242 B 2
Saint-Pantaléon-les-Vignes 26 ... 267 G 5
Saint-Pantaly-d'Ans 24 ... 241 E 1
Saint-Pantaly-d'Excideuil 24 ... 223 E 5
Saint-Papoul 11 ... 319 E 4
Saint-Pardon-de-Conques 33 ... 256 C 4
Saint-Pardoult 17 ... 201 H 3
Saint-Pardoux 63 ... 209 G 2
Saint-Pardoux 79 ... 185 E 1
Saint-Pardoux 87 ... 205 H 2
Saint-Pardoux-Corbier 19 ... 224 B 4
Saint-Pardoux-d'Arnet 23 ... 208 B 4
Saint-Pardoux-de-Drône 24 ... 239 H 1
Saint-Pardoux-du-Breuil 47 ... 257 F 5
Saint-Pardoux-et-Vielvic 24 ... 259 E 1
Saint-Pardoux-Isaac 47 ... 257 G 3
Saint-Pardoux-la-Croisille 19 ... 243 F 1
Saint-Pardoux-la-Rivière 24 ... 222 C 3
Saint-Pardoux-le-Neuf 19 ... 226 B 2
Saint-Pardoux-le-Neuf 23 ... 207 H 4
Saint-Pardoux-le-Vieux 19 ... 225 H 2
Saint-Pardoux-les-Cards 23 ... 207 G 2
Saint-Pardoux-l'Ortigier 19 ... 242 C 1
Saint-Pardoux-Morterolles 23 ... 207 E 4
Saint-Pargoire 34 ... 302 A 5
Saint-Parize-en-Viry 58 ... 175 E 4
Saint-Parize-le-Châtel 58 ... 174 C 3
Saint-Parres-aux-Tertres 10 ... 91 E 5
Saint-Parres-lès-Vaudes 10 ... 115 F 3
Saint-Parthem 12 ... 262 B 3
Saint-Pastour 47 ... 258 B 5
Saint-Pastous 65 ... 332 D 2
Saint-Paterne 72 ... 83 G 4
Saint-Paterne-Racan 37 ... 130 C 5
Saint-Pathus 77 ... 59 F 1
Saint-Patrice 37 ... 151 E 3
Saint-Patrice-de-Claids 50 ... 31 G 3
Saint-Patrice-du-Désert 61 ... 82 D 2
Saint-Paul 19 ... 243 E 2
Saint-Paul 33 ... 237 G 2
Saint-Paul 60 ... 37 H 2
Saint-Paul 61 ... 53 E 4
Saint-Paul 65 ... 334 A 1
Saint-Paul 73 ... 233 E 1
Saint-Paul 87 ... 224 B 1
Saint-Paul 88 ... 94 B 4
Saint-Paul-aux-Bois 02 ... 40 A 1
Saint-Paul-Cap-de-Joux 81 ... 299 E 4
Saint-Paul-de-Baïse 32 ... 295 H 2
Saint-Paul-de-Fenouillet 66 ... 338 A 4
Saint-Paul-de-Fourques 27 ... 35 H 4
Saint-Paul-de-Jarrat 09 ... 336 B 3
Saint-Paul-de-Loubressac 46 ... 278 B 2
Saint-Paul-de-Salers 15 ... 244 C 3
Saint-Paul-de-Serre 24 ... 240 B 3
Saint-Paul-de-Tartas 43 ... 265 F 1
Saint-Paul-de-Varax 01 ... 213 G 1
Saint-Paul-de-Varces 38 ... 250 D 3
Saint-Paul-de-Vence 06 ... 309 F 2
Saint-Paul-de-Vern 46 ... 261 F 1
Saint-Paul-de-Vézelin 42 ... 211 G 4
Saint-Paul-des-Landes 15 ... 244 B 5
Saint-Paul-d'Espis 82 ... 277 E 3
Saint-Paul-d'Izeaux 38 ... 232 B 5
Saint-Paul-d'Oueil 31 ... 334 A 4
Saint-Paul-du-Bois 49 ... 167 G 1
Saint-Paul-du-Vernay 14 ... 32 D 4
Saint-Paul-d'Uzore 42 ... 229 G 1
Saint-Paul-en-Born 40 ... 272 C 2
Saint-Paul-en-Chablais 74 ... 198 C 3
Saint-Paul-en-Cornillon 42 ... 230 A 4
Saint-Paul-en-Forêt 83 ... 308 C 4
Saint-Paul-en-Gâtine 79 ... 167 F 5
Saint-Paul-en-Jarez 42 ... 230 C 3
Saint-Paul-en-Pareds 85 ... 166 C 3
Saint-Paul-et-Valmalle 34 ... 302 C 4
Saint-Paul-Flaugnac 46 ... 277 H 2
Saint-Paul-la-Coste 30 ... 283 G 3
Saint-Paul-la-Roche 24 ... 223 E 4
Saint-Paul-le-Froid 48 ... 264 D 1
Saint-Paul-le-Gaultier 72 ... 83 F 5
Saint-Paul-le-Jeune 07 ... 283 H 1
Saint-Paul-lès-Dax 40 ... 292 D 3
Saint-Paul-les-Fonts 30 ... 284 D 4
Saint-Paul-lès-Monestier 38 ... 250 D 4
Saint-Paul-lès-Romans 26 ... 249 H 3
Saint-Paul-lez-Durance 13 ... 306 C 3
Saint-Paul-Lizonne 24 ... 221 G 5
Saint-Paul-Mont-Penit 85 ... 165 F 3
Saint-Paul-sur-Isère 73 ... 234 B 2
Saint-Paul-sur-Risle 27 ... 35 F 3
Saint-Paul-sur-Save 31 ... 297 G 3
Saint-Paul-sur-Ubaye 04 ... 271 E 3
Saint-Paul-Trois-Châteaux 26 ... 285 E 1
Saint-Paulet 11 ... 318 D 3
Saint-Paulet-de-Caisson 30 284 D 2
Saint-Paulien 43 ... 247 E 2
Saint-Pavace 72 ... 107 H 4
Saint-Pé-d'Ardet 31 ... 334 B 2
Saint-Pé-de-Bigorre 65 ... 332 C 1
Saint-Pé-de-Léren 64 ... 292 D 5
Saint-Pé-Delbosc 31 ... 316 B 4

Saint-Pé-Saint-Simon 47 ... 275 E 5
Saint-Pée-sur-Nivelle 64 ... 310 C 4
Saint-Pellerin 28 ... 109 G 4
Saint-Pellerin 50 ... 32 A 3
Saint-Péran 35 ... 103 G 3
Saint-Péravy-Épreux 45 ... 111 E 2
Saint-Péravy-la-Colombe 45 ... 110 C 5
Saint-Péray 07 ... 249 F 4
Saint-Perdon 40 ... 293 H 1
Saint-Perdoux 24 ... 258 B 2
Saint-Perdoux 46 ... 261 F 3
Saint-Père 35 ... 50 C 5
Saint-Père 58 ... 156 A 2
Saint-Père 89 ... 157 G 2
Saint-Père-en-Retz 44 ... 146 D 4
Saint-Père-sur-Loire 45 ... 134 A 3
Saint-Péreuse 58 ... 175 H 1
Saint-Pern 35 ... 103 H 1
Saint-Perreux 56 ... 125 G 3
Saint-Péver 22 ... 77 H 2
Saint-Pey-d'Armens 33 ... 238 C 5
Saint-Pey-de-Castets 33 ... 256 D 1
Saint-Phal 10 ... 114 D 3
Saint-Philbert-de-Bouaine 85 ... 165 G 1
Saint-Philbert-de-Grand-Lieu 44 ... 165 G 1
Saint-Philbert-des-Champs 14 ... 34 D 4
Saint-Philbert-du-Peuple 49 ... 150 C 2
Saint-Philbert-du-Pont-Charrault 85 ... 166 C 5
Saint-Philbert-en-Mauges 49 ... 148 C 5
Saint-Philbert-sur-Boissey 27 ... 35 G 4
Saint-Philbert-sur-Orne 61 ... 53 G 3
Saint-Philbert-sur-Risle 27 ... 35 F 3
Saint-Philibert 21 ... 160 A 4
Saint-Philibert 56 ... 124 A 4
Saint-Philibert-d'Entremont 38 ... 233 E 4
Saint-Philippe-d'Aiguille 33 ... 238 D 5
Saint-Philippe-du-Seignal 33 ... 257 F 1
Saint-Piat 28 ... 86 B 3
Saint-Pierre 04 ... 289 G 5
Saint-Pierre 15 ... 226 B 5
Saint-Pierre 31 ... 298 B 4
Saint-Pierre 39 ... 197 E 1
Saint-Pierre 51 ... 62 A 2
Saint-Pierre 67 ... 97 F 3
Saint-Pierre-à-Arnes 08 ... 42 B 3
Saint-Pierre-à-Champ 79 ... 167 H 1
Saint-Pierre-à-Gouy 80 ... 22 A 1
Saint-Pierre-Aigle 02 ... 40 A 3
Saint-Pierre-Avez 05 ... 287 E 2
Saint-Pierre-Azif 14 ... 34 B 3
Saint-Pierre-Bellevue 23 ... 207 E 4
Saint-Pierre-Bénouville 76 ... 20 A 3
Saint-Pierre-Bois 67 ... 97 E 4
Saint-Pierre-Brouck 59 ... 3 F 3
Saint-Pierre-Canivet 14 ... 53 H 2
Saint-Pierre-Chérignat 23 ... 206 C 3
Saint-Pierre-Colamine 63 ... 227 G 3
Saint-Pierre-d'Albigny 73 ... 233 H 2
Saint-Pierre-d'Allevard 38 ... 233 G 4
Saint-Pierre-d'Alvey 73 ... 232 D 1
Saint-Pierre-d'Amilly 17 ... 201 G 1
Saint-Pierre-d'Argençon 05 ... 268 D 4
Saint-Pierre-d'Arthéglise 50 ... 28 D 5
Saint-Pierre-d'Aubézies 32 ... 295 F 4
Saint-Pierre-d'Aurillac 33 ... 256 C 3
Saint-Pierre-d'Autils 27 ... 36 D 5
Saint-Pierre-de-Bailleul 27 ... 36 D 5
Saint-Pierre-de-Bat 33 ... 256 B 2
Saint-Pierre-de-Belleville 73 ... 233 H 3
Saint-Pierre-de-Bœuf 42 ... 231 E 4
Saint-Pierre-de-Bressieux 38 ... 232 A 5
Saint-Pierre-de-Buzet 47 ... 275 F 2
Saint-Pierre-de-Caubel 47 ... 258 B 5
Saint-Pierre-de-Cernières 27 ... 55 E 2
Saint-Pierre-de-Chandieu 69 ... 231 G 2
Saint-Pierre-de-Chartreuse 38 ... 233 E 5
Saint-Pierre-de-Chérennes 38 ... 250 B 2
Saint-Pierre-de-Chevillé 72 ... 130 B 4
Saint-Pierre-de-Chignac 24 ... 240 D 3
Saint-Pierre-de-Clairac 47 ... 276 C 3
Saint-Pierre-de-Côle 24 ... 222 D 5
Saint-Pierre-de-Colombier 07 ... 266 A 2
Saint-Pierre-de-Cormeilles 27 ... 35 E 4
Saint-Pierre-de-Coutances 50 ... 51 G 1
Saint-Pierre-de-Curtille 73 ... 215 E 5
Saint-Pierre-de-Frugie 24 ... 223 E 3
Saint-Pierre-de-Fursac 23 ... 206 B 1
Saint-Pierre-de-Genebroz 73 ... 232 D 3
Saint-Pierre-de-Jards 36 ... 172 B 1
Saint-Pierre-de-Juillers 17 ... 202 B 3
Saint-Pierre-de-la-Fage 34 ... 302 A 2
Saint-Pierre-de-Lages 31 ... 298 B 5
Saint-Pierre-de-Lamps 36 ... 171 F 2
Saint-Pierre-de-l'Île 17 ... 201 H 2
Saint-Pierre-de-Maillé 86 ... 170 A 5
Saint-Pierre-de-Mailloc 14 ... 54 D 1
Saint-Pierre-de-Manneville 76 ... 36 A 2
Saint-Pierre-de-Méaroz 38 ... 251 E 5
Saint-Pierre-de-Mésage 38 ... 251 E 3
Saint-Pierre-de-Mézoargues 13 ... 304 B 1
Saint-Pierre-de-Mons 33 ... 256 B 4
Saint-Pierre-de-Nogaret 48 ... 263 H 5
Saint-Pierre-de-Plesguen 35 ... 79 H 4
Saint-Pierre-de-Rivière 09 ... 336 A 3
Saint-Pierre-de-Salerne 27 ... 35 F 4
Saint-Pierre-de-Semilly 50 ... 32 B 5
Saint-Pierre-de-Soucy 73 ... 233 G 3
Saint-Pierre-de-Trivisy 81 ... 300 A 3
Saint-Pierre-de-Varengeville 76 ... 36 A 1
Saint-Pierre-de-Varennes 71 ... 177 E 3
Saint-Pierre-de-Vassols 84 ... 285 H 4
Saint-Pierre-dels-Forcats 66 ... 341 G 4
Saint-Pierre-d'Entremont 38 ... 233 E 4
Saint-Pierre-d'Entremont 61 ... 53 E 3
Saint-Pierre-d'Entremont 73 ... 233 E 4
Saint-Pierre-des-Bois 72 ... 107 E 5
Saint-Pierre-des-Champs 11 ... 338 B 2
Saint-Pierre-des-Corps 37 ... 152 A 2
Saint-Pierre-des-Échaubrognes 79 ... 167 E 1
Saint-Pierre-des-Fleurs 27 ... 36 A 4
Saint-Pierre-des-Ifs 14 ... 34 C 5
Saint-Pierre-des-Ifs 27 ... 35 F 3
Saint-Pierre-des-Jonquières 76 ... 20 D 2
Saint-Pierre-des-Landes 53 ... 81 G 5
Saint-Pierre-des-Loges 61 ... 55 E 4
Saint-Pierre-des-Nids 53 ... 83 F 4
Saint-Pierre-des-Ormes 72 ... 84 A 5
Saint-Pierre-des-Tripiers 48 ... 282 A 3
Saint-Pierre-d'Exideuil 86 ... 203 G 1
Saint-Pierre-d'Extravache 73 ... 253 E 1
Saint-Pierre-d'Eyraud 24 ... 257 G 1
Saint-Pierre-d'Irube 64 ... 292 A 5
Saint-Pierre-d'Oléron 17 ... 200 B 3
Saint-Pierre-du-Bosguérard 27 ... 35 H 4
Saint-Pierre-du-Bû 14 ... 53 H 3
Saint-Pierre-du-Champ 43 ... 247 F 1
Saint-Pierre-du-Chemin 85 ... 167 F 5
Saint-Pierre-du-Fresne 14 ... 52 D 1
Saint-Pierre-du-Jonquet 14 ... 34 A 4
Saint-Pierre-du-Lorouër 72 ... 130 C 3
Saint-Pierre-du-Mesnil 27 ... 55 F 2
Saint-Pierre-du-Mont 14 ... 32 C 2
Saint-Pierre-du-Mont 40 ... 294 A 1
Saint-Pierre-du-Mont 58 ... 157 E 2
Saint-Pierre-du-Palais 17 ... 238 C 2
Saint-Pierre-du-Perray 91 ... 88 A 2
Saint-Pierre-du-Regard 61 ... 53 F 3
Saint-Pierre-du-Val 27 ... 34 D 2
Saint-Pierre-du-Vauvray 27 ... 36 C 4
Saint-Pierre-Église 50 ... 29 G 2
Saint-Pierre-en-Faucigny 74 ... 216 A 1
Saint-Pierre-en-Port 76 ... 19 E 2
Saint-Pierre-en-Val 76 ... 10 D 4
Saint-Pierre-en-Vaux 21 ... 177 E 1
Saint-Pierre-es-Champs 60 ... 37 F 2
Saint-Pierre-Eynac 43 ... 247 G 3
Saint-Pierre-la-Bourlhonne 63 ... 229 E 1
Saint-Pierre-la-Bruyère 61 ... 84 D 5
Saint-Pierre-la-Cour 53 ... 105 G 3
Saint-Pierre-la-Garenne 27 ... 36 D 5
Saint-Pierre-la-Noaille 42 ... 211 G 1
Saint-Pierre-la-Palud 69 ... 212 C 5
Saint-Pierre-la-Rivière 61 ... 54 C 3
Saint-Pierre-la-Roche 07 ... 266 D 3
Saint-Pierre-la-Vieille 14 ... 53 E 2
Saint-Pierre-Lafeuille 46 ... 260 B 4
Saint-Pierre-Langers 50 ... 51 G 3
Saint-Pierre-Laval 03 ... 211 E 1
Saint-Pierre-Lavis 76 ... 19 F 4
Saint-Pierre-le-Bost 23 ... 190 A 3
Saint-Pierre-le-Chastel 63 ... 209 F 5
Saint-Pierre-le-Déchausselat 07 ... 265 H 5
Saint-Pierre-le-Moûtier 58 ... 174 C 4
Saint Pierre le Potier 53 ... 106 A 4
Saint-Pierre-le-Vieux 48 ... 264 A 1
Saint-Pierre-le-Vieux 71 ... 194 C 5
Saint-Pierre-le-Vieux 76 ... 19 H 2
Saint-Pierre-le-Vieux 85 ... 184 B 3
Saint-Pierre-le-Viger 76 ... 19 H 2
Saint-Pierre-les-Aubagne 13 ... 327 F 2
Saint-Pierre-lès-Bitry 60 ... 39 H 2
Saint-Pierre-les-Bois 18 ... 190 A 1
Saint-Pierre-lès-Elbeuf 76 ... 36 A 4
Saint-Pierre-les-Étieux 18 ... 173 G 5
Saint-Pierre-lès-Franqueville 02 ... 25 E 2
Saint-Pierre-lès-Nemours 77 ... 112 B 2
Saint-Pierre-Montlimart 49 ... 148 C 3
Saint-Pierre-Quiberon 56 ... 123 H 5
Saint-Pierre-Roche 63 ... 227 F 1
Saint-Pierre-sur-Dives 14 ... 54 A 1
Saint-Pierre-sur-Doux 07 ... 248 B 2
Saint-Pierre-sur-Dropt 47 ... 257 F 3
Saint-Pierre-sur-Erve 53 ... 106 C 4
Saint-Pierre-sur-Orthe 53 ... 107 E 2
Saint-Pierre-sur-Vence 08 ... 26 D 4
Saint-Pierre-Tarentaine 14 ... 52 D 2
Saint-Pierre-Toirac 46 ... 261 F 4
Saint-Pierremont 02 ... 25 F 3
Saint-Pierremont 08 ... 43 F 1
Saint-Pierremont 88 ... 95 G 3
Saint-Pierreville 07 ... 266 C 1
Saint-Pierrevillers 55 ... 44 D 3
Saint-Plaisir 03 ... 191 G 1
Saint-Plancard 31 ... 316 A 5
Saint-Planchers 50 ... 51 F 3
Saint-Plantaire 36 ... 189 E 3
Saint-Point 71 ... 194 C 4
Saint-Point-Lac 25 ... 180 C 3
Saint-Pois 50 ... 52 B 4
Saint-Poix 53 ... 105 G 5
Saint-Pol-de-Léon 29 ... 71 G 3
Saint-Pol-sur-Mer 59 ... 3 G 2
Saint-Pol-sur-Ternoise 62 ... 7 G 5
Saint-Polgues 42 ... 211 F 4
Saint-Polycarpe 11 ... 337 G 2
Saint-Pompain 79 ... 184 C 3
Saint-Pompon 24 ... 259 F 2
Saint-Poncy 15 ... 245 H 2
Saint-Pons 04 ... 270 D 5
Saint-Pons 07 ... 266 D 3
Saint-Pons *Parc de* 13 ... 327 G 2
Saint-Pons-de-Mauchiens 34 ... 302 A 5
Saint-Pons-de-Thomières 34 ... 320 C 2
Saint-Pons-la-Calm 30 ... 284 D 4
Saint-Pont 03 ... 210 A 1
Saint-Porchaire 17 ... 201 E 4
Saint-Porquier 82 ... 277 F 5
Saint-Pôtan 22 ... 79 F 3
Saint-Pouange 10 ... 114 D 2
Saint-Pourçain-sur-Besbre 03 ... 192 D 3
Saint-Pourçain-sur-Sioule 03 ... 192 A 4
Saint-Prancher 88 ... 94 C 4
Saint-Préjet-Armandon 43 ... 246 C 1
Saint-Préjet-d'Allier 43 ... 246 D 5
Saint-Prest 28 ... 86 B 3
Saint-Preuil 16 ... 220 C 2
Saint-Priest 07 ... 266 C 2
Saint-Priest 23 ... 208 B 2
Saint-Priest 69 ... 231 F 1
Saint-Priest-Bramefant 63 ... 210 B 3
Saint-Priest-d'Andelot 03 ... 209 H 2
Saint-Priest-de-Gimel 19 ... 243 E 1
Saint-Priest-des-Champs 63 ... 209 E 3
Saint-Priest-en-Jarez 42 ... 230 B 4
Saint-Priest-en-Murat 03 ... 191 F 4
Saint-Priest-la-Feuille 23 ... 206 C 1
Saint-Priest-la-Marche 18 ... 190 A 3
Saint-Priest-la-Plaine 23 ... 206 C 1
Saint-Priest-la-Prugne 42 ... 211 E 3
Saint-Priest-la-Roche 42 ... 211 G 4
Saint-Priest-la-Vêtre 42 ... 211 E 5
Saint-Priest-le-Betoux 87 ... 205 G 1
Saint-Priest-les-Fougères 24 ... 223 E 3
Saint-Priest-Ligoure 87 ... 223 H 2
Saint-Priest-Palus 23 ... 206 C 4
Saint-Priest-sous-Aixe 87 ... 205 F 5
Saint-Priest-Taurion 87 ... 205 H 4
Saint-Prim 38 ... 231 E 4
Saint-Privat 07 ... 266 B 3
Saint-Privat 19 ... 243 G 3
Saint-Privat 34 ... 301 H 3
Saint-Privat-d'Allier 43 ... 246 D 4
Saint-Privat-de-Champclos 30 ... 284 B 2
Saint-Privat-de-Vallongue 48 ... 283 F 2
Saint-Privat-des-Prés 24 ... 239 F 1
Saint-Privat-des-Vieux 30 ... 283 H 3
Saint-Privat-du-Dragon 43 ... 246 B 2
Saint-Privat-du-Fau 48 ... 246 B 5
Saint-Privat-la-Montagne 57 ... 45 G 5
Saint-Privé 71 ... 177 F 5
Saint-Privé 89 ... 135 F 4
Saint-Prix 03 ... 192 D 5
Saint-Prix 07 ... 248 C 4
Saint-Prix 71 ... 176 B 2
Saint-Prix 95 ... 58 B 1
Saint-Prix-lès-Arnay 21 ... 159 E 5
Saint-Projet 15 ... 262 B 3
Saint-Projet 46 ... 260 B 2
Saint-Projet 82 ... 278 D 2
Saint-Projet-de-Salers 15 ... 244 C 3
Saint-Projet-Saint-Constant 16 ... 221 G 1
Saint-Prouant 85 ... 166 D 4
Saint-Pryvé-Saint-Mesmin 45 ... 133 E 2
Saint-Puy 32 ... 296 A 1
Saint-Python 59 ... 14 D 3
Saint-Quantin-de-Rançanne 17 ... 219 G 3
Saint-Quay-Perros 22 ... 72 C 2
Saint-Quay-Portrieux 22 ... 73 H 4
Saint-Quentin 02 ... 24 B 2
Saint-Quentin-au-Bosc 76 ... 10 C 5
Saint-Quentin-de-Baron 33 ... 256 B 1
Saint-Quentin-de-Blavou 61 ... 84 B 3
Saint-Quentin-de-Caplong 33 ... 257 E 1
Saint-Quentin-de-Chalais 16 ... 239 E 1
Saint-Quentin-des-Isles 27 ... 55 F 1
Saint-Quentin-des-Prés 60 ... 37 G 1
Saint-Quentin-du-Dropt 47 ... 258 B 2
Saint-Quentin-en-Mauges 49 ... 148 D 3
Saint-Quentin-en-Tourmont 80 ... 11 E 1
Saint-Quentin-en-Yvelines 78 ... 57 H 4
Saint-Quentin-Fallavier 38 ... 231 G 2
Saint-Quentin-la-Chabanne 23 ... 207 G 4
Saint-Quentin-la-Motte-Croix-au-Bailly 80 ... 10 D 4
Saint-Quentin-la-Poterie 30 ... 284 C 4
Saint-Quentin-la-Tour 09 ... 336 D 2
Saint-Quentin-le-Petit 08 ... 25 G 5
Saint-Quentin-le-Verger 51 ... 90 B 2
Saint-Quentin-les-Anges 53 ... 128 A 3
Saint-Quentin-lès-Beaurepaire 49 ... 129 F 5
Saint-Quentin-les-Chardonnets 61 ... 52 D 4
Saint-Quentin-les-Marais 51 ... 62 D 4
Saint-Quentin-lès-Troo 41 ... 131 E 3
Saint-Quentin-sur-Charente 16 ... 204 C 5
Saint-Quentin-sur-Coole 51 ... 62 A 3
Saint-Quentin-sur-Indrois 37 ... 152 C 4
Saint-Quentin-sur-Isère 38 ... 232 C 5
Saint-Quentin-sur-le-Homme 50 ... 51 H 5
Saint-Quentin-sur-Nohain 58 ... 156 B 3
Saint-Quentin-sur-Sauxillanges 63 ... 228 B 3
Saint-Quintin-sur-Sioule 63 ... 209 G 2
Saint-Quirc 09 ... 318 A 4
Saint-Quirin 57 ... 96 C 1
Saint-Rabier 24 ... 241 F 2
Saint-Racho 71 ... 194 A 5
Saint-Rambert-d'Albon 26 ... 249 E 1
Saint-Rambert-en-Bugey 01 ... 214 B 3
Saint-Rambert-l'Île-Barbe 69 ... 213 E 5
Saint-Raphaël 24 ... 241 F 1
Saint-Raphaël 83 ... 329 H 1
Saint-Régis-du-Coin 42 ... 248 B 1
Saint-Règle 37 ... 152 C 2
Saint-Remèze 07 ... 284 C 1
Saint-Remimont 54 ... 95 E 2
Saint-Remimont 88 ... 94 B 5
Saint-Rémy 01 ... 195 H 5
Saint-Rémy 12 ... 279 F 1
Saint-Rémy 14 ... 53 F 2
Saint-Rémy 19 ... 225 H 2
Saint-Rémy 21 ... 137 G 5
Saint-Rémy 24 ... 239 F 4
Saint-Remy 70 ... 141 E 2
Saint-Rémy 71 ... 177 H 4
Saint-Rémy 79 ... 184 D 3
Saint-Remy 88 ... 96 A 4
Saint-Rémy-au-Bois 62 ... 6 C 5
Saint-Rémy-aux-Bois 54 ... 95 F 3
Saint-Rémy-Blanzy 02 ... 40 B 4
Saint-Rémy-Boscrocourt 76 ... 10 D 4
Saint-Remy-Chaussée 59 ... 15 G 3
Saint-Rémy-de-Blot 63 ... 209 F 2
Saint-Rémy-de-Chargnat 63 ... 228 A 3
Saint-Rémy-de-Chaudes-Aigues 15 ... 263 G 2
Saint-Rémy-de-Maurienne 73 ... 233 H 4
Saint-Rémy-de-Provence 13 ... 304 D 2
Saint-Rémy-de-Salers 15 ... 244 C 3
Saint-Rémy-de-Sillé 72 ... 107 F 2
Saint-Rémy-des-Landes 50 ... 31 F 3
Saint-Rémy-des-Monts 72 ... 84 A 5
Saint-Remy-du-Nord 59 ... 15 G 3
Saint-Rémy-du-Plain 35 ... 80 C 4
Saint-Rémy-du-Val 72 ... 83 H 5
Saint-Remy-en-Bouzemont-Saint-Genest-et-Isson 51 ... 62 D 5
Saint-Remy-en-l'Eau 60 ... 38 C 1
Saint-Rémy-en-Mauges 49 ... 148 C 3
Saint-Rémy-en-Montmorillon 86 ... 187 G 5
Saint-Rémy-en-Rollat 03 ... 210 B 1
Saint-Remy-la-Calonne 55 ... 64 D 2
Saint-Rémy-la-Vanne 77 ... 60 A 4
Saint-Rémy-la-Varenne 49 ... 150 A 2
Saint-Remy-le-Petit 08 ... 42 A 2
Saint-Rémy-lès-Chevreuse 78 ... 58 A 5
Saint-Rémy-l'Honoré 78 ... 57 G 4
Saint-Rémy-sous-Barbuise 10 ... 91 E 3
Saint-Remy-sous-Broyes 51 ... 61 E 5
Saint-Rémy-sur-Avre 28 ... 56 C 4
Saint-Remy-sur-Bussy 51 ... 62 C 1
Saint-Rémy-sur-Creuse 86 ... 169 H 2
Saint-Rémy-sur-Durolle 63 ... 210 C 4
Saint-Renan 29 ... 74 D 2
Saint-René 22 ... 78 C 3
Saint-Restitut 26 ... 285 E 1
Saint-Révérend 85 ... 165 E 4
Saint-Révérien 58 ... 157 F 4
Saint-Rieul 22 ... 79 E 4
Saint-Rigomer-des-Bois 72 ... 83 H 4
Saint-Rimay 41 ... 131 F 3
Saint-Riquier 80 ... 11 H 3
Saint-Riquier-en-Rivière 76 ... 21 E 2
Saint-Riquier-ès-Plains 76 ... 19 G 2
Saint-Rirand 42 ... 211 E 2
Saint-Rivoal 29 ... 76 A 3
Saint-Robert 19 ... 241 H 1
Saint-Robert 47 ... 276 C 2
Saint-Roch 37 ... 151 G 2
Saint-Roch-sur-Égrenne 61 ... 82 A 2
Saint-Rogatien 17 ... 200 C 1
Saint-Romain 16 ... 239 F 1
Saint-Romain 21 ... 177 G 2
Saint-Romain 63 ... 229 F 3
Saint-Romain 86 ... 186 C 5
Saint-Romain *Mont* 71 ... 194 D 2
Saint-Romain-au-Mont-d'Or 69 ... 213 E 4
Saint-Romain-d'Ay 07 ... 248 D 2
Saint-Romain-de-Benet 17 ... 219 E 1
Saint-Romain-de-Colbosc 76 ... 18 D 5
Saint-Romain-de-Jalionas 38 ... 213 H 5
Saint-Romain-de-Lerps 07 ... 249 E 4
Saint-Romain-de-Monpazier 24 ... 258 D 2
Saint-Romain-de-Popey 69 ... 212 C 4
Saint-Romain-de-Surieu 38 ... 231 F 4
Saint-Romain-des-Iles 71 ... 213 E 1
Saint-Romain-d'Urfé 42 ... 211 E 4
Saint-Romain-en-Gal 69 ... 231 E 3
Saint-Romain-en-Gier 69 ... 230 D 2
Saint-Romain-en-Jarez 42 ... 230 C 3
Saint-Romain-en-Viennois 84 ... 285 H 2
Saint-Romain-et-Saint-Clément 24 ... 222 D 4
Saint-Romain-la-Motte 42 ... 211 F 2
Saint-Romain-la-Virvée 33 ... 237 H 4
Saint-Romain-Lachalm 43 ... 248 A 1
Saint-Romain-le-Noble 47 ... 276 C 3
Saint-Romain-le-Preux 89 ... 113 G 5
Saint-Romain-le-Puy 42 ... 229 H 3
Saint-Romain-les-Atheux 42 ... 230 B 5
Saint-Romain-sous-Gourdon 71 ... 194 B 1
Saint-Romain-sous-Versigny 71 ... 193 H 1
Saint-Romain-sur-Cher 41 ... 153 F 3
Saint-Romain-sur-Gironde 17 ... 219 F 4
Saint-Roman 26 ... 268 B 2
Saint-Roman *Abbaye de* 30 ... 304 B 2
Saint-Roman-de-Bellet 06 ... 309 G 2
Saint-Roman-de-Codières 30 ... 283 E 5
Saint-Roman-de-Malegarde 84 ... 285 G 2
Saint-Romans 38 ... 250 A 2
Saint-Romans-des-Champs 79 ... 185 E 5
Saint-Romans-lès-Melle 79 ... 185 F 5
Saint-Rome 31 ... 318 B 3
Saint-Rome-de-Cernon 12 ... 281 G 5
Saint-Rome-de-Dolan 48 ... 282 A 2
Saint-Rome-de-Tarn 12 ... 281 F 5
Saint-Romphaire 50 ... 52 B 1
Saint-Rouin *Ermitage de* 55 ... 63 F 1
Saint-Rustice 31 ... 297 H 2
Saint-Saëns 76 ... 20 C 4
Saint-Saire 76 ... 21 E 4
Saint-Salvadou 12 ... 279 G 2
Saint-Salvadour 19 ... 224 D 5
Saint-Salvi-de-Carcavès 81 ... 300 B 2
Saint-Salvy 47 ... 275 H 2
Saint-Salvy-de-la-Balme 81 ... 299 H 5
Saint-Samson 14 ... 34 A 4
Saint-Samson 53 ... 83 E 3
Saint-Samson-de-Bonfossé 50 ... 32 A 5
Saint-Samson-de-la-Roque 27 ... 35 E 2
Saint-Samson-la-Poterie 60 ... 21 F 5
Saint-Samson-sur-Rance 22 ... 79 G 3
Saint-Sandoux 63 ... 227 H 2
Saint-Santin 12 ... 261 H 3
Saint-Santin-Cantalès 15 ... 243 H 4
Saint-Santin-de-Maurs 15 ... 261 H 3
Saint-Sardos 47 ... 275 H 1
Saint-Sardos 82 ... 297 F 1
Saint-Sardos-de-Laurenque 47 ... 258 D 4
Saint-Satur 18 ... 156 A 3
Saint-Saturnin 15 ... 245 E 1
Saint-Saturnin 16 ... 221 E 1
Saint-Saturnin 18 ... 190 A 2
Saint-Saturnin 48 ... 282 A 1
Saint-Saturnin 51 ... 90 C 2
Saint-Saturnin 63 ... 227 H 2
Saint-Saturnin 72 ... 107 G 4
Saint-Saturnin-de-Lenne 12 ... 263 G 5
Saint-Saturnin-de-Lucian 34 ... 302 A 4
Saint-Saturnin-du-Bois 17 ... 201 G 1
Saint-Saturnin-du-Limet 53 ... 127 G 2
Saint-Saturnin-lès-Apt 84 ... 286 B 5
Saint-Saturnin-lès-Avignon 84 ... 285 G 5
Saint-Saturnin-sur-Loire 49 ... 149 H 2
Saint-Saud-Lacoussière 24 ... 222 D 3
Saint-Sauflieu 80 ... 22 B 3
Saint-Saulge 58 ... 175 F 1
Saint-Saulve 59 ... 9 G 5
Saint-Saury 15 ... 261 G 1
Saint-Sauvant 17 ... 201 H 5
Saint-Sauvant 86 ... 185 H 4

Saint-Sauves-d'Auvergne 63 ... 226 D 2
Saint-Sauveur 05 ... 270 C 3
Saint-Sauveur 21 ... 160 D 2
Saint-Sauveur 29 ... 76 A 2
Saint-Sauveur 31 ... 297 H 3
Saint-Sauveur 33 ... 237 E 1
Saint-Sauveur 38 ... 250 A 2
Saint-Sauveur 54 ... 96 B 2
Saint-Sauveur 60 ... 39 F 3
Saint-Sauveur 70 ... 141 G 2
Saint-Sauveur 79 ... 167 H 3
Saint-Sauveur 80 ... 22 B 1
Saint-Sauveur *Chapelle* 64 ... 330 D 2
Saint-Sauveur-Camprieu 30 ... 282 C 4
Saint-Sauveur-d'Aunis 17 ... 183 H 5
Saint-Sauveur-de-Bergerac 24 ... 240 B 5
Saint-Sauveur-de-Carrouges 61 ... 83 F 2
Saint-Sauveur-de-Chaulieu 50 ... 52 C 4
Saint-Sauveur-de-Cruzières 07 ... 284 A 2
Saint-Sauveur-de-Flée 49 ... 128 A 3
Saint-Sauveur-de-Ginestoux 48 ... 264 D 2
Saint-Sauveur-de-Landemont 49 ... 148 B 3
Saint-Sauveur-de-Meilhan 47 ... 256 D 5
Saint-Sauveur-de-Montagut 07 ... 266 C 1
Saint-Sauveur-de-Peyre 48 ... 264 A 3
Saint-Sauveur-de-Pierrepont 50 ... 31 F 2
Saint-Sauveur-de-Puynormand 33 ... 238 D 4
Saint-Sauveur-d'Émalleville 76 ... 18 D 5
Saint-Sauveur-des-Landes 35 ... 81 E 4
Saint-Sauveur-en-Diois 26 ... 267 H 2
Saint-Sauveur-en-Puisaye 89 ... 135 G 5
Saint-Sauveur-en-Rue 42 ... 248 C 1
Saint-Sauveur-Gouvernet 26 ... 286 B 1
Saint-Sauveur-la-Pommeraye 50 ... 51 G 3
Saint-Sauveur-la-Sagne 63 ... 228 D 5
Saint-Sauveur-la-Vallée 46 ... 260 C 3
Saint-Sauveur-Lalande 24 ... 239 F 4
Saint-Sauveur-le-Vicomte 50 ... 31 G 2
Saint-Sauveur-Lendelin 50 ... 31 G 4
Saint-Sauveur-les-Bains 65 ... 333 E 4
Saint-Sauveur-lès-Bray 77 ... 89 F 4
Saint-Sauveur-Levasville 28 ... 85 H 2
Saint-Sauveur-sur-École 77 ... 88 A 3
Saint-Sauveur-sur-Tinée 06 ... 289 H 3
Saint-Sauvier 03 ... 190 B 4
Saint-Sauvy 32 ... 296 D 3
Saint-Savin 33 ... 237 H 2
Saint-Savin 38 ... 232 A 2
Saint-Savin 65 ... 332 D 2
Saint-Savin 86 ... 187 F 2
Saint-Savinien 17 ... 201 F 4
Saint-Saviol 86 ... 203 G 1
Saint-Savournin 13 ... 327 F 1
Saint-Sébastien 23 ... 188 D 4
Saint-Sébastien 38 ... 251 E 5
Saint-Sébastien *Chapelle* 29 ... 75 H 4
Saint-Sébastien-d'Aigrefeuille 30 ... 283 G 4
Saint-Sébastien-de-Morsent 27 ... 56 B 1
Saint-Sébastien-de-Raids 50 ... 31 H 4
Saint-Sébastien-sur-Loire 44 ... 147 H 4
Saint-Secondin 86 ... 186 D 4
Saint-Ségal 29 ... 75 H 4
Saint-Séglin 35 ... 103 G 5
Saint-Seine 58 ... 175 H 5
Saint-Seine-en-Bâche 21 ... 160 D 5
Saint-Seine-l'Abbaye 21 ... 159 G 2
Saint-Seine-sur-Vingeanne 21 ... 160 D 1
Saint-Selve 33 ... 255 G 2
Saint-Senier-de-Beuvron 50 ... 81 E 2
Saint-Senier-sous-Avranches 50 ... 51 H 4
Saint-Senoch 37 ... 170 B 1
Saint-Senoux 35 ... 104 A 5
Saint-Sériès 34 ... 303 F 3
Saint-Sernin 07 ... 266 B 4
Saint-Sernin 11 ... 318 C 5
Saint-Sernin 47 ... 257 F 2
Saint-Sernin-du-Bois 71 ... 177 E 3
Saint-Sernin-du-Plain 71 ... 177 F 3
Saint-Sernin-lès-Lavaur 81 ... 299 E 5
Saint-Sernin-sur-Rance 12 ... 300 B 1
Saint-Sérotin 89 ... 113 F 2
Saint-Servais 22 ... 77 E 3
Saint-Servais 29 ... 71 F 5
Saint-Servan-sur-Mer 35 ... 50 C 5
Saint-Servant 56 ... 102 C 5
Saint-Setiers 19 ... 225 G 1
Saint-Seurin-de-Bourg 33 ... 237 G 3
Saint-Seurin-de-Cadourne 33 ... 219 E 5
Saint-Seurin-de-Cursac 33 ... 237 F 2
Saint-Seurin-de-Palenne 17 ... 219 G 2
Saint-Seurin-de-Prats 24 ... 257 E 1
Saint-Seurin-d'Uzet 17 ... 219 E 3
Saint-Seurin-sur-l'Isle 33 ... 238 D 4
Saint-Sève 33 ... 256 D 3
Saint-Sever 40 ... 293 H 2
Saint-Sever-Calvados 14 ... 52 B 3
Saint-Sever-de-Rustan 65 ... 315 G 3
Saint-Sever-de-Saintonge 17 ... 219 H 1
Saint-Sever-du-Moustier 12 ... 300 C 3
Saint-Séverin 16 ... 221 F 5
Saint-Séverin-d'Estissac 24 ... 239 H 3
Saint-Séverin-sur-Boutonne 17 ... 201 H 2
Saint-Siffret 30 ... 284 C 5
Saint-Sigismond 45 ... 110 C 5
Saint-Sigismond 49 ... 148 D 1
Saint-Sigismond 74 ... 216 C 1
Saint-Sigismond 85 ... 184 B 4
Saint-Sigismond-de-Clermont 17 ... 219 G 4
Saint-Silvain-Bas-le-Roc 23 ... 190 A 4
Saint-Silvain-Bellegarde 23 ... 207 H 3
Saint-Silvain-Montaigut 23 ... 206 D 1
Saint-Silvain-sous-Toulx 23 ... 190 A 5
Saint-Siméon 27 ... 35 F 3
Saint-Siméon 61 ... 82 A 3
Saint-Siméon 77 ... 60 A 4
Saint-Siméon-de-Bressieux 38 ... 232 A 5
Saint-Simeux 16 ... 220 D 2
Saint-Simon 02 ... 24 A 3
Saint-Simon 15 ... 244 C 4
Saint-Simon 16 ... 220 D 2
Saint-Simon 46 ... 261 E 2
Saint-Simon-de-Bordes 17 ... 219 H 4
Saint-Simon-de-Pellouaille 17 ... 219 F 2
Saint-Sixt 74 ... 216 A 2
Saint-Sixte 42 ... 211 G 5
Saint-Sixte 47 ... 276 C 4
Saint-Solen 22 ... 79 H 4
Saint-Solve 19 ... 241 H 1
Saint-Sorlin 69 ... 230 D 2
Saint-Sorlin-d'Arves 73 ... 251 H 1
Saint-Sorlin-de-Conac 17 ... 219 F 5
Saint-Sorlin-de-Morestel 38 ... 232 B 2
Saint-Sorlin-de-Vienne 38 ... 231 F 3
Saint-Sorlin-en-Bugey 01 ... 214 A 4
Saint-Sorlin-en-Valloire 26 ... 231 F 5
Saint-Sornin 03 ... 191 G 3
Saint-Sornin 16 ... 221 H 1
Saint-Sornin 17 ... 200 D 5
Saint-Sornin 85 ... 182 D 2
Saint-Sornin-la-Marche 87 ... 205 E 1
Saint-Sornin-Lavolps 19 ... 223 H 5
Saint-Sornin-Leulac 87 ... 205 H 1
Saint-Soulan 32 ... 316 D 2
Saint-Souplet 59 ... 14 D 5
Saint-Souplet-sur-Py 51 ... 42 B 4
Saint-Soupplets 77 ... 59 F 1
Saint-Sozy 46 ... 242 C 5
Saint-Stail 88 ... 96 C 3
Saint-Suliac 35 ... 79 H 3
Saint-Sulpice 01 ... 195 G 4
Saint-Sulpice 46 ... 260 D 4
Saint-Sulpice 49 ... 149 H 2
Saint-Sulpice 53 ... 106 A 5
Saint-Sulpice 58 ... 174 D 1
Saint-Sulpice 60 ... 38 A 3
Saint-Sulpice 63 ... 226 D 2
Saint-Sulpice 70 ... 141 H 5
Saint-Sulpice 73 ... 233 E 2
Saint-Sulpice-d'Arnoult 17 ... 201 E 5
Saint-Sulpice-de-Cognac 16 ... 202 B 5
Saint-Sulpice-de-Faleyrens 33 ... 238 C 5
Saint-Sulpice-de-Favières 91 ... 87 G 3
Saint-Sulpice-de-Grimbouville 27 ... 35 E 2
Saint-Sulpice-de-Guilleragues 33 ... 257 E 3
Saint-Sulpice-de-Mareuil 24 ... 221 H 4
Saint-Sulpice-de-Pommeray 41 ... 132 A 5
Saint-Sulpice-de-Pommiers 33 ... 256 C 2
Saint-Sulpice-de-Roumagnac 24 ... 239 G 2
Saint-Sulpice-de-Royan 17 ... 218 D 1
Saint-Sulpice-de-Ruffec 16 ... 203 G 3
Saint-Sulpice-des-Landes 35 ... 126 C 3
Saint-Sulpice-des-Landes 44 ... 127 F 5
Saint-Sulpice-des-Rivoires 38 ... 232 C 3
Saint-Sulpice-d'Excideuil 24 ... 223 E 5
Saint-Sulpice-en-Pareds 85 ... 183 H 1
Saint-Sulpice-et-Cameyrac 33 ... 237 H 5
Saint-Sulpice-la-Forêt 35 ... 104 C 2
Saint-Sulpice-la-Pointe 81 ... 298 B 3
Saint-Sulpice-Laurière 87 ... 206 B 2
Saint-Sulpice-le-Dunois 23 ... 189 E 5
Saint-Sulpice-le-Guérétois 23 ... 207 E 1
Saint-Sulpice-le-Verdon 85 ... 165 H 2
Saint-Sulpice-les-Bois 19 ... 225 G 2
Saint-Sulpice-les-Champs 23 ... 207 F 3
Saint-Sulpice-les-Feuilles 87 ... 188 B 4
Saint-Sulpice-sur-Lèze 31 ... 317 H 4
Saint-Sulpice-sur-Risle 61 ... 55 F 4
Saint-Supplet 54 ... 44 D 3
Saint-Sylvain 14 ... 53 H 1
Saint-Sylvain 19 ... 243 E 2
Saint-Sylvain 76 ... 19 G 2
Saint-Sylvain-d'Anjou 49 ... 149 H 1
Saint-Sylvestre 07 ... 249 E 4
Saint-Sylvestre 74 ... 215 F 4
Saint-Sylvestre 87 ... 205 H 3
Saint-Sylvestre-Cappel 59 ... 3 H 5
Saint-Sylvestre-de-Cormeilles 27 ... 35 E 4
Saint-Sylvestre-Pragoulin 63 ... 210 B 2
Saint-Sylvestre-sur-Lot 47 ... 276 D 1
Saint-Symphorien 04 ... 287 G 2
Saint-Symphorien 18 ... 173 E 4
Saint-Symphorien 27 ... 35 E 3
Saint-Symphorien 33 ... 255 G 5
Saint-Symphorien 35 ... 80 A 5
Saint-Symphorien 37 ... 151 H 2
Saint-Symphorien 48 ... 264 D 1
Saint-Symphorien 72 ... 107 F 4
Saint-Symphorien 79 ... 184 D 5
Saint-Symphorien-d'Ancelles 71 ... 194 D 5
Saint-Symphorien-de-Lay 42 ... 211 H 3
Saint-Symphorien-de-Mahun 07 ... 248 C 2
Saint-Symphorien-de-Marmagne 71 ... 176 D 3
Saint-Symphorien-de-Thénières 12 ... 263 E 2
Saint-Symphorien-des-Bois 71 ... 194 A 4
Saint-Symphorien-des-Bruyères 61 ... 55 F 4
Saint-Symphorien-des-Monts 50 ... 81 G 2
Saint-Symphorien-d'Ozon 69 ... 231 E 2
Saint-Symphorien-le-Valois 50 ... 31 F 3
Saint-Symphorien-les-Buttes 50 ... 52 C 1
Saint-Symphorien-sous-Chomérac 07 ... 267 E 2
Saint-Symphorien-sur-Coise 69 ... 230 B 2
Saint-Symphorien-sur-Couze 87 ... 205 G 2
Saint-Symphorien-sur-Saône 21 ... 160 C 5
Saint-Thégonnec-Loc-Eguiner 29 ... 71 G 5
Saint-Thélo 22 ... 102 A 1
Saint-Théodorit 30 ... 303 F 1
Saint-Théoffrey 38 ... 251 E 4
Saint-Thibaud-de-Couz 73 ... 233 E 3
Saint-Thibault 10 ... 115 E 2
Saint-Thibault 18 ... 156 A 3
Saint-Thibault 21 ... 159 E 2
Saint-Thibault 60 ... 21 G 4
Saint-Thibault-des-Vignes 77 ... 59 E 3
Saint-Thibaut 02 ... 40 D 3
Saint-Thibéry 34 ... 322 C 4
Saint-Thiébaud 39 ... 179 H 2
Saint-Thiébault 52 ... 117 H 2
Saint-Thierry 51 ... 41 G 3
Saint-Thois 29 ... 76 A 5
Saint-Thomas 02 ... 41 E 1
Saint-Thomas 31 ... 297 F 5
Saint-Thomas *Col de* 42 ... 211 E 4
Saint-Thomas-de-Conac 17 ... 219 F 4
Saint-Thomas-de-Courceriers 53 ... 82 D 5
Saint-Thomas-en-Argonne 51 ... 43 E 4
Saint-Thomas-en-Royans 26 ... 250 A 3
Saint-Thomas-la-Garde 42 ... 229 G 3
Saint-Thomé 07 ... 266 D 4
Saint-Thonan 29 ... 70 D 5
Saint-Thual 35 ... 79 H 5
Saint-Thurial 35 ... 103 H 4
Saint-Thuriau 56 ... 101 H 3
Saint-Thurien 27 ... 35 F 2
Saint-Thurien 29 ... 100 C 3
Saint-Thurin 42 ... 211 F 5
Saint-Thyrse *Chapelle* 04 ... 308 A 1
Saint-Tricat 62 ... 2 C 3
Saint-Trimoël 22 ... 78 D 4
Saint-Trinit 84 ... 286 C 3
Saint-Trivier-de-Courtes 01 ... 195 G 2
Saint-Trivier-sur-Moignans 01 ... 213 F 2
Saint-Trojan 33 ... 237 G 3
Saint-Trojan-les-Bains 17 ... 200 B 4
Saint-Tropez 83 ... 329 G 2
Saint-Tugdual 56 ... 101 E 2
Saint-Tugen 29 ... 98 D 2
Saint-Ulphace 72 ... 108 D 3
Saint-Ulrich 68 ... 143 E 3
Saint-Uniac 35 ... 103 G 2
Saint-Urbain 29 ... 75 G 2
Saint-Urbain 85 ... 164 D 2
Saint-Urbain-sur-Marne 52 ... 93 E 4
Saint-Urcisse 47 ... 276 D 3
Saint-Urcisse 81 ... 298 B 1
Saint-Urcize 15 ... 263 G 2
Saint-Ursin 50 ... 51 G 3
Saint-Usage 10 ... 116 A 3
Saint-Usage 21 ... 160 C 5
Saint-Usuge 71 ... 178 C 5
Saint-Utin 51 ... 91 H 2
Saint-Uze 26 ... 249 F 2
Saint-Vaast-de-Longmont 60 ... 39 F 3
Saint-Vaast-d'Équiqueville 76 ... 20 C 2
Saint-Vaast-Dieppedalle 76 ... 19 G 3
Saint-Vaast-du-Val 76 ... 20 A 4
Saint-Vaast-en-Auge 14 ... 34 B 3
Saint-Vaast-en-Cambrésis 59 ... 14 C 3
Saint-Vaast-en-Chaussée 80 ... 22 B 1
Saint-Vaast-la-Hougue 50 ... 29 H 3
Saint-Vaast-lès-Mello 60 ... 38 C 4
Saint-Vaast-sur-Seulles 14 ... 33 E 5
Saint-Vaize 17 ... 201 G 5
Saint-Valbert 70 ... 142 B 3
Saint-Valentin 36 ... 172 A 2
Saint-Valérien 85 ... 183 H 2
Saint-Valérien 89 ... 113 E 3
Saint-Valery 60 ... 21 F 3
Saint-Valery-en-Caux 76 ... 19 G 2
Saint-Valery-sur-Somme 80 ... 11 F 2
Saint-Vallerin 71 ... 177 G 5
Saint-Vallier 16 ... 238 D 1
Saint-Vallier 26 ... 249 E 2
Saint-Vallier 71 ... 194 A 1
Saint-Vallier 88 ... 95 E 5
Saint-Vallier-de-Thiey 06 ... 308 D 2
Saint-Vallier-sur-Marne 52 ... 139 H 2
Saint-Varent 79 ... 168 A 3
Saint-Vaury 23 ... 206 D 1
Saint-Venant 62 ... 7 H 2
Saint-Venec *Chapelle* 29 ... 75 H 5
Saint-Vénérand 43 ... 246 D 5
Saint-Vérain 58 ... 156 B 1
Saint-Véran 05 ... 271 F 1
Saint-Vérand 38 ... 250 A 2
Saint-Vérand 69 ... 212 C 4
Saint-Vérand 71 ... 194 D 5
Saint-Vert 43 ... 228 C 5
Saint-Viance 19 ... 242 B 2
Saint-Viâtre 41 ... 154 B 1
Saint-Viaud 44 ... 146 D 3
Saint-Victeur 72 ... 83 G 5
Saint-Victor 03 ... 190 D 4
Saint-Victor 07 ... 248 D 3
Saint-Victor 15 ... 243 H 4
Saint-Victor 24 ... 239 H 1
Saint-Victor-de-Buthon 28 ... 85 F 4
Saint-Victor-de-Cessieu 38 ... 232 B 3
Saint-Victor-de-Chrétienville 27 ... 55 E 1
Saint-Victor-de-Malcap 30 ... 284 A 2
Saint-Victor-de-Morestel 38 ... 232 B 1
Saint-Victor-de-Réno 61 ... 84 D 3
Saint-Victor-d'Épine 27 ... 35 F 4
Saint-Victor-des-Oules 30 ... 284 C 4
Saint-Victor-en-Marche 23 ... 207 E 2
Saint-Victor-et-Melvieu 12 ... 281 F 5
Saint-Victor-la-Coste 30 ... 284 D 4
Saint-Victor-la-Rivière 63 ... 227 F 3
Saint-Victor-l'Abbaye 76 ... 20 B 4
Saint-Victor-Malescours 43 ... 248 A 1
Saint-Victor-Montvianeix 63 ... 210 D 4
Saint-Victor-Rouzaud 09 ... 336 A 1
Saint-Victor-sur-Arlanc 43 ... 229 E 5
Saint-Victor-sur-Avre 27 ... 55 H 5
Saint-Victor-sur-Loire 42 ... 230 A 4
Saint-Victor-sur-Ouche 21 ... 159 G 4
Saint-Victor-sur-Rhins 42 ... 212 A 3
Saint-Victoret 13 ... 326 C 1
Saint-Victour 19 ... 226 B 4
Saint-Victurnien 87 ... 205 E 4
Saint-Vidal 43 ... 247 E 3
Saint-Vigor 27 ... 56 C 1
Saint-Vigor-des-Mézerets 14 ... 53 E 2
Saint-Vigor-des-Monts 50 ... 52 B 2
Saint-Vigor-d'Ymonville 76 ... 34 D 1
Saint-Vigor-le-Grand 14 ... 33 E 3
Saint-Vincent 31 ... 318 C 2
Saint-Vincent 43 ... 247 F 2
Saint-Vincent 63 ... 227 H 3
Saint-Vincent 64 ... 314 C 5
Saint-Vincent 82 ... 278 B 3
Saint-Vincent-Bragny 71 ... 193 H 2
Saint-Vincent-Cramesnil 76 ... 34 D 1
Saint-Vincent-de-Barbeyrargues 34 ... 302 D 3
Saint-Vincent-de-Barrès 07 ... 267 E 3
Saint-Vincent-de-Boisset 42 ... 211 H 3
Saint-Vincent-de-Connezac 24 ... 239 H 2
Saint-Vincent-de-Cosse 24 ... 259 F 1
Saint-Vincent-de-Durfort 07 ... 266 D 1
Saint-Vincent-de-Lamontjoie 47 ... 275 H 4
Saint-Vincent-de-Mercuze 38 ... 233 F 4
Saint-Vincent-de-Paul 33 ... 237 H 4
Saint-Vincent-de-Paul 40 ... 293 E 2
Saint-Vincent-de-Pertignas 33 ... 256 C 1
Saint-Vincent-de-Reins 69 ... 212 B 2
Saint-Vincent-de-Salers 15 ... 244 C 2
Saint-Vincent-de-Tyrosse 40 ... 292 B 3
Saint-Vincent-des-Bois 27 ... 56 D 1
Saint-Vincent-des-Landes 44 ... 126 D 4
Saint-Vincent-des-Prés 71 ... 194 C 2
Saint-Vincent-des-Prés 72 ... 84 A 5
Saint-Vincent-d'Olargues 34 ... 300 D 5
Saint-Vincent-du-Boulay 27 ... 35 E 5
Saint-Vincent-du-Lorouër 72 ... 130 C 2
Saint-Vincent-du-Pendit 46 ... 261 E 1
Saint-Vincent-en-Bresse 71 ... 178 B 5
Saint-Vincent-Jalmoutiers 24 ... 239 F 2
Saint-Vincent-la-Châtre 79 ... 185 G 5
Saint-Vincent-la-Commanderie 26 ... 249 H 4
Saint-Vincent-le-Paluel 24 ... 241 G 5
Saint-Vincent-les-Forts 04 ... 270 B 4
Saint-Vincent-Lespinasse 82 ... 277 E 4
Saint-Vincent-Puymaufrais 85 ... 183 F 1
Saint-Vincent-Rive-d'Olt 46 ... 259 G 5
Saint-Vincent-Sterlanges 85 ... 166 C 4
Saint-Vincent-sur-Graon 85 ... 182 D 2
Saint-Vincent-sur-Jabron 04 ... 287 E 3
Saint-Vincent-sur-Jard 85 ... 182 C 3
Saint-Vincent-sur-l'Isle 24 ... 240 D 1
Saint-Vincent-sur-Oust 56 ... 125 G 3
Saint-Vinnemer 89 ... 137 F 2
Saint-Vit 25 ... 161 G 4
Saint-Vital 73 ... 234 A 1
Saint-Vite 47 ... 259 E 5
Saint-Vitte 18 ... 190 C 2
Saint-Vitte-sur-Briance 87 ... 224 C 2
Saint-Vivien 17 ... 200 D 2
Saint-Vivien 24 ... 239 E 5
Saint-Vivien-de-Blaye 33 ... 237 G 2
Saint-Vivien-de-Médoc 33 ... 218 C 4
Saint-Vivien-de-Monségur 33 ... 257 E 3
Saint-Voir 03 ... 192 C 3
Saint-Vougay 29 ... 71 F 4
Saint-Vrain 51 ... 63 E 5
Saint-Vrain 91 ... 87 H 3
Saint-Vran 22 ... 102 D 1
Saint-Vulbas 01 ... 214 A 4
Saint-Waast 59 ... 15 F 2
Saint-Wandrille-Rançon 76 ... 35 G 1
Saint-Witz 95 ... 58 D 1
Saint-Xandre 17 ... 183 F 5
Saint-Yaguen 40 ... 293 G 1
Saint-Yan 71 ... 193 G 3
Saint-Ybard 19 ... 224 B 4
Saint-Ybars 09 ... 317 H 5
Saint-Ylie 39 ... 178 D 1
Saint-Yon 91 ... 87 G 2
Saint-Yorre 03 ... 210 C 2
Saint-Yrieix-la-Montagne 23 ... 207 F 4
Saint-Yrieix-la-Perche 87 ... 223 G 3
Saint-Yrieix-le-Déjalat 19 ... 225 F 4
Saint-Yrieix-les-Bois 23 ... 207 F 2
Saint-Yrieix-sous-Aixe 87 ... 205 F 4
Saint-Yrieix-sur-Charente 16 ... 221 E 1
Saint-Ythaire 71 ... 194 C 1
Saint-Yvi 29 ... 100 A 3
Saint-Yvoine 63 ... 228 A 2
Saint-Yzan-de-Soudiac 33 ... 237 H 2
Saint-Yzans-de-Médoc 33 ... 219 E 5
Saint-Zacharie 83 ... 327 G 1
Sainte-Adresse 76 ... 34 B 1
Sainte-Agathe 63 ... 210 D 5
Sainte-Agathe-d'Aliermont 76 ... 20 C 2
Sainte-Agathe-en-Donzy 42 ... 212 A 5
Sainte-Agathe-la-Bouteresse 42 ... 229 G 1
Sainte-Agnès 06 ... 291 G 5
Sainte-Agnès 38 ... 251 F 1
Sainte-Agnès 39 ... 196 B 1
Sainte-Alauzie 46 ... 277 H 2
Sainte-Alvère-Saint-Laurent 24 ... 240 D 5
Sainte-Anastasie 15 ... 245 G 2
Sainte-Anastasie 30 ... 303 H 1
Sainte-Anastasie-sur-Issole 83 ... 328 C 2
Sainte-Anne 04 ... 271 E 4
Sainte-Anne 25 ... 180 A 2
Sainte-Anne 32 ... 297 E 3
Sainte-Anne 41 ... 131 G 3
Sainte-Anne-d'Auray 56 ... 124 A 3
Sainte-Anne-d'Evenos 83 ... 327 H 4
Sainte-Anne-du-Castellet 83 ... 327 H 3
Sainte-Anne-la-Condamine 04 ... 271 E 4
Sainte-Anne-la-Palud 29 ... 75 G 5
Sainte-Anne-Saint-Priest 87 ... 224 D 1
Sainte-Anne-sur-Brivet 44 ... 146 D 1
Sainte-Anne-sur-Gervonde 38 ... 231 H 3
Sainte-Anne-sur-Vilaine 35 ... 126 B 3
Sainte-Aulde 77 ... 60 A 2
Sainte-Aurence-Cazaux 32 ... 315 H 3

Sainte-Austreberthe 62 ... 7 E5
Sainte-Austreberthe 76 ... 20 A5
Sainte-Avoye 56 ... 124 A3
Sainte-Barbe 57 ... 46 B5
Sainte-Barbe 88 ... 95 H3
Sainte-Barbe *Alignements de* 56 ... 100 D3
Sainte-Barbe-sur-Gaillon 27 ... 36 C5
Sainte-Baume *Gorge de la* 07 ... 266 D5
La Sainte-Baume *Massif de* 93 ... 327 G2
Sainte-Bazeille 47 ... 257 E4
Sainte-Beuve-en-Rivière 76 ... 21 E3
Sainte-Blandine 38 ... 232 B2
Sainte-Blandine 79 ... 185 F5
Sainte-Brigitte 56 ... 77 G5
Sainte-Camelle 11 ... 318 C4
Sainte-Catherine 62 ... 13 G2
Sainte-Catherine 63 ... 228 C4
Sainte-Catherine 69 ... 230 C2
Sainte-Catherine-de-Fierbois 37 ... 151 H5
Sainte-Cécile 36 ... 153 H5
Sainte-Cécile 50 ... 52 A3
Sainte-Cécile 71 ... 194 C3
Sainte-Cécile 85 ... 166 B4
Sainte-Cécile-d'Andorge 30 ... 283 G2
Sainte-Cécile-du-Cayrou 81 ... 278 D5
Sainte-Cécile-les-Vignes 84 ... 285 F2
Sainte-Céronne-lès-Mortagne 61 ... 84 B2
Sainte-Cérotte 72 ... 130 D2
Sainte-Christie 32 ... 296 B3
Sainte-Christie-d'Armagnac 32 ... 295 E2
Sainte-Christine 49 ... 149 E3
Sainte-Christine 63 ... 209 F2
Sainte-Christine 85 ... 184 C4
Sainte-Christine *Chapelle* 29 ... 75 F3
Sainte-Colombe 05 ... 286 D1
Sainte-Colombe 16 ... 203 G5
Sainte-Colombe 17 ... 238 B1
Sainte-Colombe 25 ... 180 C2
Sainte-Colombe 33 ... 238 D5
Sainte-Colombe 35 ... 104 C5
Sainte-Colombe 40 ... 293 H3
Sainte-Colombe 46 ... 261 F2
Sainte-Colombe 50 ... 29 F5
Sainte-Colombe 69 ... 231 F3
Sainte-Colombe 76 ... 19 G3
Sainte-Colombe 77 ... 89 G3
Sainte-Colombe 89 ... 137 E5
Sainte-Colombe-de-Duras 47 ... 257 E2
Sainte-Colombe-de-la-Commanderie 66 ... 342 D3
Sainte-Colombe-de-Peyre 48 ... 264 A2
Sainte-Colombe-de-Villeneuve 47 ... 276 B1
Sainte-Colombe-des-Bois 58 ... 156 C3
Sainte-Colombe-en-Auxois 21 ... 159 E2
Sainte-Colombe-en-Bruilhois 47 ... 275 H3
Sainte-Colombe-la-Commanderie 27 ... 36 A5
Sainte-Colombe-près-Vernon 27 ... 36 C5
Sainte-Colombe-sur-Gand 42 ... 212 A4
Sainte-Colombe-sur-Guette 11 ... 337 G5
Sainte-Colombe-sur-l'Hers 11 ... 337 E3
Sainte-Colombe-sur-Loing 89 ... 135 G5
Sainte-Colombe-sur-Seine 21 ... 138 A2
Sainte-Colome 64 ... 332 A1
Sainte-Consorce 69 ... 212 D5
Sainte-Croix 01 ... 213 G4
Sainte-Croix 02 ... 41 E1
Sainte-Croix 12 ... 261 F5
Sainte-Croix 24 ... 258 D2
Sainte-Croix 26 ... 268 A1
Sainte-Croix 46 ... 277 F1
Sainte-Croix 71 ... 195 H1
Sainte-Croix 81 ... 279 G5
Sainte-Croix *Barrage de* 83 ... 307 F2
Sainte-Croix *Prieuré de* 60 ... 39 G2
Sainte-Croix-à-Lauze 04 ... 306 B1
Sainte-Croix-aux-Mines 68 ... 96 D5
Sainte-Croix-de-Caderle 30 ... 283 F4
Sainte-Croix-de-Mareuil 24 ... 221 H4
Sainte-Croix-de-Quintillargues 34 ... 302 D3
Sainte-Croix-du-Mont 33 ... 256 B3
Sainte-Croix-du-Verdon 04 ... 307 F2
Sainte-Croix-en-Jarez 42 ... 230 D3
Sainte-Croix-en-Plaine 68 ... 121 E3
Sainte-Croix-Grand-Tonne 14 ... 33 F4
Sainte-Croix-Hague 50 ... 28 D3
Sainte-Croix-sur-Aizier 27 ... 35 F2
Sainte-Croix-sur-Buchy 76 ... 20 D5
Sainte-Croix-sur-Mer 14 ... 33 F3
Sainte-Croix-sur-Orne 61 ... 53 G4
Sainte-Croix-Vallée-Française 48 ... 283 E3
Sainte-Croix-Volvestre 09 ... 335 F1
Sainte-Dode 32 ... 315 H2
Sainte-Eanne 79 ... 185 G3
Sainte-Engrâce 64 ... 331 F3
Sainte-Enimie 48 ... 282 B1
Sainte-Eugénie-de-Villeneuve 43 ... 246 D2
Sainte-Eugienne 50 ... 51 H4
Sainte-Eulalie 07 ... 265 H1
Sainte-Eulalie 11 ... 319 G5
Sainte-Eulalie 15 ... 244 B3
Sainte-Eulalie 33 ... 237 H5
Sainte-Eulalie 48 ... 264 C1
Sainte-Eulalie-d'Ans 24 ... 241 E1
Sainte-Eulalie-de-Cernon 12 ... 281 H5
Sainte-Eulalie-d'Eymet 24 ... 257 G2
Sainte-Eulalie-d'Olt 12 ... 263 G5
Sainte-Eulalie-en-Born 40 ... 272 C2
Sainte-Eulalie-en-Royans 26 ... 250 A3
Sainte-Euphémie 01 ... 213 E3
Sainte-Euphémie-sur-Ouvèze 26 ... 286 B1
Sainte-Eusoye 60 ... 22 B5
Sainte-Fauste 36 ... 172 A3
Sainte-Féréole 19 ... 242 C1
Sainte-Feyre 23 ... 207 E1
Sainte-Feyre-la-Montagne 23 ... 207 H4
Sainte-Flaive-des-Loups 85 ... 165 G5
Sainte-Florence 33 ... 256 D1
Sainte-Florence 85 ... 166 B3
Sainte-Florine 43 ... 228 A4
Sainte-Foi 09 ... 336 D1
Sainte-Fortunade 19 ... 242 D2
Sainte-Foy 40 ... 294 B1
Sainte-Foy 71 ... 193 H5
Sainte-Foy 76 ... 20 B3
Sainte-Foy 85 ... 182 B1
Sainte-Foy-d'Aigrefeuille 31 ... 298 B5
Sainte-Foy-de-Belvès 24 ... 259 E2
Sainte-Foy-de-Longas 24 ... 240 C5
Sainte-Foy-de-Montgommery 14 ... 54 C2
Sainte-Foy-de-Peyrolières 31 ... 317 F2
Sainte-Foy-des-Vignes 24 ... 239 H5
Sainte-Foy-la-Grande 33 ... 257 F1
Sainte-Foy-la-Longue 33 ... 256 C3
Sainte-Foy-l'Argentière 69 ... 230 B1
Sainte-Foy-lès-Lyon 69 ... 231 E1
Sainte-Foy-Saint-Sulpice 42 ... 211 H5
Sainte-Foy-Tarentaise 73 ... 235 E1
Sainte-Gauburge 61 ... 84 C5
Sainte-Gauburge-Sainte-Colombe 61 ... 55 E5
Sainte-Gemme 17 ... 201 E5
Sainte-Gemme 32 ... 296 C2
Sainte-Gemme 33 ... 257 E3
Sainte-Gemme 36 ... 171 E3
Sainte-Gemme 51 ... 40 D5
Sainte-Gemme 79 ... 168 A3
Sainte-Gemme 81 ... 279 H4
Sainte-Gemme-en-Sancerrois 18 ... 155 H2
Sainte-Gemme-la-Plaine 85 ... 183 F2
Sainte-Gemme-Martaillac 47 ... 275 E1
Sainte-Gemme-Moronval 28 ... 56 D4
Sainte-Gemmes 41 ... 132 A3
Sainte-Gemmes-d'Andigné 49 ... 128 A4
Sainte-Gemmes-le-Robert 53 ... 106 D2
Sainte-Gemmes-sur-Loire 49 ... 149 G2
Sainte-Geneviève 02 ... 25 G3
Sainte-Geneviève 50 ... 29 G3
Sainte-Geneviève 54 ... 65 G3
Sainte-Geneviève 60 ... 38 B3
Sainte-Geneviève 76 ... 20 D4
Sainte-Geneviève-des-Bois 45 ... 134 D3
Sainte-Geneviève-des-Bois 91 ... 87 H2
Sainte-Geneviève-lès-Gasny 27 ... 57 E1
Sainte-Geneviève-sur-Argence 12 ... 263 E1
Sainte-Hélène 33 ... 236 D4
Sainte-Hélène 48 ... 264 D4
Sainte-Hélène 56 ... 123 G2
Sainte-Hélène 71 ... 177 F4
Sainte-Hélène 88 ... 95 H5
Sainte-Hélène-Bondeville 76 ... 19 E3
Sainte-Hélène-du-Lac 73 ... 233 G3
Sainte-Hélène-sur-Isère 73 ... 234 A1
Sainte-Hermine 85 ... 183 G1
Sainte-Honorine-de-Ducy 14 ... 32 D5
Sainte-Honorine-des-Pertes 14 ... 32 D2
Sainte-Honorine-du-Fay 14 ... 33 F5
Sainte-Honorine-la-Chardonne 61 ... 53 F3
Sainte-Honorine-la-Guillaume 61 ... 53 G4
Sainte-Innocence 24 ... 257 G2
Sainte-Jalle 26 ... 286 A1
Sainte-Jamme-sur-Sarthe 72 ... 107 H3
Sainte-Julie 01 ... 214 A4
Sainte-Juliette 82 ... 277 F2
Sainte-Juliette-sur-Viaur 12 ... 280 C3
Sainte-Léocadie 66 ... 341 F5
Sainte-Lheurine 17 ... 220 B3
Sainte-Livière 52 ... 92 B2
Sainte-Livrade 31 ... 297 F4
Sainte-Livrade-sur-Lot 47 ... 276 B1
Sainte-Lizaigne 36 ... 172 B2
Sainte-Luce 38 ... 251 F5
Sainte-Luce-sur-Loire 44 ... 147 H3
Sainte-Lucie-de-Porto-Vecchio 2A ... 349 G5
Sainte-Lucie-de-Tallano 2A ... 349 E5
Sainte-Lunaise 18 ... 173 E3
Sainte-Magnance 89 ... 158 B2
Sainte-Marguerite 43 ... 246 D2
Sainte-Marguerite 88 ... 96 B5
Sainte-Marguerite *Île* 06 ... 309 F4
Sainte-Marguerite *Presqu'île de* 29 ... 70 C4
Sainte-Marguerite-de-Carrouges 61 ... 83 E2
Sainte-Marguerite-de-l'Autel 27 ... 55 H3
Sainte-Marguerite-de-Viette 14 ... 54 B1
Sainte-Marguerite-d'Elle 14 ... 32 B4
Sainte-Marguerite-des-Loges 14 ... 54 C1
Sainte-Marguerite-en-Ouche 27 ... 55 F1
Sainte-Marguerite-Lafigère 07 ... 265 G5
Sainte-Marguerite-sur-Duclair 76 ... 35 H1
Sainte-Marguerite-sur-Fauville 76 ... 19 F4
Sainte-Marguerite-sur-Mer 76 ... 10 A5
Sainte-Marie 05 ... 268 C4
Sainte-Marie 08 ... 42 D2
Sainte-Marie 15 ... 245 F5
Sainte-Marie 16 ... 239 E1
Sainte-Marie 25 ... 142 B4
Sainte-Marie 32 ... 296 D4
Sainte-Marie 35 ... 125 H3
Sainte-Marie 44 ... 146 C5
Sainte-Marie 58 ... 175 E1
Sainte-Marie 65 ... 334 B2
Sainte-Marie 66 ... 339 E5
Sainte-Marie *Col de* 88 ... 96 C5
Sainte-Marie-à-Py 51 ... 42 C4
Sainte-Marie-au-Bosc 76 ... 18 C4
Sainte-Marie-aux-Anglais 14 ... 54 B1
Sainte-Marie-aux-Chênes 57 ... 45 F5
Sainte-Marie-aux-Mines 68 ... 96 D5
Sainte-Marie-Cappel 59 ... 3 H5
Sainte-Marie-d'Alloix 38 ... 233 F4
Sainte-Marie-d'Alvey 73 ... 232 D2
Sainte-Marie-d'Attez 27 ... 56 A4
Sainte-Marie-de-Campan 65 ... 333 F2
Sainte-Marie-de-Chignac 24 ... 240 D2
Sainte-Marie-de-Cuines 73 ... 234 A5
Sainte-Marie-de-Gosse 40 ... 292 C4
Sainte-Marie-de-Ré 17 ... 200 B1
Sainte-Marie-de-Vars 05 ... 270 D3
Sainte-Marie-de-Vatimesnil 27 ... 37 E4
Sainte-Marie-de-Vaux 87 ... 205 F4
Sainte-Marie-des-Champs 76 ... 19 G5
Sainte-Marie-des-Chazes 43 ... 246 D3
Sainte-Marie-du-Bois 50 ... 81 H2
Sainte-Marie-du-Bois 53 ... 82 C3
Sainte-Marie-du-Lac-Nuisement 51 ... 92 B2
Sainte-Marie du Ménez-Hom *Chapelle* 29 ... 75 G4
Sainte-Marie-du-Mont 38 ... 233 F4
Sainte-Marie-du-Mont 50 ... 32 A2
Sainte-Marie-en-Chanois 70 ... 141 H2
Sainte-Marie-en-Chaux 70 ... 141 G2
Sainte-Marie-Kerque 62 ... 3 E3
Sainte-Marie-la-Blanche 21 ... 177 H2
Sainte-Marie-la-Robert 61 ... 53 H5
Sainte-Marie-Lapanouze 19 ... 226 B4
Sainte-Marie-Laumont 14 ... 52 C2
Sainte-Marie-Outre-l'Eau 14 ... 52 B2
Sainte-Marie-sur-Ouche 21 ... 159 G3
Sainte-Marine 29 ... 99 G4
Sainte-Marthe 27 ... 55 H2
Sainte-Marthe 47 ... 257 E5
Sainte-Maure 10 ... 90 D5
Sainte-Maure-de-Peyriac 47 ... 275 E5
Sainte-Maure-de-Touraine 37 ... 151 H5
Sainte-Maxime 83 ... 329 G2
Sainte-Même 17 ... 201 H4
Sainte-Menehould 51 ... 43 E5
Sainte-Mère 32 ... 276 B5
Sainte-Mère-Église 50 ... 29 G5
Sainte-Mesme 78 ... 87 E3
Sainte-Mondane 24 ... 259 H1
Sainte-Montaine 18 ... 155 E1
Sainte-Nathalène 24 ... 241 G5
Sainte-Néomaye 79 ... 185 F3
Sainte-Odile *Mont* 67 ... 97 E3
Sainte-Olive 01 ... 213 F2
Sainte-Opportune 61 ... 53 F4
Sainte-Opportune-du-Bosc 27 ... 35 H5
Sainte-Opportune-la-Mare 27 ... 35 F2
Sainte-Orse 24 ... 241 F2
Sainte-Osmane 72 ... 130 D2
Sainte-Ouenne 79 ... 184 D3
Sainte-Pallaye 89 ... 136 C5
Sainte-Paule 69 ... 212 C3
Sainte-Pazanne 44 ... 147 E5
Sainte-Pexine 85 ... 183 F1
Sainte-Pezenne 79 ... 184 D4
Sainte-Pience 50 ... 51 H4
Sainte-Pôle 54 ... 96 A2
Sainte-Preuve 02 ... 25 F5
Sainte-Radegonde 12 ... 280 D1
Sainte-Radegonde 17 ... 201 E4
Sainte-Radegonde 24 ... 258 C2
Sainte-Radegonde 32 ... 296 B2
Sainte-Radegonde 33 ... 256 D1
Sainte-Radegonde 71 ... 176 B5
Sainte-Radegonde 79 ... 168 A2
Sainte-Radégonde 86 ... 187 E1
Sainte-Radégonde-des-Noyers 85 ... 183 G3
Sainte-Ramée 17 ... 219 F4
Sainte-Reine 70 ... 161 G1
Sainte-Reine 73 ... 233 G2
Sainte-Reine-de-Bretagne 44 ... 146 C1
Sainte-Restitude 2B ... 346 C2
Sainte-Roseline *Chapelle* 83 ... 308 B5
Sainte-Ruffine 57 ... 65 G1
Sainte-Sabine 21 ... 159 F4
Sainte-Sabine 24 ... 258 C2
Sainte-Sabine-sur-Longève 72 ... 107 G3
Sainte-Savine 10 ... 90 D5
Sainte-Scolasse-sur-Sarthe 61 ... 84 A2
Sainte-Segrée 80 ... 21 H3
Sainte-Sève 29 ... 71 H5
Sainte-Sévère 16 ... 202 C5
Sainte-Sévère-sur-Indre 36 ... 189 H3
Sainte-Sigolène 43 ... 248 A1
Sainte-Solange 18 ... 155 F5
Sainte-Soline 79 ... 185 H5
Sainte-Souline 16 ... 220 D5
Sainte-Soulle 17 ... 183 G5
Sainte-Suzanne 09 ... 317 H5
Sainte-Suzanne 25 ... 142 B4
Sainte-Suzanne 64 ... 313 F2
Sainte-Suzanne-en-Bauptois 50 ... 31 G3
Sainte-Suzanne-et-Chammes 53 ... 106 D3
Sainte-Suzanne-sur-Vire 50 ... 32 B5
Sainte-Terre 33 ... 256 C1
Sainte-Thérence 03 ... 190 C5
Sainte-Thorette 18 ... 172 D1
Sainte-Tréphine 22 ... 77 G4
Sainte-Trie 24 ... 241 G1
Sainte-Tulle 04 ... 306 C2
Sainte-Valière 11 ... 320 D4
Sainte-Vaubourg 08 ... 42 C1
Sainte-Verge 79 ... 168 A1
Sainte-Vertu 89 ... 137 E3
Sainteny 50 ... 31 H3
Saintes 17 ... 201 G5
Saintes-Maries-de-la-Mer 13 ... 324 C3
Saintines 60 ... 39 F3
Saintry-sur-Seine 91 ... 88 A2
Saints 77 ... 59 H4
Saints-en-Puisaye 89 ... 135 H5
Saints-Geosmes 52 ... 139 G2
Sainville 28 ... 86 D4
Saires 86 ... 169 E3
Saires-la-Verrerie 61 ... 53 F5
Saisies *Col des* 73 ... 216 B5
Saissac 11 ... 319 F3
Saisseval 80 ... 22 A2
Saisy 71 ... 177 F2
Saivres 79 ... 185 F3
Le Saix 05 ... 269 F4
Saïx 81 ... 299 G5
Saix 86 ... 150 C5
Saizenay 39 ... 179 H2
Saizerais 54 ... 65 G4
Saizy 58 ... 157 G3
Sajas 31 ... 317 E3
Salagnac 24 ... 241 G1
Salagnon 38 ... 232 A1
Salaise-sur-Sanne 38 ... 231 E5
Salans 39 ... 161 G4
Salasc 34 ... 301 H4
Salaunes 33 ... 237 E4
Salavas 07 ... 284 B1
Salavre 01 ... 196 A3
Salazac 30 ... 284 C2
Salbris 41 ... 154 C2
Les Salces 48 ... 263 H4
Saléchan 65 ... 334 B3
Saleich 31 ... 335 E2
Saleignes 17 ... 202 C3
Saleilles 66 ... 343 F2
Les Salelles 07 ... 265 H5
Les Salelles 48 ... 264 A5
Salency 60 ... 23 H5
Salenthal 67 ... 68 B5
Saléon 05 ... 287 E1
Salérans 05 ... 287 E2
Salerm 31 ... 316 C4
Salernes 83 ... 307 G4
Salers 15 ... 244 C3
Sales 74 ... 215 F4
Salesches 59 ... 15 E3
La Salette-Fallavaux 38 ... 251 G5
Salettes 26 ... 267 G4
Salettes 43 ... 247 G5
Saleux 80 ... 22 B2
Salève *Mont* 74 ... 215 G1
Salice 2A ... 348 C1
Saliceto 2B ... 347 F3
Saliès 81 ... 299 F1
Salies-de-Béarn 64 ... 311 H3
Salies-du-Salat 31 ... 334 D1
Salignac 04 ... 287 G3
Salignac 33 ... 237 H3
Salignac-de-Mirambeau 17 ... 219 H5
Salignac-Eyvigues 24 ... 241 H4
Salignac-sur-Charente 17 ... 219 H1
Saligney 39 ... 161 F4
Saligny 85 ... 165 H3
Saligny 89 ... 113 G2
Saligny-le-Vif 18 ... 173 H1
Saligny-sur-Roudon 03 ... 193 E3
Saligos 65 ... 332 D3
Salin-de-Badon 13 ... 324 D3
Salin-de-Giraud 13 ... 325 E3
Salindres 30 ... 283 H3
Saline Royale d'Arc-et-Cenans 25 ... 179 G1
Salinelles 30 ... 303 F2
Salins 15 ... 244 B2
Salins 77 ... 89 E4
Les Salins-d'Hyères 83 ... 328 C4
Salins-les-Bains 39 ... 179 H2
Salins-Fontaine 73 ... 234 C3
Salives 21 ... 138 D5
Sallagriffon 06 ... 289 F5
Sallanches 74 ... 216 C3
Sallaumines 62 ... 8 C5
La Salle 71 ... 195 E3
La Salle 88 ... 96 A4
La Salle-de-Vihiers 49 ... 149 F5
La Salle-en-Beaumont 38 ... 251 F5
La Salle-et-Chapelle-Aubry 49 ... 148 D3
La Salle-les-Alpes 05 ... 252 C4
La Salle-Prunet 48 ... 282 D2
Sallebœuf 33 ... 237 H5
Sallèdes 63 ... 228 A2
Sallèles-Cabardès 11 ... 319 H4
Sallèles-d'Aude 11 ... 321 E4
Sallen 14 ... 32 D5
Sallenelles 14 ... 33 H3
Sallenôves 74 ... 215 F2
Sallertaine 85 ... 164 D2
Les Salles 33 ... 238 D5
Salles 33 ... 254 D4
Les Salles 42 ... 211 E5
Salles 47 ... 258 D4
Salles 65 ... 332 D2
Salles 79 ... 185 G3
Salles 81 ... 279 F4
Salles-Adour 65 ... 315 E5
Salles-Arbuissonnas-en-Beaujolais 69 ... 212 D2
Salles-Courbatiès 12 ... 261 G5
Salles-Curan 12 ... 281 E3
Salles-d'Angles 16 ... 220 B2
Salles-d'Armagnac 32 ... 295 E2
Salles-d'Aude 11 ... 321 F5
Salles-de-Barbezieux 16 ... 220 C4
Salles-de-Belvès 24 ... 259 E2
Salles-de-Villefagnan 16 ... 203 F3
Les Salles-du-Gardon 30 ... 283 G3
Salles-en-Toulon 86 ... 187 E2
Salles-et-Pratviel 31 ... 334 B4
Salles-la-Source 12 ... 262 C5
Salles-Lavalette 16 ... 221 F5
Les Salles-Lavauguyon 87 ... 222 C1
Salles-lès-Aulnay 17 ... 202 B2
Salles-Mongiscard 64 ... 293 F5
Salles-sous-Bois 26 ... 267 F5
Salles-sur-Garonne 31 ... 317 F4
Salles-sur-l'Hers 11 ... 318 C4
Salles-sur-Mer 17 ... 200 D1
Les Salles-sur-Verdon 83 ... 307 G2
Sallespisse 64 ... 293 G5
Salmagne 55 ... 64 B5
Salmaise 21 ... 159 F1
Salmbach 67 ... 69 G1
Salmiech 12 ... 280 D3
Salomé 59 ... 8 B3
Salon 10 ... 61 G5
Salon 24 ... 240 C4
Salon-de-Provence 13 ... 305 F4
Salon-la-Tour 19 ... 224 B3
Salonnes 57 ... 66 C4
Salornay-sur-Guye 71 ... 194 C2
Salouël 80 ... 22 B2
Salperwick 62 ... 3 F5
Salsein 09 ... 335 E3
Salses-le-Château 66 ... 339 E4
Salsigne 11 ... 319 H4
Salt-en-Donzy 42 ... 230 A1
Les Salvages 81 ... 299 G4
Salvagnac 81 ... 298 C1
Salvagnac-Cajarc 12 ... 261 E5
Salvagnac-Saint-Loup 12 ... 261 F4
La Salvetat-Belmontet 82 ... 298 A1
La Salvetat-Lauragais 31 ... 298 C5
La Salvetat-Peyralès 12 ... 279 H3
La Salvetat-Saint-Gilles 31 ... 297 G5
La Salvetat-sur-Agout 34 ... 300 C5
Salvezines 11 ... 337 H5

Salvi *Col de* 2B 346 C 2
Salviac 46 259 G 3
Salvizinet 42 212 A 5
Salza 11 338 A 2
Salzuit 43 246 C 2
Samadet 40 294 A 4
Saman 31 316 C 5
Samara 80 22 B 1
Samaran 32 316 A 3
Samatan 32 316 D 2
Samazan 47 257 E 5
Sambin 41 153 E 2
Sambourg 89 137 E 3
Le Sambuc 13 304 C 5
Saméon 59 9 F 4
Samer 62 6 C 2
Samerey 21 160 D 5
Sames 64 292 C 5
Sammarçolles 86 168 D 1
Sammeron 77 59 H 2
Samoëns 74 216 D 1
Samognat 01 196 C 5
Samogneux 55 44 B 4
Samois-sur-Seine 77 88 C 4
Samonac 33 237 G 3
Samoreau 77 88 C 4
Samouillan 31 316 D 4
Samoussy 02 25 E 5
Sampans 39 160 D 5
Sampigny 55 64 C 4
Sampigny-
lès-Maranges 71 177 F 3
Sampolo 2A 349 E 3
Sampzon 07 266 B 5
Samson 25 179 H 1
Samsons-Lion 64 314 D 2
Samuran 65 334 B 2
San Cervone *Col de* 2B 347 F 4
San-Damiano 2B 347 G 3
San-Gavino-
d'Ampugnani 2B 347 G 3
San-Gavino-di-Carbini 2A 349 F 5
San-Gavino-
di-Fiumorbo 2B 349 F 2
San-Gavino-di-Tenda 2B 345 F 5
San-Giovanni-
di-Moriani 2B 347 H 3
San-Giuliano 2B 347 H 4
San-Lorenzo 2B 347 F 3
San-Martino-di-Lota 2B 345 G 4
San Michele de Murato
Église 2B 345 F 5
San-Nicolao 2B 347 H 3
San-Peïre-sur-Mer 83 329 G 2
San-Pellegrino 2B 347 H 2
San Quilico *Chapelle de* 2A 351 F 3
San Quilico de Cambia
Chapelle 2B 347 F 3
San Stefano *Col de* 2B 345 F 5
Sana 31 317 E 5
Sanadoire *Roche* 63 227 F 2
Sanary-sur-Mer 83 327 H 4
Sancé 71 195 E 4
Sancergues 18 156 A 5
Sancerre 18 155 H 3
Sancey 25 163 E 3
Sancey-le-Long 25 163 E 3
Sancheville 28 110 B 3
Sanchey 88 119 F 2
Sancoins 18 174 A 4
Sancourt 27 37 F 3
Sancourt 59 14 B 3
Sancourt 80 23 H 3
Sancy 54 45 F 3
Sancy 77 59 G 3
Sancy *Puy de* 63 227 E 3
Sancy-les-Cheminots 02 40 C 2
Sancy-lès-Provins 77 60 C 5
Sand 67 97 G 3
Sandarville 28 85 H 5
Sandaucourt 88 94 B 5
Sandillon 45 133 F 2
Sandouville 76 34 D 1
Sandrans 01 213 F 2
Sangatte 62 2 C 3
Sanghen 62 2 D 5
Sanguinaires *Îles* 2A 348 A 4
Sanguinet 40 254 C 4
Sanilhac 07 266 A 4
Sanilhac-Sagriès 30 284 C 5
Sannat 23 208 B 2
Sannerville 14 33 H 4
Sannes 84 306 A 2
Sannois 95 58 B 2
Sanous 65 315 E 3
Sanry-lès-Vigy 57 45 H 5
Sanry-sur-Nied 57 66 B 1
Sans-Vallois 88 118 D 2
Sansa 66 341 G 3
Sansac-de-Marmiesse 15 244 B 5
Sansac-Veinazès 15 262 C 2
Sansais 79 184 C 5
Sansan 32 296 B 5
Sanssac-l'Église 43 247 E 3
Sanssat 03 192 C 5
Santa-Lucia-
di-Mercurio 2B 347 F 4
Santa-Lucia-di-Moriani 2B 347 H 3
Santa-Maria 2B 345 G 3
Santa-Maria-di-Lota 2B 345 G 4
Santa-Maria-Figaniella 2A 349 E 5
Santa-Maria-Poggio 2B 347 F 3
Santa-Maria-Poggio 2B 347 H 4
Santa-Maria-Sicché 2A 348 D 4
Santa-Reparata-
di-Balagna 2B 344 C 5
Santa-Reparata-
di-Moriani 2B 347 G 3
Sant'Andréa-di-Bozio 2B 347 F 4
Sant'Andréa-di-Cotone 2B 347 H 4
Sant'Andréa-d'Orcino 2A 348 C 2
Santans 39 179 F 1
Sant'Antonino 2B 346 C 2
Sant'Appiano
Cathédrale 2A 348 B 1
Santeau 45 111 F 4
Santec 29 71 G 3
Santenay 21 177 G 3
Santenay 41 131 H 5
Santeny 94 58 D 5
Santes 59 8 C 3
Santeuil 28 86 C 4
Santeuil 95 37 H 5
Santigny 89 137 F 5
Santilly 28 110 D 3
Santilly 71 194 D 1
Santo-Pietro-di-Tenda 2B 345 F 5
Santo-Pietro-di-Venaco 2B 347 E 5
Santoche 25 162 D 1
Santosse 21 177 F 1
Santranges 18 155 H 1
Sanvensa 12 279 F 2
Sanvignes-les-Mines 71 176 D 5
Sanxay 86 185 H 2
Sanzay 79 167 H 2
Sanzey 54 65 E 5
Saon 14 32 D 3
Saône 25 162 A 4
Saonnet 14 32 C 3
Saorge 06 291 H 3
Saosnes 72 83 H 5
Saou 26 267 G 3
Le Sap-André 61 54 D 3
Le Sap-en-Auge 61 54 D 3
Le Sapey 38 251 E 3
Sapignicourt 51 63 E 5
Sapignies 62 13 G 4
Sapogne-et-Feuchères 08 27 E 4
Sapogne-sur-Marche 08 27 H 5
Sapois 39 179 H 4
Sapois 88 120 A 4
Saponay 02 40 C 4
Saponcourt 70 118 C 5
Le Sappey 74 215 G 1
Le Sappey-
en-Chartreuse 38 251 E 1
Saramon 32 296 C 5
Saran 45 110 D 5
Saraz 25 179 H 1
Sarbazan 40 274 A 5
Sarcé 72 130 A 4
Sarceaux 61 54 A 4
Sarcelles 95 58 C 2
Sarcenas 38 233 E 5
Sarcey 52 117 F 4
Sarcey 69 212 C 4
Sarcicourt 52 116 D 3
Sarcos 32 316 B 3
Sarcus 60 21 G 4
Sarcy 51 41 F 4
Sardan 30 303 E 1
Sardent 23 207 E 2
Sardieu 38 231 H 5
Sardon 63 210 A 3
Sardy-lès-Epiry 58 157 G 5
Sare 64 310 C 4
Sargé-lès-le-Mans 72 107 H 4
Sargé-sur-Braye 41 109 E 5
Sari-d'Orcino 2A 348 C 2
Sari-Solenzara 2A 349 G 4
Sariac-Magnoac 65 316 A 4
Sarlabous 65 333 G 1
Sarlande 24 223 F 4
Sarlat-la-Canéda 24 241 G 5
Sarliac-sur-l'Isle 24 240 D 1
Sarniguet 65 315 E 3
Sarnois 60 21 H 4
Saron-sur-Aube 51 90 B 2
Sarp 65 334 A 2
Sarpourenx 64 313 G 2
Sarragachies 32 294 D 3
Sarrageois 25 180 B 4
Sarraguzan 32 315 G 3
Les Sarraix 63 210 D 4
Sarralbe 57 67 G 2
Sarraltroff 57 67 G 4
Sarran 19 225 F 4
Sarrance 64 331 H 2
Sarrancolin 65 333 H 2
Sarrans *Barrage de* 12 263 E 1
Sarrant 32 296 D 3
Sarras 07 249 E 2
Sarrazac 24 223 E 4
Sarrazac 46 242 C 4
Sarraziet 40 294 A 3
Sarre-Union 67 67 H 2
Sarrebourg 57 67 G 4
Sarrecave 31 316 B 5
Sarreguemines 57 47 G 5
Sarreinsberg 57 68 B 2
Sarreinsming 57 67 H 1
Sarremezan 31 316 B 5
Sarrewerden 67 67 H 2
Sarrey 52 117 G 4
Sarriac-Bigorre 65 315 F 3
Sarrians 84 285 G 4
Sarrigné 49 149 H 1
Sarrogna 39 196 C 2
Sarrola-Carcopino 2A 348 C 2
Sarron 40 294 C 4
Sarron 60 39 E 3
Sarrouilles 65 315 F 4
Sarroux 19 226 C 4
Sarry 51 62 B 2
Sarry 71 193 G 4
Sarry 89 137 F 4
Le Sars 62 13 G 5
Sars-et-Rosières 59 9 F 4
Sars-le Bois 62 12 D 2
Sars-Poteries 59 15 H 3
Le Sart 59 15 F 5
Sartène 2A 350 D 2
Sartes 88 94 A 5
Sartilly-Baie-Bocage 50 51 G 4
Sarton 62 12 D 4
Sartrouville 78 58 A 2
Sarzay 36 189 F 1
Sarzeau 56 124 B 5
Sasnières 41 131 F 4
Sassangy 71 177 F 5
Sassay 41 153 F 2
Sassegnies 59 15 F 3
Sassenage 38 250 D 1
Sassenay 71 177 H 3
Sassetot-le-Malgardé 76 19 H 3
Sassetot-le-Mauconduit 76 19 F 2
Sasseville 76 19 G 3
Sassey 27 56 C 1
Sassey-sur-Meuse 55 43 G 2
Sassierges-
Saint-Germain 36 172 A 4
Sassis 65 332 D 3
Sassy 14 54 A 1
Sathonay-Camp 69 213 E 5
Sathonay-Village 69 213 F 4
Satillieu 07 248 D 2
Satolas-et-Bonce 38 231 G 1
Saturargues 34 303 F 3
Saubens 31 317 H 2
Saubion 40 292 B 3
Saubole 64 314 D 3
Saubrigues 40 292 B 4
Saubusse 40 292 C 3
Saucats 33 255 F 2
Saucède 64 313 G 4
La Saucelle 28 85 F 2
Sauchay 76 10 C 5
Sauchy-Cauchy 62 14 A 3
Sauchy-Lestrée 62 14 A 3
Sauclières 12 282 B 5
Saucourt-sur-Rognon 52 93 E 5
Saudemont 62 14 A 3
Saudoy 51 61 E 5
Saudron 52 93 F 3
Saudrupt 55 63 G 5
Saugeot 39 196 D 1
Saugnac-et-Cambran 40 293 E 3
Saugnacq-et-Muret 40 255 E 5
Saugnieu 69 231 G 1
Saugon 33 237 G 2
Saugues 43 246 C 4
Sauguis-Saint-Étienne 64 331 E 1
Saugy 18 172 C 2
Saujac 12 261 E 5
Saujon 17 218 D 1
La Saulce 05 269 G 5
Saulce-sur-Rhône 26 267 E 2
Saulces-Champenoises 08 42 B 1
Saulces-Monclin 08 26 B 5
Saulcet 03 192 A 4
Saulchery 02 60 B 2
Le Saulchoy 60 22 A 5
Saulchoy 62 11 G 1
Saulchoy-sous-Poix 80 21 H 3
Saulcy 10 92 B 5
Le Saulcy 88 96 C 3
Saulcy-sur-Meurthe 88 96 B 5
Saules 25 162 B 5
Saules 71 177 G 5
Saulgé 86 187 G 4
Saulgé-l'Hôpital 49 149 H 3
Saulges 53 106 C 5
Saulgond 16 204 D 3
Sauliac-sur-Célé 46 260 D 4
Saulieu 21 158 C 4
Saulles 52 140 A 3
Saulmory-
et-Villefranche 55 43 G 1
Saulnay 36 171 E 3
Saulnes 54 45 E 1
Saulnières 28 56 C 5
Saulnières 35 104 B 5
Saulnot 70 142 A 4
Saulny 57 45 G 5
Saulon-la-Chapelle 21 160 B 4
Saulon-la-Rue 21 160 A 4
La Saulsotte 10 89 H 3
Sault 84 286 B 4
Sault-Brénaz 01 214 B 4
Sault-de-Navailles 64 293 G 5
Sault-lès-Rethel 08 42 A 1
Sault-Saint-Remy 08 41 H 2
Saultain 59 15 E 2
Saulty 62 13 E 3
Saulx 70 141 F 3
Saulx-en-Barrois 55 64 C 5
Saulx-en-Woëvre 55 64 D 1
Saulx-le-Duc 21 139 E 5
Saulx-les-Chartreux 91 58 B 5
Saulx-Marchais 78 57 G 3
Saulxerotte 54 94 B 3
Saulxures 52 117 H 5
Saulxures 67 96 C 3
Saulxures-
lès-Bulgnéville 88 118 B 2
Saulxures-lès-Nancy 54 66 B 5
Saulxures-lès-Vannes 54 94 A 2
Saulxures-
sur-Moselotte 88 120 A 4
Saulzais-le-Potier 18 190 C 1
Saulzet 03 210 A 1
Saulzet-le-Chaud 63 227 G 1
Saulzet-le-Froid 63 227 F 2
Saulzoir 59 14 D 3
Saumane 04 287 E 4
Saumane 30 283 E 4
Saumane-de-Vaucluse 84 305 F 1
Sauméjan 47 274 D 2
Saumeray 28 109 H 2
Saumont 47 275 H 4
Saumont-la-Poterie 76 21 F 5
Saumos 33 236 C 4
Saumur 49 150 B 4
Saunay 37 131 F 5
La Saunière 23 207 F 1
Saunières 71 178 B 3
Sauqueuse-Saint-Lucien 60 38 A 1
Sauqueville 76 20 B 2
Saurais 79 185 G 1
Saurat 09 336 A 4
Sauret-Besserve 63 209 E 3
Saurier 63 227 G 3
Sausheim 68 143 F 1
Saussan 34 302 C 5
Saussay 28 56 D 3
Saussay 76 20 A 4
Saussay-la-Campagne 27 37 E 3
La Saussaye 27 36 A 4
Saussemesnil 50 29 F 4
Saussenac 81 279 H 5
Saussens 31 298 C 5
Sausses 04 289 E 4
Sausset-les-Pins 13 325 H 4
Sausseuzemare-en-Caux 76 18 D 4
Saussey 21 177 F 1
Saussey 50 51 G 1
Saussignac 24 257 G 1
Saussines 34 303 F 3
Saussy 21 159 H 1
Saut de la Mounine 12 261 E 5
Saut des Cuves 88 120 B 3
Sautel 09 336 C 3
Sauternes 33 255 H 4
Sautet *Barrage du* 38 251 F 5
Sauteyrargues 34 302 D 2
Sauto 66 341 G 4
Sautron 44 147 F 3
Sauvage-Magny 52 92 B 4
La Sauvagère 61 53 F 5
Les Sauvages 69 212 B 4
Sauvagnac 16 222 C 1
Sauvagnas 47 276 C 2
Sauvagnat 63 208 D 5
Sauvagnat-
Sainte-Marthe 63 228 A 2
Sauvagney 25 161 H 3
Sauvagnon 64 314 B 2
Sauvagny 03 191 E 3
Sauvain 42 229 F 1
Sauvan *Château de* 04 287 E 5
Sauvat 15 244 C 1
Sauve 30 303 E 1
La Sauve 33 256 B 1
Sauvelade 64 313 G 2
Sauverny 01 197 G 4
Sauvessanges 63 229 F 5
La Sauvetat 32 296 A 2
La Sauvetat 43 265 F 1
La Sauvetat 63 227 H 2
La Sauvetat-de-Savères 47 276 C 3
La Sauvetat-du-Dropt 47 257 G 3
La Sauvetat-sur-Lède 47 258 C 5
Sauveterre 30 285 E 5
Sauveterre 32 316 D 2
Sauveterre 65 315 F 2
Sauveterre 81 320 A 2
Sauveterre 82 277 G 2
Sauveterre-de-Béarn 64 311 H 3
Sauveterre-
de-Comminges 31 334 B 2
Sauveterre-de-Guyenne 33 256 D 2
Sauveterre-
de-Rouergue 12 280 B 3
Sauveterre-la-Lémance 47 259 E 4
Sauveterre-Saint-Denis 47 276 C 3
Sauviac 32 315 H 3
Sauviac 33 256 C 5
Sauvian 34 321 G 4
Sauviat 63 228 C 1
Sauviat-sur-Vige 87 206 C 4
Sauvignac 16 238 D 1
Sauvigney-lès-Gray 70 161 F 1
Sauvigney-lès-Pesmes 70 161 E 3
Sauvigny 55 94 A 3
Sauvigny-le-Beuréal 89 158 B 1
Sauvigny-le-Bois 89 158 A 1
Sauvigny-les-Bois 58 174 D 2
Sauville 08 27 E 5
Sauville 88 118 A 2
Sauvillers-Mongival 80 22 D 4
Sauvimont 32 317 E 2
Sauvoy 55 93 H 1
Saux 46 277 F 1
Saux-et-Pomarède 31 316 C 5
Sauxillanges 63 228 B 3
Le Sauze 04 270 D 5
Sauze 06 289 F 3
Le Sauze-du-Lac 05 270 A 4
Sauzé-Vaussais 79 203 E 1
Sauzelle 17 200 B 3
Sauzelles 36 170 C 5
Sauzet 26 267 E 3
Sauzet 30 284 A 5
Sauzet 46 259 G 5
La Sauzière-Saint-Jean 81 298 B 1
Sauzon 56 144 B 3
Savagna 39 179 E 5
Savarthès 31 334 C 1
Savas 07 230 D 5
Savas-Mépin 38 231 G 3
Savasse 26 267 E 3
Savenay 44 146 D 2
Savenès 82 297 G 2
Savennes 23 207 E 2
Savennes 63 226 C 2
Savennières 49 149 F 2
Saverdun 09 318 B 5
Savères 31 317 F 3
Saverne 67 68 B 4
Saverne *Col de* 67 68 A 4
Saveuse 80 22 B 2
Saviange 71 177 F 5
Savières 10 90 D 4
Savigna 39 196 C 3
Savignac 12 279 F 1
Savignac 33 256 C 4
Savignac-de-Duras 47 257 F 2
Savignac-de-l'Isle 33 238 B 4
Savignac-de-Miremont 24 241 E 4
Savignac-de-Nontron 24 222 C 3
Savignac-Lédrier 24 223 G 5
Savignac-les-Églises 24 241 E 1
Savignac-les-Ormeaux 09 336 C 5
Savignac-Mona 32 317 E 2
Savignac-sur-Leyze 47 258 C 5
Savignargues 30 283 H 5
Savigné 86 203 G 1
Savigné-l'Évêque 72 108 A 4
Savigné-sous-le-Lude 72 129 H 5
Savigné-sur-Lathan 37 151 F 2
Savigneux 01 213 E 3
Savigneux 42 229 G 2
Savignies 60 37 H 1
Savigny 50 31 H 5
Savigny 52 140 B 3
Savigny 69 212 C 5
Savigny 74 215 F 2
Savigny 88 95 E 4
Savigny-en-Revermont 71 178 D 5
Savigny-en-Sancerre 18 155 H 2
Savigny-en-Septaine 18 173 F 1
Savigny-en-Terre-Plaine 89 158 B 1
Savigny-en-Véron 37 150 D 4
Savigny-le-Sec 21 160 A 2
Savigny-le-Temple 77 88 B 2
Savigny-le-Vieux 50 81 G 2
Savigny-lès-Beaune 21 177 H 1
Savigny-Lévescault 86 186 C 2
Savigny-Poil-Fol 58 175 H 4
Savigny-sous-Faye 86 169 E 3
Savigny-sous-Mâlain 21 159 G 3
Savigny-sur-Aisne 08 42 D 2
Savigny-sur-Ardres 51 41 E 4
Savigny-sur-Braye 41 131 E 2
Savigny-sur-Clairis 89 113 E 4
Savigny-sur-Grosne 71 194 D 1
Savigny-sur-Orge 91 58 C 5
Savigny-sur-Seille 71 195 G 1
Savilly 21 158 C 5
Savine *Col de la* 39 197 F 1
Savines-le-Lac 05 270 B 3
Savins 77 89 F 3
Savoillan 84 286 B 3
Savoisy 21 137 H 3
Savolles 21 160 C 2
Savonnières 37 151 G 3
Savonnières-devant-Bar 55 63 H 4
Savonnières-en-Perthois 55 92 D 2
Savonnières-en-Woëvre 55 64 D 3
Savouges 21 160 A 4
Savournon 05 269 E 5
Savoyeux 70 140 B 5
Savy 02 24 A 2
Savy-Berlette 62 7 H 5
Saxel 74 198 A 4
Saxi-Bourdon 58 175 E 1
Saxon-Sion 54 94 C 3
Sayat 63 209 G 5
Saze 30 304 C 1
Sazeray 36 189 H 3
Sazeret 03 191 G 4
Sazilly 37 151 F 5
Sazos 65 332 D 3
Scaër 29 100 C 3
Les Scaffarels 04 289 E 5
Scata 2B 347 G 3
Sceau-Saint-Angel 24 222 C 4
Sceautres 07 266 D 3
Sceaux 89 158 A 1
Sceaux 92 58 B 4
Sceaux-d'Anjou 49 128 C 5
Sceaux-du-Gâtinais 45 112 B 4
Sceaux-sur-Huisne 72 108 C 3
Scey-en-Varais 25 162 A 5
Scey-sur-Saône-
et-Saint-Albin 70 140 D 4
Schaeferhof 57 68 A 5
Schaeffersheim 67 97 G 3
Schaffhouse-près-Seltz 67 69 G 2
Schaffhouse-sur-Zorn 67 68 C 4
Schalbach 57 67 H 3
Schalkendorf 67 68 C 3
Scharrachbergheim 67 97 F 1
Scheibenhard 67 69 G 1
Scherlenheim 67 68 C 4
Scherwiller 67 97 E 4
Schillersdorf 67 68 C 3
Schiltigheim 67 97 H 1
Schirmeck 67 96 D 2
Schirrhein 67 69 F 3
Schirrhoffen 67 69 F 3
Schleithal 67 69 G 1

Schlierbach 68 ... 143 G 2
Schlucht Col de la 88 ... 120 C 3
Schmittviller 57 ... 67 H 1
Schneckenbusch 57 ... 67 H 5
Schnepfenried 68 ... 120 C 4
Schnersheim 67 ... 68 C 5
Schœnau 67 ... 97 G 5
Schœnbourg 67 ... 68 A 3
Schœneck 57 ... 47 F 4
Schœnenbourg 67 ... 69 F 2
Schopperten 67 ... 67 G 2
Schorbach 57 ... 48 C 5
Schwabwiller 67 ... 69 E 2
Schweighouse 68 ... 120 D 4
Schweighouse-sur-Moder 67 ... 68 D 3
Schweighouse-Thann 68 ... 143 E 1
Schwenheim 67 ... 68 B 5
Schwerdorff 57 ... 46 D 3
Schweyen 57 ... 48 C 5
Schwindratzheim 67 ... 68 C 4
Schwoben 68 ... 143 F 3
Schwobsheim 67 ... 97 G 5
Sciecq 79 ... 184 D 3
Scientrier 74 ... 216 A 1
Scieurac-et-Flourès 32 ... 295 F 5
Sciez 74 ... 198 A 3
Scillé 79 ... 184 D 1
Scionzier 74 ... 216 B 1
Scolca 2B ... 347 G 2
Scorbé-Clairvaux 86 ... 169 F 4
Scoury 36 ... 188 B 1
Scrignac 29 ... 76 C 2
Scrupt 51 ... 63 E 4
Scy-Chazelles 57 ... 65 G 1
Scye 70 ... 141 E 4
Séailles 32 ... 295 F 3
La Séauve-sur-Semène 43 ... 248 A 1
Sébazac-Concourès 12 ... 280 D 1
Sébécourt 27 ... 55 H 2
Sébeville 50 ... 31 H 2
Seboncourt 02 ... 24 C 1
Sebourg 59 ... 15 E 2
Sébouville 45 ... 111 F 3
Sébrazac 12 ... 262 D 4
Séby 64 ... 314 B 2
Secenans 70 ... 142 A 4
Séchault 08 ... 42 D 3
Sécheras 07 ... 249 E 2
Sécheval 08 ... 26 C 2
Le Séchier 05 ... 269 G 1
Séchilienne 38 ... 251 E 3
Séchin 25 ... 162 C 2
Seclin 59 ... 8 D 3
Secondigné-sur-Belle 79 ... 202 B 1
Secondigny 79 ... 185 E 1
Secourt 57 ... 66 B 2
Secqueville-en-Bessin 14 ... 33 F 4
Sedan 08 ... 27 F 3
Sédeilhac 31 ... 316 A 5
Séderon 26 ... 286 C 2
Sedze-Maubecq 64 ... 314 D 3
Sedzère 64 ... 314 C 3
Seebach 67 ... 69 F 1
Sées 61 ... 83 H 2
Séez 73 ... 234 D 1
Le Ségala 11 ... 318 D 4
Ségalas 47 ... 257 H 3
Ségalas 65 ... 315 F 3
La Ségalassière 15 ... 243 H 5
Séglien 56 ... 101 G 2
Ségny 01 ... 197 F 4
Segonzac 16 ... 220 C 2
Segonzac 19 ... 241 G 1
Segonzac 24 ... 239 H 2
Ségos 32 ... 294 C 4
Ségoufielle 32 ... 297 F 4
Segré 49 ... 128 A 4
Ségreville 31 ... 318 C 2
Ségrie 72 ... 107 G 2
Ségrie-Fontaine 61 ... 53 G 3
Segrois 21 ... 159 H 5
Ségry 36 ... 172 C 3
La Séguinière 49 ... 166 D 1
Ségur 12 ... 281 F 2
Le Ségur 81 ... 279 G 4
Ségur-le-Château 19 ... 223 H 4
Ségur-les-Villas 15 ... 245 F 2
Ségura 09 ... 336 B 2
Séguret 84 ... 285 G 3
Ségus 65 ... 332 D 1
Séhar Pointe de 22 ... 72 B 3
Seich 65 ... 334 A 2
Seichamps 54 ... 66 B 5
Seichebrières 45 ... 111 G 5
Seicheprey 54 ... 65 E 3
Seiches-sur-le-Loir 49 ... 128 D 5
Seignalens 11 ... 337 E 1
Seigné 17 ... 202 C 3
Seignelay 89 ... 136 B 2
Seigneulles 55 ... 63 H 3
Seignosse 40 ... 292 B 3
Seigny 21 ... 138 A 5
Seigy 41 ... 153 F 4
Seilh 31 ... 297 H 4
Seilhac 19 ... 224 D 5
Seilhan 31 ... 334 A 2
Seillac 41 ... 152 D 1
Seillans 83 ... 308 C 3
Seillonnaz 01 ... 214 B 5
Seillons-Source-d'Argens 83 ... 306 D 5
Sein Île de 29 ... 98 B 2
Seine Sources de la 21 ... 159 G 1
Seine-Port 77 ... 88 A 3
Seingbouse 57 ... 47 F 5
Seissan 32 ... 316 B 2
Seix 09 ... 335 F 4
Le Sel-de-Bretagne 35 ... 104 B 5
Selaincourt 54 ... 94 C 3
Selens 02 ... 40 A 1
Sélestat 67 ... 97 F 5
Séligné 79 ... 202 B 1
Séligney 39 ... 179 E 2
Selincourt 80 ... 21 H 2
La Selle-Craonnaise 53 ... 127 G 2
La Selle-en-Coglès 35 ... 81 E 3
La Selle-en-Hermoy 45 ... 112 D 5
La Selle-en-Luitré 35 ... 81 F 5
La Selle-Guerchaise 35 ... 105 F 5
La Selle-la-Forge 61 ... 53 F 4
La Selle-sur-le-Bied 45 ... 112 D 4
Selles 27 ... 35 E 3
Selles 51 ... 42 A 3
Selles 62 ... 6 D 2
Selles 70 ... 118 D 4
Selles-Saint-Denis 41 ... 154 B 3
Selles-sur-Cher 41 ... 153 G 4
Selles-sur-Nahon 36 ... 171 F 2
Sellières 39 ... 179 E 3
Selommes 41 ... 131 H 3
Seloncourt 25 ... 142 C 5
Selongey 21 ... 139 F 5
Selonnet 04 ... 270 A 5
Seltz 67 ... 69 G 2
La Selve 02 ... 25 G 5
La Selve 12 ... 280 C 4
Selvigny 59 ... 14 C 5
Sem 09 ... 336 A 5
Sémalens 81 ... 299 F 5
Semallé 61 ... 83 H 3
Semarey 21 ... 159 F 4
Sembadel 43 ... 246 D 1
Sembadel-Gare 43 ... 247 E 1
Sembas 47 ... 276 B 1
Semblançay 37 ... 151 G 1
Sembleçay 36 ... 153 H 4
Sembouès 32 ... 315 F 2
Séméac 65 ... 315 F 4
Séméacq-Blachon 64 ... 294 D 5
Semécourt 57 ... 45 G 5
Sémelay 58 ... 175 H 3
Semène 43 ... 230 A 5
Semens 33 ... 256 B 3
Sementron 89 ... 135 H 5
Sémeries 59 ... 15 H 4
Semerville 41 ... 110 A 5
Semezanges 21 ... 159 H 4
Sémézies-Cachan 32 ... 296 C 5
Semide 08 ... 42 C 3
Semillac 17 ... 219 G 4
Semilly 52 ... 93 G 5
Semmadon 70 ... 140 C 3
Semnoz Montagne du 74 ... 215 G 5
Semoine 10 ... 61 H 5
Semond 21 ... 138 B 4
Semondans 25 ... 142 B 4
Semons 38 ... 231 H 4
Semousies 59 ... 15 G 3
Semoussac 17 ... 219 G 4
Semoutiers 52 ... 116 D 4
Semoy 45 ... 111 E 5
Sempesserre 32 ... 276 B 5
Sempigny 60 ... 23 G 5
Sempy 62 ... 6 C 4
Semur-en-Auxois 21 ... 158 D 1
Semur-en-Brionnais 71 ... 193 G 5
Semur-en-Vallon 72 ... 108 C 4
Semussac 17 ... 218 D 2
Semuy 08 ... 42 D 1
Le Sen 40 ... 273 H 3
Sénac 65 ... 315 F 3
Senaide 88 ... 118 B 4
Sénaillac-Latronquière 46 ... 261 G 1
Sénaillac-Lauzès 46 ... 260 C 3
Senailly 21 ... 137 G 5
Senan 89 ... 135 H 2
Sénanque Abbaye de 84 ... 305 G 1
Senantes 28 ... 57 E 5
Senantes 60 ... 37 G 1
Senard 55 ... 63 F 1
Sénarens 31 ... 317 E 3
Senargent 70 ... 141 H 5
Senarpont 80 ... 21 F 2
Sénart 11 ... 88 A 2
Sénas 13 ... 305 F 3
Senaud 39 ... 196 A 3
Senaux 81 ... 300 B 3
Sencenac-Puy-de-Fourches 24 ... 222 C 5
Senconac 09 ... 336 C 5
Sendets 33 ... 256 C 5
Sendets 64 ... 314 C 4
Séné 56 ... 124 C 4
Sène Mont de 71 ... 177 G 2
Sénéchas 30 ... 283 G 1
Sénèque Tour de 2B ... 345 F 2
Sénergues 12 ... 262 C 3
Senesse-de-Senabugue 09 ... 336 D 2
Sénestis 47 ... 257 F 5
Séneujols 43 ... 247 E 4
Senez 04 ... 288 B 5
Sénezergues 15 ... 262 B 2
Sengouagnet 31 ... 334 C 2
Séniergues 46 ... 260 B 2
Senillé 86 ... 169 H 4
Senillé-Saint-Sauveur 86 ... 169 H 4
Seninghem 62 ... 7 E 2
Senlecques 62 ... 6 D 2
Senlis 60 ... 39 E 4
Senlis 62 ... 7 E 3
Senlis-le-Sec 80 ... 13 E 5
Senlisse 78 ... 57 H 5
Senneçay 18 ... 173 F 2
Sennecé-lès-Mâcon 71 ... 195 E 4
Sennecey-le-Grand 71 ... 177 H 5
Sennecey-lès-Dijon 21 ... 160 B 3
Sennely 45 ... 133 G 4
Sennevières 37 ... 170 C 1
Senneville-sur-Fécamp 76 ... 19 E 3
Sennevoy-le-Bas 89 ... 137 G 3
Sennevoy-le-Haut 89 ... 137 G 3
Senon 55 ... 44 D 4
Senonches 28 ... 85 F 2
Senoncourt 70 ... 141 E 2
Senoncourt-les-Maujouy 55 ... 64 B 2
Senones 88 ... 96 B 3
Senonges 88 ... 118 C 2
Senonnes 53 ... 127 F 2
Senonville 55 ... 64 D 3
Senots 60 ... 37 H 4
Senouillac 81 ... 299 E 1
Sénoville 50 ... 28 D 5
Senozan 71 ... 195 E 3
Sens 89 ... 113 G 2
Sens-Beaujeu 18 ... 155 H 3
Sens-de-Bretagne 35 ... 80 C 4
Sens-sur-Seille 71 ... 178 C 4
Sentein 09 ... 334 D 4
Sentelie 80 ... 22 A 3
Sentenac-de-Sérou 09 ... 335 H 3
Sentenac-d'Oust 09 ... 335 F 4
Sentheim 68 ... 142 D 1
Sentilly 61 ... 54 A 4
La Sentinelle 59 ... 9 G 5
Sentous 65 ... 315 H 4
Senuc 08 ... 43 E 3
Senven-Léhart 22 ... 77 H 3
La Séoube 65 ... 333 G 2
Sépeaux-Saint-Romain 89 ... 113 F 5
Sepmeries 59 ... 14 D 2
Sepmes 37 ... 169 H 1
Seppois-le-Bas 68 ... 143 E 4
Seppois-le-Haut 68 ... 143 E 4
Sept-Fons Abbaye de 03 ... 192 D 2
Sept-Forges 61 ... 82 B 3
Sept-Frères 14 ... 52 B 3
Sept-Meules 76 ... 10 D 5
Sept-Saulx 51 ... 42 A 5
Sept-Sorts 77 ... 59 H 2
Sept-Vents 14 ... 32 D 5
Septème 38 ... 231 G 3
Septèmes-les-Vallons 13 ... 326 D 1
Septeuil 78 ... 57 F 3
Septfonds 82 ... 278 C 3
Septfonds 89 ... 135 F 4
Septfontaines 25 ... 180 B 1
Septmoncel 39 ... 197 E 3
Septmonts 02 ... 40 B 3
Septsarges 55 ... 43 G 3
Septvaux 02 ... 24 B 5
Sepvigny 55 ... 93 H 2
Sepvret 79 ... 185 G 4
Sepx 31 ... 316 D 5
Sequedin 59 ... 8 C 2
Sequehart 02 ... 24 B 1
Le Sequestre 81 ... 299 F 1
Serain 02 ... 14 C 5
Seraincourt 08 ... 25 H 5
Seraincourt 95 ... 57 G 1
Sérandon 19 ... 226 B 5
Séranon 06 ... 308 C 2
Serans 60 ... 37 G 4
Serans 61 ... 54 A 4
Seranville 54 ... 95 G 3
Séranvillers-Forenville 59 ... 14 B 4
Seraucourt 55 ... 63 H 2
Seraucourt-le-Grand 02 ... 24 A 3
Seraumont 88 ... 93 H 3
Serazereux 28 ... 86 A 2
Serbannes 03 ... 210 B 2
Serbonnes 89 ... 89 F 5
Serches 02 ... 40 C 3
Sercœur 88 ... 95 G 5
Sercus 59 ... 7 H 2
Sercy 71 ... 194 D 1
Serdinya 66 ... 342 A 3
Sère 32 ... 316 B 3
Sère-en-Lavedan 65 ... 332 D 2
Sère-Lanso 65 ... 333 E 1
Sère-Rustaing 65 ... 315 G 4
Serécourt 88 ... 118 B 4
Séreilhac 87 ... 205 F 5
Serémange-Erzange 57 ... 45 G 3
Sérempuy 32 ... 296 D 3
Sérénac 81 ... 299 H 1
Sérent 56 ... 124 D 2
Sérévillers 60 ... 22 C 4
Séreyrède Col de la 30 ... 282 C 4
Serez 27 ... 56 D 2
Sérézin-de-la-Tour 38 ... 232 A 2
Sérézin-du-Rhône 69 ... 231 E 2
Sergeac 24 ... 241 F 4
Sergenaux 39 ... 179 E 3
Sergenon 39 ... 178 D 2
Sergines 89 ... 89 G 5
Sergy 01 ... 197 F 4
Sergy 02 ... 40 D 4
Séricourt 62 ... 12 D 2
Sériers 15 ... 245 G 4
Sérifontaine 60 ... 37 G 3
Sérignac 16 ... 239 E 1
Sérignac 46 ... 259 F 5
Sérignac 82 ... 297 E 1
Sérignac-Péboudou 47 ... 257 H 3
Sérignac-sur-Garonne 47 ... 275 H 3
Sérignan 34 ... 321 G 4
Sérignan-du-Comtat 84 ... 285 F 3
Sérignan-Plage 34 ... 321 H 4
Sérigné 85 ... 183 H 2
Sérigny 61 ... 84 C 4
Sérigny 86 ... 169 F 3
Sérilhac 19 ... 242 D 3
Seringes-et-Nesles 02 ... 40 C 4
Séris 41 ... 132 B 3
Serley 71 ... 178 C 4
Sermages 58 ... 175 H 1
Sermaise 49 ... 150 B 1
Sermaise 91 ... 87 F 3
Sermaises 45 ... 87 G 5
Sermaize 60 ... 23 G 5
Sermaize-les-Bains 51 ... 63 F 4
Sermamagny 90 ... 142 C 2
Sermange 39 ... 161 F 4
Sermano 2B ... 347 F 4
Sermentizon 63 ... 228 C 1
Sermentot 14 ... 33 E 5
Sermérieu 38 ... 232 B 1
Sermersheim 67 ... 97 F 4
Sermesse 71 ... 178 B 3
Sermiers 51 ... 41 G 5
Sermizelles 89 ... 157 H 1
Sermoise 02 ... 40 C 2
Sermoise-sur-Loire 58 ... 174 C 2
Sermoyer 01 ... 195 F 2
Sermur 23 ... 208 B 3
Sernhac 30 ... 304 B 1
Serocourt 88 ... 118 B 3
Séron 65 ... 314 D 3
Serpaize 38 ... 231 F 3
La Serpent 11 ... 337 F 3
Serques 62 ... 3 F 5
Serqueux 52 ... 118 A 4
Serqueux 76 ... 21 E 5
Serquigny 27 ... 35 G 5
Serra-di-Ferro 2A ... 348 C 5
Serra-di-Fiumorbo 2B ... 349 G 3
Serra di Pigno 2B ... 345 G 4
Serra-di-Scopamène 2A ... 349 E 5
Serrabone Prieuré de 66 ... 342 C 3
Serralongue 66 ... 342 C 5
Serrant Château de 49 ... 149 F 2
Serraval 74 ... 216 A 4
La Serre 12 ... 300 C 1
Serre Col de 15 ... 245 E 3
La Serre-Bussière-Vieille 23 ... 208 B 2
Serre-Chevalier 05 ... 252 C 4
Serre-les-Moulières 39 ... 161 F 4
Serre-les-Sapins 25 ... 161 H 4
Serre-Nerpol 38 ... 250 B 1
Serre-Ponçon Barrage et Lac de 93 ... 270 A 4
Serres 05 ... 269 E 5
Serres 11 ... 337 H 3
Serres 54 ... 66 C 5
Serres-Castet 64 ... 314 B 3
Serres-et-Montguyard 24 ... 257 H 2
Serres-Gaston 40 ... 294 A 4
Serres-Morlaàs 64 ... 314 C 3
Serres-Sainte-Marie 64 ... 313 H 2
Serres-sur-Arget 09 ... 336 A 3
Serreslous-et-Arribans 40 ... 293 H 3
Serriera 2A ... 346 B 5
Serrières 07 ... 231 E 5
Serrières 54 ... 65 H 4
Serrières 71 ... 194 D 4
Serrières-de-Briord 01 ... 214 B 5
Serrières-en-Chautagne 73 ... 215 E 4
Serrières-sur-Ain 01 ... 214 B 1
Serrigny 89 ... 137 E 2
Serrigny-en-Bresse 71 ... 178 B 3
Serris 77 ... 59 F 3
Serrouville 54 ... 45 F 3
Serruelles 18 ... 173 E 3
Sers 16 ... 221 G 2
Sers 65 ... 333 E 3
Servais 02 ... 24 B 5
Serval 02 ... 41 E 3
Servance 70 ... 142 A 1
Servanches 24 ... 239 F 2
Servant 63 ... 209 F 1
Servas 01 ... 213 H 1
Servas 30 ... 284 A 3
Servaville-Salmonville 76 ... 36 C 1
Serverette 48 ... 264 B 2
Serves-sur-Rhône 26 ... 249 E 2
Servian 34 ... 321 H 2
Servières 48 ... 264 B 4
Servières-le-Château 19 ... 243 F 3
Serviers-et-Labaume 30 ... 284 B 5
Serviès 81 ... 299 E 4
Serviès-en-Val 11 ... 338 A 1
Servignat 01 ... 195 G 3
Servigney 25 ... 162 C 1
Servigney 70 ... 141 F 3
Servigny 50 ... 31 G 5
Servigny-lès-Raville 57 ... 66 C 1
Servigny-lès-Sainte-Barbe 57 ... 45 H 5
Serville 28 ... 56 D 4
Servilly 03 ... 192 C 5
Servin 25 ... 162 D 3
Servins 62 ... 8 A 5
Servion 08 ... 26 B 3
Servon 50 ... 51 G 5
Servon 77 ... 59 E 5
Servon-Melzicourt 51 ... 43 E 4
Servon-sur-Vilaine 35 ... 104 C 3
Servoz 74 ... 216 D 3
Sery 08 ... 26 A 5
Sery 89 ... 136 C 5
Séry-lès-Mézières 02 ... 24 C 3
Séry-Magneval 60 ... 39 F 4
Serzy-et-Prin 51 ... 41 E 4
Sessenheim 67 ... 69 F 3
Sète 34 ... 323 E 4
Setques 62 ... 3 E 5
Les Settons 58 ... 158 B 4
Seudre Pont de la 17 ... 200 C 4
Seugy 95 ... 38 C 5
Seuil 08 ... 42 B 1
Seuillet 03 ... 210 C 1
Seuilly 37 ... 150 D 5
Seur 41 ... 153 E 1
Le Seure 17 ... 202 B 5
Seurre 21 ... 178 B 1
Seux 80 ... 22 A 2
Seuzey 55 ... 64 C 2
Sevelinges 42 ... 212 A 2
Sevenans 90 ... 142 C 3
Sévérac 44 ... 125 G 5
Sévérac d'Aveyron 12 ... 281 H 2
Sévérac-l'Église 12 ... 281 F 1
Seveux 70 ... 140 B 5
Sevi Col de 2A ... 346 C 5
Sévignac 22 ... 79 E 5
Sévignacq 64 ... 314 C 2
Sévignacq-Meyracq 64 ... 332 A 1
Sévigny 61 ... 54 A 4
Sévigny-la-Forêt 08 ... 26 B 1
Sévigny-Waleppe 08 ... 25 G 5
Sévis 76 ... 20 B 4
Sevrai 61 ... 53 H 5
Sevran 93 ... 58 D 2
Sèvres 92 ... 58 B 4
Sèvres-Anxaumont 86 ... 186 C 1
Sevrey 71 ... 177 H 4
Sévrier 74 ... 215 G 4
Sévry 18 ... 155 H 5
Sewen 68 ... 142 C 1
Sexcles 19 ... 243 F 4
Sexey-aux-Forges 54 ... 94 C 1
Sexey-les-Bois 54 ... 65 G 5
Sexfontaines 52 ... 116 D 2
Seychalles 63 ... 210 B 5
Seyches 47 ... 257 G 4
Seyne 04 ... 270 B 5
La Seyne-sur-Mer 83 ... 328 A 5
Seynes 30 ... 284 A 4
Seynod 74 ... 215 G 3
Seyre 31 ... 318 B 3
Seyresse 40 ... 292 D 3
Seyssel 01 ... 215 E 3
Seyssel 74 ... 215 E 3
Seysses 31 ... 317 G 2
Seysses-Savès 32 ... 317 E 2
Seyssinet-Pariset 38 ... 250 D 2
Seyssins 38 ... 250 D 2
Seyssuel 38 ... 231 E 3
Seythenex 74 ... 216 A 5
Seytroux 74 ... 198 C 4
Sézanne 51 ... 61 E 5
Sézéria 39 ... 196 C 2
Siarrouy 65 ... 315 E 3
Siaugues-Saint-Romain 43 ... 246 D 3
Sibiril 29 ... 71 G 3
Sibiville 62 ... 12 D 2
La Sicaudais 44 ... 146 D 4
Siccieu-Saint-Julien-et-Carisieu 38 ... 214 A 5
Sichamps 58 ... 156 D 5
Sickert 68 ... 142 C 1
Sideville 50 ... 29 E 3
Sidiailles 18 ... 190 B 2
Siecq 17 ... 202 C 4
Siegen 67 ... 69 G 1
Sièges 39 ... 196 D 4
Les Sièges 89 ... 114 A 3
Sierck-les-Bains 57 ... 46 B 2
Sierentz 68 ... 143 G 2
Siersthal 57 ... 68 A 1
Sierville 76 ... 20 A 5
Siest 40 ... 292 D 3
Sieurac 81 ... 299 F 2
Sieuras 09 ... 317 H 5
Siévoz 38 ... 251 E 5
Siewiller 67 ... 67 H 3
Sigale 06 ... 289 G 5
Sigalens 33 ... 256 D 5
Sigean 11 ... 339 E 2
Sigean Réserve africaine de 11 ... 339 E 2
Sigloy 45 ... 133 H 3
Signac 31 ... 334 B 3
Signes 83 ... 327 H 2
Signéville 52 ... 93 F 5
Signy-l'Abbaye 08 ... 26 B 4
Signy-le-Petit 08 ... 26 A 1
Signy-Montlibert 08 ... 27 H 5
Signy-Signets 77 ... 59 H 2
Sigogne 16 ... 220 C 1
Sigolsheim 68 ... 121 E 2
Sigonce 04 ... 287 F 5
Sigottier 05 ... 268 D 5
Sigoulès 24 ... 257 G 2
Sigournais 85 ... 166 C 5
Sigoyer 04 ... 287 G 1
Sigoyer 05 ... 269 G 4
Siguer 09 ... 336 A 5
Sigy 77 ... 89 F 3
Sigy-en-Bray 76 ... 21 E 5
Sigy-le-Châtel 71 ... 194 C 2
Silfiac 56 ... 101 G 2
Silhac 07 ... 248 D 5
Sillans 38 ... 232 B 5
Sillans-la-Cascade 83 ... 307 G 4
Sillars 86 ... 187 F 3
Sillas 33 ... 274 D 1
Sillé-le-Guillaume 72 ... 107 E 2
Sillé-le-Philippe 72 ... 108 A 3
Sillegny 57 ... 65 H 2
Sillery 51 ... 41 H 4

Silley-Amancey 25 180 B 1
Silley-Bléfond 25 162 C 2
Sillingy 74 215 F 3
Silly-en-Gouffern 61 54 B 4
Silly-en-Saulnois 57 66 B 2
Silly-la-Poterie 02 40 A 4
Silly-le-Long 60 39 F 5
Silly-sur-Nied 57 46 B 5
Silly-Tillard 60 38 A 3
Silmont 55 63 H 4
Siltzheim 67 67 G 1
Silvacane *Ancienne Abbaye de* 13 305 H 3
Silvareccio 2B 347 G 3
Silvarouvres 52 116 B 4
Simacourbe 64 314 C 2
Simandre 71 195 F 1
Simandre-sur-Suran 01 196 A 5
Simandres 69 231 F 2
Simard 71 178 B 5
Simencourt 62 13 F 3
Simeyrols 24 241 H 5
Simiane-Collongue 13 327 E 1
Simiane-la-Rotonde 04 286 D 5
Simorre 32 316 C 2
Simplé 53 105 H 5
Le Simserhof *Fort* 57 68 B 1
Sin-le-Noble 59 8 D 5
Sinard 38 250 D 4
Sinceny 02 24 A 5
Sincey-lès-Rouvray 21 158 B 2
Sindères 40 272 D 4
Singles 63 226 C 3
Singleyrac 24 257 H 2
Singly 08 26 D 4
Singrist 67 68 B 5
Sinsat 09 336 B 5
Sinzos 65 315 F 5
Sion 32 295 E 3
Sion 54 94 C 3
Sion-les-Mines 44 126 C 3
Sion-sur-l'Océan 85 164 D 4
Sioniac 19 243 E 4
Sionne 88 93 H 4
Sionviller 54 95 G 1
Siorac-de-Ribérac 24 239 G 2
Siorac-en-Périgord 24 259 E 1
Siouville-Hague 50 28 C 3
Sirac 32 297 E 3
Siracourt 62 7 F 5
Siradan 65 334 B 2
Siran 15 243 G 5
Siran 34 320 B 4
Siran *Château* 33 237 F 3
Sireix 65 332 C 2
Sireuil 16 221 E 2
Sireuil 24 241 F 5
Sirod 39 180 A 4
Siros 64 314 A 3
Sisco 2B 345 G 2
Sissonne 02 25 F 5
Sissy 02 24 C 3
Sistels 82 276 C 4
Sisteron 04 287 G 2
Sivergues 84 305 H 2
Sivignon 71 194 B 3
Sivry 54 65 H 4
Sivry-Ante 51 63 E 1
Sivry-Courtry 77 88 C 3
Sivry-la-Perche 55 43 H 5
Sivry-lès-Buzancy 08 43 F 2
Sivry-sur-Meuse 55 43 H 3
Six-Fours-les-Plages 83 327 H 5
Sixt-Fer-à-Cheval 74 216 D 1
Sixt-sur-Aff 35 125 H 2
Sizun 29 75 H 2
Smarves 86 186 B 2
Smermesnil 76 20 D 2
Soccia 2A 348 C 1
Sochaux 25 142 C 4
Socoa 64 310 B 3
Socourt 88 95 E 4
Socx 59 3 G 3
Sode 31 334 B 4
Sœurdres 49 128 C 3
Sognes 89 89 H 5
Sognolles-en-Montois 77 89 F 3
Sogny-aux-Moulins 51 62 B 2
Sogny-en-l'Angle 51 63 E 3
Soignolles 14 53 H 1
Soignolles-en-Brie 77 59 E 5
Soilly 51 60 D 1
Soindres 78 57 F 2
Soing 70 140 C 5
Soings-en-Sologne 41 153 G 2
Soirans 21 160 C 4
Soissons 02 40 B 2
Soissons-sur-Nacey 21 160 D 3
Soisy-Bouy 77 89 G 3
Soisy-sous-Montmorency 95 58 B 2
Soisy-sur-École 91 88 A 3
Soisy-sur-Seine 91 58 D 5
Soize 02 25 G 4
Soizé 28 109 E 3
Soizy-aux-Bois 51 61 E 4
Solaize 69 231 E 2
Solaro 2B 349 G 3
Solbach 67 96 D 3
Soleilhas 04 308 B 1
Solemont 25 163 F 2
Solente 60 23 G 4
Solenzara 2A 349 G 4
Le Soler 66 342 D 2
Solérieux 26 285 F 1
Solers 77 59 F 5
Solesmes 59 14 D 3
Solesmes 72 129 E 2
Soleymieu 38 232 A 1
Soleymieux 42 229 G 3
Solférino 40 273 E 3
Solgne 57 66 B 2
Soliers 14 33 H 5
Solignac 87 223 G 1
Solignac-sous-Roche 43 247 G 1
Solignac-sur-Loire 43 247 F 4
Solignat 63 227 H 3
Soligny-la-Trappe 61 84 B 2
Soligny-les-Étangs 10 89 H 4
Sollacaro 2A 348 D 5
Sollières-Sardières 73 235 E 5
Solliès-Pont 83 328 B 3
Solliès-Toucas 83 328 B 3
Solliès-Ville 83 328 B 4
Sologny 71 194 D 4
Solomiac 32 296 D 2
Solre-le-Château 59 15 H 3
Solrinnes 59 15 H 3
Solterre 45 134 D 2
Solutré-Pouilly 71 194 D 4
Somain 59 9 E 5
Sombacour 25 180 C 2
Sombernon 21 159 G 3
Sombrin 62 13 E 3
Sombrun 65 315 E 2
Somloire 49 167 F 1
Sommaing 59 14 D 2
Sommaisne 55 63 G 2
Sommancourt 52 92 D 3
Sommant 71 176 C 1
Sommauthe 08 43 F 1
Somme-Bionne 51 42 D 5
Somme-Suippe 51 42 C 5
Somme-Tourbe 51 42 D 5
Somme-Vesle 51 62 C 1
Somme-Yèvre 51 62 D 2
Sommecaise 89 135 G 2
Sommedieue 55 64 C 1
Sommeilles 55 63 F 2
Sommelans 02 40 B 5
Sommelonne 55 63 G 5
Sommepy-Tahure 51 42 C 4
Sommerance 08 43 F 3
Sommerécourt 52 117 H 2
Sommereux 60 21 H 4
Sommermont 52 92 D 3
Sommeron 02 25 F 1
Sommervieu 14 33 E 3
Sommerviller 54 95 E 1
Sommery 76 20 D 5
Sommesnil 76 19 G 4
Sommesous 51 61 H 4
Sommet-Bucher 05 271 E 1
La Sommette 25 162 D 4
Sommette-Eaucourt 02 23 H 3
Sommeval 10 114 D 3
Sommeville 52 92 D 2
Sommevoire 52 92 B 4
Sommières 30 303 F 2
Sommières-du-Clain 86 186 B 5
Somport *Col du* 64 331 H 4
Sompt 79 202 D 1
Sompuis 51 62 B 5
Somsois 51 91 H 2
Son 08 26 A 5
Sonac 46 261 E 2
Sonchamp 78 86 D 2
Soncourt 88 94 B 4
Soncourt-sur-Marne 52 116 D 2
Sondernach 68 120 C 4
Sondersdorf 68 143 F 4
La Sône 38 250 A 2
Songeons 60 21 G 5
Songeson 39 179 G 5
Songieu 01 214 D 3
Songy 51 62 C 4
Sonnac 12 261 G 4
Sonnac 17 202 B 4
Sonnac-sur-l'Hers 11 337 E 2
Sonnay 38 231 F 5
Sonnaz 73 233 F 1
Sonneville 16 202 D 5
Sons-et-Ronchères 02 24 D 3
Sonthonnax-la-Montagne 01 196 B 5
Sonzay 37 151 G 1
Soorts-Hossegor 40 292 B 3
Sophia-Antipolis 06 309 F 3
Soppe-le-Bas 68 142 D 2
Soppe-le-Haut 68 142 D 2
Sor 09 335 E 3
Sorans-lès-Breurey 70 162 A 2
Sorba *Col de* 2B 349 F 1
Sorbais 02 25 F 1
Sorbets 32 295 E 3
Sorbets 40 294 B 4
Sorbey 55 44 C 3
Sorbey 57 66 B 1
Sorbier 03 192 D 4
Sorbiers 05 268 C 5
Sorbiers 42 230 B 3
Sorbo-Ocagnano 2B 347 G 2
Sorbollano 2A 349 E 5
Sorbon 08 26 A 5
Sorbs 34 301 H 1
Sorcy-Bauthémont 08 26 C 5
Sorcy-Saint-Martin 55 64 D 5
Sorde-l'Abbaye 40 292 D 5
Sore 40 273 G 1
Soréac 65 315 F 4
Sorède 66 343 F 3
Sorel 80 14 A 5
Sorel-en-Vimeu 80 11 H 4
Sorel-Moussel 28 56 D 3
Sorèze 81 319 F 2
Sorgeat 09 336 D 5
Sorges-et-Ligueux-en-Périgord 24 240 D 1
Sorgues 84 285 F 5
Sorigny 37 151 H 4
Les Sorinières 44 147 G 4
Sorio 2B 345 F 5
Sormery 89 114 B 4
Sormonne 08 26 C 2
Sornac 19 225 H 2
Sornay 70 161 F 3
Sornay 71 195 G 1
Sornéville 54 66 C 5
Sorquainville 76 19 F 4
Sorrus 62 6 B 4
Sort-en-Chalosse 40 293 E 3
Sortosville 50 29 F 5
Sortosville-en-Beaumont 50 28 D 5
Sos 47 275 E 4
Sospel 06 291 G 4
Sossais 86 169 F 3
Sost 65 334 A 3
Sotta 2A 351 F 3
Sottevast 50 29 E 4
Sotteville 50 28 D 4
Sotteville-lès-Rouen 76 36 B 2
Sotteville-sous-le-Val 76 36 B 3
Sotteville-sur-Mer 76 19 H 2
Soturac 46 259 E 5
Sotzeling 57 66 D 3
Souain-Perthes-lès-Hurlus 51 42 C 4
Soual 81 299 F 5
Souancé-au-Perche 28 109 E 2
Souanyas 66 341 H 3
Souastre 62 13 E 4
Soubès 34 301 H 3
Soubise 17 200 D 3
Soublecause 65 295 E 5
Soubran 17 219 G 5
Soubrebost 23 207 E 3
Soucé 53 82 B 3
Soucelles 49 128 D 5
La Souche 07 265 H 3
Souché 79 184 D 4
Souchez 62 8 B 5
Soucht 57 68 A 2
Soucia 39 196 D 1
Soucieu-en-Jarrest 69 230 D 1
Soucirac 46 260 B 2
Souclin 01 214 B 4
Soucy 02 39 H 3
Soucy 89 113 G 2
Soudaine-Lavinadière 19 224 D 3
Soudan 44 127 E 3
Soudan 79 185 G 3
Soudat 24 222 B 2
Souday 41 109 E 4
Soudé 51 62 A 4
Soudeilles 19 225 G 4
Soudorgues 30 283 F 4
Soudron 51 61 H 3
Soueich 31 334 C 2
Soueix-Rogalle 09 335 G 3
Souel 81 279 F 5
Soues 65 315 F 5
Soues 80 22 A 1
Souesmes 41 154 D 2
Souffelweyersheim 67 69 E 5
Soufflenheim 67 69 F 3
Souffrignac 16 221 H 2
Sougé 36 171 F 2
Sougé 41 131 E 3
Sougé-le-Ganelon 72 83 F 5
Sougéal 35 80 C 2
Sougères-en-Puisaye 89 156 D 1
Sougères-sur-Sinotte 89 136 B 2
Sougraigne 11 337 H 3
Sougy 45 110 D 4
Sougy-sur-Loire 58 175 E 3
Les Souhesmes 55 43 H 5
Souhey 21 158 D 1
Le Souich 62 12 D 3
Souilhanels 11 318 D 3
Souilhe 11 318 D 3
Souillac 46 242 B 5
Souillé 72 107 H 3
Souilly 55 63 H 1
Souilly 77 59 E 2
Soula 09 336 B 3
Soulac-sur-Mer 33 218 C 3
Soulages 15 246 A 3
Soulages-Bonneval 12 263 E 3
Soulaincourt 52 93 F 3
Soulaines-Dhuys 10 92 A 4
Soulaines-sur-Aubance 49 149 G 2
Soulaire-et-Bourg 49 128 C 5
Soulaires 28 86 B 3
Soulan 09 335 G 3
Soulanges 51 62 C 4
Soulangis 18 155 F 5
Soulangy 14 53 H 2
Soulatgé 11 338 A 4
Soulaucourt-sur-Mouzon 52 118 A 2
Soulaures 24 259 E 3
Soulce-Cernay 25 163 G 2
Soulgé-sur-Ouette 53 106 B 4
Le Soulié 34 300 C 5
Soulières 51 61 F 3
Soulièvres 79 168 B 3
Soulignac 33 256 B 2
Souligné-Flacé 72 107 F 5
Souligné-sous-Ballon 72 107 H 3
Soulignonne 17 201 E 5
Souligny 10 114 D 2
Soulitré 72 108 B 4
Soullans 85 164 D 3
Soulles 50 52 A 1
Soulom 65 332 D 2
Soulomès 46 260 C 3
Soulor *Col du* 65 332 C 2
Soulosse-sous-Saint-Élophe 88 94 A 4
Soultz-Haut-Rhin 68 120 D 5
Soultz-les-Bains 67 97 F 1
Soultz-sous-Forêts 67 69 E 2
Soultzbach-les-Bains 68 120 D 3
Soultzeren 68 120 C 3
Soultzmatt 68 120 D 4
Soulvache 44 126 D 2
Soumaintrain 89 114 C 4
Soumans 23 190 B 5
Soumensac 47 257 G 2
Souméras 17 219 H 5
Soumont 34 301 H 3
Soumont-Saint-Quentin 14 53 H 2
Soumoulou 64 314 C 4
Soupex 11 318 D 3
Soupir 02 40 D 2
Souplicourt 80 21 H 3
Souppes-sur-Loing 77 112 C 3
Souprosse 40 293 G 2
Le Souquet 40 272 C 5
Souraïde 64 310 D 4
Sourans 25 142 A 5
La Source 45 133 F 3
Source-Seine 21 159 F 1
Sourcieux-les-Mines 69 212 D 5
Le Sourd 02 25 E 2
Sourdeval 50 52 C 4
Sourdeval-les-Bois 50 51 H 2
Sourdon 80 22 C 4
Sourdun 77 89 G 3
Le Sourn 56 101 H 3
Sournia 66 338 A 5
Sourniac 15 244 B 1
Sourribes 04 287 G 3
Sours 28 86 B 4
Soursac 19 243 H 1
Sourzac 24 239 G 3
Sous-la-Tour 22 78 B 3
Sous-Parsat 23 207 F 2
Sousceyrac-en-Quercy 46 243 F 5
Sousmoulins 17 220 B 5
Souspierre 26 267 G 4
Soussac 33 256 D 2
Soussans 33 237 F 3
Soussey-sur-Brionne 21 159 E 3
Soustelle 30 283 G 3
Soustons 40 292 B 2
Sousville 38 251 E 4
Souternon 42 211 G 4
La Souterraine 23 188 C 5
Soutiers 79 185 F 1
Souvans 39 179 E 1
Souvignargues 30 303 F 2
Souvigné 16 203 E 3
Souvigné 37 151 F 1
Souvigné 79 185 F 3
Souvigné-sur-Même 72 108 C 2
Souvigné-sur-Sarthe 72 128 D 2
Souvigny 03 191 H 2
Souvigny-de-Touraine 37 152 C 2
Souvigny-en-Sologne 41 133 G 5
Souyeaux 65 315 F 4
Souzay-Champigny 49 150 C 4
Souzy 69 230 B 1
Souzy-la-Briche 91 87 F 3
Soveria 2B 347 E 4
Soyans 26 267 G 3
Soyaux 16 221 F 2
Soye 25 162 D 1
Soye-en-Septaine 18 173 F 2
Soyécourt 80 23 F 2
Soyers 52 140 B 2
Soyons 07 249 F 5
Spada 55 64 C 3
Sparsbach 67 68 B 3
Spay 72 107 G 5
Spechbach 68 143 E 2
Spechbach-le-Bas 68 143 E 2
Speloncato 2B 346 D 2
Spelunca *Gorges de* 2A 346 B 5
Spéracèdes 06 308 D 3
Spézet 29 76 C 5
Spicheren 57 47 F 4
Spin'a Cavallu *Pont génois* 2A 350 D 2
Spincourt 55 44 D 3
Sponville 54 65 E 1
Spoy 10 116 A 2
Spoy 21 160 B 1
Spycker 59 3 G 3
Squiffiec 22 73 E 4
Staffelfelden 68 121 E 5
Stains 93 58 C 2
Stainville 55 63 H 5
Stangala *Site du* 29 99 H 2
Staple 59 3 H 5
Stattmatten 67 69 F 3
Stazzona 2B 347 G 3
Steenbecque 59 7 H 2
Steene 59 3 G 3
Steenvoorde 59 3 H 4
Steenwerck 59 8 B 2
Steige 67 96 D 4
Steinbach 68 143 E 1
Steinbourg 67 68 B 4
Steinbrunn-le-Bas 68 143 F 2
Steinbrunn-le-Haut 68 143 F 2
Steinseltz 67 69 F 1
Steinsoultz 68 143 F 3
Stella-Plage 62 6 A 4
Stenay 55 43 G 1
Sternenberg 68 142 D 2
Stetten 68 143 G 3
Stigny 89 137 G 3
Still 67 97 E 1
Stiring-Wendel 57 47 F 4
Stival 56 101 H 2
Stonne 08 27 F 5
Storckensohn 68 120 B 5
Stosswihr 68 120 C 3
Stotzheim 67 97 F 3
Strasbourg 67 97 H 1
Strazeele 59 4 A 5
Strenquels 46 242 C 4
Strueth 68 143 E 3
Struth 67 68 A 3
Stuckange 57 45 H 3
Stundwiller 67 69 F 2
Sturzelbronn 57 68 C 1
Stutzheim-Offenheim 67 68 D 5
Suarce 90 142 D 3
Suaucourt-et-Pisseloup 70 140 B 4
Suaux 16 203 H 4
Le Subdray 18 172 D 2
Sublaines 37 152 C 4
Subles 14 32 D 3
Subligny 18 155 H 2
Subligny 50 51 H 4
Subligny 89 113 F 3
Suc-au-May 19 225 E 4
Suc-et-Sentenac 09 336 A 5
Succieu 38 232 A 3
Sucé-sur-Erdre 44 147 H 2
Sucy-en-Brie 94 58 D 4
Suèvres 41 132 B 4
Sugères 63 228 B 2
Sugny 08 42 D 2
Suhescun 64 311 F 5
Suilly-la-Tour 58 156 B 3
Suin 71 194 B 3
Suippes 51 42 C 5
Suisse 57 66 D 2
Suizy-le-Franc 51 61 E 2
Sulignat 01 213 F 1
Sully 14 32 D 3
Sully 60 21 G 5
Sully 71 177 E 2
Sully-la-Chapelle 45 111 G 5
Sully-sur-Loire 45 134 A 3
Sulniac 56 124 D 3
Sumène 30 283 E 5
Sundhoffen 68 121 F 3
Sundhouse 67 97 G 5
Super-Barèges 65 333 F 3
Super-Besse 63 227 F 3
Super-Bolquère 66 341 G 4
Super-Lioran 15 245 E 3
Super-Sauze 04 270 D 5
Superbagnères 31 334 A 5
Superdévoluy 05 269 F 2
Supeyres *Col des* 63 229 E 2
Supt 39 179 H 3
Le Suquet 06 291 E 4
Surat 63 210 A 4
Surba 09 336 B 4
Surbourg 67 69 E 2
Surcamps 80 12 B 5
Surdoux 87 224 C 2
Suré 61 84 A 4
Suresnes 92 58 B 3
Surfonds 72 108 B 5
Surfontaine 02 24 C 3
Surgères 17 201 F 1
Surgy 58 157 F 1
Suriauville 88 118 B 2
Surin 79 184 D 2
Surin 86 203 H 2
Suris 16 204 C 4
Surjoux 01 215 E 2
Surmont 25 163 E 3
Surques 62 2 D 5
Surrain 14 32 C 2
Surtainville 50 28 D 5
Surtauville 27 36 A 4
Survie 61 54 C 3
Surville 14 34 C 3
Surville 27 36 B 4
Surville 50 31 F 3
Survilliers 95 38 D 5
Sury 08 26 C 3
Sury-aux-Bois 45 111 H 5
Sury-en-Vaux 18 155 H 3
Sury-ès-Bois 18 155 H 2
Sury-le-Comtal 42 229 H 3
Sury-près-Léré 18 156 A 1
Surzur 56 124 C 4
Sus 64 313 F 3
Sus-Saint-Léger 62 12 D 3
Suscinio *Château de* 56 124 C 5
Susmiou 64 313 F 3
Sussac 87 224 C 2
Sussargues 34 303 E 3
Sussat 03 209 G 1
Sussey 21 158 D 4
Susville 38 251 E 4
Sutrieu 01 214 C 3
Suzan 09 335 H 2
Suzanne 08 42 C 1
Suzanne 80 23 F 1
Suzannecourt 52 93 E 3
Suzay 27 37 E 3
Suze 26 267 H 1
Suze-la-Rousse 26 285 F 2
La Suze-sur-Sarthe 72 129 G 2

Suzette 84 .... 285 H 3
Suzoy 60 .... 23 G 5
Suzy 02 .... 24 C 5
Sy 08 .... 43 E 1
Syam 39 .... 179 H 5
Sylvains-les-Moulins 27 .... 56 B 2
Sylvanès 12 .... 301 E 2
Le Syndicat 88 .... 119 H 4

T

Tabaille-Usquain 64 .... 311 H 4
Tabanac 33 .... 255 H 2
La Table 73 .... 233 H 3
Le Tablier 85 .... 183 E 1
Tabre 09 .... 336 D 2
La Tâche 16 .... 203 G 4
Tachoires 32 .... 316 B 2
Tacoignières 78 .... 57 F 3
Taconnay 58 .... 157 E 3
Taden 22 .... 79 H 4
Tadousse-Ussau 64 .... 294 C 5
Taglio-Isolaccio 2B .... 347 G 3
La Tagnière 71 .... 176 C 4
Tagnon 08 .... 42 A 2
Tagolsheim 68 .... 143 F 2
Tagsdorf 68 .... 143 F 3
Tailhac 43 .... 246 C 4
Taillades 84 .... 305 F 2
Le Taillan-Médoc 33 .... 237 F 5
Taillancourt 55 .... 94 A 2
Taillant 17 .... 201 G 4
Taillebois 61 .... 53 F 3
Taillebourg 17 .... 201 G 4
Taillebourg 47 .... 257 F 5
Taillecavat 33 .... 257 E 3
Taillecourt 25 .... 142 C 4
La Taillée 85 .... 183 H 3
Taillefontaine 02 .... 39 H 3
Taillepied 50 .... 31 F 2
Taillet 66 .... 342 C 4
Taillette 08 .... 26 B 1
Tailleville 14 .... 33 G 3
Taillis 35 .... 105 E 2
Tailly 08 .... 43 G 1
Tailly 21 .... 177 H 2
Tailly 80 .... 11 H 5
Tain-l'Hermitage 26 .... 249 E 3
Taingy 89 .... 136 A 5
Taintrux 88 .... 96 B 5
Taisnières-en-Thiérache 59 .... 15 F 4
Taisnières-sur-Hon 59 .... 15 F 2
Taisnil 80 .... 22 A 3
Taissy 51 .... 41 H 4
Taïx 81 .... 279 G 5
Taizé 71 .... 194 D 2
Taizé 79 .... 168 B 2
Taizé-Aizie 16 .... 203 G 2
Taizy 08 .... 42 A 1
Tajan 65 .... 315 H 5
Talairan 11 .... 338 B 2
Talais 33 .... 218 C 3
Talange 57 .... 45 H 4
Talant 21 .... 160 A 3
Talasani 2B .... 347 H 3
Talau 66 .... 341 H 3
La Talaudière 42 .... 230 B 4
Talazac 65 .... 315 E 3
Talcy 41 .... 132 B 3
Talcy 89 .... 137 F 5
Talence 33 .... 255 G 1
Talencieux 07 .... 249 E 1
Talensac 35 .... 103 H 3
Talissieu 01 .... 214 D 4
Talizat 15 .... 245 G 3
Tallans 25 .... 162 C 1
Tallard 05 .... 269 G 4
Tallenay 25 .... 162 A 3
Tallende 63 .... 227 H 2
Taller 40 .... 292 D 1
Talloires-Montmin 74 .... 215 H 4
Tallone 2B .... 347 G 5
Le Tallud 79 .... 185 F 1
Tallud-Sainte-Gemme 85 .... 166 D 5
Talmas 80 .... 12 D 5
Talmay 21 .... 160 D 2
Talmont-Saint-Hilaire 85 .... 182 B 2
Talmont-sur-Gironde 17 .... 218 D 3
Talmontiers 60 .... 37 F 2
Taloire 04 .... 308 A 1
Talon 58 .... 157 F 3
Talus-Saint-Prix 51 .... 61 E 3
Taluyers 69 .... 230 D 2
Tamaris-sur-Mer 83 .... 328 A 5
La Tamarissière 34 .... 322 C 5
Tamerville 50 .... 29 F 4
Tamié Abbaye de 73 .... 234 A 1
Tamnay-en-Bazois 58 .... 175 G 1
Tamniès 24 .... 241 F 4
Tanavelle 15 .... 245 G 4
Tanay 21 .... 160 C 2
Tancarville 76 .... 35 E 1
Tancarville Pont de 76 .... 35 E 1
Tancoigné 49 .... 149 H 4
Tancon 71 .... 212 A 1
Tanconville 54 .... 96 B 1
Tancrou 77 .... 59 H 2
Tangry 62 .... 7 G 4
La Tania 73 .... 234 C 3
Taninges 74 .... 216 C 1
Tanis 50 .... 51 G 5
Tanlay 89 .... 137 F 2
Tannay 08 .... 27 E 5
Tannay 58 .... 157 F 3
Tanneron 83 .... 308 D 4
Tannerre-en-Puisaye 89 .... 135 G 4
La Tannière 53 .... 81 G 4
Tannières 02 .... 40 D 3
Tannois 55 .... 63 H 4
Tanques 61 .... 54 A 5
Tantonville 54 .... 94 D 3
Le Tanu 50 .... 51 H 3
Tanus 81 .... 280 B 4
Tanville 61 .... 83 F 2
Tanzac 17 .... 219 G 2
Taponas 69 .... 213 E 1
Taponnat-Fleurignac 16 .... 203 H 5
Tappa
Site préhistorique 2A .... 351 F 3
Tarabel 31 .... 318 B 2
Taradeau 83 .... 308 A 5
Tarare 69 .... 212 B 4
Tarascon 13 .... 304 B 2
Tarascon-sur-Ariège 09 .... 336 B 4
Tarasteix 65 .... 315 E 3
Tarbes 65 .... 315 E 4
Tarcenay 25 .... 162 A 4
Tardais 28 .... 85 F 2
Tardes 23 .... 208 B 1
Tardets-Sorholus 64 .... 331 F 1
La Tardière 85 .... 167 E 5
Tardinghen 62 .... 2 B 4
Tarentaise 42 .... 230 C 5
Tarentaise
Belvédère de la 73 .... 235 F 3
Tarerach 66 .... 342 B 2
Targassonne 66 .... 341 F 4
Targé 86 .... 169 G 4
Target 03 .... 191 G 5
Targon 33 .... 256 B 2
Tarnac 19 .... 225 F 1
Tarnès 33 .... 237 H 4
Tarnos 40 .... 292 A 5
Taron-Sadirac-
Viellenave 64 .... 294 C 5
Tarquimpol 57 .... 67 E 4
Tarrano 2B .... 347 G 4
Tarsac 32 .... 294 D 4
Tarsacq 64 .... 313 H 3
Tarsul 21 .... 160 A 1
Tart-l'Abbaye 21 .... 160 C 4
Tart-le-Bas 21 .... 160 C 4
Tart-le-Haut 21 .... 160 B 4
Tartaras 42 .... 230 D 3
Tartas 40 .... 293 F 2
Tartécourt 70 .... 140 D 2
Tartiers 02 .... 40 A 2
Tartigny 60 .... 22 C 5
Tartonne 04 .... 288 B 4
Le Tartre 71 .... 178 D 4
Le Tartre-Gaudran 78 .... 57 E 5
Tarzy 08 .... 26 A 2
Tasdon 17 .... 200 C 1
Tasque 32 .... 295 E 4
Tassé 72 .... 129 F 2
Tassenières 39 .... 179 E 2
Tassillé 72 .... 107 F 4
Tassin-la-Demi-Lune 69 .... 213 E 5
Tasso 2A .... 349 E 3
Tatinghem 62 .... 3 F 5
Le Tâtre 16 .... 220 C 4
Taugon 17 .... 183 H 4
Taulanne 04 .... 308 A 1
Taulé 29 .... 71 H 4
Taulignan 26 .... 267 G 5
Taulis 66 .... 342 C 4
Taupont 56 .... 102 D 4
Tauriac 33 .... 237 G 3
Tauriac 46 .... 242 D 5
Tauriac 81 .... 298 B 1
Tauriac-de-Camarès 12 .... 301 E 3
Tauriac-de-Naucelle 12 .... 279 H 3
Tauriers 07 .... 266 A 4
Taurignan-Castet 09 .... 335 F 2
Taurignan-Vieux 09 .... 335 F 2
Taurinya 66 .... 342 B 3
Taurize 11 .... 338 A 1
Taussac 12 .... 262 D 1
Taussac-la-Billière 34 .... 301 F 4
Taussat 33 .... 254 C 2
Tautavel 66 .... 338 C 4
Tauves 63 .... 226 D 3
Tauxières-Mutry 51 .... 41 H 5
Tauxigny 37 .... 152 A 4
Tavaco 2A .... 348 D 2
Tavant 37 .... 151 F 5
Tavaux 39 .... 178 D 1
Tavaux-et-Pontséricourt 02 .... 25 F 3
Tavel 30 .... 285 E 5
Tavera 2A .... 348 D 2
Tavernay 71 .... 176 C 1
Tavernes 83 .... 307 E 4
Taverny 95 .... 58 B 1
Tavers 45 .... 132 C 3
Tavey 70 .... 142 B 4
Taxat-Senat 03 .... 209 H 1
Taxenne 39 .... 161 F 4
Tayac 33 .... 238 D 4
Taybosc 32 .... 296 C 2
Tayrac 12 .... 279 H 3
Tayrac 47 .... 276 D 3
Tazilly 58 .... 176 A 4
Le Tech 66 .... 342 B 5
Têche 38 .... 250 B 2
Técou 81 .... 299 E 2
Teghime Col de 2B .... 345 G 4
Le Teich 33 .... 254 C 3
Teigny 58 .... 157 G 2
Le Teil 07 .... 266 D 4
Teilhède 63 .... 209 G 3
Teilhet 09 .... 336 C 1
Teilhet 63 .... 209 E 2
Teillay 35 .... 126 D 2
Teillay-le-Gaudin 45 .... 111 E 3
Teillay-Saint-Benoît 45 .... 111 F 3
Teillé 44 .... 148 A 1
Teillé 72 .... 107 H 2
Teillet 81 .... 299 H 2
Teillet-Argenty 03 .... 190 C 5
Le Teilleul 50 .... 81 H 2
Teillots 24 .... 241 G 1
Teissières-de-Cornet 15 .... 244 B 4
Teissières-lès-Bouliès 15 .... 262 C 1
Télégraphe Col du 73 .... 252 B 1
Telgruc-sur-Mer 29 .... 75 F 4
Tellancourt 54 .... 44 D 1
Tellecey 21 .... 160 C 3
Tellières-le-Plessis 61 .... 84 A 2
Teloché 72 .... 130 A 2
Le Temple 33 .... 236 C 5
Le Temple 41 .... 109 E 5
Le Temple 79 .... 167 E 2
Le Temple-de-Bretagne 44 .... 147 F 2
Temple-Laguyon 24 .... 241 F 1
Le Temple-sur-Lot 47 .... 275 H 1
Templemars 59 .... 8 D 3
La Templerie 35 .... 81 F 5
Templeuve 59 .... 9 E 4
Templeux-la-Fosse 80 .... 23 H 1
Templeux-le-Guérard 80 .... 24 A 1
Tenaille Ancienne
Abbaye de la 17 .... 219 G 4
Tenay 01 .... 214 B 3
Tence 43 .... 248 A 3
Tencin 38 .... 233 F 5
Tende 06 .... 291 H 2
Tende Col de 06 .... 291 H 2
Tendon 88 .... 119 H 2
Tendron 18 .... 174 A 2
Tendu 36 .... 188 D 1
Teneur 62 .... 7 F 4
Tennie 72 .... 107 F 3
Tenteling 57 .... 47 F 5
Tercé 86 .... 186 D 2
Tercillat 23 .... 189 H 3
Tercis-les-Bains 40 .... 292 D 3
Terdeghem 59 .... 3 H 5
Térénez 29 .... 71 H 3
Térénez Pont de 29 .... 75 G 4
Tergnier 02 .... 24 B 4
Terjat 03 .... 208 D 1
Termes 08 .... 43 E 3
Termes 11 .... 338 B 2
Termes 48 .... 263 H 1
Termes-d'Armagnac 32 .... 295 E 4
Termignon 73 .... 235 E 5
Terminiers 28 .... 110 C 4
Ternand 69 .... 212 C 3
Ternant 17 .... 201 G 3
Ternant 21 .... 159 H 4
Ternant 58 .... 175 H 4
Ternant-les-Eaux 63 .... 227 H 4
Ternas 62 .... 12 D 2
Ternat 52 .... 117 E 5
Ternay 41 .... 131 E 4
Ternay 69 .... 231 E 2
Ternay 86 .... 168 C 1
Ternay Barrage du 07 .... 230 D 5
Les Ternes 15 .... 245 G 4
Ternuay-Melay-
et-Saint-Hilaire 70 .... 142 A 1
Terny-Sorny 02 .... 40 B 2
Terramesnil 80 .... 12 D 4
Terrans 71 .... 178 C 3
La Terrasse 38 .... 233 F 5
Terrasse
Panorama de la 69 .... 212 C 1
La Terrasse-sur-Dorlay 42 .... 230 C 4
Terrasson-Lavilledieu 24 .... 241 H 3
Terrats 66 .... 342 D 3
Terraube 32 .... 296 A 1
Terre-Clapier 81 .... 299 G 2
Terrebasse 31 .... 317 E 5
Terrefondrée 21 .... 138 D 3
Terrehault 72 .... 108 A 2
Terrenoire 42 .... 230 B 4
Les Terres-de-Chaux 25 .... 163 F 2
La Terrisse 12 .... 263 F 2
Terroles 11 .... 337 H 2
Terron-sur-Aisne 08 .... 42 D 1
Terrou 46 .... 261 F 1
Tersanne 26 .... 249 G 1
Tersannes 87 .... 187 H 5
Terssac 81 .... 299 F 1
Le Tertre Rouge
Parc zoologique 72 .... 129 G 4
Le Tertre-Saint-Denis 78 .... 57 E 2
Tertry 80 .... 23 H 2
Terves 79 .... 167 G 4
Terville 57 .... 45 G 3
Tessancourt-sur-Aubette 78 .... 57 H 1
Tessé-Froulay 61 .... 82 C 2
Tessé-la-Madeleine 61 .... 82 C 2
Tessel 14 .... 33 E 4
Tessens 73 .... 234 C 2
Tesson 17 .... 219 F 2
Tessonnière 79 .... 168 A 4
La Tessoualle 49 .... 167 E 1
Tessy Bocage 50 .... 52 B 1
La Teste-de-Buch 33 .... 254 B 3
Tétaigne 08 .... 27 G 4
Tête des Cuveaux 88 .... 119 H 3
Téteghem-
Coudekerque-Village 59 .... 3 G 2
Téterchen 57 .... 46 D 4
Téthieu 40 .... 293 E 2
Teting-sur-Nied 57 .... 66 D 1
Teuillac 33 .... 237 G 3
Teulat 81 .... 298 C 4
Le Teulet 19 .... 243 G 4
Teurthéville-Bocage 50 .... 29 G 3
Teurthéville-Hague 50 .... 28 D 3
Teyjat 24 .... 222 B 2
Teyran 34 .... 303 E 4
Teyssières 26 .... 267 H 5
Teyssieu 46 .... 243 F 5
Teyssode 81 .... 298 D 4
Thaas 51 .... 61 F 5
Thaims 17 .... 219 E 2
Thairé 17 .... 200 D 2
Thaix 58 .... 175 G 3
Thal-Drulingen 67 .... 67 H 3
Thal-Marmoutier 67 .... 68 B 5
Thalamy 19 .... 226 C 3
Thann 68 .... 142 D 1
Thannenkirch 68 .... 97 E 5
Thanvillé 67 .... 97 E 4
Thaon 14 .... 33 F 3
Thaon-les-Vosges 88 .... 95 F 5
Tharaux 30 .... 284 B 2
Tharoiseau 89 .... 157 H 2
Tharon-Plage 44 .... 146 C 4
Tharot 89 .... 157 H 1
Thaumiers 18 .... 173 G 4
Thauron 23 .... 207 E 3
Thauvenay 18 .... 156 A 3
Thèbe 65 .... 334 A 3
Théding 57 .... 47 F 5
Thédirac 46 .... 259 H 3
Thégra 46 .... 260 D 1
Théhillac 56 .... 125 G 5
Le Theil 03 .... 191 H 4
Le Theil 15 .... 244 C 3
Le Theil 23 .... 206 C 3
Le Theil 50 .... 29 F 3
Le Theil 61 .... 108 C 2
Le Theil-Bocage 14 .... 52 D 2
Le Theil-de-Bretagne 35 .... 104 D 5
Le Theil-en-Auge 14 .... 34 D 3
Le Theil-Nolent 27 .... 35 F 5
Theil-Rabier 16 .... 203 E 2
Theil-sur-Vanne 89 .... 113 H 3
Theillay 41 .... 154 B 3
Theillement 27 .... 35 H 3
Theix-Noyalo 56 .... 124 C 4
Theizé 69 .... 212 C 3
Thel 69 .... 212 B 1
Théligny 72 .... 108 D 3
Thélis-la-Combe 42 .... 230 C 5
Thélod 54 .... 94 C 2
Thelonne 08 .... 27 F 4
Thélus 62 .... 8 B 5
Théméricourt 95 .... 57 H 1
Thémines 46 .... 261 E 2
Théminettes 46 .... 261 E 2
Thénac 17 .... 219 F 1
Thénac 24 .... 257 G 2
Thenailles 02 .... 25 F 2
Thenay 36 .... 188 C 1
Thenay 41 .... 153 E 2
Thenelles 02 .... 24 C 2
Thénésol 73 .... 216 A 5
Theneuil 37 .... 169 F 1
Theneuille 03 .... 191 F 1
Thénezay 79 .... 168 C 5
Thénioux 18 .... 154 B 4
Thenissey 21 .... 159 F 1
Thénisy 77 .... 89 F 3
Thennelières 10 .... 91 E 5
Thennes 80 .... 22 D 3
Thenon 24 .... 241 F 2
Thénorgues 08 .... 43 F 2
Théoule-sur-Mer 06 .... 309 E 5
Therdonne 60 .... 38 A 2
Théret Château du 23 .... 207 F 2
Thérines 60 .... 21 H 5
Thermes-Magnoac 65 .... 316 B 5
Thérondels 12 .... 245 E 5
Thérouanne 62 .... 7 F 2
Thérouldeville 76 .... 19 F 3
Thervay 39 .... 161 F 4
Thésée 41 .... 153 E 3
Thésy 39 .... 179 H 2
Theuley 70 .... 140 C 4
Théus 05 .... 269 H 4
Theuville 28 .... 86 B 5
Theuville 95 .... 38 A 5
Theuville-aux-Maillots 76 .... 19 F 3
Theuvy-Achères 28 .... 85 H 2
Thevet-Saint-Julien 36 .... 189 H 1
Théville 50 .... 29 G 3
Thevray 27 .... 55 G 2
They-sous-Montfort 88 .... 118 C 2
They-sous-Vaudemont 54 .... 94 C 4
Theys 38 .... 233 F 5
Théza 66 .... 343 F 2
Thézac 17 .... 219 E 1
Thézac 47 .... 259 E 5
Thézan-des-Corbières 11 .... 338 C 1
Thézan-lès-Béziers 34 .... 321 F 3
Thèze 04 .... 287 F 1
Thèze 64 .... 314 B 2
Thézey-Saint-Martin 54 .... 66 B 3
Théziers 30 .... 304 B 1
Thézillieu 01 .... 214 C 4
Thézy-Glimont 80 .... 22 C 3
Thiais 94 .... 58 C 4
Thiancourt 90 .... 142 D 4
Thianges 58 .... 175 F 3
Thiant 59 .... 14 D 2
Thiat 87 .... 187 G 5
Thiaucourt-Regniéville 54 .... 65 F 3
Thiaville-sur-Meurthe 54 .... 96 A 3
Thiberville 27 .... 35 E 5
Thibie 51 .... 62 A 2
Thibivillers 60 .... 37 H 3
Thibouville 27 .... 35 G 5
Thicourt 57 .... 66 D 2
Thiébauménil 54 .... 95 G 1
Thiéblemont-Farémont 51 .... 62 D 5
Thiébouhans 25 .... 163 G 3
Thieffrain 10 .... 115 G 2
Thieffrans 70 .... 141 G 5
Thiéfosse 88 .... 120 A 4
Thiel-sur-Acolin 03 .... 192 C 2
Thiembronne 62 .... 7 E 3
Thiénans 70 .... 162 B 1
Thiennes 59 .... 7 H 2
Thiepval 80 .... 13 F 5
Thiergeville 76 .... 19 E 3
Thiernu 02 .... 25 E 3
Thiers 63 .... 210 C 4
Thiers-sur-Thève 60 .... 38 D 5
Thierville 27 .... 35 G 4
Thierville-sur-Meuse 55 .... 44 B 5
Thiéry 06 .... 289 G 4
Thiescourt 60 .... 23 G 5
Thiétreville 76 .... 19 F 3
Le Thieulin 28 .... 85 G 4
Thieulloy-la-Ville 80 .... 21 H 3
Thieulloy-l'Abbaye 80 .... 21 H 2
Thieuloy-Saint-Antoine 60 .... 21 H 4
La Thieuloye 62 .... 7 G 5
Thieux 60 .... 38 C 1
Thieux 77 .... 59 E 1
Thiéville 14 .... 54 A 1
Thièvres 62 .... 13 E 4
Thiézac 15 .... 244 D 4
Thignonville 45 .... 111 G 2
Thil 01 .... 213 G 5
Thil 10 .... 92 B 5
Le Thil 27 .... 37 E 3
Thil 31 .... 297 F 3
Thil 51 .... 41 G 3
Thil 54 .... 45 F 2
Thil-la-Ville 21 .... 158 D 2
Thil-Manneville 76 .... 20 A 2
Le Thil-Riberpré 76 .... 21 E 4
Thil-sur-Arroux 71 .... 176 B 4
Thilay 08 .... 27 E 2
Le Thillay 95 .... 58 D 2
Thilleux 52 .... 92 B 4
Les Thilliers-en-Vexin 27 .... 37 E 4
Thillois 51 .... 41 G 4
Thillombois 55 .... 64 B 3
Thillot 55 .... 64 D 2
Le Thillot 88 .... 120 A 5
Thilouze 37 .... 151 G 4
Thimert 28 .... 85 H 2
Thimonville 57 .... 66 B 2
Thimory 45 .... 134 C 2
Thin-le-Moutier 08 .... 26 B 3
Thines 07 .... 265 G 5
Thiolières 63 .... 228 D 2
Thionne 03 .... 192 C 3
Thionville 57 .... 45 H 3
Thionville-sur-Opton 78 .... 57 E 4
Thiouville 76 .... 19 F 4
Thiraucourt 88 .... 94 C 5
Thiré 85 .... 183 G 1
Thiron Gardais 28 .... 85 F 5
This 08 .... 26 C 3
Thise 25 .... 162 A 3
Thivars 28 .... 86 A 4
Thivencelle 59 .... 9 H 4
Thiverny 60 .... 38 C 4
Thiverval-Grignon 78 .... 57 H 3
Thivet 52 .... 117 F 4
Thiviers 24 .... 223 E 4
Thiville 28 .... 110 A 4
Thizay 36 .... 172 B 3
Thizay 37 .... 150 D 5
Thizy-les-Bourgs 69 .... 212 A 2
Thizy 89 .... 137 F 5
Thoard 04 .... 287 H 3
Thodure 38 .... 231 H 5
Thoigné 72 .... 83 H 5
Thoiras 30 .... 283 F 4
Thoiré-sous-Contensor 72 .... 83 H 5
Thoiré-sur-Dinan 72 .... 130 C 3
Thoires 21 .... 116 A 5
Thoirette 39 .... 196 B 4
Thoiria 39 .... 196 D 1
Thoiry 01 .... 197 F 5
Thoiry 73 .... 233 G 2
Thoiry 78 .... 57 G 3
Thoissey 01 .... 213 E 1
Thoissia 39 .... 196 A 3
Thoisy-la-Berchère 21 .... 158 D 4
Thoisy-le-Désert 21 .... 159 E 4
Thoix 80 .... 22 A 4
Thol-lès-Millières 52 .... 117 G 3
Thollet 86 .... 187 H 3
Thollon-les-Mémises 74 .... 198 C 3
Le Tholonet 13 .... 306 A 5
Le Tholy 88 .... 120 A 3
Thomer-la-Sôgne 27 .... 56 B 3
Thomery 77 .... 88 C 4
Thomirey 21 .... 177 F 1
Thonac 24 .... 241 F 4
Thônes 74 .... 216 A 3
Thonnance-lès-Joinville 52 .... 93 E 3
Thonnance-les-Moulins 52 .... 93 F 4
Thonne-la-Long 55 .... 44 B 1
Thonne-le-Thil 55 .... 44 B 1
Thonne-les-Prés 55 .... 44 B 1
Thonnelle 55 .... 44 B 1
Thonon-les-Bains 74 .... 198 B 3
Les Thons 88 .... 118 B 4
Thonville 57 .... 66 D 2
Le Thor 84 .... 305 E 1
Thorailles 45 .... 112 D 4
Thoraise 25 .... 161 H 4

Thorame-Basse 04 ... 288 C 3
Thorame-Haute 04 ... 288 D 3
Thorame-Haute-Gare 04 ... 288 D 4
Thoras 43 ... 246 C 5
Thoré-la-Rochette 41 ... 131 F 3
Thorée-les-Pins 72 ... 129 H 4
Thorenc 06 ... 308 D 1
Thorens-Glières 74 ... 215 H 2
Thorey 89 ... 137 F 2
Thorey-en-Plaine 21 ... 160 B 4
Thorey-Lyautey 54 ... 94 C 3
Thorey-sous-Charny 21 ... 159 E 3
Thorey-sur-Ouche 21 ... 159 G 5
Thorigné 79 ... 185 F 4
Thorigné-d'Anjou 49 ... 128 B 4
Thorigné-en-Charnie 53 ... 106 D 4
Thorigné-Fouillard 35 ... 104 C 2
Thorigné-sur-Dué 72 ... 108 B 4
Thorigny 85 ... 183 E 1
Thorigny-sur-le-Mignon 79 ... 201 G 1
Thorigny-sur-Marne 77 ... 59 E 3
Thorigny-sur-Oreuse 89 ... 89 H 5
Le Thoronet 83 ... 307 H 5
Thoronet *Abbaye du* 83 ... 307 H 5
Thorrenc 07 ... 249 E 1
Thors 10 ... 92 B 5
Thors 17 ... 202 B 4
Thory 80 ... 22 C 4
Thory 89 ... 137 E 5
Thoste 21 ... 158 C 2
Le Thot 24 ... 241 F 4
Le Thou 17 ... 201 E 1
Thou 18 ... 155 G 2
Thou 45 ... 135 E 5
Thouarcé 49 ... 149 G 3
Thouaré-sur-Loire 44 ... 147 H 3
Thouars 79 ... 168 A 2
Thouars-sur-Arize 09 ... 317 G 5
Thouars-sur-Garonne 47 ... 275 G 2
Thouarsais-Bouildroux 85 ... 183 H 1
Le Thoult-Trosnay 51 ... 61 E 3
Le Thour 08 ... 25 G 5
Le Thoureil 49 ... 150 A 2
Thourie 35 ... 126 D 2
Thouron 87 ... 205 G 3
Thourotte 60 ... 39 G 1
Thoury 41 ... 132 C 5
Thoury-Férottes 77 ... 88 D 5
Thoux 32 ... 297 E 4
Thubœuf 53 ... 82 C 3
Le Thuel 02 ... 25 G 4
Thuellin 38 ... 232 B 1
Thuès-entre-Valls 66 ... 341 H 4
Thueyts 07 ... 266 A 2
Thugny-Trugny 08 ... 42 B 1
La Thuile 73 ... 233 G 2
Les Thuiles 04 ... 270 C 5
Thuilley-aux-Groseilles 54 ... 94 C 2
Thuillières 88 ... 118 C 2
Thuir 66 ... 342 D 2
Thuisy 10 ... 114 C 2
Le Thuit 27 ... 36 D 4
Le Thuit-Anger 27 ... 36 A 3
Thuit-Hébert 27 ... 35 H 3
Le Thuit-de-l'Oison 27 ... 36 A 4
Le Thuit-Simer 27 ... 35 H 4
Thulay 25 ... 142 C 5
Thumeréville 54 ... 45 E 5
Thumeries 59 ... 8 D 4
Thun-l'Évêque 59 ... 14 C 3
Thun-Saint-Amand 59 ... 9 G 4
Thun-Saint-Martin 59 ... 14 C 3
Thurageau 86 ... 169 E 4
Thuré 86 ... 169 F 4
Thuret 63 ... 210 A 3
Thurey 71 ... 178 B 4
Thurey-le-Mont 25 ... 162 A 2
Thurins 69 ... 230 D 1
Thury 21 ... 177 E 1
Thury 89 ... 135 H 5
Thury-en-Valois 60 ... 39 H 5
Thury-Harcourt 14 ... 53 F 1
Thury-sous-Clermont 60 ... 38 C 3
Thusy 74 ... 215 F 3
Thuy 65 ... 315 G 4
Thyez 74 ... 216 B 1
Thyl 73 ... 252 B 1
Tibiran-Jaunac 65 ... 334 A 2
Ticheville 61 ... 54 D 2
Tichey 21 ... 178 C 1
Tieffenbach 67 ... 68 A 3
Tiercé 49 ... 128 D 5
Tiercelet 54 ... 45 E 2
Le Tiercent 35 ... 80 D 4
Tierceville 14 ... 33 F 3
Tieste-Uragnoux 32 ... 295 E 5
La Tieule 48 ... 281 H 1
Tiffauges 85 ... 166 C 1
Tigeaux 77 ... 59 G 4
Tigery 91 ... 88 A 2
Tignac 09 ... 336 C 5
Tigné 49 ... 149 H 4
Tignécourt 88 ... 118 B 4
Tignes 73 ... 235 E 3
Tignes *Barrage de* 73 ... 235 F 2
Le Tignet 06 ... 308 D 3
Tignieu-Jameyzieu 38 ... 213 H 5
Tigny-Noyelle 62 ... 6 B 5
Tigy 45 ... 133 H 3
Til-Châtel 21 ... 160 B 1
Tilh 40 ... 293 F 4
Tilhouse 65 ... 333 G 1
Tillac 32 ... 315 G 2
Tillay-le-Péneux 28 ... 110 D 3
Tillé 60 ... 38 A 1
Tillenay 21 ... 160 D 4
Le Tilleul 76 ... 18 C 4
Tilleul-Dame-Agnès 27 ... 55 H 1
Le Tilleul-Lambert 27 ... 56 A 1
Le Tilleul-Othon 27 ... 35 G 5
Tilleux 88 ... 94 A 5
Tillières 49 ... 148 B 5
Tillières-sur-Avre 27 ... 56 A 4
Tilloloy 80 ... 23 F 4
Tillou 79 ... 202 D 1
Tilloy-et-Bellay 51 ... 62 C 1
Tilloy-Floriville 80 ... 11 F 5
Tilloy-lès-Conty 80 ... 22 B 3
Tilloy-lès-Hermaville 62 ... 13 E 2
Tilloy-lès-Mofflaines 62 ... 13 G 2
Tilloy-lez-Cambrai 59 ... 14 B 3
Tilloy-lez-Marchiennes 59 ... 9 F 5
Tilly 27 ... 37 E 5
Tilly 36 ... 188 A 3
Tilly 78 ... 57 E 3
Tilly-Capelle 62 ... 7 F 4
Tilly-la-Campagne 14 ... 33 G 5
Tilly-sur-Meuse 55 ... 64 B 2
Tilly-sur-Seulles 14 ... 33 E 4
Tilques 62 ... 3 F 5
Tincey-et-Pontrebeau 70 ... 140 C 5
Tinchebray 61 ... 52 D 4
Tincourt-Boucly 80 ... 23 H 1
Tincques 62 ... 7 H 5
Tincry 57 ... 66 C 3
Les Tines 74 ... 217 E 2
Tingry 62 ... 6 B 3
Tinqueux 51 ... 41 G 4
Tinténiac 35 ... 80 A 4
Tintry 71 ... 177 E 2
Tintury 58 ... 175 F 2
Tiranges 43 ... 247 G 1
Tirent-Pontéjac 32 ... 296 C 5
Tirepied 50 ... 51 H 4
Tissey 89 ... 136 D 2
Le Titre 80 ... 11 G 2
Tiuccia 2A ... 348 B 2
Tivernon 45 ... 111 E 3
Tiviers 15 ... 245 H 3
Tivolaggio 2A ... 350 D 3
Tizac-de-Curton 33 ... 256 B 1
Tizac-de-Lapouyade 33 ... 238 B 3
Tizzano 2A ... 350 D 3
Tocane-Saint-Apre 24 ... 239 H 1
Tocqueville 27 ... 35 F 2
Tocqueville 50 ... 29 G 2
Tocqueville-en-Caux 76 ... 19 H 3
Tocqueville-les-Murs 76 ... 19 E 4
Tocqueville-sur-Eu 76 ... 10 C 4
Tœufles 80 ... 11 F 4
Toges 08 ... 42 D 2
Togny-aux-Bœufs 51 ... 62 B 3
Tolla 2A ... 348 D 3
Tollaincourt 88 ... 118 A 3
Tollent 62 ... 11 H 1
Tollevast 50 ... 29 E 3
La Tombe 77 ... 89 E 4
Tombebœuf 47 ... 257 H 4
Tomblaine 54 ... 65 H 5
Tomino 2B ... 345 G 2
Les Tonils 26 ... 267 H 3
Tonnac 81 ... 279 E 4
Tonnay-Boutonne 17 ... 201 F 3
Tonnay-Charente 17 ... 201 E 3
Tonneins 47 ... 275 G 1
Tonnerre 89 ... 137 E 2
Tonneville 50 ... 28 D 3
Tonnoy 54 ... 95 E 2
Tonquédec 22 ... 72 D 4
Tonquédec *Château de* 22 ... 72 C 4
Torcé 35 ... 105 E 3
Torcé-en-Vallée 72 ... 108 A 3
Torcé-Viviers-
en-Charnie 53 ... 106 D 3
Torcenay 52 ... 139 H 2
Torchamp 61 ... 82 A 2
Torchefelon 38 ... 232 B 3
Torcheville 57 ... 67 F 3
Torcieu 01 ... 214 A 3
Torcy 62 ... 6 D 4
Torcy 71 ... 177 E 4
Torcy 77 ... 59 E 3
Torcy-en-Valois 02 ... 60 B 1
Torcy-et-Pouligny 21 ... 158 C 1
Torcy-le-Grand 10 ... 91 E 3
Torcy-le-Grand 76 ... 20 B 3
Torcy-le-Petit 10 ... 91 E 3
Torcy-le-Petit 76 ... 20 B 2
Tordères 66 ... 342 D 3
Tordouet 14 ... 54 D 1
Torfou 49 ... 166 B 1
Torfou 91 ... 87 G 3
Torigny-les-Villes 50 ... 52 B 1
Tornac 30 ... 283 G 5
Tornay 52 ... 140 A 4
Le Torp-Mesnil 76 ... 19 H 4
Torpes 25 ... 161 H 4
Torpes 71 ... 178 D 3
Le Torpt 27 ... 34 D 3
Le Torquesne 14 ... 34 C 4
Torre 2A ... 351 G 2
Torreilles 66 ... 339 E 5
Torsac 16 ... 221 F 3
Torsiac 43 ... 228 A 5
Tortebesse 63 ... 226 D 1
Tortefontaine 62 ... 11 H 1
Tortequesne 62 ... 14 A 2
Torteron 18 ... 174 B 2
Torteval-Quesnay 14 ... 32 D 5
Tortezais 03 ... 191 F 3
Tortisambert 14 ... 54 B 2
Le Tortoir 02 ... 24 C 5
Torvilliers 10 ... 114 D 2
Torxé 17 ... 201 G 3
Tosny 27 ... 36 D 4
Tosse 40 ... 292 B 3
Tossiat 01 ... 214 A 1
Tostat 65 ... 315 F 3
Tostes 27 ... 36 B 4
Totainville 88 ... 94 C 4
Tôtes 14 ... 54 B 2
Tôtes 76 ... 20 A 4
Touchay 18 ... 172 D 5
La Touche 26 ... 267 F 4
Touche-Trébry
Château de la 22 ... 78 C 5
Les Touches 44 ... 147 H 1
Les Touches-de-Périgny 17 ... 202 C 4
Toucy 89 ... 135 H 4
Toudon 06 ... 289 H 5
Touët-de-l'Escarène 06 ... 291 F 5
Touët-sur-Var 06 ... 289 G 5
Touffailles 82 ... 277 E 2
Toufflers 59 ... 9 E 2
Touffou *Château de* 86 ... 186 D 1
Toufféville 14 ... 33 H 4
Touffreville 27 ... 36 D 3
Touffreville-la-Cable 76 ... 35 F 1
Touffreville-la-Corbeline 76 ... 19 G 5
Touffreville-sur-Eu 76 ... 10 C 4
Touget 32 ... 296 D 4
Touille 31 ... 335 E 1
Touillon 21 ... 137 H 4
Touillon-et-Loutelet 25 ... 180 C 3
Toujouse 32 ... 294 C 2
Toul 54 ... 94 B 1
Toul Goulic *Gorges de* 22 ... 77 F 4
Toulaud 07 ... 249 E 5
Toulenne 33 ... 256 B 4
Touligny 08 ... 26 C 4
Toulis-et-Attencourt 02 ... 25 E 4
Toullaëron *Roc de* 29 ... 76 C 5
Toulon 83 ... 328 A 4
Toulon-la-Montagne 51 ... 61 F 3
Toulon-sur-Allier 03 ... 192 B 2
Toulon-sur-Arroux 71 ... 176 C 5
Toulonjac 12 ... 279 F 1
Toulouges 66 ... 343 E 2
Toulouse 31 ... 298 A 5
Toulouse *Croix de* 05 ... 252 D 4
Toulouse-le-Château 39 ... 179 F 3
Toulouzette 40 ... 293 G 2
Toulx-Sainte-Croix 23 ... 190 A 5
Touques 14 ... 34 C 2
Le Touquet-Paris-Plage 62 ... 6 A 4
Touquettes 61 ... 55 E 4
Touquin 77 ... 59 H 5
La Tour 06 ... 291 E 4
La Tour 74 ... 216 A 1
La Tour-Blanche 24 ... 221 H 5
La Tour-d'Aigues 84 ... 306 B 3
La Tour-d'Auvergne 63 ... 227 E 3
Tour-de-Faure 46 ... 260 D 5
La Tour-de-Salvagny 69 ... 212 D 5
La Tour-de-Scay 25 ... 162 B 2
La Tour-du-Crieu 09 ... 336 B 1
La Tour-du-Meix 39 ... 196 C 2
Le Tour-du-Parc 56 ... 124 C 5
La Tour-du-Pin 38 ... 232 B 2
Tour-en-Bessin 14 ... 32 D 3
La Tour-en-Jarez 42 ... 230 B 3
Tour-en-Sologne 41 ... 153 F 1
La Tour-Fondue 83 ... 328 C 5
La Tour-Saint-Gelin 37 ... 169 F 1
La Tour-sur-Orb 34 ... 301 F 4
Tourailles 41 ... 131 H 4
Les Tourailles 61 ... 53 G 4
Tourailles-sous-Bois 55 ... 93 G 3
Tourbes 34 ... 321 H 2
Tourcelles-Chaumont 08 ... 42 C 2
Tourch 29 ... 100 B 3
Tourcoing 59 ... 5 E 5
Tourdun 32 ... 295 F 5
La Tourette 19 ... 226 B 3
La Tourette 42 ... 229 G 4
La Tourette-Cabardès 11 ... 319 H 3
Tourette-du-Château 06 ... 289 H 5
Tourgéville 14 ... 34 B 3
La Tourlandry 49 ... 149 F 5
Tourlaville 50 ... 29 F 3
Tourliac 47 ... 258 D 2
Tourly 60 ... 37 H 4
Tourmalet *Col du* 65 ... 333 F 3
Tourmignies 59 ... 8 D 4
Tourmont 39 ... 179 F 3
Tournai-sur-Dive 61 ... 54 B 3
Tournan 32 ... 316 C 2
Tournan-en-Brie 77 ... 59 F 4
Tournans 25 ... 162 C 1
Tournavaux 08 ... 26 D 2
Tournay 65 ... 315 G 5
Tournay-sur-Odon 14 ... 33 E 5
Le Tourne 33 ... 255 H 2
Tournebu 14 ... 53 G 2
Tournecoupe 32 ... 296 C 2
Tournedos-Bois-Hubert 27 ... 56 A 1
Tournedos-sur-Seine 27 ... 36 C 3
Tournedoz 25 ... 163 E 2
Tournefeuille 31 ... 297 H 5
Tournefort 06 ... 289 H 5
Tournehem-sur-la-Hem 62 ... 3 E 4
Tournemire 12 ... 281 G 5
Tournemire 15 ... 244 C 3
Tournes 08 ... 26 C 2
Le Tourneur 14 ... 52 D 2
Tourneville 27 ... 36 B 5
Tourniac 15 ... 243 H 2
Tournières 14 ... 32 C 3
Tourniol *Col de* 26 ... 249 H 4
Tournissan 11 ... 338 B 1
Tournoël *Château de* 63 ... 209 G 4
Tournoisis 45 ... 110 B 5
Tournon 73 ... 234 A 1
Tournon-d'Agenais 47 ... 277 E 1
Tournon-Saint-Martin 36 ... 170 B 5
Tournon-Saint-Pierre 37 ... 170 B 5
Tournon-sur-Rhône 07 ... 249 E 3
Tournous-Darré 65 ... 315 H 4
Tournous-Devant 65 ... 315 H 4
Tournus 71 ... 195 E 1
Tourny 27 ... 37 E 5
Tourouvre-au-Perche 61 ... 84 C 2
Tourouzelle 11 ... 320 C 4
Tourreilles 11 ... 337 F 2
Les Tourreilles 31 ... 334 A 1
Tourrenquets 32 ... 296 B 3
Tourrette *Château de la* 07 ... 248 D 5
Tourrette-Levens 06 ... 291 E 5
Les Tourrettes 26 ... 267 E 2
Tourrettes 83 ... 308 C 3
Tourrettes-sur-Loup 06 ... 309 F 2
Tourriers 16 ... 203 F 5
Tours 37 ... 151 H 2
Tours-en-Savoie 73 ... 234 B 1
Tours-en-Vimeu 80 ... 11 F 4
Tours-Saint-Symphorien
Aéroport de 37 ... 152 A 2
Tours-sur-Marne 51 ... 61 H 1
Tours-sur-Meymont 63 ... 228 C 2
Tourtenay 79 ... 168 B 1
Tourteron 08 ... 26 C 5
Tourtoirac 24 ... 241 F 1
Tourtour 83 ... 307 H 4
Tourtouse 09 ... 335 F 1
Tourtrès 47 ... 257 H 4
Tourtrol 09 ... 336 C 2
Tourves 83 ... 328 A 1
Tourville-en-Auge 14 ... 34 C 3
Tourville-la-Campagne 27 ... 35 H 4
Tourville-la-Chapelle 76 ... 10 C 5
Tourville-la-Rivière 76 ... 36 B 3
Tourville-les-Ifs 76 ... 19 E 3
Tourville-sur-Arques 76 ... 20 B 2
Tourville-sur-Odon 14 ... 33 F 5
Tourville-
sur-Pont-Audemer 27 ... 35 E 3
Tourville-sur-Sienne 50 ... 31 F 5
Toury 28 ... 111 E 2
Toury-Lurcy 58 ... 175 E 5
Toury-sur-Jour 58 ... 174 D 5
Tourzel-Ronzières 63 ... 227 H 3
Toussaint 76 ... 19 E 3
Toussieu 69 ... 231 F 1
Toussieux 01 ... 213 E 3
Tousson 77 ... 88 A 5
La Toussuire 73 ... 233 H 5
Toussus-le-Noble 78 ... 58 A 4
Toutainville 27 ... 35 E 2
Toutenant 71 ... 178 B 3
Toutencourt 80 ... 13 E 5
Toutens 31 ... 318 C 2
Toutes Aures *Col de* 04 ... 288 D 5
Toutlemonde 49 ... 167 E 1
Toutry 21 ... 158 B 1
Touvérac 16 ... 220 C 4
Le Touvet 38 ... 233 F 4
Touville 27 ... 35 G 3
Touvois 44 ... 165 F 2
Touvre 16 ... 221 G 1
Touzac 16 ... 220 C 3
Touzac 46 ... 259 F 5
Tox 2B ... 347 G 5
Toy-Viam 19 ... 225 F 2
Trabuc *Grotte de* 30 ... 283 G 4
Tracol *Col de* 43 ... 248 B 1
Tracy-Bocage 14 ... 33 E 5
Tracy-le-Mont 60 ... 39 H 1
Tracy-le-Val 60 ... 39 H 1
Tracy-sur-Loire 58 ... 156 A 3
Tracy-sur-Mer 14 ... 33 E 2
Trades 69 ... 194 C 5
Traenheim 67 ... 97 F 1
Tragny 57 ... 66 B 2
Traînel 10 ... 89 H 4
Traînou 45 ... 111 F 5
Le Trait 76 ... 35 H 1
Traitiéfontaine 70 ... 162 A 2
Traize 73 ... 232 D 1
Tralaigues 63 ... 208 D 4
Tralonca 2B ... 347 F 4
Tramain 22 ... 79 E 4
Tramayes 71 ... 194 C 4
Trambly 71 ... 194 C 4
Tramecourt 62 ... 7 E 4
Tramery 51 ... 41 E 4
Tramezaïgues 65 ... 333 G 4
Tramolé 38 ... 232 A 3
Tramont-Émy 54 ... 94 B 4
Tramont-Lassus 54 ... 94 C 4
Tramont-Saint-André 54 ... 94 B 4
Tramoyes 01 ... 213 F 4
Trampot 88 ... 93 G 4
Trancault 10 ... 90 A 4
La Tranche-sur-Mer 85 ... 182 D 3
La Tranclière 01 ... 213 H 1
Trancrainville 28 ... 110 D 2
Trangé 72 ... 107 G 4
Le Tranger 36 ... 170 D 2
Trannes 10 ... 91 H 5
Tranqueville-Graux 88 ... 94 B 3
Trans 53 ... 82 D 5
Trans-en-Provence 83 ... 308 A 5
Trans-la-Forêt 35 ... 80 C 2
Trans-sur-Erdre 44 ... 148 A 1
Le Translay 80 ... 11 F 5
Le Transloy 62 ... 13 H 5
Tranzault 36 ... 189 F 1
La Trappe *Abbaye de* 61 ... 55 F 5
Trappes 78 ... 57 H 4
Trassanel 11 ... 320 A 3
Traubach-le-Bas 68 ... 143 E 2
Traubach-le-Haut 68 ... 142 D 2
Trausse 11 ... 320 B 4
Travaillan 84 ... 285 F 3
Travecy 02 ... 24 B 4
Traversères 32 ... 296 B 5
Traves 70 ... 140 D 4
Le Travet 81 ... 299 H 2
Le Trayas 83 ... 309 E 5
Trayes 79 ... 167 G 5
Tréal 56 ... 125 G 2
Tréauville 50 ... 28 D 4
Trébabu 29 ... 74 C 2
Treban 03 ... 191 H 3
Tréban 81 ... 280 B 4
Trébas 81 ... 300 A 1
Trébédan 22 ... 79 F 4
Trèbes 11 ... 320 A 5
Trébeurden 22 ... 72 B 3
Trébons 65 ... 333 F 1
Trébons-de-Luchon 31 ... 334 A 4
Trébons-sur-la-Grasse 31 ... 318 C 2
Tréboul 29 ... 75 F 5
Tréboul *Pont de* 15 ... 245 F 5
Trébrivan 22 ... 77 E 4
Trébry 22 ... 78 D 5
Tréclun 21 ... 160 C 4
Trécon 51 ... 61 H 3
Trédaniel 22 ... 78 C 4
Trédarzec 22 ... 73 E 3
Trédias 22 ... 79 F 5
Trédion 56 ... 124 D 2
Trédrez-Locquémeau 22 ... 72 B 3
Tréduder 22 ... 72 B 4
Trefcon 02 ... 23 H 2
Treffay 39 ... 180 A 4
Treffendel 35 ... 103 G 3
Treffiagat 29 ... 99 F 5
Treffieux 44 ... 126 D 4
Treffléan 56 ... 124 D 3
Treffort 38 ... 250 D 4
Treffort-Cuisiat 01 ... 196 A 4
Treffrin 22 ... 76 D 4
Tréflaouénan 29 ... 71 F 4
Tréflévénez 29 ... 75 H 2
Tréflez 29 ... 71 E 4
Tréfols 51 ... 60 C 4
Tréfumel 22 ... 79 G 5
Trégarantec 29 ... 71 E 4
Trégarvan 29 ... 75 G 4
Trégastel 22 ... 72 C 2
Trégastel-Plage 22 ... 72 C 2
Tréglamus 22 ... 72 D 5
Tréglonou 29 ... 70 C 4
Trégomar 22 ... 79 E 3
Trégomeur 22 ... 73 G 5
Trégon 22 ... 50 A 5
Trégonneau 22 ... 73 E 4
Trégourez 29 ... 100 B 2
Trégrom 22 ... 72 C 4
Tréguennec 29 ... 99 F 4
Trégueux 22 ... 78 B 3
Tréguidel 22 ... 73 G 5
Tréguier 22 ... 73 E 3
Trégunc 29 ... 100 A 4
Tréhet 41 ... 130 D 4
Tréhorenteuc 56 ... 103 E 4
Le Tréhou 29 ... 75 H 2
Treignac 19 ... 224 D 3
Treignat 03 ... 190 B 4
Treigny 89 ... 156 C 1
Treilles 11 ... 339 E 3
Treilles-en-Gâtinais 45 ... 112 B 4
Treillières 44 ... 147 G 2
Treix 52 ... 117 E 3
Treize-Arbres *Les* 74 ... 215 G 1
Treize-Septiers 85 ... 166 B 1
Treize-Vents 85 ... 166 D 2
Tréjouls 82 ... 277 G 2
Trélans 48 ... 263 H 5
Trélazé 49 ... 149 H 1
Trélechamp 74 ... 217 E 2
Trélévern 22 ... 72 D 2
Trelins 42 ... 229 G 1
Trélissac 24 ... 240 D 2
Trélivan 22 ... 79 G 4
Trelly 50 ... 51 G 1
Trélon 59 ... 15 H 5
Trélou-sur-Marne 02 ... 60 D 1
Trémaouézan 29 ... 71 E 5
Trémargat 22 ... 77 F 4
Trémauville 76 ... 19 F 4
Trémazan 29 ... 70 B 4
La Tremblade 17 ... 200 C 5
Tremblay 35 ... 80 D 3
Le Tremblay 49 ... 127 H 4
Tremblay-en-France 93 ... 58 D 2
Le Tremblay-les-Villages 28 ... 86 A 2
Le Tremblay-Omonville 27 ... 35 H 5
Le Tremblay-sur-Mauldre 78 ... 57 G 4
Tremblecourt 54 ... 65 F 4
Le Tremblois 70 ... 161 E 2
Tremblois-lès-Carignan 08 ... 27 H 4
Tremblois-lès-Rocroi 08 ... 26 B 2
Trémeheuc 35 ... 80 B 3
Trémel 22 ... 72 B 4
Tréméloir 22 ... 73 G 5
Trémentines 49 ... 149 E 5
Tréméoc 29 ... 99 G 4
Tréméreuc 22 ... 79 G 3
Trémery 57 ... 45 H 4
Trémeur 22 ... 79 F 5

Tréméven 22 .... 73 F 4
Tréméven 29 .... 100 D 4
Trémilly 52 .... 92 B 4
Tréminis 38 .... 269 E 1
Trémoins 70 .... 142 B 4
Trémolat 24 .... 240 D 5
Trémons 47 .... 276 D 1
Trémont 49 .... 149 H 5
Trémont 61 .... 84 A 2
Trémont-sur-Saulx 55 .... 63 G 4
Trémonzey 88 .... 119 E 4
Trémorel 22 .... 103 E 1
Trémouille 15 .... 226 D 5
Trémouille-Saint-Loup 63 .... 226 C 4
Trémouilles 12 .... 280 D 2
Trémoulet 09 .... 336 C 1
Trémuson 22 .... 78 A 3
Trenal 39 .... 179 E 5
Trensacq 40 .... 273 F 2
Trentels 47 .... 258 D 5
Tréogan 22 .... 76 D 5
Tréogat 29 .... 99 F 3
Tréon 28 .... 56 C 5
Tréouergat 29 .... 70 B 5
Trépail 51 .... 41 H 5
Trépassés *Baie des* 29 .... 98 C 2
Trépied 62 .... 6 B 4
Le Tréport 76 .... 10 D 4
Trépot 25 .... 162 B 4
Tréprel 14 .... 53 G 2
Trept 38 .... 232 A 1
Trésauvaux 55 .... 64 D 1
Tresbœuf 35 .... 104 C 5
Trescault 62 .... 14 A 4
Treschenu-Creyers 26 .... 268 C 2
Trescléoux 05 .... 287 E 1
Trésilley 70 .... 162 A 1
Treslon 51 .... 41 F 4
Tresnay 58 .... 174 C 5
Trespoux-Rassiels 46 .... 277 H 1
Tresques 30 .... 284 D 4
Tressaint 22 .... 79 G 4
Tressan 34 .... 302 A 5
Tressandans 25 .... 162 C 1
Tressange 57 .... 45 F 2
Tressé 35 .... 80 A 3
Tresserre 66 .... 343 E 3
Tresserve 73 .... 233 E 1
Tresses 33 .... 237 H 5
Tressignaux 22 .... 73 G 5
Tressin 59 .... 9 E 3
Tresson 72 .... 130 D 2
Treteau 03 .... 192 C 4
La Trétoire 77 .... 60 A 3
Trets 13 .... 327 G 1
Treux 80 .... 23 E 1
Treuzy-Levelay 77 .... 112 C 2
Trévans 04 .... 288 A 5
Trévé 22 .... 102 B 1
Trévenans 90 .... 142 C 4
Tréveneuc 22 .... 73 G 4
Tréveray 55 .... 93 F 1
Trévérec 22 .... 73 F 4
Trévérien 35 .... 79 H 5
Trèves 30 .... 282 B 4
Trèves 69 .... 230 D 3
Trèves-Cunault 49 .... 150 B 3
Trevey 70 .... 141 F 5
Trévezel *Roc* 29 .... 76 A 2
Trévien 81 .... 279 G 4
Trévières 14 .... 32 C 3
Trévignin 73 .... 233 F 1
Trévillach 66 .... 342 B 2
Tréville 11 .... 319 E 3
Trévillers 25 .... 163 G 3
Trévilly 89 .... 158 B 1
Trevol 03 .... 192 A 1
Trévou-Tréguignec 22 .... 72 D 2
Trévoux 01 .... 213 E 3
Le Trévoux 29 .... 100 C 4
Trévron 22 .... 79 G 4
Trézelles 03 .... 192 C 4
Trézény 22 .... 72 D 3
Trézien *Phare de* 29 .... 74 C 2
Tréziers 11 .... 337 E 2
Trézilidé 29 .... 71 F 4
Trézioux 63 .... 228 C 1
Triac-Lautrait 16 .... 220 D 1
Le Triadou 34 .... 302 D 3
Triaize 85 .... 183 F 3
Triaucourt-en-Argonne 55 .... 63 G 1
Tribehou 50 .... 32 A 4
La Tricherie 86 .... 169 F 5
Trichey 89 .... 115 E 5
Triconville 55 .... 64 B 5
Tricot 60 .... 23 E 5
Trie-Château 60 .... 37 G 3
Trie-la-Ville 60 .... 37 G 3
Trie-sur-Baïse 65 .... 315 H 4
Triel-sur-Seine 78 .... 57 H 2
Triembach-au-Val 67 .... 97 E 4
Trieux 54 .... 45 F 3
Trigance 83 .... 308 A 2
Trigavou 22 .... 79 G 3
Trignac 44 .... 146 C 2
Trigny 51 .... 41 F 3
Triguères 45 .... 113 E 5
Trilbardou 77 .... 59 F 2
Trilla 66 .... 338 A 5
Trilport 77 .... 59 G 2
Trimbach 67 .... 69 F 2
Trimer 35 .... 79 H 5
La Trimouille 86 .... 187 H 3
Trimouns
Carrière de talc de 09 .... 336 C 4
Trinay 45 .... 111 E 4
La Trinitat 15 .... 263 G 2
La Trinité 06 .... 309 H 2
La Trinité 27 .... 56 C 2
La Trinité 50 .... 51 H 3
La Trinité 73 .... 233 H 3
Trinité *Chapelle de la* 29 .... 99 E 3
Trinité *Ermitage de la* 2A .... 351 F 4
La Trinité-de-Réville 27 .... 55 E 2
La Trinité-de-Thouberville 27 .... 35 H 2
La Trinité-des-Laitiers 61 .... 54 D 4
La Trinité-du-Mont 76 .... 19 F 5
La Trinité-Langonnet 56 .... 77 E 5
La Trinité-Porhoët 56 .... 102 C 2
La Trinité-sur-Mer 56 .... 123 H 4
La Trinité-Surzur 56 .... 124 D 4
Triors 26 .... 249 H 3
Le Trioulou 15 .... 261 H 3
Tripleville 41 .... 110 A 5
Triquerville 76 .... 35 F 1
Triqueville 27 .... 35 E 3
Trith-Saint-Léger 59 .... 14 D 2
Tritteling-Redlach 57 .... 66 D 1
Trivy 71 .... 194 B 3
Trizac 15 .... 244 C 1
Trizay 17 .... 201 E 4
Trizay-Coutretot-
Saint-Serge 28 .... 85 E 5
Trizay-lès-Bonneval 28 .... 109 H 2
Troarn 14 .... 33 H 4
Troche 19 .... 224 B 5
Trochères 21 .... 160 C 3
Trocy-en-Multien 77 .... 59 G 1
Troësnes 02 .... 40 A 4
Troguéry 22 .... 73 E 3
Trogues 37 .... 151 G 5
Trois Communes
Pointe des 06 .... 291 G 3
Les Trois-Épis 68 .... 120 D 2
Trois-Fonds 23 .... 190 A 5
Trois-Fontaines-l'Abbaye 51 .... 63 F 4
Trois-Maisons 57 .... 68 A 4
Trois-Monts 14 .... 53 F 1
Les Trois-Moutiers 86 .... 168 C 1
Trois-Palis 16 .... 221 E 2
Les Trois-Pierres 76 .... 19 E 5
Trois-Puits 51 .... 41 G 4
Trois Termes *Pic des* 66 .... 343 F 4
Trois-Vèvres 58 .... 175 E 3
Trois-Villes 64 .... 331 F 1
Troischamps 52 .... 139 H 2
Troisfontaines 52 .... 92 D 2
Troisfontaines 57 .... 67 H 5
Troisgots 50 .... 52 B 1
Troissereux 60 .... 38 A 1
Troissy 51 .... 61 E 1
Troisvaux 62 .... 7 G 5
Troisvilles 59 .... 14 D 4
Tromarey 70 .... 161 F 3
Tromborn 57 .... 46 D 4
Tronçais *Forêt de* 03 .... 191 E 1
Troncens 32 .... 315 G 2
La Tronche 38 .... 250 D 1
Le Tronchet 35 .... 80 A 2
Le Tronchet 72 .... 107 G 2
Tronchoy 52 .... 117 F 5
Tronchoy 80 .... 21 G 2
Tronchoy 89 .... 137 E 2
Tronchy 71 .... 178 B 4
Le Troncq 27 .... 35 H 4
Trondes 54 .... 65 E 5
Tronget 03 .... 191 G 3
Tronjoly *Château de* 29 .... 71 F 3
Le Tronquay 14 .... 32 D 4
Le Tronquay 27 .... 36 D 2
Tronsanges 58 .... 174 B 1
Tronville 54 .... 65 F 1
Tronville-en-Barrois 55 .... 63 H 4
Troo 41 .... 131 E 3
Trosly-Breuil 60 .... 39 G 2
Trosly-Loire 02 .... 40 A 1
Trouans 10 .... 62 A 5
Troubat 65 .... 334 A 2
La Trouche 88 .... 96 A 3
Trouhans 21 .... 160 C 5
Trouhaut 21 .... 159 G 2
Trouillas 66 .... 343 E 3
Trouley-Labarthe 65 .... 315 G 4
Troumouse *Cirque de* 65 .... 333 E 5
Troussencourt 60 .... 22 B 5
Troussey 55 .... 64 D 5
Troussures 60 .... 37 H 2
Trouvans 25 .... 162 C 1
Trouville 76 .... 19 F 5
Trouville-la-Haule 27 .... 35 F 2
Trouville-sur-Mer 14 .... 34 B 2
Trouy 18 .... 173 E 2
Troye-d'Ariège 09 .... 336 D 2
Troyes 10 .... 91 E 5
Troyon 55 .... 64 C 2
La Truchère 71 .... 195 F 2
Truchtersheim 67 .... 68 D 5
Trucy 02 .... 40 D 1
Trucy-l'Orgueilleux 58 .... 157 E 2
Trucy-sur-Yonne 89 .... 136 C 5
Le Truel 12 .... 281 E 5
Trugny 21 .... 178 B 2
Truinas 26 .... 267 H 3
Trumilly 60 .... 39 F 4
Trun 61 .... 54 B 3
Trungy 14 .... 32 D 4
Truttemer-le-Grand 14 .... 52 D 4
Truttemer-le-Petit 14 .... 52 D 4
Truyes 37 .... 152 A 4
Tubersent 62 .... 6 B 4
Tuchan 11 .... 338 C 4
Tucquegnieux 54 .... 45 F 4
Tudeils 19 .... 242 D 4
Tudelle 32 .... 295 G 4
Tuffé-Val-de-
la Chéronne 72 .... 108 B 3
Tugéras-Saint-Maurice 17 .... 219 H 5
Tugny-et-Pont 02 .... 24 A 3
Les Tuileries 42 .... 211 G 2
La Tuilière 42 .... 211 E 3
Tuilière *Roche* 63 .... 227 E 2
Tulette 26 .... 285 F 2
Tulle 19 .... 242 D 1
Tullins 38 .... 232 B 5
Tully 80 .... 11 E 3
Tupigny 02 .... 24 D 1
Tupin-et-Semons 69 .... 231 E 3
La Turballe 44 .... 145 G 4
La Turbie 06 .... 309 H 5
Turcey 21 .... 159 G 2
Turckheim 68 .... 121 E 3
Turenne 19 .... 242 C 3
Turgon 16 .... 203 H 3
Turgy 10 .... 114 D 4
Turini *Col de* 06 .... 291 F 3
Turny 89 .... 114 B 4
Turquant 49 .... 150 C 4
Turquestein-Blancrupt 57 .... 96 C 1
Turqueville 50 .... 29 H 5
Turretot 76 .... 18 C 5
Turriers 04 .... 269 H 5
Tursac 24 .... 241 F 4
Tusson 16 .... 203 E 3
Tuzaguet 65 .... 333 H 1
Le Tuzan 33 .... 255 G 5
Tuzie 16 .... 203 F 3

U

Uberach 67 .... 68 D 3
Ubexy 88 .... 95 E 4
Ubraye 04 .... 289 E 5
Ucciani 2A .... 348 D 2
Ucel 07 .... 266 B 3
Uchacq-et-Parentis 40 .... 293 H 1
Uchaud 30 .... 303 G 3
Uchaux 84 .... 285 E 3
Uchentein 09 .... 335 E 3
Uchizy 71 .... 195 E 2
Uchon 71 .... 176 C 4
Uchon *Signal d'* 71 .... 176 C 4
Uckange 57 .... 45 G 4
Ueberkumen 68 .... 143 E 2
Ueberstrass 68 .... 143 E 4
Uffheim 68 .... 143 G 2
Uffholtz 68 .... 143 E 1
Ugine 73 .... 216 A 5
Uglas 65 .... 333 H 1
Ugnouas 65 .... 315 F 3
Ugny 54 .... 44 D 2
Ugny-le-Gay 02 .... 24 A 4
Ugny-l'Équipée 80 .... 23 H 2
Ugny-sur-Meuse 55 .... 94 A 1
Uhart-Cize 64 .... 330 C 1
Uhart-Mixe 64 .... 311 G 5
Uhlwiller 67 .... 68 D 3
Uhrwiller 67 .... 68 C 3
Ulcot 79 .... 167 H 1
Les Ulis 91 .... 58 B 5
Ully-Saint-Georges 60 .... 38 B 3
Les Ulmes 49 .... 150 B 4
Umpeau 28 .... 86 C 3
Unac 09 .... 336 C 5
Uncey-le-Franc 21 .... 159 F 3
Unchair 51 .... 41 E 3
Ungersheim 68 .... 121 E 5
Unias 42 .... 229 H 2
Unienville 10 .... 91 H 5
Unieux 42 .... 230 A 4
L'Union 31 .... 298 A 4
Untermuhthal 57 .... 68 C 2
Unverre 28 .... 109 G 2
Unzent 09 .... 318 A 5
Upaix 05 .... 287 F 1
Upie 26 .... 267 G 1
Ur 66 .... 341 E 4
Urau 31 .... 334 D 2
Urbalacone 2A .... 348 D 4
Urbanya 66 .... 341 H 2
Urbeis 67 .... 96 D 4
Urbeis *Col d'* 67 .... 96 D 4
Urbès 68 .... 120 B 5
Urbise 42 .... 193 F 5
Urçay 03 .... 190 D 1
Urcel 02 .... 40 D 1
Urcerey 90 .... 142 B 3
Urciers 36 .... 189 H 2
Urcuit 64 .... 292 B 5
Urcy 21 .... 159 H 4
Urdens 32 .... 296 C 2
Urdès 64 .... 313 H 2
Urdos 64 .... 331 H 4
Urepel 64 .... 330 A 2
Urgons 40 .... 294 A 4
Urgosse 32 .... 295 E 3
Uriage-les-Bains 38 .... 251 E 2
Uriménil 88 .... 119 F 3
Urmatt 67 .... 97 E 2
Urost 64 .... 314 D 3
Urou-et-Crennes 61 .... 54 B 4
Urrugne 64 .... 310 B 3
Urs 09 .... 336 C 5
Urschenheim 68 .... 121 F 2
Urt 64 .... 292 B 5
Urtaca 2B .... 345 E 5
Urtière 25 .... 163 G 3
Uruffe 54 .... 94 A 2
Urval 24 .... 259 E 1
Urville 10 .... 116 A 3
Urville 14 .... 53 G 1
Urville 50 .... 29 F 5
Urville 88 .... 118 A 2
Urville-Nacqueville 50 .... 28 D 2
Urvillers 02 .... 24 B 3
Ury 77 .... 88 B 5
Urzy 58 .... 174 C 1
Us 95 .... 37 H 5
Usclades-et-Rieutord 07 .... 265 H 1
Usclas-d'Hérault 34 .... 302 A 5
Usclas-du-Bosc 34 .... 301 H 3
Usinens 74 .... 215 E 2
Ussac 19 .... 242 B 2
Ussat 09 .... 336 B 4
Ussé *Château d'* 37 .... 151 E 4
Usseau 79 .... 201 G 1
Usseau 86 .... 169 G 3
Ussel 15 .... 245 F 3
Ussel 19 .... 226 B 3
Ussel 46 .... 260 B 4
Ussel-d'Allier 03 .... 209 H 1
Usson 63 .... 228 B 3
Usson-du-Poitou 86 .... 186 D 5
Usson-en-Forez 42 .... 229 F 5
Ussy 14 .... 53 H 2
Ussy-sur-Marne 77 .... 59 H 2
Ustaritz 64 .... 310 D 3
Ustou 09 .... 335 G 5
Utelle 06 .... 291 E 4
Utelle *Madone d'* 06 .... 291 E 4
Uttenheim 67 .... 97 G 3
Uttenhoffen 67 .... 68 D 2
Uttwiller 67 .... 68 C 3
Uvernet-Fours 04 .... 270 D 5
Uxeau 71 .... 176 B 5
Uxegney 88 .... 119 F 2
Uxelles 39 .... 196 D 1
Uxem 59 .... 3 H 2
Uz 65 .... 332 D 2
Uza 40 .... 272 B 4
Uzan 64 .... 314 A 2
Uzay-le-Venon 18 .... 173 F 4
Uzech 46 .... 259 H 4
Uzein 64 .... 314 A 2
Uzel 22 .... 78 A 5
Uzelle 25 .... 162 D 1
Uzemain 88 .... 119 F 3
Uzer 07 .... 266 B 4
Uzer 65 .... 333 F 1
Uzerche 19 .... 224 C 4
Uzès 30 .... 284 B 5
Uzeste 33 .... 256 B 5
Uzos 64 .... 314 B 5

V

Vaas 72 .... 130 B 4
Vabre 81 .... 299 H 4
Vabre-Tizac 12 .... 279 G 2
Vabres 15 .... 246 A 4
Vabres 30 .... 283 F 5
Vabres-l'Abbaye 12 .... 300 D 1
Vacherauville 55 .... 44 B 5
Vachères 04 .... 286 D 5
Vachères-en-Quint 26 .... 268 A 1
Vacheresse 74 .... 198 C 3
La Vacheresse-
et-la-Rouillie 88 .... 118 A 2
Vacheresses-les-Basses 28 .... 86 B 2
La Vacherie 27 .... 36 B 5
Vacognes 14 .... 33 F 5
Vacon 55 .... 93 H 1
La Vacquerie 14 .... 32 C 5
Vacquerie 80 .... 12 C 4
La Vacquerie-et-Saint-Martin-
de-Castries 34 .... 302 A 2
Vacquerie-le-Boucq 62 .... 12 C 2
Vacqueriette-Erquières 62 .... 12 B 2
Vacqueville 54 .... 96 A 2
Vacqueyras 84 .... 285 G 3
Vacquières 34 .... 303 E 2
Vacquiers 31 .... 298 A 3
Vadans 39 .... 179 F 2
Vadans 70 .... 161 E 2
Vadelaincourt 55 .... 43 H 5
Vadenay 51 .... 62 B 1
Vadencourt 02 .... 24 D 1
Vadencourt 80 .... 13 E 5
Vadonville 55 .... 64 C 4
Vagnas 07 .... 284 B 1
Vagney 88 .... 119 H 4
Vahl-Ebersing 57 .... 67 E 1
Vahl-lès-Bénestroff 57 .... 67 E 3
Vahl-lès-Faulquemont 57 .... 66 D 1
Vaiges 53 .... 106 C 4
Vailhan 34 .... 301 H 5
Vailhauquès 34 .... 302 C 4
Vailhourles 12 .... 279 E 2
Vaillac 46 .... 260 B 3
Vaillant 52 .... 139 F 4
Vailly 10 .... 91 E 4
Vailly 74 .... 198 B 4
Vailly-sur-Aisne 02 .... 40 C 2
Vailly-sur-Sauldre 18 .... 155 G 2
Vains 50 .... 51 G 4
Vairé 85 .... 165 E 5
Vaire-Arcier 25 .... 162 B 3
Vaire-le-Petit 25 .... 162 B 3
Vaire-sous-Corbie 80 .... 22 D 1
Vaires-sur-Marne 77 .... 59 E 3
Vaison-la-Romaine 84 .... 285 H 2
Vaïssac 82 .... 278 C 5
Vaite 70 .... 140 B 5
La Vaivre 70 .... 119 F 5
Vaivre-et-Montoille 70 .... 141 E 4
Le Val 83 .... 328 B 1
Val *Château de* 15 .... 226 C 4
Le Val-André 22 .... 78 D 2
Val-Claret 73 .... 235 E 3
Le Val-d'Ajol 88 .... 119 G 5
Val-d'Auzon 10 .... 91 G 4
Le Val-David 27 .... 56 C 2
Val-de-Bride 57 .... 67 E 4
Val-de-Chalvagne 04 .... 289 F 5
Val-de-Fier 74 .... 215 E 3
Le Val-de-Gouhenans 70 .... 141 H 4
Le Val-de-Guéblange 57 .... 67 G 2
Val-de-la-Haye 76 .... 36 A 2
Val-de-Mercy 89 .... 136 B 4
Val-de-Reuil 27 .... 36 C 3
Val-de-Roulans 25 .... 162 B 2
Val-de-Saâne 76 .... 20 A 4
Val-de-Vesle 51 .... 41 H 4
Val-de-Vière 51 .... 62 D 3
Val-d'Épy 39 .... 196 A 3
Val-des-Prés 05 .... 252 D 4
Val d'Esquières 83 .... 329 G 2
Val-d'Isère 73 .... 235 F 3
Val-d'Izé 35 .... 105 E 2
Val-et-Châtillon 54 .... 96 B 2
Val-Louron 65 .... 333 H 4
Val-Maravel 26 .... 268 C 3
Le Val-Saint-Éloi 70 .... 141 F 3
Le Val-Saint-Germain 91 .... 87 F 2
Le Val-Saint-Père 50 .... 51 G 5
Val-Sainte-Marie 25 .... 162 A 5
Val-Suzon 21 .... 159 H 2
Val-Thorens 73 .... 234 C 5
Valady 12 .... 262 B 5
Valailles 27 .... 35 F 5
Valaire 41 .... 153 E 2
Valanjou 49 .... 149 G 4
Valaurie 26 .... 267 F 5
Valavoire 04 .... 287 H 1
Valay 70 .... 161 F 3
Valbeleix 63 .... 227 G 4
Valbelle 04 .... 287 F 3
Valberg 06 .... 289 G 3
Valbonnais 38 .... 251 F 5
La Valbonne 01 .... 213 G 4
Valbonne 06 .... 309 E 3
Valbonne *Ancienne*
Chartreuse de 30 .... 284 C 2
Valcabrère 31 .... 334 A 2
Valcanville 50 .... 29 G 3
Valcebollère 66 .... 341 F 5
Valchevrière
Calvaire de 38 .... 250 C 3
Valcivières 63 .... 229 E 2
Valcourt 52 .... 92 C 2
Valdahon 25 .... 162 C 4
Valdampierre 60 .... 38 A 3
Valdeblore 06 .... 291 E 2
Le Valdécie 50 .... 29 E 5
Valdelancourt 52 .... 116 D 3
Valderiès 81 .... 279 H 5
Valderoure 06 .... 308 C 1
Valdieu-Lutran 68 .... 142 D 3
Valdivienne 86 .... 187 E 2
Valdoie 90 .... 142 C 2
Valdrôme 26 .... 268 D 4
Valdurenque 81 .... 299 H 5
Valeille 42 .... 230 A 1
Valeilles 82 .... 276 D 1
Valeins 01 .... 213 E 1
Valempoulières 39 .... 179 H 3
Valençay 36 .... 153 G 5
Valence 16 .... 203 G 4
Valence 26 .... 249 F 4
Valence-d'Agen 82 .... 276 D 4
Valence-d'Albigeois 81 .... 280 B 5
Valence-en-Brie 77 .... 88 D 4
Valence-sur-Baïse 32 .... 295 H 1
Valenciennes 59 .... 9 G 5
Valencin 38 .... 231 G 2
Valencogne 38 .... 232 C 3
Valennes 72 .... 108 D 5
Valensole 04 .... 307 E 1
Valentigney 25 .... 142 C 5
La Valentine 13 .... 327 F 1
Valentine 31 .... 334 B 1
Valenton 94 .... 58 D 4
Valergues 34 .... 303 F 4
Valernes 04 .... 287 G 2
Valescourt 60 .... 38 C 1
Valescure 83 .... 308 D 5
Valette 15 .... 244 D 1
La Valette 38 .... 251 F 4
La Valette 42 .... 212 A 5
La Valette-du-Var 83 .... 328 A 4
Valeuil 24 .... 222 B 5
Valeyrac 33 .... 218 D 4
Valezan 73 .... 234 D 2
Valff 67 .... 97 F 3
Valfin-lès-Saint-Claude 39 .... 197 E 2
Valfin-sur-Valouse 39 .... 196 B 3
Valflaunès 34 .... 302 D 2
Valfleury 42 .... 230 C 3
Valframbert 61 .... 83 G 3
Valfréjus 73 .... 252 D 1
Valfroicourt 88 .... 118 D 2
Valgorge 07 .... 265 H 4
Valhey 54 .... 66 C 5
Valhuon 62 .... 7 G 5
Valiergues 19 .... 225 H 4
Valignat 03 .... 209 G 1
Valigny 03 .... 173 H 5
Valines 80 .... 11 F 4
Valjouffrey 38 .... 251 G 5
Valjouze 15 .... 245 G 2
La Valla-en-Gier 42 .... 230 C 4
La Valla-sur-Rochefort 42 .... 211 F 5
Vallabrègues 30 .... 304 B 2
Vallabrix 30 .... 284 C 4

Vallan *89* 136 B 3
Vallangoujard *95* 38 A 5
Vallans *79* 184 C 5
Vallant-Saint-Georges *10* 90 C 3
Vallauris *06* 309 F 4
Valle-d'Alesani *2B* 347 G 4
Valle-di-Campoloro *2B* 347 H 4
Valle-di-Mezzana *2A* 348 C 2
Valle-di-Rostino *2B* 347 F 3
Valle-d'Orezza *2B* 347 G 3
Vallecalle *2B* 345 F 5
La Vallée *17* 201 E 4
Vallée *Étang de la* *45* 111 G 5
La Vallée-au-Blé *02* 25 E 2
Vallée d'Avérole *73* 235 G 4
La Vallée-Mulâtre *02* 14 D 5
Vallègue *31* 318 C 3
Valleiry *74* 215 F 1
Vallenay *18* 173 E 4
Vallentigny *10* 91 H 3
Vallerange *57* 67 E 2
Vallérargues *30* 284 B 4
Valleraugue *30* 282 D 4
Vallères *37* 151 G 3
Valleret *52* 92 C 3
Vallereuil *24* 239 H 3
Vallerois-le-Bois *70* 141 F 5
Vallerois-Lorioz *70* 141 E 5
Valleroy *25* 162 A 2
Valleroy *52* 140 B 4
Valleroy *54* 45 F 5
Valleroy-aux-Saules *88* 94 D 5
Valleroy-le-Sec *88* 118 C 2
Vallery *89* 113 E 2
Vallerysthal *57* 67 H 5
Vallesvilles *31* 298 B 5
Vallet *17* 220 B 5
Vallet *44* 148 A 4
Valletot *27* 35 F 2
Vallica *2B* 346 D 2
Vallière *23* 207 F 4
Vallières *10* 115 E 5
Vallières *74* 215 F 3
Vallières-les-Grandes *41* 152 D 2
Valliguières *30* 284 D 5
Valliquerville *76* 19 G 5
Valloire *73* 252 B 1
Valloires *Abbaye de* *80* 11 G 1
Vallois *54* 95 G 3
Les Vallois *88* 118 D 2
Vallon-en-Sully *03* 190 D 2
Vallon-Pont-d'Arc *07* 266 B 5
Vallon-sur-Gée *72* 107 F 5
Vallorcine *74* 217 E 1
Vallouise *05* 252 C 5
Valmagne *Abbaye de* *34* 322 D 3
Valmanya *66* 342 B 3
Valmascle *34* 301 H 5
Valmeinier *73* 252 B 1
Valmestroff *57* 45 H 3
Valmigère *11* 337 H 2
Valmondois *95* 38 B 5
Valmont *57* 67 E 1
Valmont *76* 19 F 3
Valmorel *73* 234 B 3
Valmunster *57* 46 C 4
Valmy *51* 43 E 5
Valognes *50* 29 F 4
Valojoulx *24* 241 F 4
Valonne *25* 163 E 2
Valoreille *25* 163 F 3
Valouse *26* 267 H 5
Valprionde *46* 277 F 1
Valprivas *43* 229 G 5
Valpuiseaux *91* 87 H 4
Valras-Plage *34* 321 H 5
Valréas *84* 267 G 5
Valros *34* 321 H 3
Valroufié *46* 260 B 4
Vals *09* 336 C 1
Vals-le-Chastel *43* 246 C 1
Vals-les-Bains *07* 266 B 3
Vals-près-le-Puy *43* 247 F 4
Valsaintes *04* 286 D 5
Valsemé *14* 34 B 4
Valsenestre *38* 251 G 4
Valserres *05* 269 H 4
Valsonne *69* 212 B 3
Le Valtin *88* 120 C 3
Valuéjols *15* 245 F 3
Valvignères *07* 266 D 4
Valz-sous-Châteauneuf *63* 228 B 4
Valzergues *12* 261 H 5
Van *Pointe du* *29* 98 C 2
Vanault-le-Châtel *51* 62 D 3
Vanault-les-Dames *51* 63 E 3
Vançais *79* 185 H 4
Vancé *72* 130 D 2
La Vancelle *67* 97 E 4
Vanclans *25* 162 C 5
Vandeins *01* 195 G 5
Vandelainville *54* 65 F 2
Vandelans *70* 162 B 2
Vandeléville *54* 94 C 3
Vandélicourt *60* 39 F 1
Vandenesse *58* 175 H 3
Vandenesse-en-Auxois *21* 159 F 4
Vandeuil *51* 41 E 3
Vandières *51* 41 E 5
Vandières *54* 65 G 2
Vandœuvre-lès-Nancy *54* 94 D 1
Vandoncourt *25* 142 C 5
Vandré *17* 201 F 2
Vandrimare *27* 36 D 2
Vandy *08* 42 D 1
Les Vanels *48* 282 D 3
Vanlay *10* 114 D 4
Vannaire *21* 115 H 5
Vanne *70* 140 C 4
Le Vanneau-Irleau *79* 184 C 4
Vannecourt *57* 66 D 3
Vannecrocq *27* 35 E 3
Vannes *56* 124 C 3
Vannes-le-Châtel *54* 94 A 2
Vannes-sur-Cosson *45* 133 H 4
Vannoz *39* 179 H 4
Vanosc *07* 248 C 1
Les Vans *07* 283 H 1
Vantoux *57* 45 H 5
Vantoux-et-Longevelle *70* 161 G 1
Vanves *92* 58 B 4
Vanvey *21* 138 B 2
Vanvillé *77* 89 E 2
Vanxains *24* 239 G 1
Vany *57* 45 H 5
Vanzac *17* 220 B 5
Vanzay *79* 186 A 5
Vanzy *74* 215 E 2
Vaour *81* 278 D 4
Varacieux *38* 250 A 1
Varades *44* 148 C 2
Varages *83* 307 E 4
Varaignes *24* 222 B 2
Varaire *46* 278 D 1
Varaize *17* 201 H 3
Varambon *01* 214 A 2
Varanges *21* 160 B 4
Varangéville *54* 95 E 1
Varaville *14* 34 A 3
Varces-Allières-
et-Risset *38* 250 D 3
Vareilles *23* 188 C 5
Vareilles *71* 194 A 4
Vareilles *89* 113 H 3
Varen *82* 279 E 3
Varengeville-sur-Mer *76* 10 A 5
Varenguebec *50* 31 G 2
La Varenne *49* 148 A 3
Varenne-l'Arconce *71* 193 H 4
Varenne-Saint-Germain *71* 193 G 3
La Varenne-Saint-Hilaire *94* 58 D 4
Varennes *24* 258 C 1
Varennes *31* 318 B 2
Varennes *37* 170 B 1
Varennes *80* 13 E 5
Varennes *82* 298 A 1
Varennes *86* 168 D 4
Varennes *89* 136 D 2
Varennes-Changy *45* 134 C 2
Varennes-en-Argonne *55* 43 F 4
Varennes-Jarcy *91* 58 D 5
Varennes-le-Grand *71* 177 H 5
Varennes-lès-Mâcon *71* 195 E 5
Varennes-lès-Narcy *58* 156 B 4
Varennes-Saint-Honorat *43* 246 D 2
Varennes-
Saint-Sauveur *71* 195 H 2
Varennes-sous-Dun *71* 194 A 5
Varennes-sur-Allier *03* 192 B 4
Varennes-sur-Amance *52* 117 H 5
Varennes-sur-Fouzon *36* 153 G 4
Varennes-sur-Loire *49* 150 C 4
Varennes-sur-Morge *63* 209 H 4
Varennes-sur-Seine *77* 88 D 5
Varennes-sur-Tèche *03* 192 D 4
Varennes-sur-Usson *63* 228 A 3
Varennes-Vauzelles *58* 174 C 1
Varès *47* 257 G 5
Varesnes *60* 23 H 5
Varessia *39* 196 B 1
Varetz *19* 242 B 2
Varilhes *09* 336 B 2
Varinfroy *60* 39 H 5
Variscourt *02* 41 G 2
Varize *28* 110 B 4
Varize *57* 46 C 5
Varmonzey *88* 95 E 4
Varnéville *55* 64 D 3
Varneville-Bretteville *76* 20 A 4
Varney *55* 63 G 3
Varogne *70* 141 F 3
Varois-et-Chaignot *21* 160 B 3
Varouville *50* 29 G 2
Varrains *49* 150 C 4
Varreddes *77* 59 G 2
Vars *05* 270 D 2
Vars *16* 203 F 5
Vars *70* 140 A 5
Vars *Col de* *05* 270 D 3
Vars-sur-Roseix *19* 241 H 1
Varsberg *57* 46 D 5
Varvinay *55* 64 D 3
Varzay *17* 219 F 1
Varzy *58* 157 E 3
Vascœuil *27* 36 D 2
Vasles *79* 185 H 1
Vasouy *14* 34 C 2
Vasperviller *57* 96 C 1
Vassel *63* 228 A 1
Vasselay *18* 155 E 5
Vasselin *38* 232 B 2
Vassens *02* 40 A 1
Vasseny *02* 40 C 3
Vassieux-en-Vercors *26* 250 B 5
Vassimont-et-Chapelaine *51* 61 H 4
Vassincourt *55* 63 G 3
Vassivière *Lac de* *74* 207 E 5
Vassogne *02* 41 E 2
Vassonville *76* 20 B 4
Vassy *14* 53 E 3
Vassy *89* 137 G 5
Le Vast *50* 29 G 3
Vastérival *76* 10 A 5
Vasteville *50* 28 D 3
Les Vastres *43* 248 A 4
Vatan *36* 172 A 1
Vathiménil *54* 95 G 2
Vatierville *76* 21 E 3
Vatilieu *38* 250 B 1
Vatimont *57* 66 C 2
Vatry *51* 62 A 3
Vattetot-sous-Beaumont *76* 19 E 4
Vattetot-sur-Mer *76* 18 D 3
Vatteville *27* 36 C 3
Vatteville-la-Rue *76* 35 G 1
Vaubadon *14* 32 D 4
Vauban *71* 193 H 5
Vaubecourt *55* 63 G 2
Vaubexy *88* 95 E 5
Vaucé *53* 82 A 3
Vaucelles *14* 32 D 3
Vaucelles *Abbaye de* *59* 14 B 5
Vaucelles-et-Beffecourt *02* 40 D 1
Vauchamps *25* 162 B 3
Vauchamps *51* 60 D 3
Vauchassis *10* 114 D 2
Vauchelles *60* 23 G 5
Vauchelles-lès-Authie *80* 13 E 4
Vauchelles-lès-Domart *80* 12 B 5
Vauchelles-les-Quesnoy *80* 11 H 3
Vauchignon *21* 177 F 2
Vauchonvilliers *10* 115 H 2
Vauchoux *70* 140 D 4
Vauchrétien *49* 149 G 3
Vauciennes *51* 61 F 1
Vauciennes *60* 39 H 4
Vauclaix *58* 157 H 4
Vauclerc *51* 62 D 5
Vaucluse *25* 163 F 3
Vauclusotte *25* 163 F 3
Vaucogne *10* 91 G 3
Vauconcourt-Nervezain *70* 140 C 4
Vaucottes-sur-Mer *76* 18 D 3
Vaucouleurs *55* 93 H 1
Vaucourt *54* 67 E 5
Vaucourtois *77* 59 G 3
Vaucresson *92* 58 A 3
Vaudancourt *60* 37 G 4
Vaudebarrier *71* 194 A 3
Vaudelnay *49* 150 A 5
Vaudeloges *14* 54 B 2
Vaudemange *51* 42 A 5
Vaudémont *54* 94 C 3
Vaudémont *Signal de* *54* 94 C 3
Vaudes *10* 115 F 3
Vaudesincourt *51* 42 B 4
Vaudesson *02* 40 C 1
Vaudeurs *89* 114 A 3
Vaudevant *07* 248 D 3
Vaudeville *54* 94 D 3
Vaudéville *88* 95 G 5
Vaudeville-le-Haut *55* 93 H 3
Vaudherland *95* 58 D 2
Vaudigny *54* 94 D 3
Le Vaudioux *39* 179 H 5
Vaudoncourt *55* 44 D 4
Vaudoncourt *57* 46 C 5
Vaudoncourt *88* 118 B 2
Le Vaudoué *77* 88 A 5
Vaudoy-en-Brie *77* 59 H 5
Vaudreching *57* 46 C 4
Vaudrecourt *52* 117 H 2
Vaudrémont *52* 116 C 3
Le Vaudreuil *27* 36 C 4
Vaudreuille *31* 319 E 3
Vaudreville *50* 29 G 4
Vaudrey *39* 179 F 2
Vaudricourt *62* 8 A 4
Vaudricourt *80* 11 E 3
Vaudrimesnil *50* 31 G 4
Vaudringhem *62* 7 E 2
Vaudrivillers *25* 162 D 3
Vaudry *14* 52 C 3
Vaufrey *25* 163 G 2
Vaugines *84* 305 H 2
Vaugneray *69* 230 D 1
Vaugrigneuse *91* 87 F 2
Vauhallan *91* 58 B 5
Vaujany *38* 251 G 2
Vaujours *93* 58 D 2
Vaulandry *49* 129 G 5
Le Vaulmier *15* 244 D 2
Vaulnaveys-le-Bas *38* 251 E 2
Vaulnaveys-le-Haut *38* 251 E 2
Vaulry *87* 205 F 3
Vault-de-Lugny *89* 157 H 1
Vaulx *62* 12 B 2
Vaulx *74* 215 F 3
Vaulx-en-Velin *69* 213 F 5
Vaulx-Milieu *38* 231 H 2
Vaulx-Vraucourt *62* 13 H 4
Le Vaumain *60* 37 G 3
Vaumas *03* 192 D 3
Vaumeilh *04* 287 G 1
Vaumoise *60* 39 G 4
Vaumort *89* 113 H 3
Vaunac *24* 222 D 5
Vaunaveys-la-Rochette *26* 267 G 1
Vaunoise *61* 84 B 5
La Vaupalière *76* 36 A 1
Vaupillon *28* 85 F 3
Vaupoisson *10* 91 F 3
Vauquois *55* 43 G 4
Vauréal *95* 57 H 1
Vaureilles *12* 261 H 5
Vaurezis *02* 40 B 2
Le Vauroux *60* 37 H 2
Vausse *Prieuré de* *89* 137 F 5
Vausseroux *79* 185 G 2
Vautebis *79* 185 G 2
Vauthiermont *90* 142 D 2
Vautorte *53* 81 H 5
Vauvenargues *13* 306 B 5
Vauvert *30* 303 G 3
Vauville *14* 34 B 3
Vauville *50* 28 C 3
Vauvillers *70* 118 D 5
Vauvillers *80* 23 E 2
Vaux *03* 190 D 3
Vaux *31* 318 D 2
Vaux *57* 65 G 1
Vaux *86* 186 A 4
Vaux *89* 136 B 3
Vaux *Château de* *49* 128 C 3
Vaux-Andigny *02* 14 D 5
Vaux-Champagne *08* 42 C 1
Les Vaux de Cernay *78* 57 H 5
Vaux-devant-Damloup *55* 44 C 5
Vaux-en-Amiénois *80* 22 B 1
Vaux-en-Beaujolais *69* 212 C 2
Vaux-en-Bugey *01* 214 A 3
Vaux-en-Dieulet *08* 43 F 1
Vaux-en-Pré *71* 194 C 1
Vaux-en-Vermandois *02* 23 H 2
Vaux-et-Chantegrue *25* 180 C 3
Vaux-la-Douce *52* 140 B 2
Vaux-la-Grande *55* 93 G 1
Vaux-la-Petite *55* 93 G 1
Vaux-Lavalette *16* 221 F 4
Vaux-le-Moncelot *70* 161 H 1
Vaux-le-Pénil *77* 88 B 3
Vaux-le-Vicomte
Château de *77* 88 C 2
Vaux-lès-Mouron *08* 43 E 3
Vaux-lès-Mouzon *08* 27 G 4
Vaux-lès-Palameix *55* 64 C 2
Vaux-les-Prés *25* 161 H 4
Vaux-lès-Rubigny *08* 25 H 4
Vaux-lès-Saint-Claude *39* 196 D 3
Vaux-Marquenneville *80* 11 G 5
Vaux-Montreuil *08* 26 C 5
Vaux-Rouillac *16* 202 D 5
Vaux-Saules *21* 159 G 1
Vaux-sous-Aubigny *52* 139 G 4
Vaux-sur-Aure *14* 33 E 3
Vaux-sur-Blaise *52* 92 C 3
Vaux-sur-Eure *27* 56 C 1
Vaux-sur-Lunain *77* 112 D 2
Vaux-sur-Mer *17* 218 C 1
Vaux-sur-Poligny *39* 179 G 3
Vaux-sur-Risle *27* 55 G 3
Vaux-sur-Saint-Urbain *52* 93 E 4
Vaux-sur-Seine *78* 57 H 2
Vaux-sur-Seulles *14* 33 E 3
Vaux-sur-Somme *80* 22 D 1
Vaux-sur-Vienne *86* 169 G 3
Vaux-Villaine *08* 26 B 3
Vauxaillon *02* 40 C 1
Vauxbons *52* 139 F 2
Vauxbuin *02* 40 B 3
Vauxcéré *02* 40 D 3
Vauxrenard *69* 194 D 5
Vauxtin *02* 40 D 3
Vavincourt *55* 63 H 3
Vavray-le-Grand *51* 62 D 4
Vavray-le-Petit *51* 62 D 3
Vaxainville *54* 95 H 2
Vaxoncourt *88* 95 F 5
Vaxy *57* 66 D 3
Vay *44* 126 B 5
Vaychis *09* 336 C 5
Vaylats *46* 278 C 1
Vayrac *46* 242 D 5
Vayres *33* 238 B 5
Vayres *87* 204 D 5
Vayres *Château de* *86* 169 F 5
Vayres-sur-Essonne *91* 87 H 4
Vazeilles-Limandre *43* 246 D 3
Vazeilles-près-Saugues *43* 246 D 5
Vazerac *82* 277 G 3
Veauce *03* 209 G 1
Veauche *42* 230 A 3
Veauchette *42* 230 A 3
Veaugues *18* 155 H 4
Veaunes *26* 249 F 3
Veauville-lès-Baons *76* 19 G 4
Veauville-lès-Quelles *76* 19 G 3
Vèbre *09* 336 C 5
Vebret *15* 226 C 5
Vebron *48* 282 D 2
Vecchio *Pont du* *2B* 347 E 5
Veckersviller *57* 67 H 3
Veckring *57* 46 B 3
Vecoux *88* 119 H 4
Vecquemont *80* 22 D 2
Vecqueville *52* 92 D 3
Vedène *84* 285 F 5
Védrines-Saint-Loup *15* 246 A 3
Véel *55* 63 G 4
Végennes *19* 242 D 4
Vého *54* 95 H 1
Veigné *37* 152 A 4
Veigy-Foncenex *74* 197 H 4
Veilhes *81* 298 D 4
Veillac *15* 226 C 4
Veilleins *41* 153 H 2
Veilly *21* 159 F 5
Veix *19* 225 E 3
Velaine-en-Haye *54* 65 G 5
Velaine-sous-Amance *54* 66 B 5
Velaines *55* 64 B 5
Velanne *38* 232 D 3
Velars-sur-Ouche *21* 159 H 3
Velaux *13* 305 G 5
Velennes *60* 38 B 1
Velennes *80* 22 A 3
Velesmes *70* 161 F 2
Velesmes-Essarts *25* 161 H 4
Velet *70* 161 E 2
Vélieux *34* 320 C 3
Vélines *24* 239 E 5
Vélizy-Villacoublay *78* 58 B 4
Velle-le-Châtel *70* 141 E 4
Velle-sur-Moselle *54* 95 E 2
Vellèches *86* 169 G 2
Vellechevreux-
et-Courbenans *70* 141 H 5
Velleclaire *70* 161 G 1
Vellefaux *70* 141 E 5
Vellefrey-et-Vellefrange *70* 161 G 1
Vellefrie *70* 141 F 3
Velleguindry-
et-Levrecey *70* 141 E 5
Velleminfroy *70* 141 G 4
Vellemoz *70* 161 G 1
Velleron *84* 285 G 5
Vellerot-lès-Belvoir *25* 163 E 2
Vellerot-lès-Vercel *25* 162 D 3
Velles *36* 171 G 5
Velles *52* 140 B 2
Vellescot *90* 142 D 3
Vellevans *25* 162 D 3
Vellexon-Queutrey-
et-Vaudey *70* 140 C 5
Velloreille-lès-Choye *70* 161 F 2
Velluire *85* 183 H 3
Velogny *21* 159 E 2
Velone-Orneto *2B* 347 H 3
Velorcey *70* 141 F 2
Velosnes *55* 44 B 1
Velotte-et-Tatignécourt *88* 94 D 5
Vélu *62* 13 H 4
Velving *57* 46 C 4
Vélye *51* 61 H 3
Velzic *15* 244 C 4
Vémars *95* 58 D 1
Venables *27* 36 C 4
Venaco *2B* 347 E 5
Venansault *85* 165 G 5
Venanson *06* 291 E 2
Venarey-les-Laumes *21* 159 E 1
Venarsal *19* 242 C 2
Venas *03* 191 E 3
Venasque *84* 285 H 5
Vence *06* 309 F 2
Vence *Col de* *06* 309 F 2
Vendargues *34* 303 E 4
Vendat *03* 210 B 1
Vendays-Montalivet *33* 218 C 5
Vendegies-au-Bois *59* 15 E 3
Vendegies-sur-Écaillon *59* 14 D 2
Vendeix *Roche* *63* 227 E 3
Vendel *35* 81 E 5
La Vendelée *50* 31 G 5
Vendelles *02* 23 H 1
Vendémian *34* 302 B 5
Vendenesse-
lès-Charolles *71* 194 A 3
Vendenesse-sur-Arroux *71* 193 G 1
Vendenheim *67* 68 D 5
Vendes *14* 33 E 5
Vendes *15* 244 B 1
Vendeuil *02* 24 B 4
Vendeuil-Caply *60* 22 B 5
Vendeuvre *14* 54 A 1
Vendeuvre-du-Poitou *86* 169 E 5
Vendeuvre-sur-Barse *10* 115 H 2
Vendeville *59* 8 D 3
Vendhuile *02* 14 B 5
Vendières *02* 60 C 3
Vendin-le-Vieil *62* 8 C 4
Vendin-lès-Béthune *62* 8 A 3
Vendine *31* 298 C 5
Vendœuvres *36* 171 E 4
Vendoire *24* 221 G 4
Vendôme *41* 131 G 3
Vendranges *42* 211 H 3
Vendrennes *85* 166 B 3
Vendres *34* 321 G 4
Vendresse *08* 27 E 5
Vendresse-Beaulne *02* 40 D 2
Vendrest *77* 59 H 1
La Vendue-Mignot *10* 115 E 3
Vénéjan *30* 284 D 3
Venelles *13* 306 A 4
Vénérand *17* 201 G 5
Venère *70* 161 F 2
Vénérieu *38* 232 A 1
Vénérolles *02* 24 D 1
Venerque *31* 317 H 2
Vénès *81* 299 G 3
Venesmes *18* 173 E 4
Vénestanville *76* 19 H 3
Venette *60* 39 F 2
Veneux-les-Sablons *77* 88 C 5
Vénevelles *Manoir de* *72* 129 H 4
Veney *54* 96 A 3
Vengeons *50* 52 C 4
Venise *25* 162 A 2
Venisey *70* 140 D 2
Vénissieux *69* 231 F 1
Venizel *02* 40 B 2
Venizy *89* 114 B 4
Vennans *25* 162 B 2
Vennecy *45* 111 F 5
Vennes *25* 163 E 4
Vennezey *54* 95 F 3
Venon *27* 36 A 5
Venon *38* 251 E 2
Venosc *38* 251 G 3
Venouse *89* 136 C 2
Venoy *89* 136 B 3

Vensac 33 218 C 4
Vensat 63 209 H 2
Ventabren 13 305 H 5
Ventadour *Ruines de* 19 225 G 5
Ventavon 05 269 F 5
Ventelay 51 41 E 3
Ventenac 09 336 C 2
Ventenac-Cabardès 11 319 G 4
Ventenac-en-Minervois 11 320 D 5
Venterol 04 269 H 4
Venterol 26 267 H 5
Les Ventes 27 56 B 2
Les Ventes-de-Bourse 61 84 A 3
Ventes-Saint-Rémy 76 20 C 4
Venteuges 43 246 C 4
Venteuil 51 61 F 1
Venthon 73 234 A 1
Ventiseri 2B 349 G 3
Ventouse 16 203 G 4
Ventoux *Mont* 84 286 A 3
Ventron 88 120 B 4
La Ventrouze 61 84 D 2
Venzolasca 2B 347 G 2
Ver 50 51 G 2
Ver-lès-Chartres 28 86 A 4
Ver-sur-Launette 60 39 E 5
Ver-sur-Mer 14 33 F 3
Vérac 33 238 B 4
Véranne 42 230 D 5
Vérargues 34 303 F 3
Véraza 11 337 G 2
Verberie 60 39 F 3
Verbiesles 52 117 E 4
Vercel-Villedieu-le-Camp 25 162 D 4
Verchain-Maugré 59 14 D 2
Verchaix 74 216 C 1
Vercheny 26 268 A 2
Les Verchers-sur-Layon 49 150 A 5
Verchin 62 7 F 4
Verchocq 62 7 E 3
Vercia 39 196 B 1
Verclause 26 268 B 5
Vercoiran 26 286 B 1
Vercourt 80 11 F 1
Verdaches 04 288 B 1
Verdalle 81 319 F 2
Verde *Col de* 2B 349 F 2
Verdelais 33 256 B 3
Verdelles *Château de* 72 106 D 5
Verdelot 77 60 B 3
Verdenal 54 96 A 1
Verderel 60 38 A 1
Verderonne 60 38 D 3
Verdes 41 110 A 5
Verdèse 2B 347 G 3
Verdets 64 313 G 4
Le Verdier 81 279 E 5
La Verdière 83 307 E 4
Verdigny 18 155 H 3
Verdille 16 202 D 4
Verdilly 02 60 C 1
Verdon 24 258 B 1
Verdon 51 60 D 2
Verdon *Grand Canyon du* 93 307 H 2
Le Verdon-sur-Mer 33 218 C 2
Verdonnet 21 137 H 3
Verdun 09 336 B 5
Verdun 55 44 B 5
Verdun-en-Lauragais 11 319 E 3
Verdun-sur-Garonne 82 297 G 2
Verdun-sur-le-Doubs 71 178 A 3
Verdus *Musée de* 07 266 C 2
Vereaux 18 174 A 3
Verel-de-Montbel 73 232 D 2
Verel-Pragondran 73 233 F 2
Véretz 37 152 A 3
Vereux 70 161 F 1
Verfeil 31 298 B 4
Verfeil 82 279 E 3
Verfeuil 30 284 C 3
Vergaville 57 67 E 3
Vergéal 35 105 E 4
La Vergenne 70 141 H 4
Le Verger 35 103 H 3
Le Verger *Château* 49 128 D 5
Verger-sur-Dive 86 168 C 4
Vergeroux 17 200 D 3
Verges 39 179 F 5
Vergetot 76 18 D 4
Vergezac 43 247 E 4
Vergèze 30 303 G 3
Vergheas 63 208 D 3
Vergies 80 11 G 5
Vergigny 89 114 B 5
Vergio *Col de* 2B 346 C 5
Vergisson 71 194 D 4
La Vergne 17 201 G 3
Vergné 17 201 H 2
Vergoignan 32 294 C 3
Vergoncey 50 80 D 2
Vergongheon 43 228 A 5
Vergonnes 49 127 G 3
Vergons 04 288 D 5
Vergranne 25 162 C 1
Vergt 24 240 C 4
Vergt-de-Biron 24 258 D 3
Le Verguier 02 24 A 1
Véria 39 196 A 2
Vérignon 83 307 H 3
Vérigny 28 85 H 3
Vérin 42 231 E 4
Vérines 17 183 G 5
Vérissey 71 178 B 5
Vérizet 71 195 E 3
Verjon 01 196 A 4
Verjux 71 178 A 3
Verlans 70 142 B 4
Verlhac-Tescou 82 298 A 1
Verlin 89 113 F 4
Verlincthun 62 6 B 2
Verlinghem 59 8 C 2
Verlus 32 294 C 4
Vermand 02 24 A 2
Vermandovillers 80 23 F 2
Vermelles 62 8 B 4
Vermenton 89 136 C 4
Vermondans 25 163 F 2
Le Vermont 88 96 C 3
Vern-sur-Seiche 35 104 B 3
Vernais 18 173 H 4
Vernaison 69 231 E 2
Vernajoul 09 336 B 2
Vernancourt 51 63 E 3
Vernantes 49 150 C 2
Vernantois 39 179 F 5
La Vernarède 30 283 G 2
Vernas 38 214 A 5
Vernassal 43 246 D 2
Vernaux 09 336 C 5
Vernay 69 212 C 1
La Vernaz 74 198 C 4
Verne 25 162 C 2
Verne *Chartreuse de la* 83 329 E 3
Vernègues 13 305 G 3
Verneiges 23 190 B 5
Le Verneil 73 233 H 3
Verneil-le-Chétif 72 130 A 3
Verneix 03 190 D 4
La Vernelle 36 153 G 4
Le Vernet 03 210 B 2
Le Vernet 04 288 B 1
Le Vernet 09 318 B 5
Vernet 31 317 H 2
Le Vernet 43 246 D 4
Vernet-la-Varenne 63 228 B 4
Vernet-les-Bains 66 342 A 3
Le Vernet-Sainte-Marguerite 63 227 G 2
Verneugheol 63 208 C 5
Verneuil 16 204 C 5
Verneuil 18 173 G 4
Verneuil 51 40 D 5
Verneuil 58 175 F 3
Verneuil-en-Bourbonnais 03 192 A 4
Verneuil-en-Halatte 60 38 D 4
Verneuil-Grand 55 44 B 1
Verneuil-le-Château 37 169 F 1
Verneuil-l'Étang 77 88 C 2
Verneuil-Moustiers 87 187 H 4
Verneuil-Petit 55 44 B 1
Verneuil-sous-Coucy 02 40 B 1
Verneuil-sur-Avre 27 55 H 4
Verneuil-sur-Igneraie 36 189 G 1
Verneuil-sur-Indre 37 170 C 1
Verneuil-sur-Seine 78 57 H 2
Verneuil-sur-Serre 02 24 D 4
Verneuil-sur-Vienne 87 205 F 5
Verneusses 27 55 E 2
Vernéville 57 45 G 5
Vernie 72 107 G 2
Vernierfontaine 25 162 C 5
Vernines 63 227 F 2
Verniolle 09 336 B 1
Vernioz 38 231 F 4
Vernix 50 52 A 4
Vernoil 49 150 D 2
Le Vernois 39 179 F 4
Vernois-le-Fol 25 163 H 2
Vernois-lès-Belvoir 25 163 E 2
Vernois-lès-Vesvres 21 139 F 4
Vernois-sur-Mance 70 140 C 2
Vernols 15 245 F 1
Vernon 07 266 A 4
Vernon 27 57 E 1
Vernon 86 186 C 3
Vernonvilliers 10 92 A 5
Vernosc-lès-Annonay 07 248 D 1
Vernot 21 160 A 1
La Vernotte 70 161 G 1
Vernou-en-Sologne 41 153 H 1
Vernou-la-Celle-sur-Seine 77 88 D 4
Vernou-sur-Brenne 37 152 A 2
Vernouillet 28 56 D 5
Vernouillet 78 57 H 2
Vernoux 01 195 G 2
Vernoux-en-Gâtine 79 167 G 5
Vernoux-en-Vivarais 07 248 D 5
Vernoux-sur-Boutonne 79 202 C 1
Le Vernoy 25 142 A 4
Vernoy 89 113 F 4
Vernusse 03 191 G 5
Verny 57 65 H 2
Vero 2A 348 D 2
Véron 89 113 G 3
Véronne 26 268 A 2
Véronnes 21 139 G 5
Verosvres 71 194 B 3
Verpel 08 43 F 2
La Verpillière 38 231 H 2
Verpillières 80 23 F 4
Verpillières-sur-Ource 10 115 H 4
Verquières 13 305 E 2
Verquigneul 62 8 A 4
Verquin 62 8 A 4
Verrens-Arvey 73 234 A 1
La Verrerie *Château de* 18 155 F 2
Verreries-de-Moussans 34 320 C 2
Verrey-sous-Drée 21 159 F 2
Verrey-sous-Salmaise 21 159 F 2
Verricourt 10 91 G 4
Verrie 49 150 B 4
La Verrie 85 166 C 2
La Verrière 78 57 H 4
Verrières 08 43 E 1
Verrières 10 115 E 2
Verrières 12 281 H 3
Verrières 16 220 B 2
Verrières 51 63 E 1
Verrières 61 84 D 4
Verrières 63 227 G 3
Verrières 86 186 D 3
Verrières-de-Joux 25 180 D 2
Verrières-du-Grosbois 25 162 C 4
Verrières-en-Forez 42 229 G 3
Verrières-le-Buisson 91 58 B 4
Verrines-sous-Celles 79 185 F 5
Verrue 86 168 D 3
Verruyes 79 185 F 2
Vers 46 260 C 5
Vers 71 195 E 1
Vers 74 215 F 1
Vers-en-Montagne 39 179 H 3
Vers-Pont-du-Gard 30 284 C 5
Vers-sous-Sellières 39 179 E 3
Vers-sur-Méouge 26 286 C 2
Vers-sur-Selles 80 22 B 2
Versailles 78 58 A 4
Versailleux 01 213 G 3
Versainville 14 53 H 2
La Versanne 42 230 C 5
Versaugues 71 193 G 4
Verseilles-le-Bas 52 139 G 3
Verseilles-le-Haut 52 139 G 3
Versigny 02 24 C 4
Versigny 60 39 F 5
Versols-et-Lapeyre 12 301 E 1
Verson 14 33 F 4
Versonnex 01 197 G 4
Versonnex 74 215 F 3
Le Versoud 38 251 E 1
Vert 40 273 G 4
Vert 78 57 F 2
Le Vert 79 202 B 1
Vert *Lac* 74 216 D 3
Vert-Bois 17 200 B 4
Vert-en-Drouais 28 56 C 4
Vert-la-Gravelle 51 61 F 3
Vert-le-Grand 91 87 H 2
Vert-le-Petit 91 87 H 3
Vert-Saint-Denis 77 88 B 2
Vertain 59 14 D 3
Vertaizon 63 210 A 5
Vertamboz 39 196 D 1
Vertault 21 115 G 5
Verte *Île* 13 327 F 4
Verteillac 24 221 G 5
Vertes-Feuilles 02 40 A 3
Verteuil-d'Agenais 47 257 G 5
Verteuil-sur-Charente 16 203 F 3
Verthemex 73 233 E 1
Vertheuil 33 237 E 1
Vertilly 89 89 G 5
Vertolaye 63 228 D 2
Verton 62 6 B 5
Vertou 44 147 H 4
Vertrieu 38 214 A 4
Vertus 51 61 G 2
Les Vertus 76 20 B 2
Vertuzey 55 64 D 5
Vervant 16 203 F 5
Vervant 17 201 H 3
Vervezelle 88 95 H 5
Vervins 02 25 F 2
Véry 55 43 G 3
Verzé 71 194 D 3
Verzeille 11 337 H 1
Verzenay 51 41 H 5
Verzy 51 41 H 5
Vesaignes-sous-Lafauche 52 93 G 5
Vesaignes-sur-Marne 52 117 F 4
Vesancy 01 197 G 3
Vesc 26 267 H 4
Vescemont 90 142 C 2
Vescheim 57 68 A 4
Vescles 39 196 C 3
Vescours 01 195 F 2
Vescovato 2B 347 G 2
Vesdun 18 190 B 2
Vésigneul-sur-Marne 51 62 B 3
Vésines 01 195 E 4
Vésines 45 112 C 4
Le Vésinet 78 58 A 3
Vesles-et-Caumont 02 25 E 4
Veslud 02 41 E 1
Vesly 27 37 F 4
Vesly 50 31 G 3
Vesoul 70 141 E 4
La Vespière-Friardel 14 55 E 1
Vesseaux 07 266 B 3
Vessey 50 80 D 2
Vestric-et-Candiac 30 303 G 3
Vesvres 21 159 E 2
Vesvres-sous-Chalancey 52 139 F 4
Vétheuil 95 57 F 1
Vétraz-Monthoux 74 197 H 5
Vétrigne 90 142 C 2
Veuil 36 153 G 5
Veuilly-la-Poterie 02 60 A 1
Veules-les-Roses 76 19 H 2
Veulettes-sur-Mer 76 19 F 2
Le Veurdre 03 174 B 5
Veurey-Voroize 38 250 C 1
La Veuve 51 62 A 1
Veuves 41 152 D 2
Veuvey-sur-Ouche 21 159 G 4
Veuxhaulles-sur-Aube 21 116 B 5
Vevy 39 179 F 5
Vexaincourt 88 96 C 2
Le Vey 14 53 F 2
Veynes 05 269 E 4
Veyrac 87 205 F 4
Veyras 07 266 C 2
Veyre-Monton 63 227 H 2
Veyreau 12 282 A 3
Veyrier-du-Lac 74 215 H 4
Veyrières 15 226 B 5
Veyrières 19 226 B 4
Veyrignac 24 259 H 1
Veyrines 07 248 C 2
Veyrines-de-Domme 24 259 F 1
Veyrines-de-Vergt 24 240 C 4
Veyrins 38 232 C 2
Les Veys 50 32 A 2
Veyssilieu 38 231 H 1
Veyziat 01 196 C 4
Vez 60 39 H 4
Vézac 15 244 C 5
Vézac 24 259 F 1
Vézannes 89 136 D 2
Vézaponin 02 40 A 1
Vèze 15 245 G 1
La Vèze 25 162 A 4
Vézelay 89 157 G 2
Vézelise 54 94 C 3
Vézelois 90 142 C 3
Vezels-Roussy 15 262 D 1
Vézénobres 30 283 H 4
Vézeronce-Curtin 38 232 B 1
Vezet 70 140 C 5
Vézézoux 43 228 B 5
Le Vézier 51 60 C 4
Vézières 86 168 D 1
Vézillon 27 36 D 4
Vézilly 02 41 E 4
Vezin-le-Coquet 35 104 A 3
Vézinnes 89 137 E 2
Vezins 49 149 F 5
Vezins 50 51 H 5
Vezins *Barrage de* 50 81 E 2
Vézins-de-Lévézou 12 281 G 2
Vezot 72 84 A 5
Vezou *Belvédère du* 15 245 F 5
Vezzani 2B 347 F 5
Via 66 341 F 4
Viabon 28 110 C 2
Viala-du-Pas-de-Jaux 12 301 F 1
Viala-du-Tarn 12 281 F 4
Vialas 48 283 F 1
Vialer 64 294 C 5
Viam 19 225 E 2
Viane 81 300 B 3
Vianges 21 158 D 5
Vianne 47 275 G 3
Viâpres-le-Grand 10 90 D 2
Viâpres-le-Petit 10 90 D 2
Viarmes 95 38 C 5
Vias 34 322 C 5
Viaur *Viaduc du* 12 280 B 4
Viazac 46 261 G 3
Le Vibal 12 281 E 2
Vibersviller 57 67 F 3
Vibeuf 76 19 H 4
Vibrac 16 220 D 2
Vibrac 17 220 B 5
Vibraye 72 108 D 4
Vic 09 335 G 4
Vic 36 189 G 1
Vic *Roche de* 19 242 D 3
Vic-de-Chassenay 21 158 C 1
Vic-des-Prés 21 159 F 5
Vic-en-Bigorre 65 315 E 3
Vic-Fezensac 32 295 G 3
Vic-la-Gardiole 34 323 F 3
Vic-le-Comte 63 228 A 2
Vic-le-Fesq 30 303 F 1
Vic-sous-Thil 21 158 D 3
Vic-sur-Aisne 02 39 H 2
Vic-sur-Cère 15 244 D 4
Vic-sur-Seille 57 66 D 4
Vicdessos 09 336 A 5
Le Vicel 50 29 G 3
Vichel 63 228 A 4
Vichel-Nanteuil 02 40 B 4
Vichères 28 109 E 2
Vicherey 88 94 B 4
Vichy 03 210 B 2
Vico 2A 348 C 1
La Vicogne 80 12 D 5
La Vicomté-sur-Rance 22 79 H 3
Vicq 03 209 H 1
Vicq 52 117 H 5
Vicq 59 9 H 5
Vicq 78 57 G 4
Vicq-d'Auribat 40 293 F 2
Vicq-Exemplet 36 189 H 1
Vicq-sur-Breuilh 87 223 H 2
Vicq-sur-Gartempe 86 170 A 5
Vicq-sur-Nahon 36 171 G 1
Vicques 14 54 A 2
Victoire *Abbaye de la* 60 39 E 4
Victot-Pontfol 14 34 B 4
Vidai 61 84 A 3
Vidaillac 46 279 E 1
Vidaillat 23 207 E 3
Vidauban 83 329 E 1
Videcosville 50 29 G 4
Videix 87 204 C 5
Videlles 91 87 H 4
Vidou 65 315 G 4
Vidouville 50 32 C 5
Vidouze 65 314 D 2
Viefvillers 60 22 A 5
Vieil-Armand 68 120 D 5
Le Vieil-Baugé 49 150 B 1
Le Vieil-Dampierre 51 63 E 1
Le Vieil-Évreux 27 56 C 1
Vieil-Hesdin 62 7 E 5
Vieil-Moutier 62 6 D 2
Vieille-Brioude 43 246 B 1
Vieille-Chapelle 62 8 A 3
Vieille-Église 62 3 E 3
Vieille-Église-en-Yvelines 78 57 G 5
La Vieille-Loye 39 179 F 1
La Vieille-Lyre 27 55 G 2
Vieille-Toulouse 31 298 A 5
Vieilles-Maisons-sur-Joudry 45 134 B 2
Vieillespesse 15 245 H 3
Vieillevie 15 262 B 3
Vieillevigne 31 318 B 3
Vieillevigne 44 165 H 1
Vieilley 25 162 A 2
Vieilmoulin 21 159 F 3
Viel-Arcy 02 40 D 2
Viel-Saint-Remy 08 26 B 4
Viella 32 294 D 4
Viella 65 333 E 3
Vielle-Adour 65 315 F 5
Vielle-Aure 65 333 G 4
Vielle-Louron 65 333 H 4
Vielle-Saint-Girons 40 272 A 5
Vielle-Soubiran 40 274 C 4
Vielle-Tursan 40 294 A 3
Viellenave-d'Arthez 64 314 A 2
Viellenave-de-Navarrenx 64 313 F 3
Viellenave-sur-Bidouze 64 311 G 3
Vielleségure 64 313 G 3
Vielmanay 58 156 C 4
Vielmur-sur-Agout 81 299 F 4
Vielprat 43 265 G 1
Viels-Maisons 02 60 C 3
Vielverge 21 160 D 3
Viennay 79 168 A 5
Vienne 38 231 F 3
Vienne-en-Arthies 95 57 F 1
Vienne-en-Bessin 14 33 E 3
Vienne-en-Val 45 133 G 3
Vienne-la-Ville 51 43 E 4
Vienne-le-Château 51 43 E 4
Viens 84 306 B 1
Vienville 88 120 A 2
Vier-Bordes 65 332 D 2
Viersat 23 190 B 5
Vierville 28 87 E 4
Vierville 50 32 A 2
Vierville-sur-Mer 14 32 C 2
Vierzon 18 154 C 4
Vierzy 02 40 B 3
Viesly 59 14 D 4
Viessoix 14 52 D 3
Viéthorey 25 162 D 1
Vieu 01 214 D 4
Vieu-d'Izenave 01 214 B 2
Vieugy 74 215 G 4
Vieure 03 191 F 2
Vieussan 34 301 E 5
Vieuvicq 28 109 G 2
Vieuvy 53 81 H 3
Vieux 14 33 G 5
Vieux 81 279 E 5
Vieux-Berquin 59 8 A 2
Vieux-Boucau-les-Bains 40 292 B 2
Vieux-Bourg 14 34 D 3
Le Vieux-Bourg 22 77 H 3
Le Vieux-Cérier 16 203 H 3
Vieux Chambord *Château du* 03 192 C 4
Vieux-Champagne 77 89 F 2
Vieux-Charmont 25 142 C 4
Vieux-Château 21 158 B 1
Le Vieux Château 85 164 A 4
Vieux-Condé 59 9 G 4
Vieux-Ferrette 68 143 F 4
Vieux-Fumé 14 54 A 1
Vieux-lès-Asfeld 08 41 H 1
Vieux-Lixheim 57 67 H 4
Vieux-Maisons 77 60 B 5
Vieux-Manoir 76 20 C 5
Le Vieux-Marché 22 72 C 4
Vieux-Mareuil 24 221 H 4
Vieux-Mesnil 59 15 G 2
Vieux-Moulin 60 39 G 2
Vieux-Moulin 88 96 B 3
Vieux-Moulins 52 139 G 2
Vieux-Pierrefeu 06 289 H 5
Vieux-Pont 61 53 H 5
Vieux-Pont-en-Auge 14 54 B 1
Vieux-Port 27 35 F 2
Vieux-Reng 59 15 H 2
Vieux-Rouen-sur-Bresle 76 21 F 2
La Vieux-Rue 76 36 C 1
Vieux-Ruffec 16 203 H 3
Vieux-Thann 68 143 E 1
Vieux-Viel 35 80 C 2
Vieux-Villez 27 36 C 5
Vieux-Vy-sur-Couesnon 35 80 C 4
Vieuzos 65 315 H 4
Viévigne 21 160 C 2
Viéville 52 117 E 2
Viéville-en-Haye 54 65 F 3
Viéville-sous-les-Côtes 55 64 D 2
Viévy 21 177 E 1
Viévy-le-Rayé 41 132 A 2
Viey 65 333 E 3
Vif 38 250 D 3
Viffort 02 60 C 2

Le Vigan *30* 282 D 5
Le Vigan *46* 260 B 2
Le Vigean *15* 244 B 2
Le Vigeant *86* 187 E 5
Le Vigen *87* 223 H 1
Vigeois *19* 224 B 5
Viger *65* 332 D 1
Vigeville *23* 207 G 1
Viggianello *2A* 350 D 2
Viglain *45* 133 H 4
Vignacourt *80* 12 C 5
Vignage *Rochers du* *61* 83 G 3
Vignale *2B* 347 G 2
Vignats *14* 54 A 3
Le Vignau *40* 294 C 2
Vignaux *31* 297 F 4
Les Vigneaux *05* 252 C 5
Vignec *65* 333 G 4
Vignely *77* 59 F 2
Vignemont *60* 39 F 1
Les Vignères *84* 305 E 1
Les Vignes *48* 282 A 2
Vignes *64* 294 B 5
Vignes *89* 158 B 1
Vignes-la-Côte *52* 93 F 5
Vigneul-sous-Montmédy *55* 43 H 1
Vigneulles *54* 95 E 2
Vigneulles-lès-Hattonchâtel *55* 64 D 2
Vigneux-de-Bretagne *44* 147 F 2
Vigneux-Hocquet *02* 25 G 3
Vigneux-sur-Seine *91* 58 C 5
Vignevieille *11* 338 A 2
Vignieu *38* 232 B 2
Vignoc *35* 80 A 5
Vignol *58* 157 G 3
Vignoles *21* 177 H 1
Vignolles *16* 220 D 3
Vignols *19* 223 H 5
Vignonet *33* 238 C 5
Vignory *52* 92 D 5
Vignot *55* 64 D 5
Vignoux-sous-les-Aix *18* 155 F 5
Vignoux-sur-Barangeon *18* 154 C 5
Vigny *57* 65 H 2
Vigny *95* 57 H 1
Vigoulant *36* 189 H 3
Vigoulet-Auzil *31* 318 A 2
Vigoux *36* 188 C 2
Vigueron *82* 297 E 1
Vigy *57* 46 B 5
Vihiers *49* 149 G 5
Vijon *36* 189 H 3
Vilbert *77* 59 G 5
Vilcey-sur-Trey *54* 65 F 3
Vildé-Guingalan *22* 79 F 4
Le Vilhain *03* 191 E 2
Vilhonneur *16* 221 H 1
Vilhosc *Prieuré de* *04* 287 G 2
Villa-Algérienne *33* 254 A 2
Villabé *91* 88 A 2
Villabon *18* 173 G 1
Villac *24* 241 G 2
Villacerf *10* 90 D 4
Villacourt *54* 95 E 3
Villadin *10* 90 B 5
Villafans *70* 141 H 5
Village-Neuf *68* 143 H 3
Villaines-en-Duesmois *21* 138 A 4
Villaines-la-Carelle *72* 84 A 4
Villaines-la-Gonais *72* 108 C 3
Villaines-la-Juhel *53* 82 D 5
Villaines-les-Prévôtes *21* 137 H 5
Villaines-les-Rochers *37* 151 G 4
Villaines-sous-Bois *95* 58 C 1
Villaines-sous-Lucé *72* 130 C 2
Villaines-sous-Malicorne *72* 129 F 3
Villainville *76* 18 D 4
Villalbe *11* 319 G 5
Villalet *27* 56 A 2
Villalier *11* 319 H 4
Villamblain *45* 110 B 5
Villamblard *24* 240 B 4
Villamée *35* 81 E 3
Villampuy *28* 110 B 4
Villandraut *33* 255 H 5
Villandry *37* 151 G 3
Villanière *11* 319 H 4
Villanova *2A* 348 B 3
Villapourçon *58* 176 A 2
Villar-d'Arêne *05* 252 A 3
Villar-en-Val *11* 338 A 1
Villar-Loubière *05* 251 H 5
Villar-Saint-Anselme *11* 337 G 2
Villar-Saint-Pancrace *05* 252 D 5
Villarceaux *Château de* *95* 37 F 5
Villard *23* 189 E 4
Le Villard *48* 264 A 5
Villard *74* 198 A 5
Villard-Bonnot *38* 251 F 1
Villard-de-Lans *38* 250 C 3
Villard-d'Héry *73* 233 G 3
Villard-Léger *73* 233 H 3
Villard-Notre-Dame *38* 251 G 3
Villard-Reculas *38* 251 G 2
Villard-Reymond *38* 251 G 3
Villard-Saint-Christophe *38* 251 E 4
Villard-Saint-Sauveur *39* 197 E 3
Villard-Sallet *73* 233 G 3
Villard-sur-Bienne *39* 197 E 2
Villard-sur-Doron *73* 216 B 5
Villardebelle *11* 337 H 2
Villardonnel *11* 319 H 4
Villards-d'Héria *39* 196 D 3
Les Villards-sur-Thônes *74* 216 A 3
Villarembert *73* 252 A 1
Villargent *70* 141 H 5
Villargoix *21* 158 D 3
Villargondran *73* 234 A 5
Villariès *31* 298 A 3
Villarlurin *73* 234 C 3
Villarodin-Bourget *73* 252 D 1
Villaroger *73* 235 E 1
Villaroux *73* 233 G 3
Villars *24* 222 C 4
Villars *28* 110 B 2
Villars *42* 230 A 4
Le Villars *71* 195 F 2
Villars *84* 305 H 1
Villars *Grottes de* *24* 222 D 4
Villars-Colmars *04* 288 D 2
Villars-en-Azois *52* 116 B 4
Villars-en-Pons *17* 219 G 2
Villars-et-Villenotte *21* 158 D 1
Villars-Fontaine *21* 159 H 5
Villars-le-Pautel *70* 118 C 5
Villars-le-Sec *90* 142 D 5
Villars-lès-Blamont *25* 163 G 2
Villars-les-Bois *17* 201 H 5
Villars-les-Dombes *01* 213 G 3
Villars-Saint-Georges *25* 161 G 5
Villars-Saint-Marcellin *52* 118 B 5
Villars-Santenoge *52* 139 E 3
Villars-sous-Dampjoux *25* 163 F 2
Villars-sous-Écot *25* 142 B 5
Villars-sur-Var *06* 289 H 5
Villarzel-Cabardès *11* 320 A 4
Villarzel-du-Razès *11* 337 G 1
Villasavary *11* 319 E 4
Villate *31* 317 H 2
Villaudric *31* 297 H 2
Villautou *11* 336 D 1
Villavard *41* 131 F 3
Villaz *74* 215 H 3
Ville *60* 23 G 5
Villé *67* 97 E 4
La Ville *69* 212 A 1
Ville-au-Montois *54* 45 E 2
Ville-au-Val *54* 65 G 4
La Ville-aux-Bois *10* 92 A 4
La Ville-aux-Bois-lès-Dizy *02* 25 G 4
La Ville-aux-Bois-lès-Pontavert *02* 41 F 2
La Ville-aux-Clercs *41* 131 G 2
La Ville-aux-Dames *37* 152 A 2
La Ville-aux-Nonains *28* 85 F 2
Ville-d'Avray *92* 58 B 3
Ville-devant-Belrain *55* 64 B 4
Ville-devant-Chaumont *55* 44 B 4
Ville-di-Paraso *2B* 346 D 2
Ville-di-Pietrabugno *2B* 345 G 4
La Ville-Dieu-du-Temple *82* 277 G 5
Ville-Dommange *51* 41 F 4
La Ville-du-Bois *91* 58 B 5
Ville-du-Pont *25* 180 D 1
Ville-en-Blaisois *52* 92 C 3
Ville-en-Sallaz *74* 216 A 1
Ville-en-Selve *51* 41 G 5
Ville-en-Tardenois *51* 41 E 4
Ville-en-Vermois *54* 95 E 1
Ville-en-Woëvre *55* 64 D 1
La Ville-ès-Nonais *35* 79 H 3
Ville-Houdlémont *54* 44 D 1
Ville-Issey *55* 64 D 5
Ville-la-Grand *74* 197 H 5
Ville-Langy *58* 175 F 2
Ville-le-Marclet *80* 12 B 5
Ville-Saint-Jacques *77* 88 D 5
Ville-Savoye *02* 40 D 3
Ville-sous-Anjou *38* 231 F 5
Ville-sous-la-Ferté *10* 116 B 3
La Ville-sous-Orbais *51* 61 E 2
Ville-sur-Ancre *80* 23 E 1
Ville-sur-Arce *10* 115 G 3
Ville-sur-Cousances *55* 43 G 5
Ville-sur-Illon *88* 119 E 2
Ville-sur-Jarnioux *69* 212 C 3
Ville-sur-Lumes *08* 26 D 3
Ville-sur-Retourne *08* 42 B 2
Ville-sur-Saulx *55* 63 G 4
Ville-sur-Terre *10* 92 B 5
Ville-sur-Tourbe *51* 43 E 4
Ville-sur-Yron *54* 65 F 1
Villeau *28* 110 B 2
Villebadin *61* 54 C 4
Villebarou *41* 132 A 5
Villebaudon *50* 52 A 1
Villebazy *11* 337 H 2
Villebéon *77* 112 D 2
Villebernier *49* 150 C 4
Villeberny *21* 159 F 2
Villebichot *21* 160 A 5
Villeblevin *89* 89 E 5
Villebois *01* 214 B 4
Villebois-Lavalette *16* 221 G 3
Villebois-les-Pins *26* 286 D 1
Villebon *28* 85 G 4
Villebon-sur-Yvette *91* 58 B 5
Villebougis *89* 113 F 2
Villebourg *37* 130 C 4
Villebout *41* 109 G 5
Villebramar *47* 257 H 4
Villebret *03* 190 D 5
Villebrumier *82* 298 A 1
Villecelin *18* 172 D 4
Villecerf *77* 88 D 5
Villecey-sur-Mad *54* 65 F 2
Villechantria *39* 196 B 3
Villechauve *41* 131 F 4
Villechenève *69* 212 B 5
Villechétif *10* 91 E 5
Villechétive *89* 114 A 4
Villechien *50* 81 G 2
Villecien *89* 113 G 5
Villécloye *55* 44 B 1
Villecomtal *12* 262 D 4
Villecomtal-sur-Arros *32* 315 F 3
Villecomte *21* 160 A 1
Villeconin *91* 87 F 3
Villecourt *80* 23 G 3
Villecresnes *94* 58 D 5
Villecroze *83* 307 H 4
Villedaigne *11* 320 D 5
Villedieu *15* 245 G 4
La Villedieu *17* 202 B 2
Villedieu *21* 115 G 5
La Villedieu *23* 225 E 1
Les Villedieu *25* 180 C 4
La Villedieu *48* 264 C 2
Villedieu *84* 285 G 2
La Villedieu-du-Clain *86* 186 C 3
La Villedieu-en-Fontenette *70* 141 F 3
Villedieu-la-Blouère *49* 148 C 5
Villedieu-le-Château *41* 130 D 4
Villedieu-lès-Bailleul *61* 54 B 3
Villedieu-les-Poêles-Rouffigny *50* 52 A 3
Villedieu-sur-Indre *36* 171 G 3
Villedômain *37* 171 E 1
Villedômer *37* 152 B 1
Villedoux *17* 183 G 5
Villedubert *11* 319 H 5
Villefagnan *16* 203 E 3
Villefargeau *89* 136 A 3
Villefavard *87* 205 G 1
Villeferry *21* 159 E 2
Villefloure *11* 337 H 1
Villefollet *79* 202 C 1
Villefontaine *38* 231 H 2
Villefort *11* 337 E 3
Villefort *48* 265 F 5
Villefranche *32* 316 C 2
Villefranche-d'Albigeois *81* 299 H 1
Villefranche-d'Allier *03* 191 F 4
Villefranche-de-Conflent *66* 342 A 3
Villefranche-de-Lauragais *31* 318 C 3
Villefranche-de-Lonchat *24* 239 E 4
Villefranche-de-Panat *12* 281 E 4
Villefranche-de-Rouergue *12* 279 F 1
Villefranche-du-Périgord *24* 259 F 3
Villefranche-du-Queyran *47* 275 F 2
Villefranche-le-Château *26* 286 C 2
Villefranche-Saint-Phal *89* 113 F 5
Villefranche-sur-Cher *41* 153 H 4
Villefranche-sur-Mer *06* 309 H 2
Villefranche-sur-Saône *69* 212 D 3
Villefrancœur *41* 131 H 4
Villefrancon *70* 161 F 2
Villefranque *64* 310 D 3
Villefranque *65* 295 E 5
Villegagnon *77* 60 A 5
Villegailhenc *11* 319 H 4
Villegardin *89* 113 E 3
Villegats *16* 203 F 3
Villegats *27* 56 D 2
Villegaudin *71* 178 B 4
Villegenon *18* 155 G 2
Villegly *11* 320 A 4
Villegongis *36* 171 G 3
Villegouge *33* 238 B 4
Villegouin *36* 171 E 2
Villegruis *77* 89 H 2
Villegusien *52* 139 G 3
Villehardouin *10* 91 G 4
Villeherviers *41* 154 A 3
Villejésus *16* 203 E 4
Villejoubert *16* 203 F 5
Villejuif *94* 58 C 4
Villejust *91* 58 B 5
Villelaure *84* 306 A 3
Villeloin-Coulangé *37* 152 D 5
Villelongue *65* 332 D 2
Villelongue-d'Aude *11* 337 F 2
Villelongue-de-la-Salanque *66* 339 E 5
Villelongue-dels-Monts *66* 343 E 4
Villeloup *10* 90 C 5
Villemade *82* 277 G 4
Villemagne *11* 319 F 3
Villemagne-l'Argentière *34* 301 F 4
Villemain *79* 202 D 2
Villemandeur *45* 112 C 5
Villemanoche *89* 89 F 5
Villemardy *41* 131 H 4
Villemaréchal *77* 112 D 2
Villemareuil *77* 59 G 2
Villematier *31* 298 A 2
Villemaur-sur-Vanne *10* 114 B 2
Villembits *65* 315 G 4
Villembray *60* 37 G 1
Villemer *77* 88 C 5
Villemer *89* 136 A 2
Villemereuil *10* 115 E 2
Villemervry *52* 139 E 4
Villemeux-sur-Eure *28* 56 D 5
Villemoirieu *38* 231 H 1
Villemoiron-en-Othe *10* 114 B 2
Villemoisan *49* 148 D 1
Villemoisson-sur-Orge *91* 58 C 5
Villemolaque *66* 343 E 3
Villemomble *93* 58 D 3
Villemontais *42* 211 F 3
Villemontoire *02* 40 B 3
Villemorien *10* 115 F 4
Villemorin *17* 202 B 3
Villemoron *52* 139 F 4
Villemort *86* 187 G 2
Villemotier *01* 196 A 4
Villemoustaussou *11* 319 H 4
Villemoutiers *45* 112 A 5
Villemoyenne *10* 115 F 3
Villemur *65* 316 A 4
Villemur-sur-Tarn *31* 298 A 2
Villemurlin *45* 134 A 4
Villemus *04* 306 C 1
Villenauxe-la-Grande *10* 90 A 2
Villenauxe-la-Petite *77* 89 G 4
Villenave *40* 273 E 5
Villenave-de-Rions *33* 256 B 2
Villenave-d'Ornon *33* 255 G 1
Villenave-près-Béarn *65* 314 D 3
Villenave-près-Marsac *65* 315 E 3
Villenavotte *89* 113 F 2
Villeneuve *01* 213 E 2
Villeneuve *04* 306 D 1
Villeneuve *09* 335 E 3
Villeneuve *12* 261 F 5
La Villeneuve *23* 208 B 4
Villeneuve *33* 237 F 3
La Villeneuve *71* 178 B 2
La Villeneuve-au-Châtelot *10* 90 A 3
Villeneuve-au-Chemin *10* 114 C 4
La Villeneuve-au-Chêne *10* 115 G 2
La Villeneuve-Bellenoye-et-la-Maize *70* 141 F 3
Villeneuve-d'Allier *43* 246 B 2
Villeneuve-d'Amont *25* 180 A 2
Villeneuve d'Ascq *59* 9 E 2
Villeneuve-d'Aval *39* 179 G 2
Villeneuve-de-Berg *07* 266 C 4
Villeneuve-de-Duras *47* 257 F 2
Villeneuve-de-la-Raho *66* 343 F 2
Villeneuve-de-Marc *38* 231 G 3
Villeneuve-de-Marsan *40* 294 B 1
Villeneuve-de-Mézin *47* 275 F 5
Villeneuve-de-Rivière *31* 334 B 1
Villeneuve-d'Entraunes *06* 289 E 3
Villeneuve-des-Escaldes *66* 341 F 4
Villeneuve-d'Olmes *09* 336 D 3
Villeneuve-du-Bosc *09* 336 B 2
Villeneuve-du-Latou *09* 317 H 5
Villeneuve-du-Paréage *09* 336 B 1
La Villeneuve-en-Chevrie *78* 57 E 1
Villeneuve-en-Montagne *71* 177 F 4
Villeneuve-Frouville *41* 132 A 3
Villeneuve-la-Comptal *11* 318 D 4
Villeneuve-la-Comtesse *17* 201 H 1
Villeneuve-la-Dondagre *89* 113 F 3
Villeneuve-la-Garenne *92* 58 C 2
Villeneuve-la-Guyard *89* 89 E 5
Villeneuve-la-Lionne *51* 60 C 4
Villeneuve-la-Rivière *66* 343 E 2
Villeneuve-la-Salle *05* 252 C 4
Villeneuve-l'Archevêque *89* 114 A 2
Villeneuve-le-Comte *77* 59 F 4
Villeneuve-le-Roi *94* 58 C 5
Villeneuve-Lécussan *31* 316 A 5
Villeneuve-Lembron *63* 227 H 4
Villeneuve-lès-Avignon *30* 285 E 5
Villeneuve-lès-Béziers *34* 321 G 4
Villeneuve-les-Bordes *77* 89 E 3
Villeneuve-lès-Bouloc *31* 297 H 3
Villeneuve-les-Cerfs *63* 210 A 3
La Villeneuve-lès-Charleville *51* 61 E 4
Villeneuve-lès-Charnod *39* 196 B 4
La Villeneuve-les-Convers *21* 138 B 5
Villeneuve-les-Corbières *11* 338 C 3
Villeneuve-les-Genêts *89* 135 F 4
Villeneuve-lès-Lavaur *81* 298 C 5
Villeneuve-lès-Maguelone *34* 302 D 5
Villeneuve-lès-Montréal *11* 319 F 5
Villeneuve-les-Sablons *60* 38 A 4
Villeneuve-Loubet *06* 309 F 3
Villeneuve-Loubet-Plage *06* 309 G 3
Villeneuve-Minervois *11* 320 A 4
Villeneuve-Renneville-Chevigny *51* 61 G 2
Villeneuve-Saint-Denis *77* 59 F 4
Villeneuve-Saint-Georges *94* 58 D 5
Villeneuve-Saint-Germain *02* 40 B 2
Villeneuve-Saint-Nicolas *28* 86 B 5
Villeneuve-Saint-Salves *89* 136 C 2
Villeneuve-Saint-Vistre-et-Villevotte *51* 90 B 2
Villeneuve-sous-Charigny *21* 158 D 2
Villeneuve-sous-Dammartin *77* 59 E 1
Villeneuve-sous-Pymont *39* 179 E 5
La Villeneuve-sous-Thury *60* 39 H 5
Villeneuve-sur-Allier *03* 192 A 1
Villeneuve-sur-Auvers *91* 87 G 3
Villeneuve-sur-Bellot *77* 60 B 3
Villeneuve-sur-Cher *18* 172 D 2
Villeneuve-sur-Conie *45* 110 C 4
Villeneuve-sur-Fère *02* 40 C 5
Villeneuve-sur-Lot *47* 258 C 5
Villeneuve-sur-Tarn *81* 300 A 1
Villeneuve-sur-Verberie *60* 39 E 4
Villeneuve-sur-Vère *81* 279 F 5
La Villeneuve-sur-Vingeanne *21* 139 H 5
Villeneuve-sur-Yonne *89* 113 G 4
Villeneuve-Tolosane *31* 297 H 5
Villeneuvette *34* 301 H 4
Villennes-sur-Seine *78* 57 H 2
Villenouvelle *17* 201 H 2
Villenouvelle *31* 318 B 2
Villenoy *77* 59 G 2
Villentrois *36* 153 F 5
Villeny *41* 132 D 5
Villepail *53* 82 D 4
Villeparisis *77* 59 E 2
Villeparois *70* 141 F 4
Villeperdrix *26* 268 A 5
Villeperdue *37* 151 H 4
Villeperrot *89* 113 F 2
Villepinte *11* 319 F 4
Villepinte *93* 58 D 2
Villeporcher *41* 131 G 5
Villepot *44* 127 F 3
Villepreux *78* 57 H 3
Villequier *76* 35 G 1
Villequier-Aumont *02* 24 A 4
Villequiers *18* 173 H 1
Viller *57* 66 D 2
Villerable *41* 131 G 3
Villerbon *41* 132 A 4
Villeréal *47* 258 C 3
Villereau *45* 111 E 4
Villereau *59* 15 E 3
Villerest *42* 211 G 3
Villeret *02* 24 A 1
Villeret *10* 91 H 3
Villereversure *01* 196 A 5
Villermain *41* 132 C 2
Villeromain *41* 131 H 4
Villeron *95* 58 D 1
Villerouge-la-Crémade *11* 338 C 1
Villerouge-Termenès *11* 338 B 2
Villeroy *77* 59 F 2
Villeroy *80* 11 F 5
Villeroy *89* 113 F 3
Villeroy-sur-Méholle *55* 93 H 1
Villers *42* 211 H 1
Villers *88* 94 D 5
Villers-Agron-Aiguizy *02* 41 E 5
Villers-Allerand *51* 41 G 5
Villers-au-Bois *62* 8 A 5
Villers-au-Flos *62* 13 H 5
Villers-au-Tertre *59* 14 B 2
Villers-aux-Bois *51* 61 F 2
Villers-aux-Érables *80* 22 D 3
Villers-aux-Nœuds *51* 41 G 4
Villers-aux-Vents *55* 63 F 3
Villers-Bocage *14* 33 E 5
Villers-Bocage *80* 12 D 5
Villers-Bouton *70* 161 H 1
Villers-Bretonneux *80* 22 D 2
Villers-Brûlin *62* 7 H 5
Villers-Buzon *25* 161 G 4
Villers-Campsart *80* 21 G 2
Villers-Canivet *14* 53 H 2
Villers-Carbonnel *80* 23 G 2
Villers-Cernay *08* 27 F 3
Villers-Châtel *62* 8 A 5
Villers-Chemin-et-Mont-lès-Étrelles *70* 161 G 1
Villers-Chief *25* 162 D 4
Villers-Cotterêts *02* 39 H 4
Villers-devant-Dun *55* 43 G 2
Villers-devant-le-Thour *08* 41 G 1
Villers-devant-Mouzon *08* 27 F 4
Villers-Écalles *76* 19 H 5
Villers-en-Argonne *51* 63 F 1
Villers-en-Arthies *95* 57 F 1
Villers-en-Cauchies *59* 14 C 3
Villers-en-Haye *54* 65 G 4
Villers-en-Ouche *61* 55 E 3
Villers-en-Prayères *02* 40 D 2
Villers-en-Vexin *27* 37 E 4
Villers-Farlay *39* 179 G 1
Villers-Faucon *80* 23 H 1
Villers-Franqueux *51* 41 F 3
Villers-Grélot *25* 162 B 2
Villers-Guislain *59* 14 B 5
Villers-Hélon *02* 40 A 4
Villers-la-Chèvre *54* 44 D 1
Villers-la-Combe *25* 162 D 3
Villers-la-Faye *21* 159 H 5
Villers-la-Montagne *54* 45 E 2
Villers-la-Ville *70* 141 H 5
Villers-le-Château *51* 62 A 2
Villers-le-Lac *25* 163 F 5
Villers-le-Rond *54* 44 C 2
Villers-le-Sec *02* 24 C 3
Villers-le-Sec *51* 63 E 3
Villers-le-Sec *55* 93 F 1
Villers-le-Sec *70* 141 F 4
Villers-le-Tilleul *08* 26 D 4
Villers-le-Tourneur *08* 26 C 4
Villers-les-Bois *39* 179 E 2
Villers-lès-Cagnicourt *62* 14 A 3
Villers-lès-Guise *02* 24 D 1
Villers-lès-Luxeuil *70* 141 F 2
Villers-lès-Mangiennes *55* 44 C 3
Villers-lès-Moivrons *54* 65 H 4
Villers-lès-Nancy *54* 94 D 1
Villers-les-Ormes *36* 171 G 3
Villers-les-Pots *21* 160 D 4
Villers-lès-Roye *80* 23 F 4
Villers-l'Hôpital *62* 12 C 3
Villers-Marmery *51* 41 H 5

Villers-Outréaux *59* 14 C 5
Villers-Pater *70* 162 B 1
Villers-Patras *21* 115 H 5
Villers-Plouich *59* 14 A 5
Villers-Pol *59* 15 E 2
Villers-Robert *39* 179 E 2
Villers-Rotin *21* 160 D 5
Villers-Saint-Barthélemy *60* 37 H 2
Villers-Saint-Christophe *02* 23 H 3
Villers-Saint-Frambourg *60* 39 E 4
Villers-Saint-Genest *60* 39 G 5
Villers-Saint-Martin *25* 162 D 2
Villers-Saint-Paul *60* 38 D 3
Villers-Saint-Sépulcre *60* 38 B 3
Villers-Semeuse *08* 26 D 3
Villers-Sir-Simon *62* 13 E 2
Villers-Sire-Nicole *59* 15 H 2
Villers-sous-Ailly *80* 11 H 4
Villers-sous-Chalamont *25* 180 A 2
Villers-sous-Châtillon *51* 41 E 5
Villers-sous-Foucarmont *76* 21 E 2
Villers-sous-Montrond *25* 162 A 5
Villers-sous-Pareid *55* 65 E 1
Villers-sous-Prény *54* 65 G 3
Villers-sous-Saint-Leu *60* 38 C 4
Villers-Stoncourt *57* 66 C 1
Villers-sur-Auchy *60* 37 G 1
Villers-sur-Authie *80* 11 F 1
Villers-sur-Bar *08* 27 E 4
Villers-sur-Bonnières *60* 37 H 1
Villers-sur-Coudun *60* 39 F 1
Villers-sur-Fère *02* 40 C 4
Villers-sur-le-Mont *08* 26 D 4
Villers-sur-le-Roule *27* 36 C 4
Villers-sur-Mer *14* 34 B 3
Villers-sur-Meuse *55* 64 B 2
Villers-sur-Nied *57* 66 D 3
Villers-sur-Port *70* 141 E 3
Villers-sur-Saulnot *70* 142 A 4
Villers-sur-Trie *60* 37 G 3
Villers-Tournelle *80* 22 D 4
Villers-Vaudey *70* 140 B 4
Villers-Vermont *60* 21 F 5
Villers-Vicomte *60* 22 B 4
Villerserine *39* 179 F 3
Villersexel *70* 141 H 5
Villerupt *54* 45 F 2
Villerville *14* 34 C 2
Villery *10* 114 D 3
Villes *01* 214 D 1
Villes-sur-Auzon *84* 286 A 4
Villesalem *Ancien Prieuré de* *86* 187 G 2
Villeselve *60* 23 H 4
Villeseneux *51* 61 H 3
Villesèque *46* 277 H 1
Villesèque-des-Corbières *11* 338 D 2
Villesèquelande *11* 319 G 5
Villesiscle *11* 319 F 5
Villespassans *34* 320 D 3
Villespy *11* 319 F 4
Villetaneuse *93* 58 C 2
La Villetelle *23* 208 B 4
Villetelle *34* 303 F 3
Villethierry *89* 113 E 2
Villeton *47* 275 F 1
Villetoureix *24* 239 G 1
Villetritouls *11* 338 A 1
Villetrun *41* 131 H 3
La Villette *14* 53 F 2
Villette *54* 44 C 2
Villette *73* 234 C 2
Villette *78* 57 F 2
Villette-d'Anthon *38* 213 G 5
Villette-de-Vienne *38* 231 F 2
Villette-lès-Arbois *39* 179 G 2
Villette-lès-Dole *39* 179 E 1
Villette-sur-Ain *01* 213 H 3
Villette-sur-Aube *10* 91 E 3
Villettes *27* 36 A 5
Les Villettes *43* 247 H 1
Villeurbanne *69* 213 F 5
Villevallier *89* 113 G 4
Villevaudé *77* 59 E 2
Villevenard *51* 61 E 3
Villevêque *49* 128 D 5
Villeveyrac *34* 322 D 3
Villevieille *04* 289 E 5
Villevieille *30* 303 F 2
Villevieux *39* 179 E 4
Villevocance *07* 248 C 1
Villevoques *45* 112 B 4
Villexanton *41* 132 B 4
Villexavier *17* 219 H 5
Le Villey *39* 179 E 3
Villey-le-Sec *54* 94 C 1
Villey-Saint-Étienne *54* 65 G 5
Villey-sur-Tille *21* 139 F 5
Villez-sous-Bailleul *27* 36 D 5
Villez-sur-le-Neubourg *27* 35 H 5
Villié-Morgon *69* 212 D 1
Villiers *36* 170 D 3
Villiers *86* 168 D 5
Villiers-Adam *95* 58 B 1
Villiers-au-Bouin *37* 130 A 5
Villiers-aux-Bois *52* 92 C 2
Villiers-aux-Chênes *52* 92 C 4
Villiers-aux-Corneilles *51* 90 B 2
Villiers-Charlemagne *53* 106 A 5
Villiers-Couture *17* 202 C 3
Villiers-en-Bière *77* 88 B 3
Villiers-en-Bois *79* 202 B 1
Villiers-en-Désœuvre *27* 56 D 2
Villiers-en-Lieu *52* 63 F 5
Villiers-en-Morvan *21* 158 C 5
Villiers-en-Plaine *79* 184 D 3
Villiers-Fossard *50* 32 B 4
Villiers-Herbisse *10* 61 H 5
Villiers-le-Bâcle *91* 58 A 5
Villiers-le-Bel *95* 58 C 1
Villiers-le-Bois *10* 115 F 5
Villiers-le-Duc *21* 138 B 2
Villiers-le-Mahieu *78* 57 G 3
Villiers-le-Morhier *28* 86 B 2
Villiers-le-Pré *50* 80 D 2
Villiers-le-Roux *16* 203 E 2
Villiers-le-Sec *14* 33 F 3
Villiers-le-Sec *52* 116 D 3
Villiers-le-Sec *58* 157 E 3
Villiers-le-Sec *95* 58 C 1
Villiers-lès-Aprey *52* 139 F 3
Villiers-les-Hauts *89* 137 F 4
Villiers-Louis *89* 113 H 3
Villiers-Saint-Benoît *89* 135 G 3
Villiers-Saint-Denis *02* 60 B 2
Villiers-Saint-Frédéric *78* 57 G 4
Villiers-Saint-Georges *77* 60 C 5
Villiers-Saint-Orien *28* 110 A 3
Villiers-sous-Grez *77* 88 B 5
Villiers-sous-Mortagne *61* 84 C 3
Villiers-sous-Praslin *10* 115 F 4
Villiers-sur-Chizé *79* 202 B 2
Villiers-sur-Loir *41* 131 G 3
Villiers-sur-Marne *52* 93 E 5
Villiers-sur-Marne *94* 58 D 4
Villiers-sur-Morin *77* 59 G 3
Villiers-sur-Orge *91* 58 B 5
Villiers-sur-Seine *77* 89 G 4
Villiers-sur-Suize *52* 117 E 5
Villiers-sur-Tholon *89* 135 H 2
Villiers-sur-Yonne *58* 157 F 2
Villiers-Vineux *89* 114 C 5
Villiersfaux *41* 131 G 3
Villieu-Loyes-Mollon *01* 213 H 3
Villing *57* 46 D 4
Villognon *16* 203 E 4
Villon *89* 137 G 2
Villoncourt *88* 95 G 5
Villons-les-Buissons *14* 33 G 4
Villorceau *45* 132 C 3
Villosanges *63* 208 D 4
Villotran *60* 37 H 3
Villotte *88* 118 A 3
La Villotte *89* 135 H 3
Villotte-devant-Louppy *55* 63 G 2
Villotte-Saint-Seine *21* 159 G 2
Villotte-sur-Aire *55* 64 B 4
Villotte-sur-Ource *21* 138 B 2
Villouxel *88* 93 H 4
Villuis *77* 89 G 4
Villy *08* 27 H 5
Villy *89* 136 C 2
Villy-Bocage *14* 33 E 5
Villy-en-Auxois *21* 159 F 2
Villy-en-Trodes *10* 115 G 2
Villy-le-Bois *10* 115 E 3
Villy-le-Bouveret *74* 215 G 2
Villy-le-Maréchal *10* 115 E 2
Villy-le-Moutier *21* 178 A 1
Villy-le-Pelloux *74* 215 G 2
Villy-lez-Falaise *14* 54 A 2
Villy-sur-Yères *76* 10 D 5
Vilory *70* 141 F 3
Vilosnes *55* 43 H 2
Vilsberg *57* 68 A 4
Vimarcé *53* 107 E 2
Vimenet *12* 281 F 1
Viménil *88* 95 H 5
Vimines *73* 233 E 2
Vimont *14* 33 H 5
Vimory *45* 112 B 5
Vimoutiers *61* 54 C 2
Vimpelles *77* 89 F 4
Vimy *62* 8 B 5
Vinaigre *Mont* *83* 308 D 5
Vinantes *77* 59 F 1
Vinassan *11* 321 F 5
Vinax *17* 202 C 2
Vinay *38* 250 B 1
Vinay *51* 61 F 1
Vinça *66* 342 B 2
Vincelles *39* 196 B 1
Vincelles *51* 40 D 5
Vincelles *71* 178 C 5
Vincelles *89* 136 B 4
Vincelottes *89* 136 C 4
Vincennes *94* 58 C 3
Vincent *39* 179 E 4
Vincey *88* 95 E 4
Vincly *62* 7 F 3
Vincy-Manœuvre *77* 59 G 1
Vincy-Reuil-et-Magny *02* 25 G 4
Vindecy *71* 193 G 4
Vindefontaine *50* 31 G 2
Vindelle *16* 221 E 1
Vindey *51* 61 E 5
Vindrac-Alayrac *81* 279 E 4
Vinets *10* 91 F 3
Vineuil *36* 171 G 3
Vineuil *41* 132 B 5
Vineuil-Saint-Firmin *60* 38 D 4
La Vineuse *71* 194 C 2
Vinezac *07* 266 B 4
Vingrau *66* 338 C 4
Vingt-Hanaps *61* 83 H 3
Vinnemerville *76* 19 F 2
Vinneuf *89* 89 F 5
Vinon *18* 155 H 4
Vinon-sur-Verdon *83* 306 D 3
Vins-sur-Caramy *83* 328 C 1
Vinsobres *26* 285 G 1
Le Vintrou *81* 300 A 5
Vinzelles *63* 210 B 4
Vinzelles *71* 194 D 5
Vinzier *74* 198 C 3
Vinzieux *07* 230 D 5
Viocourt *88* 94 B 4
Viodos-Abense-de-Bas *64* 313 F 4
Violaines *62* 8 B 3
Violay *42* 212 A 4
Violès *84* 285 G 3
Violot *52* 139 H 3
Viols-en-Laval *34* 302 C 3
Viols-le-Fort *34* 302 C 3
Vioménil *88* 118 D 3
Vion *07* 249 E 2
Vion *72* 129 E 2
Vions *73* 215 E 4
Vionville *57* 65 F 1
Viozan *32* 316 A 3
Viplaix *03* 190 B 3
Vira *09* 336 C 2
Vira *66* 337 H 5
Virac *81* 279 F 5
Virandeville *50* 28 D 3
Virargues *15* 245 F 3
Virazeil *47* 257 F 4
Vire Normandie *14* 52 C 3
Viré *71* 195 E 3
Viré-en-Champagne *72* 106 D 5
Vire-sur-Lot *46* 259 F 5
Vireaux *89* 137 F 3
Virecourt *54* 95 E 3
Virelade *33* 255 H 2
Viremont *39* 196 C 3
Vireux-Molhain *08* 17 E 4
Vireux-Wallerand *08* 17 E 4
Virey *50* 81 F 2
Virey *70* 161 G 2
Virey-le-Grand *71* 177 H 3
Virey-sous-Bar *10* 115 F 3
Virginy *51* 42 D 4
Viriat *01* 195 H 5
Viricelles *42* 230 B 2
Virieu *38* 232 B 3
Virieu-le-Grand *01* 214 C 4
Virieu-le-Petit *01* 214 D 3
Virigneux *42* 230 A 1
Virignin *01* 214 D 5
Viriville *38* 231 H 5
Virlet *63* 209 E 1
Virming *57* 67 E 2
Viroflay *78* 58 B 4
Virollet *17* 219 F 2
Vironchaux *80* 11 G 1
Vironvay *27* 36 C 4
Virsac *33* 237 H 3
Virson *17* 201 E 1
Virville *76* 18 D 5
Viry *39* 196 D 4
Viry *71* 194 A 2
Viry *74* 215 F 1
Viry-Châtillon *91* 58 C 5
Viry-Noureuil *02* 24 A 5
Vis-en-Artois *62* 13 H 3
Visan *84* 285 G 1
Viscomtat *63* 210 D 5
Viscos *65* 332 D 3
Le Viseney *39* 179 F 3
Viserny *21* 137 G 5
Visker *65* 315 E 5
Vismes-au-Val *80* 11 F 4
Visoncourt *70* 141 G 3
Vissac-Auteyrac *43* 246 D 3
Vissec *30* 302 A 1
Vissec *Cirque de* *30* 302 A 1
Visseiche *35* 105 E 5
Viterbe *81* 298 D 4
Viterne *54* 94 C 2
Vitot *27* 35 H 5
Vitrac *15* 262 B 1
Vitrac *24* 259 G 1
Vitrac *63* 209 F 3
Vitrac-en-Viadène *12* 263 F 1
Vitrac-Saint-Vincent *16* 203 H 5
Vitrac-sur-Montane *19* 225 F 5
Vitrai-sous-l'Aigle *61* 55 G 5
Vitray *03* 190 D 1
Vitray-en-Beauce *28* 110 A 2
Vitray-sous-Brézolles *28* 56 B 5
Vitré *35* 105 E 3
Vitré *79* 185 F 4
Vitreux *39* 161 F 4
Vitry *54* 94 C 3
Vitrey-sur-Mance *70* 140 B 2
Vitrimont *54* 95 F 1
Vitrolles *05* 269 G 5
Vitrolles *13* 326 C 1
Vitrolles-en-Luberon *84* 306 B 2
Vitry-aux-Loges *45* 111 G 5
Vitry-en-Artois *62* 13 H 2
Vitry-en-Charollais *71* 193 G 3
Vitry-en-Montagne *52* 139 E 2
Vitry-en-Perthois *51* 62 D 4
Vitry-la-Ville *51* 62 B 3
Vitry-Laché *58* 157 F 4
Vitry-le-Croisé *10* 115 H 3
Vitry-le-François *51* 62 C 4
Vitry-lès-Cluny *71* 194 C 2
Vitry-lès-Nogent *52* 117 F 4
Vitry-sur-Loire *71* 175 G 5
Vitry-sur-Orne *57* 45 G 4
Vitry-sur-Seine *94* 58 C 4
Vittarville *55* 44 B 3
Vitteaux *21* 159 E 2
Vittefleur *76* 19 F 2
Vittel *88* 118 C 2
Vittersbourg *57* 67 F 2
Vittoncourt *57* 66 C 2
Vittonville *54* 65 G 2
Vitz-sur-Authie *80* 12 B 3
Viuz-en-Sallaz *74* 198 A 5
Viuz-la-Chiésaz *74* 215 G 4
Vivaise *02* 24 D 5
Vivans *42* 211 F 1
Vivario *2B* 349 E 1
Viven *64* 314 B 2
Viverols *63* 229 F 4
Vivès *66* 342 D 4
Vivey *52* 139 E 3
Le Vivier *66* 338 A 5
Vivier-au-Court *08* 27 E 3
Le Vivier-sur-Mer *35* 50 D 5
Vivières *02* 39 H 3
Viviers *07* 266 D 5
Viviers *57* 66 C 3
Viviers *89* 137 E 3
Viviers-du-Lac *73* 233 F 1
Viviers-le-Gras *88* 118 C 3
Viviers-lès-Lavaur *81* 298 C 4
Viviers-lès-Montagnes *81* 299 F 5
Viviers-lès-Offroicourt *88* 94 C 5
Viviers-sur-Artaut *10* 115 H 3
Viviers-sur-Chiers *54* 44 D 2
Viviès *09* 336 C 2
Viviez *12* 261 H 4
Viville *16* 221 F 1
Vivoin *72* 107 G 2
Vivonne *86* 186 B 3
Vivy *49* 150 C 3
Vix *21* 138 A 2
Vix *85* 183 H 3
Vizille *38* 251 E 3
Vizos *65* 333 E 3
Vizzavona *2B* 349 E 1
Vizzavona *Col de* *2B* 349 E 1
Vocance *07* 248 C 2
Vodable *63* 227 H 3
Vœgtlinshoten *68* 121 E 3
Vœlfling-lès-Bouzonville *57* 46 D 3
Vœllerdingen *67* 67 H 2
Vœuil-et-Giget *16* 221 F 2
Vogelgrun *68* 121 G 3
Voglans *73* 233 E 1
Vogüé *07* 266 B 4
Voharies *02* 25 E 3
Void *55* 93 H 1
Le Voide *49* 149 G 5
Voigny *10* 116 B 2
Voile de la Mariée *Cascade du* *05* 252 A 5
Voile de la Mariée *Cascade du* *2A* 349 E 2
Voilemont *51* 63 E 1
Voillans *25* 162 C 2
Voillecomte *52* 92 B 3
Voimhaut *57* 66 C 2
Voinémont *54* 94 D 2
Voingt *63* 208 C 5
Voinsles *77* 59 H 5
Voipreux *51* 61 G 2
Voires *25* 162 B 5
Voiron *38* 232 C 4
Voiscreville *27* 35 G 3
Voise *28* 86 C 4
Voisenon *77* 88 B 2
Voisey *52* 118 A 5
Voisines *52* 139 F 2
Voisines *89* 113 H 2
Voisins-le-Bretonneux *78* 58 A 4
Voissant *38* 232 D 3
Voissay *17* 201 G 3
Voiteur *39* 179 F 4
La Voivre *70* 141 H 2
La Voivre *88* 96 B 4
Les Voivres *88* 119 E 4
Voivres-lès-le-Mans *72* 107 G 5
Volckerinckhove *59* 3 G 4
Volesvres *71* 193 H 3
Volgelsheim *68* 121 G 3
Volgré *89* 135 H 2
Volksberg *67* 68 A 2
Vollore-Montagne *63* 210 D 5
Vollore-Ville *63* 210 D 5
Volmerange-lès-Boulay *57* 46 C 5
Volmerange-les-Mines *57* 45 G 2
Volmunster *57* 48 B 5
Volnay *21* 177 G 2
Volnay *72* 108 B 5
Volon *70* 140 B 4
Volonne *04* 287 G 3
Volpajola *2B* 347 G 2
Volstroff *57* 45 H 3
Volvent *26* 268 B 4
Volvic *63* 209 G 4
Volx *04* 306 D 1
Vomécourt *88* 95 G 4
Vomécourt-sur-Madon *88* 94 D 4
Voncourt *52* 140 B 3
Voncq *08* 42 D 1
Vonges *21* 160 D 3
Vongnes *01* 214 D 4
Vongy *74* 198 B 3
Vonnas *01* 195 F 5
Voray-sur-l'Ognon *70* 162 A 2
Voreppe *38* 232 D 5
Vorey *43* 247 F 2
Vorges *02* 40 D 1
Vorges-les-Pins *25* 161 H 4
Vorly *18* 173 F 2
Vornay *18* 173 G 2
Vors *12* 280 C 2
Vosbles *39* 196 B 4
Vosne-Romanée *21* 160 A 5
Vosnon *10* 114 C 3
Vou *37* 170 B 1
Vouarces *51* 90 C 2
Vouciennes *51* 62 B 3
Voudenay *21* 176 D 1
Voué *10* 91 E 3
Vouécourt *52* 93 E 5
Vouël *02* 24 B 4
Vougécourt *70* 118 C 5
Vougeot *21* 160 A 5
Vouglans *39* 196 C 3
Vouglans *Barrage et lac de* *39* 196 C 3
Vougrey *10* 115 F 4
Vougy *42* 211 H 2
Vougy *74* 216 B 1
Vouharte *16* 203 E 5
Vouhé *17* 201 E 1
Vouhé *79* 185 F 2
Vouhenans *70* 141 H 4
Vouillé *79* 185 E 4
Vouillé *86* 186 A 1
Vouillé-les-Marais *85* 183 G 3
Vouillers *51* 63 E 5
Vouillon *36* 172 B 4
Vouilly *14* 32 B 3
Voujeaucourt *25* 142 B 5
Voulaines-les-Templiers *21* 138 C 2
Voulangis *77* 59 G 3
Voulême *86* 203 F 2
Voulgézac *16* 221 E 3
Voulmentin *79* 167 G 2
Voulon *86* 186 B 4
Voulpaix *02* 25 E 2
La Voulte-sur-Rhône *07* 267 E 1
Voultegon *79* 167 G 2
Voulton *77* 89 G 2
Voulx *77* 112 D 2
Vouneuil-sous-Biard *86* 186 B 1
Vouneuil-sur-Vienne *86* 169 G 5
Vourey *38* 232 C 5
Vourles *69* 231 E 1
Voussac *03* 191 G 4
Voutenay-sur-Cure *89* 136 D 5
Voutezac *19* 242 B 1
Vouthon *16* 221 H 1
Vouthon-Bas *55* 93 H 3
Vouthon-Haut *55* 93 H 3
Voutré *53* 106 D 3
Vouvant *85* 184 B 1
Vouvray *01* 214 D 1
Vouvray *37* 152 A 2
Vouvray-sur-Huisne *72* 108 B 4
Vouvray-sur-Loir *72* 130 C 4
Vouxey *88* 94 B 4
Vouzailles *86* 168 D 5
Vouzan *16* 221 G 2
Vouzeron *18* 154 D 4
Vouziers *08* 42 D 2
Vouzon *41* 133 G 5
Vouzy *51* 61 H 2
La Vove *Manoir de* *61* 84 C 4
Voves *28* 110 B 2
Vovray-en-Bornes *74* 215 G 1
Voyenne *02* 25 E 3
Voyennes *80* 23 G 3
Voyer *57* 67 H 5
La Vraie-Croix *56* 124 D 3
Vraignes-en-Vermandois *80* 23 H 2
Vraignes-lès-Hornoy *80* 21 H 2
Vraincourt *52* 116 D 2
Vraiville *27* 36 A 4
Vrasville *50* 29 G 2
Vraux *51* 62 A 1
Vrécourt *88* 118 A 2
Vred *59* 9 E 5
Vregille *70* 161 H 3
Vregny *02* 40 C 2
Vrély *80* 23 E 3
Le Vrétot *50* 28 D 5
Vriange *39* 161 E 4
Vrigne-aux-Bois *08* 27 E 3
Vrigne-Meuse *08* 27 E 3
Vrigny *45* 111 G 4
Vrigny *51* 41 F 4
Vrigny *61* 54 A 5
La Vrine *25* 180 C 1
Vritz *44* 127 G 5
Vrizy *08* 42 D 2
Vrocourt *60* 37 G 1
Vroil *51* 63 F 3
Vron *80* 11 G 1
Vroncourt *54* 94 C 3
Vroncourt-la-Côte *52* 117 G 3
Vroville *88* 94 D 5
Vry *57* 46 B 5
Vue *44* 147 E 4
Vuillafans *25* 162 B 5
Vuillecin *25* 180 C 2
Vuillery *02* 40 B 2
Vulaines *10* 114 A 2
Vulaines-lès-Provins *77* 89 F 2
Vulaines-sur-Seine *77* 88 C 4
Vulbens *74* 215 F 1
Vulmont *57* 66 B 3
Vulvoz *39* 196 D 4
Vy-le-Ferroux *70* 140 D 5
Vy-lès-Filain *70* 141 F 5
Vy-lès-Lure *70* 141 H 4
Vy-lès-Rupt *70* 140 C 4
Vyans-le-Val *70* 142 B 4
Vyt-lès-Belvoir *25* 163 E 2

W

Waben *62* 6 B 5

Wackenbach 67 ..... 96 D 2
Wacquemoulin 60 ..... 39 E 1
Wacquinghen 62 ..... 2 B 5
Wadelincourt 08 ..... 27 F 4
Wadimont 08 ..... 25 H 4
Wadonville-en-Woëvre 55 ..... 64 D 1
Wagnon 08 ..... 26 B 4
Wahagnies 59 ..... 8 D 4
Wahlbach 68 ..... 143 F 3
Wahlenheim 67 ..... 68 D 4
Wail 62 ..... 12 B 2
Wailly 62 ..... 13 G 3
Wailly 80 ..... 22 A 3
Wailly-Beaucamp 62 ..... 6 B 5
Walbach 68 ..... 120 D 3
Walbourg 67 ..... 69 E 2
La Walck 67 ..... 68 C 3
Waldersbach 67 ..... 96 D 3
Waldhambach 67 ..... 67 H 2
Waldhouse 57 ..... 48 C 5
Waldighofen 68 ..... 143 F 3
Waldolwisheim 67 ..... 68 B 4
Waldweistroff 57 ..... 46 C 3
Waldwisse 57 ..... 46 C 2
Walheim 68 ..... 143 F 3
Walibi Rhône-Alpes
Parc d'attractions 38 ..... 232 C 2
Walibi-Schtroumpf 57 ..... 45 H 4
Walincourt 59 ..... 14 C 5
Wallers 59 ..... 9 F 5
Wallers-Trélon 59 ..... 16 A 5
Wallon-Cappel 59 ..... 3 H 5
Walschbronn 57 ..... 48 C 5
Walscheid 57 ..... 67 H 5
Waltembourg 57 ..... 67 H 4
Waltenheim 68 ..... 143 G 2
Waltenheim-sur-Zorn 67 ..... 68 D 4
Waly 55 ..... 63 G 1
Wambaix 59 ..... 14 C 4
Wambercourt 62 ..... 7 E 5
Wambez 60 ..... 37 G 1
Wambrechies 59 ..... 8 D 2
Wamin 62 ..... 7 E 5
Wanchy-Capval 76 ..... 20 D 2
Wancourt 62 ..... 13 H 3
Wandignies-Hamage 59 ..... 9 F 5
Wanel 80 ..... 11 H 4
Wangen 67 ..... 97 F 1
Wangenbourg 67 ..... 96 D 1
Wannehain 59 ..... 9 E 3
Wanquetin 62 ..... 13 F 2
La Wantzenau 67 ..... 69 E 5
Warcq 08 ..... 26 D 3
Warcq 55 ..... 44 D 5
Wardrecques 62 ..... 7 G 2
Wargemoulin-Hurlus 51 ..... 42 D 5
Wargnies 80 ..... 12 C 5
Wargnies-le-Grand 59 ..... 15 E 2
Wargnies-le-Petit 59 ..... 15 E 2
Warhem 59 ..... 3 H 3
Warlaing 59 ..... 9 F 5
Warlencourt-Eaucourt 62 ..... 13 G 4
Warlincourt-lès-Pas 62 ..... 13 E 4
Warloy-Baillon 80 ..... 13 E 5
Warluis 60 ..... 38 A 2
Warlus 62 ..... 13 F 2
Warlus 80 ..... 11 H 5
Warluzel 62 ..... 13 E 3
Warmeriville 51 ..... 41 H 3
Warnécourt 08 ..... 26 C 3
Warneton 59 ..... 4 C 5
Warsy 80 ..... 23 E 4
Warvillers 80 ..... 23 E 3
Wasigny 08 ..... 26 A 4
Wasnes-au-Bac 59 ..... 14 B 2
Wasquehal 59 ..... 8 D 2
Wasselonne 67 ..... 68 B 5
Wasserbourg 68 ..... 120 D 4
Wassigny 02 ..... 15 E 5
Wassy 52 ..... 92 C 3
Le Wast 62 ..... 2 C 5
Watigny 02 ..... 25 H 1
Watronville 55 ..... 64 C 1
Watten 59 ..... 3 F 4
Wattignies 59 ..... 8 D 3
Wattignies-la-Victoire 59 ..... 15 H 3
Wattrelos 59 ..... 9 E 2
Wattwiller 68 ..... 120 D 5
Wavignies 60 ..... 22 C 5
Waville 54 ..... 65 F 2
Wavrans-sur-l'Aa 62 ..... 7 E 2
Wavrans-sur-Ternoise 62 ..... 7 F 5
Wavrechain-
sous-Denain 59 ..... 14 D 2
Wavrechain-sous-Faulx 59 ..... 14 C 2
Wavrille 55 ..... 44 B 3
Wavrin 59 ..... 8 C 3
Waziers 59 ..... 8 D 5
Wé 08 ..... 27 G 4
Weckolsheim 68 ..... 121 F 3
Wegscheid 68 ..... 142 C 1
Weinbourg 67 ..... 68 B 3
Weislingen 67 ..... 68 A 2
Weitbruch 67 ..... 69 E 4
Weiterswiller 67 ..... 68 B 3
Welles-Pérennes 60 ..... 22 D 5
Wemaers-Cappel 59 ..... 3 G 4
Wentzwiller 68 ..... 143 G 3
Werentzhouse 68 ..... 143 G 4
Wervicq-Sud 59 ..... 4 D 5
West-Cappel 59 ..... 3 H 3
Westbécourt 62 ..... 3 E 5
Westhalten 68 ..... 120 D 4
Westhoffen 67 ..... 97 E 1
Westhouse 67 ..... 97 G 3
Westhouse-Marmoutier 67 ..... 68 B 5
Westrehem 62 ..... 7 G 3
Wettolsheim 68 ..... 121 E 3
Weyer 67 ..... 67 H 3
Weyersheim 67 ..... 69 E 4
Wickerschwihr 68 ..... 121 F 2
Wickersheim 67 ..... 68 C 4
Wicquinghem 62 ..... 6 D 3
Wicres 59 ..... 8 B 3
Widehem 62 ..... 6 B 3
Widensolen 68 ..... 121 F 3
Wiège-Faty 02 ..... 25 E 2
Wiencourt-l'Équipée 80 ..... 23 E 2
Wierre-au-Bois 62 ..... 6 C 2
Wierre-Effroy 62 ..... 2 C 5
Wiesviller 57 ..... 67 H 1
Wignehies 59 ..... 15 H 5
Wignicourt 08 ..... 26 C 5
Wihr-au-Val 68 ..... 120 D 3
Wihr-en-Plaine 68 ..... 121 F 2
Wildenstein 68 ..... 120 B 4
Wildersbach 67 ..... 96 D 3
Willeman 62 ..... 12 B 2
Willems 59 ..... 9 E 2
Willencourt 62 ..... 12 B 3
Willer 68 ..... 143 F 3
Willer-sur-Thur 68 ..... 120 C 5
Willeroncourt 55 ..... 64 B 5
Willerval 62 ..... 8 B 5
Willerwald 57 ..... 67 G 1
Willgottheim 67 ..... 68 C 5
Williers 08 ..... 27 H 4
Willies 59 ..... 15 H 4
Wilshausen 67 ..... 68 C 4
Wilwisheim 67 ..... 68 C 4
Wimereux 62 ..... 2 B 5
Wimille 62 ..... 2 B 5
Wimmenau 67 ..... 68 B 2
Wimy 02 ..... 25 G 1
Windstein 67 ..... 68 D 1
Windstein
Château de 67 ..... 68 D 1
Wingen 67 ..... 69 E 1
Wingen-sur-Moder 67 ..... 68 B 2
Wingersheim-les-
Quatre-Bans 67 ..... 68 D 4
Wingles 62 ..... 8 B 4
Winkel 68 ..... 143 F 5
Winnezeele 59 ..... 3 H 4
Wintersbourg 57 ..... 67 H 4
Wintershouse 67 ..... 68 D 4
Wintzenbach 67 ..... 69 G 2
Wintzenheim 68 ..... 121 E 3
Wintzenheim-
Kochersberg 67 ..... 68 C 5
Wintzfelden 68 ..... 120 D 4
Wirwignes 62 ..... 6 C 2
Wiry-au-Mont 80 ..... 11 G 5
Wisches 67 ..... 96 D 2
Wisembach 88 ..... 96 C 5
Wiseppe 55 ..... 43 G 1
Wismes 62 ..... 7 E 2
Wisques 62 ..... 3 F 5
Wissant 62 ..... 2 B 4
Wissembourg 67 ..... 69 F 1
Wissignicourt 02 ..... 40 C 1
Wissous 91 ..... 58 C 5
Witry-lès-Reims 51 ..... 41 H 3
Wittelsheim 68 ..... 143 E 1
Wittenheim 68 ..... 143 F 1
Witternesse 62 ..... 7 G 3
Witternheim 67 ..... 97 G 4
Wittersdorf 68 ..... 143 F 3
Wittersheim 67 ..... 68 D 4
Wittes 62 ..... 7 G 2
Wittisheim 67 ..... 97 G 4
Wittring 57 ..... 67 H 1
Wiwersheim 67 ..... 68 D 5
Wizernes 62 ..... 7 F 2
Woël 55 ..... 65 E 2
Wœlfling-
lès-Sarreguemines 57 ..... 67 H 1
Wœllenheim 67 ..... 68 C 5
Wœrth 67 ..... 68 D 2
Woignarue 80 ..... 11 E 3
Woimbey 55 ..... 64 C 2
Woincourt 80 ..... 11 E 4
Woinville 55 ..... 64 D 3
Woippy 57 ..... 45 H 5
Woirel 80 ..... 11 G 5
Wolfersdorf 68 ..... 143 E 3
Wolfgantzen 68 ..... 121 F 3
Wolfisheim 67 ..... 97 G 1
Wolfskirchen 67 ..... 67 G 3
Wolschheim 67 ..... 68 B 5
Wolschwiller 68 ..... 143 G 4
Wolxheim 67 ..... 97 F 1
Wormhout 59 ..... 3 H 4
Woustviller 57 ..... 67 G 1
Wuenheim 68 ..... 120 D 5
Wuisse 57 ..... 66 D 3
Wulverdinghe 59 ..... 3 F 4
Wy-dit-Joli-Village 95 ..... 37 G 5
Wylder 59 ..... 3 H 3

X

Xaffévillers 88 ..... 95 G 3
Xaintrailles 47 ..... 275 F 3
Xaintray 79 ..... 184 D 2
Xambes 16 ..... 203 E 5
Xammes 54 ..... 65 F 2
Xamontarupt 88 ..... 119 H 2
Xanrey 57 ..... 66 D 5
Xanton-Chassenon 85 ..... 184 B 2
Xaronval 88 ..... 94 D 4
Xermaménil 54 ..... 95 F 2
Xertigny 88 ..... 119 F 3
Xeuilley 54 ..... 94 C 2
Xirocourt 54 ..... 94 D 3
Xivray-et-Marvoisin 55 ..... 65 E 4
Xivry-Circourt 54 ..... 45 E 3
Xocourt 57 ..... 66 B 3
Xonrupt-Longemer 88 ..... 120 B 3
Xonville 54 ..... 65 E 1
Xouaxange 57 ..... 67 G 5
Xousse 54 ..... 95 H 1
Xures 54 ..... 67 E 5

Y

Y 80 ..... 23 G 3
Yainville 76 ..... 35 H 1
Yaucourt-Bussus 80 ..... 11 H 3
Le Yaudet 22 ..... 72 C 3
Ychoux 40 ..... 272 D 1
Ydes 15 ..... 226 C 5
Yébleron 76 ..... 19 F 4
Yèbles 77 ..... 88 C 2
Yenne 73 ..... 232 D 1
Yermenonville 28 ..... 86 B 3
Yerres 91 ..... 58 D 5
Yerville 76 ..... 19 H 4
Yeu *Ile d'* 85 ..... 164 A 4
Yèvre-la-Ville 45 ..... 111 H 3
Yèvre-le-Châtel 45 ..... 111 H 3
Yèvres 28 ..... 109 G 2
Yèvres-le-Petit 10 ..... 91 H 3
Yffiniac 22 ..... 78 C 3
Ygos-Saint-Saturnin 40 ..... 273 F 5
Ygrande 03 ..... 191 F 2
Ymare 76 ..... 36 B 3
Ymeray 28 ..... 86 C 3
Ymonville 28 ..... 110 C 2
Yolet 15 ..... 244 C 5
Yoncq 08 ..... 27 F 5
Yonval 80 ..... 11 G 3
Youx 63 ..... 209 E 1
Yport 76 ..... 18 D 3
Ypreville-Biville 76 ..... 19 F 4
Yquebeuf 76 ..... 20 C 5
Yquelon 50 ..... 51 F 3
Yquem *Château* 33 ..... 256 B 4
Yronde-et-Buron 63 ..... 228 A 2
Yrouerre 89 ..... 137 E 3
Yssac-la-Tourette 63 ..... 209 H 4
Yssandon 19 ..... 241 H 2
Yssandon *Puy d'* 19 ..... 241 H 2
Yssingeaux 43 ..... 247 H 2
Ysson *Puy d'* 63 ..... 227 H 3
Ytrac 15 ..... 244 B 5
Ytres 62 ..... 13 H 5
Yutz 57 ..... 45 H 3
Yvecrique 76 ..... 19 H 4
Yvernaumont 08 ..... 26 C 4
Yversay 86 ..... 169 E 5
Yves 17 ..... 200 D 2
Les Yveteaux 61 ..... 53 G 5
Yvetot 76 ..... 19 G 5
Yvetot-Bocage 50 ..... 29 F 4
Yvias 22 ..... 73 F 3
Yviers 16 ..... 238 D 1
Yvignac-la-Tour 22 ..... 79 F 5
Yville-sur-Seine 76 ..... 35 H 2
Yvoire 74 ..... 197 H 3
Yvoy-le-Marron 41 ..... 133 E 5
Yvrac 33 ..... 237 H 5
Yvrac-et-Malleyrand 16 ..... 221 H 1
Yvrandes 61 ..... 52 D 4
Yvré-le-Pôlin 72 ..... 129 H 3
Yvré-l'Évêque 72 ..... 107 H 4
Yvrench 80 ..... 11 H 2
Yvrencheux 80 ..... 11 H 2
Yzengremer 80 ..... 11 E 4
Yzernay 49 ..... 167 F 1
Yzeron 69 ..... 230 C 1
Yzeure 03 ..... 192 B 2
Yzeures-sur-Creuse 37 ..... 170 B 4
Yzeux 80 ..... 22 A 1
Yzosse 40 ..... 293 E 3

Z

Zaessingue 68 ..... 143 G 3
Zalana 2B ..... 347 G 4
Zarbeling 57 ..... 67 E 3
Zegerscappel 59 ..... 3 G 4
Zehnacker 67 ..... 68 B 5
Zeinheim 67 ..... 68 C 5
Zellenberg 68 ..... 121 E 2
Zellwiller 67 ..... 97 F 3
Zermezeele 59 ..... 3 H 4
Zérubia 2A ..... 349 E 5
Zetting 57 ..... 67 H 1
Zévaco 2A ..... 349 E 3
Zicavo 2A ..... 349 E 3
Zigliara 2A ..... 348 D 4
Zilia 2B ..... 346 C 2
Zilling 57 ..... 68 A 4
Zillisheim 68 ..... 143 F 2
Zimmerbach 68 ..... 120 D 3
Zimmersheim 68 ..... 143 G 2
Zimming 57 ..... 46 D 5
Zincourt 88 ..... 95 F 5
Zinswiller 67 ..... 68 C 2
Zipitoli
Pont génois de 2A ..... 348 D 3
Zittersheim 67 ..... 68 A 3
Zœbersdorf 67 ..... 68 C 4
Zollingen 67 ..... 67 G 3
Zommange 57 ..... 67 F 4
Zonza 2A ..... 349 F 5
Zoteux 62 ..... 6 C 3
Zouafques 62 ..... 3 E 4
Zoufftgen 57 ..... 45 G 2
Zoza 2A ..... 349 E 5
Zuani 2B ..... 347 G 4
Zudausques 62 ..... 3 E 5
Zutkerque 62 ..... 3 E 4
Zutzendorf 67 ..... 68 C 3
Zuydcoote 59 ..... 3 H 2
Zuytpeene 59 ..... 3 G 5

Journey planning notes

Key to town plan symbols

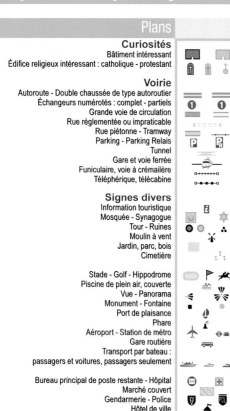

Plans

Curiosités
Bâtiment intéressant
Édifice religieux intéressant : catholique - protestant

Voirie
Autoroute - Double chaussée de type autoroutier
Échangeurs numérotés : complet - partiels
Grande voie de circulation
Rue réglementée ou impraticable
Rue piétonne - Tramway
Parking - Parking Relais
Tunnel
Gare et voie ferrée
Funiculaire, voie à crémaillère
Téléphérique, télécabine

Signes divers
Information touristique
Mosquée - Synagogue
Tour - Ruines
Moulin à vent
Jardin, parc, bois
Cimetière

Stade - Golf - Hippodrome
Piscine de plein air, couverte
Vue - Panorama
Monument - Fontaine
Port de plaisance
Phare
Aéroport - Station de métro
Gare routière
Transport par bateau :
passagers et voitures, passagers seulement

Bureau principal de poste restante - Hôpital
Marché couvert
Gendarmerie - Police
Hôtel de ville
Université, grande école
Bâtiment public repéré par une lettre :
Musée
Théâtre

Town plans

Sights
Place of interest
Interesting place of worship:
Church - Protestant church

Roads
Motorway - Dual carriageway
Numbered junctions: complete, limited
Major thoroughfare
Unsuitable for traffic or street subject to restrictions
Pedestrian street - Tramway
Car park - Park and Ride
Tunnel
Station and railway
Funicular
Cable-car

Various signs
Tourist Information Centre
Mosque - Synagogue
Tower - Ruins
Windmill
Garden, park, wood
Cemetery

Stadium - Golf course - Racecourse
Outdoor or indoor swimming pool
View - Panorama
Monument - Fountain
Pleasure boat harbour
Lighthouse
Airport - Underground station
Coach station
Ferry services:
passengers and cars - passengers only

Main post office with poste restante - Hospital
Covered market
Gendarmerie - Police
Town Hall
University, College
Public buildings located by letter:
Museum
Theatre

Zeichenerklärung

Sehenswürdigkeiten
Sehenswertes Gebäude
Sehenswerter Sakralbau:Katholische - Evangelische Kirche

Straßen
Autobahn - Schnellstraße
Nummerierte Voll - bzw. Teilanschlussstellen
Hauptverkehrsstraße
Gesperrte Straße oder mit Verkehrsbeschränkungen
Fußgängerzone - Straßenbahn
Parkplatz - Park-and-Ride-Plätze
Tunnel
Bahnhof und Bahnlinie
Standseilbahn
Seilschwebebahn

Sonstige Zeichen
Informationsstelle
Moschee - Synagoge
Turm - Ruine
Windmühle
Garten, Park, Wäldchen
Friedhof

Stadion - Golfplatz - Pferderennbahn
Freibad - Hallenbad
Aussicht - Rundblick
Denkmal - Brunnen
Yachthafen
Leuchtturm
Flughafen - U-Bahnstation
Autobusbahnhof
Schiffsverbindungen:
Autofähre, Personenfähre
Hauptpostamt (postlagernde Sendungen) - Krankenhaus
Markthalle
Gendarmerie - Polizei
Rathaus
Universität, Hochschule
Öffentliches Gebäude, durch einen Buchstaben gekennzeichnet:
Museum
Theater

■ Aix-en-Provence............428
● Ajaccio.....................476
■ Amiens.....................429
■ Angers.....................430
● Annecy.....................476
● Arles.......................476
■ Avignon....................431
● Bastia......................476
● Bayonne....................476
■ Besançon...................432
● Biarritz.....................476
● Blois........................476
■ Bordeaux...................433
■ Bourges....................434
■ Caen.......................435
■ Calais......................436
■ Cannes.....................437
● Carcassonne...............476
● Châlons-en-Champagne....476
● Chalon-sur-Saône..........476
● Chambéry..................476
● Chartres...................476
■ Clermont-Ferrand..........438
■ Colmar.....................439
■ Dijon.......................440
■ Grenoble...................441
■ Le Havre...................442
■ Lille........................443
■ Limoges....................446
● Lorient.....................476
■ Lyon........................444
■ Le Mans....................447
■ Marseille...................448
■ Metz.......................449
● Monaco....................476
■ Montpellier...............450
■ Mulhouse.................451
■ Nancy.....................452
■ Nantes....................453
● Nevers....................476
■ Nice.......................454
■ Nîmes.....................456
■ Orléans...................457
■ Paris (environs)...........458
■ Paris.......................462
■ Pau........................464
■ Perpignan.................465
■ Poitiers...................466
■ Reims.....................467
■ Rennes....................468
■ La Rochelle...............469
■ Rouen.....................470
■ Saint-Étienne.............471
■ Strasbourg................472
■ Toulon....................473
■ Toulouse..................474
■ Tours......................475
● Troyes....................476

■ Amiens – town plan and QR code
● Ajaccio – QR code

How to use the QR Codes

1 Download (or update) the free QR Code reader app on your smartphone
2 Launch the app and point your smartphone at the required code
3 A map of the town/city will appear automatically on your smartphone
4 Zoom in/out to help you move around

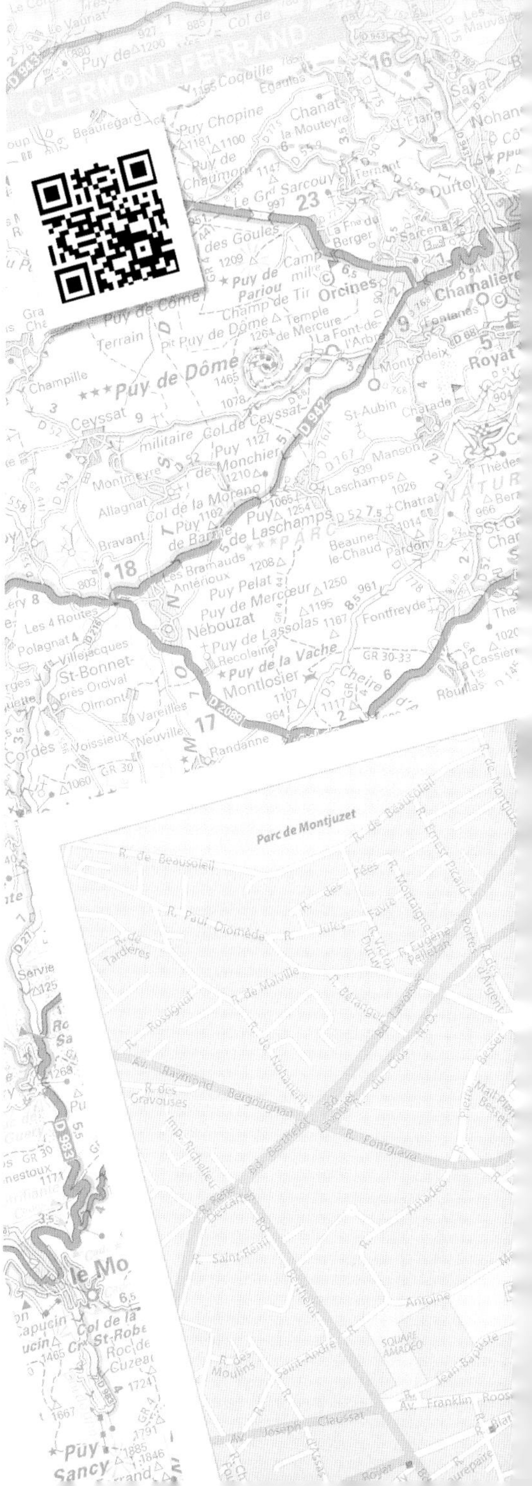

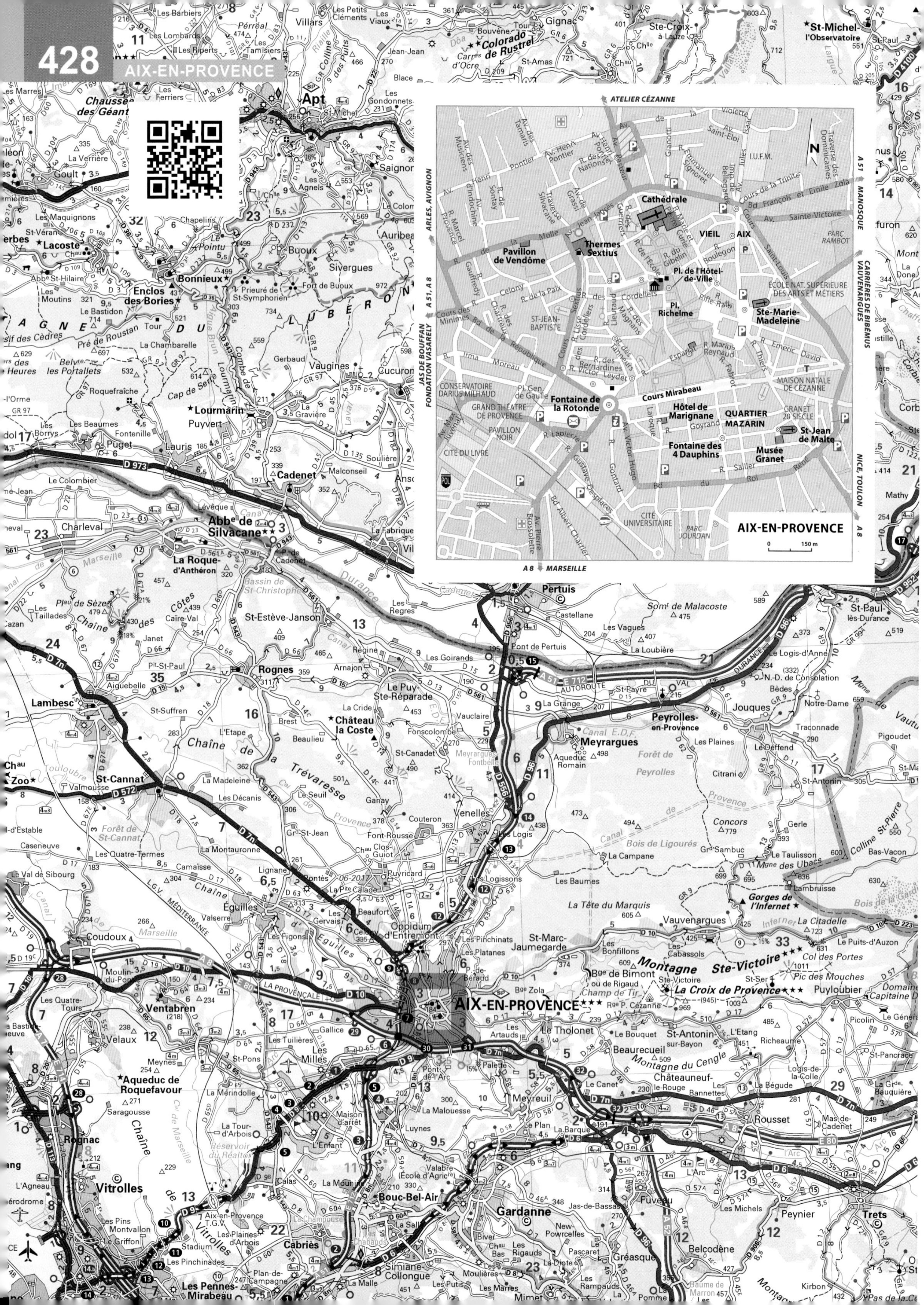
AIX-EN-PROVENCE
ATELIER CÉZANNE
A 8 MARSEILLE
ARLES, AVIGNON
A 51 MANOSQUE
NICE, TOULON
CARRIÈRES DE BIBÉMUS VAUVENARGUES
JAS DE BOUFFAN FONDATION VASARELY
Cathédrale
Pavillon de Vendôme
Thermes Sextius
VIEIL AIX
Pl. de l'Hôtel-de-Ville
Pl. Richelme
Ste-Marie-Madeleine
ÉCOLE NAT. SUPÉRIEURE DES ARTS ET MÉTIERS
PARC RAMBOT
MAISON NATALE DE CÉZANNE
Fontaine de la Rotonde
Cours Mirabeau
Hôtel de Marignane
QUARTIER MAZARIN
GRANET 20 SIÈCLE
St-Jean de Malte
Fontaine des 4 Dauphins
Musée Granet
CONSERVATOIRE DARIUS MILHAUD
GRAND THÉÂTRE DE PROVENCE
PAVILLON NOIR
CITÉ DU LIVRE
CITÉ UNIVERSITAIRE
PARC JOURDAN
150 m
Apt
Bonnieux
Lacoste
Enclos des Bories
Lourmarin
Cadenet
Abbe de Silvacane
La Roque-d'Anthéron
Pertuis
Rognes
Lambesc
St-Cannat
Château la Coste
Meyrargues
Peyrolles-en-Provence
Jouques
Venelles
Éguilles
Oppidum d'Entremont
AIX-EN-PROVENCE
Montagne Ste-Victoire
La Croix de Provence
Vauvenargues
Gorges de l'Infernet
Ventabren
Aqueduc de Roquefavour
Vitrolles
Bouc-Bel-Air
Gardanne
Cabriès
Les Pennes-Mirabeau
Simiane-Collongue
Fuveau
Trets
Rousset
Le Tholonet
Meyreuil
Chaîne de la Trévaresse
Montagne du Cengle
MONTAGNE DU LUBERON
Durance

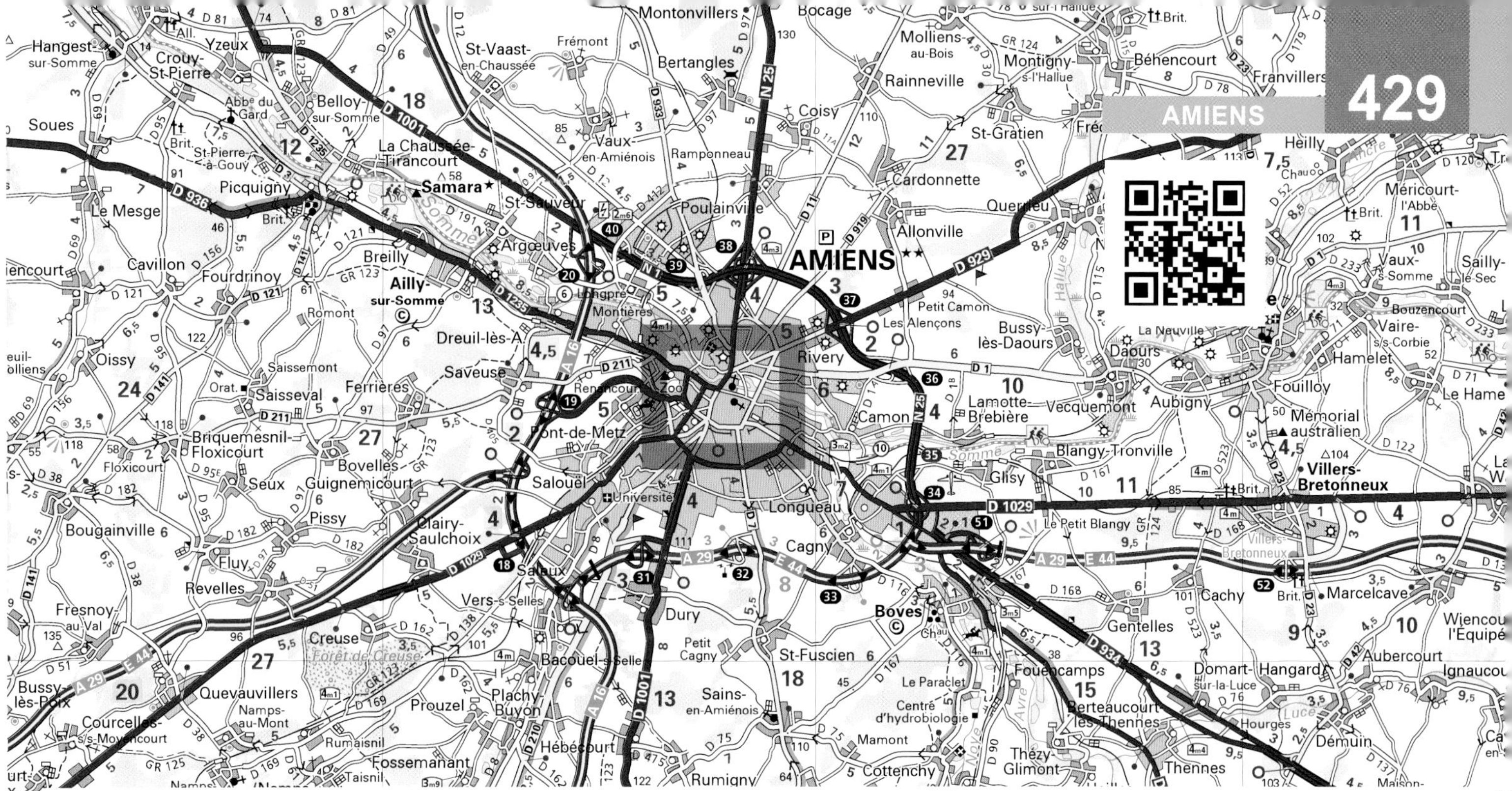
AMIENS
Montonvillers
Bocage
Molliens-au-Bois
Montigny-s-l'Hallue
Béhencourt
Franvillers
Hangest-sur-Somme
Yzeux
Crouy-St-Pierre
St-Vaast-en-Chaussée
Bertangles
Rainneville
Belloy-sur-Somme
Coisy
St-Gratien
Soues
La Chaussée-Tirancourt
Vaux-en-Amiénois
Ramponneau
Cardonnette
Heilly
Picquigny
Samara
St-Sauveur
Poulainville
Querrieu
Méricourt-l'Abbé
Le Mesgle
Argœuves
Allonville
Vaux-sur-Somme
Sailly-le-Sec
Cavillon
Fourdrinoy
Breilly
Ailly-sur-Somme
Longpré
Montières
Petit Camon
Les Alençons
Bussy-lès-Daours
Daours
Bouzencourt
Vaire-s/s-Corbie
Hamelet
Dreuil-lès-A.
Rivery
La Neuville
Oissy
Saissemont
Saveuse
Renancourt
Camon
Lamotte-Brebière
Vecquemont
Aubigny
Fouilloy
Le Hamel
Orat
Saisseval
Ferrières
Mémorial australien
Briquemesnil-Floxicourt
Pont-de-Metz
Blangy-Tronville
Villers-Bretonneux
Bovelles
Seux
Guignemicourt
Salouël
Longueau
Glisy
Bougainville
Pissy
Clairy-Saulchoix
Le Petit Blangy
Fluy
Cagny
Revelles
Saleux
Cachy
Marcelcave
Fresnoy-au-Val
Vers-s-Selles
Dury
Boves
Gentelles
Wiencourt-l'Équipée
Creuse
Forêt de Creuse
Petit Cagny
St-Fuscien
Aubercourt
Bussy-lès-Poix
Quevauvillers
Bacouël-s-Selle
Fouencamps
Domart-sur-la-Luce
Hangard
Ignaucourt
Namps-au-Mont
Prouzel
Plachy-Buyon
Sains-en-Amiénois
Le Paraclet
Centre d'hydrobiologie
Berteaucourt-lès-Thennes
Courcelles-s/s-Moyencourt
Rumaisnil
Hébécourt
Mamont
Thézy-Glimont
Hourges
Démuin
Fossemanant
Taisnil
Rumigny
Cottenchy
Thennes

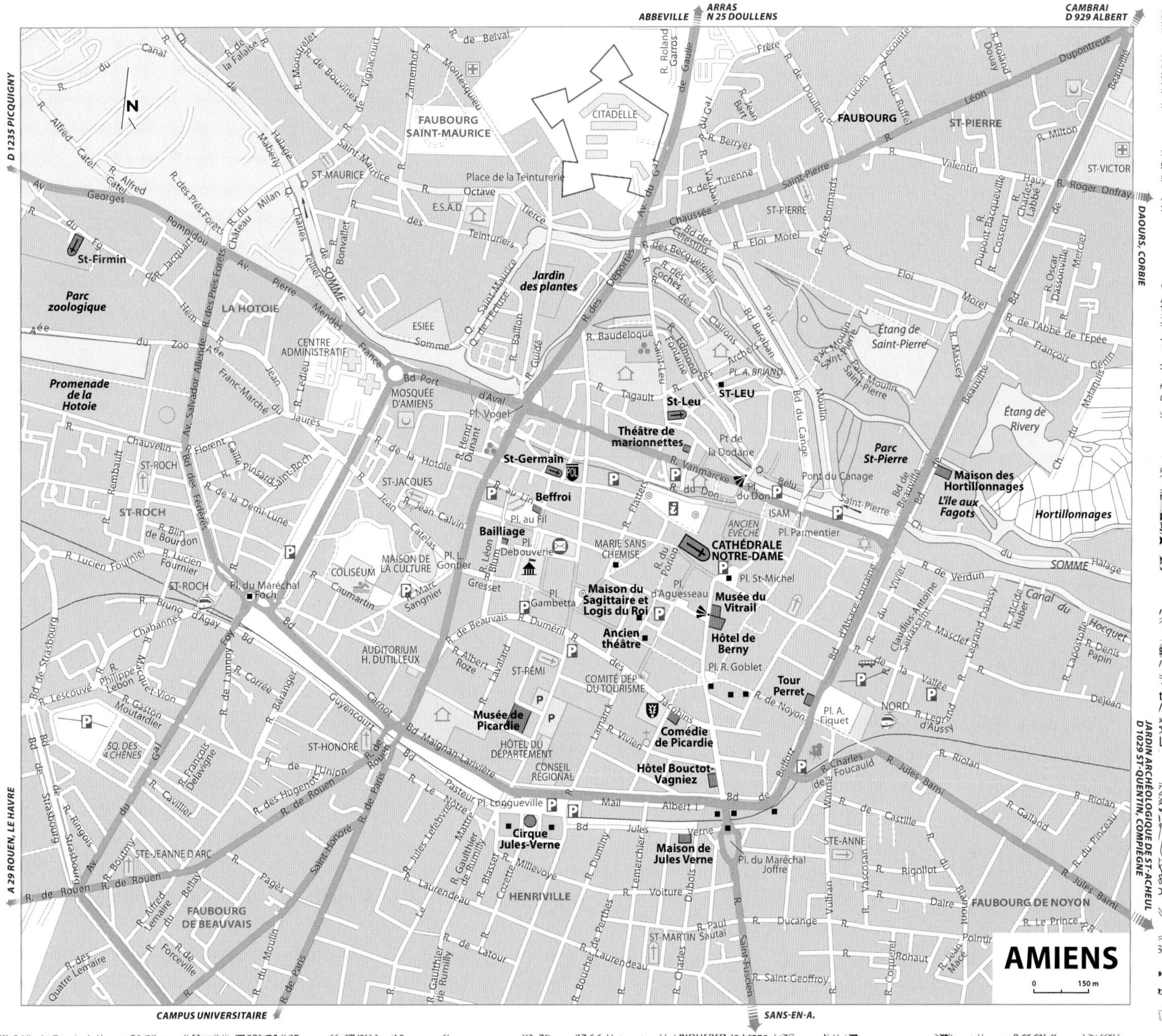
ABBEVILLE
ARRAS N 25 DOULLENS
CAMBRAI D 929 ALBERT
D 1235 PICQUIGNY
DAOURS, CORBIE
JARDIN ARCHÉOLOGIQUE DE ST-ACHEUL D 1029 ST-QUENTIN, COMPIÈGNE
A 29 ROUEN, LE HAVRE
CAMPUS UNIVERSITAIRE
SANS-EN-A.
FAUBOURG SAINT-MAURICE
CITADELLE
FAUBOURG ST-PIERRE
ST-MAURICE
Place de la Teinturerie
E.S.A.D.
ST-PIERRE
ST-VICTOR
St-Firmin
Parc zoologique
LA HOTOIE
Jardin des plantes
ESIEE
CENTRE ADMINISTRATIF
Étang de Saint-Pierre
Promenade de la Hotoie
MOSQUÉE D'AMIENS
St-Leu
ST-LEU
Étang de Rivery
Théâtre de marionnettes
Parc St-Pierre
St-Germain
Maison des Hortillonnages
L'île aux Fagots
Hortillonnages
ST-ROCH
ST-JACQUES
Beffroi
Bailliage
ISAM
MARIE SANS CHEMISE
CATHÉDRALE NOTRE-DAME
COLISEUM
MAISON DE LA CULTURE
Maison du Sagittaire et Logis du Roi
Musée du Vitrail
Ancien théâtre
Hôtel de Berny
AUDITORIUM H. DUTILLEUX
ST-RÉMI
COMITÉ DÉP. DU TOURISME
Tour Perret
Musée de Picardie
Comédie de Picardie
SQ. DES 4 CHÊNES
ST-HONORÉ
HÔTEL DU DÉPARTEMENT
CONSEIL RÉGIONAL
Hôtel Bouctot-Vagniez
Cirque Jules-Verne
Maison de Jules Verne
STE-ANNE
STE-JEANNE D'ARC
HENRIVILLE
FAUBOURG DE BEAUVAIS
FAUBOURG DE NOYON
ST-MARTIN
AMIENS
0
150 m

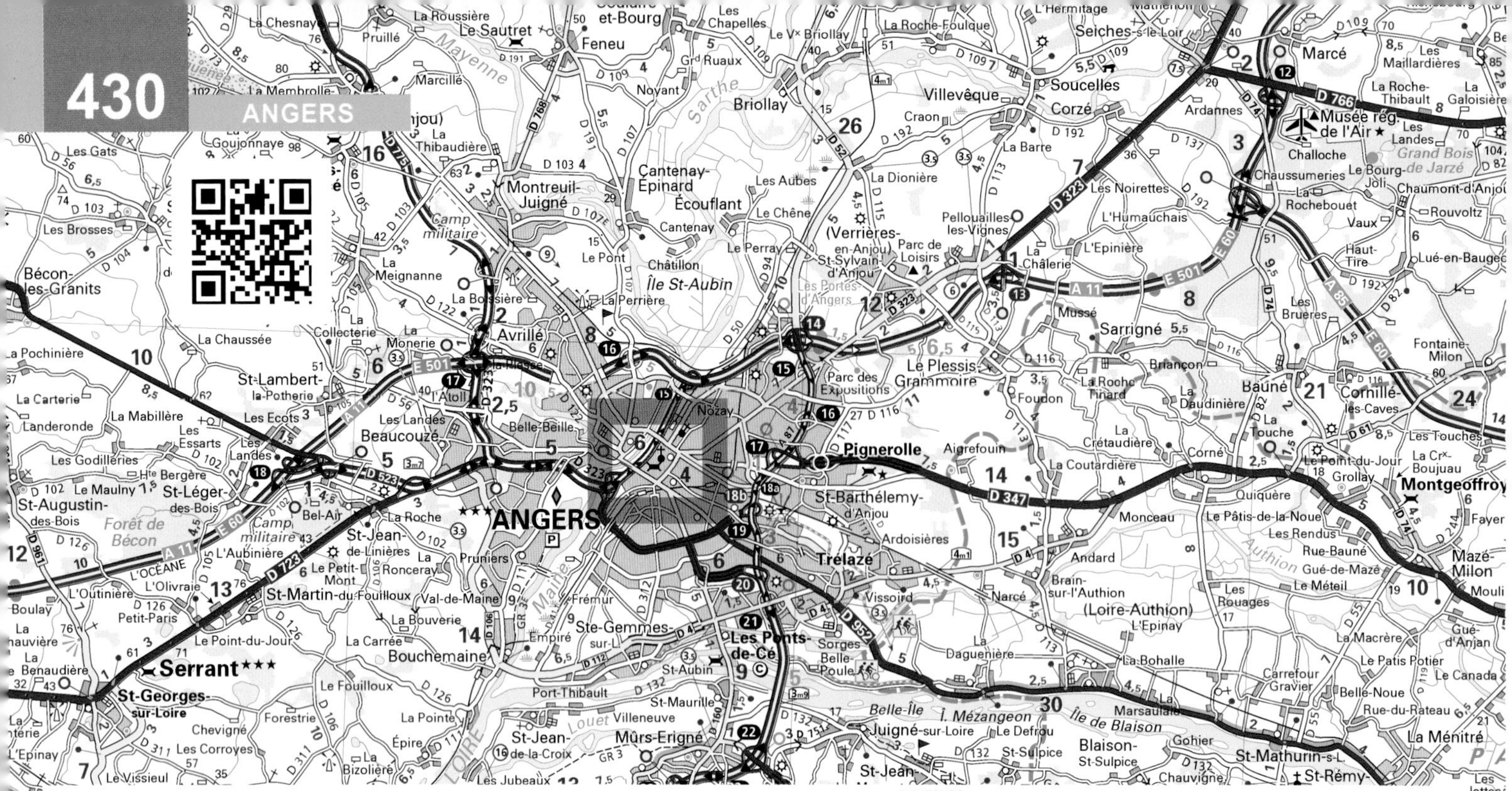
ANGERS
Avrillé
Beaucouzé
St-Barthélemy-d'Anjou
Trélazé
Les Ponts-de-Cé
Ste-Gemmes-sur-Loire
Bouchemaine
St-Georges-sur-Loire
Serrant
Pignerolle
Montreuil-Juigné
Écouflant
Briollay
Seiches-sur-le-Loir
Montgeoffroy
Brain-sur-l'Authion
Sarrigné
Le Plessis-Grammoire
St-Sylvain-d'Anjou
Feneu
Cantenay-Épinard
Île St-Aubin
Juigné-sur-Loire
Mûrs-Erigné
Blaison-St-Sulpice
Musée rég. de l'Air
St-Jean-de-Linières
St-Martin-du-Fouilloux
St-Léger-des-Bois
Forêt de Bécon

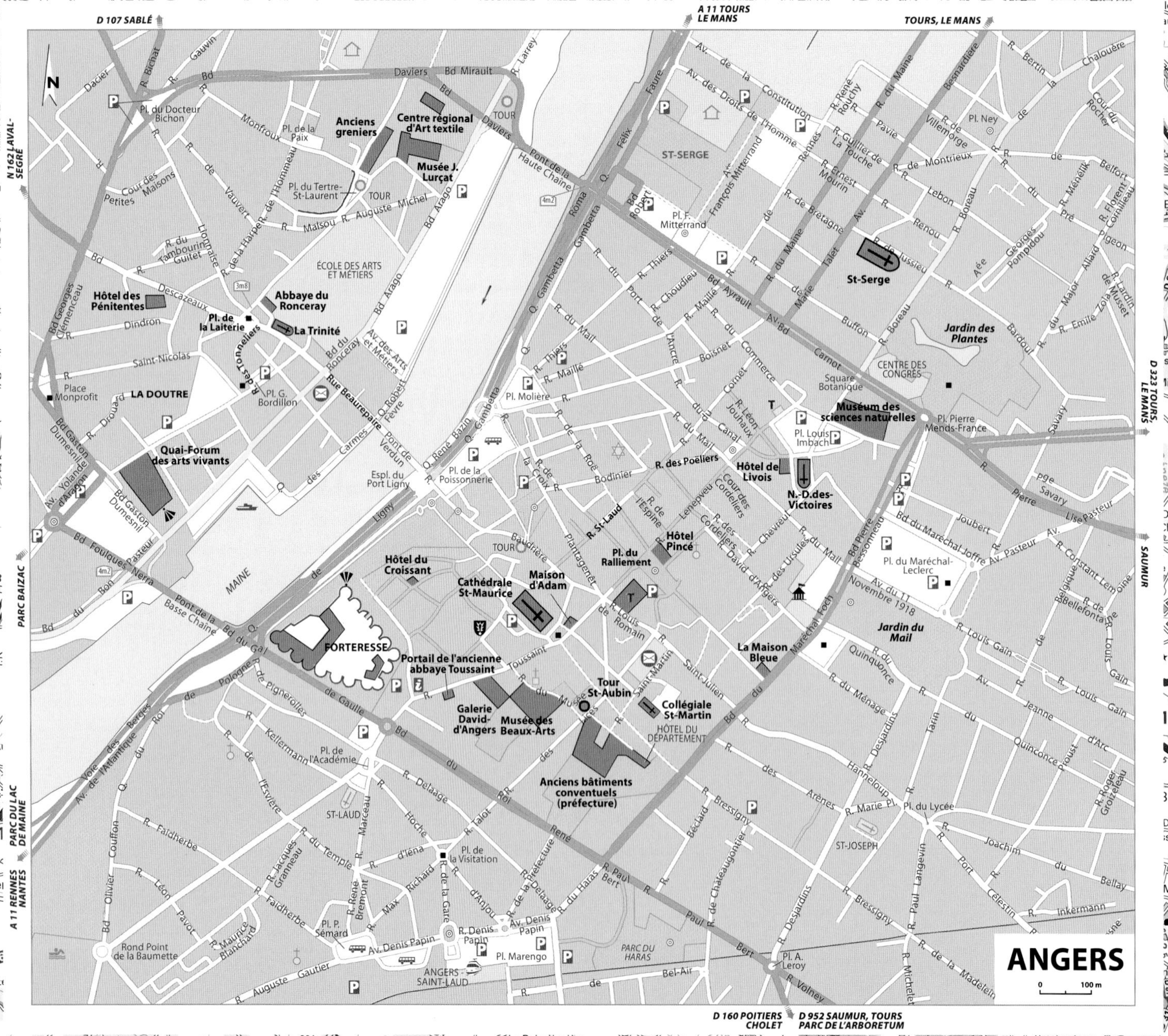
D 107 SABLÉ
A 11 TOURS LE MANS
TOURS, LE MANS
N 162 LAVAL SEGRÉ
D 323 TOURS, LE MANS
PARC BAIZAC
SAUMUR
PARC DU LAC DE MAINE
A 11 RENNES NANTES
D 160 POITIERS CHOLET
D 952 SAUMUR, TOURS PARC DE L'ARBORETUM
N
Anciens greniers
Centre régional d'Art textile
Musée J. Lurçat
ST-SERGE
St-Serge
Jardin des Plantes
Hôtel des Pénitentes
Abbaye du Ronceray
La Trinité
Pl. de la Laiterie
LA DOUTRE
Quai-Forum des arts vivants
ÉCOLE DES ARTS ET MÉTIERS
CENTRE DES CONGRÈS
Muséum des sciences naturelles
Hôtel de Livois
N.-D.des-Victoires
Hôtel Pincé
Pl. du Ralliement
Maison d'Adam
Cathédrale St-Maurice
Hôtel du Croissant
FORTERESSE
Portail de l'ancienne abbaye Toussaint
Galerie David-d'Angers
Musée des Beaux-Arts
Tour St-Aubin
Collégiale St-Martin
HÔTEL DU DÉPARTEMENT
Anciens bâtiments conventuels (préfecture)
La Maison Bleue
Jardin du Mail
Pl. du Maréchal-Leclerc
MAINE
ST-LAUD
ST-JOSEPH
PARC DU HARAS
ANGERS SAINT-LAUD
Pl. Marengo
ANGERS
0 100 m

AVIGNON
Villeneuve-lès-Avignon
Le Pontet
Sorgues
Entraigues-s-la-Sorgue
Monteux
Pernes-les-Fontaines
Vedène
St-Saturnin-lès-Avignon
Jonquerettes
Velleron
L'Isle-s-la-Sorgue
Le Thor
Châteauneuf-de-Gadagne
Caumont-sur-Durance
Morières-lès-A.
Montfavet
Rochefort-du-Gard
Les Angles
Remoulins
Fournès
Estézargues
Domazan
Saze
Tavel
Lirac
Pujaut
Sauveterre
Barbentane
Rognonas
Châteaurenard
Noves
Cabannes
Graveson
Boulbon
Aramon
Montfrin
Théziers
Chartreuse de Bonpas
Île de la Barthelasse
Cavaillon

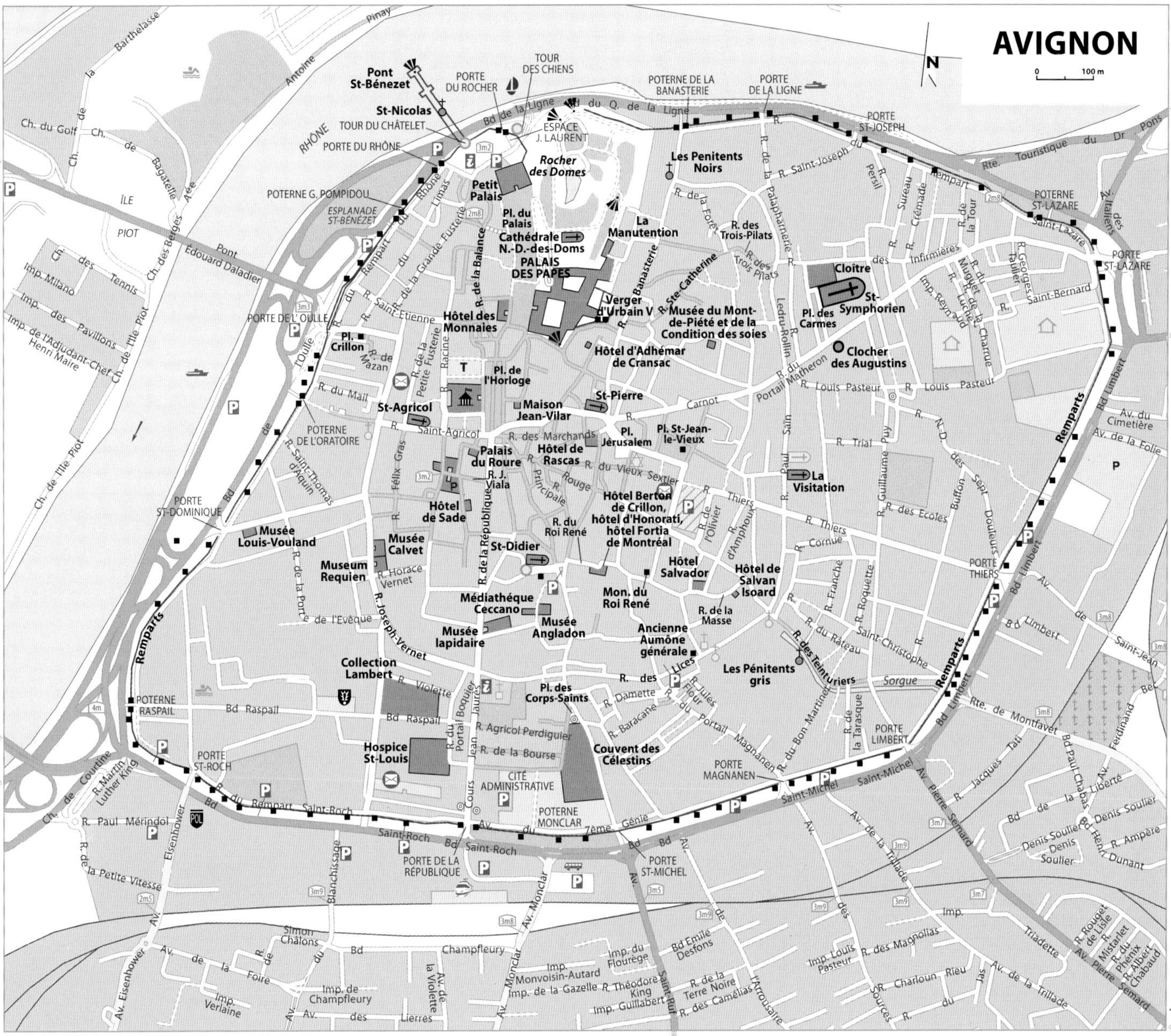
AVIGNON
N
0 100 m
Pont St-Bénézet
St-Nicolas
Tour du Châtelet
Porte du Rhône
Porte du Rocher
Tour des Chiens
Espace J. Laurent
Rocher des Domes
Petit Palais
Pl. du Palais
Cathédrale N.-D.-des-Doms
Palais des Papes
La Manutention
Verger d'Urbain V
Les Penitents Noirs
Poterne de la Banasterie
Porte de la Ligne
Porte St-Joseph
Poterne St-Lazare
Porte St-Lazare
Cloître
St-Symphorien
Pl. des Carmes
Clocher des Augustins
Musée du Mont-de-Piété et de la Condition des soies
Hôtel d'Adhémar de Cransac
Hôtel des Monnaies
Pl. Crillon
Porte de l'Oulle
Poterne G. Pompidou
Esplanade St-Bénézet
Pl. de l'Horloge
St-Agricol
Maison Jean-Vilar
St-Pierre
Pl. Jérusalem
Pl. St-Jean-le-Vieux
Palais du Roure
Hôtel de Rascas
Hôtel de Sade
Hôtel Berton de Crillon, hôtel d'Honorati, hôtel Fortia de Montréal
La Visitation
Poterne de l'Oratoire
Porte St-Dominique
Musée Louis-Vouland
Musée Calvet
Museum Requien
St-Didier
Médiathèque Ceccano
Musée lapidaire
Musée Angladon
Mon. du Roi René
Hôtel Salvador
Hôtel de Salvan Isoard
Ancienne Aumône générale
Les Pénitents gris
Collection Lambert
Pl. des Corps-Saints
Hospice St-Louis
Couvent des Célestins
Cité administrative
Poterne Raspail
Porte St-Roch
Poterne Monclar
Porte de la République
Porte St-Michel
Porte Magnanen
Porte Limbert
Porte Thiers
Remparts
RHÔNE
Île Piot
Pont Edouard Daladier
VILLENEUVE LEZ AVIGNON
D 980 ROQUEMAURE
A 7 CARPENTRAS, ORANGE
D 901 MONTFAVET, APT
N 100, NÎMES D6580 BAGNOLS-S-CÈZE
ARLES
ARLES BARBENTANE
APT A 7 AIX-EN-PROVENCE

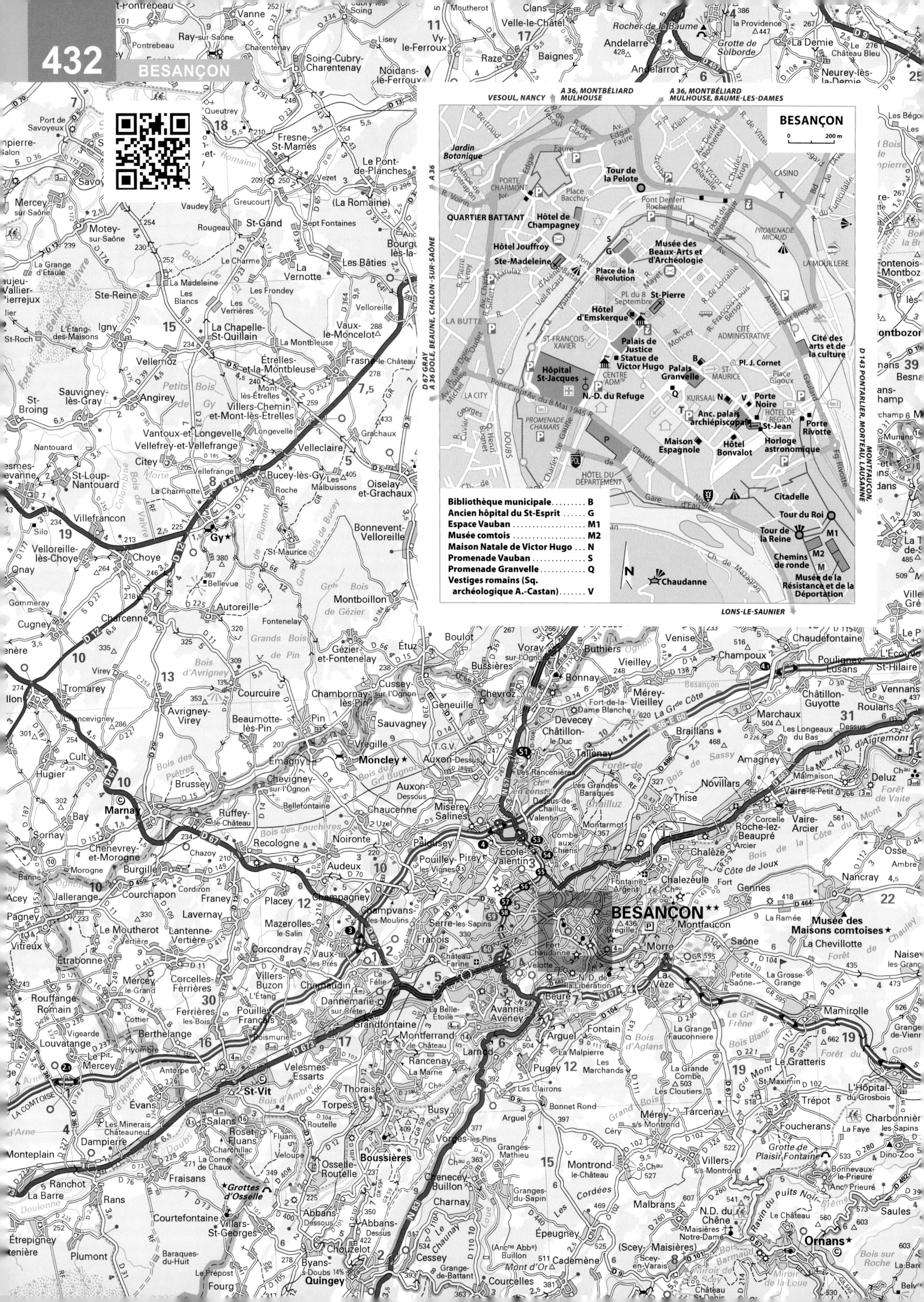
BESANÇON
VESOUL, NANCY
A 36, MONTBÉLIARD MULHOUSE
A 36, MONTBÉLIARD MULHOUSE, BAUME-LES-DAMES
D 67 GRAY A 36 DOLE, BEAUNE, CHALON-SUR-SAÔNE
D 143 PONTARLIER, MORTEAU, LAUSANNE
MONTFAUCON, MORTEAU, LAUSANNE
LONS-LE-SAUNIER
Jardin Botanique
Tour de la Pelote
QUARTIER BATTANT
Hôtel de Champagney
Hôtel Jouffroy
Ste-Madeleine
Musée des Beaux-Arts et d'Archéologie
Place de la Révolution
St-Pierre
Hôtel d'Emskerque
Palais de Justice
Statue de Victor Hugo
Palais Granvelle
Hôpital St-Jacques
N.-D. du Refuge
Anc. palais archiépiscopal
Porte Noire
St-Jean
Porte Rivotte
Maison Espagnole
Hôtel Bonvalot
Horloge astronomique
Cité des arts et de la culture
Citadelle
Tour du Roi
Tour de la Reine
Chemins de ronde
Musée de la Résistance et de la Déportation
Chaudanne
Bibliothèque municipale .... B
Ancien hôpital du St-Esprit ..... G
Espace Vauban M1
Musée comtois M2
Maison Natale de Victor Hugo ... N
Promenade Vauban .... S
Promenade Granvelle .... Q
Vestiges romains (Sq. archéologique A.-Castan) V
BESANÇON
Marnay
Gy
Moncley
St-Vit
Boussières
Quingey
Ornans
Musée des Maisons comtoises
Grottes d'Osselle

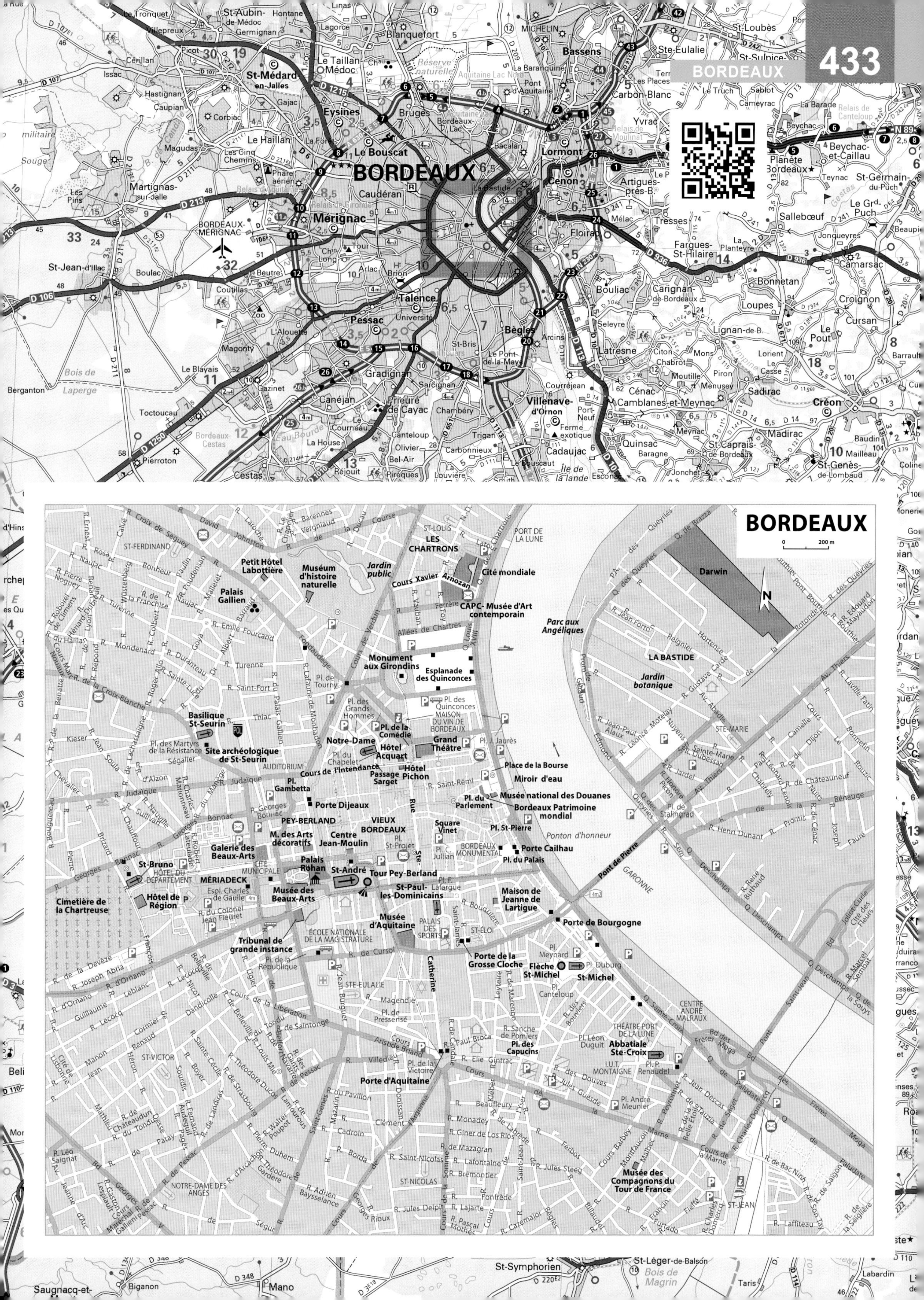
BORDEAUX
Mérignac
Pessac
Talence
Bègles
Gradignan
Le Bouscat
Eysines
Bruges
St-Médard-en-Jalles
Blanquefort
Bassens
Lormont
Cenon
Floirac
Villenave-d'Ornon
Bouliac
Latresne
Carbon-Blanc
Artigues-près-B.
Tresses
Créon
Cadaujac
Canéjan
Cestas
St-Jean-d'Illac
Martignas-sur-Jalle
Le Haillan
St-Loubès
Ste-Eulalie
Yvrac
Beychac-et-Caillau
Planète Bordeaux
Fargues-St-Hilaire
Carignan-de-Bordeaux
Cénac
Camblanes-et-Meynac
Quinsac
Sadirac
Madirac
Lignan-de-B.
Bonnetan
Loupes
Croignon
Cursan
Camarsac
Salleboeuf
Pompignac
BORDEAUX-MÉRIGNAC
St-Symphorien
St-Léger-de-Balson
Saugnacq-et-
Biganon
Mano
BORDEAUX
0 200 m
LES CHARTRONS
Cité mondiale
CAPC- Musée d'Art contemporain
Jardin public
Muséum d'histoire naturelle
Petit Hôtel Labottière
Palais Gallien
Monument aux Girondins
Esplanade des Quinconces
Basilique St-Seurin
Site archéologique de St-Seurin
Grand Théâtre
Notre-Dame
Hôtel Acquart
Hôtel Pichon
Passage Sarget
Place de la Bourse
Miroir d'eau
Musée national des Douanes
Bordeaux Patrimoine mondial
Porte Dijeaux
PEY-BERLAND
VIEUX BORDEAUX
M. des Arts décoratifs
Centre Jean-Moulin
Galerie des Beaux-Arts
Palais Rohan
St-André
Tour Pey-Berland
St-Bruno
MÉRIADECK
Musée des Beaux-Arts
Hôtel de Région
Cimetière de la Chartreuse
St-Paul-les-Dominicains
Musée d'Aquitaine
Maison de Jeanne de Lartigue
Porte de Bourgogne
Porte de la Grosse Cloche
Flèche St-Michel
St-Michel
Porte Cailhau
Pl. du Palais
Square Vinet
Pl. St-Pierre
Pl. du Parlement
Tribunal de grande instance
Porte d'Aquitaine
Abbatiale Ste-Croix
Pl. des Capucins
Musée des Compagnons du Tour de France
Pont de Pierre
GARONNE
LA BASTIDE
Jardin botanique
Parc aux Angéliques
Darwin
ST-JEAN
ST-MICHEL
STE-EULALIE
ST-VICTOR
ST-NICOLAS
NOTRE-DAME DES ANGES
Cours de l'Intendance
Cours Xavier Arnozan
Pl. Gambetta
Pl. de la Victoire
Pl. de la Comédie
Pl. des Quinconces

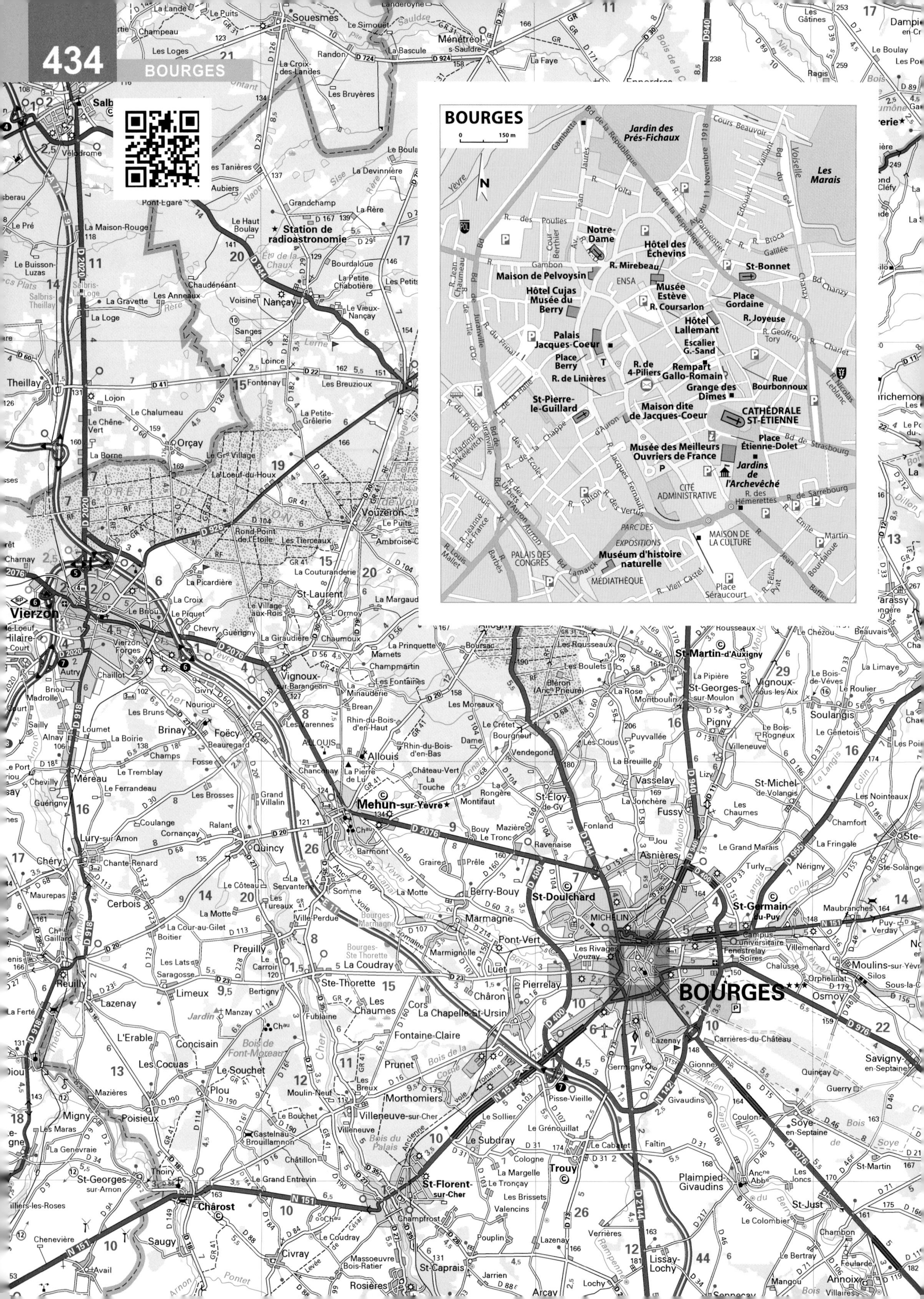
BOURGES
0
150 m
N
Jardin des Prés-Fichaux
Les Marais
Cours Beauvoir
Notre-Dame
Hôtel des Échevins
R. Mirebeau
St-Bonnet
Maison de Pelvoysin
ENSA
Hôtel Cujas Musée du Berry
Musée Estève
R. Coursarlon
Place Gordaine
Hôtel Lallemant
R. Joyeuse
Palais Jacques-Coeur
Escalier G.-Sand
Place Berry
R. de 4-Piliers
Rempart Gallo-Romain
R. de Linières
Rue Bourbonnoux
Grange des Dîmes
St-Pierre-le-Guillard
Maison dite de Jacques-Coeur
CATHÉDRALE ST-ÉTIENNE
Musée des Meilleurs Ouvriers de France
Place Étienne-Dolet
Jardins de l'Archevêché
CITÉ ADMINISTRATIVE
R. des Hémerettes
PARC DES EXPOSITIONS
MAISON DE LA CULTURE
PALAIS DES CONGRÈS
Muséum d'histoire naturelle
MÉDIATHÈQUE
Place Séraucourt
Bd de Strasbourg
Bd Chanzy
R. de Sarrebourg
Vierzon
Salbris
Souesmes
Ménétréol-s-Sauldre
Station de radioastronomie
Nançay
Theillay
Orçay
FORÊT DE VIERZON
Vouzeron
St-Laurent
Vignoux-sur-Barangeon
Foëcy
Brinay
Allouis
Mehun-sur-Yèvre
Quincy
Lury-sur-Arnon
Méreau
Cerbois
Reuilly
Limeux
St-Martin-d'Auxigny
St-Georges-sur-Moulon
Vignoux-sous-les-Aix
Soulangis
Pigny
Vasselay
St-Éloy-de-Gy
Fussy
St-Michel-de-Volangis
Asnières
St-Doulchard
Marmagne
Berry-Bouy
St-Germain-du-Puy
Moulins-sur-Yèvre
BOURGES
Osmoy
Savigny-en-Septaine
Soye-en-Septaine
Lazenay
Trouy
Plaimpied-Givaudins
St-Florent-sur-Cher
Lunery
Villeneuve-sur-Cher
Charost
Chârost
Lissay-Lochy
Annoix
St-Just
Poisieux
Migny
St-Georges-sur-Arnon
Plou
Civray
Morthomiers
Le Subdray
La Chapelle-St-Ursin
Ste-Thorette
Preuilly
Lazenay
Fontaine-Claire
Chârost
A 71
E 11
N 151
N 142
D 2076
D 940
D 944
D 976

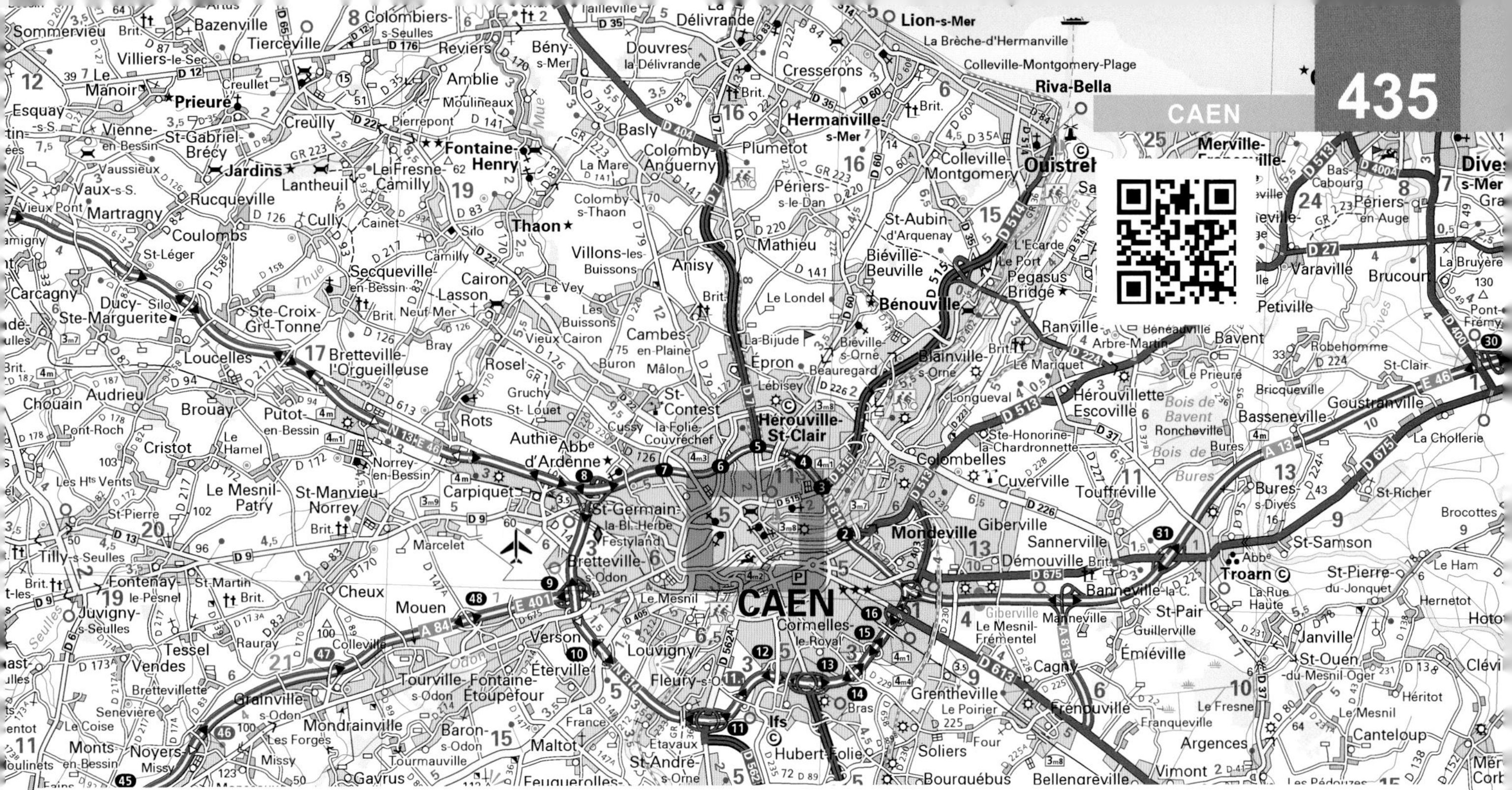
Lion-s-Mer
Riva-Bella
Ouistreham
Hermanville-s-Mer
Douvres-la-Délivrande
Creully
Fontaine-Henry
Thaon
Bénouville
Pegasus Bridge
Hérouville-St-Clair
Mondeville
Colombelles
Giberville
Troarn
Bretteville-l'Orgueilleuse
Carpiquet
Bretteville-s-Odon
Verson
Louvigny
Fleury-s-Orne
Ifs
Cormelles-le-Royal
Hubert-Folie
Bourguébus
Soliers
Grentheville
Cagny
Frénouville
Argences
Évrecy
Tilly-s-Seulles
Dives-s-Mer
Cabourg
Varaville
Bavent
Athis Val de Rouvre
CAEN

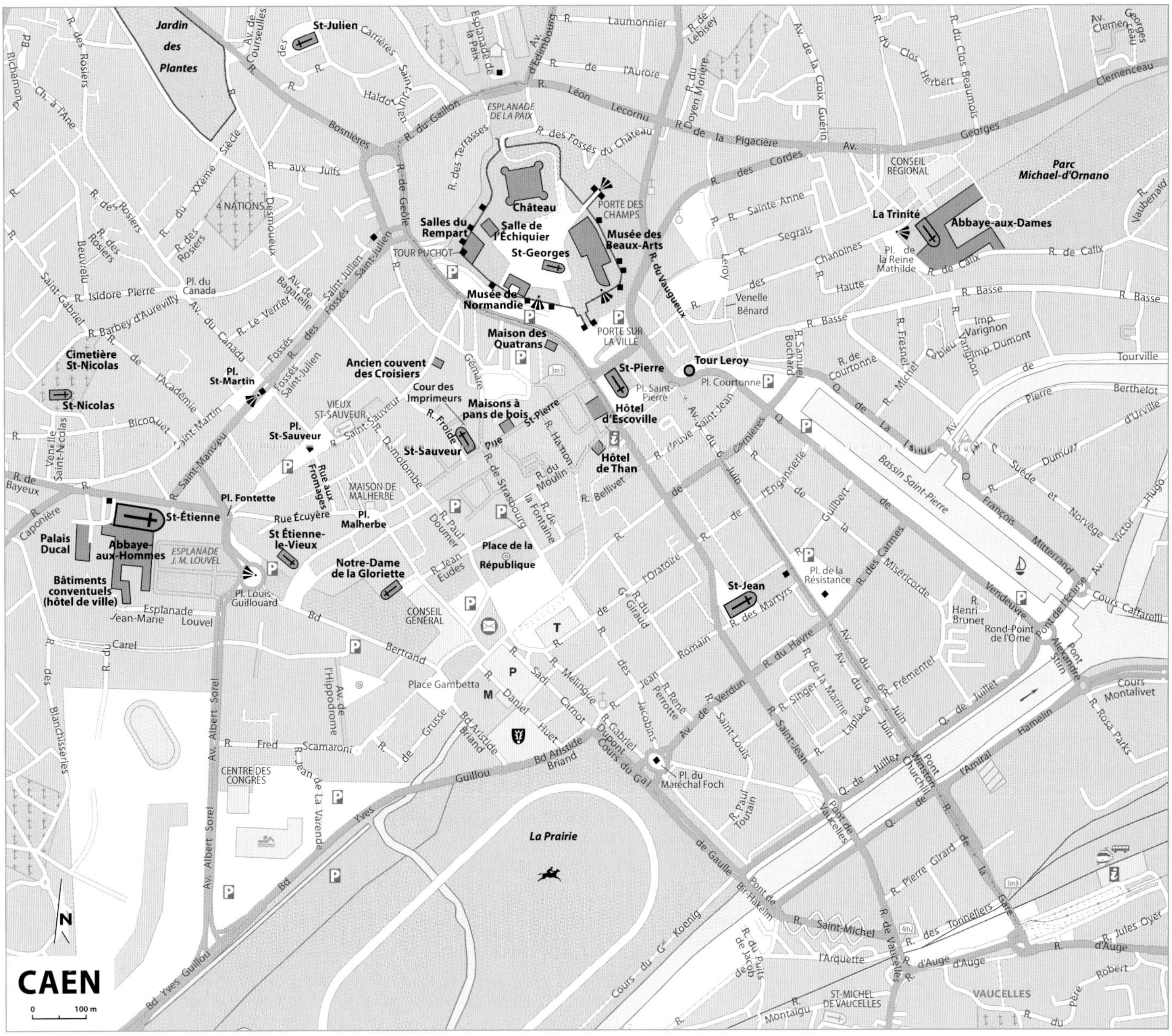
CAEN
0 100 m
N
Jardin des Plantes
St-Julien
Château
Esplanade de la Paix
Porte des Champs
Salles du Rempart
Salle de l'Échiquier
St-Georges
Musée des Beaux-Arts
Tour Puchot
Musée de Normandie
Porte sur la Ville
Maison des Quatrans
Ancien couvent des Croisiers
Cour des Imprimeurs
Maisons à pans de bois
Vieux St-Sauveur
St-Sauveur
Pl. St-Sauveur
St-Pierre
Hôtel d'Escoville
Hôtel de Than
Tour Leroy
Pl. Courtonne
Conseil Régional
La Trinité
Abbaye-aux-Dames
Parc Michael-d'Ornano
Pl. de la Reine Mathilde
Cimetière St-Nicolas
St-Nicolas
Pl. St-Martin
Pl. Fontette
St-Étienne
Abbaye-aux-Hommes
Palais Ducal
Bâtiments conventuels (hôtel de ville)
Esplanade J. M. Louvel
Pl. Louis-Guillouard
St-Étienne-le-Vieux
Pl. Malherbe
Maison de Malherbe
Rue aux Fromages
Rue Écuyère
Notre-Dame de la Gloriette
Place de la République
Conseil Général
Place Gambetta
Centre des Congrès
La Prairie
St-Jean
Pl. de la Résistance
Bassin Saint-Pierre
Rond-Point de l'Orne
Pl. du Maréchal Foch
Cours Caffarelli
Cours Montalivet
Vaucelles
St-Michel de Vaucelles
Bd Yves Guillou
Cours du Gal Koenig
Av. Albert Sorel
Bd Aristide Briand
Bd Bertrand
Av. du 6 Juin
Q. de Juillet
Av. de la Libération
R. de Bayeux
R. Caponière
R. Saint-Manvieu
Fossés Saint-Julien
Av. du Canada
R. de Geôle
R. du Vaugueux
R. des Cordes
R. de la Pigacière
Av. Georges Clemenceau
R. Basse
R. de Calix
Pl. du Canada
R. Froide
R. St-Pierre
R. de Strasbourg
R. Saint-Jean
R. des Carmes
R. de Vaucelles

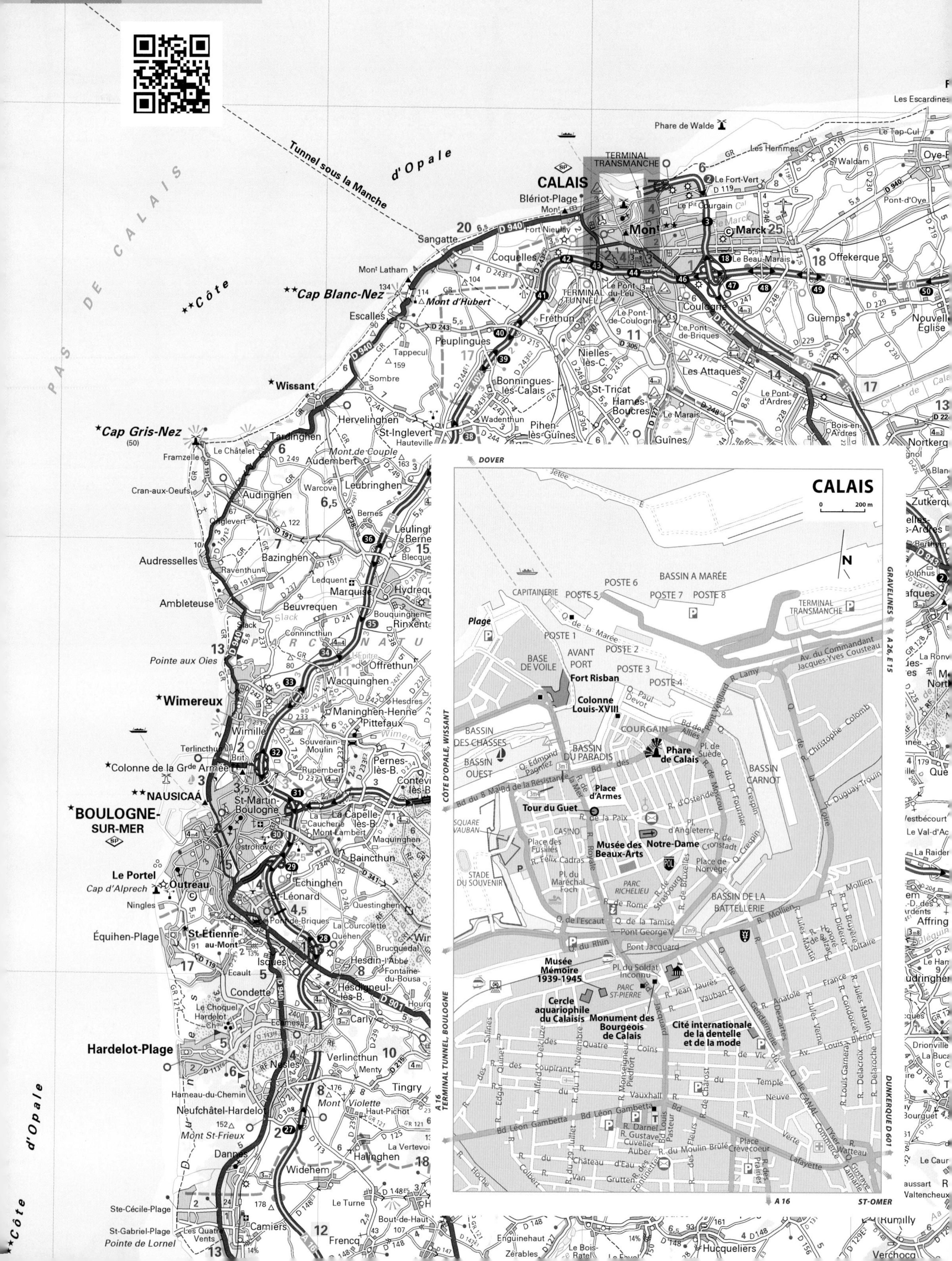

CALAIS
0 200 m
N
DOVER
BASSIN A MARÉE
POSTE 6
POSTE 5
POSTE 7
POSTE 8
CAPITAINERIE
TERMINAL TRANSMANCHE
Plage
POSTE 1
POSTE 2
POSTE 3
POSTE 4
BASE DE VOILE
AVANT PORT
Fort Risban
Colonne Louis-XVIII
Q. Paul Devot
Av. du Commandant Jacques-Yves Cousteau
R. Lamy
Pont Vetillard
COURGAIN
Phare de Calais
BASSIN DES CHASSES
BASSIN OUEST
BASSIN DU PARADIS
Pl. de Suède
BASSIN CARNOT
R. Christophe Colomb
R. Duguay-Trouin
Bd des Alliés
Q. de la Marée
Q. Edmond Pagniez
Bd de la Résistance
Bd du 8 Mai
Place d'Armes
Tour du Guet
R. de la Paix
R. d'Ostende
Pl. d'Angleterre
R. de Cronstadt
Q. du Dr Fournier
Q. Crespin
SQUARE VAUBAN
CASINO
Place des Fusillés
R. Félix Cadras
Musée des Beaux-Arts
Notre-Dame
Place de Norvège
STADE DU SOUVENIR
Pl. du Maréchal Foch
PARC RICHELIEU
R. de Strasbourg
R. de Bruxelles
R. de Rome
BASSIN DE LA BATTELLERIE
R. Mollien
Q. de l'Escaut
Q. de la Tamise
Pont George V
Q. du Rhin
Pont Jacquard
Musée Mémoire 1939-1945
Pl. du Soldat Inconnu
PARC ST-PIERRE
R. Jean Jaurès
R. Vauban
Cercle aquariophile du Calaisis
Monument des Bourgeois de Calais
Cité internationale de la dentelle et de la mode
R. Jules Martin
R. Honoré de Balzac
R. Diderot
R. Voltaire
R. Jules Verne
R. Condorcet
R. Descartes
R. Anatole France
R. Louis Gamerin
R. Delacroix
R. Delaroche
Av. Louis Blériot
Bd Léon Gambetta
R. Darnel
R. Gustave Cuvelier
R. Auber
R. du Moulin Brûlé
Place Crèvecoeur
Bd Lafayette
R. du Vauxhall
R. Neuve
R. du Temple
R. de Vic
R. des Quatre Coins
R. des Soupirants
R. des Salines
R. du Château d'Eau
R. Van Grutten
R. Hoche
R. Colbert
R. du 29 Juillet
R. Edgar Quinet
R. Alfred Delcluze
R. du 11 Novembre
R. Monseigneur Piedfort
Bd Jacquard
Bd Pasteur
R. de Charost
Q. de la Gendarmerie
Q. du Commerce
Q. de la Loire
Q. de l'Yser
Watteau
Gustave Lamarle
A 16
ST-OMER
DUNKERQUE D 601
GRAVELINES A 26, E 15
CÔTE D'OPALE, WISSANT
A 16 TERMINAL TUNNEL, BOULOGNE
Tunnel sous la Manche
PAS DE CALAIS
Côte d'Opale
CALAIS
Blériot-Plage
TERMINAL TRANSMANCHE
Phare de Walde
Les Escardines
Le Tap-Cul
Les Hemmes
Oye-Plage
Waldam
Le Fort-Vert
Le Pt Courgain
Marck
Pont-d'Oye
Offekerque
Le Beau-Marais
Sangatte
Fort Nieulay
Coquelles
Mont Latham
Cap Blanc-Nez
Mont d'Hubert
TERMINAL TUNNEL
Le Pont-du-Leu
Coulogne
Guemps
Nouvelle-Église
Escalles
Peuplingues
Fréthun
Le Pont-de-Coulogne
Le Pont-de-Briques
Tappecul
Nielles-lès-C.
Les Attaques
Wissant
Sombre
Bonningues-lès-Calais
St-Tricat
Hames-Boucres
Le Pont-d'Ardres
Le Marais
Cap Gris-Nez
Tardinghen
Hervelinghen
St-Inglevert
Hauteville
Wadenthun
Pihen-lès-Guînes
Guînes
Bois-en-Ardres
Nortkerque
Framzelle
Le Châtelet
Mont de Couple
Audembert
Cran-aux-Oeufs
Audinghen
Warcove
Leubringhen
Bernes
Onglevert
Leulinghen-Bernes
Audresselles
Bazinghen
Raventhun
Blecquenecques
Ledquent
Marquise
Hydrequent
Ambleteuse
Beuvrequen
Slack
Bouquinghen
Rinxent
Conincthun
Pointe aux Oies
L'Épitre
Offrethun
Wacquinghen
Wimereux
Hesdres
Maninghen-Henne
Pittefaux
Wimille
Souverain-Moulin
Terlincthun
Colonne de la Grde Armée
Rupembert
Pernes-lès-B.
Conteville-lès-B.
NAUSICAÁ
BOULOGNE-SUR-MER
St-Martin-Boulogne
La Cauchérie
La Capelle-lès-B.
Mont-Lambert
Ostrohove
Maquinghen
Baincthun
Le Portel
Cap d'Alprech
Outreau
Echinghen
Ningles
St-Léonard
Questinghen
Pont-de-Briques
Équihen-Plage
St-Étienne-au-Mont
La Courcolette
Quehen
Brucquedal
Isques
Hesdin-l'Abbé
Fontaine-du-Bousa
Ecault
Condette
Hesdigneul-lès-B.
Le Choquel
Hardelot Château
Carly
Écames
Hardelot-Plage
Verlincthun
Nesles
Menty
Tingry
Hameau-du-Chemin
Mont Violette
Haut-Pichot
Neufchâtel-Hardelot
Mont St-Frieux
Dannes
La Vertevoie
Halinghen
Widehem
Le Turne
Bout-de-Haut
Ste-Cécile-Plage
St-Gabriel-Plage
Pointe de Lornel
Les Quatre Vents
Camiers
Frencq
Enguinehaut
Zérables
Le Bois-Ratel
Hucqueliers
Rumilly
Verchocq
Zutkerque
Que
Le Val-d'Ac
La Raider
Affring
Drionville
Valtencheux
Le Caur

CANNES
0 150 m
N
LE SUQUET
N.-D.-d'Espérance
Musée de la Castre
LE VIEUX PORT
Quai St-Pierre
Quai Max Laubeuf
Bd Jean Hibert
Rue Meynadier
Allées de la Liberté
HÔTEL DE VILLE ANNEXE
MARCHÉ FORVILLE
GARE MARITIME
CASINO
SPLENDID
N.-D. DE BON VOYAGE
MAJESTIC
SQ. R. HAHN
Palais des Festivals et des Congrès
Malmaison
CARLTON
ESPACE MIRAMAR
MARTINEZ
Boulevard de la Croisette
Bd d'Alsace
Bd de Lorraine
Bd Montfleury
Av. Isola Bella
CHAPELLE DU SOUVENIR
Rue d'Antibes
GRASSE
Mougins
Le Cannet
Vallauris
Golfe-Juan
Juan-les-Pins
ANTIBES
Cap d'Antibes
Biot
Valbonne
Sophia-Antipolis
Cagnes-s-M.
NICE
NICE CÔTE-D'AZUR
Baie des Anges
Mandelieu-la-Napoule
CANNES
Golfe de la Napoule
La Napoule
Théoule-sur-Mer
Île Ste-Marguerite
Île St-Honorat
Îles de Lérins
Massif du Tanneron
Massif de l'Esterel
Pic de l'Ours
Pic du Cap Roux
Le Trayas
Agay
Anthéor
St-Raphaël
CÔTE D'AZUR
Levens
Carros
Colomars
St-Vallier-de-Thiey
Cabris
St-Cézaire-sur-Siagne
Montauroux
Pégomas
Auribeau-sur-Siagne
Mouans-Sartoux
Villeneuve-Loubet
St-Paul-de-Vence
La Colle-sur-Loup
Le Bar-s-Loup

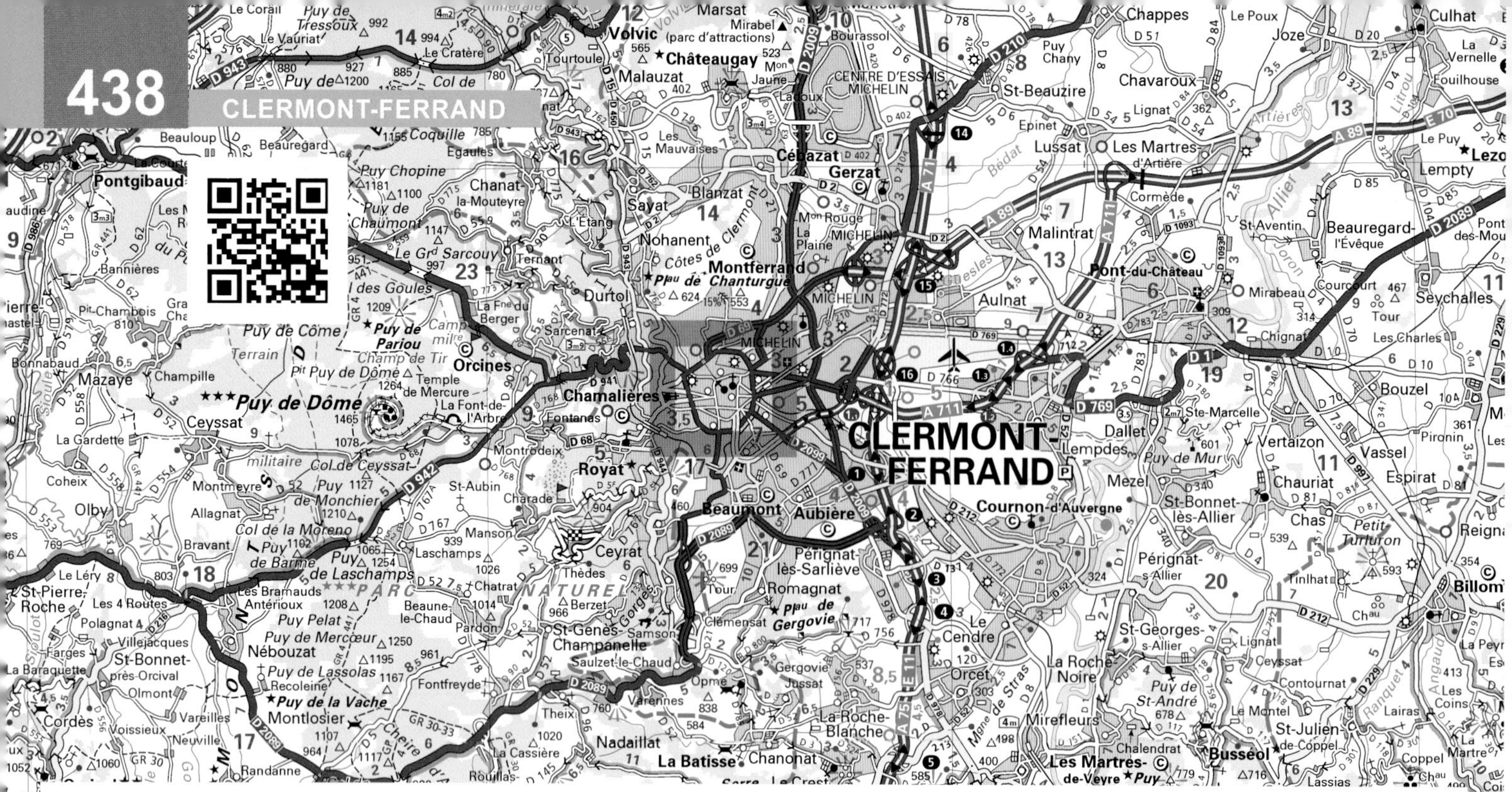
Pontgibaud
Volvic
Châteaugay
Malauzat
Cébazat
Gerzat
Blanzat
Sayat
Nohanent
Montferrand
Durtol
Orcines
Puy de Dôme
Ceyssat
Chamalières
Royat
CLERMONT-FERRAND
Beaumont
Aubière
Pérignat-lès-Sarliève
Romagnat
Ceyrat
Plateau de Gergovie
Cournon-d'Auvergne
Lempdes
Pont-du-Château
Aulnat
Malintrat
Lussat
Les Martres-d'Artière
St-Beauzire
Chappes
Joze
Culhat
Lezoux
Beauregard-l'Évêque
Seychalles
Vertaizon
Billom
Dallet
Mezel
Chauriat
Vassel
Espirat
St-Bonnet-lès-Allier
Pérignat-s-Allier
St-Georges-s-Allier
Le Cendre
Orcet
La Roche-Blanche
Mirefleurs
La Roche Noire
Busséol
St-Julien-de-Coppel
Les Martres-de-Veyre
La Batisse
Chanonat
Nadaillat
Saulzet-le-Chaud
St-Genès-Champanelle
Nébouzat
Montlosier
Puy de la Vache
Puy de Lassolas
Puy Pelat
Olby
Mazaye
Ceyssat
Puy de Pariou
Puy de Côme
Puy Chopine
Aubignat
Chastrix
La Brugière
Fourges
Boisseuge
Le Fayet
Heume
Boutaresse
La Bastide
Lascombes
Vivert
Pradet
Féchal
Planzol
Besse
Arvant
Rilhac
Vergonghe

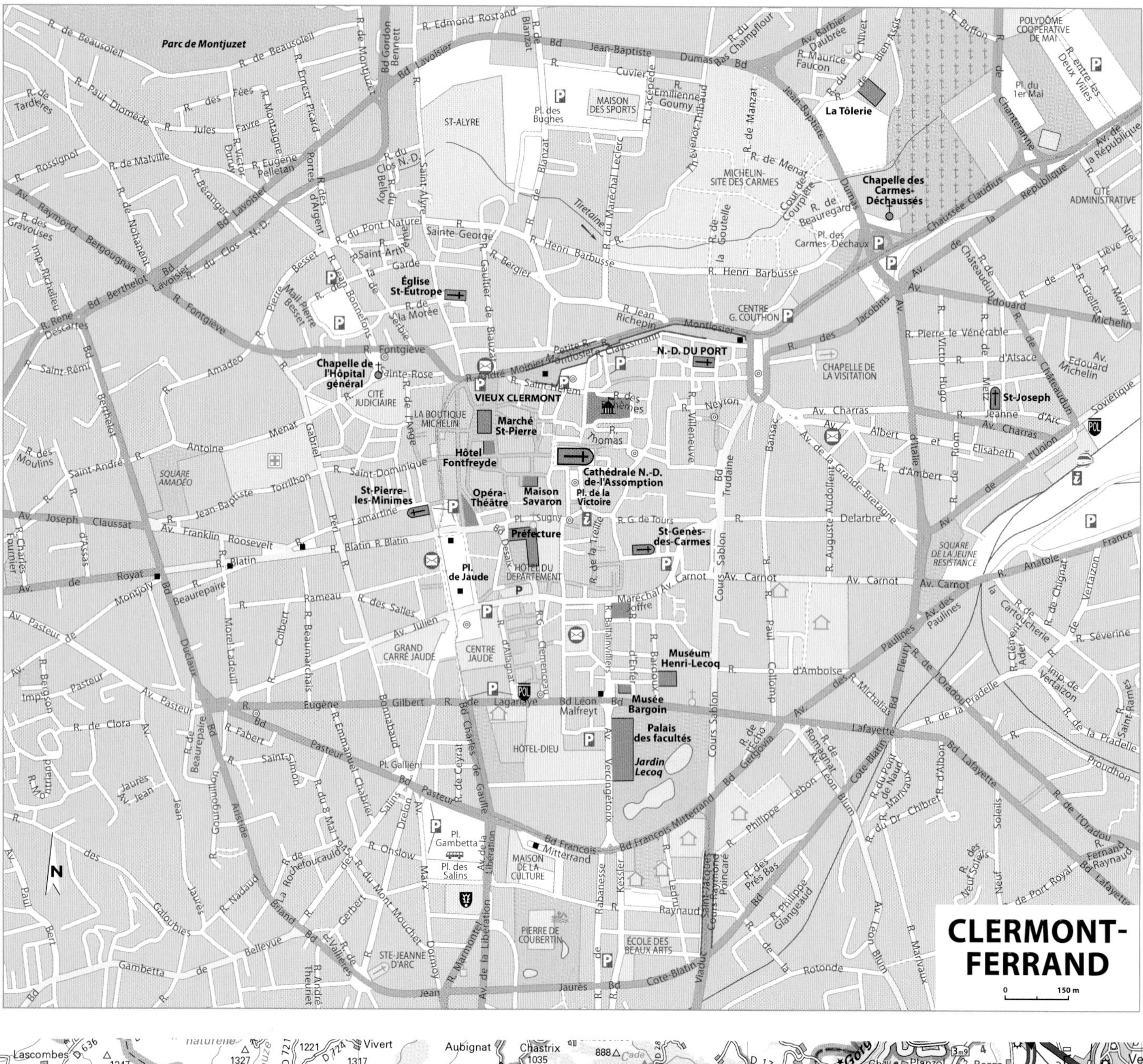
CLERMONT-FERRAND
0
150 m
N
Parc de Montjuzet
ST-ALYRE
MAISON DES SPORTS
La Tôlerie
POLYDÔME COOPÉRATIVE DE MAI
MICHELIN-SITE DES CARMES
Chapelle des Carmes-Déchaussés
CITÉ ADMINISTRATIVE
Église St-Eutrope
CENTRE G. COUTHON
N.-D. DU PORT
CHAPELLE DE LA VISITATION
Chapelle de l'Hôpital général
CITÉ JUDICIAIRE
VIEUX CLERMONT
LA BOUTIQUE MICHELIN
Marché St-Pierre
Hôtel Fontfreyde
Cathédrale N.-D. de-l'Assomption
St-Joseph
SQUARE AMADÉO
St-Pierre-les-Minimes
Opéra-Théâtre
Maison Savaron
Pl. de la Victoire
Préfecture
St-Genès-des-Carmes
Pl. de Jaude
HÔTEL DU DÉPARTEMENT
SQUARE DE LA JEUNE RÉSISTANCE
GRAND CARRÉ JAUDE
CENTRE JAUDE
Muséum Henri-Lecoq
Musée Bargoin
Palais des facultés
Jardin Lecoq
HÔTEL-DIEU
Pl. Gallien
Pl. Gambetta
Pl. des Salins
MAISON DE LA CULTURE
PIERRE DE COUBERTIN
ÉCOLE DES BEAUX ARTS
STE-JEANNE D'ARC
Bd Lavoisier
Bd Jean-Baptiste Dumas
Bd Berthelot
Bd Fonfrède
Av. de la République
Chaussée Claudius
R. Henri Barbusse
Av. des Jacobins
Av. Charras
Av. Carnot
Av. Julien
R. Blatin
Av. Franklin Roosevelt
Av. de Royat
Av. Pasteur
Bd Gergovia
Bd Lafayette
Bd François Mitterrand
Bd Charles de Gaulle
Av. de la Libération
Cours Sablon
Bd Trudaine
Av. Vercingétorix
Av. de l'Union Soviétique
Bd Côte-Blatin
Av. Édouard Michelin
R. de l'Oradou
Bd Jean Jaurès

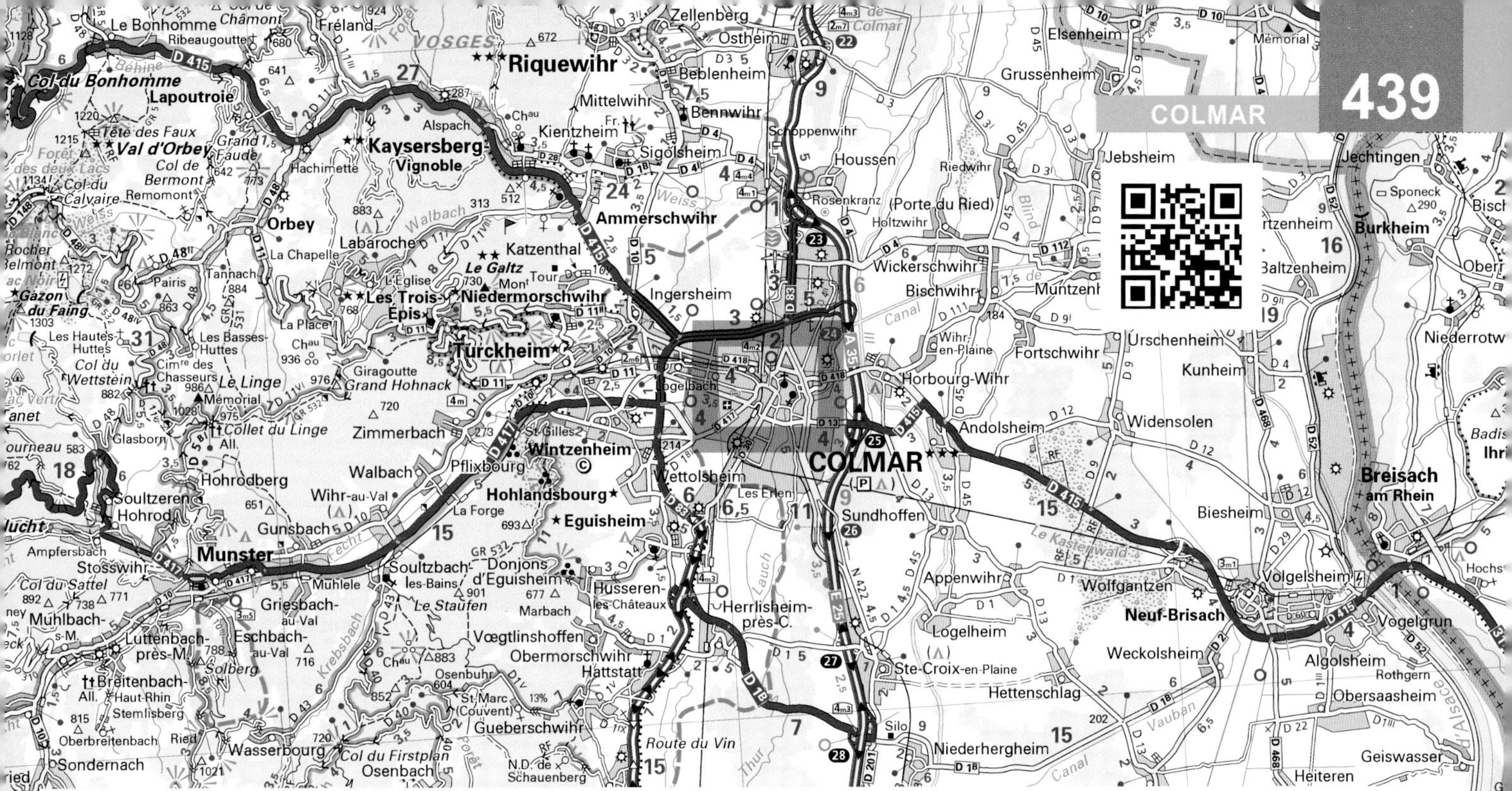
Riquewihr
Kaysersberg
Vignoble
Ammerschwihr
Turckheim
Wintzenheim
Eguisheim
Munster
COLMAR
Horbourg-Wihr
Neuf-Brisach
Breisach am Rhein
Sundhoffen
Ingersheim
Wettolsheim

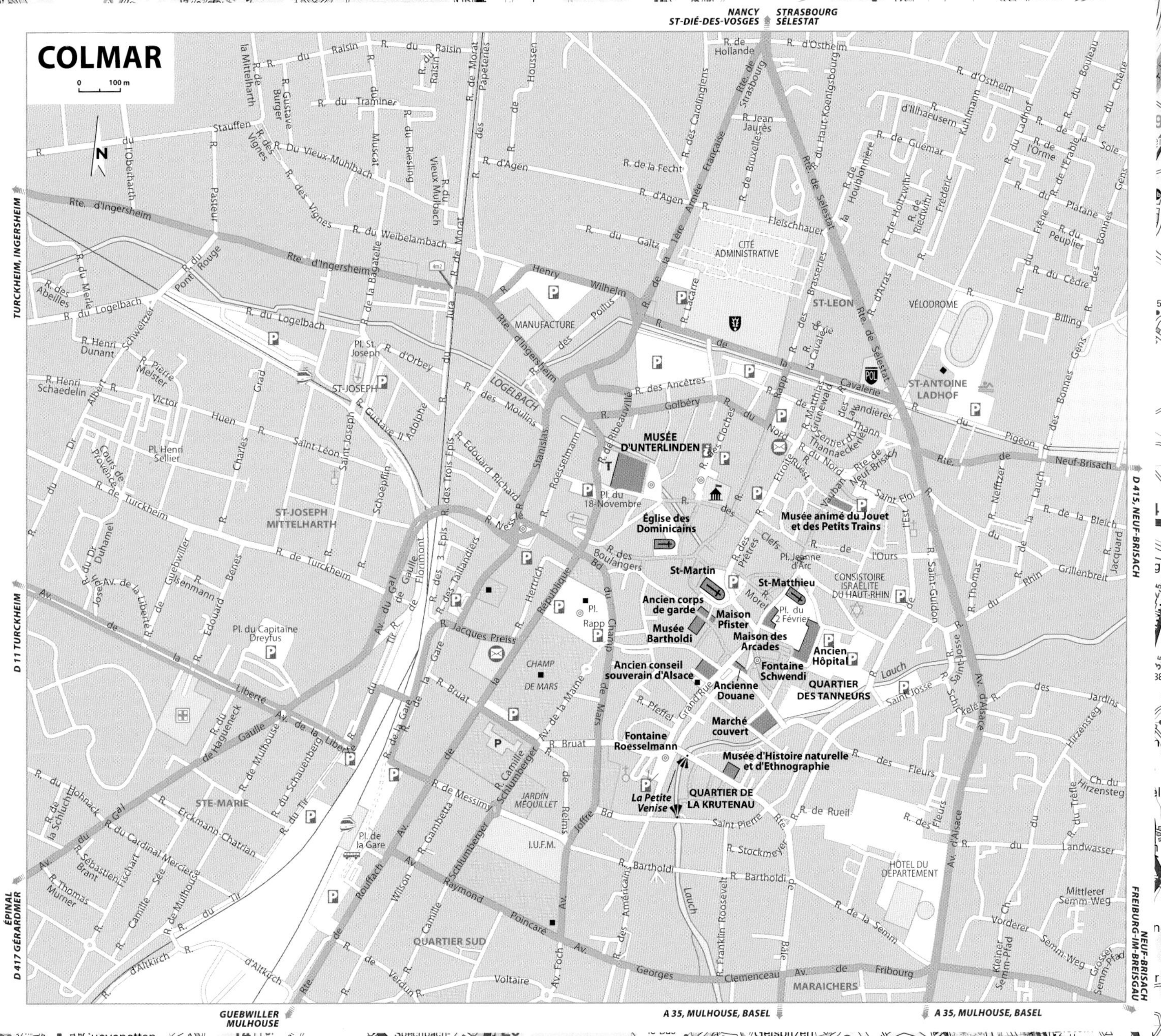
COLMAR
0
100 m
N
NANCY
ST-DIÉ-DES-VOSGES
STRASBOURG
SÉLESTAT
TURCKHEIM, INGERSHEIM
D 11 TURCKHEIM
D 417 GÉRARDMER
ÉPINAL
GUEBWILLER
MULHOUSE
A 35, MULHOUSE, BASEL
A 35, MULHOUSE, BASEL
D 415, NEUF-BRISACH
NEUF-BRISACH
FREIBURG-IM-BREISGAU
CITÉ ADMINISTRATIVE
MANUFACTURE
ST-LEON
VÉLODROME
ST-ANTOINE LADHOF
ST-JOSEPH
LOGELBACH
MUSÉE D'UNTERLINDEN
Église des Dominicains
Musée animé du Jouet et des Petits Trains
St-Martin
St-Matthieu
CONSISTOIRE ISRAÉLITE DU HAUT-RHIN
Ancien corps de garde
Maison Pfister
Musée Bartholdi
Maison des Arcades
Ancien Hôpital
Ancien conseil souverain d'Alsace
Fontaine Schwendi
Ancienne Douane
QUARTIER DES TANNEURS
Marché couvert
Fontaine Roesselmann
Musée d'Histoire naturelle et d'Ethnographie
La Petite Venise
QUARTIER DE LA KRUTENAU
ST-JOSEPH MITTELHARTH
CHAMP DE MARS
JARDIN MÉQUILLET
I.U.F.M.
STE-MARIE
QUARTIER SUD
HÔTEL DU DÉPARTEMENT
MARAICHERS
Pl. de la Gare
Pl. du Capitaine Dreyfus
Pl. Rapp
Pl. du 18-Novembre
Pl. Jeanne d'Arc
Pl. du 2 Février
Pl. Henri Sellier
Av. de la Liberté
Av. Georges Clemenceau
Av. de Fribourg
Av. d'Alsace
Rte. d'Ingersheim
Rte. de Neuf-Brisach
Av. Raymond Poincaré

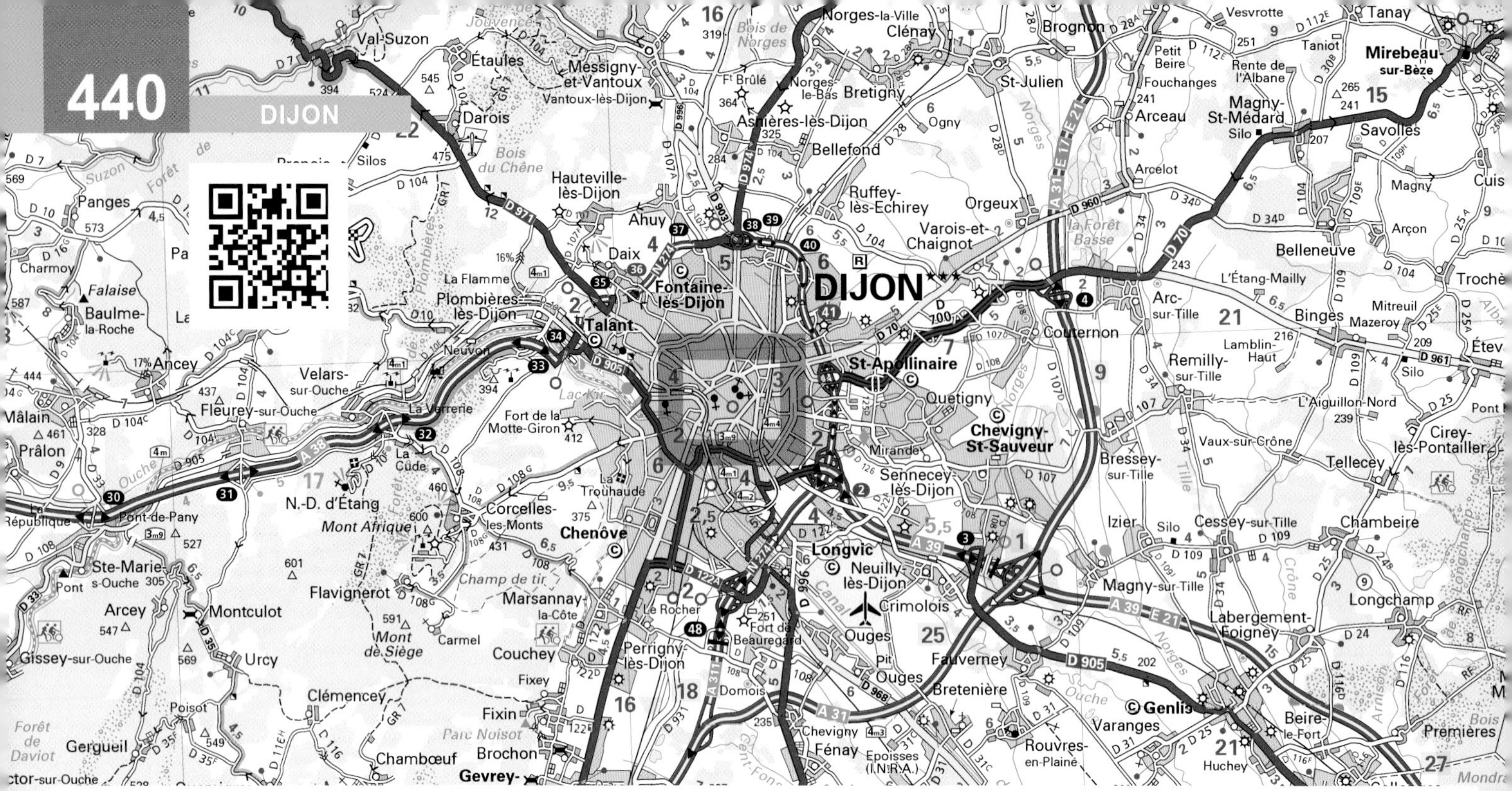
Val-Suzon
Étaules
Messigny-et-Vantoux
Vantoux-lès-Dijon
Norges-la-Ville
Clénay
Brognon
Vesvrotte
Tanay
Mirebeau-sur-Bèze
Darois
Asnières-lès-Dijon
Bretigny
St-Julien
Arceau
Magny-St-Médard
Savolles
Bellefond
Ruffey-lès-Echirey
Orgeux
Varois-et-Chaignot
Arcelot
Panges
Hauteville-lès-Dijon
Ahuy
Daix
Fontaine-lès-Dijon
DIJON
Belleneuve
Charmoy
Falaise
Baulme-la-Roche
Plombières-lès-Dijon
Talant
La Flamme
Arc-sur-Tille
Couternon
Binges
Mitreuil
Mazerov
Ancey
Velars-sur-Ouche
Neuvon
St-Apollinaire
Quetigny
Remilly-sur-Tille
Lamblin-Haut
Mâlain
Fleurey-sur-Ouche
La Verrerie
Fort de la Motte-Giron
Lac Kir
Chevigny-St-Sauveur
L'Aiguillon-Nord
Prâlon
La Cude
Mirande
Sennecey-lès-Dijon
Bressey-sur-Tille
Vaux-sur-Crône
Cirey-lès-Pontailler
Tellecey
N.-D. d'Étang
Mont Afrique
Corcelles-les-Monts
Trouhaude
Chenôve
Longvic
Izier
Cessey-sur-Tille
Chambeire
Pont-de-Pany
Ste-Marie-sur-Ouche
Pont
Flavignerot
Champ de tir
Marsannay-la-Côte
Neuilly-lès-Dijon
Crimolois
Magny-sur-Tille
Longchamp
Arcey
Montculot
Mont de Siège
Carmel
Le Rocher
Fort de Beauregard
Ouges
Labergement-Foigney
Gissey-sur-Ouche
Urcy
Couchey
Perrigny-lès-Dijon
Fauverney
Clémencey
Fixey
Domois
Bretenière
Genlis
Fixin
Brochon
Varanges
Beire-le-Fort
Premières
Gergueil
Chambœuf
Gevrey-
Chevigny
Fénay
Epoisses (I.N.R.A.)
Rouvres-en-Plaine
Huchey
A 38
A 39
A 31
E 21
E 17
D 905
D 971
D 70
D 974
D 996
D 968
La Chapelle
Les Quarante Arpents
Étang de Baignant
Baignant
Bragny-sur-Saône
Chauvort
Saunières
Frontenard

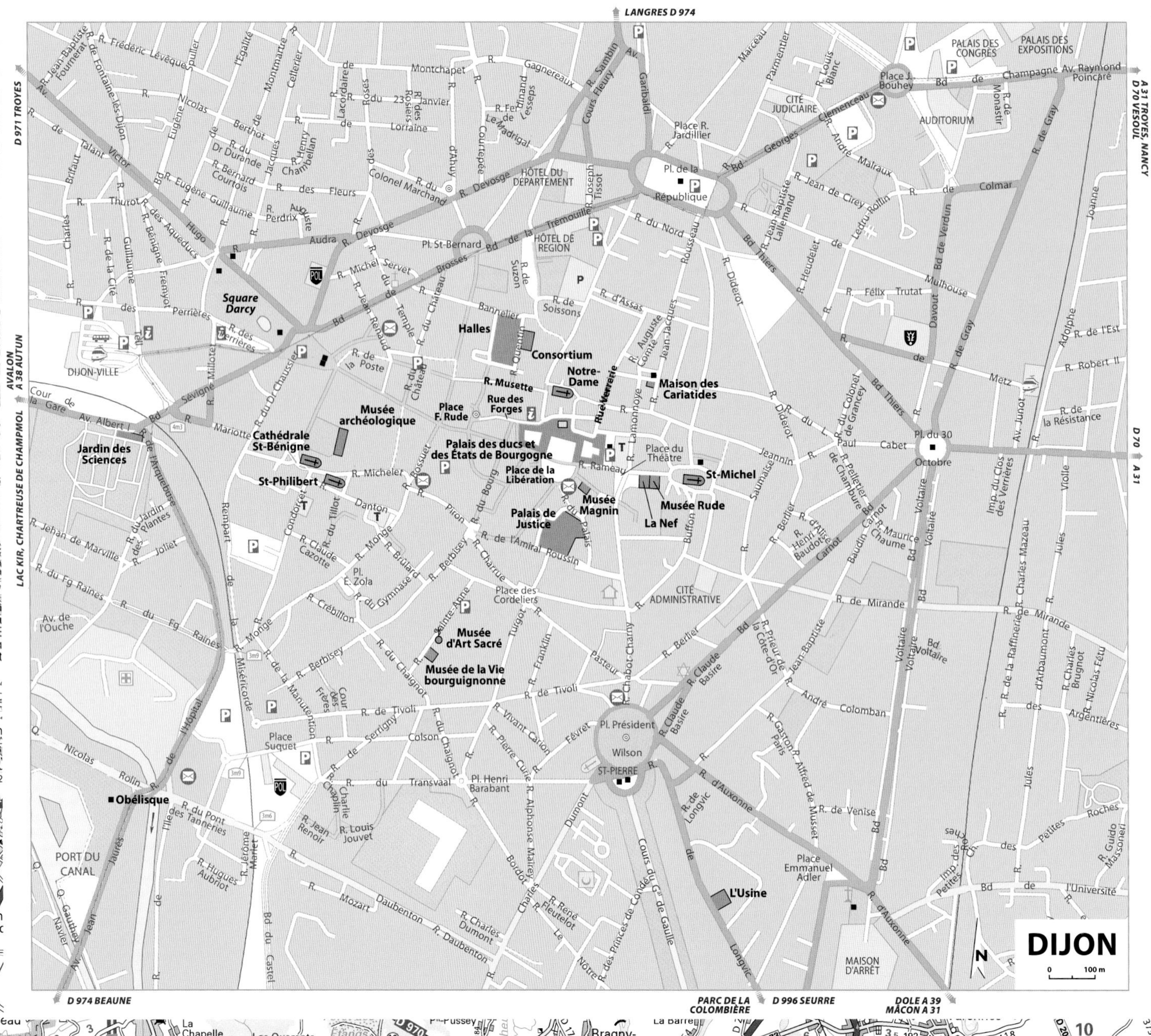
LANGRES D 974
D 971 TROYES
A 31 TROYES, NANCY D 70 VESOUL
AVALON A 38 AUTUN
LAC KIR, CHARTREUSE DE CHAMPMOL
D 70 A 31
D 974 BEAUNE
PARC DE LA COLOMBIÈRE
D 996 SEURRE
DOLE A 39 MÂCON A 31
PALAIS DES CONGRÈS
PALAIS DES EXPOSITIONS
Place J. Bouhey
AUDITORIUM
CITÉ JUDICIAIRE
Place R. Jardillier
Pl. de la République
HÔTEL DU DÉPARTEMENT
HÔTEL DE RÉGION
Pl. St-Bernard
Square Darcy
DIJON-VILLE
Halles
Consortium
Notre-Dame
Maison des Cariatides
R. Musette
Rue des Forges
Rue Verrerie
Place F. Rude
Musée archéologique
Cathédrale St-Bénigne
Palais des ducs et des États de Bourgogne
Place de la Libération
Place du Théâtre
St-Michel
Musée Rude
La Nef
Musée Magnin
Palais de Justice
St-Philibert
Jardin des Sciences
Pl. É. Zola
Place des Cordeliers
CITÉ ADMINISTRATIVE
Pl. du 30 Octobre
Musée d'Art Sacré
Musée de la Vie bourguignonne
Pl. Président Wilson
ST-PIERRE
Place Suquet
Pl. Henri Barabant
Obélisque
PORT DU CANAL
Place Emmanuel Adler
L'Usine
MAISON D'ARRÊT
Cours du Gal de Gaulle
Bd de Strasbourg
Av. Albert Ier
Cour de la Gare
Bd de Sévigne
R. Devosge
Bd de la Trémouille
Bd Thiers
Bd de Verdun
Bd Voltaire
Bd Carnot
R. de Mirande
R. d'Auxonne
R. de Longvic
Bd de Champagne
Av. Raymond Poincaré
DIJON
0 100 m

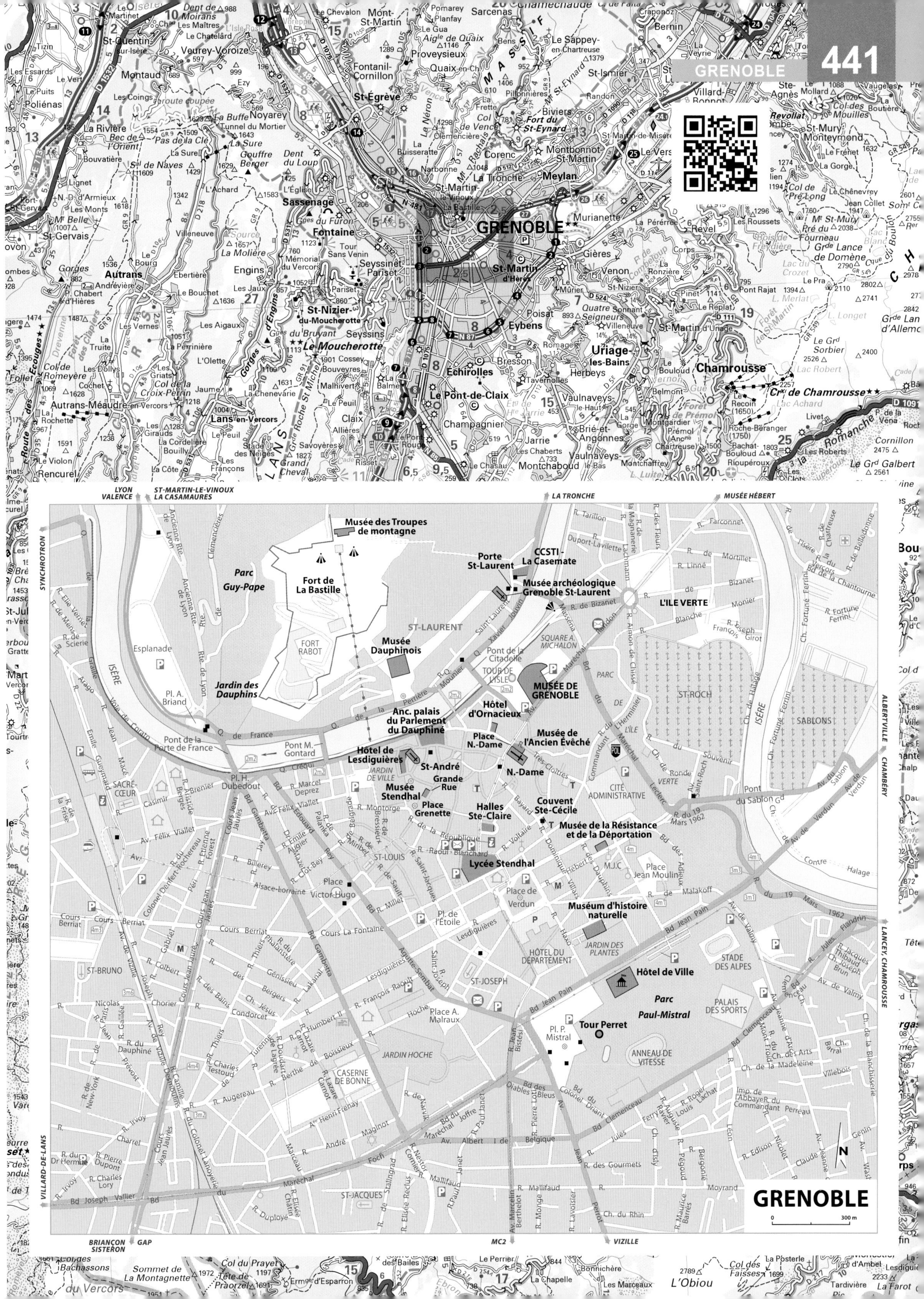
GRENOBLE
St-Égrève
Sassenage
Fontaine
Seyssinet-Pariset
Seyssins
St-Nizier-du-Moucherotte
Le Moucherotte
Lans-en-Vercors
Autrans
Autrans-Méaudre-en-Vercors
Engins
Meylan
Montbonnot-St-Martin
La Tronche
Corenc
St-Martin-d'Hères
Gières
Eybens
Échirolles
Le Pont-de-Claix
Claix
Uriage-les-Bains
Chamrousse
Cx de Chamrousse
Vaulnaveys-le-Haut
Vizille
Le Sappey-en-Chartreuse
Fort du St-Eynard
Bernin
Crolles
Musée des Troupes de montagne
Fort de La Bastille
Parc Guy-Pape
Jardin des Dauphins
CCSTI - La Casemate
Musée archéologique Grenoble St-Laurent
Musée Dauphinois
MUSÉE DE GRENOBLE
Anc. palais du Parlement du Dauphiné
Hôtel de Lesdiguières
St-André
Musée Stendhal
Place Grenette
Hôtel d'Ornacieux
Place N.-Dame
Musée de l'Ancien Évêché
N.-Dame
Halles Ste-Claire
Couvent Ste-Cécile
Musée de la Résistance et de la Déportation
Lycée Stendhal
Place Victor-Hugo
Museum d'histoire naturelle
Jardin des Plantes
Hôtel du Département
Hôtel de Ville
Parc Paul-Mistral
Tour Perret
Stade des Alpes
Palais des Sports
Anneau de Vitesse
Caserne de Bonne
Jardin Hoche
L'ILE VERTE
ST-LAURENT
ST-ROCH
SABLONS
ST-BRUNO
ST-JOSEPH
ST-JACQUES
ST-LOUIS
ISÈRE
LYON VALENCE
ST-MARTIN-LE-VINOUX LA CASAMAURES
LA TRONCHE
MUSÉE HÉBERT
SYNCHROTRON
ALBERTVILLE CHAMBÉRY
LANCEY, CHAMROUSSE
VILLARD-DE-LANS
BRIANÇON SISTERON
GAP
MC2
VIZILLE
GRENOBLE
300 m

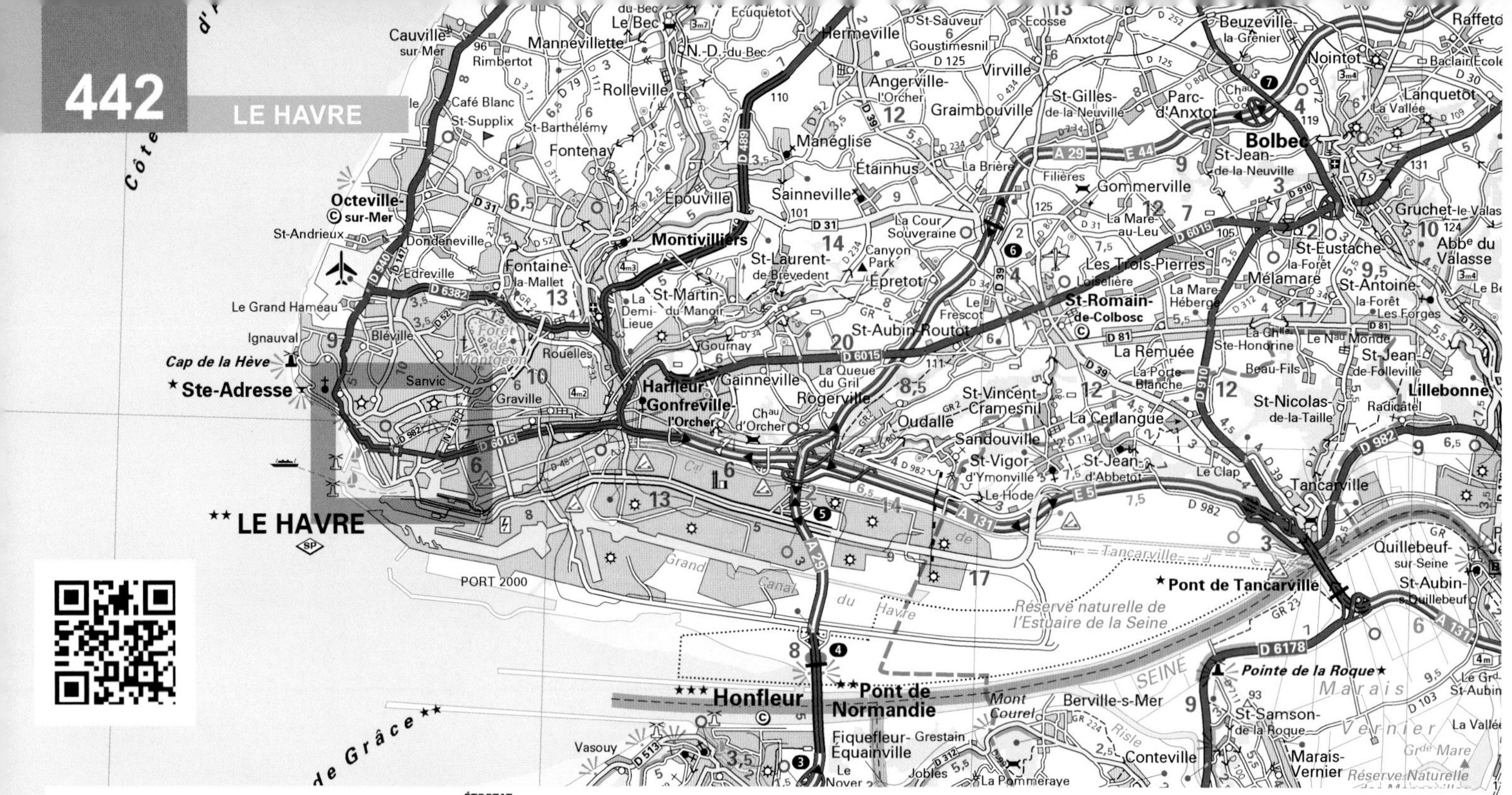

Octeville-sur-Mer
Montivilliers
Harfleur
Gonfreville-l'Orcher
Ste-Adresse
Cap de la Hève
LE HAVRE
PORT 2000
Grand Canal du Havre
Réserve naturelle de l'Estuaire de la Seine
Honfleur
Pont de Normandie
Pont de Tancarville
Tancarville
Quillebeuf-sur-Seine
St-Romain-de-Colbosc
Bolbec
Lillebonne
Gommerville
Épouville
Rolleville
Fontenay
Fontaine-la-Mallet
Rouelles
Gainneville
St-Vigor-d'Ymonville
Sandouville
Oudalle
Rogerville
St-Aubin-Routot
La Remuée
St-Eustache-la-Forêt
Mélamare
St-Antoine-la-Forêt
Gruchet-le-Valasse
Pointe de la Roque
Marais Vernier
Fiquefleur-Équainville
Berville-s-Mer
Conteville
SEINE
A 29
A 131
E 5
E 44
D 6015
D 982

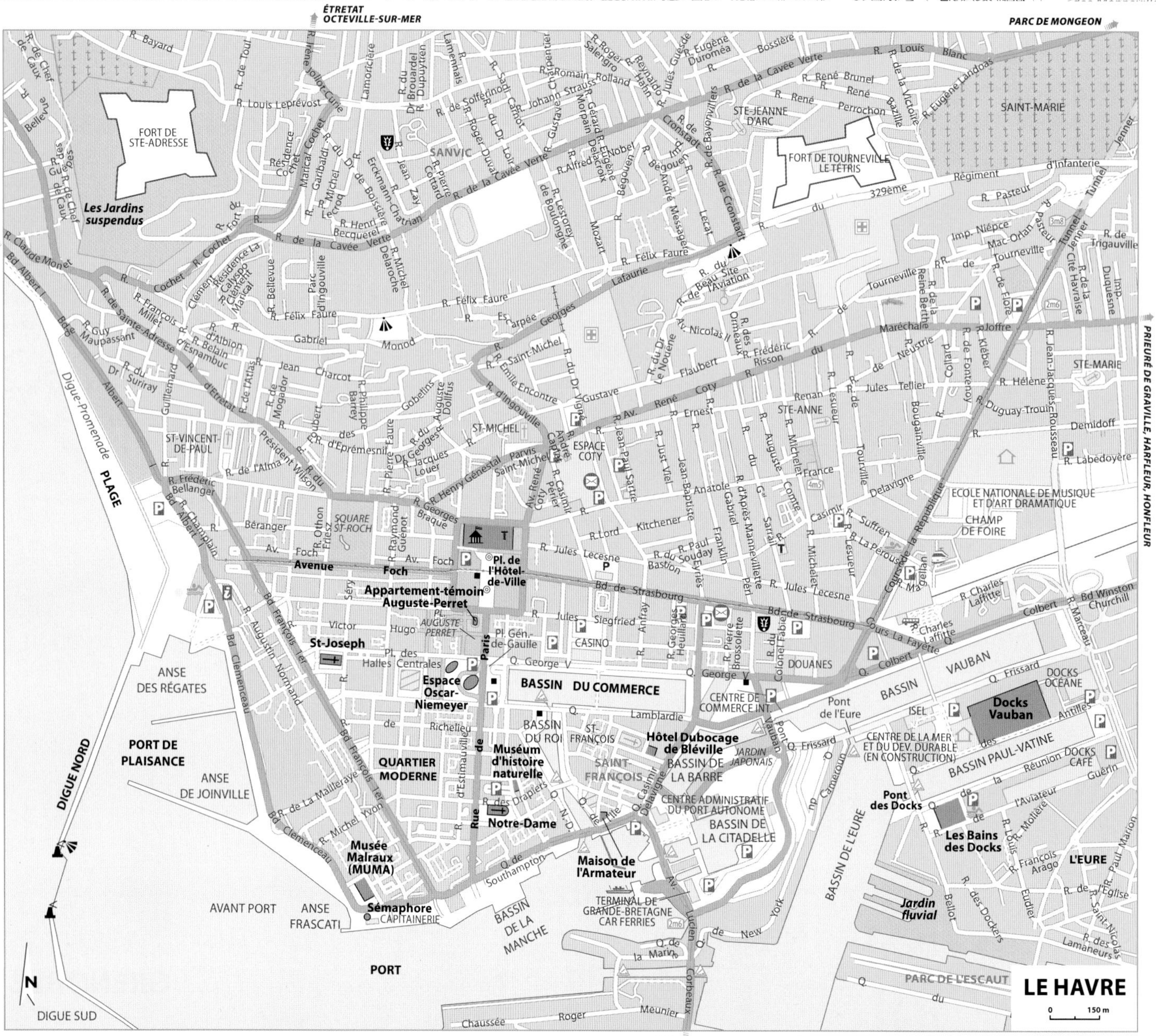

ÉTRETAT OCTEVILLE-SUR-MER
PARC DE MONGEON
STE-ADRESSE, ÉTRETAT
PRIEURÉ DE GRAVILLE, HARFLEUR, HONFLEUR
PORT
FORT DE STE-ADRESSE
Les Jardins suspendus
FORT DE TOURNEVILLE LE TÉTRIS
SANVIC
STE-JEANNE D'ARC
SAINT-MARIE
ST-VINCENT-DE-PAUL
ST-MICHEL
ESPACE COTY
STE-ANNE
STE-MARIE
ECOLE NATIONALE DE MUSIQUE ET D'ART DRAMATIQUE
CHAMP DE FOIRE
PLAGE
SQUARE ST-ROCH
Avenue Foch
Pl. de l'Hôtel-de-Ville
Appartement-témoin Auguste-Perret
St-Joseph
Espace Oscar-Niemeyer
BASSIN DU COMMERCE
QUARTIER MODERNE
Muséum d'histoire naturelle
Notre-Dame
Musée Malraux (MUMA)
Sémaphore
CAPITAINERIE
Maison de l'Armateur
Hôtel Dubocage de Bléville
SAINT-FRANÇOIS
JARDIN JAPONAIS
BASSIN DE LA BARRE
BASSIN DE LA CITADELLE
CENTRE ADMINISTRATIF DU PORT AUTONOME
TERMINAL DE GRANDE-BRETAGNE CAR FERRIES
BASSIN DE LA MANCHE
ANSE DES RÉGATES
PORT DE PLAISANCE
ANSE DE JOINVILLE
DIGUE NORD
AVANT PORT
ANSE FRASCATI
DIGUE SUD
DOUANES
CENTRE DE COMMERCE INT.
BASSIN VAUBAN
Docks Vauban
DOCKS OCÉANE
CENTRE DE LA MER ET DU DEV. DURABLE (EN CONSTRUCTION)
BASSIN PAUL-VATINE
DOCKS CAFÉ
Pont des Docks
Les Bains des Docks
L'EURE
Jardin fluvial
BASSIN DE L'EURE
PARC DE L'ESCAUT
LE HAVRE
0 150 m
N

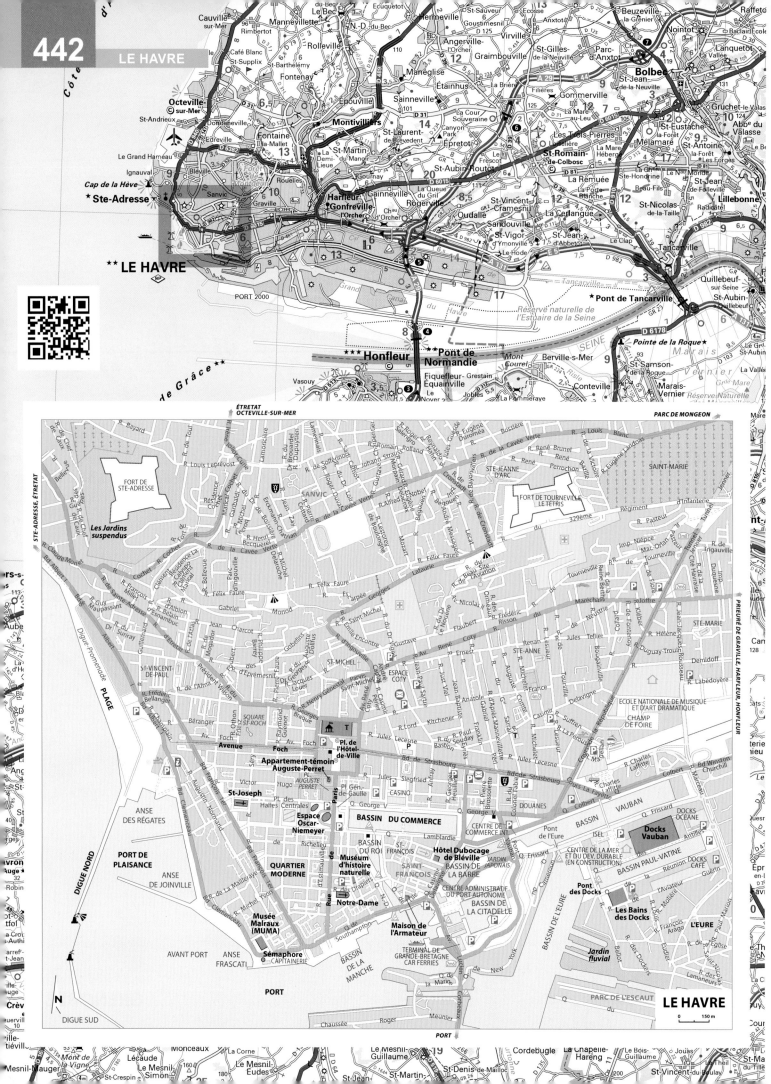

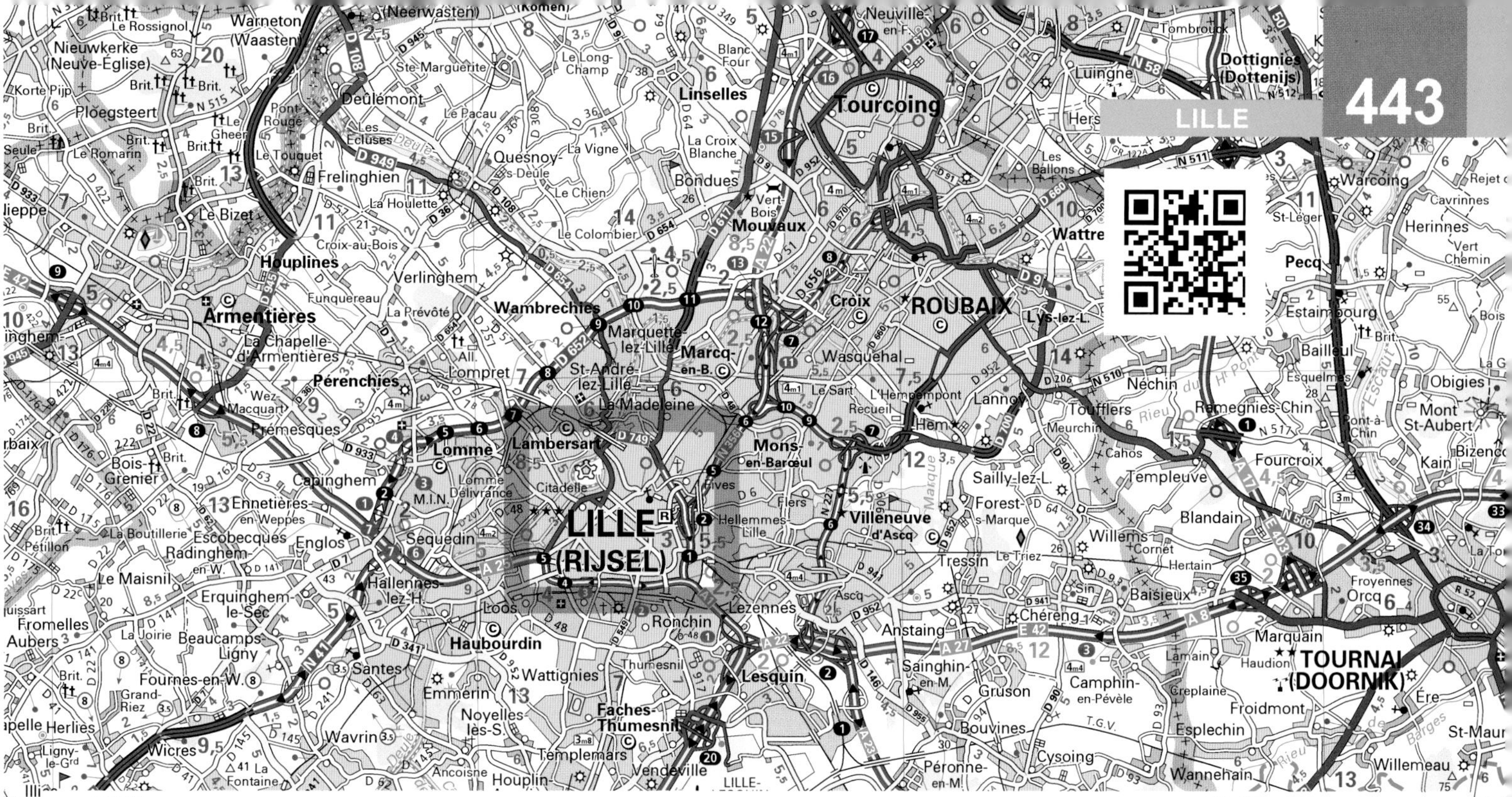
Warneton (Waasten)
Nieuwkerke (Neuve-Eglise)
Ploegsteert
Le Bizet
Houplines
Armentières
La Chapelle-d'Armentières
Frelinghien
Deûlémont
Quesnoy-s-Deûle
Linselles
Bondues
Tourcoing
Mouvaux
Wambrechies
Marquette-lez-Lille
Marcq-en-B.
Croix
ROUBAIX
Wasquehal
Lys-lez-L.
Wattrelos
Dottignies (Dottenijs)
Pecq
Estaimbourg
Néchin
Leers
Toufflers
Lannoy
Hem
Templeuve
Mont St-Aubert
Kain
Pérenchies
Lompret
St-André lez-Lille
La Madeleine
Lambersart
Lomme
Capinghem
Prémesquers
Bois-Grenier
Ennetières en-Weppes
Escobecques
Englos
Sequedin
Radinghem en-W.
Le Maisnil
Erquinghem-le-Sec
Hallennes-lez-H.
Fromelles
Aubers
Beaucamps-Ligny
Fournes-en-W.
Herlies
Santes
Hauboudin
Loos
LILLE (RIJSEL)
Mons-en-Barœul
Hellemmes-Lille
Villeneuve d'Ascq
Forest-s-Marque
Sailly-lez-L.
Willems
Baisieux
Blandain
Ronchin
Lezennes
Lesquin
Wattignies
Emmerin
Noyelles lès-S.
Faches-Thumesnil
Templemars
Vendeville
Wavrin
Wicres
Houplin-
Anstaing
Chéreng
Sainghin-en-M.
Gruson
Bouvines
Cysoing
Camphin-en-Pévèle
Lamain
Esplechin
Froidmont
TOURNAI (DOORNIK)
Marquain
Orcq
Froyennes
Ere
Willemeau
Wannehain
Péronne-en-M.
Guémappe
Wancourt
Éterpigny
Haucourt
Saudemont
Écourt-St-Quentin
Aubencheul-au-Bac
Fressies
Hem-Lenglet
Estrun
Avesnes-le-Sec

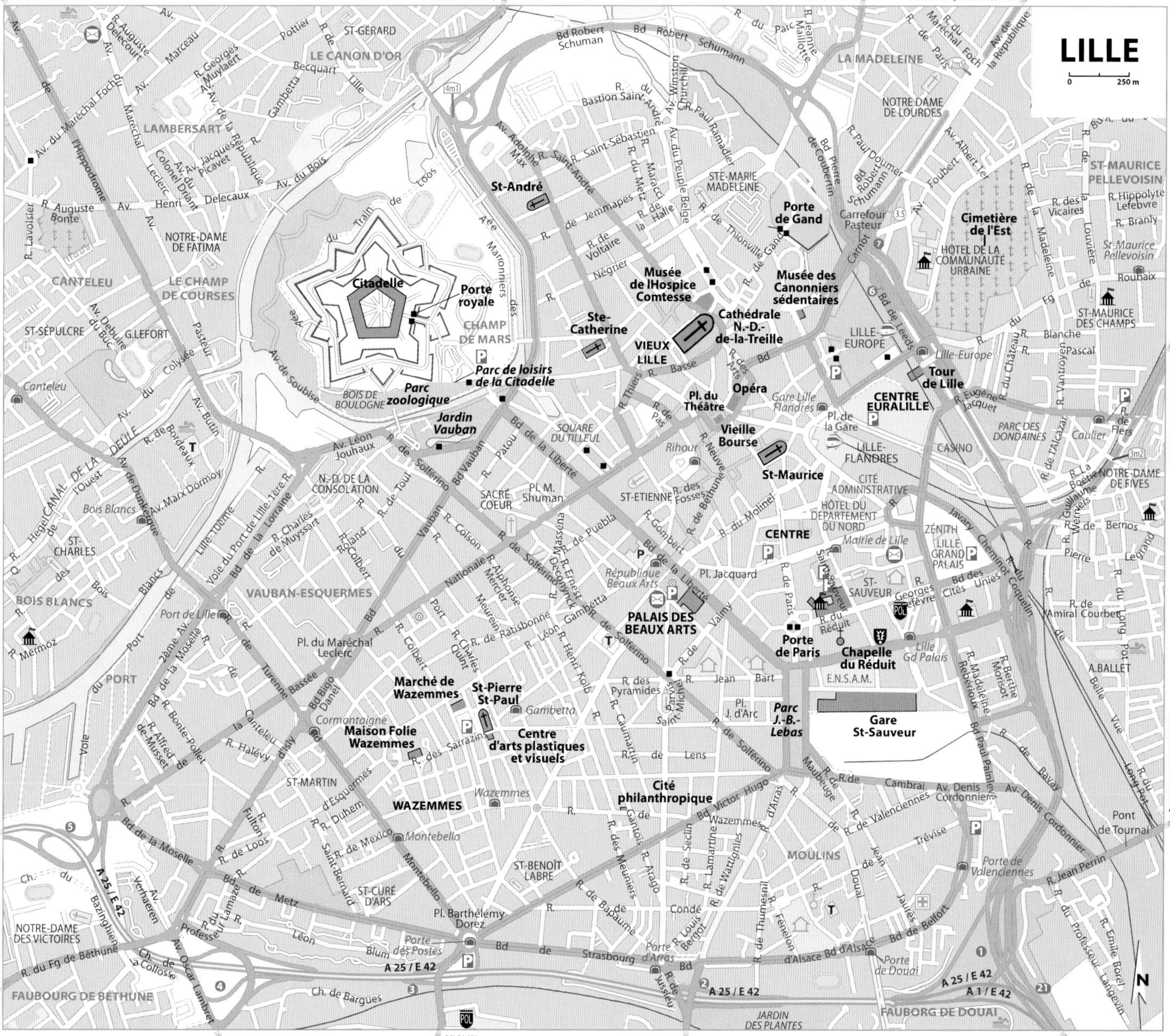
LILLE
0 250 m
A 22 GENT A 25 ARMENTIÈRES
IEPER (YPRES)
OOSTENDE
A 22 GENT ROUBAIX, TOURCOING
LOMME ARMENTIÈRES
A 22 GENT ROUBAIX, TOURCOING
DUNKERQUE BETHUNE
D 941 HAUBOURDIN
VILLENEUVE D'ASCQ
CENTRE HOSPITALIER
SECLIN
D 549 SECLIN
PARIS A 23 VALENCIENNES
ST-GÉRARD
LE CANON D'OR
LAMBERSART
LA MADELEINE
NOTRE DAME DE LOURDES
ST-MAURICE PELLEVOISIN
STE-MARIE MADELEINE
NOTRE-DAME DE FATIMA
CANTELEU
LE CHAMP DE COURSES
ST-SÉPULCRE
Citadelle
Porte royale
CHAMP DE MARS
Parc de loisirs de la Citadelle
BOIS DE BOULOGNE
Parc zoologique
Jardin Vauban
St-André
Ste-Catherine
Musée de l'Hospice Comtesse
Cathédrale N.-D.-de-la-Treille
VIEUX LILLE
Porte de Gand
Musée des Canonniers sédentaires
Cimetière de l'Est
HÔTEL DE LA COMMUNAUTÉ URBAINE
LILLE-EUROPE
Tour de Lille
CENTRE EURALILLE
Pl. du Théâtre
Opéra
Vieille Bourse
St-Maurice
Gare Lille Flandres
LILLE-FLANDRES
CITÉ ADMINISTRATIVE
HÔTEL DU DÉPARTEMENT DU NORD
CENTRE
Mairie de Lille
ZÉNITH LILLE GRAND PALAIS
ST-SAUVEUR
Porte de Paris
Chapelle du Réduit
PALAIS DES BEAUX ARTS
République Beaux Arts
N.-D. DE LA CONSOLATION
SACRÉ COEUR
ST-ETIENNE
SQUARE DU TILLEUL
BOIS BLANCS
ST-CHARLES
VAUBAN-ESQUERMES
PORT
Port de Lille
Pl. du Maréchal Leclerc
Marché de Wazemmes
St-Pierre St-Paul
Maison Folie Wazemmes
Centre d'arts plastiques et visuels
Parc J.-B.-Lebas
Gare St-Sauveur
E.N.S.A.M.
Cité philanthropique
ST-MARTIN
WAZEMMES
ST-BENOÎT LABRE
ST-CURÉ D'ARS
NOTRE-DAME DES VICTOIRES
Pl. Barthélémy Dorez
MOULINS
Porte de Valenciennes
Porte des Postes
Porte d'Arras
Porte de Douai
FAUBOURG DE BÉTHUNE
FAUBOURG DE DOUAI
JARDIN DES PLANTES
A 25 / E 42
A 1 / E 42
Pont de Tournai
NOTRE-DAME DE FIVES
PARC DES DONDAINES
CASINO
Bd Robert Schuman
Av. du Peuple Belge
Bd de la Liberté
Bd Vauban
Bd Victor Hugo
Bd de Strasbourg
Bd d'Alsace
Bd de Belfort
R. Nationale
R. Solférino
N

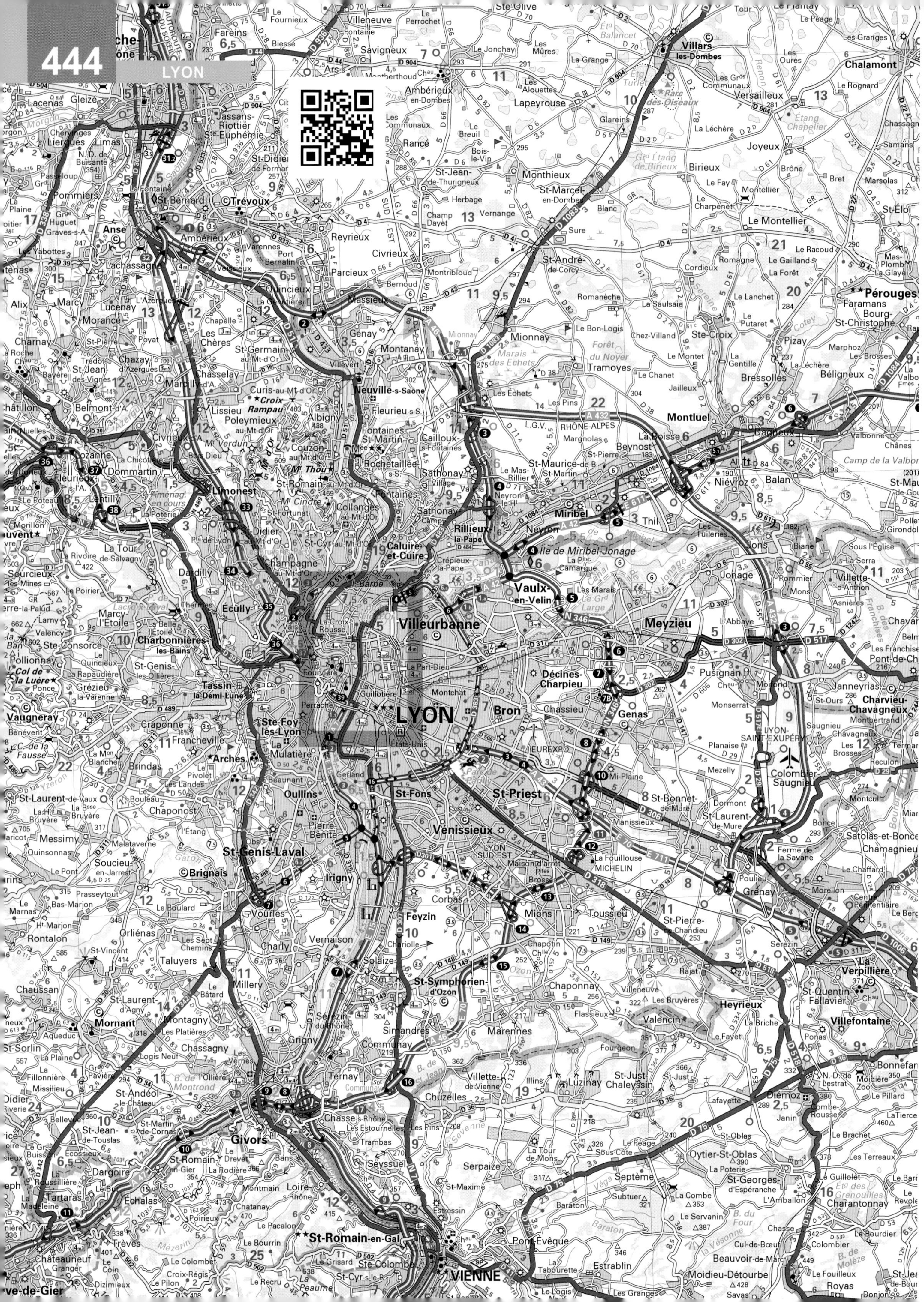
LYON
Villeurbanne
Vénissieux
St-Priest
Bron
Caluire-et-Cuire
Rillieux-la-Pape
Vaulx-en-Velin
Décines-Charpieu
Meyzieu
Genas
Oullins
Pierre-Bénite
St-Fons
Ste-Foy-lès-Lyon
Tassin-la-Demi-Lune
Écully
Charbonnières-les-Bains
Limonest
Neuville-s-Saône
Trévoux
Anse
Villars-les-Dombes
Chalamont
Pérouges
Meximieux
Montluel
Miribel
St-Genis-Laval
Brignais
Irigny
Feyzin
Corbas
Mions
St-Symphorien-d'Ozon
Givors
Mornant
Vienne
St-Romain-en-Gal
Heyrieux
La Verpillière
Villefontaine
Lyon-Saint-Exupéry
Colombier-Saugnieu
St-Laurent-de-Mure
Chaponost
Francheville
Craponne
Vaugneray
Tartaras
Châteauneuf
Charvieu-Chavagneux
Pont-de-Chéruy

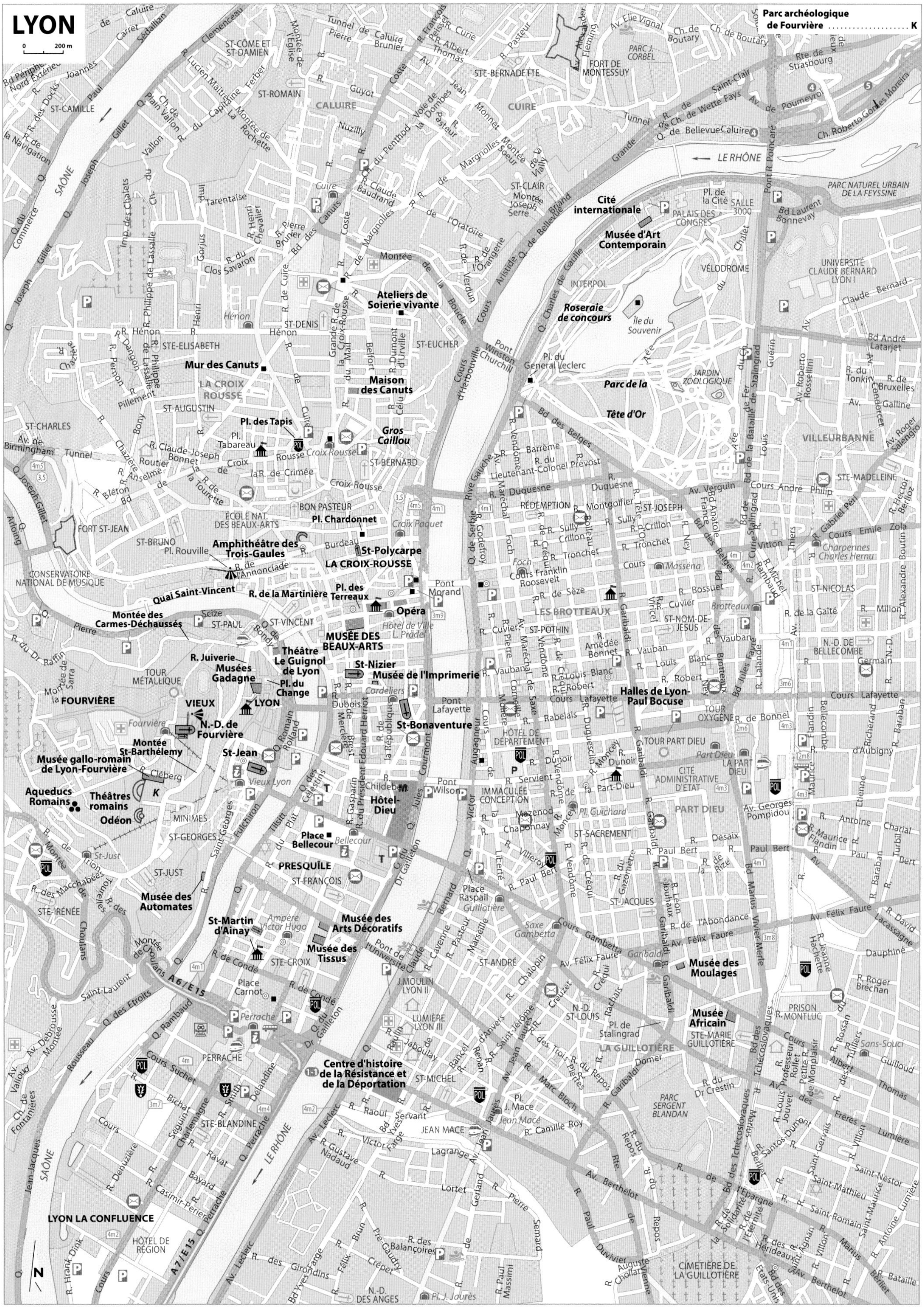
LYON
0
200 m
Parc archéologique de Fourvière .... K
CALUIRE
CUIRE
LA CROIX ROUSSE
LA CROIX-ROUSSE
VILLEURBANNE
LES BROTTEAUX
PART DIEU
LA GUILLOTIÈRE
PRESQU'ÎLE
FOURVIÈRE
VIEUX LYON
LYON LA CONFLUENCE
SAÔNE
LE RHÔNE
Cité internationale
Musée d'Art Contemporain
Roseraie de concours
Parc de la Tête d'Or
JARDIN ZOOLOGIQUE
VÉLODROME
UNIVERSITÉ CLAUDE BERNARD LYON I
PARC NATUREL URBAIN DE LA FEYSSINE
Ateliers de Soierie vivante
Mur des Canuts
Maison des Canuts
Gros Caillou
Pl. des Tapis
Pl. Chardonnet
St-Polycarpe
Amphithéâtre des Trois-Gaules
Quai Saint-Vincent
R. de la Martinière
Pl. des Terreaux
Opéra
Hôtel de Ville L. Pradel
MUSÉE DES BEAUX-ARTS
Théâtre Le Guignol de Lyon
St-Nizier
Musée de l'Imprimerie
Montée des Carmes-Déchaussés
R. Juiverie
Musées Gadagne
Pl. du Change
N.-D. de Fourvière
Montée St-Barthélemy
Musée gallo-romain de Lyon-Fourvière
Aqueducs Romains
Théâtres romains
Odéon
St-Jean
St-Bonaventure
Hôtel-Dieu
Place Bellecour
Musée des Automates
St-Martin d'Ainay
Musée des Arts Décoratifs
Musée des Tissus
Place Carnot
Centre d'histoire de la Résistance et de la Déportation
Halles de Lyon-Paul Bocuse
TOUR PART DIEU
CITÉ ADMINISTRATIVE D'ETAT
HÔTEL DE DÉPARTEMENT
Musée des Moulages
Musée Africain
PARC SERGENT BLANDAN
PRISON MONTLUC
CIMETIÈRE DE LA GUILLOTIÈRE
PERRACHE
ST-BLANDINE
JEAN MACÉ
HÔTEL DE RÉGION
A6/E15
A7/E15
N

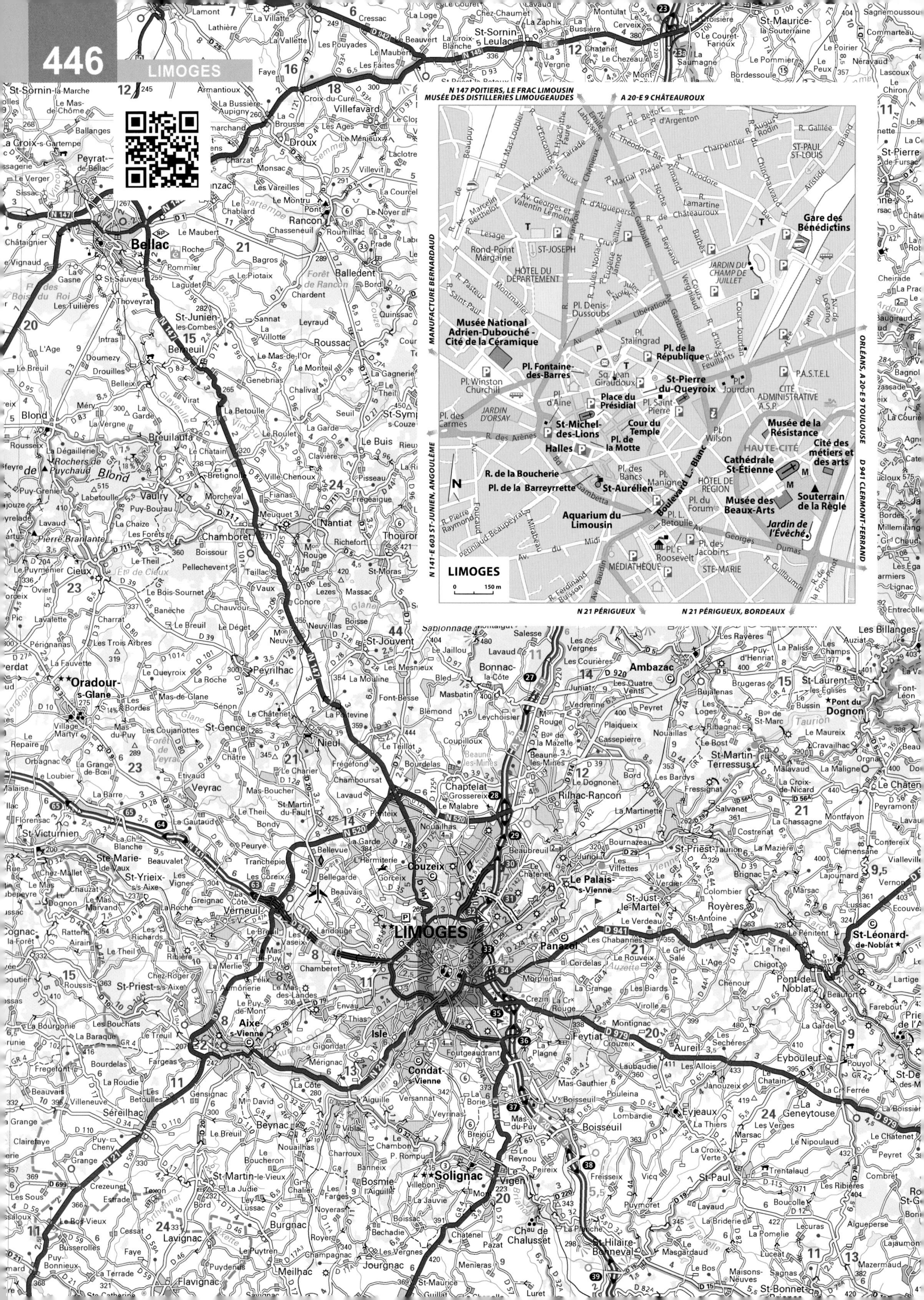
N 147 POITIERS, LE FRAC LIMOUSIN
MUSÉE DES DISTILLERIES LIMOUGEAUDES
A 20-E 9 CHÂTEAUROUX
MANUFACTURE BERNARDAUD
ORLÉANS, A 20-E 9 TOULOUSE
N 141-E 603 ST-JUNIEN, ANGOULÊME
D 941 CLERMONT-FERRAND
N 21 PÉRIGUEUX
N 21 PÉRIGUEUX, BORDEAUX
LIMOGES
0 150 m
Gare des Bénédictins
ST-PAUL ST-LOUIS
ST-JOSEPH
HÔTEL DU DÉPARTEMENT
JARDIN DU CHAMP DE JUILLET
Rond-Point Margaine
Musée National Adrien-Dubouché - Cité de la Céramique
Pl. Winston Churchill
Pl. Fontaine-des-Barres
Pl. Denis-Dussoubs
Pl. Stalingrad
Pl. de la République
St-Pierre du-Queyroix
Pl. Jourdan
P.A.S.T.E.L
CITÉ ADMINISTRATIVE A.S.P.
Place du Présidial
Pl. d'Aine
JARDIN D'ORSAY
Pl. des Carmes
St-Michel-des-Lions
Cour du Temple
Pl. de la Motte
Halles
Pl. Wilson
Musée de la Résistance
HAUTE-CITÉ
Cité des métiers et des arts
Cathédrale St-Étienne
R. de la Boucherie
Pl. de la Barreyrrette
St-Aurélien
Pl. Manigne
HÔTEL DE RÉGION
Souterrain de la Règle
Musée des Beaux-Arts
Aquarium du Limousin
Pl. du Forum
Boulevard L. Blanc
Jardin de l'Évêché
Pl. des Jacobins
Pl. F. Roosevelt
MÉDIATHÈQUE
STE-MARIE
Bellac
Blond
Oradour-s-Glane
Nantiat
Ambazac
St-Léonard-de-Noblat
Pont du Dognon
Couzeix
LIMOGES
Le Palais-s-Vienne
Panazol
Aixe-s-Vienne
Isle
Condat-s-Vienne
Feytiat
Solignac
Chau de Chalusset
St-Hilaire-Bonneval
Verneuil-s-V.
St-Junien-les-Combes
Nieul
Rilhac-Rancon
St-Priest-Taurion
Pont-de-Noblat
Eybouleuf
Le Vigen
Boisseuil
Beynac
Burgnac
Jourgnac
Sereilhac
Lavignac
Flavignac
Rancon
Villefavard
Peyrilhac
St-Jouvent
Chamboret
Cieux
Veyrac
St-Gence
St-Victurnien
St-Yrieix-s/s-Aixe
St-Priest-s/s-Aixe
Vaulry
Breuilaufa
Droux
St-Sornin-Leulac
Bonnac-la-Côte
Chaptelat
St-Just-le-Martel
Royères
St-Martin-Terressus
St-Laurent-les-Églises
Aureil
Eyjeaux
St-Paul
St-Bonnet

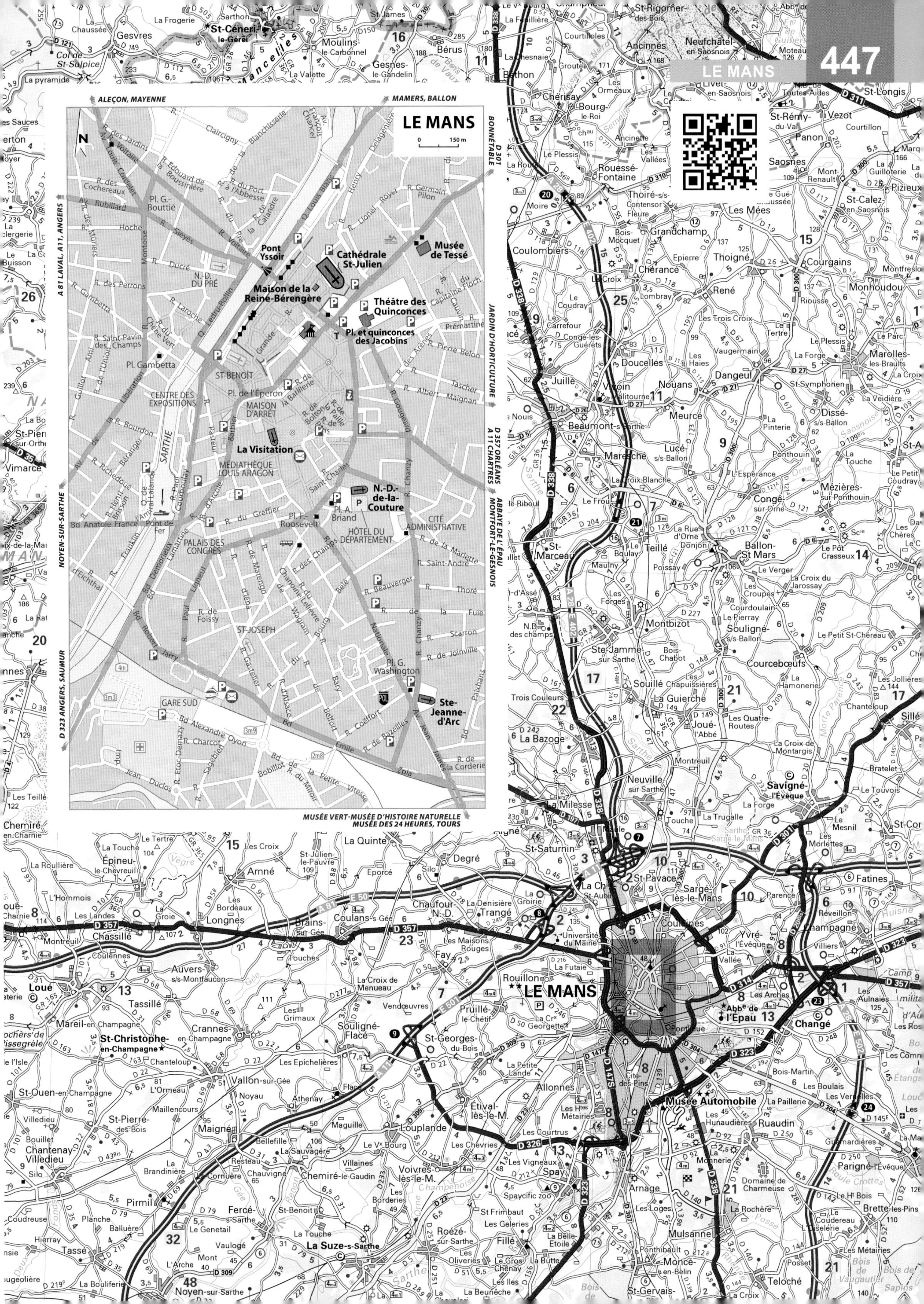
LE MANS
0 150 m
N
ALEÇON, MAYENNE
MAMERS, BALLON
D 301 BONNÉTABLE
JARDIN D'HORTICULTURE
D 357 ORLÉANS A 11 CHARTRES
ABBAYE DE L'ÉPAU MONTFORT-LE-GESNOIS
MUSÉE VERT-MUSÉE D'HISTOIRE NATURELLE MUSÉE DES 24 HEURES, TOURS
D 323 ANGERS, SAUMUR
NOYEN-SUR-SARTHE
A 81 LAVAL, A11, ANGERS
Cathédrale St-Julien
Musée de Tessé
Pont Yssoir
Maison de la Reine-Bérengère
Théâtre des Quinconces
Pl. et quinconces des Jacobins
La Visitation
N.-D.-de-la-Couture
Ste-Jeanne-d'Arc
N.-D. DU PRÉ
ST-BENOÎT
CENTRE DES EXPOSITIONS
MAISON D'ARRÊT
MÉDIATHÈQUE LOUIS ARAGON
PALAIS DES CONGRÈS
HÔTEL DU DÉPARTEMENT
CITÉ ADMINISTRATIVE
ST-JOSEPH
GARE SUD
Pl. Gambetta
Pl. de l'Éperon
Pl. G. Washington
Pl. F.-Roosevelt
Pl. A. Briand
Pl. G.-Bouttié
SARTHE
LE MANS
St-Cénéri-le-Gérei
Moulins-le-Carbonnel
Neufchâtel-en-Saosnois
Ancinnes
Béthon
Bourg-le-Roi
Rouessé-Fontaine
St-Rémy-du-Val
Saosnes
Thoiré-s/s-Contensor
Les Mées
Coulombiers
Chérancé
René
Doucelles
Juillé
Vivoin
Nouans
Dangeul
Marolles-les-Braults
Beaumont-s-Sarthe
Meurcé
Dissé-s/s-Ballon
Mareschè
Lucé-s/s-Ballon
Mézières-sur-Ponthouin
Congé-sur-Orne
Teillé
Ballon-St Mars
St-Marceau
Montbizot
Souligné-s/s-Ballon
Ste-Jamme-sur-Sarthe
Courcebœufs
Souillé
La Guierche
Joué-l'Abbé
La Bazoge
Neuville-sur-Sarthe
Savigné-l'Évêque
La Milesse
St-Saturnin
St-Pavace
Sargé-lès-le-Mans
Fatines
Coulaines
Yvré-l'Évêque
Champagné
Rouillon
Changé
Abbe de l'Épau
Allonnes
Musée Automobile
Ruaudin
Parigné-l'Évêque
Arnage
Mulsanne
Brette-les-Pins
Moncé-en-Belin
Teloché
St-Gervais-en-Belin
Spay
Fillé
Roézé-sur-Sarthe
La Suze-s-Sarthe
Étival-lès-le-M.
Louplande
Souligné-Flacé
St-Georges-du-Bois
Trangé
Chaufour-N.-D.
Coulans-s-Gée
Brains-sur-Gée
Longnes
Amné
Degré
Chassillé
Loué
Tassillé
Auvers-s/s-Montfaucon
Crannes-en-Champagne
St-Christophe-en-Champagne
Vallon-sur-Gée
Maigné
Chemiré-le-Gaudin
Voivres-lès-le-M.
Fercé-s-Sarthe
Pirmil
Tassé
Noyen-sur-Sarthe
Chantenay Villedieu
St-Ouen-en-Champagne
St-Pierre-des-Bois
Épineu-le-Chevreuil
Chemiré-en-Charnie

MARSEILLE
Aubagne
Allauch
Cassis
Gémenos
Roquevaire
Auriol
Peypin
Cadolive
La Bouilladisse
La Destrousse
Septèmes-les-Vallons
St-Antoine
L'Estaque
Le Rove
Ensuès-la-Redonne
Niolon
Méjean
Rade de Marseille
Anse de l'Estaque
Île Ratonneau
Le Frioul
Île Pomègues
Îles du Frioul
Chau d'If
Cap Caveaux
Rade d'Endoume
Plages du Prado
Bonneveine
La Pointe-Rouge
La Madrague-de-Montredon
Mt Rose
Cap Croisette
Île Tiboulen
Callelongue
Les Goudes
Montredon
Mazargues
Marseilleveyre
Col de la Gineste
Luminy
Logisson
Massif de Puget
Forêt de la Gardiole
Morgiou
Sormiou
Port-Miou
PARC NATIONAL DES CALANQUES
Mt St-Cyr
Mt Carpiagne
Camp militaire
La Penne-sur-Huveaune
Carnoux-en-Provence
Roquefort-la-Bédoule
Ceyreste
Cuges-les-Pins
Col de l'Ange
Mt Cruvelier
Parc de St-Pons
Massif de la Sainte-Baume
Col de l'Espigoulier
Pic de Bertagne
Plan-d'Aups-Ste-Baume
St-Zacharie
Garlaban
Chaîne de l'Étoile
Grottes Loubière
Château-Gombert
Plan-de-Cuques
La Valentine
St-Marcel
St-Loup
Le Cabot
La Panouse
Vaufrèges
Valmante
Le Redon
Les Camoins
La Bastidonne
Eoures
St-Julien
La Rose
Les Olives
St-Jérôme
Le Merlan
St-Joseph
La Batarelle
Les Aygalades
St-Louis
La Madrague-de-la-Ville
St-Just
St-Barnabé
La Pomme
Prado Carénage
Tunnel
Sainte-Marguerite
La Capelette

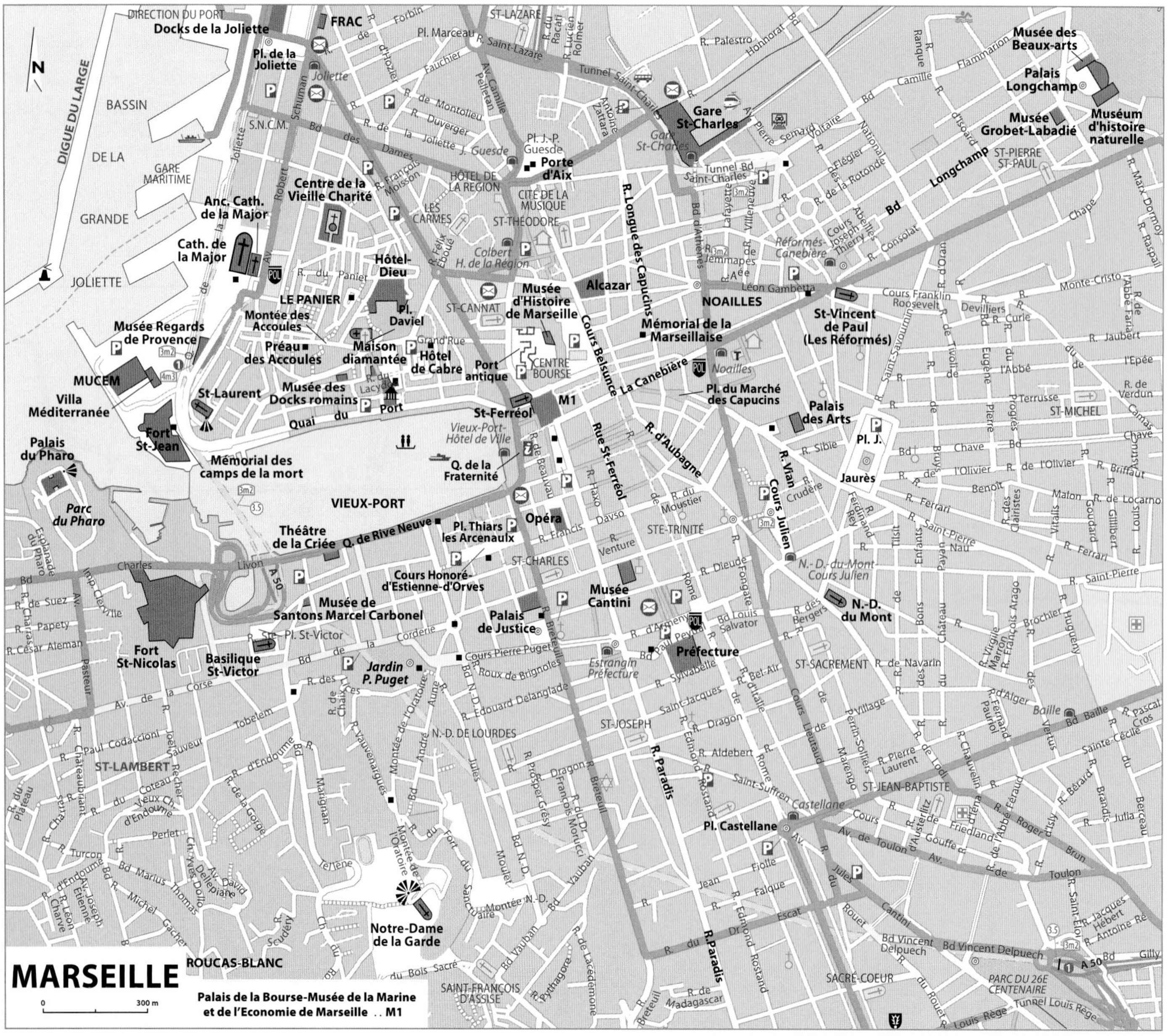

MARSEILLE
N
DIGUE DU LARGE
BASSIN DE LA GRANDE JOLIETTE
GARE MARITIME
DIRECTION DU PORT
Docks de la Joliette
FRAC
Pl. de la Joliette
Anc. Cath. de la Major
Cath. de la Major
Centre de la Vieille Charité
Hôtel-Dieu
LE PANIER
Montée des Accoules
Préau des Accoules
Maison diamantée
Pl. Daviel
Hôtel de Cabre
Musée des Docks romains
Port antique
Musée d'Histoire de Marseille
CENTRE BOURSE
Musée Regards de Provence
MUCEM
Villa Méditerranée
St-Laurent
Fort St-Jean
Palais du Pharo
Parc du Pharo
Mémorial des camps de la mort
VIEUX-PORT
Quai du Port
Q. de la Fraternité
Vieux-Port-Hôtel de Ville
St-Ferréol
M1
Théâtre de la Criée
Q. de Rive Neuve
Pl. Thiars les Arcenaux
Opéra
Cours Honoré-d'Estienne-d'Orves
Musée de Santons Marcel Carbonel
Palais de Justice
Musée Cantini
Préfecture
Fort St-Nicolas
Basilique St-Victor
Jardin P. Puget
ST-LAMBERT
N.-D. DE LOURDES
Notre-Dame de la Garde
ROUCAS-BLANC
SAINT-FRANÇOIS D'ASSISE
Porte d'Aix
Pl. J.-P. Guesde
HÔTEL DE LA RÉGION
CITÉ DE LA MUSIQUE
ST-THÉODORE
LES CARMES
Colbert H. de la Région
ST-CANNAT
Gare St-Charles
Tunnel Saint-Charles
Alcazar
R. Longue des Capucins
Cours Belsunce
La Canebière
Mémorial de la Marseillaise
NOAILLES
Pl. du Marché des Capucins
R. d'Aubagne
Rue St-Ferréol
STE-TRINITÉ
ST-CHARLES
Palais des Arts
Pl. J. Jaurès
Cours Julien
R. Vian
N.-D.-du-Mont-Cours Julien
N.-D. du Mont
St-Vincent de Paul (Les Réformés)
Réformés-Canebière
Bd Longchamp
Palais Longchamp
Musée des Beaux-arts
Muséum d'histoire naturelle
Musée Grobet-Labadié
ST-PIERRE ST-PAUL
ST-MICHEL
ST-SACREMENT
ST-JOSEPH
R. Paradis
Pl. Castellane
ST-JEAN-BAPTISTE
SACRÉ-CŒUR
PARC DU 26E CENTENAIRE
Tunnel Louis Rège
Bd Vincent Delpuech
Av. de Toulon
R. de Rome
Estrangin Préfecture
Palais de la Bourse-Musée de la Marine et de l'Economie de Marseille .. M1
0 300 m

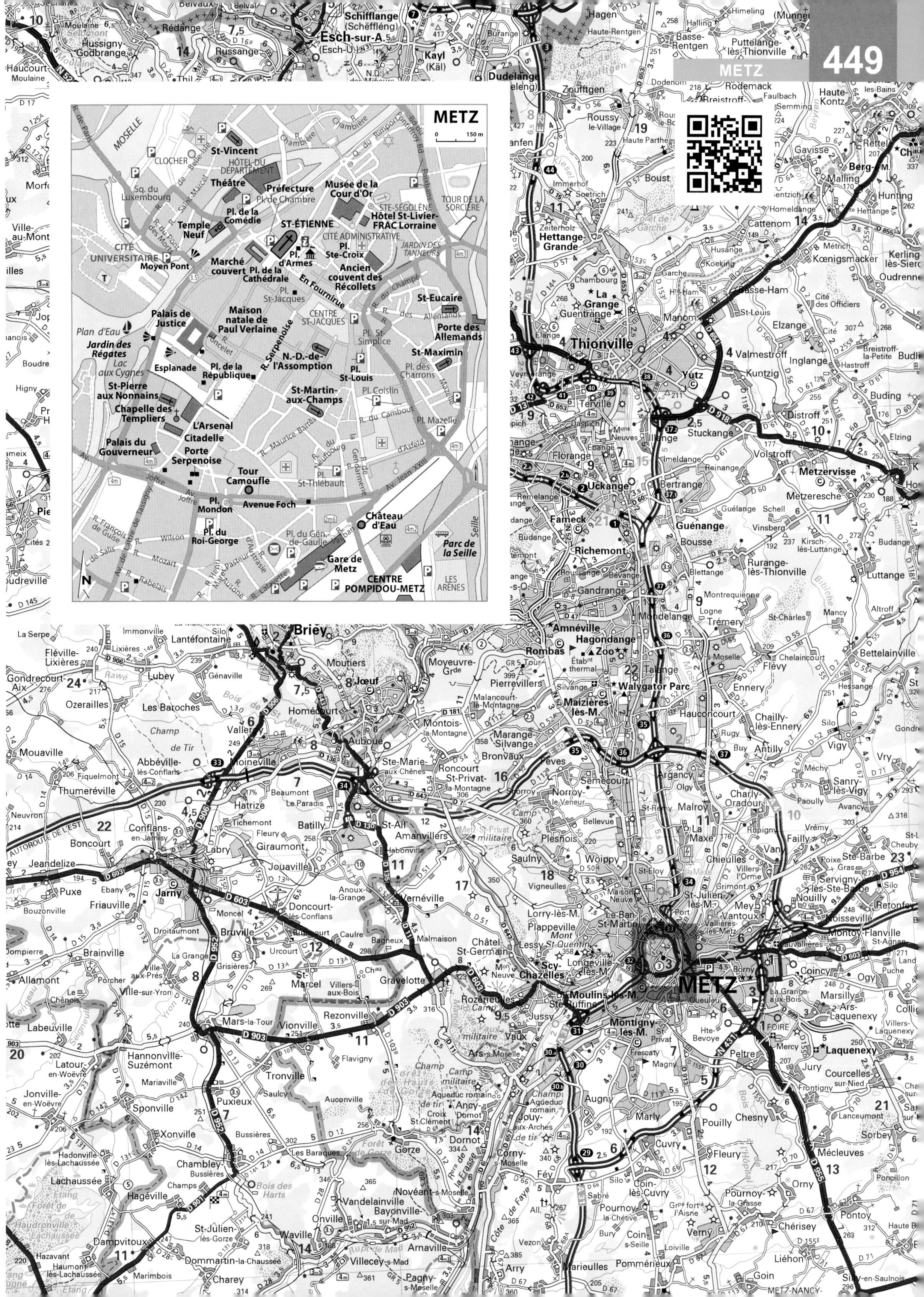
METZ
0 150 m
MOSELLE
St-Vincent
CLOCHER
HÔTEL DU DÉPARTEMENT
Théâtre
Préfecture
Musée de la Cour d'Or
Sq. du Luxembourg
Pl. de Chambre
STE-SÉGOLÈNE
TOUR DE LA SORCIÈRE
Pl. de la Comédie
ST-ÉTIENNE
Hôtel St-Livier-FRAC Lorraine
Temple Neuf
CITÉ ADMINISTRATIVE
CITÉ UNIVERSITAIRE
Moyen Pont
Pl. d'Armes
Pl. Ste-Croix
JARDIN DES TANNEURS
Marché couvert
Pl. de la Cathédrale
Ancien couvent des Récollets
En Fournirue
Pl. St-Jacques
St-Eucaire
Palais de Justice
Maison natale de Paul Verlaine
CENTRE ST-JACQUES
Porte des Allemands
Plan d'Eau
Jardin des Régates
Lac aux Cygnes
Esplanade
Pl. de la République
N.-D.-de-l'Assomption
R. Serpenoise
Pl. St-Simplice
St-Maximin
Pl. St-Louis
Pl. des Charrons
St-Pierre aux Nonnains
Chapelle des Templiers
St-Martin-aux-Champs
Pl. Coislin
L'Arsenal
Citadelle
R. du Cambout
Pl. Mazelle
Palais du Gouverneur
Porte Serpenoise
R. Maurice Barrès
Tour Camoufle
St-Thiébault
Av. Jean XXIII
Pl. Mondon
Avenue Foch
Château d'Eau
Av. Joffre
Av. de Lattre de Tassigny
Pl. du Roi-George
Pl. du Gén. de Gaulle
Gare de Metz
Parc de la Seille
CENTRE POMPIDOU-METZ
LES ARÈNES
Esch-sur-A.
Schifflange
Kayl
Dudelange
Rédange
Russange
Hagen
Puttelange-lès-Thionville
Rodemack
Zoufftgen
Roussy-le-Village
Boust
Hettange-Grande
Cattenom
Kœnigsmacker
La Grange
Guentrange
Thionville
Yutz
Manom
Basse-Ham
Valmestroff
Terville
Florange
Uckange
Bertrange
Stuckange
Distroff
Metzervisse
Fameck
Guénange
Richemont
Rurange-lès-Thionville
Luttange
Gandrange
Mondelange
Amnéville
Hagondange
Rombas
Talange
Walygator Parc
Maizières-lès-M.
Hauconcourt
Ennery
Chailly-lès-Ennery
Briey
Moutiers
Jœuf
Homécourt
Auboué
Moyeuvre-Gde
Pierrevillers
Marange-Silvange
Bronvaux
Fèves
Semécourt
Argancy
Norroy-le-Veneur
Plesnois
Woippy
La Maxe
Malroy
Charly-Oradour
Vany
Saulny
Lorry-lès-M.
Plappeville
Le Ban-St-Martin
St-Julien-lès-M.
Vantoux
Lessy
Scy-Chazelles
Longeville-lès-M.
METZ
Moulins-lès-M.
Montigny-lès-M.
Borny
Queuleu
Coincy
Ogy
Marsilly
Ars-Laquenexy
Laquenexy
Peltre
Jury
Magny
Marly
Augny
Pouilly
Chesny
Cuvry
Fleury
Mécleuves
Orny
Pournoy-la-Grasse
Verny
Coin-sur-Seille
Pommérieux
Marieulles
Fey
Jouy-aux-Arches
Ars-s-Moselle
Vaux
Jussy
Rozérieulles
Gravelotte
Châtel-St-Germain
Amanvillers
St-Ail
Vernéville
Jouaville
Doncourt-lès-Conflans
Batilly
Ste-Marie-aux-Chênes
Roncourt
St-Privat-la-Montagne
Conflans-en-Jarnisy
Jarny
Labry
Giraumont
Hatrize
Moineville
Valleroy
Abbéville-lès-Conflans
Thumeréville
Boncourt
Jeandelize
Puxe
Friauville
Bruville
Mars-la-Tour
Vionville
Rezonville
Tronville
Puxieux
Sponville
Xonville
Chambley-Bussières
Hagéville
St-Julien-lès-Gorze
Gorze
Novéant-s-Moselle
Onville
Waville
Arnaville
Villecey-s-Mad
Pagny-s-Moselle
Dommartin-la-Chaussée
Charey
Dampvitoux
Hannonville-Suzémont
Latour-en-Woëvre
Jonville-en-Woëvre
Lachaussée
AUTOROUTE DE L'EST
Camp militaire
Aqueduc romain
Forêt des Hauts de Gorze
Côte de Faye
METZ-NANCY

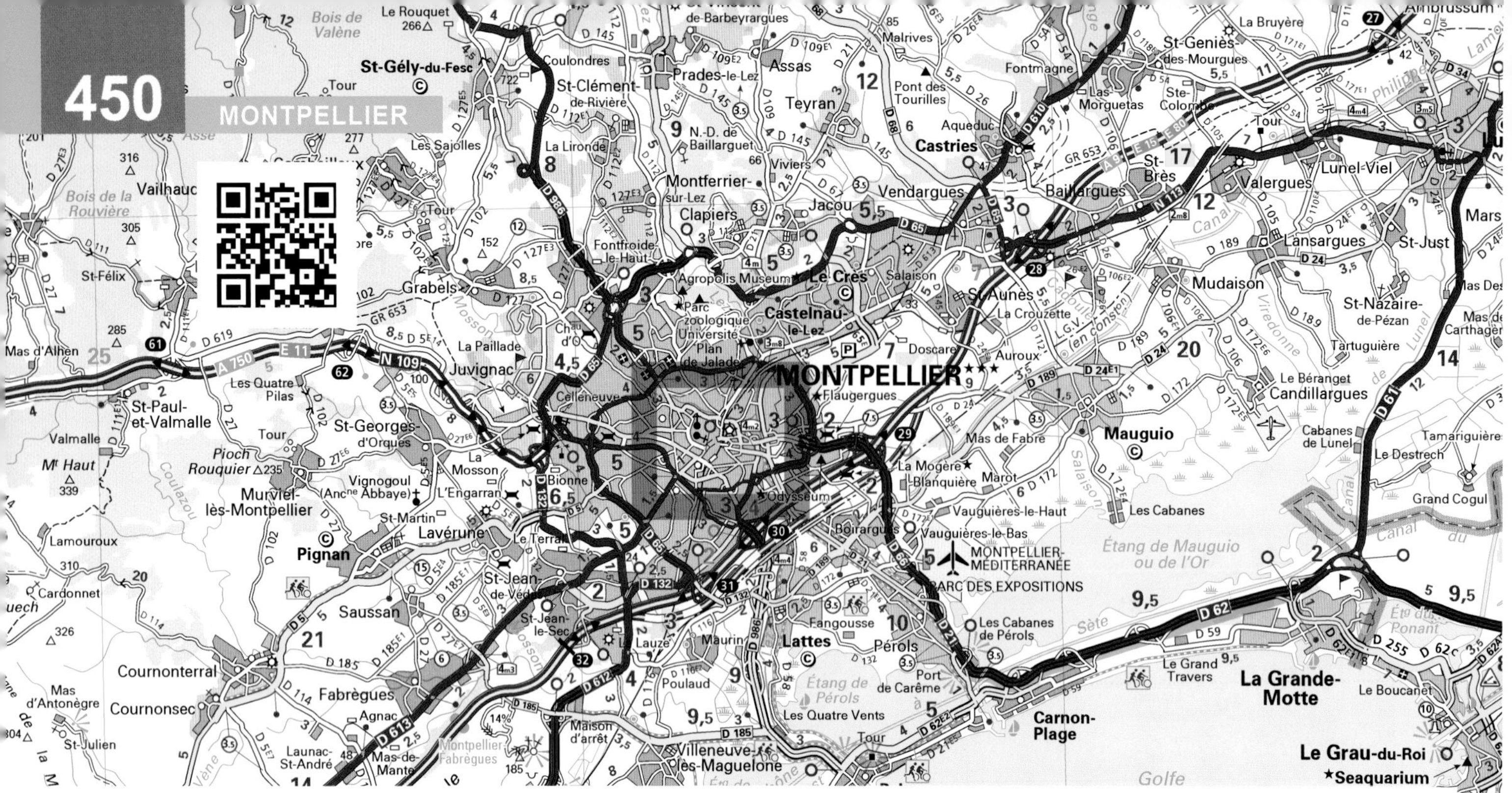
St-Gély-du-Fesc
Prades-le-Lez
Assas
Teyran
St-Clément-de-Rivière
Castries
Vendargues
Baillargues
St-Brès
Valergues
Lunel-Viel
Lansargues
Mudaison
Candillargues
Mauguio
Clapiers
Jacou
Le Crès
Castelnau-le-Lez
Agropolis Museum
Parc zoologique
Grabels
Juvignac
MONTPELLIER
St-Georges-d'Orques
Murviel-lès-Montpellier
Pignan
Lavérune
St-Jean-de-Védas
Saussan
Cournonterral
Cournonsec
Fabrègues
Lattes
Pérols
Villeneuve-lès-Maguelone
Carnon-Plage
La Grande-Motte
Le Grau-du-Roi
Seaquarium
MONTPELLIER-MÉDITERRANÉE
PARC DES EXPOSITIONS
Étang de Mauguio ou de l'Or
Golfe

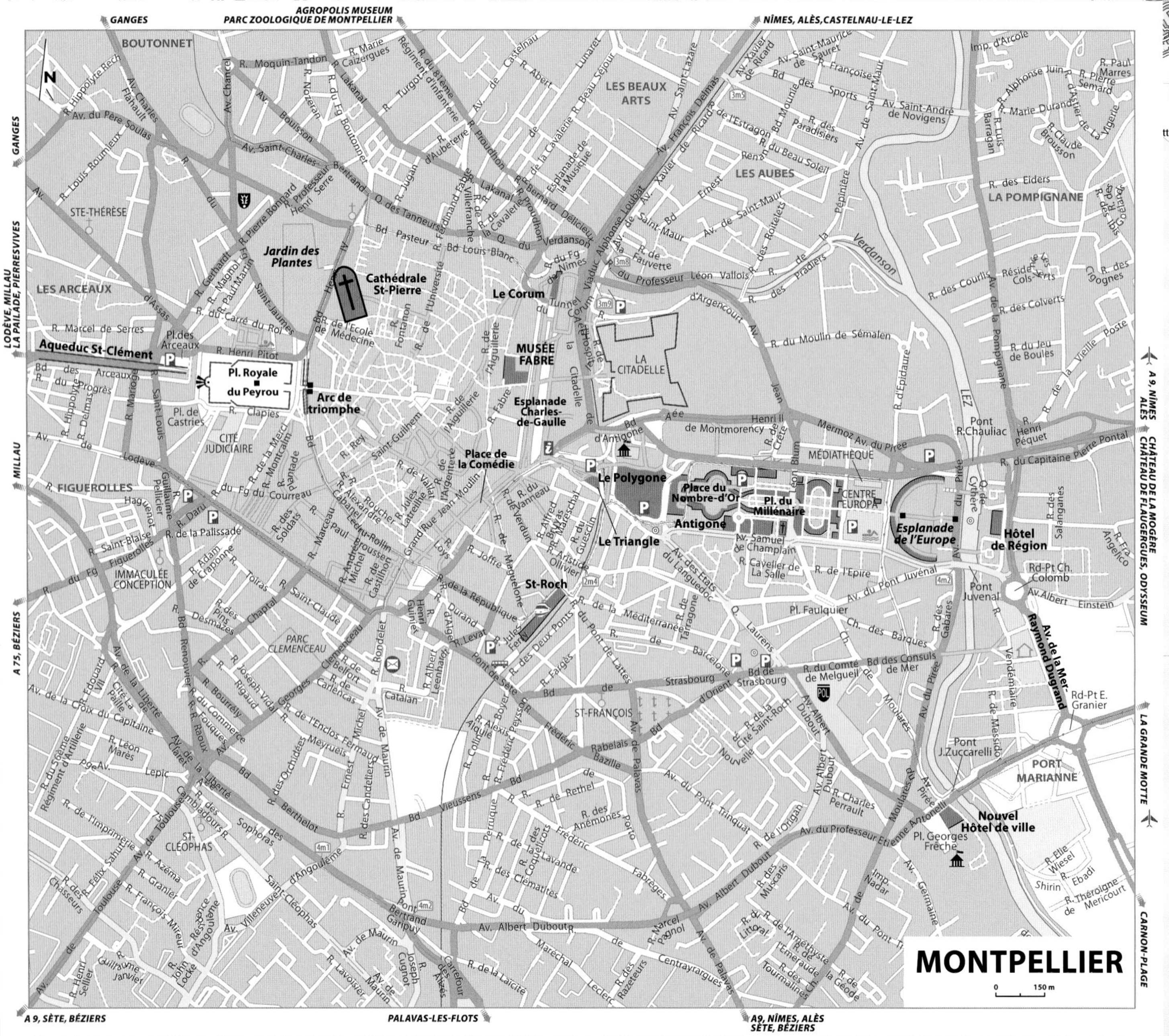
GANGES
AGROPOLIS MUSEUM PARC ZOOLOGIQUE DE MONTPELLIER
NÎMES, ALÈS, CASTELNAU-LE-LEZ
LODÈVE, MILLAU LA PAILLADE, PIERRESVIVES
MILLAU
A 75, BÉZIERS
A 9, NÎMES ALÈS
CHÂTEAU DE LA MOGÈRE CHÂTEAU DE FLAUGERGUES, ODYSSEUM
LA GRANDE MOTTE
CARNON-PLAGE
A 9, SÈTE, BÉZIERS
PALAVAS-LES-FLOTS
A9, NÎMES, ALÈS SÈTE, BÉZIERS
BOUTONNET
LES BEAUX ARTS
LES AUBES
LA POMPIGNANE
STE-THÉRÈSE
LES ARCEAUX
Jardin des Plantes
Cathédrale St-Pierre
Le Corum
Aqueduc St-Clément
Pl. Royale du Peyrou
Arc de triomphe
MUSÉE FABRE
LA CITADELLE
Esplanade Charles-de-Gaulle
Place de la Comédie
Le Polygone
Place du Nombre-d'Or
Pl. du Millénaire
Antigone
MÉDIATHÈQUE
CENTRE EUROPA
Esplanade de l'Europe
Hôtel de Région
Le Triangle
St-Roch
FIGUEROLLES
CITÉ JUDICIAIRE
IMMACULÉE CONCEPTION
PARC CLEMENCEAU
ST-FRANÇOIS
STE-CLÉOPHAS
PORT MARIANNE
Nouvel Hôtel de ville
Pl. Georges Frêche
MONTPELLIER
0 150 m

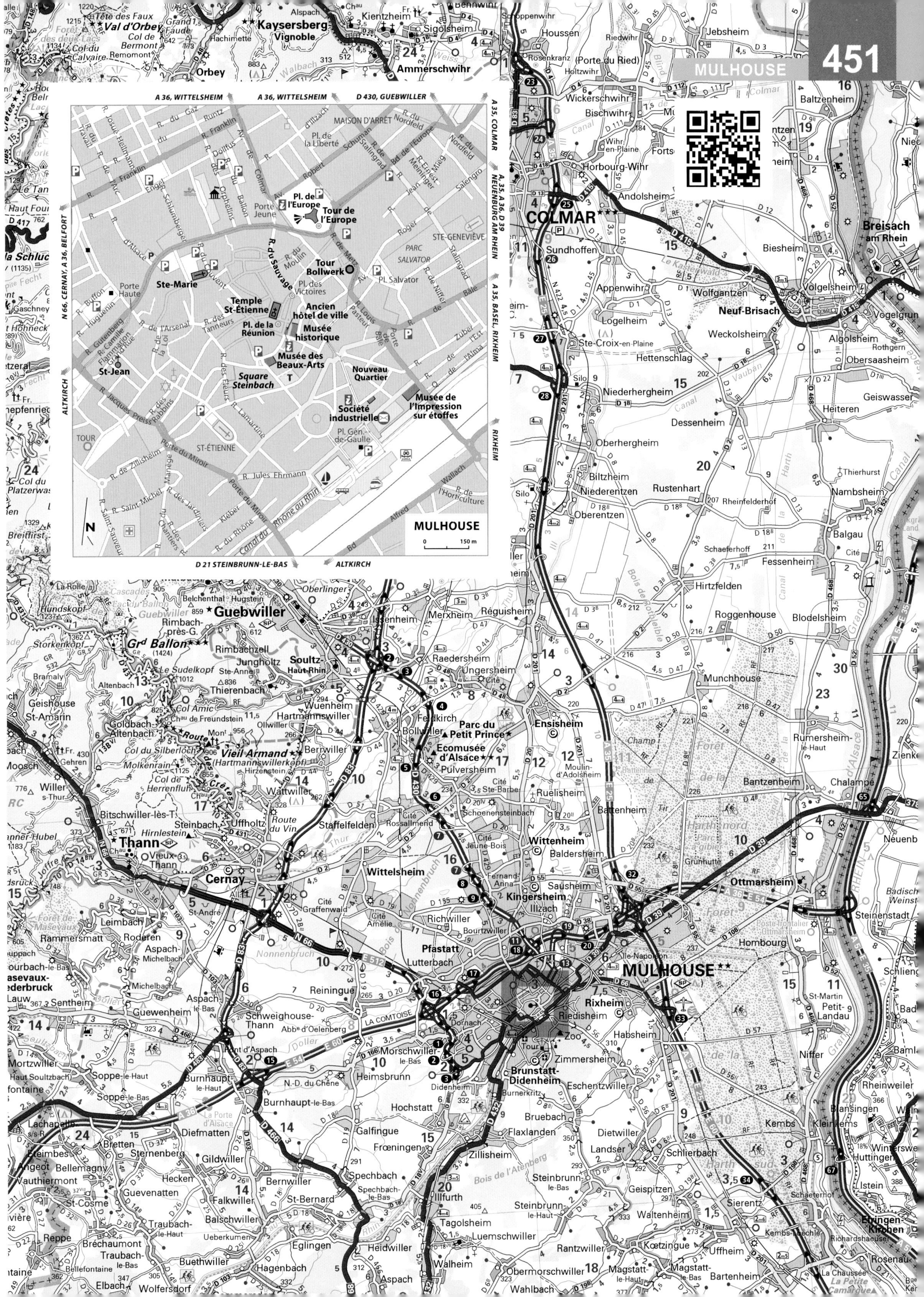
MULHOUSE
A 36, WITTELSHEIM
A 36, WITTELSHEIM
D 430, GUEBWILLER
A 35, COLMAR
A 35, A 36, D 39 NEUENBURG AM RHEIN
A 35, BASEL, RIXHEIM
RIXHEIM
N 66, CERNAY, A 36, BELFORT
ALTKIRCH
D 21 STEINBRUNN-LE-BAS
ALTKIRCH
MAISON D'ARRÊT
Pl. de la Liberté
Pl. de l'Europe
Tour de l'Europe
Porte Jeune
STE-GENEVIÈVE
PARC SALVATOR
Pl. Salvator
Tour Bollwerk
R. du Sauvage
Pl. des Victoires
Ste-Marie
Porte Haute
Temple St-Étienne
Ancien hôtel de ville
Pl. de la Réunion
Musée historique
Musée des Beaux-Arts
Nouveau Quartier
St-Jean
Square Steinbach
Société industrielle
Musée de l'Impression sur étoffes
Pl. Gén.-de-Gaulle
TOUR
ST-ÉTIENNE
R. Jules Ehrmann
Canal du Rhône au Rhin
0 150 m
Kaysersberg Vignoble
Val d'Orbey
Orbey
Ammerschwihr
Sigolsheim
Kientzheim
Houssen
Jebsheim
Wickerschwihr
Bischwihr
Horbourg-Wihr
Andolsheim
COLMAR
Sundhoffen
Breisach am Rhein
Biesheim
Volgelsheim
Neuf-Brisach
Wolfgantzen
Appenwihr
Logelheim
Weckolsheim
Algolsheim
Ste-Croix-en-Plaine
Hettenschlag
Obersaasheim
Niederhergheim
Heiteren
Geiswasser
Dessenheim
Oberhergheim
Biltzheim
Niederentzen
Oberentzen
Rustenhart
Nambsheim
Balgau
Fessenheim
Hirtzfelden
Roggenhouse
Blodelsheim
Munchhouse
Rumersheim-le-Haut
Bantzenheim
Chalampé
Ottmarsheim
Hombourg
Guebwiller
Grd Ballon
Soultz-Haut-Rhin
Issenheim
Merxheim
Réguisheim
Raedersheim
Ungersheim
Ensisheim
Feldkirch
Bollwiller
Parc du Petit Prince
Ecomusée d'Alsace
Pulversheim
Ruelisheim
Battenheim
Wittenheim
Baldersheim
Sausheim
Kingersheim
Illzach
Wittelsheim
Staffelfelden
Vieil Armand
Thann
Cernay
Pfastatt
Lutterbach
Richwiller
MULHOUSE
Rixheim
Riedisheim
Habsheim
Zimmersheim
Brunstatt-Didenheim
Eschentzwiller
Morschwiller-le-Bas
Heimsbrunn
Reiningue
Burnhaupt-le-Haut
Burnhaupt-le-Bas
Hochstatt
Galfingue
Frœningen
Zillisheim
Flaxlanden
Bruebach
Dietwiller
Landser
Schlierbach
Kembs
Niffer
Petit-Landau
Sierentz
Steinbrunn-le-Bas
Steinbrunn-le-Haut
Illfurth
Spechbach
Bernwiller
St-Bernard
Tagolsheim
Luemschwiller
Rantzwiller
Waltenheim
Kœtzingue
Uffheim
Magstatt-le-Bas
Bartenheim
Heidwiller
Walheim
Eglingen
Aspach
Hagenbach
Obermorschwiller
Wahlbach
Dannemarie
Sentheim
Guewenheim
Masevaux-Niederbruck
Steinenstadt
Efringen-Kirchen

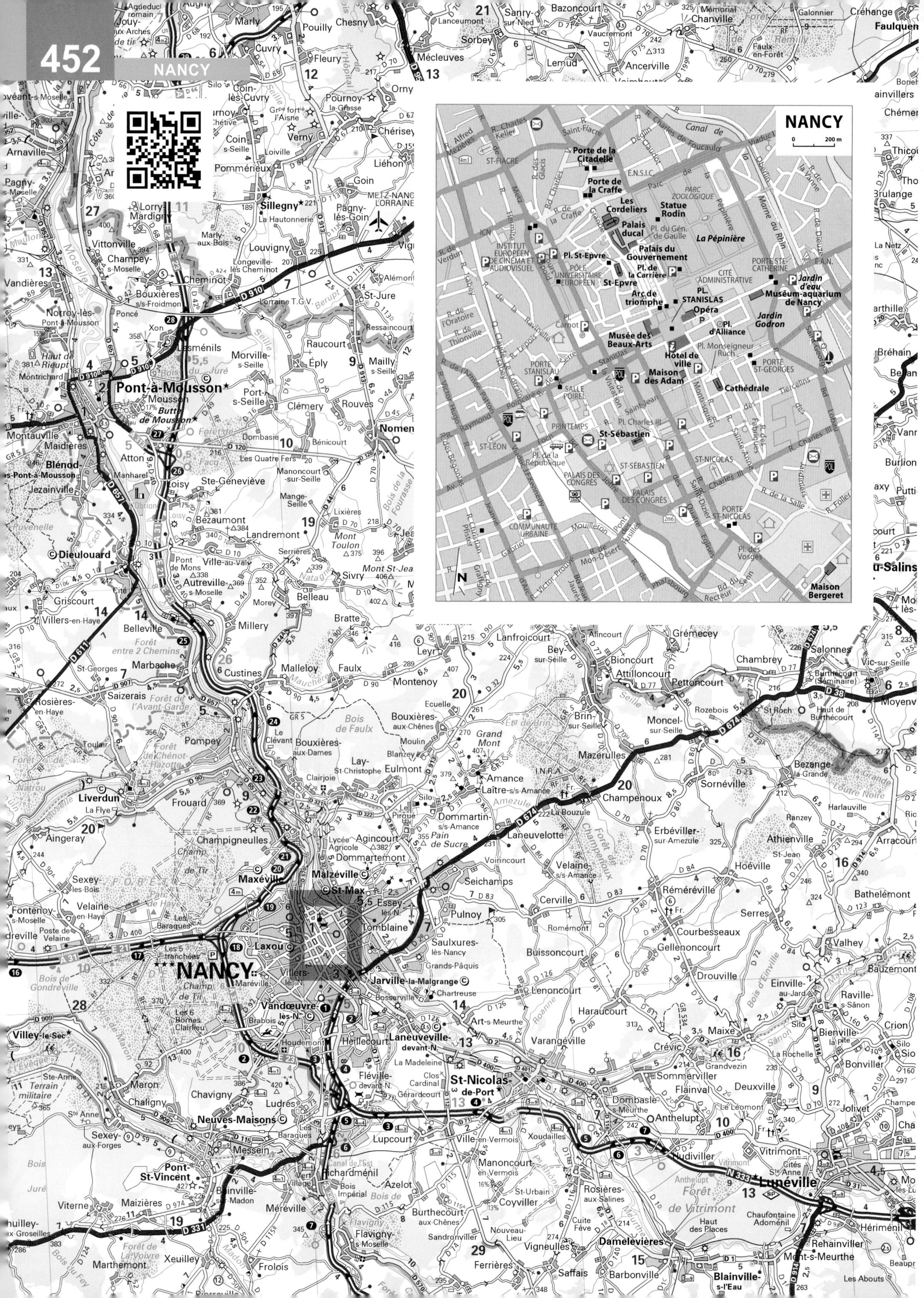
NANCY
Porte de la Citadelle
Porte de la Craffe
Les Cordeliers
Statue Rodin
Palais ducal
La Pépinière
Palais du Gouvernement
Pl. St-Epvre
St-Epvre
Pl. de la Carrière
Arc de triomphe
PL. STANISLAS
Opéra
Pl. d'Alliance
Jardin d'eau
Muséum-aquarium de Nancy
Jardin Godron
Musée des Beaux-Arts
Hôtel de ville
Maison des Adam
Cathédrale
St-Sébastien
Maison Bergeret
Pont-à-Mousson
Dieulouard
Liverdun
Maxéville
Malzéville
St-Max
Laxou
Vandœuvre-lès-N.
Jarville-la-Malgrange
Laneuveville-devant-N.
St-Nicolas-de-Port
Neuves-Maisons
Pont-St-Vincent
Champenoux
Lunéville
Dombasle-s-Meurthe
Blainville-s-l'Eau
Damelevières
Forêt de Vitrimont

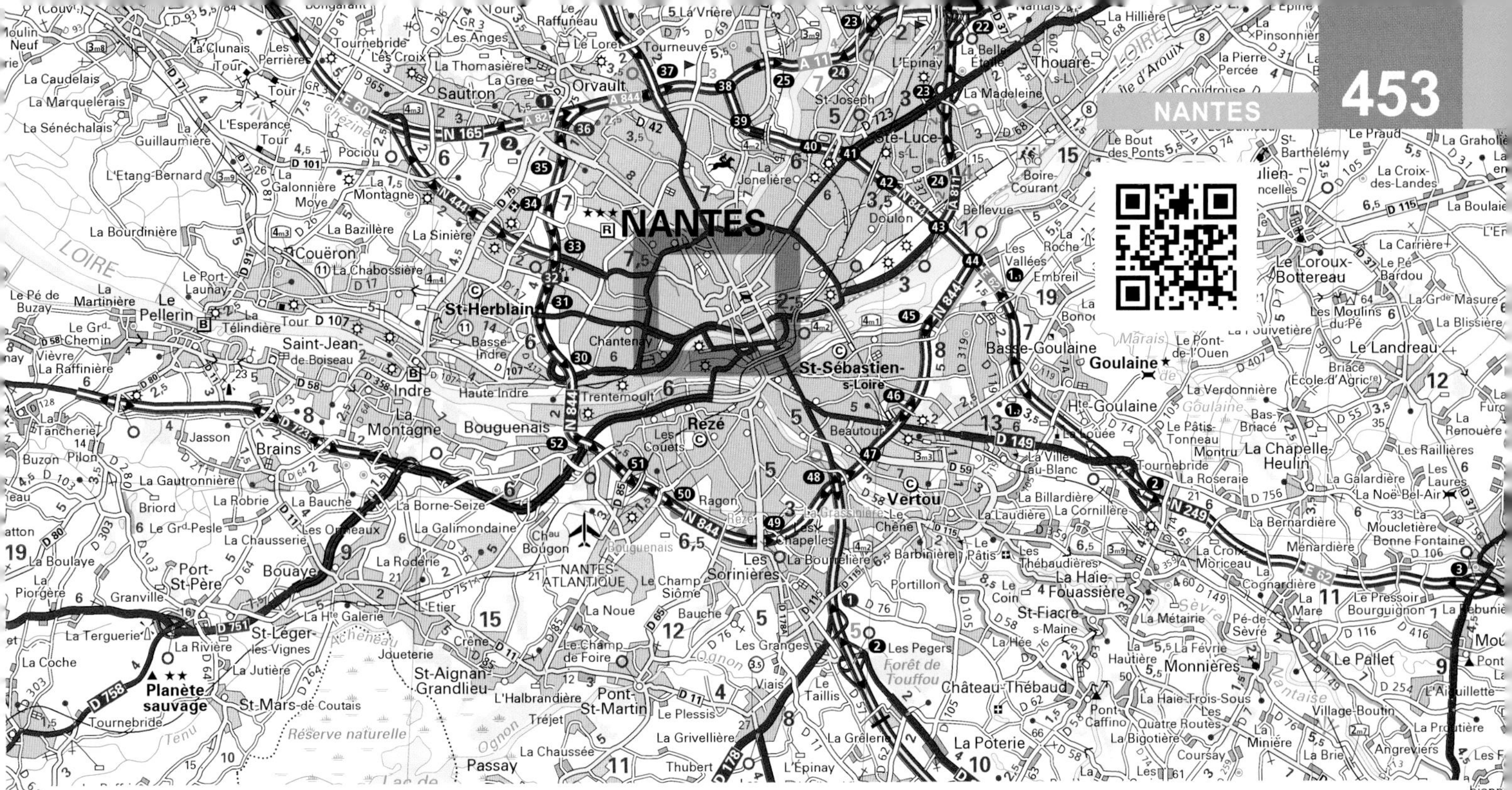
NANTES
Orvault
Sautron
Couëron
St-Herblain
Le Pellerin
Saint-Jean-de-Boiseau
Indre
La Montagne
Bouguenais
Rezé
St-Sébastien-s-Loire
Vertou
Les Sorinières
Basse-Goulaine
Goulaine
Hte-Goulaine
Ste-Luce
Thouaré-s-L.
Carquefou
La Chapelle-Heulin
Le Loroux-Bottereau
Le Landreau
La Haie-Fouassière
St-Fiacre-s-Maine
Château-Thébaud
Monnières
Le Pallet
Brains
Bouaye
Port-St-Père
St-Léger-les-Vignes
St-Aignan-Grandlieu
Pont-St-Martin
Planète sauvage
St-Mars-de Coutais
Passay
La Poterie
NANTES-ATLANTIQUE
Forêt de Touffou
Réserve naturelle
LOIRE
Sèvre Nantaise
N 165
N 844
N 249
A 11
A 844
E 60
E 62

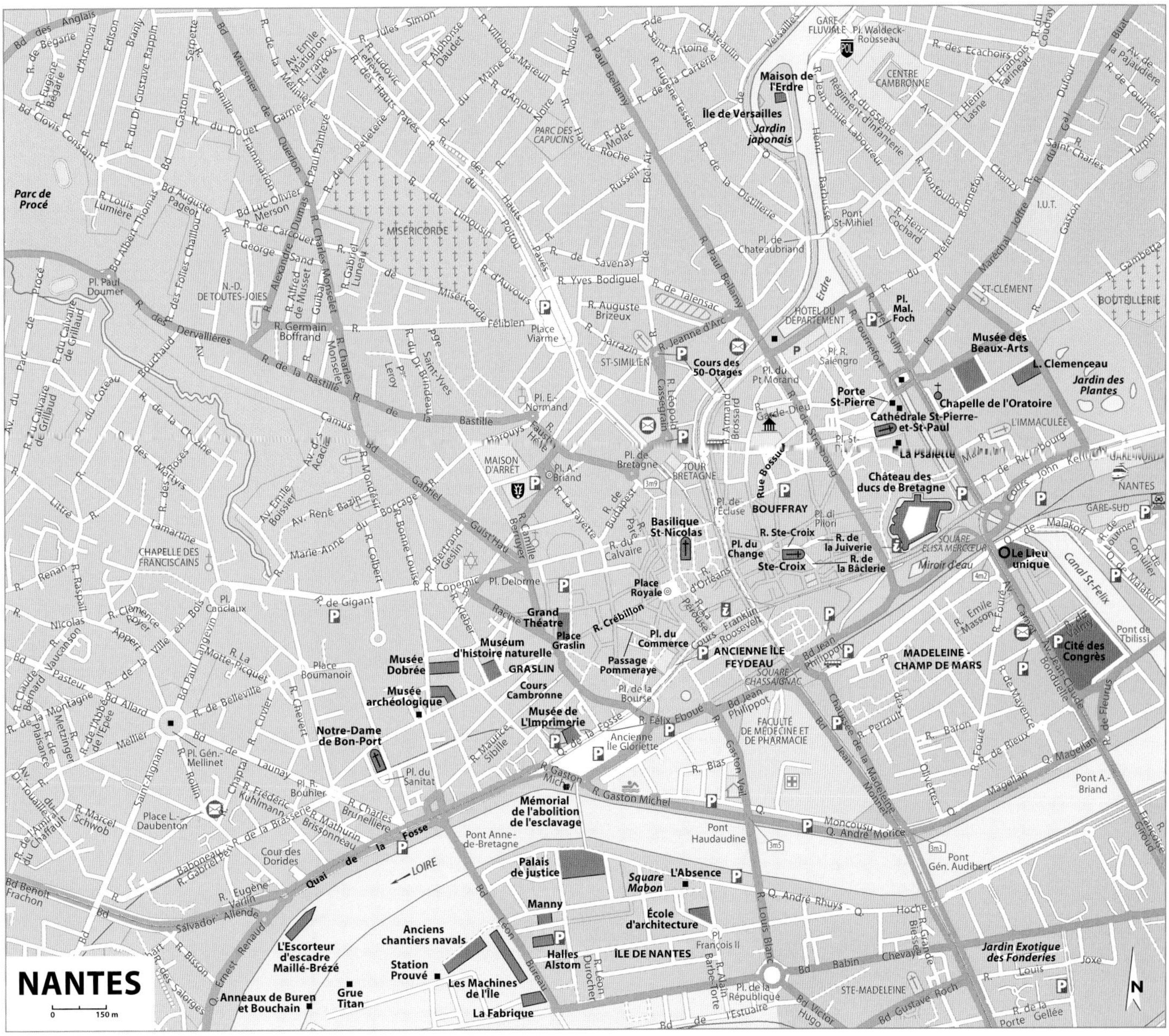
NANTES
Parc de Procé
MISERICORDE
PARC DES CAPUCINS
Maison de l'Erdre
Île de Versailles
Jardin japonais
CENTRE CAMBRONNE
GARE FLUVIALE
Pl. Waldeck-Rousseau
Pont St-Mihiel
Pl. de Chateaubriand
HOTEL DU DEPARTEMENT
Pl. Mal. Foch
ST-CLÉMENT
BOUTELLERIE
Musée des Beaux-Arts
L. Clemenceau
Jardin des Plantes
Porte St-Pierre
Chapelle de l'Oratoire
Cathédrale St-Pierre-et-St-Paul
L'IMMACULÉE
La Psalette
Château des ducs de Bretagne
GARE-NORD
GARE-SUD
SQUARE ELISA MERCŒUR
Miroir d'eau
Le Lieu unique
Canal St-Félix
Cité des Congrès
MADELEINE-CHAMP DE MARS
Cours des 50-Otages
ST-SIMILIEN
Place Viarme
Pl. E.-Normand
MAISON D'ARRET
Pl. A.-Briand
Pl. de Bretagne
TOUR BRETAGNE
BOUFFRAY
Rue Bossuet
Basilique St-Nicolas
Pl. du Change
Ste-Croix
R. Ste-Croix
R. de la Juiverie
R. de la Bâclerie
Place Royale
N.-D. DE TOUTES-JOIES
CHAPELLE DES FRANCISCAINS
Pl. Delorme
Grand Théâtre
Place Graslin
Pl. du Commerce
Passage Pommeraye
ANCIENNE ÎLE FEYDEAU
SQUARE CHASSAIGNAC
Muséum d'histoire naturelle
Musée Dobrée
GRASLIN
Cours Cambronne
Musée archéologique
Musée de l'Imprimerie
Notre-Dame de Bon-Port
Pl. Gén.-Mellinet
Place L.-Daubenton
Pl. du Sanitat
Mémorial de l'abolition de l'esclavage
FACULTÉ DE MÉDECINE ET DE PHARMACIE
Quai de la Fosse
LOIRE
Pont Anne-de-Bretagne
Pont Haudaudine
Pont Gén. Audibert
Pont A.-Briand
Pont de Tbilissi
Palais de justice
Square Mabon
L'Absence
Manny
École d'architecture
Anciens chantiers navals
L'Escorteur d'escadre Maillé-Brézé
Station Prouvé
Halles Alstom
ÎLE DE NANTES
Les Machines de l'Île
Grue Titan
Anneaux de Buren et Bouchain
La Fabrique
Pl. de la République
STE-MADELEINE
Jardin Exotique des Fonderies
0
150 m
N

L'Ymonière
La Nonnerie
La Maumernière
La Voirie
Beaumanoir
La Jutière
Les Habites
Les Flachausières
L'Orcelière
La Jaunière
Bellevigny
La Baillerie
La Rafinière
Boulogne
L'Ossière
La Jarrie
La Colle
Boisilière

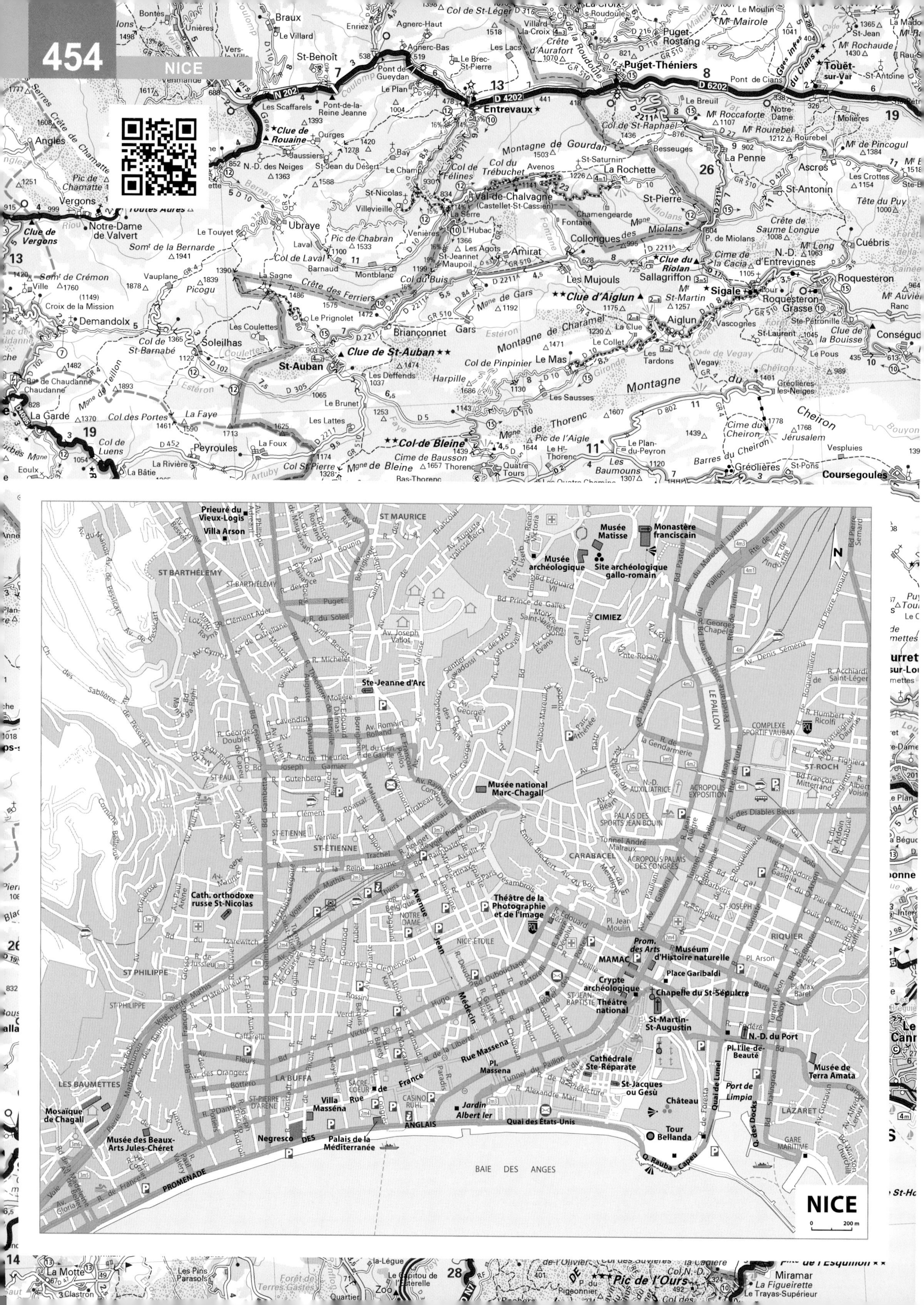
Puget-Théniers
Entrevaux
Col de St-Léger
Touët-sur-Var
Clue de Rouaine
St-Benoît
Ubraye
Val-de-Chalvagne
Montagne de Gourdan
La Rochette
St-Pierre
Collongues
Amirat
Les Mujouls
Clue d'Aiglun
Sigale
Roquesteron
Roquesteron-Grasse
Clue du Riolan
Sallagriffon
Aiglun
St-Auban
Clue de St-Auban
Briançonnet
Gars
Montagne de Charamel
Soleilhas
Demandolx
Vergons
Clue de Vergons
Angles
La Garde
Peyroules
Col de Bleine
Montagne du Cheiron
Gréolières
Gréolières-les-Neiges
Coursegoules
Conségudes
Cuébris
Ascros
La Penne
NICE
PROMENADE DES ANGLAIS
BAIE DES ANGES
Musée Matisse
Monastère franciscain
Musée archéologique
Site archéologique gallo-romain
CIMIEZ
Musée national Marc-Chagall
Cath. orthodoxe russe St-Nicolas
Théâtre de la Photographie et de l'Image
Prom. des Arts
MAMAC
Muséum d'Histoire naturelle
Place Garibaldi
Crypte archéologique
Théâtre national
Chapelle du St-Sépulcre
St-Martin-St-Augustin
N.-D. du Port
Cathédrale Ste-Réparate
St-Jacques ou Gesù
Château
Tour Bellanda
Port de Limpia
Musée de Terra Amata
LAZARET
GARE MARITIME
Jardin Albert Ier
Quai des États-Unis
Palais de la Méditerranée
Negresco
Villa Masséna
Mosaïque de Chagall
Musée des Beaux-Arts Jules-Chéret
LES BAUMETTES
LA BUFFA
ST PHILIPPE
ST BARTHÉLEMY
ST MAURICE
ST-ÉTIENNE
CARABACEL
RIQUIER
ST-ROCH
LE PAILLON
Prieuré du Vieux-Logis
Villa Arson
Ste-Jeanne d'Arc
0 200 m

Clans

St-André
Turini
L'Arbouin

Espinon
Roussillon
Pélasque
Camarie
Cime de Peira-Cava
Moulinet
Mt Ventabren
Mt Forquin
Pienne-Haute
Mt Colombin
M. Abellio

Tournefort
La Tour
St-Jean
Brec d'Utelle
St-Colomban
Loda
St-Arnoux
St-Jean-la-Rivière
Pierre Plate
Cime du Simon
N.-D. de la Menour
Col de Brous
Cime du Bosc
Peïra-Cava
Berou
Piène-Basse
Mt Grazian
Col de Pérus
Mt Grand
Fanghetto

Massoins
La Courbaisse
Fort
Utelle
La Madone d'Utelle
Colomp
Sanctuaire
Suc de Cabagne
St-Pierre
Cime de la Porte
Col de l'Orme
Col St-Roch
Col de l'Ablé
Ges du Piaon
Piaon
Ste-Madeleine
Mt Agaisen
Col de Braus
St-Roch
Mt Barbonnet
Col du Pérus
Airole
Olivetta-San-Michele

Malaussène
Cime des Collettes
Toudon
Revest-les-Roches
Tourette-du-Château
La Villette
Le Gros-d'Utelle
Duranus
St-Michel
Cime de Rocca Seira
Col St-Roch
Cime de Gros Tour Braus
Lucéram
Col de Braus
Sospel
Olivetta-San-Michele
M. Pozzo
Collabassa

Vieux-Pierrefeu
La Pinéa
Le Chaudan
Col du Dragon
Coaraze
Col de la Croix
Mortisson
St-Laurent
Mt Farguet
Mt Méras
Col de Castillon
Castillon
S. Pancrazio
Calvo
Bévéra

Pierrefeu
St-Michel
Les Ferres
Bonson
Pont Durandy
Plan-du-Var
Levens
Mt Férion
Le Plan Marlet
Berre-les-Alpes
L'Escarène
Touët-de-l'Escarène
Mt Ours
Col des Banquettes
Monti
Sant'Antonio
Cime de Restaud
Séglia

Bézaudun-les-Alpes
Le Broc
Carros-Village
Le Plan
Aspremont
Tourrette-Levens
Châteauneuf
Villevieille
Contes
Scios
Le Vignal
Col de Nice
Col de la Madone
Pic de Baudon
Peille
Ste-Agnès
Castellar
Mortola-Sup.
Grimaldi

Bouyon
Clue de la Péguière
Gilette
Ste-Marguerite
Clos Martel
La Roquette-s-Var
St-Martin-du-Var
La Croix-de-Fer
Mt Cima
Castagniers
Anc. Village
Les Moulins
Mt Macaron
Les Cognas
Blausasc
Gorbio
L'Annonciade
Menton
Capo Mor

Col de Vence
Baou de St-Jeannet
St-Jeannet
Gattières
Colomars
Falicon
St-André
La Trinité
Peillon
Mt Agel
Roquebrune-Cap-Martin
Cap-Martin

Baou des Blancs
St-Martin
La Gaude
Mt Chauve
Aspremont
St-Roman-de-Bellet
St-Pancrasse
Col d'Eze
L'Abadie
La Turbie
Beausoleil
Monte-Carlo
Cap Martin

Vence
La Colle Loubière
Fondation Maeght
Baronne
St-Isidore
La Madeleine
Fabron
Magnan
Mt Boron
Col des Quatre Chins
Eze
Monaco
La Condamine

St-Paul-de-Vence
La Colle-sur-Loup
Cagnes-s-M.
St-Laurent-du-Var
Ste-Hélène
Nice
Cimiez
Villefranche-sur-Mer
Zoo
Eze-Bord-de-Mer
Cap-d'Ail
Beaulieu-sur-Mer
Golfe de St-Hospice

Villeneuve-Loubet
Cros-de-Cagnes
La Californie
Nice Côte-d'Azur
St-Jean-Cap-Ferrat
Côte d'Azur

Roquefort-les-Pins
Les Maillans
Le Colombier
Logis-du-Loup
Bouches-du-Loup
Cap Ferrat

Bois Fleuri
Notre Dame
Biot
Villeneuve-Loubet-Plage
Sophia-Antipolis
Musée
Aquasplash
Marineland
La Brague
La Fontonne
Fort Carré

Parc National d'Activités
Super Antibes
La Croix-Rouge
St-Maymes
Antibes
St-Jean
Pnte Bacon

Vallauris
Pte de la Garoupe
Plage de la Garoupe
Cap Gros

Golfe-Juan
Juan-les-Pins
Cap d'Antibes
Eden-Roc

Super Cannes
La Californie
Golfe Juan
Palm Beach
Pnte de la Croisette

Île Ste-Marguerite
Plateau du Milieu
Monastères
Îles de Lérins

Côte d'Azur

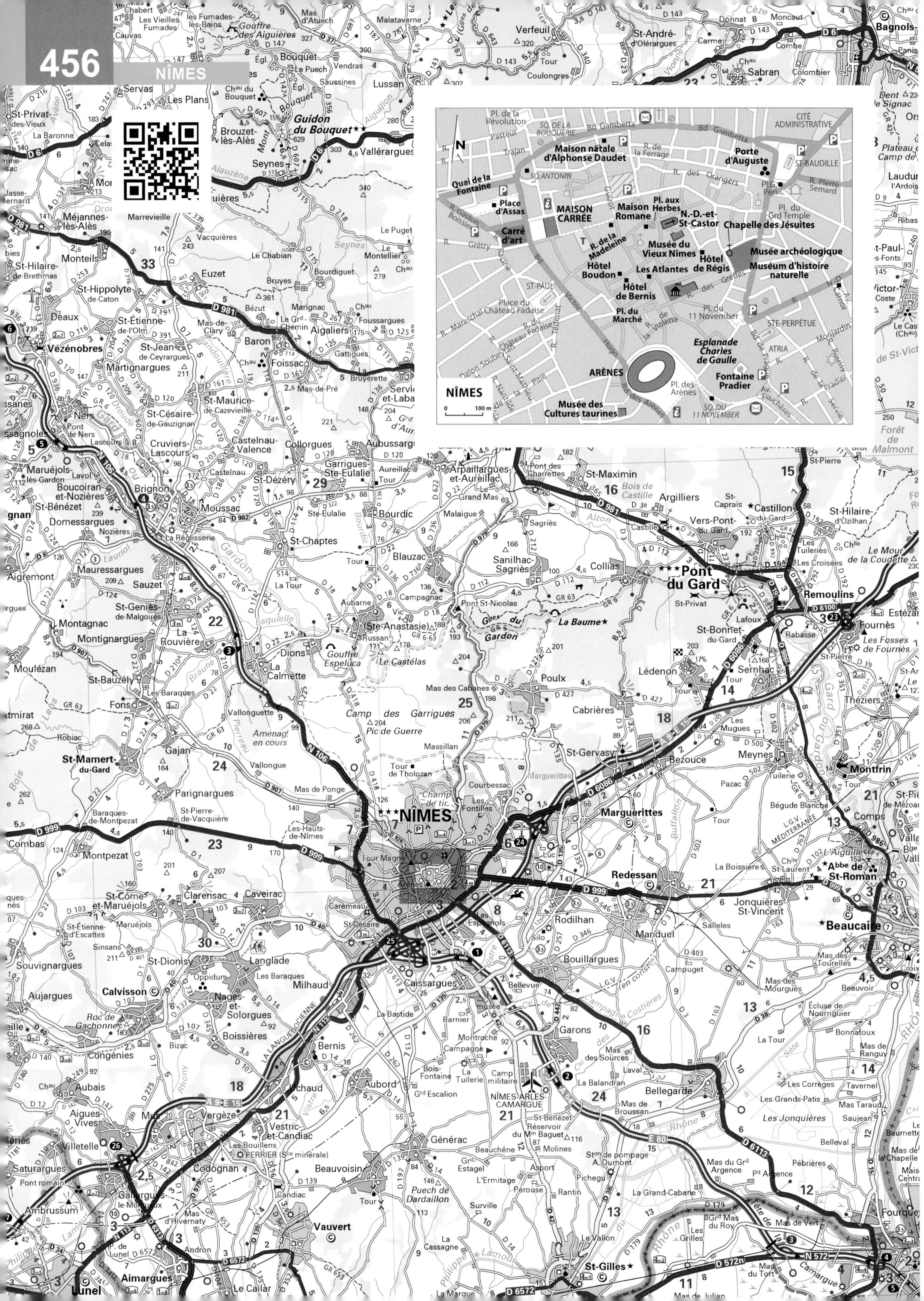
NÎMES
Pl. de la Révolution
SQ. DE LA BOUQUERIE
Bd Gambetta
CITÉ ADMINISTRATIVE
Maison natale d'Alphonse Daudet
Porte d'Auguste
R. de la Ferrage
ST-BAUDILLE
Quai de la Fontaine
SQ. ANTONIN
R. des Orangers
R. Pierre Semard
Pl. G. Péri
Place d'Assas
MAISON CARRÉE
Maison Romane
Pl. aux Herbes
N.-D.-et-St-Castor
Chapelle des Jésuites
Pl. du Grd Temple
Carré d'art
R. de la Madeleine
Musée du Vieux Nîmes
Musée archéologique
Muséum d'histoire naturelle
Hôtel Boudon
Les Atlantes
Hôtel de Régis
Hôtel de Bernis
ST-PAUL
Place du Château Fadaise
Pl. du Marché
Pl. du 11 November
STE-PERPÉTUE
Esplanade Charles de Gaulle
ATRIA
ARÈNES
Fontaine Pradier
Pl. des Arènes
Musée des Cultures taurines
SQ. DU 11 NOVEMBER
Bagnols-s-C.
Verfeuil
St-André-d'Olérargues
Sabran
Lussan
Guidon du Bouquet
Vallérargues
Seynes
Brouzet-lès-Alès
Méjannes-lès-Alès
St-Hilaire-de-Brethmas
St-Hippolyte-de-Caton
Euzet
Vézénobres
St-Étienne-de-l'Olm
Baron
Foissac
Aigaliers
St-Maurice-de-Cazevieille
Cruviers-Lascours
Castelnau-Valence
Collorgues
Aubussargues
Brignon
Moussac
St-Dézéry
Arpaillargues-et-Aureillac
St-Maximin
Argilliers
Castillon-du-Gard
Vers-Pont-du-Gard
Pont du Gard
Remoulins
Fournès
St-Chaptes
Blauzac
Sanilhac-Sagriès
Collias
La Baume
Gaujac
Dions
La Calmette
Poulx
Lédenon
Sernhac
Théziers
Cabrières
St-Gervasy
Bezouce
Meynes
Montfrin
Camp des Garrigues
St-Mamert-du-Gard
Parignargues
NÎMES
Marguerittes
Redessan
Manduel
Jonquières-St-Vincent
Beaucaire
Caveirac
Clarensac
Calvisson
Langlade
Milhaud
Caissargues
Bouillargues
Rodilhan
Garons
Bellegarde
Bernis
Aubord
Uchaud
Vergèze
Vestric-et-Candiac
Aigues-Vives
Codognan
Générac
Beauvoisin
Vauvert
St-Gilles
Lunel
Aimargues
Le Cailar
NÎMES-ARLES CAMARGUE

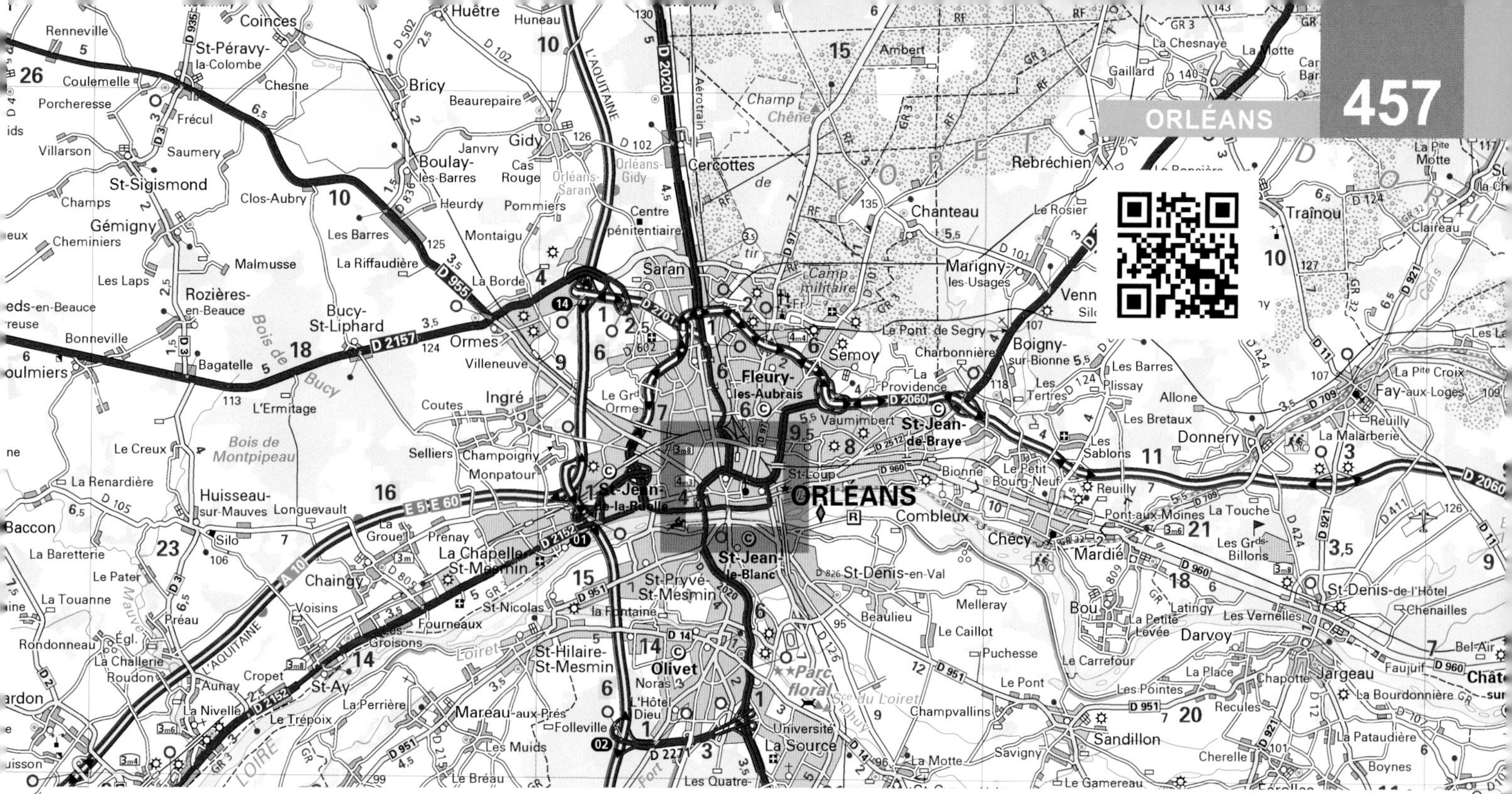
Orléans
Fleury-les-Aubrais
St-Jean-de-Braye
St-Jean-de-la-Ruelle
St-Jean-le-Blanc
St-Pryvé-St-Mesmin
Olivet
La Chapelle-St-Mesmin
Ingré
Saran
Semoy
Combleux
Chécy
Mardié
St-Denis-en-Val
St-Hilaire-St-Mesmin
La Source
Jargeau
Saint-Denis-de-l'Hôtel
Sandillon
Donnery
Marigny-les-Usages
Chanteau
Rebréchien
Cercottes
Boigny-sur-Bionne
Ormes
Bucy-St-Liphard
Huisseau-sur-Mauves
Chaingy
Mareau-aux-Prés
Parc floral
LOIRE

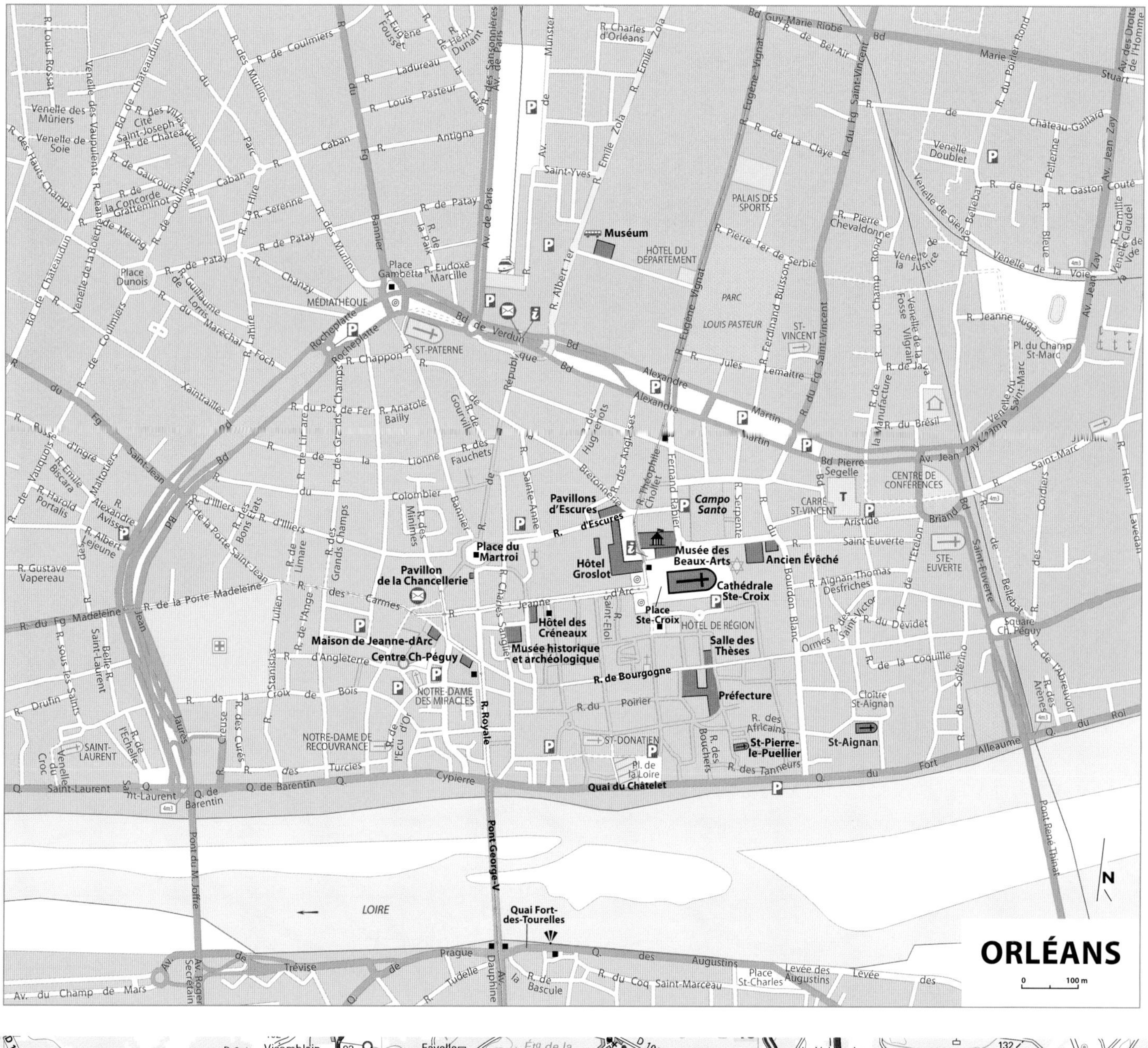
ORLÉANS
0 100 m
N
Place Gambetta
Médiathèque
Place Dunois
St-Paterne
Muséum
Hôtel du Département
Palais des Sports
Parc Louis Pasteur
Place du Martroi
Pavillon de la Chancellerie
Pavillons d'Escures
Hôtel Groslot
Musée des Beaux-Arts
Cathédrale Ste-Croix
Ancien Évêché
Campo Santo
Place Ste-Croix
Hôtel de Région
Salle des Thèses
Préfecture
Hôtel des Créneaux
Musée historique et archéologique
Maison de Jeanne-d'Arc
Centre Ch-Péguy
Notre-Dame des Miracles
Notre-Dame de Recouvrance
Saint-Laurent
St-Donatien
St-Pierre-le-Puellier
St-Aignan
Cloître St-Aignan
Centre de Conférences
Carré St-Vincent
Ste-Euverte
St-Vincent
Square Ch. Péguy
Quai du Châtelet
Quai Fort-des-Tourelles
Pont George-V
Pont René Thinat
Pont du M. Joffre
R. Royale
Bd Alexandre Martin
Bd de Verdun
Bd Guy-Marie Riobé
LOIRE

l'Isle-Adam
Valmondois
Butry-s-Oise
Auvers-s-Oise
Ennery
PONTOISE
Osny
Cergy
CERGY-PONTOISE
Méry-s-Oise
Mériel
Villiers-Adam
Béthemont-la-Forêt
Chauvry
Frépillon
Bessancourt
Taverny
St-Ouen-l'Aumône
Pierrelaye
Beauchamp
Eragny
Neuville-s-Oise
Conflans-Ste H.
Herblay
Montigny-lès-Cormeilles
Franconville
Ermont
Eaubonne
St-Leu-la-Forêt
St-Prix
Montlignon
Margency
Andilly
Soisy-s/s-Montmorency
Montmorency
Domont
Baillet-en-France
Montsoult
Maffliers
Nerville-la-Forêt
FORÊT DE L'ISLE-ADAM
FORÊT DE MONTMORENCY
Le Plessis-Bouchard
Sannois
Cormeilles-en-Parisis
La Frette-s-Seine
Andrésy
Achères
FORÊT DE ST GERMAIN
Maisons-Laffitte
Le Mesnil-le-Roi
Sartrouville
ARGENTEUIL
St-Gratien
Enghien-les-Bains
Epinay-s-S.
Deuil-la-Barre
Villeneuve-la-Garenne
Gennevilliers
Bezons
Houilles
Colombes
Bois-Colombes
La Garenne-Colombes
Asnières-s-S.
Clichy
Carrières-s-S.
Montesson
Le Vésinet
Chatou
NANTERRE
LA DÉFENSE
Courbevoie
Levallois-Perret
NEUILLY-s-S.
Puteaux
Suresnes
Rueil-Malmaison
Croissy-s-Seine
Le Pecq
Le Port-Marly
Marly-le-Roi
Louveciennes
Bougival
La Celle-St-Cloud
Forêt de la Malmaison
Bois de Boulogne
ST GERMAIN-EN-LAYE
ARC DE TRIOMPHE
INVALIDES
SEINE
OISE

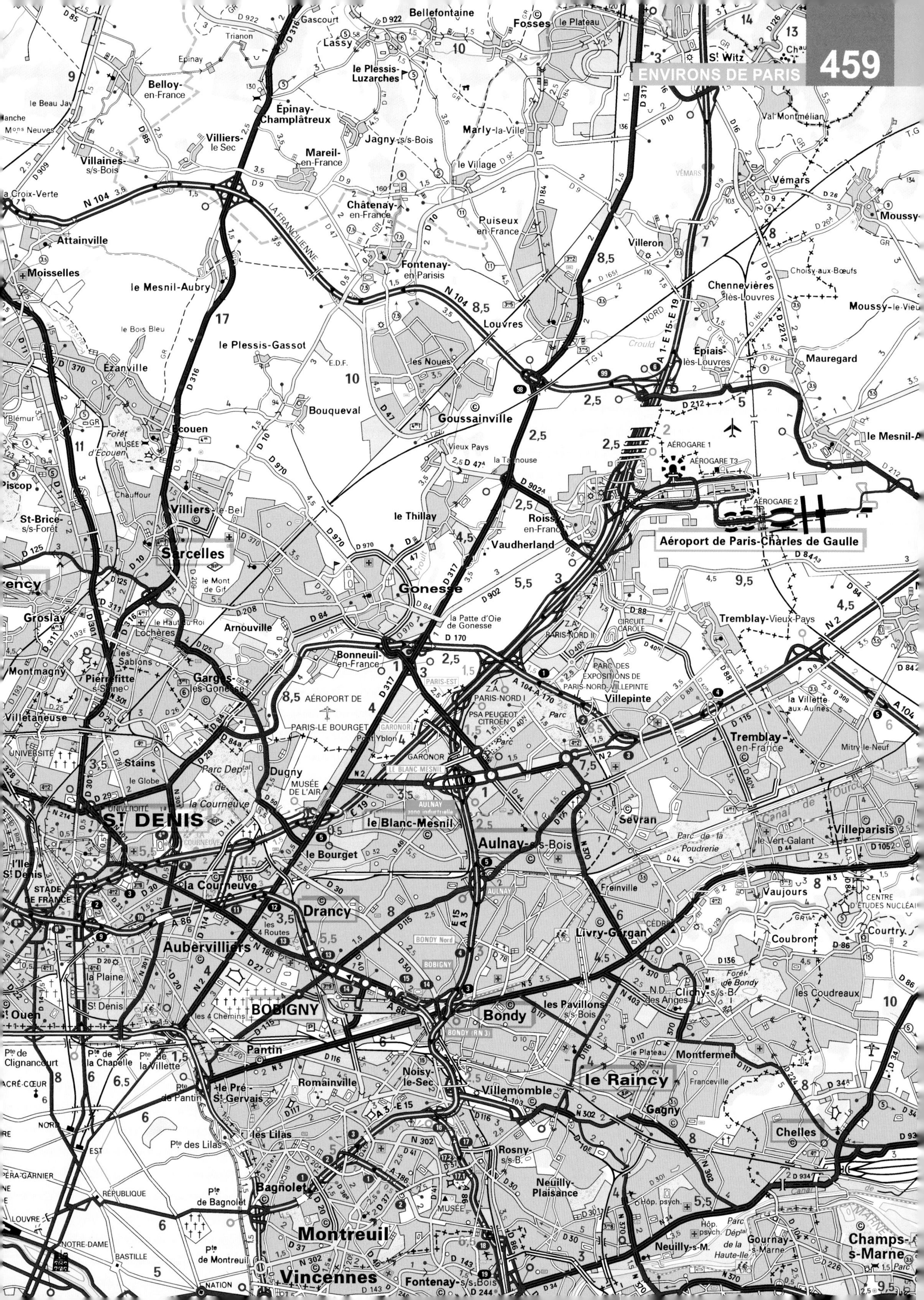

Bellefontaine
Fosses
Gascourt
Lassy
le Plessis-Luzarches
Belloy-en-France
Épinay-Champlâtreux
Villiers-le Sec
Mareil-en-France
Jagny-s/s-Bois
Marly-la-Ville
Villaines-s/s-Bois
St Witz
Val Montmélian
Vémars
Moussy
Châtenay-en-France
Puiseux en-France
Attainville
Fontenay-en-Parisis
Villeron
Chennevières lès-Louvres
Moussy-le-Vieux
Moisselles
le Mesnil-Aubry
Louvres
le Plessis-Gassot
les Noues
Épiais-lès-Louvres
Mauregard
Ézanville
Bouqueval
Goussainville
Écouen
Forêt d'Écouen
AÉROGARE 1
AÉROGARE T3
AÉROGARE 2
le Mesnil-A
Vieux Pays
la Tamouse
Roissy-en-France
Piscop
Villiers-le-Bel
le Thillay
Vaudherland
St-Brice-s/s-Forêt
Sarcelles
Aéroport de Paris-Charles de Gaulle
Gonesse
Groslay
Arnouville
la Patte d'Oie de Gonesse
Tremblay-Vieux-Pays
Montmagny
Pierrefitte s-Seine
Garges-lès-Gonesse
Bonneuil-en-France
PARC DES EXPOSITIONS DE PARIS-NORD VILLEPINTE
Villepinte
la Villette aux-Aulnes
Villetaneuse
AÉROPORT DE PARIS-LE BOURGET
Tremblay-en-France
Mitry-le-Neuf
Stains
Dugny
MUSÉE DE L'AIR
Parc Dep^tal de la Courneuve
Sevran
Villeparisis
ST DENIS
le Blanc-Mesnil
Aulnay-s-Bois
Parc de la Poudrerie
le Vert-Galant
le Bourget
L'Île St Denis
STADE DE FRANCE
la Courneuve
Drancy
Freinville
Vaujours
CENTRE D'ÉTUDES NUCLÉAI
Aubervilliers
Livry-Gargan
Coubron
Courtry
la Plaine
St Ouen
BOBIGNY
Bondy
les Pavillons s/s-Bois
Clichy-s/s-B.
les Coudreaux
Forêt de Bondy
Pantin
Montfermeil
Pte de Clignancourt
Pte de la Chapelle
Pte de la Villette
Romainville
Noisy-le-Sec
le Raincy
Franceville
Villemomble
Le Pré-St-Gervais
Pte de Pantin
Gagny
Chelles
les Lilas
Pte des Lilas
Rosny-s/s-B.
Neuilly-Plaisance
Bagnolet
Pte de Bagnolet
Montreuil
Pte de Montreuil
Neuilly-s-M.
Gournay-s-Marne
Champs-s-Marne
Vincennes
Fontenay-s/s-Bois
SACRÉ-CŒUR
OPÉRA-GARNIER
RÉPUBLIQUE
LOUVRE
NOTRE-DAME
BASTILLE
NATION

VERSAILLES
BOULOGNE-BILLANCOURT
St-Cloud
Sèvres
Meudon
Clamart
Montrouge
Malakoff
Vanves
Issy-les-Moulineaux
Châtillon
Bagneux
Fontenay-aux-Roses
Le Plessis-Robinson
Sceaux
Châtenay-Malabry
Antony
Bourg-la-Reine
Fresnes
Massy
Palaiseau
Saclay
Orsay
Bures-s-Yvette
Gif-s-Yvette
les Ulis
Villebon-s-Yvette
Longjumeau
Champlan
Chilly-Mazarin
Épinay-s-Orge
Villiers-s-Orge
Ste Geneviève-des-Bois
Longpont-s-Orge
St Michel-s-Orge
Montlhéry
Linas
Marcoussis
Nozay
Villejust
Saulx-les-Chartreux
Ballainvilliers
la Ville du Bois
Janvry
Limours-en-Hurepoix
Briis-s-Forges
Forges-les-Bains
Gometz-la-Ville
Gometz-le-Châtel
les Molières
Boullay-les-Troux
St Rémy-lès-Chevreuse
Magny-les-Hameaux
Milon-la-Chapelle
Châteaufort
Toussus-le-Noble
Guyancourt
Buc
Jouy-en-Josas
les Loges-en-Josas
Bièvres
Igny
Vauhallan
Verrières-le-Buisson
Vélizy-Villacoublay
Viroflay
Chaville
Ville-d'Avray
Marnes-la-Coquette
Vaucresson
Garches
le Chesnay
Rocquencourt
Bougival
La Celle-St Cloud
Bailly
St Cyr-l'École
Bouviers
Villiers-le-Bâcle
St Aubin
Courcelle
Chevry
Villeziers
St Jean de Beauregard
Fontenay-lès-Briis
Bligny
Mulleron
Roussigny
Frileuse
Ardillières
le Cormier
Malassis
Chaumusson
Forêt de Meudon
Forêt de Verrières
Forêt de la Malmaison
Forêt de Fausses-Reposes
Bois de Boulogne
Parc de St-Cloud
Forêt de la Roche-Turpin
CENTRE D'ÉTUDES NUCLÉAIRES
ÉCOLE POLYTECHNIQUE
ÉCOLE H.E.C.
UNIVERSITÉ
CENTRE TECHNIQUE NATIONAL DE RUGBY
AUTODROME
INVALIDES
MONTPARNASSE
MADELEINE
CONCORDE
Pte Dauphine
Pte de la Muette
Pte d'Auteuil
Pte de St-Cloud
Pte de Versailles
Pte de Châtillon
Mémorial du Mt Valérien
A 86
A 13
A 12
A 10
A 6
N 118
N 104
N 20
E 5
D 36
D 988
D 446
D 306

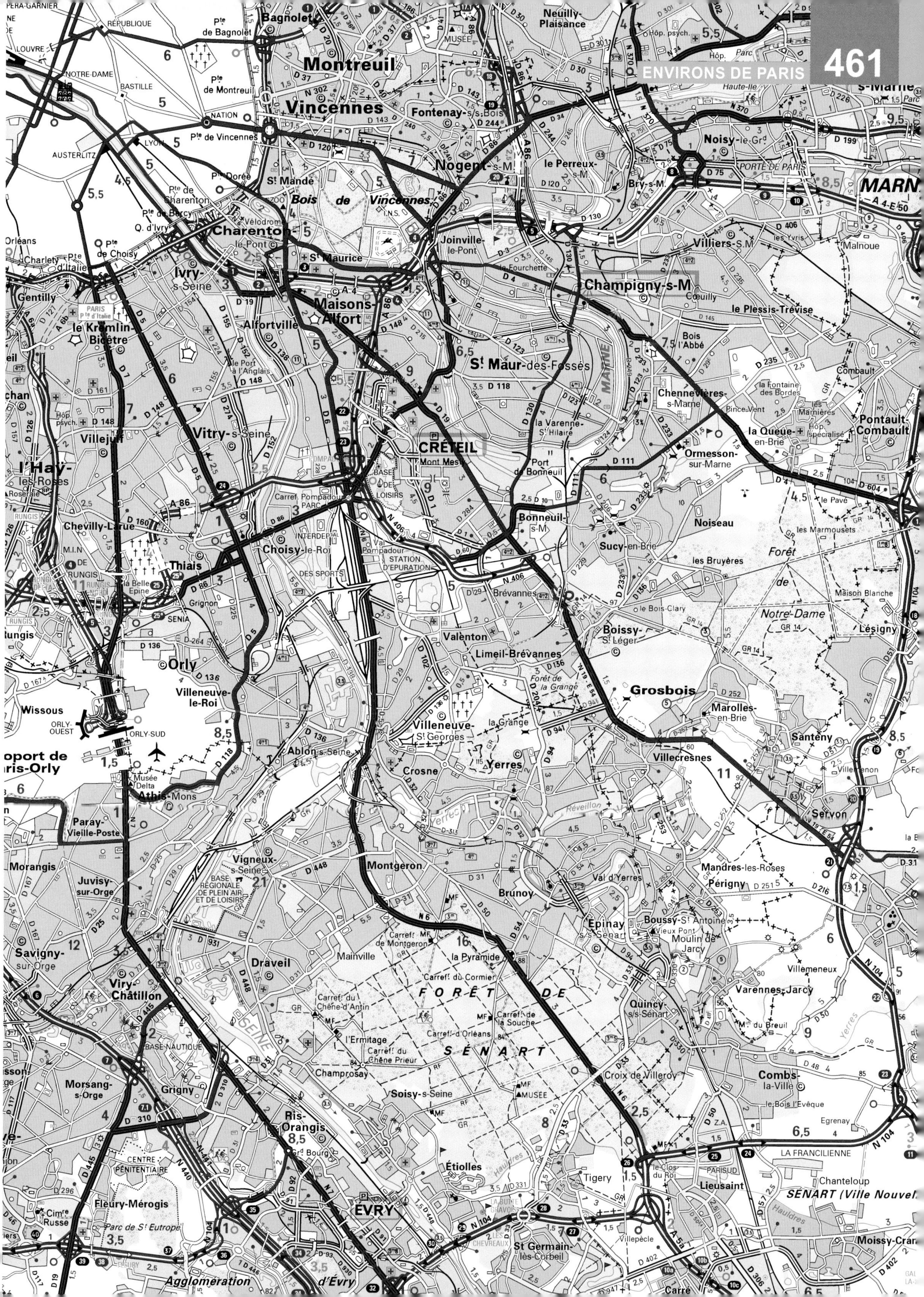
Bagnolet
Pte de Bagnolet
Neuilly-Plaisance
Montreuil
Pte de Montreuil
Vincennes
Fontenay-s/s-Bois
Nogent-s-M.
le Perreux-s-M.
Bry-s-M.
Noisy-le-Grd
PORTE DE PARIS
MARNE
NATION
Pte de Vincennes
BASTILLE
NOTRE-DAME
LOUVRE
RÉPUBLIQUE
LYON
AUSTERLITZ
Pte Dorée
St Mandé
Bois de Vincennes
Pte de Charenton
Pte de Bercy
Q. d'Ivry
Pte de Choisy
Pte d'Italie
Charenton-le-Pont
St Maurice
Joinville-le-Pont
Villiers-S.M.
Malnoue
Champigny-s-M
Cœuilly
le Plessis-Trévise
Ivry-s-Seine
Gentilly
le Kremlin-Bicêtre
Maisons-Alfort
Alfortville
St Maur-des-Fossés
MARNE
Bois l'Abbé
Chennevières-s-Marne
la Fontaine des Bordes
Combault
Pontault-Combault
la Queue-en-Brie
Ormesson-sur-Marne
Vitry-s-Seine
Villejuif
L'Haÿ-les-Roses
CRÉTEIL
Mont Mesly
la Varenne-St Hilaire
Port de Bonneuil
BASE DE LOISIRS
Carref. Pompadour
Bonneuil-s-M.
Noiseau
Chevilly-Larue
Choisy-le-Roi
Thiais
Sucy-en-Brie
les Bruyères
Forêt de Notre-Dame
les Marmousets
Maison Blanche
M.I.N. DE RUNGIS
Rungis
Brévannes
Valenton
Limeil-Brévannes
Boissy-St Léger
Lésigny
Orly
Villeneuve-le-Roi
Wissous
ORLY-OUEST
ORLY-SUD
Aéroport de Paris-Orly
Grosbois
Marolles-en-Brie
Santeny
Villeneuve-St Georges
la Grange
Yerres
Ablon-s-Seine
Crosne
Villecresnes
Servon
Athis-Mons
Musée Delta
Paray-Vieille-Poste
Morangis
Juvisy-sur-Orge
Vigneux-s-Seine
BASE RÉGIONALE DE PLEIN AIR ET DE LOISIRS
Montgeron
Brunoy
Val d'Yerres
Mandres-les-Roses
Périgny
Epinay s/s-Sénart
Boussy-St Antoine
Moulin de Jarcy
Savigny-sur-Orge
Viry-Châtillon
Draveil
Mainville
la Pyramide
Carref. de Montgeron
Carref. du Cormier
FORÊT DE SÉNART
Carref. du Chêne-d'Antin
Carref. de la Souche
Carref. d'Orléans
l'Ermitage
Carref. du Chêne Prieur
Villemeneux
Varennes-Jarcy
Quincy-s/s-Sénart
Mln du Breuil
Morsang-s-Orge
Grigny
Champrosay
Soisy-s-Seine
Croix de Villeroy
Combs-la-Ville
le Bois l'Évêque
Egrenay
Ris-Orangis
Grd Bourg
Étiolles
Tigery
Lieusaint
LA FRANCILIENNE
Chanteloup
SÉNART (Ville Nouvelle)
CENTRE PÉNITENTIAIRE
Fleury-Mérogis
Cimre Russe
Parc de St Eutrope
ÉVRY
St Germain-lès-Corbeil
Villepècle
Moissy-Cramayel
Agglomération d'Évry
Carré

Paris

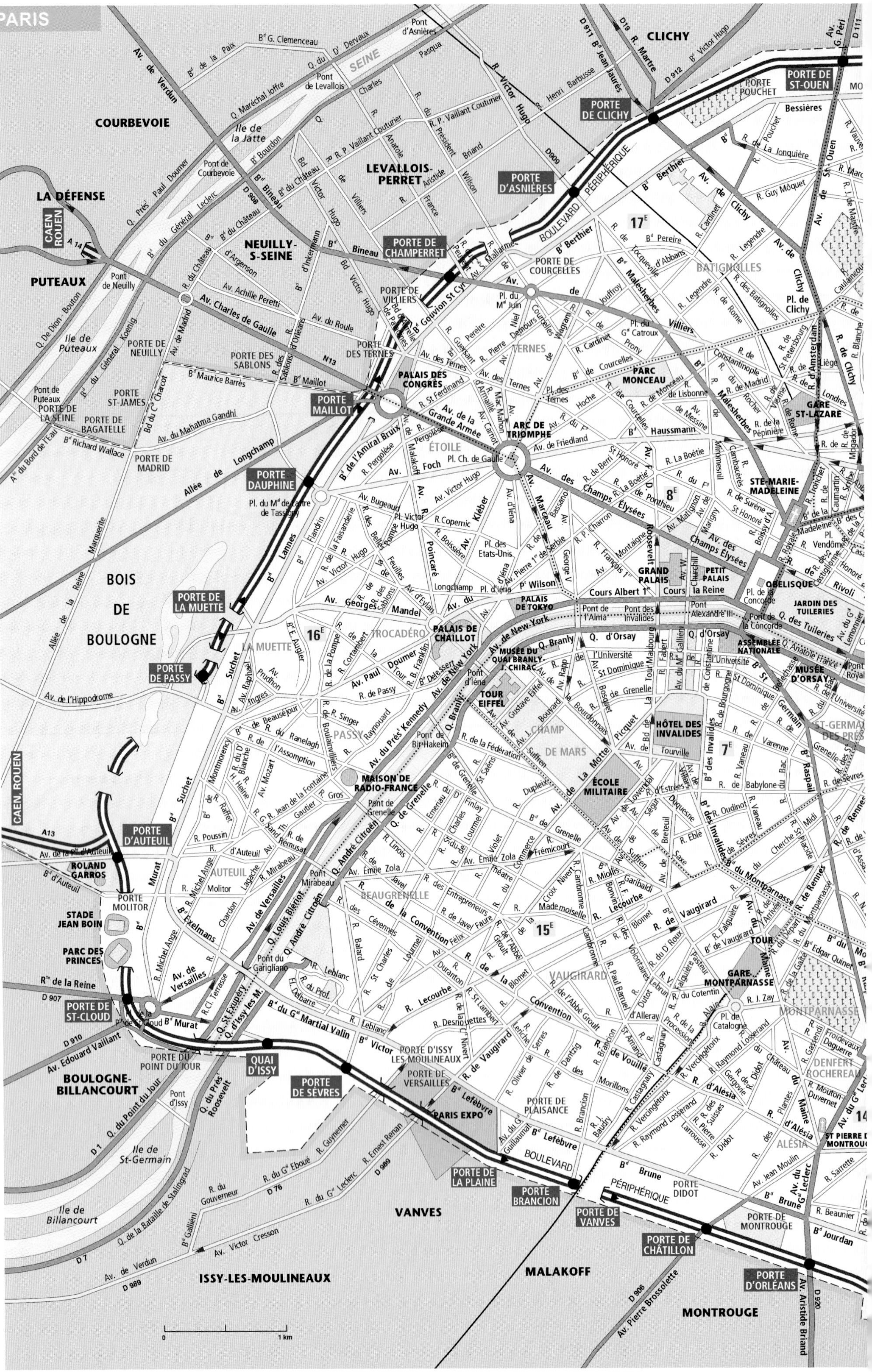

CLICHY
COURBEVOIE
LA DÉFENSE
PUTEAUX
NEUILLY-S-SEINE
LEVALLOIS-PERRET
SEINE
Ile de la Jatte
Ile de Puteaux
PORTE DE ST-OUEN
PORTE DE CLICHY
PORTE D'ASNIÈRES
PORTE DE CHAMPERRET
PORTE DE COURCELLES
PORTE DE VILLIERS
PORTE DES TERNES
PORTE MAILLOT
PORTE DE NEUILLY
PORTE DES SABLONS
PORTE ST-JAMES
PORTE DE BAGATELLE
PORTE DE MADRID
PORTE DAUPHINE
PORTE DE LA MUETTE
PORTE DE PASSY
PORTE D'AUTEUIL
PORTE MOLITOR
PORTE DE ST-CLOUD
PORTE DU POINT DU JOUR
QUAI D'ISSY
PORTE DE SÈVRES
PORTE D'ISSY LES MOULINEAUX
PORTE DE VERSAILLES
PORTE DE LA PLAINE
PORTE BRANCION
PORTE DE VANVES
PORTE DIDOT
PORTE DE PLAISANCE
PORTE DE MONTROUGE
PORTE DE CHÂTILLON
PORTE D'ORLÉANS
PORTE POUCHET
BOIS DE BOULOGNE
Allée de Longchamp
Av. de l'Hippodrome
BOULEVARD PÉRIPHÉRIQUE
CAEN ROUEN
A 14
A13
17E
16E
15E
8E
7E
BATIGNOLLES
TERNES
ÉTOILE
TROCADÉRO
LA MUETTE
PASSY
AUTEUIL
BEAUGRENELLE
VAUGIRARD
MONTPARNASSE
ALÉSIA
PALAIS DES CONGRÈS
ARC DE TRIOMPHE
PARC MONCEAU
GARE ST-LAZARE
STE-MARIE-MADELEINE
GRAND PALAIS
PETIT PALAIS
OBÉLISQUE
JARDIN DES TUILERIES
PALAIS DE TOKYO
PALAIS DE CHAILLOT
MUSÉE DU QUAI BRANLY-J. CHIRAC
TOUR EIFFEL
CHAMP DE MARS
ÉCOLE MILITAIRE
HÔTEL DES INVALIDES
ASSEMBLÉE NATIONALE
MUSÉE D'ORSAY
MAISON DE RADIO-FRANCE
ROLAND GARROS
STADE JEAN BOIN
PARC DES PRINCES
GARE MONTPARNASSE
TOUR
PARIS EXPO
BOULOGNE-BILLANCOURT
Ile de St-Germain
Ile de Billancourt
VANVES
ISSY-LES-MOULINEAUX
MALAKOFF
MONTROUGE
Av. Charles de Gaulle
Av. de la Grande Armée
Av. des Champs Elysées
Av. Foch
Av. Victor Hugo
Av. Kléber
Av. d'Iéna
Av. Marceau
Av. George V
Av. de New York
Av. du Prés' Kennedy
Quai d'Orsay
Cours Albert 1er
Av. Montaigne
Bd Haussmann
Bd Malesherbes
R. de Rivoli
R. de Vaugirard
R. Lecourbe
Bd de Grenelle
Av. Émile Zola
R. de la Convention
Av. de Versailles
Av. de Suffren
Av. de la Motte Picquet
Bd des Invalides
Bd du Montparnasse
Bd Raspail
R. de Rennes
Bd Lefèbvre
Bd Brune
Bd Victor
Bd Murat
Bd Exelmans
Bd Suchet
Bd Lannes
Av. Aristide Briand
Av. Pierre Brossolette
0
1 km

Paris

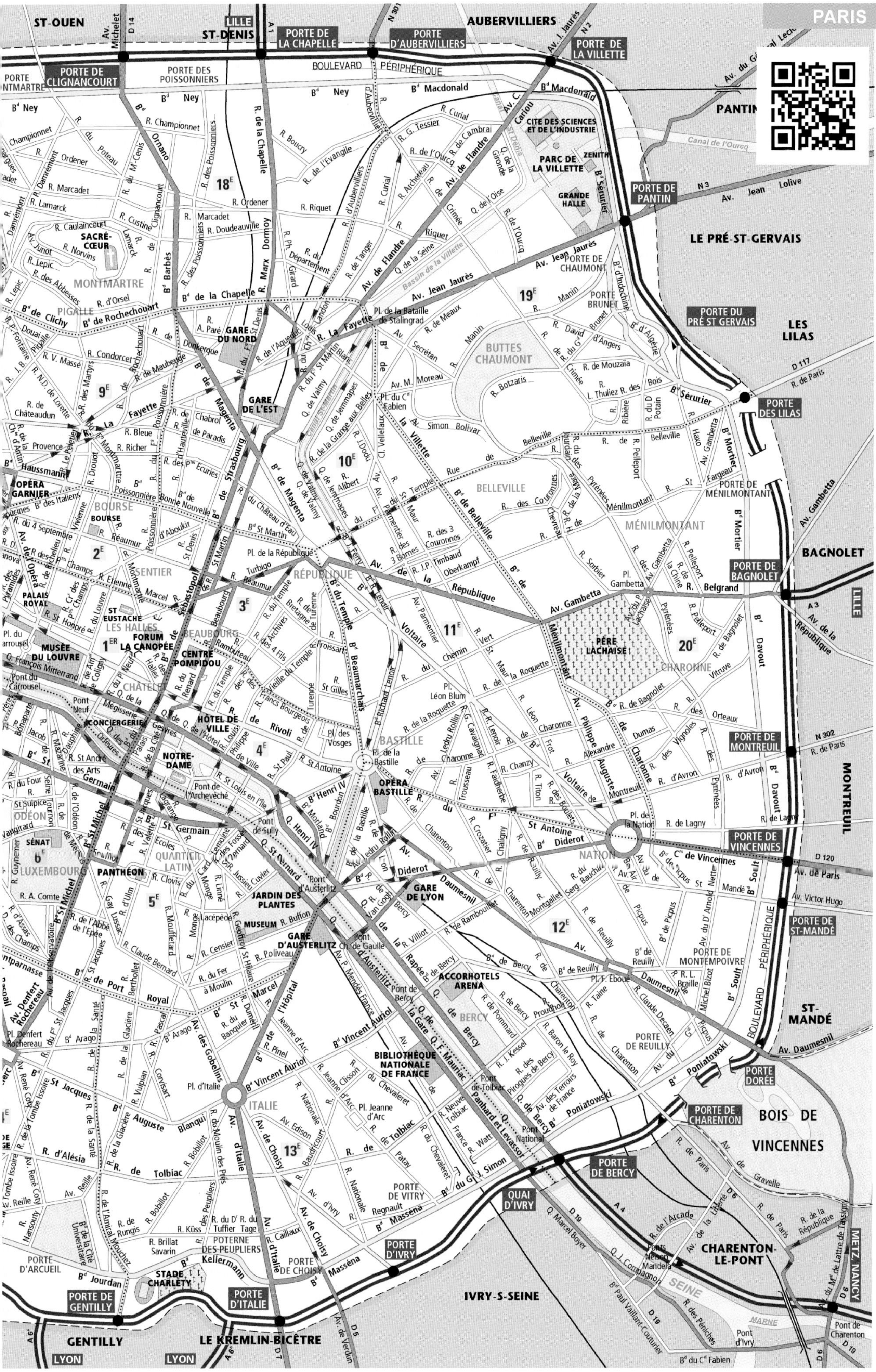
ST-OUEN
ST-DENIS
AUBERVILLIERS
PANTIN
LE PRÉ-ST-GERVAIS
LES LILAS
BAGNOLET
MONTREUIL
ST-MANDÉ
BOIS DE VINCENNES
CHARENTON-LE-PONT
IVRY-S-SEINE
LE KREMLIN-BICÊTRE
GENTILLY
PORTE DE CLIGNANCOURT
PORTE DE LA CHAPELLE
PORTE D'AUBERVILLIERS
PORTE DE LA VILLETTE
PORTE DE PANTIN
PORTE DU PRÉ ST GERVAIS
PORTE DES LILAS
PORTE DE BAGNOLET
PORTE DE MONTREUIL
PORTE DE VINCENNES
PORTE DE ST-MANDÉ
PORTE DORÉE
PORTE DE CHARENTON
PORTE DE BERCY
QUAI D'IVRY
PORTE D'IVRY
PORTE D'ITALIE
PORTE DE GENTILLY
BOULEVARD PÉRIPHÉRIQUE
CITÉ DES SCIENCES ET DE L'INDUSTRIE
PARC DE LA VILLETTE
ZENITH
GRANDE HALLE
SACRÉ-CŒUR
MONTMARTRE
PIGALLE
GARE DU NORD
GARE DE L'EST
BUTTES CHAUMONT
BELLEVILLE
MÉNILMONTANT
OPÉRA GARNIER
BOURSE
SENTIER
RÉPUBLIQUE
PALAIS ROYAL
ST EUSTACHE
LES HALLES
FORUM LA CANOPÉE
BEAUBOURG
CENTRE POMPIDOU
MUSÉE DU LOUVRE
CHÂTELET
CONCIERGERIE
HÔTEL DE VILLE
NOTRE-DAME
BASTILLE
OPÉRA BASTILLE
PÈRE LACHAISE
CHARONNE
NATION
ODÉON
SÉNAT
LUXEMBOURG
PANTHÉON
QUARTIER LATIN
JARDIN DES PLANTES
MUSEUM
GARE D'AUSTERLITZ
GARE DE LYON
ACCORHOTELS ARENA
BERCY
BIBLIOTHÈQUE NATIONALE DE FRANCE
ITALIE
STADE CHARLÉTY
18E
19E
9E
10E
2E
3E
1ER
11E
20E
4E
6E
5E
12E
13E
Canal de l'Ourcq
Bassin de la Villette
SEINE
MARNE
LILLE
LYON
METZ, NANCY

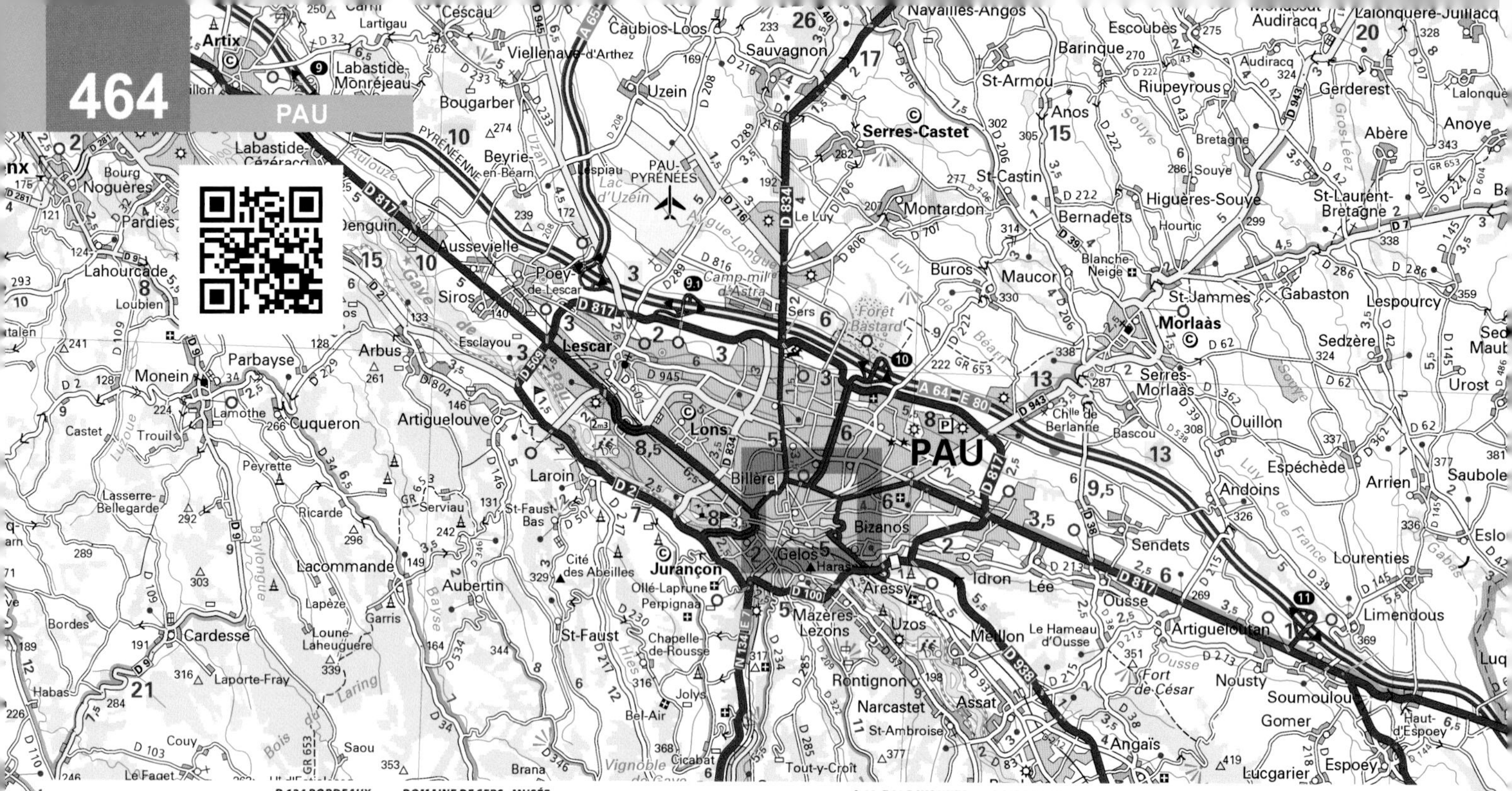
PAU
Lescar
Lons
Billère
Jurançon
Gelos
Bizanos
Morlaàs
Serres-Castet
PAU-PYRÉNÉES
Artix
Monein
Artiguelouve
Aressy
Idron
Mazères-Lezons
Uzos
A 64 - E 80
D 817
D 834

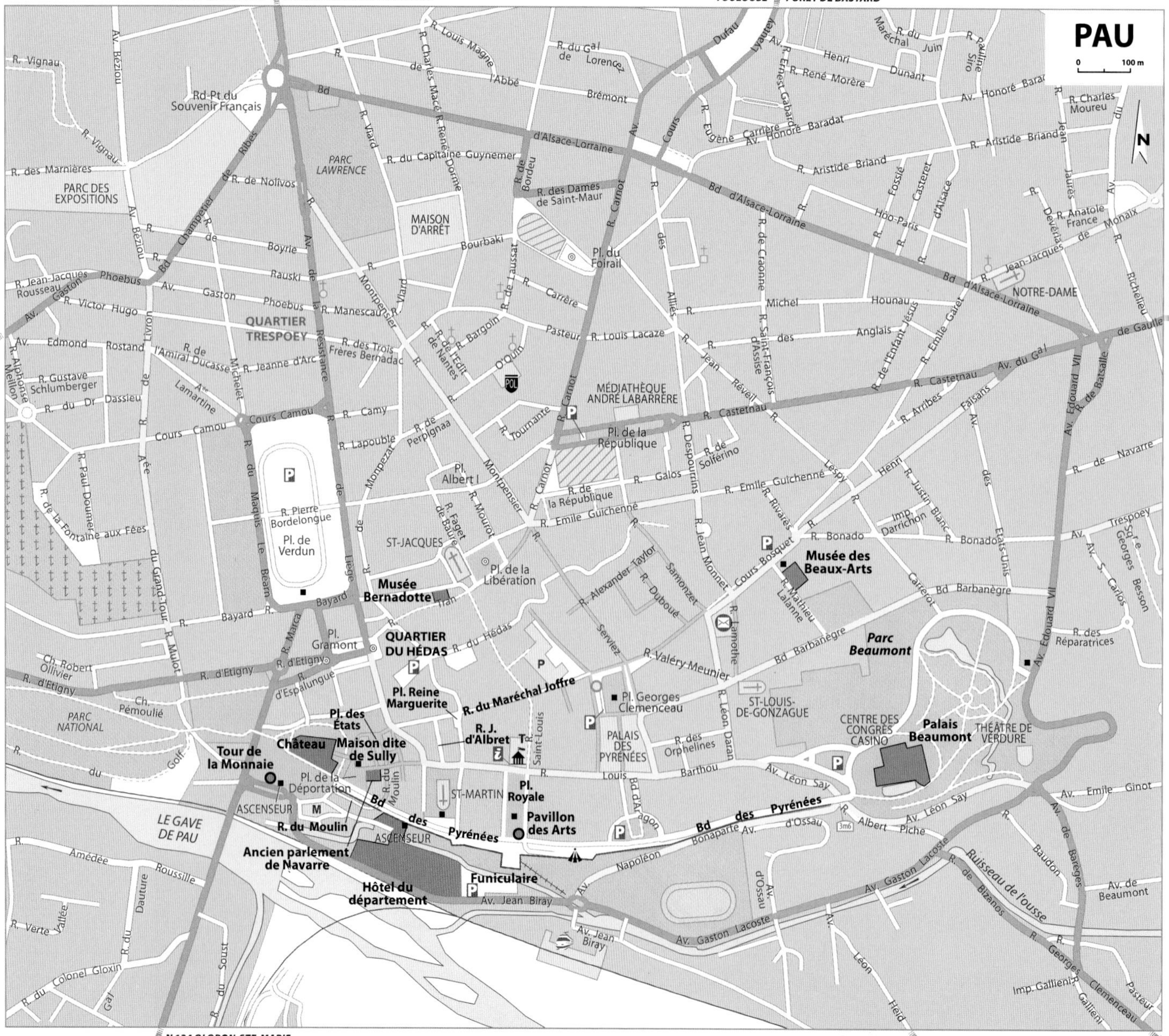
PAU
0
100 m
N
D 134 BORDEAUX MONT-DE-MARSAN
DOMAINE DE SERS, MUSÉE NATIONAL DES PARACHUTISTES
A 64- E 80 BAYONNES, TOULOUSE
BOIS DE PAU, FORÊT DE BASTARD
D 817, ORTHEZ BAYONNE, DAX
D 817 TARBES, LOURDES
N 134 OLORON-STE-MARIE, LA FÉERIE GOURMANDE SARAGOSSE
D 209, GELOS
D 937 STADE D'EAUX-VIVES, GROTTES DE BETHARRAM
PARC DES EXPOSITIONS
PARC LAWRENCE
MAISON D'ARRÊT
QUARTIER TRESPOEY
MÉDIATHÈQUE ANDRÉ LABARRÈRE
Pl. de la République
Pl. de Verdun
ST-JACQUES
Musée Bernadotte
QUARTIER DU HÉDAS
Pl. de la Libération
Musée des Beaux-Arts
Parc Beaumont
Palais Beaumont
CENTRE DES CONGRÈS CASINO
THÉÂTRE DE VERDURE
Pl. Reine Marguerite
R. du Maréchal Joffre
Pl. des États
Château
Maison dite de Sully
Tour de la Monnaie
Pl. de la Déportation
R. J. d'Albret
Pl. Georges Clemenceau
PALAIS DES PYRÉNÉES
ST-LOUIS-DE-GONZAGUE
ST-MARTIN
Pl. Royale
Pavillon des Arts
ASCENSEUR
R. du Moulin
Ancien parlement de Navarre
Hôtel du département
Funiculaire
Bd des Pyrénées
LE GAVE DE PAU
PARC NATIONAL
NOTRE-DAME
Bd d'Alsace-Lorraine
Cours Camou
Cours Bosquet
Av. Jean Biray
Av. Gaston Lacoste
Av. Edouard VII
Ruisseau de l'ousse

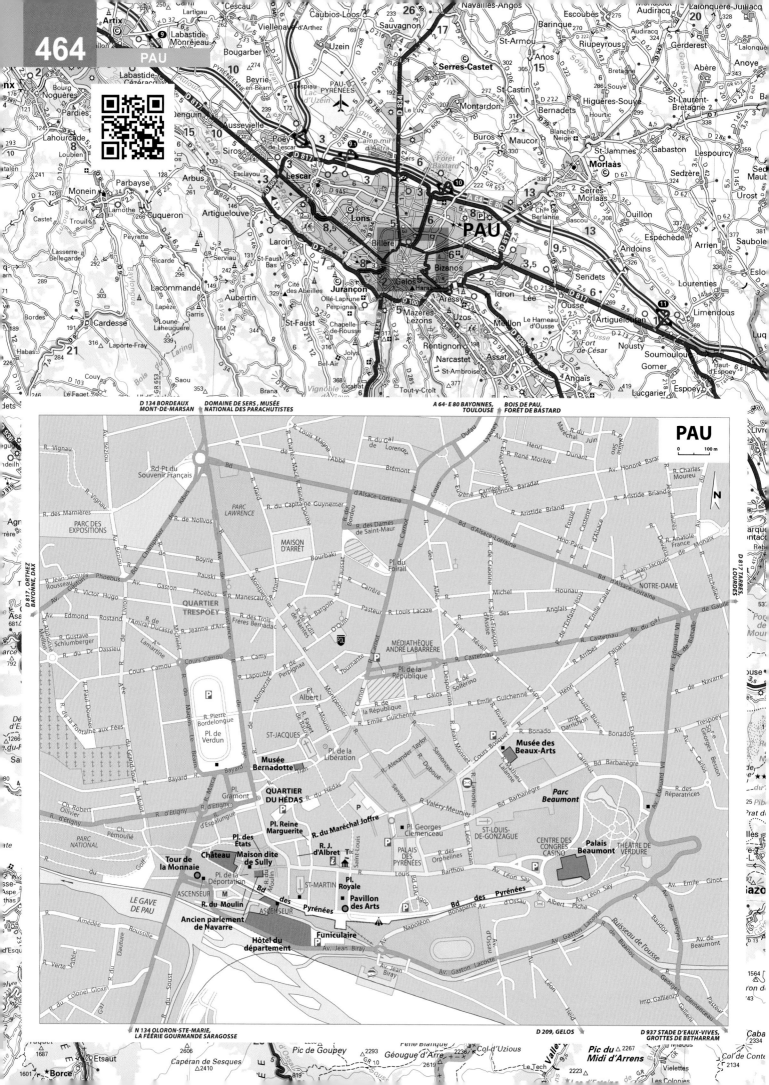

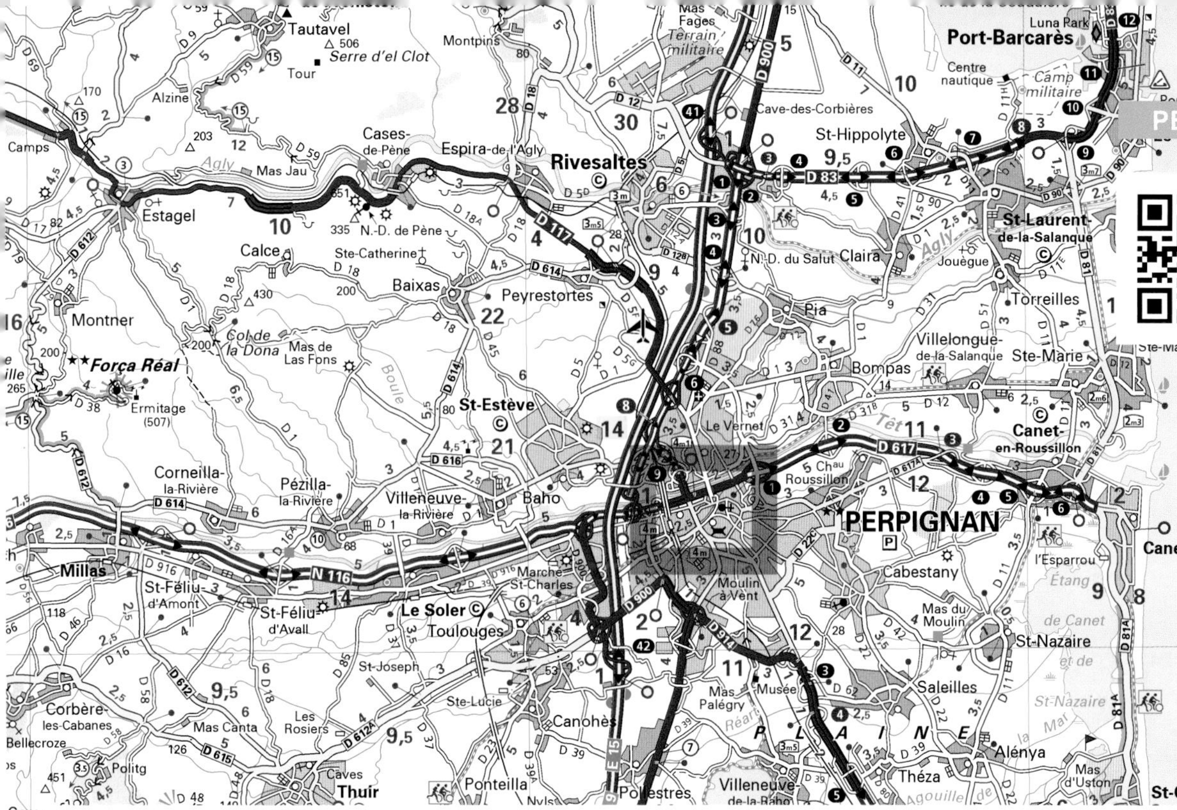
Tautavel
Serre d'el Clot
Montpins
Mas Fages
Terrain militaire
Port-Barcarès
Luna Park
Centre nautique
Camp militaire
Port St-Ange
Alzine
Camps
Cases-de-Pène
Espira-de-l'Agly
Rivesaltes
Cave-des-Corbières
St-Hippolyte
Estagel
Mas Jau
N.-D. de Pène
Calce
Ste-Catherine
N.-D. du Salut
Claira
St-Laurent-de-la-Salanque
Jouègue
Baixas
Peyrestortes
Torreilles
Montner
Col de la Dona
Mas de Las Fons
Pia
Villelongue-de-la-Salanque
Ste-Marie
Força Réal
Ermitage (507)
Bompas
St-Estève
Canet-en-Roussillon
Le Vernet
Corneilla-la-Rivière
Pézilla-la-Rivière
Villeneuve-la-Rivière
Baho
Château Roussillon
PERPIGNAN
Canet-Plage
Millas
St-Féliu-d'Amont
Marché St-Charles
Cabestany
l'Esparrou
Étang de Canet et de St-Nazaire
St-Féliu-d'Avall
Le Soler
Toulouges
Moulin à Vent
Mas du Moulin
St-Nazaire
St-Joseph
Musée
Saleilles
Corbère-les-Cabanes
Mas Canta
Les Rosiers
Ste-Lucie
Mas Palégry
Canohès
PLAINE
Bellecroze
Politg
Caves
Thuir
Ponteilla
Pollestres
Villeneuve-de-la-Raho
Théza
Alénya
Mas d'Uston
St-Cyprien-Plage
N 116
D 117
D 83
D 617
D 900
A 9

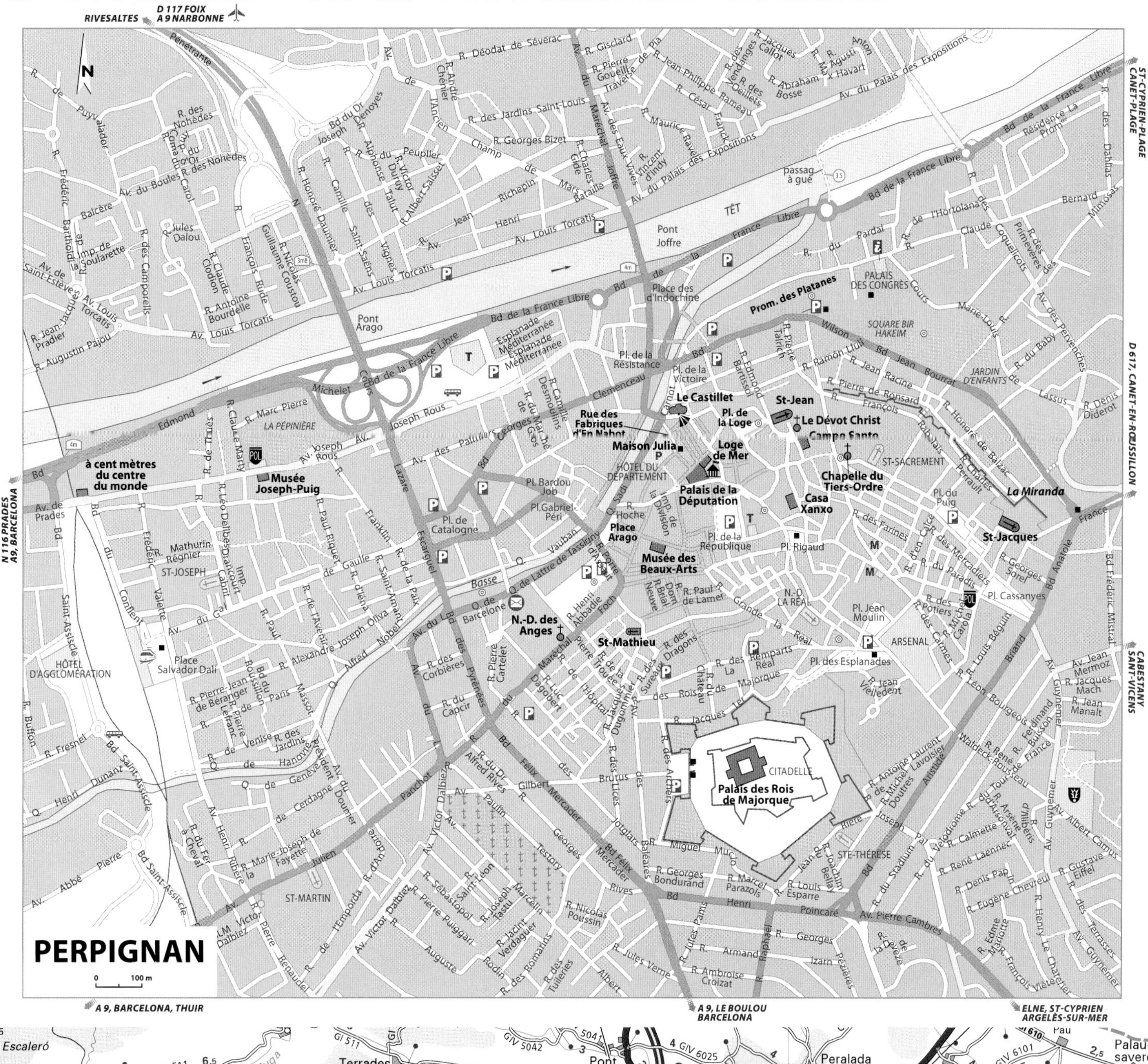
RIVESALTES
D 117 FOIX
A 9 NARBONNE
ST-CYPRIEN-PLAGE CANET-PLAGE
D 617, CANET-EN-ROUSSILLON
CABESTANY SAINT-VICENS
ELNE, ST-CYPRIEN ARGELÈS-SUR-MER
A 9, LE BOULOU BARCELONA
A 9, BARCELONA, THUIR
N 116 PRADES A9, BARCELONA
N
TÊT
Pont Joffre
Pont Arago
Bd de la France Libre
Av. du Palais des Expositions
Av. Louis Torcatis
Place des d'Indochine
Prom. des Platanes
PALAIS DES CONGRÈS
SQUARE BIR HAKEIM
JARDIN D'ENFANTS
Pl. de la Résistance
Pl. de la Victoire
Le Castillet
Rue des Fabriques d'En Nabot
Maison Julia
Pl. de la Loge
Loge de Mer
HÔTEL DU DÉPARTEMENT
Palais de la Députation
St-Jean
Le Dévot Christ
Campo Santo
Chapelle du Tiers-Ordre
Casa Xanxo
ST-SACREMENT
La Miranda
St-Jacques
LA PÉPINIÈRE
à cent mètres du centre du monde
Musée Joseph-Puig
Pl. Bardou Job
Pl. de Catalogne
Pl. Gabriel Péri
Place Arago
Musée des Beaux-Arts
Pl. de la République
Pl. Rigaud
N.-D. LA RÉAL
Pl. Jean Moulin
Pl. Cassanyes
ARSENAL
Pl. des Esplanades
N.-D. des Anges
St-Mathieu
ST-JOSEPH
HÔTEL D'AGGLOMÉRATION
Place Salvador Dali
CITADELLE
Palais des Rois de Majorque
STE-THÉRÈSE
ST-MARTIN
PERPIGNAN
0 100 m

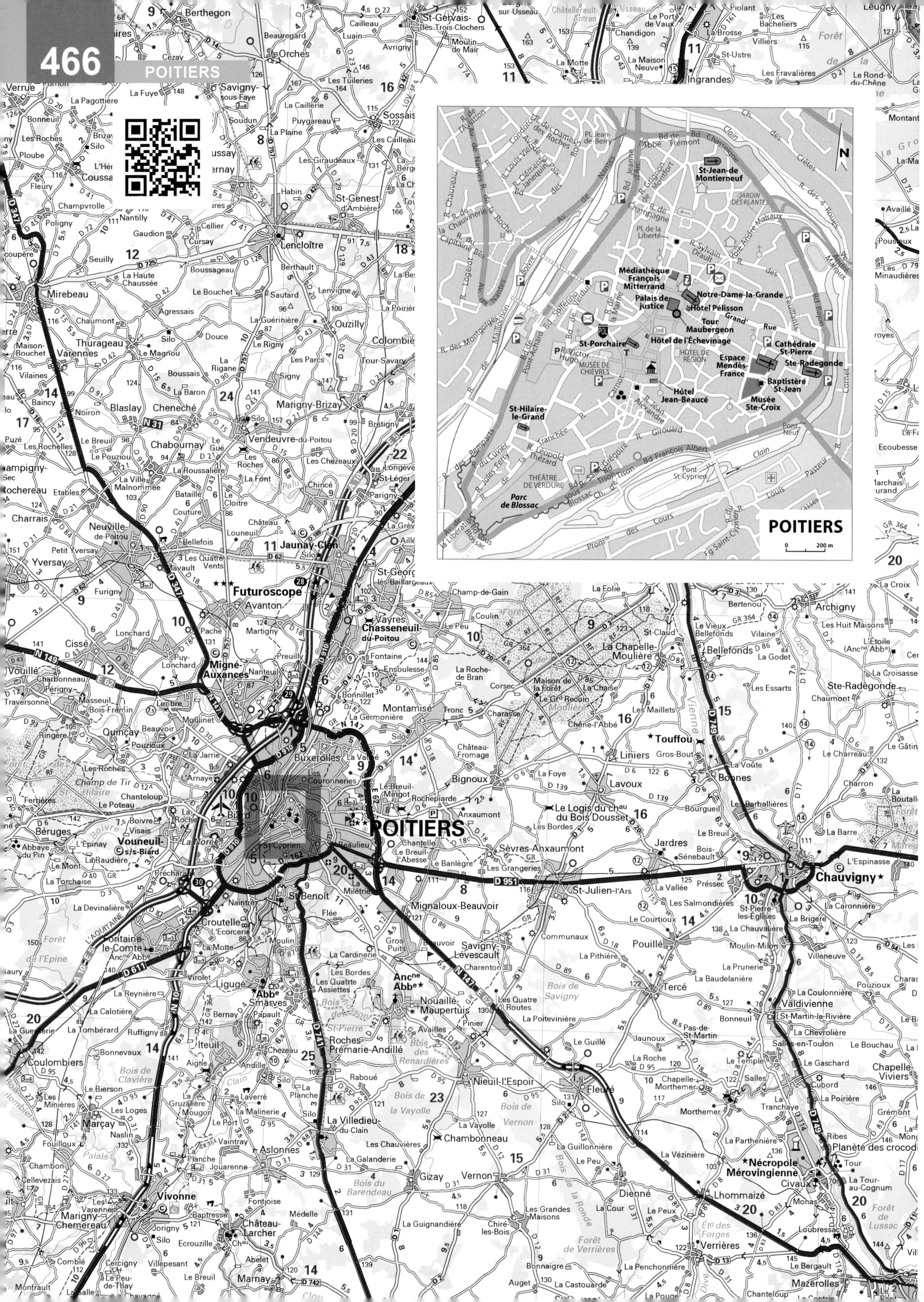
POITIERS
St-Jean-de Montierneuf
Jardin des Plantes
Médiathèque François Mitterrand
Palais de justice
Notre-Dame-la-Grande
Hôtel Pélisson
Tour Maubergeon
Hôtel de l'Échevinage
St-Porchaire
Musée de Chièvres
Hôtel de Région
Espace Mendès-France
Cathédrale St-Pierre
Ste-Radegonde
Baptistère St-Jean
Musée Ste-Croix
Hôtel Jean-Beaucé
St-Hilaire-le-Grand
Théâtre de Verdure
Parc de Blossac
Pont St-Cyprien
Pont Neuf
200 m
Futuroscope
Jaunay-Clan
Chasseneuil-du-Poitou
Migné-Auxances
Buxerolles
Lencloître
Mirebeau
Neuville-de-Poitou
Vendeuvre-du-Poitou
Chauvigny
St-Julien-l'Ars
Mignaloux-Beauvoir
Ligugé
Vivonne
Nouaillé-Maupertuis
Touffou
Nécropole Mérovingienne
Civaux
Planète des crocodiles
Lhommaizé
Château-Larcher
La Villedieu-du-Clain
Coulombiers
Fontaine-le-Comte
Croutelle
Vouneuil-s/s-Biard
Biard
St-Benoît
Le Logis du Chau du Bois Dousset
Forêt de Moulière
La Chapelle-Moulière
Bois de Savigny
Forêt de Verrières
Forêt de l'Épine

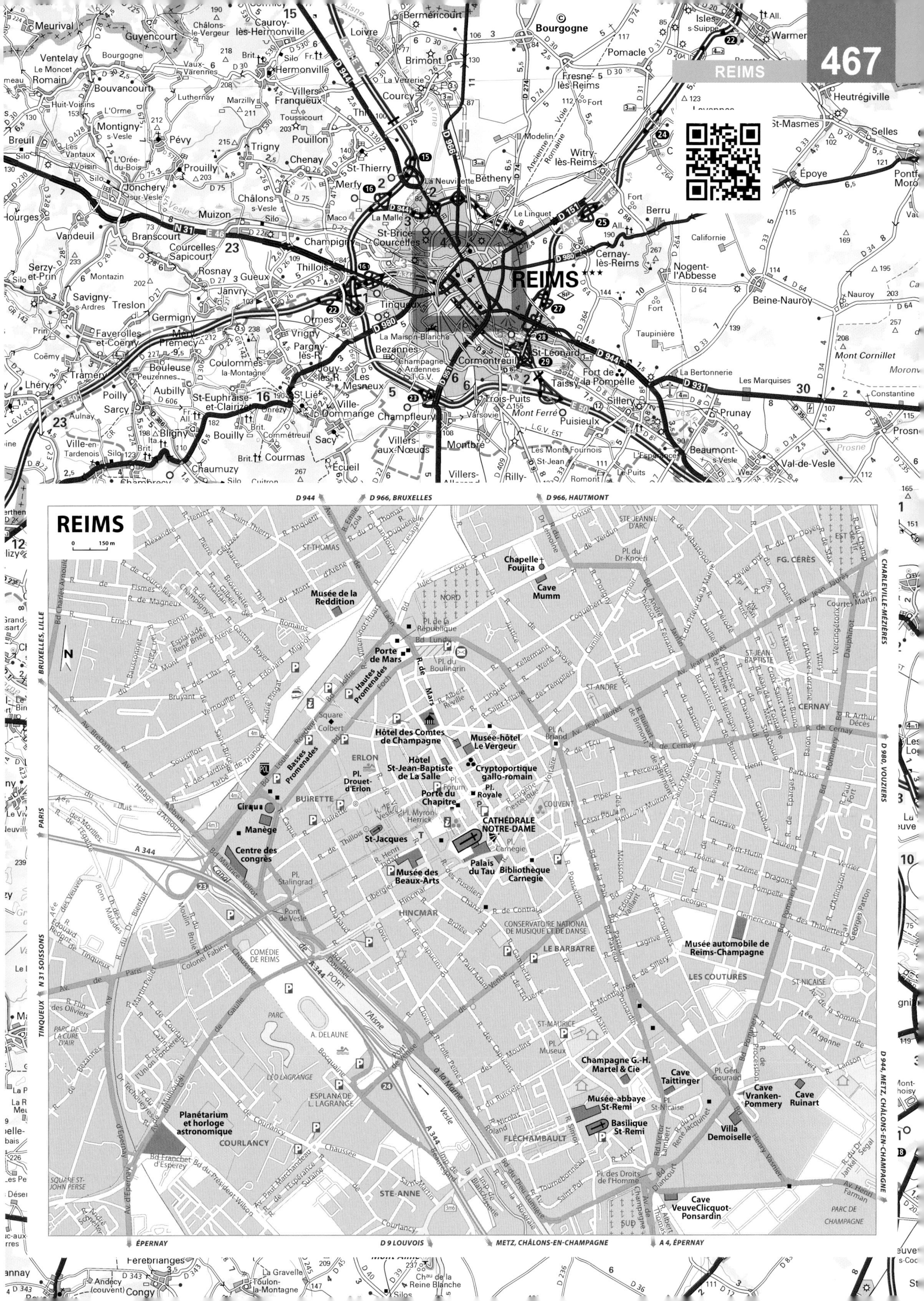
REIMS
Bourgogne
Bermericourt
Loivre
Cauroy-lès-Hermonville
Hermonville
Villers-Franqueux
Pouillon
Chenay
St-Thierry
Merfy
Brimont
Courcy
La Neuvillette
Bétheny
Witry-lès-Reims
Fresne-lès-Reims
Pomacle
Isles-s-Suippe
Warmeriville
Heutrégiville
St-Masmes
Selles
Époye
Berru
Cernay-lès-Reims
Nogent-l'Abbesse
Beine-Nauroy
Mont Cornillet
Fort de la Pompelle
Sillery
Prunay
Puisieux
Taissy
St-Léonard
Cormontreuil
Trois-Puits
Mont Ferré
Champfleury
Villers-aux-Nœuds
Montbré
Sacy
Ville-Dommange
Les Mesneux
Bezannes
La Maison-Blanche
Champagne-Ardennes T.G.V.
Tinqueux
Ormes
Thillois
Champigny
St-Brice-Courcelles
Gueux
Muizon
Châlons-s-Vesle
Jonchery-sur-Vesle
Prouilly
Pévy
Trigny
Montigny-s-Vesle
Branscourt
Courcelles-Sapicourt
Rosnay
Janvry
Germigny
Savigny-s-Ardres
Treslon
Faverolles-et-Coëmy
Méry-Prémecy
Bouleuse
Coulommes-la-Montagne
Pargny-lès-R.
Jouy-lès-R.
Vrigny
St-Euphraise-et-Clairizet
Aubilly
Poilly
Sarcy
Bligny
Bouilly
Courmas
Chaumuzy
Écueil
Ville-en-Tardenois
Beaumont-s-Vesle
Val-de-Vesle
Les Marquises
La Bertonnerie
Constantine
Taupinière
California
Ferebrianges
Congy
La Gravelle
Andecy (couvent)
Chau de la Reine Blanche
REIMS
0 150 m
D 944
D 966, BRUXELLES
D 966, HAUTMONT
CHARLEVILLE-MÉZIÈRES
D 980, VOUZIERS
D 944, METZ, CHÂLONS-EN-CHAMPAGNE
A 4, ÉPERNAY
METZ, CHÂLONS-EN-CHAMPAGNE
D 9 LOUVOIS
ÉPERNAY
TINQUEUX
N 31 SOISSONS
PARIS
BRUXELLES, LILLE
Chapelle Foujita
Cave Mumm
Musée de la Reddition
Porte de Mars
Pl. de la République
Pl. du Boulingrin
Hautes Promenades
Basses Promenades
Square Colbert
Hôtel des Comtes de Champagne
Musée-hôtel Le Vergeur
Hôtel St-Jean-Baptiste de La Salle
Cryptoportique gallo-romain
Pl. Drouet-d'Erlon
Pl. Royale
Porte du Chapitre
Cirque
Manège
Centre des congrès
St-Jacques
CATHÉDRALE NOTRE-DAME
Palais du Tau
Bibliothèque Carnegie
Musée des Beaux-Arts
Pl. Stalingrad
Pont de Vesle
HINCMAR
CONSERVATOIRE NATIONAL DE MUSIQUE ET DE DANSE
LE BARBATRE
COMÉDIE DE REIMS
Musée automobile de Reims-Champagne
LES COUTURES
ST-NICAISE
A. DELAUNE
PARC
LÉO LAGRANGE
ESPLANADE L. LAGRANGE
Planétarium et horloge astronomique
COURLANCY
ST-MAURICE
Pl. Museux
Champagne G.-H. Martel & Cie
Cave Taittinger
Musée-abbaye St-Remi
Basilique St-Remi
Pl. Gén. Gouraud
Cave Vranken-Pommery
Cave Ruinart
Villa Demoiselle
FLÉCHAMBAULT
Pl. des Droits de l'Homme
Cave VeuveClicquot-Ponsardin
PARC DE CHAMPAGNE
SUD
STE-ANNE
SQUARE ST-JOHN PERSE
PARC DE LA CURE D'AIR
ST-THOMAS
STE-JEANNE D'ARC
FG. CÉRÈS
ST-JEAN-BAPTISTE
CERNAY
ST-ANDRÉ
COUVENT
ERLON
BUIRETTE
NORD
Bd Lundy
Av. Jean Jaurès
Canal
A 344
PORT

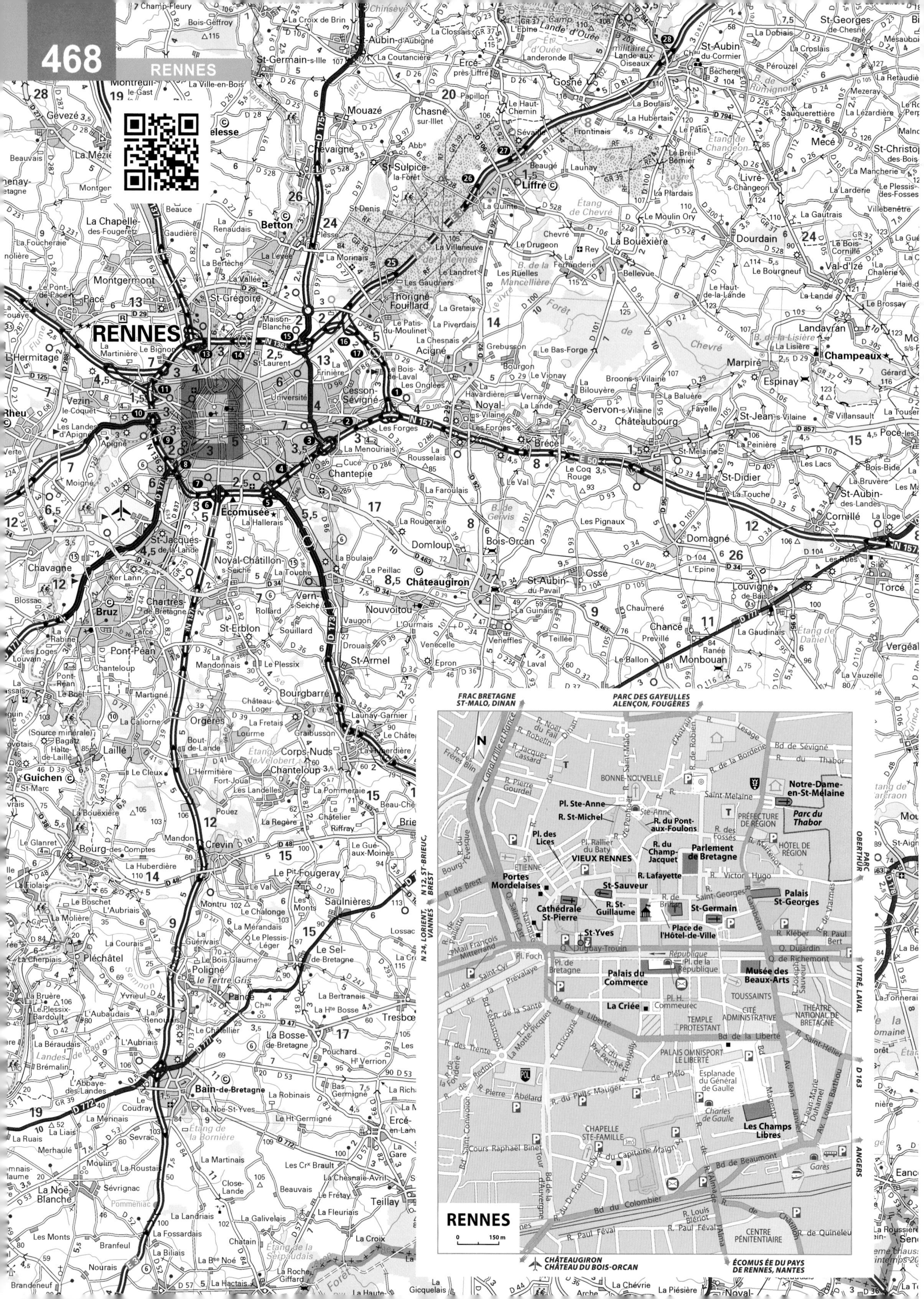
RENNES
St-Grégoire
Betton
Cesson-Sévigné
Thorigné-Fouillard
Acigné
Liffré
St-Aubin-du-Cormier
Chasné-sur-Illet
Mouazé
Chevaigné
St-Sulpice-la-Forêt
Montgermont
Pacé
L'Hermitage
Vezin-le-Coquet
Le Rheu
St-Jacques-de-la-Lande
Chantepie
Vern-s-Seiche
Noyal-Châtillon-s-Seiche
Chartres-de-Bretagne
Bruz
Chavagne
Pont-Péan
St-Erblon
Orgères
Laillé
Guichen
Bourgbarré
Corps-Nuds
Chanteloup
Crevin
Le Pt-Fougeray
Saulnières
Le Sel-de-Bretagne
Poligné
Pancé
Bain-de-Bretagne
La Bosse-de-Bretagne
Pléchâtel
Bourg-des-Comptes
Noyal-s-Vilaine
Servon-s-Vilaine
Châteaubourg
Brécé
Domloup
Châteaugiron
Nouvoitou
St-Armel
Ossé
St-Aubin-du-Pavail
Domagné
Louvigné-de-Bais
Chancé
Piré
La Bouëxière
Dourdain
Val-d'Izé
Landavran
Champeaux
Marpiré
Espinay
St-Jean-s-Vilaine
Cornillé
St-Didier
Torcé
Vergéal
Mecé
Gosné
Ercé-près-Liffré
St-Aubin-d'Aubigné
St-Germain-s-Ille
Écomusée
Forêt de Rennes
Forêt de Chevré
RENNES
FRAC BRETAGNE ST-MALO, DINAN
PARC DES GAYEULLES ALENÇON, FOUGÈRES
N 24, LORIENT, VANNES
N 12, ST-BRIEUC, BREST
VITRÉ, LAVAL
PARC OBERTHÜR
D 163
ANGERS
CHÂTEAUGIRON CHÂTEAU DU BOIS-ORCAN
ÉCOMUSÉE DU PAYS DE RENNES, NANTES
BONNE-NOUVELLE
Notre-Dame-en-St-Melaine
Parc du Thabor
Pl. Ste-Anne
R. St-Michel
R. du Pont-aux-Foulons
Pl. des Lices
R. du Champ-Jacquet
Parlement de Bretagne
VIEUX RENNES
PRÉFECTURE DE RÉGION
HÔTEL DE RÉGION
Portes Mordelaises
R. Lafayette
St-Sauveur
Palais St-Georges
Cathédrale St-Pierre
R. St-Guillaume
St-Germain
Place de l'Hôtel-de-Ville
St-Yves
Q. Duguay-Trouin
Q. Dujardin
République
Pl. de la République
Palais du Commerce
Musée des Beaux-Arts
La Criée
TOUSSAINTS
CITÉ ADMINISTRATIVE
THÉÂTRE NATIONAL DE BRETAGNE
TEMPLE PROTESTANT
Bd de la Liberté
PALAIS OMNISPORT LE LIBERTÉ
Esplanade du Général de Gaulle
Charles de Gaulle
Les Champs Libres
CHAPELLE STE-FAMILLE
Cours Raphaël Binet
Bd de Beaumont
Gares
Bd du Colombier
R. Paul Féval
CENTRE PÉNITENTIAIRE
150 m

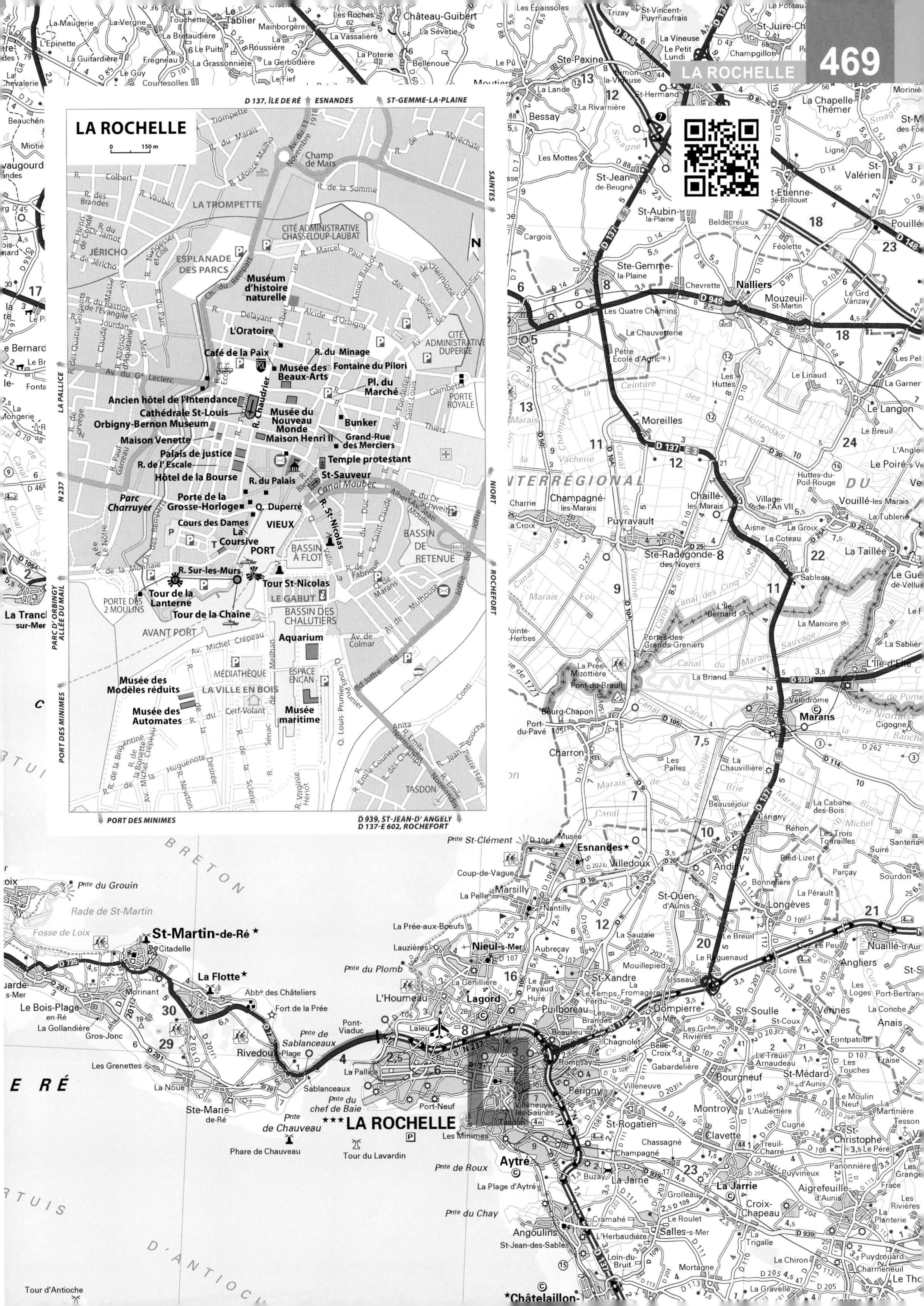

LA ROCHELLE

0 150 m

D 137, ÎLE DE RÉ ESNANDES ST-GEMME-LA-PLAINE

LA TROMPETTE

JÉRICHO

ESPLANADE
DES PARCS

CITÉ ADMINISTRATIVE
CHASSELOUP-LAUBAT

Champ
de Mars

Museum
d'histoire naturelle

L'Oratoire

CITÉ
ADMINISTRATIVE
DUPERRÉ

Café de la Paix

Musée des
Beaux-Arts

R. du Minage

Fontaine du Pilori

Pl. du
Marché

PORTE
ROYALE

Ancien hôtel de l'Intendance

Cathédrale St-Louis

Orbigny-Bernon Museum

Musée du
Nouveau
Monde

Bunker

Maison Henri II

Grand-Rue
des Merciers

Maison Venette

Palais de justice

Temple protestant

R. de l'Escale

St-Sauveur

Hôtel de la Bourse

R. du Palais

Parc
Charruyer

Porte de la
Grosse-Horloge

Q. Duperré

VIEUX
PORT

BASSIN
DE
RETENUE

Cours des Dames

La
Coursive

BASSIN
A FLOT

R. Sur-les-Murs

Tour St-Nicolas

Tour de la
Lanterne

PORTE DES
2 MOULINS

LE GABUT

Tour de la Chaîne

BASSIN DES
CHALUTIERS

PORTE D'ORBIGNY

ALLÉE DU MAIL

AVANT PORT

Aquarium

Av. de
Colmar

Av. Michel Crépeau

MÉDIATHÈQUE

ESPACE
ENCAN

Musée des
Modèles réduits

LA VILLE EN BOIS

Cerf-Volant

Musée
maritime

Musée des
Automates

TASDON

PORT DES MINIMES

PORT DES MINIMES

D 939, ST-JEAN-D'ANGELY
D 137-E 602, ROCHEFORT

LA PALLICE

N 237

PARC D'ORBIGNY

La Tranche
sur-Mer

LA ROCHELLE

NIORT

ROCHEFORT

SAINTES

BRETON

Rade de St-Martin

Fosse de Loix

St-Martin-de-Ré ★

Citadelle

La Flotte ★

Abb des Châteliers

Fort de la Prée

Le Bois-Plage-
en-Ré

La Gollandière
Gros-Jonc

Les Grenettes

Ste-Marie-
de-Ré

Pnte du Grouin

Coup-de-Vague

La Pelle

Pnte du Plomb

La Prée-aux-Bœufs

Lauzières

Nieul-s-Mer

Aubreçay

Pnte de
Sablanceaux

Pont-
Viaduc

Rivedoux-Plage

Sablanceaux

La Noue

La Pallice

Port-Neuf

Pnte
du chef de Baie

★★★ LA ROCHELLE

Pnte
de Chauveau

Phare de Chauveau

Les Minimes

Tour du Lavardin

Pnte de Roux

Pnte du Chay

PERTUIS

D'ANTIOCH

Tour d'Antioche

L'Houmeau

Lagord

Laleu

Pnte St-Clément

Esnandes ★

Villedoux

Marsilly

Nantilly

La Sauzaie

St-Xandre

La Genillère

Puilboreau

Beaulieu

Dompierre-s-Mer

Ste-Soulle

St-Coux

Périgny

Villeneuve

Bourgneuf

Villeneuve-
les-Salines

Aytré

Buzay La Jarne

La Plage d'Aytré

Angoulins

L'Herbaudière

St-Jean-des-Sables

Loin-du-
Bruit

Mortagne

La Jarrie

Croix-
Chapeau

Salles-s-Mer

Châtelaillon-

St-Rogatien

St-Médard
-d'Aunis

Clavette

Montroy

ÉRÉ

Moreilles

Chaillé-
les-Marais

Ste-Radégonde-
des-Noyers

L'Île-
Bernard

La Manoire

L'Île-d'Elle

Marans

Charron

Les
Palles

La Chauvillière

Beauséjour

La Cabane-
des-Bois

Andilly

St-Ouen-
d'Aunis

Longèves

Nuaillé-d'Aunis

Angliers

Le Gué-
de-Velluire

La Taillée

Le Langon

Vouillé-les-Marais

La Tublerie

DU

Nalliers

Mouzeuil-
St-Martin

Ste-Gemme-
la-Plaine

Bessay

St-Jean-
de-Beugné

St-Aubin-
la-Plaine

St-Étienne-
de-Brillouet

St-
Valérien

Pouillé

La Chapelle
Thémer

Château-Guibert

Trizay

St-Vincent-
Puymaufrais

St-Juire-Ch

Le Poteau

Ste-Pexine

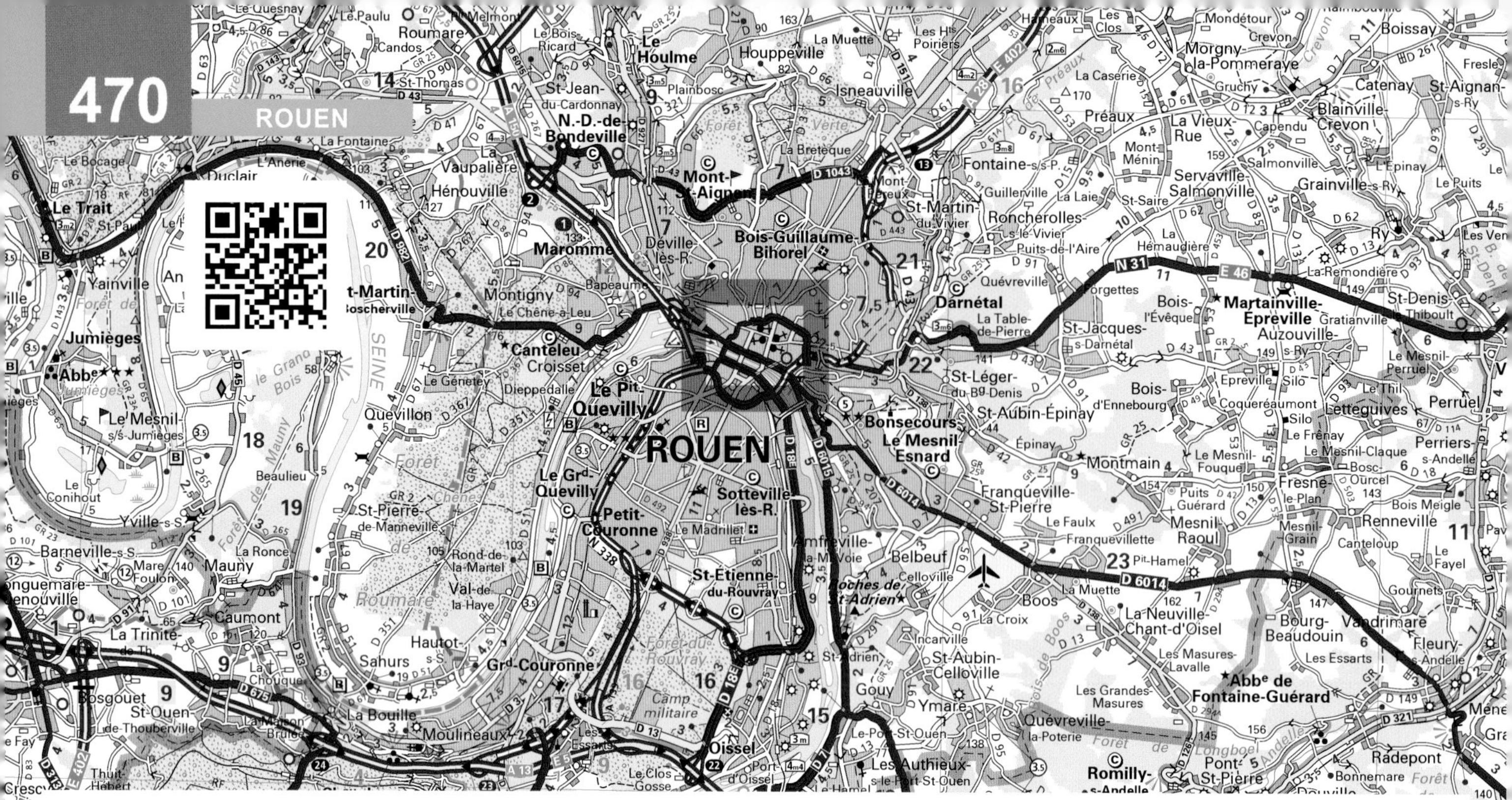

ROUEN
Le Houlme
Houppeville
Isneauville
N.-D.-de-Bondeville
Mont-St-Aignan
Bois-Guillaume-Bihorel
Maromme
Déville-lès-R.
Canteleu
Croisset
Le Pt-Quevilly
Le Gd-Quevilly
Petit-Couronne
Sotteville-lès-R.
St-Étienne-du-Rouvray
Darnétal
St-Léger-du-Bg-Denis
St-Aubin-Épinay
Bonsecours
Le Mesnil-Esnard
Franqueville-St-Pierre
Amfreville-la-Mi-Voie
Belbeuf
Boos
Oissel
Gd-Couronne
Moulineaux
La Bouille
Sahurs
Hautot-s-S.
Val-de-la-Haye
St-Pierre-de-Manneville
Jumièges
Le Trait
Duclair
Yainville
St-Martin-de-Boscherville
Quevillon
Mauny
Caumont
Préaux
Fontaine-s-s-P.
Roncherolles
St-Martin-du-Vivier
Martainville-Epreville
Ry
Blainville-Crevon
St-Jacques-s-Darnétal
Bois-l'Évêque
Montmain
Mesnil-Raoul
Fresne-le-Plan
Boissay
Morgny-la-Pommeraye
Romilly-s-Andelle
Pont-St-Pierre
Radepont
Fleury-s-Andelle
Ymare
Gouy
Quévreville-la-Poterie
Les Authieux-s-le-Port-St-Ouen
Le Port-St-Ouen
Ferrières-Ht-Clocher
Tilleul-Dame-Agnès
St-Sébastien-de-Morsent
ÉVREUX
Miserey
St-Aquilin-de-P.
SEINE
Forêt de Roumare
Forêt du Rouvray
Abbe de Fontaine-Guérard
Roches de St-Adrien

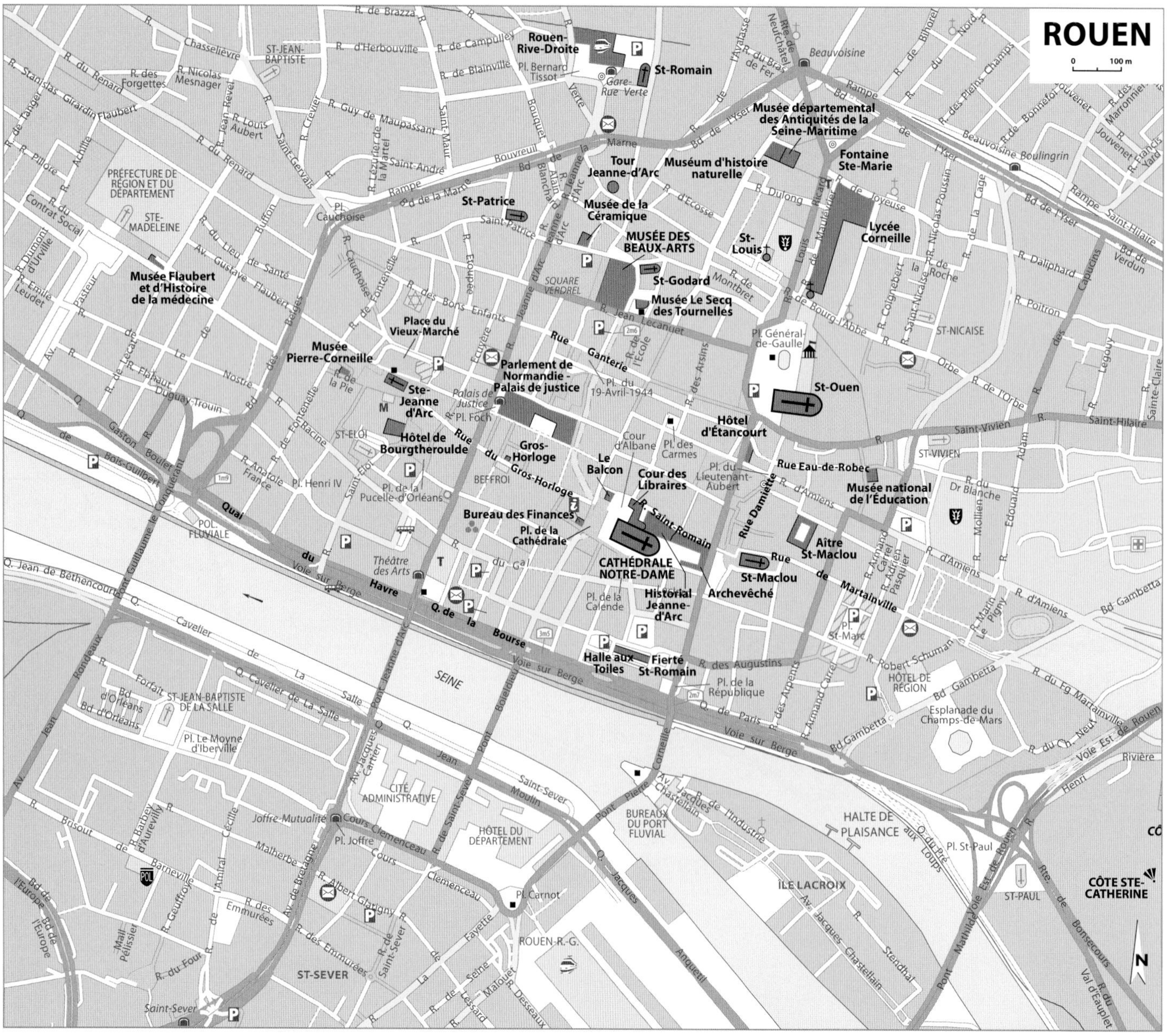

ROUEN
0 100 m
Rouen-Rive-Droite
St-Romain
Musée départemental des Antiquités de la Seine-Maritime
Tour Jeanne-d'Arc
Muséum d'histoire naturelle
Fontaine Ste-Marie
Lycée Corneille
St-Patrice
Musée de la Céramique
MUSÉE DES BEAUX-ARTS
St-Louis
St-Godard
Musée Le Secq des Tournelles
Musée Flaubert et d'Histoire de la médecine
Place du Vieux-Marché
Musée Pierre-Corneille
Parlement de Normandie - Palais de justice
Ste-Jeanne d'Arc
Hôtel de Bourgtheroulde
Gros-Horloge
Le Balcon
Cour des Libraires
St-Ouen
Hôtel d'Étancourt
Musée national de l'Éducation
Bureau des Finances
Pl. de la Cathédrale
CATHÉDRALE NOTRE-DAME
Archevêché
Aître St-Maclou
Rue St-Maclou
Historial Jeanne-d'Arc
Halle aux Toiles
Fierté St-Romain
PRÉFECTURE DE RÉGION ET DU DÉPARTEMENT
STE-MADELEINE
ST-ÉLOI
CITÉ ADMINISTRATIVE
HÔTEL DU DÉPARTEMENT
BUREAUX DU PORT FLUVIAL
HALTE DE PLAISANCE
ÎLE LACROIX
CÔTE STE-CATHERINE
ST-SEVER
ST-PAUL
ST-NICAISE
ST-VIVIEN
HÔTEL DE RÉGION
Esplanade du Champs-de-Mars
ROUEN-R.-G.
SEINE
Quai du Havre
Q. de la Bourse
Rue Ganterie
Rue du Gros-Horloge
Rue Eau-de-Robec
Rue de Martainville
Rue Damiette
R. Saint-Romain
Pl. Général-de-Gaulle
Pl. du 19-Avril-1944
Pl. Foch
Pl. Henri IV
Pl. de la Pucelle-d'Orléans
Pl. Carnot
Pl. Joffre
Pl. St-Paul
Cours Clemenceau
Av. Jean Rondeaux
Boulingrin
Beauvoisine
Théâtre des Arts

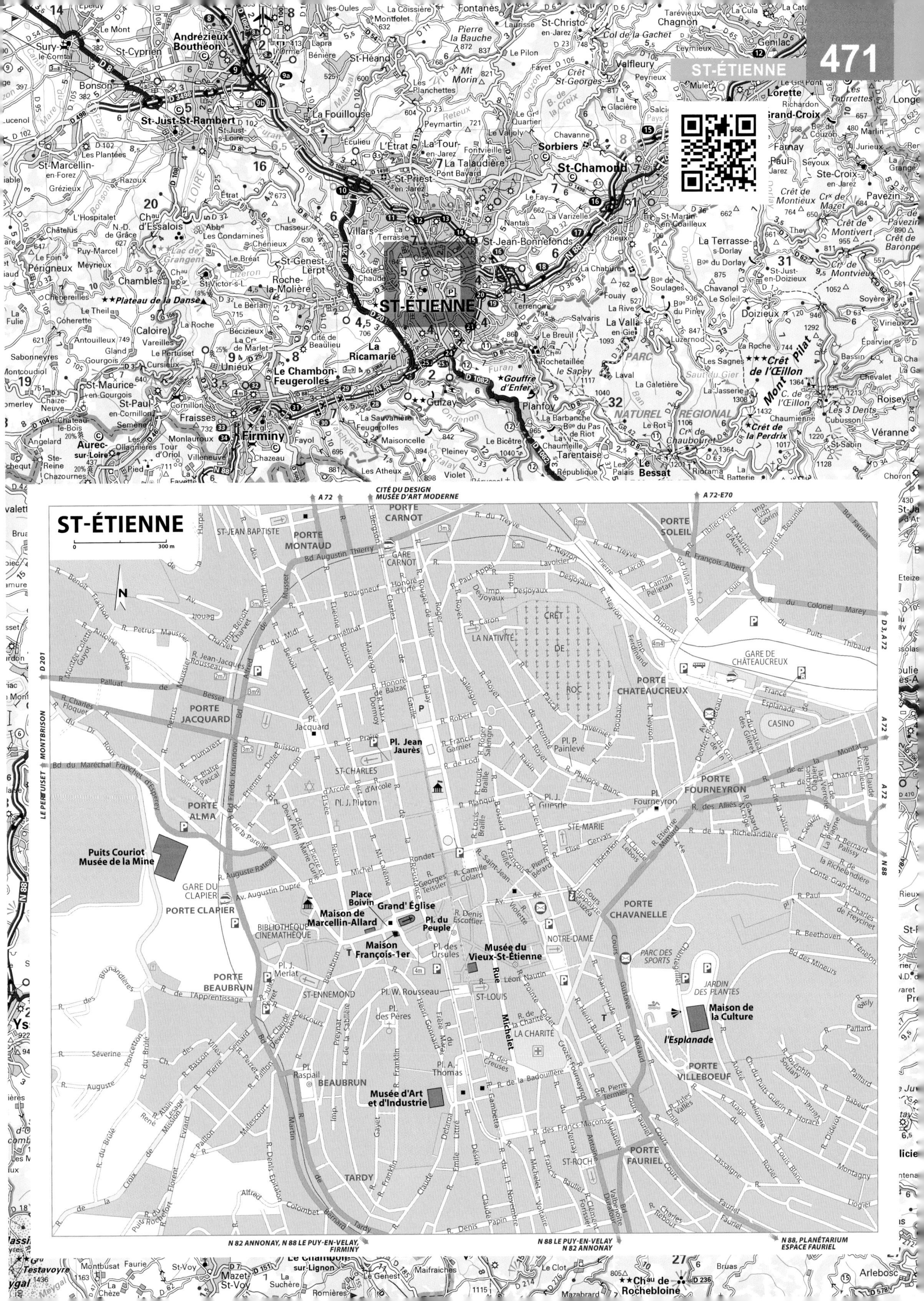
ST-ÉTIENNE
0 300 m
N
A 72
CITÉ DU DESIGN
MUSÉE D'ART MODERNE
A 72-E70
PORTE CARNOT
GARE CARNOT
PORTE MONTAUD
PORTE SOLEIL
ST-JEAN BAPTISTE
Bd Augustin Thierry
CRÊT DE ROC
LA NATIVITÉ
GARE DE CHÂTEAUCREUX
PORTE CHÂTEAUCREUX
CASINO
PORTE JACQUARD
Pl. Jacquard
Pl. Jean Jaurès
ST-CHARLES
Pl. J. Plotton
Pl. P. Painlevé
Pl. J. Guesde
Pl. Fourneyron
PORTE FOURNEYRON
STE-MARIE
PORTE ALMA
Puits Couriot
Musée de la Mine
GARE DU CLAPIER
PORTE CLAPIER
BIBLIOTHÈQUE CINÉMATHÈQUE
Place Boivin
Maison de Marcellin-Allard
Grand' Église
Pl. du Peuple
Maison François-1er
Pl. des Ursules
Musée du Vieux-St-Étienne
NOTRE-DAME
PARC DES SPORTS
PORTE CHAVANELLE
JARDIN DES PLANTES
Maison de la Culture
l'Esplanade
PORTE BEAUBRUN
Pl. J. Merlat
ST-ENNEMOND
Pl. W. Rousseau
ST-LOUIS
Rue Michelet
Pl. des Pères
LA CHARITÉ
Pl. Raspail
BEAUBRUN
Pl. A. Thomas
Musée d'Art et d'Industrie
PORTE VILLEBOEUF
ST-ROCH
PORTE FAURIEL
TARDY
D 201 LE PERTUISET MONTBRISON
D 3, A 72
A 72
N 88
N 82 ANNONAY, N 88 LE PUY-EN-VELAY, FIRMINY
N 88 LE PUY-EN-VELAY N 82 ANNONAY
N 88, PLANÉTARIUM ESPACE FAURIEL
St-Étienne
Andrézieux-Bouthéon
St-Just-St-Rambert
Sury-le-Comtal
St-Marcellin-en-Forez
St-Héand
La Fouillouse
La Talaudière
Sorbiers
St-Chamond
St-Priest-en-Jarez
Villars
St-Jean-Bonnefonds
Lorette
Grand-Croix
Farnay
Roche-la-Molière
St-Genest-Lerpt
Chambles
★★Plateau de la Danse
Lac de Grangent
Unieux
Le Chambon-Feugerolles
La Ricamarie
Firminy
Fraisses
Aurec-sur-Loire
★Gouffre d'Enfer
★★Guizay
Planfoy
Rochetaillée
La Valla-en-Gier
Doizieux
★★★Crêt de l'Œillon
Mont Pilat
★Crêt de la Perdrix
PARC NATUREL RÉGIONAL
Le Bessat
Tarentaise
Pélussin
Ste-Croix-en-Jarez
Pavezin
Véranne
Roisey
Le Chambon-sur-Lignon
★★Chau de Rochebloine
Testavoyre

STRASBOURG
Kehl
Schiltigheim
Bischheim
Hœnheim
Illkirch-Graffenstaden
Lingolsheim
Ostwald
Molsheim
La Wantzenau
Rheinau
Renchen
Appenweier
Willstätt
Marlenheim
Kilstett
Reichstett
Souffelweyersheim
Mundolsheim
Vendenheim
Eckbolsheim
Wolfisheim
Holtzheim
Entzheim
Geispolsheim
Oberhausbergen
Mittelhausbergen
Niederhausbergen
Oberschaeffolsheim
Achenheim
Breuschwickersheim
Ittenheim
Furdenheim
Kork
Neumühl
Sundheim
Eckartsweier
Marlen
Hesselhurst
Legelshurst
Querbach
Bodersweier
Zierolshofen
Linx
Honau
Diersheim
Rheinbischofsheim
Freistett
Gambsheim
STRASBOURG ENTZHEIM-INTERNATIONAL

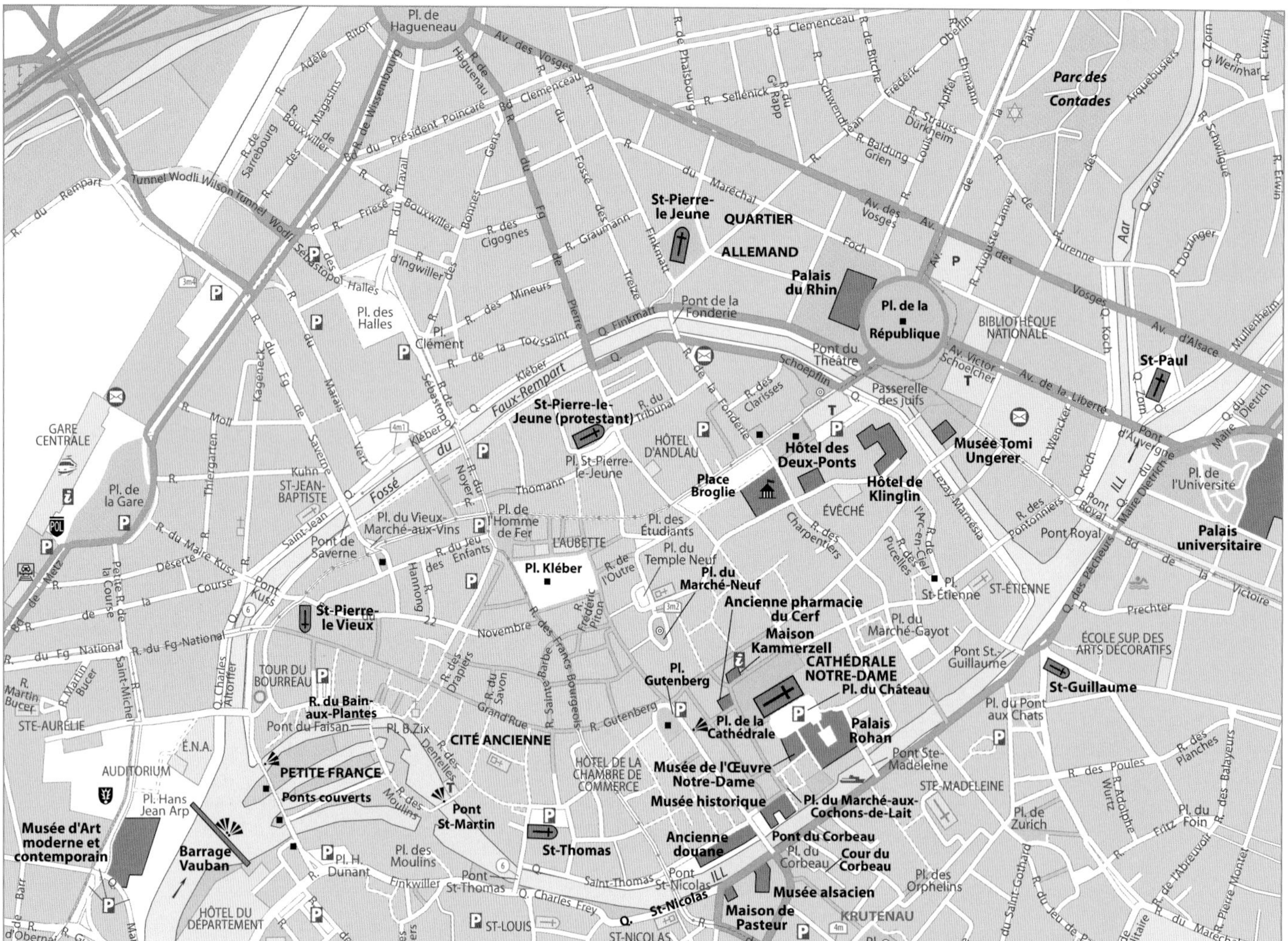

STRASBOURG
0 100 m
N
Parc des Contades
QUARTIER ALLEMAND
Palais du Rhin
Pl. de la République
BIBLIOTHÈQUE NATIONALE
St-Pierre-le Jeune
St-Pierre-le-Jeune (protestant)
HÔTEL D'ANDLAU
Hôtel des Deux-Ponts
Hôtel de Klinglin
Musée Tomi Ungerer
Place Broglie
ÉVÊCHÉ
St-Paul
Pl. de l'Université
Palais universitaire
GARE CENTRALE
Pl. de la Gare
ST-JEAN-BAPTISTE
Pl. Kléber
L'AUBETTE
Pl. de l'Homme de Fer
Pl. du Marché-Neuf
Ancienne pharmacie du Cerf
Maison Kammerzell
CATHÉDRALE NOTRE-DAME
Pl. du Château
Pl. Gutenberg
Pl. de la Cathédrale
Palais Rohan
St-Pierre-le Vieux
TOUR DU BOURREAU
CITÉ ANCIENNE
PETITE FRANCE
Ponts couverts
Pont St-Martin
St-Thomas
Musée de l'Œuvre Notre-Dame
Musée historique
Ancienne douane
Pl. du Marché-aux-Cochons-de-Lait
Pont du Corbeau
Cour du Corbeau
Musée alsacien
Maison de Pasteur
KRUTENAU
Musée d'Art moderne et contemporain
Barrage Vauban
AUDITORIUM
HÔTEL DU DÉPARTEMENT
STE-AURÉLIE
ST-LOUIS
ST-NICOLAS
HARAS NATIONAL
Hospices
ST-ÉTIENNE
ÉCOLE SUP. DES ARTS DÉCORATIFS
St-Guillaume
STE-MADELEINE
CITÉ ADMINISTRATIVE
Pl. de l'Hôpital
Pl. d'Austerlitz
Pl. de Zurich
Grand'Rue
ILL

Heidolsheim
Bootzheim
Kenzingen
Bombach
Schillingerberg

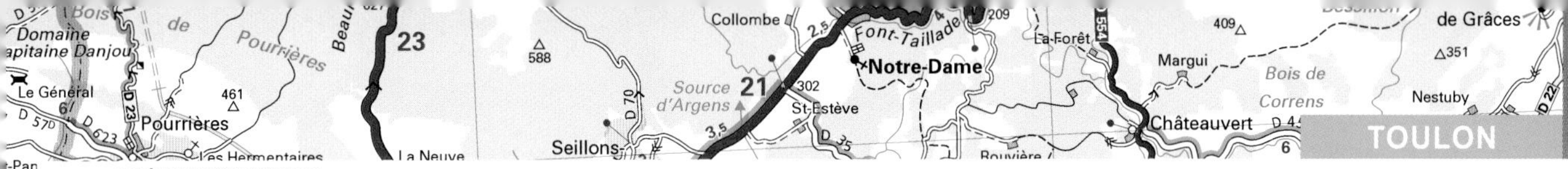
Pourrières
Seillons
St-Estève
Notre-Dame
Châteauvert
Bois de Correns
de Grâces

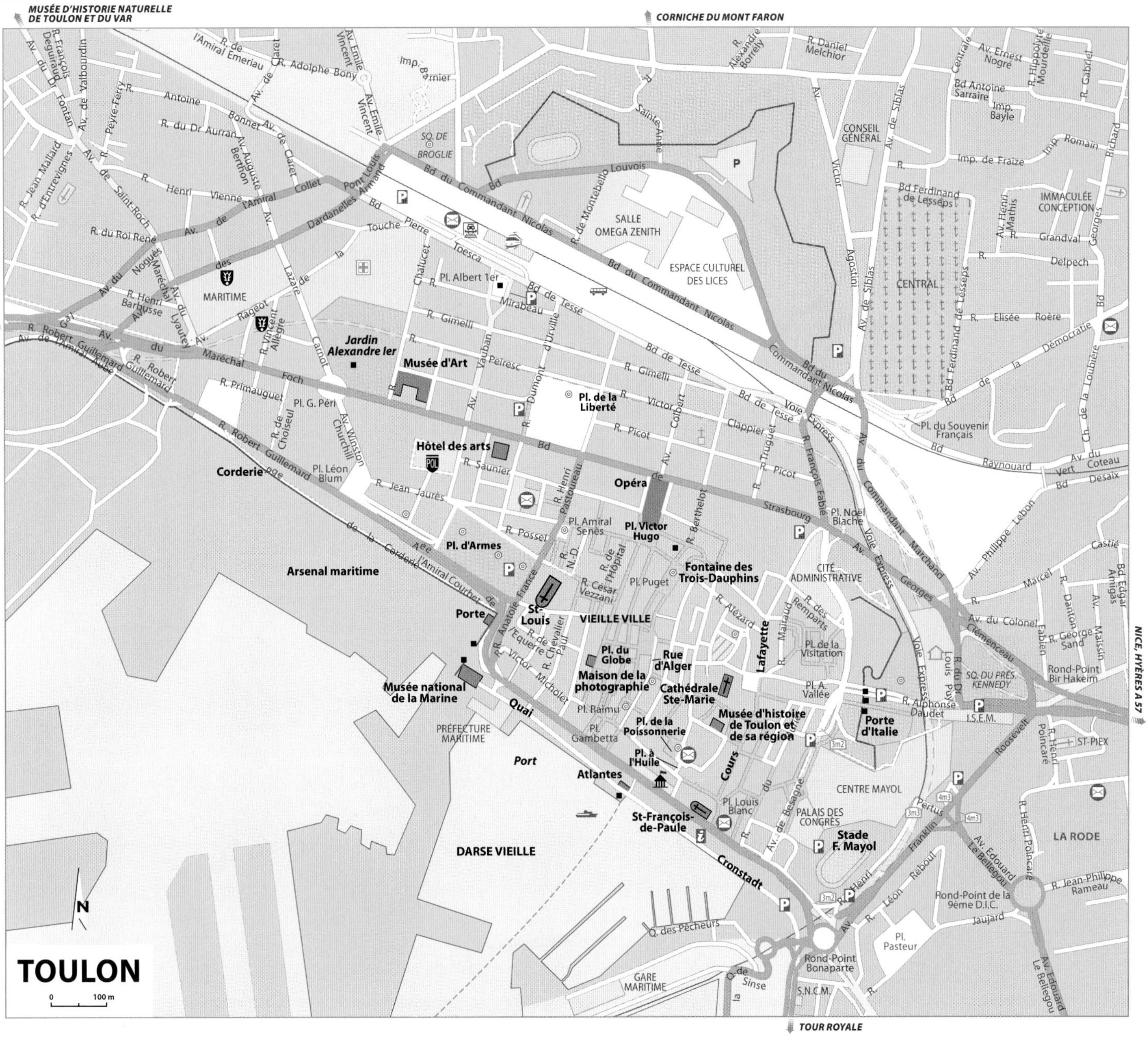
MUSÉE D'HISTOIRE NATURELLE DE TOULON ET DU VAR
CORNICHE DU MONT FARON
MARSEILLE, AIX-EN-P. A 50
NICE, HYÈRES A 57
TOUR ROYALE
TOULON
SALLE OMEGA ZENITH
ESPACE CULTUREL DES LICES
CONSEIL GÉNÉRAL
IMMACULÉE CONCEPTION
CENTRAL
MARITIME
Jardin Alexandre Ier
Musée d'Art
Pl. de la Liberté
Hôtel des arts
Corderie
Opéra
Pl. d'Armes
Pl. Victor Hugo
Arsenal maritime
Fontaine des Trois-Dauphins
CITÉ ADMINISTRATIVE
Porte
St-Louis
VIEILLE VILLE
Pl. du Globe
Rue d'Alger
Maison de la photographie
Cathédrale Ste-Marie
Musée national de la Marine
PRÉFECTURE MARITIME
Musée d'histoire de Toulon et de sa région
Porte d'Italie
Port
Atlantes
CENTRE MAYOL
St-François-de-Paule
PALAIS DES CONGRÈS
Stade F. Mayol
DARSE VIEILLE
LA RODE
Rond-Point Bonaparte
GARE MARITIME
Pl. Pasteur

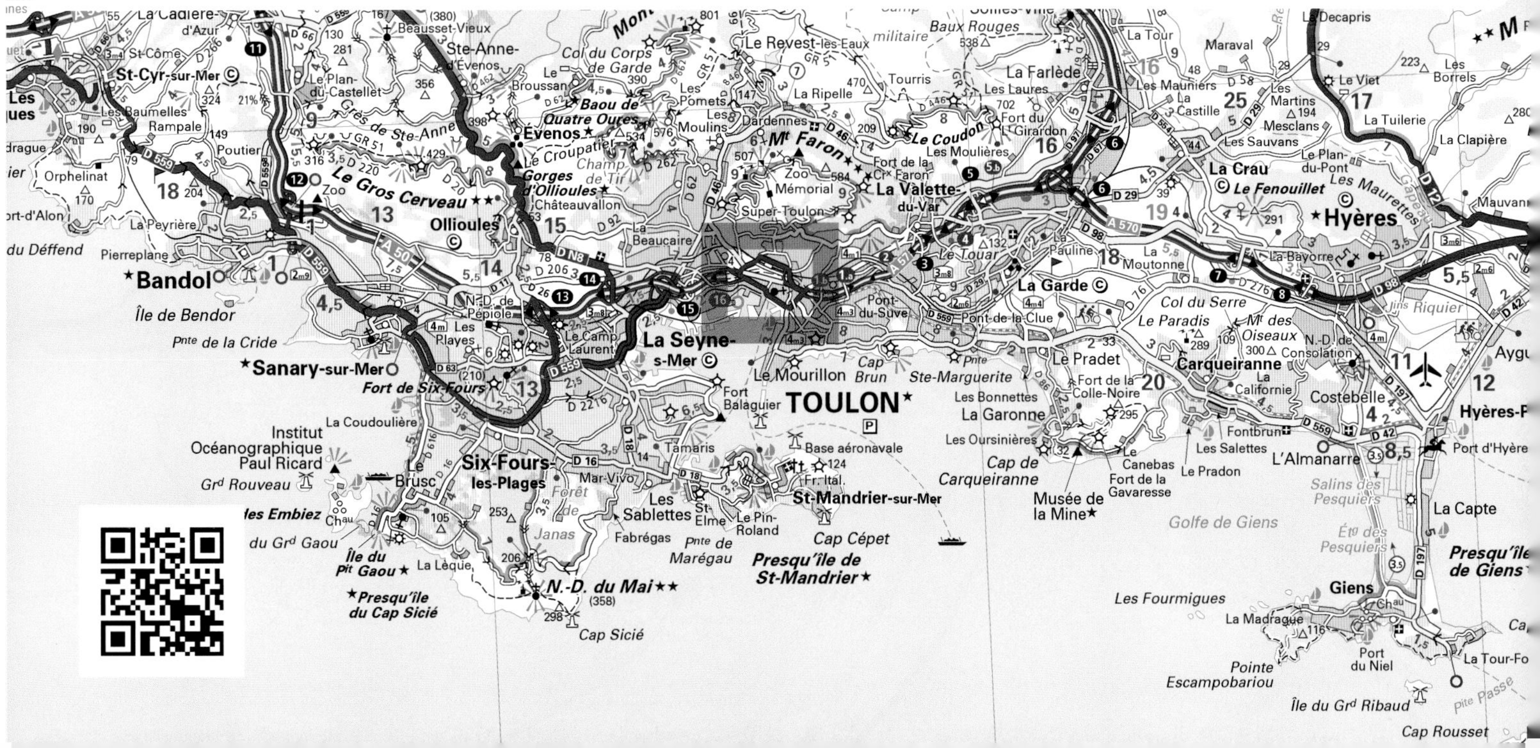
St-Cyr-sur-Mer
Bandol
Île de Bendor
Sanary-sur-Mer
Le Gros Cerveau
Ollioules
Evenos
Le Revest-les-Eaux
Mt Faron
La Valette-du-Var
La Farlède
La Crau
Hyères
La Seyne-s-Mer
TOULON
La Garde
Le Pradet
Carqueiranne
Six-Fours-les-Plages
St-Mandrier-sur-Mer
Presqu'île de St-Mandrier
N.-D. du Mai
Cap Sicié
Presqu'île du Cap Sicié
Golfe de Giens
Giens
Presqu'île de Giens
L'Almanarre
Costebelle
Cap Rousset

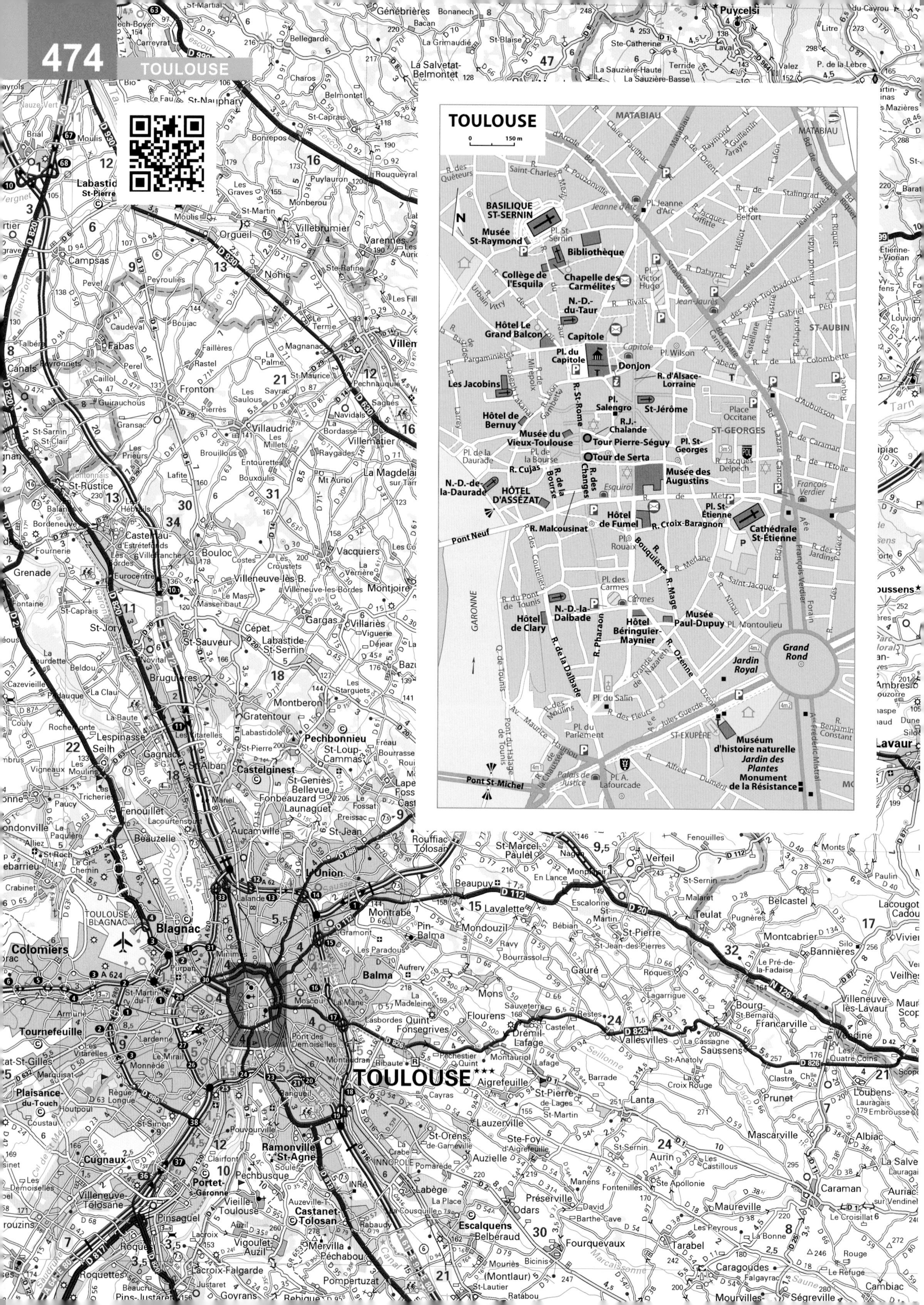
TOULOUSE
0 150 m
MATABIAU
BASILIQUE ST-SERNIN
Musée St-Raymond
Pl. St-Sernin
Bibliothèque
Collège de l'Esquila
Chapelle des Carmélites
N.-D.-du-Taur
Hôtel Le Grand Balcon
Capitole
Pl. du Capitole
Donjon
Les Jacobins
R. d'Alsace-Lorraine
Pl. Salengro
St-Jérôme
Hôtel de Bernuy
R.J.-Chalande
Musée du Vieux-Toulouse
Tour Pierre-Séguy
Pl. St-Georges
ST-GEORGES
Place Occitane
Tour de Serta
R. Cujas
Musée des Augustins
N.-D.-de-la-Daurade
HÔTEL D'ASSÉZAT
Pl. St-Étienne
Cathédrale St-Étienne
Pont Neuf
R. Malcousinat
Hôtel de Fumel
R. Croix-Baragnon
Pl. Rouaix
R. Bouquières
R. Mage
Pl. des Carmes
N.-D.-la-Dalbade
Hôtel de Clary
Hôtel Béringuier-Maynier
Musée Paul-Dupuy
Pl. Montoulieu
Grand Rond
Jardin Royal
GARONNE
R. de la Dalbade
R. Pharaon
R. Ozenne
Pl. du Salin
Pl. du Parlement
Palais de Justice
Pl. A. Lafourcade
ST-EXUPÈRE
Muséum d'histoire naturelle
Jardin des Plantes
Monument de la Résistance
Pont St-Michel
ST-AUBIN
Pl. Wilson
Pl. Jeanne d'Arc
Pl. de Belfort
Pl. Victor Hugo
Jean-Jaurès
TOULOUSE
Blagnac
Colomiers
Tournefeuille
Plaisance-du-Touch
Cugnaux
Villeneuve-Tolosane
Portet-s-Garonne
Ramonville-St-Agne
Castanet-Tolosan
Balma
L'Union
Aucamville
Fenouillet
Castelginest
Fronton
Villemur
Bouloc
Grenade
St-Jory
Labège
Escalquens
Quint-Fonsegrives
Lavalette
Verfeil
Lanta
Caraman
Vendine
Puycelsi
La Salvetat-Belmontet
Villaudric
Villeneuve-lès-Bouloc
Gratentour
Pechbonnieu
Montrabé
Mondouzil
Flourens
Drémil-Lafage
Aigrefeuille
St-Orens-de-Gameville
Pechbusque
Vieille-Toulouse
Pinsaguel
Roques
Labastide-St-Pierre
Campsas
Orgueil
Nohic

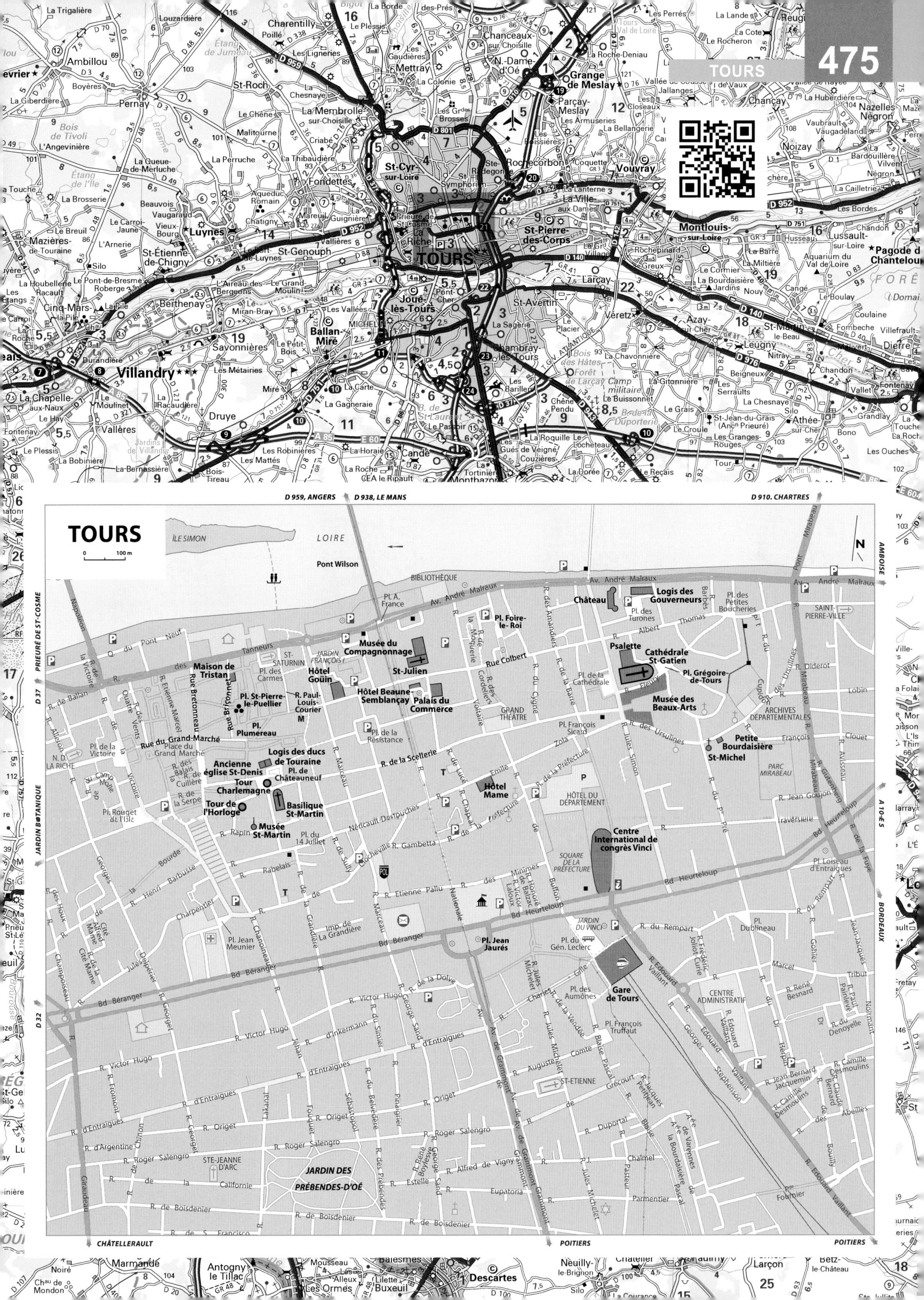
TOURS
0 100 m
N
D 959, ANGERS
D 938, LE MANS
D 910. CHARTRES
AMBOISE
A 10-E 5
BORDEAUX
POITIERS
CHÂTELLERAULT
JARDIN BOTANIQUE
PRIEURÉ DE ST-COSME
D 37
D 32
LOIRE
ÎLE SIMON
Pont Wilson
BIBLIOTHÈQUE
Av. André Malraux
Château
Logis des Gouverneurs
Pl. Foire-le-Roi
Musée du Compagnonnage
St-Julien
Hôtel Goüin
Hôtel Beaune-Semblançay
Palais du Commerce
Maison de Tristan
Pl. St-Pierre-le-Puellier
Pl. Plumereau
Rue du Grand-Marché
Logis des ducs de Touraine
Ancienne église St-Denis
Pl. de Châteauneuf
Tour Charlemagne
Tour de l'Horloge
Basilique St-Martin
Musée St-Martin
Psalette
Cathédrale St-Gatien
Pl. Grégoire-de-Tours
Musée des Beaux-Arts
Petite Bourdaisière
St-Michel
ARCHIVES DÉPARTEMENTALES
PARC MIRABEAU
Hôtel Mame
HÔTEL DU DÉPARTEMENT
Centre International de congrès Vinci
SQUARE DE LA PRÉFECTURE
Rue Colbert
R. de la Scellerie
R. Nationale
Bd Heurteloup
Bd Béranger
Pl. Jean Jaurès
Pl. du Gén. Leclerc
JARDIN DU VINCI
Gare de Tours
CENTRE ADMINISTRATIF
Pl. Jean Meunier
R. Victor Hugo
R. d'Entraigues
R. Origet
R. Roger Salengro
STE-JEANNE D'ARC
JARDIN DES PRÉBENDES-D'OÉ
R. de Boisdenier
Av. de Grammont
ST-ETIENNE
Tours
St-Cyr-sur-Loire
St-Pierre-des-Corps
Joué-lès-Tours
Chambray-lès-Tours
St-Avertin
Montlouis-sur-Loire
Vouvray
Rochecorbon
Fondettes
Luynes
Villandry
Savonnières
Ballan-Miré
Mettray
La Membrolle-sur-Choisille
Grange de Meslay
Larçay
Véretz
Azay-sur-Cher
Descartes

Ajaccio

Annecy

Arles

Bastia

Bayonne

Biarritz

Blois

Carcassonne

Châlons-en-Champagne

Châlon-sur-Saône

Chambéry

Chartres

Lorient

Monaco

Nevers

Troyes

Service areas on motorways

Suburbs of Paris: 487

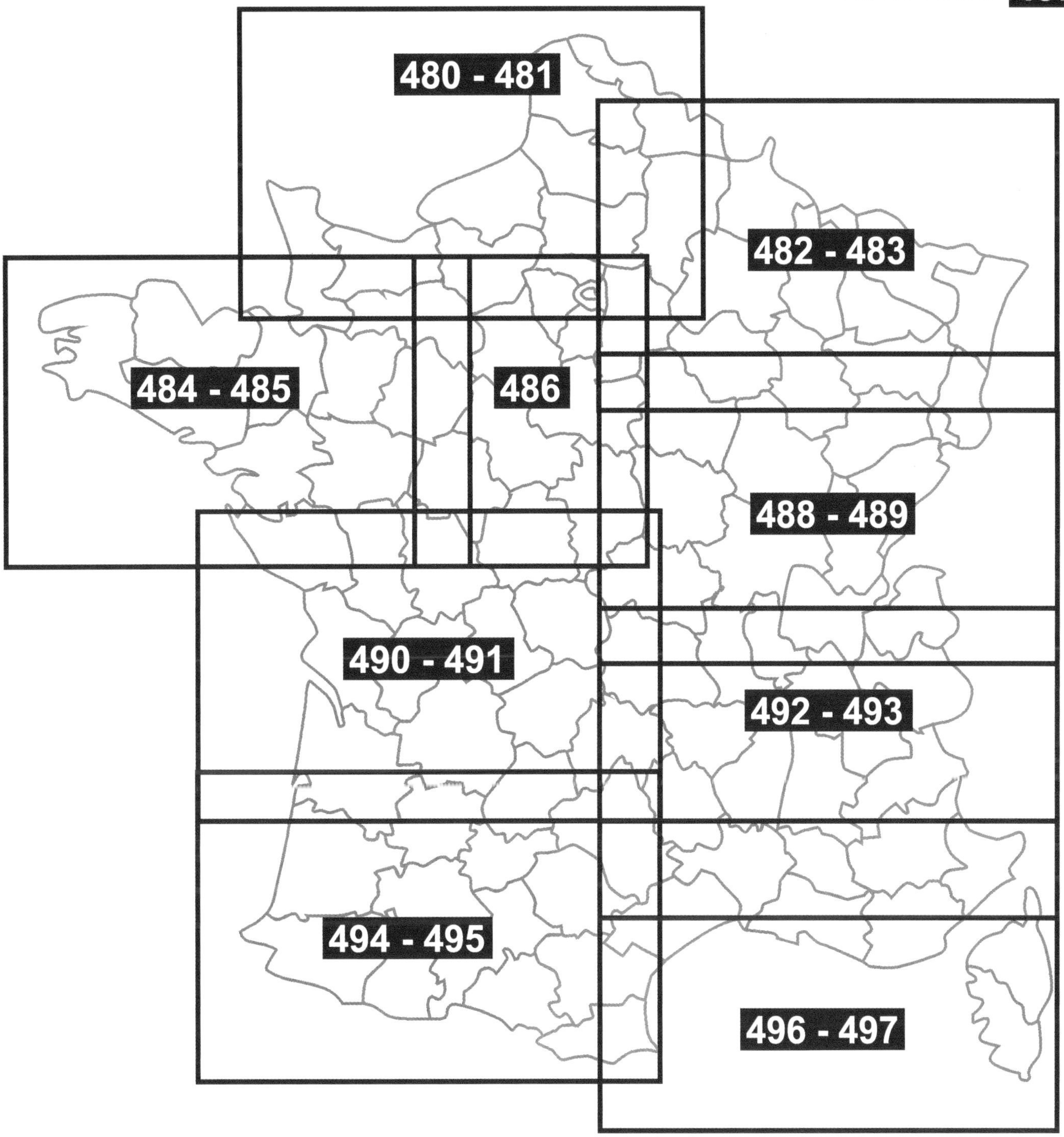

Journey planning notes

Key to service area map symbols

Aires de service sur autoroute	Service areas on motorways	Tankstelle mit Raststätte an Autobahnen
Échangeur complet avec numéro	Interchange complete with number	Nummerierte Vollanschlussstelle
Demi-échangeur (entrée et sortie) avec numéro	Limited interchange (entry and exit) with number	Nummerierte Halbanschlussstelle (Auffahrt und Ausfahrt)
Échangeur partiel: entrée seule ou sortie seule	Interchange limited: only one entry or exit	Teilanschlussstelle: nur Auffahrt oder Ausfahrt
Barrière de péage en pleine voie	Toll barrier on the motorway	Mautstelle auf der Autobahn
Police - Gendarmerie	Police - Gendarmerie	Polizeirevier - Gendarmerie
Station de gonflage isolée et gratuite Toutes les aires de services disposent d'une station de gonflage	Free tyre inflation	Reifenfüllstation frei
Aire de service (NEMOURS)	Service area (NEMOURS)	Tankstelle mit Raststätte (NEMOURS)
Aire double sens véhicule	Two-way service area for vehicles	Rastplatz für beide Fahrtrichtungen Farhzeug
Aire double-sens piéton	Two-way service area for pedestrians	Rastplatz für beide Fahrtrichtungen Fußgänger
Distributeur de gaz (G.P.L.)	LPG pumps	Vertrieb von Gas (LPG)
Atelier d'entretien	Repair shop	Reparaturwerkstatt
Aire de service pour camping-car	Service area for campers	Serviceeinrichtung für Reisemobile
Hôtel	Hotel	Hotel
Restaurant	Restaurant	Restaurant
Cafétéria	Cafeteria	Selbstbedienungsrestaurant
Bureau d'informations touristiques effectuant des réservations d'hôtels	Tourist information office with booking service	Touristeninformation (Zimmerreservierung möglich)
Bureau d'informations touristiques	Tourist information office	Touristeninformation
Billeterie automatique	ATM cash dispenser	Geldautomat
Vente de produits régionaux	Regional products for sale	Verkauf von regionalen Produkten
Point relax	Relaxation area	Rastplatz
Jeux pour enfants	Children's play area	Spielplatz
«Village-Étape»	Overnight stop	Übernachtungsmöglichkeit

Les marques de pétroliers installés sur les aires de service représentées sur cette carte sont celles connues en juillet 2016.

The petrol station brands shown on the motorways here are those that were known to be operation at July 2016.

Hier verwendete Zeichen für Tankstellen: Stand Juli 2016.

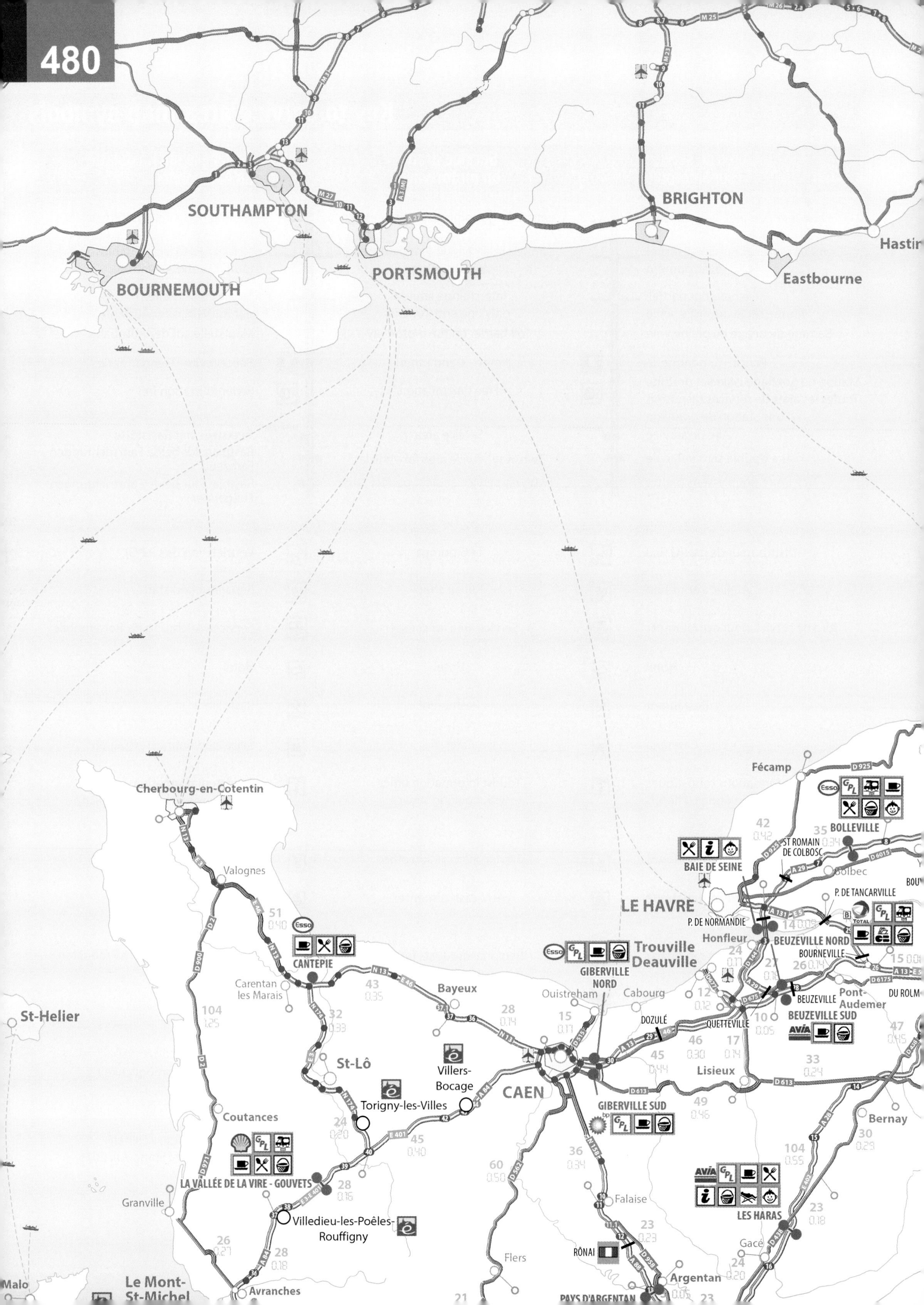
SOUTHAMPTON
BOURNEMOUTH
PORTSMOUTH
BRIGHTON
Eastbourne
Hastir
M 27
A 27
M 3
A 3 (M)
M 23
M 25
Cherbourg-en-Cotentin
Valognes
CANTEPIE
Carentan les Marais
St-Helier
Bayeux
St-Lô
Villers-Bocage
Torigny-les-Villes
CAEN
Coutances
LA VALLÉE DE LA VIRE - GOUVETS
Granville
Villedieu-les-Poêles-Rouffigny
Avranches
Le Mont-St-Michel
Malo
Ouistreham
GIBERVILLE NORD
GIBERVILLE SUD
Trouville Deauville
Cabourg
DOZULÉ
QUETTEVILLE
Lisieux
Falaise
RÔNAI
Argentan
PAYS D'ARGENTAN
Flers
LE HAVRE
Fécamp
BOLLEVILLE
ST ROMAIN DE COLBOSC
Bolbec
BAIE DE SEINE
P. DE TANCARVILLE
P. DE NORMANDIE
Honfleur
BEUZEVILLE NORD
BOURNEVILLE
BEUZEVILLE
BEUZEVILLE SUD
Pont-Audemer
DU ROLM
Bernay
LES HARAS
Gacé

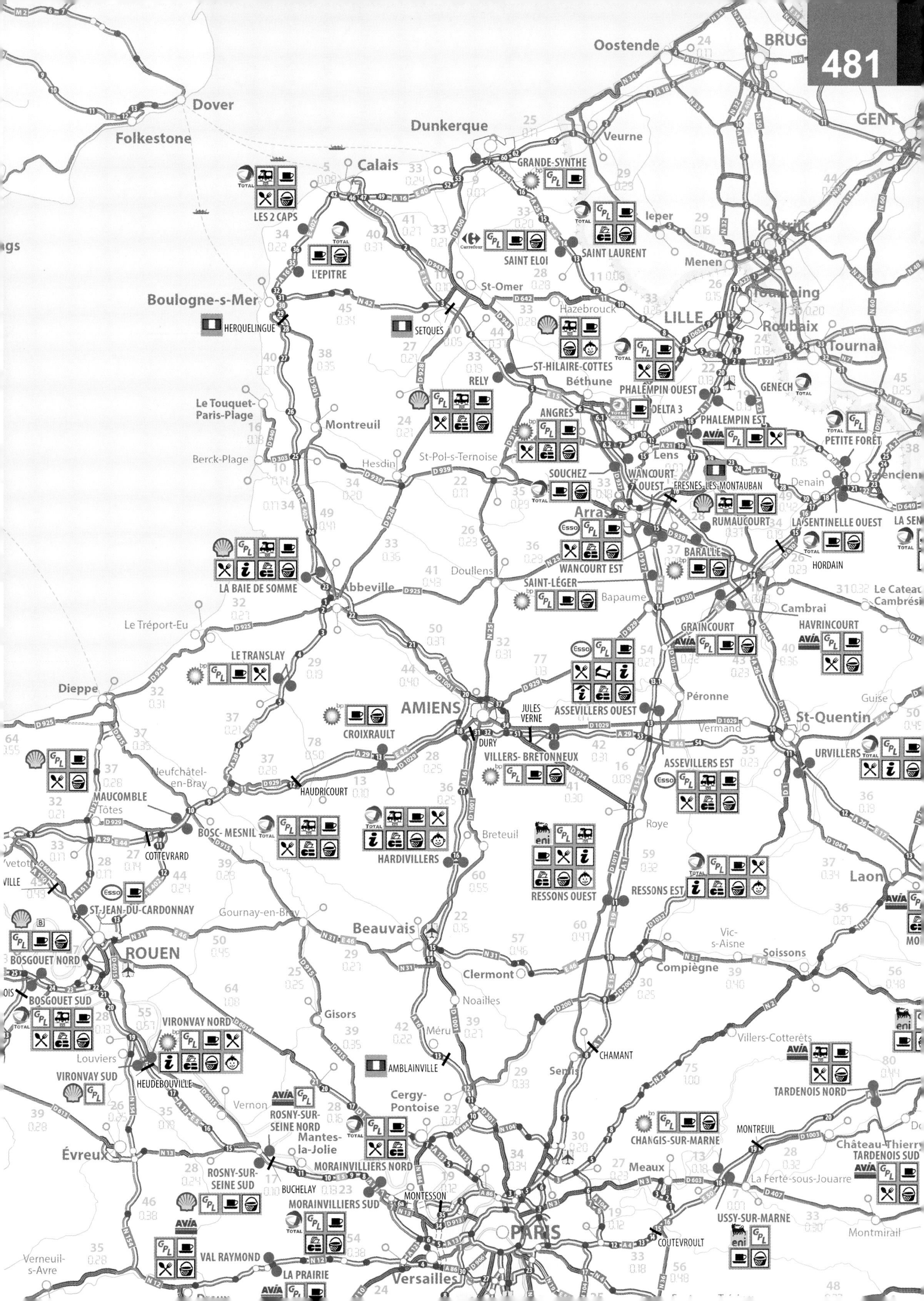
Oostende
BRUGGE
GENT
Dover
Folkestone
Dunkerque
Calais
GRANDE-SYNTHE
Veurne
LES 2 CAPS
Ieper
Kortrijk
Menen
L'EPITRE
SAINT ELOI
SAINT LAURENT
St-Omer
Boulogne-s-Mer
Hazebrouck
LILLE
Tourcoing
Roubaix
Tournai
HERQUELINGUE
SETQUES
ST-HILAIRE-COTTES
Béthune
RELY
GENECH
PHALEMPIN OUEST
DELTA 3
PHALEMPIN EST
PETITE FORET
Le Touquet-Paris-Plage
Montreuil
ANGRES
Lens
Berck-Plage
Hesdin
St-Pol-s-Ternoise
SOUCHEZ
WANCOURT OUEST
FRESNES-LES-MONTAUBAN
Denain
Valenciennes
Arras
RUMAUCOURT
LA SENTINELLE OUEST
BARALLE
HORDAIN
WANCOURT EST
LA BAIE DE SOMME
Abbeville
Doullens
SAINT-LÉGER
Bapaume
Le Cateau Cambrésis
Cambrai
Le Tréport-Eu
GRAINCOURT
HAVRINCOURT
LE TRANSLAY
Dieppe
AMIENS
CROIXRAULT
JULES VERNE
ASSEVILLERS OUEST
Péronne
Guise
St-Quentin
Vermand
DURY
VILLERS- BRETONNEUX
ASSEVILLERS EST
URVILLERS
Neufchâtel-en-Bray
MAUCOMBLE
Tôtes
HAUDRICOURT
BOSC- MESNIL
HARDIVILLERS
Breteuil
Roye
COTTEVRARD
ST-JEAN-DU-CARDONNAY
RESSONS OUEST
RESSONS EST
Laon
Gournay-en-Bray
Beauvais
ROUEN
BOSGOUET NORD
BOSGOUET SUD
Clermont
Compiègne
Vic-s-Aisne
Soissons
Noailles
Gisors
VIRONVAY NORD
VIRONVAY SUD
Louviers
HEUDEBOUVILLE
Méru
AMBLAINVILLE
Villers-Cotterêts
CHAMANT
Senlis
TARDENOIS NORD
Vernon
ROSNY-SUR-SEINE NORD
Cergy-Pontoise
Mantes-la-Jolie
CHANGIS-SUR-MARNE
MONTREUIL
Château-Thierry
TARDENOIS SUD
Évreux
ROSNY-SUR-SEINE SUD
BUCHELAY
MORAINVILLIERS NORD
MORAINVILLIERS SUD
Meaux
La Ferté-sous-Jouarre
MONTESSON
USSY-SUR-MARNE
PARIS
COUTEVROULT
Montmirail
VAL RAYMOND
LA PRAIRIE
Verneuil-s-Avre
Versailles

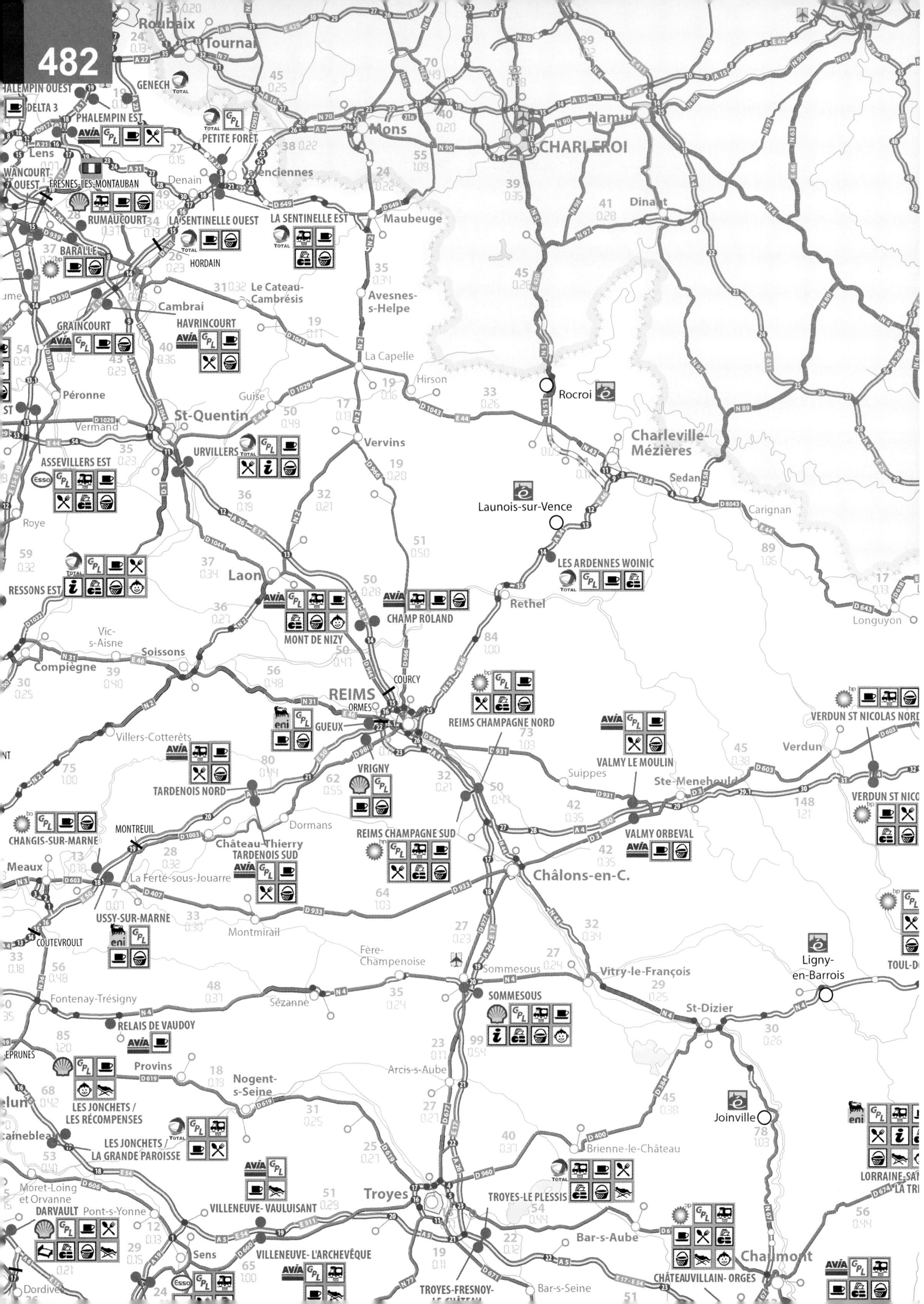

Roubaix
Tournai
GENECH
PHALEMPIN EST
PETITE FORÊT
Lens
Mons
Valenciennes
Denain
Namur
CHARLEROI
FRESNES-LES-MONTAUBAN
RUMAUCOURT
LA SENTINELLE OUEST
LA SENTINELLE EST
Maubeuge
HORDAIN
BARALLE
Dinant
Cambrai
Le Cateau-Cambrésis
Avesnes-s-Helpe
GRAINCOURT
HAVRINCOURT
La Capelle
Hirson
Péronne
Guise
St-Quentin
Vermand
Rocroi
Vervins
URVILLERS
ASSEVILLERS EST
Charleville-Mézières
Sedan
Launois-sur-Vence
Carignan
Roye
Laon
LES ARDENNES WOINIC
RESSONS EST
CHAMP ROLAND
MONT DE NIZY
Rethel
Longuyon
Vic-s-Aisne
Soissons
Compiègne
COURCY
REIMS
ORMES
GUEUX
REIMS CHAMPAGNE NORD
VERDUN ST NICOLAS NORD
Villers-Cotterêts
VALMY LE MOULIN
Verdun
TARDENOIS NORD
VRIGNY
Suippes
Ste-Menehould
CHANGIS-SUR-MARNE
MONTREUIL
Dormans
Château-Thierry
TARDENOIS SUD
REIMS CHAMPAGNE SUD
VALMY ORBEVAL
Meaux
La Ferté-sous-Jouarre
Châlons-en-C.
USSY-SUR-MARNE
Montmirail
COUTEVROULT
Fère-Champenoise
Ligny-en-Barrois
Sommesous
Vitry-le-François
Fontenay-Trésigny
Sézanne
SOMMESOUS
St-Dizier
RELAIS DE VAUDOY
Provins
Nogent-s-Seine
Arcis-s-Aube
LES JONCHETS / LES RÉCOMPENSES
Joinville
LES JONCHETS / LA GRANDE PAROISSE
Brienne-le-Château
Moret-Loing et Orvanne
Troyes
TROYES-LE PLESSIS
DARVAULT
Pont-s-Yonne
VILLENEUVE-VAULUISANT
Bar-s-Aube
Sens
VILLENEUVE-L'ARCHEVÊQUE
Chaumont
CHÂTEAUVILLAIN-ORGES
Dordives
TROYES-FRESNOY-
Bar-s-Seine
LORRAINE-SAINT

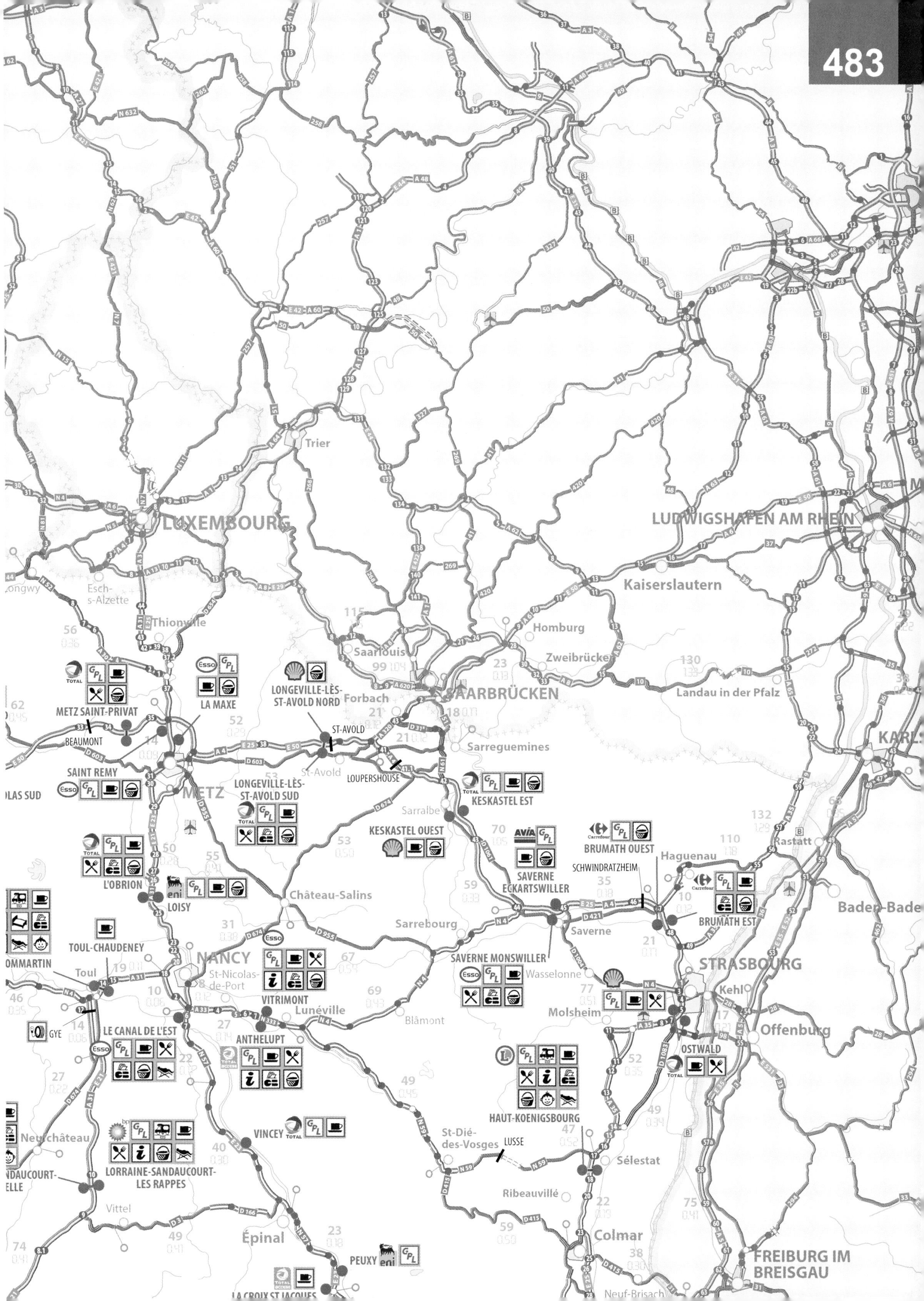

LUXEMBOURG
Trier
Longwy
Esch-s-Alzette
Thionville
METZ
METZ SAINT-PRIVAT
BEAUMONT
LA MAXE
SAINT REMY
L'OBRION
LOISY
TOUL-CHAUDENEY
Toul
GYE
LE CANAL DE L'EST
NANCY
St-Nicolas-de-Port
VITRIMONT
Lunéville
ANTHELUPT
VINCEY
LORRAINE-SANDAUCOURT-LES RAPPES
Neufchâteau
Vittel
Épinal
PEUXY
LA CROIX ST JACQUES
LONGEVILLE-LÈS-ST-AVOLD NORD
LONGEVILLE-LÈS-ST-AVOLD SUD
ST-AVOLD
St-Avold
LOUPERSHOUSE
Forbach
Saarlouis
SAARBRÜCKEN
Sarreguemines
Sarralbe
KESKASTEL EST
KESKASTEL OUEST
Château-Salins
Sarrebourg
Blâmont
SAVERNE ECKARTSWILLER
SAVERNE MONSWILLER
Saverne
Wasselonne
Molsheim
HAUT-KOENIGSBOURG
St-Dié-des-Vosges
LUSSE
Ribeauvillé
Sélestat
Colmar
Neuf-Brisach
Homburg
Zweibrücken
Kaiserslautern
Landau in der Pfalz
LUDWIGSHAFEN AM RHEIN
BRUMATH OUEST
SCHWINDRATZHEIM
Haguenau
BRUMATH EST
STRASBOURG
Kehl
OSTWALD
Offenburg
Rastatt
Baden-Baden
KARL
FREIBURG IM BREISGAU

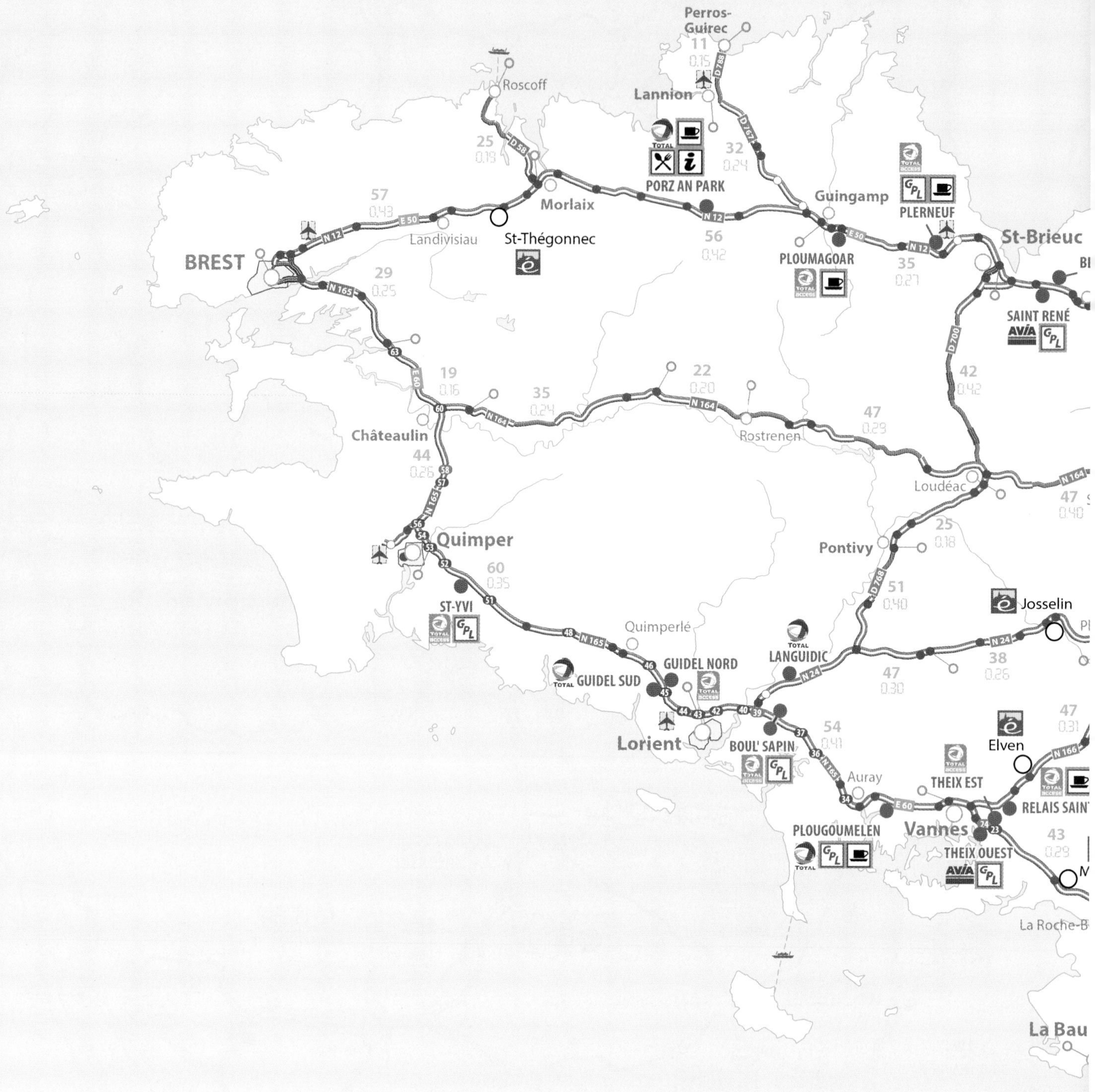

Perros-Guirec
11
0.15
Roscoff
Lannion
25
0.19
32
0.24
PORZ AN PARK
Morlaix
Guingamp
PLERNEUF
57
0.43
E 50
N 12
Landivisiau
St-Thégonnec
56
0.42
St-Brieuc
BREST
29
0.25
N 165
PLOUMAGOAR
35
0.27
SAINT RENÉ
19
0.16
35
0.24
22
0.20
N 164
47
0.29
42
0.42
D 700
Châteaulin
Rostrenen
44
0.25
Loudéac
47
0.40
Quimper
60
0.35
Pontivy
25
0.18
51
0.40
D 768
ST-YVI
Josselin
Quimperlé
N 24
38
0.26
GUIDEL NORD
LANGUIDIC
GUIDEL SUD
47
0.30
47
0.31
Lorient
BOUL' SAPIN
54
0.41
Elven
N 166
Auray
THEIX EST
E 60
RELAIS SAINT
PLOUGOUMELEN
Vannes
THEIX OUEST
43
0.29
La Roche-B
La Bau

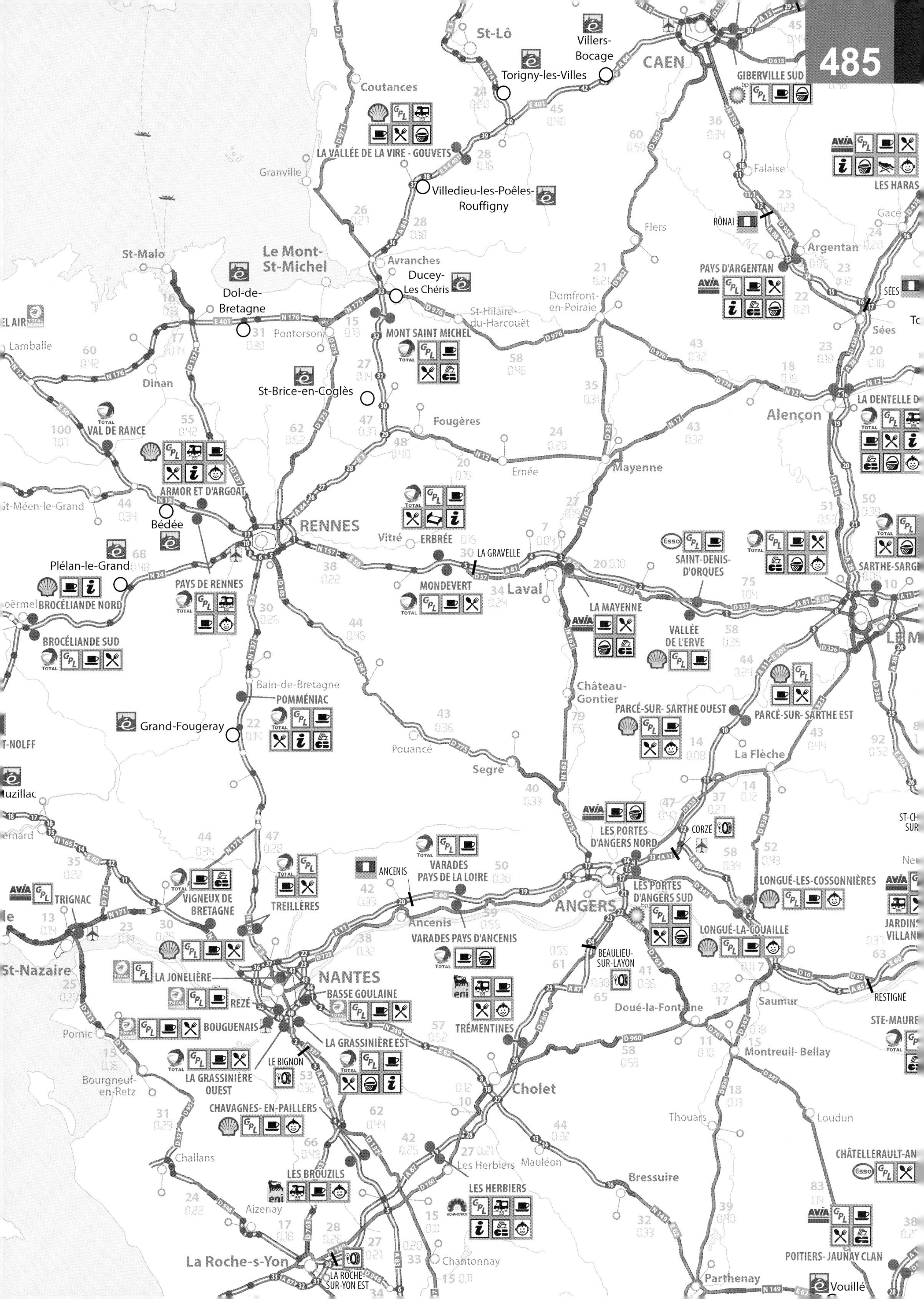
St-Lô
Villers-Bocage
Torigny-les-Villes
CAEN
GIBERVILLE SUD
Coutances
LA VALLÉE DE LA VIRE - GOUVETS
Granville
Villedieu-les-Poêles-Rouffigny
Falaise
LES HARAS
RÔNAI
Flers
Gacé
Argentan
PAYS D'ARGENTAN
SÉES
Sées
St-Malo
Le Mont-St-Michel
Avranches
Ducey-Les Chéris
Dol-de-Bretagne
Pontorson
Domfront-en-Poiraie
St-Hilaire-du-Harcouët
MONT SAINT MICHEL
Lamballe
Dinan
St-Brice-en-Coglès
Alençon
LA DENTELLE D
Fougères
VAL DE RANCE
ARMOR ET D'ARGOAT
Ernée
Mayenne
St-Méen-le-Grand
Bédée
RENNES
Vitré
ERBRÉE
LA GRAVELLE
Plélan-le-Grand
PAYS DE RENNES
MONDEVERT
Laval
SAINT-DENIS-D'ORQUES
SARTHE-SARG
BROCÉLIANDE NORD
BROCÉLIANDE SUD
LA MAYENNE
VALLÉE DE L'ERVE
Château-Gontier
Bain-de-Bretagne
POMMÉNIAC
PARCÉ-SUR-SARTHE OUEST
PARCÉ-SUR-SARTHE EST
Grand-Fougeray
Pouancé
Segré
La Flèche
LES PORTES D'ANGERS NORD
CORZÉ
ANCENIS
VARADES PAYS DE LA LOIRE
LONGUÉ-LES-COSSONNIÈRES
TRIGNAC
VIGNEUX DE BRETAGNE
TREILLIÈRES
LES PORTES D'ANGERS SUD
ANGERS
Ancenis
VARADES PAYS D'ANCENIS
LONGUÉ-LA-GOUAILLE
St-Nazaire
LA JONELIÈRE
NANTES
BEAULIEU-SUR-LAYON
REZÉ
BASSE GOULAINE
TRÉMENTINES
Saumur
RESTIGNÉ
BOUGUENAIS
Doué-la-Fontaine
STE-MAURE
Pornic
LA GRASSINIÈRE EST
Montreuil-Bellay
LE BIGNON
Bourgneuf-en-Retz
LA GRASSINIÈRE OUEST
Cholet
CHAVAGNES-EN-PAILLERS
Thouars
Loudun
Challans
Les Herbiers
Mauléon
CHÂTELLERAULT-AN
LES BROUZILS
Bressuire
LES HERBIERS
Aizenay
POITIERS-JAUNAY CLAN
La Roche-s-Yon
LA ROCHE-SUR-YON EST
Chantonnay
Parthenay
Vouillé

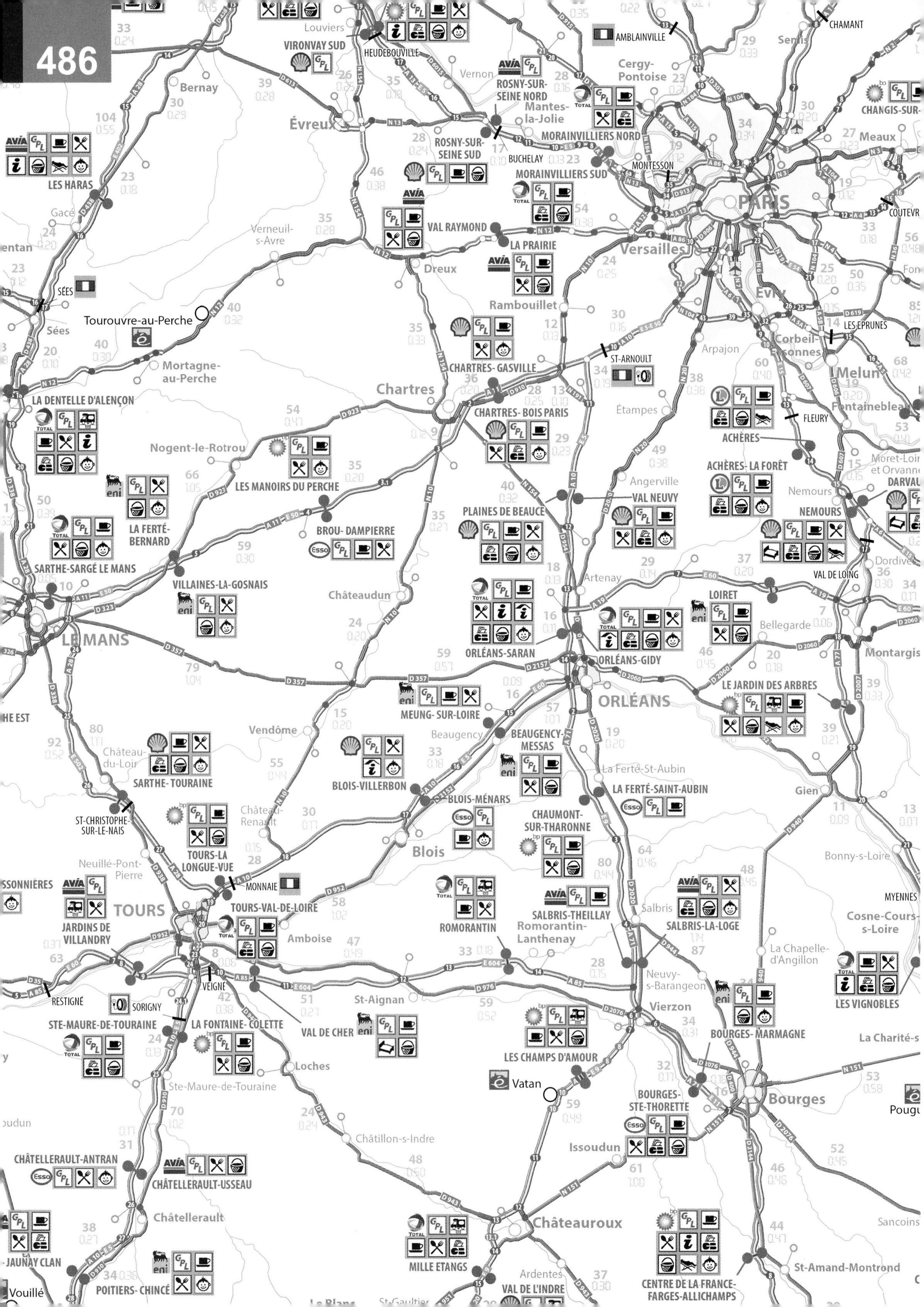

Louviers
VIRONVAY SUD
HEUDEBOUVILLE
AMBLAINVILLE
CHAMANT
Senlis
Bernay
Évreux
Vernon
ROSNY-SUR-SEINE NORD
Mantes-la-Jolie
Cergy-Pontoise
CHANGIS-SUR-
Meaux
LES HARAS
ROSNY-SUR-SEINE SUD
BUCHELAY
MORAINVILLIERS NORD
MONTESSON
MORAINVILLIERS SUD
PARIS
COUTEVR
Gacé
Verneuil-s-Avre
VAL RAYMOND
LA PRAIRIE
Versailles
Dreux
Evry
SÉES
Sées
Tourouvre-au-Perche
Rambouillet
LES EPRUNES
Corbeil-Essonnes
Melun
Mortagne-au-Perche
ST-ARNOULT
Arpajon
Chartres
CHARTRES-GASVILLE
CHARTRES-BOIS PARIS
Étampes
Fontainebleau
FLEURY
ACHÈRES
LA DENTELLE D'ALENÇON
Nogent-le-Rotrou
LES MANOIRS DU PERCHE
ACHÈRES-LA FORÊT
Moret-Loing et Orvanne
Angerville
VAL NEUVY
Nemours
DARVAU
NEMOURS
LA FERTÉ-BERNARD
BROU-DAMPIERRE
PLAINES DE BEAUCE
SARTHE-SARGÉ LE MANS
VILLAINES-LA-GOSNAIS
Châteaudun
Artenay
VAL DE LOING
Dordives
LOIRET
LE MANS
ORLÉANS-SARAN
ORLÉANS-GIDY
Bellegarde
Montargis
ORLÉANS
LE JARDIN DES ARBRES
MEUNG-SUR-LOIRE
Vendôme
Beaugency
BEAUGENCY-MESSAS
Château-du-Loir
SARTHE-TOURAINE
BLOIS-VILLERBON
La Ferté-St-Aubin
LA FERTÉ-SAINT-AUBIN
Gien
ST-CHRISTOPHE-SUR-LE-NAIS
BLOIS-MÉNARS
Château-Renault
Blois
CHAUMONT-SUR-THARONNE
Bonny-s-Loire
TOURS-LA LONGUE-VUE
Neuillé-Pont-Pierre
MONNAIE
SONNIÈRES
TOURS
TOURS-VAL-DE-LOIRE
ROMORANTIN
SALBRIS-THEILLAY
Salbris
SALBRIS-LA-LOGE
MYENNES
Cosne-Cours-s-Loire
JARDINS DE VILLANDRY
Amboise
Romorantin-Lanthenay
La Chapelle-d'Angillon
RESTIGNÉ
VEIGNE
SORIGNY
St-Aignan
Neuvy-s-Barangeon
LES VIGNOBLES
STE-MAURE-DE-TOURAINE
LA FONTAINE-COLETTE
VAL DE CHER
Vierzon
BOURGES-MARMAGNE
LES CHAMPS D'AMOUR
La Charité-s
Loches
Vatan
BOURGES-STE-THORETTE
Bourges
Ste-Maure-de-Touraine
Pougu
Issoudun
Châtillon-s-Indre
CHÂTELLERAULT-ANTRAN
CHÂTELLERAULT-USSEAU
Châtellerault
Châteauroux
MILLE ETANGS
Sancoins
JAUNAY CLAN
POITIERS-CHINCÉ
Ardentes
VAL DE L'INDRE
CENTRE DE LA FRANCE-FARGES-ALLICHAMPS
St-Amand-Montrond
Vouillé

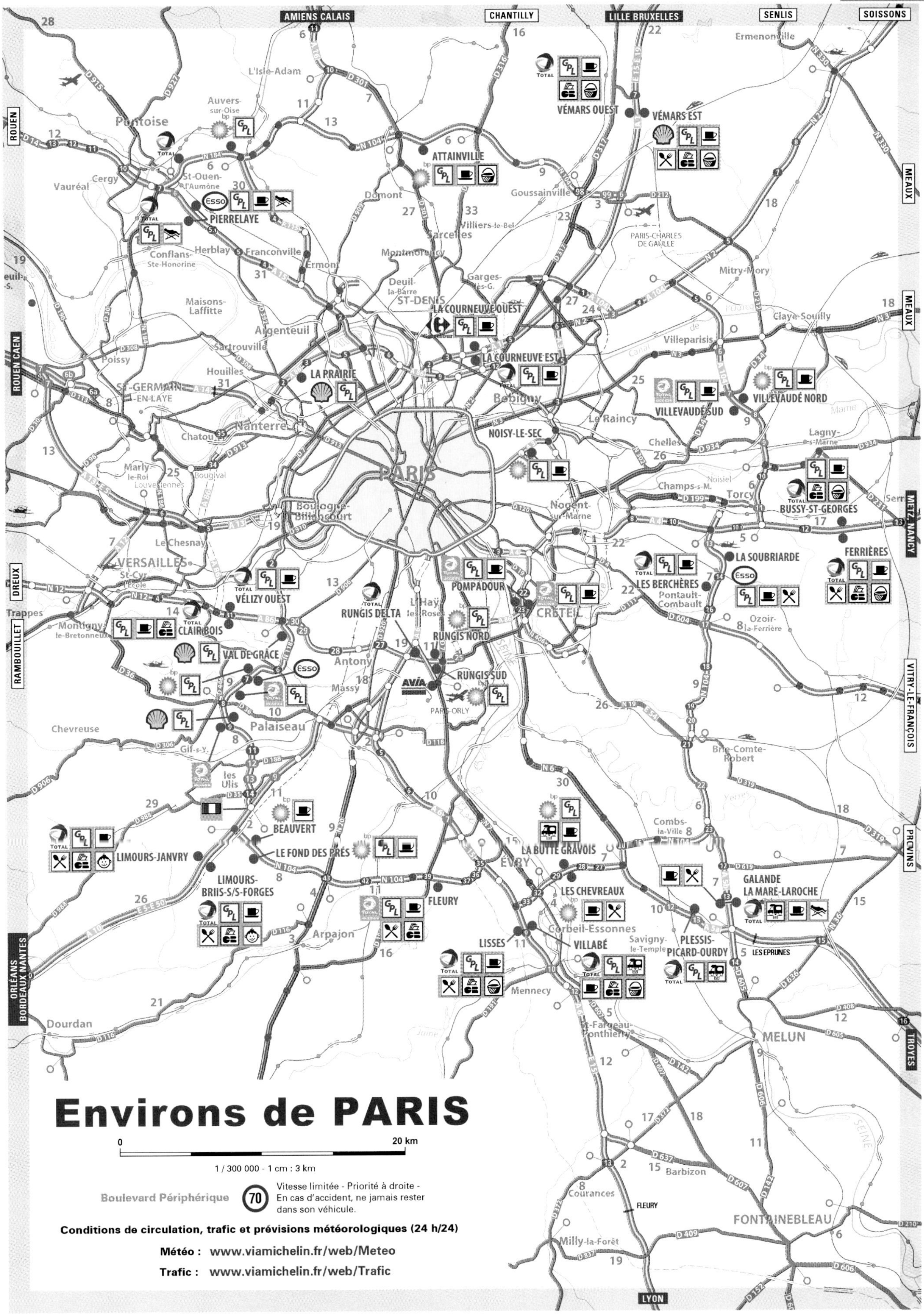

Environs de PARIS

0 — 20 km

1 / 300 000 - 1 cm : 3 km

Boulevard Périphérique (70) Vitesse limitée - Priorité à droite - En cas d'accident, ne jamais rester dans son véhicule.

Conditions de circulation, trafic et prévisions météorologiques (24 h/24)

Météo : www.viamichelin.fr/web/Meteo

Trafic : www.viamichelin.fr/web/Trafic

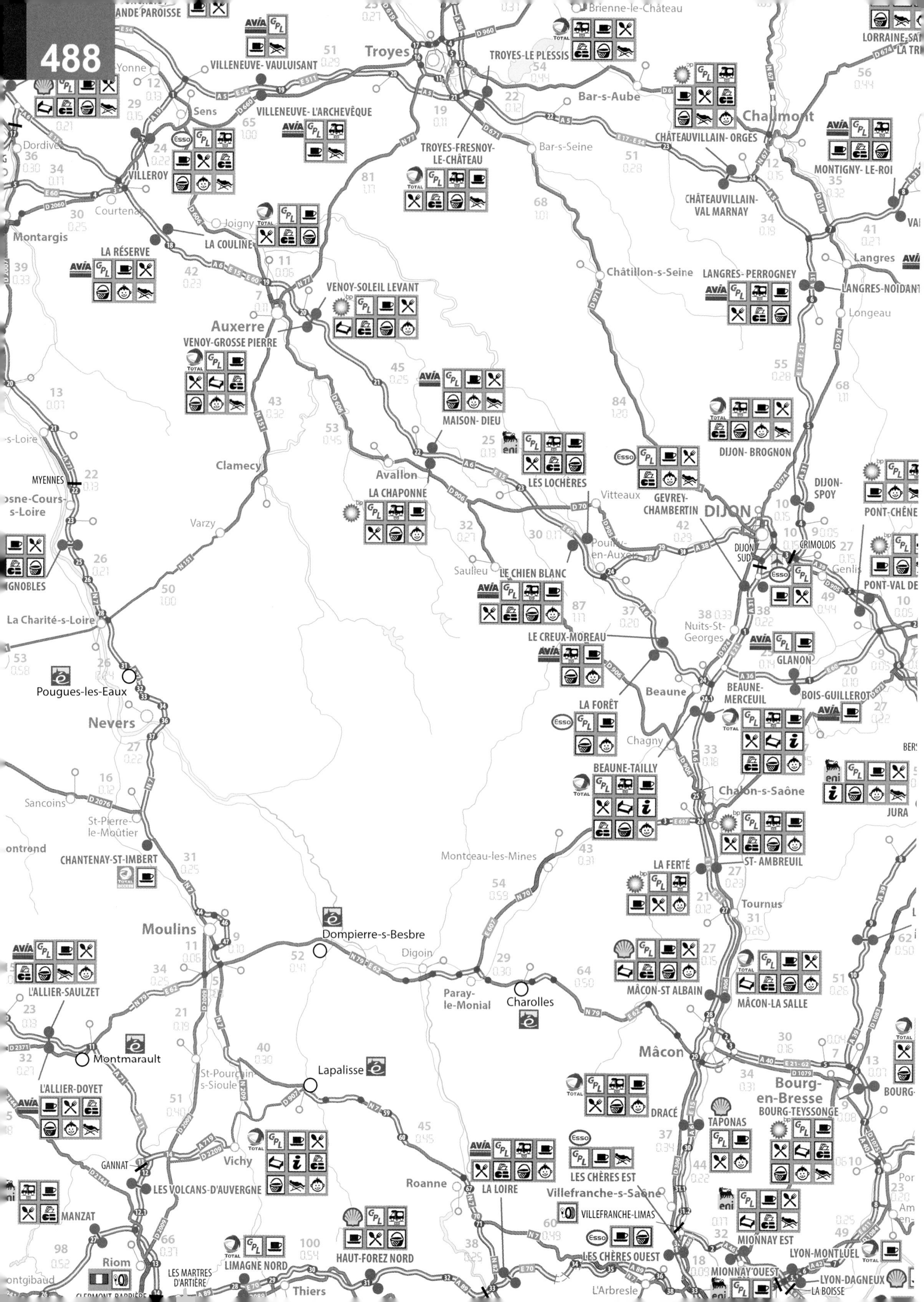

Troyes
TROYES-LE PLESSIS
TROYES-FRESNOY-LE-CHÂTEAU
Brienne-le-Château
VILLENEUVE- VAULUISANT
VILLENEUVE- L'ARCHEVÊQUE
Sens
Yonne
Dordives
VILLEROY
Courtenay
Montargis
Joigny
LA COULINE
LA RÉSERVE
Bar-s-Aube
Bar-s-Seine
Chaumont
CHÂTEAUVILLAIN- ORGES
CHÂTEAUVILLAIN-VAL MARNAY
MONTIGNY- LE-ROI
LORRAINE-SA
Langres
LANGRES- PERROGNEY
LANGRES-NOIDANT
Longeau
Châtillon-s-Seine
Auxerre
VENOY-SOLEIL LEVANT
VENOY-GROSSE PIERRE
MAISON- DIEU
LES LOCHÈRES
Avallon
LA CHAPONNE
Clamecy
Varzy
MYENNES
Cosne-Cours-s-Loire
Vitteaux
Pouilly-en-Auxois
Saulieu
LE CHIEN BLANC
LE CREUX-MOREAU
GEVREY-CHAMBERTIN
DIJON
DIJON- BROGNON
DIJON-SPOY
DIJON SUD
CRIMOLOIS
PONT-CHÊNE
Genlis
PONT-VAL DE
Nuits-St-Georges
GLANON
BOIS-GUILLEROT
Beaune
BEAUNE-MERCEUIL
LA FORÊT
BEAUNE-TAILLY
Chagny
Chalon-s-Saône
JURA
ST- AMBREUIL
LA FERTÉ
Tournus
Montceau-les-Mines
La Charité-s-Loire
Pougues-les-Eaux
Nevers
Sancoins
St-Pierre-le-Moûtier
CHANTENAY-ST-IMBERT
Moulins
Dompierre-s-Besbre
Digoin
Paray-le-Monial
Charolles
L'ALLIER-SAULZET
Montmarault
L'ALLIER-DOYET
Lapalisse
St-Pourçain-s-Sioule
MÂCON-ST ALBAIN
MÂCON-LA SALLE
Mâcon
Bourg-en-Bresse
BOURG-TEYSSONGE
DRACÉ
TAPONAS
GANNAT
Vichy
LES VOLCANS-D'AUVERGNE
MANZAT
Roanne
LA LOIRE
LES CHÈRES EST
Villefranche-s-Saône
VILLEFRANCHE-LIMAS
MIONNAY EST
LYON-MONTLUEL
LES CHÈRES OUEST
MIONNAY OUEST
LYON-DAGNEUX
LA BOISSE
Riom
LES MARTRES D'ARTIÈRE
LIMAGNE NORD
HAUT-FOREZ NORD
Thiers
L'Arbresle
CLERMONT-BARRIÈRE

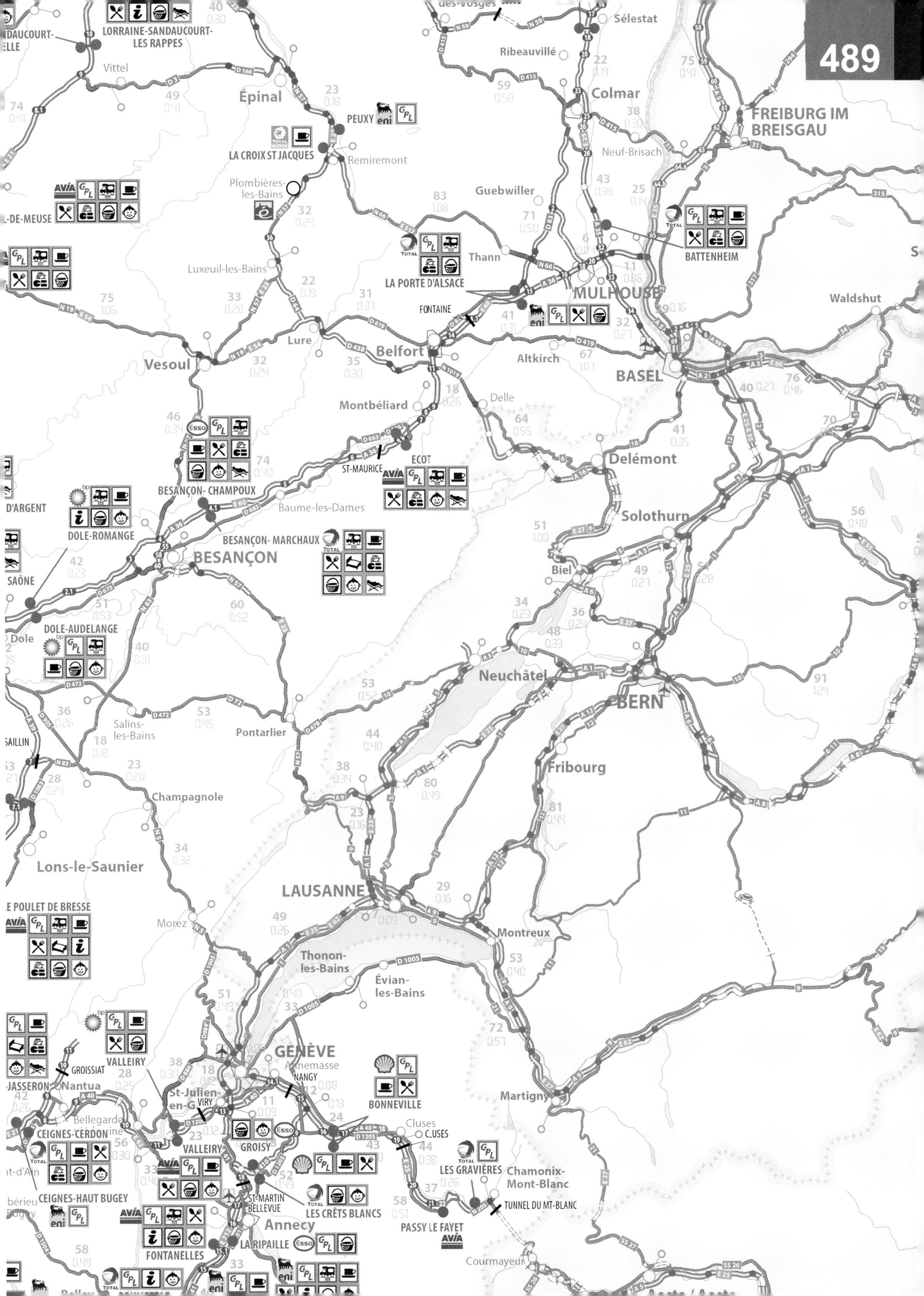

LORRAINE-SANDAUCOURT-LES RAPPES
Vittel
Épinal
PEUXY
LA CROIX ST JACQUES
Remiremont
Plombières-les-Bains
Luxeuil-les-Bains
Sélestat
Ribeauvillé
Colmar
Neuf-Brisach
Guebwiller
Thann
LA PORTE D'ALSACE
FONTAINE
MULHOUSE
BATTENHEIM
FREIBURG IM BREISGAU
Waldshut
Vesoul
Lure
Belfort
Altkirch
BASEL
Delle
Montbéliard
ST-MAURICE
ECOT
BESANÇON-CHAMPOUX
DOLE-ROMANGE
BESANÇON-MARCHAUX
Baume-les-Dames
BESANÇON
Delémont
Solothurn
Biel
DOLE-AUDELANGE
Dole
Neuchâtel
BERN
Salins-les-Bains
Pontarlier
Fribourg
Champagnole
Lons-le-Saunier
LAUSANNE
LE POULET DE BRESSE
Morez
Montreux
Thonon-les-Bains
Évian-les-Bains
GENÈVE
Annemasse
NANGY
BONNEVILLE
VALLEIRY
GROISSIAT
Nantua
Bellegarde
CEIGNES-CERDON
CEIGNES-HAUT BUGEY
St-Julien-en-G
VIRY
GROISY
Cluses
CLUSES
Martigny
Chamonix-Mont-Blanc
LES GRAVIÈRES
TUNNEL DU MT-BLANC
ST-MARTIN BELLEVUE
LES CRÊTS BLANCS
Annecy
PASSY LE FAYET
FONTANELLES
LA RIPAILLE
Courmayeur

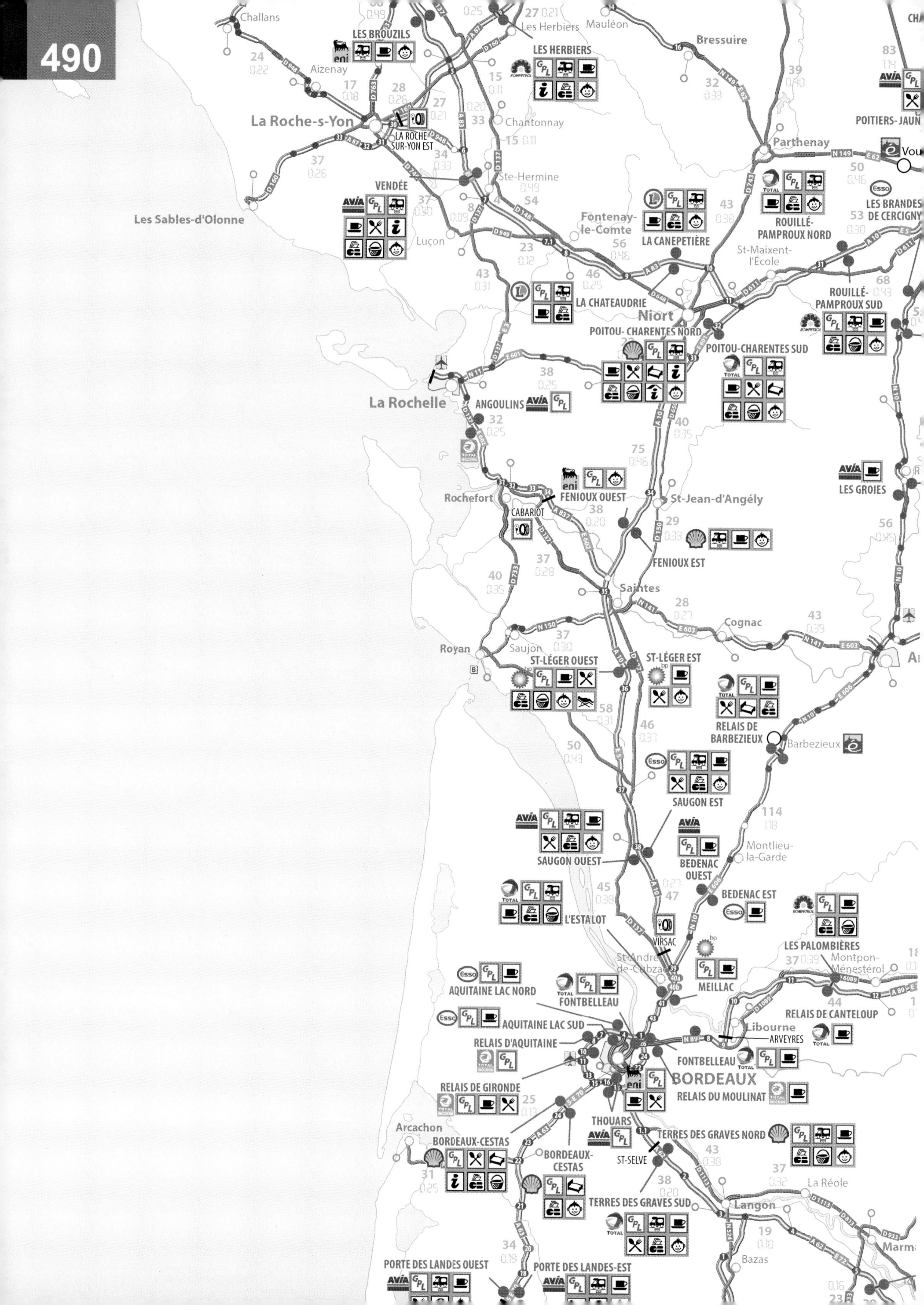

Challans
LES BROUZILS
Les Herbiers
Mauléon
Bressuire
LES HERBIERS
Aizenay
La Roche-s-Yon
LA ROCHE-SUR-YON EST
Chantonnay
Ste-Hermine
Parthenay
POITIERS-JAUNAY
VENDÉE
Les Sables-d'Olonne
Luçon
Fontenay-le-Comte
LA CANEPETIÈRE
ROUILLÉ-PAMPROUX NORD
LES BRANDES DE CERCIGNY
St-Maixent-l'École
LA CHATEAUDRIE
Niort
ROUILLÉ-PAMPROUX SUD
POITOU-CHARENTES NORD
POITOU-CHARENTES SUD
La Rochelle
ANGOULINS
LES GROIES
Rochefort
CABARIOT
FENIOUX OUEST
St-Jean-d'Angély
FENIOUX EST
Saintes
Cognac
Royan
Saujon
ST-LÉGER OUEST
ST-LÉGER EST
RELAIS DE BARBEZIEUX
Barbezieux
SAUGON EST
SAUGON OUEST
BEDENAC OUEST
Montlieu-la-Garde
BEDENAC EST
L'ESTALOT
VIRSAC
LES PALOMBIÈRES
St-André-de-Cubzac
MEILLAC
Montpon-Ménestérol
AQUITAINE LAC NORD
FONTBELLEAU
AQUITAINE LAC SUD
RELAIS DE CANTELOUP
RELAIS D'AQUITAINE
Libourne
ARVEYRES
FONTBELLEAU
BORDEAUX
RELAIS DU MOULINAT
RELAIS DE GIRONDE
Arcachon
BORDEAUX-CESTAS
BORDEAUX-CESTAS
THOUARS
ST-SELVE
TERRES DES GRAVES NORD
TERRES DES GRAVES SUD
La Réole
Langon
Bazas
PORTE DES LANDES OUEST
PORTE DES LANDES-EST

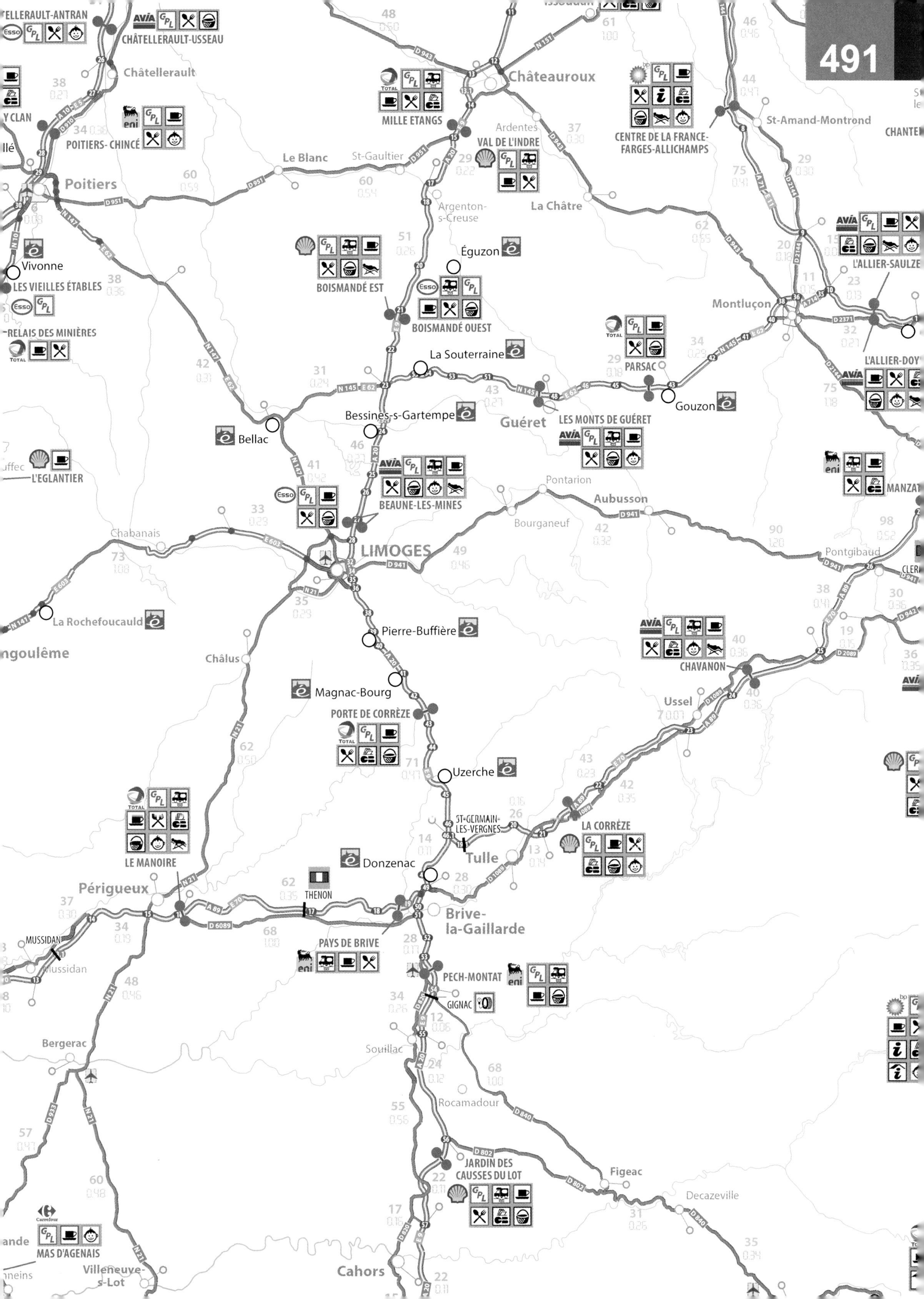
CHÂTELLERAULT-USSEAU
Châtellerault
POITIERS- CHINCÉ
Poitiers
Vivonne
LES VIEILLES ÉTABLES
RELAIS DES MINIÈRES
L'EGLANTIER
Châteauroux
MILLE ETANGS
Ardentes
VAL DE L'INDRE
Le Blanc
St-Gaultier
Argenton-s-Creuse
La Châtre
CENTRE DE LA FRANCE-FARGES-ALLICHAMPS
St-Amand-Montrond
L'ALLIER-SAULZE
Montluçon
L'ALLIER-DOY
Éguzon
BOISMANDÉ EST
BOISMANDÉ OUEST
La Souterraine
PARSAC
Gouzon
Guéret
LES MONTS DE GUÉRET
Bessines-s-Gartempe
Bellac
BEAUNE-LES-MINES
Pontarion
Aubusson
Bourganeuf
Pontgibaud
MANZAT
Chabanais
LIMOGES
La Rochefoucauld
Angoulême
Pierre-Buffière
Châlus
Magnac-Bourg
PORTE DE CORRÈZE
CHAVANON
Ussel
Uzerche
ST-GERMAIN-LES-VERGNES
LA CORRÈZE
Tulle
LE MANOIRE
Donzenac
THENON
Périgueux
Brive-la-Gaillarde
MUSSIDAN
Mussidan
PAYS DE BRIVE
PECH-MONTAT
GIGNAC
Bergerac
Souillac
Rocamadour
JARDIN DES CAUSSES DU LOT
Figeac
Decazeville
MAS D'AGENAIS
Villeneuve-s-Lot
Cahors

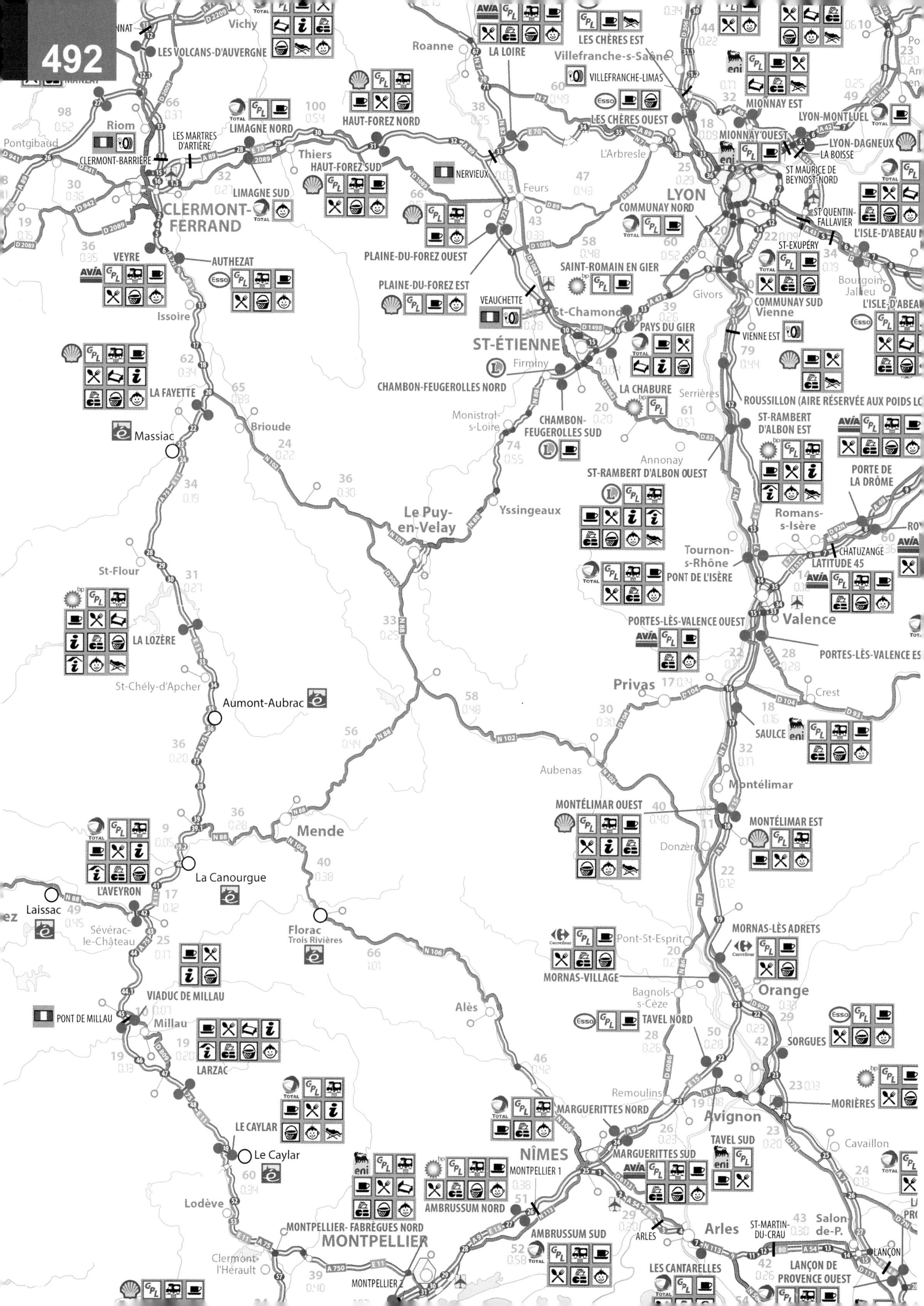

Vichy
LES VOLCANS-D'AUVERGNE
Roanne
LA LOIRE
LES CHÈRES EST
Villefranche-s-Saône
VILLEFRANCHE-LIMAS
MIONNAY EST
LYON-MONTLUEL
Riom
Pontgibaud
CLERMONT-BARRIÈRE
LES MARTRES D'ARTIÈRE
LIMAGNE NORD
HAUT-FOREZ NORD
Thiers
HAUT-FOREZ SUD
LES CHÈRES OUEST
MIONNAY OUEST
LYON-DAGNEUX
LA BOISSE
L'Arbresle
ST MAURICE DE BEYNOST-NORD
NERVIEUX
Feurs
LIMAGNE SUD
CLERMONT-FERRAND
LYON
COMMUNAY NORD
ST QUENTIN-FALLAVIER
ST-EXUPÉRY
L'ISLE-D'ABEAU
VEYRE
AUTHEZAT
PLAINE-DU-FOREZ OUEST
SAINT-ROMAIN EN GIER
PLAINE-DU-FOREZ EST
VEAUCHETTE
St-Chamond
Givors
COMMUNAY SUD
Vienne
Bourgoin-Jallieu
Issoire
PAYS DU GIER
ST-ÉTIENNE
VIENNE EST
Firminy
CHAMBON-FEUGEROLLES NORD
LA CHABURE
Serrières
ROUSSILLON (AIRE RÉSERVÉE AUX POIDS LO
LA FAYETTE
Massiac
Brioude
Monistrol-s-Loire
CHAMBON-FEUGEROLLES SUD
ST-RAMBERT D'ALBON EST
Annonay
ST-RAMBERT D'ALBON OUEST
PORTE DE LA DRÔME
Yssingeaux
Le Puy-en-Velay
Romans-s-Isère
Tournon-s-Rhône
PONT DE L'ISÈRE
CHATUZANGE
LATITUDE 45
St-Flour
PORTES-LÈS-VALENCE OUEST
Valence
PORTES-LÈS-VALENCE EST
LA LOZÈRE
St-Chély-d'Apcher
Aumont-Aubrac
Privas
Crest
SAULCE
Aubenas
Montélimar
MONTÉLIMAR OUEST
MONTÉLIMAR EST
Mende
Donzère
La Canourgue
L'AVEYRON
Laissac
Sévérac-le-Château
Florac
Trois Rivières
Pont-St-Esprit
MORNAS-LÈS ADRETS
MORNAS-VILLAGE
Orange
VIADUC DE MILLAU
Bagnols-s-Cèze
Alès
TAVEL NORD
PONT DE MILLAU
Millau
SORGUES
LARZAC
Remoulins
MORIÈRES
MARGUERITTES NORD
Avignon
LE CAYLAR
Le Caylar
NÎMES
MARGUERITTES SUD
TAVEL SUD
Cavaillon
MONTPELLIER 1
AMBRUSSUM NORD
Lodève
MONTPELLIER-FABRÈGUES NORD
MONTPELLIER
AMBRUSSUM SUD
ARLES
Arles
ST-MARTIN-DU-CRAU
Salon-de-P.
LANÇON
Clermont-l'Hérault
LES CANTARELLES
LANÇON DE PROVENCE OUEST
MONTPELLIER 2

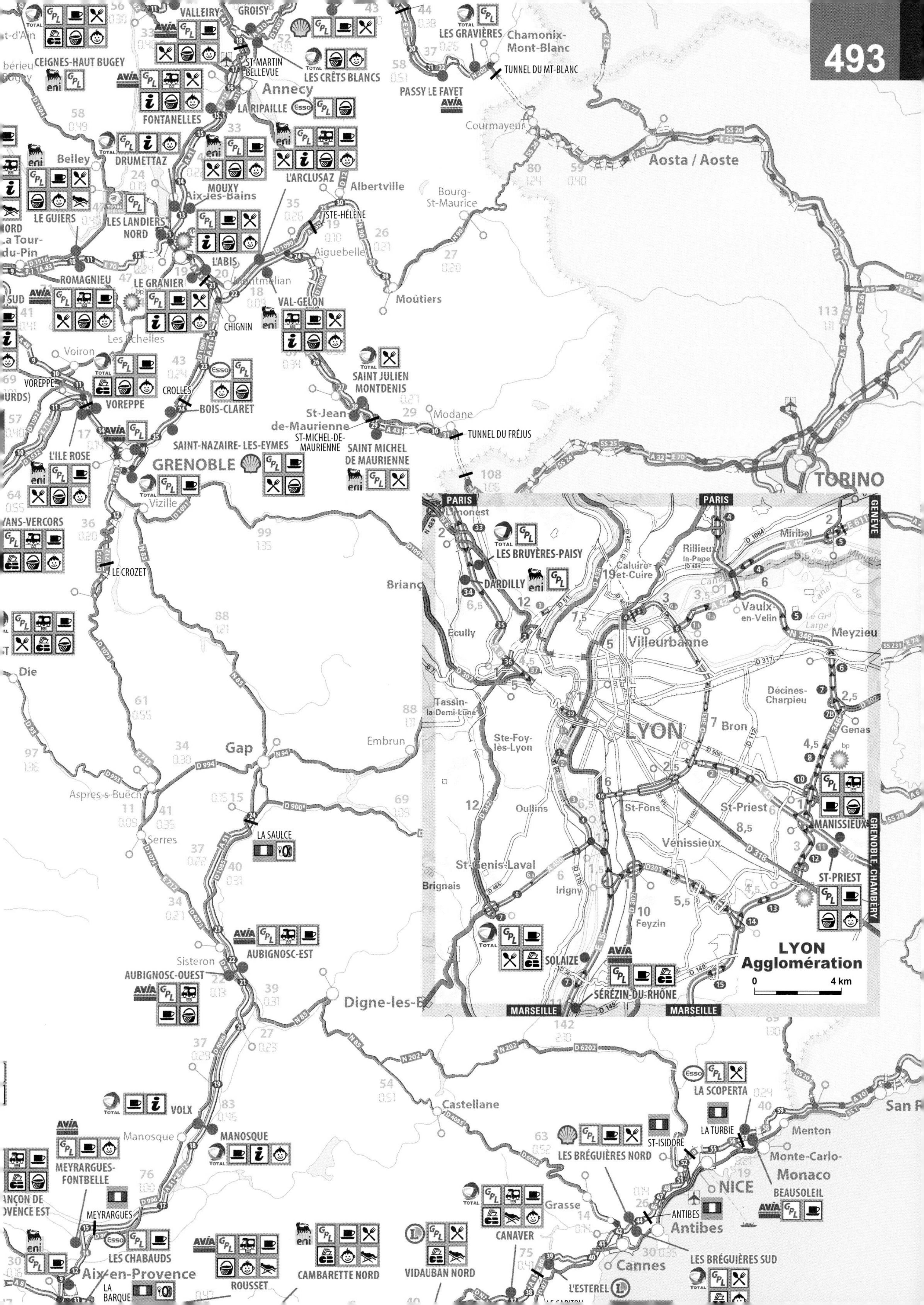

VALLEIRY
GROISY
CEIGNES-HAUT BUGEY
ST-MARTIN BELLEVUE
LES CRÊTS BLANCS
LES GRAVIÈRES
Chamonix-Mont-Blanc
TUNNEL DU MT-BLANC
PASSY LE FAYET
Annecy
LA RIPAILLE
FONTANELLES
Courmayeur
DRUMETTAZ
Belley
Aosta / Aoste
MOUXY
Aix-les-Bains
L'ARCLUSAZ
Albertville
Bourg-St-Maurice
LE GUIERS
LES LANDIERS NORD
STE-HÉLÈNE
La Tour-du-Pin
L'ABIS
Aiguebelle
ROMAGNIEU
LE GRANIER
Montmélian
VAL-GELON
Moûtiers
CHIGNIN
Les Échelles
Voiron
VOREPPE
CROLLES
BOIS-CLARET
SAINT JULIEN MONTDENIS
St-Jean-de-Maurienne
ST-MICHEL-DE-MAURIENNE
SAINT MICHEL DE MAURIENNE
Modane
TUNNEL DU FRÉJUS
TORINO
L'ILE ROSE
SAINT-NAZAIRE-LES-EYMES
GRENOBLE
Vizille
LE CROZET
Briançon
Die
Gap
Embrun
Aspres-s-Buëch
Serres
LA SAULCE
Sisteron
AUBIGNOSC-EST
AUBIGNOSC-OUEST
Digne-les-Bains
Castellane
VOLX
Manosque
MANOSQUE
MEYRARGUES-FONTBELLE
MEYRARGUES
LES CHABAUDS
Aix-en-Provence
LA BARQUE
ROUSSET
CAMBARETTE NORD
VIDAUBAN NORD
CANAVER
Grasse
L'ESTEREL
Cannes
Antibes
ANTIBES
LES BRÉGUIÈRES NORD
LES BRÉGUIÈRES SUD
ST-ISIDORE
NICE
LA SCOPERTA
LA TURBIE
Menton
Monte-Carlo-Monaco
BEAUSOLEIL
San Remo
LYON Agglomération
0 4 km
PARIS
GENÈVE
Limonest
LES BRUYÈRES-PAISY
DARDILLY
Caluire-et-Cuire
Rillieux-la-Pape
Miribel
Vaulx-en-Velin
Meyzieu
Écully
Villeurbanne
Tassin-la-Demi-Lune
Ste-Foy-lès-Lyon
LYON
Bron
Décines-Charpieu
Genas
Oullins
St-Fons
St-Priest
MANISSIEUX
Vénissieux
St-Genis-Laval
Irigny
Brignais
Feyzin
ST-PRIEST
SOLAIZE
SÉRÉZIN-DU-RHÔNE
MARSEILLE
GRENOBLE, CHAMBÉRY

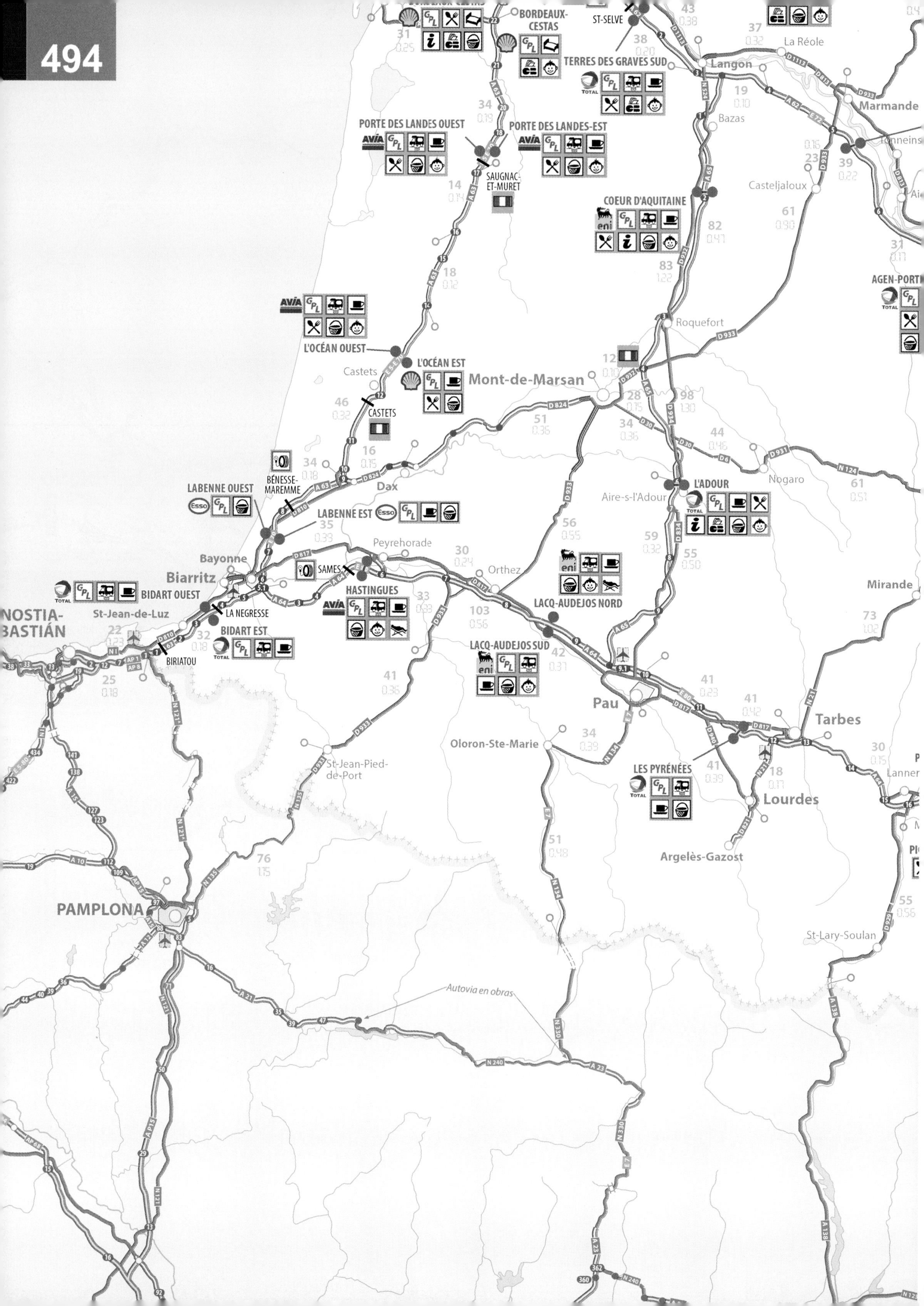
BORDEAUX-CESTAS
ST-SELVE
TERRES DES GRAVES SUD
Langon
La Réole
Marmande
Bazas
Tonneins
Casteljaloux
PORTE DES LANDES OUEST
PORTE DES LANDES-EST
SAUGNAC-ET-MURET
COEUR D'AQUITAINE
AGEN-PORT
L'OCÉAN OUEST
L'OCÉAN EST
Roquefort
Castets
Mont-de-Marsan
CASTETS
BÉNESSE-MAREMME
LABENNE OUEST
LABENNE EST
Dax
Nogaro
L'ADOUR
Aire-s-l'Adour
Peyrehorade
Orthez
Bayonne
Biarritz
SAMES
HASTINGUES
BIDART OUEST
LA NEGRESSE
St-Jean-de-Luz
BIDART EST
BIRIATOU
NOSTIA-BASTIÁN
LACQ-AUDEJOS NORD
LACQ-AUDEJOS SUD
Mirande
Pau
Tarbes
Oloron-Ste-Marie
St-Jean-Pied-de-Port
LES PYRÉNÉES
Lourdes
Lannemezan
Argelès-Gazost
PAMPLONA
St-Lary-Soulan
Autovia en obras

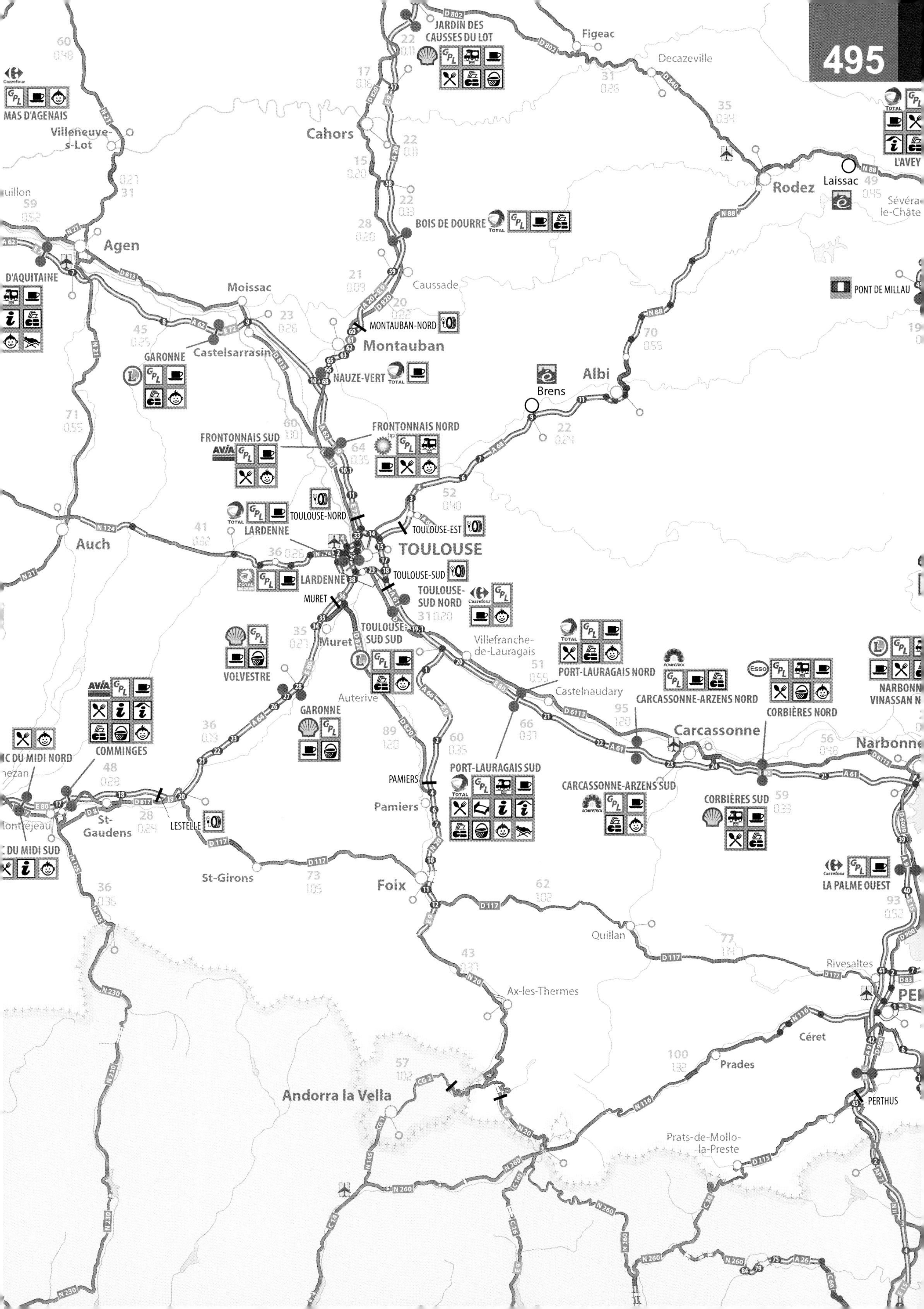
JARDIN DES CAUSSES DU LOT
Figeac
Decazeville
MAS D'AGENAIS
Villeneuve-s-Lot
Cahors
Rodez
Laissac
L'AVEY
Sévérac-le-Château
BOIS DE DOURRE
Agen
D'AQUITAINE
Moissac
Caussade
PONT DE MILLAU
MONTAUBAN-NORD
Montauban
GARONNE
Castelsarrasin
NAUZE-VERT
Albi
Brens
FRONTONNAIS NORD
FRONTONNAIS SUD
TOULOUSE-NORD
LARDENNE
TOULOUSE-EST
TOULOUSE
Auch
TOULOUSE-SUD
TOULOUSE-SUD NORD
MURET
Muret
TOULOUSE-SUD SUD
VOLVESTRE
Villefranche-de-Lauragais
PORT-LAURAGAIS NORD
CARCASSONNE-ARZENS NORD
CORBIÈRES NORD
NARBONNE VINASSAN N
Castelnaudary
COMMINGES
Auterive
GARONNE
Carcassonne
Narbonne
DU MIDI NORD
PAMIERS
PORT-LAURAGAIS SUD
CARCASSONNE-ARZENS SUD
CORBIÈRES SUD
St-Gaudens
LESTELLE
Pamiers
Montréjeau
DU MIDI SUD
St-Girons
Foix
LA PALME OUEST
Quillan
Rivesaltes
Ax-les-Thermes
Céret
Prades
Andorra la Vella
PERTHUS
Prats-de-Mollo-la-Preste

Le Caylar
Lodève
Clermont-l'Hérault
MONTPELLIER
MONTPELLIER- FABRÈGUES NORD
MONTPELLIER- FABRÈGUES SUD
MONTPELLIER 1
MONTPELLIER 2
AMBRUSSUM NORD
AMBRUSSUM SUD
NÎMES
MARGUERITTES SUD
Arles
ARLES
LES CANTARELLES
ST-MARTIN-DU-CRAU
Salon-de-P.
LANÇON
LANÇON DE PROVENCE OUEST
VITROLLES EST
Martigues
Fos-s-Mer
REBUTY
LA NERT
MARSEILL
LA CHAMPOU
BÉZIERS-MONTBLANC NORD
BÉZIERS-MONTBLANC SUD
Pézenas
Béziers
BÉZIERS
Sète
NARBONNE-VINASSAN NORD
NARBONNE-VINASSAN SUD
RES NORD
Narbonne
LA PALME EST
LA PALME OUEST
Rivesaltes
PERPIGNAN
Céret
LE VILLAGE CATALAN
Argelès-s-Mer
Collioure
PERTHUS

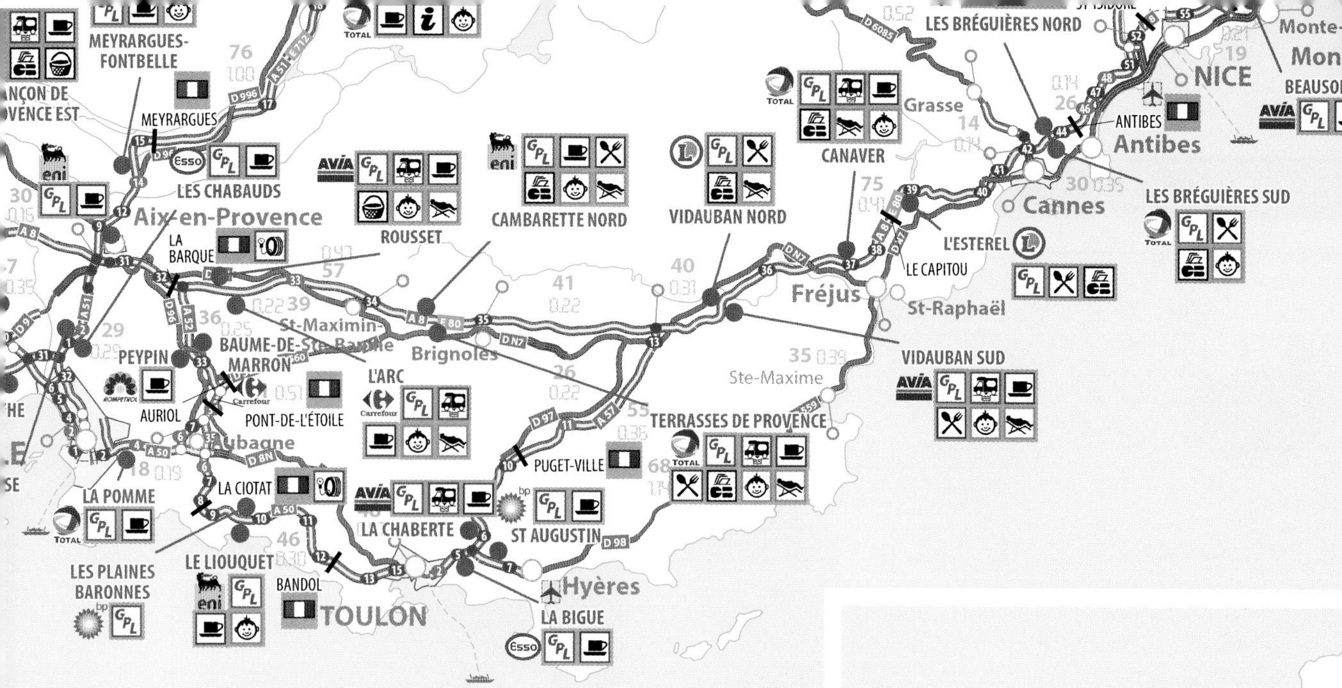

MEYRARGUES-FONTBELLE

NÇON DE VENCE EST

MEYRARGUES

LES CHABAUDS

Aix-en-Provence

LA BARQUE

76
1.00

ROUSSET

CAMBARETTE NORD

VIDAUBAN NORD

TOTAL

LES BRÉGUIÈRES NORD

Monte-

NICE

BEAUSO

Mon

Grasse
14

ANTIBES

Antibes

CANAVER

Cannes

LES BRÉGUIÈRES SUD

CrossRoad

PEYPIN

AURIOL

BAUME-DE-Ste-BAUME
MARRON

St-Maximin

Brignoles

Aubagne

PONT-DE-L'ÉTOILE

L'ARC

Carrefour

41
0.22

40
0.31

36
0.22

Fréjus

St-Raphaël

L'ESTEREL

LE CAPITOU

Ste-Maxime

35 0.39

VIDAUBAN SUD

LA CIOTAT

LA POMME

LES PLAINES
BARONNES

LE LIOUQUET

BANDOL

TOULON

LA CHABERTE

ST AUGUSTIN

PUGET-VILLE

TERRASSES DE PROVENCE

55

68

Hyères

LA BIGUE

46

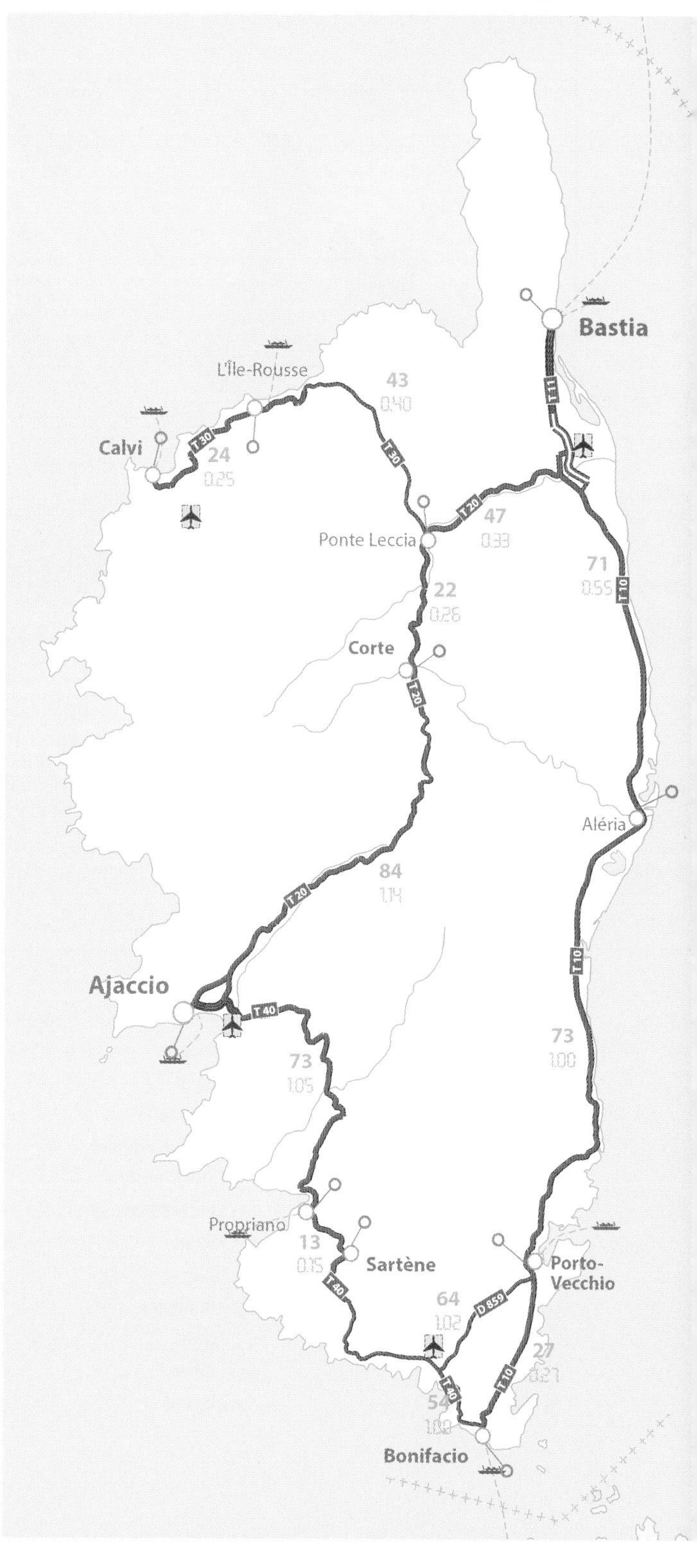

Bastia

L'Île-Rousse

43
0.40

Calvi

24
0.25

Ponte Leccia

47
0.33

71
0.59

22
0.26

Corte

Aléria

84
1.14

Ajaccio

73
1.05

73
1.00

Propriano

13
0.15

Sartène

64
1.02

Porto-Vecchio

27
0.21

Bonifacio

Political Europe

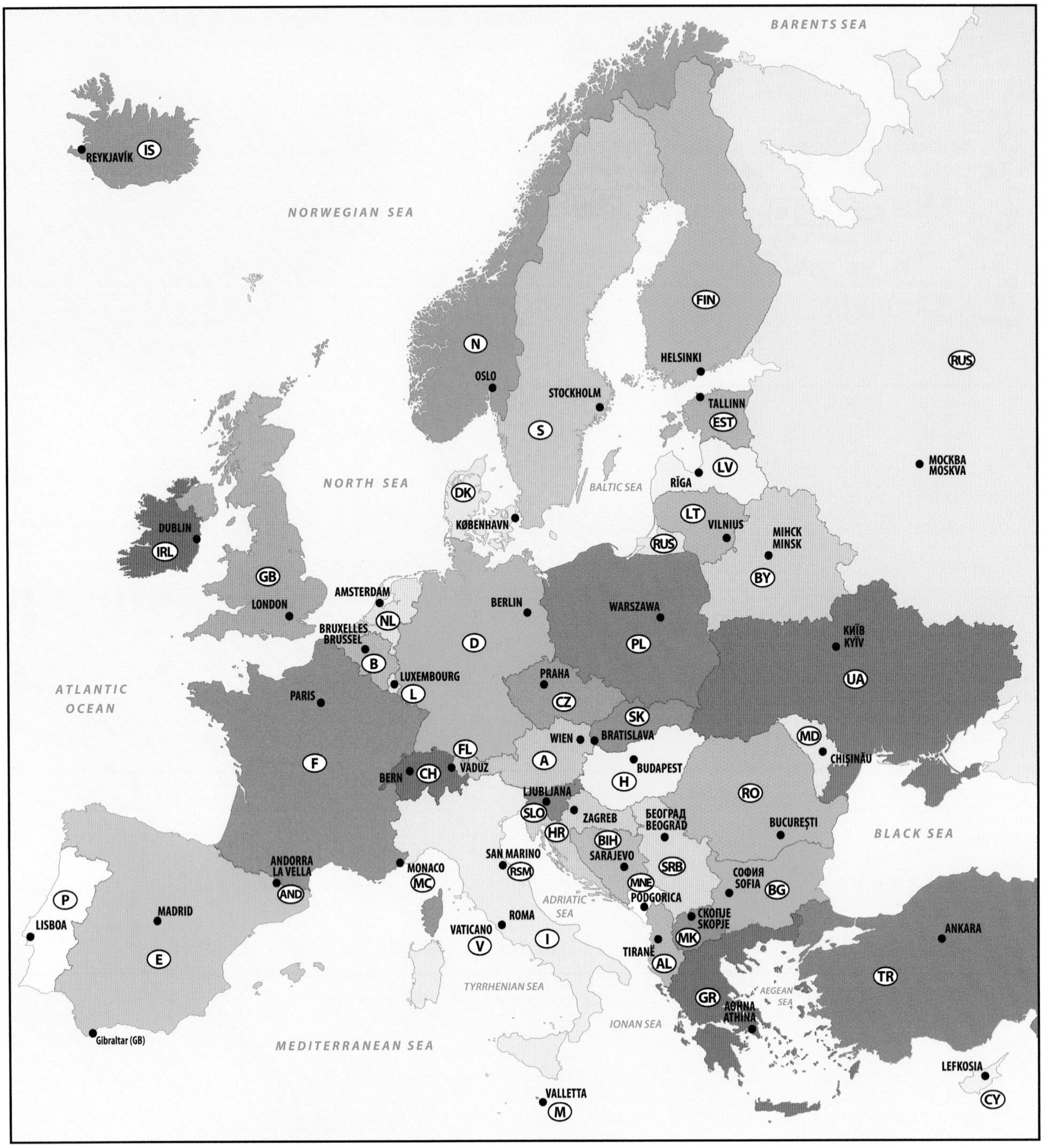

- (A) Österreich
- (AL) Shqipëria
- (AND) Andorra
- (B) Belgique, België
- (BG) Balgarija
- (BIH) Bosna i Hercegovina
- (BY) Belarus´
- (CH) Schweiz, Suisse, Svizzera
- (CY) Kýpros, Kibris
- (CZ) Česka Republika
- (D) Deutschland
- (DK) Danmark
- (E) España
- (EST) Eesti
- (F) France
- (FIN) Suomi, Finland
- (FL) Liechtenstein
- (GB) United Kingdom
- (GR) Elláda
- (H) Magyarország
- (HR) Hrvatska
- (I) Italia
- (IRL) Ireland
- (IS) Ísland
- (L) Luxembourg
- (LT) Lietuva
- (LV) Latvija
- (M) Malta
- (MC) Monaco
- (MD) Moldova
- (MK) Makedonija
- (MNE) Crna Gora
- (N) Norge
- (NL) Nederland
- (P) Portugal
- (PL) Polska
- (RO) România
- (RSM) San Marino
- (RUS) Rossija
- (S) Sverige
- (SK) Slovenská Republika
- (SLO) Slovenija
- (SRB) Srbija
- (TR) Türkiye
- (UA) Ukraïna
- (V) Vaticano

Key to road map pages of Europe at 1:3 500 000

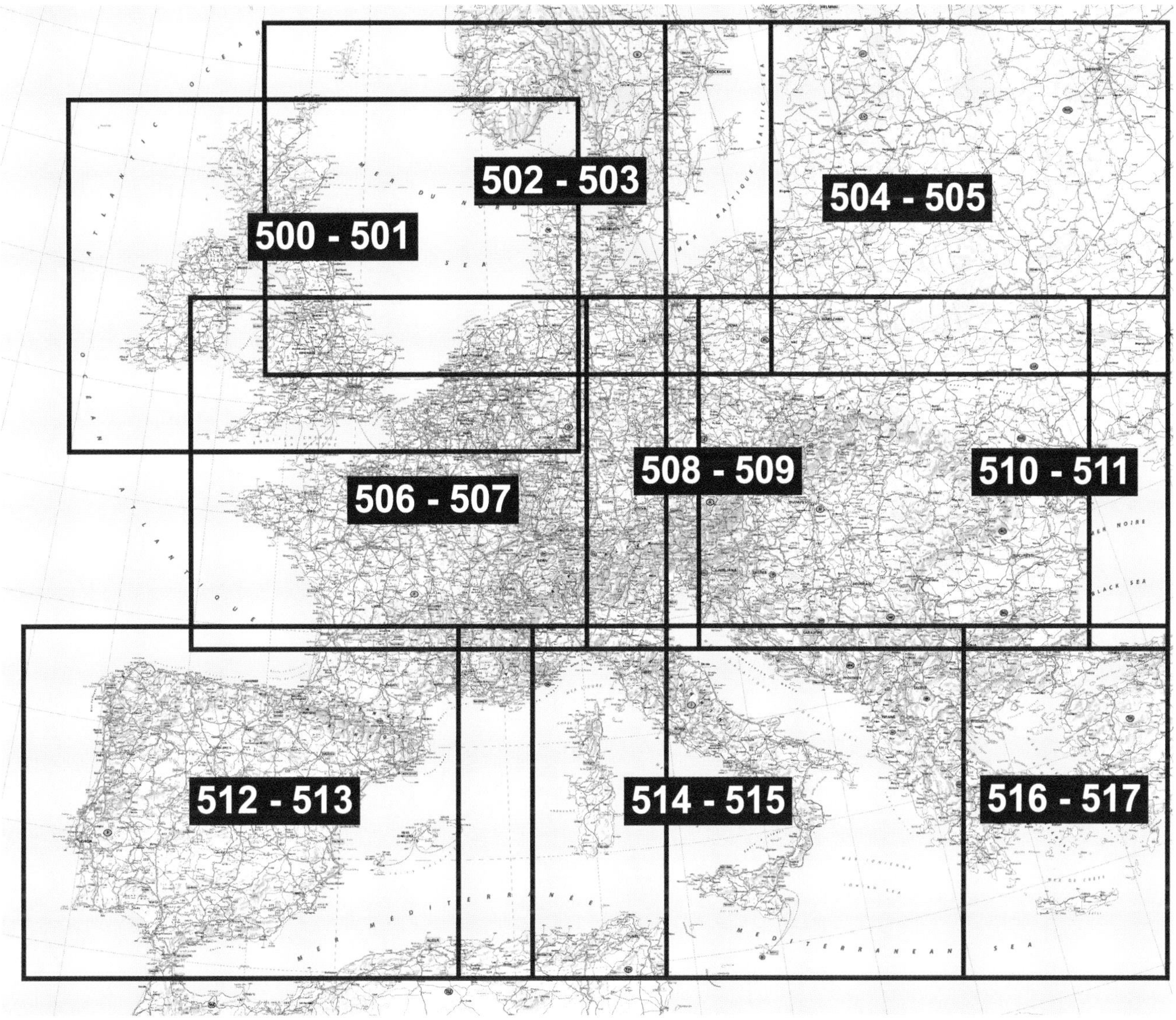

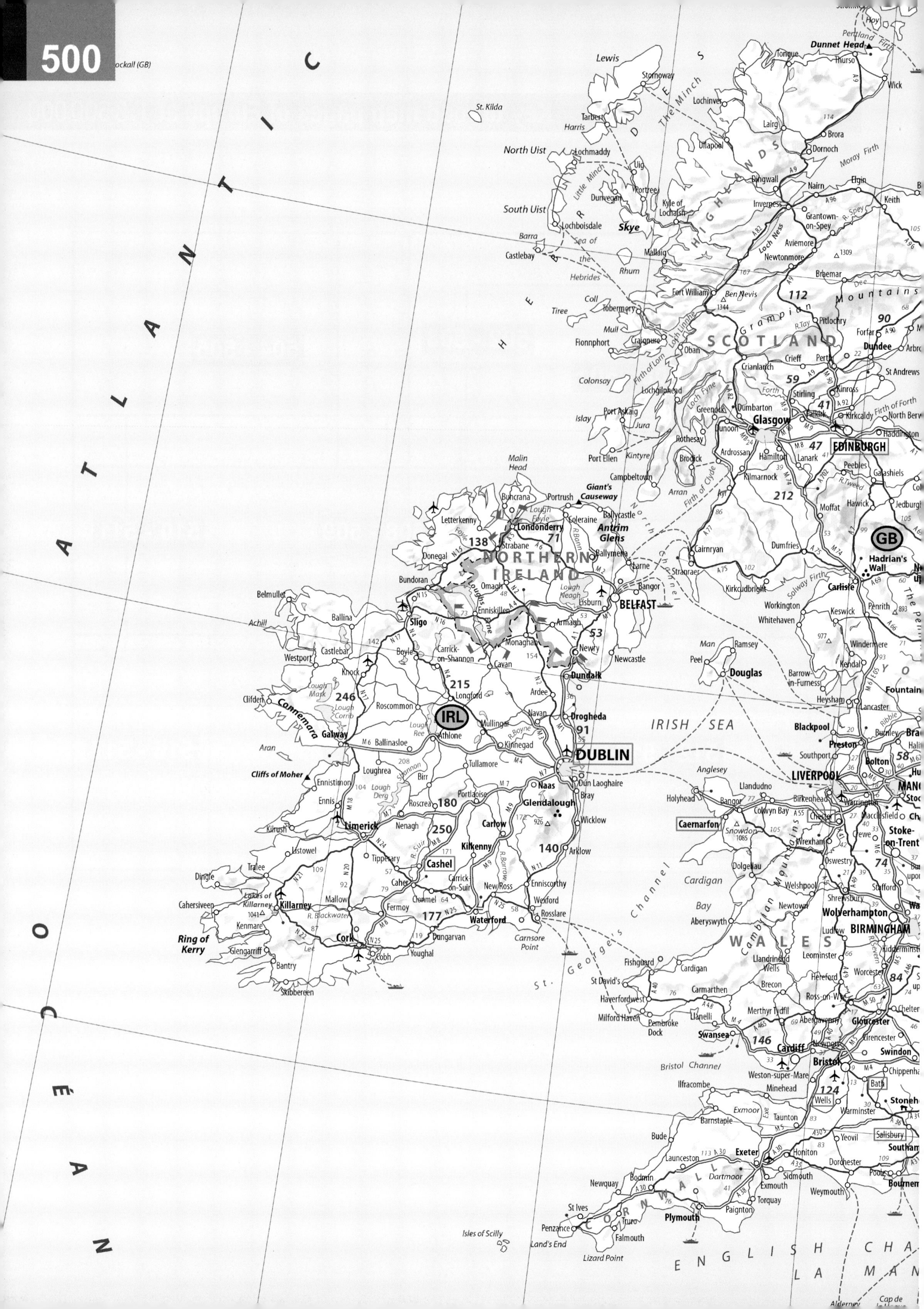
Rockall (GB)
A T L A N T I C
O C É A N
Lewis
Stornoway
St. Kilda
Tarbert
Harris
The Minch
Lochinver
Ullapool
North Uist
Lochmaddy
Little Minch
Uig
Portree
Dunvegan
South Uist
Lochboisdale
Skye
Kyle of Lochalsh
Barra
Castlebay
Sea of the Hebrides
Mallaig
Rhum
H E B R I D E S
Coll
Tiree
Tobermory
Mull
Fionnphort
Craignure
Oban
Firth of Lorn
Loch Linnhe
Colonsay
Lochgilphead
Islay
Port Askaig
Jura
Port Ellen
Kintyre
Campbeltown
Malin Head
Tongue
Dunnet Head
Thurso
Hoy
Pentland Firth
Wick
Lairg
Brora
Dornoch
Moray Firth
Dingwall
Nairn
Elgin
Keith
Inverness
Grantown-on-Spey
Loch Ness
Aviemore
Newtonmore
H I G H L A N D S
Braemar
Fort William
Ben Nevis
1344
Grampian Mountains
Pitlochry
Forfar
Dundee
S C O T L A N D
Crianlarich
Crieff
Perth
St Andrews
Stirling
Kinross
Loch Fyne
Greenock
Dumbarton
Firth of Forth
Kirkcaldy
North Berwick
Falkirk
Glasgow
Dunoon
Rothesay
Haddington
EDINBURGH
Lanark
Peebles
Galashiels
Ardrossan
Hamilton
Brodick
Kilmarnock
Arran
Firth of Clyde
Ayr
Moffat
Hawick
Jedburgh
Dumfries
Cairnryan
Stranraer
North Channel
Kirkcudbright
Solway Firth
GB
Hadrian's Wall
Carlisle
Workington
Whitehaven
Keswick
Penrith
Windermere
Kendal
Barrow-in-Furness
Heysham
Lancaster
Fountains
Man
Ramsey
Peel
Douglas
IRISH SEA
Blackpool
Preston
Southport
Bolton
LIVERPOOL
Birkenhead
Warrington
Macclesfield
Stoke-on-Trent
Anglesey
Holyhead
Llandudno
Bangor
Colwyn Bay
Chester
Caernarfon
Snowdon
1085
Wrexham
Crewe
Oswestry
Dolgellau
Cardigan Bay
Cambrian Mountains
Welshpool
Shrewsbury
Stafford
Newtown
Wolverhampton
BIRMINGHAM
Aberystwyth
Ludlow
Kidderminster
W A L E S
Leominster
Llandrindod Wells
Hereford
Worcester
Fishguard
Cardigan
St David's
Carmarthen
Brecon
Ross-on-Wye
Haverfordwest
Llanelli
Merthyr Tydfil
Abergavenny
Gloucester
Cheltenham
Milford Haven
Pembroke Dock
Swansea
Cardiff
Newport
Cirencester
Swindon
Bristol Channel
Bristol
Weston-super-Mare
Bath
Chippenham
Ilfracombe
Minehead
Wells
Warminster
Stonehenge
Exmoor
Barnstaple
Taunton
Salisbury
Bude
Yeovil
Launceston
Exeter
Honiton
Dorchester
Poole
Bournemouth
Southampton
Newquay
Bodmin
Dartmoor
Sidmouth
Exmouth
Weymouth
Torquay
Paignton
St Ives
C O R N W A L L
Truro
Plymouth
Penzance
Land's End
Falmouth
Isles of Scilly
Lizard Point
E N G L I S H C H A N N E L
LA MANCHE
Cap de la Hague
Aldeney
St. George's Channel
Carnsore Point
Giant's Causeway
Portrush
Buncrana
Lough Foyle
Coleraine
Ballycastle
Letterkenny
Londonderry
Antrim Glens
Strabane
Ballymena
Donegal
NORTHERN IRELAND
Larne
Bundoran
Omagh
Lough Neagh
Bangor
Lisburn
BELFAST
Belmullet
Ballina
Sligo
Enniskillen
Lough Erne
Armagh
Achill
Castlebar
Boyle
Carrick-on-Shannon
Monaghan
Newry
Westport
Knock
Cavan
Newcastle
Lough Mask
Longford
Dundalk
Clifden
Connemara
Lough Corrib
Roscommon
IRL
Ardee
Lough Ree
Mullingar
Navan
Drogheda
Galway
Athlone
Ballinasloe
Kinnegad
DUBLIN
Aran
Tullamore
Loughrea
Shannon
Birr
Naas
Dun Laoghaire
Cliffs of Moher
Ennistimon
Lough Derg
Portlaoise
Bray
Ennis
Roscrea
Glendalough
Limerick
Nenagh
Carlow
Wicklow
Kilrush
Tipperary
Kilkenny
Arklow
Listowel
Cashel
Tralee
Cahir
Carrick-on-Suir
New Ross
Enniscorthy
Dingle
Clonmel
Wexford
Lakes of Killarney
Killarney
Mallow
Fermoy
Rosslare
Cahersiveen
R. Blackwater
Waterford
Kenmare
Ring of Kerry
Cork
Dungarvan
Glengarriff
Cobh
Youghal
Bantry
Skibbereen

MER DU NORD
NORTH SEA
Stavanger
Sandnes
Svartevatn
Setesdal
Åmli
ROGA
Tonstad
Evje
Egersund
Flekkefjord
Grimstad
Kristiansand
Farsund
Mandal
Lindesnes
Skagerrak
Hirtshals
Hjørring
Fraserburgh
Peterhead
Aberdeen
Stonehaven
Montrose
Berwick-upon-Tweed
Alnwick
Blyth
South Shields
Newcastle upon Tyne
Tynemouth
Gateshead
Sunderland
Durham
Hartlepool
Darlington
Middlesbrough
Whitby
Scarborough
Thirsk
YORKSHIRE
Harrogate
Bridlington
Leeds
York
Kingston-upon Hull
Wakefield
Scunthorpe
Huddersfield
MANCHESTER
Doncaster
Grimsby
Humber River
Sheffield
Chesterfield
Louth
Mansfield
Lincoln
Skegness
Nottingham
Boston
Derby
Grantham
The Wash
Cromer
Loughborough
King's Lynn
Leicester
Stamford
Wisbech
NORFOLK
Great Yarmouth
Coventry
Peterborough
Norwich
Kettering
Thetford
Lowestoft
Rugby
Huntingdon
Ely
Warwick
Bury St Edmunds
Northampton
Stratford-upon-Avon
Bedford
Cambridge
Ipswich
Banbury
ENGLAND
Felixstowe
Blenheim Palace
Aylesbury
Luton
Colchester
Harwich
St Albans
Chelmsford
Little Clacton
Oxford
Thames
LONDON
Southend-on-Sea
Reading
Sheerness
Newbury
Windsor
Margate
Ramsgate
Guildford
Maidstone
Canterbury
Winchester
Crawley
Ashford
Strait of Dover
Royal Tunbridge Wells
Dover
Folkestone
KENT
Southampton
Portsmouth
Worthing
Newhaven
Hastings
Chichester
Brighton
Eastbourne
Newport
Wight
CHANNEL
MANCHE
Pas de Calais
Cap Gris Nez
Calais
Dunkerque
De Panne
Boulogne-sur-Mer
St-Omer
Le Touquet-Paris-Plage
Hazebrouck
Bethune
Montreuil
Berck
Lens
Arras
Hesdin
St-Pol-sur-Ternoise
Doullens
Abbeville
Le Tréport
Dieppe
AMIENS
Péronne
Cambrai
Le Cateau Cambrésis
Douai
Valenciennes
LILLE
Roubaix
Tourcoing
Tournai
Maubeuge
Avesnes-sur-Helpe
Hanstholm
Ålborg
Thisted
Limfjorden
Nykøbing Mors
Mors
Struer
Skive
Viborg
Holstebro
Silkeborg
Ringkøbing
Herning
Skjern
JYLLAND
Omme A
Vejle
DK
Varde
Blåvands Huk
Esbjerg
Kolding
Ribe
Haderslev
Rømø
Åbenrå
Sylt
Tønder
Westerland
Föhr
Niebüll
Flensburg
Nordfriesische Inseln
Husum
Rendsburg
Sankt Peter-Ording
Heide
Eider
Helgoland
Deutsche Bucht
Cuxhaven
Ostfriesische Inseln
Norden
Wilhelmshaven
Bremerhaven
Bremen
Aurich
Emden
Nordenham
Waddeneilanden
Delfzijl
Leeuwarden
Groningen
Leer
Oldenburg
BREMEN
Harlingen
Texel
Sneek
Assen
Bad Zwischenahn
Delmenhorst
Afsluitdijk
Weser
Den Helder
Heerenveen
Cloppenburg
Emmen
Ems
Usselmeer
Enkhuizen
Emmeloord
Meppel
NIEDERSACHSEN
Alkmaar
Hoorn
Lelystad
Kampen
Diepholz
Flevoland
Zwolle
IJmuiden
Haarlem
AMSTERDAM
Nordhorn
Lingen
HANNOVER
Harderwijk
Almelo
Osnabrück
Minden
NL
Zandvoort
Het Loo
Deventer
Hengelo
Rheine
Keukenhof
Hilversum
Apeldoorn
Enschede
Herford
Scheveningen
Leiden
Amersfoort
Bielefeld
DEN HAAG
Gouda
Utrecht
Arnhem
Winterswijk
Münster
Gütersloh
Hoek van Holland
Delft
Europoort
Nijmegen
Bocholt
Rheda-Wiedenbrück
Detmold
ROTTERDAM
Dordrecht
Lippstadt
Paderborn
Zierikzee
's-Hertogenbosch
Kleve
Wesel
Hamm
Roosendaal
Breda
Soest
Middelburg
Bergen op Zoom
Tilburg
Helmond
Duisburg
Essen
Dortmund
Vlissingen
Knokke-Heist
Terneuzen
Turnhout
Eindhoven
Venlo
Krefeld
Wuppertal
Hagen
Meschede
Zeebrugge
Blankenberge
Iserlohn
Lüdenscheid
Oostende
Brugge
Gent
ANTWERPEN
Mönchengladbach
DÜSSELDORF
Frankenberg
Roermond
Veurne
Sint-Niklaas
Mechelen
Diest
Hasselt
KÖLN
Olpe
Roeselare
Ieper
B
Kortrijk
Aalst
Leuven
Maastricht
Heerlen
Düren
Siegburg
Siegen
Marburg
Oudenaarde
Sint-Truiden
Aachen
Bonn
Waterloo
BRUXELLES/BRUSSEL
Euskirchen
Gießen
Beloeil
Liège
Verviers
Monschau
Wetzlar
Mons
Huy
Spa
Limburg an der Lahn
Bad Nauheim
Binche
NAMUR
Charleroi
Botrange
Malmedy
Eifel
Koblenz
Philippeville
Dinant
Marche-en-Famenne
La Roche-en-Ardenne
Mayen
Taunus
Givet
Han-sur-Lesse
Prüm
Rhein
WIESBADEN
Cochem
Bingen am Rhein
Bastogne
L
Diekirch
Bitburg
Bernkastel-Kues
MAINZ
Darmstadt
Ardennes

MER DU NORD
NORTH SEA
Shetland
Unst
Yell
Hillswick
Sandness
Mainland
Lerwick
Sumburgh
Orkney
Westray
Rousay
Sanday
Mainland
Stronsay
Stromness
Kirkwall
Hoy
Pentland Firth
Dunnet Head
Tongue
Thurso
Wick
Lairg
Brora
Dornoch
Moray Firth
Dingwall
Nairn
Elgin
Banff
Fraserburgh
Inverness
Keith
Peterhead
Grantown-on-Spey
R. Spey
Loch Ness
Aviemore
Newtonmore
Aberdeen
Braemar
Dee
Mountains
Stonehaven
Grampian
Pitlochry
Forfar
Montrose
Dundee
Arbroath
Crieff
Perth
St Andrews
Stirling
Kinross
Firth of Forth
Falkirk
Kirkcaldy
North Berwick
Glasgow
Haddington
EDINBURGH
Berwick-upon-Tweed
Hamilton
Lanark
Peebles
Galashiels
Coldstream
Moffat
Hawick
Jedburgh
Alnwick
GB
Dumfries
Hadrian's Wall
Blyth
South Shields
Newcastle upon Tyne
Tynemouth
Solway Firth
Carlisle
Gateshead
Sunderland
Workington
Penrith
Durham
Hartlepool
Whitehaven
Keswick
Middlesbrough
The Pennines
Darlington
Windermere
Whitby
Kendal
YORKSHIRE
Thirsk
Scarborough
Barrow-in-Furness
Fountains Abbey
Heysham
Lancaster
Skipton
Harrogate
Bridlington
Blackpool
Burnley
Bradford
Leeds
York
Preston
Halifax
Kingston-upon Hull
Southport
Bolton
Huddersfield
Wakefield
Scunthorpe
LIVERPOOL
MANCHESTER
Humber River
Grimsby
Doncaster
Birkenhead
Warrington
Stockport
Sheffield
Louth
Colwyn Bay
Chester
Macclesfield
Chatsworth
Chesterfield
Crewe
Stoke-on-Trent
Matlock
Mansfield
Lincoln
Skegness
Wrexham
Derby
Nottingham
Boston
Oswestry
Burton-upon-Trent
Grantham
The Wash
Cromer
Welshpool
Stafford
Loughborough
King's Lynn
Shrewsbury
Walsall
Leicester
Stamford
Wisbech
NORFOLK
Great Yarmouth
Newtown
Wolverhampton
BIRMINGHAM
Coventry
Peterborough
Norwich
Ludlow
Kettering
Thetford
Førde
Urnes
Balestrand
Sogndalsfjøra
Lærdalsøyri
Borgund
Lavik
Vangsnes
Brekke
Sognefjorden
Gudvangen
Flåm
Voss
Dale
Hardangerjøkulen
Osterøy
Bergen
Kinsarvik
Folgefonna
Hardangerfjorden
Hardangervidda
Tysnesøy
Rosendal
Odda
Stord
Svortland
Haukeligrend
Bømlo
Sauda
Hovden
Ølen
Åmot
Sand
Haugesund
Karmøy
Boknafjorden
Hjelmelandsvågen
Skudeneshavn
Stavanger
Sandnes
ROGALAND
Svartevatn
Setesdal
Tonstad
Egersund
Flekkefjord
Farsund
Lindesnes
Mandal
583
Waddeneilanden
Leeuwarden
Groningen
Delfzijl
Emden
Norden
Harlingen
Texel
Afsluitdijk
Sneek
Assen
Den Helder
Heerenveen
IJsselmeer
Enkhuizen
Emmeloord
Meppel
Emmen
Alkmaar
Hoorn
Lelystad
Flevoland
Kampen
Zwolle
IJmuiden
AMSTERDAM

N
S
DK
S V E A L A N D
V Ä R M L A N D
G Ö T A L A N D
S M Å L A N D
S K Å N E
J Y L L A N D
M E C K L E N B U R G
B R A N D E N B U R G
P O M O R Z E
N I E D E R S A C H S E N
MER BALTIQUE
Skagerrak
Kattegat
Lillehammer
Hamar
Gjøvik
Elverum
Fagernes
Dokka
Valdres
Hallingdal
Gol
Geilo
Nesbyen
Rødberg
Nore og Uvdal
Uvdal
Hønefoss
Tyrifjorden
Kongsvinger
Eidsvoll
Kløfta
Magnor
OSLO
Drammen
Kongsberg
Rjukan
Gausta
1883
Heddal
Notodden
Horten
Moss
Mysen
Sarpsborg
Fredrikstad
Halden
Tønsberg
Sandefjord
Skien
Porsgrunn
Larvik
Kragerø
Åmli
Brunkeberg
Arendal
Grimstad
Kristiansand
Strömstad
Oslofjorden
Mjøsa
Øyeren
Randsfjorden
Bygdin
Rena
Sälen
Alvdalen
Mora
Rättvik
Siljan
Leksand
Malung
Vansbro
Torsby
Hagfors
Sunne
Arvika
Årjäng
Karlstad
Kristinehamn
Filipstad
Karlskoga
Säffle
Åmål
Bengtsfors
Vänern
Ockelbo
Gävle
Sandviken
Falun
Borlänge
Hedemora
Avesta
Ludvika
Fagersta
Sala
Kopparberg
Lindesberg
Köping
Västerås
Enköping
Uppsala
Skokloster
Vendel
Östhammar
Norrtälje
Kapellskär
Mariehamn
Eckerö
Åland
Gräsö
Björkö
Drottningholm
STOCKHOLM
Mälaren
Strängnäs
Södertälje
Eskilstuna
Gripsholm
Arboga
Hjälmaren
Örebro
Kumla
Katrineholm
Flen
Nynäshamn
Nyköping
Oxelösund
Kolmården
Norrköping
Linköping
Askersund
Motala
Vadstena
Mjölby
Karlsborg
Mariestad
Lidköping
Skara
Skövde
Vättern
Valdemarsvik
Västervik
Vimmerby
Tranås
Gränna
Sommen
Jönköping
Eksjö
Vetlanda
Oskarshamn
Åseda
Högsby
Växjö
Nybro
Kalmar
Borgholm
Öland
Kalmarsund
Grönhögen
Byxelkrok
Visby
Fårö
Fårösund
Slite
Klintehamn
Ljugarn
Burgsvik
Gotland (S)
Uddevalla
Vänersborg
Trollhättan
Lysekil
Orust
Stenungsund
Alingsås
Kungälv
Göteborg
Kungsbacka
Borås
Ulricehamn
Falköping
Värnamo
Smålandsstenar
Varberg
Falkenberg
Halmstad
Laholm
Lagan
Ljungby
Älmhult
Åsnen
Hässleholm
Kristianstad
Sölvesborg
Karlshamn
Ronneby
Karlskrona
Höganäs
Ängelholm
Helsingborg
Kronborg
Helsingør
Landskrona
Lund
Malmö
Hörby
Simrishamn
Ystad
Trelleborg
Falsterbo
Vä
Allinge
Rønne
Bornholm (DK)
Skagen
Hirtshals
Frederikshavn
Hjørring
Sæby
Læsø (DK)
Ålborg
Hanstholm
Thisted
Limfjorden
Mors
Nykøbing Mors
Hobro
Viborg
Randers
Grenå
Anholt (DK)
Struer
Skive
Holstebro
Silkeborg
Århus
Ringkøbing
Herning
Skanderborg
Samsø
Horsens
Skjern
Vejle
Varde
Esbjerg
Kolding
Fredericia
Odense
Ribe
Haderslev
Blåvands Huk
Rømø
Sylt
Tønder
Åbenrå
Sønderborg
Als
Fåborg
Svendborg
Langeland
Rudkøbing
Ærø
Nyborg
Korsør
Slagelse
Hundested
Hillerød
Nykøbing
Holbæk
Roskilde
Kalundborg
KØBENHAVN
Ringsted
Køge
Sjælland
Næstved
Vordingborg
Stege
Møn
Nakskov
Maribo
Nykøbing Falster
Falster
Rødbyhavn
Lolland
Gedser
Bagenkop
Rügen
Sassnitz
Bergen auf Rügen
Göhren
Stralsund
Greifswald
Wolgast
Ribnitz-Damgarten
Rostock
Warnemünde
Demmin
Anklam
Swinoujscie
Stettiner Haff
Pommersche Bucht
Mecklenburger Bucht
Fehmarn
Puttgarden
Flensburg
Schleswig
Husum
Niebüll
Föhr
Westerland
Nordfriesische Inseln
Sankt Peter-Ording
Helgoland
Deutsche Bucht
Rendsburg
Kiel
Plön
Oldenburg
Neustadt
Heide
Neumünster
Itzehoe
Bad Segeberg
Travemünde
Lübeck
Wismar
Ratzeburg
Elmshorn
Cuxhaven
Stade
HAMBURG
Schwerin
Güstrow
Teterow
Neubrandenburg
Waren
Müritz
Neustrelitz
Prenzlau
Pasewalk
Parchim
Boizenburg
Ludwigslust
Perleberg
Wittenberge
Pritzwalk
Wittstock
Neuruppin
Oranienburg
Eberswalde
Schwedt
Bad Freienwalde
Nauen
BERLIN
Potsdam
Brandenburg
Fürstenwalde
Frankfurt an der Oder
Eisenhüttenstadt
Guben
Luckenwalde
Rathenow
Stendal
Salzwedel
Uelzen
Dannenberg
Lüneburg
Lauenburg
Bremervörde
Bremerhaven
Wilhelmshaven
Aurich
Nordenham
Oldenburg
Delmenhorst
BREMEN
Rotenburg
Soltau
Verden
Celle
Nienburg
HANNOVER
Wolfsburg
Braunschweig
Gifhorn
Peine
Haldensleben
Gardelegen
Genthin
Burg
MAGDEBURG
Minden
Lingen
Diepholz
Cloppenburg
Bad Zwischenahn
Leer
Lüneburger Heide
Ostfriesische Inseln
Elbe
Weser
SZCZECIN
Goleniów
Kamień Pomorski
Gryfice
Nowogard
Stargard Szczeciński
Pyrzyce
Myślibórz
Choszczno
Barlinek
Gorzów Wielkopolski
Kostrzyn
Międzyrzecz
Świebodzin
Zielona Góra
Krosno Odrzańskie
Nowa Sól
Sulechów
Kołobrzeg
Koszalin
Białogard
Połczyn Zdrój
Drawsko Pomorskie
Szczecinek
Wałcz
Piła
Czarnków
Strzelce Krajeńskie
Oborniki
Międzychód
POZNAŃ
Wolsztyn
Gostyń
Leszno
Kościan
Krotoszyn
Jarocin
Środa Wielkopolska
Września
Gniezno
Wągrowiec
Konin
Darłowo
Sławno
Słupsk
Ustka
Łeba
Lębork
Władysławowo
Wejherowo
Gdynia
Sopot
GDAŃSK
Kartuzy
Kościerzyna
Starogard Gdański
Bytów
Miastko
Człuchów
Chojnice
Czersk
Świecie
Chełmno
Toruń
Bydgoszcz
Nakło nad Notecią
Jastrowie
Inowrocław
Ostrów Wielkopolski
537
494
471
304
341
293
152
215
239
281
233
68
154
123
302
236
190
221
310
242
282
241
147
105
129
270
201
498
110
182
165
205
183
339
46

BALTIC SEA
BALTIQUE
MER
Åland (FIN)
Mariehamn
TALLINN
EST
Rakvere
Narva
Kohtla-Järve
Paldiski
Rapla
Paide
Jõgeva
Tartu
Haapsalu
Kärdla
Hiiumaa
Saaremaa
Kuressaare
Pärnu
Viljandi
Võru
Valga
Čudskoje Ozero
Pskovskoje Ozero
Pskov
LV
Valmiera
Cēsis
Sigulda
Rīgas Jūras Līcis
Jūrmala
RĪGA
Ogre
Madona
Rēzekne
Jēkabpils
Aizkraukle
Ventspils
Talsi
Tukums
Kuldīga
Jelgava
Bauska
Saldus
Dobele
Liepāja
Daugavpils
Krāslava
LT
Šiauliai
Panevėžys
Utena
Mažeikiai
Telšiai
Plungė
Palanga
Klaipėda
Kėdainiai
Raseiniai
Tauragė
Šilutė
Jurbarkas
KAUNAS
VILNIUS
Trakai
Marijampolė
Alytus
(ROSSIJA)
Kaliningrad
Sovetsk
Neman
Černjachovsk
Gusev
Svetlogorsk
Baltijsk
STOCKHOLM
Uppsala
Norrtälje
Södertälje
Nynäshamn
Nyköping
Norrköping
Västervik
Visby
Gotland (S)
Fårö
Oskarshamn
Kalmar
Öland
Karlskrona
Bornholm (DK)
Hrodna
Lida
Brest
PL
GDAŃSK
Gdynia
Sopot
Elbląg
Malbork
Olsztyn
Ełk
Suwałki
Białystok
Łomża
Ostrołęka
Mława
Ciechanów
Płock
Włocławek
Toruń
Bydgoszcz
Grudziądz
Koszalin
Kołobrzeg
Słupsk
Stargard Szczeciński
Gorzów Wielkopolski
Zielona Góra
POZNAŃ
Gniezno
Konin
Kalisz
ŁÓDŹ
WARSZAWA
Radom
Puławy
LUBLIN
Biała Podlaska
Siedlce
Chełm
Zamość
Frankfurt an der Oder
Kovel'
Volodymyr-Volyns'kyj

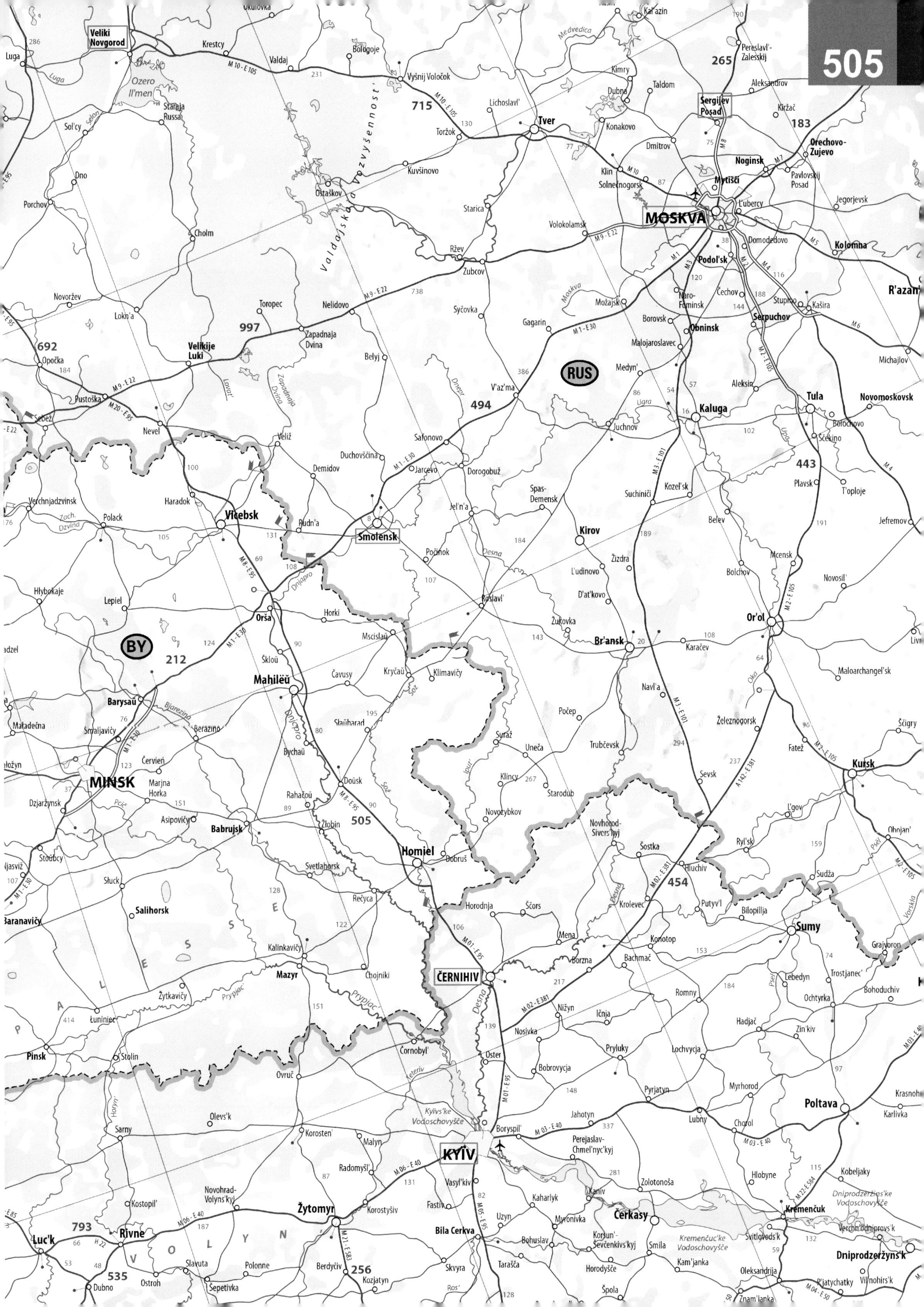
Veliki Novgorod
Luga
Ozero Il'men
Staraja Russa
Sol'cy
Dno
Porchov
Cholm
Krestcy
Valdaj
Bologoje
Vyšnij Voloček
Toržok
Lichoslavl'
Tver
Kuvšinovo
Ostaškov
Valdajskaja Vozvyšennost'
Starica
Ržev
Zubcov
Kimry
Dubna
Taldom
Kal'azin
Medvedica
Pereslavl'-Zalesskij
Aleksandrov
Sergijev Posad
Kiržač
Konakovo
Dmitrov
Klin
Solnečnogorsk
Noginsk
Orechovo-Zujevo
Pavlovskij Posad
Mytišči
L'ubercy
MOSKVA
Volokolamsk
Domodedovo
Kolomna
Jegorjevsk
Podol'sk
Naro-Fominsk
Čechov
Stupino
Kašira
Serpuchov
R'azan'
Možajsk
Borovsk
Obninsk
Malojaroslavec
Gagarin
Syčovka
Nelidovo
Toropec
Zapadnaja Dvina
Belyj
Novoržev
Lokn'a
Velikije Luki
Opočka
Pustoška
Sebež
Nevel
Veliž
Dnepr
V'az'ma
RUS
Medyn'
Michajlov
Aleksin
Tula
Novomoskovsk
Kaluga
Juchnov
Bolochovo
Ščekino
Safonovo
Jarcevo
Dorogobuž
Duchovščina
Demidov
Haradok
Vicebsk
Polack
Verchnjadzvinsk
Rudn'a
Smolensk
Spas-Demensk
Jel'n'a
Suchiniči
Kozel'sk
Kirov
Plavsk
T'oploje
Jefremov
Belev
Počinok
Žizdra
L'udinovo
D'at'kovo
Mcensk
Bolchov
Novosil'
Hlybokaje
Lepiel
Orša
Horki
Roslavl'
Žukovka
Br'ansk
Karačev
Or'ol
BY
Mscislaŭ
Kryčaŭ
Klimavičy
Šklou
Mahilëŭ
Čavusy
Barysaŭ
Maladečna
Smaljavičy
Berazino
Slaŭharad
Navl'a
Maloarchangel'sk
Počep
Surаž
Unеča
Trubčevsk
Železnogorsk
Ščigry
MINSK
Červień
Marjna Horka
Bychaŭ
Doŭsk
Klincy
Starodub
Sevsk
Fatež
Kursk
Dzjaržynsk
Asipovičy
Babrujsk
Rahačoŭ
Žlobin
Novozybkov
Novhorod-Sivers'kyj
L'gov
Ryl'sk
Oboјan'
Homiel
Dobruš
Šostka
Hluchiv
Stoŭbcy
Sluck
Svetlahorsk
Rečyca
Horodnja
Ščors
Krolevec'
Putyv'l
Bilopillja
Sudža
Salihorsk
Baranavičy
Kalinkavičy
Mena
Konotop
Sumy
Grajvoron
Mazyr
Chojniki
ČERNIHIV
Borzna
Bachmač
Trostjanec'
Lebedyn
Bohoduchiv
Žytkavičy
Prypjac'
Luniniec
Ničyn
Ičnja
Romny
Ochtyrka
Pinsk
Stolin
Čornobyl'
Nosivka
Pryluky
Hadjač
Zin'kiv
Oster
Bobrovycja
Lochvycja
Ovruč
Desna
Myrhorod
Olevs'k
Pyrjatyn
Poltava
Krasnohrad
Karlivka
Sarny
Korosten'
Kyjivs'ke Vodoschovyšče
Boryspil'
Jahotyn
Lubny
Chorol
Malyn
KYJIV
Perejaslav-Chmel'nyc'kyj
Radomyšl'
Vasyl'kiv
Zolotonoša
Hlobyne
Kobeljaky
Kostopil'
Novohrad-Volyns'kyj
Fastiv
Kaniv
Kremenčuk
Dniprodzeržyns'ke Vodoschovyšče
Žytomyr
Korostyšiv
Kaharlyk
Myronivka
Čerkasy
Luc'k
Rivne
Bila Cerkva
Uzyn
Bohuslav
Korsun'-Ševčenkivs'kyj
Smila
Kremenčuc'ke Vodoschovyšče
Svitlovods'k
Verchn'odniprovs'k
Dniprodzeržyns'k
Dubno
Ostroh
Slavuta
Šepetivka
Polonne
Berdyčiv
Kozjatyn
Skvyra
Tarašča
Horodyšče
Kam'janka
Oleksandrija
Špola
P'jatychatky
Vil'nohirs'k
Znam'janka
V O L Y N
P A L E S S E
M10-E105
M9-E22
M20-E95
M1-E30
M3-E101
M2-E105
M8-E95
M01-E95
M02-E381
M03-E40
M06-E40
M05-E95
M21-E583
M22-E584
A142-E381
715
997
692
494
443
212
505
454
793
535
256
265
183

IRISH SEA
DUBLIN
LIVERPOOL
MANCHESTER
BIRMINGHAM
WALES
ENGLAND
NORFOLK
LONDON
Cardigan Bay
St. George's Channel
Cambrian Mountains
Bristol Channel
CORNWALL
ENGLISH CHANNEL
LA MANCHE
Strait of Dover
Pas de Calais
Channel Islands (GB)
Guernsey
Jersey
Alderney
Sark
NORMANDIE
BRETAGNE
Châteaux de la Loire
PARIS
ROUEN
CAEN
RENNES
NANTES
AMIENS
LILLE
ORLÉANS
LIMOGES
BORDEAUX
CLERMONT FERRAND
Leeds
Bradford
Sheffield
Nottingham
Leicester
Coventry
Cardiff
Bristol
Plymouth
Exeter
Southampton
Portsmouth
Brighton
Oxford
Cambridge
Norwich
Canterbury
Dover
Calais
Brugge
Le Havre
Cherbourg-Octeville
Brest
Quimper
Le Mans
Tours
Angers
Poitiers
La Rochelle
Versailles
Chartres
Fontainebleau
Bourges
Limoges
Périgueux
Isles of Scilly
Land's End
Lizard Point
Ouessant
Pointe du Raz
Belle Île
Oléron
Ré
ATLANTIQUE

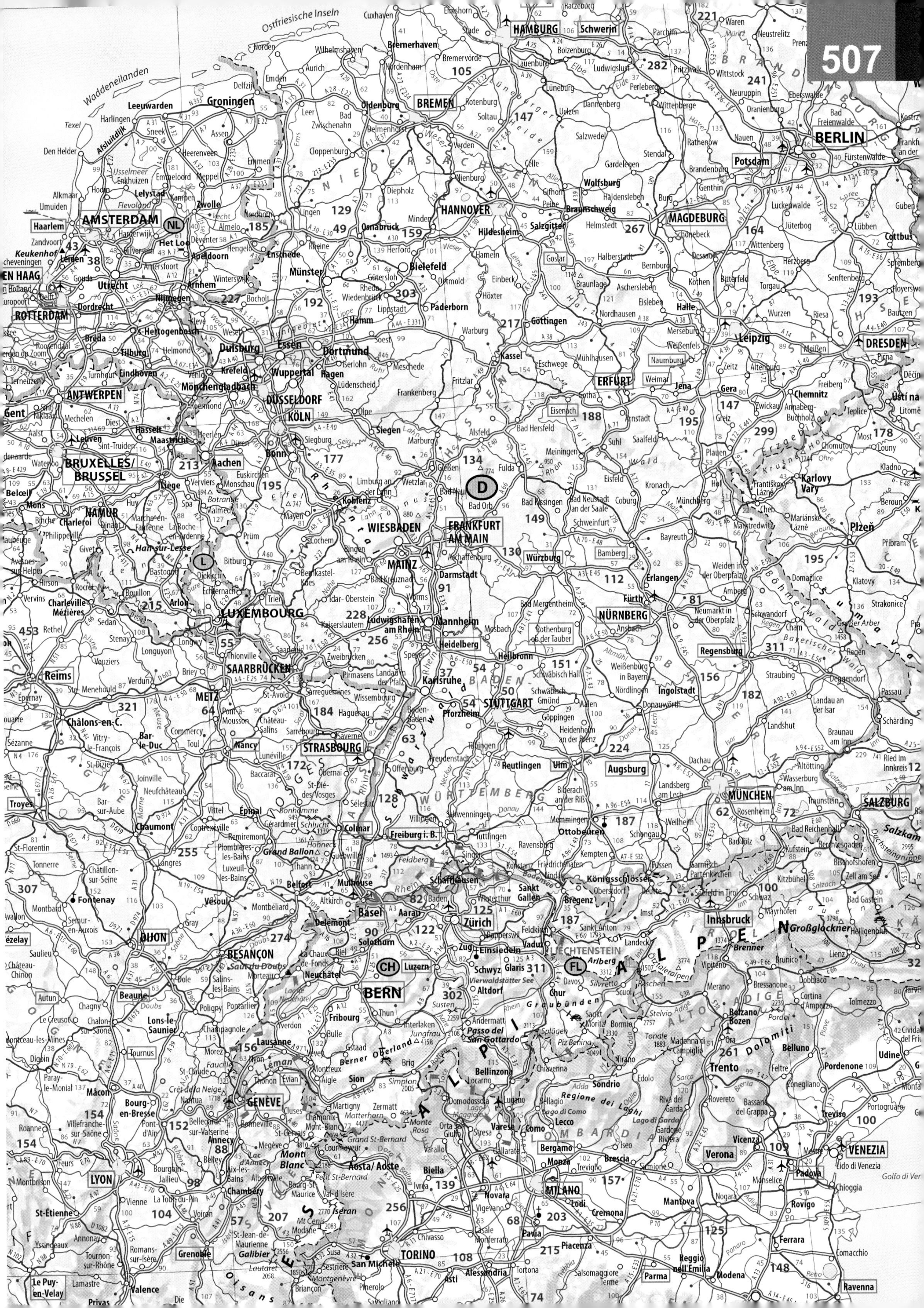

Ostfriesische Inseln
Waddeneilanden
HAMBURG
Schwerin
BREMEN
Groningen
Leeuwarden
AMSTERDAM
NL
BERLIN
Potsdam
HANNOVER
MAGDEBURG
Bielefeld
Münster
ROTTERDAM
EN HAAG
Utrecht
Duisburg
Essen
Dortmund
DÜSSELDORF
KÖLN
ANTWERPEN
Leipzig
DRESDEN
ERFURT
BRUXELLES/
BRUSSEL
Aachen
Bonn
D
FRANKFURT
AM MAIN
WIESBADEN
MAINZ
L
LUXEMBOURG
Reims
SAARBRÜCKEN
METZ
Mannheim
Heidelberg
NÜRNBERG
Würzburg
Karlsruhe
STUTTGART
STRASBOURG
Regensburg
Augsburg
MÜNCHEN
SALZBURG
Ulm
Colmar
Freiburg i. B.
Basel
Zürich
Innsbruck
DIJON
BESANÇON
BERN
CH
FL
LIECHTENSTEIN
Luzern
Lausanne
GENÈVE
LYON
Grenoble
TORINO
MILANO
Verona
VENEZIA
Bergamo
Parma
Ravenna
Trento
Bolzano/
Bozen
Praha
Plzeň
Chemnitz
Cottbus
Troyes
Autun
Beaune
Chaumont
Sion
Aosta/ Aoste
Novara
Pavia
Brescia
Padova

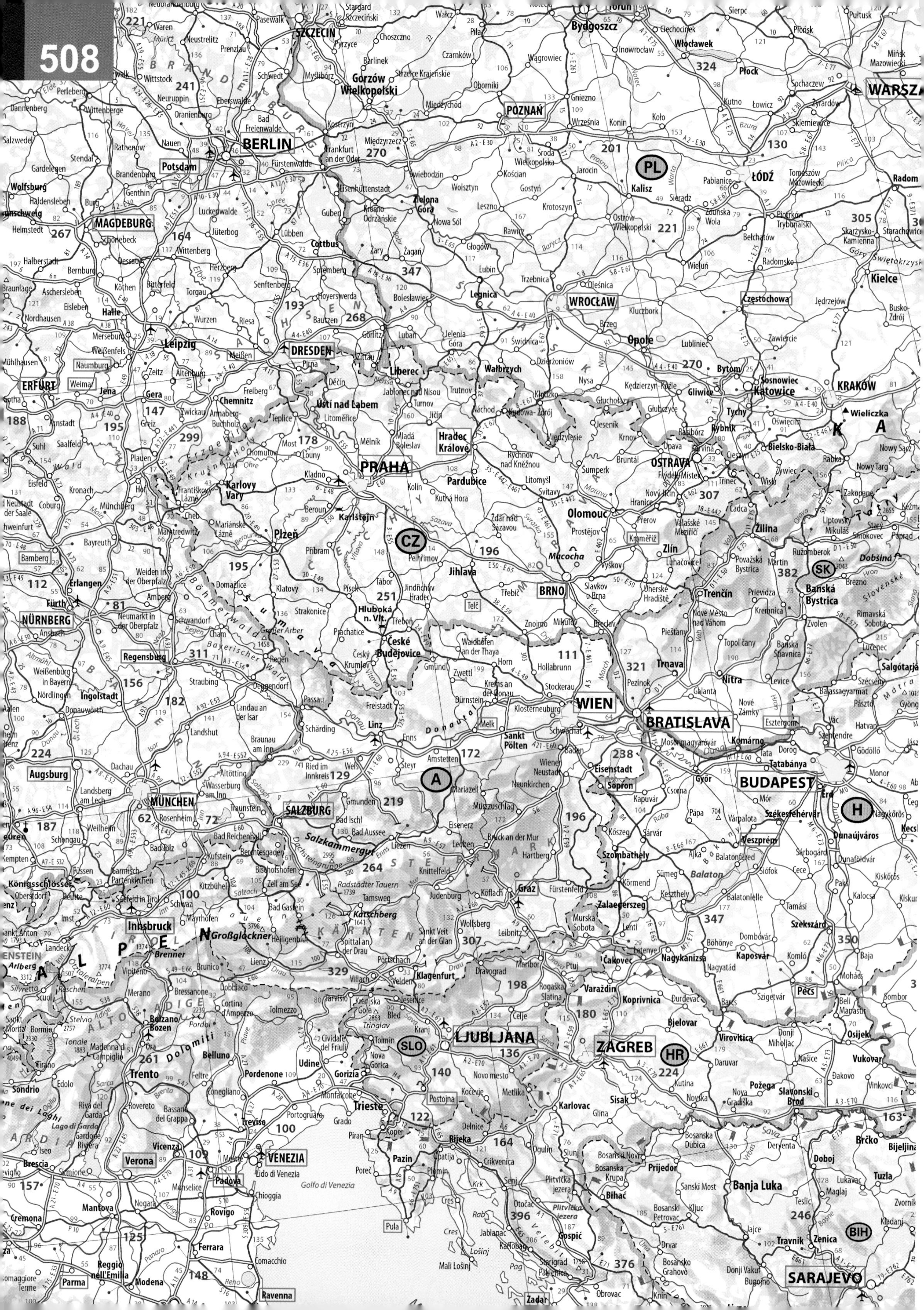
BERLIN
Potsdam
MAGDEBURG
Leipzig
DRESDEN
ERFURT
SZCZECIN
POZNAŃ
WROCŁAW
ŁÓDŹ
KRAKÓW
Katowice
Opole
PL
PRAHA
CZ
Plzeň
Brno
BRNO
Olomouc
OSTRAVA
Liberec
Hradec Králové
Pardubice
České Budějovice
Karlovy Vary
Ústí nad Labem
Jihlava
Zlín
NÜRNBERG
Regensburg
Augsburg
MÜNCHEN
Ingolstadt
Erlangen
SALZBURG
Linz
WIEN
A
Sankt Pölten
Graz
Klagenfurt
Innsbruck
BRATISLAVA
SK
Trnava
Nitra
Žilina
Banská Bystrica
Trenčín
BUDAPEST
H
Győr
Székesfehérvár
Veszprém
Pécs
LJUBLJANA
SLO
ZAGREB
HR
Rijeka
Trieste
VENEZIA
Padova
Verona
Vicenza
Treviso
Trento
Bolzano/Bozen
Udine
Banja Luka
SARAJEVO
BIH
Zenica
Osijek
Bydgoszcz
Toruń
Włocławek
Płock
Gorzów Wielkopolski
Zielona Góra
Legnica
Kalisz
Częstochowa
Kielce
Radom
Gliwice
Bytom
Sosnowiec
Bielsko-Biała
Tychy
Cottbus
Chemnitz
Jena
Gera
Zwickau
Halle
Wittenberg
Dessau
Frankfurt an der Oder
Salzkammergut
Großglockner
Brenner
Donau
ALPEN
Balaton
Golfo di Venezia

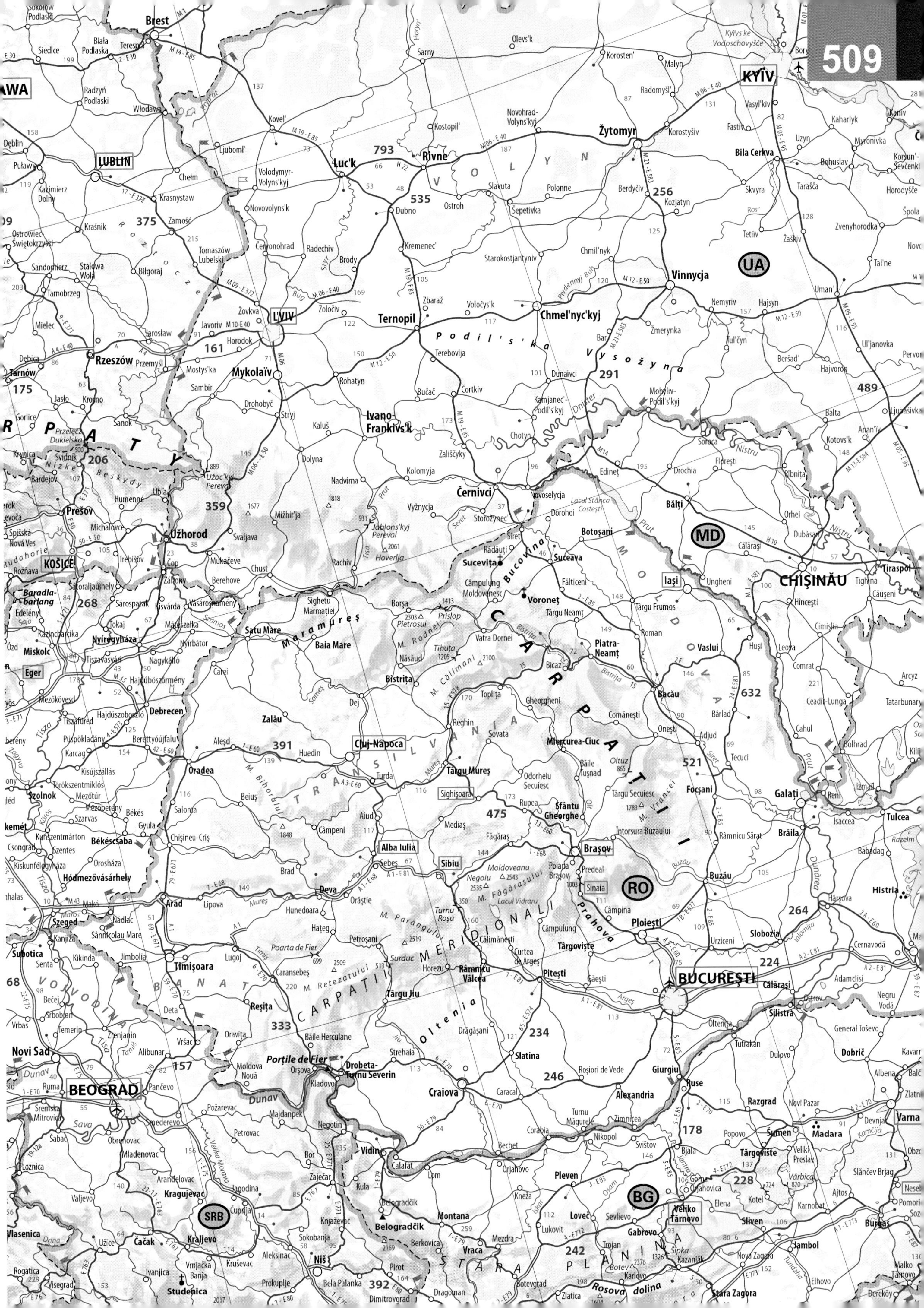

Brest
KYÏV
LUBLIN
L'VIV
Rivne
Luc'k
Žytomyr
Ternopil
Vinnycja
Chmel'nyc'kyj
Mykolaïv
Ivano-Frankivs'k
Černivci
Užhorod
Rzeszów
Tarnów
Košice
Prešov
Miskolc
Nyíregyháza
Debrecen
Oradea
Satu Mare
Baia Mare
Cluj-Napoca
Târgu Mureş
Sibiu
Braşov
Alba Iulia
Arad
Timişoara
Szeged
Novi Sad
BEOGRAD
Kragujevac
Niš
Craiova
Piteşti
Ploieşti
BUCUREŞTI
Galaţi
Brăila
Tulcea
Constanţa
Iaşi
CHIŞINĂU
Tiraspol
Bălţi
Suceava
Botoşani
Bacău
Vaslui
Focşani
Buzău
Ruse
Pleven
Vidin
Veliko Tărnovo
Varna
Šumen
Burgas
Sliven
Jambol
Stara Zagora
Vraca
Montana
UA
MD
RO
BG
SRB
V O L Y N
P o d i l ' s ' k a   V y s o ž y n a
K A R P A T Y
C A R P A Ţ I I
T R A N S I L V A N I A
M O L D O V A
C A R P A Ţ I I   M E R I D I O N A L I
B A N A T
V O J V O D I N A
O l t e n i a
S T A R A   P L A N I N A
Dunav
Dunărea
Maramureş
Bucovina
Porţile de Fier

WARSZAWA
POZNAŃ
ŁÓDŹ
LUBLIN
WROCŁAW
Częstochowa
KRAKÓW
Katowice
Brest
Bydgoszcz
Włocławek
Płock
Radom
Kielce
Rzeszów
L'VIV
Opole
Legnica
Kalisz
PL
K A R P A T Y
PRAHA
Hradec Králové
Liberec
Ústí nad Labem
Pardubice
Olomouc
Ostrava
BRNO
Zlín
Jihlava
České Budějovice
CZ
Žilina
Trenčín
Banská Bystrica
Prešov
KOŠICE
Trnava
Nitra
BRATISLAVA
SK
Užhorod
Mykolaïv
WIEN
Linz
Sankt Pölten
Graz
Klagenfurt
A
BUDAPEST
Győr
Székesfehérvár
Veszprém
Miskolc
Eger
Nyíregyháza
Debrecen
Szolnok
Kecskemét
Szeged
Pécs
H
Satu Mare
Oradea
Arad
Timișoara
LJUBLJANA
SLO
Trieste
ZAGREB
HR
Rijeka
Osijek
Novi Sad
BEOGRAD
SRB
Subotica
Kragujevac
Banja Luka
BIH
SARAJEVO
Tuzla
Zenica
Bihać

KYÏV
Žytomyr
Rivne
Luc'k
Ternopil
Vinnycja
Chmel'nyc'kyj
Čerkasy
Kirovohrad
Kryvyj Rih
Mykolaïv
Cherson
ODESA
Dniprodzeržyns'k
Kremenčuk
Ivano-Frankivs'k
Černivci
UA
MD
CHIŞINĂU
Bălţi
Tiraspol
Iaşi
Suceava
Botoşani
Bacău
Vaslui
Piatra-Neamţ
Galaţi
Brăila
Tulcea
Focşani
Buzău
Ploieşti
Braşov
Sibiu
Alba Iulia
Cluj-Napoca
Târgu Mureş
Sighişoara
RO
BUCUREŞTI
Piteşti
Râmnicu Vâlcea
Târgu Jiu
Craiova
Drobeta-Turnu Severin
Slatina
Constanţa
Giurgiu
Ruse
Varna
Šumen
Pleven
Veliko Tărnovo
BG
Burgas
Sliven
Jambol
Stara Zagora
Montana
Vidin
Vraca
Dobrič
Silistra
C A R P A Ţ I I
M O L D O V A
Podil's'ka Vysočyna
S T A R A P L A N I N A
MER NOIRE
BLACK SEA
Delta Dunării

Cabo Ortegal
Costa Verde
Golfe de Gascogne
Golfo de Vizcaya
Ortigueira
Viveiro
Ferrol
A Coruña
Ribadeo
Luarca
Avilés
Gijón
Mondoñedo
Betanzos
Vilalba
Carballo
Ordes
Villaviciosa
Ribadesella
Llanes
SANTANDER
Corcubión
Cabo Finisterre
Santiago de Compostela
A Fonsagrada
Tineo
OVIEDO
Pola de Siero
Mieres
Picos de Europa
Altamira
Torrelavega
Laredo
Castro-Urdiales
Bermeo
Lekeitio
Zarautz
Zumaia
Bilbao
Gernika-Lumo
Lugo
Cangas del Narcea
Noia
Padrón
Sta Uxía de Ribeira
Cambados
Rías Gallegas
CORDILLERA CANTÁBRICA
ASTURIAS
Lalín
Villager de Laciana
Riaño
Reinosa
el Escudo
Monforte de Lemos
Villafranca del Bierzo
Cervera de Pisuerga
Tolosa
Pontevedra
Vigo
Baiona
Tui
Ourense
Ponferrada
León
Astorga
Miranda de Ebro
VITORIA-GASTEIZ
Estella
A Pobra de Trives
Montes de León
Sierra de la Cabrera
La Bañeza
Osorno la Mayor
Logroño
Valença do Minho
Xinzo de Limia
Verín
Puebla de Sanabria
Burgos
Sto Domingo de la Calzada
Viana do Castelo
Ponte da Barca
Braga
Bragança
Benavente
Sierra de la Demanda
Calahorra
Póvoa de Varzim
Guimarães
Chaves
Medina de Rioseco
Palencia
Salas de los Infantes
Sto Domingo de Silos
Mirandela
Matosinhos
PORTO
Amarante
Vila Real
Miranda do Douro
Zamora
Toro
VALLADOLID
Aranda de Duero
El Burgo de Osma
Soria
Espinho
Lamego
Torre de Moncorvo
Rio Douro
Rio Duero
Tordesillas
Peñafiel
Albergaria-a-Velha
Medina del Campo
Cuéllar
Almazán
Aveiro
Viseu
Celorico da Beira
Salamanca
Arévalo
Riaza
Somosierra
Buçaco
Vilar Formoso
Ciudad Rodrigo
Peñaranda de Bracamonte
Segovia
Medinaceli
Sigüenza
Alcolea del Pinar
Figueira da Foz
Coimbra
Seia
Serra da Estrela
Guarda
Covilhã
Peña de Francia
La Alberca
Navacerrada
Sierra de Guadarrama
Ávila
Fundão
El Barco de Ávila
Béjar
Sierra de Gredos
El Escorial
Guadalajara
La Alcarria
Leiria
Pombal
Batalha
Fátima
Nazaré
Alcobaça
Sertã
Castelo Branco
Coria
Plasencia
Jarandilla de la Vera
Arenas de San Pedro
MADRID
Alcalá de Henares
Sacedón
Berlenga
Peniche
Caldas da Rainha
Tomar
Abrantes
Alcántara
Navalmoral de la Mata
Maqueda
Aranjuez
Talavera de la Reina
Rio Tajo
TOLEDO
Ocaña
Tarancón
Cuenca
Torres Vedras
Santarém
Ponte de Sor
Portalegre
Marvão
Valencia de Alcántara
Cáceres
Trujillo
Sierra de Guadalupe
Guadalupe
Navahermosa
Montes de Toledo
Mora
Madridejos
Quintanar de la Orden
Alcázar de San Juan
Belmonte
Vila Franca de Xira
Coruche
Cabo de Roca
Sintra
Cascais
Estoril
LISBOA
Almada
Vendas Novas
Estremoz
Elvas
Badajoz
Mérida
Herrera del Duque
Villanueva de la Serena
Daimiel
Ciudad Real
Tomelloso
La Roda
Setúbal
Montemor-o-Novo
Évora
Almendralejo
Almadén
Manzanares
Alcácer do Sal
Villanueva del Fresno
Zafra
Castuera
Puertollano
Valdepeñas
La Mancha
Munera
Alcaraz
Santiago do Cacém
Ferreira do Alentejo
Jerez de los Caballeros
Llerena
Peñarroya-Pueblonuevo
Pozoblanco
Sines
Moura
Beja
Serpa
Aljustrel
Fuente Obejuna
Villanueva de Córdoba
La Carolina
Hellín
Rosal de la Frontera
Aracena
Sierra Morena
Bailén
Linares
Villacarrillo
Odemira
Ourique
Castro Verde
Mértola
Minas de Riotinto
Constantina
Córdoba
Montoro
Andújar
Baeza
Úbeda
Caravaca de la Cruz
ALGARVE
Villanueva de los Castillejos
Valverde del Camino
Lora del Río
Guadalquivir
Jaén
Cazorla
Huéscar
Lagos
Cabo de S. Vicente
Sagres
Portimão
Albufeira
Faro
Tavira
Vila Real de Sto António
Ayamonte
Huelva
SEVILLA
Carmona
Alcalá de Guadaíra
Écija
Baena
Martos
Alcalá la Real
Puerto Lumbreras
Lorca
Golfo de Cádiz
Utrera
Osuna
Lucena
Priego de Córdoba
Baza
Huércal Overa
Morón de la Frontera
Campillos
Loja
Alhama de Granada
Granada
Guadix
Sanlúcar de Barrameda
Arcos de la Frontera
Antequera
Vélez-Málaga
Sierra Nevada
Lanjarón
El Puerto de Sta María
Jerez de la Frontera
Ronda
Málaga
Cádiz
San Fernando
Medina-Sidonia
Torremolinos
Nerja
Motril
Adra
Almería
Cabo de Gata
Marbella
Fuengirola
Estepona
Costa del Sol
Vejer de la Frontera
La Línea de la Concepción
Algeciras
Gibraltar (GB)
Tarifa
Estrecho de Gibraltar
Cap Spartel
Ceuta (E)
Alborán (E)
P
E

BORDEAUX
Lacanau-Océan
Cap-Ferret
Arcachon
Parentis-en-Born
Libourne
St-Émilion
Bergerac
Les Eyzies-de-Tayac
Lascaux
Brive-la-Gaillarde
Souillac
Sarlat-la-Canéda
Gouffre de Padirac
Rocamadour
Aurillac
Plomb du Cantal
Murat
St-Flour
Le Puy-en-Velay
Tournon-sur-Rhône
Romans-sur-Isère
Grenoble
Valence
Lamastre
Privas
Crest
Die
Langogne
Mende
Aubenas
Montélimar
Nyons
Serres
Gap
Barcelonnette
Langon
Marmande
Figeac
Conques
Decazeville
Espalion
Cahors
Villeneuve-sur-Lot
Casteljaloux
Villefranche-de-Rouergue
Rodez
Gorges du Tarn
Mont Lozère
Florac
Aven d'Orgnac
Aven Armand
Millau
Mont Aigoual
Alès
Pont-St-Esprit
Orange
Mont Ventoux
Carpentras
Sisteron
Digne-les-Bains
St-Étienne-de-Tinée
Agen
Moissac
Nérac
Roquefort
Mont-de-Marsan
Condom
Montauban
Gaillac
Albi
St-Affrique
Le Vigan
Nîmes
Pont du Gard
Avignon
Apt
Manosque
Castellane
Grand Canyon du Verdon
Vence
Grasse
Hossegor
Dax
Aire-sur-l'Adour
Auch
Toulouse
Lacaune
Castres
Mazamet
Lodève
Montpellier
Aigues-Mortes
Arles
St-Rémy-de-Provence
Les Baux-de-Provence
Salon-de-Provence
Aix-en-Provence
Draguignan
Cannes
Biarritz
Bayonne
Orthez
Mirande
Tarbes
Pau
Lourdes
Oloron-Ste-Marie
Cambo-les-Bains
Hendaye
Donostia-San Sebastián
St-Jean-Pied-de-Port
Castelnaudary
Carcassonne
St-Pons-de-Thomières
Pézenas
Béziers
Sète
Agde
Camargue
Saintes-Maries-de-la-Mer
Istres
Fos-sur-Mer
Martigues
Marseille
Aubagne
La Ciotat
Toulon
Hyères
Le Lavandou
St-Tropez
Ste-Maxime
St-Raphaël
Fréjus
Le Luc
Brignoles
Îles d'Hyères
Golfe du Lion
Narbonne
Lannemezan
St-Gaudens
Pamiers
Foix
St-Girons
Argelès-Gazost
Bagnères-de-Bigorre
Col du Tourmalet
Cauterets
Cirque de Gavarnie
Bagnères-de-Luchon
Ax-les-Thermes
Quillan
Perpignan
Argelès-Plage
Cerbère
Le Perthus
Canigou
Font-Romeu
Mont-Louis
Bourg-Madame
PYRÉNÉES
Pamplona
Somport
Pic du Midi d'Ossau
Jaca
Bielsa
Benasque
Pico de Aneto
Maladeta
Vielha
Andorra la Vella
La Seu d'Urgell
Puymorens
Sos del Rey Católico
Ejea de los Caballeros
Tafalla
Tudela
Huesca
Barbastro
Monzón
Benabarre
Tremp
Berga
Ripoll
Olot
Figueres
Roses
Girona
Palamós
Sant Feliu de Guíxols
Blanes
Arenys de Mar
Mataró
Badalona
Barcelona
Sabadell
Terrassa
Manresa
Igualada
Vilafranca del Penedès
Vilanova i la Geltrú
Sitges
Tàrrega
Lleida
Balaguer
Ponts
Zaragoza
Sariñena
Bujaraloz
Caspe
Monestir de Poblet
Reus
Valls
Tarragona
Cariñena
Hijar
Alcañiz
Gandesa
Tortosa
Amposta
Daroca
Montalbán
Monreal del Campo
Morella
Vinaròs
Teruel
Benicasim
Castelló de la Plana/ Castellón de la Plana
Segorbe
Sta Cruz de Moya
Sagunto
Utiel
Requena
Valencia
Golfo de Valencia
Cullera
Gandia
Xàtiva
Almansa
Xàbia
Cabo de la Nao
Alcoy
Altea
Benidorm
Yecla
Villena
Jumilla
Elda
Novelda
Alacant/ Alicante
Elche
Orihuela
Torrevieja
Murcia
La Manga del Mar Menor
Cartagena
Águilas
Costa Brava
Menorca
Ciutadella de Menorca
Maó/Mahón
Cap de Formentor
Port de Pollença
Port de Sóller
Port d'Alcúdia
Palma de Mallorca
Artà
Manacor
Port d'Andratx
Mallorca
Ibiza
Sant Joan de Labritja
Sant Antoni de Portmany
Formentera
ISLAS BALEARES
MER MÉDITERRANÉE
Alger
Sidi-Ferruch
Zéralda
Bou Ismail
Tipaza
Cherchell
Gouraya
Ténès
Dahra
Blida
Médéa
Miliana
Khemis Miliana
Chlef
Oued-Fodda
Boumerdes
Dellys
Tigzirt
Azazga
Tizi-Ouzou
Aïn El Hammam
Grande Kabylie
Djurdjura
Lakhdaria
Bouira
Aïn-Bessem
Akbou
Bordj-Bou-Arreridj
Bejaïa
Cap Carbon
Jijel
El Milia
Collo
Ziama Mansouria
Djemila
Sétif
El Eulma
Chelghoum El Aïd
Aïn-M'Lila
Larba

TORINO
Piacenza
Reggio nell'Emilia
Parma
Modena
Comacchio
Ravenna
BOLOGNA
Imola
Faenza
Forlì
Cesena
Cervia
Rimini
RSM
Riccione
Pesaro
Fano
Senigallia
Ancona
San Marino
Urbino
Alessandria
Asti
Tortona
Salsomaggiore Terme
Susa
San Michele
Sestriere
Montgenèvre
Briançon
Lautaret
Pinerolo
Guillestre
Saluzzo
Savigliano
Fossano
Alba
Cuneo
Mondovì
GENOVA
Rapallo
Sestri Levante
La Spezia
Savona
Finale Ligure
Alassio
Imperia
Riviera Ligure
Golfo di Genova
Sanremo
Bordighera
Ventimiglia
Sospel
Menton
Monaco
Monte-Carlo
MC
Nice
Antibes
Cannes
Vence
Grasse
Tende
Carrara
Massa
Forte dei Marmi
Viareggio
Lucca
Pisa
Livorno
Pistoia
Prato
Montecatini Terme
Abetone
Cerreto
Pontassieve
FIRENZE
Empoli
San Gimignano
Volterra
Siena
Cecina
Bagno di Romagna
Arezzo
Sansepolcro
Città di Castello
Gubbio
Fabriano
Jesi
Macerata
Civitanova Marche
Fermo
Ascoli Piceno
Teramo
Perugia
Assisi
Foligno
Spoleto
Cortona
Montepulciano
Chianciano Terme
Orvieto
Todi
Terni
Rieti
L'Aquila
Gran Sasso
Bolsena
Montefiascone
Viterbo
Grosseto
Follonica
Piombino
Portoferraio
Elba
Pianosa (I)
Capraia (I)
Tarquinia
Civitavecchia
ROMA
Vaticano
V
Tivoli
Ostia
Albano Laziale
Velletri
Latina
Anzio
Frosinone
Sora
Fiuggi
Avezzano
Terracina
Formia
Abbazia Montecassino
I
EMILIA
ROMAGNA
TOSCANA
APPENNINI
MER LIGURE
Côte d'Azur
ALPES
PROVENCE
Grand Canyon du Verdon
Gap
Serres
Nyons
Sisteron
Digne-les-Bains
Barcelonnette
Mont Ventoux
Carpentras
Apt
Manosque
Castellane
Draguignan
Aix-en-Provence
Salon-de-Provence
Les Baux-de-Provence
Martigues
MARSEILLE
Aubagne
La Ciotat
Toulon
Hyères
Brignoles
Le Luc
Fréjus
St-Raphaël
Ste-Maxime
St-Tropez
Le Lavandou
Iles d'Hyères
Cap Corse
Bastia
St-Florent
L'Île-Rousse
Calvi
Monte Cinto
CORSE
Golfe de Porto
Porto
Corte
Vizzavona
Cargèse
Aléria
Ajaccio
Propriano
Sartène
Porto-Vecchio
Bonifacio
Bouches de Bonifacio
Maddalena
Sta Teresa Gallura
Palau
Golfo Aranci
Asinara
Tempio Pausania
Olbia
Porto Torres
Sassari
Siniscola
Ozieri
Alghero
Bosa
Macomer
Nuoro
SARDEGNA
Monti del Gennargentu
Arbatax
Oristano
Laconi
Guspini
Iglesias
Carbonia
S. Pietro
S. Antioco
CAGLIARI
Muravera
MER TYRRHÉNIENNE
TYRRHENIAN SEA
Erice
Trapani
Egadi
Marettimo
Favignana
Marsala
Mazara del Vallo
Alcamo
Segesta
Castelvetrano
RRANÉE
Djalita
Cap Blanc
Bizerte
Cap Bon
Menzel Bourguiba
Mateur
Pantelleria (I)
La Marsa
Carthage
Kelibia
Menzel Temime
TUNIS
Hammam Lif
Grombalia
Nabeul
Hammamet
Zaghouan
Golfe de Hammamet
Enfida
Sousse
Monastir
El Fahs
Téboursouk
Mejez El Bab
Béja
Nefza
Tabarka
Aïn Draham
Jendouba
Sakiet Sidi Youssef
Le Kef
El Kala
Annaba
Chetaibi
Skikda
Collo
El Milia
Jijel
Cap Carbon
Bejaïa
Ziama Mansouria
Djemila
Sétif
El Eulma
Chelghoum El Aïd
CONSTANTINE
Guelma
Azzaba
Souk-Ahras
Oued-Zénati
Aïn-M'Lila
TN

SARAJEVO
PODGORICA
TIRANË
SKOPJE
Priština / Prishtinë
NAPOLI
PALERMO
Valletta
MNE
AL
MK
M
ADRIATIC SEA
ADRIATIQUE
Dalmatinska Obala
MER IONIENNE
IONIAN SEA
MEDITERRANEAN
SICILIA
Jónia Nisiá
Golfo di Taranto
Eolie o Lipari
Zadar
Split
Trogir
Šibenik
Mostar
Dubrovnik
Kotor
Budva
Bar
Ulcinj
Shkodër
Durrës
Elbasan
Berat
Fier
Vlorë
Korçë
Gjirokastër
Sarandë
Kérkyra
Igoumenitsa
Ioannina
Préveza
Lefkáda
Argostóli
Zákynthos
Pýrgos
Mesolóngi
Kozáni
Kastoriá
Flórina
Véroia
Édessa
Tríkala
Kardítsa
Metéora
Ohrid
Bitola
Prilep
Kičevo
Tetovo
Kumanovo
Štip
Strumica
Gevgelija
Prizren
Peć / Pejë
Dečani
Gračanica
Gnjilane / Gjilan
Kosovska Mitrovica / Mitrovicë
Novi Pazar
Niš
Kruševac
Vrnjačka Banja
Studenica
Kjustendil
Blagoevgrad
Pescara
Chieti
Vasto
Termoli
Vieste
Foggia
Manfredonia
San Severo
Lucera
Campobasso
Isernia
Benevento
Caserta
Avellino
Vesuvio
Pompei
Salerno
Amalfi
Sorrento
Capri
Costiera Amalfitana
Paestum
Battipaglia
Potenza
Barletta
Trani
Molfetta
Bari
Andria
Bitonto
Altamura
Matera
Gioia del Colle
Martina Franca
Fasano
Brindisi
Lecce
Taranto
Manduria
Otranto
Gallipoli
C. Sta Maria di Leuca
Promontorio del Gargano
Scanzano Jonico
M. Pollino
Sibari
Castrovillari
Rossano
San Giovanni in Fiore
Crotone
Cosenza
Paola
La Sila
Nicastro
Catanzaro
Vibo Valentia
Gioia Tauro
Locri
Villa San Giovanni
Reggio di Calabria
Messina
Milazzo
Barcellona Pozzo di Gotto
Taormina
Stromboli
Salina
Vulcano
Cefalù
Termini Imerese
Monreale
Nebrodi
Monte Etna
Adrano
Acireale
Catania
Enna
Caltanissetta
Piazza Armerina
Lentini
Siracusa
Caltagirone
Canicattì
Agrigento
Licata
Gela
Ragusa
Noto
Modica
C. Passero
Gozo
Malta
Linosa (I)

MER ADRIATIQUE
ADRIATIC SEA
Dalmatinska Obala
MER TYRRHÉNIENNE
TYRRHENIAN SEA
MER IONIENNE
IONIAN SEA
MEDITERRANE
SICILIA
Eolie o Lipari
Golfo di Taranto
SARAJEVO
PODGORICA
TIRANË
ROMA
NAPOLI
PALERMO
MNE
AL
I
M
Zadar
Split
Trogir
Šibenik
Mostar
Dubrovnik
Knin
Sinj
Livno
Bugojno
Konjic
Jablanica
Foča
Pljevlja
Višegrad
Rogatica
Prijepolje
Novi Pazar
Studenica
Kosovska Mitrovica / Mitrovicë
Prishtina / Prishtinë
Peć / Pejë
Dečani
Prizren
Gračanica
Bijelo Polje
Berane
Andrijevica
Nikšić
Bileća
Trebinje
Herceg Novi
Kotor
Cetinje
Budva
Bar
Ulcinj
Shkodër
Kukës
Pukë
Lezhë
Shëngjin
Peshkopi
Burrel
Krujë
Durrës
Shijak
Kavajë
Rrogozhinë
Elbasan
Cërrik
Lushnjë
Pogradec
Berat
Korçë
Fier
Vlorë
Tepelenë
Gjirokastër
Sarandë
Buthrotum
Kérkyra
Igoumenitsa
Parga
Paxoi
Hvar
Vis
Korčula
Lastovo
Brač
Šolta
Pelješac
Mljet
Cavtat
Boka Kotorska
Rimini
Riccione
Pesaro
Fano
Senigallia
Ancona
Jesi
Macerata
Civitanova Marche
Fermo
San Benedetto del Tronto
Ascoli Piceno
Teramo
Gran Sasso
Pescara
Chieti
L'Aquila
Sulmona
La Maiella
Vasto
Termoli
Vieste
Promontorio del Gargano
Manfredonia
San Severo
Foggia
Lucera
Campobasso
Isernia
Barletta
Trani
Molfetta
Bari
Andria
Bitonto
Canosa di Puglia
Cerignola
Ariano Irpino
Benevento
Caserta
Avellino
Vesuvio
Pompei
Salerno
Battipaglia
Paestum
Amalfi
Costiera Amalfitana
Sorrento
Capri
Ischia
Pozzuoli
Castellammare
Potenza
Melfi
Altamura
Gioia del Colle
Matera
Fasano
Martina Franca
Brindisi
Lecce
Taranto
Manduria
Otranto
Gallipoli
C. Sta Maria di Leuca
Scanzano Jonico
Sapri
M. Pollino
Sibari
Castrovillari
Rossano
San Giovanni in Fiore
Crotone
La Sila
Paola
Cosenza
Nicastro
Catanzaro
Vibo Valentia
Gioia Tauro
Locri
Villa San Giovanni
Reggio di Calabria
Messina
Milazzo
Stromboli
Salina
Vulcano
Barcellona Pozzo di Gotto
Taormina
Monte Etna
Acireale
Adrano
Catania
Cefalù
Termini Imerese
Nebrodi
Monreale
Erice
Trapani
Egadi
Marettimo
Favignana
Marsala
Mazara del Vallo
Segesta
Alcamo
Castelvetrano
Sciacca
Agrigento
Caltanissetta
Enna
Piazza Armerina
Lentini
Siracusa
Caltagirone
Ragusa
Noto
Modica
Gela
Licata
Canicattì
C. Passero
Pantelleria (I)
Linosa (I)
Gozo
Malta
Valletta
Terni
Rieti
Foligno
Spoleto
Assisi
Gubbio
Urbino
Tivoli
Avezzano
Fiuggi
Sora
Frosinone
Cassino
Abbazia di Montecassino
Velletri
Albano Laziale
Latina
Anzio
Terracina
Formia
Gaeta
Kepi i Gjihezës
Palaiokastritsa

SOFIA
Pirot
Bela Palanka
Dimitrovgrad
Dragoman
Pernik
Samokov
Borovec
Dupnica
Rila
Kjustendil
Blagoevgrad
Razlog
Velingrad
Kriva Palanka
Kumanovo
Delčevo
Sandanski
Petrič
Strumica
Štip
Veles
Prilep
Bitola
MK
Botevgrad
Zlatica
Panagjurište
Ihtiman
Kostenec
Pazardžik
Plovdiv
Asenovgrad
Bačkovo
Batak
Pamporovo
Smoljan
Kărdžali
Haskovo
Dimitrovgrad
Harmanli
Svilengrad
Stara Zagora
Nova Zagora
Kazanlăk
Karlovo
Hisarja
Čirpan
Elhovo
Rosova dolina
Sredna Gora
Stara Planina
Rila
Pirin
Rodopi
Goljam Perelik
Vitoša
Maritsa
Edirne
Kırklareli
Dereköy
Malko Tărnovo
Yıldız Dağları
Lüleburgaz
Çorlu
Silivri
Tekirdağ
Uzunköprü
Keşan
İpsala
Orestiáda
Didymóteicho
Soufli
Komotiní
Xánthi
Alexandroúpoli
Dráma
Kavála
Thásos
Samothráki (GR)
Gokçe (TR)
İSTANBUL
Saray
Kilyos
Karadeniz Boğazı
Üsküdar
Kartal
Gebze
İzmit
Yalova
İznik
İznik Gölü
Gemlik
Mudanya
Bursa
Uludağ
Ulubat Gölü
Bandırma
Erdek
Marmara Denizi
Karabiga
Biga
Gönen
Kuş Gölü
Susurluk
Balıkesir
Kocasu
Gelibolu
Çanakkale Boğazı
Eceabat
Çanakkale
Truva
Ezine
Edremit
Burhaniye
Ayvacık
Ayvalık
Bergama
Soma
Kırkağaç
Akhisar
Manisa
Salihli
Gediz
Turgutlu
İZMIR
Foça
Karaburun
Urla
Çeşme
Chíos
Bayındır
Ödemiş
Tire
Nazilli
Sultanhisar
Aydın
Selçuk
Efes
Kuşadası
Söke
B. Menderes
Milâs
Didim
Bodrum
Kos
Kálymnos
Léros
Pátmos
Sámos
Karlovási
Ikaría
Dodekánisa
Nísyros
Tílos
Sými
Ródos
Lindos
Astypálaia
Kárpathos
Kásos
Marmaris
Simav
Sındırgı
Demirci
Kula
Alaşehir
Buldan
Emet
Tavşanlı
TR
Lésvos
Mytilíni
Míthymna
Plomári
Límnos (GR)
Mýrina
THESSALONÍKI
Sérres
Sidirókastro
Kilkís
Nigrita
Polýgyros
Chalkidikí
Ágio Oros
Thermaikós Kólpos
Gevgelija
Polýkastro
Édessa
Giannitsá
Náousa
Véroia
Alexándreia
Flórina
Ptolemaïda
Kastoriá
Kozáni
Grevená
Kateríni
Ólympos
Elassóna
Lárisa
Tírnavos
Agiá
Vólos
Pílio
Almyrós
Fársala
Kalampáka
Metéora
Tríkala
Kardítsa
Ioánnina
Árta
Lamía
Karpenísi
GR
Vóreies Sporádes
Skiáthos
Skópelos
Skýros
Évvoia
Loutrá Aidipsoú
Kaména Voúrla
Chalkida
Kými
Kárystos
Thíva
Livádia
Ámfissa
Delfí
Itéa
Parnassós
Agrínio
Amfilochía
Vónitsa
Náfpaktos
Mesolóngi
Pátra
Aígio
Ithákí
Sámi
Zákynthos
Kató Achaïa
Kalávryta
Xylókastro
Kiáto
Kórinthos
Loutráki
Mégara
Elefsína
Dafní
Peiraiás
ATHÍNA
Lávrio
Akrí Soúnio
Salamína
Aígina
Póros
Mikínes
Árgos
Náfplio
Epídavros
Ýdra
Spétses
Trípoli
Olympía
Pýrgos
Amaliáda
Lagkádia
Andrítsaina
Megalópoli
Kyparissía
Spárti
Mystrás
Kalamáta
Messíni
Pýlos
Gargaliánoi
Gýtheio
Areópoli
Moláoi
Monemvasía
Neápoli
Leonídio
Kýthira
Peloponnisos
Myrtóo Pélagos
MER ÉGÉE
AEGEAN SEA
KYKLÁDES
Ándros
Tínos
Mýkonos
Dílos
Sýros
Ermoúpoli
Kéa
Kýthnos
Sérifos
Sífnos
Mílos
Páros
Náxos
Amorgós
Íos
Thíra
MER DE CRÈTE
Chánia
Soúda
Kastélli
Samariás
Hóra Sfakíon
Réthymno
Irákleio
Knossós
Tympáki
Festós
Ágios Nikólaos
Siteía
Ierápetra
Mália
KRÍTI
AN SEA

Journey planning notes